bonne nouvelle... pour toi !

La Bible en français courant,
avec pages d'information
facilitant l'accès à ce livre fascinant

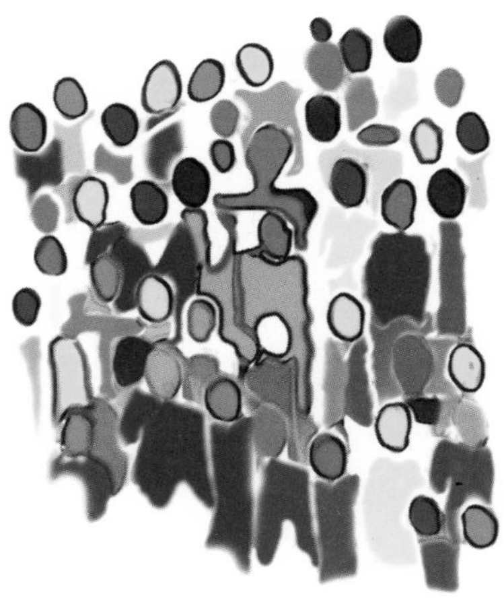

bonne nouvelle... pour toi !

Pages d'information
facilitant l'accès à la Bible

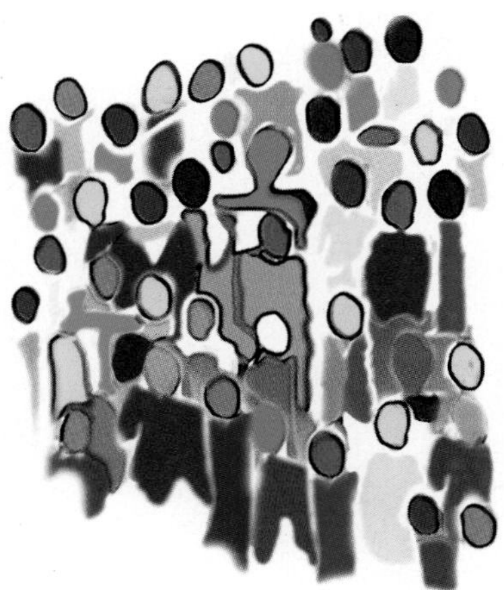

Table des matières

La Bible
Une histoire d'amour

Le livre que tu as entre les mains raconte une histoire d'amour particulière :

Dieu lui-même offre son amour à tous les hommes et au monde.

Tu es personnellement concerné par cette histoire.

Ta curiosité est éveillée ? Alors laisse-toi entraîner dans l'aventure et lis!
Tu trouveras sur les pages en couleur tout ce dont tu as besoin pour un voyage passionnant à la découverte de la Bible :

- **des infos sur le monde de la Bible**
- **des conseils pratiques**
- **des propositions de recherche personnelle**
- **des thèmes à discuter**

Tu verras : la Bible ne te décevra pas !

A la rencontre de la Bible

Redécouvrir un livre ancien

La Bible est le best-seller mondial. Elle est traduite, en entier ou en partie, dans plus de 2000 langues; c'est plus que n'importe quelle autre œuvre de la littérature mondiale. Beaucoup de gens considèrent que la Bible est un livre très ancien dépourvu de sens pour le monde moderne. S'il est vrai que ses textes remontent à 2000 ou 3000 ans, la Bible continue néanmoins à fasciner une multitude de personnes. En effet, les questions fondamentales, qui nous touchent, n'ont en rien changé au fil des siècles:

J'aime la vie et je suis émerveillé devant les beautés de la terre. Pourtant, les abîmes de l'existence, la guerre, les injustices et les catastrophes naturelles m'effraient parfois. Pourquoi ce tiraillement ?

J'ai du plaisir à partager ma vie avec d'autres, à connaître l'amour et l'amitié, mais je ressens parfois une grande solitude. Certains me déçoivent, d'autres me lâchent au milieu des difficultés. Comment réagir ?

A certains moments, je suis plein d'énergie et de vitalité. A d'autres moments, je me sens las et je prends conscience de mes limites. N'y a-t-il rien d'autre que cette vie-là ?

Ce sont de telles questions qui sont au centre des textes et récits de la Bible. Rien d'étonnant alors à ce que les êtres humains s'intéressent encore et toujours à ce livre ancien. Ils comprennent en effet que celui-ci lève le voile sur le sens de la vie, qu'il est une source inépuisable de réflexion et d'inspiration.

La Bible Le livre de Dieu

La Bible parle de Dieu, elle raconte ce que Dieu a été pour beaucoup de gens, et ce qu'il peut être pour des femmes et des hommes d'aujourd'hui : un appui sûr et le centre de leur vie. La Bible permet de découvrir les empreintes de Dieu dans notre monde, dans nos vies.

La Bible peut t'accompagner et t'encourager, toi aussi. Tu verras : dans la Bible, tu rencontreras des gens qui ont ressenti et expérimenté les mêmes choses que toi, et tu suivras le chemin que Dieu a fait avec eux. Cela t'aidera peut-être à découvrir les traces de Dieu dans ta propre vie !

Pour un bon démarrage dans la Bible. Quelques conseils pratiques

Bien sûr, on peut aborder la Bible comme n'importe quel livre, l'ouvrir à la première page et en faire une lecture suivie. Mais on se heurte très vite à une foule de prescriptions légales rébarbatives pour l'homme d'aujourd'hui.

On se rend compte que la Bible n'est pas comme un roman que l'on peut lire d'un bout à l'autre dans un train. Le sens du mot «Bible» explique pourquoi: ce terme, qui vient du grec, signifie littéralement «les livres».

En fait, la Bible est une sorte de bibliothèque rassemblant des livres divers. On y trouve des collections de récits, de poèmes, de lois et de lettres.

Ces écrits forment les deux grandes parties de la Bible chrétienne: la première – l'Ancien Testament – comprend les textes en rapport avec l'histoire de la relation entre Dieu et le peuple d'Israël. La seconde – le Nouveau Testament – raconte l'histoire de Jésus, de ses premiers disciples et des débuts de l'Église.

Trois manières d'aborder la Bible

Commencer avec Jésus

Pour les chrétiens, Jésus est « le centre de la Bible » : l'Ancien Testament annonce sa venue ; le Nouveau Testament parle de lui directement. Il commence par quatre récits de sa vie et de ses œuvres qu'on appelle « les évangiles ». Ce mot, qui vient du grec, signifie « bonne nouvelle ». Pour entrer dans la Bible, le deuxième évangile – **l'évangile selon Marc** – est à recommander, car il est le plus court. Si tu lis un chapitre par jour, tu peux le terminer en à peine plus de deux semaines. Ensuite, la lecture de l'Ancien Testament te permettra de découvrir les racines de Jésus et du christianisme : en effet, Jésus était juif, et il est important de connaître l'histoire et les traditions de son peuple. En alternance avec les livres de l'Ancien Testament, tu peux lire les autres livres du Nouveau Testament qui développent tout ce qui concerne Jésus et la foi chrétienne naissante.

Suivre un programme de lecture

La Bible comprend plusieurs dizaines de livres, écrits par différents auteurs à différentes époques. C'est pourquoi il est avantageux de s'orienter dans cette bibliothèque à l'aide d'une sorte de « mode d'emploi ». Un programme de lecture remplit ce rôle ; il te propose un passage biblique pour chaque jour de l'année. Ces passages sont extraits des divers livres bibliques afin de te donner toute une variété de perspectives sur l'histoire de la relation entre Dieu et les hommes. Tu trouveras un programme de lecture pour une année aux pages en couleur 85–89.

Lire les pages en couleur

Les pages en couleur donnent des informations sur les différents livres bibliques, sur leur origine, leur contenu et leur sens. Elles ne remplacent pas, bien sûr, la Bible elle-même. Mais elles t'aideront à repérer les livres dont les thèmes t'intéressent. De plus, une rubrique « A toi de te lancer ! » te propose des lectures bibliques en relation avec des thèmes précis ; ainsi, tu pourras faire tes propres découvertes dans la Bible.

La Bible
Une bibliothèque

La Bible est comme une bibliothèque rassemblant des livres de volume très inégal. L'Ancien Testament et le Nouveau Testament contiennent chacun plusieurs dizaines de livres. Comme dans une bibliothèque, les livres de la Bible peuvent être classés. Parmi différents regroupements possibles dans l'Ancien Testament, en voici un qui est souvent utilisé dans les Bibles chrétiennes. On y distingue le Pentateuque (Genèse à Deutéronome), les livres historiques (Josué, Juges, Ruth, etc.), les livres poétiques (Job, Psaumes, Proverbes, etc.), et les livres prophétiques (d'Ésaïe à Malachie) .

Le Nouveau Testament contient lui aussi des livres historiques : les quatre évangiles et les Actes des Apôtres, qui parlent de Jésus et des premiers chrétiens. Ensuite viennent les épîtres ou lettres écrites par l'apôtre Paul et d'autres personnalités du christianisme naissant, et enfin un livre prophétique : l'Apocalypse de Jean.

Les livres Deutérocanoniques (appelés parfois « apocryphes ») ne nous sont parvenus que grâce à la traduction grecque de l'Ancien Testament. Ils ont été rédigés pour la plupart au cours des deux siècles précédant la venue de Jésus. Pour les catholiques, ils font partie intégrante de la Bible et trouvent leur place parmi les autres livres de l'Ancien Testament. Pour les protestants, ils ne font pas partie de la Bible. Dans les bibles interconfessionnelles, ils sont regroupés entre l'Ancien et le Nouveau Testament.

Si la Bible était une bibliothèque, voici à quoi elle pourrait ressembler :

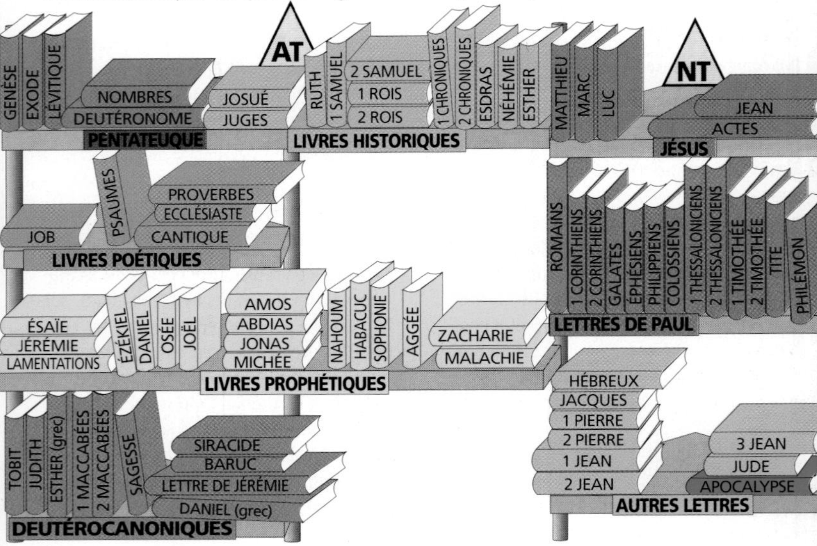

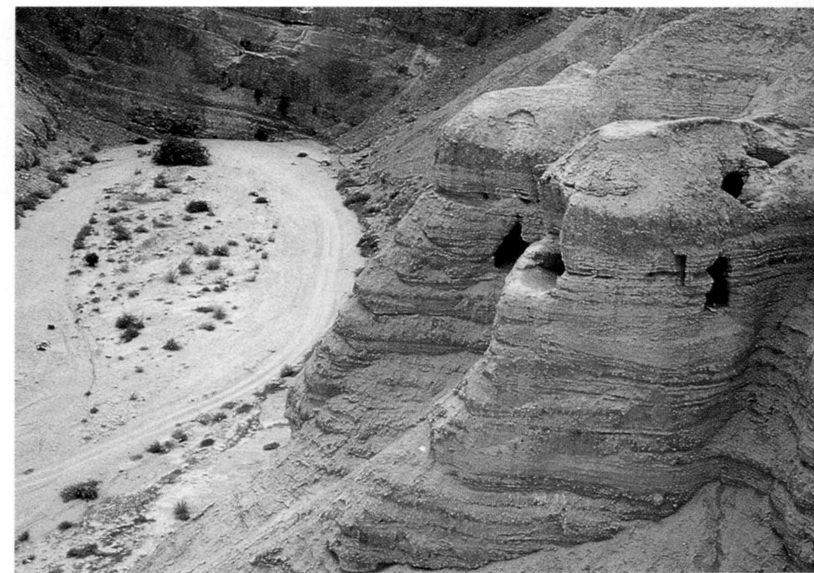

Dans les grottes de Qumrân, près de la mer Morte, on a découvert en 1947 des manuscrits de la Bible datant de l'époque de Jésus.

Les originaux perdus

Les livres de l'Ancien Testament ont été rédigés en hébreu. Seules quelques parties plus récentes sont écrites en araméen, une langue apparentée devenue langue de communication pour les Juifs. Ainsi, Jésus lisait les textes bibliques en hébreu, mais parlait araméen avec ses interlocuteurs. Le Nouveau Testament a été écrit en grec. Aucun manuscrit original ne nous est parvenu, mais nous disposons de copies de peu postérieures aux originaux, en particulier pour le Nouveau Testament.

De tels manuscrits ont été trouvés dans des bibliothèques de couvents, dans le sable du désert ou dans des grottes. Les découvertes les plus célèbres sont celles des grottes de Qumrân, au bord de la mer Morte. Depuis 1947, on y a mis au jour de nombreux et précieux manuscrits de l'Ancien Testament sous forme de rouleaux restés enfouis depuis près de 2000 ans dans des jarres.

Il semble peu probable qu'un manuscrit complet puisse être découvert un jour. En général, il s'agit de morceaux plus ou moins grands, dont certains ne dépassent pas les dimensions d'un timbre-poste. Ils nous aident toutefois à repérer les quelques coquilles qui ont pu se glisser dans le texte biblique au cours des nombreuses copies successives.

Comment s'orienter dans la Bible ?

Diverses indications permettent de s'orienter dans la Bible. Elle comprend bien sûr une table des matières te renvoyant à la première page de chaque livre biblique. Quand tu t'y connaîtras un peu mieux, et que tu auras en tête l'ordre des livres, tu pourras te contenter de feuilleter la Bible. En haut de chaque page, un titre courant indique en effet le nom du livre et le ou les numéros des chapitres qui y sont imprimés.

2 SAMUEL 3.6

Quand deux ou trois livres portent le même nom, ils sont numérotés (1, 2 et 3). Dans notre exemple, il s'agit donc du deuxième livre de Samuel. Dans le Nouveau Testament, quatre livres portent le nom de Jean. Le premier, **l'évangile selon Jean,** n'est pas numéroté. Les trois autres sont des lettres de Jean, numérotées de 1 à 3.

Le nom de certains livres de l'Ancien Testament varie d'une édition de la Bible à une autre. Certains sons de la langue hébraïque ne peuvent pas être rendus en caractères latins. Certains noms hébreux ont donc été transcrits de différentes manières par les traducteurs. Par exemple le nom d'Ézékiel est parfois écrit Ézéchiel, et celui d'Ésaïe devient Isaïe. Le livre de l'Ecclésiaste est aussi appelé Qohéleth.

L'ensemble des cinq premiers livres de la Bible porte le nom de Pentateuque (= les cinq étuis). (Informations supplémentaires aux pages en couleur 22–23.)

Chapitres et versets

Tous les livres de la Bible sont divisés en chapitres et en versets (les livres les plus courts n'étant subdivisés qu'en versets). Le numéro de chapitre apparaît en gros au début de chaque chapitre et il est rappelé en haut des pages.

Cette présentation du texte biblique n'est pas très ancienne : la division en chapitres, due à l'archevêque anglais Stephen Langton, remonte au 13e siècle. La numérotation des versets a été mise au point par l'imprimeur genevois Robert Estienne pour une édition bilingue grec-latin du Nouveau Testament datant de 1551. Dans les éditions bibliques en français, la division en chapitres et en versets s'est généralisée dès le 16e siècle. Grâce à ce système, tous les textes de la Bible peuvent être repérés avec précision. Voici un exemple :

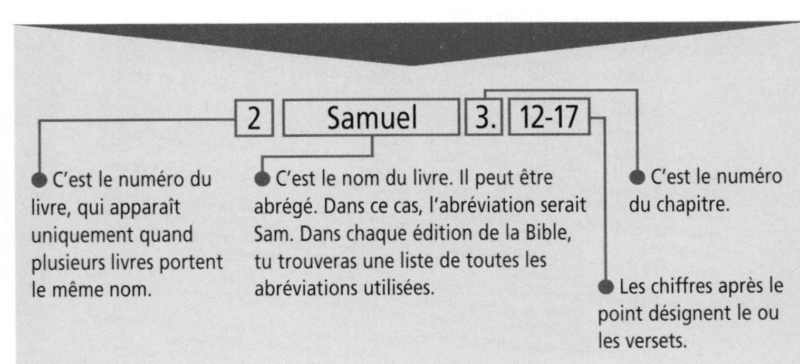

2
Samuel
3.
12-17
C'est le numéro du livre, qui apparaît uniquement quand plusieurs livres portent le même nom.
C'est le nom du livre. Il peut être abrégé. Dans ce cas, l'abréviation serait Sam. Dans chaque édition de la Bible, tu trouveras une liste de toutes les abréviations utilisées.
C'est le numéro du chapitre.
Les chiffres après le point désignent le ou les versets.

La Bible Mode d'emploi

Le découpage des livres bibliques en chapitres et en versets n'est pas le seul élément d'aide pour le lecteur. Dans la Bible en français courant , il en existe toute une série :

La prédication de Jean-Baptiste

(Voir aussi Matt 3.1-12 ; Luc 3.1-18 ; Jean 1.19-28)

1 [1] Ici commence la Bonne Nouvelle de
Jésus-Christ, le *Fils de Dieu[a].
[2] Dans le livre du *prophète Ésaïe, il est écrit :

« Je vais envoyer mon messager devant toi, dit Dieu,
pour t'ouvrir le chemin.
[3] C'est la voix d'un homme qui crie dans le désert :
Préparez le chemin du Seigneur,
faites-lui des sentiers bien droits[b] ! »

[4] Ainsi, Jean le Baptiste parut dans le désert ; il lançait cet appel : « Changez de comportement, faites-vous baptiser et Dieu pardonnera vos péchés[c]. » [5] Tous les habitants de la région de Judée et de la ville de Jérusalem allaient à lui ; ils confessaient publiquement leurs péchés et Jean les baptisait dans la rivière, le Jourdain.

[6] Jean portait un vêtement fait de poils de chameau et une ceinture de cuir autour de la taille[d] ; il mangeait des *sauterelles et du miel sauvage. [7] Il déclarait à la foule : « Celui qui vient après moi est plus puissant que moi ; je ne suis pas même digne de me baisser pour délier la courroie de ses sandales. [8] Moi, je vous ai baptisés avec de l'eau, mais lui, il vous baptisera avec le Saint-Esprit. »

Le baptême et la tentation de Jésus

(Voir aussi Matt 3.13–4.11 ; Luc 3.21-22 ; 4.1-13)

[9] Alors, Jésus vint de Nazareth, localité de Galilée, et Jean le baptisa dans le Jourdain. [10] Au moment où Jésus sortait de l'eau, il vit le *ciel s'ouvrir et l'Esprit Saint descendre sur lui comme une colombe. [11] Et une voix se fit entendre du ciel : « Tu es mon *Fils bien-aimé ; je mets en toi toute ma joie[e]. »

[12] Tout de suite après, l'Esprit le poussa dans le désert. [13] Jésus y resta pendant quarante jours et il fut tenté par *Satan. Il vivait parmi les bêtes sauvages et les *anges le servaient.

Jésus appelle quatre pêcheurs

(Voir aussi Matt 4.12-22 ; Luc 4.14-15 ; 5.1-11)

[14] Après que Jean eut été mis en prison[f], Jésus se rendit en Galilée ; il y proclamait la Bonne Nouvelle venant de Dieu. [15] « Le moment fixé est arrivé, disait-il, car le *Royaume de Dieu s'est approché ! Changez de comportement[g] et croyez la Bonne Nouvelle ! »

[16] Jésus marchait le long du lac de Galilée lorsqu'il vit deux pêcheurs, Simon et son frère André, qui pêchaient en jetant un filet dans le lac. [17] Jésus leur dit : « Venez avec moi et je ferai de vous des pêcheurs d'hommes. » [18] Aussitôt, ils laissèrent leurs filets et le suivirent. [19] Jésus s'avança un peu plus loin et vit Jacques et son frère Jean, les fils de Zébédée. Ils étaient dans leur barque et réparaient leurs filets. [20] Aussitôt Jésus les appela ; ils laissèrent leur père Zébédée dans la barque avec les ouvriers et allèrent avec Jésus.

L'homme tourmenté par un esprit mauvais

(Voir aussi Luc 4.31-37)

[21] Jésus et ses *disciples se rendirent à la ville de Capernaüm. Au jour du *sabbat, Jésus entra dans la *synagogue et se mit à enseigner. [22] Les gens qui l'entendaient étaient impressionnés par sa manière d'enseigner ; car il n'était pas comme les *maîtres de la loi, mais il leur donnait son enseignement avec autorité. [23] Or, dans cette synagogue, il y avait justement un homme tourmenté par un esprit mauvais. Il cria : [24] « Que nous veux-tu, Jésus de Nazareth ? Es-tu venu

a 1.1 Certains manuscrits n'ont pas les mots *le Fils de Dieu*.
b 1.3 Mal 3.1 ; És 40.3, cité d'après l'ancienne version grecque.
c 1.4 *Jean le Baptiste... appel* : certains manuscrits ont *Jean parut dans le désert ; il baptisait et lançait cet appel.* – *Changez de comportement* : autres traductions *Changez de mentalité* ou *Repentez-vous*.
d 1.6 Voir 2 Rois 1.8.
e 1.11 Comparer Ps 2.7 ; És 42.1.
f 1.14 *Jean... mis en prison* : il s'agit de Jean-Baptiste. Voir 6.17.
g 1.15 *Changez de comportement* : autres traductions *Changez de mentalité* ou *Repentez-vous*.

Introductions

Au début de chaque livre, un texte en caractères italiques présente le livre, ses caractéristiques, ses thèmes principaux.

Sous-titres

Ils découpent le texte biblique en unités de sens. Dans les manuscrits hébreux et grecs, ces titres n'existent pas. Ils ont été ajoutés pour faciliter la lecture, et varient d'une édition à l'autre. En général, ces titres donnent une indication sur le contenu du passage, ou sur son thème central.

Passages parallèles

Il arrive souvent que le même événement soit rapporté par différents livres de l'Ancien ou du Nouveau Testament. Ces passages « parallèles » sont indiqués en dessous des sous-titres. Ainsi, tu peux par exemple lire le récit du baptême et de la tentation de Jésus dans trois évangiles – même si les récits diffèrent dans les détails. En Marc 1.9, tu trouves un renvoi aux récits parallèles de Matthieu 3.13–4.11 et Luc 3.21-22; 4.1-13, où seront également indiquées les références des passages correspondants.

Notes de bas de page

Des lettres mises en exposant ([a], [b], etc.) renvoient du texte à des notes de bas de page.

Certaines de ces notes concernent la transmission du texte biblique. Les manuscrits transmis depuis l'Antiquité diffèrent parfois légèrement: lors d'une copie, quelques lettres ou mots ont pu être ajoutés ou omis. Les différences majeures sont signalées en note (voir note a).

D'autres notes avertissent de problèmes de traduction ou d'interprétation d'un texte (voir la note **g).** Il est quelquefois difficile de cerner et de rendre le sens précis d'un terme hébreu ou grec. D'autres termes ou phrases peuvent être compris et traduits de différentes façons. Le texte imprimé contient alors la solution qui a eu la préférence des traducteurs, les autres possibilités étant signalées en note. Dans la plupart des éditions de la Bible, la démarche des traducteurs est expliquée plus en détail dans une préface ou une présentation.

D'autres notes encore expliquent des particularités culturelles, historiques ou géographiques ou signalent des jeux de mots pour faciliter la compréhension du texte.

Enfin, tu trouveras dans les notes des références renvoyant à d'autres passages bibliques. Il arrive en effet que le même thème soit abordé à plusieurs endroits, ou encore qu'un texte fasse allusion à d'autres. Ainsi, il est intéressant de savoir que la description de Jean-Baptiste en Marc 1.6 ressemble à celle du prophète Élie en 2 Rois 1.8 (note **d).** Comme il est impossible de connaître par cœur toutes ces correspondances, pourtant importantes pour la compréhension, la plupart des Bibles incluent des renvois. Les renvois (comme ceux de la note **b)** permettant de lire certains textes du Nouveau Testament à la lumière de l'Ancien Testament sont particulièrement utiles. A ce sujet, consulte les pages en couleur 57–58.

VOCABULAIRE 376

Pharisiens Membres d'un parti religieux du judaïsme, les *Pharisiens* pratiquaient une obéissance stricte à la loi de Moïse et aux règlements que la tradition avait ajoutés au cours des siècles.

Pilate *Pilate*, ou *Ponce-Pilate*, fut gouverneur romain de la Judée, de la Samarie et de l'Idumée, de 26 à 36 après J.-C. (Luc 3.1 ; Act 3.13).

Prêtre Le Nouveau Testament mentionne des prêtres païens (Act 14.13) et des prêtres juifs (Luc 1.5 ; Jean 1.19). Ces derniers, qui avaient à leur tête le *grand-prêtre, officiaient exclusivement à Jérusalem. La lettre aux Hébreux présente Jésus comme le suprême et dernier grand-prêtre (Hébr 4.14, etc.). Les chrétiens sont parfois présentés eux aussi comme remplissant une fonction de prêtres (1 Pi 2.5,9 ; Apoc 1.6 ; 5.10 ; 20.6).

Prophète, prophétie, prophétiser Dans la Bible le *prophète* est avant tout quelqu'un qui se présente comme *porte-parole* de Dieu. Le message de certains de ces prophètes a été conservé dans les livres bibliques qui portent leur nom (Ésaïe, Jérémie, etc.). Dans le Nouveau Testament le titre de *prophète* est attribué à Jean-Baptiste, à Jésus ou à des membres de l'Église qui parlaient sous l'influence de l'Esprit de Dieu pour exhorter ou apporter une révélation.
Les livres bibliques distinguent entre les prophètes qui prétendent – de manière mensongère – apporter un message de la part de Dieu et les prophètes réellement envoyés par Dieu.

Prophète (le) Personnage à venir, promis par Moïse (Deut 18.15,18) et dont on pensait qu'il viendrait annoncer l'arrivée imminente du *Messie (Jean 1.21). Voir *Élie*.

Pur, pureté, purifier, purification Dans la religion juive, il était nécessaire d'être en état de *pureté* pour demeurer en communion avec Dieu et pouvoir, par exemple, participer au culte. On devenait *impur*, au point de vue rituel, en mangeant certains aliments, en touchant certains objets ou en contractant certaines maladies et, au point de vue moral, en s'écartant des commandements de Dieu. On pouvait *purifier* des personnes, des lieux ou des objets en pratiquant les rites de *purification* prévus à cet effet (voir, par exemple, Lév 12.6-8 ; 14.1-32).

Ressusciter, résurrection *Ressusciter*, c'est passer de la mort à la vie, ou, au sens actif, faire passer quelqu'un de la mort à la vie. Ce passage de la mort à la vie est appelé *résurrection*. Pour exprimer cette idée le Nouveau Testament utilise volontiers deux verbes signifiant respectivement *(se) relever* et *(se) réveiller*.

Royaume de Dieu, Royaume des cieux L'Ancien Testament considère Dieu comme le seul vrai roi, non seulement d'Israël (1 Sam 8.7), mais de l'univers entier (Ps 93 ; 96.10 ; 97 ; 99). Il attend et espère le jour où cette royauté sera enfin définitivement manifestée (Abd 21 ; Dan 2.44).
L'expression *le Royaume de Dieu* est cependant propre au Nouveau Testament. Dans l'enseignement de Jésus le Royaume de Dieu occupe une place centrale. L'expression n'est jamais définie, mais elle se réfère à un monde nouveau, inconnu des humains. Ce monde nouveau de Dieu est présenté tantôt comme une réalité *actuelle*, annoncée par Jésus (Matt 12.28 ; Luc 17.21), qui appelle à y entrer (Matt 7.21), tantôt comme une réalité *à venir* (Marc 9.1 ; Luc 22.30 ; voir aussi 1 Cor 6.9-10 ; 15.50).
L'expression synonyme *le Royaume des cieux* est propre à Matthieu, qui suit un usage juif évitant d'avoir à prononcer le nom de Dieu.

Sabbat Le *sabbat* est le septième jour de la semaine israélite, c'est-à-dire le samedi. Pendant ce jour consacré à Dieu tout travail est interdit (Ex 20.8-11).

Sacrifice, sacrifier Dans les religions de l'ancien Proche-Orient, on prati-

Vocabulaire

Les mots techniques et certains mots courants qui ont un sens particulier dans la Bible sont expliqués dans un vocabulaire, généralement à la fin de la Bible. Les mots expliqués sont signalés dans le texte par un astérisque (*). Consulte les pages en couleur 55–56.

La bonne longueur d'ondes

Les chrétiens croient que Dieu lui-même nous parle à travers la Bible. Celui qui veut l'écouter n'a pas besoin d'une formation ou de capacités particulières. Si tu veux vraiment saisir le message de la Bible, il est important d'être réceptif, d'être à l'écoute du texte. Voici quelques conseils pour te mettre « sur la bonne longueur d'ondes » :

Demander l'aide de Dieu

En ouvrant leur Bible, beaucoup de chrétiens demandent à Dieu l'aide de son Esprit pour comprendre et appliquer à leur vie ce qu'ils lisent. Une telle prière peut être brève et ressembler à ceci : « Dieu, aide-moi à comprendre ta Parole pour qu'elle inspire mes actions d'aujourd'hui. »

Mettre du temps à part

La Bible contient autant de phrases marquantes que d'histoires courtes, si bien que dix minutes de lecture et de réflexion représentent souvent un bel enrichissement. Mais certains autres textes livrent leur secret plus difficilement. Il vaut la peine de prendre du temps pour les comprendre, puisqu'à travers les mots de la Bible, c'est Dieu lui-même qui nous parle. Peu à peu, quand tu auras réussi à saisir le sens de certains passages « casse-tête » et à te les approprier, tu auras un réel aperçu de la richesse et de la diversité du message biblique.

Lire avec d'autres

Bien des choses sont plus faciles et plus intéressantes à faire en groupe ; c'est vrai aussi pour la lecture de la Bible. Celui qui lit la Bible avec d'autres y découvre des trésors qui auraient pu lui échapper – plusieurs paires d'yeux voient mieux qu'une seule. Le partage sur un texte biblique est stimulant autant pour des lecteurs chevronnés que pour des débutants : chacun bénéficie des découvertes des autres, ils s'entraident en cas de difficulté et mettent leurs idées et leurs expériences en commun.

Replacer le texte dans son contexte

La Bible n'est pas un livre d'oracles : elle n'a pas été écrite pour que nous l'ouvrions au hasard pour lire le premier verset venu ! Chaque verset fait partie d'un contexte, qui lui donne son sens. Ce n'est donc qu'en lisant les versets successifs dans leur contexte que l'on découvre le sens de l'ensemble. Parfois, des informations sur l'arrière-plan historique, culturel ou religieux sont indispensables à la bonne compréhension d'un texte.

Les pages qui suivent proposent quelques éléments destinés à rendre les textes plus accessibles.

Une parole d'autrefois pour aujourd'hui

A l'origine, les paroles de la Bible s'adressaient à des hommes et des femmes vivant à différentes époques et à différents endroits, et cela avec des buts très divers: réconfort, encouragement dans des situations difficiles, mais aussi avertissement et annonce de malheur – pour ne donner que quelques exemples. Certains prétendent que chacun peut tirer de la Bible le sens qui lui plaît et ne se privent pas de le faire. Mais qui s'efforce de saisir le sens original du message ne peut traiter les textes avec autant de légèreté.

Seule une idée claire de la portée qu'avait un passage pour ses premiers lecteurs ou auditeurs te permettra de te rendre compte de ce qu'il signifie pour toi, aujourd'hui. Pour bien comprendre le sens d'un texte biblique, pose-toi les questions suivantes:

Qui était l'auteur de ce passage biblique ?

Souvent, on ne le sait plus. Tu pourras alors te demander : à quelle époque et à quel endroit le texte a-t-il été écrit ? Était-il destiné à quelqu'un en particulier ? Dans quel but, dans quelle intention l'auteur l'a-t-il écrit ? Pour répondre à ces questions, tu as besoin d'informations de base – les plus importantes sont réunies sur les pages en couleur et dans les introductions à chaque livre. Si tu veux en savoir encore plus, tu peux consulter un dictionnaire biblique ou une édition d'étude de la Bible.

Te trouves-tu face à des notions importantes ?

Un certain nombre de notions importantes telles que « alliance » ou « Royaume de Dieu » traversent toute la Bible, comme un fil rouge. Au temps où les livres bibliques ont été écrits, les gens comprenaient le sens de ces expressions, mais les lecteurs modernes ont souvent besoin d'informations complémentaires. C'est pourquoi les notions et les thèmes bibliques les plus importants sont expliqués aux pages en couleur 61–76. En outre, de nombreuses éditions de la Bible signalent certains termes particuliers par un astérisque (*), et donnent les explications correspondantes dans un vocabulaire, en fin de volume.

En quoi ma situation est-elle différente de celle du texte biblique ?

Notre situation actuelle est souvent très différente de celle dans laquelle est né le passage que tu lis. Par exemple, les premiers chrétiens constituaient une petite minorité, souvent persécutée et opprimée, qui est parvenue néanmoins à propager sa foi dans le monde entier. Pour saisir le sens d'un texte, il faut donc se demander quelles sont non seulement les différences, mais aussi les ressemblances entre la situation dans laquelle est né le texte, et notre situation actuelle.

Au Proche-Orient, on continue à pétrir le pain comme à l'époque biblique.

Pour tenir bon

En décidant de lire la Bible régulièrement, tu te fixes un programme exigeant ! A certains moments, tu pourrais bien te sentir moins motivé. Mais ce découragement n'est pas insurmontable !

Prends du recul !

Certains textes bibliques peuvent s'avérer coriaces, et il faut parfois du temps pour se les approprier. La qualité de la lecture vaut mieux que la quantité. Il vaut mieux avancer lentement en approfondissant le sens que de se contenter d'une lecture superficielle.

Prends ton temps !

Dans une parabole bien connue, que tu trouves en Luc 8.14-15, Jésus compare la Parole de Dieu à de la semence. Une graine met du temps à germer ; elle peut rester des mois, voire des années en terre avant de croître. Il en va parfois de même avec le message de la Bible.

Persévère !

Un passage peut ne rien te dire sur le moment, mais devenir vivant pour toi bien plus tard. Même si les textes bibliques te semblent étranges, persévère ! Ce que tu emmagasines grâce à cette lecture est comme un trésor caché. Un verset biblique lu il y a longtemps peut soudain t'apparaître sous un jour nouveau. Une situation précise peut faire surgir une parole oubliée qui t'aidera à y voir plus clair et à faire face aux difficultés. La relation avec Dieu est le fondement de la vie. Et c'est de cette relation qu'il s'agit lorsque nous lisons la Bible, et non d'un divertissement ou d'un complément de formation. La Bible nous montre ce que Dieu veut nous dire..

LA BIBLE

Ancien et Nouveau Testament

Traduite de l'hébreu et du grec

en français courant

Nouvelle édition révisée 1997

Siège social:
10, route Carnforth
Toronto, Ontario M4A 2S4
Secteur francophone:
4050 avenue du Parc-Lafontaine
Montréal, Québec H2L 3M8

Couverture et pages couleurs :
Voir page couleur 96

12117 FCDC053GNP ISBN 0-88834-192-X SBC-1999-17M
12115 FC053GNP ISBN 0-88834-190-3 SBC-1999-5M

Lettre au lecteur

Pendant les nombreuses années que nous avons passées à préparer cette traduction, puis sa révision, nous n'avons pas cessé de penser à vous : Constamment nous nous demandions : « Ceux et celles qui vont ouvrir cette Bible, peut-être pour la première fois, vont-ils comprendre ce qu'elle veut dire ? Vont-ils pouvoir découvrir eux-mêmes l'inestimable trésor qu'elle contient ? »

Il s'agit bien, en effet, d'un trésor à découvrir. Il nous a procuré à nous-mêmes tant de joies – et nous savons qu'il nous en réserve d'autres encore – que nous avons voulu les partager avec vous, comme vous aurez envie, à votre tour, de les partager avec d'autres.

Lorsque vous ouvrirez votre Bible à l'un des quatre évangiles, vous trouverez quelqu'un d'incomparable : Jésus de Nazareth. Vous découvrirez la grande nouveauté qu'il est venu apporter à l'humanité, pour la sauver de toutes ses illusions mortelles.

En abordant ensuite la première partie de la Bible, l'Ancien Testament, vous verrez comment, à travers les souffrances et les espoirs du peuple d'Israël, s'est préparée la venue de ce Sauveur.

Enfin, quand vous reviendrez au Nouveau Testament, en particulier aux divers écrits qui suivent les évangiles, vous lirez comment le message et l'œuvre de Jésus changent la vie de tous ceux qui répondent à son appel.

Bref, vous vous trouverez devant une « foule de témoins » (Hébr 12.1). Narrateurs, prophètes, poètes, sages, évangélistes, apôtres, tous sont devant nous témoins de Dieu, témoins de sa Parole, puisque, en fin de compte, tout ce que Dieu dit aux humains et tout ce qu'il fait pour eux est condensé en la personne de Jésus, le Christ.

Les traducteurs et réviseurs

TABLE DES MATIÈRES

NOUVEAU TESTAMENT

SIGNES ET ABRÉVIATIONS

Dans le texte

Béthel[c]	La lettre[c] renvoie à une note explicative au bas de la page.
*anciens	L'astérisque *, placé avant un mot, renvoie en fin de volume au Vocabulaire, dont les entrées sont placées en ordre alphabétique.
[...]	Les passages placés entre crochets manquent dans plusieurs manuscrits anciens du Nouveau Testament.

Dans les notes

après J.-C.	après Jésus-Christ.
A.T. ou AT	Ancien Testament.
avant J.-C.	avant Jésus-Christ.
chap.	chapitre.
N.T. ou NT	Nouveau Testament.
par.	renvoie aux textes parallèles à un passage indiqué. Ceux-ci sont en général mentionnés sous le titre qui introduit ce passage.
s. ou ss	et le(s) verset(s) suivant(s).
v.	verset.

18.2	renvoie au chapitre 18, verset 2 du même livre.
Luc 5.12	renvoie à l'évangile selon Luc, chapitre 5, verset 12.
Jér 1.4-10	renvoie au livre de Jérémie, chapitre 1, versets 4 à 10.
Jug 3.9,15	renvoie au livre des Juges, chapitre 3, versets 9 et 15.
Es 36–39	renvoie aux chapitres 36 à 39 du livre d'Esaïe.
Marc 7.8–9.1	renvoie, dans l'évangile selon Marc, au passage qui va du chapitre 7 verset 8, au chapitre 9 verset 1.
Ps 2.6 ; 110.4 ; Hébr 5.6,10.	Plusieurs références sont séparées par un point-virgule (;).

La Bible en français courant
Présentation

En 1982, l'Alliance biblique universelle publiait la première édition de la Bible en français courant. En voici aujourd'hui une nouvelle édition avec un texte soigneusement révisé.

La traduction a été réalisée sur la base des meilleurs textes actuellement disponibles : pour l'Ancien Testament hébreu, la *Biblia Hebraica Stuttgartensia* (1968-1976), pour sa version grecque, *Septuaginta*, *Vetus Testamentum Graecum*, Auctoritate Academiae Scientiarum Gottingensis editum (1931 et suiv.) et, pour le Nouveau Testament, le *Novum Testamentum Graece* de Nestle-Aland (27e édition, 1993) ainsi que *The Greek New Testament*, United Bible Societies (4e édition révisée 1993).

La version de la BIBLE EN FRANÇAIS COURANT diffère des autres versions actuellement en usage par les principes de traduction adoptés. Ceux-ci découlent directement d'une étude scientifique approfondie de la traduction en général. Cette étude, menée par les chercheurs de l'Alliance biblique universelle, s'est appuyée sur les découvertes récentes de l'ethnologie, de la linguistique et de la théorie de la communication. Plutôt que de chercher, comme les versions traditionnelles en usage, une concordance verbale entre le texte hébreu ou grec, d'une part, et la version française, de l'autre, les traducteurs de la BIBLE EN FRANÇAIS COURANT se sont d'abord appliqués à respecter la syntaxe du français moderne et les acceptions des mots choisis telles qu'elles sont reconnues par les dictionnaires de langue. Parmi les divers niveaux de langage possibles, ils ont adopté un registre moyen écartant les acceptions ou les tournures qualifiées par les dictionnaires de « familier » ou « populaire », aussi bien que « vieilli » ou « littéraire ». Veillant à formuler le contenu du texte biblique – tout le contenu et rien de plus – en phrases de structure simple et à présenter dans un ordre logique les informations contenues dans un verset ou un groupe de versets, ils proposent ainsi un texte qui devrait être accessible au public le plus large, composé non seulement des personnes dont la langue maternelle est le français mais aussi de toutes celles qui l'utilisent comme langue seconde. Enfin, les traducteurs se sont efforcés de rendre justice à la qualité littéraire du texte biblique, en particulier dans les passages poétiques.

*

L'obstacle du langage n'est pas le seul que le lecteur de la Bible trouve sur son chemin. Il faut aussi tenir compte du large fossé culturel qui sépare le monde moderne du monde biblique. Plusieurs sortes d'aides sont ici proposées.

• Une PRÉSENTATION GÉNÉRALE DE LA BIBLE et de ses deux grandes parties, l'Ancien et le Nouveau Testament.

• De brèves INTRODUCTIONS à chaque livre de la Bible, pour permettre au lecteur de situer ce qu'il va lire.

• Des NOTES en bas de page :
a) Elles avertissent des difficultés rencontrées à propos du texte de base : variantes proposées par certains manuscrits (ou certaines versions anciennes pour l'Ancien Testament) ; problèmes d'établissement du texte, surtout pour l'Ancien Testament. Le texte hébreu traditionnel, en effet, semble n'avoir pas été partout bien conservé. Dans de nombreux cas, les traducteurs ont pu se reporter aux versions anciennes (grecques, araméenne, syriaque, latine...), qui ont connu le texte hébreu dans un état plus ancien. Ils ont pu se référer quelquefois

aussi aux manuscrits dits de la mer Morte (découverts à Qumrân). Mais dans quelques cas où ces solutions ne pouvaient convenir, il a fallu se contenter d'une hypothèse, signalée par la formule « texte probable ».
b) Les notes avertissent également le lecteur des problèmes de *traduction* et des variantes possibles d'interprétation. La solution adoptée dans le texte a eu la préférence du traducteur, mais on a jugé bon de signaler d'autres interprétations existantes.
c) L'Annotation éclaire aussi les particularités d'ordre culturel, historique et géographique utiles à la compréhension. Elle signale encore les jeux de mots (assonances ou allitérations), dont l'effet est important en hébreu mais, dans la plupart des cas, impossible à rendre en français.
d) Elle propose enfin un certain nombre de *références* à d'autres passages bibliques : textes parallèles, expressions semblables, citations, passages éclairant telle allusion, etc.

Les termes techniques qu'on n'a pu éviter d'employer sont annoncés par un * et expliqués dans le VOCABULAIRE en fin de volume, où ils sont classés par ordre alphabétique.

Un TABLEAU CHRONOLOGIQUE permettra au lecteur de situer les principaux événements et personnages bibliques dans le cadre de l'histoire du monde antique.

Des CARTES GÉOGRAPHIQUES aideront enfin à repérer les lieux, les populations, les régions... que mentionne le texte biblique.

*

Les NOMS PROPRES ont été traités en deux catégories.
1. Ceux qui sont passés dans l'usage courant ont été en général conservés tels quels : Assyrie, Jérémie, Ésaïe (le prophète), Jessé (le père de David), etc. ; pour ces deux derniers noms, on a repris le choix de la Traduction Œcuménique de la Bible plutôt que les orthographes Isaïe et Isaï, qui pouvaient prêter à confusion. Dans quelques cas, l'orthographe a été légèrement simplifiée pour permettre d'emblée une prononciation correcte (ainsi Ézékiel au lieu d'Ézéchiel, Melkisédec au lieu de Melchisédek, Nabuchodonosor au lieu de Nabuchodonosor...) ou pour éviter des complications inutiles (Éfraïm au lieu d'Éphraïm, Lakich au lieu de Lakisch ou Lakis...).
2. Tous les autres noms propres ont été orthographiés de manière à respecter les usages de l'orthographe française et à permettre une prononciation la moins éloignée possible de l'original (Ahaz au lieu d'Achaz, Batchéba au lieu de Bersabée, Berchéba au lieu de Beer-Schébah ou Bersabée, etc.).

En ce qui concerne les NOMS DIVINS, on s'est conformé en général à l'usage : *Dieu* rend l'hébreu *Élohim* ou *El*, le (Dieu) *Très-Haut* l'hébreu *Chadday*, etc. Quant au mystérieux nom propre du Dieu d'Israël, *YHWH*, la traduction a voulu respecter l'usage du judaïsme, déjà attesté au deuxième siècle avant J.-C. dans l'ancienne version grecque de l'AT, selon lequel ce nom ne devrait pas être prononcé mais remplacé par un équivalent, comme *le Seigneur* ; L'expression *YHWH SABAOT* a été rendue par le *Seigneur de l'univers ou le Seigneur, le Dieu de l'univers*.

*

L'ORDRE DES LIVRES de l'Ancien Testament peut suivre deux modèles différents :
1) La Bible hébraïque répartit les livres en trois sections :
– Livres de la loi (Genèse... Deutéronome) ;
– Livres prophétiques, comprenant les « premiers prophètes » (Josué, Juges, Samuel, Rois) et les « derniers prophètes » (Ésaïe, Jérémie, Ézékiel, les Douze Prophètes) ;
– Autres écrits (Psaumes, Job, Proverbes, Ruth, Cantique, Ecclésiaste, Lamentations, Esther, Daniel, Esdras, Néhémie, Chroniques).
C'est à ce classement que se réfère Jésus selon Luc 24.44, par exemple.

2) La Bible grecque ancienne (Septante) et la Bible latine (Vulgate) comportent quatre sections :
– Pentateuque (Genèse... Deutéronome) ;
– Livres historiques (Josué... Esther) ;
– Livres poétiques et sapientiaux (Job... Siracide) ;
– Livres prophétiques (Ésaïe... Malachie).
Outre la différence de classement, ces Bibles contiennent des livres qui n'ont pas été retenus par la tradition juive (voir introduction à la Bible, p. XIV). Ces livres sont intégrés parmi les livres historiques, poétiques et sapientiaux, et prophétiques.

C'est cette seconde tradition qui est reprise par la quasi-totalité des éditions « catholiques » de la Bible.

La présente édition, « protestante », s'en tient au contenu de la Bible hébraïque (sans les livres propres aux Bibles grecque et latine), mais elle conserve le classement traditionnel en quatre sections.

Les éditions « œcuméniques » comprennent les livres venant des traditions grecque et latine, mais elles les groupent à part, après l'Ancien Testament hébreu.

Le lecteur trouvera à la fin de l'ouvrage une table alphabétique des livres de l'Ancien et du Nouveau Testament.

La distribution du texte de l'Ancien Testament en CHAPITRES et VERSETS est également celle de la Bible hébraïque. Les quelques différences de numérotation par rapport à d'autres éditions de la Bible sont indiquées en note.

*

LA BIBLE EN FRANÇAIS COURANT est le fruit d'une collaboration largement interconfessionnelle, tant en ce qui concerne les traducteurs eux-mêmes que les nombreux spécialistes auxquels leur travail a été soumis au fur et à mesure de son avancement. Les très nombreuses remarques reçues de tous les horizons ont été soigneusement examinées. Certes, toutes les suggestions n'ont pu être retenues telles quelles, mais elles ont toujours donné lieu à un examen attentif des passages discutés et à la recherche de nouvelles solutions.

*

Aider le lecteur à découvrir *ce qui est dit* dans le texte biblique, tel est l'objectif de la version en *français courant*, tandis que la plupart des versions actuellement en usage sont plutôt formulées de manière à montrer *comment cela est dit*. Les deux types de traductions ne sont donc pas concurrents mais bien plutôt complémentaires. En conséquence, on ne saurait trop encourager les lecteurs déjà tant soit peu familiers de la Bible à utiliser conjointement les deux types de versions.

Mais grâce au langage usuel adopté, la traduction en *français courant* sera particulièrement utile à ceux qu'on pourrait appeler les « nouveaux lecteurs », c'est-à-dire à tous ceux qui n'ont pas bénéficié d'une initiation biblique préalable. De même, grâce à une formulation étudiée à cette fin et à la chasse impitoyable qu'on a faite aux ambiguïtés susceptibles de se glisser dans le texte à la faveur de la traduction, la version en *français courant* conviendra tout particulièrement à la lecture publique.

LA BIBLE,
son unité, sa formation, son texte

Pour les chrétiens des premières générations, qui parlaient en majorité le grec, l'expression *ta biblia* (les livres) désignait la collection des livres saints qui servaient de fondement à leur foi. En français, cette expression est devenue un nom féminin singulier, **LA BIBLE**.

Parce qu'ils ont reconnu en Jésus de Nazareth le roi sauveur (le Messie ou le Christ) annoncé par les prophètes, les premiers chrétiens ont tout naturellement adopté comme Bible les Écritures saintes du peuple d'Israël. Mais ils n'ont pas tardé à y ajouter un certain nombre de livres concernant Jésus, le Christ, grâce à qui se trouvait établie maintenant la *Nouvelle Alliance* annoncée en particulier par le prophète Jérémie (Jér 31.31 ; voir aussi 2 Cor 3.6 ; Hébr 9.15). C'est ainsi que l'expression « Nouvelle Alliance » en vint bientôt à désigner l'ensemble de ces nouveaux livres saints consacrés à Jésus, le Christ. Son équivalent latin *Novum Testamentum* est à l'origine de l'appellation française NOUVEAU TESTAMENT. Par analogie, la Bible d'Israël se voyait désignée comme ANCIEN TESTAMENT. Ancien et Nouveau Testaments constituent donc la Bible chrétienne.

Dès la première page de la Bible, le lecteur découvre un Dieu qui agit par la parole. A sa seule parole, en effet, des hommes se mettent en route, d'autres passent à l'action, des événements nouveaux surgissent. Dieu parle ainsi à Abraham, à Moïse, aux Juges, aux prophètes...

Sa parole entraîne même des étrangers comme Cyrus, le roi de Perse (És 45.1). Elle prend forme dans des mots humains, que transmettent les hommes qu'il a choisis comme ses messagers. Pour le Nouveau Testament, cette parole se trouve tout entière condensée en la personne de Jésus de Nazareth (Jean 1.1-18 ; Hébr 1.1-2). Les auteurs bibliques apparaissent donc comme les témoins de la Parole de Dieu. C'est à travers leur témoignage que cette parole, toujours vivante, peut parvenir encore aux hommes d'aujourd'hui.

*

L'ANCIEN TESTAMENT est donc le premier recueil de témoignages concernant la Parole de Dieu. Mais il ne représente qu'une sélection parmi les nombreux livres dans l'ancien Israël (voir par exemple Nomb 21.14 ; Jos 10.13 ; 1 Chron 29.29, etc.).

A. – Cette sélection de livres reconnus comme faisant autorité pour la foi et la vie pratique du peuple de Dieu, le CANON, semble avoir pris forme au temps d'Esdras, aux environs de l'an 400 avant J.-C. Elle comprenait alors les cinq premiers livres de la Bible sous le titre de Livres de *la Loi* (voir Néh 8). Plus tard on ajouta les *livres prophétiques* (Josué, Juges... Ésaïe, Jérémie...), d'où l'expression « la loi de Moïse et les livres des prophètes » (Matt 5.17 ;

7.12) employée au temps de Jésus pour désigner l'ensemble des Écritures saintes d'alors. Cette sélection s'enrichit aussi des *Psaumes* (voir Luc 24.44), étant donné leur usage officiel dans le culte du temple de Jérusalem et des *synagogues.

C'est seulement aux environs de l'an 90 de notre ère que les *Maîtres de la Loi, réunis à Jamnia en Palestine, établirent la liste complète et définitive des livres saints du judaïsme palestinien, répartissant ceux-ci en trois séries : la Loi (de la Genèse au Deutéronome), les Prophètes (de Josué à Malachie) et les Autres Écrits (des Psaumes aux Chroniques). Tous ces livres étaient rédigés en hébreu, sauf quelques passages en araméen, langue parente de l'hébreu.

Depuis plusieurs siècles cependant, de nombreux Juifs vivaient en dehors de la Palestine. Ceux qui s'étaient établis à Alexandrie en Égypte avaient éprouvé le besoin de traduire les livres saints dans la langue qui était la leur, le grec. C'est ainsi que se constitua la Bible grecque, dite des *Septante*. Celle-ci inclut d'ailleurs des livres qui ne furent pas retenus comme canoniques à Jamnia, tels ceux de Judith, Tobit, du Siracide, etc., et même certains écrits rédigés directement en grec, tels le second livre des Maccabées et la Sagesse dite de Salomon.

Étant donné que le christianisme se développa plus tard principalement dans les milieux parlant le grec, c'est cette Bible grecque qui fut naturellement adoptée par les premières générations chrétiennes. Cet usage fut officiellement reconnu par l'Église romaine au 4e siècle, puis confirmé au concile de Trente (1546). Dans l'Église catholique le Canon inclut donc les livres *Deutérocanoniques* propres à la Bible grecque.

Du côté protestant ces livres, groupés sous l'appellation d'*Apocryphes*, ont figuré en appendice dans les éditions bibliques jusqu'au 19e siècle, mais ils n'ont jamais été reconnus comme faisant autorité en matière de foi.

Pour l'Ancien Testament, en effet, les Églises de la Réforme ont adopté le Canon du judaïsme officiel. Ainsi, la Confession de foi dite de La Rochelle (1559) déclare à leur sujet : « ... encore qu'ils soient utiles, on ne peut fonder (sur eux) aucun article de foi ».

Les Églises orthodoxes, quant à elles, n'ont pris aucune décision officielle à leur propos, mais les incluent dans leurs éditions de la Bible.

Conformément à l'accord établi en 1968 (et renouvelé en 1987) entre *l'Alliance biblique universelle* et *le Secrétariat romain pour l'Unité des Chrétiens*, la BIBLE EN FRANÇAIS COURANT, dans son édition œcuménique, a regroupé les livres deutérocanoniques après l'Ancien Testament hébreu.

B. – Le TEXTE de l'Ancien Testament a une longue histoire dont bien des moments restent encore obscurs. On ne possède aucun original des livres de l'AT, mais seulement des copies de copie, les *manuscrits*. La plus ancienne copie complète de l'AT hébreu que l'on ait conservée ne date que du début du 11e siècle après Jésus-Christ. Elle reproduit un texte traditionnel, que quelques siècles plus tôt des savants juifs, les « Massorètes », avaient soigneusement inventorié pour s'assurer qu'il ne subirait pas de changements. L'hébreu était devenu, à leur époque, une langue morte comprise seulement des spécialistes. Les « Massorètes » ont donc muni le texte de signes facilitant la lecture, en particulier de ponctuation et de voyelles, car l'hébreu classique se contentait de noter les consonnes. Ce faisant ils ont fixé définitivement l'interprétation du texte, conformément à la tradition dont ils avaient hérité.

Avant eux, vers la fin du premier siècle de notre ère, le texte de l'Ancien Testament avait bénéfice du travail d'un autre groupe de savants, les Maîtres de la Loi. Ceux-ci, ayant constaté des différences entre les manuscrits existants, s'étaient attachés à établir un texte officiel. Après quoi ils firent détruire les copies non conformes à leur texte.

En 1947 on a pourtant trouvé à Qumrám, près de la mer Morte, des manuscrits beaucoup plus anciens, plus anciens même que le travail d'unification réalisé par les Maîtres de la Loi. De même le texte samaritain (pour les cinq premiers livres de la Bible) et les versions anciennes (grecque, mais aussi araméenne) étaient témoins d'un état du texte hébreu bien antérieur au travail des Maîtres de la Loi. Grâce à de minitieuses comparaisons, il est donc possible de rétablir éventuellement un texte plus exact, quand le texte hébreu traditionnel semble avoir été mal transmis. Ces cas sont relativement rares. D'une façon générale, c'est le texte hébreu traditionnel qui a servi de base à la présente traduction, des notes indiquant les points sur lesquels on a cru devoir s'en écarter.

*

Le **NOUVEAU TESTAMENT** rassemble des écrits datant de la seconde moitié du premier siècle de notre ère. Il a été rédigé en grec, la langue parlée alors dans tout le bassin oriental de la Méditerranée.

A. – Il comprend 27 livres : 4 évangiles et les Actes des Apôtres, 13 lettres de l'apôtre Paul, un écrit anonyme appelé « lettre aux Hébreux », 7 lettres plus courtes dites « catholiques » (universelles) parce qu'elles sont adressées à un large cercle de lecteurs, et un livre de visions, l'Apocalypse de Jean.

Comme pour l'Ancien Testament le CANON du Nouveau Testament s'est constitué par étapes. Le premier groupe d'écrits reconnus comme faisant autorité pour la foi est l'ensemble des lettres de Paul (voir 2 Pi 3.15-16). On y adjoignit bientôt les évangiles et les Actes. Ce n'est que plus tard, et non sans discussions, que furent admis des écrits comme la lettre aux Hébreux, celle de Jacques, la seconde de Pierre, celle de Jude et l'Apocalypse. L'usage de tous ces livres pour la lecture publique lors du culte finit par prévaloir sur celui d'autres écrits, qui furent écartés parce qu'on ne pouvait pas garantir qu'ils provenaient des apôtres.

B. – En ce qui concerne le TEXTE du Nouveau Testament, on se trouve dans le même problème général que pour l'Ancien Testament : connaître le libellé original, alors qu'on n'en possède que des copies. Mais l'établissement du texte du Nouveau Testament bénéficie de plusieurs facteurs favorables. D'abord ces copies sont, dans le temps, beaucoup plus proches des originaux : les plus anciens manuscrits complets que l'on ait conservés datent du 4e siècle après J.-C., mais on a découvert aussi de nombreux fragments plus anciens. Ensuite les manuscrits disponibles sont beaucoup plus nombreux : on en compte plus de 5 000. C'est dire que leurs différences peuvent être d'autant mieux analysées et que le texte original peut être d'autant mieux reconstitué. On peut estimer que le texte du Nouveau Testament est actuellement très solidement établi, infiniment mieux, par exemple, que les textes classiques de l'antiquité grecque ou latine.

*

Le lecteur de la Bible devrait prendre conscience de la prodigieuse somme de travail dont il bénéficie : l'attention soutenue des copistes de jadis, la minutie des spécialistes modernes du texte, les recherches patientes des grammariens et des lexicologues de l'hébreu, de l'araméen et du grec bibliques, l'effort toujours recommencé des exégètes pour dégager la signification du texte biblique jusqu'en ses moindres détails, l'application des traducteurs à trouver une expression à la fois fidèle et intelligible, enfin le patient labeur des éditeurs, des imprimeurs et des correcteurs. Tout cet immense travail est inspiré par la conviction que la Bible recèle un précieux secret, qui doit absolument être communiqué à tous : le secret de l'amour que Dieu porte à l'humanité, qu'il a manifesté en la personne de Jésus-Christ et qui, par la force de l'Esprit, triomphera tôt ou tard sur la terre des hommes.

Le lecteur pourra reprendre alors à son compte ces vieux mots du Psaume :

> Je veux dire merci au Seigneur,
> de tout mon cœur je veux remercier l'unique vrai Dieu.
> Oui, je veux remercier le Seigneur
> sans oublier un seul de ses bienfaits.

ANCIEN TESTAMENT

Pentateuque

Genèse

***Introduction** – Le premier livre de la Bible s'appelle « Genèse », c'est-à-dire* origine, *parce qu'il a pour sujet les origines du monde, de l'humanité et du peuple d'Israël.*

Chap. 1–11 : *Comment comprendre le monde dans lequel nous vivons ? Qu'est-ce que l'homme ? Quelle est sa place dans le monde ? Pourquoi les relations des hommes entre eux sont-elles si souvent empoisonnées ? Y a-t-il un remède à cela ? c'est à ces questions toujours actuelles que répond cette première partie de la Genèse : L'homme et la femme dans la création (1–2) ; leur rupture avec Dieu (3) ; Caïn et Abel (4) ; Noé dans la grande inondation (6–9) ; la tour de Babel (11). Les faits auxquels renvoient ces récits ne peuvent être fixés avec précision dans le calendrier de l'histoire humaine.*

Les chap. 12–50 *racontent comment Dieu apporte le salut à l'humanité en appelant à son service les premiers ancêtres d'Israël :* Abraham *(12.1–25.18), remarquable par sa foi et son obéissance à Dieu, demeure toujours un modèle. Son fils* Isaac. *Son petit-fils* Jacob *(25.19–36.43), qui reçut aussi le nom d'*Israël. Joseph *(37.1–50.26), un des fils de Jacob, ancêtre de deux tribus, est au centre des événements qui amenèrent Jacob et ses autres fils avec leurs familles à vivre en Égypte.*

Le Genèse est d'abord et surtout un enseignement sur ce que Dieu a fait. Elle commence par affirmer que Dieu a créé l'univers, ce qui en révèle la grandeur, mais le soumet tout entier à Dieu. Le livre se termine sur la promesse que Dieu continuera à prendre soin de son peuple. D'un bout à l'autre, c'est Dieu qui est le personnage principal : il se fait connaître, il juge, il guide et aide son peuple, il façonne l'histoire de celui-ci.

En réponse, Dieu demande qu'on croie en lui et en ses promesses, qu'on obéisse à ses ordres et à ses lois.

Ce livre a recueilli les traditions anciennes d'Israël, pour faire connaître comment ce peuple a vécu sa foi et pour contribuer à maintenir celle-ci vivante.

AU COMMENCEMENT
1–11

Dieu crée l'univers et l'humanité

1 1 Au commencement Dieu créa le ciel
et la terre[a].
2 La terre était sans forme et vide, et
l'obscurité couvrait l'océan primitif. Le
souffle de Dieu se déplaçait à la surface
de l'eau[b]. 3 Alors Dieu dit : « Que la lumière paraisse ! » et la lumière parut[c].
4 Dieu constata que la lumière était une
bonne chose, et il sépara la lumière de
l'obscurité. 5 Dieu nomma la lumière jour
et l'obscurité nuit. Le soir vint, puis le
matin ; ce fut la première journée.
6 Dieu dit encore : « Qu'il y ait une
voûte, pour séparer les eaux en deux masses ! » 7 Et cela se réalisa. Dieu fit ainsi la
voûte qui sépare les eaux d'en bas de celles d'en haut. 8 Il nomma cette voûte ciel.
Le soir vint, puis le matin ; ce fut la
seconde journée.
9 Dieu dit encore : « Que les eaux qui
sont au-dessous du ciel se rassemblent en
un lieu unique pour que le continent paraisse ! » Et cela se réalisa. 10 Dieu nomma
le continent terre et la masse des eaux
mer, et il constata que c'était une bonne
chose. 11 Dieu dit alors : « Que la terre
produise de la végétation : des herbes
produisant leur semence, et des arbres
fruitiers dont chaque espèce porte ses
propres graines ! » Et cela se réalisa. 12 La
terre fit pousser de la végétation : des herbes produisant leur semence espèce par
espèce, et des arbres dont chaque variété
porte des fruits avec pépins ou noyaux.
Dieu constata que c'était une bonne
chose. 13 Le soir vint, puis le matin ; ce
fut la troisième journée.
14 Dieu dit encore : « Qu'il y ait des lumières dans le ciel pour séparer le jour de
la nuit ; qu'elles servent à déterminer les
fêtes, ainsi que les jours et les années du
calendrier ; 15 et que du haut du ciel elles
éclairent la terre ! » Et cela se réalisa.
16 Dieu fit ainsi les deux principales sources de lumière : la grande, le soleil, pour
présider au jour, et la petite, la lune, pour
présider à la nuit ; et il ajouta les étoiles[d].
17 Il les plaça dans le ciel pour éclairer la
terre, 18 pour présider au jour et à la nuit,
et pour séparer la lumière de l'obscurité.
Dieu constata que c'était une bonne
chose. 19 Le soir vint, puis le matin ; ce
fut la quatrième journée.
20 Dieu dit encore : « Que les eaux
grouillent d'une foule d'êtres vivants, et
que les oiseaux s'envolent dans le ciel au-
dessus de la terre ! » 21 Dieu créa les
grands monstres marins et toutes les espèces d'animaux qui se faufilent et
grouillent dans l'eau, de même que toutes
les espèces d'oiseaux. Et il constata que
c'était une bonne chose. 22 Dieu les *bénit en disant : « Que tout ce qui vit dans
l'eau se multiplie et peuple les mers ; et
que les oiseaux se multiplient sur la
terre ! » 23 Le soir vint, puis le matin ; ce
fut la cinquième journée.
24 Dieu dit encore : « Que la terre produise toutes les espèces de bêtes : animaux domestiques, petites bêtes et
animaux sauvages de chaque espèce ! » Et
cela se réalisa. 25 Dieu fit ainsi les diverses espèces d'animaux sauvages, d'animaux domestiques et de petites bêtes. Et
il constata que c'était une bonne chose.
26 Dieu dit enfin : « Faisons les êtres humains ; qu'ils soient comme une image
de nous, une image vraiment ressemblante ! Qu'ils soient les maîtres des
poissons dans la mer, des oiseaux dans le
ciel et sur la terre, des gros animaux et

---

a **1.1** *Au commencement... :* traduction la plus fréquente de ce verset. Elle est imitée de l'ancienne version grecque, à laquelle se réfère très probablement l'évangile de Jean (1.1). Mais le texte hébreu serait mieux rendu par *Quand Dieu commença de créer le ciel et la terre... Dieu dit*.

b **1.2** Le v. 2 constitue en hébreu une sorte de parenthèse, le v. 1 ayant sa suite au v. 3. – *sans forme et vide :* l'expression hébraïque correspondante a donné en français *tohu-bohu*. Le jeu de mots pourrait être rendu par *un désert en désordre*. – *Le souffle de Dieu :* autre traduction *un vent terrible*.

c **1.3** Voir 2 Cor 4.6.

d **1.16** En déclarant que Dieu a créé les astres, le texte biblique s'oppose aux religions qui les divinisaient.

des petites bêtes qui se meuvent au ras du sol ! »

27 Dieu créa les êtres humains
comme une image de lui-même ;
il les créa homme et femme[e].

28 Puis il les bénit en leur disant : « Ayez des enfants, devenez nombreux, peuplez toute la terre et dominez-la ; soyez les maîtres des poissons dans la mer, des oiseaux dans le ciel et de tous les animaux qui se meuvent sur la terre. » 29 Et il ajouta : « Sur toute la surface de la terre, je vous donne les plantes produisant des graines et les arbres qui portent des fruits avec pépins ou noyaux. Leurs graines ou leurs fruits vous serviront de nourriture. 30 De même, je donne l'herbe verte comme nourriture à tous les animaux terrestres, à tous les oiseaux, à toutes les bêtes qui se meuvent au ras du sol, bref à tout ce qui vit. » Et cela se réalisa. 31 Dieu constata que tout ce qu'il avait fait était une très bonne chose. Le soir vint, puis le matin ; ce fut la sixième journée.

2 1 Ainsi furent achevés le ciel, la terre et tout ce qu'ils contiennent. 2 Dieu, après avoir achevé son œuvre, se reposa le septième jour de tout son travail. 3 Il fit de ce septième jour un jour béni, un jour qui lui est réservé, car il s'y reposa de tout son travail de Créateur[f]. 4 Voilà l'histoire de la création du ciel et de la terre.

Le jardin d'Éden

Quand le Seigneur Dieu fit la terre et le ciel, 5 il n'y avait encore aucun buisson sur la terre, et aucune herbe n'avait encore germé, car le Seigneur Dieu n'avait pas encore envoyé de pluie sur la terre, et il n'y avait pas d'êtres humains pour cultiver le sol. 6 Seule une sorte de source jaillissait de la terre et arrosait la surface du sol.

7 Le Seigneur Dieu prit de la poussière du sol et en façonna un être humain. Puis il lui insuffla dans les narines le souffle de vie, et cet être humain devint vivant[g]. 8 Ensuite le Seigneur Dieu planta un jardin au pays d'Éden, là-bas vers l'est, pour y mettre l'être humain qu'il avait façonné. 9 Il fit pousser du sol toutes sortes d'arbres à l'aspect agréable et aux fruits délicieux. Il mit au centre du jardin l'arbre de la vie, et l'arbre qui donne la connaissance de ce qui est bon ou mauvais[h].

10 Un fleuve prenait sa source au pays d'Éden et irriguait le jardin. De là, il se divisait en quatre bras. 11 Le premier était le Pichon ; il fait le tour du pays de Havila. Dans ce pays, on trouve de l'or, 12 un or de qualité, ainsi que la résine parfumée de bdellium et la pierre précieuse de cornaline. 13 Le second bras du fleuve était le Guihon, qui fait le tour du pays de Kouch[i]. 14 Le troisième était le Tigre, qui coule à l'est de la ville d'Assour. Enfin le quatrième était l'Euphrate.

15 Le Seigneur Dieu prit l'homme et l'établit dans le jardin d'Éden pour le cultiver et le garder. 16 Il lui fit cette recommandation : « Tu peux manger les fruits de n'importe quel arbre du jardin, 17 sauf de l'arbre qui donne la connaissance de ce qui est bon ou mauvais. Le jour où tu en mangeras, tu mourras. »

18 Le Seigneur Dieu se dit : « Il n'est pas bon que l'être humain soit seul. Je vais le secourir en lui faisant une sorte de partenaire. » 19 Avec de la terre, le Seigneur façonna quantité d'animaux sauvages et d'oiseaux, et les conduisit à l'être humain pour voir comment celui-ci les nommerait. Chacun de ces animaux devait porter le nom que l'être humain lui donnerait. 20 Celui-ci donna donc un nom aux animaux domestiques, aux animaux sauvages et aux oiseaux. Mais il ne trouva pas de partenaire capable de le secourir. 21 Alors le Seigneur Dieu fit tomber l'homme[j] dans un profond sommeil.

---

e **1.27** *comme une image de lui-même* : Gen 5.1 ; 9.6 ; 1 Cor 11.7. – *homme et femme* : voir Matt 19.4 ; Marc 10.6.

f **2.3** Voir Ex 20.11 ; Hébr 4.4,10.

g **2.7** Voir 1 Cor 15.45.

h **2.9** *l'arbre de la vie* : Apoc 2.7 ; 22.2,14. – *la connaissance de ce qui est bon ou mauvais* : autre traduction *de tout connaître* (de même au v. 17 et en 3.5,22).

i **2.13** Le *pays de Kouch* est situé par certains en Mésopotamie. Selon d'autres il s'agirait ici comme ailleurs de la région située au sud de l'Égypte (Soudan ou Ethiopie).

j **2.21** *homme* traduit ici le terme hébreu rendu plus haut par *être humain*.

Il lui prit une côte et referma la chair à sa
place. 22 Avec cette côte, le Seigneur fit
une femme et la conduisit à l'homme.
23 En la voyant celui-ci s'écria :

« Ah ! Cette fois, voici quelqu'un
qui est plus que tout autre du même
sang que moi !
On la nommera compagne de
l'homme,
car c'est de son compagnon qu'elle fut
tirée[k]. »

24 C'est pourquoi l'homme quittera
père et mère pour s'attacher à sa femme,
et ils deviendront tous deux un seul être[l].
25 L'homme et sa femme étaient tous
deux nus, mais sans éprouver aucune
gêne l'un devant l'autre.

L'homme et la femme chassés du jardin d'Éden

3 1 Le serpent était le plus rusé de tous
les animaux sauvages que le Seigneur
avait faits. Il demanda à la femme :
« Est-ce vrai que Dieu vous a dit : "Vous
ne devez manger aucun fruit du jardin[m]" ? » 2 La femme répondit au serpent : « Nous pouvons manger les fruits
du jardin. 3 Mais quant aux fruits de l'arbre qui est au centre du jardin, Dieu nous
a dit : "Vous ne devez pas en manger, pas
même y toucher, de peur d'en mourir." »
4 Le serpent répliqua : « Pas du tout, vous
ne mourrez pas. 5 Mais Dieu le sait bien :
dès que vous en aurez mangé, vous verrez
les choses telles qu'elles sont, vous serez
comme lui, capables de savoir ce qui est
bon ou mauvais. »
6 La femme vit que les fruits de l'arbre
étaient agréables à regarder, qu'ils devaient être bons et qu'ils donnaient envie
d'en manger pour acquérir un savoir plus
étendu. Elle en prit un et en mangea.
Puis elle en donna à son mari, qui était
avec elle, et il en mangea, lui aussi.
7 Alors ils se virent tous deux tels qu'ils
étaient, ils se rendirent compte qu'ils
étaient nus. Ils attachèrent ensemble des
feuilles de figuier, et ils s'en firent chacun
une sorte de pagne.
8 Le soir, quand souffle la brise,
l'homme et la femme entendirent le Seigneur se promener dans le jardin. Ils se
cachèrent de lui parmi les arbres. 9 Le
Seigneur Dieu appela l'homme et lui demanda : « Où es-tu ? » 10 L'homme répondit : « Je t'ai entendu dans le jardin. J'ai
eu peur, car je suis nu, et je me suis caché. » – 11 « Qui t'a appris que tu étais nu,
demanda le Seigneur Dieu ; aurais-tu
goûté au fruit que je t'avais défendu de
manger ? » 12 L'homme répliqua : « C'est
la femme que tu m'as donnée pour
compagne ; c'est elle qui m'a donné ce
fruit, et j'en ai mangé. »
13 Le Seigneur Dieu dit alors à la
femme : « Pourquoi as-tu fait cela ? » Elle
répondit : « Le serpent m'a trompée, et
j'ai mangé du fruit[n]. »
14 Alors le Seigneur Dieu dit au serpent :

« Puisque tu as fait cela, je te maudis.
Seul de tous les animaux
tu devras ramper sur ton ventre
et manger de la poussière
tous les jours de ta vie.
15 Je mettrai l'hostilité
entre la femme et toi,
entre sa descendance et la tienne.
La sienne t'écrasera la tête,
tandis que tu la mordras au talon[o]. »

16 Le Seigneur dit ensuite à la femme :

« Je rendrai tes grossesses pénibles,
tu souffriras
pour mettre au monde tes enfants.
Tu te sentiras attirée par ton mari,
mais il dominera sur toi. »

17 Il dit enfin à l'homme : « Tu as écouté
la suggestion de ta femme et tu as mangé
le fruit que je t'avais défendu.

Eh bien, par ta faute,
le sol est maintenant maudit.
Tu auras beaucoup de peine

---

k **2.23** *du même sang que moi* ou *de même parenté* : pour exprimer cette idée, l'hébreu emploie l'image *os de mes os et chair de ma chair*. – *compagne de l'homme... compagnon* ou *femme... homme* : en hébreu *icha* (femme) ressemble au mot *ich* (homme).

l **2.24** Matt 19.5 ; Marc 10.7-8 ; 1 Cor 6.16 ; Éph 5.31.

m **3.1** *Le serpent* : comparer Apoc 12.9 ; 20.2. – *Vous ne devez manger aucun fruit* : autre traduction *Vous ne devez pas manger de tous les fruits*.

n **3.13** Comparer 2 Cor 11.3 ; 1 Tim 2.14.

o **3.15** Comparer Apoc 12.17.

à en tirer ta nourriture
pendant toute ta vie ;
18 il produira pour toi
épines et chardons.
Tu devras manger
ce qui pousse dans les champs[p] ;
19 tu gagneras ton pain
à la sueur de ton front,
jusqu'à ce que tu retournes à la terre
dont tu as été tiré.
Car tu es fait de poussière,
et tu retourneras à la poussière. »

20 L'homme, Adam, nomma sa femme
Ève, c'est-à-dire Vie, car elle est la mère
de tous les vivants. 21 Le Seigneur fit à
l'homme et à sa femme des vêtements de
peaux de bête et les en habilla. 22 Puis il
se dit : « Voilà que l'homme est devenu
comme un dieu, pour ce qui est de savoir
ce qui est bon ou mauvais. Il faut l'empêcher maintenant d'atteindre aussi l'arbre
de la vie ; s'il en mangeait les fruits, il
vivrait indéfiniment[q]. » 23 Le Seigneur
Dieu renvoya donc l'homme du jardin
d'Éden, pour qu'il aille cultiver le sol
dont il avait été tiré. 24 Puis, après l'en
avoir expulsé, le Seigneur plaça des *chérubins en sentinelle devant le jardin
d'Éden. Ceux-ci, armés de l'épée flamboyante et tourbillonnante, devaient
garder l'accès de l'arbre de la vie.

Caïn et Abel

4 1 De son union avec Adam, son mari,
Ève devint enceinte. Elle mit au
monde Caïn et dit alors : « J'ai fait un
homme grâce au Seigneur[r]. » 2 Elle donna
aussi le jour au frère de Caïn, Abel.
Abel fut *berger, et Caïn cultivateur.
3 Au bout d'un certain temps, Caïn apporta des produits de la terre en offrande
pour le Seigneur. 4 Abel, de son côté, apporta en *sacrifice des agneaux premiers-
nés de son troupeau, dont il offrit au Seigneur les meilleurs morceaux. Le
Seigneur accueillit favorablement Abel et
son offrande[s], 5 mais non pas Caïn et son
offrande. Caïn en éprouva un profond dé-
pit ; il faisait triste mine. 6 Le Seigneur
lui dit : « A quoi bon te fâcher et faire si
triste mine ? 7 Si tu réagis comme il faut,
tu reprendras le dessus ; sinon, le péché
est comme un monstre tapi à ta porte. Il
désire te dominer, mais c'est à toi d'en
être le maître. »

8 Cependant Caïn dit à son frère : « Sortons. » Quand ils furent dehors, Caïn se
jeta sur son frère Abel et le tua[t].

9 Le Seigneur demanda à Caïn : « Où
est ton frère Abel ? » Caïn répondit : « Je
n'en sais rien. Est-ce à moi de surveiller
mon frère ? » 10 Le Seigneur répliqua :
« Pourquoi as-tu fait cela ? J'entends le
sang de ton frère[u] dans le sol me réclamer
vengeance. 11 Tu es désormais un maudit,
chassé du sol qui s'est ouvert pour recueillir le sang de ton frère, ta victime.
12 C'est pourquoi, tu auras beau le cultiver, il ne te donnera plus ses richesses. Tu
seras un déraciné, toujours vagabond sur
la terre. »

13 Caïn dit au Seigneur : « Ma peine est
trop lourde à porter. 14 Tu me chasses aujourd'hui du sol cultivable, et je vais devoir me cacher loin de toi ; je serai un
déraciné, toujours vagabond sur la terre.
Quiconque me trouvera pourra me tuer. »
15 Mais le Seigneur lui répondit : « Non,
car si quelqu'un te tue, il faudra sept
meurtres pour que tu sois vengé. »

Le Seigneur mit alors sur Caïn un signe distinctif, pour empêcher qu'il soit
tué par quiconque le rencontrerait.
16 Alors Caïn partit habiter au pays de
Nod[v], loin de la présence du Seigneur, à
l'est d'Éden.

Les descendants de Caïn

17 De son union avec son mari, la
femme de Caïn devint enceinte. Elle mit
au monde Hénok. Caïn se mit à

---

p **3.18** V. 17-18 : comparer Hébr 6.8.

q **3.22** Comparer Apoc 22.14.

r **4.1** *j'ai fait* : autre traduction *j'ai acquis*. En hébreu le verbe traduit ici par *j'ai fait* a une consonance proche de celle du nom de *Caïn*. Ce genre de jeu de mots est fréquent dans l'AT (voir Gen 29.32,33,34, etc.).

s **4.4** Comparer Hébr 11.4.

t **4.8** *Sortons* : mot manquant dans le texte hébreu traditionnel mais attesté dans plusieurs versions anciennes. – *et le tua* : voir Matt 23.35 ; Luc 11.51 ; 1 Jean 3.12.

u **4.10** *le sang d'Abel* : voir Hébr 12.24.

v **4.16** *Nod* : pays inconnu par ailleurs. Ce nom est probablement symbolique (*pays des sans patrie*).

construire une ville, qu'il appela du nom
de son fils, Hénok. 18 Hénok fut le père
d'Irad, Irad le père de Mehouyaël, Mehouyaël le père de Metouchaël, Metouchaël le père de Lémek.

19 Lémek épousa deux femmes, la première nommée Ada et la seconde Silla.
20 Ada mit au monde Yabal, l'ancêtre de
ceux qui habitent sous des tentes et élèvent des troupeaux. 21 Yabal eut un frère,
Youbal, l'ancêtre de tous ceux qui jouent
de la guitare et de la flûte. 22 Silla, elle
aussi, eut un fils, Toubal-Caïn, le forgeron qui fabriquait tous les outils tranchants de bronze ou de fer[w]. La sœur de
Toubal-Caïn était Naama.

23 Lémek dit à ses femmes :
« Ada et Silla, écoutez-moi,
femmes de Lémek, soyez attentives :
Si on me frappe, je tue un homme,
si on me blesse, je tue un enfant.
24 S'il faut tuer sept hommes
pour venger Caïn,
on en tuera soixante-dix-sept
pour que je sois vengé. »

25 Adam et sa femme eurent encore un
fils. Ève l'appela Seth ; elle disait en effet : « Dieu m'a accordé un autre fils pour
remplacer Abel, que Caïn a tué[x]. »

26 Seth à son tour eut un fils ; il l'appela
Énos. C'est alors que les hommes
commencèrent à prier Dieu en l'appelant
Seigneur.

Liste des patriarches d'Adam à Noé

5 1 Voici la liste des descendants
d'Adam :
Le jour où Dieu créa les êtres humains, il
les fit à sa ressemblance. 2 Il les créa
homme et femme, il les *bénit et leur
donna le nom d'êtres humains au jour
même de leur création[y].

3 A l'âge de 130 ans, Adam eut un fils
qui lui ressemblait tout à fait. Il l'appela
Seth. 4 Après la naissance de Seth, Adam
vécut encore 800 ans. Il eut d'autres fils et
des filles. 5 Après avoir vécu en tout 930
ans, il mourut.

6 A l'âge de 105 ans, Seth eut un fils,
Énos. 7 Après la naissance d'Énos, Seth
vécut encore 807 ans. Il eut d'autres fils et
des filles. 8 Après avoir vécu en tout
912 ans, il mourut.

9 A l'âge de 90 ans, Énos eut un fils,
Quénan. 10 Après la naissance de Quénan,
Énos vécut encore 815 ans. Il eut d'autres
fils et des filles. 11 Après avoir vécu en
tout 905 ans, il mourut.

12 A l'âge de 70 ans, Quénan eut un fils,
Malaléel. 13 Après la naissance de Malaléel, Quénan vécut encore 840 ans. Il eut
d'autres fils et des filles. 14 Après avoir
vécu en tout 910 ans, il mourut.

15 A l'âge de 65 ans, Malaléel eut un
fils, Yéred. 16 Après la naissance de Yéred,
Malaléel vécut encore 830 ans. Il eut
d'autres fils et des filles. 17 Après avoir
vécu en tout 895 ans, il mourut.

18 A l'âge de 162 ans, Yéred eut un fils,
Hénok. 19 Après la naissance d'Hénok,
Yéred vécut encore 800 ans. Il eut d'autres fils et des filles. 20 Après avoir vécu en
tout 962 ans, il mourut.

21 A l'âge de 65 ans, Hénok eut un fils,
Matusalem. 22 Après la naissance de Matusalem, Hénok vécut 300 ans, en
communion avec Dieu. Il eut d'autres
fils et des filles. 23 Sa vie dura 365 ans.
24 Il vécut en communion avec Dieu, puis
il disparut, car Dieu l'enleva auprès de
lui[z].

25 A l'âge de 187 ans, Matusalem eut
un fils, Lémek. 26 Après la naissance de
Lémek, Matusalem vécut encore 782
ans. Il eut d'autres fils et des filles.
27 Après avoir vécu en tout 969 ans, il
mourut.

28 A l'âge de 182 ans, Lémek eut un fils.
29 Il l'appela Noé. Il disait en effet : « Celui-ci nous consolera[a] de nos travaux, de
la peine que nous devons prendre parce
que le Seigneur a maudit le sol. » 30 Après
la naissance de Noé, Lémek vécut encore
595 ans. Il eut d'autres fils et des filles.
31 Après avoir vécu en tout 777 ans, il
mourut.

---

w **4.22** *Toubal-Caïn... tranchants* : l'ancienne version araméenne a lu *Toubal-Caïn, qui fut l'ancêtre de tous les forgerons fabriquant des outils tranchants*.

x **4.25** En hébreu le nom de *Seth* évoque l'expression traduite ici par *Dieu m'a accordé*.

y **5.2** Comparer 1.27-28 ; Matt 19.4 ; Marc 10.6.

z **5.24** Voir Hébr 11.5 ; Jude 14.

a **5.29** En hébreu le nom de *Noé* évoque le verbe traduit ici par *consolera*.

32 Noé avait atteint l'âge de 500 ans quand il eut trois fils, Sem, Cham et Japhet.

Dieu décide d'en finir avec les hommes

6 1 Quand les hommes commencèrent à se multiplier sur la terre et que des filles leur naquirent, 2 les habitants du ciel constatèrent que ces filles étaient bien jolies, et ils en choisirent pour les épouser. 3 Alors le Seigneur se dit : « Je ne peux pas laisser les hommes profiter indéfiniment du souffle de vie que je leur ai donné ; ils ne sont après tout que des êtres mortels. Désormais ils ne vivront pas plus de cent vingt ans. » 4 C'était l'époque où il y avait des géants sur la terre – il en resta même plus tard[b] –. Ceux-ci étaient les héros de l'Antiquité, aux noms célèbres ; ils étaient nés de l'union des habitants du ciel avec les filles des hommes.

5 Le Seigneur vit que les hommes étaient de plus en plus malfaisants dans le monde, et que les penchants de leur cœur les portaient de façon constante et radicale vers le mal. 6 Il en fut attristé et regretta d'avoir fait des hommes sur la terre. 7 Il se dit : « Il faut que je balaye de la terre les hommes que j'ai créés, et même les animaux, grands ou petits, et les oiseaux. Je regrette vraiment de les avoir faits. » 8 Mais Noé bénéficiait de la bienveillance du Seigneur[c].

Dieu décide d'épargner Noé

9-10 Voici l'histoire de Noé, qui était père de trois fils : Sem, Cham et Japhet. Seul parmi ses contemporains, Noé était un homme droit, fidèle à Dieu ; il vivait en communion avec Dieu[d].

11 Mais aux yeux de Dieu, l'humanité était pourrie : partout ce n'était que violence. 12 Quand il regardait la terre, il constatait que tout le monde s'y était dévoyé. 13 Il dit alors à Noé : « J'ai décidé d'en finir avec tous les humains. Par leur faute le monde est en effet rempli de violence ; je vais les supprimer de la terre. 14 Construis-toi une arche, une sorte de grand bateau en bois de cyprès ; tu l'aménageras en nombreux compartiments, et tu l'enduiras de poix à l'intérieur et à l'extérieur. 15 Voici comment tu la feras : elle devra avoir cent cinquante mètres de long, vingt-cinq de large et quinze de haut. 16 Tu la muniras d'un toit, et tu laisseras l'espace d'un avant-bras entre le toit et le haut des côtés. Sur un côté tu ménageras une porte. Enfin tu disposeras l'arche en trois étages. 17 Quant à moi, je vais provoquer une grande inondation, pour anéantir tout ce qui vit. Tout ce qui se trouve sur la terre expirera. 18 Mais je prends l'engagement de t'épargner[e]. Tu vas entrer dans l'arche, avec ta femme, tes fils et tes belles-filles. 19 Tu devras y faire entrer aussi un couple de chaque espèce vivante, un mâle et une femelle, pour les conserver en vie avec toi. 20 Un couple de chaque espèce animale, oiseaux, grands ou petits animaux, arrivera auprès de toi pour avoir la vie sauve. 21 Procure-toi donc toutes sortes de vivres, fais-en des provisions, pour que vous ayez de quoi manger, eux et toi. » 22 C'est ce que fit Noé ; il exécuta tout ce que le Seigneur lui avait ordonné[f].

Noé entre dans l'arche

7 1 Le Seigneur dit à Noé : « Entre dans l'arche, toi et ta famille, car j'ai constaté que tu es le seul parmi tes contemporains à m'être fidèle. 2 Prends avec toi sept couples de chaque sorte d'animaux *purs[g], mais un couple seulement de chaque sorte d'animaux impurs. 3 Pour les oiseaux, prends aussi sept couples de chaque sorte, afin de sauver leur espèce sur la terre. 4 Encore une semaine, et je ferai tomber la pluie pendant quarante jours et quarante nuits ; je balayerai ainsi de la surface du sol tous les êtres que

---

b **6.4** *des géants* : Nomb 13.33.

c **6.8** V. 5-8 : comparer Matt 24.37 ; Luc 17.26 ; 1 Pi 3.20.

d **6.9-10** *Seul parmi ses contemporains* : voir 2 Pi 2.5.

e **6.18** *je prends l'engagement de t'épargner* : autre traduction *j'établirai mon alliance avec toi*.

f **6.22** Comparer Hébr 11.7.

g **7.2** Les *animaux purs* (voir Lév 11) sont ceux que la loi de Moïse permet de manger ou d'offrir en sacrifice.

j'ai faits.» 5 Noé exécuta tout ce que le
Seigneur lui avait ordonné[h].

La grande inondation

6 Noé avait six cents ans quand la
grande inondation survint sur la terre.
7 Il entra dans l'arche avec sa femme, ses
fils et ses belles-filles, pour échapper à
l'inondation[i]. 8 Les animaux *purs, les
animaux impurs, les oiseaux et les petites
bêtes qui se meuvent au ras du sol, 9 tous
arrivèrent jusqu'à l'arche de Noé, deux
par deux, un mâle et une femelle, comme
Dieu l'avait ordonné. 10 Au bout de la semaine, la grande inondation submergea
la terre.

11 L'année où Noé eut six cents ans, le
dix-septième jour du deuxième mois, les
eaux souterraines jaillirent impétueuse-
ment de toutes les sources, et les vannes
du ciel s'ouvrirent en grand[j]. 12 Il se mit à
pleuvoir sur la terre ; la pluie allait durer
quarante jours et quarante nuits. 13 C'est
ce jour-là que Noé entra dans l'arche avec
sa femme, ses fils Sem, Cham et Japhet et
ses trois belles-filles, 14 et avec toutes les
espèces d'animaux sauvages ou domestiques, de petites bêtes, d'oiseaux et d'insectes. 15 Des couples de toutes les espèces
vivantes arrivèrent ainsi à l'arche auprès
de Noé. 16 Un mâle et une femelle de chaque espèce y entrèrent, comme Dieu
l'avait ordonné à Noé. Puis le Seigneur
ferma la porte derrière Noé.

17 La grande inondation dura quarante
jours sur la terre. Quand le niveau de
l'eau monta, l'arche fut soulevée au-dessus du sol et se mit à flotter. 18 Puis le niveau monta de plus en plus et l'arche
partit à la dérive sur l'eau. 19 Le niveau
monta toujours plus, jusqu'à ce que les
plus hautes montagnes qui existent
soient entièrement recouvertes. 20 L'eau
monta finalement jusqu'à plus de sept
mètres au-dessus des sommets. 21 Tout ce
qui vivait et se mouvait sur la terre ex-
pira : les oiseaux, le bétail, les animaux
sauvages, les bestioles qui grouillent sur
la terre, et aussi les humains. 22 Sur l'ensemble de la terre ferme, tout ce qui possédait un souffle de vie mourut. 23 Le
Seigneur balaya ainsi de la terre tout ce
qui vivait, depuis les êtres humains
jusqu'aux grands animaux, aux petites
bêtes et aux oiseaux. Ils furent éliminés
de la terre. Seul Noé survécut et, avec lui,
ceux qui étaient dans l'arche.

Noé sort de l'arche

24 Le niveau de l'eau resta haut pendant cent cinquante jours sur la terre.

8 1 Puis Dieu pensa à Noé et à tous les
animaux, sauvages et domestiques,
qui se trouvaient avec lui dans l'arche. Il
fit souffler un vent sur la terre, et le niveau de l'eau commença de baisser. 2 Les
sources des eaux souterraines et les vannes du ciel se fermèrent. La pluie cessa de
tomber. 3 Les eaux se retirèrent progressivement de la terre. Ainsi, cent
cinquante jours après le début de l'inondation, le niveau de l'eau se mit à baisser.
4 Le dix-septième jour du septième mois,
l'arche s'échoua dans le massif de l'Ararat. 5 Les eaux continuèrent à se retirer
jusqu'au dixième mois. Le premier jour
de ce mois, on vit apparaître le sommet
des montagnes.

6 Au bout de quarante jours, Noé ouvrit la fenêtre qu'il avait ménagée dans
l'arche. 7 Il laissa partir un corbeau. Celui-ci sortit et s'en revint bientôt : il fallait attendre que l'eau se résorbe sur la
terre. 8 Puis Noé laissa partir une colombe, pour voir si le niveau de l'eau
avait baissé. 9 Mais elle ne trouva aucun
endroit où se percher, car l'eau couvrait
encore toute la terre ; elle revint donc à
l'arche, auprès de Noé. Celui-ci tendit la
main, prit la colombe et la ramena dans
l'arche. 10 Il attendit une semaine et la
laissa de nouveau partir. 11 La colombe
revint auprès de lui vers le soir ; elle tenait dans son bec une jeune feuille d'olivier. Alors Noé sut que le niveau de l'eau
avait baissé sur la terre. 12 Il attendit encore une semaine et laissa partir la colombe, mais celle-ci ne revint pas.

13 Dès le premier jour de l'année où
Noé eut six cent un ans, l'eau était résor-

---

h 7.5 Voir 6.22 et la note.

i 7.7 Comparer Matt 24.38-39 ; Luc 17.27.

j 7.11 *le deuxième mois* : voir au Vocabulaire CALENDRIER. – Les *eaux* de la grande inondation : voir 2 Pi 3.6.

bée sur la terre. Noé ôta le toit de l'arche,
il regarda dehors et constata que toute la
surface du sol était sèche. 14 Le vingt-
septième jour du second mois la terre
était tout à fait sèche.
15 Alors Dieu dit à Noé : 16 « Sors de
l'arche, ainsi que ta femme, tes fils et tes
belles-filles. 17 Fais sortir aussi toutes les
bêtes qui sont avec toi, toutes les espèces
d'oiseaux, de grands et de petits animaux ; qu'ils se répandent sur la terre et
qu'ils s'y multiplient. » 18 Noé sortit donc
de l'arche, avec sa femme, ses fils et ses
belles-filles. 19 Puis sortirent aussi, par familles, tous les animaux, avec les oiseaux
et les petites bêtes qui se meuvent au ras
du sol.
20 Noé bâtit un *autel qu'il consacra au
Seigneur. Parmi les grands animaux et
les oiseaux, il prit une bête de chaque espèce considérée comme *pure et les offrit au Seigneur sur l'autel en *sacrifice
entièrement consumé par le feu. 21 Le
Seigneur respira l'odeur apaisante de ce
sacrifice et il se dit : « Désormais je renonce à maudire le sol à cause des êtres
humains. C'est vrai, dès leur jeunesse ils
n'ont au cœur que de mauvais penchants. Mais je renonce désormais à détruire tout ce qui vit comme je viens de le
faire.
22 Tant que la terre durera,
semailles et moissons,
chaleur et froidure,
été et hiver,
jour et nuit
ne cesseront jamais. »

La promesse de Dieu à Noé

9 1 Dieu *bénit Noé et ses fils en leur disant : « Multipliez-vous et peuplez
toute la terre[k]. 2 Vous inspirerez désormais
la plus grande crainte à toutes les bêtes de
la terre, aux oiseaux, aux petits animaux et
aux poissons ; vous pourrez disposer
d'eux. 3 Tout ce qui remue et qui vit
pourra vous servir de nourriture ; comme
je vous avais donné l'herbe verte[l], je vous
donne maintenant tout cela. 4 Cependant
vous ne devez pas manger la viande qui
contient encore la vie, c'est-à-dire le
sang[m]. 5 Votre sang aussi, qui est votre vie,
j'en demanderai compte ; j'en demanderai
compte à tout animal qui aura tué un être
humain, comme à tout être humain qui
aura tué son semblable ; je demanderai
compte de la vie de l'homme.
6 Celui qui répand le sang de l'homme,
c'est par l'homme que son sang sera répandu,
car Dieu a fait l'être humain à son
image[n].
7 Quant à vous, ayez des enfants, multipliez-vous et répandez-vous en grand
nombre sur la terre[o]. »
8 Dieu dit alors à Noé et à ses fils : 9 « Je
vous fais une promesse[p], ainsi qu'à vos
descendants 10 et à tout ce qui vit autour
de vous : oiseaux, animaux domestiques
ou sauvages, ceux qui sont sortis de l'arche et tous ceux qui vivront à l'avenir sur
la terre. 11 Voici à quoi je m'engage : Jamais plus la grande inondation ne supprimera la vie sur terre ; il n'y aura plus
de grande inondation pour ravager la
terre. » 12 Et Dieu ajouta : « Voici le signe
que je m'y engage envers vous et envers
tout être vivant, aussi longtemps qu'il y
aura des hommes : 13 Je place mon arc
dans les nuages ; il sera un signe qui rappellera l'engagement que j'ai pris à
l'égard de la terre. 14 Chaque fois que j'ac-
cumulerai des nuages au-dessus de la
terre et que l'arc-en-ciel apparaîtra, 15 je
penserai à l'engagement que j'ai pris envers vous et envers toutes les espèces
d'animaux : il n'y aura jamais plus de
grande inondation pour anéantir la vie.
16 Je verrai paraître l'arc-en-ciel, et je penserai à l'engagement éternel que j'ai pris à

---

k **9.1** Comparer 1.28.
l **9.3** Voir 1.29-30.
m **9.4** Comparer Lév 7.26-27 ; 17.10-14 ; Deut 12.16,23 ; 15.23.
n **9.6** *répand le sang de l'homme* : comparer Ex 20.13. – *à son image* : voir 1.26-27 ; comparer 5.1.
o **9.7** Comparer 1.28.
p **9.9** Autre traduction *J'établirai mon *alliance avec vous, ainsi qu'avec vos descendants*, 10 *et avec...* De même au v. 11 : *Voici l'alliance que j'établis avec vous...* ; au v. 12 : *Voici le signe de l'alliance établie entre moi, vous et tout être...* ; au v. 15 : *je penserai à l'alliance établie entre moi, vous et toutes...* ; au v. 16 : *je penserai à l'alliance éternelle établie entre moi et toutes...* ; au v. 17 : *le signe de l'alliance que j'établis entre moi et tous...*

l'égard de toutes les espèces vivantes de la
terre. » 17 Et Dieu le répéta à Noé :
« L'arc-en-ciel est le signe de l'engagement que j'ai pris à l'égard de tous les
êtres qui vivent sur la terre. »

Les trois fils de Noé

18 Les fils de Noé qui sortirent de l'arche étaient Sem, Cham et Japhet. Cham
fut le père de Canaan. 19 C'est à partir de
ces trois fils de Noé que toute la terre fut
peuplée.

20 Noé fut le premier cultivateur à planter de la vigne. 21 Il but du vin, s'enivra et
se déshabilla complètement à l'intérieur
de sa tente. 22 Cham, père de Canaan, vit
son père tout nu et en avertit ses deux frères, qui étaient dehors. 23 Alors Sem et Japhet prirent un manteau, le placèrent sur
leurs épaules, entrèrent à reculons dans
la tente et couvrirent leur père. Ils regardaient dans la direction opposée, pour ne
pas voir leur père tout nu. 24 Quand Noé
fut sorti de son ivresse, il apprit ce que lui
avait fait son plus jeune fils. 25 Alors il
déclara :

« Maudit soit Canaan !
Qu'il soit pour ses frères
le dernier des esclaves ! »

26 Puis il ajouta :

« *Béni soit le Seigneur,
le Dieu de Sem !
Que Canaan soit l'esclave de Sem !
27 Que Dieu mette Japhet au large[q],
mais qu'il ait sa demeure chez Sem,
et que Canaan soit l'esclave de Japhet ! »

28 Après la grande inondation, Noé vécut encore trois cent cinquante ans. 29 Il
mourut à l'âge de neuf cent cinquante
ans.

Les peuples de la terre

(Voir 1 Chron 1.5-23)

10 1 Après la grande inondation, les
fils de Noé, Sem, Cham et Japhet,
eurent des fils. Voici la liste de leurs descendants[r] :

2 Fils de Japhet : Gomer, Magog, Madaï, Yavan, Toubal, Méchek et Tiras.
3 Fils de Gomer : Achekénaz, Rifath et
Togarma. 4 Fils de Yavan : Élicha, Tarsis,
Kittim et Rodanim[s]. 5 D'eux sont issues
les populations dispersées le long des côtes, réparties par pays selon la langue et
par clans dans chaque nation.

6 Fils de Cham : Kouch et Misraïm[t],
Pouth et Canaan. 7 Fils de Kouch : Séba,
Havila, Sabta, Ragma et Sabteka. Fils de
Ragma : Saba et Dédan. 8 Kouch fut aussi
le père de Nemrod qui a été le premier
souverain sur la terre. 9 Nemrod fut un fameux chasseur aux yeux du Seigneur ;
c'est pourquoi on dit : « Fameux chasseur
aux yeux du Seigneur, comme Nemrod. »
10 Les premières villes de son royaume
furent Babel, Érek, Accad et Kalné, au
pays de Chinéar. 11 Nemrod quitta ce pays
pour l'Assyrie. Il construisit Ninive, Re-
hoboth-Ir, Kéla 12 et Ressen entre Ninive
et la grande ville de Kéla.

13 Misraïm fut l'ancêtre des gens de
Loud, Anem, Lehab, Naftou, 14 Patros,
Kaslou, d'où sont issus les Philistins, et
Kaftor.

15 Canaan fut le père de Sidon, son
aîné, et de Heth, 16 l'ancêtre des Jébusites,
*Amorites, Guirgachites, 17 Hivites, Ar-
quites, Sinites, 18 Arvadites, Semarites et
Hamatites. Par la suite les clans cananéens se dispersèrent, 19 et leur territoire
s'étendit de Sidon en direction de Guérar
jusqu'à Gaza, et en direction de Sodome,
Gomorrhe, Adma et Seboïm jusqu'à Lé-
cha. 20 Tels sont les fils de Cham, répartis
d'après leurs clans et leurs langues, dans
leur pays et leurs nations.

21 Sem, le frère aîné de Japhet, eut aussi
des fils. Il est l'ancêtre d'Éber et de tous
ses descendants[u]. 22 Fils de Sem : Élam,
Assour, Arpaxad, Loud et Aram. 23 Fils
d'Aram : Ous, Houl, Guéter et Mach.
24 Arpaxad fut le père de Chéla ; Chéla fut
le père d'Éber. 25 Éber eut deux fils : le

---

q **9.27** Le verbe hébreu traduit par *mettre au large* évoque le nom de *Japhet*.

r **10.1** Cette liste des descendants de Noé répartit en groupes ethniques et géographiques les peuples connus autrefois.

s **10.4** *Tarsis* est devenu le nom d'une ville située sur la côte méditerranéenne de l'Espagne ; *Kittim* désigne aussi l'île de Chypre et *Rodanim* l'île grecque de Rhodes (certains manuscrits lisent *Dodanim*).

t **10.6** *Misraïm* est aussi le nom hébreu de l'Egypte ou du peuple égyptien ; voir v. 13.

u **10.21** Du nom de *Éber* dérive celui des Hébreux.

premier s'appelait Péleg, “Division”,
parce que, à l'époque où il vécut, la population de la terre se divisa ; son frère s'appelait Yoctan. 26 Yoctan fut le père
d'Almodad, Chélef, Hassarmaveth, Yéra,
27 Hadoram, Ouzal, Dicla, 28 Obal, Abimaël, Saba, 29 Ofir, Havila, Yobab ; tous
ceux-là furent les fils de Yoctan. 30 Ils habitaient entre Mécha et la région montagneuse de Sefar à l'est. 31 Tels furent les
descendants de Sem, répartis d'après
leurs clans et leurs langues, dans leurs
pays et leurs nations.

32 Tels furent les clans issus des fils de
Noé selon leurs listes de descendance,
nation par nation. C'est d'eux que descendent toutes les nations dispersées sur
la terre après la grande inondation.

La tour de Babel

11 1 Tout le monde parlait alors la
même langue et se servait des mêmes mots. 2 Partis de l'est, les hommes
trouvèrent une large vallée en Basse-
Mésopotamie et s'y installèrent. 3 Ils se
dirent les uns aux autres : « Allons ! Au
travail pour mouler des briques et les
cuire au four ! » Ils utilisèrent les briques
comme pierres de construction et l'as-
phalte comme mortier. 4 Puis ils se dirent : « Allons ! Au travail pour bâtir une
ville, avec une tour dont le sommet touche au ciel ! Ainsi nous deviendrons célèbres, et nous éviterons d'être dispersés
sur toute la surface de la terre. »
5 Le Seigneur descendit du ciel pour
voir la ville et la tour que les hommes bâtissaient. 6 Après quoi il se dit : « Eh bien,
les voilà tous qui forment un peuple unique et parlent la même langue ! S'ils
commencent ainsi, rien désormais ne les
empêchera de réaliser tout ce qu'ils projettent. 7 Allons ! Descendons mettre le
désordre dans leur langage, et empê-
chons-les de se comprendre les uns les
autres. » 8 Le Seigneur les dispersa de là
sur l'ensemble de la terre, et ils durent
abandonner la construction de la ville.
9 Voilà pourquoi celle-ci porte le nom de
Babel[v]. C'est là, en effet, que le Seigneur a
mis le désordre dans le langage des hommes, et c'est à partir de là qu'il a dispersé
les humains sur la terre entière.

Liste des patriarches de Sem à Abram

10 Voici la liste des descendants de
Sem. Sem avait 100 ans quand il eut un
fils, Arpaxad, deux ans après la grande
inondation. 11 Après la naissance d'Arpaxad, Sem vécut encore 500 ans. Il eut
d'autres fils et des filles.

12 Arpaxad vécut 35 ans et il eut un fils,
Chéla. 13 Après la naissance de Chéla, Arpaxad vécut encore 403 ans. Il eut d'autres fils et des filles.

14 A l'âge de 30 ans, Chéla eut un fils,
Éber. 15 Après la naissance d'Éber, Chéla
vécut encore 403 ans. Il eut d'autres fils et
des filles.

16 A l'âge de 34 ans, Éber eut un fils,
Péleg. 17 Après la naissance de Péleg, Éber
vécut encore 430 ans. Il eut d'autres fils et
des filles.

18 A l'âge de 30 ans, Péleg eut un fils,
Réou. 19 Après la naissance de Réou, Péleg vécut encore 209 ans. Il eut d'autres
fils et des filles.

20 A l'âge de 32 ans, Réou eut un fils,
Seroug. 21 Après la naissance de Seroug,
Réou vécut encore 207 ans. Il eut d'autres
fils et des filles.

22 A l'âge de 30 ans, Seroug eut un fils,
Nahor. 23 Après la naissance de Nahor,
Seroug vécut encore 200 ans. Il eut d'au-
tres fils et des filles.

24 A l'âge de 29 ans, Nahor eut un fils,
Téra. 25 Après la naissance de Téra, Nahor
vécut encore 119 ans. Il eut d'autres fils et
des filles.

26 Après avoir atteint l'âge de 70 ans,
Téra eut trois fils, Abram, Nahor et Haran.

27 Voici la liste des descendants de Téra,
père d'Abram, Nahor et Haran. Haran
eut un fils, Loth 28 et mourut du vivant de
son père Téra, au pays où il était né, Our
en Chaldée. 29 Abram épousa Saraï et Nahor épousa Milka, fille de Haran. Haran
était aussi le père d'Iska. 30 Saraï n'avait
pas d'enfant, elle était stérile.

---

v **11.9** *Babel* : nom hébreu de Babylone ; le texte hébreu rattache ce nom au verbe de consonance voisine traduit ici par *mettre le désordre* (v. 7 et 9).

31 Téra emmena son fils Abram et son
petit-fils Loth, fils de Haran. Il emmena
aussi sa belle-fille Saraï, femme d'Abram.
Il quitta avec eux Our en Chaldée pour
aller au pays de Canaan. Ils voyagèrent
jusqu'à Haran[w] et s'y installèrent.
32 Après avoir vécu 205 ans, Téra mourut
à Haran.

ABRAHAM
12–25

Dieu appelle Abram à quitter son pays

12 1 Le Seigneur dit à Abram:
« Quitte ton pays, ta parenté et la
maison de ton père et va dans le pays que
je te montrerai[x]. 2 Je ferai naître de toi
une grande nation ; je te *bénirai et je
rendrai ton nom célèbre. Tu seras une bénédiction pour les autres. 3 Je bénirai
ceux qui te béniront, mais je maudirai
ceux qui te maudiront. A travers toi, je
bénirai toutes les nations de la terre[y]. »
4 Abram, qui était âgé de soixante-
quinze ans, accepta de quitter Haran
comme le lui ordonnait le Seigneur. 5 Il
prit avec lui sa femme Saraï et son neveu
Loth ; ils emportaient toutes leurs richesses et emmenaient les esclaves achetés à
Haran. Ils se dirigèrent vers le pays de
Canaan.

Abram au pays de Canaan, puis en Égypte

Lorsqu'ils arrivèrent au pays de
Canaan, 6 ils le traversèrent jusqu'au
chêne sacré de Moré, à Sichem. – A cette
époque, les Cananéens habitaient la région. –
7 Le Seigneur apparut à Abram et lui
dit : « Je donnerai ce pays à ta descendance[z]. » Abram construisit un *autel au
Seigneur à l'endroit où il lui était apparu.
8 De là, il passa dans la région montagneuse, à l'est de Béthel ; il installa son
camp entre la ville de Béthel, à l'ouest, et
celle d'Aï[a], à l'est. Il y construisit un autre autel et il pria Dieu en l'appelant "Seigneur". 9 Puis de campement en
campement, Abram prit la direction du
Néguev.
10 Il y eut une famine dans le pays ; elle
devint si grave qu'Abram partit pour
l'Égypte, afin d'y séjourner quelque
temps. 11 Au moment de pénétrer dans ce
pays, il dit à sa femme Saraï : « Écoute, je
sais que tu es belle. 12 Quand les Égyptiens te verront, ils se diront que tu es ma
femme ; ils me tueront et te garderont en
vie. 13 Dis-leur donc que tu es ma sœur[b],
afin qu'on me traite bien à cause de toi ;
ainsi j'aurai la vie sauve grâce à toi. »
14 Lorsque Abram arriva en Égypte, les
Égyptiens remarquèrent que sa femme
était très belle. 15 Des officiers du *Pharaon la virent et firent son éloge à leur
maître. On emmena la femme au palais
du roi. 16 A cause d'elle, le Pharaon se
montra bienveillant pour Abram. Il lui
donna des moutons, des chèvres et des
bœufs, des serviteurs et des servantes, des
ânes, des ânesses et des chameaux.
17 Mais le Seigneur frappa le Pharaon et
sa famille de grands malheurs à cause de
Saraï, la femme d'Abram. 18 Le Pharaon
convoqua Abram et lui demanda : « Pourquoi m'as-tu fait cela ? Pourquoi ne
m'as-tu pas averti que c'était ta femme ?
19 Pourquoi as-tu dit que c'était ta sœur, si
bien que je l'ai prise pour femme ? Maintenant, voilà ta femme ; prends-la et
va-t'en ! »
20 Le Pharaon donna alors à ses serviteurs l'ordre de reconduire Abram à la
frontière avec sa femme et tout ce qui lui
appartenait.

---

w **11.31** *Haran*, ville de Haute-Mésopotamie, était, comme *Our* en Basse-Mésopotamie, un centre de culte lunaire.

x **12.1** Voir Act 7.2-3 ; Hébr 11.8.

y **12.3** *toutes les nations de la terre* : comparer 18.18 ; 22.18 ; 26.4 ; 28.14 ; Act 3.25 ; Gal 3.8-9. – Autre traduction possible *Dans toutes les nations de la terre on dira : « Que le Seigneur vous bénisse comme il a béni Abram ! »*

z **12.7** Voir Act 7.5 ; Gal 3.16.

a **12.8** *Béthel* (Maison de Dieu) et *Aï* (Ruine) sont situées à une quinzaine de kilomètres au nord de Jérusalem.

b **12.13** Voir 20.2,12 ; 26.7.

13 1 D'Égypte, Abram retourna au
Néguev avec sa femme et tout ce
qui lui appartenait. Loth l'accompagnait.

Abram et Loth se séparent

2 Abram était très riche. Il possédait de
grands troupeaux ainsi que beaucoup
d'argent et d'or. 3 Il alla par étapes du Néguev jusqu'à Béthel, là où il avait déjà
campé, entre Béthel et Aï, 4 à l'endroit où
il avait construit un *autel. Abram y pria
Dieu en l'appelant "Seigneur".

5 Loth, qui l'accompagnait, possédait
lui aussi des troupeaux de moutons, de
chèvres et de bœufs ; il avait ses propres
tentes. 6-7 A cause du grand nombre de
personnes et d'animaux, la région ne
suffisait pas pour qu'ils y restent ensemble, d'autant plus que les Cananéens et
les Perizites habitaient aussi le pays. Il y
eut une dispute entre les *bergers
d'Abram et ceux de Loth. 8 Alors Abram
dit à Loth : « Il ne doit pas y avoir de dispute entre nous, ni entre nos bergers, car
nous sommes de la même famille. 9 Tu as
tout le pays devant toi. Séparons-nous :
Si tu vas vers le nord, j'irai vers le sud ;
et si tu vas vers le sud, j'irai vers le
nord. »

10 Loth regarda ; il vit que toute la région du Jourdain était bien arrosée.
Jusqu'à Soar, avant que le Seigneur détruise Sodome et Gomorrhe, elle était
comme un *paradis[c], comme la vallée du
Nil. 11 Loth choisit pour lui la région du
Jourdain et déplaça son campement vers
l'est ; c'est ainsi qu'ils se séparèrent.
12 Abram resta dans le pays de Canaan.
Loth campa près des villes de la région
du Jourdain et alla planter ses tentes
jusqu'à Sodome. 13 Les habitants de cette
ville offensaient gravement le Seigneur
par leur mauvaise conduite.

14 Après que Loth se fut séparé
d'Abram, le Seigneur dit à Abram :
« Porte ton regard depuis l'endroit où tu
es, vers le nord et le sud, vers l'est et
l'ouest. 15 Tout le pays que tu vois, je le
donnerai à toi et à tes descendants pour
toujours[d]. 16 Je rendrai tes descendants si
nombreux que personne ne pourra les
compter, pas plus qu'on ne peut compter
les grains de poussière sur le sol. 17 Va,
parcours le pays en long et en large, car
c'est à toi que je le donnerai. »

18 Abram déplaça son camp et vint
s'installer aux chênes de Mamré, près
d'Hébron ; il y construisit un autel au
Seigneur.

Abram, les rois et Melkisédec

14 1 A cette époque, les rois Amrafel
de Mésopotamie, Ariok d'Ellasar,
Kedor-Laomer d'Élam et Tidal de Goïm
2 firent la guerre aux rois Béra de Sodome, Bircha de Gomorrhe, Chinab
d'Adma, Chéméber de Seboïm et au roi
de Béla, c'est-à-dire de Soar. 3 Ces derniers se rassemblèrent dans la vallée de
Siddim, recouverte aujourd'hui par la
mer Morte. 4 Pendant douze ans, ils
avaient été soumis à Kedor-Laomer
mais, la treizième année, ils s'étaient révoltés. 5 La quatorzième année, Kedor-
Laomer se mit en campagne avec les rois
ses alliés. Ils battirent les Refaïtes à Ache-
taroth-Carnaïm, les Zouzites à Ham, les
Émites dans la plaine de Quiriataïm.
6 Quant aux Horites, ils les battirent chez
eux, dans leurs montagnes, au pays de
Séir, les poursuivant jusqu'à El-Paran qui
est près du désert. 7 Puis ils revinrent vers
En-Michepath, c'est-à-dire Cadès. Ils ravagèrent toute la campagne amalécite et
battirent aussi les *Amorites qui habitaient Hassasson-Tamar. 8 Les rois des
villes de Sodome, Gomorrhe, Adma, Seboïm et de Béla, c'est-à-dire de Soar, firent sortir leurs troupes ; ils livrèrent
bataille dans la vallée de Siddim 9 aux
rois Kedor-Laomer d'Élam, Tidal de
Goïm, Amrafel de Mésopotamie, Ariok
d'Ellasar, cinq rois contre quatre. 10 Il y
avait de nombreux puits de bitume dans
la vallée de Siddim. Les rois de Sodome
et Gomorrhe s'enfuirent et ils y tombèrent ; les survivants se réfugièrent dans
la montagne. 11 Les vainqueurs s'emparèrent de tous les biens de Sodome et Gomorrhe et de toutes les réserves de

---

c **13.10** *Sodome* et *Gomorrhe* : voir chap. 18–19. – *un paradis* : ce terme fait allusion au jardin d'Éden (voir 2.8-10).

d **13.15** Voir Act 7.5.

cendants après toi[q]. 8 A toi et à tes descendants, je donnerai le pays où tu séjournes
en étranger, tout le pays de Canaan. Il
sera leur propriété pour toujours et je serai leur Dieu[r]. »
9 Dieu dit encore à Abraham : « Toi et
tes descendants, de génération en génération, vous devrez respecter mon alliance.
10 Voici l'obligation que je vous impose et
à laquelle vous vous soumettrez, toi et tes
descendants : Quiconque est parmi vous
de sexe masculin devra être *circoncis[s].
11 Votre circoncision sera le signe de l'alliance établie entre vous et moi. 12 De génération en génération, tous vos garçons
seront circoncis quand ils auront huit
jours. De même pour les esclaves nés
chez toi ou pour les esclaves étrangers
que tu as achetés et qui ne sont donc pas
membres de ton clan. 13 Ainsi l'esclave né
chez toi et celui que tu auras acheté seront circoncis, afin que mon alliance soit
inscrite dans votre chair comme une alliance perpétuelle. 14 Quant à l'homme
non circoncis, il sera exclu du peuple
pour n'avoir pas respecté les obligations
de mon alliance. »
15 Ensuite Dieu dit à Abraham : « Ne
donne plus à ta femme le nom de Saraï,
car désormais son nom est Sara[t]. 16 Je vais
la *bénir et te donner par elle un fils. Je
la bénirai et elle deviendra l'ancêtre de
nations entières ; il y aura des rois de divers peuples dans sa descendance. »
17 Abraham se jeta le visage contre terre
et il rit, car il se disait : « Comment pourrais-je avoir un enfant, moi qui ai cent
ans, et comment Sara qui en a quatre-
vingt-dix pourrait-elle devenir mère ? »
18 Il dit alors à Dieu : « Pourvu qu'Ismaël
vive et que tu t'intéresses à lui, je n'en
demande pas plus. » 19 Dieu dit : « Non !
Ta femme Sara te donnera un fils que tu
appelleras Isaac[u]. Je maintiendrai mon
alliance avec lui et avec ses descendants
après lui. Ce sera une alliance pour toujours. 20 De plus, j'ai entendu ta demande
en faveur d'Ismaël : je le bénirai, je le
rendrai fécond, je lui donnerai un très
grand nombre de descendants. Il sera le
père de douze princes et l'ancêtre d'un
grand peuple. 21 Mais mon alliance, je la
maintiendrai avec Isaac, le fils que Sara
va te donner à cette époque l'an prochain. »
22 Quand Dieu eut fini de parler avec
Abraham, il le quitta. 23 Abraham prit
alors son fils Ismaël ainsi que tous ses esclaves, ceux nés chez lui et ceux qu'il
avait achetés, c'est-à-dire tous les hommes de sa maison. Il les circoncit le jour
même, comme Dieu le lui avait ordonné.
24-25 Abraham avait quatre-vingt-dix-neuf
ans et son fils Ismaël treize quand ils furent circoncis. 26 Ils furent circoncis le
même jour, 27 avec tous les hommes de la
maison d'Abraham, esclaves nés chez lui
ou achetés à des étrangers.

Dieu annonce que Sara aura un fils

18 1 Le Seigneur apparut à Abraham
près des chênes de Mamré. Abraham était assis à l'entrée de sa tente à
l'heure la plus chaude de la journée.
2 Soudain il vit trois hommes[v] qui se tenaient non loin de lui. De l'entrée de la
tente, il se précipita à leur rencontre et
s'inclina jusqu'à terre. 3 Il dit à l'un
d'eux : « Je t'en prie, fais-moi la faveur de
t'arrêter chez moi. 4 On va apporter un
peu d'eau pour vous laver les pieds et
vous vous reposerez sous cet arbre. 5 Je
vous servirai quelque chose à manger
pour que vous repreniez des forces, puis
vous continuerez votre chemin. Ainsi
vous ne serez pas passés pour rien près de
chez moi. » Les visiteurs répondirent :
« Bien ! Fais ce que tu viens de dire. »
6 Alors Abraham retourna en toute hâte
dans la tente pour dire à Sara : « Vite !
Prends ce qu'il faut de fine farine et fais
trois galettes. » 7 Ensuite il courut vers le
troupeau, choisit un veau tendre et gras.
Il le remit à son serviteur, qui se dépêcha
de le préparer.

---

q **17.7** Voir Luc 1.55.

r **17.8** Voir Act 7.5.

s **17.10** Voir Act 7.8 ; Rom 4.11.

t **17.15** *Saraï* et *Sara* : deux formes du même nom, qui signifie *princesse*.

u **17.19** En hébreu le nom d'*Isaac* correspond au verbe traduit par *il rit* au v. 17 ; comparer 18.11-15.

v **18.2** *trois hommes* : pour les désigner la suite du récit parle tantôt d'*hommes* (v. 16), tantôt du *Seigneur* (v. 13,14,17 etc.), tantôt de *deux anges* (19.1). Comparer Hébr 13.2.

8 Quand la viande fut prête, Abraham la
plaça devant ses visiteurs avec du lait
caillé et du lait frais. Ils mangèrent tandis
qu'Abraham se tenait debout près d'eux
sous l'arbre. 9 Ils lui demandèrent : « Où
est ta femme Sara ? » – « Dans la tente »,
répondit-il. 10 L'un des visiteurs déclara :
« Je reviendrai chez toi l'an prochain à la
même époque, et ta femme Sara aura un
fils[w]. »

Sara se trouvait à l'entrée de la tente,
derrière Abraham et elle écoutait. 11-
12 Elle se mit à rire en elle-même, car
Abraham et elle étaient déjà vieux et elle
avait passé l'âge d'avoir des enfants. Elle
se disait donc : « Maintenant je suis usée
et mon mari[x] est un vieillard ; le temps
du plaisir est passé. » 13 Le Seigneur demanda alors à Abraham : « Pourquoi Sara
a-t-elle ri ? Pourquoi se dit-elle : "C'est
impossible, je suis trop vieille pour avoir
un enfant" ? 14 Y a-t-il donc quelque
chose que le Seigneur soit incapable de
réaliser[y] ? Quand je reviendrai chez toi
l'an prochain à la même époque, Sara
aura un fils. » 15 Effrayée, Sara nia : « Je
n'ai pas ri », dit-elle. « Si, tu as ri ! » répliqua le Seigneur[z].

16 Les hommes se mirent en route et regardèrent en direction de Sodome. Abraham marchait avec eux pour les
reconduire. 17 Le Seigneur se dit : « Je ne
veux pas cacher à Abraham ce que je vais
faire. 18 Il doit devenir l'ancêtre d'un peuple grand et puissant. A travers lui, je
*bénirai toutes les nations de la terre[a].
19 Je l'ai choisi pour qu'il ordonne à ses
fils et à ses descendants d'observer mes
commandements, en ayant une conduite
juste et droite, afin que j'accomplisse en
sa faveur ce que je lui ai promis. » 20 Le
Seigneur dit alors à Abraham : « Les accusations contre les populations de
Sodome et Gomorrhe sont graves, leurs
péchés sont énormes. 21 Je vais descendre
pour vérifier les accusations que j'entends porter contre eux. S'ils font tout ce
mal, je le saurai. »

22 Deux des visiteurs quittèrent cet endroit et se dirigèrent vers Sodome, tandis
que le Seigneur restait avec Abraham[b].
23 Abraham se rapprocha et dit : « Seigneur, vas-tu vraiment faire périr ensemble l'innocent et le coupable ? 24 Il y a
peut-être cinquante justes à Sodome.
Vas-tu quand même détruire cette ville ?
Ne veux-tu pas lui pardonner à cause des
cinquante justes qui s'y trouvent ?
25 Non, tu ne peux pas agir ainsi ! Tu ne
feras pas mourir l'innocent avec le coupable, de sorte que l'innocent ait le même
sort que le coupable. Il n'est pas possible
que le juge de toute la terre ne respecte
pas la justice. » 26 Le Seigneur répondit :
« Si je trouve à Sodome cinquante justes,
je pardonnerai à toute la ville à cause
d'eux. »

27 Abraham reprit : « Excuse-moi d'oser
te parler, Seigneur, moi qui ne suis qu'un
peu de poussière et de cendre. 28 Au lieu
des cinquante justes, il n'y en aura peut-
être que quarante-cinq. Pour les cinq qui
manquent détruiras-tu toute la ville ? »
Dieu dit : « Je ne la détruirai pas si j'y
trouve quarante-cinq justes. »

29 Abraham insista : « On n'en trouvera
peut-être que quarante. » – « Je n'interviendrai pas à cause des quarante », déclara Dieu.

30 Abraham dit alors : « Je t'en prie, Sei-
gneur, ne te fâche pas si je parle encore.
On n'en trouvera peut-être que trente. »
– « Je n'interviendrai pas si je trouve
trente justes dans la ville », répondit
Dieu.

31 Abraham dit : « Seigneur, excuse
mon audace. On n'en trouvera peut-être
que vingt. » – « Je ne détruirai pas la ville
à cause de ces vingt », répondit Dieu.

32 Alors Abraham dit : « Je t'en prie,
Seigneur, ne te fâche pas. C'est la dernière fois que je parle. On n'en trouvera
peut-être que dix. » – « Je ne détruirai pas
la ville à cause de ces dix », dit Dieu.

---

w **18.10** Voir Rom 9.9.
x **18.11-12** *mon mari* ou *mon maître* : voir 1 Pi 3.6.
y **18.14** Voir Luc 1.37.
z **18.15** Voir 17.17-19 et la note.
a **18.18** Voir 12.3 et la note.
b **18.22** *tandis que le Seigneur restait avec Abraham* (ou *restait debout devant Abraham*) : texte reconstitué. Les copistes juifs, en effet, ont indiqué qu'ils avaient corrigé le texte, sans doute pour éviter une affirmation jugée choquante. Ils proposent de lire *tandis qu'Abraham restait debout devant le Seigneur*.

33 Lorsqu'il eut achevé de parler avec
Abraham, le Seigneur s'en alla et Abraham retourna chez lui.

Loth échappe à la destruction de Sodome

19 1 Vers le soir, les deux *anges arrivèrent à Sodome. Loth était assis à
la porte de la ville[c]. Dès qu'il les vit, il se
leva pour aller à leur rencontre et s'inclina jusqu'à terre devant eux. 2 « Je vous
en prie, dit-il, faites-moi l'honneur de venir chez moi. Vous pourrez vous y laver
les pieds et y passer la nuit. Demain matin, vous continuerez votre chemin. » –
« Non, répondirent-ils, nous passerons la
nuit sur la place. » 3 Mais Loth insista tellement qu'ils finirent par aller chez lui. Il
leur prépara un repas et fit cuire des galettes, puis ils mangèrent.

4 Ils n'étaient pas encore couchés lorsque les hommes de Sodome encerclèrent
la maison ; des jeunes gens aux vieillards,
tous étaient là, sans exception. 5 Ils appelèrent Loth et lui dirent : « Où sont les
gens qui sont venus chez toi ce soir ?
Fais-les sortir. Nous voulons prendre notre plaisir avec eux. »

6 Loth sortit sur le seuil de la maison,
ferma la porte derrière lui 7 et leur dit :
« Non, mes amis, ne commettez pas ce
crime. 8 J'ai deux filles qui sont encore
vierges ; je vais vous les amener et vous
les traiterez comme vous voudrez. Mais
ne faites rien à ces gens ; ce sont mes
hôtes, ils sont sous ma protection[d]. »
– 9 « Ote-toi de là, répondirent-ils ! Tu
n'es qu'un étranger et tu voudrais faire
la loi chez nous. Eh bien, nous allons te
traiter encore plus mal qu'eux ! » Ils
bousculèrent Loth avec violence et s'approchèrent de la porte pour l'enfoncer.
10 Alors les deux anges empoignèrent
Loth, le ramenèrent à l'intérieur et re-
fermèrent la porte. 11 Quant aux hommes qui se trouvaient devant l'entrée de
la maison, ils les frappèrent tous d'aveuglement[e] du plus petit jusqu'au plus
grand, si bien qu'ils ne pouvaient plus
trouver la porte.

12 Les deux anges dirent à Loth : « Y a-
t-il encore ici d'autres membres de ta famille, un gendre, des fils, des filles, n'importe quel parent ? Emmène-les hors de
la ville. 13 Le Seigneur a reçu en effet tant
de plaintes contre ses habitants qu'il
nous a chargés de la détruire. » 14 Loth
alla trouver ses gendres pour leur dire :
« Vite ! Partez d'ici, car le Seigneur va détruire la ville. » Mais ils s'imaginèrent
qu'il plaisantait.

15 Aux premières lueurs du jour, les anges pressèrent Loth de partir : « En route,
disaient-ils ! Prends ta femme et tes deux
filles, sinon vous perdrez la vie quand la
ville paiera ses crimes. » 16 Loth hésitait
encore. Les anges le prirent par la main,
ainsi que sa femme et ses deux filles, et le
conduisirent hors de la ville, car le Seigneur voulait le sauver[f].

17 Lorsqu'ils les eurent fait sortir de la
ville, l'un des anges dit à Loth : « Fuis
pour sauver ta vie ; ne regarde pas en arrière ; ne t'attarde nulle part dans la région ; réfugie-toi dans la montagne si tu
veux rester en vie. » 18 Loth répondit :
« Non, seigneur, ce n'est pas possible.
19 Bien sûr, j'ai bénéficié de ta bienveillance et tu m'as fait une grande faveur en
me sauvant la vie. Mais moi je ne pourrai
pas fuir jusque dans la montagne avant
que le malheur m'atteigne, et je mourrai.
20 Tu vois cette petite ville ? Elle est assez
proche pour que je puisse courir jusque-là. Laisse-moi m'y réfugier puisqu'elle est si petite, et j'aurai la vie
sauve. » – 21 « Eh bien, dit l'ange, je t'accorde encore cette faveur de laisser intacte la ville dont tu parles. 22 Va vite t'y
réfugier, car je ne puis rien faire avant
que tu y sois arrivé. » – C'est pourquoi on
a appelé cette ville Soar[g]. –

23 Le soleil se levait quand Loth arriva
à Soar. 24 C'est alors que le Seigneur fit
tomber du ciel sur Sodome et Gomorrhe
une pluie de soufre enflammé. 25 Il soumit à un total bouleversement ces deux

---

c **19.1** *les deux anges* : voir 18.2 et la note. – *Loth à la porte de la ville* : voir 13.12-13.

d **19.8** Respect des règles de l'hospitalité l'emportant sur toute autre considération : voir aussi Jug 19.

e **19.11** *aveuglement* : comparer 2 Rois 6.18.

f **19.16** Voir 2 Pi 2.7.

g **19.22** En hébreu le nom de *Soar* évoque le terme traduit par *petite* au v. 20.

villes et leur population, ainsi que toute la région et sa végétation[h]. 26 La femme de Loth regarda en arrière[i] et fut changée en statue de sel.

27 Tôt le lendemain matin, Abraham se rendit à l'endroit où il s'était tenu en présence du Seigneur. 28 Quand il regarda en direction de Sodome, Gomorrhe et de toute la région environnante, il vit monter de la plaine une fumée semblable à celle d'un incendie.

29 Quand Dieu détruisit les villes de cette région où habitait Loth, il pensa à Abraham et il permit à Loth d'échapper à ce bouleversement.

Loth et ses filles

30 Loth avait peur de rester à Soar ; il quitta la ville et alla vivre dans la montagne. Ses deux filles l'accompagnèrent ; il s'installa avec elles dans une grotte. 31 Un jour l'aînée dit à sa sœur : « Notre père est vieux et il n'y a pas d'homme dans la région pour nous épouser, comme cela se fait partout. 32 Viens, nous allons enivrer notre père, puis nous passerons la nuit avec lui, pour lui donner des descendants. »

33 Elles enivrèrent donc leur père ce soir-là et l'aînée passa la nuit avec lui. Il ne s'aperçut de rien, ni quand elle se coucha, ni quand elle se releva. 34 Le lendemain, l'aînée dit à sa sœur : « Ça y est, j'ai passé la nuit avec notre père. Enivrons-le encore ce soir, ce sera ton tour. Ainsi nous pourrons lui donner des descendants. » 35 Elles enivrèrent encore leur père ce soir-là et la cadette passa la nuit avec lui. Il ne s'aperçut de rien, ni quand elle se coucha, ni quand elle se releva.

36 Les deux filles de Loth devinrent enceintes. 37 L'aînée mit au monde un fils qu'elle appela Moab. Il est l'ancêtre des Moabites[j] d'aujourd'hui. 38 La cadette, elle aussi, mit au monde un fils ; elle l'appela Ben-Ammi. Il est l'ancêtre des Ammonites[k] d'aujourd'hui.

Abraham et Abimélek

20 1 Abraham partit pour la région du Néguev. Il s'établit entre Cadès et Chour, puis alla séjourner à Guérar. 2 Abraham disait de sa femme Sara qu'elle était sa sœur[l]. Abimélek, roi de Guérar, la fit enlever. 3 Pendant la nuit, Dieu apparut en rêve à Abimélek et lui dit : « Tu vas mourir à cause de la femme que tu as enlevée, car elle est mariée. » 4 Abimélek, qui ne s'était pas encore approché d'elle, répondit : « Seigneur, mon peuple et moi sommes innocents ! Vas-tu nous faire mourir quand même ? 5 Abraham m'a dit lui-même qu'elle était sa sœur et elle a affirmé de son côté qu'il était son frère. J'ai agi en toute bonne conscience et n'ai rien fait de mal. »

6 Dans ce même rêve, Dieu reprit : « Moi aussi, je sais que tu as agi en toute bonne conscience. C'est moi qui t'ai retenu de te rendre coupable envers moi et voilà pourquoi je ne t'ai pas laissé la toucher. 7 Maintenant rends cette femme à son mari. C'est un *prophète ; il priera pour que tu aies la vie sauve. Mais si tu ne la rends pas, sache que tu mourras certainement avec tous les tiens. »

8 Abimélek se leva de bon matin, appela les gens de son entourage et leur raconta cette affaire. Ils eurent très peur. 9 Abimélek convoqua Abraham et lui demanda : « Que nous as-tu fait là ? De quoi me suis-je rendu coupable envers toi pour que tu nous exposes, moi et mon royaume, à commettre une faute aussi grave ? On ne doit pas se comporter comme tu l'as fait avec moi. 10 Qu'est-ce qui t'a pris d'agir ainsi ? » 11 Abraham répondit : « Je me suis dit que les gens d'ici n'avaient aucun respect pour Dieu et qu'ils allaient me tuer à cause de ma femme. 12 D'ailleurs il est vrai qu'elle est ma sœur : elle a le même père que moi,

---

h **19.25** V. 24-25 : comparer Matt 10.15 ; 11.23-24 ; Luc 10.12 ; 17.29 ; 2 Pi 2.6 ; Jude 7.

i **19.26** Voir Luc 17.32.

j **19.37** En hébreu le nom de *Moab* évoque l'expression signifiant *issu du père*. – Les *Moabites* occupaient la région située à l'est de la mer Morte.

k **19.38** En hébreu le nom de *Ben-Ammi* peut signifier *Fils de mon parent*. – Les *Ammonites* occupaient une partie de la région située à l'est du Jourdain, sur le plateau transjordanien.

l **20.2** Comparer 12.13 ; 26.7.

mais non la même mère, c'est pourquoi
elle a pu devenir ma femme. 13 Lorsque
Dieu m'a fait quitter la maison de mon
père, j'ai dit à ma femme : "Partout où
nous irons, fais-moi le plaisir de dire que
je suis ton frère." »

14 Abimélek prit des moutons, des
chèvres et des bœufs, des esclaves hommes et femmes, et les donna à Abraham
en lui rendant sa femme Sara. 15 Il lui
dit : « Mon pays t'est ouvert. Installe-toi
à l'endroit qui te convient. » 16 Puis il
dit à Sara : « Tu vois, je donne mille pièces d'argent à ton frère : c'est le signe
qui doit prouver à tous tes proches que
tu es innocente en cette affaire[m]. »

17-18 Or à cause de ce qui était arrivé à
Sara, la femme d'Abraham, le Seigneur
avait rendu stériles toutes les femmes de
la maison d'Abimélek. Abraham pria
Dieu, et Dieu guérit Abimélek, sa femme
et ses servantes ; elles purent de nouveau
avoir des enfants.

Naissance d'Isaac

21 1 Le Seigneur intervint en faveur
de Sara, en faisant pour elle ce
qu'il avait promis. 2 Elle devint enceinte,
alors qu'Abraham était déjà un vieillard,
et elle mit au monde un fils à l'époque
que Dieu avait annoncée[n]. 3 Abraham
nomma Isaac ce fils que Sara lui avait
donné. 4 Il le *circoncit à l'âge de huit
jours, comme Dieu le lui avait ordonné[o].
5 Abraham avait cent ans à la naissance
d'Isaac. 6 Sara déclara : « Dieu m'a fait
rire de joie. Tous ceux qui entendront
parler d'Isaac riront[p] avec moi. » 7 Et elle
ajouta : « Qui aurait pu dire à Abraham
qu'un jour Sara allaiterait des enfants ?
Pourtant je lui ai donné un fils dans sa
vieillesse. »

Abraham renvoie Agar et Ismaël

8 L'enfant grandit. Quand Sara cessa
de l'allaiter, Abraham fit un grand banquet.

9 Un jour Ismaël, l'enfant que l'Égyptienne Agar avait donné à Abraham, était
en train de jouer[q]. Sara le vit 10 et dit à
Abraham : « Chasse cette esclave et son
fils. Celui-ci ne doit pas hériter avec mon
fils Isaac[r]. »

11 Ces paroles firent beaucoup de peine
à Abraham, parce qu'Ismaël était aussi
son fils. 12 Mais Dieu lui dit : « Ne sois pas
contrarié au sujet de ton esclave et de son
enfant. Accepte de faire tout ce que Sara
t'a dit. En effet, c'est par Isaac que tu auras les descendants que je t'ai promis[s].
13 Quant au fils de ton esclave, je ferai
aussi naître de lui une nation, car il est
ton fils. »

14 Tôt le lendemain matin, Abraham
prit du pain et une *outre remplie d'eau,
les donna à Agar, lui mit l'enfant sur le
dos et la renvoya. Elle alla errer dans le
désert de Berchéba. 15 Quand il n'y eut
plus d'eau dans l'outre, elle abandonna
l'enfant sous un arbuste ; 16 puis elle alla
s'asseoir à l'écart, à la distance d'un jet de
flèche, car elle se disait : « Je ne veux pas
voir mourir mon enfant. » Elle s'assit
donc à l'écart et elle se mit à pleurer.
17 Dieu entendit l'enfant crier, et du ciel
*l'ange de Dieu appela Agar : « Qu'as-tu,
Agar ? lui demanda-t-il. N'aie pas peur.
Dieu a entendu l'enfant crier là-bas.
18 Debout ! Prends ton fils et tiens-le
d'une main ferme, car je ferai naître de
lui une grande nation. » 19 Dieu ouvrit les
yeux d'Agar et elle aperçut un puits. Elle
alla y remplir l'outre et donna à boire à
son fils.

20-21 Protégé par Dieu, l'enfant grandit.
Il habita dans le désert de Paran et devint
un habile tireur à l'arc. Sa mère lui fit
épouser une Égyptienne.

Abraham fait alliance avec Abimélek

22 A cette époque, Abimélek vint avec
Pikol, le chef de son armée, dire à Abraham : « Dieu te protège en tout ce que tu
entreprends. 23 Maintenant donc, jure-
moi par Dieu que tu ne trahiras ni moi ni

---

m **20.16** A la fin du verset le texte hébreu est peu clair et la traduction incertaine.
n **21.2** Voir 18.10 ; Hébr 11.11.
o **21.4** Voir 17.12 ; Act 7.8.
p **21.6** Voir 17.19 et la note.
q **21.9** *était en train de jouer* : l'ancienne version grecque a lu *était en train de taquiner Isaac.*
r **21.10** Voir Gal 4.29-30.
s **21.12** Voir Rom 9.7 ; Hébr 11.18.

mes enfants ou mes descendants. Tout comme j'ai agi envers toi, agis avec bienveillance envers moi et envers ce pays où tu séjournes.» – 24 «Je le jure», dit Abraham.

25 Abraham se plaignit auprès d'Abimélek à propos d'un puits que des sujets d'Abimélek avaient accaparé. 26 Abimélek lui répondit : «Je ne sais pas qui a fait cela. Jusqu'à aujourd'hui toi-même ne m'en avais rien dit, et je n'en avais pas entendu parler.» 27 Abraham prit des moutons, des chèvres et des bœufs, les donna à Abimélek, et ils conclurent tous deux un accord. 28 Abraham mit à part sept jeunes brebis. 29 Abimélek lui demanda : «Pourquoi mets-tu ces sept brebis à part ?» 30 Abraham répondit : «Accepte-les pour qu'elles te rappellent que c'est bien moi qui ai creusé ce puits.» 31 C'est ainsi qu'on appela ce lieu Berchéba, car tous deux y firent un serment[t].

32 Ils conclurent donc un accord à Berchéba. Puis Abimélek se mit en route avec Pikol, chef de son armée, pour retourner au pays des Philistins. 33 Abraham planta un arbre, un tamaris, à Berchéba et il pria le Dieu éternel en l'appelant Seigneur. 34 Abraham séjourna longtemps dans le pays des Philistins.

Abraham est prêt à offrir Isaac en sacrifice

22 1 Par la suite, Dieu mit Abraham à l'épreuve. Il l'appela et Abraham répondit : «Oui, je t'écoute.» 2 Dieu reprit : «Prends ton fils Isaac, ton fils unique que tu aimes tant, va dans le pays de Moria, sur une montagne que je t'indiquerai, et là offre-le-moi en *sacrifice[u].»

3 Le lendemain Abraham se leva tôt. Il fendit le bois pour le sacrifice, sella son âne et se mit en route vers le lieu que Dieu lui avait indiqué. Il emmenait avec lui deux serviteurs, ainsi que son fils Isaac. 4 Le surlendemain, il aperçut l'endroit de loin. 5 Il dit alors aux serviteurs : «Restez ici avec l'âne. Mon fils et moi nous irons là-haut pour adorer Dieu, puis nous vous rejoindrons.»

6 Abraham chargea sur son fils Isaac le bois du sacrifice. Lui-même portait des braises pour le feu et un couteau. Tandis qu'ils marchaient tous deux ensemble, 7 Isaac s'adressa à son père, Abraham : «Mon père !» dit-il. Celui-ci lui répondit : «Oui, je t'écoute, mon enfant.» – «Nous avons le feu et le bois, dit Isaac, mais où est l'agneau pour le sacrifice ?» 8 Abraham répondit : «Mon fils, Dieu veillera lui-même à procurer l'agneau.»

Ils continuèrent leur route tous deux ensemble. 9 Quand ils arrivèrent au lieu que Dieu lui avait indiqué, Abraham construisit un *autel et y déposa le bois. Puis il lia Isaac, son propre fils, et le plaça sur l'autel, par-dessus le bois. 10 Alors il tendit la main et saisit le couteau pour égorger son fils. 11 Mais du ciel *l'ange du Seigneur l'interpella : «Abraham, Abraham !» – «Oui, répondit Abraham, je t'écoute.» 12 L'ange lui ordonna : «Ne porte pas la main sur l'enfant, ne lui fais aucun mal. Je sais maintenant que tu respectes l'autorité de Dieu, puisque tu ne lui as pas refusé ton fils, ton fils unique.»

13 Relevant la tête, Abraham aperçut un bélier retenu par les cornes dans un buisson. Il alla le prendre et l'offrit en sacrifice à la place de son fils. 14 Abraham nomma ce lieu “Le Seigneur y veillera”. C'est pourquoi on dit encore aujourd'hui : «Sur la montagne, le Seigneur y veillera[v]».

15 Du ciel, l'ange du Seigneur appela Abraham une seconde fois 16 et lui dit : «Voici ce que déclare le Seigneur : Parce que tu as agi ainsi, que tu ne m'as pas refusé ton fils, ton fils unique, aussi vrai que je suis Dieu, je jure 17 de te *bénir abondamment en rendant tes descendants aussi nombreux que les étoiles dans le ciel ou les grains de sable au bord de la mer. Tes descendants s'empareront des cités de leurs ennemis[w]. 18 A travers eux,

---

t **21.31** En hébreu il y a double jeu de mots dans les v. 28-31 : le nom de *Berchéba* peut en effet se traduire par «puits des sept» ou «puits du Serment».

u **22.2** *Moria* : voir 2 Chron 3.1. – *offre-le-moi en sacrifice* : voir Hébr 11.17-19.

v **22.14** Voir v. 8.

w **22.17** Le serment de Dieu : voir Hébr 6.13-14. – *nombreux* : voir Hébr 11.12.

je bénirai toutes les nations de la terre
parce que tu as obéi à mes ordres[x]. »
19 Abraham rejoignit ses serviteurs ; ils se
mirent en route et regagnèrent Berchéba,
où Abraham s'installa.

20 Après ces événements, Abraham apprit que Milka avait aussi donné des fils à
son frère Nahor : 21 Ous l'aîné, son frère
Bouz, Quemouel, le père d'Aram, 22 Kes-
sed, Hazo, Pildach, Yidlaf et Betouel.
23 Tels sont les huit fils que Milka donna à
Nahor, frère d'Abraham. Betouel fut le
père de Rébecca. 24 Nahor avait une
épouse de second rang, nommée
Réouma, qui eut aussi des enfants : Téba,
Gaham, Tahach et Maaka.

Abraham achète un tombeau pour Sara

23 1 Sara vécut cent vingt-sept ans.
2 Elle mourut à Quiriath-Arba,
c'est-à-dire Hébron, au pays de Canaan.
Abraham célébra le deuil de sa femme et
la pleura. 3 Puis il quitta le lieu où était le
corps de sa femme et alla parler aux descendants de Heth : 4 « Je ne suis qu'un
étranger, un hôte de passage parmi vous.
Accordez-moi la propriété d'un tombeau
chez vous pour que je puisse y enterrer
ma femme[y]. » 5 Les descendants de Heth
lui répondirent : 6 « Fais-nous l'honneur
de nous écouter ! Tu es parmi nous un
prince *béni de Dieu. Enterre ta femme
dans le meilleur de nos tombeaux. Aucun
de nous ne voudra te refuser son tombeau
pour l'y enterrer. »

7 Abraham se leva et s'inclina profondément devant les descendants de Heth
qui habitaient cette région, 8 et leur dit :
« Si vous acceptez vraiment que j'enterre
ma femme ici, veuillez intervenir en ma
faveur auprès d'Éfron, fils de Sohar,
9 pour qu'il me cède la grotte de Makpéla,
qui lui appartient et qui se trouve à l'extrémité de son champ. Qu'il me la cède à
sa vraie valeur, en votre présence, afin
que ce tombeau soit ma propriété. »
10 Éfron le Hittite[z] se trouvait là au milieu de ses compatriotes. Il répondit à
Abraham de manière à être entendu par
tous les Hittites venus siéger à la porte de
la ville : 11 « Fais-moi l'honneur de
m'écouter, dit-il. Il n'est pas question de
vendre le champ et la grotte qui s'y
trouve. En présence de mes compatriotes,
oui, je t'en fais cadeau. Tu peux y enterrer
ta femme. »

12 De nouveau Abraham s'inclina profondément devant les gens de la région,
13 puis il s'adressa à Éfron de manière à
être entendu de tous : « Je t'en prie, dit-il,
écoute-moi ! Je t'ai offert le prix du
champ. Accepte cet argent pour que je
puisse enterrer ma femme. » 14-15 Éfron reprit : « Fais-moi l'honneur de m'écouter.
Un terrain qui vaut quatre cents pièces
d'argent, entre toi et moi c'est sans
importance. Enterre donc ta femme. »

16 Abraham donna son accord à Éfron
et lui compta la somme dont il avait parlé
devant ses compatriotes, quatre cents
pièces d'argent ayant cours chez les marchands. 17 Dès lors, le champ d'Éfron, situé à Makpéla, à l'est de Mamré, la grotte
qui s'y trouve et tous les arbres situés à
l'intérieur de ses limites 18 devinrent la
propriété d'Abraham. Tous les Hittites
qui étaient venus à la porte de la ville en
furent témoins.

19 Après quoi Abraham enterra sa
femme Sara dans la grotte du champ de
Makpéla, près de Mamré, c'est-à-dire Hébron, au pays de Canaan. 20 Le champ et
la grotte qui s'y trouve cessèrent d'appartenir aux Hittites et devinrent avec
leur accord la propriété d'Abraham, pour
qu'il puisse y enterrer ses morts.

Le mariage d'Isaac et de Rébecca

24 1 Abraham était devenu très vieux.
Le Seigneur l'avait *béni en toutes circonstances. 2 Un jour Abraham dit
au plus âgé de ses serviteurs, qui administrait tous ses biens : « Mets ta main
sous ma cuisse[a] 3 et jure-moi par le Seigneur, le Dieu du ciel et de la terre, que tu
ne prendras pas pour mon fils une femme
de ce pays de Canaan où j'habite. 4 Jure-

x **22.18** Voir 12.3 et la note.
y **23.4** *un étranger* : voir Hébr 11.9,13. – Achat d'un tombeau : comparer Act 7.16.
z **23.10** *Hittite* : voir au Vocabulaire AMORITES.
a **24.2** Ce geste accompagnait parfois un serment solennel.

moi que tu iras dans mon pays d'origine
et que tu choisiras dans ma parenté une
femme pour mon fils Isaac. » 5 Le serviteur lui répondit : « La femme refusera
peut-être de me suivre dans ce pays-ci.
Devrai-je alors ramener ton fils dans le
pays que tu as quitté ? » – 6 « Non, répondit Abraham. Garde-toi bien de ramener
mon fils là-bas. 7 Le Seigneur, le Dieu du
ciel, m'a fait quitter la maison de mon
père et mon pays d'origine. Il m'a parlé et
m'a juré de donner ce pays-ci à mes descendants. Il enverra son *ange devant toi
pour que tu puisses ramener de là-bas
une femme pour mon fils. 8 Si la femme
ne veut pas te suivre, tu seras dégagé du
serment que tu m'auras fait ; mais en aucun cas ne ramène mon fils là-bas. » 9 Le
serviteur mit alors sa main sous la cuisse
de son maître Abraham et lui jura d'exécuter ses ordres. 10 Il prit dix des chameaux de son maître et emporta tout ce
que celui-ci avait de meilleur. Il se mit en
route vers la ville de Nahor en Haute-
Mésopotamie[b].

11 Arrivé près du puits qui se trouve en
dehors de cette ville, il fit agenouiller les
chameaux. C'était le soir, à l'heure où les
femmes venaient puiser de l'eau. 12 Il pria
ainsi : « Seigneur, Dieu de mon maître
Abraham, accorde-moi de faire une heureuse rencontre aujourd'hui. Manifeste
ainsi ta bonté pour mon maître Abraham.
13 Me voici près du puits, et les filles des
habitants de la ville vont venir y puiser
de l'eau. 14 Je demanderai à l'une d'elles
de pencher sa cruche pour que je puisse
boire. Si elle me répond : "Bois, et je vais
faire boire aussi tes chameaux", je saurai
que c'est elle que tu destines à ton serviteur Isaac. De cette manière, je reconnaîtrai que tu as agi avec bonté pour mon
maître. » 15 Avant qu'il ait fini de parler
arriva Rébecca, fille de Betouel, lui-
même fils de Milka et de Nahor, le frère
d'Abraham. Elle portait sa cruche sur
l'épaule. 16 C'était une ravissante jeune
fille ; elle était vierge. Elle descendit au
puits, remplit sa cruche et remonta.

17 Le serviteur d'Abraham courut à sa
rencontre et lui dit : « Laisse-moi, s'il te
plaît, boire un peu d'eau de ta cruche. » –
18 « Je t'en prie, répondit-elle, bois. » Vite
elle fit descendre sa cruche sur son bras
et lui donna à boire. 19 Quand elle eut
fini, elle reprit : « Je vais aussi puiser de
l'eau pour les chameaux jusqu'à ce qu'ils
aient tous bu. » 20 Elle vida rapidement sa
cruche dans l'abreuvoir, puis elle courut
de nouveau chercher de l'eau. Elle en
puisa pour tous les chameaux.
21 L'homme l'observait en silence, se demandant si le Seigneur avait ou non fait
réussir son voyage.

22 Lorsque les chameaux eurent fini de
boire, l'homme donna à la jeune fille un
anneau d'or pesant environ six grammes
ainsi que deux bracelets d'or pesant chacun plus de cent grammes. 23 Il lui demanda : « De qui es-tu la fille ?
Dis-le-moi, s'il te plaît. Y a-t-il assez de
place chez ton père pour me loger cette
nuit avec ceux qui m'accompagnent ? »
24 Elle lui répondit : « Je suis la fille de Betouel et la petite-fille de Milka et de Nahor. 25 Il y a chez nous, ajouta-t-elle, de la
paille et du fourrage en quantité, ainsi
que de la place pour vous loger. »

26 L'homme remercia le Seigneur en
s'inclinant jusqu'à terre ; 27 il dit : « Merci
au Seigneur, le Dieu de mon maître
Abraham, qui a manifesté une si réelle
bonté envers mon maître : durant ce
voyage, le Seigneur m'a conduit directement chez des parents de mon maître. »

28 La jeune fille courut alors pour annoncer cette nouvelle chez sa mère. 29 Or
Rébecca avait un frère nommé Laban.
Laban sortit en hâte pour rejoindre
l'homme près du puits. 30 Il avait aperçu
l'anneau et les bracelets aux bras de sa
sœur et il l'avait entendue raconter ce
que l'homme lui avait dit. Il trouva
l'homme avec ses chameaux près du
puits. 31 « Viens chez nous, lui dit-il, toi
que le Seigneur a béni. Pourquoi restes-tu dehors ? J'ai moi-même préparé la
maison et aménagé une place pour tes
chameaux. »

---

b **24.10** *et emporta tout ce que celui-ci avait de meilleur* : autre traduction *il administrait tous les biens de son maître*. – *Nahor* est ici soit le nom d'une ville (mentionnée par ailleurs dans les textes assyriens), soit le nom du frère d'Abraham (v. 15 ; 11.27). Dans ce dernier cas *la ville de Nahor* serait Haran (11.31).

32 Le serviteur d'Abraham vint donc
chez Laban. On déchargea les chameaux
et on leur donna de la paille et du fourrage. On apporta aussi de l'eau pour que
le serviteur et les hommes qui l'accompagnaient puissent se laver les pieds. 33 On
lui présenta de la nourriture, mais il déclara : « Je ne mangerai pas avant d'avoir
dit ce que j'ai à dire. » – « Eh bien, parle ! »
lui dit Laban. 34 « Je suis un serviteur
d'Abraham, dit l'homme. 35 Le Seigneur
a comblé mon maître de bénédictions ;
celui-ci est devenu très riche, car le Seigneur lui a accordé des moutons, des chèvres et des bœufs, de l'argent et de l'or,
des serviteurs et des servantes, des chameaux et des ânes. 36 Sa femme Sara, malgré son âge, lui a donné un fils à qui il a
transmis tout ce qui lui appartenait.
37 Mon maître m'a fait jurer de ne pas
prendre pour son fils une femme du pays
de Canaan où il habite. 38 Il m'a dit :
"Jure-moi d'aller dans la famille de mon
père, dans mon clan, afin d'y prendre une
femme pour mon fils." 39 Alors je lui ai
demandé : "Et si la femme refuse de me
suivre ?" 40 Il m'a répondu : "Le Seigneur,
devant qui j'ai toujours vécu, enverra son
ange avec toi, il fera réussir ton entreprise et tu ramèneras pour mon fils une
femme de mon clan, de la famille de mon
père. 41 Du moment que tu seras allé dans
mon clan, même si tu n'obtiens rien, tu
seras dégagé de ton serment, préservé de
ma malédiction." 42 En arrivant aujourd'hui près du puits, j'ai fait cette
prière : "Seigneur, Dieu de mon maître
Abraham, veuille faire réussir le voyage
que j'ai entrepris. 43 Maintenant que je
suis près de ce puits, je vais demander à
une jeune fille qui viendra y puiser de me
faire boire un peu d'eau de sa cruche. 44 Si
elle me répond : 'Bois, je t'en prie, et je
vais aussi puiser pour tes chameaux', je
saurai qu'elle est la femme que tu destines au fils de mon maître." 45 Avant que
j'aie fini de parler en moi-même, Rébecca
est arrivée, la cruche sur l'épaule ; elle est
descendue au puits et elle a puisé de l'eau.
Je lui ai demandé : "Donne-moi à boire,
s'il te plaît." 46 Elle a rapidement descendu sa cruche de son épaule et m'a dit :
"Bois, après quoi je ferai boire aussi tes
chameaux." J'ai bu et elle a fait boire les
chameaux. 47 Quand je lui ai demandé de
qui elle était la fille, elle m'a répondu :
"Je suis la fille de Betouel et la petite-fille
de Nahor et de Milka." J'ai alors mis l'anneau à son nez et les bracelets à ses poignets. 48 Je me suis incliné profondément
pour adorer le Seigneur, le Dieu de mon
maître Abraham ; je l'ai remercié de
m'avoir conduit sans incident chez la pe-
tite-nièce de mon maître. Je pourrai ainsi
la ramener au fils de mon maître.
49 Maintenant, dites-moi si vous êtes disposés à agir avec bienveillance et fidélité
envers mon maître. Sinon je m'en irai
ailleurs. »

50 Laban et Betouel répondirent :
« C'est le Seigneur qui a dirigé ces événements. Nous n'avons pas à en discuter.
51 Rébecca est là, devant toi. Emmène-la
avec toi. Qu'elle devienne la femme du
fils de ton maître, comme le Seigneur l'a
dit. » 52 Quand le serviteur d'Abraham
entendit ces paroles, il remercia le Seigneur en s'inclinant jusqu'à terre. 53 Ensuite il sortit de ses bagages des bijoux
d'argent et d'or et des vêtements qu'il
donna à Rébecca ; il offrit aussi de riches
présents au frère et à la mère de la jeune
fille. 54 Le serviteur d'Abraham et les
hommes qui l'accompagnaient mangèrent et burent, puis ils allèrent se coucher.

Le lendemain matin, quand ils furent
levés, le serviteur d'Abraham dit au frère
et à la mère de Rébecca : « Laissez-moi
retourner chez mon maître. » – 55 « Que la
jeune fille reste encore quelque temps
avec nous, une dizaine de jours, répondirent-ils ; ensuite elle pourra partir. »
56 Le serviteur reprit : « Ne me retenez
pas, maintenant que le Seigneur a fait
réussir mon voyage. Laissez-moi m'en aller chez mon maître. » – 57 « Appelons la
jeune fille, lui dirent-ils, et demandons-
lui son avis. »

58 Ils appelèrent donc Rébecca et l'interrogèrent : « Veux-tu partir avec cet
homme ? » – « Oui », répondit-elle. 59 Ils
laissèrent alors Rébecca et sa nourrice
partir avec le serviteur d'Abraham et ses
hommes. 60 Ils donnèrent à Rébecca leur
bénédiction en ces termes :

« Deviens, toi notre sœur,
mère de millions d'hommes.
Et que tes descendants
s'emparent des cités de tes ennemis ! »
61 Rébecca et ses servantes montèrent sur
les chameaux pour suivre le serviteur et
ils s'en allèrent ensemble.
62 Isaac avait quitté le puits de Lahaï-
Roï[c]. Il habitait la région du Néguev.
63 Un soir qu'il était sorti se promener
dans la campagne, il vit soudain arriver
des chameaux. 64 Quand Rébecca aperçut
Isaac, elle sauta à bas du chameau 65 et demanda au serviteur : « Qui est cet homme
qui vient à notre rencontre dans la campagne ? » – « C'est mon maître », répondit
le serviteur. Aussitôt elle se couvrit le visage de son voile. 66 Le serviteur raconta à
Isaac tout ce qu'il avait fait. 67 Ensuite
Isaac emmena Rébecca dans la tente où
avait vécu sa mère Sara, et elle devint sa
femme ; il l'aima et se consola ainsi de la
mort de sa mère.

La mort d'Abraham. Ses autres descendants

25 1 Abraham prit une autre femme,
nommée Quetoura. 2 Elle lui
donna pour fils Zimran, Yoxan, Medan,
Madian, Ichebac, Choua. 3 Yoxan fut père
de Saba et de Dédan. Les descendants de
Dédan furent les Achourites, les Letou-
chites et les Leoumites. 4 Les fils de Madian furent Éfa, Éfer, Hanok, Abida et
Elda. Tous ceux-là furent descendants de
Quetoura.
5 Abraham laissa à Isaac tout ce qui lui
appartenait. 6 De son vivant, il avait fait
des cadeaux aux fils de ses épouses de second rang avant de les envoyer loin de
son fils Isaac, dans un pays d'Orient.
7 Abraham avait cent soixante-quinze ans
8 quand il mourut. C'est donc après une
longue et heureuse vieillesse qu'il rejoignit ses ancêtres dans la mort. 9 Ses fils
Isaac et Ismaël l'enterrèrent dans la
grotte de Makpéla, qui se trouve dans le
champ d'Éfron, fils de Sohar le Hittite,
près de Mamré. 10 Abraham avait acheté
ce champ aux descendants de Heth[d]. Il y
fut enterré avec sa femme Sara. 11 Après la
mort d'Abraham, Dieu *bénit son fils
Isaac. Isaac habita près du puits de
Lahaï-Roï[e].
12 Voici la liste des descendants d'Ismaël, le fils que l'Égyptienne Agar, l'esclave de Sara, donna à Abraham. 13 Les
fils d'Ismaël, d'après leur ordre de naissance, se nommaient Nebayoth, Quédar,
Adbéel, Mibsam, 14 Michema, Douma,
Massa, 15 Hadad, Téma, Yetour, Nafich,
Quedma. 16 Tels furent les douze fils d'Ismaël. Chacun était chef d'un clan ; ils
donnèrent leurs noms à leurs villages et
leurs lieux de campement. 17 Ismaël avait
cent trente-sept ans quand il rejoignit ses
ancêtres dans la mort. 18 Les descendants
d'Ismaël occupaient la région située
entre Havila et Chour. Chour est près
de l'Égypte, en direction d'Achour. Ils
s'établirent donc à l'écart des autres
descendants d'Abraham[f].

JACOB
25–36

Ésaü et Jacob

19 Voici l'histoire d'Isaac :
Isaac était fils d'Abraham. 20 A l'âge de
quarante ans, il avait épousé Rébecca,
sœur de Laban et fille de Betouel, un
Araméen de Haute-Mésopotamie. 21 Mais
Rébecca ne lui donnait pas d'enfant ;
alors Isaac supplia le Seigneur en faveur
de sa femme. Le Seigneur écouta sa
prière, et Rébecca devint enceinte. Elle
attendait des jumeaux. 22 Or les enfants se
donnaient des coups dans le ventre de
leur mère. Elle s'écria : « S'il en est ainsi,
à quoi bon être enceinte ? » Elle alla
consulter le Seigneur. 23 Le Seigneur lui
dit :
« Il y a deux nations dans ton ventre,
deux peuples distincts naîtront de toi.

c **24.62** Le début du v. 62 est peu clair en hébreu. – Sur *le puits de Lahaï-Roï*, voir 16.13-14.
d **25.10** Voir 23.3-16.
e **25.11** Voir 16.14.
f **25.18** *Ils s'établirent...* : texte peu clair en hébreu.

L'un sera plus fort que l'autre,
l'aîné servira le plus jeune[g]. »

24 Lorsque fut arrivé le moment de l'accouchement, il n'y eut plus de doute : Rébecca avait des jumeaux. 25 Le premier qui sortit était roux. Il était couvert de poils, comme d'un manteau, et on l'appela Ésaü[h]. 26 Après lui sortit son frère. Sa main tenait le talon d'Ésaü et on l'appela Jacob[i]. Isaac avait soixante ans à leur naissance.

27 Les garçons grandirent. Ésaü devint un excellent chasseur qui aimait courir la campagne. Quant à Jacob, c'était un homme tranquille qui restait volontiers sous la tente. 28 Isaac préférait Ésaü, car il appréciait le gibier, tandis que Rébecca préférait Jacob.

29 Un jour que Jacob préparait un potage, Ésaü revint de la chasse, très fatigué, 30 et lui dit : « Je n'en peux plus. Laisse-moi vite avaler de ce potage roux. » – C'est pourquoi on l'a surnommé Édom, c'est-à-dire le Roux[j]. – 31 Jacob répondit : « Cède-moi d'abord tes droits de fils aîné. » 32 Ésaü déclara : « Je vais mourir de faim. A quoi me serviront mes droits de fils aîné ? » 33 Jacob reprit : « Jure d'abord. » Alors Ésaü jura qu'il lui cédait ses droits de fils aîné 34 et Jacob lui donna du pain et du potage aux lentilles. Ésaü mangea et but, puis s'en alla. Il n'accorda aucune importance à ses droits de fils aîné[k].

Isaac et Abimélek

26 1 Il y eut une famine dans le pays – il ne s'agit pas de celle qui eut lieu du temps d'Abraham –. Isaac partit pour Guérar chez Abimélek, roi des Philistins[l]. 2 Le Seigneur apparut à Isaac et lui dit : « Ne va pas en Égypte, mais installe-toi dans le pays que je t'indiquerai. 3 Séjournes-y. Je serai avec toi et je te *bénirai, car c'est à toi et à tes descendants que je veux donner tous ces territoires. J'accomplirai ainsi la promesse que j'ai faite à ton père Abraham. 4 Je rendrai tes descendants aussi nombreux que les étoiles dans le ciel, et je leur donnerai tous ces territoires. A travers eux, je bénirai toutes les nations de la terre[m], 5 parce qu'Abraham a obéi à mes ordres, observé mes règles, mes commandements, mes décrets et mes lois. »

6 Isaac s'établit à Guérar. 7 Les gens de l'endroit l'interrogèrent sur sa femme. Il répondit qu'elle était sa sœur[n] : il n'osait pas dire que Rébecca était sa femme, car il craignait d'être tué par ces gens à cause d'elle, tellement elle était belle.

8 Isaac était là depuis longtemps. Un jour qu'Abimélek, roi des Philistins, regardait par la fenêtre, il vit Isaac qui plaisantait tendrement avec sa femme Rébecca. 9 Il le convoqua et lui dit : « Elle est certainement ta femme. Pourquoi as-tu prétendu que c'était ta sœur ? » – « Je l'ai dit de peur qu'on me tue à cause d'elle », répondit Isaac. 10 Abimélek reprit : « Que nous as-tu fait là ? Un peu plus, quelqu'un de mon peuple aurait pris ta femme, et tu nous aurais ainsi rendus coupables. »

11 Abimélek donna cet avertissement à tout le peuple : « Quiconque osera toucher à cet homme ou à sa femme sera mis à mort. »

12 Cette année-là, Isaac fit des semailles dans le pays et il récolta cent fois ce qu'il avait semé, car le Seigneur le bénissait. 13 Ses biens ne cessaient d'augmenter, de sorte qu'il devint très riche. 14 Il possédait des troupeaux de moutons, de chèvres et de bœufs, et un grand nombre de serviteurs.

---

g **25.23** Voir Rom 9.12.

h **25.25** Le pays d'*Ésaü* est parfois nommé pays d'Édom (voir v. 30) ou Séir (voir 32.4) ; ce dernier nom évoque le terme traduit ici par *couvert de poils*.

i **25.26** En hébreu le nom de *Jacob* évoque le mot traduit ici par *talon* ; voir aussi 27.36 et la note.

j **25.30** En hébreu le nom d'*Édom* évoque le terme traduit ici par *potage roux*.

k **25.34** Voir Hébr 12.16.

l **26.1** Famine au temps d'Abraham : voir 12.10. – *Guérar*, où *Abimélek* était roi (comparer 20.1-2), n'était pas encore à proprement parler territoire philistin, puisque les *Philistins*, originaires de la Crète ou de l'Asie mineure, ne se sont installés sur la côte palestinienne, entre les villes actuelles de Jaffa et de Gaza, que vers le 12e siècle avant J.-C. Sur le territoire philistin, comparer Josué 13.3-4.

m **26.4** V. 3-4 : voir 22.16-18. – *A travers eux, je bénirai* : voir 12.3 et la note.

n **26.7** Comparer 12.13 ; 20.2.

Isaac fait alliance avec Abimélek

Les Philistins furent jaloux d'Isaac.
15 Ils comblèrent avec de la terre tous les
puits que les serviteurs de son père Abraham avaient creusés du vivant de celui-ci. 16 Abimélek dit à Isaac : « Tu es
devenu beaucoup trop puissant pour
nous ; va-t'en d'ici. »

17 Isaac partit de là ; il campa dans la
vallée de Guérar et s'y installa. 18 Il fit déboucher les puits qu'on avait creusés du
vivant de son père Abraham et que les
Philistins avaient comblés après sa mort.
Il leur redonna les noms que son père
leur avait donnés.

19 Un jour, les serviteurs d'Isaac creusèrent un puits dans la vallée et ils y découvrirent une source. 20 Les *bergers de
Guérar se disputèrent avec ceux d'Isaac :
« L'eau est à nous », prétendaient-ils.
Isaac appela ce puits Essec – ce qui veut
dire "Querelle" – parce qu'ils lui avaient
cherché querelle. 21 Les serviteurs d'Isaac
creusèrent un autre puits, et il y eut encore une dispute à son sujet. Isaac appela
ce puits Sitna – "Contestation" –. 22 Il
partit de là et fit creuser un troisième
puits ; celui-ci ne provoqua pas de dispute. Il l'appela Rehoboth – "Elargisse-
ment" –. Il disait en effet : « Le Seigneur
nous a mis au large, pour que nous puissions prospérer dans le pays. »

23 Il partit de là pour Berchéba. 24 Le
Seigneur lui apparut la nuit suivante et
lui dit : « Je suis le Dieu de ton père Abraham. Ne crains rien, car je suis avec toi et
je te *bénirai. Je multiplierai tes descendants pour l'amour de mon serviteur
Abraham. » 25 Isaac construisit un *autel
à cet endroit et il pria Dieu en l'appelant
Seigneur. Il y dressa ses tentes, et ses serviteurs creusèrent un autre puits.

26 Abimélek vint de Guérar pour le
voir, en compagnie de son ami Ahouzath
et de Pikol, le chef de son armée[o]. 27 Isaac
leur demanda : « Pourquoi êtes-vous venus me voir, alors que vous me détestez et
que vous m'avez chassé de chez vous ? »
28 Ils lui répondirent : « Nous avons
constaté que le Seigneur est avec toi, et
nous avons pensé qu'il fallait entre toi et
nous un accord garanti par serment.
29 Jure-nous donc que tu ne nous feras pas
de mal, puisque nous ne t'avons pas maltraité ; nous ne t'avons fait que du bien,
et nous t'avons laissé partir en paix. Et
maintenant, tu es un homme béni du Seigneur. » 30 Isaac leur offrit un banquet. Ils
mangèrent et ils burent. 31 Le lendemain
matin ils se levèrent de bonne heure et ils
échangèrent des serments. Isaac leur fit
ses adieux et ils se quittèrent en bons
termes.

32 Ce même jour, les serviteurs d'Isaac
vinrent lui apporter des nouvelles d'un
puits qu'ils creusaient : « Nous avons
trouvé de l'eau », lui dirent-ils. 33 Isaac appela ce puits Chiba – ce qui veut dire
"Serment" –. C'est pourquoi, aujourd'hui
encore, la ville s'appelle Berchéba
– "Puits du serment[p]" –.

Mariage d'Ésaü

34 Ésaü avait quarante ans quand il
épousa deux femmes hittites, Yehoudith,
fille de Béri, et Basmath, fille d'Élon.
35 Elles rendirent la vie amère à Isaac et
Rébecca.

Jacob s'approprie la bénédiction promise à Ésaü

27 1 Isaac était devenu vieux. Sa vue
avait tellement baissé qu'il n'y
voyait plus. Il appela son fils aîné :
« Ésaü ! » – « Oui, répondit-il, je
t'écoute. » 2 Isaac reprit : « Tu le vois, je
suis vieux et je ne sais pas combien de
temps j'ai encore à vivre. 3 Prends ton arc
et tes flèches et va à la chasse. Tu me ramèneras du gibier, 4 tu me prépareras un
de ces plats appétissants, comme je les
aime, et tu me l'apporteras. J'en mangerai, puis je te donnerai ma *bénédiction
avant de mourir. »

5 Or Rébecca écoutait pendant qu'Isaac
parlait à Ésaü. Dès que celui-ci fut parti
dans la campagne afin d'en rapporter du
gibier, 6 Rébecca dit à son fils Jacob : « J'ai
entendu ton père dire à Ésaü : 7 "Apporte-moi du gibier et prépare-moi un
plat appétissant. Quand j'en aurai mangé,

---

o **26.26** *Abimélek* et *Pikol* : voir 21.22.
p **26.33** Voir 21.31 et la note.

je te donnerai ma bénédiction devant le
Seigneur avant de mourir.” 8 Maintenant,
mon fils, écoute-moi bien et fais ce que je
te recommande. 9 Va au troupeau et rap-
porte-moi deux beaux chevreaux. Je préparerai pour ton père un de ces plats
appétissants, comme il les aime. 10 Tu le
porteras à ton père pour qu'il en mange et
qu'il te donne sa bénédiction avant de
mourir. »

11 Jacob répondit à sa mère : « Ésaü est
couvert de poils, mais pas moi. 12 Si mon
père me touche, il découvrira que je le
trompe et j'attirerai sur moi non pas sa
bénédiction mais sa malédiction. » 13 Sa
mère répliqua : « Je prends sur moi cette
malédiction, mon fils. De toute façon,
écoute-moi et va me chercher ces chevreaux. »

14 Jacob alla les chercher et les apporta
à sa mère. Elle en fit un de ces plats appétissants qu'Isaac aimait. 15 Ensuite elle
prit des vêtements de son fils aîné, les
plus beaux qu'elle avait à la maison, et en
habilla Jacob, son fils cadet. 16 Avec la
peau des chevreaux, elle lui recouvrit les
bras et la partie lisse du cou 17 et elle lui
mit entre les mains le plat appétissant et
le pain qu'elle avait préparés. 18 Il alla
trouver son père et lui dit : « Mon père ! »
– « Je t'écoute, mon fils, dit-il ; mais dis-
moi qui tu es. » 19 Jacob reprit : « Je suis
Ésaü, ton fils aîné. J'ai fait ce que tu m'as
demandé. Viens donc t'asseoir pour manger de mon gibier ; ensuite tu me donneras ta bénédiction. » – 20 « Comment as-tu
trouvé si vite du gibier, mon fils ? » demanda Isaac. Il répondit : « Le Seigneur
ton Dieu l'a mis sur mon chemin. »

21 Isaac dit à Jacob : « Approche-toi. Je
veux te toucher, mon fils, pour m'assurer
que tu es bien mon fils Ésaü. » 22 Jacob
s'approcha de son père ; Isaac le toucha et
dit : « La voix est celle de Jacob, mais les
bras sont ceux d'Ésaü. » 23 Il ne reconnut
pas Jacob, parce que ses bras étaient couverts de poils comme les bras d'Ésaü.
Mais avant de lui donner sa bénédiction,
24 il lui demanda encore : « Tu es bien
mon fils Ésaü ? » – « Oui », répondit
Jacob.

25 Isaac reprit : « Sers-moi, mon fils,
pour que je mange de ton gibier et que je
te donne ma bénédiction. » Jacob servit
son père, qui mangea, et il lui offrit du
vin, qu'il but. 26 Ensuite Isaac lui dit :
« Approche-toi et embrasse-moi, mon
fils ! » 27 Jacob s'approcha donc et l'embrassa. Isaac sentit l'odeur de ses vêtements et lui donna sa bénédiction[q] :
« Vraiment, dit-il, l'odeur de mon fils est
comme celle d'un champ que Dieu a
béni.

28 “Que Dieu te donne la rosée qui tombe
du ciel,
les riches produits de la terre,
du blé et du vin en abondance.
29 Que des nations soient à ton service,
que des peuples se prosternent devant
toi.
Sois le maître de tes frères,
qu'ils s'inclinent devant toi !
Maudit soit celui qui te maudira,
béni soit celui qui te bénira[r] !” »

30 Lorsque Isaac eut achevé la bénédiction qu'il donnait à Jacob, celui-ci
sortit. Il avait à peine quitté son père
qu'Ésaü revint de la chasse. 31 Il prépara
lui aussi un plat appétissant, l'apporta à
son père et lui dit : « Installe-toi, père,
pour manger du gibier que je t'ai rapporté ; ensuite tu me donneras ta bénédiction. » – 32 « Qui es-tu ? » demanda
Isaac. « Je suis Ésaü, ton fils aîné », répondit-il.

33 Dans son émotion, Isaac se mit à
trembler de tous ses membres et demanda : « Mais alors, qui est celui qui a
chassé du gibier, me l'a apporté et m'a fait
manger de tout avant ton arrivée ? C'est à
lui que j'ai donné ma bénédiction, et elle
lui restera acquise. »

34 Quand Ésaü entendit les paroles de
son père, son cœur déborda d'amertume
et il se mit à pousser de grands cris. Il
supplia son père : « Donne-moi aussi une
bénédiction, père ! » 35 Isaac répondit :
« Ton frère est venu et m'a trompé. Il a
emporté la bénédiction qui te revenait. »
36 Ésaü déclara : « Il porte bien son nom
de Jacob – “celui qui dupe” –, puisqu'il
m'a dupé deux fois ! Il s'est emparé de

q **27.27** Voir Hébr 11.20.
r **27.29** Comparer 12.3.

mes droits de fils aîné[s] et maintenant
voilà qu'il s'empare de la bénédiction qui
me revenait ! » Ésaü ajouta : « Ne te reste-
t-il pas une bénédiction pour moi ? »
37 Isaac lui répondit : « J'ai fait de lui ton
maître et je lui ai donné tous ses frères
pour serviteurs. Je lui ai accordé le blé et
le vin. Je ne peux rien faire pour toi, mon
fils ! » 38 Ésaü insista : « N'as-tu qu'une
seule bénédiction ? Bénis-moi aussi, mon
père ! » Et il ne put retenir ses larmes[t].
39 Son père lui dit :

« Loin des terres fertiles
sera ta demeure,
loin de la rosée qui descend du ciel.
40 Tu vivras grâce à ton épée,
et tu serviras ton frère.
Mais tu te libéreras,
tu briseras le *joug qu'il t'aura imposé
et tu le rejetteras de ton cou[u]. »

Jacob s'enfuit chez son oncle Laban

41 Ésaü en voulut à Jacob d'avoir reçu
la *bénédiction de leur père. Il se dit :
« Mon père va bientôt mourir. Ce jour-là,
je tuerai Jacob. » 42 Quand Rébecca apprit
les intentions de son fils, elle fit appeler
Jacob et lui dit : « Attention, ton frère
Ésaü veut se venger de toi en te tuant.
43 Maintenant, écoute-moi bien, mon
fils ! Pars d'ici, fuis chez mon frère Laban, à Haran. 44 Tu resteras chez lui quelque temps, jusqu'à ce que ton frère se
calme, 45 que sa colère se détourne de toi
et qu'il oublie ce que tu as fait. Alors je
t'enverrai chercher là-bas. Je ne veux pas
vous perdre tous les deux le même jour. »

46 Rébecca dit à Isaac : « Je suis déjà assez dégoûtée de la vie à cause de mes belles-filles hittites. Si Jacob épouse à son
tour une fille de ce pays, je perdrai ma
dernière raison de vivre ! »

28 1 Isaac appela Jacob, lui fit ses
adieux et lui donna cet ordre :
« N'épouse pas une fille du pays de Canaan. 2 Rends-toi en Haute-Mésopotamie, chez Betouel, ton grand-père
maternel. Épouse une femme de là-bas,
une fille de Laban, le frère de ta mère.
3 Que le Dieu *tout-puissant te bénisse,
qu'il te donne de nombreux enfants, pour
que tu deviennes l'ancêtre d'un ensemble
de peuples. 4 Qu'il t'accorde, ainsi qu'à
tes descendants, la même bénédiction
qu'à Abraham, afin que tu possèdes le
pays où tu habites, le pays que Dieu a
donné à Abraham[v] ! » 5 Isaac fit donc partir Jacob pour la Haute-Mésopotamie,
chez Laban, fils de Betouel l'Araméen et
frère de Rébecca, la mère de Jacob et
d'Ésaü.

6 Ésaü apprit qu'Isaac avait fait ses
adieux à Jacob et l'avait envoyé se marier
en Haute-Mésopotamie. Il apprit aussi
qu'au moment des adieux Isaac avait interdit à Jacob d'épouser une fille du pays
de Canaan, 7 et que Jacob, obéissant à son
père et à sa mère, était parti pour la Mésopotamie. 8 Ésaü comprit alors que les filles du pays de Canaan déplaisaient à son
père Isaac. 9 Il décida de prendre une autre femme[w]. Il alla donc trouver Ismaël,
fils d'Abraham, et il épousa sa fille Mahalath, la sœur de Nebayoth.

Le rêve de Jacob

10 Jacob quitta Berchéba pour se rendre
à Haran. 11 Il s'installa pour la nuit, là où
le coucher du soleil l'avait surpris. Il prit
une pierre pour la mettre sous sa tête et se
coucha à cet endroit. 12 Il fit un rêve : une
échelle était dressée sur la terre et son
sommet atteignait le ciel. Des *anges de
Dieu y montaient et descendaient[x]. 13 Le
Seigneur se tenait devant lui et lui disait :
« Je suis le Seigneur, le Dieu de ton
grand-père Abraham et le Dieu d'Isaac.
La terre où tu es couché, je la donnerai à
toi et à tes descendants[y]. 14 Tes descendants seront aussi nombreux que les

---

s **27.36** En hébreu le nom de *Jacob* évoque l'expression traduite ici par *celui qui dupe* ; comparer Osée 12.4. Voir aussi Gen 25.26 et la note. – Ésaü renonce à ses droits : voir Gen 25.29-34.

t **27.38** Les pleurs d'Ésaü : voir Hébr 12.17.

u **27.40** *tu te libéreras* : le sens de l'expression hébraïque correspondante est discuté ; d'autres interprètent *(Quand) tu te rebelleras* ou *Quand tu seras devenu errant* ou *Quand tu le voudras*. – V. 39-40 : voir Hébr 11.20. – Sur l'habitat et l'histoire d'Ésaü, voir 36.8 ; 2 Rois 8.20.

v **28.4** Voir 17.4-8.

w **28.9** Voir 26.34.

x **28.12** Comparer Jean 1.51.

y **28.13** *devant lui* : autre traduction *au-dessus d'elle*. – La terre promise : voir 13.14-15.

grains de poussière du sol. Vous étendrez
votre territoire vers l'ouest et vers l'est,
vers le nord et vers le sud. A travers toi et
tous tes descendants, je *bénirai toutes
les nations de la terre[z]. 15 Je suis avec toi,
je te protégerai partout où tu iras et je te
ramènerai dans ce pays. Je ne t'abandonnerai pas, je ferai tout ce que je t'ai
promis. »
16 Jacob s'éveilla et dit : « Vraiment le
Seigneur est ici, mais je ne le savais pas. »
17 Il eut peur et déclara : « Comme cet endroit est redoutable ! Ce n'est rien de
moins que la maison de Dieu et la porte
du ciel ! » 18 Il se leva tôt. Il prit la pierre
qui avait été sous sa tête, la dressa et versa
de l'huile sur son sommet pour en faire
une pierre sacrée. 19 Il appela cet endroit
Béthel, ce qui veut dire "Maison de
Dieu" – auparavant le nom de la localité
était Louz –. 20 Jacob prononça ce *vœu :
« Si le Seigneur est avec moi et me protège sur ma route, s'il me donne de quoi
manger et m'habiller, 21 si je reviens sain
et sauf chez mon père, alors le Seigneur
sera mon Dieu. 22 Cette pierre que j'ai
dressée et consacrée sera une maison de
Dieu ; et c'est à lui que je donnerai le
dixième de tout ce qu'il m'accordera. »

Jacob rencontre Rachel

29 1 Jacob se mit en route et prit la direction des pays de l'Orient. 2 Un
jour, il vit un puits dans la campagne. Il y
avait là trois troupeaux de moutons et de
chèvres au repos, car c'est à ce puits
qu'on abreuvait le bétail. Une grande
pierre en fermait l'ouverture. 3 Quand
tous les troupeaux étaient rassemblés, on
faisait rouler la pierre et on abreuvait le
bétail, puis on remettait la pierre en
place. 4 Jacob demanda aux *bergers :
« Mes amis, d'où venez-vous ? » – « De
Haran. » – 5 « Connaissez-vous Laban, le
fils de Nahor ? » – « Oui. » – 6 « Comment
va-t-il ? » – « Il va bien, et voici justement
sa fille Rachel qui vient avec son troupeau. » – 7 « Il fait encore grand jour, reprit Jacob ; ce n'est pas le moment de
rassembler le bétail. Faites boire les bêtes
et repartez au pâturage. » – 8 « Nous ne
pouvons pas le faire avant que tous les
troupeaux soient rassemblés. Alors on
enlèvera la pierre qui ferme le puits et
nous abreuverons les bêtes. »
9 Jacob parlait encore avec eux quand
Rachel arriva avec le troupeau qui appartenait à son père, car elle était bergère.
10 Lorsque Jacob vit sa cousine Rachel et
le troupeau de son oncle Laban, il s'approcha du puits, fit rouler la pierre qui le
fermait et abreuva le troupeau de son oncle. 11 Jacob embrassa Rachel sans pouvoir retenir ses larmes. 12 Il apprit à
Rachel qu'il était un parent de son père et
le fils de Rébecca. Elle courut aussitôt
l'annoncer à son père. 13 Lorsque Laban
entendit parler de Jacob, le fils de sa
sœur, il courut à sa rencontre, l'embrassa
et l'amena à la maison. Jacob raconta à
Laban tout ce qui lui était arrivé. 14 Laban lui dit : « Tu es vraiment de ma famille, du même sang que moi. » Jacob
passa un mois entier chez Laban.

Le double mariage de Jacob

15 Un jour, Laban dit à Jacob : « Tu es
mon parent, mais ce n'est pas une raison
pour que tu travailles gratuitement à
mon service. Dis-moi quel doit être ton
salaire. »
16 Or Laban avait deux filles. L'aînée
s'appelait Léa et la plus jeune Rachel.
17 Léa avait le regard terne, tandis que
Rachel était bien faite et ravissante. 18 Jacob était amoureux de Rachel et il dit à
Laban : « Je travaillerai sept ans à ton
service pour épouser Rachel, ta fille
cadette. » 19 Laban donna son accord :
« J'aime mieux la donner à toi qu'à un autre. Reste chez moi. »
20 Pour obtenir Rachel, Jacob resta sept
ans au service de Laban. Mais ces années
lui semblèrent passer aussi vite que quelques jours, tant il l'aimait. 21 Puis Jacob
dit à Laban : « Le délai est écoulé.
Donne-moi ma femme. Je veux l'épouser. »
22 Laban invita tous les gens du lieu au
repas de noces. 23 Mais le soir il prit sa
fille Léa et la conduisit à Jacob, qui passa
la nuit avec elle. 24 Laban avait donné
Zilpa comme servante à sa fille. 25 Le ma-

---

z 28.14 *A travers toi...* : voir 12.3 et la note.

tin Jacob s'aperçut que c'était Léa et il dit
à Laban : « Que m'as-tu fait là ? N'est-ce
pas pour épouser Rachel que j'ai travaillé
à ton service ? Pourquoi m'as-tu
trompé ? » 26 Laban lui répondit : « Ce
n'est pas la coutume dans notre région de
marier la cadette avant sa sœur aînée.
27 Finis la semaine de noces avec l'aînée.
Nous te donnerons aussi la plus jeune si
tu travailles encore sept ans pour moi. »
28 Jacob donna son accord : il acheva la semaine de noces avec Léa, puis Laban lui
accorda Rachel. 29 A Rachel, il donna Bila
comme servante. 30 Jacob passa la nuit
avec Rachel et l'aima plus que Léa. Il
continua de travailler pour Laban pendant sept ans de plus.

Les enfants de Jacob

31 Quand le Seigneur vit que Léa était
moins aimée que Rachel, il la rendit féconde, alors que Rachel restait stérile.
32 Léa devint enceinte, et mit au monde
un fils qu'elle appela Ruben. Elle expliqua en effet : « Le Seigneur a vu mon
humiliation[a] ; maintenant mon mari
m'aimera. »

33 Elle fut de nouveau enceinte et mit
au monde un deuxième fils. Elle déclara :
« Le Seigneur a su que je n'étais pas aimée, et il m'a donné un autre fils. » Elle
appela ce fils Siméon[b].

34 Elle fut de nouveau enceinte et mit
au monde un troisième fils. Elle déclara :
« Cette fois-ci mon mari s'attachera à
moi, car je lui ai donné trois fils. » Et
Jacob appela ce fils Lévi[c].

35 Elle fut de nouveau enceinte et mit
au monde un quatrième fils. Elle déclara : « Cette fois, je louerai le Seigneur. »
Et elle appela ce fils Juda[d].

Elle cessa alors d'avoir des enfants.

30 1 Quand Rachel s'aperçut qu'elle
ne pouvait pas avoir d'enfants, elle
devint jalouse de sa sœur. Elle dit à Jacob : « Donne-moi des enfants, sinon je
mourrai. » 2 Jacob se mit en colère contre
elle : « Me prends-tu pour Dieu lui-
même ? C'est lui qui t'empêche d'en
avoir. » 3 Elle répondit : « Prends ma servante Bila, pour qu'elle mette au monde
des enfants ; je les adopterai. Ainsi, grâce
à elle, j'en aurai moi aussi. » 4 Elle donna
donc à Jacob sa servante, qui passa la nuit
avec lui.

5 Bila devint enceinte et donna un fils à
Jacob. 6 Rachel déclara : « Dieu a jugé en
ma faveur. Il a entendu mon souhait et
m'a accordé un fils, à moi aussi. » Et elle
l'appela Dan[e].

7 Bila, servante de Rachel, fut de nouveau enceinte et donna un second fils à
Jacob. 8 Rachel déclara : « J'ai livré un dur
combat à ma sœur et j'ai gagné. » Elle appela son fils Neftali[f].

9 Quand Léa vit qu'elle avait cessé
d'avoir des enfants, elle prit sa servante
Zilpa et la donna pour femme à Jacob.
10 Zilpa donna un fils à Jacob, 11 et Léa
s'écria : « Quelle chance ! » Et elle l'appela
Gad[g].

12 Zilpa donna un second fils à Jacob.
13 Léa s'écria : « Quel bonheur ! Maintenant les femmes peuvent dire que je suis
heureuse. » Et elle l'appela Asser[h].

14 Un jour, à l'époque de la moisson du
blé, Ruben se rendit aux champs et
trouva des pommes d'amour[i]. Il les apporta à sa mère Léa. Alors Rachel dit à
Léa : « S'il te plaît, donne-moi quelques-
unes des pommes d'amour de ton fils. »
15 Léa répondit : « Il ne te suffit pas
d'avoir pris mon mari ? Tu veux encore
prendre les pommes d'amour de mon
fils ! » Rachel reprit : « Eh bien, Jacob
passera la nuit prochaine avec toi en
échange des pommes d'amour de ton
fils ! »

---

a **29.32** En hébreu le nom de *Ruben* ressemble au verbe traduit ici par (le Seigneur) *a vu*.

b **29.33** En hébreu le nom de *Siméon* ressemble au verbe traduit ici par (le Seigneur) *a su*.

c **29.34** En hébreu le nom de *Lévi* ressemble au verbe traduit ici par *s'attachera*.

d **29.35** En hébreu le nom de *Juda* ressemble au verbe traduit ici par *louerai*.

e **30.6** En hébreu le nom de *Dan* ressemble au verbe traduit ici par *jugé*.

f **39. 8** En hébreu le nom de *Neftali* ressemble au verbe traduit ici par *j'ai livré un combat*.

g **30.11** En hébreu le nom de *Gad* ressemble à l'expression traduite ici par *Quelle chance !*

h **30.13** En hébreu le nom d'*Asser* ressemble à l'expression traduite ici par *Quel bonheur !*

i **30.14** On pensait que les *pommes d'amour* (ou mandragores) favorisaient la fécondité.

16 Le soir, quand Jacob revint des champs, Léa sortit à sa rencontre et lui déclara : « Tu dois passer la nuit avec moi : j'ai payé le droit de t'avoir contre les pommes d'amour de mon fils. » Jacob passa donc avec elle cette nuit-là. 17 Dieu exauça la prière de Léa. Elle devint enceinte et donna un cinquième fils à Jacob. 18 Elle proclama : « Dieu m'a payé un salaire pour avoir donné ma servante à mon mari. » Et elle appela son fils Issakar[j].

19 Léa fut de nouveau enceinte et donna un sixième fils à Jacob. 20 Elle proclama : « Dieu m'a fait un beau cadeau. Cette fois mon mari m'honorera, puisque je lui ai donné six fils. » Et elle appela son fils Zabulon[k]. 21 Par la suite elle mit au monde une fille, qu'elle appela Dina.

22 Alors Dieu pensa à Rachel. Il entendit son souhait et la rendit féconde. 23 Elle devint enceinte et mit au monde un fils. Elle déclara : « Dieu m'a délivrée de ma honte. » 24 Elle appela son fils Joseph, en exprimant ce souhait : « Que le Seigneur me donne encore un fils[l] ! »

Jacob s'enrichit

25 Après la naissance de Joseph, Jacob dit à Laban : « Laisse-moi retourner chez moi, dans mon pays. 26 Permets-moi d'emmener mes femmes et mes enfants ; c'est pour elles que j'ai travaillé à ton service, et tu sais bien tout le travail que j'ai fait chez toi. » 27 Laban lui répondit : « Écoute-moi, s'il te plaît. Mes dieux m'ont révélé que le Seigneur m'a *béni à cause de toi. 28 Dis-moi le salaire que tu désires, et je te le paierai. » 29 Jacob lui dit : « Tu sais comment je t'ai servi et ce qu'est devenu ton bétail grâce à moi. 30 Le peu que tu possédais avant mon arrivée s'est considérablement développé. Le Seigneur t'a béni depuis que je suis entré chez toi. Ne serait-il pas temps que je puisse travailler aussi pour ma propre famille ? » – 31 « Que dois-je te payer ? » reprit Laban. Jacob répondit : « Tu n'auras rien à me payer. Si tu m'accordes ce que je vais te proposer, je suis prêt à soigner et à garder ton bétail comme avant. 32 Je vais passer en revue aujourd'hui tout ton troupeau et je mettrai à part tout mouton qui a des taches de couleur, petites ou grandes, tout mouton à la toison foncée et toute chèvre qui a des taches, petites ou grandes : ce sera mon salaire[m]. 33 Plus tard tu pourras t'assurer de mon honnêteté en venant contrôler mon salaire. Toutes les chèvres qui n'auront pas de taches, petites ou grandes, et tous les moutons qui n'auront pas la toison foncée seront des bêtes volées. » – 34 « D'accord, répondit Laban. J'accepte ta proposition. »

35 Ce jour même, Laban mit à part les boucs qui avaient des rayures ou des taches, les chèvres qui avaient des taches petites ou grandes, et les moutons dont la toison était foncée ou mêlée de blanc. Il confia ce troupeau à ses fils 36 et les envoya à trois jours de marche de là, à bonne distance de Jacob. Quant à Jacob, il s'occupa du reste du troupeau de Laban.

37 Jacob se procura des baguettes fraîches de peuplier, d'amandier et de platane. Il y enleva de petites bandes d'écorce pour y faire apparaître des rayures blanches. 38 Il disposa les baguettes rayées dans les abreuvoirs, sous les yeux des bêtes, car elles s'accouplent volontiers quand elles viennent boire. 39 Les bêtes s'accouplèrent donc devant les baguettes, si bien que les chèvres donnèrent naissance à des chevreaux qui avaient des rayures et de petites ou de grandes taches. 40 Quant aux moutons que Jacob avait mis à part, il leur fit regarder les bêtes du troupeau de Laban qui avaient des rayures ou la toison foncée.

Il constitua ainsi des troupeaux à lui et ne les laissa pas se mêler aux bêtes de Laban. 41 Chaque fois que des bêtes robustes

---

j **30.18** En hébreu le nom d'*Issakar* ressemble au mot traduit ici par *mon salaire*.

k **30.20** En hébreu le nom de *Zabulon* ressemble au verbe traduit ici par *honorera*.

l **30.24** En hébreu le nom de *Joseph* correspond au verbe traduit ici par *donne encore*.

m **30.32** Dans les v. 32-42 les détails concernant le pelage des animaux et les procédés auxquels Jacob a recours n'apparaissent pas toujours très clairement. Mais le sens général est sans équivoque : par ses astuces Jacob se montre plus rusé que son beau-père, qui « a changé dix fois son salaire » (31.7,41).

s'accouplaient, Jacob plaçait les baguettes
sous leurs yeux dans les abreuvoirs, pour
qu'elles s'accouplent devant ces baguettes. 42 Mais quand les bêtes étaient chétives, il ne mettait pas de baguettes : ainsi
les bêtes chétives étaient pour Laban et
les robustes pour Jacob.

Jacob s'enfuit de chez Laban

43 Jacob s'enrichit énormément et devint propriétaire d'un grand nombre de
moutons et de chèvres, de servantes et de
serviteurs, de chameaux et d'ânes.

31 1 Or il apprit que les fils de Laban
disaient : « Jacob s'est emparé de
tout ce qui appartenait à notre père ; c'est
de cette façon qu'il s'est constitué toute
sa richesse. » 2 Il s'aperçut aussi que Laban n'avait plus à son égard la même attitude qu'auparavant. 3 Alors le Seigneur
dit à Jacob : « Retourne au pays de tes parents, auprès de ta famille. Je serai avec
toi. »

4 Jacob fit venir Rachel et Léa aux
champs, où étaient ses troupeaux, 5 pour
leur dire : « Je m'aperçois que votre père
n'a plus à mon égard la même attitude
qu'auparavant, mais le Dieu de mon père
a été avec moi. 6 Vous savez bien que j'ai
servi votre père de toutes mes forces ;
7 pourtant il m'a trompé en changeant
dix fois mon salaire. Mais Dieu ne l'a pas
laissé me faire du tort. 8 Si votre père déclarait : "Les animaux qui ont de petites
taches seront ton salaire", toutes les fe-
melles avaient des petits avec des taches.
Ou bien s'il déclarait : "Les animaux
rayés seront ton salaire", toutes les fe-
melles avaient des petits rayés. 9 C'est
Dieu qui a enlevé à votre père son bétail
pour me le donner. 10 A l'époque où les
bêtes s'accouplent, voici ce que j'ai vu
dans un rêve : les mâles qui s'accouplaient avec les brebis ou les chèvres
avaient des rayures, de petites taches ou
des points de couleur. 11 Dans ce rêve,
*l'ange de Dieu m'appela : "Jacob !" –
"Oui", répondis-je. 12 "Regarde, me
dit-il. Tous les mâles qui s'accouplent
avec les brebis ou les chèvres ont des
rayures, des taches ou des points de couleur. Il en est ainsi parce que j'ai vu comment Laban t'a traité. 13 Je suis le Dieu
qui t'est apparu à Béthel, là où tu as
dressé et consacré une pierre, là où tu t'es
engagé envers moi par un *vœu[n]. Maintenant mets-toi en route, quitte ce pays
et retourne chez toi." » 14 Rachel et Léa
répondirent à Jacob : « Nous n'avons
plus de part d'héritage dans la maison de
notre père. 15 Ne nous a-t-il pas considérées comme des étrangères, puisqu'il
nous a vendues et qu'il a ensuite dépensé
l'argent qui devait nous revenir ? 16 Par
conséquent, tous les biens que Dieu a enlevés à notre père nous appartiennent, à
nous et à nos enfants. Fais donc tout ce
que Dieu t'a ordonné. »

17 Alors Jacob se prépara à partir et installa ses enfants et ses femmes sur des
chameaux. 18 Il emmenait tout le bétail et
tous les biens qu'il avait acquis en Haute-
Mésopotamie, pour retourner chez son
père Isaac, au pays de Canaan. 19 Quant à
Laban, il était parti tondre ses moutons.
Rachel en profita pour s'approprier les
idoles familiales de son père. 20 Jacob
trompa Laban l'Araméen en partant sans
rien lui dire. 21 Il s'enfuit avec tout ce qui
lui appartenait et s'empressa de traverser
l'Euphrate ; puis il se dirigea vers les
monts de Galaad.

22 Le surlendemain, quelqu'un informa Laban de la fuite de Jacob. 23 Laban emmena des gens de sa maison et
poursuivit Jacob pendant sept jours. Il le
rattrapa dans les monts de Galaad.
24 Mais, pendant la nuit, Dieu apparut à
Laban l'Araméen dans un rêve et lui dit :
« Garde-toi de faire quoi que ce soit à
Jacob. »

25 Quand Laban rejoignit Jacob, celui-ci avait planté sa tente dans les monts
de Galaad. Laban et ses gens firent de
même. 26 Laban interpella Jacob :
« Qu'as-tu fait là ? Tu m'as trompé en emmenant mes filles comme des prisonnières de guerre. 27 Pourquoi t'es-tu enfui
en cachette et m'as-tu ainsi trompé ? Si tu
m'avais prévenu, je t'aurais accompagné
au milieu de chants joyeux, au son du
tambourin et de la lyre. 28 Mais tu ne m'as
même pas laissé embrasser mes filles et

---

n **31.13** Voir 28.18-22.

mes petits-enfants. Vraiment tu as agi
comme un insensé. 29 J'ai les moyens de
vous faire du mal, mais le Dieu de ton
père m'a dit la nuit dernière : “Garde-toi
de faire quoi que ce soit à Jacob.” 30 Bien,
tu es parti parce que tu étais impatient de
rentrer chez ton père. Mais pourquoi
m'as-tu volé mes dieux ? » 31 Jacob répondit à Laban : « J'ai eu peur et je me suis
dit : “Il ne faut pas qu'il m'enlève ses filles.” 32 Maintenant, si tu trouves tes dieux
chez l'un des miens, celui-ci ne restera
pas en vie. En présence de nos gens examine tout ce qui est chez moi et emporte
ce qui t'appartient. » En effet, Jacob ignorait que Rachel s'était approprié les idoles familiales.

33 Laban fouilla les tentes de Jacob, de
Léa et des deux servantes, mais il ne
trouva rien. En sortant de la tente de
Léa, il entra dans celle de Rachel. 34 Or
c'était Rachel qui avait pris les idoles ;
elle les avait placées dans une grande
selle de chameau et elle s'était assise dessus. Laban fouillait toute la tente sans
rien trouver. 35 Rachel dit à son père :
« Mon père, ne te fâche pas si je ne peux
pas me lever devant toi ; je suis indispo-
sée. »

Malgré ses recherches, Laban ne
trouva pas les idoles. 36 Jacob se mit en
colère et adressa des reproches à Laban.
Il lui dit : « Quelle faute, quel crime ai-je
commis pour que tu t'acharnes à me
poursuivre ? 37 Tu as examiné toutes mes
affaires. As-tu trouvé un seul objet venant de chez toi ? Montre-le à mes gens et
aux tiens, et qu'ils jugent entre nous
deux. 38 J'ai passé vingt ans chez toi ; jamais tes brebis ou tes chèvres n'ont
avorté, et jamais je n'ai mangé les béliers
de ton troupeau. 39 Jamais je ne t'ai rapporté une bête tuée par les animaux sauvages, j'en ai supporté moi-même la
perte. Tu me réclamais les bêtes volées,
qu'elles aient été dérobées le jour ou la
nuit[o]. 40 Le jour je souffrais de la chaleur
et la nuit du froid, au point de ne pouvoir
trouver le sommeil. 41 J'ai accepté de passer vingt ans chez toi : j'ai travaillé chez
toi quatorze ans pour épouser tes deux
filles et six ans pour acquérir du bétail,
mais toi, tu as changé dix fois mon salaire. 42 Si le Dieu de mon grand-père
Abraham, le Dieu qui faisait trembler
mon père Isaac[p], ne m'avait pas aidé, tu
m'aurais laissé repartir les mains vides.
Mais Dieu a vu mon humiliation et le
dur travail que j'ai accompli ; la nuit dernière il s'est prononcé en ma faveur. »
43 Laban répondit à Jacob : « Ces filles
sont les miennes, leurs enfants sont les
miens, ces troupeaux sont à moi et tout ce
que tu vois m'appartient. Mais, à partir
d'aujourd'hui, je ne pourrai plus rien
faire pour mes filles ou pour les enfants
qu'elles ont mis au monde. 44 Allons,
concluons maintenant tous les deux un
accord, et qu'il y ait un témoin entre
nous. »

45 Jacob prit alors une pierre et la
dressa. 46 Ensuite il dit à ses gens de ramasser des pierres. Ils en ramassèrent et
en firent un tas. Puis tous mangèrent sur
ce tas. 47 Laban appela cet endroit Yegar
Sahadouta, tandis que Jacob le nomma
Galed[q]. 48 Laban déclara : « Ce tas est aujourd'hui un témoin entre toi et moi. »
C'est la raison pour laquelle on l'appela
Galed, c'est-à-dire “tas du témoin”. 49 On
l'appela aussi Mispa, c'est-à-dire “poste
de surveillance”, parce que Laban déclara encore : « Que le Seigneur nous surveille quand nous serons hors de vue l'un
de l'autre. 50 Si tu fais souffrir mes filles,
si tu prends d'autres femmes pour épouses, fais bien attention, ce n'est pas un
homme qui est témoin entre nous, mais
Dieu lui-même. »

51 Puis Laban dit à Jacob : « Regarde ce
tas de pierres que j'ai placé entre nous, regarde cette pierre dressée. 52 Ce tas et
cette pierre sont pour nous des témoins :
je ne dois pas les dépasser dans ta direction avec de mauvaises intentions, ni toi
non plus dans ma direction[r]. 53 Que le

---

o **31.39** Comparer Ex 22.12 ; Amos 3.12. Le berger qui pouvait rapporter les restes d'une bête emportée par un fauve n'avait pas à en supporter la perte.

p **31.42** Titre donné à Dieu ; autre traduction *le Parent d'Isaac*.

q **31.47** *Yegar Sahadouta* est la traduction araméenne de *Galed* (« tas du témoin »).

r **31.52** *avec de mauvaises intentions* : autre traduction *sous peine de malheur*.

Dieu d'Abraham et le Dieu de Nahor
soient juges entre nous[s]. »
Alors Jacob prêta serment par le Dieu
qui faisait trembler son père Isaac. 54 Ensuite il offrit un *sacrifice sur la montagne, et il invita ses proches à un repas.
Après avoir mangé, ils passèrent la nuit
sur la montagne.

32 1 Le lendemain Laban se leva tôt,
embrassa ses filles et ses petits-
enfants, leur fit ses adieux et retourna
chez lui[t].

Jacob se prépare à rencontrer Ésaü

2 Jacob poursuivit sa route. Des *anges
de Dieu vinrent à sa rencontre. 3 Quand
il les vit, Jacob s'écria : « C'est un camp
de Dieu ! » Et il appela ce lieu Mahanaïm[u].
4 Jacob envoya devant lui des messagers à son frère Ésaü, dans la campagne
d'Édom, au pays de Séir[v]. 5 Il leur donna
cet ordre : « Vous parlerez ainsi à Ésaü :
“Ton humble serviteur Jacob te fait dire
ceci : j'ai émigré chez Laban et j'y ai pro-
longé mon séjour jusqu'à maintenant. 6 Je
possède des bœufs et des ânes, des moutons et des chèvres, des serviteurs et des
servantes. J'envoie des messagers te l'annoncer, mon seigneur, pour que tu me
fasses bon accueil.” »
7 Les messagers revinrent dire à Jacob :
« Nous sommes allés trouver ton frère
Ésaü. Il marche à ta rencontre avec quatre cents hommes. » 8 Jacob fut saisi d'une
très grande peur. Il sépara en deux groupes les gens qui étaient avec lui, ainsi que
les moutons et les chèvres, les bœufs et
les chameaux. 9 Il se disait : « Si Ésaü s'attaque à un groupe, l'autre pourra échapper. »
10 Ensuite Jacob pria : « O Dieu de mon
grand-père Abraham, de mon père Isaac,
tu m'as dit : “Retourne dans ton pays, auprès de ta famille. J'agirai et tout ira bien
pour toi.” 11 Seigneur, je ne suis pas digne
de toutes les faveurs que tu m'as accordées avec tant de fidélité, à moi ton serviteur. Je n'avais que mon bâton quand j'ai
traversé le Jourdain, et maintenant je reviens avec ces deux groupes. 12 Délivre-
moi de mon frère Ésaü, car j'ai peur de
lui, je crains qu'il vienne me tuer avec les
femmes et les enfants. 13 Souviens-toi que
tu m'as dit : “J'agirai et tout ira très bien
pour toi. Je rendrai tes descendants innombrables, comme les grains de sable
au bord de la mer[w].” »
14 Jacob s'installa pour passer la nuit à
cet endroit. Dans ce qu'il possédait, il
choisit un cadeau pour son frère Ésaü :
15 deux cents chèvres et vingt boucs, deux
cents brebis et vingt béliers, 16 trente cha-
melles qui allaitaient et leurs petits, quarante vaches et dix taureaux, vingt
ânesses et dix ânes. 17 Il confia chaque
troupeau séparément à ses serviteurs en
leur disant : « Passez devant, et laissez un
intervalle entre les troupeaux. » 18 Puis il
donna cet ordre au premier serviteur :
« Quand mon frère Ésaü te rencontrera et
te demandera : “A qui appartiens-tu ? Où
vas-tu ? A qui appartient ce troupeau qui
marche devant toi ?”, 19 tu répondras :
“C'est à ton serviteur Jacob. C'est un cadeau qu'il t'envoie, mon seigneur Ésaü,
et lui-même arrive derrière nous.” »
20 Il donna le même ordre au
deuxième, au troisième et à tous ceux qui
suivaient les troupeaux : « Voilà ce que
vous direz à Ésaü quand vous le rencontrerez, 21 et vous ajouterez : “Ton serviteur Jacob arrive derrière nous.” »
Jacob se disait en effet : « Je l'apaiserai
par les cadeaux qui me précéderont, et
ensuite je me présenterai devant lui. J'espère qu'il me fera bon accueil. » 22 Les
troupeaux partirent donc en avant, tandis
que lui-même restait cette nuit-là dans le
camp.

---

s **32.53** *Nahor* : frère d'Abraham (Gen 11.26) et grand-père de Laban (24.24,29). – *entre nous* : on suit ici quelques manuscrits hébreux et l'ancienne version grecque qui, contrairement à la plupart des manuscrits hébreux, n'ajoutent pas ici les mots *le Dieu de leur ancêtre*.

t **32.1** Dans certaines traductions, les v. 32.1-33 sont numérotés 31.55–32.32.

u **32.3** *Mahanaïm* signifie *deux camps*. Cette localité, située en Transjordanie non loin du torrent du Yabboq, n'a pas encore été identifiée.

v **32.4** *campagne d'Édom* et *pays de Séir* : deux désignations équivalentes de la région qui s'étend au sud et au sud-est de la mer Morte.

w **32.13** Voir 28.14 ; comparer 22.17.

Jacob lutte avec Dieu

23-24 Au cours de la nuit, Jacob se leva,
prit ses deux femmes, ses deux servantes
et ses onze enfants. Il leur fit traverser le
gué du Yabboq avec tout ce qu'il possédait[x]. 25 Il resta seul, et quelqu'un lutta
avec lui jusqu'à l'aurore. 26 Quand l'adversaire[y] vit qu'il ne pouvait pas vaincre
Jacob dans cette lutte, il le frappa à l'articulation de la hanche, et celle-ci se
déboîta. 27 Il dit alors : « Laisse-moi partir, car voici l'aurore. » – « Je ne te laisserai pas partir si tu ne me *bénis pas »,
répliqua Jacob. 28 L'autre demanda :
« Comment t'appelles-tu ? » – « Jacob »,
répondit-il. 29 L'autre reprit : « On ne
t'appellera plus Jacob mais Israël, car
tu as lutté contre Dieu[z] et contre les
hommes, et tu as été le plus fort. »
30 Jacob demanda : « Dis-moi donc quel
est ton nom. » – « Pourquoi me deman-
des-tu mon nom ? » répondit-il[a]. Alors il
bénit Jacob. 31 Celui-ci déclara : « J'ai vu
Dieu face à face et je suis encore en vie. »
C'est pourquoi il nomma cet endroit Penouel – ce qui veut dire "Face de Dieu" –.
32 Quand le soleil se leva, Jacob avait passé
le gué de Penouel. Il boitait à cause de sa
hanche. 33 Aujourd'hui encore les Israélites ne mangent pas le muscle de la cuisse
qui est à l'articulation de la hanche, parce
que Jacob a été blessé à ce muscle.

Jacob rencontre Ésaü

33 1 Jacob vit Ésaü qui arrivait avec
quatre cents hommes. Il répartit
les enfants entre Léa, Rachel et les deux
servantes. 2 Il plaça en tête les deux servantes avec leurs enfants, puis derrière
eux Léa et ses enfants, enfin Rachel et Joseph. 3 Lui-même s'avança le premier. Il
s'inclina sept fois jusqu'à terre avant d'arriver près de son frère. 4 Alors Ésaü courut à sa rencontre, se jeta à son cou et
l'embrassa. Ils se mirent tous deux à
pleurer. 5 Quand Ésaü vit les femmes et
les enfants, il demanda : « Qui sont ces
gens qui t'accompagnent ? » – « Les enfants que Dieu m'a accordés », répondit
Jacob.
6 Les servantes s'approchèrent avec
leurs enfants et s'inclinèrent profondément. 7 A leur tour, Léa et ses enfants
s'approchèrent et firent de même, puis
Joseph et Rachel. 8 Ésaü demanda : « Que
comptais-tu faire avec tout ce troupeau
que j'ai rencontré ? » – « Je désirais gagner
ta bienveillance », répondit Jacob. 9 « J'ai
suffisamment de biens, mon frère, reprit
Ésaü. Garde ce qui t'appartient. » –
10 « Non, je t'en prie, dit Jacob. Si tu ne
m'en veux plus, accepte le cadeau que je
t'offre. Ma rencontre avec toi a été
comme une rencontre avec Dieu, tellement tu as été bienveillant pour moi.
11 Accepte donc, je t'en prie, le cadeau que
je t'ai envoyé, car Dieu m'a été favorable,
et j'ai tout ce qu'il me faut. »
Jacob insista. Ésaü finit par accepter
12 et dit : « Allons, en route ! Je vais t'accompagner. » 13 Mais Jacob répliqua : « Tu
sais que les enfants sont délicats, et qu'il
faut ménager les brebis et les vaches qui
allaitent. Si on presse l'allure un seul
jour, toutes ces bêtes mourront. 14 Prends
donc les devants ; et moi, je continuerai
lentement ma route au pas de mon troupeau et au pas des enfants, jusqu'à mon
arrivée près de toi au pays de Séir[b]. »
15 Ésaü dit : « Je vais laisser avec toi une
partie des gens qui m'accompagnent. » –
« Pour quoi faire ? répondit Jacob. Il me
suffit d'avoir trouvé un bon accueil auprès de toi. »
16 Ce jour-là Ésaü reprit le chemin de
Séir. 17 Quant à Jacob il partit pour Soukoth[c]. Il y construisit une maison pour
lui et des huttes pour ses troupeaux. C'est
pourquoi on appelle cet endroit Soukoth,
c'est-à-dire "Les Huttes".

---

x **32.23-24** Le *Yabboq* : affluent de la rive orientale du Jourdain.

y **32.26** Sur *l'adversaire* de Jacob, voir aussi v. 29,31 ; Osée 12.5.

z **32.29** En hébreu le nom d'*Israël* ressemble à l'expression traduite ici par *lutté contre Dieu* ; voir aussi 35.10.

a **32.30** Comparer Jug 13.17-18.

b **33.14** Voir 32.4 et la note.

c **33.17** Localité située à proximité du torrent du Yabboq.

Jacob s'installe près de Sichem

18 A son retour de Haute-Mésopotamie, Jacob arriva sain et sauf à la ville de
Sichem[d] en Canaan. Il campa près de la
ville. 19 Il acheta aux descendants de Hamor, fondateur de Sichem, la parcelle de
terrain où il avait planté sa tente. Il la
paya cent pièces d'argent[e]. 20 Il dressa un
*autel à cet endroit et l'appela "El, le
Dieu d'Israël".

Siméon et Lévi vengent leur sœur déshonorée

34 1 Un jour Dina, la fille de Jacob et
de Léa, alla rendre visite à des
femmes du pays. 2 Sichem, fils de Hamor,
le chef hivite[f] de la région, l'aperçut. Il
l'enleva et lui fit violence. 3 Mais il s'attacha à elle, en devint amoureux et tenta de
la convaincre. 4 Il dit à son père Hamor :
« Demande pour moi la main de cette
jeune fille, je veux l'épouser. » – 5 Jacob
apprit que sa fille avait été déshonorée
par Sichem. Mais comme ses fils étaient
aux champs avec ses troupeaux, il ne fit
rien jusqu'à leur retour. – 6 Hamor, le
père de Sichem, se rendit chez Jacob
pour lui parler. 7 Quand les fils de Jacob
revinrent des champs, ils apprirent ce qui
s'était passé. Ils se sentirent insultés et
entrèrent dans une violente colère, car
Sichem avait fait quelque chose d'inadmissible en violant la fille de Jacob ; on
ne doit pas agir ainsi en Israël. 8 Mais Hamor leur dit : « Mon fils Sichem est
amoureux de cette jeune fille. Donnez-la-
lui pour femme. 9 Alliez-vous avec nous :
donnez-nous vos jeunes filles en mariage
et épousez les nôtres. 10 Vous habiterez
près de nous. La région vous sera ouverte : vous pourrez vous y installer, y
traiter vos affaires, y avoir des propriétés. »
11 Sichem lui-même vint dire au père et
aux frères de la jeune fille : « Soyez indul-
gents pour moi, je suis prêt à vous donner
ce que vous voudrez. 12 Vous pouvez exiger de moi un très gros dédommagement
et de nombreux cadeaux. Je donnerai
tout ce que vous demanderez, pourvu que
vous m'accordiez cette jeune fille pour
épouse. » 13 Les fils de Jacob répondirent
avec ruse à Sichem et à son père Hamor,
parce que Sichem avait déshonoré leur
sœur Dina. 14 Ils leur parlèrent ainsi :
« Nous ne pouvons pas donner notre
sœur en mariage à un homme *incirconcis ; ce serait un déshonneur pour
nous. 15 Nous ne vous donnerons notre
accord qu'à une condition : c'est que,
comme nous, tous les hommes de chez
vous soient circoncis. 16 Alors nous vous
accorderons nos filles en mariage et nous
pourrons épouser les vôtres. Nous habiterons près de vous et nous formerons ensemble un seul peuple. 17 Mais si vous
n'acceptez pas d'être circoncis, nous re-
prendrons notre sœur et nous reparti-
rons. »
18 Hamor et son fils donnèrent leur accord à cette proposition. 19 Sans tarder le
jeune homme entreprit de la réaliser, tant
il aimait la fille de Jacob. Or il avait beaucoup d'influence dans sa famille. 20 Hamor et Sichem se rendirent sur la place, à
la porte de la ville, et ils dirent à leurs
concitoyens : 21 « Ces hommes sont bien
intentionnés à notre égard. Qu'ils s'installent dans notre région et y fassent des
affaires, que le pays leur soit largement
ouvert ! Nous pourrons épouser leurs filles et nous leur donnerons les nôtres en
mariage. 22 Ils accepteront d'habiter près
de nous et de former un seul peuple avec
nous, mais à une condition : c'est que
tous les hommes de chez nous soient circoncis comme eux. 23 Si nous leur donnons notre accord, il viendront habiter
près de nous ; alors tout leur bétail et
leurs biens finiront par nous appartenir. »
24 Tous ceux qui étaient présents à la
porte de la ville acceptèrent la proposition de Hamor et de son fils Sichem, et

---

d **33.18** *sain et sauf... Sichem* : autre traduction, soutenue par plusieurs versions anciennes *à Salem, ville dépendant de Sichem*.

e **33.19** *fondateur de Sichem* : autre traduction *le père de Sichem* : dans ce cas *Sichem* serait le personnage mentionné au chap. 34. – *la parcelle de terrain* : comparer Jos 24.32 ; Jean 4.5. – Le nom hébreu des *pièces d'argent* mentionnées ici indique que chacune d'elles correspondait au prix d'une brebis ; voir Jos 24.32 ; Job 42.11, où l'on retrouve le même terme.

f **34.2** Voir au Vocabulaire AMORITES.

tous les hommes de la ville se firent circoncire.
25 Deux jours plus tard, alors que ces
hommes étaient encore souffrants, deux
des fils de Jacob, Siméon et Lévi, frères
de Dina, prirent leur épée, entrèrent dans
la ville sans éveiller de soupçons et massacrèrent tous les hommes, 26 y compris
Hamor et son fils Sichem. En quittant la
maison de Sichem, ils emmenèrent Dina.
27 Les autres fils de Jacob dépouillèrent
les cadavres et pillèrent la ville, parce
qu'on avait déshonoré leur sœur. 28 Ils
s'emparèrent des moutons et des chèvres,
des bœufs et des ânes, bref, de tout ce qui
était dans la ville et la campagne. 29 Ils
emportèrent toutes les richesses, emmenèrent tous les enfants et les femmes, et
ils pillèrent complètement les maisons.
30 Alors Jacob dit à Siméon et à Lévi :
« Vous m'avez causé du tort en me rendant odieux aux habitants de la région,
les Cananéens et les Perizites[g]. Ces
gens-là vont se rassembler contre moi. Ils
me vaincront, car je n'ai que peu d'hommes, et je serai exterminé avec ma famille. » 31 Les deux frères répondirent :
« Cet individu n'avait pas le droit de traiter notre sœur comme une prostituée. »

Jacob quitte Sichem pour Béthel

35 1 Un jour Dieu dit à Jacob : « En
route ! Va t'installer à Béthel, où
tu me construiras un *autel. C'est là que
je me suis manifesté à toi lorsque tu
fuyais pour échapper à ton frère Ésaü[h]. »
2 Jacob dit à sa famille et à tous ceux
qui étaient avec lui : « Débarrassez-vous
des dieux étrangers qui se trouvent chez
vous. *Purifiez-vous et changez de vêtements. 3 Préparez-vous, nous allons à Béthel. J'y ferai un autel au Dieu qui m'a
répondu le jour où j'étais dans une situation difficile, et qui m'a aidé partout où je
suis allé. » 4 Alors ils remirent à Jacob
toutes les statuettes de dieux étrangers
qu'ils possédaient, ainsi que les anneaux[i]
qu'ils portaient aux oreilles. Jacob enfouit le tout sous le grand arbre qui est
près de Sichem. 5 Lorsque Jacob et ses fils
levèrent le camp, Dieu inspira une telle
peur aux habitants des villes voisines,
que personne n'osa les poursuivre.
6 Jacob et tous ceux qui l'accompagnaient arrivèrent à Louz, c'est-à-dire
Béthel, au pays de Canaan. 7 Il y
construisit un autel et appela ce lieu
“Dieu de Béthel”, parce que Dieu s'y
était révélé à lui lorsqu'il fuyait pour
échapper à son frère.
8 Débora, nourrice de Rébecca, mourut
et fut enterrée près de Béthel, sous le
chêne qu'on appela depuis lors “le Chêne
des pleurs”.
9 Dieu apparut de nouveau à Jacob, à
son retour de Mésopotamie et il le *bénit.
10 Il lui dit : « Ton nom était Jacob, mais
on ne t'appellera plus ainsi. Désormais
ton nom sera Israël[j]. » Dieu l'appela donc
Israël. 11 Il lui dit encore : « Je suis le Dieu
*tout-puissant. Je te donnerai de nom-
breux enfants, pour que tu deviennes
l'ancêtre d'une nation et même d'un ensemble de peuples. Il y aura des rois
parmi tes descendants. 12 Le pays que j'ai
donné à Abraham et à Isaac, je te le
donne, et plus tard je le donnerai à tes
descendants[k]. »
13 Puis Dieu s'éloigna du lieu où il avait
parlé avec Jacob. 14 Jacob dressa là une
pierre, il y versa de l'huile et une offrande
de vin, pour en faire une pierre sacrée.
15 Il appela Béthel – ce qui veut dire
“Maison de Dieu” – ce lieu où Dieu avait
parlé avec lui[l].

Naissance de Benjamin et mort de Rachel

16 Jacob et sa famille quittèrent Béthel.
Ils étaient encore à une certaine distance
d'Éfrata quand Rachel mit un enfant au
monde. La naissance fut difficile. 17 Tandis que Rachel accouchait avec peine, la
sage-femme lui dit : « N'aie pas peur, c'est
encore un garçon. » 18 Rachel était mourante. Au moment de rendre le dernier
soupir, elle appela l'enfant Ben-Oni – ce
qui veut dire “Fils du malheur” – mais

---

g **34.30** Voir au Vocabulaire AMORITES.
h **35.1** Voir 28.10-12.
i **35.4** Les *anneaux* (ou boucles d'oreilles) étaient sans doute des symboles religieux.
j **35.10** Voir 32.29 et la note.
k **35.12** V. 11-12 : comparer 17.4-8 ; 26.3.
l **35.15** Voir 28.18-19.

son père l'appela Benjamin – “Fils de la main droite[m]” –. 19 Rachel mourut, et on l'enterra au bord de la route d'Éfrata, appelée maintenant Bethléem. 20 Jacob dressa une pierre sur sa tombe: aujourd'hui encore on la nomme “la Pierre de la tombe de Rachel”.

21 Jacob partit et alla installer son campement au-delà de Migdal-Éder[n]. 22 Pendant que Jacob habitait cette région, Ruben alla passer la nuit avec Bila, épouse de second rang de son père. Jacob l'apprit[o].

Jacob eut douze fils: 23 Léa lui donna Ruben, l'aîné, puis Siméon, Lévi, Juda, Issakar et Zabulon. 24 Rachel lui donna Joseph et Benjamin. 25 Bila, la servante de Rachel, lui donna Dan et Neftali. 26 Zilpa, la servante de Léa, lui donna Gad et Asser. Tels sont les fils de Jacob, qui naquirent en Mésopotamie.

27 Jacob se rendit chez son père Isaac à Mamré, près de Quiriath-Arba, qui s'appelle maintenant Hébron. Abraham et Isaac y avaient habité[p]. 28 Isaac avait cent quatre-vingts ans 29 quand il mourut. C'est donc après une longue vieillesse qu'il rejoignit ses ancêtres dans la mort. Ses fils Ésaü et Jacob l'enterrèrent.

Ésaü s'installe au pays d'Édom

36 1 Voici la liste des descendants d'Ésaü, autrement dit Édom. 2 Ésaü épousa des Cananéennes: Ada, fille d'Élon le Hittite, et Oholibama, fille d'Ana et petite-fille de Sibéon le Hivite[q]. 3 Il épousa aussi Basmath, fille d'Ismaël et sœur de Nebayoth[r]. 4 Ada fut la mère d'Élifaz, Basmath celle de Réouel, 5 et Oholibama celle de Yéouch, Yalam et Cora. Tels sont les fils d'Ésaü, qui naquirent au pays de Canaan.

6 Ésaü emmena ses femmes, ses fils, ses filles et tous ses serviteurs, ses troupeaux et ses bêtes de somme; il emporta aussi toutes les richesses qu'il avait acquises au pays de Canaan. Il s'en alla dans une autre région, loin de son frère Jacob. 7 En effet, leurs biens étaient trop importants pour qu'ils puissent habiter côte à côte. La région où ils se trouvaient n'aurait pas suffi à nourrir leurs troupeaux. 8 C'est ainsi qu'Ésaü, autrement dit Édom, habita la montagne de Séir.

Les descendants d'Ésaü

9 Voici la liste des descendants d'Ésaü, l'ancêtre des Édomites, qui habitaient la montagne de Séir. 10 Noms des fils d'Ésaü: Élifaz, fils de sa femme Ada; Réouel, fils de sa femme Basmath.

11 Les fils d'Élifaz furent Téman, Omar, Sefo, Gatam et Quenaz. 12 Élifaz avait aussi une femme de second rang, Timna, qui lui donna un autre fils: Amalec. Tels furent les petits-fils d'Ésaü et de sa femme Ada.

13 Les fils de Réouel furent Nahath, Zéra, Chamma et Miza. Tels furent les petits-fils d'Ésaü et de sa femme Basmath. 14 Quant à Oholibama, fille d'Ana et petite-fille de Sibéon, elle donna à Ésaü Yéouch, Yalam et Cora.

15-16 Voici les chefs des descendants d'Ésaü: les chefs Téman, Omar, Sefo, Quenaz[s], Gatam et Amalec, qui vivaient en Édom, étaient les fils d'Élifaz, premier-né d'Ésaü et de sa femme Ada.

17 Les chefs Nahath, Zéra, Chamma et Miza, qui vivaient en Édom, étaient les fils de Réouel et les petits-fils de Basmath, femme d'Ésaü.

18 Les chefs Yéouch, Yalam et Cora étaient les fils d'Ésaü et de sa femme Oholibama, fille d'Ana.

19 Tels étaient les chefs des Édomites, descendants d'Ésaü.

20-21 Les premiers habitants du pays d'Édom étaient les descendants de Séir, le Horite[t]. Les chefs des Horites étaient Lotan, Chobal, Sibéon, Ana, Dichon, Esser et Dichan, fils de Séir. 22 Les fils de

---

m **35.18** Jacob change un nom défavorable (*Ben-Oni*) en un nom favorable (*Benjamin*), la *main droite* étant souvent considérée comme la meilleure (voir Ps 137.5), de même que le côté droit (Ps 110.5 et la note; comparer Matt 25.34).

n **35.21** *Migdal-Éder* ou *la tour du Troupeau*: non loin du mont *Sion.

o **35.22** L'ancienne version grecque ajoute *et il en fut choqué*. – Sur la faute de Ruben, voir 49.4.

p **35.27** Comparer 13.18.

q **36.2** *Hivite*: voir au Vocabulaire AMORITES.

r **36.3** Comparer 28.9.

s **36.15-16** La plupart des manuscrits hébreux nomment ici en plus *Cora* (voir v. 18).

t **36.20-21** *Horite*: voir au Vocabulaire AMORITES.

Lotan furent Hori et Hémam. Lotan avait une sœur, Timna. 23 Les fils de Chobal furent Alvan, Manahath, Ébal, Chefo et Onam. 24 Les fils de Sibéon furent Aya et Ana. C'est Ana qui découvrit de l'eau[u] dans le désert, quand il gardait les ânes de son père Sibéon. 25 Les enfants d'Ana furent son fils Dichon et sa fille Oholibama. 26 Les fils de Dichon furent Hemdan, Ècheban, Itran et Keran. 27 Les fils de Esser furent Bilehan, Zavan et Acan. 28 Les fils de Dichan furent Ous et Aran.

29-30 Les chefs des Horites, au pays de Séir, étaient Lotan, Chobal, Sibéon, Ana, Dichon, Esser et Dichan.

31 Voici la liste des rois qui se succédèrent sur le trône d'Édom avant que des rois règnent en Israël : 32 Béla, fils de Béor, de la ville de Dinaba. 33 A sa mort Yobab, fils de Zéra, de la ville de Bosra, lui succéda. 34-39 Régnèrent ensuite Houcham, de la région de Téman. Hadad, fils de Bédad, de la ville d'Avith ; c'est lui qui battit les Madianites dans le pays de Moab. Samla, de Masréca. Chaoul, de Rehoboth-sur-la-Rivière. Baal-Hanan, fils d'Akbor. Hadar, de la ville de Paou : il avait épousé Métabéel, fille de Matred et petite fille de Mé-Zahab.

40-43 Voici les noms des chefs édomites : Timna, Alva, Yéteth, Oholibama, Éla, Pinon, Quenaz, Téman, Mibsar, Magdiel, Iram. Tels sont les chefs édomites, établis chacun dans une région différente de leur pays.

Ésaü est l'ancêtre des Édomites.

JOSEPH
37–50

Les rêves de Joseph

37 1 Jacob s'installa au pays de Canaan, dans la région où son père avait séjourné. 2 Voici l'histoire des fils de Jacob. Joseph était un adolescent de dix-sept ans. Il gardait les moutons et les chèvres en compagnie de ses frères, les fils de Bila et de Zilpa, femmes de son père. Il rapportait à son père le mal qu'on disait d'eux. 3 Jacob aimait Joseph plus que ses autres fils, car il l'avait eu dans sa vieillesse. Il lui avait donné une tunique de luxe[v]. 4 Les frères de Joseph virent que leur père le préférait à eux tous. Ils en vinrent à le détester tellement qu'ils ne pouvaient plus lui parler sans hostilité.

5 Une fois, Joseph fit un rêve. Il le raconta à ses frères, qui le détestèrent encore davantage. 6 « Écoutez mon rêve, leur avait-il dit : 7 Nous étions tous à la moisson, en train de lier des gerbes de blé. Soudain ma gerbe se dressa et resta debout ; toutes vos gerbes vinrent alors l'entourer et s'incliner devant elle. » – 8 « Est-ce que tu prétendrais devenir notre roi et dominer sur nous ? » lui demandèrent ses frères. Ils le détestèrent davantage, à cause de ses rêves et des récits qu'il en faisait.

9 Joseph fit un autre rêve et le raconta également à ses frères. « J'ai de nouveau rêvé, dit-il : Le soleil, la lune et onze étoiles venaient s'incliner devant moi. » 10 Il raconta aussi ce rêve à son père. Celui-ci le réprimanda en lui disant : « Qu'as-tu rêvé là ? Devrons-nous, tes frères, ta mère et moi-même, venir nous incliner jusqu'à terre devant toi ? » 11 Ses frères étaient jaloux de lui[w], mais son père repensait souvent à ces rêves.

Joseph est vendu par ses frères

12 Les frères de Joseph se rendirent dans la région de Sichem, pour y faire paître les moutons et les chèvres de leur père. 13 Un jour Jacob dit à Joseph : « Tes frères gardent le troupeau près de Sichem. Va les trouver de ma part. » – « Oui, père », répondit Joseph. 14 Jacob reprit : « Va voir s'ils vont bien, ainsi que le troupeau. Puis tu m'en rapporteras des nouvelles. »

---

u **36.24** *de l'eau* : d'après l'ancienne version syriaque ; le sens du mot hébreu correspondant est inconnu.

v **37.3** *de luxe* : autres traductions *à longues manches* ou *multicolore*.

w **37.11** Comparer Act 7.9.

Jacob l'envoya donc depuis la vallée d'Hébron. Quand Joseph arriva près de Sichem, 15 un homme le rencontra tandis qu'il errait dans la campagne ; il l'interrogea : « Que cherches-tu ? » – 16 « Je cherche mes frères, répondit Joseph ; peux-tu me dire où ils sont avec leur troupeau ? » 17 L'homme déclara : « Ils sont partis d'ici. Je les ai entendus dire qu'ils allaient du côté de Dotan. » Joseph partit à la recherche de ses frères et les trouva à Dotan.

18 Ceux-ci le virent de loin. Avant qu'il les ait rejoints, ils complotèrent de le faire mourir, se disant les uns aux autres : 19 « Hé ! voici l'homme aux rêves ! 20 Profitons-en pour le tuer. Nous jetterons son cadavre dans une citerne et nous dirons qu'une bête féroce l'a dévoré. On verra bien alors si ses rêves se réalisent. » 21 Ruben les entendit et décida de sauver Joseph. « Ne le tuons pas ! » dit-il. 22 Puis il ajouta : « Ne commettez pas un meurtre ; jetez-le simplement dans cette citerne du désert, mais ne le tuez pas. » Il leur parlait ainsi afin de pouvoir le sauver et le ramener à son père.

23 Dès que Joseph arriva près de ses frères, ils se saisirent de lui, le dépouillèrent de sa belle tunique 24 et le jetèrent dans la citerne. – Cette citerne était à sec, complètement vide. – 25 Puis ils s'assirent pour manger. Ils virent passer une caravane d'Ismaélites, qui venaient du pays de Galaad et se dirigeaient vers l'Égypte. Leurs chameaux transportaient diverses résines odoriférantes : gomme adragante, baume et ladanum. 26 Juda dit à ses frères : « Quel intérêt avons-nous à tuer notre frère et à cacher sa mort ? 27 Vendons-le plutôt à ces Ismaélites, mais ne touchons pas à sa vie. Malgré tout, il est de notre famille, il est notre frère. » Ils donnèrent leur accord. 28 Mais des marchands madianites, qui passaient par là, tirèrent Joseph de la citerne. Ils le vendirent pour vingt pièces d'argent aux Ismaélites, qui l'emmenèrent en Égypte[x]. 29 Lorsque Ruben alla regarder dans la citerne, Joseph n'y était plus. Ruben, désespéré, *déchira ses vêtements, 30 revint vers ses frères et s'écria : « Joseph n'est plus là ! Que vais-je faire maintenant ? »

31 Les frères égorgèrent un bouc, prirent la tunique de Joseph et la trempèrent dans le sang. 32 Ensuite ils l'envoyèrent à leur père avec ce message : « Nous avons trouvé ceci. Examine donc si ce n'est pas la tunique de ton fils. » 33 Jacob la reconnut et s'écria : « C'est bien la tunique de mon fils ! Une bête féroce a déchiqueté Joseph et l'a dévoré. » 34 Alors il déchira ses vêtements, prit la tenue de deuil et pleura son fils pendant longtemps. 35 Tous ses enfants tentèrent de le réconforter, mais il refusa de se laisser consoler ; il disait : « Je serai encore en deuil quand je rejoindrai mon fils dans le monde des morts. » Et il continua de le pleurer.

36 Les Madianites[y] emmenèrent Joseph en Égypte et le vendirent à Potifar, homme de confiance du *Pharaon et chef de la garde royale.

Juda et Tamar

38 1 A cette époque, Juda quitta ses frères et se rendit à Adoullam, chez un nommé Hira. 2 Là il aperçut la fille d'un certain Choua, un Cananéen. Il en fit sa femme. De son union avec lui, 3 elle devint enceinte et mit au monde un fils, que Juda appela Er. 4 Cette femme eut un autre fils ; elle l'appela Onan ; 5 puis un autre encore, qu'elle appela Chéla. Juda était à Kezib au moment de cette naissance.

6 Juda maria son fils aîné Er à une femme nommée Tamar[z]. 7 Er déplut tellement au Seigneur que celui-ci le fit mourir. 8 Alors Juda dit à Onan : « Tu connais ton devoir de proche parent du mort : tu dois donner une descendance à ton frère. Épouse donc sa veuve[a]. » 9 Mais Onan savait que l'enfant ne serait pas

x **37.28** *Ils* (les marchands madianites) : autre interprétation *les frères de Joseph* ; comparer Act 7.9.

y **37.36** *Madianites* : d'après les versions anciennes et le v. 28 ; le texte hébreu traditionnel parle ici des *Médianites*, peuple jamais mentionné ailleurs dans l'AT. Ce nom pourrait toutefois être original et avoir été remplacé au v. 28 par le nom plus connu *Madianites*.

z **38.6** *Tamar* : voir Matt 1.3.

a **38.8** Application de la loi formulée en Deut 25.5-6.

considéré comme le sien. C'est pourquoi,
chaque fois qu'il avait des rapports avec
sa belle-sœur, il laissait tomber sa semence à terre, pour ne pas donner d'enfant à son frère. 10 Cette conduite déplut
au Seigneur qui le fit mourir lui aussi.
11 Juda dit alors à sa belle-fille Tamar:
« Puisque tu es veuve, va habiter chez ton
père[b] en attendant que mon fils Chéla
soit devenu adulte. » Il se disait en effet:
« Il ne faut pas que Chéla meure lui aussi
comme ses frères. » Tamar s'en alla donc
habiter chez son père.

12 Après un certain temps, la fille de
Choua, femme de Juda, mourut. Quand
la période du deuil fut terminée, Juda se
rendit à Timna, avec son ami Hira
d'Adoullam, pour voir ceux qui ton-
daient ses moutons. 13 Lorsque Tamar apprit que son beau-père allait à Timna
pour tondre ses moutons, 14 elle quitta ses
habits de veuve, se couvrit le visage d'un
voile et alla s'asseoir à l'entrée d'Énaïm
qui est sur le chemin de Timna. En effet,
elle s'était rendu compte que Chéla était
devenu adulte, mais qu'elle ne lui avait
pas été donnée pour femme. 15 Juda vit
Tamar et la prit pour une prostituée,
parce qu'elle avait voilé son visage. 16 Ne
sachant pas que c'était sa belle-fille, il se
dirigea vers elle au bord du chemin et lui
dit : « Laisse-moi venir avec toi. » – « Que
me donneras-tu pour cela ? » répondit-
elle. 17 « Je t'enverrai un chevreau de mon
troupeau », dit-il. Elle répliqua: « Oui,
mais donne-moi un gage en attendant. » –
18 « Quel gage veux-tu ? » demanda-t-il.
Elle répondit: « Ton *cachet personnel
avec son cordon[c], et le bâton que tu
tiens. » Il les lui donna et alla avec elle.
Elle devint enceinte de lui. 19 Elle rentra
chez elle, enleva son voile et reprit ses
habits de veuve.

20 Juda envoya son ami d'Adoullam
porter le chevreau promis et récupérer les
objets donnés en gage à cette femme. Son
ami ne la trouva pas ; 21 il demanda aux
gens d'Énaïm : « Où est cette prostituée
qui était au bord du chemin, près d'ici ? »
– « Il n'y a jamais eu ici de prostituée »,
répondirent-ils. 22 L'ami revint dire à
Juda : « Je ne l'ai pas trouvée et les gens
de l'endroit m'ont même affirmé qu'il n'y
avait jamais eu là de prostituée. » 23 Juda
lui répondit : « Qu'elle garde ces objets !
Ne nous rendons pas ridicules. En tous
cas, j'ai envoyé le chevreau, et toi, tu n'as
pas retrouvé cette femme. »

24 Environ trois mois plus tard,
quelqu'un vint dire à Juda : « Ta belle-
fille Tamar s'est prostituée ; la voilà enceinte. » – « Qu'on l'emmène, ordonna
Juda, et qu'on la brûle vive ! »

25 Pendant qu'on l'emmenait, elle fit
dire à son beau-père : « Regarde ces objets. Ce cachet personnel, ce cordon et ce
bâton appartiennent à l'homme dont je
suis enceinte. Tâche de savoir qui est cet
homme. » 26 Juda reconnut les objets et
déclara : « Elle a respecté la loi mieux que
moi. C'est vrai ! J'aurais dû la donner
pour femme à mon fils Chéla et je ne l'ai
pas fait. » Juda n'eut jamais plus de relations sexuelles avec elle.

27 Au moment de l'accouchement on
s'aperçut qu'elle avait des jumeaux.
28 L'un d'eux sortit alors un bras. La sage-
femme le saisit et y attacha un fil rouge.
« Celui-ci est le premier-né » dit-elle.
29 Mais l'enfant retira son bras et son frère
vint au monde le premier. La sage-
femme s'exclama : « Quelle brèche tu as
ouverte ! » Juda l'appela donc Pérès – ce
qui veut dire "Brèche" –. 30 Puis l'autre
enfant vint au monde, avec le fil rouge au
bras, et Juda l'appela Zéra.

Joseph chez l'Égyptien Potifar

39 1 Les Ismaélites qui avaient emmené Joseph en Égypte le vendirent à un Égyptien nommé Potifar. Ce
Potifar était l'homme de confiance du
*Pharaon et le chef de la garde royale.
2 Le Seigneur était avec Joseph[d], si bien
que tout lui réussissait. Joseph vint habiter la maison même de son maître égyptien. 3 Celui-ci se rendit compte que le
Seigneur était avec Joseph et faisait réussir tout ce qu'il entreprenait. 4 Potifar fut
si content de lui qu'il le prit à son service

---

b **38.11** C'était la règle pour les veuves sans enfant.
c **38.18** Le *cachet personnel* était souvent porté au moyen d'un cordon attaché autour du cou.
d **39.2** Comparer Act 7.9.

particulier ; il lui confia l'administration de sa maison et de tous ses biens. 5 Dès lors, à cause de Joseph, le Seigneur fit prospérer les affaires de l'Égyptien ; cette prospérité s'étendit à tous ses biens, dans sa maison comme dans ses champs. 6 C'est pourquoi Potifar remit tout ce qu'il possédait aux soins de Joseph et ne s'occupa plus de rien, excepté de sa propre nourriture.

Joseph et la femme de son maître

Joseph était un jeune homme beau et charmant. 7 Au bout de quelque temps, la femme de son maître le remarqua et lui dit : « Viens au lit avec moi ! » – 8 « Jamais, répondit Joseph. Mon maître m'a remis l'administration de tous ses biens, il me fait confiance et ne s'occupe de rien dans sa maison. 9 Dans la maison, il n'a pas plus d'autorité que moi. Il ne m'interdit rien, sauf toi, parce que tu es sa femme. Alors comment pourrais-je commettre un acte aussi abominable et pécher contre Dieu lui-même ? » 10 Elle continuait quand même à lui faire tous les jours des avances, mais il n'accepta jamais de lui céder.

11 Un jour Joseph entra dans la maison pour son travail ; les domestiques étaient absents. 12 La femme de Potifar le saisit par sa tunique en lui disant : « Viens donc au lit avec moi ! » Mais Joseph lui laissa sa tunique entre les mains et s'enfuit de la maison. 13 Lorsque la femme se rendit compte qu'il était parti en lui laissant sa tunique entre les mains, 14 elle cria pour appeler ses domestiques : « Venez voir : Cet Hébreu que mon mari nous a amené a voulu se jouer de nous ! Il est venu ici pour abuser de moi, mais j'ai poussé un grand cri. 15 Dès qu'il m'a entendue crier et appeler, il s'est enfui de la maison, en abandonnant sa tunique à côté de moi. »

16 Elle garda la tunique de Joseph près d'elle jusqu'au retour de son mari. 17 Elle lui raconta la même histoire : « L'esclave hébreu que tu nous as amené s'est approché de moi pour me déshonorer. 18 Mais dès que j'ai crié et appelé, il s'est enfui en abandonnant sa tunique à côté de moi. » 19 Lorsque le maître entendit sa femme lui raconter comment Joseph s'était conduit avec elle, il se mit en colère. 20 Il fit arrêter et enfermer Joseph dans la forteresse, où étaient détenus les prisonniers du roi.

Joseph en prison

Joseph se retrouva donc en prison. 21 Pourtant, là aussi, le Seigneur fut avec lui[e] et lui montra sa bonté en lui obtenant la faveur du commandant de la forteresse. 22 Celui-ci confia à Joseph la responsabilité de tous les autres prisonniers. C'était lui qui devait diriger tous les travaux effectués par les détenus. 23 Le commandant ne s'occupait plus de ce qu'il lui avait confié, parce que le Seigneur était avec Joseph et faisait réussir tout ce qu'il entreprenait.

40 1 Le temps passa. Un jour deux hauts fonctionnaires du roi d'Égypte commirent une faute contre lui. C'étaient le chef des échansons, responsable des boissons du roi, et le chef des boulangers. 2-3 Le *Pharaon se mit en colère et les fit enfermer dans la forteresse, la prison du chef de la garde royale, là même où Joseph était détenu. 4 Le chef de la garde les confia aux soins de Joseph, et ils furent maintenus quelque temps en prison.

Joseph interprète les rêves des deux prisonniers

5 Une nuit, l'échanson et le boulanger du roi d'Égypte firent tous deux un rêve dans leur prison. Chacun de ces rêves avait son propre sens. 6 Le matin, quand Joseph vint les voir, il les trouva d'humeur sombre. 7 Il leur demanda : « Pourquoi avez-vous l'air si triste aujourd'hui ? » – 8 « Chacun de nous a fait un rêve, répondirent-ils, et il n'y a personne ici pour nous en donner l'explication. » – « Dieu peut vous la donner, déclara Joseph. Racontez-moi donc ce que vous avez rêvé. »

9 Le chef des échansons raconta son rêve : « Dans mon rêve, dit-il, il y avait un plant de vigne devant moi. 10 Ce plant portait trois rameaux. Dès qu'il eut bour-

e **39.21** Voir 39.2 et la note.

geonné, il se couvrit de fleurs, puis de grappes mûres. 11 J'avais en main la coupe du *Pharaon. Je cueillis alors des raisins, j'en pressai le jus dans la coupe et je la lui tendis. » 12 Joseph lui dit : « Voici ce que signifie ton rêve : Les trois rameaux représentent trois jours. 13 Dans trois jours, le Pharaon t'offrira une haute situation : il te rétablira dans tes fonctions. Tu pourras de nouveau lui tendre la coupe, comme tu le faisais précédemment. 14 Essaie de ne pas m'oublier, quand tout ira bien pour toi ; sois assez bon pour parler de moi au Pharaon et me faire sortir de cette prison. 15 J'ai été amené de force du pays des Hébreux, et ici je n'ai rien fait qui mérite la prison. »

16 Lorsque le chef des boulangers vit que Joseph avait donné une interprétation favorable du rêve, il lui dit : « Moi aussi j'ai fait un rêve. Dans ce rêve, je portais sur la tête trois corbeilles de gâteaux. 17 La corbeille supérieure était pleine des pâtisseries préférées du Pharaon, mais des oiseaux venaient les picorer dans la corbeille, sur ma tête. » 18 Joseph lui dit : « Voici ce que signifie ton rêve : Les trois corbeilles représentent trois jours. 19 Dans trois jours le Pharaon t'offrira une haute situation, plus haute que tu ne voudrais : on te pendra à un arbre, et les oiseaux viendront picorer ta chair. »

20 Trois jours après, le Pharaon fêtait son anniversaire ; il offrit un banquet à tous les gens de son entourage. En leur présence, il offrit de hautes situations au chef des échansons et au chef des boulangers : 21 Il rétablit le premier dans ses fonctions, pour qu'il lui tende de nouveau la coupe, 22 mais il fit pendre le second. Ainsi s'accomplit ce que Joseph avait annoncé. 23 Pourtant le chef des échansons oublia tout à fait Joseph.

Les rêves du Pharaon

41 1 Deux ans plus tard, le *Pharaon fit un rêve : il se trouvait au bord du Nil, 2 il vit sortir du fleuve sept belles vaches bien grasses, qui se mirent à brouter l'herbe de la rive. 3 Puis sept autres vaches affreusement maigres sortirent à leur tour du fleuve et rejoignirent les premières sur la rive ; 4 les vaches maigres dévorèrent les vaches grasses. A ce moment, le Pharaon se réveilla.

5 Il se rendormit et fit un second rêve : Il voyait sept beaux et gros épis de blé qui poussaient sur la même tige. 6 Ensuite poussèrent sept autres épis, tout rabougris et desséchés par le vent du désert. 7 Les épis rabougris engloutirent les épis beaux et bien remplis. Alors le Pharaon se réveilla et se rendit compte qu'il avait rêvé.

8 Dès qu'il fit jour, le Pharaon tout inquiet fit appeler tous les magiciens et les sages d'Égypte. Il leur raconta ce qu'il avait rêvé, mais personne ne put lui dire ce que cela signifiait[f]. 9 Alors le chef des échansons déclara : « Majesté, je vais rappeler mes fautes passées. 10 Un jour, tu t'étais mis en colère contre le chef des boulangers et contre moi, et tu nous avais enfermés dans la prison du chef de la garde royale. 11 Nous avons fait tous les deux un rêve la même nuit, chaque rêve ayant son propre sens. 12 Dans la prison se trouvait avec nous un jeune esclave hébreu, qui était au service du chef de la garde. Nous lui avons raconté nos rêves, et il nous en a donné le sens, en expliquant à chacun son propre rêve. 13 Eh bien, les choses se sont passées exactement comme il nous l'avait prédit : on m'a rétabli dans mes fonctions, et le chef des boulangers a été pendu. »

Joseph interprète les rêves du Pharaon

14 Le *Pharaon donna l'ordre d'aller chercher Joseph. On courut donc le tirer de sa prison, on le rasa, puis il changea de vêtements et vint se présenter devant le roi. 15 Celui-ci lui dit : « J'ai fait des rêves, et personne n'a pu m'indiquer ce qu'ils signifiaient. Mais j'ai entendu dire que tu es capable d'expliquer les rêves qu'on te raconte. » – 16 « Ce n'est pas moi, c'est Dieu qui peut t'en donner une explication satisfaisante », répondit Joseph. 17 Le Pharaon reprit alors : « Dans mon rêve, je me trouvais au bord du Nil. 18 Je vis sortir

f **41.8** Un rêve inquiétant : comparer Dan 2.2.

du fleuve sept belles vaches bien grasses
qui se mirent à brouter l'herbe de la rive.
19 Puis sept autres vaches, chétives, affreusement maigres, sortirent du fleuve à
leur tour. – Jamais en Égypte je n'ai vu de
bêtes en aussi piteux état. – 20 Elles dévorèrent les sept premières vaches, les vaches grasses. 21 Pourtant on ne l'aurait pas
cru, à les voir aussi maigres qu'auparavant. A ce moment-là, je me suis réveillé.
22 Puis j'ai fait un autre rêve : je voyais
sept beaux épis bien remplis, qui poussaient sur la même tige. 23 Ensuite sept
autres épis poussèrent, mais ils étaient
durs et rabougris, desséchés par le vent
du désert. 24 Les épis rabougris engloutirent les sept beaux épis. Voilà, j'ai déjà
raconté ces rêves aux magiciens, mais
aucun d'eux n'a pu me les expliquer. »

25 Joseph dit au Pharaon : « Tes deux
rêves ont le même sens. Dieu t'avertit
ainsi de ce qu'il va faire. 26 Les sept belles
vaches et les sept beaux épis représentent
sept années. C'est donc un seul rêve.
27 Les sept autres vaches, chétives et af-
freuses, et les sept épis rabougris[g], desséchés par le vent, représentent aussi sept
années, mais des années de famine.
28 C'est bien ce que je te disais : Dieu t'a
montré ce qu'il va faire. 29 Ces sept pro-
chaines années seront des années de
grande abondance dans toute l'Égypte.
30 Ensuite, il y aura sept années de famine, qui feront perdre tout souvenir de
l'abondance précédente. La famine épui-
sera le pays. 31 Elle sera si grave qu'on ne
saura plus ce qu'est l'abondance. 32 Ton
rêve s'est répété sous deux formes semblables, pour montrer que la décision de
Dieu est définitive et qu'il ne va pas tarder à l'exécuter. 33 Alors, que le Pharaon
cherche un homme intelligent et sage,
et lui donne autorité sur l'Égypte.
34 Nomme aussi des commissaires chargés de prélever un cinquième des récoltes
du pays pendant les sept années d'abondance. 35 Qu'ils accumulent des vivres
pendant les bonnes années qui viennent,
qu'ils emmagasinent sous ton contrôle
du blé dans les villes, pour en faire des réserves. 36 L'Égypte aura ainsi un stock de
vivres pour les sept années de famine, et
le pays échappera au désastre. »

Joseph devient ministre du Pharaon

37 La proposition de Joseph parut judicieuse au *Pharaon et aux gens de son
entourage ; 38 le Pharaon leur dit : « Cet
homme est rempli de l'Esprit de Dieu.
Pourrions-nous trouver quelqu'un de
plus compétent que lui ? » 39 Puis il dit à
Joseph : « Puisque Dieu t'a révélé tout
cela, personne ne peut être aussi intelligent et sage que toi. 40 Tu seras donc
l'administrateur de mon royaume, et tout
mon peuple se soumettra à tes ordres[h].
Seul mon titre de roi me rendra supérieur
à toi. 41 Je te donne maintenant autorité
sur toute l'Égypte. » 42 Le Pharaon retira
de son doigt l'anneau royal et le passa au
doigt de Joseph ; il le fit habiller de fins
vêtements de lin et lui passa un collier
d'or autour du cou[i]. 43 Il le fit monter sur
le char réservé à son plus proche collaborateur, et les coureurs qui le précédaient
criaient : « Laissez passer[j] ! » C'est ainsi
que le Pharaon lui donna autorité sur
toute l'Égypte.

44 Le Pharaon dit encore à Joseph : « Je
suis et je reste le Pharaon ! Néanmoins
dans toute l'Égypte, personne ne bougera
le petit doigt sans ton autorisation. »
45 Enfin il donna à Joseph le nom égyptien de Safnath-Panéa, et lui accorda
comme femme Asnath, fille du prêtre Potiféra, de la ville d'On[k]. Dès lors Joseph
put se déplacer dans toute l'Égypte. 46 Il
avait trente ans lorsqu'il avait été amené
devant le Pharaon, roi d'Égypte.

Joseph quitta le Pharaon et se mit à
parcourir l'Égypte. 47 Pendant les sept années d'abondance, la terre produisit des
récoltes exceptionnelles. 48 Joseph ac-

---

g **41.27** *épis rabougris* : d'après les versions anciennes ; texte hébreu traditionnel : *épis vides*.

h **41.40** Comparer Act 7.10 ; *se soumettra à tes ordres* : d'après l'ancienne version grecque ; hébreu peu clair.

i **41.42** Insignes honorifiques : comparer Dan 5.29.

j **41.43** *Laissez passer* : autres traductions *Attention !* ou *A genoux !* ou *Voici l'Intendant !*

k **41.45** *Safnath-Panéa* : selon certains ce nom signifierait *Dieu dit : il est vivant* ; selon d'autres *Sauveur de l'empire*. – *On* : nom égyptien de la ville que les Grecs nommaient *Héliopolis*, proche du Caire et célèbre par son culte du soleil.

cumula des réserves de vivres en Égypte durant ces années-là. Il entreposait dans les villes les provisions récoltées dans les campagnes environnantes. 49 Il emmagasina de très grandes quantités de blé ; il y en avait autant que de sable au bord de la mer, si bien qu'il devint impossible d'en tenir le compte.

50 Avant le début de la famine, Asnath, la femme de Joseph, mit au monde deux fils. 51 Joseph appela l'aîné Manassé, et il déclara : « Dieu m'a permis d'oublier toutes mes souffrances et ma séparation d'avec les miens[l]. » 52 Il appela le cadet Éfraïm, et il expliqua : « Dieu m'a accordé des enfants dans ce pays où j'ai été si malheureux[m]. »

53 En Égypte les sept années d'abondance prirent fin. 54 Alors commencèrent les sept années de famine, comme Joseph l'avait annoncé. La famine s'étendit à tous les pays[n], mais en Égypte il y avait des réserves de vivres. 55 Quand les Égyptiens commencèrent à souffrir de la faim, ils réclamèrent au Pharaon de quoi manger. Celui-ci répondit à l'ensemble de la population : « Adressez-vous à Joseph et faites ce qu'il vous dira[o]. » 56 La famine devint générale dans le pays. Joseph fit alors ouvrir les entrepôts et vendre du blé aux Égyptiens. Puis la famine s'aggrava encore en Égypte. 57 On y venait aussi de tous les pays pour acheter du blé à Joseph, car la famine sévissait durement partout.

Jacob envoie ses fils en Égypte

42 1 Jacob apprit qu'il y avait du blé en Égypte ; il dit alors à ses fils : « Pourquoi restez-vous là à vous regarder les uns les autres ? 2 J'ai entendu dire qu'il y a du blé en Égypte. Allez nous en acheter, afin que nous puissions survivre[p]. Nous ne tenons pas à mourir. » 3 Alors les dix frères aînés de Joseph se rendirent en Égypte pour y acheter du blé. – 4 Jacob n'avait pas laissé partir avec eux Benjamin, le jeune frère de Joseph ; il disait en effet : « J'ai peur qu'un malheur lui arrive. » – 5 Les fils de Jacob parvinrent en Égypte en même temps que d'autres acheteurs de blé, car la famine régnait dans le pays de Canaan.

Joseph traite ses frères sans ménagement

6 Joseph était l'administrateur du pays ; c'est lui qui vendait du blé à tous les étrangers. Ses frères vinrent s'incliner devant lui, le visage contre terre. 7 Dès qu'il les vit, il les reconnut, mais il ne se fit pas reconnaître d'eux. Il leur demanda avec dureté : « D'où venez-vous ? » – « Du pays de Canaan, répondirent-ils. Nous désirons acheter des vivres. »

8 Ainsi Joseph les reconnut, mais eux ne le reconnurent pas. 9 Joseph se souvint alors des rêves qu'il avait faits à leur sujet[q]. Il reprit : « Vous êtes des espions ! C'est pour repérer les points faibles du pays que vous êtes venus ici. » – 10 « Non, Monsieur l'Administrateur, répondirent-ils. Nous sommes simplement venus acheter des vivres. 11 Nous sommes tous fils d'un même homme. Nous sommes des gens honnêtes, pas des espions. » – 12 « Ce n'est pas vrai, rétorqua Joseph, vous êtes venus repérer les points faibles du pays. » – 13 « Pas du tout, insistèrent-ils. Nous sommes fils d'un même père, et nous venons du pays de Canaan. Nous étions douze frères, mais le plus jeune est resté auprès de notre père, et un autre a disparu. » – 14 « C'est bien ce que je vous disais, déclara Joseph, vous êtes des espions. 15 Mais je vais vous mettre à l'épreuve : par la vie du *Pharaon, je vous jure que vous ne quitterez pas ce pays avant que votre plus jeune frère soit venu ici. 16 Envoyez l'un de vous le chercher, tandis que les autres resteront en prison. Je pourrai ainsi vérifier si vous m'avez dit la vérité. Si tel n'est pas le cas, par la vie du Pharaon, c'est que vous êtes vraiment des espions. »

17 Joseph les mit tous en prison pour trois jours. 18 Le troisième jour il leur dit :

---

l **41.51** En hébreu le nom de *Manassé* évoque le verbe traduit ici par *m'a permis d'oublier*.

m **41.52** En hébreu le nom d'*Éfraïm* évoque le verbe traduit ici par *m'a accordé des enfants*.

n **41.54** Comparer Act 7.11.

o **41.55** *faites ce qu'il vous dira* : comparer Jean 2.5.

p **42.2** Comparer Act 7.12.

q **42.9** Voir 37.5-9.

« Voici ce que je vous propose de faire, et vous aurez la vie sauve, car je reconnais l'autorité de Dieu. [19] Si vous êtes honnêtes, acceptez que l'un de vous reste dans la prison où vous vous trouvez. Quant aux autres, qu'ils aillent rapporter du blé à vos familles affamées. [20] Ensuite vous me ramènerez votre plus jeune frère. J'aurai ainsi la preuve que vous avez dit la vérité, et vous éviterez la mort. » Les frères acceptèrent cette proposition. [21] Mais, entre eux, ils se disaient : « Ah ! nous sommes bien punis à cause de notre frère : nous avons vu son angoisse quand il nous implorait, et nous ne l'avons pas écouté. Maintenant nous connaissons la même angoisse. » [22] Et Ruben ajouta : « Je vous l'avais bien dit : “Ne commettez pas ce crime à l'égard de Joseph”. Mais vous n'avez pas voulu m'écouter[r]. Eh bien, nous devons maintenant payer le prix de sa mort ! » [23] Les frères ne se doutaient pas que Joseph les comprenait, parce qu'il se servait d'un interprète pour parler avec eux. [24] Joseph s'éloigna d'eux pour pleurer.

Les fils de Jacob retournent en Canaan

Lorsque Joseph revint, il leur annonça qu'il retenait Siméon et le fit enchaîner sous leurs yeux. [25] Ensuite il fit remplir leurs sacs de blé, et replacer l'argent de chacun dans son sac, puis il ordonna de leur fournir des provisions de voyage ; ce qui fut fait. [26] Les frères chargèrent leurs sacs de blé sur leurs ânes et s'en allèrent.

[27] Lorsqu'ils s'arrêtèrent pour la nuit, l'un d'eux ouvrit son sac pour donner à manger à son âne et trouva son argent déposé à l'entrée du sac. [28] Il cria à ses frères : « On m'a rendu mon argent ! Il est ici, dans mon sac ! » Déconcertés et effrayés ils se demandaient l'un à l'autre : « Qu'est-ce que Dieu nous a fait là ? »

[29] Lorsqu'ils arrivèrent en Canaan auprès de leur père Jacob, ils lui racontèrent tout ce qui s'était passé : [30] « L'homme qui est gouverneur du pays nous a parlé durement, dirent-ils. Il nous a traités comme des espions. [31] Nous lui avons répondu : “Nous ne sommes pas des espions, mais d'honnêtes gens. [32] Nous étions douze fils d'un même père, mais l'un de nos frères a disparu, et le plus jeune est resté au pays de Canaan avec notre père.” [33] Cet homme nous a répondu qu'il voulait savoir si nous étions vraiment honnêtes. “Laissez-moi l'un de vous ici, a-t-il dit, et allez porter ce qu'il faut à vos familles affamées. [34] Ensuite vous me ramènerez votre plus jeune frère. Je saurai ainsi que vous n'êtes pas des espions mais d'honnêtes gens. Alors je vous rendrai votre frère Siméon, et je vous laisserai circuler dans le pays pour vos affaires.” »

[35] Ils vidèrent ensuite leurs sacs, et chacun trouva dans le sien une bourse avec son argent. Lorsqu'ils virent cet argent, ils eurent tous peur, même Jacob, leur père. [36] Celui-ci leur dit : « Vous m'avez déjà privé de deux enfants : je n'ai plus Joseph et je n'ai plus Siméon. Et vous voudriez me prendre Benjamin ! C'est sur moi que tout cela retombe ! » [37] Ruben lui dit : « Si je ne te ramène pas Benjamin, tu pourras tuer mes deux fils. Confie-le-moi, je te le ramènerai. » – [38] « Non, répondit Jacob, mon fils ne partira pas avec vous. Son frère est mort, lui seul me reste. Si un malheur lui arrivait au cours de votre voyage, âgé comme je suis, je mourrais de douleur par votre faute. »

Jacob consent à laisser partir Benjamin

43 [1] La famine continuait à peser sur le pays de Canaan. [2] Lorsque la famille de Jacob eut mangé tout le blé rapporté d'Égypte, Jacob dit à ses fils : « Repartez là-bas nous acheter quelques vivres. » [3] Juda lui répondit : « L'administrateur égyptien nous a clairement avertis qu'il ne nous recevrait pas si notre frère n'était pas avec nous. [4] Si donc tu laisses Benjamin nous accompagner, nous irons t'acheter des vivres. [5] Mais si tu refuses, nous ne partirons pas, car l'homme nous a bien dit : “Si votre frère n'est pas avec vous, je ne vous recevrai pas !” » – [6] « Pourquoi avez-vous révélé à

---

r **42.22** Voir 37.21-22.

serviteur, et nous lui avons rapporté ce
que tu avais dit. 25 Lorsqu'il nous a chargés de revenir acheter quelques vivres,
26 nous lui avons dit : "Nous ne pouvons
pas y aller, à moins que notre jeune frère
nous accompagne. S'il n'est pas avec
nous, l'administrateur du pays ne nous
recevra pas." 27 Notre père nous a répondu : "Vous le savez bien, mon épouse
Rachel ne m'a donné que deux fils.
28 L'un d'eux a disparu ; je pense qu'il a
été dévoré par une bête sauvage, car je ne
l'ai jamais revu. 29 Et vous voulez me
prendre aussi l'autre ! Si un malheur lui
arrive, âgé comme je suis, je mourrai de
tristesse par votre faute." 30 Maintenant
donc, Monsieur l'Administrateur, comment pourrais-je retourner auprès de
mon père sans que l'enfant soit avec
nous ? La vie de mon père dépend tellement du sort de cet enfant 31 qu'il mourra
s'il ne le voit pas revenir. Nous serons
alors coupables de l'avoir fait mourir de
douleur dans sa vieillesse. 32 De plus, je
me suis déclaré responsable de l'enfant
devant mon père ; je lui ai dit : "Si je ne te
le ramène pas, je serai pour toujours coupable à ton égard." 33 Je t'en supplie, permets-moi donc de rester ici comme
esclave à ton service, à la place de l'enfant,
pour qu'il puisse repartir avec ses autres
frères. 34 Je ne pourrais jamais retourner
chez mon père sans être accompagné de
l'enfant. Je ne supporterais pas de voir le
malheur qui atteindrait mon père. »

Joseph se fait reconnaître

45 1 Alors Joseph, incapable de contenir son émotion devant les gens de
son entourage, leur ordonna de sortir.
Ainsi était-il seul avec ses frères quand il
se fit reconnaître d'eux[t]. 2 Mais il pleurait
si fort que les Égyptiens l'entendirent, et
que la nouvelle en parvint au palais du
*Pharaon. 3 Joseph dit à ses frères : « C'est
moi Joseph ! Mon père est-il encore en
vie ? » Mais ses frères furent tellement
saisis qu'ils furent incapables de lui répondre. 4 « Approchez-vous de moi », leur
dit-il. Ils s'approchèrent. Joseph reprit :
« C'est moi Joseph, votre frère, que vous
avez vendu pour être emmené en Égypte.
5 Ne vous tourmentez pas et ne vous faites pas de reproches pour m'avoir vendu
ainsi. C'est Dieu qui m'a envoyé ici à
l'avance, pour que je puisse vous sauver
la vie[u]. 6 Il y a déjà eu deux années de famine dans le pays, mais pendant cinq années encore on ne pourra ni labourer la
terre ni récolter les moissons. 7 Dieu m'a
donc envoyé dans ce pays avant vous,
pour que vous puissiez y avoir des descendants et y survivre ; c'est une merveilleuse délivrance. 8 Ce n'est pas vous qui
m'avez envoyé ici, mais Dieu. Et c'est encore lui qui a fait de moi le ministre le
plus puissant du Pharaon, responsable
du palais royal et administrateur de toute
l'Égypte. 9 Maintenant dépêchez-vous
d'aller dire à mon père : "Voici le message
que t'adresse ton fils Joseph : Dieu a fait
de moi le maître de toute l'Égypte. Viens
chez moi sans tarder. 10 Tu t'installeras
dans la région de Gochen avec tes enfants, tes petits-enfants, ton bétail, moutons, chèvres et bœufs, et tous tes biens.
Tu seras ainsi tout près de moi[v]. 11 Ici je te
fournirai des vivres, pour toi, ta famille et
tes troupeaux, afin que vous ne manquiez
de rien, car il y aura encore cinq années
de famine." »
12 Et Joseph ajouta : « Vous voyez bien,
et toi en particulier, Benjamin, que c'est
moi qui vous parle. 13 Allez donc dire à
mon père quelle importante situation
j'occupe en Égypte, et racontez-lui tout
ce que vous avez vu. Ensuite dépêchez-
vous de l'amener ici. » 14 Joseph se jeta
au cou de Benjamin, et tous deux s'embrassèrent en pleurant. 15 Joseph pleurait aussi en embrassant ses autres
frères. Alors seulement ils osèrent lui
parler.

Le Pharaon invite Jacob en Égypte

16 Au palais royal on apprit que les frères de Joseph étaient arrivés en Égypte.
Le *Pharaon fut heureux de cette nouvelle, ainsi que son entourage. 17 Il dit à
Joseph : « Dis à tes frères de charger leurs

t **45.1** Comparer Act 7.13.
u **45.5** Voir 50.20.
v **45.10** On situe traditionnellement la région de *Gochen* dans la partie orientale du delta du Nil. – Sur les v. 9-11, voir Act 7.14.

bêtes et de repartir au pays de Canaan, 18 pour aller y chercher leur père et leurs familles et pour les ramener ici. Je les installerai dans la région la plus prospère d'Égypte, où ils disposeront des meilleurs produits du pays. 19 Tu diras aussi à tes frères de se procurer ici des chariots pour ramener leurs femmes et leurs enfants, ainsi que leur père. 20 Ils ne doivent pas regretter ce qu'ils laisseront là-bas, car ils viendront s'installer dans la région la plus prospère de l'Égypte. »

21 Les fils de Jacob firent ce qu'on leur proposait. Joseph leur fournit des chariots, selon l'ordre du Pharaon, ainsi que des provisions de route. 22 Il fit cadeau d'un habit de fête à chacun d'eux, mais à Benjamin il en donna cinq, ainsi que trois cents pièces d'argent. 23 En outre il envoya à son père, pour le voyage, dix ânes chargés des meilleurs produits d'Égypte et dix ânesses chargées de blé, de pain et d'autre nourriture. 24 Il recommanda à ses frères de ne pas se disputer en cours de route, puis les laissa partir. 25 Ceux-ci quittèrent l'Égypte, gagnèrent le pays de Canaan et arrivèrent auprès de leur père Jacob. 26 Ils lui annoncèrent : « Joseph est toujours en vie ! Il est même administrateur de toute l'Égypte. » Jacob ne réagit pas, car il ne les croyait pas. 27 Mais ils lui rapportèrent tout ce que Joseph leur avait dit, ils lui montrèrent les chariots que son fils avait envoyés pour le voyage. Alors Jacob se ranima. 28 Il déclara : « Je n'en demande pas plus. Mon fils Joseph est toujours en vie. Je veux aller le revoir avant de mourir. »

Jacob se rend en Égypte

46 1 Jacob se mit en route avec tout ce qui lui appartenait. Lorsqu'il arriva à Berchéba, il offrit des *sacrifices au Dieu de son père Isaac. 2 Cette nuit-là, Dieu lui parla dans des visions. Il l'appela : « Jacob ! Jacob ! » – « Oui, je t'écoute », répondit Jacob. 3 Dieu reprit : « Je suis Dieu, le Dieu de ton père. N'aie pas peur de te rendre en Égypte, car j'y ferai de tes descendants un peuple nombreux. 4 Je t'y accompagnerai moi-même, et je t'en ferai aussi revenir. A ta mort, c'est Joseph qui te fermera les yeux. » 5 Jacob quitta donc Berchéba. Ses fils l'installèrent, avec leurs femmes et leurs enfants, dans les chariots que le *Pharaon avait fournis pour le voyage. 6-7 Ils emmenèrent également leurs troupeaux et tous les biens qu'ils avaient acquis au pays de Canaan, et ils arrivèrent en Égypte[w]. C'est ainsi que Jacob se rendit en Égypte avec tous les siens, fils et filles, petits-fils et petites-filles.

La famille de Jacob

8 Voici les noms des Israélites venus en Égypte, à savoir Jacob, ses fils et petits-fils :

Ruben, fils aîné de Jacob, 9 et ses fils Hanok, Pallou, Hesron et Karmi.

10 Siméon et ses fils Yemouel, Yamin, Ohad, Yakin, Sohar et Chaoul, lequel était fils d'une Cananéenne.

11 Lévi et ses fils Guerchon, Quéhath et Merari.

12 Juda et ses fils Chéla, Pérès et Zéra. Les autres fils de Juda, Er et Onan, étaient morts au pays de Canaan. Pérès avait deux fils, Hesron et Hamoul.

13 Issakar et ses fils Tola, Pouva, Yachoub[x] et Chimron.

14 Zabulon et ses fils Séred, Élon et Yaléel.

15 Il s'agit des fils de Léa et de Jacob, nés en Mésopotamie. Il faut y ajouter leur sœur Dina. Avec leurs propres enfants, ils étaient trente-trois en tout.

16 Gad et ses fils Sefon[y], Hagui, Chouni, Esbon, Éri, Arodi et Aréli.

17 Asser et ses fils Imna, Icheva, Ichevi et Beria, ainsi que leur sœur Séra. Beria avait deux fils, Héber et Malkiel.

18 Ce sont là les seize descendants de Jacob et de Zilpa. Laban avait donné celle-ci comme servante à sa fille Léa.

19 Rachel, femme de Jacob, lui donna deux fils : Joseph et Benjamin. 20 En Égypte, Joseph eut deux fils de son

---

w **46.6-7** Comparer Act 7.15.

x **46.13** *Yachoub* : d'après le texte samaritain et l'ancienne version grecque, et comme en Nomb 26.24 ; 1 Chron 7.1 ; hébreu *Yob*.

y **46.16** *Sefon* : d'après le texte samaritain et l'ancienne version grecque, et comme en Nomb 26.15 ; hébreu *Sifion*.

épouse Asnath, fille de Potiféra, prêtre de
la ville d'On : Manassé et Éfraïm[z].
21 Benjamin eut dix fils : Béla, Béker,
Achebel, Guéra, Naaman, Éhi, Rôch,
Mouppim, Houppim et Arde.
22 Ce sont là les quatorze descendants de
Jacob et de Rachel[a].
23 Dan et son fils Houchim.
24 Neftali et ses fils Yassiel, Gouni, Yesser
et Chillem.
25 Ce sont là les sept descendants de Jacob
et de Bila. Laban avait donné celle-ci
comme servante à sa fille Rachel.
26 Les membres de la famille de Jacob,
ses descendants directs qui se rendirent
en Égypte étaient soixante-six en tout. Il
y avait en plus les femmes de ses fils.
27 Avec les deux fils de Joseph nés en
Égypte, le total des membres de la famille
de Jacob qui s'installèrent dans ce pays
était de soixante-dix[b].

Jacob en Égypte

28 Jacob envoya Juda en avant pour
qu'il amène Joseph dans la région de
Gochen[c]. Quand Jacob et les siens furent sur le point d'arriver à Gochen,
29 Joseph fit atteler son char et partit à la
rencontre de son père. Dès qu'il fut en
sa présence, il se jeta à son cou et pleura
longtemps en le tenant embrassé. 30 Jacob lui dit : « Maintenant je peux mourir, puisque tu es toujours en vie et que
je t'ai revu. » 31 Joseph dit à ses frères et
aux autres membres de la famille de son
père : « Je vais aller annoncer au *Pharaon que mes frères et toute la famille
de mon père, qui étaient au pays de Canaan, sont venus me rejoindre. 32 Je l'informerai que vous êtes éleveurs de petit
bétail, que vous vous occupez de troupeaux, et que vous avez amené vos moutons, vos chèvres, vos bœufs et tout ce
que vous possédez. 33 Si le Pharaon vous
convoque et vous demande quel est votre métier, 34 vous lui répondrez que
vous vous êtes occupés de troupeaux depuis votre jeunesse jusqu'à maintenant,
comme le faisaient vos ancêtres. Ainsi
vous serez autorisés à habiter la région
de Gochen, parce que les Égyptiens ont
en horreur tous les éleveurs de petit
bétail. »

47

1 Joseph alla informer le Pharaon :
« Mon père et mes frères, dit-il,
sont arrivés du pays de Canaan, avec
leurs moutons, leurs chèvres, leurs bœufs
et tous leurs biens. Ils se trouvent actuellement dans la région de Gochen. »
2 Puis Joseph prit cinq de ses frères et les
présenta au Pharaon. 3 Celui-ci leur demanda : « Quel métier faites-vous ? » –
« Majesté, répondirent-ils, nous sommes
éleveurs de petit bétail, comme l'étaient
nos ancêtres. 4 La famine pèse si lourdement sur le pays de Canaan, qu'il n'y a
plus de pâturages pour nos troupeaux.
Nous sommes venus ici comme immigrés. Veuille nous accorder le droit de
nous installer dans la région de Gochen. »
5 Le Pharaon dit à Joseph : « Maintenant
que ton père et tes frères sont venus te rejoindre, 6 toute l'Égypte est à ta disposition. Choisis le meilleur endroit du pays
pour les y installer. Ils peuvent très bien
séjourner dans la région de Gochen. Et si
tu estimes qu'il y a parmi eux des hommes compétents, désigne-les comme responsables de mes propres troupeaux. »
7 Joseph amena aussi son père chez le
Pharaon et le lui présenta. Jacob salua
respectueusement le Pharaon, 8 et le roi
lui demanda : « Quel est ton âge ? » – 9 « Il
y a cent trente ans que je vais d'un pays à
l'autre comme un étranger, répondit Jacob. Ma vie a passé vite, et j'ai connu des
années difficiles. Je n'ai pas atteint l'âge
de mes ancêtres, qui menaient pourtant
la même existence que moi. » 10 Jacob
salua de nouveau le Pharaon et sortit du
palais royal.
11 Joseph installa son père et ses frères
dans le meilleur endroit d'Égypte, dans
les environs de Ramsès[d], conformément

---

z **46.20** Voir 41.45 et la note. – *Manassé et Éfraïm* : voir 41.50-52.

a **46.22** L'ancienne version grecque présente un texte plus développé des v. 20-22, avec un total de *dix-huit* descendants. Une autre manière de compter aboutit à un total de *dix-neuf*, soit cinq de plus (comparer le v. 27 et Ex 1.5 et les notes).

b **46.27** Le total de *soixante-dix* personnes s'obtient par addition des nombres indiqués aux v. 15,18,22 et 25. Le nombre *soixante-six* (v. 26) s'explique difficilement. Comparer Ex 1.5 et la note ; Act 7.14.

c **46.28** Voir 45.10 et la note.

d **47.11** *Ramsès* : voir Ex 1.11 et la note.

à l'ordre du Pharaon. Il leur donna des terres en propriété. [12] Il fournit des vivres à son père, à ses frères et à toutes leurs familles, selon le nombre des bouches à nourrir.

La politique de Joseph pendant la famine

[13] La famine était si grave qu'il n'y avait plus rien à manger dans tout le pays. En Égypte, comme en Canaan, la population dépérissait à cause de cette famine. [14] Joseph amassa tout l'argent d'Égypte et de Canaan avec lequel les gens lui achetaient du blé et il le fit déposer dans le palais du *Pharaon. [15] Lorsqu'il n'y eut plus d'argent, ni en Égypte ni en Canaan, les Égyptiens vinrent dire à Joseph : « Donne-nous à manger. Faudrait-il que nous mourions sous tes yeux, parce que nous n'avons plus d'argent ? » – [16] « Si vous n'avez plus d'argent, donnez-moi vos troupeaux, répondit Joseph, et moi, en échange, je vous donnerai à manger. »

[17] Ils amenèrent donc leurs troupeaux à Joseph qui leur procura de la nourriture en échange de leurs chevaux, moutons, chèvres, bœufs et ânes. Cette année-là il leur assura de quoi manger en échange de tout leur bétail. [18] Au bout d'une année, ils revinrent et dirent à Joseph : « Monsieur l'Administrateur, nous ne pouvons pas cacher que nous n'avons plus d'argent et que nos troupeaux t'appartiennent déjà. Nous n'avons plus rien d'autre à te proposer que nos personnes et nos terres. [19] Faudrait-il que nous mourions sous tes yeux et que nos terres soient abandonnées ? Achète-nous avec nos terres, et fournis-nous de quoi manger. Nous serons, nous et nos terres, au service du Pharaon. Nous ne tenons pas à mourir. Procure-nous des semences pour que nous puissions survivre et que les terres ne soient pas réduites en désert. »

[20] Joseph acheta toutes les terres d'Égypte pour le compte du Pharaon, parce que la famine s'était aggravée et que chaque Égyptien vendait son champ. De cette manière, le pays tout entier devint la propriété du Pharaon [21] et Joseph réduisit le peuple en esclavage[e] d'un bout à l'autre du pays. [22] Les seules terres que Joseph n'acheta pas furent celles des prêtres, parce qu'il existait un décret du Pharaon en leur faveur. En effet, ils vivaient de ce que le Pharaon leur attribuait, c'est pourquoi ils n'eurent pas à vendre leurs terres.

[23] Joseph s'adressa au peuple : « Maintenant que je vous ai achetés, vous et vos terres, pour le compte du Pharaon, je vais vous procurer du blé à semer dans les champs. [24] Mais au moment de la moisson, vous donnerez un cinquième des récoltes au Pharaon. Les quatre autres cinquièmes vous appartiendront. Vous vous en servirez pour ensemencer les champs et pour vous nourrir, vous, vos enfants et tous ceux qui habitent dans vos maisons. » [25] Ils répondirent : « Tu nous sauves la vie. Puisque tu nous manifestes ta bienveillance, nous acceptons d'être les esclaves du Pharaon. » [26] C'est ainsi que Joseph promulgua une loi, qui est encore en vigueur aujourd'hui : en Égypte, un cinquième des récoltes revient au Pharaon. Seules les terres des prêtres ne devinrent pas la propriété du Pharaon.

Les dernières volontés de Jacob

[27] Les Israélites s'étaient établis en Égypte, dans la région de Gochen. Ils y acquirent des propriétés, eurent des enfants et devinrent très nombreux. [28] Jacob vécut dix-sept ans en Égypte. La durée de sa vie fut de cent quarante-sept ans.

[29] Lorsque Jacob sentit la mort venir, il appela son fils Joseph et lui dit : « Si tu as de l'affection pour moi, montre-moi ton amour et ta fidélité : ne m'enterre pas en Égypte. Promets-le-moi en mettant ta main sous ma cuisse[f]. [30] Quand je serai mort, tu emporteras mon corps d'Égypte et tu iras le déposer dans le tombeau de mes ancêtres. » – « Je ferai ce que tu m'as demandé », répondit Joseph[g]. [31] Jacob insista : « Jure-le-moi ». Joseph le lui jura.

---

e **47.21** *réduisit le peuple en esclavage* : d'après le texte samaritain et l'ancienne version grecque ; hébreu *fit émigrer le peuple vers les villes.*

f **47.29** Voir 24.2 et la note.

g **47.30** Voir 49.29-32 ; 50.6.

Alors Jacob le remercia en s'inclinant
profondément à la tête de son lit[h].

Jacob bénit les fils de Joseph

48 1 Après ces événements, on avertit
Joseph que son père était malade.
Il partit avec ses deux fils, Manassé et
Éfraïm. 2 Lorsqu'on annonça à Jacob
que son fils Joseph venait lui rendre
visite, il fit un effort et s'assit sur son
lit. 3 Il dit à Joseph : « Le Dieu *tout-
puissant m'est apparu à Louz, au pays de
Canaan et il m'a *béni. 4 Il m'a dit : "Je te
donnerai de nombreux enfants pour
faire de toi l'ancêtre d'un ensemble de
peuples. J'accorderai ce pays à tes descendants en propriété définitive[i]." »
5 Jacob ajouta : « Tes deux fils, nés en
Égypte avant que je vienne t'y rejoindre,
je les considère comme mes fils. Éfraïm
et Manassé sont miens, comme Ruben et
Siméon[j]. 6 Mais les fils qui te naîtront
après eux resteront les tiens. C'est dans
le territoire de leurs frères aînés qu'ils
recevront leur part d'héritage. 7 En effet,
lorsque je revenais de Mésopotamie, peu
avant d'arriver à Éfrata, au pays de Canaan, ta mère Rachel est morte près de
moi en cours de route. Je l'ai enterrée là,
au bord de la route. » – Éfrata s'appelle
maintenant Bethléem[k]. – 8 A ce moment-là, Jacob aperçut les fils de Joseph
et demanda : « Qui est-ce ? » – 9 « Ce sont
les fils que Dieu m'a donnés ici, en
Égypte », répondit Joseph. Son père reprit : « Amène-les près de moi pour que
je les bénisse. »
10 Jacob était si vieux que sa vue avait
beaucoup baissé : il ne voyait plus grand-
chose. Joseph fit approcher ses fils. Jacob
les serra contre lui et les embrassa. 11 Puis
il dit à Joseph : « Je n'espérais plus revoir
ton visage et voilà que Dieu me permet
de voir même tes enfants. » 12 Alors Joseph retira ses fils qui étaient sur les genoux[l] de son père et il s'inclina jusqu'à
terre. 13 Ensuite il prit ses deux fils par la
main : Éfraïm, qu'il tenait à sa droite, se
trouva à gauche de Jacob et Manassé,
qu'il tenait à sa gauche, se trouva à droite
de Jacob. Il les fit de nouveau approcher
de leur grand-père. 14 Mais Jacob croisa
ses mains : il posa sa main droite sur la
tête d'Éfraïm, bien qu'il fût le plus jeune,
et sa main gauche sur la tête de Manassé,
qui était l'aîné[m]. 15 Et voici la bénédiction
qu'il donna à Joseph :

« Je prie le Dieu devant qui mon
grand-père Abraham et mon père
Isaac ont toujours vécu,
le Dieu qui a pris soin de moi depuis
toujours,
16 *l'ange qui m'a délivré de tout mal :
je lui demande de bénir ces garçons.
Que grâce à eux, mon nom survive,
comme ceux de mon grand-père Abraham et de mon père Isaac !
Qu'ils aient de très nombreux descendants
partout dans le pays ! »

17 Joseph fut choqué de voir son père
poser la main droite sur la tête d'Éfraïm ;
il lui saisit la main pour la déplacer de la
tête d'Éfraïm sur celle de Manassé, en disant : 18 « Non, mon père, tu te trompes.
C'est celui-ci l'aîné. Mets donc ta main
droite sur sa tête. » 19 Mais son père refusa
et lui dit : « Je sais, mon fils, je sais. Les
descendants de Manassé aussi deviendront un grand peuple. Pourtant son
frère cadet sera plus grand que lui et ses
descendants formeront une multitude de
nations. »
20 Ce jour-là, il leur donna sa bénédiction en ces termes : « Les Israélites se serviront de vos noms pour prononcer des
bénédictions. Ils diront : "Que Dieu te
traite avec la bonté qu'il a montrée à

---

h **47.31** L'ancienne version grecque propose pour ce verset un texte légèrement différent, qui est cité en Hébr 11.21.

i **48.4** V. 3-4 : voir 28.13-14.

j **48.5** Jacob adopte *Éfraïm et Manassé*, qui seront les ancêtres de deux tribus au même titre que *Ruben et Siméon*.

k **48.7** Mort de Rachel : voir Gen 35.19. – *Éfrata-Bethléem*, à quelques kilomètres au nord de Béthel, ne doit pas être confondue avec la localité du même nom située sur le territoire de Juda au sud de Jérusalem et mentionnée par exemple en 1 Sam 16.4 ; Mich 5.1.

l **48.12** En prenant ses petits-fils sur ses genoux, Jacob accomplit un rite d'adoption.

m **48.14** Le fils aîné recevait normalement la meilleur part de la bénédiction, donnée ici avec *la main droite*, car on considérait la droite comme le côté le plus favorable.

Éfraïm et Manassé[n] !" » Ainsi, Jacob
plaça Éfraïm avant Manassé. 21 Il dit ensuite à Joseph : « Je vais bientôt mourir,
mais Dieu sera avec vous et il vous ramènera dans le pays de vos ancêtres.
22 Quant à moi, je t'attribue une part plus
importante qu'à tes frères, je te donne la
région de Sichem que j'ai conquise sur
les *Amorites grâce à mon épée et à mon
arc[o]. »

Jacob donne sa bénédiction à ses douze fils

49 1 Jacob convoqua ses fils et leur dit :
« Réunissez-vous.
Je vais vous annoncer
ce qui vous arrivera dans l'avenir.
2 Rassemblez-vous et écoutez,
fils de Jacob,
écoutez votre père Israël.
3 Toi, Ruben, tu es mon fils aîné,
le premier que j'ai engendré
quand j'étais plein de force.
Tu surpasses tes frères
en dignité et en puissance.
4 Tu es un torrent impétueux.
Pourtant tu ne seras plus le premier,
car tu t'es déshonoré
en entrant dans mon lit
avec une de mes épouses[p].

5 Siméon et Lévi sont frères :
ils s'accordent pour agir avec violence,
6 mais je ne participerai pas à leur complot,
je n'assisterai pas à leurs rencontres,
car dans leur colère ils ont tué des hommes[q]
et par plaisir ils ont mutilé des taureaux.
7 Je maudis leur ardente colère
et leur fureur impitoyable.
Je disperserai leurs descendants en Israël,
je les éparpillerai dans tout le pays.

8 Juda, tes frères chanteront tes louanges[r].
Tu forceras tes ennemis à courber la nuque,
et tes propres frères s'inclineront devant toi.
9 Juda, mon fils, tu es comme un jeune lion[s]
qui a dévoré sa proie et regagne son repaire.
Le lion s'accroupit, se couche.
Qui pourrait le forcer à se lever ?
10 Le sceptre royal demeurera dans la famille de Juda,
le bâton des chefs restera aux mains de ses descendants,
jusqu'à ce que vienne son vrai possesseur[t]
celui à qui les peuples seront soumis.
11 La vigne alors sera si répandue
qu'il se permettra d'y attacher son âne[u].
Il lavera son vêtement dans le vin,
son manteau dans le sang des raisins.
12 Le vin avivera l'éclat de ses yeux
et le lait la blancheur de ses dents[v].

13 Zabulon s'installera au bord de la mer,
là où les bateaux trouveront un port.
Son territoire s'étendra jusqu'à Sidon.

14 Issakar est un âne robuste,
établi au milieu de ses enclos.
15 Il a vu que l'emplacement était bon,
que le pays était agréable.
Il a tendu son épaule pour porter des charges,
il s'est soumis à un travail d'esclave.

---

n **48.20** Voir Hébr 11.21.

o **48.22** *Sichem*, ville ancienne, au centre des futurs territoires d'Éfraïm et Manassé. Joseph y sera enterré (Jos 24.32). *Sichem* signifiant aussi *l'épaule* (ou le gigot), l'hébreu fait ici un jeu de mots, car l'épaule (ou le gigot) d'un animal était considérée comme un morceau de choix (1 Sam 9.24).

p **49.4** Voir 35.22.

q **49.6** Voir 34.25.

r **49.8** En hébreu le nom de *Juda* évoque le verbe traduit ici par *chanteront tes louanges* ; comparer 29.35 et la note.

s **49.9** Le *lion* de Juda : voir Nomb 24.9 ; Apoc 5.5.

t **49.10** *son vrai possesseur* : l'interprétation et la traduction du mot hébreu correspondant sont très discutées.

u **49.11** Il considérera comme sans importance que l'âne broute la vigne.

v **49.12** Autre traduction *Ses yeux sont plus sombres que le vin / ses dents plus blanches que le lait*. La vigne et le bétail étaient les principales richesses du territoire de Juda.

16 Dan aura son peuple à gouverner[w],
comme les autres tribus d'Israël.
17 Dan est comme un serpent sur la route,
une vipère au bord du chemin :
le serpent mord les jarrets du cheval
et le cavalier tombe à la renverse.

18 Seigneur, j'espère que tu me sauveras[x] !

19 Gad, attaqué par des pillards[y],
contre-attaque et les poursuit.
20 Le pays d'Asser donnera d'abondantes récoltes,
sa terre fournira des produits dignes d'un roi[z].

21 Neftali est une gazelle en liberté
qui met au monde de beaux petits[a].

22 Joseph est une plante fertile
qui pousse près d'une source.
Ses branches passent par-dessus le mur[b].
23 Des tireurs à l'arc l'ont exaspéré,
ils ont lancé leurs flèches, ils l'ont harcelé.
24 Mais il a tenu fermement son arc,
ses bras et ses mains ont gardé leur agilité.
Par la puissance du Dieu fort de Jacob,
tu es devenu le *berger,
le rocher d'Israël.
25 Par le Dieu de ton père, qui est ton secours,
par le Dieu *tout-puissant, qui te *bénit,
reçois les bienfaits de la pluie qui descend du ciel,
de l'eau qui monte des profondeurs du sol,
de la fécondité des femmes et du bétail.
26 Les bénédictions données par ton père
surpassent les bienfaits des montagnes éternelles[c],
les produits désirables des collines antiques.
Que les bénédictions de son père
descendent sur la tête de Joseph,
sur celui qui est le chef de ses frères !

27 Benjamin est un loup féroce.
Le matin il dévore une proie
et le soir il partage le butin. »

28 A eux tous ils forment les douze tribus d'Israël. Telles sont les paroles que
leur adressa leur père, quand il les bénit.
A chacun il accorda une bénédiction particulière.

Mort de Jacob

29 Jacob fit ensuite ces recommandations à ses enfants : « Quand je serai mort,
enterrez-moi dans le tombeau de mes
ancêtres. C'est la grotte située dans le
champ d'Éfron le Hittite, 30 à Makpéla,
près de Mamré, au pays de Canaan. Abraham a acheté ce champ à Éfron pour que
le tombeau soit sa propriété[d]. 31 C'est là
qu'on l'a enterré, ainsi que sa femme
Sara, puis Isaac[e] et sa femme Rébecca. J'y
ai moi-même enterré Léa. 32 Le champ et
la grotte qui s'y trouve ont été achetés
aux Hittites. » 33 Quand Jacob eut fait ses
dernières recommandations à ses fils, il
se recoucha, puis il rejoignit ses ancêtres
dans la mort[f].

Les funérailles de Jacob

50 1 Joseph se précipita vers son père,
dont il couvrit le visage de larmes
et de baisers. 2-3 Puis il ordonna aux médecins qui étaient à son service de préparer le corps de son père en vue de

---

w **49.16** En hébreu le nom de *Dan* évoque le verbe traduit ici par *gouverner*, parfois aussi par *juger* (voir 30.6 et la note).

x **49.18** Sorte d'exclamation liturgique au milieu du poème.

y **49.19** En hébreu le nom de *Gad* évoque les mots traduits ici par *pillards* et *contre-attaque*.

z **49.20** Le nom d'*Asser* (heureux) évoque le bien-être d'une tribu installée dans la riche plaine côtière située au nord du mont Carmel.

a **49.21** Autre traduction *Neftali est un grand arbre qui porte de belles branches*. Il y avait en effet des forêts sur le territoire de Neftali. Le texte fait allusion soit aux forêts, soit aux gazelles qui les habitent.

b **49.22** Le sens du v. 22 est incertain. Les *branches* suggèrent l'extension des tribus de Joseph et leur importance grandissante.

c **49.26** *des montagnes* : d'après l'ancienne version grecque ; voir Deut 33.15.

d **49.30** Voir 23.3-18.

e **49.31** Tombeau d'Abraham : 25.9-10 ; et de Sara : 23.19. – Tombeau d'Isaac : 35.29.

f **49.33** Voir Act 7.15.

l'enterrement. Selon la coutume, les médecins passèrent quarante jours à enduire
le corps d'huiles parfumées pour le
conserver. Les Égyptiens célébrèrent le
deuil de Jacob pendant soixante-dix
jours.
4 Quand le deuil de Jacob eut pris fin,
Joseph dit aux proches du *Pharaon : « Si
vous avez de l'amitié pour moi, veuillez
transmettre de ma part ces paroles au
Pharaon : 5 "Avant de mourir, mon père
m'a fait jurer de l'enterrer au pays de Canaan, dans le tombeau qu'il s'est préparé.
Autorise-moi donc à aller l'enterrer
maintenant, puis je reviendrai[g]." » 6 Le
Pharaon permit à Joseph d'aller enterrer
son père et de tenir ainsi sa promesse.
7 Joseph se mit en route ; il était accompagné des dignitaires du palais au
service du Pharaon, des *anciens de toute
l'Égypte, 8 de toute sa famille, de ses frères et des autres membres de la famille de
son père. On ne laissa dans la région de
Gochen que les petits enfants et le bétail.
9 Le convoi comprenait aussi une escorte
de chars ; il était particulièrement imposant.
10 Ils arrivèrent à Goren-Atad – "l'Aire
de l'Épine" –, au-delà du Jourdain. Là, ils
célébrèrent solennellement une cérémonie funèbre, très impressionnante. Durant sept jours, Joseph observa le deuil de
son père. 11 Les Cananéens qui vivaient
dans cette région virent la cérémonie
funèbre de Goren-Atad et firent cette
réflexion : « C'est un deuil cruel pour
l'Égypte ! » C'est pourquoi cet endroit, situé au-delà du Jourdain, reçut le nom
d'Abel-Misraïm, ce qui veut dire "Deuil
de l'Égypte".
12 Les fils de Jacob accomplirent ensuite ce que leur père leur avait ordonné :
13 ils transportèrent son corps au pays de
Canaan et l'enterrèrent dans la grotte du
champ de Makpéla, près de Mamré.
Abraham avait acheté ce champ à Éfron
le Hittite pour que le tombeau soit sa
propriété[h]. 14 Après avoir déposé le corps
de son père dans le tombeau, Joseph regagna l'Égypte avec ses frères et tous ceux
qui les avaient accompagnés pour l'enterrement.

Après la mort de Jacob

15 Les frères de Joseph se dirent :
« Maintenant que notre père est mort, Joseph pourrait bien se tourner contre nous
et nous rendre tout le mal que nous lui
avons fait. » 16 Ils firent donc parvenir à
Joseph ce message : « Avant de mourir,
ton père a exprimé cette dernière volonté : 17 "Dites de ma part à Joseph : Par
pitié, pardonne à tes frères la terrible
faute qu'ils ont commise, tout le mal
qu'ils t'ont fait." Eh bien, veuille nous
pardonner cette faute, à nous qui adorons
le même Dieu que ton père. » Joseph se
mit à pleurer lorsqu'on lui rapporta ce
message. 18 Puis ses frères vinrent eux-
mêmes le trouver, se jetèrent à ses pieds
et lui dirent : « Nous sommes tes esclaves. » 19 Mais Joseph leur répondit :
« N'ayez pas peur. Je n'ai pas à me mettre
à la place de Dieu. 20 Vous aviez voulu me
faire du mal, mais Dieu a voulu changer
ce mal en bien, il a voulu sauver la vie
d'un grand nombre de gens, comme vous
le voyez aujourd'hui. 21 N'ayez donc
aucune crainte : je prendrai soin de vous
et de vos familles. » Par ces paroles
affectueuses il les réconforta.
22 Ainsi Joseph et la famille de son père
demeurèrent en Égypte. Joseph vécut
cent dix ans. 23 Il vit naître les enfants et
les petits-enfants de son fils Éfraïm, et il
adopta les enfants de son petit-fils Makir,
fils de Manassé. 24-25 Un jour Joseph dit à
ses frères : « Je vais bientôt mourir. Mais
Dieu vous viendra certainement en aide.
Il vous fera quitter l'Égypte pour vous
conduire dans le pays qu'il a promis à
Abraham, Isaac et Jacob. Jurez-moi donc
d'emporter mon corps avec vous, lorsque
Dieu interviendra ainsi pour vous[i]. »
26 Joseph mourut en Égypte à l'âge de
cent dix ans. On enduisit son corps
d'huiles parfumées pour le conserver, et
on le déposa dans un cercueil de pierre.

g **50.5** Comparer 47.29-31.
h **50.13** Comparer Act 7.16.
i **50.24-25** Comparer Ex 13.19 ; Jos 24.32 ; Hébr 11.22.

Exode

***Introduction** – « Je suis le Seigneur ton Dieu, c'est moi qui t'ai fait sortir d'Égypte où tu étais esclave. » Ce verset central de l'*Exode *(20.2) révèle le sens du titre du livre (Exode = sortie) et son contenu essentiel : Dieu est le libérateur de son peuple. En même temps ce verset est le fondement des « Dix Commandements » : le Dieu qui, par amour, a libéré les Israélites, propose à ceux-ci de manifester leur amour pour lui en obéissant à sa loi.*

*Les Israélites, après avoir trouvé en Égypte une terre de refuge (Gen 45.17-20 ; 47.11), y sont devenus au cours des siècles un peuple nombreux, mais qui se voit réduit en esclavage par le roi d'Égypte. Dieu ne reste pas insensible à la souffrance des Israélites ; il choisit l'un d'entre eux, Moïse, pour être leur guide, puis, par des interventions nombreuses et puissantes, il oblige les Égyptiens à rendre la liberté à ce peuple et à le laisser partir (1.1–15.21). Après l'avoir guidé et protégé pendant la traversée du désert du Sinaï (15.22–18.27), Dieu fait d'Israël son peuple, en concluant avec lui une *alliance sur le mont Sinaï, et en lui communiquant ses lois (19.1–24.18). Tandis que Moïse reçoit ensuite toutes les indications nécessaires à la construction du *sanctuaire (chap. 25–31), les Israélites se laissent aller à représenter Dieu sous la forme d'un veau d'or, ce qui provoque une sévère intervention de Dieu (chap. 32–34). Le livre se termine par le récit de la construction du sanctuaire, où Dieu vient manifester sa présence (chap. 35–40).*

Aux victimes de toutes les formes d'esclavage, dans tous les temps, ce livre montre ce qu'est la vraie libération, celle que Dieu seul réalise pour permettre à l'homme d'être en communion avec lui et avec les autres.

DIEU FAIT SORTIR ISRAËL D'ÉGYPTE
1–15

Les Israélites esclaves en Égypte

1 1-4 Voici les noms des fils de Jacob, ou
fils d'Israël[a], qui vinrent en Égypte
avec leur père : Ruben, Siméon, Lévi,
Juda, Issakar, Zabulon, Benjamin, Dan,
Neftali, Gad et Asser. Chacun était accompagné de sa famille. 5 En tout, les descendants de Jacob étaient alors au
nombre de soixante-dix[b]. Joseph, son autre fils, était déjà en Égypte. 6 Plus tard,
Joseph mourut ainsi que ses frères et
toute cette génération. 7 Par la suite, les
Israélites eurent tant d'enfants qu'ils devinrent extrêmement nombreux et très
forts. Le pays en fut rempli[c].

a **1.1-4** *Israël* : autre nom de *Jacob* (voir Gen 32.29), qui est devenu par la suite le nom du peuple descendant de Jacob, le peuple d'*Israël*, ou les Israélites. – Comparer les v. 1-4 avec Gen 46.8-27.

b **1.5** Un manuscrit hébreu trouvé à Qumrân et l'ancienne version grecque portent *soixante-quinze*, nombre que l'on retrouve en Act 7.14 (voir aussi Gen 46.27 et la note).

c **1.7** Voir Act 7.17.

8 Un nouveau roi[d] commença à régner sur l'Égypte, mais il ne savait rien de Joseph. 9 Il dit à son peuple : « Voyez, les Israélites forment un peuple plus nombreux et plus fort que nous. 10 Il faut trouver un moyen pour limiter leur nombre. En cas de guerre, ils se joindraient à nos ennemis pour nous combattre et quitter le pays[e]. » 11 Les Égyptiens désignèrent alors des chefs de corvées pour accabler le peuple d'Israël en lui imposant de rudes travaux. C'est ainsi que les Israélites durent construire les villes de Pitom et Ramsès[f] pour y entreposer les réserves du *Pharaon. 12 Mais plus on les opprimait, plus ils devenaient nombreux et plus ils prenaient de place, si bien qu'on les redoutait. 13 Les Égyptiens les traitèrent durement, comme des esclaves ; 14 ils leur rendirent la vie insupportable par un travail pénible : préparer l'argile, faire des briques, exécuter tous les travaux des champs. Bref, ils leur imposèrent sans pitié toutes sortes de corvées.

Le Pharaon persécute les Israélites

15 Il y avait chez les Hébreux deux sages-femmes, dont l'une s'appelait Chifra et l'autre Poua. Le roi d'Égypte leur donna 16 cet ordre : « Quand vous aiderez les femmes des Hébreux à accoucher, regardez bien l'enfant qui naît : si c'est un garçon, tuez-le, si c'est une fille, laissez-la vivre. » 17 Mais les sages-femmes respectaient Dieu ; elles n'obéirent pas au roi d'Égypte et laissèrent vivre les garçons. 18 Alors le roi les convoqua et leur dit : « Pourquoi agissez-vous ainsi ? Pourquoi laissez-vous vivre les garçons ? » – 19 « C'est que, répondirent-elles, les femmes des Hébreux ne sont pas comme les Égyptiennes. Elles sont vigoureuses et mettent leurs enfants au monde avant l'arrivée de la sage-femme. »

20 Ainsi les Israélites devinrent de plus en plus nombreux et très forts. Et Dieu accorda ses bienfaits aux sages-femmes 21 en leur donnant des descendants, parce qu'elles lui avaient obéi. 22 Alors le *Pharaon ordonna à tout son peuple : « Jetez dans le Nil tout garçon hébreu nouveau-né ! Ne laissez en vie que les filles[g] ! »

Naissance et enfance de Moïse

2 1 Un homme de la tribu de Lévi épousa une femme de la même tribu. 2 La femme devint enceinte, puis mit au monde un garçon. Elle vit que l'enfant était beau et le cacha durant trois mois[h]. 3 Ensuite, ne pouvant plus le tenir caché, elle prit une corbeille en tiges de papyrus[i], la rendit étanche avec du bitume et de la poix, y déposa l'enfant et alla placer la corbeille parmi les roseaux au bord du Nil. 4 La sœur de l'enfant se tint à quelque distance pour voir ce qui lui arriverait.

5 Un peu plus tard, la fille du *Pharaon descendit au Nil pour s'y baigner, tandis que ses suivantes se promenaient le long du fleuve. Elle aperçut la corbeille au milieu des roseaux et envoya sa servante la prendre. 6 Puis elle l'ouvrit et vit un petit garçon qui pleurait. Elle en eut pitié et s'écria : « C'est un enfant des Hébreux ! » 7 La sœur de l'enfant demanda à la princesse : « Dois-je aller te chercher une nourrice chez les Hébreux pour qu'elle allaite l'enfant ? » – 8 « Oui », répondit-elle.

La fillette alla chercher la propre mère de l'enfant. 9 La princesse dit à la femme : « Emmène cet enfant et allaite-le-moi. Je te payerai pour cela. » La mère prit donc l'enfant et l'allaita.

10 Lorsque l'enfant fut assez grand, la mère l'amena à la princesse ; celle-ci

---

d **1.8** Ce *nouveau roi* est peut-être Ramsès II, *Pharaon de la 19e dynastie égyptienne (1304-1238 avant J.-C.), connu comme un grand constructeur. D'autres identifications ont été proposées. – Comparer ce verset avec Act 7.18.

e **1.10** *quitter le pays* ou *prendre le pouvoir dans le pays*.

f **1.11** Les deux villes de *Pitom* et *Ramsès* n'ont pas été identifiées avec certitude, mais se trouvaient probablement dans la partie nord-est du delta du Nil.

g **1.22** Voir Act 7.19.

h **2.2** Voir Act 7.20 ; Hébr 11.23.

i **2.3** *papyrus* : plante aquatique (sorte de jonc), dont la tige était très employée dans les travaux de vannerie et dans la fabrication de feuilles pour écrire.

l'adopta et déclara : « Puisque je l'ai tiré
de l'eau, je lui donne le nom de Moïse[j]. »

Moïse doit fuir au pays de Madian

11 Un jour Moïse, devenu adulte, alla
voir ses frères de race. Il fut témoin des
corvées qui leur étaient imposées. Soudain il aperçut un Égyptien en train de
frapper un de ses frères hébreux. 12 Moïse
regarda tout autour de lui et ne vit personne ; alors il tua l'Égyptien et enfouit le
corps dans le sable. 13 Il revint le lendemain et trouva deux Hébreux en train de
se battre. Il demanda à celui qui avait
tort : « Pourquoi frappes-tu ton compatriote ? » – 14 « Qui t'a nommé chef pour
juger nos querelles ? répliqua l'homme.
As-tu l'intention de me tuer comme tu as
tué l'Égyptien ? » Voyant que l'affaire
était connue, Moïse eut peur. 15 Le *Pharaon lui-même en entendit parler et chercha à le faire mourir. Alors Moïse s'enfuit
et alla se réfugier dans le pays de Madian.
Là, il s'assit près d'un puits[k].

16 Le prêtre de Madian, Jéthro[l], avait
sept filles. Elles vinrent puiser de l'eau et
remplir les abreuvoirs pour donner à
boire aux moutons et aux chèvres de leur
père. 17 Mais des *bergers arrivèrent et
chassèrent les jeunes filles. Alors Moïse
prit leur défense et donna à boire à leur
troupeau. 18 Elles retournèrent chez leur
père, qui leur demanda : « Pourquoi ren-
trez-vous si tôt aujourd'hui ? » – 19 « Un
Égyptien nous a protégées contre les bergers, répondirent-elles, et il a même puisé
l'eau pour donner à boire à notre troupeau. » – 20 « Où est donc cet homme ?
leur demanda le père. Pourquoi ne l'avez-
vous pas amené ici ? Allez le chercher
pour qu'il mange avec nous. »

21 Moïse accepta de s'installer chez cet
homme. Jéthro lui donna pour épouse sa
fille Séfora. 22 Celle-ci mit au monde un
fils ; alors Moïse déclara : « Puisque je
suis devenu un réfugié dans un pays
étranger, je lui donne le nom de Guerchom – “Réfugié-là” –. »

Dieu choisit Moïse pour libérer Israël

23 Longtemps après, le roi d'Égypte
mourut. Les Israélites, du fond de leur
esclavage, se mirent à gémir et à crier, et
leur appel au secours monta jusqu'à
Dieu. 24 Dieu entendit leur plainte et se
souvint de son *alliance avec Abraham,
Isaac et Jacob[m]. 25 Il regarda les Israélites
et se rendit compte de leur situation.

3 1 Moïse s'occupait des moutons et des
chèvres de Jéthro, son beau-père, le
prêtre de Madian. Un jour, après avoir
conduit le troupeau au-delà du désert, il
arriva à *l'Horeb, la montagne de Dieu[n].
2 C'est là que *l'ange du Seigneur lui apparut dans une flamme, au milieu d'un
buisson. Moïse aperçut en effet un buisson d'où sortaient des flammes, mais sans
que le buisson lui-même brûle. 3 Il décida
de faire un détour pour aller voir ce phé-
nomène étonnant et découvrir pourquoi
le buisson ne brûlait pas. 4 Lorsque le Seigneur le vit faire ce détour, il l'appela du
milieu du buisson : « Moïse, Moïse ! » –
« Oui ? » répondit-il. 5 « Ne t'approche pas
de ce buisson, dit le Seigneur. Enlève tes
sandales, car tu te trouves dans un endroit consacré. 6 Je suis le Dieu de ton
père, le Dieu d'Abraham, d'Isaac et de
Jacob. »

Moïse se couvrit le visage, parce qu'il
avait peur de regarder Dieu. 7 Le Seigneur reprit : « J'ai vu comment on maltraite mon peuple en Égypte ; j'ai
entendu les Israélites crier sous les coups
de leurs oppresseurs. Oui, je connais
leurs souffrances. 8 Je suis donc venu
pour les délivrer du pouvoir des Égyptiens, et pour les conduire d'Égypte vers
un pays beau et vaste, vers un pays qui re-

---

j **2.10** En hébreu, il y a un jeu de mots entre le nom de *Moïse* et le verbe signifiant *tirer* ou *retirer de*. Ce nom est probablement d'origine égyptienne. – Comparer ce verset avec Act 7.21.

k **2.15** V. 11-15 : voir Act 7.23-29 ; Hébr 11.24-27. – *Madian* est le nom collectif de tribus nomades, vivant semble-t-il au sud et au sud-est de la Palestine ; selon Gen 25.2, *Madian* est un fils d'Abraham. – *près d'un puits* : c'est l'endroit où un étranger avait le plus de chance de rencontrer des gens du pays.

l **2.16** *Jéthro* est parfois appelé aussi *Réouel*.

m **2.24** Voir Gen 15.13-14.

n **3.1** L'*Horeb* (autre nom du mont *Sinaï*) est dit *montagne de Dieu* parce que Dieu va s'y révéler ; voir chap. 19.

gorge de lait et de miel[o], le pays où habitent les Cananéens, les Hittites, les *Amorites, les Perizites, les Hivites et les Jébusites. 9 Puisque les cris des Israélites sont montés jusqu'à moi et que j'ai même vu de quelle manière les Égyptiens les oppriment, 10 je t'envoie maintenant vers le *Pharaon. Va, et fais sortir d'Égypte Israël, mon peuple[p]. »

Dieu révèle son nom à Moïse

11 Moïse répondit à Dieu : « Moi ? je ne peux pas aller trouver le *Pharaon et faire sortir les Israélites d'Égypte ! » – 12 « Je serai avec toi, reprit Dieu. Et pour te prouver que c'est bien moi qui t'envoie, je te donne ce signe : Quand tu auras fait sortir les Israélites d'Égypte, tous ensemble vous me rendrez un culte sur cette montagne-ci. » – 13 « Bien ! dit Moïse. Je vais donc aller trouver les Israélites et leur dire : "Le Dieu de vos ancêtres m'envoie vers vous". Mais ils me demanderont ton nom[q]. Que leur répondrai-je ? »

14 Dieu déclara à Moïse : « "JE SUIS QUI JE SUIS". Voici donc ce que tu diras aux Israélites : "JE SUIS m'a envoyé vers vous[r]". 15 Puis tu ajouteras : "C'est LE SEIGNEUR[s] qui m'a envoyé vers vous, le Dieu de vos ancêtres, le Dieu d'Abraham, d'Isaac et de Jacob." Tel est mon nom pour toujours, le nom par lequel les hommes de tous les temps pourront m'invoquer. 16 Maintenant, va rassembler les *anciens d'Israël et dis-leur : "Le Seigneur, le Dieu de vos ancêtres, le Dieu d'Abraham, d'Isaac et de Jacob, m'est apparu. Il m'a dit qu'il s'est penché sur votre situation en Égypte et qu'il sait bien comment on vous y traite. 17 Il a donc décidé de vous arracher à ce pays où l'on vous maltraite pour vous conduire dans le pays des Cananéens, des Hittites, des *Amorites, des Perizites, des Hivites et des Jébusites, pays qui regorge de lait et de miel[t]."

18 « Les Israélites t'écouteront. Alors tu iras avec leurs anciens trouver le roi d'Égypte et vous lui direz : "Le Seigneur, le Dieu des Hébreux, notre Dieu, s'est manifesté à nous. Permets-nous d'aller à trois jours de marche dans le désert, pour lui offrir des *sacrifices." 19 Je sais bien que le roi ne vous laissera pas partir, à moins d'y être contraint[u]. 20 C'est pourquoi j'interviendrai avec puissance contre son pays par toutes sortes d'actions extraordinaires ; après quoi il vous laissera partir. 21 J'amènerai même les Égyptiens à considérer votre peuple avec faveur, de telle sorte que, lorsque vous partirez, vous n'aurez pas les mains vides. 22 Chaque femme israélite demandera à toute Égyptienne habitant chez elle, ou dans le voisinage, des objets d'argent et d'or, ainsi que des vêtements ; vous en chargerez vos fils et vos filles, et vous dépouillerez ainsi les Égyptiens[v]. »

Dieu révèle sa puissance à Moïse

4 1 Moïse répondit au Seigneur : « Mais les Israélites ne voudront pas me croire ni m'obéir. Ils me diront : "Le Seigneur ne t'est pas apparu !" » 2 Le Seigneur lui demanda : « Que tiens-tu à la main ? » – « Un bâton. » – 3 « Jette-le à terre ! » Moïse obéit. Le bâton se trans-

---

o **3.8** Un pays *qui regorge de lait et de miel* est un pays propice à l'élevage du bétail (*lait*) et aux cultures (*miel*, qui désigne probablement ici un sirop concentré de fruit, plutôt que du miel d'abeille). L'expression est devenue proverbiale pour désigner la Terre Promise.

p **3.10** V. 2-10 : voir Act 7.30-34.

q **3.13** Voir 6.2-3.

r **3.14** En disant "JE SUIS QUI JE SUIS", Dieu refuse de faire connaître son nom personnel, comme en Jug 13.18 ; autres traductions "JE SUIS QUI JE SERAI", c'est-à-dire "Je suis là, avec vous, de la manière que vous verrez" ; ou "JE SUIS CELUI QUI EST", par opposition aux autres dieux, qui "ne sont pas", comparer És 43.10. Le verbe hébreu traduit par JE SUIS ressemble au nom hébreu du Dieu d'Israël ; voir la note suivante. – Comparer aussi ce verset avec Apoc 1.4,8.

s **3.15** Le nom personnel du Dieu d'Israël était probablement Yahweh (on en ignore la prononciation exacte). Au 3e siècle avant J.-C., les Juifs avaient pris l'habitude de ne plus prononcer ce nom (pour ne pas risquer de le *prononcer de manière abusive*, voir 20.7), mais de dire *Le Seigneur* (le plus souvent) ou de le remplacer par d'autres expressions telles que *Le Ciel, Le Nom, La Gloire*, etc. Lorsque le texte hébreu porte le nom personnel Yahweh, la présente traduction le rend par *le Seigneur.*

t **3.17** Voir v. 8 et la note.

u **3.19** *à moins d'y être contraint* : d'après le texte samaritain et les anciennes versions grecque et latine ; hébreu *même pas s'il y est contraint.*

v **3.22** V. 21-22 : voir 12.35-36.

forma en serpent. Moïse s'en écarta vivement, 4 mais le Seigneur lui dit : « Avance
ta main et saisis-le par la queue. » Moïse
avança la main et l'empoigna. Le serpent
redevint un bâton dans sa main.
5 Le Seigneur dit : « Voilà de quoi
convaincre les Israélites que je te suis apparu, moi, le Dieu de leurs ancêtres, le
Dieu d'Abraham, d'Isaac et de Jacob. 6 Et
maintenant, continua-t-il, mets ta main
sur ta poitrine. » Moïse obéit ; mais
quand il retira sa main, il vit qu'elle était
blanche comme la neige, couverte de *lèpre. 7 « Remets-la sur ta poitrine », ordonna le Seigneur. Moïse obéit ; et quand
il retira sa main, elle était redevenue normale. 8 Le Seigneur lui déclara : « Si les
Israélites ne te croient pas et n'obéissent
pas malgré le premier miracle, ils croiront à cause du second. 9 Et s'ils per-
sistent à ne pas croire et à ne pas t'obéir,
malgré ces deux miracles, tu prendras de
l'eau du Nil et tu la verseras sur le sol :
cette eau s'y transformera en sang. »

Dieu désigne Aaron comme adjoint de Moïse

10 Moïse dit au Seigneur : « Ce n'est pas
possible, Seigneur, je n'ai pas la parole facile. Je ne l'ai jamais eue, et je ne l'ai pas
davantage depuis que tu me parles. J'ai
beaucoup trop de peine à m'exprimer. »
11 Le Seigneur lui rétorqua : « Qui a
donné une bouche à l'homme ? Qui peut
le rendre muet ou sourd, voyant ou aveugle ? N'est-ce pas moi, le Seigneur ? 12 Eh
bien maintenant, va. Je serai avec toi
quand tu parleras, je t'indiquerai ce que
tu devras dire. » – 13 « Je t'en supplie, Seigneur, reprit Moïse, envoie quelqu'un
d'autre ! »
14 Alors le Seigneur se mit en colère
contre Moïse et lui dit : « Tu as un frère,
Aaron le *lévite. Je sais qu'il est éloquent,
lui, n'est-ce pas ? D'ailleurs, il est déjà en
route pour venir te trouver. Dès qu'il te
verra, il sera plein de joie. 15 Tu lui parleras, tu lui communiqueras ce qu'il devra
dire. Moi-même je serai avec chacun de
vous quand vous parlerez et je vous indiquerai ce que vous aurez à faire. 16 C'est
lui qui s'adressera au peuple à ta place : il
sera ton porte-parole, et toi tu seras
comme le dieu qui l'inspire. 17 De plus, tu
tiendras à la main ce bâton, qui te servira
à faire des miracles. »

Moïse retourne auprès de son peuple

18 Moïse retourna vers Jéthro, son
beau-père, et lui dit : « Il faut que je retourne vers mes frères de race en Égypte,
pour voir s'ils sont encore en vie. » – « Va
en paix », répondit Jéthro.
19 Le Seigneur dit alors à Moïse, dans
le pays de Madian[w] : « Oui, retourne en
Égypte, car tous ceux qui en voulaient à
ta vie sont morts. » 20 Moïse prit donc sa
femme et ses fils, les installa sur son âne
et partit pour l'Égypte ; il tenait en main
le bâton que Dieu lui avait dit de prendre. 21 Le Seigneur lui dit encore : « Je t'ai
rendu capable de faire toutes sortes de
prodiges. Quand tu seras de retour en
Égypte, tu auras soin de les réaliser devant le *Pharaon. Moi, je le pousserai à
s'obstiner et à ne pas laisser partir les Israélites. 22 Alors tu lui diras : Voici ce que
déclare le Seigneur : "Le peuple d'Israël
est mon fils, mon fils aîné. 23 Je t'avais ordonné de le laisser partir pour qu'il
puisse me rendre un culte, mais tu as refusé. C'est pourquoi je vais faire mourir
ton propre fils aîné[x]." »
24 Pendant le voyage[y], une nuit à
l'étape, le Seigneur s'approcha de Moïse
et chercha à le faire mourir. 25 Aussitôt
Séfora prit un caillou tranchant, coupa le
prépuce de son fils et en toucha le sexe de
Moïse, en lui disant : "Ainsi tu es pour
moi un époux de sang." 26 Alors le Seigneur s'éloigna de Moïse. Séfora avait dit
"époux de sang" à cause de la *circoncision.
27 Le Seigneur dit à Aaron : « Va dans le
désert, à la rencontre de Moïse. » Aaron
partit, trouva son frère à la montagne de
Dieu[z] et l'embrassa. 28 Moïse lui commu-

---

w **4.19** *Madian* : voir 2.15 et la note.

x **4.23** Voir 12.29.

y **4.24** Le bref récit des v. 24-26 est particulièrement énigmatique : on ne sait pas de manière certaine à qui se rapportent les pronoms personnels hébreux (Moïse n'y est pas cité par son nom) et on ignore ce que signifie l'expression *époux de sang*.

z **4.27** Voir 3.1 et la note.

niqua le message dont le Seigneur l'avait
chargé et décrivit les miracles qu'il lui
avait ordonné de faire. 29 Ensuite ils allèrent ensemble réunir tous les *anciens
d'Israël. 30 Aaron leur transmit le message que le Seigneur avait confié à Moïse,
et accomplit les miracles devant les Israélites. 31 Ceux-ci furent convaincus, ils
comprirent que le Seigneur avait vu comment on les maltraitait et qu'il inter-
venait pour les sauver. Alors ils
s'inclinèrent jusqu'à terre pour l'adorer.

Moïse et Aaron chez le Pharaon

5 1 Après ces événements, Moïse et Aaron allèrent trouver le *Pharaon et
lui dirent : « Voici ce qu'ordonne le Seigneur, Dieu d'Israël : "Laisse partir mon
peuple, pour qu'il aille célébrer une fête
en mon honneur dans le désert." » 2 Le
Pharaon répondit : « Qui est ce Seigneur
à qui je devrais obéir en laissant partir les
Israélites ? Je ne le connais pas et je ne
vous laisserai pas partir ! » 3 Moïse et Aaron reprirent : « Le Dieu des Hébreux, le
Seigneur notre Dieu, s'est manifesté à
nous. Permets-nous donc d'aller à trois
jours de marche dans le désert pour lui
offrir des *sacrifices. Sinon il pourrait
nous faire mourir par la peste ou par la
guerre. » – 4 « Moïse et Aaron, déclara le
roi d'Égypte, pourquoi poussez-vous les
Israélites à négliger leur ouvrage ? Retournez à votre travail. 5 Maintenant que
ces gens sont nombreux, vous voudriez
leur faire interrompre leurs activités ? »

Le Pharaon augmente le travail des Israélites

6 Ce même jour, le *Pharaon donna
l'ordre suivant aux Égyptiens, chefs de
corvées, et aux contremaîtres israélites :
7 « Contrairement à ce que vous faisiez
précédemment, ne fournissez plus de
paille aux Israélites pour la fabrication
des briques. Ils iront eux-mêmes en chercher[a]. 8 Mais vous exigerez qu'ils fabriquent autant de briques qu'auparavant ;
vous n'admettrez pas de réduction sur le
nombre. Ce sont des paresseux ! C'est
pour cela qu'ils réclament le droit d'aller
offrir des *sacrifices à leur Dieu. 9 Dès
qu'ils seront surchargés de travail, ils seront trop occupés pour penser à ces
histoires mensongères. »

10 Les chefs de corvées et les contremaîtres sortirent du palais et allèrent dire
aux Israélites : « Voici ce qu'a décidé le
Pharaon : On ne vous fournira plus de
paille. 11 Allez vous-mêmes en chercher
où vous pourrez en trouver. Et sachez
qu'il n'y aura pas de réduction sur le
nombre exigé de briques. »

12 Alors les Israélites se dispersèrent
dans toute l'Égypte pour ramasser la
paille dont ils avaient besoin. 13 Les chefs
de corvées les harcelaient en disant :
"Achevez votre ouvrage ! Vous produirez
chaque jour la quantité exigée, comme
quand on vous fournissait la paille !" 14 Ils
frappaient même les contremaîtres israélites qu'ils avaient désignés, et leur disaient : "Pourquoi, ces derniers jours,
n'avez-vous pas fourni le nombre exigé
de briques comme auparavant ?"

15 Les contremaîtres vinrent se plaindre au Pharaon : « Pourquoi le Pharaon
traite-t-il ainsi ses esclaves ? lui demandèrent-ils. 16 On ne nous fournit plus de
paille et on nous ordonne pourtant de
faire des briques. On nous frappe même.
Ton peuple a tort[b] ! » – 17 « Vous n'êtes que
des paresseux, oui, des paresseux, répliqua le Pharaon. C'est pour cela que vous
dites : "Allons offrir des sacrifices au Seigneur !" 18 Eh bien maintenant, allez à
votre travail. On ne vous fournira plus de
paille, mais vous fournirez le nombre fixé
de briques. »

19 Les contremaîtres des Israélites virent qu'ils se trouvaient dans une situation difficile, puisqu'on leur disait : "Pas
de réduction du nombre de briques !
Vous produirez chaque jour la quantité
exigée !" 20 Au moment où ils sortaient de
chez le Pharaon, ils interpellèrent Moïse
et Aaron, qui les attendaient, 21 en leur

---

a 5.7 On mélangeait de la *paille* hachée à l'argile pour rendre les briques plus résistantes (celles-ci n'étaient pas cuites, mais séchées au soleil). – *en chercher* : lorsque les Égyptiens faisaient la moisson, ils ne coupaient que les épis et laissaient la *paille* sur pied.

b 5.16 *Ton peuple a tort !* : texte hébreu obscur et traduction incertaine.

disant : « Que le Seigneur constate ce que
vous avez fait et qu'il vous condamne ! A
cause de vous, le Pharaon et son entourage nous détestent. Vous leur avez
fourni une arme pour nous tuer ! »
22 Une fois encore, Moïse s'adressa au
Seigneur : « O Seigneur, dit-il, pourquoi
as-tu fait du mal à ce peuple ? Pourquoi
m'as-tu envoyé ici ? 23 Depuis que je suis
allé parler au Pharaon de ta part, il maltraite les Israélites, et toi tu ne fais rien
pour sauver ton peuple ! »

6 1 Le Seigneur lui répondit : « C'est
maintenant que tu vas voir ce que
je ferai au Pharaon ! Contraint par ma
poigne, il laissera partir les Israélites ;
contraint par ma poigne, il va même les
chasser de son pays ! »

Dieu promet à Moïse de délivrer Israël

2 Dieu dit encore à Moïse : « Je suis
"LE SEIGNEUR". 3 Je me suis révélé autrefois à Abraham, à Isaac et à Jacob
comme "DIEU *TOUT-PUISSANT",
mais ils ne savaient pas que je m'appelle
aussi "LE SEIGNEUR"[c]. 4 J'ai conclu
une *alliance avec eux, j'ai promis de
leur donner le pays de Canaan dans lequel ils séjournaient comme étrangers.
5 Maintenant j'ai entendu les Israélites
gémir sous le poids de l'esclavage que les
Égyptiens leur imposent, et je me suis
souvenu de mon alliance avec eux. 6 C'est
pourquoi je t'ordonne de leur dire ceci
de ma part : "Je suis le Seigneur ! Je vais
vous soustraire aux travaux forcés et
vous délivrer de l'esclavage auquel les
Égyptiens vous ont soumis. Grâce à ma
puissance irrésistible, je les punirai de
manière exemplaire et je vous libérerai.
7 Je ferai de vous mon peuple, et je serai
votre Dieu. Vous saurez que c'est moi, le
Seigneur votre Dieu, qui vous soustrais
aux travaux forcés d'Égypte. 8 Je vous
conduirai ensuite dans le pays que j'ai
solennellement promis à Abraham, à
Isaac et à Jacob, et je vous le donnerai en
possession. C'est moi, le Seigneur, qui
vous l'affirme." » 9 Moïse rapporta ces
paroles aux Israélites, mais ils ne l'écoutèrent pas, tant ils étaient accablés par
leur dur esclavage.
10 Le Seigneur s'adressa de nouveau à
Moïse : 11 « Va parler au *Pharaon, le roi
d'Égypte, lui dit-il, pour qu'il laisse partir les Israélites de son pays. » 12 Moïse lui
répondit : « Même les Israélites ne m'ont
pas écouté ! Pourquoi donc le Pharaon
m'écouterait-il, moi qui sais si mal m'exprimer ? » 13 Alors le Seigneur ordonna à
Moïse et à Aaron d'aller ensemble trouver les Israélites et le Pharaon, pour que
les Israélites puissent quitter l'Égypte.

Liste des ancêtres de Moïse et Aaron

14 Voici une liste des chefs de familles
israélites[d] :
Fils de Ruben, le premier des fils de Jacob : Hanok, Pallou, Hesron et Karmi ;
ils furent les ancêtres des clans rubénites.
15 Fils de Siméon : Yemouel, Yamin,
Ohad, Yakin, Sohar et Chaoul, ce dernier
étant fils d'une épouse cananéenne ; ils
furent les ancêtres des clans siméonites.
16 Et voici les noms des descendants de
Lévi, à diverses générations :
Lévi eut trois fils, Guerchon, Quéhath
et Merari ; il vécut cent trente-sept ans.
17 Fils de Guerchon : Libni et Chiméi,
ancêtres de leurs clans respectifs. 18 Fils
de Quéhath : Amram, Issar, Hébron et
Ouziel ; Quéhath vécut cent trente-trois
ans. 19 Fils de Merari : Mali et Mouchi.
Tels furent les ancêtres des clans lévitiques, suivant l'époque où ils vécurent[e].
20 Amram épousa sa tante Yokébed, qui
lui donna deux fils, Aaron et Moïse ; il
vécut cent trente-sept ans.
21 Fils d'Issar : Coré, Néfeg et Zikri.
22 Fils d'Ouziel : Michaël, Élissafan et
Sitri.
23 Aaron épousa Élichéba, fille d'Amminadab et sœur de Nachon, qui lui
donna quatre fils, Nadab, Abihou, Élazar
et Itamar.

---

c **6.3** V. 2-3 : voir 3.13-15.

d **6.14** La liste généalogique des v. 14-25 reprend le début de la liste de Gen 46.8-27, jusqu'à 46.11, puis s'en écarte pour donner une généalogie plus détaillée des descendants de Lévi, qui forment la classe sacerdotale.

e **6.19** V. 16-19 : voir Nomb 3.17-20 ; 26.57-58 ; 1 Chron 6.1-4.

24 Fils de Coré : Assir, Elcana et Abiassaf,
qui furent les ancêtres des clans coréites.
25 Élazar, fils d'Aaron, épousa une fille
de Poutiel, qui lui donna un fils, Pinhas.
Ceux qui viennent d'être nommés furent des chefs de familles dans les clans
issus de Lévi.
26 C'est à Aaron et Moïse que le Seigneur ordonna : “Faites sortir les Israélites d'Égypte, en bon ordre.” 27 Moïse et
Aaron s'adressèrent donc au *Pharaon,
roi d'Égypte, pour qu'il laisse sortir les
Israélites de son pays.

Dieu renouvelle sa promesse à Moïse

28 Le jour où le Seigneur adressa la parole à Moïse, en Égypte, 29 il lui dit : « Je
suis le Seigneur ! Va rapporter au *Pharaon, roi d'Égypte, tout ce que je te dis
moi-même. » 30 Mais Moïse lui répondit :
« Je sais si mal m'exprimer ! Jamais le
Pharaon ne m'écoutera ! »

7 1 Alors le Seigneur lui déclara :
« Écoute, je t'investis d'une autorité
divine vis-à-vis du Pharaon ; et ton frère
Aaron sera ton porte-parole. 2 Tu transmettras à ton frère ce que je t'indiquerai ;
c'est lui qui parlera au Pharaon, afin qu'il
laisse partir les Israélites de son pays.
3 Cependant, je rendrai le roi inflexible ;
malgré les nombreux prodiges extraordinaires que je réaliserai dans son pays[f], 4 il
ne vous écoutera pas. Alors je ferai sentir
ma puissance à l'Égypte par des châtiments exemplaires, et je conduirai mon
peuple, les Israélites, en bon ordre hors
de ce pays. 5 Les Égyptiens découvriront
que je suis le Seigneur, lorsque j'étendrai
mon bras contre eux pour faire sortir les
Israélites de leur pays. »
6 Moïse et Aaron agirent exactement
comme le Seigneur le leur avait ordonné.
7 Moïse avait quatre-vingts ans et Aaron
quatre-vingt-trois lorsqu'ils allèrent parler au Pharaon.

Le Pharaon refuse d'écouter Moïse et Aaron

8 Le Seigneur dit à Moïse et à Aaron :
9 « Si le *Pharaon vous demande de réaliser un prodige, toi, Moïse, tu diras à
Aaron de prendre son bâton et de le jeter à terre devant le roi. Le bâton se
transformera alors en serpent. »
10 Moïse et Aaron allèrent trouver le
Pharaon et agirent selon les ordres du
Seigneur : Aaron jeta son bâton à terre
devant le Pharaon et son entourage, et le
bâton se transforma en serpent. 11 Le roi
fit venir les sages et les sorciers
d'Égypte ; grâce à leur pouvoir magique,
ils réalisèrent la même chose : 12 chacun
d'eux jeta son bâton à terre, et les bâtons
se changèrent en serpents. Toutefois, le
bâton d'Aaron engloutit les leurs.
13 Pourtant, comme le Seigneur l'avait
annoncé, le Pharaon, obstiné, ne tint pas
compte de la requête de Moïse et d'Aaron.

Premier fléau : l'eau changée en sang

14 Le Seigneur dit à Moïse : « Le
*Pharaon s'entête et refuse de laisser
partir les Israélites. 15 Va donc le trouver
au petit matin, au moment où il descend au bord du fleuve. Tu te tiendras
devant lui sur la rive du Nil ; tu auras
dans ta main le bâton qui a été transformé en serpent. 16 Tu déclareras au
roi : “Le Seigneur, le Dieu des Hébreux,
m'a envoyé te dire : ‘Laisse partir mon
peuple pour qu'il puisse me rendre un
culte dans le désert’. Mais toi, jusqu'à
présent, tu n'as rien voulu entendre.
17 C'est pourquoi le Seigneur déclare
que, cette fois-ci, tu vas reconnaître qui
il est. Au moyen de ce bâton, je vais
frapper l'eau du Nil, et elle se transformera en sang[g]. 18 Les poissons crèveront et le fleuve deviendra si infect que
les Égyptiens ne pourront plus en boire
l'eau.” » 19 Puis le Seigneur dit encore à
Moïse : « Ordonne à Aaron de prendre
son bâton et d'étendre le bras en direction de tous les cours d'eau d'Égypte,
les rivières, les canaux, et même les
étangs, afin que leur eau devienne du
sang. Il y aura ainsi du sang dans tout le
pays, jusque dans les récipients de bois
ou de pierre. »
20 Moïse et Aaron firent ce que le Seigneur leur avait ordonné : en présence du

---

f **7.3** Voir Act 7.36.
g **7.17** Voir Apoc 16.4.

Pharaon et de son entourage, Aaron[h] leva
son bâton et frappa l'eau du Nil, et toute
cette eau fut transformée en sang. 21 Les
poissons crevèrent et le fleuve devint si
infect que les Égyptiens ne purent plus
en boire l'eau. Partout dans le pays, il y
avait du sang.

22 Les magiciens égyptiens accomplirent le même prodige grâce à leur pouvoir. Alors, comme le Seigneur l'avait
annoncé, le Pharaon, obstiné, ne tint pas
compte de la requête de Moïse et d'Aaron. 23 Il leur tourna le dos et rentra chez
lui sans se préoccuper davantage de cette
affaire. 24 Tous les Égyptiens se mirent à
creuser des trous aux abords du Nil pour
trouver de l'eau potable, car l'eau du
fleuve était imbuvable.

25 Sept jours s'écoulèrent après que le
Seigneur eut frappé le Nil de ce fléau.

Deuxième fléau : les grenouilles

26 Ensuite[i] le Seigneur dit à Moïse :
« Va trouver le *Pharaon et déclare-lui :
“Le Seigneur t'ordonne de laisser partir
son peuple pour qu'il puisse lui rendre
un culte. 27 Si tu refuses, il provoquera
une invasion de grenouilles dans tout ton
territoire : 28 elles pulluleront dans le Nil,
elles le quitteront pour entrer dans ton
palais, dans ta chambre à coucher, dans
ton lit même ; elles pénétreront chez les
gens de ton entourage immédiat et chez
tout ton peuple, elles envahiront les fours
et les pétrins, 29 elles iront jusqu'à grimper sur toi-même, sur les gens de ton entourage et sur tous les membres de ton
peuple.” »

8 1 Le Seigneur[j] dit encore à Moïse :
« Ordonne à Aaron de tendre le bras
et de diriger son bâton vers les rivières,
les canaux et les étangs, afin que les grenouilles envahissent l'Égypte. » 2 Aaron
tendit son bras en direction des cours
d'eau d'Égypte. Des grenouilles en sortirent et recouvrirent le pays. 3 Les magiciens égyptiens accomplirent le même
prodige grâce à leur pouvoir : eux aussi
firent sortir des grenouilles partout dans
le pays.

4 Le Pharaon convoqua Moïse et Aaron et leur dit : « Implorez le Seigneur
pour qu'il nous débarrasse de ces grenouilles, moi et mon peuple. Je laisserai
ensuite les Israélites aller lui offrir des
*sacrifices. » 5 Moïse lui répondit : « A toi
l'honneur de fixer le moment où je dois
prier Dieu pour toi, pour ton entourage
et pour ton peuple ; je lui demanderai de
vous débarrasser des grenouilles qui sont
chez toi et dans tes palais. Il n'en restera
dès lors que dans le Nil. » – 6 « Fais-le demain », demanda le roi. « Bien ! dit
Moïse. Je ferai comme tu le demandes,
afin que tu saches que personne n'est
comparable au Seigneur notre Dieu.
7 Les grenouilles se retireront de chez toi,
vous en serez débarrassés, toi, ton entourage et ton peuple. Il n'en restera que
dans le Nil. »

8 Moïse et Aaron quittèrent le Pharaon.
Moïse pria le Seigneur de délivrer le Pharaon de l'invasion de grenouilles qu'il lui
avait infligée. 9 Le Seigneur fit ce que
Moïse lui demandait : les grenouilles
moururent dans les maisons, dans les
cours et dans les champs. 10 On en fit des
tas innombrables, et le pays en fut in-
fecté. 11 Lorsque le Pharaon vit qu'il y
avait un temps de répit, il s'entêta,
comme le Seigneur l'avait annoncé, à ne
pas tenir compte de la requête de Moïse
et d'Aaron.

Troisième fléau : les moustiques

12 Le Seigneur dit à Moïse : « Ordonne
à Aaron d'étendre son bâton et de frapper
la poussière du sol, afin qu'elle se transforme en moustiques[k] dans toute
l'Égypte. » 13 Moïse et Aaron obéirent :
Aaron étendit le bras et, de son bâton,
frappa la poussière du sol ; celle-ci se
changea en moustiques qui couvrirent
hommes et bêtes. Partout dans le pays, la
poussière fut transformée en moustiques.
14 Les magiciens égyptiens recoururent à

---

h **7.20** *Aaron* ou, d'après le v. 17, *Moïse* ; dans le texte hébreu, le sujet n'est pas exprimé.

i **7.26** Dans certaines traductions, les v. 26-29 sont numérotés 8.1-4.

j **8.1** Dans certaines traductions, les v. 1-28 sont numérotés 5-32. Voir 7.26 et la note.

k **8.12** L'identification de l'espèce animale n'est pas absolument certaine. On a aussi traduit le mot hébreu par *vermine* ou *poux*.

leur pouvoir pour chasser les moustiques[l], mais ils ne réussirent pas ; les
moustiques continuèrent de s'attaquer
aux hommes et aux bêtes. 15 Alors les magiciens dirent au *Pharaon : « C'est la
puissance de Dieu[m] qui est à l'œuvre ! »
Pourtant, comme le Seigneur l'avait annoncé, le Pharaon, obstiné, ne tint pas
compte de la requête de Moïse et d'Aaron.

Quatrième fléau : les mouches piquantes

16 Le Seigneur dit à Moïse : « Demain,
lève-toi de bon matin et va te présenter
devant le *Pharaon au moment où il descend au bord du fleuve. Tu lui diras : “Le
Seigneur t'ordonne ceci : Laisse partir
mon peuple, pour qu'il puisse me rendre
un culte. 17 Si tu ne le laisses pas partir, je
provoquerai une invasion de mouches piquantes[n] sur toi, sur ton entourage, sur
ton peuple et dans tes palais. Elles rempliront les maisons d'Égypte et couvriront le sol du pays. 18 Cependant, ce
jour-là, je ferai une exception pour la région de Gochen[o] où habite mon peuple :
on n'y trouvera aucune de ces mouches
piquantes. Ainsi tu reconnaîtras que moi,
le Seigneur, je suis présent même dans
ton pays. 19 Je préserverai mon peuple du
malheur qui frappera le tien. Ce miracle
se réalisera demain.” »

20 Le Seigneur agit comme il l'avait annoncé : des mouches piquantes envahirent en masse le palais du Pharaon, les
maisons des gens de son entourage et
toute l'Égypte. Le pays en fut ravagé.
21 Le Pharaon convoqua Moïse et Aaron
et leur dit : « Allez offrir des *sacrifices à
votre Dieu, mais faites-le dans le pays ! »
– 22 « Non, répondit Moïse, nous ne pouvons pas agir ainsi, car les sacrifices que
nous offrons au Seigneur notre Dieu inspirent de l'horreur aux Égyptiens[p]. S'ils
nous voyaient offrir de tels sacrifices, à
coup sûr ils nous lanceraient des pierres.
23 Nous devons aller à trois jours de marche dans le désert, et là nous offrirons au
Seigneur notre Dieu les sacrifices qu'il
nous indiquera. » – 24 « Bon, déclara le
Pharaon, je vais vous laisser aller offrir
vos sacrifices au Seigneur votre Dieu
dans le désert. Mais n'allez pas trop loin,
et priez pour moi. » 25 Moïse reprit : « Dès
que je t'aurai quitté, j'implorerai le Seigneur. Demain il vous débarrassera de
ces mouches, toi, ton entourage et ton
peuple. Seulement il ne faudra pas que tu
te moques de nous et que tu empêches de
nouveau les Israélites d'aller lui offrir des
sacrifices. »

26 Moïse quitta le Pharaon et implora le
Seigneur. 27 Le Seigneur fit ce que Moïse
lui demandait : il débarrassa le Pharaon,
son entourage et son peuple de toutes les
mouches ; il n'en resta plus une seule.
28 Alors, une fois de plus, le Pharaon
s'entêta et refusa de laisser partir les
Israélites.

Cinquième fléau : la peste du bétail

9 1 Le Seigneur dit à Moïse : « Va trouver le *Pharaon et déclare-lui : “Le
Seigneur, le Dieu des Hébreux, t'ordonne
de laisser partir son peuple pour qu'il
puisse lui rendre un culte. 2 Si tu refuses,
si tu persistes à le retenir, 3 le Seigneur interviendra contre tes troupeaux qui paissent dans la campagne : une violente
épidémie de peste s'abattra sur tes chevaux, tes ânes, tes chameaux, tes bœufs,
tes moutons et tes chèvres. 4 Mais le Seigneur saura distinguer entre les troupeaux des Israélites et ceux des
Égyptiens ; aucune des bêtes appartenant
aux Israélites ne mourra !” »

5 De plus le Seigneur indiqua le moment fixé en disant : « C'est demain que
je réaliserai ce prodige en Égypte. » 6 Le
lendemain donc, le Seigneur accomplit
ce qu'il avait annoncé : tous les troupeaux
des Égyptiens furent anéantis, mais aucune bête des Israélites ne mourut. 7 Le
Pharaon s'informa et apprit qu'il n'y

---

l **8.14** Ou *pour produire des moustiques.*

m **8.15** Ou *C'est une puissance divine* (l'hébreu exprime cette idée en disant *C'est le doigt de Dieu* ou *d'un dieu*) ; comparer Luc 11.20.

n **8.17** Voir v. 12 et la note ; autres traductions *moucherons* ou *taons.*

o **8.18** *Gochen* : voir Gen 45.10 et la note.

p **8.22** Les *Égyptiens* considéraient comme sacrées plusieurs espèces d'animaux que les Israélites offraient en *sacrifice.*

avait pas une seule bête morte dans les
troupeaux des Israélites. Malgré cela,
il s'entêta et ne laissa pas partir les
Israélites.

Sixième fléau : les furoncles

8 Le Seigneur dit à Moïse et à Aaron :
« Prenez quelques poignées de suie d'un
fourneau. Moïse la lancera en l'air en présence du *Pharaon. 9 Cette suie retom-
bera en poussière sur l'Égypte. Partout
dans le pays, elle produira sur les hommes et les bêtes des furoncles évoluant en
ulcères[q]. »
10 Moïse et Aaron prirent de la suie et
allèrent trouver le Pharaon. Moïse la
lança en l'air. Elle provoqua sur les hommes et les bêtes des furoncles évoluant en
ulcères. 11 Les magiciens égyptiens ne purent pas se présenter devant Moïse à
cause de ces furoncles ; en effet, ils en
étaient couverts, comme les autres Égyptiens. 12 Le Seigneur poussa le Pharaon à
s'obstiner ; comme le Seigneur l'avait annoncé à Moïse, le Pharaon ne tint pas
compte de la requête de Moïse et d'Aaron.

Septième fléau : la grêle

13 Le Seigneur dit à Moïse : « Demain,
lève-toi de bon matin, va te présenter devant le *Pharaon et déclare-lui : "Le Seigneur, le Dieu des Hébreux, t'ordonne
ceci : 'Laisse partir mon peuple pour
qu'il puisse me rendre un culte. 14 En effet, cette fois-ci, je suis décidé à infliger
toutes sortes de fléaux à toi, à ton entourage et à ton peuple, afin que tu saches
que personne sur terre n'est comparable à
moi. 15 Si j'avais tendu le bras pour vous
frapper de la peste, toi et ton peuple, vous
auriez disparu de la surface de la terre.
16 Mais je t'ai laissé subsister afin de te
montrer ma puissance et pour que ma renommée se répande sur toute la terre[r].
17 Malgré cela, tu continues de traiter
mon peuple avec mépris, en refusant de
le laisser partir. 18 C'est pourquoi demain
à pareille heure, je vais faire éclater un
violent orage de grêle, tel qu'il n'y en a
encore jamais eu depuis que l'Égypte
existe.' 19 Fais donc mettre à l'abri tes
troupeaux et tout ce qui t'appartient dans
la campagne. Si des gens ou des bêtes ne
se mettent pas à l'abri, mais restent aux
champs, ils mourront sous l'averse de
grêle." »
20 Certaines personnes de l'entourage
du roi prirent au sérieux l'avertissement
du Seigneur et ordonnèrent à leurs serviteurs de se réfugier en lieu sûr avec les
troupeaux. 21 D'autres, au contraire, ne se
soucièrent pas de cet avertissement et
laissèrent leurs serviteurs dans les
champs avec les troupeaux.
22 Le Seigneur dit à Moïse : « Lève ton
bras vers le ciel ! Que la grêle s'abatte
sur toute l'Égypte, sur les hommes, sur
les bêtes et sur toutes les cultures du
pays. » 23 Moïse leva son bâton vers le
ciel. Le Seigneur déchaîna le tonnerre
et la grêle : la foudre s'abattit d'abord
sur le sol, puis le Seigneur envoya la
grêle sur le pays. 24 Dans toute leur histoire, les Égyptiens n'avaient jamais vu
un si violent orage de grêle, accompagné d'une telle foudre[s]. 25 Dans l'ensemble du pays, la grêle frappa tous ceux qui
se trouvaient dans les champs, hommes
ou bêtes ; elle hacha les cultures et brisa
les arbres. 26 Seule la région de Gochen[t]
où habitaient les Israélites fut épargnée.
27 Le Pharaon convoqua Moïse et Aaron
et leur déclara : « Cette fois, j'ai eu tort.
C'est mon peuple et moi qui sommes
coupables ; le Seigneur, lui, agit avec
justice. 28 Implorez-le en ma faveur,
pour que cessent le tonnerre et la grêle.
Je vais vous laisser partir, je ne vous retiendrai plus. » 29 Moïse lui répondit :
« Dès que je serai sorti de la ville, je lèverai les mains vers le Seigneur pour le
prier. Le tonnerre et la grêle cesseront,
afin que tu saches que la terre appartient au Seigneur. 30 Pourtant je sais que
toi et ton entourage, vous ne respecterez
pas encore l'autorité du Seigneur
Dieu. »

---

q **9.9** L'identification de ces maladies de peau n'est pas absolument certaine. On a aussi traduit les mots hébreux par *ulcères* ou *pustules*, ou *éruption pustuleuse*. Comparer Apoc 16.2.

r **9.16** Voir Rom 9.17.

s **9.24** Voir Apoc 8.7 ; 16.21.

t **9.26** *Gochen* : voir Gen 45.10 et la note.

31 Le lin et l'orge avaient été anéantis, car l'orge était en épis et le lin en fleurs. 32 Par contre le blé et l'épeautre, céréales plus tardives, n'avaient pas subi de dommages.

33 Moïse quitta le Pharaon et sortit de la ville. Il leva les mains vers le Seigneur et le pria. Alors le tonnerre se tut, la grêle et la pluie cessèrent de tomber. 34 Le Pharaon, voyant que la pluie, la grêle et le tonnerre avaient cessé, commit la même faute qu'auparavant : lui et son entourage s'entêtèrent de nouveau. 35 Comme le Seigneur l'avait annoncé par l'intermédiaire de Moïse, le Pharaon refusa obstinément de laisser partir les Israélites.

Huitième fléau : les sauterelles

10 1 Le Seigneur dit à Moïse : « Va chez le *Pharaon. C'est moi qui ai rendu le roi et son entourage entêtés à ce point, afin de pouvoir réaliser toutes ces interventions spectaculaires au milieu d'eux. 2 Ainsi tu pourras raconter à tes enfants et à tes petits-enfants comment j'ai traité les Égyptiens en accomplissant toutes ces interventions dans leur pays. Vous saurez de cette manière que je suis le Seigneur. »

3 Moïse et Aaron allèrent trouver le Pharaon et lui dirent : « Le Seigneur, le Dieu des Hébreux, te demande : "Vas-tu longtemps encore refuser de te soumettre à moi ? Laisse partir mon peuple, afin qu'il puisse me rendre un culte ! 4 Si tu refuses, j'enverrai demain les *sauterelles dans ton territoire : 5 elles recouvriront complètement le sol, de sorte qu'on ne le verra plus ; elles dévoreront le peu de cultures que la grêle n'a pas anéanties[u], elles ne laisseront rien sur les arbres qui poussent dans la campagne. 6 Elles rempliront tes palais, les maisons des gens de ton entourage et celles de tous les Égyptiens. Ce sera un fléau tel qu'on n'en a jamais vu depuis le temps de vos ancêtres jusqu'à ce jour." »

Moïse quitta alors le Pharaon et s'en alla. 7 Les gens de l'entourage du roi lui dirent : « Jusqu'à quand cet individu va-t-il nous causer des malheurs ? Laisse donc partir les hommes d'Israël pour qu'ils aillent rendre un culte au Seigneur leur Dieu ! Ne comprends-tu pas encore que l'Égypte court à sa perte ? » 8 On rappela Moïse et Aaron auprès du Pharaon, qui leur dit : « Vous pouvez aller rendre un culte au Seigneur votre Dieu. Mais quels sont ceux qui partiront ? » 9 Moïse déclara : « Nous partirons tous, jeunes gens et vieillards, hommes et femmes, avec nos moutons, nos chèvres et nos bœufs, car nous devons célébrer une fête en l'honneur du Seigneur. » 10 Le Pharaon répliqua avec ironie : « Que le Seigneur soit avec vous ! Je vais sûrement vous autoriser à partir avec vos familles ! Il est clair que vous avez de mauvaises intentions. 11 Ce que vous proposez est inadmissible. Seuls les hommes iront rendre un culte au Seigneur, c'est tout ce que vous pouvez demander. » Et on les expulsa de chez le Pharaon.

12 Le Seigneur dit alors à Moïse : « Étends ton bras sur l'Égypte pour y faire venir les sauterelles ; elles dévoreront toutes les plantes que la grêle a épargnées ! » 13 Moïse étendit son bâton sur l'Égypte, et le Seigneur envoya sur le pays un vent d'est qui souffla tout le jour et toute la nuit. Au matin, le vent avait amené les sauterelles. 14 Elles se répandirent dans toute l'Égypte et se posèrent partout. Elles étaient innombrables : jamais auparavant on n'en avait vu autant et jamais dans la suite on n'en reverra pareille quantité. 15 Elles couvraient la surface du sol, qui paraissait tout sombre. Elles dévorèrent l'herbe et les fruits que la grêle avait épargnés, de sorte que dans tout le pays il ne resta aucune verdure, ni sur les arbres ni dans les champs[v].

16 En toute hâte, le Pharaon convoqua Moïse et Aaron, et déclara : « Je suis coupable envers le Seigneur votre Dieu et envers vous-mêmes ! 17 Pardonnez-moi donc ma faute cette fois-ci encore, et priez le Seigneur votre Dieu qu'il veuille bien me préserver de cette terrible calamité. » 18 Moïse quitta le Pharaon et pria le Seigneur. 19 Le Seigneur fit alors souf-

u **10.5** Voir 9.32.
v **10.15** V. 14-15 : voir Apoc 9.2-3.

fler un violent vent d'ouest qui emporta
les sauterelles et les jeta dans la *mer des
Roseaux. Il n'en resta pas une seule dans
tout le territoire d'Égypte. 20 Pourtant le
Seigneur poussa le Pharaon à s'obstiner,
de sorte qu'il ne laissa pas partir les
Israélites.

Neuvième fléau : l'obscurité

21 Le Seigneur dit à Moïse : « Lève ton
bras vers le ciel ! Que l'obscurité se répande sur l'Égypte, une obscurité si
épaisse qu'on puisse la toucher. » 22 Moïse
leva son bras vers le ciel. Alors une obscurité totale régna pendant trois jours sur
l'Égypte[w]. 23 Durant ces trois jours, les
Égyptiens furent incapables de se voir les
uns les autres, si bien que personne ne
bougea de chez soi. Par contre, il faisait
clair dans la région où les Israélites habitaient. 24 Le *Pharaon convoqua Moïse et
lui dit : « Vous pouvez aller rendre un
culte au Seigneur. Vous pouvez même
emmener vos familles. Seuls vos moutons, vos chèvres et vos bœufs doivent
demeurer ici. » – 25 « Pas du tout, déclara
Moïse. Tu nous remettras toi-même des
bêtes[x] que nous pourrons offrir au Seigneur notre Dieu en *sacrifices de
communion et en sacrifices complets.
26 En plus, nous emmènerons nos troupeaux ; pas une seule de nos bêtes ne restera ici. Nous devrons aussi en offrir un
certain nombre au Seigneur notre Dieu,
mais nous ne saurons pas lesquelles avant
d'être arrivés sur place. »

27 Le Seigneur poussa le Pharaon à
s'obstiner, de sorte qu'il ne voulut pas les
laisser partir. 28 Il dit à Moïse : « Sors
d'ici ! Prends garde de ne plus reparaître
devant moi ! Si jamais tu reviens chez
moi, tu mourras ! » – 29 « Bien ! répondit
Moïse. Comme tu l'as dit, je ne reparaî-
trai plus devant toi. »

Annonce du dernier fléau

11 1 Le Seigneur dit à Moïse : « Je vais
infliger un dernier fléau au *Pharaon et aux Égyptiens. Après cela, il vous
laissera partir, il vous chassera même définitivement d'ici. 2 Parle donc aux Israélites, que chaque homme demande à
son voisin, chaque femme à sa voisine,
des objets d'or ou d'argent. » 3 Le Seigneur amena les Égyptiens à considérer
les Israélites avec faveur. D'ailleurs,
Moïse lui-même était un personnage très
respecté en Égypte, tant par l'entourage
du Pharaon que par la population.

4 Moïse dit au Pharaon : « Voici ce que
déclare le Seigneur : "Vers minuit, je passerai à travers l'Égypte. 5 Tous les premiers-nés de ce pays vont mourir, aussi
bien ton fils aîné, à toi qui règnes, que le
fils aîné de la servante qui moud le blé, et
que les premiers-nés du bétail. 6 Alors
dans toute l'Égypte retentiront de grands
cris, tels qu'on n'en a jamais entendu et
qu'on n'en entendra plus jamais. 7 Mais
chez les Israélites on n'entendra même
pas un chien gronder contre un homme
ou une bête. Ainsi vous saurez que moi,
le Seigneur, je fais la différence entre les
Égyptiens et les Israélites." 8 A ce moment-là, continua Moïse, tous les gens de
ton entourage, que voici, viendront se jeter à genoux devant moi et me diront :
"Allez-vous-en, toi et ton peuple !" Je
m'en irai aussitôt. » Et Moïse, très en
colère, sortit de chez le Pharaon.

9 Le Seigneur lui dit encore : « Si le
Pharaon ne veut pas vous écouter, c'est
pour que je puisse multiplier mes prodiges dans son pays. » 10 Or Moïse et Aaron avaient déjà accompli un grand
nombre de prodiges sous les yeux du
Pharaon, mais le Seigneur l'avait rendu si
obstiné qu'il n'avait pas laissé partir les
Israélites de son pays.

La fête de la Pâque

12 1 Le Seigneur dit à Moïse et Aaron, en Égypte : 2 « Ce mois-ci[y] devra marquer pour vous le début de
l'année, ce sera le premier mois. 3 Allez
dire à toute la communauté d'Israël : Le
dixième jour de ce mois, procurez-vous
un agneau ou un chevreau par famille ou

---

w **10.22** Voir Ps 105.28 ; Apoc 16.10.

x **10.25** Autre traduction *Alors, demanda Moïse, est-ce toi qui nous remettras des bêtes ?*

y **12.2** D'après 13.4, *ce mois-ci* est *le mois d'Abib*, c'est-à-dire la période de fin mars - début avril ; voir au Vocabulaire CALENDRIER.

par maison. 4 Si une famille est trop petite pour consommer toute une bête, on s'entendra avec une famille voisine, selon le nombre de personnes qu'elle compte ; puis on choisira la bête d'après ce que chacun peut manger. 5 L'agneau ou le chevreau qu'on prendra sera un mâle d'un an, sans défaut. 6 On le gardera jusqu'au quatorzième jour du mois ; le soir de ce jour, dans l'ensemble de la communauté d'Israël, on égorgera la bête choisie. 7 On prendra de son sang pour en mettre sur les deux montants et sur la poutre supérieure de la porte d'entrée, dans chaque maison où l'un de ces animaux sera mangé. 8 On rôtira cette viande puis, pendant la nuit, on la mangera avec des pains sans *levain et des herbes amères. 9 On ne mangera pas de viande crue ou bouillie, seulement de la viande d'un animal rôti tout entier, avec tête, pattes et abats. 10 On n'en gardera rien pour le lendemain. S'il en reste quelque chose le matin, on le brûlera. 11 Voici dans quelle tenue on mangera ce repas : les vêtements serrés à la ceinture, les sandales aux pieds et le bâton à la main. On mangera rapidement. Telle sera la *Pâque, célébrée pour moi, le Seigneur.

12 « Pendant cette nuit, je passerai à travers l'Égypte et je ferai mourir tous les premiers-nés du pays, ceux des hommes comme ceux des bêtes. J'exécuterai ainsi ma sentence contre les dieux de l'Égypte, moi qui suis le Seigneur. 13 Mais sur les maisons où vous vous tiendrez, le sang sera pour vous un signe protecteur ; je le verrai et je passerai sans m'arrêter chez vous. Ainsi vous échapperez au fléau destructeur, lorsque je punirai l'Égypte[z].

14 « D'âge en âge vous commémorerez cet événement par une fête solennelle pour m'honorer, moi, le Seigneur : ce sera pour vous une règle irrévocable. »

La fête des pains sans levain

15 « Pendant sept jours, continua le Seigneur, vous mangerez du pain sans *levain. Dès le premier jour, il ne doit plus y avoir de levain dans vos maisons. Si, du premier au septième jour, quelqu'un mange du pain levé, il sera exclu du peuple d'Israël. 16 Le premier et le septième jour, vous vous réunirez en assemblée solennelle ; vous ne ferez alors aucun travail – vous préparerez seulement le repas de chacun de vous –.

17 « Vous célébrerez cette fête des pains sans levain, rappel du jour précis où j'ai fait sortir votre peuple d'Égypte. Vous commémorerez cet événement d'âge en âge, c'est là une règle irrévocable : 18 Dès le quatorzième jour du premier mois au soir, et jusqu'au soir du vingt et unième jour, vous mangerez des pains sans levain. 19 Pendant sept jours, on ne devra pas trouver de levain dans vos maisons. Si quelqu'un, étranger ou Israélite, mange un aliment contenant du levain, il sera exclu de la communauté d'Israël. 20 Vous ne devrez donc rien manger qui contienne du levain. Où que vous habitiez, vous mangerez du pain sans levain[a]. »

Préparation du repas de la Pâque

21 Moïse convoqua tous les *anciens d'Israël et leur dit : « Allez vous procurer des agneaux ou des chevreaux pour vos familles et égorgez-les pour la fête de la *Pâque. 22 Prenez un bouquet de branches *d'hysope, trempez-le dans le récipient contenant le sang de la victime, et mettez-en sur les deux montants et sur la poutre supérieure de la porte d'entrée. Dès lors, et jusqu'au matin, que personne ne sorte de sa maison. 23 Le Seigneur va passer pour punir les Égyptiens, mais lorsqu'il verra le sang sur les montants et sur la poutre, il passera sans permettre au fléau destructeur[b] de pénétrer dans vos maisons. 24 Vous et vos descendants, vous observerez toujours ces prescriptions. 25 Quand vous serez entrés dans le pays que le Seigneur a promis de vous donner, vous accomplirez cette cérémonie. 26 Si vos enfants vous demandent ce qu'elle si-

---

z **12.13** V. 1-13 : voir Lév 23.5 ; Nomb 9.1-5 ; 28.16 ; Deut 16.1-2.

a **12.20** V. 14-20 : voir 23.15 ; 34.18 ; Lév 23.6-8 ; Nomb 28.17-25 ; Deut 16.3-8.

b **12.23** *au fléau destructeur* ou *à la destruction* : il s'agit probablement d'un être céleste chargé d'exécuter la volonté de Dieu (comparer Gen 19.13 ; 2 Sam 24.16 ; Hébr 11.28).

gnifie, 27 vous leur répondrez : “Il s'agit
du *sacrifice offert au Seigneur à l'occasion de la Pâque. Lorsque les Israélites
étaient en Égypte, le Seigneur a porté la
mort chez les Égyptiens, mais il a passé
sans s'arrêter devant nos maisons, épar-
gnant ainsi nos familles.” »
Alors les Israélites s'inclinèrent jusqu'à terre pour adorer le Seigneur. 28 Puis
ils allèrent faire tout ce que le Seigneur
avait ordonné à Moïse et à Aaron.

Le dernier fléau : mort des premiers-nés égyptiens

29 Au milieu de la nuit, le Seigneur fit
mourir tous les premiers-nés d'Égypte[c],
aussi bien le fils aîné du *Pharaon, roi
d'Égypte, que le fils aîné du captif enfermé dans la prison, et que les premiers-
nés du bétail. 30 En cette nuit-là, le Pharaon, son entourage et tous les Égyptiens
se levèrent, et il y eut de grands cris dans
tout le pays, car il n'y avait pas une seule
maison sans un mort. 31 Le Pharaon, en
pleine nuit, convoqua Moïse et Aaron et
leur dit : « Quittez mon pays ! Partez,
vous et vos Israélites ; allez rendre un
culte au Seigneur, comme vous l'avez demandé. 32 Prenez même tout votre bétail,
comme vous l'avez dit, et allez-vous-en.
Et puis demandez à votre Dieu de me
*bénir. » 33 Les Égyptiens, croyant qu'ils
allaient tous mourir, poussèrent les
Israélites à quitter rapidement leur pays.
34 C'est pour cette raison que les Israélites
durent emporter leur pâte à pain avant
qu'elle ait levé ; ils tenaient leur pétrin
sur l'épaule, enveloppé dans leur manteau.
35 Les Israélites avaient fait ce que
Moïse leur avait dit : ils avaient demandé
aux Égyptiens des objets d'or et d'argent
et des vêtements. 36 Le Seigneur avait
amené les Égyptiens à les considérer avec
faveur et à leur accorder ce qu'ils demandaient. C'est ainsi que les Israélites dépouillèrent les Égyptiens[d].
37 Ensuite, de la ville de Ramsès, les Israélites se mirent en route pour Soukoth[e] ; ils étaient environ six cent mille
hommes, sans compter les femmes, les
enfants et les vieillards. 38 Une foule de
gens d'origines diverses partirent en
même temps qu'eux. Les moutons, chèvres et bœufs formaient des troupeaux
considérables. 39 Pour cuire la pâte à pain
qu'ils avaient emportée d'Égypte, ils
confectionnèrent des galettes plates ; en
effet, ils avaient été expulsés d'Égypte
sans pouvoir attendre que la pâte lève et
sans pouvoir prendre de provisions de
voyage.

40 Le peuple d'Israël avait séjourné
quatre cent trente ans en Égypte[f]. 41 Au
bout de ces quatre cent trente ans, en ce
jour mémorable[g], le peuple du Seigneur
sortit d'Égypte en bon ordre. 42 De même
que le Seigneur veilla cette nuit-là pour
faire sortir son peuple d'Égypte, de
même, d'âge en âge, les Israélites doivent
veiller cette nuit-là, car elle est consacrée
au Seigneur.

Règles pour célébrer la Pâque

43 Le Seigneur dit encore à Moïse et à
Aaron : « Voici la réglementation relative
à la fête de la *Pâque :
“Aucun étranger n'a le droit de participer
au repas.
44 “Un esclave qu'on a acheté pourra participer au repas après avoir été *circoncis.
45 “Un résident étranger ou un ouvrier
salarié n'ont pas le droit de participer au
repas.
46 “On mange la viande à l'intérieur de la
maison ; il est interdit d'en emporter à
l'extérieur.
“On ne brise pas les os de l'animal[h].
47 “Tous les membres de la communauté
d'Israël célèbrent cette fête.
48 “Si un étranger installé chez vous désire célébrer la Pâque en l'honneur du
Seigneur, il faut que tous les hommes et
garçons de sa famille soient circoncis.

---

c **12.29** Voir 4.22-23.
d **12.36** V. 35-36 : voir 3.21-22.
e **12.37** *Soukoth* : localité située, comme *Ramsès* (voir 1.11 et la note), dans le delta du Nil, mais non identifiée.
f **12.40** Voir Gen 15.13 ; Gal 3.17.
g **12.41** *en ce jour mémorable* : le quatorzième jour du premier mois ; voir v. 2 et la note ; v. 6.
h **12.46** Voir Nomb 9.12 ; Jean 19.36.

Ensuite il pourra participer à la célébration, comme les Israélites.
“Aucun individu incirconcis ne peut participer au repas.
49 “Les mêmes règles s’appliquent aux
Israélites et aux étrangers installés dans
votre pays.” »
50 Tous les Israélites firent ce que le Seigneur avait ordonné à Moïse et à Aaron.
51 En ce jour précis[i], le Seigneur fit sortir
les Israélites d’Égypte en bon ordre.

Autres règles relatives à la Pâque

13 1 Le Seigneur adressa la parole à
Moïse et lui dit : 2 « Consacre-moi
tout premier-né en Israël, car le premier
garçon d’une femme et le premier petit
d’un animal m’appartiennent[j]. » 3 Moïse
dit au peuple : « Souvenez-vous de ce
jour-ci ! Grâce à sa force irrésistible, le
Seigneur vous a fait sortir d’Égypte où
vous étiez esclaves. Lorsque vous célébrerez cet événement, vous ne devrez
pas manger de pain levé. 4 Vous vous êtes
mis en route un jour du mois d’Abib[k].
5 Vous commémorerez donc l’événement
au même mois, chaque année, quand le
Seigneur vous aura fait entrer dans le
pays des Cananéens, des Hittites, des
*Amorites, des Hivites et des Jébusites.
C’est le pays qu’il a juré à vos ancêtres de
vous donner, une contrée qui regorge de
lait et de miel[l]. 6 Pendant sept jours, vous
mangerez du pain sans *levain, et le septième jour, vous célébrerez une fête en
l’honneur du Seigneur. 7 Durant ces
jours-là, vous ne mangerez pas de pain
contenant du levain ; dans tout votre territoire on ne devra trouver chez vous ni
pain levé, ni levain. 8 Au cours de cette
fête, vous donnerez cette explication à
vos enfants : “Nous agissons ainsi à cause
de ce que le Seigneur a fait pour nous,
lorsque nous avons quitté l’Égypte.”
9 Cette célébration sera pour vous un rappel, tout aussi bien qu’une marque sur
votre bras ou sur votre front. Elle vous
rappellera que vous devez proclamer la
loi du Seigneur, car c’est lui qui vous a
fait sortir d’Égypte grâce à sa force irrésistible. 10 D’année en année, vous observerez cette réglementation, à la date
fixée. »
11 Moïse poursuivit : « Lorsque le Seigneur vous aura conduits dans le pays de
Canaan et qu’il vous l’aura donné,
comme il l’a promis à vos ancêtres et à
vous-mêmes, 12 vous lui offrirez tous les
premiers-nés mâles. Tout premier petit
de vos bêtes lui appartient. 13 Toutefois
s’il s’agit du premier petit d’une ânesse,
vous le remplacerez par un agneau ou un
chevreau, ou bien vous le tuerez en lui
brisant la nuque. Quant aux garçons premiers-nés de votre peuple, vous les rachèterez[m]. 14 Lorsque vos enfants, dans
l’avenir, vous demanderont : “Pourquoi
fait-on cela ?”, vous leur répondrez :
“Grâce à sa force irrésistible, le Seigneur
nous a fait sortir d’Égypte où nous étions
esclaves. 15 Le *Pharaon refusait obstinément de nous laisser partir ; alors le Seigneur fit mourir tous les premiers-nés
d’Égypte, aussi bien chez les hommes
que chez les animaux. Voilà pourquoi
nous offrons en sacrifice au Seigneur tout
premier-né mâle d’une bête, tandis que
nous rachetons tout garçon premier-né”.
16 Ces sacrifices seront pour vous un rappel, tout aussi bien qu’une marque sur
votre bras ou sur votre front. Ils vous rappelleront que le Seigneur nous a fait sortir d’Égypte grâce à sa force irrésistible. »

Dieu conduit la marche de son peuple

17 Lorsque le *Pharaon laissa partir les
Israélites, Dieu ne leur fit pas prendre le
chemin du pays des Philistins, bien que
ce soit le plus direct[n]. Il craignait en effet
que le peuple, effrayé par les combats à
livrer, ne change d’avis et revienne en
Égypte. 18 C’est pourquoi il les mena par
le chemin détourné qui, à travers le désert, se dirige vers la *mer des Roseaux.
Les Israélites quittèrent l’Égypte bien

---

i **12.51** *En ce jour précis* : voir v. 2 et la note ; v. 6 et 41.
j **13.2** Voir Nomb 3.13 ; Luc 2.23.
k **13.4** Voir au Vocabulaire CALENDRIER.
l **13.5** Voir 3.8 et la note.
m **13.13** L’âne était un animal *impur, c’est-à-dire qu’il ne pouvait pas être offert en sacrifice à Dieu. – Sur le rachat des *garçons premiers-nés*, voir Nomb 18.16.
n **13.17** Ce *chemin*, qui longeait la Méditerranée, était surveillé militairement par les Égyptiens. – Sur les *Philistins*, voir Gen 26.1 et la note.

équipés[o]. 19 Moïse emportait le corps de
Joseph, car celui-ci avait dit à ses frères :
« Dieu vous viendra certainement en
aide. Jurez-moi d'emporter alors mon
corps avec vous[p]. »
20 Les Israélites quittèrent Soukoth et
allèrent installer leur camp à Étam[q], en
bordure du désert. 21 Le Seigneur les précédait, de jour dans une colonne de fumée[r] pour les guider le long du chemin,
et de nuit dans une colonne de feu pour
les éclairer ; les Israélites pouvaient ainsi
marcher jour et nuit. 22 La colonne de fumée, pendant le jour, et la colonne de feu,
pendant la nuit, ne cessèrent jamais de
les précéder.

Le Pharaon poursuit les Israélites

14 1 Le Seigneur dit à Moïse : 2 « Ordonne aux Israélites de revenir
camper près de Pi-Hahiroth, entre Migdol et la mer. C'est là que vous installerez
votre camp, en face de Baal-Sefon[s], près
de la mer. 3 Le *Pharaon pensera que
vous errez tout affolés dans cette région,
prisonniers du désert. 4 Je le pousserai à
s'obstiner et il vous poursuivra. Alors je
manifesterai ma *gloire en l'écrasant, lui
et toutes ses troupes. Ainsi les Égyptiens
sauront que je suis le Seigneur. » Les
Israélites agirent selon ces instructions.

5 Lorsqu'on annonça au Pharaon et à
son entourage que les Israélites avaient
quitté le pays, ils changèrent d'idée à leur
sujet et se dirent : "Qu'avons-nous fait
là ? Pourquoi avons-nous laissé les Israélites s'en aller, au lieu de les garder
comme esclaves ?" 6 Le Pharaon fit atteler son char et partit avec son armée ; 7 il
avait avec lui tous les chars d'Égypte,
dont les six cents meilleurs, chacun avec
son équipage complet. 8 Le Seigneur
poussa le Pharaon, roi d'Égypte, à poursuivre avec obstination les Israélites, au
moment où ceux-ci quittaient le pays
comme s'ils étaient déjà libres[t]. 9 L'armée
égyptienne, avec tous ses chevaux, chars
et cavaliers, poursuivit donc les Israélites
et les rattrapa près de Pi-Hahiroth, en
face de Baal-Sefon, là où ils campaient
près de la mer.
10 Les Israélites virent que les
Égyptiens s'étaient mis en route pour les
poursuivre, et que déjà le Pharaon arrivait. Ils eurent très peur, ils se mirent à
appeler le Seigneur à grands cris 11 et dirent à Moïse : « N'y avait-il pas assez de
tombeaux en Égypte ? Pourquoi nous
as-tu emmenés mourir dans le désert ?
Pourquoi nous as-tu fait quitter
l'Égypte ? 12 Nous te l'avions bien dit,
quand nous étions encore là-bas :
"Laisse-nous tranquilles ; nous voulons
servir les Égyptiens. Cela vaut mieux
pour nous que de mourir dans le désert." » – 13 « N'ayez pas peur, répondit
Moïse. Tenez bon et vous verrez comment le Seigneur interviendra aujourd'hui pour vous sauver. En effet, ces
Égyptiens que vous voyez aujourd'hui,
vous ne les reverrez plus jamais. 14 Le Seigneur va combattre à votre place. Vous
n'aurez pas à intervenir. »

Dieu ouvre un passage à travers la mer

15 Le Seigneur dit à Moïse : « Pourquoi
m'appelles-tu à l'aide ? Dis aux Israélites
de se mettre en route. 16 Prends ton bâton
en main et élève-le au-dessus de la mer ;
ouvre ainsi un passage dans la mer afin
que les Israélites puissent la traverser à
pied sec. 17 Quant à moi, je pousse les
Égyptiens à s'obstiner et à y pénétrer derrière vous. Je manifesterai alors ma
*gloire en écrasant le *Pharaon avec tou-
tes ses troupes, ses chars et ses cavaliers.
18 Les Égyptiens sauront que je suis le
Seigneur, lorsque j'aurai manifesté ma
gloire de cette manière. »

---

o **13.18** *bien équipés* ou *en bon ordre*.

p **13.19** Voir Gen 50.25 ; Jos 24.32.

q **13.20** *Soukoth* : voir 12.37 et la note ; *Étam* : localité non identifiée.

r **13.21** La *fumée* signale la présence du Seigneur auprès de son peuple ; c'est une présence tout à la fois proche et cachée (voir 19.9). Dans le culte ultérieur, on a symbolisé cette fumée par les nuages *d'encens brûlé sur l'autel des parfums (voir Lév 16.2,13).

s **14.2** *Pi-Hahiroth, Migdol, Baal-Sefon* : aucun de ces trois endroits n'est identifié ; *Pi-Hahiroth* pourrait signifier "embouchure des canaux", *Migdol*, "fortin" et *Baal-Sefon*, "Baal du nord".

t **14.8** *comme s'ils étaient déjà libres* ou *sous la protection de Dieu*.

19 *L'ange de Dieu, qui auparavant précédait les Israélites, alla se placer derrière leur camp. De même, la colonne de fumée[u] qui était devant eux passa derrière eux ; 20 elle se plaça entre le camp des Égyptiens et celui des Israélites. Cette fumée était obscure d'un côté, tandis que de l'autre elle éclairait la nuit. Ainsi les adversaires ne s'approchèrent pas les uns des autres de toute la nuit.

21 Moïse étendit le bras au-dessus de la mer. Le Seigneur fit alors souffler un fort vent d'est durant toute la nuit pour refouler la mer et la mettre à sec. Les eaux se séparèrent 22 et les Israélites traversèrent la mer à pied sec[v] : de chaque côté d'eux, l'eau formait comme une muraille. 23 Les Égyptiens les poursuivirent ; tous les chevaux du Pharaon, avec chars et cavaliers, pénétrèrent derrière eux dans la mer. 24 Vers la fin de la nuit, le Seigneur, du milieu de la colonne de feu et de fumée, regarda l'armée égyptienne et la désorganisa. 25 Il bloqua[w] les roues des chars, qui n'avancèrent plus que difficilement. Alors les Égyptiens s'écrièrent : « Fuyons loin des Israélites, car le Seigneur combat avec eux contre nous ! »

26 Le Seigneur dit à Moïse : « Étends ton bras au-dessus de la mer, pour faire revenir l'eau sur les chars et les cavaliers égyptiens. » 27 Moïse obéit. Alors, à l'aube, la mer reprit sa place habituelle. Les Égyptiens qui s'enfuyaient se trouvèrent soudain face à l'eau, et le Seigneur les y précipita. 28 L'eau recouvrit tous les chars et les cavaliers des troupes du Pharaon qui avaient poursuivi les Israélites dans la mer. Personne n'échappa. 29 Quant aux Israélites, ils avaient traversé la mer à pied sec, l'eau formant comme une muraille de chaque côté d'eux.

30 Ainsi, ce jour-là, le Seigneur délivra les Israélites du pouvoir des Égyptiens, et les Israélites purent voir les cadavres des Égyptiens sur le rivage de la mer. 31 Les Israélites virent avec quelle puissance le Seigneur était intervenu contre l'Égypte. C'est pourquoi ils reconnurent son autorité ; ils mirent leur confiance en lui et en son serviteur Moïse.

Le cantique de Moïse et des Israélites

15 1 Moïse et les Israélites chantèrent en l'honneur du Seigneur le cantique que voici[x] :

Je veux chanter en l'honneur du Seigneur :
il a remporté une victoire éclatante,
il a jeté à la mer chevaux et cavaliers !

2 Ma grande force, c'est le Seigneur,
il est venu à mon secours[y].
Il est mon Dieu, je le louerai ;
il est le Dieu de mon père,
je proclamerai sa grandeur.
3 Le Seigneur est le héros des combats ;
il mérite bien son nom : Le Seigneur.

4 Il a jeté à la mer
les chars et les troupes du *Pharaon ;
les meilleurs officiers égyptiens
se sont noyés dans la *mer des Roseaux.
5 Ils ont coulé au fond comme des pierres
et les flots les ont recouverts.

6 Seigneur, quelle force dans ta main droite !
C'est elle qui met tes ennemis en pièces.
7 Que ta grandeur est impressionnante !
Elle renverse tes adversaires.
Si tu déchaînes le feu de ta colère,
ils sont brûlés comme un tas de paille.
8 Sous la violence de ton souffle
les masses d'eau se sont amoncelées,
les vagues se sont dressées comme un mur,
les flots se sont figés au fond de la mer.
9 Nos ennemis avaient dit :
« Nous allons les poursuivre, les rattraper ;
nous prendrons notre part de butin,

---

u **14.19** *colonne de fumée* : voir 13.21 et la note.
v **14.22** Voir 1 Cor 10.1-2 ; Hébr 11.29.
w **14.25** *Il bloqua* : d'après le texte samaritain et les anciennes versions grecque et syriaque ; hébreu *Il détacha.*
x **15.1** Voir Apoc 15.3.
y **15.2** Voir És 12.2 ; Ps 118.14.

plus que nous n'en désirons.
Nous tirerons notre épée,
nous remettrons la main sur eux. »
10 Mais toi, Seigneur, tu as soufflé,
les flots les ont recouverts !
Comme un bloc de plomb, ils ont coulé à pic
au fond de la mer déchaînée.

11 Seigneur, qui parmi les dieux est comparable à toi ?
Qui est comme toi, éclatant de sainteté,
redoutable, digne d'acclamations,
capable d'accomplir des prodiges ?
12 Un seul geste de ta main droite,
et la terre a englouti nos poursuivants.

13 Tu as délivré ton peuple !
Avec amour, avec puissance, tu le conduis
vers le pays que tu lui réserves.
14 Les peuples voisins tremblent à cette nouvelle :
les Philistins sont saisis d'angoisse,
15 les chefs d'Édom sont plongés dans la crainte,
les princes de Moab sont remplis d'effroi,
les Cananéens perdent tout courage.
16 Une terreur panique s'abat sur eux.
Devant la puissance de ton intervention,
ils demeurent paralysés, Seigneur,
jusqu'à ce que ton peuple ait passé,
le peuple que tu as acquis.
17 Maintenant tu le conduis sur ta montagne
pour l'y installer, Seigneur.
C'est le lieu que tu as préparé pour y habiter
et y fonder toi-même ton *sanctuaire[z].

18 Seigneur, tu es roi pour toujours !

19 Lorsque les chevaux, les chars et les
cavaliers du Pharaon avaient pénétré
dans la mer, le Seigneur avait ramené les
flots sur eux. Mais les Israélites, eux,
avaient pu traverser la mer à pied sec.
20 Alors la *prophétesse Miriam, sœur
d'Aaron, prit son tambourin. Toutes les
femmes d'Israël la suivirent en dansant
au son des tambourins. 21 Miriam reprenait devant elles le refrain :

Chantez en l'honneur du Seigneur :
il a remporté une victoire éclatante,
il a jeté à la mer chevaux et cavaliers !

LA MARCHE DES ISRAÉLITES DANS LE DÉSERT 15-18

L'eau de Mara

22 Les Israélites, conduits par Moïse,
quittèrent la *mer des Roseaux et se dirigèrent vers le désert de Chour[a]. Ils marchèrent trois jours dans le désert sans
trouver d'eau. 23 Lorsqu'ils arrivèrent à
Mara[b], ils ne purent pas y boire l'eau qui
s'y trouvait, car elle était amère. – De là
vient le nom de Mara, qui signifie
“Amertume”. – 24 La foule se mit à protester contre Moïse et à dire : « Qu'allons-nous boire ? » 25 Moïse implora le Seigneur, qui lui montra un morceau de
bois. Moïse le jeta dans l'eau et l'eau
devint buvable.
C'est là que le Seigneur donna aux Israélites des lois et des coutumes, là aussi
qu'il les mit à l'épreuve. 26 Il leur dit : « Si
vous m'obéissez vraiment, à moi, le Seigneur votre Dieu, en faisant ce que je considère comme juste, si vous écoutez mes commandements et mettez en pratique toutes mes lois, alors je ne vous infligerai aucune des maladies que j'ai infligées aux Égyptiens. En effet, je suis le Seigneur, celui qui vous guérit. »

z **15.17** Le pays de Canaan (voir v. 13) est en partie montagneux ; et c'est au sommet d'une *montagne* que sera construit le temple de Jérusalem, *sanctuaire* du Seigneur.

a **15.22** Le *désert de Chour* est la partie nord de la péninsule du Sinaï, située entre le *torrent d'Égypte* (voir Nomb 34.5 et la note) et l'actuel canal de Suez.

b **15.23** La localité de *Mara* se trouvait probablement sur la rive est du golfe de Suez.

27 Les Israélites arrivèrent ensuite à Élim[c]. Il s'y trouvait douze sources et soixante-dix palmiers. Ils campèrent là, près de l'eau.

La manne et les cailles

16 1 Toute la communauté d'Israël quitta Élim ; le quinzième jour du deuxième mois après la sortie d'Égypte, ils arrivèrent au désert de Sin, situé entre Élim et le mont Sinaï[d]. 2 Là, dans le désert, les Israélites se remirent à protester contre Moïse et Aaron. 3 Ils disaient : « Si seulement le Seigneur nous avait fait mourir en Égypte, quand nous nous réunissions autour des marmites de viande et que nous avions assez à manger ! Mais vous nous avez conduits dans ce désert pour nous y laisser tous mourir de faim ! »

4 Le Seigneur dit à Moïse : « Du haut du ciel, je vais faire pleuvoir du pain sur vous[e]. Chaque jour les gens iront ramasser leur ration de la journée. Je vous mettrai ainsi à l'épreuve pour savoir si vous obéissez ou non à mes ordres. 5 Le sixième jour, quand vous préparerez ce que vous aurez ramassé, vous en trouverez le double des autres jours[f]. » 6-8 Moïse et Aaron dirent à tous les Israélites : « Ce soir, le Seigneur vous donnera de la viande à manger, car il vous a entendus protester contre lui ; vous saurez alors que c'est lui qui vous a fait sortir d'Égypte. Et demain matin, quand il vous donnera du pain en suffisance, vous verrez sa *gloire. Quant à nous, nous ne sommes même pas dignes que vous protestiez contre nous. Et si vous le faites, en réalité, c'est le Seigneur que vous attaquez. »

9 Puis Moïse ordonna à Aaron : « Dis à tout la communauté d'Israël de venir se présenter devant le Seigneur, car il les a entendus protester contre lui. » 10 Pendant qu'Aaron parlait à la communauté, ils se tournèrent du côté du désert et, soudain, la glorieuse présence du Seigneur se manifesta dans la fumée[g]. 11 Le Seigneur dit à Moïse : 12 « J'ai entendu les protestations des Israélites. Dis-leur donc ceci de ma part : "Ce soir vous mangerez de la viande, et demain matin vous aurez du pain en suffisance ; ainsi vous saurez que moi, le Seigneur, je suis votre Dieu." »

13 En effet, le soir, des cailles arrivèrent[h] et se posèrent sur tout le camp ; et le matin, tout autour du camp, il y avait une couche de rosée. 14 Lorsque la rosée s'évapora, quelque chose de granuleux, fin comme du givre, restait par terre. 15 Les Israélites le virent, mais ne savaient pas ce que c'était, et ils se demandèrent les uns aux autres : « Qu'est-ce que c'est ? » Moïse leur répondit : « C'est le pain que le Seigneur vous donne à manger[i]. 16 Et voici ce que le Seigneur a ordonné : "Que chacun en ramasse la ration qui lui est nécessaire ; vous en ramasserez environ quatre litres par personne, d'après le nombre de personnes vivant sous la même tente." »

17 Les Israélites agirent ainsi ; ils en ramassèrent, les uns beaucoup, les autres peu. 18 Mais lorsqu'ils en mesurèrent la quantité, ceux qui en avaient beaucoup n'en avaient pas trop, et ceux qui en avaient peu n'en manquaient pas[j]. Chacun en avait la ration nécessaire.

Règles diverses concernant la manne

19 Moïse leur dit encore : « Que personne n'en mette de côté pour demain matin. » 20 Mais certains désobéirent et en conservèrent jusqu'au matin ; la vermine s'y mit et rendit le tout infect. Alors Moïse se mit en colère contre eux. 21 Dès lors, chaque matin, ils en ramassèrent leur ration quotidienne. Quand le soleil devenait chaud, le reste fondait.

---

c **15.27** *Élim* : localité située vraisemblablement un peu au sud de Mara.

d **16.1** *Élim* : voir 15.27 et la note. – *le quinzième jour du deuxième mois* : voir 12.2 et la note. – *désert de Sin* : étendue de sable située au sud-est d'Élim, appelée aujourd'hui Debbet Er-Ramlé (Ne pas confondre avec le *désert de Tsin*, voir Nomb 13.21 et la note). – *Sinaï* : voir 3.1 et la note.

e **16.4** Voir Jean 6.31.

f **16.5** *le double...* : pour ne pas avoir besoin d'en ramasser le septième jour, jour du *sabbat (voir v. 22-30).

g **16.10** *la fumée* : voir 13.21 et la note.

h **16.13** Comparer Nomb 11.31-34.

i **16.15** Voir 1 Cor 10.3.

j **16.18** Voir 2 Cor 8.15.

22 Le sixième jour, ils en ramassèrent
une double ration, environ huit litres par
personne. Les responsables de la communauté allèrent l'annoncer à Moïse, 23 qui
leur dit : « C'est bien ce que le Seigneur a
ordonné. Demain, c'est le *sabbat, jour
de repos consacré au Seigneur[k]. Cuisez ce
que vous voulez cuire, faites bouillir ce
que vous voulez bouillir, et gardez le surplus jusqu'à demain matin. » 24 Ils en mirent donc de côté pour le lendemain,
selon les instructions de Moïse, et il n'y
eut ni puanteur ni vermine. 25 « Mangez
cela aujourd'hui, leur dit alors Moïse. Car
aujourd'hui, c'est le sabbat en l'honneur
du Seigneur ; vous ne trouveriez rien dehors. 26 En effet, pendant six jours, vous
pouvez ramasser de cette nourriture,
mais le septième jour, le jour du sabbat, il
n'y en a pas. »

27 Pourtant, le septième jour, certains
Israélites sortirent du camp pour aller en
ramasser, mais sans rien trouver. 28 Le
Seigneur dit à Moïse : « Allez-vous encore longtemps refuser d'obéir à mes
commandements et à mes instructions ?
29 Sachez-le bien, je vous ai donné le sabbat pour vous reposer, et voilà pourquoi
je vous donne, le sixième jour, une ration
de nourriture pour deux jours. Le septième jour, que chacun reste donc chez
soi, que plus personne n'en sorte. »
30 Ainsi le peuple d'Israël se reposa le septième jour.

31 Les Israélites donnèrent à cette
nourriture le nom de manne. Elle ressemblait à des graines de coriandre ; elle
était blanche et avait un goût de gâteau
au miel[l].

32 Moïse dit : « Voici ce qu'ordonne le
Seigneur : "Qu'on remplisse de manne
un récipient, afin d'en conserver pour vos
descendants. Ainsi ils pourront voir de
quel pain je vous nourrissais dans le désert, quand je vous ai fait sortir
d'Égypte." » 33 Puis Moïse dit à Aaron :
« Prends donc une jarre à provision et
mets-y une ration de manne. Puis dépose
la jarre devant le Seigneur, afin de
conserver un peu de manne pour vos descendants[m]. » 34 Comme le Seigneur l'avait
ordonné à Moïse, Aaron déposa la jarre
devant le *document de l'alliance, pour
qu'on l'y conserve.

35 Les Israélites mangèrent de la
manne pendant quarante ans, jusqu'à
leur arrivée dans un pays habité, c'est-à-
dire jusqu'à ce qu'ils aient franchi la
frontière du pays de Canaan[n]. 36 – La ration de manne, quatre litres environ, représentait le dixième de l'unité de
mesure habituelle. –

L'eau de Massa et Meriba

(Voir aussi Nomb 20.2-13)

17 1 Sur l'ordre du Seigneur, toute la
communauté d'Israël quitta le désert de Sin et se rendit par étapes à Refidim[o], où ils installèrent leur camp. Ils n'y
trouvèrent pas d'eau à boire, 2 de sorte
qu'ils cherchèrent querelle à Moïse et dirent : « Donnez-nous[p] de l'eau à boire ! »
Moïse leur demanda : « Pourquoi me
cherchez-vous querelle ? Et pourquoi
mettez-vous ainsi le Seigneur à
l'épreuve ? » 3 Assoiffé, le peuple se mit à
protester contre Moïse en disant : « Pourquoi nous as-tu fait quitter l'Égypte ?
Est-ce pour nous faire mourir de soif ici,
avec nos enfants et nos troupeaux ? »
4 Moïse implora le secours du Seigneur :
« Que dois-je faire pour ce peuple ?
demanda-t-il. Encore un peu et ils vont
me lancer des pierres ! » Le Seigneur lui
répondit : 5 « Passe devant le peuple, accompagné de quelques-uns des *anciens

---

k **16.23** Voir 20.8-11.

l **16.31** *le nom de manne* : en hébreu, ce nom ressemble au pronom employé dans l'expression « Qu'est-ce que c'est ? » du v. 15. – La manne pouvait ressembler aux gouttelettes solidifiées de la sève d'un arbuste, le tamaris ; en juin-juillet, de nuit, des pucerons piquent l'écorce de l'arbuste pour sucer la sève ; des piqûres s'échappent alors ces gouttelettes qui peuvent servir de nourriture. – La *coriandre* est une plante dont les graines, aromatiques, ressemblent à de grosses têtes d'épingles gris clair. – Comparer ce verset avec Nomb 11.7-8.

m **16.33** Voir Hébr 9.4.

n **16.35** Voir Jos 5.12.

o **17.1** *Refidim* : endroit non identifié, qui devait se trouver dans les environs du mont Sinaï.

p **17.2** Plusieurs manuscrits anciens et versions anciennes portent *Donne-nous*.

d'Israël. Tu t'avanceras en tenant à la main le bâton avec lequel tu as frappé le Nil. 6 Moi, je me tiendrai là, devant toi, sur un rocher du mont *Horeb ; tu frapperas ce rocher, il en sortira de l'eau et le peuple pourra boire.» Moïse obéit à cet ordre, sous le regard des anciens.

7 On a appelé cet endroit Massa et Meriba – ce qui signifie "Épreuve" et "Querelle" – parce que les Israélites avaient cherché querelle à Moïse et avaient mis le Seigneur à l'épreuve, en demandant: « Le Seigneur est-il parmi nous, oui ou non ? »

Les Amalécites attaquent les Israélites

8 Les Amalécites[q] vinrent attaquer les Israélites à Refidim. 9 Moïse dit à Josué : « Choisis des hommes capables de nous défendre et va combattre les Amalécites. Demain je me tiendrai au sommet de la colline, avec le bâton de Dieu à la main. » 10 Josué partit combattre les Amalécites, comme Moïse le lui avait ordonné, tandis que Moïse, Aaron et Hour se postaient au sommet de la colline. 11 Tant que Moïse tenait un bras levé, les Israélites étaient les plus forts, mais quand il le laissait retomber, les Amalécites l'emportaient. 12 Lorsque les deux bras de Moïse furent lourds de fatigue, Aaron et Hour prirent une pierre et la placèrent près de Moïse. Moïse s'y assit. Aaron et Hour, chacun d'un côté, lui soutinrent les bras, qui restèrent ainsi fermement levés jusqu'au coucher du soleil. 13 Josué remporta une victoire complète sur l'armée amalécite.

14 Le Seigneur dit à Moïse : « Mets tout cela par écrit, pour qu'on ne l'oublie pas. Et dis à Josué que j'exterminerai les Amalécites, de telle sorte que personne sur terre ne se souviendra d'eux[r]. » 15 Alors Moïse construisit un *autel, auquel il donna un nom signifiant "Le Seigneur est mon étendard". 16 Et il déclara : « Puisque les Amalécites ont osé lever la main contre le trône du Seigneur[s], le Seigneur sera toujours en guerre contre eux. »

Moïse et son beau-père Jéthro

18 1 Jéthro, prêtre de Madian et beau-père de Moïse, entendit parler de tout ce que le Seigneur Dieu avait fait pour Moïse et pour Israël, son peuple ; il apprit comment le Seigneur les avait fait sortir d'Égypte. 2 Jéthro avait avec lui sa fille Séfora, femme de Moïse, que celui-ci lui avait renvoyée précédemment[t], 3 ainsi que les deux fils de Séfora. Moïse avait appelé l'aîné Guerchom – ce qui signifie "Réfugié-là" – en déclarant : "Je suis devenu un réfugié dans un pays étranger"[u] ; 4 quant au cadet, il l'avait nommé Éliézer – "Mon Dieu me secourt" – en déclarant : « Le Dieu de mon père m'a secouru en me protégeant des attaques du *Pharaon. »[v]

5 Jéthro partit avec les fils et la femme de Moïse et alla rejoindre celui-ci dans le désert proche de la montagne de Dieu[w], là où il avait installé son camp. 6 Jéthro se fit annoncer à Moïse en ces termes : « Je suis ton beau-père ; je viens te trouver, accompagné de ta femme et de ses deux fils. » 7 Moïse vint à sa rencontre, s'inclina profondément devant lui, puis l'embrassa. Après avoir échangé des nouvelles de leur santé, ils se rendirent dans la tente de Moïse. 8 Moïse raconta à son beau-père comment le Seigneur avait traité le Pharaon et les Égyptiens, à cause d'Israël, et comment il avait délivré le peuple des difficultés rencontrées en chemin. 9 Jéthro se réjouit de tout le bien que le Seigneur avait fait aux Israélites en les libérant de la domination des Égyptiens, 10 et il s'écria : « Il faut remercier le Seigneur, qui vous a délivrés de la domina-

---

q **17.8** Les *Amalécites* habitaient dans les régions situées au sud de la Palestine, mais pouvaient fort bien se déplacer occasionnellement dans toute la péninsule du Sinaï. Ils furent des ennemis acharnés d'Israël, voir v. 16.

r **17.14** Voir Deut 25.17-19 ; 1 Sam 15.2-9.

s **17.16** *Puisque... du Seigneur* : texte hébreu peu clair et traduction incertaine.

t **18.2** On ignore quand et dans quelles circonstances Moïse avait demandé à son beau-père d'accueillir sa femme et ses enfants.

u **18.3** *deux fils* : voir Act 7.29. – *Séfora, Guerchom* : voir 2.21-22.

v **18.4** *Éliézer* : première mention de ce second fils de Moïse dans le texte hébreu ; une ancienne version latine en parle déjà en 2.22.

w **18.5** *montagne de Dieu* : voir 3.1 et la note.

tion du Pharaon et des Égyptiens[x]. 11 Je
reconnais maintenant que le Seigneur est
plus grand que tous les autres dieux : il l'a
montré lorsque les Égyptiens tyranni-
saient les Israélites[y]. »
12 Jéthro offrit à Dieu un *sacrifice
complet et des sacrifices de communion.
Alors Aaron et tous les *anciens d'Israël
vinrent prendre part au repas sacré, en
compagnie du beau-père de Moïse.

Moïse nomme des chefs pour rendre la justice

13 Le lendemain, Moïse prit place pour
juger les querelles du peuple. Du matin
au soir des gens attendirent de pouvoir se
présenter devant lui. 14 Lorsque son
beau-père vit tout ce qu'il avait à faire
pour le peuple, il lui dit : « Pourquoi pro-
cèdes-tu ainsi ? Pourquoi fais-tu ce travail tout seul, en obligeant les gens à
attendre debout, du matin au soir, le moment de se présenter devant toi ? » –
15 « C'est que ces gens viennent à moi
pour obtenir un jugement inspiré par
Dieu, répondit Moïse. 16 Lorsqu'ils ont
une dispute à régler, ils viennent me
trouver : je tranche le cas qui les oppose
et je leur fais connaître les lois et les
enseignements de Dieu. »
17 Son beau-père reprit : « Il n'est pas
judicieux de procéder de cette manière !
18 Vous allez tous vous épuiser complètement, toi et ceux qui viennent te consulter. Cette tâche est vraiment trop lourde
pour toi, tu ne peux pas l'accomplir seul !
19 Écoute donc ce que je te conseille, et
que Dieu soit avec toi : Ton rôle consiste
à représenter le peuple devant Dieu pour
lui présenter les affaires litigieuses ; 20 tu
dois aussi informer les gens des lois et
des enseignements de Dieu, leur indiquer la conduite à tenir et leur dire ce
qu'ils doivent faire. 21 Pour le reste, choisis parmi le peuple des hommes de valeur, pleins de respect pour Dieu, aimant
la vérité et incorruptibles ; tu les désigne-
ras comme responsables, à la tête de
groupes de mille, de cent, de cinquante
ou de dix hommes[z]. 22 Ce sont eux qui
siégeront chaque jour pour juger les querelles du peuple ; ils te soumettront les affaires importantes, mais régleront
eux-mêmes les causes mineures. De cette
manière tu pourras alléger ta tâche,
puisqu'ils en partageront la responsabilité avec toi. 23 Si tu fais cela – et si c'est
bien ce que Dieu t'ordonne –, tu ne
t'épuiseras pas ; et de leur côté tous ces
gens pourront rentrer chez eux réconciliés[a]. » 24 Moïse suivit les conseils de son
beau-père : 25 il choisit parmi les Israélites des hommes de valeur et les désigna
comme responsables du peuple, à la tête
de groupes de mille, de cent, de cinquante ou de dix hommes. 26 Ils devaient
siéger chaque jour pour juger les querelles du peuple ; ils soumettaient à Moïse
les affaires difficiles, mais réglaient eux-
mêmes les causes mineures.
27 Moïse prit congé de son beau-père,
qui s'en retourna dans son pays.

DIEU FAIT ALLIANCE AVEC ISRAËL
19–24

Dieu propose une alliance à Israël

19 1-2 Les Israélites quittèrent Refidim[b]. Le premier jour du troisième mois après leur sortie d'Égypte, ils
pénétrèrent dans le désert du Sinaï. Ils
installèrent leur camp dans le désert, près
du mont Sinaï. 3 Moïse gravit la montagne pour rencontrer Dieu.
Du sommet, le Seigneur appela Moïse
et lui dit : « Voici ce que tu déclareras aux
descendants de Jacob, les Israélites :
4 "Vous avez vu comment j'ai traité les
Égyptiens ; vous avez vu comment je
vous ai amenés ici, près de moi, comme
un aigle porte ses petits sur son dos.

x 18.10 L'hébreu répète ici *qui a délivré le peuple de la domination des Égyptiens* (répétition presque textuelle de la phrase précédente).

y 18.11 *il l'a montré...* : traduction incertaine d'un texte hébreu peu clair.

z 18.21 Comparer Deut 1.9-18.

a 18.23 *pourront rentrer...* ou *arriveront en paix à destination.*

b 19.1-2 *Refidim* : voir 17.1 et la note.

5 Maintenant, si vous écoutez bien ce que
je vous dis et si vous respectez mon *alliance, vous serez pour moi un peuple
particulièrement précieux parmi tous les
peuples. En effet toute la terre m'appartient, 6 mais vous serez pour moi un
royaume de prêtres, une nation consacrée
à mon service[c]." Voilà ce que tu diras aux
Israélites. »
7 Moïse revint au camp, convoqua les
*anciens d'Israël et leur communiqua
tout ce que le Seigneur lui avait ordonné.
8 Tout le peuple, unanime, s'écria : « Nous
ferons tout ce qu'ordonne le Seigneur. »
Moïse rapporta leur réponse au Seigneur.
9 Alors le Seigneur lui déclara : « Je vais
venir jusqu'à toi, caché dans une épaisse
fumée[d], afin que les Israélites m'entendent parler avec toi et qu'ils aient
confiance en toi pour toujours. » Moïse
répéta au Seigneur la réponse du peuple.

Dieu rencontre Moïse sur le mont Sinaï

10 Le Seigneur dit encore à Moïse :
« Retourne vers le peuple et dis-leur de se
*purifier aujourd'hui et demain. Qu'ils
lavent aussi leurs vêtements. 11 Qu'ils se
tiennent prêts pour après-demain, car ce
jour-là, je descendrai sur le mont Sinaï à
la vue de tout le peuple. 12 Tu leur fixeras
des limites autour de la montagne et tu
les mettras en garde : ils ne doivent pas
gravir cette montagne, ni même s'en approcher. Tout être qui s'en approchera
sera mis à mort. 13 Qu'il s'agisse d'un
homme ou d'un animal, on ne le laissera
pas vivre. On ne le touchera pas, mais on
le tuera en lui lançant des pierres ou des
flèches. C'est seulement quand le cor
sonnera que certains pourront monter
sur la montagne[e]. » 14 Moïse redescendit
vers le peuple. Il les fit se purifier et laver
leurs vêtements. 15 Puis il leur dit :
« Tenez-vous prêts pour après-demain.
Abstenez-vous de relations avec vos
femmes. »
16 Le surlendemain, dès l'aube, il y eut
sur la montagne des coups de tonnerre,
des éclairs et une épaisse fumée[f]. On entendit aussi une puissante sonnerie de
trompette. Dans le camp, le peuple tremblait de peur. 17 Moïse les fit sortir du
camp pour s'approcher de Dieu. Ils s'arrêtèrent au pied de la montagne. 18 Le Sinaï était tout fumant, parce que le
Seigneur y était descendu dans le feu ; la
fumée s'élevait comme celle d'une fournaise, et toute la montagne tremblait.
19 La sonnerie de trompette devint de
plus en plus puissante. Quand Moïse parlait, Dieu lui répondait dans le tonnerre.
20 Le Seigneur descendit au sommet du
Sinaï, d'où il appela Moïse, et Moïse y remonta. 21 Le Seigneur lui dit : « Va avertir
le peuple de ne pas se précipiter pour me
voir. Sinon beaucoup d'entre eux mourraient. 22 Même les prêtres, qui peuvent
pourtant s'approcher de moi, doivent se
purifier, de peur que je n'intervienne
contre eux. » 23 Moïse lui répondit : « Le
peuple ne peut pas monter sur le Sinaï ;
toi-même tu nous as ordonné de fixer des
limites autour de la montagne et d'en tenir le peuple à distance. » 24 Alors le Seigneur ordonna à Moïse : « Retourne au
camp, puis tu remonteras avec Aaron.
Mais que les prêtres et le peuple ne se
précipitent pas pour monter vers moi, de
peur que je n'intervienne contre eux. »
25 Moïse redescendit donc vers le peuple
et leur parla.

Les Dix Commandements

(Voir Deut 5.6-21)

20 1 Voici les paroles que Dieu
adressa à Israël :
2 « Je suis le Seigneur ton Dieu, c'est moi
qui t'ai fait sortir d'Égypte où tu étais
esclave.
3 « Tu n'adoreras pas d'autres dieux que
moi.
4 « Tu ne te fabriqueras aucune idole, aucun objet qui représente ce qui est dans le
*ciel, sur la terre ou dans l'eau sous la

---

c **19.6** L'expression *royaume de prêtres* désigne soit un peuple chargé d'un rôle sacerdotal, c'est-à-dire d'un rôle d'intermédiaire entre Dieu et les autres nations, soit d'un peuple gouverné par des prêtres au lieu de rois. – V. 5-6 : voir Deut 4.20 ; 7.6 ; 14.2 ; 26.18 ; Tite 2.14 ; 1 Pi 2.9 ; Apoc 1.6 ; 5.10.

d **19.9** *fumée* : voir 13.21 et la note.

e **19.13** *certains* : voir 24.1,9-11. – V. 12-13 : voir Hébr 12.18-20.

f **19.16** *coups de tonnerre, éclairs* : voir Apoc 4.5. – *fumée* : voir 13.21 et la note.

terre ; 5 tu ne t'inclineras pas devant des
statues de ce genre, tu ne les adoreras
pas[g]. En effet, je suis le Seigneur ton
Dieu, un Dieu exigeant. Si quelqu'un est
en tort à mon égard, j'interviens contre
lui et ses descendants, jusqu'à la troisième ou la quatrième génération ; 6 mais
je traite avec bonté pendant mille générations ceux qui m'aiment et obéissent à
mes commandements[h].
7 « Tu ne prononceras pas mon nom de
manière abusive, car moi, le Seigneur ton
Dieu, je tiens pour coupable celui qui
agit ainsi[i].
8 « N'oublie jamais de me consacrer le
jour du *sabbat. 9 Tu as six jours pour travailler et faire tout ton ouvrage. 10 Le septième jour, c'est le sabbat qui m'est
réservé, à moi, le Seigneur ton Dieu ; tu
ne feras aucun travail ce jour-là, ni toi, ni
tes enfants, ni tes serviteurs ou servantes,
ni ton bétail, ni l'étranger qui réside chez
toi. 11 Car en six jours j'ai créé le ciel, la
terre, la mer et tout ce qu'ils contiennent,
puis je me suis reposé le septième jour.
C'est pourquoi moi, le Seigneur, j'ai béni
le jour du sabbat et je veux qu'il me soit
consacré[j].
12 « Respecte ton père et ta mère, afin de
jouir d'une longue vie dans le pays que
moi, le Seigneur ton Dieu, je te donne[k].
13 « Tu ne commettras pas de meurtre[l].
14 « Tu ne commettras pas d'adultère[m].
15 « Tu ne commettras pas de vol[n].
16 « Tu ne prononceras pas de faux témoignage contre ton prochain[o].
17 « Tu ne convoiteras rien de ce qui appartient à ton prochain, ni sa maison, ni
sa femme, ni son serviteur, ni sa servante,
ni son bœuf, ni son âne[p]. »
18 Tous les Israélites entendirent les
coups de tonnerre et la sonnerie de trompette, tous virent les éclairs et la montagne fumante ; ils se mirent à trembler
de peur et se tinrent à distance. 19 Ils dirent à Moïse : « Parle-nous toi-même, et
nous t'écouterons ; mais que Dieu ne
nous parle pas directement, sinon nous
mourrons[q]. » 20 Moïse leur répondit : « Ne
craignez rien ! Si Dieu s'est approché de
vous, c'est pour vous mettre à l'épreuve ;
il veut que vous reconnaissiez son autorité et que vous ne commettiez pas de péché. » 21 Les Israélites restèrent donc à
distance, tandis que Moïse s'approchait
de l'épais nuage où se tenait Dieu[r].

Loi concernant l'autel des sacrifices

22 Le Seigneur dit à Moïse : « Voici ce
que tu transmettras de ma part aux Israélites : "Vous l'avez vu, c'est du haut du
ciel que je me suis adressé à vous. 23 Vous
ne vous fabriquerez pas d'idoles en argent ou en or, pour adorer d'autres dieux
à côté de moi. 24 Vous me construirez un
*autel de terre, sur lequel vous m'offrirez
vos moutons, vos chèvres et vos bœufs en
*sacrifices complets ou en sacrifices de
communion. Et moi, je viendrai vous
*bénir en tout endroit où je manifesterai
ma présence. 25 Si vous me construisez un
autel de pierres, ne le faites pas en pierres
de taille, car en taillant les pierres au ciseau, vous les rendriez impropres à un
usage sacré[s]. 26 Vous ne me construirez
pas un autel auquel on accède par des

---

g **20.5** V. 4-5 : voir 34.17 ; Lév 19.4 ; 26.1 ; Deut 4.15-18 ; 27.15.

h **20.6** *pendant mille générations...* ou *des milliers d'hommes, tous ceux...* – V. 5-6 : voir 34.6-7 ; Nomb 14.18 ; Deut 7.9-10 ; comparer Ézék 18.

i **20.7** Voir Lév 19.12.

j **20.11** V. 8-11 : voir 16.23-30 ; 23.12 ; 31.12-17 ; 34.21 ; 35.2 ; Gen 2.1-3 ; Lév 23.3.

k **20.12** Voir Deut 27.16 ; Matt 15.4 ; 19.19 ; Marc 7.10 ; 10.19 ; Luc 18.20 ; Éph 6.2-3.

l **20.13** Voir Gen 9.6 ; Lév 24.17 ; Matt 5.21 ; 19.18 ; Marc 10.19 ; Luc 18.20 ; Rom 13.9 ; Jacq 2.11.

m **20.14** Voir Lév 20.10 ; Matt 5.27 ; 19.18 ; Marc 10.19 ; Luc 18.20 ; Rom 13.9 ; Jacq 2.11.

n **20.15** *de vol* : autre traduction *de rapt ;* ce commandement viserait alors les atteintes à la liberté d'autrui, c'est-à-dire le *rapt* de personnes pour en faire des esclaves (voir 21.16). Les atteintes aux biens d'autrui sont en tout cas interdites par le v. 17. – Voir aussi Lév 19.11 ; Matt 19.18 ; Marc 10.19 ; Luc 18.20 ; Rom 13.9.

o **20.16** Voir 23.1 ; Matt 19.18 ; Marc 10.19 ; Luc 18.20.

p **20.17** Voir Rom 7.7 ; 13.9.

q **20.19** V. 18-19 : voir Hébr 12.18-19.

r **20.21** *épais nuage* : autre expression pour désigner la *colonne de fumée* (voir 13.21 et la note).

s **20.25** Voir Deut 27.5-6 ; Jos 8.31. – L'homme, en intervenant avec ses outils, imprime sur les objets sa marque personnelle ; seuls les objets tels que Dieu les a créés, c'est-à-dire à l'état brut, naturel, pouvaient être mis au service de Dieu (comparer Deut 21.3-4).

marches, afin que l'on n'aperçoive pas d'en bas la nudité de celui qui y monterait[t]." »

Loi sur les esclaves hébreux

21 1 Le Seigneur ajouta : « Voici d'autres règles que tu exposeras aux Israélites : 2 Quand vous achèterez un esclave hébreu, il sera esclave pour six ans ; la septième année il pourra s'en aller librement sans rien devoir à personne. 3 S'il était célibataire quand il est devenu esclave, il s'en ira seul ; s'il était marié, sa femme s'en ira avec lui. 4 Si c'est son maître qui lui donne une femme, et que celle-ci mette au monde des enfants, garçons ou filles, la femme et les enfants resteront propriété du maître, et l'homme s'en ira seul. 5 Si par contre l'homme déclare aimer son maître, sa femme et ses enfants, et ne désire pas les quitter pour être libre, 6 le maître en prendra Dieu à témoin ; il placera l'homme contre la porte ou contre le montant de porte de sa maison, et là, il lui percera l'oreille au moyen d'un poinçon. Dès lors l'homme sera pour toujours à son service[u].

7 « Quand un homme vendra sa fille comme esclave, celle-ci ne retrouvera pas sa liberté dans les mêmes conditions qu'un esclave mâle. 8 Si son maître l'a achetée pour en faire une de ses femmes, puis s'en désintéresse, il doit laisser le père la racheter ; il n'a pas le droit de la vendre à des étrangers : ce serait une trahison. 9 S'il l'a achetée pour la donner à son fils, il la traitera selon le droit applicable aux filles. 10 Si le maître prend une autre femme, il ne diminuera en rien ce qu'il doit à la première, en fait de nourriture, de vêtements ou de relations conjugales. 11 S'il ne lui donne pas satisfaction dans ces trois domaines, elle pourra reprendre sa liberté sans rien devoir à personne. »

Fautes méritant la peine de mort

12 « Celui qui frappe et tue un être humain doit être mis à mort[v]. 13 Toutefois s'il n'y a pas eu de guet-apens, s'il s'agit d'un accident que Dieu n'a pas empêché, l'auteur de l'accident pourra se réfugier dans un endroit que je vous indiquerai[w]. 14 Par contre, si dans un geste de haine un homme en tue un autre, par ruse, vous l'arrêterez pour le mettre à mort, même s'il s'est réfugié près de mon *autel[x].

15 « Celui qui frappe son père ou sa mère doit être mis à mort.

16 « Celui qui enlève une personne doit être mis à mort, qu'il ait vendu sa victime ou qu'on la trouve encore chez lui[y].

17 « Celui qui maudit son père ou sa mère doit être mis à mort[z]. »

Les coups et les blessures

18 « Supposons que, au cours d'une dispute, un homme en frappe un autre du poing ou avec une pierre, et que la victime ne meure pas mais doive seulement s'aliter ; 19 si elle peut de nouveau se lever et se promener dehors, avec une canne, celui qui a frappé ne sera pas condamné, à condition de dédommager la victime pour son temps d'immobilisation et de payer les frais de guérison.

20 « Si quelqu'un, à coups de bâton, bat à mort son esclave, homme ou femme, il doit être puni. 21 Toutefois si la victime survit un jour ou deux, il ne doit pas être puni, car elle était sa propriété.

22 « Si, au cours d'une dispute entre hommes, une femme enceinte est heurtée et que cela provoque un accouchement prématuré, mais sans conséquence grave pour la femme, le coupable devra payer, après arbitrage, l'indemnité réclamée par le mari. 23 Mais s'il en résulte une conséquence grave pour la femme, le coupable sera puni : vie pour vie, 24 œil pour œil,

t **20.26** A l'origine, le prêtre israélite ne portait qu'un simple pagne autour des reins pendant son service à l'autel.

u **21.6** *en prendra Dieu à témoin* : signification probable d'une expression que l'on pourrait traduire littéralement *le fera s'approcher de Dieu.* – V. 2-6 : voir Lév 25.39-46.

v **21.12** Voir Lév 24.17.

w **21.13** Sur les villes de refuge évoquées dans ce verset, voir Nomb 35.9-34 ; Deut 19.1-13 ; Jos 20.1-9.

x **21.14** Les autels et les *sanctuaires ont souvent été reconnus autrefois comme lieux de refuge pour divers coupables (voir 1 Rois 1.50-53 ; 2.28-34).

y **21.16** Voir Deut 24.7.

z **21.17** Voir Lév 20.9 ; Matt 15.4 ; Marc 7.10.

dent pour dent, main pour main, pied pour pied, 25 brûlure pour brûlure, blessure pour blessure, coup pour coup[a].

26 « Si quelqu'un frappe son esclave, homme ou femme, et lui crève un œil, il accordera la liberté à la victime, en compensation de son œil. 27 S'il lui casse une dent, il lui accordera de même la liberté, en compensation de sa dent.

28 « Si un taureau tue à coups de cornes un homme ou une femme, on le mettra à mort en lui jetant des pierres. On ne pourra pas en manger la viande. Quant au propriétaire, il ne sera pas tenu pour responsable. 29 Toutefois si le taureau avait déjà l'habitude de donner des coups de cornes et que le propriétaire, averti, ne l'ait pas surveillé, si alors l'animal cause la mort de quelqu'un, il sera tué à coups de pierres, et son propriétaire aussi sera mis à mort. 30 Si on admet que le propriétaire puisse verser une rançon pour sauver sa vie, il devra payer à titre de compensation la somme qu'on lui imposera. 31 Si le taureau tue à coups de cornes un enfant, garçon ou fille, les mêmes mesures seront applicables. 32 Si le taureau tue un esclave, homme ou femme, le propriétaire de l'animal devra verser trente pièces d'argent au maître de la victime, et le taureau sera tué à coups de pierres.

33 « Si un homme ouvre ou creuse une citerne, néglige de la recouvrir, et qu'un bœuf ou un âne tombe dedans, 34 le propriétaire de la citerne devra verser une compensation en argent au propriétaire de l'animal. Mais dans ce cas, le cadavre de l'animal lui reviendra.

35 « Si le taureau de quelqu'un blesse à mort le taureau d'un autre homme, on vendra le taureau vivant, puis les deux propriétaires se partageront l'argent et l'animal mort. 36 Toutefois si le taureau était déjà connu pour donner des coups de cornes et que le propriétaire ne l'ait pas surveillé, celui-ci devra remplacer le taureau mort par un vivant. Mais dans ce cas, le cadavre de l'animal lui reviendra en entier. »

Les vols d'animaux

37 « Si un homme[b] vole un bœuf, un mouton ou une chèvre, puis qu'il tue ou vende l'animal, il devra donner cinq bœufs, ou quatre moutons, ou quatre chèvres comme compensation au propriétaire.

22 1 « Si un voleur est surpris la nuit en flagrant délit d'effraction et qu'il reçoive un coup mortel, on ne considérera pas cela comme un meurtre ; 2 mais si la chose arrive alors que le soleil est levé, c'est un meurtre[c]. Si un voleur n'a pas les moyens d'indemniser sa victime, il sera vendu comme esclave.

3 « Si une bête volée, bœuf, âne, mouton ou chèvre, est retrouvée vivante chez le voleur, il devra alors restituer cette bête-là plus une autre. »

Les atteintes à la propriété

4 « Si un homme laisse son bétail brouter le champ ou la vigne d'un autre propriétaire, il devra donner comme compensation les produits de son meilleur champ ou de sa meilleure vigne.

5 « Si un homme brûle des buissons épineux et que le feu s'étende à des gerbes de blé, à des épis mûrs ou même à du blé encore en herbe, en tant que responsable de l'incendie, il devra indemniser le propriétaire.

6 « Si un homme reçoit en dépôt d'un autre de l'argent ou des objets de valeur, et qu'un voleur s'en empare dans sa maison, le voleur, s'il est retrouvé, devra rembourser le double. 7 Si le voleur n'est pas retrouvé, l'homme qui a reçu le dépôt prendra Dieu à témoin[d] et jurera qu'il ne s'est pas emparé lui-même des biens de l'autre. 8 Dans toute affaire litigieuse concernant un bœuf, un âne, un mouton ou une chèvre, un manteau ou n'importe quel objet perdu, les deux personnes revendiquant la propriété de l'animal ou de l'objet devront se présenter devant Dieu :

---

a **21.25** V. 23-25 : voir Lév 24.19-20 ; Deut 19.21 ; Matt 5.38.

b **21.37** Dans certaines traductions, les v. 21.37–22.30 sont numérotés 22.1-31.

c **22.2** *alors que le soleil est levé* : on doit alors pouvoir se débarrasser du voleur sans le tuer ; si on le tue quand même, *c'est un meurtre*.

d **22.7** *prendra Dieu à témoin* : voir 21.6 et la note.

celle que Dieu déclarera coupable devra restituer le double à l'autre.

9 « Supposons qu'un homme confie à la garde de son voisin un âne, un bœuf, un mouton, une chèvre ou toute autre bête, et que la bête meure, se blesse ou soit enlevée par des pillards sans que personne en soit témoin ; 10 le voisin devra alors prêter serment au nom du Seigneur et jurer qu'il ne s'est pas emparé lui-même du bien de l'autre. Le propriétaire de l'animal acceptera ce serment[e] et le voisin n'aura pas de compensation à verser. 11 Par contre, si le voisin s'est fait voler l'animal chez lui, il devra indemniser le propriétaire. 12 Si l'animal a été tué par une bête sauvage, l'homme devra en apporter les restes comme preuve, et dès lors, il n'aura rien à rembourser.

13 « Si un homme emprunte une bête à son voisin et que la bête se blesse ou meure en l'absence du propriétaire, l'emprunteur devra la rembourser. 14 Par contre, si le propriétaire était présent, l'emprunteur n'aura rien à rembourser. Si la bête était prise en location, le prix de location sera considéré comme remboursement[f]. »

Lois morales et religieuses diverses

15 « Si un homme séduit une jeune fille qui n'est pas encore fiancée et qu'il couche avec elle, il devra l'épouser, en remettant au père le cadeau traditionnel. 16 Si le père refuse de la lui accorder, le séducteur devra quand même lui verser l'équivalent en argent du cadeau traditionnel remis pour pouvoir épouser une jeune fille[g].

17 « Vous ne devez pas laisser vivre une femme qui pratique la sorcellerie[h].

18 « Celui qui s'accouple à un animal doit être mis à mort[i].

19 « Celui qui offre des *sacrifices à des dieux étrangers au lieu d'en offrir seulement au Seigneur doit être mis à mort[j].

20 « Vous ne devez pas maltraiter ou exploiter les étrangers installés chez vous ; rappelez-vous que vous étiez aussi des étrangers en Égypte. 21 N'opprimez pas non plus les veuves et les orphelins[k]. 22 Si vous les opprimez, ils m'appelleront à leur secours, moi, le Seigneur, et je vous assure que j'entendrai leur appel. 23 Je me mettrai en colère et je vous ferai mourir à la guerre ; alors ce seront vos femmes qui deviendront veuves et vos enfants orphelins.

24 « Si vous prêtez de l'argent à un compatriote pauvre, n'agissez pas comme les autres créanciers, ne lui réclamez pas d'intérêts[l].

25 « Si vous prenez en gage le manteau de quelqu'un, rendez-le-lui avant le coucher du soleil, 26 car il n'a que cela pour se couvrir et protéger son corps. S'il en est privé, dans quoi s'enveloppera-t-il pour se coucher ? Il m'appellera au secours et je l'entendrai, car je suis un Dieu bienveillant[m].

27 « Vous ne devez ni m'insulter, moi, votre Dieu, ni maudire le chef de votre peuple[n].

28 « Vous devez m'apporter sans retard la part qui me revient de vos moissons et de vos vendanges.

« Vous devez me consacrer l'aîné de vos fils.

29 « En ce qui concerne le premier petit d'une vache, d'une brebis ou d'une chèvre, on doit le laisser pendant sept jours auprès de sa mère ; le huitième jour, offrez-le-moi en sacrifice.

30 « Vous devez m'appartenir sans restriction. Ne consommez donc pas la viande d'un animal qui a été déchiré par des bêtes sauvages[o] ; jetez-la aux chiens. »

---

e **22.10** Autre traduction *reprendra ce qui reste de l'animal.*

f **22.14** *Si la bête...* : autre traduction *Si c'est un salarié* (qui a emprunté la bête), *il recevra quand même son salaire.*

g **22.16** V. 15-16 : voir Deut 22.28-29.

h **22.17** Voir Lév 19.26,31 ; Deut 18.10-11.

i **22.18** Voir Lév 18.23 ; 20.15-16 ; Deut 27.21.

j **22.19** Voir Deut 17.2-5.

k **22.21** V. 20-21 : voir 23.9 ; Lév 19.33-34 ; Deut 24.17-18 ; 27.19.

l **22.24** Voir Lév 25.36-37 ; Deut 15.7-11 ; 23.20-21.

m **22.26** V. 25-26 : voir Deut 24.10-13.

n **22.27** Voir Act 23.5.

o **22.30** Voir Lév 17.15. – Cette *viande* ne doit pas être consommée, car l'animal n'a pas été abattu selon les règles.

Le respect des faibles

23 1 « Vous ne devez pas propager de
faux bruits, ni porter un faux témoignage en faveur de malfaiteurs[p]. 2 Ne
vous laissez pas entraîner par une majorité à faire ce qui est mal ; dans un procès,
ne témoignez pas sous l'influence de la
majorité, si elle cherche à fausser le cours
de la justice. 3 Ne favorisez personne lors
d'un procès, même pas un pauvre[q].
4 « Si vous rencontrez le bœuf ou l'âne
égaré de votre ennemi, ramenez-le-lui.
5 Si vous apercevez son âne effondré sous
la charge qu'il porte, ne passez pas outre ;
aidez plutôt votre ennemi à remettre la
bête sur ses pattes[r].
6 « Ne faussez pas le cours de la justice,
même si c'est un indigent[s] qui s'adresse à
vous lors d'un procès. 7 Ne prêtez pas
l'oreille à des propos mensongers. Ne
condamnez pas à mort un innocent ou un
homme honnête, car moi, le Seigneur, je
ne tiens pas pour innocent celui qui
commet une telle injustice. 8 Ne vous
laissez pas corrompre par des cadeaux,
car les cadeaux rendent aveugles même
les plus clairvoyants et pervertissent les
décisions des gens honnêtes[t].
9 « N'opprimez pas les étrangers installés chez vous. Vous savez bien ce qu'ils
peuvent éprouver, puisque vous avez été
vous-mêmes des étrangers en Égypte[u]. »

L'année du repos et le jour du repos

10 « Pendant six années successives,
vous pouvez ensemencer vos terres et en
récolter les produits ; 11 mais la septième
année, vous devez laisser le sol complètement en repos. Vos compatriotes pauvres
y trouveront de quoi se nourrir, puis les
animaux sauvages mangeront le reste.
Vous agirez de même avec vos vignes et
vos oliviers[v].
12 « Vous avez six jours dans la semaine
pour accomplir votre ouvrage, mais le
septième jour, vous cesserez toute activité, afin que vos bœufs et vos ânes puissent se reposer, et que les serviteurs et les
étrangers puissent reprendre haleine[w].
13 « Observez scrupuleusement ce que
moi, le Seigneur, je vous ai ordonné. Veillez particulièrement à ne jamais invoquer
des dieux étrangers ; qu'on ne vous entende même pas mentionner leurs
noms. »

Les fêtes à observer en Israël

(Comparer 34.18-26 ; Deut 16.1-17)

14 « Chaque année vous devez célébrer
trois fêtes en mon honneur. 15 La première
fête que vous célébrerez sera celle des
*pains sans levain : durant les sept jours
fixés du mois d'Abib[x], vous mangerez du
pain sans levain, comme je vous l'ai ordonné. C'est en effet au cours de ce
mois-là que vous avez quitté l'Égypte.
Vous ne viendrez pas à mon *sanctuaire
les mains vides. 16 Vous célébrerez ensuite
la fête des moissons, au moment où vous
moissonnez les premiers produits des
champs que vous cultivez. Et en automne,
à la fin de l'année, vous célébrerez la fête
de la récolte, lorsque vous aurez fini de récolter les produits de vos plantations[y].
17 Chaque année, tous les hommes de votre
peuple viendront donc se présenter trois
fois devant moi, le Maître, le Seigneur.
18 « Vous ne m'apporterez pas d'offrande contenant du levain pour accompagner des sacrifices d'animaux.
Vous ne garderez pas la graisse des sacrifices du soir jusqu'au lendemain matin[z].
19 Vous viendrez présenter les premiers

---

p **23.1** Voir 20.16 ; Lév 19.11-12 ; Deut 5.20.
q **23.3** Voir Lév 19.15 ; Deut 16.19.
r **23.5** V. 4-5 : voir Deut 22.1-4. – *aidez plutôt...* : texte hébreu peu clair ; traduction d'après le sens général du contexte.
s **23.6** *même si c'est un indigent* : autre traduction *au détriment d'un indigent.*
t **23.8** V. 6-8 : voir Lév 19.15 ; Deut 16.19. – *et pervertissent...* : autre traduction *et compromettent la cause des innocents.*
u **23.9** Voir 22.20-21 ; Lév 19.33-34 ; Deut 24.17-18 ; 27.19.
v **23.11** V. 10-11 : voir Lév 25.1-7.
w **23.12** Voir 16.23-30 ; 20.8-11 ; 31.12-17 ; 34.21 ; 35.2 ; Lév 23.3 ; Deut 5.13-14.
x **23.15** Sur *la fête des pains sans levain* et les deux autres fêtes du v. 16, ainsi que sur le *mois d'Abib*, voir au Vocabulaire CALENDRIER.
y **23.16** Selon le calendrier ancien d'Israël, l'année se terminait en automne, vers la mi-septembre. – V. 15-16 : voir 12.14-20 ; 34.18 ; Lév 23.6-8,15-21,39-43 ; Nomb 28.17-31 ; 29.12 ; Deut 16.1-17.
z **23.18** La *graisse des sacrifices* devait être brûlée le jour même.

produits de votre terre à mon sanctuaire,
car je suis le Seigneur votre Dieu. Mais
vous ne ferez pas cuire un chevreau dans
le lait de sa mère[a]. »

Promesses et instructions avant le départ

20 « Je vais envoyer un *ange qui vous
précédera et vous protégera le long du
chemin ; il vous conduira dans le pays
que je vous ai préparé. 21 Prenez bien soin
de lui obéir, de ne pas vous montrer in-
soumis ; il ne supporterait pas votre révolte, car il agit en mon nom. 22 Si vous
lui obéissez fidèlement, si vous accomplissez scrupuleusement ce que je
vous ordonne, moi le Seigneur, je serai
l'ennemi de vos ennemis et l'adversaire
de vos adversaires.
23 « Lorsque mon ange vous précédera
pour vous conduire chez les *Amorites,
les Hittites, les Perizites, les Cananéens,
les Hivites et les Jébusites, je détruirai ces
peuples. 24 Mais vous ne devrez pas vous
incliner devant leurs dieux pour les adorer, ni imiter leurs cérémonies. Au
contraire vous détruirez les statues de ces
dieux et vous briserez leurs pierres dressées ; 25 et c'est moi seul, le Seigneur votre
Dieu, que vous adorerez. Alors je vous
*bénirai en vous accordant nourriture et
boisson, et en vous préservant des maladies. 26 Dans votre pays, il n'y aura plus
de femme qui avorte ou qui souffre de
stérilité, et je vous accorderai de vivre
longtemps.
27 « Voici ce que je provoquerai : à la
nouvelle de votre approche, les nations
seront terrifiées ; tous les peuples chez
qui vous pénétrerez seront mis en déroute et vos ennemis tourneront tous le
dos pour s'enfuir. 28 J'enverrai aussi devant vous des frelons qui mettront en
fuite les Hivites, les Cananéens et les Hittites, avant même votre arrivée[b].
29 Cependant je ne ferai pas fuir tous ces
peuples devant vous la même année ; s'il
en était ainsi, le pays deviendrait un désert où les bêtes sauvages se multiplieraient à vos dépens. 30 Je chasserai vos
ennemis peu à peu, au fur et à mesure que
vous deviendrez plus nombreux et que
vous occuperez le pays. 31 Finalement votre territoire s'étendra de la *mer des Roseaux à la mer Méditerranée[c] et du désert
du Sinaï à l'Euphrate, car je livrerai en
votre pouvoir les habitants de ces régions, afin que vous les chassiez. 32 Vous
ne conclurez aucune alliance avec eux ou
avec leurs dieux. 33 Vous ne leur permettrez pas de demeurer dans votre pays,
afin qu'ils ne vous entraînent pas à
commettre des fautes contre moi. En effet, si vous adoriez leurs dieux, vous
seriez pris au piège de l'idolâtrie. »

Dieu conclut l'alliance avec Israël

24 1 Le Seigneur dit à Moïse :
« Monte vers moi sur la montagne
avec Aaron, Nadab, Abihou[d] et soixante-
dix des *anciens d'Israël. Lorsque vous
serez encore à bonne distance, vous vous
inclinerez jusqu'à terre. 2 Ensuite, tu seras le seul à t'approcher de moi. Les autres ne s'approcheront pas et le peuple ne
montera pas sur la montagne avec vous. »
3 Moïse alla rapporter aux Israélites tout
ce que le Seigneur lui avait dit et ordonné. Ils répondirent d'une seule voix :
« Nous obéirons à tous les ordres du Seigneur. »
4 Moïse écrivit tout ce que le Seigneur
lui avait communiqué. Le lendemain, il
se leva de bonne heure, construisit un
*autel au pied de la montagne et dressa
douze pierres, une pour chaque tribu
d'Israël. 5 Il chargea des jeunes hommes
israélites de présenter au Seigneur des
*sacrifices complets et de lui offrir des
taureaux en sacrifices de communion. 6 Il
mit la moitié du sang des victimes dans
des vases et répandit l'autre moitié sur
l'autel. 7 Il prit ensuite le livre de *l'alliance[e] et le lut à haute voix devant le
peuple. Les Israélites déclarèrent :
« Nous obéirons scrupuleusement à tous

---

a **23.19** *premiers produits* : voir Deut 26.2. – *cuire un chevreau...* : voir 34.26 ; Deut 14.21. Cette coutume était pratiquée dans la religion cananéenne.

b **23.28** Autre traduction du verset *Avant même votre arrivée, je ferai aussi en sorte que les Hivites, les Cananéens et les Hittites, démoralisés, prennent la fuite.*

c **23.31** Appelée ici *la mer des Philistins.*

d **24.1** *Nadab, Abihou* : deux fils d'Aaron, voir 6.23.

e **24.7** Le *livre de l'alliance* est celui que Moïse vient d'écrire, voir v. 4.

les ordres du Seigneur. » 8 Moïse prit alors le sang des vases, en aspergea les Israélites et dit : « Ce sang confirme l'alliance que le Seigneur a conclue avec vous, en vous donnant tous ces commandements[f]. »

9 Après cela, Moïse monta sur la montagne avec Aaron, Nadab, Abihou et les soixante-dix anciens d'Israël. 10 Ils virent le Dieu d'Israël. Sous ses pieds, il y avait une sorte de plate-forme de saphir, d'un bleu pur comme le ciel. 11 Dieu ne fit aucun mal à ces notables israélites ; ils purent le contempler, puis ils mangèrent et burent.

Moïse rencontre Dieu sur la montagne

12 Le Seigneur dit à Moïse : « Monte auprès de moi sur la montagne, et tiens-toi là. Je veux te donner les tablettes de pierre sur lesquelles j'ai écrit les commandements de la Loi, pour que tu les enseignes aux Israélites. » 13 Moïse, accompagné de son serviteur Josué, monta sur la montagne de Dieu, 14 après avoir dit aux *anciens : « Attendez-nous ici jusqu'à notre retour. Aaron et Hour restent avec vous ; si quelqu'un a un problème à régler, qu'il s'adresse à eux. » 15 Pendant que Moïse gravissait la montagne, la fumée[g] la recouvrit. 16-17 La *gloire du Seigneur se posa sur le Sinaï. Aux yeux des Israélites, elle apparaissait comme un feu intense au sommet de la montagne. La fumée cacha la montagne durant six jours. Le septième jour, le Seigneur appela Moïse du milieu de la fumée. 18 Moïse pénétra dans la fumée, continua à monter et resta sur la montagne quarante jours et quarante nuits[h].

LE PLAN DU SANCTUAIRE
25–31

La contribution des Israélites

25 1 Le Seigneur dit à Moïse : 2 « Dis aux Israélites de recueillir pour moi une contribution : on la recueillera auprès de tous ceux qui l'offriront de bon cœur. 3 Voici en quoi consisteront les dons : or, argent, bronze, 4 laine teinte en violet, rouge ou cramoisi, lin fin, laine de chèvre, 5 peaux de béliers teintes en rouge, cuir solide, bois d'acacia, 6 huile d'éclairage, essences aromatiques pour l'huile d'onction et le parfum à brûler, 7 pierres de cornaline, et autres pierres précieuses pour l'éfod et le pectoral du grand-prêtre[i]. 8 Les Israélites me confectionneront une tente sacrée pour que je puisse habiter au milieu d'eux. 9 Vous fabriquerez la tente et tous les objets sacrés conformément au plan et aux modèles que je vais te montrer. »

Le coffre de l'alliance

10 « On fabriquera un coffre, en bois d'acacia. Il mesurera cent vingt-cinq centimètres de long, soixante-quinze centimètres de large et soixante-quinze centimètres de haut. 11 On le recouvrira d'or pur, à l'intérieur comme à l'extérieur, et on appliquera tout autour une bordure d'or. 12 On façonnera quatre anneaux d'or que l'on fixera aux quatre angles du coffre, deux anneaux d'un côté, deux de l'autre. 13 On taillera deux barres en bois d'acacia et on les recouvrira d'or. 14 On les introduira dans les anneaux sur les côtés du coffre pour le transporter. 15 Lorsqu'elles seront en place, on ne les retirera plus. 16 Dans ce coffre tu déposeras le *document de l'alliance que je te donnerai.

17 « On fabriquera le couvercle du coffre, en or pur. Il aura cent vingt-cinq centimètres de long et soixante-quinze centimètres de large. 18 On façonnera

---

f 24.8 Voir Matt 26.28 ; Marc 14.24 ; Luc 22.20 ; 1 Cor 11.25 ; Hébr 9.19-20 ; 10.29.
g 24.15 *la fumée* : voir 13.21 et la note.
h 24.18 Voir Deut 9.9.
i 25.7 *éfod* : vêtement sacré du *grand-prêtre*, décrit en 28.6-14 ; *pectoral* : sorte de poche d'étoffe fixée sur la poitrine du *grand-prêtre*, voir 28.15-29.

les recouvrira de bronze ; 7 on les introduira dans les anneaux, sur les côtés de l'autel, pour le transporter. 8 Cet autel, fait de planches, sera vide à l'intérieur, conformément au modèle que je t'ai montré ici, sur la montagne. »

Les tentures de la cour

9 « La demeure sacrée sera entourée d'une cour, limitée par des tentures en fils de lin résistants. Du côté sud, les tentures s'étendront sur une longueur de cinquante mètres ; 10 elles seront fixées, au moyen de crochets et de tringles en argent, à vingt colonnes de bronze reposant sur vingt socles de bronze. 11 Du côté nord, les tentures s'étendront sur la même longueur et seront fixées de la même façon. 12 Du côté ouest, dans le sens de la largeur de la cour, les tentures s'étendront sur vingt-cinq mètres et seront fixées à dix colonnes reposant sur dix socles. 13 Du côté de l'entrée, à l'est, la cour aura également vingt-cinq mètres de large ; 14-15 de part et d'autre de l'entrée, il y aura des tentures sur une distance de sept mètres et demi, avec trois colonnes et trois socles. 16 A l'entrée de la cour on tendra un rideau de dix mètres ; des brodeurs le confectionneront en fils de lin résistants, mêlés de laine violette, rouge et cramoisie, et on le fixera à quatre colonnes reposant sur quatre socles. 17 Des tringles d'argent relieront toutes les colonnes qui délimitent la cour ; les crochets seront également en argent, mais les socles seront en bronze. 18 La cour aura donc cinquante mètres de long sur vingt-cinq mètres de large ; la hauteur des tentures de lin sera de deux mètres et demi. Les socles des colonnes seront en bronze. 19 On emploiera également du bronze pour tous les accessoires de la demeure, quel qu'en soit l'usage, ainsi que pour les piquets de la demeure elle-même et ceux de la clôture de la cour. »

L'huile pour le chandelier

20 « Toi, Moïse, tu ordonneras aux Israélites de te fournir de l'huile d'olive de la meilleure qualité, afin que tous les soirs les lampes soient allumées. 21 Aaron et ses fils placeront le porte-lampes dans la *tente de la rencontre, devant le rideau qui cache le *coffre de l'alliance ; les lampes brûleront du soir au matin devant moi. Cette règle devra toujours être appliquée par les Israélites, de génération en génération. »

Les vêtements des prêtres

28 1 « Moïse, fais venir auprès de toi ton frère Aaron et ses fils Nadab, Abihou, Élazar et Itamar. Tu les sépareras des autres Israélites pour qu'ils me servent en tant que prêtres. 2 On confectionnera pour Aaron de majestueux vêtements sacrés. 3 En vue de cela, tu donneras des instructions à tous les artisans que j'ai remplis d'habileté, et ils confectionneront les vêtements qu'Aaron portera lors de sa consécration, puis dans son ministère de prêtre. 4 Ces vêtements comprendront le pectoral, l'éfod, le manteau, la tunique brodée, le turban et la ceinture. Ton frère Aaron et ses fils les revêtiront pour exercer leur fonction. 5 Les brodeurs utiliseront de la laine violette, rouge et cramoisie, du lin fin et des fils d'or. »

L'éfod

6 « Des artisans confectionneront l'éfod[p], en fils de lin résistants, mêlés de laine violette, rouge et cramoisie, et le broderont de fils d'or. 7 On portera l'éfod au moyen de deux bretelles, cousues sur ses bords. 8 Les attaches de l'éfod, faites de fils semblables, seront d'une seule pièce avec lui. 9 Puis on prendra deux pierres de cornaline, sur lesquelles on gravera les noms des fils de Jacob : 10 six noms sur la première pierre et les six autres sur la seconde, dans l'ordre de leur naissance. 11 C'est un ciseleur de pierres qui gravera les noms sur les deux pierres, comme on grave un *cachet personnel, et qui les fixera ensuite dans deux montures en or. 12 On placera les deux pierres sur les bretelles de l'éfod, pour symboliser les douze tribus d'Israël. Ainsi Aaron por-

p **28.6** D'après la description qui suit, l'*éfod* semble avoir été une sorte de tablier sacré.

tera leurs noms sur ses épaules, dans le *sanctuaire, et moi, le Seigneur, je ne vous oublierai pas. 13 Les deux montures seront en or, 14 et on y fixera deux chaînettes en or pur, façonnées comme des cordes tressées. »

Le pectoral

15 « Des artisans confectionneront le pectoral du jugement[q], en fils de lin résistants, mêlés de laine violette, rouge et cramoisie, et le broderont de fils d'or, comme l'éfod. 16 Ce sera une poche carrée, de vingt-cinq centimètres de côté. 17 On le décorera de quatre rangées de pierres précieuses : la première rangée comprendra un rubis, une topaze et une émeraude, 18 la deuxième rangée un grenat, un saphir et un diamant, 19 la troisième rangée une hyacinthe, une agate et une améthyste, 20 et la quatrième rangée une chrysolithe, une cornaline et un jaspe[r]. Chaque pierre sera fixée dans une monture en or. 21 On gravera sur chaque pierre le nom d'un des douze fils de Jacob, comme on grave un *cachet personnel ; elles symboliseront les douze tribus d'Israël.

22 « Pour le pectoral, on façonnera deux chaînettes en or pur, tressées comme des cordes, 23 ainsi que deux anneaux d'or qu'on fixera aux angles supérieurs du pectoral. 24 On attachera chacune des chaînettes à l'un des anneaux du pectoral ; 25 on fixera leur autre extrémité aux deux montures d'or placées sur les bretelles de l'éfod, de telle manière que le pectoral se trouve sur le devant. 26 On façonnera deux autres anneaux d'or qu'on fixera aux angles inférieurs du pectoral, du côté qui touche l'éfod. 27 On façonnera encore deux autres anneaux d'or qu'on fixera au bas des bretelles de l'éfod, devant, à l'endroit où elles sont cousues ; ces anneaux seront placés par-dessus les attaches de l'éfod. 28 On reliera les anneaux du pectoral à ceux de l'éfod au moyen d'un cordon violet, pour que le pectoral reste par-dessus les attaches de l'éfod et qu'il ne se déplace pas sur l'éfod.

29 « Ainsi, lorsque Aaron entrera dans le *sanctuaire, il portera sur sa poitrine le pectoral du jugement avec les noms des tribus d'Israël ; de cette manière, moi, le Seigneur, je ne vous oublierai jamais. 30 Toi, Moïse, tu déposeras dans le pectoral du jugement l'Ourim et le Toummim[s], afin qu'Aaron les ait sur sa poitrine lorsqu'il se présentera devant moi ; en effet Aaron devra toujours les porter sur lui en de telles occasions, afin de pouvoir connaître ma volonté à l'égard des Israélites. »

Les autres vêtements sacrés

31 « La robe sur laquelle Aaron portera l'éfod sera entièrement confectionnée en laine violette. 32 Pour passer la tête, il y aura en son centre une ouverture dont le bord sera tissé et renforcé, afin d'éviter toute déchirure. 33 On décorera le bas de la robe, tout autour, de fruits du grenadier en laine violette, rouge et cramoisie ; on y mettra aussi des clochettes en or. 34 Les grenades alterneront avec les clochettes. 35 Aaron portera cette robe pour accomplir ses fonctions de prêtre : quand il viendra se présenter devant moi dans le *sanctuaire ou qu'il en sortira, on entendra le bruit des clochettes et il ne risquera donc pas de mourir.

36 « On façonnera un bijou d'or pur, en forme de fleur, sur lequel on gravera l'inscription "Consacré au Seigneur" comme on grave un *cachet personnel. 37 On le fixera au moyen d'un cordon violet sur le devant du turban sacré. 38 Aaron portera toujours ce bijou sur son front lorsqu'il se présentera devant moi, le Seigneur ; grâce à cela, j'accepterai les offrandes que les Israélites me consacreront, même s'ils commettent des erreurs en me les apportant.

q **28.15** Le *pectoral du jugement* est une espèce de poche fixée sur l'éfod. Il contenait les objets sacrés (v. 30) au moyen desquels le grand-prêtre cherchait à connaître la volonté ou le *jugement* de Dieu en certains domaines.

r **28.20** L'identification des diverses pierres n'est pas assurée.

s **28.30** L'*Ourim* et le *Toummim* étaient des objets sacrés (bâtonnets ? dés ?) utilisés à l'origine pour connaître, par tirage au sort, la volonté de Dieu ; voir Nomb 27.21 ; 1 Sam 14.41 ; 28.6 ; Esd 2.63 ; Néh 7.65.

timètres de côté et aura un mètre de haut. Ses angles supérieurs seront relevés, tout en faisant corps avec lui. 3 On le recouvrira entièrement d'or pur, aussi bien le dessus avec ses angles relevés que les quatre parois, et on appliquera une bordure d'or tout autour. 4 On façonnera deux anneaux d'or qu'on fixera de part et d'autre de l'autel, au-dessous de la bordure ; on y introduira des barres pour le transporter. 5 On taillera les deux barres en bois d'acacia et on les recouvrira d'or. 6 On déposera cet autel devant le rideau qui cache le *coffre du document de l'alliance[x], là où je te donnerai rendez-vous. 7 Chaque matin, Aaron y fera brûler une offrande de parfum, au moment où il va nettoyer les lampes du sanctuaire ; 8 et, chaque soir, il en fera brûler au moment où il va allumer les lampes. On ne cessera jamais d'y brûler du parfum en mon honneur. 9 On n'y offrira pas de parfum profane, ni de *sacrifices complets, ni d'offrandes végétales ; on ne versera pas d'offrande de vin sur cet autel. 10 Une fois par an, Aaron le *purifiera ; il déposera sur ses angles relevés le sang de l'animal sacrifié pour obtenir le pardon des péchés. La cérémonie se renouvellera chaque année, de génération en génération. Cet autel me sera consacré et sera considéré comme strictement réservé à mon service. »

L'impôt pour le sanctuaire

11 Le Seigneur dit encore à Moïse : 12 « Lorsque tu feras le recensement des Israélites, chacun d'eux me payera une taxe destinée à préserver sa vie, afin qu'aucun fléau ne vous atteigne pendant le dénombrement. 13 Chaque homme astreint au recensement donnera une pièce de cinq grammes d'argent, selon la moitié de l'unité de poids en vigueur au *sanctuaire[y]. Cet argent sera prélevé en ma faveur 14 sur tous les Israélites recensés, de vingt ans et plus. 15 Un riche ne versera pas davantage, ni un pauvre moins que cinq grammes d'argent ; chacun versera en ma faveur le montant indiqué, afin de préserver sa vie. 16 Quand tu auras recueilli tout cet argent des mains des Israélites, tu l'utiliseras pour l'entretien de la *tente de la rencontre. Je me souviendrai ainsi des Israélites et je protégerai leur vie. »

Le bassin pour les purifications

17 Le Seigneur dit encore à Moïse : 18 « Pour les *purifications, on fabriquera un bassin de bronze[z], monté sur un support de bronze ; on le placera entre la *tente de la rencontre et *l'autel, et on le remplira d'eau. 19 Aaron et ses fils utiliseront cette eau pour se laver les mains et les pieds, 20 avant d'entrer dans la tente de la rencontre ou de s'approcher de l'autel pour y accomplir leur service en m'y offrant un *sacrifice. Ainsi ils ne perdront pas la vie. 21 En effet, ils doivent se laver les mains et les pieds, afin de ne pas mourir. Cette règle est valable définitivement, pour eux et leurs descendants. »

L'huile d'onction

22 Le Seigneur dit encore à Moïse : 23 « Procure-toi des parfums de première qualité : cinq kilos de myrrhe liquide, deux kilos et demi de cinnamome odorant, deux kilos et demi de cannelle odorante 24 et cinq kilos de casse[a] – selon l'unité de poids en vigueur au sanctuaire – ainsi que six litres d'huile d'olive. 25 Un parfumeur les mélangera pour en faire l'huile d'onction utilisée lors des cérémonies de consécration. 26 Tu t'en serviras pour consacrer la *tente de la rencontre, le *coffre du document de l'alliance, 27 la table et le porte-lampes avec tous leurs accessoires, *l'autel du parfum, 28 l'autel des *sacrifices avec ses accessoires, et le bassin avec son support. 29 Lorsque tu les auras consacrés, ils seront strictement réservés à mon service, de sorte que toute personne ou tout objet qui entrerait en contact avec eux subirait des conséquences fâcheuses. 30 Tu verseras de cette même huile d'onction sur Aa-

---

x **30.6** Traduction d'après quelques manuscrits hébreux et l'ancienne version grecque ; le texte hébreu traditionnel ajoute ici *devant le couvercle qui se trouve sur le coffre.*

y **30.13** Voir 38.25-26 ; Matt 17.24.

z **30.18** Voir 38.8.

a **30.24** La *myrrhe*, le *cinnamome*, la *cannelle* et la *casse* sont des parfums d'origine végétale.

ron et sur ses fils pour les consacrer, afin
qu'ils me servent en tant que prêtres.
31 « Après cela tu diras aux Israélites :
“Voilà l'huile d'onction servant aux
consécrations. En tout temps on l'emploiera exclusivement au service du Seigneur. 32 Personne ne doit l'utiliser pour
s'en frotter le corps, et personne ne doit
fabriquer un mélange de même composition. Elle est réservée aux consécrations,
et vous devez en respecter le caractère sacré. 33 Si quelqu'un prépare un mélange
semblable et en met sur le corps d'un laïc,
il sera exclu de la communauté.” »

La fabrication du parfum sacré

34 Le Seigneur dit encore à Moïse :
« Procure-toi des substances odorantes :
storax, onyx et galbanum. Ajoutes-y une
quantité égale *d'encens pur[b]. 35 Un parfumeur les mélangera avec du sel[c], pour
en faire un produit pur, réservé à mon
service. 36 On en réduira une partie en
poudre fine, qu'on utilisera dans la *tente
de la rencontre, devant le *coffre sacré, à
l'endroit où je te donnerai rendez-vous.
Vous respecterez le caractère strictement
réservé de ce produit. 37 On ne fabriquera
pas de parfum de même composition,
pour un usage profane. Vous le considérerez comme étant réservé exclusivement à mon usage. 38 Si quelqu'un
prépare un parfum semblable pour en
respirer l'odeur, il sera exclu de la
communauté[d]. »

Les ouvriers du sanctuaire

31 1 Le Seigneur dit encore à Moïse :
2 « Écoute, j'ai choisi Bessalel, fils
d'Ouri et petit-fils de Hour, de la tribu de
Juda, 3 et je l'ai rempli de mon Esprit,
pour le rendre très habile et intelligent. Il
connaît toutes sortes de techniques : 4 il
sait élaborer des projets, travailler l'or,
l'argent et le bronze, 5 ciseler les pierres
précieuses et les monter, sculpter le bois,
en un mot, il sait tout faire. 6 Je lui ad-
joins Oholiab, fils d'Ahissamak, de la
tribu de Dan, et j'accorde également une
grande habileté à d'autres artisans ; ensemble ils réaliseront tout ce que je t'ai
ordonné de faire : 7 la *tente de la rencontre, le *coffre du document de l'alliance, le couvercle du coffre, tous les
accessoires de la tente, 8 la table et le
porte-lampes d'or pur, avec tous leurs accessoires, *l'autel du parfum, 9 l'autel des
*sacrifices avec tous ses accessoires, le
bassin avec son support, 10 les vêtements
d'apparat[e], les vêtements sacrés qu'Aaron
et ses fils revêtiront pour exercer leur ministère, 11 l'huile d'onction destinée aux
consécrations, et le parfum sacré pour le
sanctuaire. Pour exécuter tout cela, les artisans suivront exactement les instructions que je t'ai données. »

Le respect du sabbat

12 Le Seigneur dit à Moïse 13 de
communiquer aux Israélites les prescriptions suivantes : « Vous devez absolument respecter les jours de *sabbat ; en
effet le sabbat manifestera en tout temps
la relation qui vous unit à moi ; il vous
rappellera que je suis le Seigneur et que
vous m'appartenez en propre. 14 Respectez-le donc, ne le considérez pas comme
un jour ordinaire. Celui qui n'en respectera pas le caractère sacré et qui travaillera ce jour-là sera exclu de la
communauté et mis à mort. 15 Il y a six
jours dans la semaine pour travailler ; le
septième jour est le sabbat, le jour de repos qui m'est consacré. Tout homme qui
travaillera un jour de sabbat sera mis à
mort. 16 Les Israélites devront respecter
pleinement le sabbat, de génération en
génération, car il s'agit d'un accord valable à perpétuité. 17 Ce jour sera à jamais
un signe de la relation qui unit les Israélites à moi-même ; en effet j'ai créé le
ciel et la terre en six jours, mais le septième jour je me suis interrompu pour
me reposer[f]. »

---

b **30.34** *Storax*, *galbanum* et *encens* sont des produits d'origine végétale. L'*onyx* (si tel est bien le sens du mot hébreu) serait d'origine animale.

c **30.35** Il semble que le *sel* facilitait la combustion de l'encens ; mais les versions anciennes ont traduit le mot hébreu correspondant par *avec soin*.

d **30.38** V. 22-38 : voir 37.29.

e **31.10** *d'apparat* : le sens du mot hébreu correspondant est incertain.

f **31.17** V. 12-17 : voir 20.8-11 ; 23.12 ; 34.21 ; 35.2 ; Gen 2.1-3 ; Lév 23.3 ; Deut 5.13-14.

18 Lorsque Dieu eut terminé de s'entretenir avec Moïse sur le mont Sinaï, il lui remit les deux tablettes de pierre sur lesquelles il avait écrit lui-même les commandements.

ISRAËL ROMPT L'ALLIANCE AVEC DIEU
32–34

Le veau d'or

32 1 Lorsque les Israélites virent que Moïse tardait à redescendre de la montagne, ils se réunirent auprès d'Aaron et lui dirent : « Allons, fabrique-nous un dieu qui marche devant nous, car nous ne savons pas ce qui est arrivé à Moïse, l'homme qui nous a fait sortir d'Égypte[g]. » 2 Aaron leur répondit : « Prenez les boucles d'or qui ornent les oreilles de vos femmes, de vos fils et de vos filles, et apportez-les-moi. »

3 Tous les Israélites ôtèrent leurs boucles d'oreilles en or et les remirent à Aaron. 4 Celui-ci les prit, les fit fondre, versa l'or dans un moule et fabriqua une statue de veau[h]. Alors les Israélites s'écrièrent : « Voici notre Dieu, qui nous a fait sortir d'Égypte ! » 5 Voyant cela, Aaron construisit un *autel devant la statue ; puis il proclama : « Demain, il y aura une fête en l'honneur du Seigneur ! » 6 Tôt le lendemain matin, le peuple offrit sur l'autel des *sacrifices complets et des sacrifices de communion. Les gens s'assirent pour manger et boire, puis se levèrent pour se divertir[i]. 7 Alors le Seigneur dit à Moïse : « Redescends tout de suite, car ton peuple, que tu as fait sortir d'Égypte, a commis un grave péché. 8 Ils se sont bien vite détournés du chemin que je leur avais indiqué : ils se sont fabriqué un veau en métal fondu, ils se sont inclinés devant lui et lui ont offert des sacrifices. Ils ont même déclaré : "Voici notre Dieu, qui nous a fait sortir d'Égypte !" 9 Eh bien, j'ai vu ce que vaut ce peuple ; ce sont tous des rebelles. 10 Alors laisse-moi intervenir : dans ma colère je vais les exterminer, puis je ferai naître de toi une grande nation. » 11 Mais Moïse supplia le Seigneur son Dieu de s'apaiser, en disant : « Seigneur, pourquoi déchaîner ta colère contre ton peuple, après avoir déployé ta force, ta puissance irrésistible pour le faire sortir d'Égypte ? 12 Si tu agis ainsi, les Égyptiens vont dire : "C'est par méchanceté[j] que le Seigneur a fait sortir les Israélites de notre pays ; c'était pour les massacrer dans la région des montagnes et les faire disparaître de la terre." O Seigneur, apaise ta colère, renonce à faire du mal à ton peuple. 13 Souviens-toi de tes serviteurs Abraham, Isaac et Jacob, auxquels tu as fait ce serment solennel : "Je rendrai vos descendants aussi nombreux que les étoiles. Je leur donnerai le pays que j'ai promis et ils le posséderont pour toujours[k]." » 14 Alors le Seigneur renonça à faire à son peuple le mal dont il l'avait menacé[l].

15 Moïse redescendit de la montagne. Il tenait les deux tablettes de pierre, gravées de chaque côté, où étaient inscrits les commandements de Dieu. 16 Ces tablettes étaient l'œuvre de Dieu, écrites de la main même de Dieu. 17 Lorsque Josué entendit les cris que poussait le peuple, il dit à Moïse : « On entend des bruits de bataille dans le camp. » – 18 « Non, répondit Moïse. Ce ne sont ni des cris de victoire, ni des cris de défaite. Ce sont des chants de fête que j'entends. »

19 Dès qu'ils arrivèrent près du camp, Moïse aperçut le veau et vit le peuple qui

---

g **32.1** On pourrait aussi traduire *des dieux qui marchent devant nous.* Voir Act 7.40. Comparer Deut 9.7-21.

h **32.4** *versa l'or dans un moule* : autre traduction *façonna l'or au burin.* – Dans l'ancien Orient, de telles statues ne représentaient pas la divinité, mais étaient le support pour une statue de la divinité. Le taureau y était généralement le symbole de la puissance et de la fécondité ; c'est par dérision que la statue est appelée ici un *veau.* – Voir Act 7.41 ; comparer 1 Rois 12.28.

i **32.6** Voir 1 Cor 10.7. – Autre traduction *Puis les gens s'installèrent pour un repas de fête, qui dégénéra en orgie.*

j **32.12** *par méchanceté* ou *pour leur malheur.*

k **32.13** Voir Gen 17.8 ; 22.16-17.

l **32.14** V. 11-14 : voir Nomb 14.13-19.

dansait. Rempli d'indignation, il jeta les
tablettes de pierre qu'il tenait et les fracassa au pied de la montagne. 20 Il s'empara de la statue qu'ils avaient faite et la
jeta dans le feu. Puis il réduisit en poudre
fine ce qui restait, et mit cette poudre
dans de l'eau qu'il fit boire aux Israélites. 21 Il demanda ensuite à Aaron :
« Qu'est-ce que ce peuple t'a fait, pour
que tu l'entraînes dans un si grave péché ? » – 22 « Je t'en prie, ne te mets pas en
colère, répondit Aaron. Tu sais toi-même
combien ce peuple est prompt à mal faire.
23 Ils sont venus me dire : “Fabrique-nous
un dieu qui nous conduise, car nous ne
savons pas ce qui est arrivé à Moïse,
l'homme qui nous a fait sortir d'Égypte”.
24 Je leur ai alors demandé : “Qui de vous
possède de l'or ?” Ils ont aussitôt enlevé
leurs bijoux et me les ont donnés. Je les ai
fait fondre au feu, et voilà le veau qui en
est sorti. »

Le châtiment

25 Moïse se rendit compte qu'Aaron
avait laissé le peuple faire ce qu'il voulait,
l'exposant ainsi aux moqueries de ses adversaires. 26 Il alla se placer à l'entrée du
camp et cria : « Ceux qui aiment le Seigneur, à moi ! » Les membres de la tribu
de Lévi se rassemblèrent autour de lui.
27 Il leur dit : « Voici ce qu'ordonne le Seigneur, le Dieu d'Israël : “Que chacun de
vous prenne son épée ; passez et repassez
d'un bout à l'autre du camp et tuez vos
frères, vos amis, vos voisins.” »

28 Les lévites obéirent à Moïse, si bien
que trois mille Israélites environ moururent ce jour-là. 29 Alors Moïse dit aux
lévites : « Aujourd'hui, vous avez été
consacrés au service du Seigneur, puisque
vous n'avez pas hésité à tuer même vos
fils ou vos frères. Que le Seigneur vous
accorde donc sa *bénédiction en ce
jour[m]. »

Moïse supplie Dieu de pardonner à Israël

30 Le lendemain, Moïse dit au peuple :
« Vous avez commis un grave péché. Je
vais maintenant remonter sur la montagne, vers le Seigneur. J'obtiendrai peut-
être qu'il vous pardonne. »

31 Ainsi Moïse retourna vers le Seigneur et lui dit : « Ah, Seigneur ! Ce peuple a commis un grave péché, ils se sont
fait un dieu en or. 32 Pardonne-leur, je t'en
supplie ! Sinon, efface mon nom du livre
de vie que tu as écrit[n]. » – 33 « Non, répondit le Seigneur, je n'effacerai de mon livre
que les noms de ceux qui ont péché
contre moi. 34 Maintenant va, conduis le
peuple à l'endroit que je t'ai indiqué ;
mon *ange t'accompagnera. Pour ma
part, j'interviendrai un jour et je les punirai de leur péché. » 35 Le Seigneur punit
donc les Israélites, parce qu'ils avaient
demandé à Aaron de leur faire une statue
de veau.

Dieu donne à Moïse l'ordre de se mettre en route

33 1 Le Seigneur ordonna à Moïse :
« En route, quittez ce lieu, toi et le
peuple que tu as fait sortir d'Égypte, et allez dans le pays que j'ai juré à Abraham, à
Isaac et à Jacob de donner à leurs descendants[o]. 2 J'enverrai mon *ange pour vous
guider ; je chasserai les Cananéens, les
*Amorites, les Hittites, les Perizites, les
Hivites et les Jébusites. 3 Vous pourrez
alors pénétrer dans ce pays, qui regorge
de lait et de miel[p]. Mais je ne vous accompagnerai pas moi-même ; rebelles
comme vous l'êtes, je risquerais de vous
exterminer en chemin. »

4 Lorsque le peuple entendit ce message menaçant, il s'en affligea. Plus personne n'osa porter ses parures ; 5 le
Seigneur avait en effet ordonné à Moïse
de dire aux Israélites de sa part : “Vous
êtes tous des rebelles ! Si je vous ac-
compagnais un seul instant, je risquerais
de vous exterminer. Dépouillez-vous
donc de toutes vos parures, je verrai en-

---

m **32.29** *vos fils ou vos frères* : voir Deut 33.9. Le texte hébreu de ce verset est peu clair et la traduction incertaine.

n **32.32** D'après Ps 69.29 ; Apoc 3.5, Dieu détient un *livre de vie* où sont inscrits les noms des fidèles. Cette façon de parler s'inspire peut-être des listes établies lors des recensements ; être rayé d'une telle liste, c'est ne plus faire partie du peuple.

o **33.1** Voir Gen 12.7 ; 26.3 ; 28.13.

p **33.3** Voir 3.8 et la note.

suite comment vous traiter.” 6 Dès qu’ils
quittèrent le mont *Horeb, les Israélites
cessèrent de porter leurs parures.

La tente de la rencontre

7 Lorsqu’on établissait le camp, Moïse
prenait la tente sacrée et la dressait à l’extérieur de celui-ci, à bonne distance. On
l’appelait “la *tente de la rencontre”.
Tous ceux qui désiraient consulter le Seigneur sortaient du camp et se rendaient à
cette tente. 8 Lorsque c’était Moïse qui s’y
rendait, tout le monde se levait, chacun
se tenait à l’entrée de sa propre tente et
regardait Moïse jusqu’à ce qu’il pénètre
dans la tente sacrée. 9 Après quoi la colonne de fumée[q] descendait se placer à
l’entrée de la tente, et le Seigneur s’entretenait avec Moïse. 10 Dès que les Israélites
voyaient la colonne, chacun d’eux s’incli-
nait respectueusement jusqu’à terre, à
l’entrée de sa propre tente. 11 Le Seigneur
parlait avec Moïse, face à face, comme un
homme parle avec un autre. Puis Moïse
regagnait le camp, tandis que son jeune
serviteur Josué, fils de Noun, demeurait
dans la tente sacrée.

Le Seigneur s’entretient avec Moïse

12 Moïse dit au Seigneur : « Écoute, Seigneur ! Tu m’as ordonné de conduire ce
peuple, mais tu ne m’as pas indiqué qui
tu veux envoyer pour m’aider. Pourtant
tu m’as choisi spécialement et tu m’accordes ta faveur, c’est toi qui l’as affirmé.
13 Eh bien, puisque j’ai ta faveur, fais-moi
connaître tes intentions. Ainsi je te
connaîtrai vraiment et je bénéficierai
pleinement de ta faveur. N’oublie pas que
ce peuple, c’est le tien. » 14 Le Seigneur lui
répondit : « Je viendrai en personne ! Tu
n’auras pas à t’inquiéter. »
15 Moïse reprit : « Si tu renonçais à venir en personne avec nous, ne nous ordonne pas de partir d’ici. 16 En effet, si tu
ne nous accompagnes pas, comment
pourra-t-on savoir que tu nous accordes
ta faveur, à ton peuple et à moi ? Seule ta
présence peut nous distinguer des autres
peuples de la terre. » 17 Le Seigneur répondit à Moïse : « Je réaliserai cela même
que tu viens de dire. Je t’accorde ma faveur, car c’est bien toi que j’ai choisi. »
18 Moïse lui demanda : « Permets-moi
de contempler ta *gloire. » 19 Le Seigneur
dit alors : « Je vais passer devant toi en te
montrant toute ma bonté et en proclamant mon nom : “Le Seigneur”. J’aurai
pitié de qui je veux avoir pitié et j’aurai
compassion de qui je veux avoir compassion[r]. 20 Cependant, ajouta-t-il, tu ne
pourras pas me contempler de face, car
aucun être humain ne peut me voir de
face et rester en vie. 21 Il y a ici, tout près
de moi, un emplacement, un rocher, où
tu te tiendras. 22 Quand je passerai en manifestant ma gloire, je te cacherai dans un
creux du rocher en te couvrant de ma
main, jusqu’à ce que je sois passé. 23 Ensuite, je retirerai ma main et tu pourras
me voir de dos, puisque l’on ne doit pas
me voir de face. »

Les nouvelles tablettes de la loi

34 1 Le Seigneur donna cet ordre à
Moïse : « Taille deux tablettes de
pierre, semblables aux précédentes, que
tu as fracassées[s] ; j’y inscrirai les
commandements qui figuraient sur celles-ci. 2 Sois prêt pour demain matin. A
l’aube, tu monteras au sommet du mont
Sinaï et tu m’y attendras. 3 Que personne
ne t’accompagne ! Que personne non
plus ne se montre ailleurs sur la montagne ; que même aucun animal – mouton, chèvre ou vache – ne paisse à
proximité ! »
4 Moïse tailla deux tablettes de pierre,
semblables aux précédentes. Tôt le lendemain matin, il monta sur le Sinaï, conformément à l’ordre du Seigneur ; il
emportait les deux tablettes. 5 Le Seigneur descendit dans la colonne de fumée et se tint là, à côté de Moïse. Il
proclama son nom : « Le Seigneur »[t].
6 Puis il passa devant Moïse en proclamant encore[u] : « Je suis le Seigneur ! Je

---

q **33.9** Voir 13.21 et la note.
r **33.19** Voir Rom 9.15.
s **34.1** Voir 32.15-19.
t **34.5** *colonne de fumée* : voir 13.21 et la note. – *Le Seigneur* : voir 3.14-15 et les notes.
u **34.6** Autre traduction *Moïse cria son nom : « Le Seigneur ». 6 Alors le Seigneur passa devant lui en proclamant à son tour :*.

suis un Dieu compatissant et bienveillant, patient, d'une immense et fidèle
bonté. 7 Je manifeste ma bonté envers les
hommes jusqu'à mille générations, en
supportant les péchés, les désobéissances
et les fautes ; mais je ne tiens pas le coupable pour innocent, j'interviens contre
celui qui a péché, contre ses enfants et ses
descendants jusqu'à la troisième ou la
quatrième génération[v]. »
8 En toute hâte, Moïse se jeta à terre
pour adorer le Seigneur, 9 puis il s'écria :
« Seigneur, puisque tu m'accordes ta faveur, je t'en supplie, viens nous accompagner. Je sais bien que ces gens sont
rebelles, mais pardonne nos péchés et nos
fautes, et considère-nous comme ton
peuple. »

Le renouvellement de l'alliance

10 Le Seigneur déclara à Moïse : « Je
vais conclure une *alliance avec vous. En
présence de tout ton peuple, je réaliserai
des merveilles telles qu'on n'en a jamais
vu de pareilles, nulle part sur terre, dans
aucune nation ; les Israélites qui t'entourent verront alors combien sont impressionnantes les œuvres que j'aurai
accomplies par ton intermédiaire.
11 « Observez soigneusement ce que je
vous ordonne en ce jour, et moi je chasserai devant vous les *Amorites, les Cananéens, les Hittites, les Perizites, les
Hivites et les Jébusites. 12 Vous vous garderez bien de conclure une alliance avec
les habitants du pays dans lequel vous pénétrerez ; ce serait un piège pour vous.
13 Au contraire, vous démolirez leurs *autels, vous briserez leurs pierres dressées
et vous couperez leurs poteaux sacrés[w].
14 Vous ne devez adorer aucun dieu étranger, car moi, le Seigneur, je m'appelle
"L'Exigeant", et j'exige d'être votre seul
Dieu[x]. 15 Ne concluez donc aucune alliance avec les habitants de ce pays.
Lorsqu'ils célèbrent leurs cultes idolâtriques, ils vous inviteraient à y participer et vous mangeriez de ce qu'ils offrent
en sacrifice à leurs dieux. 16 Vous pren-
driez parmi eux des femmes pour vos fils,
et celles-ci les entraîneraient à leur tour
dans leurs cultes idolâtriques.
17 « Ne vous fabriquez pas de dieux en
métal fondu[y].
18 « Vous célébrerez la fête des *pains
sans levain : durant les sept jours fixés du
mois d'Abib[z], vous mangerez du pain
sans levain, comme je vous l'ai ordonné.
C'est en effet au cours de ce mois-là que
vous avez quitté l'Égypte.
19 « Tout premier-né m'appartient, y
compris ceux de vos bêtes ; le premier-né
mâle d'une vache, d'une brebis ou d'une
chèvre doit m'être offert[a]. 20 Toutefois,
s'il s'agit du premier petit d'une ânesse,
vous le remplacerez par un agneau ou un
chevreau, ou bien vous le tuerez en lui
brisant la nuque. Quant aux garçons
premiers-nés de votre peuple, vous les
rachèterez[b].
« Vous ne viendrez pas à mon *sanctuaire les mains vides.
21 « Vous avez six jours dans la semaine
pour travailler, mais le septième jour
vous cesserez toute activité, même au
moment des labours ou des moissons[c].
22 « Vous célébrerez la fête de la *Pentecôte, au moment où vous moissonnez les
premiers épis de blés ; et en automne
vous célébrerez la fête de la récolte[d].
23 « Chaque année tous les hommes de
votre peuple viendront donc se présenter
trois fois devant moi, le Seigneur, le Dieu
d'Israël. 24 Je déposséderai des nations
pour agrandir votre territoire, et personne ne tentera de s'emparer de votre
pays pendant les trois périodes de l'année
où vous vous rendrez à mon sanctuaire.

---

v **34.7** *envers les hommes jusqu'à mille générations* ou *envers des milliers d'hommes.* – V. 6-7 : voir 20.5-6 ; Nomb 14.18 ; Deut 5.9-10 ; 7.9-10.

w **34.13** Voir Deut 16.21-22.

x **34.14** Voir 20.5.

y **34.17** Voir 20.4-5 ; Lév 19.4 ; 26.1 ; Deut 4.15-18 ; 5.8 ; 27.15.

z **34.18** Comparer les v. 18-26 avec 23.14-19 et Deut 16.1-17, les v. 19-20 avec 13.11-15, le v. 21 avec 23.12. Voir aussi 12.14-20 ; Lév 23.6-8 ; Nomb 28.16-25. – Sur la *fête des pains sans levain* et les deux autres fêtes du v. 22, ainsi que sur le *mois d'Abib,* voir au Vocabulaire CALENDRIER.

a **34.19** Voir 13.2 ; Nomb 3.13 ; Luc 2.23.

b **34.20** Voir 13.13 et la note ; Nomb 18.16.

c **34.21** Voir 20.8-11 ; 23.12 ; 31.12-17 ; 35.2 ; Lév 23.3 ; Deut 5.13-14.

d **34.22** Voir 23.16 ; Lév 23.15-21,39-43 ; Nomb 28.26-31.

25 « Vous ne m'apporterez pas d'offrande contenant du *levain pour accompagner des sacrifices d'animaux. Vous ne garderez pas la viande du sacrifice de la *Pâque du soir jusqu'au lendemain matin[e]. 26 Vous viendrez présenter les premiers produits de votre terre à mon sanctuaire, car je suis le Seigneur votre Dieu. Mais vous ne ferez pas cuire un chevreau dans le lait de sa mère[f]. »

27 Le Seigneur ordonna encore à Moïse : « Écris ces commandements, car ils constituent la base de l'alliance que je conclus avec toi et avec le peuple d'Israël. » 28 Moïse resta là avec le Seigneur quarante jours et quarante nuits, sans rien manger ni boire. Il écrivit[g] sur les tablettes de pierre les dix commandements, fondement de l'alliance.

Retour de Moïse au camp

29 Moïse redescendit du mont Sinaï, en tenant les deux tablettes de pierre qui constituaient le *document de l'alliance ; il ignorait que la peau de son visage brillait à cause de son entretien avec Dieu. 30 Quand Aaron et les Israélites virent l'éclat de son visage, ils eurent peur de s'approcher de lui. 31 Moïse les appela ; alors Aaron et les chefs de la communauté vinrent à lui et il leur parla. 32 Ensuite, tous les autres Israélites s'approchèrent, et il leur communiqua les ordres que Dieu lui avait donnés sur le mont Sinaï.

33 Quand Moïse eut fini de leur parler, il plaça un voile sur son visage. 34 Dès lors, chaque fois qu'il devait se présenter devant le Seigneur pour s'entretenir avec lui, il ôtait le voile. Lorsqu'il se retirait et transmettait aux Israélites les ordres reçus, 35 les Israélites pouvaient contempler l'éclat de son visage. Ensuite, Moïse remettait le voile sur son visage et le gardait jusqu'au moment où il retournait s'entretenir avec Dieu[h].

LA CONSTRUCTION DU SANCTUAIRE
35–40

Le sabbat est un jour de repos

35 1 Moïse[i] rassembla toute la communauté d'Israël et leur dit : « Voici les commandements que le Seigneur a ordonné de mettre en pratique : 2 "Il y a six jours dans la semaine pour travailler ; le septième jour est le *sabbat, le jour du repos, que vous devez consacrer au Seigneur. Tout homme qui travaillera ce jour-là sera mis à mort[j]. 3 Où que vous habitiez, vous ne devrez même pas allumer un feu le jour du sabbat." »

Les Israélites apportent leur contribution

4 Moïse[k] continua de transmettre à la communauté d'Israël les ordres du Seigneur : 5 « Recueillez parmi vous une contribution pour le Seigneur ; tous ceux qui le feront de bon cœur apporteront au Seigneur des dons de toutes sortes : or, argent, bronze, 6 laine teinte en violet, rouge ou cramoisi, lin fin, laine de chèvre, 7 peaux de béliers teintes en rouge, cuir solide, bois d'acacia, 8 huile d'éclairage, essences aromatiques pour l'huile d'onction et le parfum à brûler, 9 pierres de cornaline et autres pierres précieuses pour l'éfod et le pectoral du grand-prêtre. 10 Tous les artisans habiles parmi vous se réuniront pour réaliser ce que le Seigneur a ordonné de faire : 11 la demeure sacrée avec la tente et la couverture qui la pro-

---

e **34.25** Voir 12.10.

f **34.26** Voir 23.19 et la note.

g **34.28** *quarante jours et quarante nuits* : comparer 24.18. – *Il écrivit* : autre traduction *Le Seigneur écrivit*. Comparer 34.1.

h **34.35** V. 29-35 : voir 2 Cor 3.7-16.

i **35.1** Les chap. 35–40 décrivent l'exécution des ordres donnés dans les chap. 25–31. On peut donc se reporter aux notes de ces chapitres. – Comparer les v. 1-3 avec 31.12-17.

j **35.2** Voir 20.8-11 ; 23.12 ; 31.12-17 ; 34.21 ; Lév 23.3 ; Deut 5.12-14.

k **35.4** Comparer les v. 4-29 avec 25.1-7.

tégeront, les crochets, les cadres, les traverses, les colonnes avec leurs socles ; 12 le
*coffre sacré avec ses barres et son cou-
vercle ; le rideau de séparation ; 13 la table
sacrée avec ses barres, ses accessoires et
les pains offerts à Dieu ; 14 le porte-lampes avec ses accessoires, ses lampes et
l'huile d'éclairage ; 15 *l'autel du parfum
avec ses barres, l'huile d'onction, le parfum à brûler, le rideau pour l'entrée de la
demeure ; 16 l'autel des *sacrifices avec
son grillage de bronze, ses barres et tous
ses accessoires ; le bassin pour les *purifications avec son support ; 17 les tentures
de la cour avec leurs colonnes et leurs socles, le rideau pour l'entrée de la cour ;
18 les piquets de la demeure et ceux de la
clôture de la cour avec les cordes correspondantes ; 19 les vêtements d'apparat[l]
destinés au service dans le *sanctuaire, et
les vêtements sacrés qu'Aaron et ses fils
revêtiront pour exercer leur ministère. »
20 Les Israélites quittèrent Moïse.
21 Ensuite tous les gens au cœur et à
l'esprit généreux vinrent apporter au
Seigneur leur contribution pour l'édification de la *tente de la rencontre, pour la
célébration du culte et pour la confection
des vêtements sacrés. 22 Les hommes et
les femmes généreux vinrent avec toutes
sortes de bijoux d'or, broches, boucles,
anneaux ou colliers, et ils les offrirent au
Seigneur avec le geste rituel de présentation. 23 Ceux qui possédaient de la laine
violette, rouge ou cramoisie, du lin fin,
de la laine de chèvre, des peaux de béliers
teintes en rouge ou du cuir solide, les apportèrent. 24 Ceux qui avaient mis de côté
pour le Seigneur de l'argent ou du bronze
l'apportèrent ; ceux qui possédaient du
bois d'acacia utilisable pour la réalisation
des travaux l'apportèrent. 25 Des femmes
habiles apportèrent du lin fin et de la
laine violette, rouge ou cramoisie qu'elles
avaient filés de leurs propres mains.
26 D'autres femmes habiles et qui avaient
du goût pour cela filèrent de la laine de
chèvre. 27 Les chefs de la communauté
apportèrent les pierres de cornaline et les
autres pierres précieuses pour l'éfod et le
pectoral du grand-prêtre, 28 ainsi que les
essences aromatiques et l'huile, pour les
lampes, pour l'huile d'onction et pour le
parfum à brûler. 29 Tous les Israélites au
cœur généreux, hommes ou femmes, apportèrent ainsi leur contribution volontaire au Seigneur, pour la réalisation des
travaux que le Seigneur avait ordonnés à
Moïse.

Bessalel et Oholiab se mettent au travail

30 Moïse[m] dit aux Israélites : « Voyez, le
Seigneur a choisi Bessalel, fils d'Ouri et
petit-fils de Hour, de la tribu de Juda, 31 et
il l'a rempli de son Esprit pour le rendre
très habile et intelligent. Bessalel connaît
toutes sortes de techniques : 32 il sait élaborer des projets, travailler l'or, l'argent
et le bronze, 33 ciseler les pierres précieuses et les monter, sculpter le bois, en
un mot, il peut réaliser n'importe quel
objet. 34 Le Seigneur lui a aussi accordé,
de même qu'à Oholiab, fils d'Ahissamak,
de la tribu de Dan, le don d'enseigner ces
techniques. 35 Il leur a donné le talent
d'exécuter tous les travaux du ciseleur de
pierres précieuses, du dessinateur, du
brodeur de laine violette, rouge ou cramoisie, du brodeur de lin, du tisseur, et
de tout autre spécialiste ou artisan inven-
tif.

36 1 « Bessalel, Oholiab et les autres
artisans à qui le Seigneur a accordé l'habileté et l'intelligence nécessaires pour exécuter les travaux,
fabriqueront tout ce qui servira au culte
dans le *sanctuaire, conformément aux
ordres du Seigneur. »
2 Moïse convoqua Bessalel, Oholiab et
les autres artisans à qui le Seigneur avait
accordé une grande habileté et qui
étaient disposés à exécuter les travaux.
3 Moïse leur confia les contributions apportées par les Israélites pour la construction du sanctuaire. Cependant chaque
matin, des gens continuaient de présenter à Moïse des dons volontaires. 4 Alors
tous les artisans engagés dans la
construction du sanctuaire interrompi-
rent leur travail pour aller 5 dire à Moïse :
“Les gens ont apporté plus de matériaux

---

l **35.19** Voir 31.10 et la note.
m **35.30** Comparer 35.30–36.7 avec 31.1-11.

qu'il n'en faut pour fabriquer ce que le
Seigneur a commandé." 6 Aussitôt Moïse
donna l'ordre de proclamer à travers tout
le camp : "Que plus personne, ni homme
ni femme, ne prépare de dons pour le
sanctuaire !" On cessa donc d'apporter
des dons, 7 puisque les contributions reçues étaient suffisantes pour les travaux à
accomplir. Il y avait même des surplus.

La demeure sacrée

8 Les artisans[n] les plus compétents fabriquèrent la demeure sacrée : ils confectionnèrent dix bandes d'étoffe, en fils de
lin résistants, mêlés de laine violette,
rouge et cramoisie ; elles étaient ornées
de *chérubins brodés. 9 Toutes les bandes
avaient les mêmes dimensions, quatorze
mètres sur deux mètres. 10 Ils assemblèrent d'abord cinq bandes côte à côte, puis
ils firent de même avec les cinq autres.
11 Ils fixèrent des brides de laine violette
sur le bord de la dernière bande du premier assemblage, et ils en mirent aussi à
la première bande du second assemblage.
12 Il y avait cinquante de ces brides à l'extrémité de chaque assemblage, et les deux
séries se correspondaient. 13 Ils façonnèrent cinquante crochets en or pour réunir
les deux assemblages, de telle sorte que la
tente forme un tout.

14 Puis ils confectionnèrent onze bandes d'étoffe, en laine de chèvre, pour une
seconde tente, destinée à protéger la demeure. 15 Toutes les bandes avaient les
mêmes dimensions, quinze mètres sur
deux mètres. 16 Ils assemblèrent d'abord
cinq bandes, puis firent de même avec les
six autres. 17 Ils fixèrent cinquante brides
sur le bord de la dernière bande du premier assemblage, et ils en mirent cinquante aussi sur le bord du second
assemblage. 18 Ils façonnèrent cinquante
crochets en bronze et réunirent les deux
assemblages pour que la tente forme un
tout. 19 Pour protéger la seconde tente, ils
utilisèrent des peaux de béliers teintes en
rouge et une solide couverture de cuir,
placées par-dessus.

20 Ils fabriquèrent des cadres en bois
d'acacia, qu'ils dressèrent pour soutenir
la demeure. 21-22 Tous les cadres étaient
semblables : chacun mesurait cinq mètres sur soixante-quinze centimètres, et
était muni de deux tenons parallèles.
23 Ils fabriquèrent vingt cadres pour le
côté sud de la demeure, 24 et quarante socles en argent destinés à les porter : deux
socles par cadre, correspondant aux deux
tenons. 25 Pour le côté nord de la demeure, ils firent aussi vingt cadres 26 avec
quarante socles en argent, soit deux socles par cadre. 27 Pour l'arrière de la demeure, à l'ouest, ils firent six cadres,
28 plus deux cadres spéciaux pour les angles du fond. 29 Ces deux cadres avaient
un écartement normal à la base, mais les
montants se rejoignaient au sommet,
près d'un anneau. Ils les firent tous les
deux semblables, pour servir de cadres
d'angle. 30 L'arrière de la demeure
comportait donc huit cadres et seize socles d'argent, soit deux socles par cadre.

31 Ils taillèrent des traverses en bois
d'acacia : cinq pour tenir les cadres sur
un côté de la demeure, 32 cinq pour les cadres de l'autre côté et cinq pour ceux de
l'arrière, à l'ouest. 33 La traverse centrale
qu'ils firent, passait à mi-hauteur des cadres, d'une extrémité à l'autre de la demeure. 34 Ils recouvrirent d'or aussi bien
les cadres que les traverses, et façonnèrent des anneaux d'or dans lesquels passaient les traverses.

35 Des artisans confectionnèrent un rideau en fils de lin résistants, mêlés de
laine violette, rouge et cramoisie ; il était
orné de chérubins brodés. 36 Ils taillèrent
quatre colonnes en bois d'acacia qu'ils recouvrirent d'or et sur lesquelles on pouvait fixer le rideau au moyen d'agrafes en
or. Ils coulèrent quatre socles d'argent
pour les colonnes.

37 Pour l'entrée de la tente sacrée, des
brodeurs confectionnèrent un autre rideau en fils de lin résistants, mêlés de
laine violette, rouge et cramoisie ; 38 on
fabriqua en outre les cinq colonnes nécessaires pour porter le rideau, les agrafes
pour le fixer, les chapiteaux et les tringles
recouverts d'or et les cinq socles de
bronze.

n **36.8** Comparer les v. 8-38 avec 26.1-37.

Le coffre de l'alliance

37 1 Bessalel[o] fabriqua le *coffre sacré, en bois d'acacia. Il mesurait cent vingt-cinq centimètres de long, soixante-quinze centimètres de large et soixante-quinze centimètres de haut. 2 Bessalel le recouvrit d'or pur, à l'intérieur comme à l'extérieur, et appliqua tout autour une bordure d'or. 3 Il façonna quatre anneaux d'or qu'il fixa aux quatre angles du coffre, deux anneaux d'un côté, deux de l'autre. 4 Il tailla deux barres en bois d'acacia et les recouvrit d'or. 5 On les introduisait dans les anneaux sur les côtés du coffre pour le transporter.

6 Il fabriqua le couvercle du coffre, en or pur. Ce couvercle avait cent vingt-cinq centimètres de long et soixante-quinze centimètres de large. 7 Il façonna deux *chérubins en or martelé, aux deux extrémités du couvercle. 8 Ces deux chérubins faisaient corps avec le couvercle, à chacune de ses extrémités. 9 Ils se faisaient face, le visage dirigé vers le couvercle, qu'ils protégeaient de leurs ailes déployées.

La table des pains offerts à Dieu

10 On fabriqua[p] la table en bois d'acacia. Elle mesurait un mètre de long, cinquante centimètres de large et soixante-quinze centimètres de haut. 11 On la recouvrit d'or pur et on appliqua tout autour une bordure d'or. 12 On adapta sur les quatre côtés un cadre de huit centimètres de large, auquel on appliqua aussi une bordure d'or. 13 On façonna quatre anneaux d'or qu'on fixa aux quatre angles, près des quatre pieds. 14 Les anneaux étaient proches du cadre ; on y introduisait des barres pour transporter la table. 15 On tailla deux barres en bois d'acacia et on les recouvrit d'or ; elles servaient à transporter la table. 16 On façonna la vaisselle qu'on dépose sur la table : plats, coupes, bols, flacons pour les offrandes de vin, le tout en or pur.

Le porte-lampes à sept branches

17 On fabriqua[q] le porte-lampes en or pur martelé ; il était d'une seule pièce, pied, branches, calices, renflements et fleurons. 18 Six branches partaient de la tige centrale, trois de chaque côté. 19 Sur chacune des six branches, il y avait trois calices en forme d'amande, avec les renflements et fleurons correspondants. 20 Sur la tige centrale, il y avait quatre calices en forme d'amande, avec les renflements et fleurons correspondants. 21 Sous chacune des trois paires de branches partant de la tige, il y avait aussi un renflement. 22 Les renflements et les branches formaient une seule pièce avec le reste, et le tout était en or pur martelé. 23 On façonna les sept lampes nécessaires ainsi que les accessoires tels que pincettes et cendriers en or pur. 24 Pour fabriquer le porte-lampes et ses accessoires, on utilisa trente kilos d'or pur.

L'autel du parfum

25 Pour brûler[r] le parfum sacré, on fabriqua un *autel en bois d'acacia. Il était carré, il mesurait cinquante centimètres de côté et avait un mètre de haut. Ses angles supérieurs étaient relevés, tout en faisant corps avec lui. 26 On le recouvrit entièrement d'or pur, aussi bien le dessus avec ses angles relevés que les quatre parois, et on appliqua une bordure d'or tout autour. 27 On façonna deux anneaux d'or qu'on fixa de part et d'autre de l'autel, au-dessous de la bordure ; on y introduisait des barres pour le transporter. 28 On tailla les deux barres en bois d'acacia et on les recouvrit d'or.

29 Un parfumeur[s] prépara l'huile d'onction utilisée lors des cérémonies de consécration, de même que le parfum sacré à brûler sur l'autel.

L'autel des sacrifices et le bassin des purifications

38 1 Pour les *sacrifices[t], on fabriqua un *autel en bois d'acacia. Il était carré, il mesurait deux mètres et demi de

---

o **37.1** Comparer les v. 1-9 avec 25.10-22.
p **37.10** Comparer les v. 10-16 avec 25.23-30.
q **37.17** Comparer les v. 17-24 avec 25.31-40.
r **37.25** Comparer les v. 25-28 avec 30.1-10.
s **37.29** Comparer le v. 29 avec 30.22-38.
t **38.1** Comparer les v. 1-7 avec 27.1-8.

côté et avait un mètre et demi de haut.
2 Les quatre angles supérieurs étaient relevés, tout en faisant corps avec l'autel.
On le recouvrit de bronze. 3 On façonna,
en bronze, tous les ustensiles de l'autel :
les récipients pour les cendres, les pelles,
les bols à aspersion, les fourchettes à
viande et les cassolettes. 4 On confectionna un grillage de bronze qu'on fixa
autour de la moitié inférieure de l'autel,
au-dessous d'une moulure. 5 On façonna
quatre anneaux à fixer aux quatre angles
du grillage de bronze, pour y faire passer
des barres. 6 On tailla deux barres en bois
d'acacia et on les recouvrit de bronze ;
7 on les introduisait dans les anneaux, sur
les côtés de l'autel, pour le transporter.
Cet autel, fait de planches, était vide à
l'intérieur.
8 On fabriqua le bassin de bronze,
monté sur un support de bronze ; on utilisa pour cela les miroirs de bronze des
femmes qui étaient de service à l'entrée
de la *tente de la rencontre[u].

Les tentures de la cour

9 La demeure sacrée[v] était entourée
d'une cour, limitée par des tentures en
fils de lin résistants. Du côté sud, les tentures s'étendaient sur une longueur de
cinquante mètres ; 10 elles étaient fixées,
au moyen de crochets et de tringles en argent, à vingt colonnes de bronze reposant
sur vingt socles de bronze. 11 Du côté
nord, les tentures s'étendaient sur la
même longueur et étaient fixées de la
même façon. 12 Du côté ouest, les tentures
s'étendaient sur vingt-cinq mètres et
étaient fixées de la même façon à dix colonnes reposant sur dix socles. 13 Du côté
de l'entrée, à l'est, la cour avait également
vingt-cinq mètres de large ; 14-15 de part et
d'autre de l'entrée de la cour, il y avait des
tentures sur une distance de sept mètres
et demi, avec trois colonnes et trois
socles.
16 Toutes les tentures entourant la cour
étaient en solide étoffe de lin. 17 Les socles des colonnes étaient en bronze, les
crochets et les tringles en argent ; les chapiteaux des colonnes étaient recouverts
d'argent ; toutes les colonnes étaient re-
liées par des tringles d'argent. 18 Des brodeurs avaient confectionné le rideau pour
l'entrée de la cour, en fils de lin résistants, mêlés de laine violette, rouge et
cramoisie ; ce rideau mesurait dix mètres
de long et avait deux mètres et demi de
haut, comme les tentures de la cour. 19 Il
était fixé à quatre colonnes reposant sur
quatre socles de bronze ; les crochets
étaient en argent, de même que le revêtement des chapiteaux et les tringles.
20 Tous les piquets de la demeure et de la
clôture de la cour étaient en bronze.

Les quantités de métaux utilisés

21 Voici quelles furent les quantités de
métaux utilisés pour la demeure sacrée
qui devait abriter le *document de l'alliance. Selon l'ordre de Moïse, le compte
en fut établi par les *lévites sous la direction d'Itamar, fils du prêtre Aaron. 22 Bessalel, fils d'Ouri et petit-fils de Hour, de
la tribu de Juda, avait exécuté tout ce que
le Seigneur avait ordonné à Moïse ; 23 il
avait été aidé par Oholiab, fils d'Ahissamak, de la tribu de Dan, ciseleur, dessinateur, brodeur de laine violette, rouge et
cramoisie, et brodeur de lin.
24 Total de l'or qui provenait de la
contribution des Israélites et fut utilisé
dans la construction du *sanctuaire :
877 kilos et 300 grammes, selon l'unité
de poids en vigueur au sanctuaire.
25 Total de l'argent[w] versé lors du recensement de la communauté : 3017 kilos et 750 grammes, selon l'unité de poids
du sanctuaire. 26 Cette quantité correspond au versement de cinq grammes
d'argent par chacun des 603 550 hommes
de vingt ans et plus, soumis au recensement. 27 On utilisa 3000 kilos d'argent
pour couler les cent socles de colonnes du
sanctuaire et du rideau intérieur, soit 30
kilos par socle. 28 Avec les 17 kilos et 750
grammes restants, on fit les crochets des
colonnes, les revêtements des chapiteaux
et les tringles reliant les colonnes.

---

u **38.8** Comparer le v. 8 avec 30.17-21. – *des femmes qui...* : on ignore quel était le service de ces femmes.
v **38.9** Comparer les v. 9-20 avec 27.9-19.
w **38.25** Comparer les v. 25-26 avec 30.11-16. Voir aussi Matt 17.24.

29 Total du bronze provenant de la contribution des Israélites : 2124 kilos. 30 On l'utilisa pour faire les socles à l'entrée de la *tente de la rencontre, *l'autel de bronze avec son grillage de bronze, tous les ustensiles de l'autel, 31 les socles de la clôture et de l'entrée de la cour, ainsi que les piquets de la demeure et de la clôture de la cour.

Les vêtements des prêtres : l'éfod

39 1 Avec de la laine violette, rouge et cramoisie, on confectionna les vêtements d'apparat[x] destinés au service dans le *sanctuaire, ainsi que les vêtements sacrés d'Aaron, comme le Seigneur l'avait ordonné à Moïse.

2 On confectionna l'éfod, en fils de lin résistants, mêlés de laine violette, rouge et cramoisie, et on le broda de fils d'or. 3 On avait découpé dans des feuilles d'or martelé de fines bandes que des brodeurs mêlaient à la laine violette, rouge ou cramoisie, et aux fils de lin. 4 On portait l'éfod au moyen de deux bretelles, cousues sur ses bords. 5 Les attaches de l'éfod, faites de fils semblables, étaient d'une seule pièce avec lui, comme le Seigneur l'avait ordonné à Moïse. 6 On prépara les deux pierres de cornaline fixées dans des montures en or ; on y avait gravé les noms des fils de Jacob, comme on grave un *cachet personnel. 7 On les plaça sur les bretelles de l'éfod, pour symboliser les douze tribus d'Israël, comme le Seigneur l'avait ordonné à Moïse.

Le pectoral

8 Des artisans confectionnèrent le pectoral, en fils de lin résistants, mêlés de laine violette, rouge et cramoisie, et le brodèrent de fils d'or, comme l'éfod. 9 C'était une poche carrée, de vingt-cinq centimètres de côté. 10 On le décora de quatre rangées de pierres précieuses : la première rangée comprenait un rubis, une topaze et une émeraude, 11 la deuxième rangée un grenat, un saphir et un diamant, 12 la troisième rangée une hyacinthe, une agate et une améthyste, 13 et la quatrième rangée une chrysolithe, une cornaline et un jaspe. Chaque pierre était fixée dans une monture en or. 14 On avait gravé sur chaque pierre le nom d'un des douze fils de Jacob, comme on grave un *cachet personnel ; elles symbolisaient les douze tribus d'Israël.

15 Pour le pectoral, on façonna deux chaînettes en or pur, tressées comme des cordes, 16 deux montures en or et deux anneaux d'or qu'on fixa aux angles supérieurs du pectoral. 17 On attacha chacune des chaînettes à l'un des anneaux du pectoral ; 18 on fixa leur autre extrémité aux deux montures d'or placées sur les bretelles de l'éfod, de telle manière que le pectoral se trouve sur le devant. 19 On façonna deux autres anneaux d'or qu'on fixa aux angles inférieurs du pectoral, du côté qui touche l'éfod. 20 On façonna encore deux autres anneaux d'or qu'on fixa au bas des bretelles de l'éfod, devant, à l'endroit où elles sont cousues ; ces anneaux étaient placés par-dessus les attaches de l'éfod. 21 On relia les anneaux du pectoral à ceux de l'éfod au moyen d'un cordon violet, pour que le pectoral reste par-dessus les attaches de l'éfod et qu'il ne se déplace pas sur l'éfod, comme le Seigneur l'avait ordonné à Moïse.

Les autres vêtements sacrés

22 La robe sur laquelle Aaron porte l'éfod fut entièrement tissée en laine violette. 23 Pour passer la tête, il y avait en son centre une ouverture dont le bord était tissé et renforcé, afin d'éviter toute déchirure. 24 On décora le bas de la robe, tout autour, de fruits du grenadier en laine violette, rouge et cramoisie, et en fils de lin résistants. 25 On façonna des clochettes en or pur, qu'on plaça également au bas de la robe, tout autour, entre les grenades. 26 Les grenades alternaient avec les clochettes, au bas de cette robe de cérémonie, comme le Seigneur l'avait ordonné à Moïse.

27 On tissa encore les tuniques de lin, pour Aaron et ses fils, 28 de même que le turban de lin, les étoffes de lin pour les tiares, les sous-vêtements de lin 29 et la ceinture brodée, en fils de lin résistants, mêlés de laine violette, rouge et cramoi-

---

x **39.1** Comparer les v. 1-32 avec 28.1-43. – *d'apparat* : le sens du mot hébreu correspondant est incertain.

sie, comme le Seigneur l'avait ordonné à
Moïse.
30 On façonna enfin l'insigne sacré, le
bijou d'or pur, en forme de fleur, sur lequel on grava l'inscription “Consacré au
Seigneur” comme on grave un *cachet
personnel. 31 On le fixa au moyen d'un
cordon violet au haut du turban sacré,
comme le Seigneur l'avait ordonné à
Moïse.

On apporte à Moïse le travail terminé

32 Ainsi furent achevés les travaux
concernant la *tente de la rencontre, la
demeure sacrée. Les Israélites avaient accompli exactement ce que le Seigneur
avait ordonné à Moïse.
33 Les Israélites apportèrent à Moïse
tous les éléments de la demeure :
– la tente avec ses accessoires : crochets, cadres, traverses, colonnes et socles ;
34 – la couverture en peaux de béliers
teintes en rouge, la couverture de cuir et
le rideau de séparation ;
35 – le *coffre du document de l'alliance,
avec ses barres et son couvercle ;
36 – la table sacrée avec ses accessoires et
les pains offerts à Dieu ;
37 – le porte-lampes en or pur, avec sa série de lampes, ses accessoires, et l'huile
d'éclairage ;
38 – *l'autel d'or, l'huile d'onction, le parfum à brûler ;
– le rideau pour l'entrée de la tente ;
39 – l'autel de bronze avec son grillage de
bronze, ses barres et ses accessoires ;
– le bassin pour les *purifications, avec
son support ;
40 – les tentures de la cour, avec leurs colonnes et leurs socles, ainsi que le rideau
pour l'entrée de la cour, avec ses cordes et
ses piquets ;
– tous les objets devant être utilisés
dans le service de la tente de la rencontre,
la demeure sacrée ;
41 – les vêtements d'apparat[y] destinés au
service dans le sanctuaire ;
– les vêtements sacrés du grand-prêtre
Aaron, et les vêtements que ses fils devaient porter pour exercer leur ministère.
42 Les Israélites avaient exécuté tout ce
travail conformément aux ordres que le
Seigneur avait donnés à Moïse. 43 Lorsque Moïse vit que tout avait été fait selon
les ordres du Seigneur, il *bénit les
Israélites.

Ordre de dresser la tente et de la consacrer

40 1 Le Seigneur dit à Moïse : 2 « Le
premier jour du premier mois, tu
feras dresser la *tente de la rencontre, la
demeure sacrée. 3 On y déposera le *coffre contenant le document de l'alliance,
derrière le rideau de séparation, à l'abri
des regards. 4 On apportera la table sacrée et on y arrangera les pains qui me
sont offerts ; on apportera le porte-lampes et on en allumera les lampes ; 5 on
placera *l'autel d'or pour le parfum devant le coffre de l'alliance ; on fixera le
rideau d'entrée de la demeure. 6 On installera l'autel des *sacrifices devant l'entrée de la tente ; 7 on placera le bassin des
*purifications entre la tente et l'autel, et
on le remplira d'eau. 8 On dressera les
tentures de la cour tout autour du sanctuaire, et on mettra le rideau à l'entrée de
la cour.
9 « Tu prendras l'huile d'onction et tu
en verseras sur la demeure et tout ce
qu'elle contient ; tu la consacreras ainsi
avec tous ses accessoires. Dès lors elle
sera vraiment à moi. 10 Tu verseras aussi
de l'huile sur l'autel des sacrifices et tous
ses accessoires ; tu le consacreras ainsi,
afin qu'il soit strictement réservé à mon
service . 11 Avec de l'huile également, tu
consacreras le bassin et son support.
12 « Tu conduiras Aaron et ses fils à
l'entrée de la tente de la rencontre et tu
leur feras prendre un bain rituel. 13 Puis
tu revêtiras Aaron de ses habits sacrés, et
tu verseras de l'huile sur lui pour le
consacrer comme prêtre à mon service.
14 Tu diras aux fils d'Aaron de s'approcher et tu les revêtiras de leurs tuniques ;
15 tu les consacreras avec de l'huile, tout
comme leur père, pour qu'ils me servent
en tant que prêtres. Par cette onction
d'huile, ils seront, eux et leurs descendants, consacrés pour toujours comme
prêtres. »

y **39.41** Voir la note précédente.

Moïse fait installer le sanctuaire

16 Moïse exécuta scrupuleusement les ordres du Seigneur : 17 le premier jour du premier mois, une année après le départ d'Égypte, on édifia le *sanctuaire.

18 Moïse fit dresser la demeure : on mit en place les socles, les cadres et les traverses, de même que les colonnes. 19 On déploya les toiles de tente sur la demeure, puis on plaça la couverture protectrice par-dessus, comme le Seigneur l'avait ordonné à Moïse.

20 Moïse prit les tablettes de pierre des dix commandements et les déposa dans le *coffre ; on mit en place les barres du coffre et on recouvrit celui-ci de son couvercle. 21 On l'introduisit dans le sanctuaire, puis on suspendit le rideau de séparation pour cacher le coffre, comme le Seigneur l'avait ordonné à Moïse.

22 On plaça la table sacrée dans la tente, du côté nord, devant le rideau de séparation ; 23 on y arrangea les pains offerts au Seigneur, comme le Seigneur l'avait ordonné à Moïse.

24 On plaça le porte-lampes dans la tente, du côté sud, en face de la table ; 25 on en alluma les lampes, devant le Seigneur, comme le Seigneur l'avait ordonné à Moïse.

26 On plaça *l'autel d'or dans la tente, devant le rideau de séparation ; 27 on fit brûler dessus le parfum sacré, comme le Seigneur l'avait ordonné à Moïse.

28 On fixa le rideau d'entrée de la demeure, 29 puis on plaça l'autel des *sacrifices près de l'entrée de la tente ; on y fit brûler un sacrifice complet et une offrande végétale, comme le Seigneur l'avait ordonné à Moïse.

30 On plaça le bassin entre la tente et l'autel, et on le remplit d'eau, pour les *purifications. 31 Moïse, Aaron et ses fils utilisaient de cette eau pour se laver les mains et les pieds. 32 Ils se purifiaient de cette manière chaque fois qu'ils devaient pénétrer dans la *tente de la rencontre ou s'approcher de l'autel, comme le Seigneur l'avait ordonné à Moïse.

33 Moïse fit dresser les tentures de la cour, tout autour du sanctuaire et de l'autel, et suspendre le rideau à l'entrée de la cour. Il mit ainsi un terme aux travaux.

La gloire du Seigneur remplit la demeure sacrée

34 Alors la fumée vint recouvrir la *tente de la rencontre et la glorieuse présence du Seigneur remplit la demeure sacrée[z], 35 de telle sorte que Moïse ne put pas pénétrer dans la tente.

36 Pour leurs déplacements successifs, les Israélites ne se mettaient en route que si la fumée s'élevait au-dessus de la demeure. 37 Si la fumée ne bougeait pas, ils ne partaient pas ; ils attendaient le jour où elle s'élevait.

38 Le Seigneur manifesta sa présence aux Israélites par la fumée qui enveloppait la demeure pendant le jour ou par le feu qui y brillait pendant la nuit, et cela tout au long du voyage.

---

z **40.34** *la fumée* : voir 13.21 et la note. – *la glorieuse présence du Seigneur* : voir 1 Rois 8.10-11 ; És 6.3 ; Ézék 43.4-5 ; Apoc 15.8.

Lévitique

Introduction – Le premier verset du Lévitique *nous montre Dieu qui, de la *tente de la rencontre, appelle Moïse pour lui parler. Tout au long du livre, Dieu va communiquer à Moïse un grand nombre de lois et de règles destinées aux Israélites, avec la promesse que « celui qui les met en pratique vivra par elles » (18.5, cité en Rom 10.5). En somme, Dieu explique aux Israélites comment éliminer les obstacles à la communion avec lui, comment agir pour que la « tente » soit vraiment un lieu de « rencontre » : il faut que ceux qui offrent des sacrifices le fassent selon les règles (chap. 1–7), que les prêtres soient respectés et se comportent de manière honorable (chap. 8–10), et que chaque membre du peuple évite dans la mesure du possible les *impuretés physiques (chap. 11–16) et les infidélités morales ou liturgiques (chap. 17–27). Le Dieu saint, le Dieu d'amour, le Dieu de vie veut faire participer son peuple à sa sainteté (19.2), pour qu'il devienne à son tour porteur de vie et d'amour. C'est dans cet esprit qu'il donne aux Israélites le commandement suivant, dont Jésus a rappelé le caractère fondamental : « Chacun de vous doit aimer son prochain comme lui-même » (19.18 ; voir Matt 22.39).*

Ces lois, souvent surprenantes pour le lecteur moderne, rappellent aux croyants de partout et de toujours, avec une inlassable insistance et sur tous les tons, que la communion avec Dieu est une nécessité vitale pour l'homme.

LE RITUEL DES SACRIFICES
1–7

Le sacrifice complet

1 [1]Le Seigneur appela Moïse ; de la
*tente de la rencontre, il lui ordonna
[2]de communiquer aux Israélites les prescriptions suivantes :

« Quand l'un de vous veut offrir un animal en *sacrifice au Seigneur, il peut le choisir dans un troupeau de gros ou de petit bétail.

[3]« S'il offre en sacrifice complet une tête de gros bétail, il doit prendre un taureau sans défaut[a] : il le conduit à l'entrée de la tente de la rencontre, afin d'obtenir
la faveur du Seigneur ; [4]il pose la main sur la tête de l'animal, qui est ainsi accepté comme offrande pour obtenir le
pardon ; [5]il égorge l'animal devant le *sanctuaire. Les prêtres, fils d'Aaron, présentent son sang au Seigneur, puis en aspergent les côtés de *l'autel dressé à
l'entrée de la tente. [6]L'homme ôte la peau du taureau et le découpe en mor-
ceaux. [7]Les prêtres allument du feu sur
l'autel et y disposent des bûches ; [8]au-dessus ils placent les morceaux de viande, avec la tête et les parties grasses.
[9]Les entrailles et les pattes de l'animal sont lavées, puis un des prêtres brûle le tout sur l'autel, en sacrifice entièrement consumé, dont le Seigneur apprécie la fumée odorante.

[10]« Si quelqu'un offre en sacrifice complet une tête de petit bétail, il doit

---

a 1.3 *sacrifice complet* : appelé aussi « holocauste ». – *sans défaut* : voir 22.18-20.

prendre un bélier ou un bouc sans défaut : 11 il l'égorge devant le sanctuaire, au nord de l'autel. Les prêtres, fils d'Aaron, aspergent de son sang les côtés de l'autel. 12 L'homme découpe l'animal en morceaux, en détachant la tête et les parties grasses. Un des prêtres place tous ces morceaux sur les bûches enflammées de l'autel. 13 Les entrailles et les pattes sont lavées. Le prêtre les présente alors au Seigneur, puis brûle le tout sur l'autel. C'est un sacrifice entièrement consumé, dont le Seigneur apprécie la fumée odorante.

14 « Si quelqu'un offre un oiseau en sacrifice complet au Seigneur, il doit prendre une tourterelle ou un pigeon. 15 Le prêtre apporte l'oiseau devant l'autel, détache sa tête et la brûle sur l'autel ; ensuite il fait couler son sang le long des côtés de l'autel. 16 Il arrache le jabot avec son contenu et le jette à l'est de l'autel, là où sont déposées les cendres grasses. 17 Après avoir fendu l'oiseau en deux, entre les ailes, mais sans séparer les deux moitiés, il le brûle sur les bûches enflammées de l'autel. C'est un sacrifice entièrement consumé, dont le Seigneur apprécie la fumée odorante. »

L'offrande végétale

2 1 « Si quelqu'un veut apporter au Seigneur une offrande végétale, il doit prendre de la farine sur laquelle il verse de l'huile et dépose de *l'encens ; 2 il l'apporte aux prêtres, fils d'Aaron. On y prélève une poignée de farine mêlée d'huile, et tout l'encens. L'un des prêtres brûle sur *l'autel cette partie de l'offrande appelée “mémorial”[b]. Le Seigneur apprécie la fumée odorante de ce qui est ainsi consumé. 3 Le reste de l'offrande revient à Aaron et à ses fils : c'est une part strictement réservée au Seigneur, parce qu'elle provient d'un présent qui lui a été offert.

4 « S'il s'agit d'une offrande cuite au four, on ne peut apporter que des gâteaux à l'huile sans *levain ou des galettes sans levain arrosées d'huile. 5 S'il s'agit d'une offrande cuite sur la plaque, elle doit consister en farine pétrie avec de l'huile, mais sans levain ; 6 on la rompt en morceaux sur lesquels on verse encore de l'huile. C'est une offrande végétale. 7 S'il s'agit d'une offrande cuite dans la poêle, elle doit être composée de farine et d'huile. 8 On amène l'offrande ainsi préparée pour le Seigneur, et on la remet au prêtre, qui l'apporte à l'autel. 9 Il en prélève la part appelée “mémorial” et la brûle sur l'autel. Le Seigneur apprécie la fumée odorante de ce qui est ainsi consumé. 10 Le reste de l'offrande revient à Aaron et à ses fils : c'est une part strictement réservée au Seigneur, parce qu'elle provient d'un présent qui lui a été offert.

11 « Aucune offrande destinée au Seigneur ne doit contenir de levain. On n'utilisera jamais de levain ou de miel[c] dans la préparation d'une offrande qui sera consumée pour le Seigneur. 12 On peut lui en offrir lorsqu'on lui apporte les premiers produits de la nature, mais on ne doit pas en brûler sur l'autel dans une offrande à la fumée odorante.

13 « On doit déposer du sel[d] sur chaque offrande végétale. Jamais on ne négligera d'en mettre, car le sel symbolise *l'alliance conclue par Dieu avec vous. C'est pourquoi une offrande de sel sera jointe à tout *sacrifice.

14 « Lorsque vous apporterez au Seigneur une offrande des premiers produits de vos terres, vous commencerez par griller des épis au feu, puis vous en écraserez les grains. Au moment de l'apporter, 15 vous verserez de l'huile et déposerez de l'encens dessus. Ce sera une offrande végétale. 16 Le prêtre en brûlera la part appelée “mémorial”, à savoir une partie du grain et de l'huile, avec tout l'encens. Ce qui est ainsi consumé, c'est ce qui appartient au Seigneur. »

---

b **2.2** Le *mémorial* doit « rappeler » l'auteur de l'offrande au « souvenir » de Dieu.

c **2.11** Le *levain* et le *miel* (de fruit, voir la note sur Ex 3.8), par la fermentation qu'ils produisent, sont contraires à la pureté de l'offrande. De plus ils évoquent des offrandes du culte païen.

d **2.13** Au contraire du levain, le *sel* conserve et purifie (voir 2 Rois 2.19-22). Le sel souligne ici que *l'alliance* est perpétuelle.

Le sacrifice de communion

3 1 « Si quelqu'un offre en *sacrifice de
communion une tête de gros bétail, il
doit amener au *sanctuaire un taureau ou
une vache sans défaut ; 2 il pose la main
sur la tête de l'animal et l'égorge à l'entrée de la *tente de la rencontre. Les prêtres, fils d'Aaron, aspergent de son sang
les côtés de *l'autel. 3 On présente au Seigneur les morceaux suivants, qui lui sont
réservés : toute la graisse[e] qui recouvre
les entrailles, 4 les deux rognons avec la
graisse qui y adhère ainsi qu'aux flancs,
et le lobe du foie qu'on détache en même
temps que les rognons. 5 Les prêtres brûlent tous ces morceaux sur l'autel, avec le
sacrifice complet placé sur les bûches enflammées. C'est un sacrifice consumé
dont le Seigneur apprécie la fumée odorante.
6 « Si quelqu'un offre au Seigneur en
sacrifice de communion une tête de petit
bétail, il doit prendre une bête sans défaut, mâle ou femelle. 7 Si c'est un mouton, il le conduit au sanctuaire ; 8 il pose
la main sur sa tête et l'égorge devant la
tente. Les prêtres aspergent de son sang
les côtés de l'autel. 9 On présente au Seigneur les morceaux gras suivants, qui lui
sont réservés : la queue[f] tout entière,
qu'on détache de la colonne vertébrale,
toute la graisse qui recouvre les entrailles, 10 les deux rognons avec la graisse qui
y adhère ainsi qu'aux flancs, et le lobe du
foie qu'on détache en même temps que
les rognons. 11 Le prêtre brûle tous ces
morceaux sur l'autel. C'est une nourriture consumée pour le Seigneur.
12 « Si quelqu'un offre un bouc ou une
chèvre, il conduit l'animal au sanctuaire ;
13 il pose la main sur sa tête et l'égorge devant la tente. Les prêtres aspergent de
son sang les côtés de l'autel. 14 On présente au Seigneur les morceaux suivants,
qui lui sont réservés : toute la graisse qui
recouvre les entrailles, 15 les deux rognons avec la graisse qui y adhère ainsi
qu'aux flancs, et le lobe du foie qu'on détache en même temps que les rognons.
16 Le prêtre brûle tous ces morceaux sur
l'autel. C'est une nourriture consumée à
la fumée odorante.
« Toutes les parties grasses sont réservées au Seigneur. 17 C'est pourquoi, en
tout temps et quel que soit l'endroit où
vous habiterez, vous observerez la prescription suivante : Vous ne consommerez
ni les morceaux gras, ni le sang d'un
animal. »

Le sacrifice pour obtenir le pardon
a. Sacrifice du grand-prêtre

4 1 Le Seigneur dit à Moïse 2 de
communiquer aux Israélites les prescriptions suivantes :
« Quand un homme a péché par mégarde en commettant un acte interdit par
un commandement du Seigneur, il faut
procéder comme ceci :
3 « Si c'est le grand-prêtre qui pèche et
transmet sa culpabilité à tout le peuple, il
doit offrir en *sacrifice au Seigneur un
taureau sans défaut pour obtenir le pardon des péchés. 4 Il conduit le taureau au
*sanctuaire, à l'entrée de la *tente de la
rencontre ; il pose la main sur la tête de
l'animal et l'égorge là, devant le Seigneur.
5 Il prend de son sang et l'emporte dans la
tente ; 6 il trempe un doigt dans le sang et
fait sept aspersions, devant le Seigneur,
contre le côté visible du rideau du sanctuaire. 7 Il met également du sang sur les
angles relevés de *l'autel où l'on brûle le
parfum, dans le sanctuaire ; puis il va verser le reste du sang à la base de l'autel des
sacrifices qui se dresse à l'entrée de la
tente. 8 Il prélève toutes les parties grasses
de l'animal, à savoir toute la graisse qui
recouvre les entrailles, 9 les deux rognons
avec la graisse qui y adhère ainsi qu'aux
flancs, et le lobe du foie qu'il détache en
même temps que les rognons 10 – ce sont
les mêmes parties que celles prélevées sur
un animal offert en sacrifice de communion –. Le grand-prêtre les brûle sur l'autel des sacrifices. 11-12 Ensuite il fait porter
tout ce qui reste de l'animal, peau,
viande, tête, pattes, entrailles avec leur
contenu, dans un endroit *pur hors du

---

e **3.3** Les parties grasses passaient pour être les meilleurs morceaux, voir És 25.6.

f **3.9** Voir Ex 29.22 et la note.

camp, là où sont déposées les cendres
grasses de l'autel, et on le jette sur un feu
de bois. C'est là même, sur le tas de cendres grasses, qu'il doit être brûlé. »

b. Sacrifice de toute la communauté

13 « Si c'est la communauté d'Israël tout
entière qui pèche par mégarde en
commettant un acte interdit par un
commandement du Seigneur, les Israélites se rendent ainsi coupables, bien
qu'ils ne le sachent pas. 14 Dès qu'ils découvrent la faute commise, ils doivent offrir un taureau pour obtenir le pardon de
Dieu. Ils conduisent le taureau devant la
*tente de la rencontre ; 15 les responsables
de la communauté posent la main sur la
tête de l'animal, et l'un d'entre eux
l'égorge là, devant le Seigneur. 16 Le
grand-prêtre emporte un peu de son sang
dans la tente ; 17 il trempe un doigt dans le
sang et fait sept aspersions, devant le Seigneur, contre le côté visible du rideau du
*sanctuaire. 18 Il met également du sang
sur les angles relevés de *l'autel qui se
trouve dans le sanctuaire ; puis il va verser
le reste du sang à la base de l'autel des sacrifices, qui se dresse à l'entrée de la tente.
19 Il prélève toutes les parties grasses de
l'animal et les brûle sur l'autel, 20 en procé-
dant exactement de la même manière
qu'avec le taureau offert pour son propre
péché. Il effectue sur les Israélites le geste
rituel du pardon des péchés, et ils obtiennent le pardon de Dieu. 21 Ensuite il
fait porter ce qui reste de l'animal hors du
camp, et on le jette au feu, comme dans le
cas du taureau offert pour son propre péché. C'est un sacrifice pour obtenir le pardon en faveur de l'ensemble d'Israël. »

c. Sacrifice d'un chef

22 « Si c'est un chef du peuple qui pèche
par mégarde en commettant un acte interdit par un commandement du Seigneur son Dieu, il se rend ainsi coupable.
23 Dès qu'il découvre la faute commise, il
doit offrir un bouc sans défaut. 24 Il pose
la main sur la tête de l'animal et l'égorge
devant le *sanctuaire, à l'endroit où l'on
égorge les animaux offerts en sacrifices
complets. C'est un sacrifice pour obtenir
le pardon des péchés. 25 Le prêtre trempe
un doigt dans le sang de l'animal et en
met sur les angles relevés de *l'autel des
sacrifices ; puis il verse le reste du sang à
la base de ce même autel. 26 Il brûle sur
l'autel toutes les parties grasses de l'animal, comme dans le cas du sacrifice de
communion. Il effectue sur le chef le
geste rituel du pardon des péchés, et
celui-ci obtient le pardon de Dieu. »

d. Sacrifice d'un simple citoyen

27 « Si c'est un simple citoyen qui pèche
par mégarde en commettant un acte interdit par un commandement du Seigneur, il se rend ainsi coupable. 28 Dès
qu'il découvre la faute commise, il doit
offrir une chèvre sans défaut, en raison
du péché qu'il a commis. 29 Il pose la
main sur la tête de l'animal et l'égorge à
l'endroit où l'on égorge les animaux offerts en sacrifices complets. 30 Le prêtre
trempe un doigt dans le sang de l'animal
et en met sur les angles relevés de *l'autel
des sacrifices ; puis il verse le reste du
sang à la base de ce même autel. 31 On détache toutes les parties grasses de l'animal, comme dans le cas du sacrifice de
communion. Le prêtre les brûle sur l'autel pour que le Seigneur en apprécie la fumée odorante. Il effectue sur le coupable
le geste rituel du pardon des péchés, et
celui-ci obtient le pardon de Dieu[g].

32 « Si le coupable préfère offrir un
mouton, il doit amener une femelle sans
défaut pour obtenir le pardon de Dieu.
33 Il pose la main sur la tête de l'animal et
l'égorge à l'endroit où l'on égorge les animaux offerts en sacrifices complets. 34 Le
prêtre trempe un doigt dans le sang de
l'animal et en met sur les angles relevés
de l'autel des sacrifices ; puis il verse le
reste du sang à la base de ce même autel.
35 On détache les parties grasses de l'animal, comme dans le cas d'un mouton offert en sacrifice de communion. Le prêtre
les brûle sur l'autel, avec les autres sacrifices consumés pour le Seigneur. Il effectue sur le coupable le geste rituel du
pardon des péchés, et celui-ci obtient le
pardon de Dieu. »

---

g **4.31** V. 27-31 : voir Nomb 15.27-28.

e. Quelques exemples concrets

5 1 « Supposons qu'un homme entende un appel solennel adressé à ceux qui ont été témoins d'une affaire ; s'il refuse d'aller dire ce qu'il a vu ou appris, c'est un péché dont il porte la responsabilité[h].

2 « Autre exemple : Un homme entre en contact avec quoi que ce soit *d'impur, cadavre d'une bête impure, qu'elle soit sauvage ou domestique, ou cadavre d'une bestiole impure ; même s'il ne s'en est pas rendu compte, il est devenu impur et il en porte la responsabilité[i].

3 « Autre exemple : Un homme entre en contact avec un être humain atteint d'une impureté qui se transmet, quelle qu'elle soit ; il ne s'en est peut-être pas rendu compte sur le moment, mais dès qu'il l'apprend, il en porte la responsabilité[j].

4 « Autre exemple : Un homme se laisse aller à prononcer un serment inconsidéré dans n'importe quel domaine, que ce soit à l'avantage ou au détriment de quelqu'un ; lorsqu'il s'en rend compte, il en porte la responsabilité[k].

5 « L'homme qui est responsable d'une faute du genre de celles qui viennent d'être décrites doit confesser en quoi il a péché. 6 Ensuite, pour obtenir le pardon de la faute commise, il doit amener une brebis ou une chèvre qu'on offre en *sacrifice au Seigneur à titre de réparation. Alors le prêtre effectue sur lui le geste rituel du pardon de son péché. »

f. Le sacrifice des pauvres

7 « Si un homme n'a pas les moyens de fournir une brebis ou une chèvre à titre de réparation pour le péché commis, il peut apporter au Seigneur deux tourterelles ou deux pigeons ; l'un des oiseaux est destiné à un *sacrifice pour obtenir le pardon, l'autre à un sacrifice complet. 8 L'homme les remet au prêtre, qui présente au Seigneur d'abord l'oiseau offert pour le pardon : il lui rompt la nuque, mais sans détacher la tête ; 9 il fait couler une partie du sang le long du côté de *l'autel, et répand le reste à la base de l'autel. C'est un sacrifice pour obtenir le pardon d'un péché. 10 Ensuite le prêtre offre le second oiseau en sacrifice complet, selon la règle. Alors il effectue sur le coupable le geste rituel du pardon des péchés, et celui-ci obtient le pardon de Dieu.

11 « Si un homme n'a pas à sa disposition les deux tourterelles ou pigeons exigés, il peut apporter trois kilos de farine comme offrande pour obtenir le pardon de son péché ; mais il ne doit pas verser d'huile ni déposer *d'encens dessus[l], puisque c'est une offrande pour le pardon. 12 Il apporte la farine au prêtre, qui en prélève une poignée, appelée “mémorial”[m], et la brûle sur l'autel avec les autres sacrifices consumés pour le Seigneur. C'est une offrande pour obtenir le pardon. 13 Alors le prêtre effectue sur le coupable le geste rituel du pardon pour le péché commis, et l'homme obtient le pardon de Dieu.

« Le prêtre accomplit cette cérémonie[n] comme dans le cas d'une offrande végétale. »

Le sacrifice de réparation

14 Le Seigneur dit à Moïse :

15 « Si un homme, par mégarde, commet une faute grave à l'égard des offrandes consacrées au Seigneur, il doit procéder comme ceci : il amène pour le Seigneur, à titre de réparation, un bélier sans défaut, dont la valeur correspond au tarif en vigueur au *sanctuaire ; cet animal est destiné à un *sacrifice de réparation. 16 L'homme doit en outre compenser le préjudice subi par le sanctuaire et ajouter à cette compensation un cinquième de sa valeur, et il remet le tout au prêtre. Après avoir offert l'animal en sacrifice, le prêtre effectue sur le coupable le geste rituel du pardon des péchés, et celui-ci obtient le pardon de Dieu.

h 5.1 Comparer Prov 29.24.
i 5.2 Voir 11.24-40.
j 5.3 Voir chap. 12–15.
k 5.4 Comparer Nomb 30.2-9 ; Ps 15.4. – A la fin du verset, l'hébreu ajoute deux mots qui sont empruntés au v. 5.
l 5.11 Comparer 2.1.
m 5.12 Voir 2.2 et la note.
n 5.13 Autre traduction d'après les versions anciennes *Le reste revient au prêtre*.

17 « Si l'homme pèche en commettant un acte interdit par un commandement du Seigneur, il est coupable, même s'il l'a fait sans s'en rendre compte, et il en porte la responsabilité. 18 Il doit amener au prêtre un bélier sans défaut, de la valeur réglementaire, pour un sacrifice de réparation ; le prêtre effectue sur le coupable le geste rituel du pardon pour le péché qu'il a commis par inadvertance, et l'homme obtient le pardon de Dieu. 19 C'est un sacrifice de réparation, car l'homme était effectivement coupable envers le Seigneur. »

20 Le Seigneur[o] dit à Moïse :

21 « Supposons qu'un homme commette une faute grave envers le Seigneur en faisant du tort à un compatriote : par exemple il ment au sujet d'un objet qu'il a reçu en dépôt, qu'il a emprunté, volé ou extorqué ; 22 ou bien il a trouvé un objet perdu et il le nie ; ou encore il prononce un serment mensonger pour camoufler n'importe quel méfait du même genre. 23 Cet homme a donc commis une faute et il est coupable ; il doit restituer l'objet qu'il a volé, extorqué, trouvé, ou qu'on lui a confié, 24 ou l'objet au sujet duquel il a prononcé un faux serment. Non seulement il le restitue intégralement, mais il y ajoute encore un cinquième de sa valeur ; il le remet au propriétaire légitime dès qu'il se reconnaît coupable. 25 Il doit ensuite amener au prêtre un bélier sans défaut, de la valeur réglementaire, pour un sacrifice de réparation offert au Seigneur. 26 Alors, devant le Seigneur, le prêtre effectue sur l'homme le geste rituel du pardon pour le péché dont il s'est rendu coupable, et l'homme obtient le pardon de Dieu[p]. »

Prescriptions pour les prêtres : a. Le sacrifice complet

6 1 Le Seigneur[q] dit à Moïse 2 de communiquer les ordres suivants à Aaron et à ses fils :

« Règles concernant le *sacrifice complet : Ce sacrifice doit brûler durant toute la nuit sur *l'autel, où l'on entretiendra le feu. 3 Ensuite le prêtre, vêtu d'une tunique de lin et d'un caleçon de lin, enlève de l'autel les cendres grasses du sacrifice consumé et les dépose à côté de l'autel. 4 Puis il va changer de vêtements et emporte les cendres dans un endroit *pur hors du camp. 5 Le feu qui brûle sur l'autel ne doit pas s'éteindre : chaque matin le prêtre y remet des bûches sur lesquelles il dispose le sacrifice complet, avant d'y brûler les morceaux gras des sacrifices de communion. 6 Un feu perpétuel doit brûler sur l'autel, sans jamais s'éteindre. »

b. L'offrande végétale

7 « Règles concernant l'offrande végétale : Ce sont les fils d'Aaron qui doivent la présenter au Seigneur devant *l'autel. 8 L'un des prêtres y prélève une poignée de farine mêlée d'huile et tout *l'encens, et brûle sur l'autel cette partie d'offrande appelée "mémorial"[r]. Le Seigneur en apprécie la fumée odorante. 9 Ce qui reste peut être consommé par Aaron et ses fils, mais ils doivent le manger, sans y ajouter de *levain, dans un endroit réservé du sanctuaire, à savoir dans la cour de la *tente de la rencontre. 10 On ne le cuira donc pas avec du levain. En effet, la part que le Seigneur leur attribue ainsi provient des offrandes qui lui sont destinées ; c'est une part qui lui est strictement réservée, tout comme celle qui provient d'un sacrifice pour le pardon ou d'un sacrifice de réparation. 11 Seuls les descendants mâles d'Aaron peuvent en consommer, car cette partie des offrandes apportées au Seigneur leur est réservée pour toujours. A cause de cela, toute autre personne qui entrerait en contact avec elle subirait des conséquences fâcheuses. »

12 Le Seigneur dit à Moïse :

13 « Dès qu'ils seront consacrés, Aaron et ses fils devront offrir au Seigneur trois kilos de farine par jour, la moitié le matin, l'autre moitié le soir. 14 La farine doit

---

o **5.20** Dans certaines traductions, les v. 20-26 sont numérotés 6.1-7.

p **5.26** V. 20-26 : voir Nomb 5.5-8.

q **6.1** Dans certaines traductions, les v. 1-23 sont numérotés 8-30. Voir 5.20 et la note.

r **6.8** Voir 2.2 et la note.

être pétrie avec de l'huile et la pâte ob-
tenue cuite sur la plaque. Puis cette galette est brisée en morceaux avant d'être
offerte au Seigneur[s]. Le Seigneur en appréciera la fumée odorante.
15 « Lorsqu'un descendant d'Aaron
sera consacré comme grand-prêtre, il ob-
servera la même pratique : c'est une offrande perpétuelle, qui est intégralement
brûlée pour le Seigneur. 16 En effet, toute
offrande végétale faite par un prêtre est
totale : on ne doit rien en manger. »

c. Le sacrifice pour obtenir le pardon

17 Le Seigneur dit à Moïse 18 de
communiquer encore les prescriptions
suivantes à Aaron et à ses fils :
« Règles concernant le sacrifice pour
obtenir le pardon : On doit égorger l'animal devant le *sanctuaire, à l'endroit où
l'on égorge les animaux offert en sacrifices complets. C'est une offrande strictement réservée à Dieu, 19 et le prêtre
officiant ne peut la manger que dans un
endroit réservé du sanctuaire, à savoir
dans la cour de la *tente de la rencontre.
20 Tout ce qui entrerait en contact avec la
viande d'un tel sacrifice subirait des
conséquences fâcheuses : si du sang de la
victime gicle sur un vêtement, la partie
tachée doit être lavée dans un endroit réservé du sanctuaire ; 21 si on cuit la viande
dans un récipient en terre, il faut ensuite
briser le récipient ; si on la cuit dans un
récipient de bronze, on le nettoiera et on
le rincera à grande eau. 22 Seuls les hommes des familles sacerdotales peuvent
manger de cette viande, puisqu'elle est
strictement réservée à Dieu. 23 Toutefois,
si le sang d'un animal sacrifié a été porté
à l'intérieur de la tente de la rencontre et
utilisé dans le sanctuaire pour une cérémonie de pardon, la viande de cet animal
ne doit pas être mangée, mais jetée au
feu[t]. »

d. Le sacrifice de réparation

7 1 « Règles concernant le *sacrifice de
réparation : Il s'agit d'une offrande
strictement réservée à Dieu. 2 On doit
égorger l'animal à l'endroit où l'on
égorge les animaux offerts en sacrifices
complets, puis on asperge de son sang les
côtés de *l'autel. 3 On présente au Seigneur les morceaux gras suivants : la
queue[u], la graisse qui recouvre les entrailles, 4 les deux rognons avec la graisse
qui y adhère ainsi qu'aux flancs, et le
lobe du foie qu'on détache en même
temps que les rognons. 5 Le prêtre brûle
le tout sur l'autel. C'est un sacrifice de réparation, consumé pour le Seigneur.
6 Seuls les hommes des familles sacerdotales peuvent manger de la viande de
cet animal ; ils la consommeront dans
un endroit réservé du sanctuaire,
puisqu'elle est strictement réservée à
Dieu. 7 Ces règles concernant le sacrifice
de réparation sont identiques à celles
concernant le sacrifice pour obtenir le
pardon. La viande de l'animal revient au
prêtre qui a présidé la cérémonie de
pardon. »

e. Ce qui revient au prêtre

8 « Lorsqu'un homme offre un sacrifice
complet, la peau de l'animal revient au
prêtre qui préside la cérémonie. 9 Les offrandes végétales, qu'elles soient cuites
au four, dans la poêle ou sur la plaque, reviennent au prêtre qui préside la cérémonie. 10 Par contre les offrandes non cuites
sont partagées[v] à égalité entre les prêtres,
aussi bien celles qui sont préparées avec
de l'huile que les autres. »

f. Le sacrifice de communion

11 « Règles concernant le sacrifice de
communion offert au Seigneur : 12 Quand
un sacrifice est offert pour accompagner
un chant de louange[w], on apporte, en
plus de l'animal à sacrifier, des gâteaux à
l'huile cuits sans *levain, des galettes
sans levain arrosées d'huile et des gâteaux faits de farine pétrie avec de l'huile.
13 On apporte en outre une offrande de
pain levé pour accompagner le sacrifice
de louange. 14 On prélève sur ces of-

---

s **6.14** Le texte hébreu de ce verset est peu clair et la traduction incertaine.
t **6.23** Voir 4.3-21.
u **7.3** Voir Ex 29.22 et la note.
v **7.10** Autre traduction *En réalité elles sont partagées.*
w **7.12** Voir Ps 107.22 ; 116.17.

frandes une pièce de chaque espèce, pour le Seigneur ; ces gâteaux-là reviennent ensuite au prêtre qui a aspergé de sang les côtés de *l'autel. 15 Quant à la viande de l'animal sacrifié, elle doit être consommée le jour même. On ne doit rien en garder pour le lendemain.

16 « Quand un sacrifice de communion est offert de manière spontanée ou pour accomplir un *vœu, on peut manger une partie de la viande le jour même du sacrifice et une autre partie le lendemain. 17 S'il en reste le surlendemain, on doit la jeter au feu. 18 Si, le troisième jour, quelqu'un mange de la viande provenant du sacrifice, celui qui a offert le sacrifice ne peut pas obtenir la faveur du Seigneur : son sacrifice est tenu pour nul, car la viande est devenue impropre à tout usage religieux. Celui qui en mange se rend coupable d'une faute. 19 Si la viande est entrée en contact avec quelque chose *d'impur, on ne doit pas la consommer, mais la jeter au feu.

« Il faut être en état de pureté pour manger la viande du sacrifice. 20 Si quelqu'un est en état d'impureté personnelle[x] et mange de la viande d'un sacrifice de communion offert au Seigneur, il sera exclu de la communauté d'Israël ; 21 et il en ira de même pour quiconque en consomme après avoir été en contact avec un être humain impur, un animal impur ou une bestiole impure[y]. »

Prescriptions à l'usage du peuple

22 Le Seigneur dit à Moïse 23 de communiquer aux Israélites les règles suivantes :

« Vous ne devez consommer aucun morceau gras d'un animal, bœuf, mouton ou chèvre. 24 La graisse d'une bête crevée ou tuée par des animaux sauvages ne doit pas être mangée, mais peut servir à n'importe quel autre usage. 25 Si quelqu'un mange un morceau gras d'un animal destiné à être consumé en sacrifice pour le Seigneur, il sera exclu de la communauté d'Israël. 26 Vous ne devez jamais consommer non plus le sang d'un oiseau ou d'une bête, quel que soit l'endroit où vous habitez. 27 Si quelqu'un consomme du sang, il sera également exclu de la communauté d'Israël[z]. »

28 Le Seigneur dit à Moïse 29 de communiquer aux Israélites encore les règles suivantes :

« Lorsqu'un homme offre un sacrifice de communion, il donne au Seigneur la part qui lui revient ; 30 il apporte lui-même ce qui est réservé au Seigneur, à savoir les morceaux gras et la poitrine de l'animal. La poitrine doit lui être offerte avec le geste rituel de présentation. 31 Le prêtre brûle alors les morceaux gras sur *l'autel. Quant à la poitrine, elle revient à Aaron et à ses fils. 32 Vous devez également prélever le gigot droit de l'animal sacrifié et le remettre au prêtre. 33 C'est en effet la part attribuée à celui des fils d'Aaron qui apporte à l'autel le sang et les morceaux gras de l'animal. 34 Le Seigneur lui-même vous ordonne, à vous les Israélites, de mettre de côté la poitrine et le gigot des animaux offerts en sacrifices de communion, pour les donner au prêtre Aaron et à ses descendants, car ces morceaux-là leur sont réservés pour toujours. »

35 Ces parts prélevées sur les sacrifices offerts au Seigneur revinrent à Aaron et à ses fils, dès qu'ils furent installés dans leur ministère de prêtres du Seigneur. 36 Le Seigneur ordonna aux Israélites de les leur remettre, le jour où il les consacra. Cette prescription doit être observée en tout temps.

37 Telles sont les règles concernant les sacrifices complets, les offrandes végétales, les sacrifices pour obtenir le pardon, les sacrifices de réparation, les sacrifices d'installation et les sacrifices de communion. 38 Le Seigneur les a transmises à Moïse sur le mont Sinaï, dans le désert, le jour même où il a ordonné aux Israélites de lui offrir des sacrifices.

---

x **7.20** Voir chap. 12–15.

y **7.21** *une bestiole (impure)* : d'après quelques manuscrits hébreux et plusieurs versions anciennes ; texte hébreu traditionnel : *n'importe quoi (d'impur)*. Les deux mots hébreux correspondants ne diffèrent que par une lettre.

z **7.27** V. 26-27 : voir 17.10-14 ; Gen 9.4 ; Deut 12.16,23 ; 15.23.

CONSÉCRATION DES PREMIERS PRÊTRES
8–10

La cérémonie de consécration

8 1 Le Seigneur[a] dit à Moïse : 2 « Convoque Aaron et ses fils à l'entrée de la *tente de la rencontre. Fais apporter les vêtements sacrés et l'huile d'onction, et fais amener le taureau du *sacrifice pour obtenir le pardon, les deux béliers et la corbeille contenant les pains sans *levain. 3 Rassemble aussi toute la communauté d'Israël à cet endroit. » 4 Moïse obéit au Seigneur : il rassembla les Israélites à l'entrée de la tente 5 et leur annonça qu'il devait exécuter les ordres du Seigneur. 6 Puis il alla chercher Aaron et ses fils et leur fit prendre un bain rituel. 7 Il revêtit Aaron de la tunique, lui attacha la ceinture, lui mit la robe avec l'éfod[b] par-dessus et noua dans son dos les attaches de l'éfod ; 8 il plaça sur sa poitrine le pectoral, dans lequel il déposa l'Ourim et le Toummim[c]. 9 Il posa le turban sur sa tête et fixa l'insigne sacré, le bijou d'or en forme de fleur, sur le devant du turban, conformément aux ordres du Seigneur[d]. 10 Moïse prit ensuite de l'huile d'onction et s'en servit pour consacrer la demeure sacrée et tout ce qu'elle contenait. 11 Il fit sept aspersions d'huile pour consacrer *l'autel, ses accessoires, le bassin des *purifications et son support. 12 Il consacra également Aaron en versant de l'huile sur sa tête. 13 Il demanda enfin aux fils d'Aaron de s'approcher : il les revêtit de leurs tuniques, puis leur mit leurs ceintures et leurs tiares, conformément aux ordres du Seigneur.

14 Il fit amener le taureau destiné au sacrifice pour obtenir le pardon ; Aaron et ses fils posèrent la main sur sa tête. 15 Moïse l'égorgea, prit de son sang et en déposa avec un doigt sur les angles relevés de l'autel, pour le purifier ; puis il versa le reste du sang à la base de l'autel. C'est ainsi qu'il consacra l'autel afin qu'il puisse servir dans les cérémonies de pardon des péchés[e]. 16 Moïse prit toute la graisse qui recouvrait les entrailles de l'animal, le lobe du foie et les deux rognons avec la graisse qui y adhère, et il brûla le tout sur l'autel. 17 Le reste de l'animal, peau, viande et boyaux, fut jeté au feu en dehors du camp, conformément aux ordres du Seigneur.

18 Il fit amener ensuite le bélier destiné au sacrifice complet ; Aaron et ses fils posèrent la main sur sa tête. 19 Moïse égorgea le bélier et aspergea de son sang les côtés de l'autel. 20 Il découpa l'animal en morceaux et les brûla avec la tête et les parties grasses. 21 Il lava les entrailles et les pattes, et les brûla sur l'autel avec le reste du bélier, en sacrifice complet, conformément aux ordres du Seigneur ; ce fut un sacrifice dont le Seigneur apprécia la fumée odorante.

22 Il fit amener enfin le second bélier, dont le sacrifice devait marquer l'entrée en fonction des prêtres ; Aaron et ses fils posèrent la main sur sa tête. 23 Moïse égorgea le bélier, prit de son sang et en déposa sur le lobe de l'oreille droite d'Aaron, de même que sur le pouce de sa main droite et de son pied droit. 24 Puis il fit approcher les fils d'Aaron et déposa également du sang sur le lobe de leur oreille droite, de même que sur le pouce de leur main droite et de leur pied droit ; ensuite il aspergea les côtés de l'autel avec le reste du sang. 25 Moïse prit les parties grasses du bélier : la queue[f], la graisse qui recouvre les entrailles, le lobe du foie, les deux rognons avec la graisse qui y adhère, ainsi que le gigot droit. 26 Dans la corbeille des pains sans levain déposée devant le Seigneur, il préleva un gâteau sans levain, un gâteau à l'huile et une galette, et il les disposa sur les morceaux gras et le gigot droit. 27 Il plaça le tout sur les mains d'Aaron et de ses fils, et leur dit

---

a **8.1** Comparer Lév 8 avec Ex 29.
b **8.7** Voir Ex 28.6-14.
c **8.8** *pectoral* : voir Ex 28.15-30, et la note sur le v. 15. – *Ourim et Toummim* : voir Ex 28.30 et la note.
d **8.9** V. 6-9 : voir Ex 28.4-43 ; 39.1-31.
e **8.15** V. 10-15 : voir Ex 40.9-13.
f **8.25** Voir Ex 29.22 et la note.

de l'offrir au Seigneur avec le geste rituel de présentation. 28 Ensuite, il reprit ces offrandes de leurs mains et les brûla sur l'autel, par-dessus le sacrifice complet. Ainsi se déroula le sacrifice marquant l'entrée en fonction des prêtres ; le Seigneur en apprécia la fumée odorante. 29 Moïse prit la poitrine de l'animal et la présenta devant le Seigneur avec le geste rituel ; cette part du bélier lui revint, conformément aux ordres du Seigneur.

30 Moïse prit de l'huile d'onction et un peu du sang qui était sur l'autel, et il en aspergea Aaron et ses vêtements, puis ses fils et leurs vêtements ; ainsi, Aaron et ses fils furent consacrés, de même que leurs vêtements.

31 Moïse dit à Aaron et à ses fils : « Faites cuire la viande du second bélier à l'entrée de la tente de la rencontre. Vous la mangerez vous-mêmes à cet endroit, avec les pains confectionnés pour la cérémonie, conformément à l'ordre que je vous ai transmis. 32 S'il y a ensuite des restes de viande ou de pain, vous les jetterez au feu. 33 Vous demeurerez pendant sept jours à l'entrée de la tente ; vous ne la quitterez pas avant que soient achevés les sept jours de la cérémonie de votre entrée en fonction. 34 Le Seigneur lui-même a ordonné de procéder comme on l'a fait aujourd'hui, afin que vous obteniez le pardon de vos péchés. 35 Restez à l'entrée de la tente jour et nuit, durant toute cette semaine. Ensuite vous pourrez accomplir le service prescrit par le Seigneur sans risquer la mort. Tels sont les ordres que j'ai reçus de Dieu. » 36 Aaron et ses fils exécutèrent tous les ordres que le Seigneur leur avait transmis par l'intermédiaire de Moïse.

Entrée en fonction d'Aaron et de ses fils

9 1 Le huitième jour[g], Moïse convoqua Aaron, ses fils et les *anciens d'Israël. 2 Il dit à Aaron : « Procure-toi un veau destiné à un *sacrifice pour obtenir le pardon, et un bélier destiné à un sacrifice complet, tous deux sans défaut. Tu les présenteras devant le Seigneur. 3 Ensuite tu ordonneras aux Israélites d'amener un bouc destiné à un sacrifice pour le pardon, un veau et un agneau d'un an sans défaut destinés à des sacrifices complets, 4 ainsi qu'un taureau et un bélier qui seront offerts au Seigneur en *sacrifices de communion, accompagnés d'une offrande de farine pétrie avec de l'huile. En effet, aujourd'hui même, le Seigneur va se montrer à vous. »

5 Lorsqu'on eut amené devant la *tente de la rencontre ce que Moïse avait énuméré, toute la communauté d'Israël s'approcha et se tint devant le *sanctuaire. 6 Moïse déclara : « Je vais vous indiquer ce que le Seigneur vous ordonne de faire, afin que sa glorieuse présence se manifeste à vous. » 7 Il dit ensuite à Aaron : « Approche de *l'autel, offres-y le sacrifice pour le pardon et le sacrifice complet qui te concernent ; puis effectue le geste rituel du pardon des péchés, en ta faveur et en faveur du peuple. Ensuite offre les sacrifices du peuple et effectue de nouveau le geste rituel en leur faveur, conformément aux ordres du Seigneur[h]. »

8 Aaron s'approcha de l'autel et égorgea le veau qu'il offrait pour son propre pardon. 9 Ses fils lui présentèrent le sang de l'animal ; il y trempa un doigt et en déposa sur les angles relevés de l'autel, puis il versa le reste du sang à la base de l'autel. 10 Il brûla sur l'autel les morceaux gras, les rognons et le lobe du foie de l'animal, comme le Seigneur l'avait ordonné à Moïse. 11 Quant à la viande et à la peau, on les jeta au feu, hors du camp.

12 Aaron égorgea le bélier du sacrifice complet. Ses fils lui remirent le sang de l'animal et il en aspergea les côtés de l'autel. 13 Ils lui remirent également la tête et le corps découpé en morceaux, et il les brûla sur l'autel ; 14 il lava les entrailles et les pattes, et les brûla sur l'autel, par-dessus les autres morceaux.

15 Ensuite Aaron présenta au Seigneur les sacrifices du peuple. Il prit le bouc que le peuple avait amené pour obtenir le pardon de ses péchés, il l'égorgea et l'offrit en sacrifice, comme il l'avait fait pour

---

g **9.1** La consécration des prêtres (sept jours, chap. 8) et leur entrée en fonction (chap. 9) forment une seule grande cérémonie qui culmine au *huitième jour*.

h **9.7** Voir Hébr 5.1-3 ; 7.27.

le veau. 16 Il présenta les deux bêtes du sacrifice complet et les offrit selon la règle. 17 Il présenta l'offrande végétale, en prit une poignée et la brûla sur l'autel, en plus du sacrifice complet de chaque matin. 18 Il égorgea le taureau et le bélier que le peuple avait amenés pour un sacrifice de communion[i]. Ses fils lui remirent le sang de ces animaux et il en aspergea les côtés de l'autel. 19 Ils lui remirent également les morceaux gras du taureau, de même que la queue, la graisse qui recouvre les entrailles, les rognons et le lobe du foie prélevés sur le bélier ; 20 ils placèrent ces morceaux-là par-dessus les poitrines des deux animaux, puis Aaron brûla les morceaux gras sur l'autel. 21 Ensuite, conformément aux ordres de Moïse, il offrit au Seigneur les poitrines et le gigot droit avec le geste rituel de présentation.

22 Lorsque Aaron eut fini d'offrir les sacrifices pour le pardon, les sacrifices complets et les sacrifices de communion, il leva les mains et *bénit le peuple[j], puis il redescendit de l'autel. 23 Moïse et Aaron pénétrèrent ensuite dans la tente de la rencontre ; quand ils en ressortirent, ils bénirent le peuple. Alors la glorieuse présence du Seigneur se manifesta aux Israélites ; 24 une flamme en jaillit et alla consumer sur l'autel les sacrifices complets et les morceaux gras des autres sacrifices. Tous les Israélites virent cela ; ils poussèrent des cris de joie, puis se jetèrent la face contre terre.

Règles relatives au deuil

10 1 Nadab et Abihou, deux des fils d'Aaron, prirent chacun sa cassolette et y mirent des braises sur lesquelles ils répandirent du parfum. Ils présentèrent ainsi devant le Seigneur une offrande de parfum profane, non conforme à ce qui leur était prescrit. 2 Une flamme jaillit alors, devant le Seigneur, et les brûla vifs sur place. 3 Moïse dit à Aaron : « Le Seigneur vous a avertis de cela, lorsqu'il a déclaré :

"Je veux que ceux qui m'approchent
reconnaissent en moi le vrai Dieu
et qu'ils me rendent gloire en présence
de tout le peuple." »

Aaron resta silencieux[k].

4 Moïse appela Michaël et Élissafan, fils d'Ouziel, l'oncle d'Aaron ; il leur ordonna d'aller prendre les cadavres de leurs cousins, qui gisaient devant le *sanctuaire, pour les emporter hors du camp. 5 Ils exécutèrent l'ordre de Moïse et transportèrent les corps, avec leurs tuniques, hors du camp. 6 Moïse s'adressa ensuite à Aaron et à ses deux autres fils, Élazar et Itamar : « Ne laissez pas votre chevelure en désordre et ne *déchirez pas vos vêtements en signe de deuil ; vous attireriez la mort sur vous et la colère du Seigneur sur toute la communauté d'Israël. Laissez à tous vos frères israélites le soin de se lamenter sur ceux que le Seigneur a fait mourir par le feu. 7 Vous-mêmes, ne quittez pas l'entrée de la *tente de la rencontre, si vous ne tenez pas à mourir ; en effet l'onction d'huile que vous avez reçue vous a consacrés au service du Seigneur. » Aaron et ses fils obéirent à l'ordre de Moïse.

Règles relatives aux boissons alcooliques

8 Le Seigneur dit à Aaron : 9 « Toi et tes fils, ne buvez ni vin ni autre boisson alcoolique, avant d'entrer dans la *tente de la rencontre ; vous attireriez la mort sur vous. C'est une prescription que vous et vos descendants devrez observer en tout temps. 10 N'en buvez pas non plus lorsque vous devez décider si une chose est sainte ou profane, *pure ou impure, 11 ou encore lorsque vous devez enseigner aux Israélites les lois que je leur ai transmises par l'intermédiaire de Moïse. »

Règles relatives aux viandes des sacrifices

12 Moïse dit à Aaron, ainsi qu'à ses deux fils survivants, Élazar et Itamar : « Prenez ce qui reste de l'offrande de farine, après qu'on en a retiré ce qui est réservé au Seigneur, faites-en des pains sans *levain et mangez-les à proximité de

i **9.18** Voir 3.1-11.
j **9.22** Voir Nomb 6.22-26.
k **10.3** *resta silencieux* : autre traduction *entonna une lamentation*.

*l'autel ; puisqu'il s'agit d'aliments strictement réservés à Dieu, 13 vous ne pouvez les manger que dans un endroit réservé du *sanctuaire. Cette part des offrandes faites au Seigneur vous revient, à toi, Aaron, et à tes fils, selon les ordres que j'ai reçus de Dieu[l]. 14 La poitrine et le gigot des animaux offerts en *sacrifices de communion par les Israélites, et qui ont été présentés au Seigneur avec le geste rituel, doivent être consommés dans un endroit *pur ; vous mangerez ces morceaux, toi, tes fils et tes filles, car ils vous reviennent. 15 Les Israélites doivent apporter le gigot et la poitrine en plus des parties grasses que l'on brûle sur l'autel ; après le geste rituel de présentation devant le Seigneur, ces morceaux vous reviennent car, conformément aux ordres du Seigneur, c'est la part qui vous est réservée pour toujours[m]. »

16 Moïse s'informa au sujet du bouc offert pour obtenir le pardon du peuple[n] ; il apprit qu'on l'avait brûlé. Il se mit en colère contre Élazar et Itamar, les deux fils encore vivants d'Aaron, et leur demanda : 17 « Pourquoi n'avez-vous pas mangé la viande de ce sacrifice dans un endroit réservé du sanctuaire, puisqu'il s'agit d'un aliment strictement réservé à Dieu ? Le Seigneur vous avait donné cet animal pour que vous puissiez délivrer la communauté d'Israël de ses fautes et effectuer sur elle le geste rituel du pardon des péchés[o]. 18 Le sang de l'animal n'avait pas été porté à l'intérieur du sanctuaire, vous deviez donc en manger la viande dans un endroit réservé, comme je vous l'avais ordonné. » 19 Aaron répondit à Moïse : « Écoute, en ce jour où mes fils ont offert au Seigneur leur sacrifice pour obtenir le pardon et leur sacrifice complet, tu sais bien ce qui m'est arrivé. Pourrais-je, en un tel jour, manger la viande d'un animal offert en sacrifice pour le pardon ? Cela ne plairait certainement pas au Seigneur[p] ! » 20 Moïse trouva cette réponse satisfaisante.

CE QUI EST PUR ET CE QUI EST IMPUR
11–16

Animaux purs et animaux impurs

11 1 Le Seigneur dit à Moïse et à Aaron 2 de communiquer aux Israélites les instructions suivantes[q] :

« Parmi les animaux terrestres, vous pouvez manger 3 ceux qui ont des sabots fendus et qui ruminent. 4 Mais vous ne devez pas manger ceux qui ont seulement des sabots fendus ou qui ruminent seulement ; ainsi vous considérerez comme *impurs les animaux suivants :

– le chameau, car il rumine, mais n'a pas de sabots ;

5 – le daman[r], car il rumine, mais n'a pas de sabots ;

6 – le lièvre, car il rumine, mais n'a pas de sabots ;

7 – le porc, car il a des sabots fendus, mais il ne rumine pas.

8 Ne consommez pas la viande de ces animaux-là et ne touchez même pas leurs cadavres ; considérez-les comme impurs.

9 « Parmi les animaux vivant dans l'eau, dans les lacs, les mers ou les rivières, vous pouvez manger ceux qui ont à la fois des nageoires et des écailles. 10 Mais vous vous abstiendrez de manger ceux qui n'ont pas de nageoires ou pas d'écailles, que ce soient des bestioles qui grouillent dans l'eau ou d'autres animaux aquatiques ; 11 ayez-les en horreur : n'en consommez pas la chair et évitez tout contact avec leurs cadavres. 12 Abstenez-vous donc de manger tout animal aquatique dépourvu de nageoires ou d'écailles.

---

l **10.13** V. 12-13 : voir 6.7-11.
m **10.15** V. 14-15 : voir 7.30-34.
n **10.16** Voir 9.3,15.
o **10.17** Voir 6.17-19.
p **10.19** Le texte hébreu de ce verset est peu clair et la traduction incertaine.
q **11.2** On trouve une semblable liste d'animaux en Deut 14.3-20. L'identification de certains animaux n'est pas assurée.
r **11.5** *daman* : petit mammifère de la taille d'un lapin.

souflure blanche sur la peau, avec des
poils blancs et de la chair à vif, 11 il s'agit
d'un cas de lèpre chronique ; le prêtre déclare l'homme impur. Il est inutile de le
mettre en observation à l'isolement, car il
est manifestement impur[z]. 12 Par contre
si le prêtre a l'impression qu'une éruption de boutons recouvre tout le corps de
l'homme, de la tête aux pieds, 13 il procède à un examen approfondi. S'il
constate que les boutons s'étendent effectivement sur tout le corps, il déclare que
ce mal ne rend pas impur ; l'homme est
pur puisque tout son corps est devenu
blanc. 14 Mais le jour où apparaît sur lui
de la chair vive, l'homme devient impur :
15 le prêtre examine l'endroit où la chair
est à vif et déclare l'homme impur. La
chair vive est impure, elle résulte d'une
forme de lèpre. 16 Si l'endroit où la chair
est à vif redevient blanc, l'homme retourne chez le prêtre ; 17 celui-ci l'examine et s'il constate que la plaie est
effectivement redevenue blanche, il déclare qu'elle ne rend plus impur et que
l'homme est donc pur.

18 « Quand un homme a eu un furoncle qui a guéri, 19 si une boursouflure
blanche ou une tache d'un blanc rougeâtre apparaît à l'emplacement du furoncle, l'homme va trouver le prêtre.
20 Celui-ci examine la partie malade : si
une cavité se forme dans la peau et que
les poils y deviennent blancs, le prêtre
déclare l'homme impur ; c'est une forme
de lèpre qui se développe sur la cicatrice
du furoncle. 21 Mais si, lors de l'examen,
le prêtre ne trouve pas de poil blanc, si
la cicatrice ne forme pas de cavité dans
la peau et qu'elle est terne, il met le malade à l'isolement pour une semaine.
22 Après quoi, si le mal s'est étendu sur la
peau, le prêtre déclare l'homme impur ;
c'est une forme de lèpre. 23 Mais si la tache n'a pas changé et ne s'est pas étendue, c'est alors simplement la cicatrice
du furoncle, et le prêtre déclare
l'homme pur.

24 « Quand un homme a été brûlé et
qu'une tache luisante et blanche ou d'un
blanc rougeâtre se forme à l'endroit de la
brûlure, 25 le prêtre examine la partie malade : si les poils y sont devenus blancs et
qu'une cavité apparaît dans la peau, c'est
une forme de lèpre qui se développe à
l'emplacement de la brûlure et, par conséquent, le prêtre déclare l'homme impur.
26 Mais si, lors de l'examen, le prêtre ne
trouve pas de poil blanc, si la tache ne
forme pas de cavité dans la peau et qu'elle
est terne, il met le malade à l'isolement
pour une semaine. 27 Si, le septième jour,
le prêtre constate que le mal s'est étendu
sur la peau, il déclare l'homme impur ;
c'est une forme de lèpre. 28 Par contre si la
tache n'a pas changé, si elle ne s'est pas
étendue mais qu'elle s'est ternie, c'est une
simple boursouflure due à la brûlure. Le
prêtre déclare l'homme pur, car il s'agit
seulement de la cicatrice de la brûlure.

29 « Quand un homme ou une femme
est atteint d'une maladie de la peau sur la
tête ou au menton, 30 le prêtre examine la
partie malade : si une cavité apparaît
dans la peau, avec du poil jaunâtre et
clairsemé, le prêtre déclare la personne
impure ; c'est la teigne, qui attaque la
peau sur la tête ou au menton. 31 Mais si,
lors de l'examen, le prêtre remarque qu'il
n'y a pas de cavité dans la peau, et qu'il
n'y a cependant pas de poil foncé[a], il met
le malade à l'isolement pour une semaine. 32 Si, le septième jour, le prêtre
constate par un nouvel examen que le
mal ne s'est pas étendu, qu'il n'y a pas de
poil jaunâtre ni de cavité dans la peau,
33 le malade doit se raser la tête, sauf la
partie atteinte, puis le prêtre le met à
l'isolement pour une deuxième semaine.
34 A la fin de celle-ci, il procède à un nouvel examen de la partie atteinte : si le mal
ne s'est pas étendu sur la peau et ne forme
pas de cavité, le prêtre déclare la personne pure. Elle doit seulement laver ses
vêtements pour être pure. 35 Mais si la teigne prend de l'extension après que le prêtre a déclaré cette personne pure, 36 le
prêtre refait un examen : si la teigne s'est
effectivement étendue sur la peau, le prêtre n'a pas besoin de rechercher s'il y a
des poils jaunâtres, car l'homme est ma-

z **13.11** Comparer v. 4-5.
a **13.31** Le *poil foncé* serait signe de santé, en opposition au *poil jaunâtre* (v. 30).

nifestement impur. 37 Si par contre la partie atteinte n'a visiblement pas changé d'aspect et si des poils foncés y repoussent, c'est que le mal est guéri et que la personne est pure. Alors le prêtre la déclare pure.

38 « Quand un homme ou une femme voit apparaître sur sa peau des taches blanches, 39 le prêtre l'examine : si les taches sont d'un blanc terne, la maladie qui s'est développée n'est pas grave et la personne reste pure.

40 « Quand un homme perd ses cheveux et devient chauve, il reste pur. 41 S'il perd ses cheveux sur le devant et a le front dégarni, il reste également pur. 42 Mais si dans la partie chauve au sommet du crâne ou sur le front, apparaît une affection de la peau d'un blanc rougeâtre, c'est une forme de lèpre qui s'y développe. 43 Le prêtre l'examine : s'il trouve dans la partie chauve des boursouflures d'un blanc rougeâtre, ressemblant à la lèpre, 44 l'homme est atteint d'une forme de lèpre et il est impur ; le prêtre le déclare impur, à cause du mal dont il est atteint à la tête.

45 « Il faut que l'homme atteint de lèpre porte des vêtements *déchirés, ne se coiffe pas et se couvre le bas du visage[b] ; il doit crier : "Impur ! Impur !" 46 Il est impur aussi longtemps qu'il est atteint de son mal ; c'est pourquoi il doit avoir sa demeure à l'écart des autres gens, en dehors du camp. »

Moisissures sur les vêtements

47 « Quand des taches de moisissures apparaissent sur des vêtements de laine ou de lin, 48 sur des étoffes ou des tricots de laine ou de lin, sur des peaux ou des objets en cuir, 49 si ces taches sont verdâtres ou rougeâtres, il s'agit de moisissures qu'on doit faire examiner par un prêtre. 50 Le prêtre, après examen, garde l'objet taché sous clé pendant une semaine. 51 Le septième jour, il refait un examen : si la tache s'est étendue sur l'objet, il s'agit d'une moisissure qu'on ne peut pas éliminer ; l'objet est *impur. 52 Le prêtre brûle alors le vêtement, l'étoffe, le tricot, en laine ou en lin, ou l'objet en cuir. Puisqu'on ne peut pas éliminer la moisissure, l'objet doit être détruit par le feu. 53 Mais si, lors de l'examen, le prêtre constate que la tache ne s'est pas étendue sur l'objet, 54 il ordonne qu'on lave celui-ci, puis il le remet sous clé une deuxième semaine. 55 Lorsqu'il l'examine de nouveau, après lavage, s'il constate que la tache n'a pas changé d'aspect, même si elle ne s'est pas étendue, l'objet est tenu pour impur ; on doit le brûler, que la moisissure le ronge à l'endroit ou à l'envers. 56 Mais si, lors de l'examen, le prêtre constate que la tache a pâli après avoir été lavée, il se borne à découper la partie tachée du vêtement, de la peau, de l'étoffe ou du tricot. 57 Si plus tard la tache reparaît sur le vêtement, l'étoffe, le tricot ou l'objet en cuir, c'est que la moisissure s'y développe de nouveau. On brûle alors l'objet taché.

58 « Lorsqu'on a lavé un objet atteint de moisissure, vêtement, étoffe, tricot ou objet en cuir, et que la tache a disparu, il faut le laver une seconde fois pour qu'il soit pur. »

59 Telles sont les instructions concernant les taches de moisissure qui apparaissent sur des vêtements de laine ou de lin, sur des étoffes, des tricots, ou des objets en cuir ; ces instructions permettent de déclarer si l'objet atteint est pur ou impur.

Purification du lépreux

14 1 Le Seigneur dit à Moïse : 2 « Voici comment doit se dérouler la cérémonie de *purification d'un *lépreux : Lorsqu'on va le présenter au prêtre[c], 3 celui-ci sort du camp pour l'examiner. Si l'homme est guéri de sa lèpre, 4 le prêtre ordonne qu'on apporte pour lui deux oiseaux vivants et *purs, du bois de cèdre, de la laine teinte en cramoisi et une branche *d'hysope. 5 Il fait égorger l'un des oiseaux au-dessus d'un

b 13.45 *vêtements déchirés...* : manifestations traditionnelles du deuil, voir Ézék 24.17 ; comparer Lév 10.6. En effet le lépreux, coupé du monde des vivants (v. 46), est une sorte de mort en sursis.

c 14.2 Voir Matt 8.4 ; Marc 1.44 ; Luc 5.14 ; 17.14.

récipient en terre contenant de l'eau de
source. 6 Il prend l'autre oiseau et le
plonge, avec le bois de cèdre, la laine cramoisie et la branche d'hysope, dans le
sang de l'oiseau qu'on a égorgé ; 7 il fait
alors sept aspersions sur l'homme qui
doit être purifié de la lèpre. Il déclare
l'homme pur, puis il laisse l'oiseau vivant
s'envoler vers la pleine campagne.
8 L'homme lave ses vêtements, rase tous
ses poils et prend un bain qui le purifie.
Ensuite il regagne le camp, mais demeure
hors de sa tente pendant une semaine.
9 Le septième jour, il rase de nouveau ses
cheveux, sa barbe, ses sourcils et tous ses
autres poils, puis il lave ses vêtements et
prend un bain. Alors il est purifié.

10 « Le huitième jour, l'homme prend
deux agneaux sans défaut, une agnelle
d'un an, sans défaut, une offrande de
neuf kilos de farine pétrie avec de l'huile,
et un demi-litre d'huile. 11 Le prêtre qui
préside la cérémonie place l'homme, avec
ses présents, devant le Seigneur, à l'entrée de la *tente de la rencontre. 12 Il
prend celui des agneaux qui est destiné à
un *sacrifice de réparation, de même que
le demi-litre d'huile, et il les présente devant le Seigneur avec le geste rituel. 13 Il
égorge l'agneau à l'endroit où l'on égorge
un animal offert en sacrifice pour le pardon ou en sacrifice complet, c'est-à-dire
dans un endroit réservé du *sanctuaire ;
en effet, le sacrifice de réparation, comme
le sacrifice pour le pardon, est une offrande strictement réservée à Dieu et qui
revient au prêtre. 14 Le prêtre prend du
sang de l'animal et en dépose sur le lobe
de l'oreille droite de l'homme, ainsi que
sur le pouce de sa main droite et de son
pied droit. 15 Il prend ensuite l'huile et en
verse dans sa main gauche : 16 il y trempe
son index droit et fait sept aspersions devant le Seigneur ; 17 puis il en dépose un
peu sur le lobe de l'oreille droite de
l'homme, ainsi que sur le pouce de sa
main droite et de son pied droit, là où il a
déjà déposé du sang de l'agneau. 18 Il
verse l'huile qui reste dans sa main sur la
tête de l'homme et effectue sur lui le
geste rituel de la purification, devant le
Seigneur. 19 Le prêtre offre le sacrifice
pour obtenir le pardon de Dieu et effectue de nouveau sur l'homme le geste qui
le libère de son impureté. Après quoi il
égorge l'animal destiné au sacrifice
complet 20 et le brûle en entier sur *l'autel
avec l'offrande de farine. Alors, une dernière fois, il effectue sur l'homme le geste
rituel qui le rend pur. »

Purification d'un lépreux pauvre

21 « Si l'homme est pauvre et n'a pas à
sa disposition les offrandes nécessaires, il
prend un seul agneau, destiné au *sacrifice de réparation et qui sera présenté au
Seigneur pour obtenir la *purification,
une offrande de trois kilos de farine pétrie avec de l'huile, et un demi-litre
d'huile. 22 Il prend aussi deux tourterelles
ou deux pigeons, suivant ce qu'il possède,
l'un destiné à un sacrifice pour le pardon
et l'autre à un sacrifice complet. 23 Le
huitième jour, il apporte ces présents au
prêtre, à l'entrée de la *tente de la rencontre, devant le Seigneur, pour la cérémonie de purification. 24 Le prêtre prend
l'agneau et l'huile, et les présente au Seigneur avec le geste rituel. 25 Il égorge
l'agneau, prend de son sang et en dépose
sur le lobe de l'oreille droite de l'homme,
ainsi que sur le pouce de sa main droite et
de son pied droit. 26 Il verse de l'huile
dans sa main gauche : 27 avec son index
droit, il en fait sept aspersions devant le
Seigneur ; 28 puis il en dépose un peu sur
le lobe de l'oreille droite de l'homme,
ainsi que sur le pouce de sa main droite et
de son pied droit, là où il a déjà déposé du
sang de l'agneau. 29 Il verse l'huile qui
reste dans sa main sur la tête de l'homme,
et effectue sur lui le geste rituel de la purification, devant le Seigneur. 30 Le prêtre
prend une des tourterelles ou un des pigeons – suivant ce que l'homme possédait – 31 et il l'offre en sacrifice pour
obtenir le pardon ; puis il offre l'autre oiseau en sacrifice complet, accompagné de
l'offrande de farine. Il effectue alors sur
l'homme le geste rituel de la purification,
devant le Seigneur. »

32 Telles sont les instructions concernant un *lépreux qui n'a pas à sa disposition ce qui est normalement nécessaire
pour la cérémonie de purification.

Moisissures sur les murs d'une maison

33 Le Seigneur dit à Moïse et à Aaron : 34 « Quand vous serez entrés dans le pays de Canaan, que je vais vous donner en propriété, si je fais apparaître une tache de moisissure dans une maison de votre nouveau pays, 35 le propriétaire de la maison ira annoncer au prêtre : "J'ai aperçu une sorte de tache dans ma maison." 36 Le prêtre ordonnera de vider la maison avant de s'y rendre lui-même pour examiner la tache ; de cette manière, rien de ce qui se trouvait dans la maison ne sera tenu pour *impur. Ensuite le prêtre entrera dans la maison pour y examiner 37 la tache : si la tache comporte des cavités verdâtres ou rougeâtres, si elle forme comme un creux dans le mur de la maison, 38 le prêtre sortira sur le pas de la porte et fermera la maison pour une semaine. 39 Le septième jour, le prêtre reviendra pour un nouvel examen : si la tache s'est étendue sur le mur de la maison, 40 le prêtre ordonnera d'arracher les pierres atteintes de moisissure et de les jeter dans un lieu impur, hors de la ville. 41 Il fera gratter le crépi de tous les murs intérieurs de la maison et on déversera les déchets dans le lieu impur, hors de la ville. 42 Ensuite on prendra d'autres pierres pour remplacer les premières et un autre enduit pour recrépir la maison.

43 « Si la tache de moisissure se manifeste de nouveau dans la maison, après qu'on aura ôté les pierres endommagées, puis gratté et recrépi les murs, 44 le prêtre ira procéder à un nouvel examen : si la tache a effectivement reparu, c'est que la moisissure ne peut pas être éliminée de la maison ; celle-ci est impure. 45 Il faudra démolir la maison, aussi bien les parties en pierres que celles en bois, et transporter les décombres, avec le crépi, dans le lieu impur, hors de la ville.

46 « Quiconque pénètre dans la maison pendant les jours où elle doit être fermée, devient impur et le reste jusqu'au soir. 47 Quiconque couche dans cette maison, ou y mange quelque chose, doit laver ses vêtements.

48 « Si le prêtre, lors de l'examen, constate que la tache n'a pas reparu après le recrépissage de la maison, il déclarera que la maison est pure, puisque la moisissure a été éliminée.

49 « Pour la cérémonie de purification de la maison, le prêtre prendra deux oiseaux, du bois de cèdre, de la laine teinte en cramoisi et une branche *d'hysope. 50 Il égorgera l'un des oiseaux au-dessus d'un récipient en terre contenant de l'eau de source. 51 Il prendra le bois de cèdre, la branche d'hysope, la laine cramoisie et l'autre oiseau, il les plongera dans le sang de l'oiseau qu'il a égorgé et dans l'eau de source et fera sept aspersions sur la maison. 52 – Il éliminera ainsi l'impureté de la maison, au moyen du sang de l'oiseau, de l'eau de source, de l'oiseau vivant, du bois de cèdre, de la branche d'hysope et de la laine cramoisie.– 53 Il laissera l'oiseau vivant s'envoler hors de la ville, vers la pleine campagne. Il effectuera sur la maison le geste rituel qui la rend pure. Alors elle sera pure. »

54 Telles sont les instructions concernant les diverses formes de lèpre, de teigne, 55-56 de boursouflures, de dartres, de taches luisantes, ou concernant les moisissures qui apparaissent sur les vêtements ou dans les maisons. 57 Ces instructions permettent de déterminer dans quels cas les personnes ou les objets sont impurs et dans quels cas ils sont purs.

Impuretés sexuelles de l'homme

15 1 Le Seigneur dit à Moïse et à Aaron 2 de communiquer aux Israélites les instructions suivantes :

« Quand un homme est atteint d'une infection de ses organes sexuels, l'écoulement qui en résulte est *impur. 3 Cet écoulement peut s'échapper des organes ou les obstruer, de toute façon l'homme est impur[d]. 4 Par conséquent, tout lit où cet homme se couche et tout siège sur lequel il s'assied devient impur. 5 Celui qui touche ce lit doit laver ses vêtements et se

---

d 15.3 Le texte samaritain et l'ancienne version grecque ajoutent ici : *aussi longtemps que cet écoulement s'échappe de ses organes ou les obstrue.*

laver lui-même ; il reste impur jusqu'au
soir. 6 Celui qui prend place sur un siège
où l'homme malade s'est assis, doit laver
ses vêtements et se laver lui-même ; il
reste impur jusqu'au soir. 7 Celui qui touche l'homme malade doit laver ses vêtements et se laver lui-même ; il reste
impur jusqu'au soir. 8 Si l'homme malade
crache sur un homme en état de pureté,
ce dernier doit laver ses vêtements et se
laver lui-même ; il reste impur jusqu'au
soir. 9 Toute selle sur laquelle l'homme
malade a voyagé devient impure. 10 Quiconque touche un objet qui a été placé
sous l'homme malade est impur jusqu'au
soir. Celui qui transporte un tel objet doit
laver ses vêtements et se laver lui-même ;
il reste impur jusqu'au soir. 11 Celui que
l'homme malade touche sans s'être lavé
les mains, doit laver ses vêtements et se
laver lui-même ; il reste impur jusqu'au
soir. 12 Tout récipient en terre que
l'homme malade touche doit être brisé ;
tout récipient en bois doit être rincé à
grande eau.

13 « Quand l'écoulement qui rendait
l'homme impur prend fin, l'homme doit
attendre une semaine avant d'être en état
de pureté ; il lave ses vêtements et se lave
lui-même à l'eau de source, après quoi il
est purifié. 14 Le huitième jour, il prend
deux tourterelles ou deux pigeons et va
les remettre au prêtre, devant le Seigneur,
à l'entrée de la *tente de la rencontre.
15 Le prêtre offre l'un des oiseaux en *sacrifice pour obtenir le pardon et l'autre
en sacrifice complet. Ensuite il effectue
sur l'homme, devant le Seigneur, le geste
rituel qui le purifie de son écoulement.

16 « Quand un homme a eu des pertes
séminales, il doit se laver entièrement ; il
reste impur jusqu'au soir. 17 Tout vêtement ou toute couverture de peau taché
par le sperme doit être lavé et reste impur
jusqu'au soir.

18 « Quand un homme et une femme
ont eu des relations sexuelles, ils doivent
se laver tous les deux ; ils restent impurs
jusqu'au soir. »

Impuretés sexuelles de la femme

19 « Quand une femme a ses règles, que
du sang s'écoule de son corps, elle est tenue pour *impure pendant une semaine.
Celui qui la touche devient impur et le
reste jusqu'au soir. 20 Tout lit où elle se
couche et tout siège sur lequel elle s'assied, alors qu'elle a ses règles, devient impur. 21-22 Celui qui touche ce lit ou ce siège
doit laver ses vêtements et se laver lui-
même ; il reste impur jusqu'au soir. 23 Si
un objet se trouvait sur le lit ou le siège
où elle a pris place, quiconque touche cet
objet est impur jusqu'au soir. 24 Si, au moment où un homme couche avec elle, le
sang de ses règles s'écoule et l'atteint,
l'homme devient impur[e] pour une semaine aussi, et tout lit sur lequel il se
couche devient impur.

25 « Quand une femme a des pertes de
sang pendant plusieurs jours en dehors
de ses règles ou que ses règles se pro-
longent au-delà du temps normal, elle est
impure aussi longtemps que dure l'écoulement, comme pendant ses règles.
26 Tout lit sur lequel elle se couche ou tout
siège sur lequel elle s'assied est impur,
comme pendant ses règles. 27 Celui qui
touche ce lit ou ce siège doit laver ses vêtements et se laver lui-même ; il reste impur jusqu'au soir.

28 « Quand l'écoulement prend fin, la
femme doit attendre une semaine pour
être de nouveau pure. 29 Le huitième jour,
elle prend deux tourterelles ou deux pigeons et les apporte au prêtre, à l'entrée
de la *tente de la rencontre. 30 Le prêtre
offre l'un des oiseaux en *sacrifice pour
obtenir le pardon et l'autre en sacrifice
complet. Ensuite il effectue sur la femme,
devant le Seigneur, le geste rituel qui la
purifie de son écoulement.

31 « Vous demanderez aux Israélites de se
tenir à l'écart du *sanctuaire quand ils sont
en état d'impureté ; ainsi ils ne risqueront
pas de mourir pour avoir rendu impure la
tente où je demeure au milieu d'eux. »

32 Telles sont les instructions concernant l'homme atteint d'un écoulement ou
de pertes séminales qui le rendent impur,
33 la femme au moment de ses règles – ce-

---

e **15.24** Autre traduction, moins probable : *Si un homme couche avec elle durant cette période-là, l'impureté de la femme se transmet à lui : il est impur.*

lui donc ou celle qui est atteint d'un écoulement –, ainsi que l'homme qui couche
avec une femme en état d'impureté.

Le grand jour du Pardon des péchés

16 1 Après la mort des deux fils d'Aaron, survenue au moment où ils se
présentaient devant le Seigneur[f], le Seigneur dit à Moïse :
2 « Ordonne à ton frère Aaron de ne pas
franchir à n'importe quel moment le rideau de séparation pour pénétrer dans le
*lieu très saint[g], où se trouvent le *coffre
et son couvercle sacré ; s'il le faisait, il risquerait de mourir lorsque j'apparais dans
la fumée, au-dessus du couvercle du coffre.
3 « Pour se rendre au lieu saint, Aaron
doit prendre avec lui un taureau destiné à
un *sacrifice pour obtenir le pardon de
Dieu, et un bélier destiné à un sacrifice
complet[h]. 4 Il doit se couvrir le corps
d'une tunique de lin et d'un caleçon de
lin, et porter une ceinture de lin et un
turban de lin ; toutefois, comme ces habits sont sacrés, il doit se baigner avant
de les revêtir. 5 La communauté d'Israël
doit lui remettre deux boucs destinés au
sacrifice pour le pardon et un bélier destiné à un sacrifice complet.
6 « Aaron offre le taureau destiné au sacrifice pour son propre péché, puis il effectue le geste rituel du pardon en faveur de
lui-même et de sa famille. 7 Il amène ensuite les deux boucs devant le Seigneur, à
l'entrée de la *tente de la rencontre, 8 et il
tire au sort pour déterminer lequel revient
au Seigneur et lequel revient à Azazel[i]. 9 Il
présente le bouc attribué par le sort au Seigneur et l'offre en sacrifice pour le pardon.
10 Quant au bouc attribué à Azazel, il sert
au rituel du pardon des péchés : on le
place vivant devant le Seigneur, avant de
l'envoyer à Azazel dans le désert.
11 « Aaron commence donc par offrir le
taureau destiné au sacrifice pour son propre péché, puis il effectue le geste rituel
du pardon en faveur de lui-même et de sa
famille. Après avoir égorgé ce taureau,
12 il remplit une cassolette de braises prélevées sur *l'autel qui se trouve dans le
*sanctuaire, prend deux poignées de par-
fum en poudre, et emporte le tout au-delà
du rideau de séparation, dans le lieu très
saint. 13 Là, devant le Seigneur, il dépose le
parfum sur les braises ; la fumée qui s'en
dégage[j] enveloppe le coffre du document
de l'alliance avec son couvercle sacré, et
ainsi Aaron ne s'expose pas à mourir. 14 Il
trempe un doigt dans le sang du taureau et
fait une aspersion sur le côté oriental du
couvercle du coffre, puis sept autres aspersions devant le coffre. 15 Ensuite, il égorge
le bouc destiné au sacrifice pour le pardon
des péchés du peuple, il en emporte le
sang au-delà du rideau de séparation et
l'utilise comme celui du taureau pour faire
des aspersions sur le couvercle et devant le
coffre[k]. 16 Il effectue dans le lieu très saint
le geste rituel qui *purifie celui-ci de l'état
d'impureté causé par les désobéissances et
les fautes des Israélites ; puis il agit de la
même façon dans le reste de la tente de la
rencontre, car elle se dresse au milieu de
gens impurs. 17 Personne ne doit se trouver dans la tente à partir du moment où
Aaron entre dans le lieu très saint pour la
cérémonie de purification et jusqu'à ce
qu'il en ressorte. Après qu'Aaron a effectué le geste rituel du pardon en faveur de
lui-même, de sa famille et de l'ensemble
d'Israël, 18 il quitte la tente et s'avance vers
l'autel situé devant elle[l] ; il effectue sur celui-ci le geste rituel de la purification, puis
il prend un peu de sang du taureau et du
bouc et en dépose sur chacun des angles
relevés de l'autel. 19 Il trempe un doigt
dans le sang et fait sept aspersions sur
l'autel ; il le purifie ainsi de l'état d'impureté causé par les péchés des Israélites et
lui rend son caractère sacré.

---

f **16.1** Le *jour du Pardon* est le « Yom kippour », fête importante du judaïsme. – *devant le Seigneur* : voir 10.1-2.

g **16.2** Voir Hébr 6.19.

h **16.3** Voir Hébr 9.7.

i **16.8** *Azazel* est probablement le nom d'un démon hantant les lieux désertiques, voir v. 10. Certains commentateurs y voient plutôt une personnification du désert.

j **16.13** Cette *fumée* évoque la fumée de l'Exode (voir Ex 19.9) où Dieu est à la fois présent (Lév 16.2) et caché.

k **16.15** Voir Hébr 9.12.

l **16.18** Il s'agit de l'*autel* des sacrifices ; autre traduction possible *Aaron quitte le lieu très saint et s'avance vers l'autel situé dans la tente*. Il s'agirait alors de l'autel du parfum.

20 « Quand Aaron a terminé la cérémonie de purification du lieu très saint, du reste de la tente de la rencontre, et de l'autel, il fait amener le bouc encore vivant. 21 Il pose les deux mains sur la tête de l'animal et énumère sur lui tous les péchés, désobéissances et fautes des Israélites, pour en charger celui-ci. Ensuite il l'envoie en plein désert, sous la conduite d'un homme désigné à cet effet. 22 Le bouc emporte ainsi tous les péchés d'Israël dans une contrée aride.

« Dès que le bouc a été envoyé dans le désert, 23 Aaron regagne la tente de la rencontre, où il ôte et dépose les vêtements de lin qu'il portait pour pénétrer dans le lieu très saint[m]. 24 Il prend un bain dans un endroit réservé du sanctuaire, revêt ses autres habits et va offrir les deux sacrifices complets, pour lui-même et pour le peuple ; après quoi il effectue le geste rituel du pardon des péchés, en faveur de lui-même et du peuple. 25 Puis il brûle sur l'autel les morceaux gras des animaux offerts en sacrifices pour le pardon.

26 « L'homme qui a conduit au désert le bouc attribué à Azazel, doit laver ses vêtements et prendre un bain avant de regagner le camp. 27 Le taureau et le bouc offerts pour le pardon, et dont le sang a été utilisé dans le sanctuaire pour la cérémonie de purification, doivent être transportés hors du camp, où l'on jette au feu leur peau, leur viande et leurs boyaux[n]. 28 L'homme qui s'en est occupé doit laver ses vêtements et prendre un bain avant de regagner le camp.

29 « Et voici une prescription que vous devez observer en tout temps : le dixième jour du septième mois, *jeûnez et interrompez toute activité, aussi bien vous, les Israélites, que les étrangers installés chez vous. 30 En effet, c'est le jour où l'on effectue sur vous le geste rituel du pardon des péchés et de la purification et où vous êtes ainsi purifiés de toutes vos fautes devant le Seigneur. 31 Vous devez en faire un jour de repos complet et de jeûne. Cette prescription est valable pour toujours.

32 « Plus tard, les gestes rituels du pardon et de la purification seront effectués par le prêtre qui aura été consacré par l'onction d'huile et installé pour succéder à son père comme grand-prêtre. Il revêtira les habits sacrés de lin, 33 pour présider la cérémonie de purification du lieu très saint, de la tente de la rencontre et de l'autel, et la cérémonie du pardon en faveur des prêtres et de l'ensemble d'Israël.

34 « C'est une prescription valable en tout temps ; vous devez l'observer afin d'obtenir, une fois par année, le pardon de tous les péchés des Israélites[o]. »

Aaron exécuta tous les ordres que le Seigneur avait donnés à Moïse.

LA SAINTETÉ D'ISRAËL
17–27

Règles concernant le sang

17 1 Le Seigneur dit à Moïse 2 de communiquer les ordres suivants à Aaron, à ses fils et à tous les Israélites :

3 « Lorsqu'un Israélite veut abattre un bœuf, un mouton ou une chèvre, dans le camp ou hors du camp, 4 il doit d'abord amener cette bête à l'entrée de la *tente de la rencontre[p], pour la présenter en offrande au Seigneur, devant sa demeure sacrée. S'il ne le fait pas, il sera considéré comme coupable d'avoir répandu illégalement le sang d'un être vivant, et il sera exclu du peuple d'Israël. 5 Cette règle oblige les Israélites à ne plus abattre des animaux en pleine campagne, mais à les amener au prêtre, à l'entrée de la tente, pour les offrir au Seigneur en *sacrifice de communion. 6 Le prêtre asperge alors

m **16.23** Voir Ézék 44.19.
n **16.27** Voir Hébr 13.11.
o **16.34** V. 29-34 : voir 23.26-32 ; Nomb 29.7-11.
p **17.4** Le texte samaritain et l'ancienne version grecque ajoutent ici : *pour en faire un sacrifice complet ou un sacrifice de communion pour le Seigneur, de telle sorte que celui-ci vous accorde sa faveur après en avoir apprécié la fumée odorante ; s'il l'abat hors du camp, sans la présenter en offrande au Seigneur, devant sa demeure sacrée, il sera considéré...*

du sang de l'animal *l'autel situé devant
la tente, puis il brûle sur cet autel les
morceaux gras dont le Seigneur apprécie
la fumée odorante. 7 Ainsi les Israélites
cesseront d'offrir des sacrifices aux faux
dieux représentés sous forme de boucs,
auxquels ils rendent un culte impudique.
Cette prescription devra être observée en
tout temps par toutes les générations
d'Israélites.

8 « Quand un Israélite ou un étranger
vivant parmi les Israélites veut offrir un
sacrifice complet ou un autre sacrifice, 9 il
doit amener l'animal à l'entrée de la tente
de la rencontre pour l'offrir au Seigneur ;
s'il ne le fait pas, il sera exclu du peuple
d'Israël.

10 « Si un Israélite ou un étranger vivant parmi les Israélites consomme du
sang, sous quelque forme que ce soit, le
Seigneur interviendra contre lui et l'exclura du peuple d'Israël. 11 C'est dans le
sang que réside la vie d'une créature. Le
Seigneur vous autorise à utiliser le sang
sur l'autel pour obtenir le pardon en votre faveur ; en effet le sang permet d'obtenir le pardon parce qu'il est porteur de
vie[q]. 12 Voilà pourquoi le Seigneur a déclaré aux Israélites : "Aucun d'entre vous
et aucun étranger installé en Israël n'a le
droit de consommer du sang."

13 « Si un Israélite ou un étranger vivant parmi les Israélites prend à la chasse
un animal ou un oiseau dont on peut
manger la viande, il en fera couler le sang
sur le sol et le recouvrira de terre. 14 En
effet, tant qu'une créature est vivante, sa
vie est dans son sang ; c'est pourquoi le
Seigneur a déclaré aux Israélites : "Vous
ne consommerez le sang d'aucune créature, car la vie de toute créature réside
dans son sang. Si quelqu'un en
consomme, il sera exclu du peuple
d'Israël[r]."

15 « Si un Israélite ou un étranger
mange de la viande d'une bête qui a
crevé ou qui a été tuée par un animal
sauvage, cet homme doit laver ses vêtements et se laver lui-même ; il reste *impur jusqu'au soir, ensuite il sera de
nouveau pur. 16 S'il ne lave ni ses vêtements ni son corps, il se rend coupable
d'une faute. »

Respect de l'union conjugale

18 1 Le Seigneur dit à Moïse 2 de
communiquer aux Israélites les
prescriptions suivantes :

« Je suis le Seigneur votre Dieu !
3 N'imitez pas les pratiques observées en
Égypte, où vous avez habité, ni celles du
pays de Canaan, où je vais vous faire entrer[s] ; n'observez pas les lois de ces peuples. 4 Mettez en pratique les règles qui
viennent de moi et prenez soin d'observer mes lois, car c'est moi qui suis le
Seigneur votre Dieu.

5 « Observez donc mes lois et mes règles ; celui qui les met en pratique vivra
par elles[t]. Je suis le Seigneur.

6 « Aucun Israélite ne doit avoir de relations sexuelles avec une femme de sa
proche parenté. Je suis le Seigneur.

7 « Vous ne devez pas déshonorer votre
père en ayant des relations avec votre
mère ; vous la déshonoreriez elle aussi,
puisqu'elle est votre mère.

8 « Vous ne devez pas avoir de relations
avec une autre femme de votre père[u] ; ce
serait une atteinte à l'honneur de votre
père.

9 « Vous ne devez pas avoir de relations
avec votre demi-sœur, fille de votre père
ou de votre mère, même si elle n'a pas été
élevée dans le même foyer que vous[v].

10 « Vous ne devez pas avoir de relations
avec votre petite-fille, fille de votre fils ou
de votre fille ; ce serait une atteinte à
votre propre honneur.

---

q **17.11** Le texte hébreu de ce verset est peu clair et la traduction incertaine. – *obtenir le pardon* : voir Hébr 9.22.

r **17.14** V. 10-14 : voir 7.26-27 ; Gen 9.4 ; Deut 12.16,23 ; 15.23.

s **18.3** Les Égyptiens admettaient le mariage entre proches parents (18.6) ; *Canaan* symbolise dans l'Ancien Testament la sexualité pervertie (18.27 ; Gen 19.4-9).

t **18.5** Voir Néh 9.29 ; Ézék 18.9 ; 20.11-13 ; Luc 10.28 ; Rom 10.5 ; Gal 3.12.

u **18.8** Voir 20.11 ; Gen 35.22 ; Deut 23.1 ; 27.20 ; 1 Cor 5.1.

v **18.9** Voir 20.17 ; Deut 27.22 ; 2 Sam 13.11-14 ; Ézék 22.11.

11 « Vous ne devez pas avoir de relations
avec la fille d'une femme de votre père ;
elle est apparentée à votre père[w], elle est
donc votre sœur.
12 « Vous ne devez pas avoir de relations
avec une sœur de votre père, car elle est
sa proche parente.
13 « Vous ne devez pas avoir de relations
avec une sœur de votre mère, car elle est
sa proche parente.
14 « Vous ne devez pas déshonorer un
frère de votre père en ayant des relations
avec sa femme, car elle est votre tante[x].
15 « Vous ne devez pas avoir de relations
avec votre belle-fille, femme de votre
fils[y].
16 « Vous ne devez pas déshonorer votre
frère en ayant des relations avec sa
femme[z].
17 « Vous ne devez pas avoir de relations
avec une femme et avec sa fille ou sa petite-fille, fille de son fils ou de sa fille, car
elles sont proches parentes et ce serait
une pratique immorale[a].
18 « Vous ne devez pas épouser une
sœur de votre femme, tant que celle-ci est
en vie. Cela risquerait de provoquer des
rivalités.
19 « Vous ne devez pas avoir de relations
avec une femme au moment de ses règles,
car elle est *impure[b].
20 « Vous ne devez pas avoir de relations
avec la femme d'un de vos compatriotes,
car cela vous rendrait impurs[c].
21 « Vous ne devez pas offrir vos enfants
en *sacrifice au dieu Molek[d] ; en faisant
cela, vous me déshonoreriez : je suis le
Seigneur votre Dieu.
22 « Vous ne devez pas coucher avec un
homme comme on couche avec une
femme ; c'est une pratique monstrueuse[e].
23 « Vous ne devez pas avoir de relations
avec une bête, car cela vous rendrait impurs ; de même aucune femme ne doit
s'accoupler à un animal ; c'est de la per-
version[f].
24 « Ne vous rendez impurs par aucune
de ces pratiques. Les nations que je
chasse devant vous sont devenues impures en s'y adonnant. 25 Le pays lui-
même en est devenu impur, j'ai dû intervenir contre lui, et il a rejeté ses
habitants.

26 « Vous donc, Israélites ou étrangers
vivant parmi les Israélites, observez les
lois et les règles qui viennent de moi et
refusez toutes ces actions abominables.
27 Les gens qui ont habité le pays avant
vous les ont commises et le pays en est
devenu impur. 28 Ne le rendez pas impur
de nouveau, afin qu'il ne vous rejette pas
comme il a rejeté vos prédécesseurs. 29 En
effet, tous ceux qui s'adonnent à ces
pratiques abominables seront exclus du
peuple d'Israël.
30 « Accomplissez fidèlement ce que je
vous ordonne ; ne suivez pas les pratiques
abominables qui avaient cours avant votre arrivée, afin de ne pas vous rendre impurs en vous y adonnant. Je suis le
Seigneur votre Dieu. »

Comment Dieu veut être servi

19 1 Le Seigneur dit à Moïse 2 de
communiquer à toute la communauté d'Israël les prescriptions suivantes :
« Soyez saints, car je suis saint, moi, le
Seigneur votre Dieu[g] !
3 « Chacun de vous doit respecter son
père et sa mère, chacun doit observer le
repos du *sabbat[h]. Je suis le Seigneur
votre Dieu.
4 « Ne vous adressez pas à de faux
dieux ; ne vous fabriquez pas de dieux en

---

w **18.11** *apparentée à votre père* ou *née de votre père*.
x **18.14** V. 12-14 : voir 20.19-20.
y **18.15** Voir 20.12 ; Gen 38.16,26 ; Ézék 22.11.
z **18.16** Voir 20.21 ; Matt 14.3-12 ; comparer Deut 25.5-10 ; Matt 22.23-33.
a **18.17** Voir 20.14 ; Deut 27.23.
b **18.19** Voir 20.18 ; Ézék 22.10.
c **18.20** Voir 20.10 ; Ex 20.14 ; Deut 5.18 ; 2 Sam 11.2-4 ; Ézék 22.11.
d **18.21** *Molek* (ou *Molok*) : divinité païenne dont le nom hébreu évoque à la fois le titre de « roi » et le mot « honte ». – Voir 20.2-5 ; Deut 12.31 ; 2 Rois 17.17 ; Jér 7.31 ; Ps 106.37-38.
e **18.22** Voir 20.13 ; Gen 19.5 ; Jug 19.22 ; Rom 1.27.
f **18.23** Voir 20.15-16 ; Ex 22.18 ; Deut 27.21.
g **19.2** Voir 11.44-45 ; 1 Pi 1.16.
h **19.3** *respecter son père et sa mère* : voir 20.9 ; Ex 20.12 ; 21.17 ; Deut 5.16 ; Ézék 22.7 ; Matt 15.4 ; Éph 6.2. – *sabbat* : voir 19.30 ; 23.3 ; 26.2 ; Ex 20.8-11 ; Deut 5.12-15 ; Ézék 22.8 ; Matt 12.1-2.

métal fondu[i]. Je suis le Seigneur votre
Dieu.
5 « Quand vous m'offrez un *sacrifice
de communion, faites-le selon la règle, de
manière à obtenir ma faveur. 6 On peut
manger la viande de l'animal le jour du
sacrifice et le lendemain ; mais s'il en
reste le surlendemain, on doit la jeter au
feu. 7 Si, le troisième jour, quelqu'un en
mange, il ne peut pas obtenir ma faveur,
car la viande est devenue impropre à tout
usage religieux. 8 Celui qui en mange profane une chose qui m'est consacrée et se
rend coupable d'une faute ; il sera exclu
de la communauté d'Israël.
9 « Quand vous moissonnerez, vous ne
couperez pas les épis qui ont poussé en
bordure de vos champs, et vous ne retournerez pas ramasser les épis oubliés ;
10 vous ne repasserez pas non plus dans
vos vignes pour ramasser les grappes oubliées ou les grains tombés à terre. Vous
les laisserez pour les pauvres et pour les
étrangers. Je suis le Seigneur votre
Dieu[j].
11 « Ne commettez pas de vol, n'usez pas
de mensonge ou de fraude au détriment
de vos compatriotes[k]. 12 Ne prononcez pas
de faux serments en vous servant de mon
nom[l] ; en faisant cela, vous me déshono-
noreriez : je suis le Seigneur votre Dieu.
13 « N'exploitez personne et ne volez
rien ; ne gardez pas jusqu'au lendemain
le salaire dû à un ouvrier[m]. 14 N'insultez
pas un sourd, et ne mettez pas d'obstacle
devant un aveugle[n]. Montrez par votre
comportement que vous me respectez. Je
suis le Seigneur votre Dieu.
15 « Ne commettez pas d'injustice dans
vos jugements : n'avantagez pas un faible,
ne favorisez pas un puissant, mais rendez
la justice de façon équitable envers vos
compatriotes[o]. 16 Ne répandez pas de calomnies sur vos compatriotes. Ne portez
pas contre votre prochain des accusations
qui le fassent condamner à mort. Je suis
le Seigneur.
17 « N'ayez aucune pensée de haine
contre un frère, mais n'hésitez pas à le ré-
primander[p], afin de ne pas vous charger
d'un péché à son égard. 18 Ne vous vengez
pas et ne gardez pas de rancune contre
vos compatriotes. Chacun de vous doit
aimer son prochain comme lui-même[q].
Je suis le Seigneur.
19 « Vous observerez également ces lois-
ci : N'accouplez pas, dans vos troupeaux,
deux bêtes d'espèces différentes ; ne semez pas dans vos champs deux semences
différentes ; ne portez pas de vêtements
tissés de deux sortes de fils[r].
20 « Si un homme couche avec une servante fiancée à un autre homme, mais qui
n'a été ni rachetée, ni libérée, il doit
payer une indemnité[s]. Mais on ne mettra
pas à mort les coupables, car la femme
était encore servante. 21 L'homme doit
conduire à l'entrée de la *tente de la rencontre un bélier qu'il m'offrira en sacrifice de réparation ; 22 le prêtre effectuera
sur le coupable, devant moi, le geste rituel du pardon, et l'homme obtiendra le
pardon du péché commis.
23 « Quand vous serez entrés dans le
pays de Canaan et que vous aurez planté
toutes sortes d'arbres fruitiers, vous en
considérerez les fruits comme *impurs
pendant trois ans ; vous n'en mangerez
donc pas. 24 Tous les fruits qu'ils produiront la quatrième année me seront consacrés au cours d'une fête de louange[t].
25 Dès la cinquième année, vous pourrez
en consommer les fruits. Si vous agissez

---

i **19.4** *faux dieux* : voir 26.1 ; Ex 20.3 ; 34.14 ; Ps 81.10 ; Matt 4.10. – *dieux en métal fondu* : Ex 20.4-5 ; 32.1-6 ; 34.17 ; Deut 27.15 ; 1 Rois 12.28-30 ; comparer És 44.16-17.

j **19.10** V. 9-10 : voir 23.22 ; Deut 24.1-22.

k **19.11** *de vol* ou *de rapt*, voir Ex 20.15 et la note ; Deut 5.19. – *mensonge* : voir 5.21-22.

l **19.12** Voir 5.24 ; Ex 20.7,16 ; Jér 5.2 ; Matt 5.33 ; Act 6.13.

m **19.13** Voir 5.21-23 ; Ex 22.20 ; Deut 24.14-15 ; Ézék 22.12.

n **19.14** Voir Deut 27.18 ; Job 29.15.

o **19.15** Voir Ex 23.3,6-8 ; Deut 1.17 ; 16.19.

p **19.17** Voir Matt 18.15.

q **19.18** Voir 19.34 ; Matt 5.43 ; 19.19 ; 22.39 ; Marc 12.31 ; Luc 10.27 ; Rom 13.9 ; Gal 5.14 ; Jacq 2.8.

r **19.19** Voir Deut 22.9-11.

s **19.20** *il doit payer une indemnité* : autres traductions *on procédera à une enquête* ou *il doit subir un châtiment*.

t **19.24** Au lieu de *au cours d'une fête de louange*, le texte samaritain dit *en offrande d'inauguration* ; il fait ainsi allusion à une cérémonie consistant à offrir cette année-là l'ensemble de la récolte à Dieu, afin que les hommes puissent utiliser pour eux les récoltes suivantes.

ainsi, vos récoltes iront en augmentant.
Je suis le Seigneur votre Dieu.
26 « Ne mangez pas la viande d'un animal à l'endroit même où vous l'avez saigné. Ne pratiquez pas la magie, ni la
divination[u]. 27 Ne taillez pas en rond le
bord de votre chevelure et ne vous rasez
pas la barbe sur les côtés. 28 Ne vous faites
pas d'entailles sur le corps en signe de
deuil[v] ; ne dessinez pas de tatouages sur
votre peau. Je suis le Seigneur.
29 « Ne déshonorez pas vos filles en les
poussant à la prostitution sacrée[w], afin
que les habitants ne se livrent pas à ces
pratiques immorales dans tout le pays.
30 Observez le repos du sabbat, et traitez
mon *sanctuaire avec respect[x]. Je suis le
Seigneur.
31 « Ne cherchez d'aucune manière à
entrer en contact avec les esprits des
morts[y], car cela vous rendrait impurs. Je
suis le Seigneur votre Dieu.
32 « Levez-vous avec considération devant un vieillard. Montrez par votre
comportement que vous me respectez. Je
suis le Seigneur votre Dieu.
33 « Quand un étranger viendra s'installer dans votre pays, ne l'exploitez pas ;
34 au contraire, traitez-le comme s'il était
l'un de vos compatriotes : vous devez l'aimer comme vous-mêmes. Rappelez-vous
que vous avez aussi été des étrangers en
Égypte[z]. Je suis le Seigneur votre Dieu.
35 « Ne commettez pas d'injustice dans
le domaine des mesures de longueur, de
poids ou de capacité ; 36 utilisez des balances justes, des poids justes et des mesures justes[a]. Je suis le Seigneur votre
Dieu, qui vous ai fait sortir d'Égypte.
37 « Prenez bien soin de mettre en pratique toutes mes lois et mes règles. Je suis
le Seigneur. »

Les cultes interdits

20 1 Le Seigneur dit à Moïse 2 de
communiquer aux Israélites les
prescriptions suivantes :
« Si un Israélite ou un étranger vivant
en Israël offre un de ses enfants en *sacrifice au dieu Molek[b], il doit être mis à
mort. Les habitants du pays le tueront en
lui jetant des pierres, 3 car moi-même
j'interviendrai contre cet homme ; je
l'exclurai du peuple d'Israël, pour avoir
offert un de ses enfants à Molek, ce qui
rend *impur mon *sanctuaire et me déshonore, moi, le vrai Dieu. 4 Si les habitants du pays se bouchent les yeux
devant de tels agissements pour éviter de
mettre à mort cet homme, 5 j'interviendrai personnellement contre lui et contre
sa famille ; je les exclurai du peuple d'Israël, lui et tous ceux qui se joindront à
lui dans le culte idolâtrique rendu à
Molek.
6 « Si un homme consulte d'une manière ou d'une autre les esprits des morts,
ce qui est une forme d'idolâtrie, j'interviendrai contre lui en l'excluant du
peuple d'Israël.
7 « Comportez-vous comme des êtres
saints, car je suis le Seigneur votre
Dieu. »

Les relations sexuelles interdites

8 « Prenez bien soin de mettre en pratique toutes mes lois. Je suis le Seigneur,
à qui vous appartenez en propre.
9 « Si un homme maudit son père ou sa
mère, il doit être mis à mort. Il est seul
responsable de sa mort, puisqu'il a maudit ses parents[c].
10 « Si un homme commet l'adultère
avec la femme d'un de ses compatriotes,
les deux coupables doivent être mis à
mort[d].
11 « Si un homme couche avec une des
femmes de son père, il déshonore son

***u* 19.26** *à l'endroit même où vous l'avez saigné* : allusion à une sorte de repas rituel auquel se mêlent des pratiques magiques contraires à la foi d'Israël (comparer 1 Sam 14.32-33). Autre traduction *qui n'a pas été saigné* (comparer Gen 9.4 ; Lév 17.10-11). – *magie, divination* : voir Deut 18.10-11 ; 2 Rois 17.17 ; 21.6 ; 2 Chron 33.6.

***v* 19.28** Voir 21.5 ; Deut 14.1 ; Jér 41.5.

***w* 19.29** Voir Deut 23.18 ; Jér 2.20 et la note.

***x* 19.30** Voir 19.3 et la note.

***y* 19.31** Voir 20.6,27 ; Deut 18.10-11 ; 1 Sam 28.3 ; 2 Rois 23.24 ; És 8.19.

***z* 19.34** V. 33-34 : voir Ex 22.20 ; Deut 24.17-18 ; 27.19.

***a* 19.36** V. 35-36 : voir Deut 25.13-16 ; Prov 11.1 ; 20.10 ; Ézék 45.10-12 ; Amos 8.5 ; Mich 6.11.

***b* 20.2** Voir 18.21 et la note.

***c* 20.9** Voir 19.3 et la note.

***d* 20.10** Voir 18.20 et la note.

père ; les deux coupables doivent être mis
à mort. Ils sont seuls responsables de leur
mort[e].
12 « Si un homme couche avec sa belle-
fille, les deux coupables doivent être mis
à mort, car ils ont commis un inceste. Ils
sont seuls responsables de leur mort[f].
13 « Si un homme couche avec un autre
homme comme on couche avec une
femme, ils se rendent tous les deux coupables d'une action monstrueuse et doivent être mis à mort. Ils sont seuls
responsables de leur mort[g].
14 « Si un homme prend pour épouses
une femme et sa mère, il agit d'une façon
immorale ; l'homme et les deux femmes
doivent être brûlés vifs. On évitera ainsi
que de telles pratiques aient cours chez
vous[h].
15 « Si un homme a des relations avec
une bête, il doit être mis à mort, et on
abattra la bête.
16 « Si une femme s'accouple à un animal, on tuera la femme et l'animal. Ils
doivent être mis à mort et en sont seuls
responsables[i].
17 « Si un homme prend pour épouse sa
demi-sœur, fille de son père ou de sa
mère, et qu'ils ont des relations sexuelles,
ils agissent de manière honteuse et ils en
seront punis sous les yeux de leurs
compatriotes. L'homme a eu des relations avec sa demi-sœur, il en portera la
responsabilité[j].
18 « Si un homme couche avec une
femme qui a ses règles, ils seront tous les
deux exclus du peuple d'Israël pour avoir,
d'un commun accord, découvert la
source de son sang[k].
19 « Vous ne devez pas avoir de relations
sexuelles avec une sœur de votre mère ou
avec une sœur de votre père. Si un
homme couche avec une proche parente,
ils en porteront ensemble la responsabilité.
20 « Si un homme épouse la femme de
son oncle, il déshonore celui-ci. Les
deux coupables porteront la responsabilité de ce péché et mourront sans
enfants[l].
21 « Si un homme prend pour épouse la
femme de son frère, il agit de façon ré-
pugnante. Le couple n'aura pas d'enfants, puisque l'homme a déshonoré son
frère[m].
22 « Prenez bien soin de mettre en pratique toutes les lois et les règles qui viennent de moi. Alors le pays dans lequel je
vous conduis pour vous y installer ne
vous rejettera pas. 23 N'observez pas les
pratiques des nations que je chasse devant vous ; ces nations ont si mal agi que
je les ai prises en dégoût 24 et que je vous
ai déclaré :

"C'est vous qui posséderez leur sol,
c'est moi qui vous le donne en possession,
ce pays qui regorge de lait et de
miel[n] !"

Je suis le Seigneur votre Dieu, qui vous ai
séparés des autres nations. 25 C'est pourquoi vous devez respecter la distinction
entre animaux *purs et impurs, entre oiseaux purs et impurs ; vous ne devez pas
vous rendre impurs vous-mêmes en touchant ceux qui sont impurs, animaux, oiseaux ou bestioles qui se déplacent au ras
du sol. J'ai établi cette distinction pour
que vous sachiez reconnaître ceux qui
sont impurs.
26 « Soyez saints, consacrés à mon service, car je suis saint, moi, le Seigneur ; je
vous ai séparés des autres nations pour
que vous m'apparteniez.
27 « Si un homme ou une femme ont
l'habitude de consulter pour les autres les
esprits des morts, ils doivent être mis à
mort : on les tuera en leur jetant des pierres. Ils seront seuls responsables de leur
mort. »

Prescriptions concernant les prêtres
a. La vie privée des prêtres

21 1 Le Seigneur dit à Moïse de
communiquer les prescriptions
suivantes aux prêtres, fils d'Aaron :

---

e **20.11** Voir 18.8 et la note.
f **20.12** Voir 18.15 et la note.
g **20.13** Voir 18.22 et la note.
h **20.14** Voir 18.17 et la note.
i **20.16** V. 15-16 : voir 18.23 et la note.
j **20.17** Voir 18.9 et la note.
k **20.18** Voir 18.19 et la note.
l **20.20** V. 19-20 : voir 18.12-14.
m **20.21** Voir 18.16 et la note.
n **20.24** Voir Ex 3.8 et la note.

« Il est interdit à un prêtre de se rendre *impur en s'approchant du cadavre d'un membre de sa parenté, 2 sauf s'il s'agit d'un très proche parent, à savoir sa mère, son père, son fils, sa fille ou son frère. 3 Dans le cas d'une sœur non mariée, il peut se rendre impur ; elle appartient à sa famille, puisqu'elle n'est pas entrée dans la famille d'un autre homme. 4 Parmi les gens de sa parenté, le prêtre a une fonction de chef ; il ne doit donc pas se rendre impur[o], car il en serait déshonoré.

5 « En cas de deuil, les prêtres ne doivent pas se faire de tonsure, ni se raser la barbe sur les côtés, ni se faire des entailles sur le corps[p]. 6 Ils doivent se consacrer à mon service et éviter de me déshonorer ; ils sont chargés de me présenter les *sacrifices, ma nourriture, à moi, le Seigneur leur Dieu, et ils doivent par conséquent demeurer en état de consécration.

7 « Il n'est pas permis à un prêtre de prendre pour épouse une femme qui s'est prostituée ou qui a été séduite par un homme, ni une femme divorcée, car tout prêtre est consacré à mon service. 8 Chaque Israélite doit respecter le caractère sacré des prêtres, car ceux-ci me présentent la nourriture que vous m'offrez, à moi, votre Dieu. Que personne ne porte donc atteinte à la sainteté des prêtres. Je suis saint, moi, le Seigneur, à qui Israël appartient en propre.

9 « Si la fille d'un prêtre se déshonore en se prostituant, c'est son père lui-même qu'elle déshonore : elle doit être brûlée vive.

10 « Le grand-prêtre est le chef des prêtres ; il a été consacré au moyen de l'huile d'onction le jour de son entrée en fonction, et il peut revêtir les habits sacrés. C'est pourquoi il n'est pas autorisé à défaire sa chevelure, à *déchirer ses vêtements[q] 11 ou à s'approcher d'un mort ; il ne doit pas se rendre impur, même lors du décès de son père ou de sa mère. 12 Il lui est interdit de quitter les lieux sacrés, de peur qu'il ne profane mon *sanctuaire ; en effet, il a été consacré à mon service par l'onction d'huile. Je suis le Seigneur.

13 « Le grand-prêtre ne peut prendre pour épouse qu'une femme encore vierge. 14 Il ne peut épouser ni une veuve, ni une femme divorcée, ni une femme qui s'est déshonorée en se prostituant. Il devra choisir pour femme une jeune fille de sa parenté, 15 afin de ne pas introduire une descendance profane dans sa famille. Je suis le Seigneur qui le consacre à mon service. »

b. Cas d'empêchement au sacerdoce

16 Le Seigneur dit à Moïse 17 de communiquer à Aaron les prescriptions suivantes :

« Dans les générations à venir, aucun de tes descendants atteint d'un défaut physique ne sera autorisé à s'approcher de *l'autel pour m'y offrir ma nourriture. 18 Aucun infirme n'est admis à ce service, que ce soit un aveugle, un boiteux, un homme défiguré ou difforme, 19 un homme atteint d'une fracture de la jambe ou du bras, 20 un bossu ou un gringalet, un homme affligé d'une tache à l'œil, un homme souffrant d'une maladie de la peau, ou encore un *eunuque. 21 Aucun de tes descendants atteint d'un défaut physique ne doit donc s'approcher de l'autel pour m'y offrir ma nourriture. A cause de son infirmité, les tâches habituelles du prêtre lui sont interdites. 22 Il peut manger de ce qui m'est offert en *sacrifice, aussi bien les aliments qui me sont strictement réservés que les autres ; 23 mais à cause de son infirmité, il ne doit pas s'approcher du rideau du *sanctuaire ni s'avancer jusqu'à l'autel. Il ne faut pas qu'il profane mon sanctuaire[r], car je suis le Seigneur, et c'est moi qui consacre les prêtres à mon service. »

24 Moïse transmit ces prescriptions à Aaron, à ses fils et à tous les Israélites.

---

o **21.4** Texte hébreu peu clair ; autres traductions *Un prêtre ne doit pas se rendre impur pour un mort dans la parenté de sa femme* ou *Toutefois un prêtre n'est pas rendu impur par un décès à l'improviste dans sa parenté.*

p **21.5** Voir 19.27-28 et la note.

q **21.10** Voir 10.6.

r **21.23** *rideau du sanctuaire* : voir Ex 26.31-35. – *mon sanctuaire* ou *les choses qui me sont consacrées.*

c. La consommation des offrandes faites à Dieu

22 1 Le Seigneur dit à Moïse : 2 « Présente à Aaron et à ses fils les cas où, pour ne pas me déshonorer, moi, le vrai Dieu, ils doivent se tenir à l'écart des offrandes que les Israélites me consacrent, à moi, le Seigneur. 3 Dis-leur ceci :

« Dans les générations à venir, si un homme d'une famille sacerdotale s'approche, en état *d'impureté, des offrandes que les Israélites me consacrent, à moi, le Seigneur, on lui interdira de rester à mon service. Je suis le Seigneur. 4 Un prêtre atteint de *lèpre ou d'une infection sexuelle ne doit consommer aucune offrande réservée à Dieu avant d'être purifié. Il en va de même pour celui qui touche une personne rendue impure par le contact d'un cadavre, pour celui qui a eu des pertes séminales, 5 pour celui qui touche une bestiole ou un homme dont le contact rend impur, quelle que soit l'impureté en cause. 6 Celui qui a eu de tels contacts reste impur jusqu'au soir et ne peut manger des offrandes réservées à Dieu qu'après s'être lavé entièrement. 7 Dès le coucher du soleil, il est purifié et il peut manger de nouveau de ces offrandes, car c'est une nourriture qui lui est destinée. 8 Un prêtre ne doit pas non plus se rendre impur en mangeant de la viande d'une bête qui a crevé ou qui a été tuée par un animal sauvage. Je suis le Seigneur.

9 « Les prêtres doivent accomplir fidèlement ce que je leur ordonne, afin de ne pas se rendre coupables pour des questions de nourriture. S'ils profanaient de la nourriture, ils mourraient. Je suis le Seigneur, et c'est moi qui les consacre à mon service.

10 « Aucun laïc ne doit manger de nourriture consacrée : même l'invité ou l'ouvrier salarié d'un prêtre n'y est pas autorisé. 11 Mais si un prêtre a acquis un serviteur à prix d'argent, celui-ci peut manger de la nourriture destinée au prêtre, tout comme un serviteur né dans la maison. 12 Si la fille d'un prêtre a épousé un laïc, elle n'a pas le droit de consommer ce qui est prélevé sur les offrandes réservées à Dieu. 13 Mais la fille d'un prêtre, veuve ou divorcée, qui n'a pas d'enfants et qui est revenue habiter chez son père comme avant son mariage, peut manger la même nourriture que lui. En dehors de ces cas, aucun laïc ne doit manger de nourriture consacrée.

14 « Si quelqu'un en mange par mégarde, il doit rendre au prêtre l'équivalent de ce qu'il a pris, avec un supplément d'un cinquième.

15 « Les prêtres ne doivent pas profaner ce que les Israélites ont prélevé sur les offrandes qu'ils consacrent au Seigneur : 16 s'ils en mangent lorsqu'ils ne sont pas en état de le faire, ils chargent les Israélites d'une faute exigeant réparation. Je suis le Seigneur, et c'est moi qui consacre les prêtres à mon service[s]. »

Règles pour choisir les animaux à sacrifier

17 Le Seigneur dit à Moïse 18 de communiquer les prescriptions suivantes à Aaron, à ses fils et à tous les Israélites :

« Supposons que quelqu'un parmi vous, un Israélite ou un étranger vivant en Israël, veuille m'offrir un *sacrifice complet, de manière spontanée ou pour accomplir un *vœu : 19 s'il désire obtenir ma faveur, il doit amener un mâle sans défaut, taureau, bélier ou bouc. 20 Il n'est pas permis d'amener un animal présentant un défaut, je ne l'accepterais pas de votre part[t]. 21 S'il s'agit d'un sacrifice de communion qui m'est offert de manière spontanée ou pour accomplir un vœu, j'accepterai un bœuf, un mouton ou une chèvre, pourvu que l'animal ne présente aucun défaut. 22 N'amenez donc aucun animal aveugle, estropié, mutilé, atteint de verrues[u] ou d'une maladie de la peau pour l'offrir en sacrifice consumé sur

---

s **22.16** Autre traduction *s'ils laissent les Israélites en manger, ils les chargent d'une faute exigeant réparation. Je suis le Seigneur, et c'est moi qui sanctifie les offrandes.*

t **22.20** V. 18-20 : voir 1.3 ; Deut 17.1.

u **22.22** *de verrues* ou *de suppuration*.

mon *autel. 23 Si une bête, bœuf, mouton
ou chèvre, est difforme ou mal développée, on peut l'offrir comme sacrifice
spontané, mais elle ne convient pas pour
accomplir un vœu. 24 Ne m'amenez jamais un animal dont les testicules ont été
écrasés, broyés, arrachés ou coupés. Ne
procédez pas à de telles mutilations
quand vous serez dans votre pays, 25 et
n'achetez pas à un étranger des animaux
ainsi mutilés, pour me les offrir en sacrifices, à moi votre Dieu. La mutilation
qu'ils ont subie est l'équivalent d'un défaut, de sorte que je ne les accepterai pas
de votre part. »

26 Le Seigneur dit encore à Moïse :
27 « Après sa naissance, un veau, un
agneau ou un chevreau doit être laissé auprès de sa mère pendant une semaine. A
partir du huitième jour, j'accepte qu'on
me le présente en sacrifice consumé.
28 Mais n'abattez pas une vache, une brebis ou une chèvre le même jour que son
petit[v].
29 « Quand vous m'offrez un sacrifice
accompagnant un chant de louange, faites-le selon la règle, de manière à obtenir
ma faveur : 30 mangez-en la viande le jour
même, sans rien en laisser pour le lendemain. Je suis le Seigneur.
31 « Prenez bien soin de mettre en pratique mes commandements. Je suis le
Seigneur. 32 Ne me déshonorez pas ; vous
devez au contraire, vous les Israélites,
manifester que je suis le vrai Dieu. C'est à
moi, le Seigneur, que vous appartenez en
propre ; 33 je vous ai fait sortir d'Égypte
afin de devenir votre Dieu. Je suis le
Seigneur. »

Calendrier des fêtes d'Israël : le Sabbat

23 1 Le Seigneur dit à Moïse 2 de
communiquer aux Israélites les
prescriptions suivantes :
« Lors des fêtes solennelles célébrées
en mon honneur, vous devez vous rassembler pour m'adorer, selon le calendrier que j'ai fixé.
3 « Il y a six jours dans la semaine pour
travailler ; le septième jour est le *sabbat,
le jour du repos mis à part pour que vous
vous rassembliez en mon honneur. Vous
ne devez faire aucun travail pendant le
sabbat, mais me consacrer ce jour, quel
que soit l'endroit où vous habitez[w].

4 « Les autres fêtes solennelles lors desquelles vous vous rassemblerez en mon
honneur seront célébrées aux dates suivantes :

La Pâque et la fête des Pains sans levain

5 « Le quatorzième jour du premier
mois de l'année, dès le soir, célébrez en
mon honneur la fête de la *Pâque[x].
6 « Le quinzième jour du même mois
commencera en mon honneur la fête des
*Pains sans levain. Pendant sept jours, le
pain que vous mangerez sera sans *levain.
7 Le premier jour de cette semaine, vous
vous rassemblerez pour m'adorer. Ce
jour-là, vous n'accomplirez pas votre travail ordinaire. 8 Chaque jour de la semaine, vous m'offrirez un *sacrifice
consumé. Le septième jour, vous vous rassemblerez également pour m'adorer. Ce
jour-là non plus, vous n'accomplirez pas
votre travail ordinaire[y]. »

La fête de la Première gerbe

9 Le Seigneur dit à Moïse 10 de communiquer aux Israélites les prescriptions
suivantes :
« Quand vous serez entrés dans le pays
que je vais vous donner et que vous y ferez
la moisson, vous apporterez au prêtre la
première gerbe que vous récolterez[z]. 11 Le
prêtre me la présentera solennellement le
lendemain du *sabbat, afin que vous obteniez ma faveur. 12 Le même jour, vous
m'offrirez un agneau d'un an, sans défaut,

v **22.28** Les pratiques interdites dans les v. 27-28 étaient probablement courantes dans la religion cananéenne.

w **23.3** Voir Gen 2.1-3 ; Ex 16.23-30 ; 20.8-11 ; 23.12 ; 31.12-17 ; 34.21 ; 35.2 ; Deut 5.12-14.

x **23.5** Voir Ex 12.1-14 ; Nomb 28.16 ; Deut 16.1-2.

y **23.8** V. 6-8 : voir Ex 12.15-20 ; 23.15 ; 34.18 ; Nomb 28.17-25 ; Deut 16.3-8.

z **23.10** La fête de la *première gerbe* correspond probablement à ce qui est mentionné en Ex 23.19 ; 34.26 : *Vous viendrez présenter les premiers produits de votre terre à mon sanctuaire*.

en *sacrifice complet ; 13 il sera accompagné d'une offrande consumée de six kilos de farine pétrie avec de l'huile, dont j'apprécierai la fumée odorante, et d'une offrande d'un litre et demi de vin. 14 Vous ne mangerez aucun produit de cette récolte, ni pain, ni épis grillés, ni grain nouveau, avant le jour où vous m'apporterez la gerbe en offrande. Vous observerez cette prescription en tout temps et quel que soit l'endroit où vous habiterez. »

La fête des Moissons

15 « Vous compterez sept semaines complètes à partir du lendemain du *sabbat où vous aurez offert solennellement la première gerbe. 16 Cette période de cinquante jours[a] s'étendra donc jusqu'au lendemain du septième sabbat, jour où vous me présenterez une nouvelle offrande : 17 vous apporterez de chez vous deux pains pour me les offrir solennellement ; chaque pain sera préparé avec trois kilos de farine et cuit avec du *levain. Cette offrande me sera faite sur les premières céréales récoltées. 18 Vous amènerez, en plus de cette offrande de pains, sept agneaux d'un an sans défaut, un taureau et deux béliers, destinés à m'être offerts en *sacrifices complets, avec les offrandes de farine et de vin correspondantes. Ce sont des sacrifices consumés dont j'apprécierai la fumée odorante. 19 Vous offrirez en outre un bouc en sacrifice pour obtenir le pardon, et deux agneaux d'un an en sacrifices de communion. 20 En même temps que les pains, le prêtre m'offrira ces animaux, y compris les deux agneaux, avec le geste de présentation ; toutes ces offrandes reviendront au prêtre, puisqu'elles m'ont été consacrées. 21 Le même jour, vous aurez un rassemblement pour m'adorer, et vous n'accomplirez pas votre travail ordinaire. Vous observerez cette prescription en tout temps et quel que soit l'endroit où vous habiterez[b].

22 « Quand vous moissonnerez, vous ne couperez pas les épis qui ont poussé en bordure de vos champs, et vous ne retournerez pas ramasser les épis oubliés. Vous les laisserez pour les pauvres et pour les étrangers. Je suis le Seigneur votre Dieu[c]. »

Le Jour de souvenir et d'ovation

23 Le Seigneur dit à Moïse 24 de communiquer aux Israélites les prescriptions suivantes :

« Le premier jour du septième mois[d], vous observerez un jour de repos, jour de souvenir et d'ovation, marqué par un rassemblement en mon honneur. 25 Vous n'accomplirez pas votre travail ordinaire, et vous m'offrirez un *sacrifice consumé[e]. »

Le grand jour du Pardon des péchés

26 Le Seigneur dit à Moïse :

27 « Le dixième jour du septième mois sera le grand jour du pardon des péchés[f]. Vous vous rassemblerez en mon honneur, vous *jeûnerez et vous m'offrirez un *sacrifice consumé. 28 Vous ne devrez faire aucun travail, parce que c'est le jour solennel où l'on effectuera sur vous le geste rituel du pardon, devant moi, le Seigneur votre Dieu. 29 Toute personne qui négligera de jeûner ce jour-là sera exclue de la communauté d'Israël. 30 Et j'éliminerai moi-même du peuple d'Israël toute personne qui accomplira un travail quelconque en ce jour 31 où tout travail vous est interdit. Vous observerez cette prescription en tout temps et quel que soit l'endroit où vous habiterez. 32 Vous en ferez un jour de repos, semblable au *sabbat, et vous jeûnerez. Vous observerez ce repos sabbatique, du neuvième jour du mois au soir jusqu'au lendemain soir[g]. »

---

a **23.16** Cette indication des *cinquante jours* est à l'origine d'un des noms de cette fête : Pentecôte (= *cinquantième*, en grec).

b **23.21** V. 15-21 : voir Ex 23.16 ; 34.22 ; Nomb 28.26 ; Deut 16.9-12.

c **23.22** Voir 19.9-10 ; Deut 24.19-22.

d **23.24** Dans le calendrier israélite en vigueur à une époque plus ancienne, l'année commençait en automne (comme c'est de nouveau le cas dans le calendrier juif actuel). Dans le calendrier où l'année commençait au printemps, *le premier jour du septième mois* avait conservé une certaine importance parce qu'il correspondait à l'ancien Nouvel An.

e **23.25** V. 24-25 : voir Nomb 29.1-6.

f **23.27** Voir chap. 16.

g **23.32** V. 27-32 : voir chap. 16 ; Nomb 29.7-11.

La fête des Huttes

[33]Le Seigneur dit à Moïse [34]de communiquer aux Israélites les prescriptions suivantes :

« A partir du quinzième jour du septième mois, on célébrera pendant une semaine la fête des Huttes[h] en mon honneur. [35]Le premier jour, vous vous rassemblerez pour m'adorer, et vous n'accomplirez pas votre travail ordinaire. [36]Chaque jour de la semaine, vous m'offrirez un *sacrifice consumé. Le huitième jour, vous vous rassemblerez de nouveau en mon honneur et vous m'offrirez également un sacrifice consumé. Le jour de ce rassemblement final, vous n'accomplirez pas votre travail ordinaire.

[37]« A l'occasion de ces fêtes solennelles célébrées en mon honneur, vous vous rassemblerez pour m'adorer et pour m'offrir des sacrifices complets avec des offrandes végétales ou des sacrifices de communion avec des offrandes de vin, selon le rituel propre à chaque fête. [38]Ces sacrifices s'ajoutent à ceux qui me sont offerts les jours de *sabbat, comme à tous les dons et sacrifices que vous pouvez m'offrir de manière spontanée ou pour accomplir des *vœux.

[39]« Le quinzième jour du septième mois, après avoir récolté les produits de la terre, vous commencerez à célébrer une fête d'une semaine en mon honneur. Le premier et le huitième jours seront des jours de repos. [40]Dès le premier jour, vous vous munirez de beaux fruits, de feuilles de palmiers, de rameaux d'arbres touffus ou de saules des torrents, et vous manifesterez votre joie devant moi pendant toute la semaine[i]. [41]Chaque année vous célébrerez cette fête en mon honneur, pendant une semaine au cours du septième mois. Vous observerez cette prescription en tout temps. [42]Durant cette semaine, vous, les Israélites, vous devrez tous vous installer dans des huttes, [43]afin que vos descendants sachent que j'ai fait habiter leurs ancêtres dans des huttes, lorsque je les ai conduits hors d'Égypte. Je suis le Seigneur votre Dieu[j]. »

[44]C'est ainsi que Moïse communiqua aux Israélites la liste des fêtes à célébrer en l'honneur du Seigneur.

Le porte-lampes du sanctuaire

24 [1]Le Seigneur dit à Moïse : [2]« Ordonne aux Israélites de te fournir de l'huile d'olive de la meilleure qualité, afin que tous les soirs les lampes soient allumées. [3]Aaron placera le porte-lampes dans la *tente de la rencontre, devant le rideau qui cache le *coffre de l'alliance ; les lampes brûleront du soir au matin devant moi. Cette règle devra toujours être appliquée par vous, de génération en génération. [4]Aaron placera les lampes devant moi, sur le porte-lampes d'or pur, pour qu'elles brûlent toutes les nuits. »

Les pains offerts à Dieu

[5]« Prends de la farine et fais cuire douze galettes de pain, de six kilos chacune. [6]Tu les placeras devant moi, sur la table d'or pur, en deux piles de six galettes[k]. [7]Sur chaque pile tu déposeras de *l'encens pur, qui sera ensuite brûlé en mon honneur, à la place du pain, en tant que “mémorial”[l].

[8]« Chaque jour de *sabbat, à perpétuité, on devra disposer devant moi de telles galettes. Les Israélites seront tenus pour toujours par cette obligation. [9]Les galettes reviendront à Aaron et à ses descendants, qui les mangeront dans un endroit réservé du *sanctuaire ; en effet, puisqu'elles m'ont été offertes, elles me sont strictement réservées, et je les leur donne pour toujours[m]. »

Punition d'un homme qui a maudit Dieu

[10-11]Un jour, il y eut une bagarre dans le camp entre un Israélite et le fils d'un

---

h 23.34 Voir au Vocabulaire CALENDRIER.
i 23.40 Voir Néh 8.15-17.
j 23.43 V. 34-43 : voir Ex 23.16 ; 34.22 ; Nomb 29.12 ; Deut 16.13-15.
k 24.6 V. 5-6 : voir Ex 25.30.
l 24.7 Voir 2.2 et la note.
m 24.9 Voir Matt 12.4 ; Marc 2.26 ; Luc 6.4.

Égyptien et d'une Israélite nommée
Chelomith, fille de Dibri, de la tribu de
Dan. Le fils de Chelomith injuria Dieu
en utilisant son nom d'une manière insultante. Aussitôt on l'amena à Moïse
12 et on le mit sous bonne garde, en attendant que Dieu prononce lui-même la
sentence.

13 Le Seigneur dit alors à Moïse :
14 « Emmenez cet homme hors du camp !
Tous ceux qui l'ont entendu insulter mon
nom poseront leurs mains sur sa tête,
puis toute la communauté d'Israël le
tuera en lui jetant des pierres. 15 Et voici
les commandements que tu communiqueras aux Israélites :

« Si un homme injurie son Dieu, il doit
en porter la responsabilité. 16 Quiconque
insulte le nom du Seigneur doit être mis
à mort : toute la communauté d'Israël le
tuera en lui jetant des pierres. Qu'il
s'agisse d'un étranger ou d'un Israélite, il
sera mis à mort pour avoir insulté le nom
de Dieu.

17 « Si un homme tue un autre être humain, il doit être mis à mort[n]. 18 S'il tue
un animal appartenant à quelqu'un d'autre, il doit le remplacer par un animal
vivant.

19 « Si un homme blesse une autre personne, on lui infligera la même blessure :
20 fracture pour fracture, œil pour œil,
dent pour dent ; on lui rendra le mal qu'il
a fait à l'autre[o].

21 « Celui qui tue un animal doit le remplacer ; celui qui tue un être humain doit
être mis à mort.

22 « Vous aurez une seule et même législation pour les étrangers et pour les Israélites, car je suis le Seigneur votre
Dieu[p]. »

23 Moïse transmit ces commandements
aux Israélites. Ceux-ci emmenèrent
l'homme à l'extérieur du camp et le tuèrent en lui jetant des pierres. Ils exécutèrent ainsi la sentence que le Seigneur
avait communiquée à Moïse.

L'année de repos pour le sol

25 1 Sur le mont Sinaï, le Seigneur dit
à Moïse 2 de communiquer aux Israélites les prescriptions suivantes :

« Quand vous serez entrés dans le pays
que je vais vous donner, vous laisserez périodiquement le sol se reposer en mon
honneur. 3 Pendant six ans vous pourrez
ensemencer vos champs, tailler vos vignes et en récolter les produits ; 4 mais la
septième année me sera consacrée, ce sera
une année de repos complet pour le sol :
vous ne devrez pas ensemencer vos
champs ou tailler vos vignes ; 5 vous ne
devrez même pas moissonner ce qui aura
poussé naturellement depuis l'année précédente ou vendanger les grappes qui auront mûri dans les vignes non soignées,
car ce sera une année de repos complet
pour le sol. 6 Toutefois vous pourrez
consommer ce qui aura poussé naturellement, vous, vos serviteurs et vos servantes, de même que les ouvriers salariés
et les hôtes résidant chez vous. 7 Tous ces
produits serviront également à nourrir
votre bétail et même les bêtes sauvages de
votre pays[q]. »

L'année de la libération

8 « Vous laisserez s'écouler sept périodes de sept ans, soit quarante-neuf ans.
9 Ensuite, le dixième jour du septième
mois, le grand jour du pardon des péchés,
vous ferez retentir dans tout le pays une
sonnerie de trompette accompagnée
d'une ovation. 10 De cette manière vous
manifesterez que la cinquantième année
est consacrée à Dieu, et vous proclamerez
la libération pour tous les habitants du
pays. Cette année portera le nom de "Jubilé". A cette occasion, chacun d'entre
vous pourra rentrer en possession de ses
terres et regagner sa famille. 11 C'est ainsi
que vous célébrerez tous les cinquante
ans l'année du "Jubilé". Vous ne devrez
pas ensemencer vos champs, ni moissonner les épis qui auront poussé naturellement, ni vendanger les grappes qui
auront mûri dans les vignes non soignées, 12 car c'est l'année du "Jubilé",

n **24.17** Voir Ex 21.12.
o **24.20** V. 19-20 : voir Ex 21.23-25 ; Deut 19.21 ; Matt 5.38.
p **24.22** Voir Nomb 15.15-16.
q **25.7** V. 1-7 : voir Ex 23.10-11.

dont vous respecterez le caractère sacré. Par contre vous pourrez consommer ce que les champs produisent d'eux-mêmes.

13 « Lors de l'année du "Jubilé", chacun de vous pourra rentrer en possession de ses terres. 14 Si vous achetez ou vendez du terrain à un compatriote, ne lui causez pas du tort. 15 Achetez ou vendez en tenant compte des années écoulées depuis le dernier "Jubilé", et par conséquent aussi des années de récolte qui restent jusqu'au prochain. 16 Plus il restera d'années, plus le prix d'achat sera élevé, et moins il restera d'années, moins le prix sera élevé ; en effet, c'est un certain nombre de récoltes que l'on vend. 17 Manifestez votre respect envers moi, le Seigneur votre Dieu, en ne causant aucun tort à votre compatriote. 18 Mettez en pratique mes lois et prenez bien soin d'observer les règles qui viennent de moi ; alors vous habiterez en sécurité dans ce pays. 19 La terre donnera des récoltes assez abondantes pour vous nourrir, et vous pourrez y vivre sans soucis.

20 « Vous allez peut-être vous demander : "Aurons-nous assez à manger lorsque, tous les sept ans, nous n'aurons pas le droit d'ensemencer nos champs ni de récolter ce qu'ils produisent ?" 21 Eh bien, moi, le Seigneur, je vous comblerai de biens au cours de la sixième année, j'ordonnerai à la terre de produire des récoltes pour trois ans. 22 La huitième année[r], vous ensemencerez de nouveau vos champs, mais cette année-là vous vivrez encore de l'ancienne récolte, car vous aurez assez de réserves pour attendre la récolte de la neuvième année. »

Le droit de rachat des terres

23 « Une terre ne pourra jamais être vendue de manière définitive, car la terre m'appartient, à moi, le Seigneur, et vous serez comme des étrangers ou des hôtes résidant dans mon pays. 24 C'est pourquoi, dans tout le pays que je vous donnerai, vous fixerez les règles permettant à quelqu'un de racheter une de ses terres.

25 « Quand un de vos compatriotes tombé dans la misère sera obligé de vendre une de ses terres, un de ses proches parents possédant le droit de rachat devra la racheter. 26 Si l'homme n'a pas de parent ayant un tel droit, mais qu'il trouve les moyens de racheter lui-même sa terre, 27 il calculera le montant dû à l'acheteur d'après le nombre d'années qui restent jusqu'au "Jubilé", il le payera et reprendra possession de sa terre. 28 S'il ne trouve pas de quoi faire ce remboursement, le terrain restera la propriété de l'acheteur jusqu'à l'année du "Jubilé". A ce moment-là, le premier propriétaire en reprendra possession.

29 « Si un homme vend une maison d'habitation située dans une ville fortifiée, le droit de rachat sera temporaire : il ne s'étendra pas au-delà d'une année à partir de la vente. 30 Si la maison n'est pas rachetée dans le délai d'un an, elle restera définitivement la propriété de l'acheteur et de ses descendants. Ils n'auront pas à la restituer lors de l'année du "Jubilé". 31 Par contre les maisons situées dans les localités non fortifiées seront soumises aux mêmes règles que les terres du pays : il y aura un droit de rachat permanent pour une telle maison, et de toute façon elle reviendra au premier propriétaire lors de l'année du "Jubilé".

32 « Quant aux *lévites, ils auront en tout temps un droit de rachat sur leurs maisons situées dans les villes lévitiques[s]. 33 Même si une de ces maisons a été achetée par un autre lévite, elle devra revenir au premier propriétaire lors de l'année du "Jubilé". En effet, ces maisons-là constitueront l'unique propriété des lévites dans le pays d'Israël. 34 Mais les champs situés dans les alentours de leurs villes ne devront pas être vendus, car ils seront la propriété définitive des lévites. »

Les prêts aux pauvres

35 « Quand un de vos compatriotes tombé dans la misère ne pourra plus tenir

---

r 25.22 *La huitième année* : toute année qui suit une année de repos pour le sol (voir v. 2-4).

s 25.32 *villes lévitiques* : voir Nomb 35.1-8 ; Jos 21.1-42 ; 1 Chron 6.39-66. Contrairement aux autres Israélites, les membres de la tribu de Lévi ne possédaient pas de territoire ; voir Jos 14.4. – Le texte hébreu des v. 32-33 est peu clair et la traduction incertaine.

ses engagements à votre égard, vous devrez lui venir en aide, afin qu'il puisse continuer à vivre à vos côtés. Vous agirez de cette manière même envers un étranger ou un hôte résidant dans votre pays[t]. 36 Vous ne lui demanderez pas d'intérêts, sous quelque forme que ce soit. Montrez par votre comportement que vous me respectez, et permettez-lui ainsi de vivre à vos côtés. 37 Si vous lui prêtez de l'argent, n'exigez pas d'intérêts ; si vous lui fournissez de la nourriture, ne lui demandez pas de vous en rendre avec un supplément[u]. 38 Je suis le Seigneur votre Dieu ; je vous ai fait sortir d'Égypte pour vous donner le pays de Canaan et devenir votre Dieu. »

Le droit de rachat relatif aux personnes

39 « Quand un de vos compatriotes tombé dans la misère devra se vendre à vous comme serviteur, ne lui imposez pas une tâche d'esclave, 40 mais traitez-le comme un ouvrier salarié ou un hôte résidant chez vous. Il sera à votre service jusqu'à l'année du "Jubilé". 41 A ce moment-là, la liberté lui sera rendue, ainsi qu'à ses enfants ; il regagnera sa famille et rentrera en possession de la terre de ses ancêtres. 42 En effet, les Israélites sont à mon service, eux que j'ai délivrés d'Égypte ; c'est pourquoi ils ne doivent pas être vendus comme on vend des esclaves. 43 Ne les traitez pas avec brutalité. Montrez par votre comportement que vous me respectez, moi, votre Dieu.

44 « Si vous avez besoin d'esclaves ou de servantes, vous vous en procurerez auprès des nations qui vous entourent. 45 Vous pourrez également en acquérir parmi les enfants des étrangers venus résider dans votre pays ou parmi les membres de leurs clans nés sur place. Ils vous appartiendront. 46 Plus tard vous les laisserez en héritage à vos fils, afin qu'ils en aient la propriété à leur tour. Vous pourrez les garder comme esclaves à perpétuité. Par contre, que jamais personne parmi vous ne traite avec brutalité un de ses frères israélites[v].

47 « Si un étranger ou un hôte résidant dans votre pays s'enrichit et qu'un de vos compatriotes tombé dans la misère se vende à lui, ou à un autre membre d'un clan d'étrangers, 48 votre compatriote pourra bénéficier d'un droit de rachat : un de ses frères peut le racheter ; 49 à défaut de frère, un oncle, ou un cousin, ou encore un autre parent de son clan peut le faire. Il peut également se racheter lui-même s'il en trouve les moyens. 50 En ce cas, il comptera avec l'acheteur le nombre d'années comprises entre celle où il s'est vendu et celle du "Jubilé", il calculera le rapport entre le prix de vente et ce nombre d'années, et évaluera le travail fourni d'après le tarif d'un salarié à la journée. 51 Si les années jusqu'au "Jubilé" sont encore nombreuses, il restituera pour son rachat une part importante du prix de vente. 52 Si au contraire les années restantes sont peu nombreuses, il en fera le compte et ne restituera que la part proportionnelle à ce nombre d'années. 53 Tant qu'il reste chez son maître, il doit être considéré comme un salarié à l'année ; vous veillerez à ce que le maître ne le traite pas avec brutalité. 54 Si votre compatriote n'est pas racheté d'une manière ou d'une autre, la liberté lui sera rendue, de même qu'à ses enfants, lors de l'année du "Jubilé". »

Je suis le Seigneur votre Dieu

55 « Oui, les Israélites sont mes serviteurs ! Ils le sont, puisque c'est moi qui les ai fait sortir d'Égypte ! Je suis le Seigneur votre Dieu.

26 1 « Ne vous fabriquez pas de faux dieux, ne dressez pas d'idoles ou de pierres sacrées, ne placez pas dans votre pays de pierres décorées pour les adorer[w]. En effet, je suis le Seigneur votre Dieu.

2 « Observez le repos du *sabbat, et traitez mon *sanctuaire avec respect. Je suis le Seigneur. »

---

t **25.35** Voir Deut 15.7-8.
u **25.37** V. 36-37 : voir Ex 22.24 ; Deut 15.7-11 ; 23.20-21.
v **25.46** V. 39-46 : voir Ex 21.2-6 ; Deut 15.12-18.
w **26.1** Voir 19.4 et la note.

Bénédictions

3 « Si vous observez mes lois, si vous prenez soin de mettre en pratique mes commandements, 4 j'enverrai en temps voulu les pluies dont vous avez besoin, afin que la terre produise des récoltes et les arbres des fruits. 5 Alors chez vous le battage des céréales durera jusqu'aux vendanges et les vendanges dureront jusqu'aux semailles. Vous aurez de la nourriture en abondance, et vous habiterez en sécurité dans votre pays[x]. 6 J'y ferai régner la tranquillité : quand vous vous coucherez, rien ne viendra vous troubler. J'en éliminerai les bêtes malfaisantes. On ne viendra plus vous y faire la guerre ; 7 vous mettrez en fuite vos ennemis, ils tomberont sous vos attaques. 8 Cinq d'entre vous suffiront à mettre en fuite cent ennemis, cent d'entre vous en chasseront dix mille, qui tomberont sous vos attaques. 9 J'interviendrai en votre faveur, je vous accorderai de nombreux enfants et je maintiendrai mon *alliance avec vous. 10 Vos récoltes seront si abondantes que vous pourrez vivre longtemps des réserves accumulées, vous devrez même vous débarrasser du reste pour faire place à de nouvelles récoltes. 11 J'établirai ma demeure au milieu de vous et je ne me détournerai pas de vous. 12 Je marcherai à vos côtés ; je serai votre Dieu et vous serez mon peuple[y]. 13 Je suis le Seigneur votre Dieu, qui vous ai fait sortir du pays des Égyptiens afin que vous ne soyez plus leurs esclaves. Depuis que j'ai brisé la domination égyptienne qui pesait sur vous, vous pouvez marcher la tête haute. »

Malédictions

14 « Si vous ne m'obéissez pas et ne mettez pas en pratique tous ces commandements, 15 si vous rompez mon *alliance en rejetant mes lois et en vous détournant des règles qui viennent de moi, 16 voici comment moi je vous traiterai :

« Je mobiliserai contre vous l'épouvante, avec le dépérissement et la fièvre, ces maux qui épuisent les regards et rongent la vie. Vous ensemencerez vos champs, mais en vain, car ce sont vos ennemis qui s'empareront des récoltes. 17 J'interviendrai contre vous : vous serez battus par vos adversaires, vous tomberez sous la domination de vos ennemis ; vous fuirez, même si personne ne vous poursuit.

18 « Si cela ne vous amène pas à m'obéir, je multiplierai par sept le châtiment de vos fautes : 19 pour briser votre orgueilleuse assurance, je rendrai le ciel au-dessus de vous dur comme du fer, et vos terres, privées de pluie, deviendront dures comme du bronze. 20 Vous épuiserez vos forces sans résultat : la terre ne produira rien et les arbres ne donneront aucun fruit.

21 « Si vous vous opposez à moi en refusant de m'obéir, je multiplierai encore par sept le châtiment de vos fautes : 22 j'enverrai dans votre pays des bêtes sauvages qui tueront vos enfants, extermineront votre bétail et vous décimeront au point que vos chemins deviendront déserts.

23 « Si cela ne suffit pas encore à vous corriger, si vous continuez à vous opposer à moi, 24 à mon tour je m'opposerai à vous, et une fois encore je multiplierai par sept le châtiment de vos fautes : 25 je déclencherai une guerre contre vous, pour avoir rompu mon alliance ; vous vous réfugierez dans les villes, mais j'y provoquerai une épidémie de peste[z] et vous tomberez sous la domination de vos ennemis. 26 Je vous priverai de nourriture ; dix femmes pourront cuire votre pain dans un seul four et elles vous en ramèneront de si petites rations que vous mangerez sans arriver à calmer votre faim.

27 « Si tout cela ne vous conduit pas à m'obéir, si vous persistez à vous opposer à moi, 28 à mon tour, dans ma fureur, je m'opposerai à vous et une fois de plus je multiplierai par sept le châtiment de vos fautes. 29 Vous devrez manger la chair de vos propres enfants. 30 Dans ma haine contre vous, je détruirai vos lieux sacrés,

---

x **26.5** V. 3-5 : voir Deut 11.13-15.

y **26.12** Voir 2 Cor 6.16 ; Apoc 21.3.

z **26.25** La *guerre*, la *peste* et la *famine* (v. 26) sont les trois fléaux qui résument les malheurs d'une ville assiégée ; voir Jér 21.7 ; Ézék 7.15.

j'abattrai vos *autels à parfums, j'entasserai vos cadavres sur les débris de vos idoles. 31 Je réduirai vos villes en ruine et vos
*sanctuaires en lieux déserts ; je ne me
laisserai plus apaiser par vos *sacrifices à
la fumée odorante. 32 Je ravagerai tellement votre pays que vos ennemis venus
l'occuper en seront stupéfaits. 33 Je déclencherai des attaques contre vous et je
vous disperserai parmi les nations étrangères ; votre pays sera réduit en désert et
vos villes en ruine.

34 « Alors, durant toutes les années où
vous serez exilés chez vos ennemis, votre
pays abandonné jouira d'un temps de repos en compensation des périodes de repos qui n'auront pas été observées[a].
35 Oui, le sol se reposera pour compenser
toutes les périodes de repos que vous ne
lui aurez pas accordées, lorsque vous y
habitiez.

36 « Quant à ceux d'entre vous qui subsisteront dans les pays de leurs ennemis,
je les remplirai d'angoisse : le simple
bruit d'une feuille agitée par le vent les
mettra en fuite ; ils fuiront comme devant un ennemi en armes et ils tomberont, même si personne ne les poursuit.
37 Ils trébucheront les uns sur les autres
comme lorsqu'on fuit devant l'ennemi,
alors même que personne ne les poursuivra. Ils seront incapables de résister à
leurs ennemis. 38 Finalement ils mourront en exil, dévorés par ces pays étrangers. 39 Si quelques-uns d'entre vous
survivent dans les pays de vos ennemis,
ils y dépériront à cause de leurs propres
péchés, et à cause aussi des péchés de
leurs ancêtres. »

Dieu se souviendra de son alliance

40 « Mais ces survivants finiront par reconnaître qu'eux et leurs ancêtres ont péché en commettant des fautes graves
envers moi et en s'opposant à moi ; 41 ils
comprendront que je me sois opposé à
eux et que je les aie conduits en exil dans
le pays de leurs ennemis. Ils s'humilie-
ront de leur infidélité et accepteront le
châtiment de leur faute. 42 Alors je me
souviendrai des *alliances conclues avec
leurs ancêtres, Jacob, Isaac et Abraham,
et je me souviendrai aussi de ma promesse relative à leur pays[b]. 43 Tant qu'ils
en seront absents, le pays, abandonné,
jouira d'une période de repos. Pendant ce
temps, ils subiront leur châtiment pour
s'être détournés de mes lois et avoir rejeté
les règles qui viennent de moi. 44 Pourtant, même durant leur exil dans le pays
de leurs ennemis, je ne les rejetterai pas
complètement, je ne me détournerai pas
d'eux, je ne les exterminerai pas, je ne
romprai pas mon alliance, car je suis le
Seigneur leur Dieu. 45 Oui, je me souviendrai, pour leur salut, de l'alliance conclue
avec leurs ancêtres, que j'ai fait sortir
d'Égypte, sous les yeux des autres nations, pour devenir leur Dieu. Je suis le
Seigneur. »

46 Telles sont les lois, les règles et les enseignements qui fixent les rapports entre
le Seigneur et les Israélites ; le Seigneur
les leur a communiqués par l'intermédiaire de Moïse, sur le mont Sinaï.

Compléments : Tarif pour les vœux

27 1 Le Seigneur dit à Moïse 2 de
communiquer aux Israélites les
prescriptions suivantes :

« Si quelqu'un a fait *vœu d'offrir une
personne au Seigneur, il peut s'acquitter
de son vœu en payant une somme d'argent, 3 d'après le tarif[c] que voici :

« Personne de 20 à 60 ans : cinquante
pièces d'argent – en monnaie du *sanctuaire – pour un homme, 4 trente pièces
pour une femme.

5 « Enfant de 5 à 20 ans : vingt pièces
pour un garçon, dix pièces pour une fille.

6 « Enfant de 1 mois à 5 ans : cinq pièces pour un garçon, trois pièces pour une
fille.

7 « Personne de plus de 60 ans : quinze
pièces pour un homme, dix pièces pour
une femme.

---

a **26.34** Si les Israélites ne respectent pas les périodes de repos de la terre (25.4-5), Dieu chassera son peuple du pays promis pour de nombreuses années et accordera ainsi à la terre un repos compensatoire.

b **26.42** Voir Gen 12.7 ; 17.7-8 ; 26.3-4 ; 28.13-14.

c **27.3** Des fragments de tarifs du même genre, gravés sur pierre vers l'année 200 avant J.-C., ont été retrouvés à Marseille et à Carthage.

8 « Si quelqu'un est trop pauvre pour
payer le montant prévu, il doit amener la
personne concernée devant le prêtre ; celui-ci fera une estimation du prix à payer
en fonction des moyens de celui qui a
prononcé le vœu.

9 « Si le vœu porte sur une bête d'une
espèce qui convient pour un *sacrifice
destiné au Seigneur, la bête concernée est
consacrée : 10 on n'a pas le droit de la remplacer par une autre, qu'elle soit de meilleure ou de moins bonne qualité. Si
quelqu'un fait tout de même un échange,
les deux bêtes seront tenues pour consacrées.
11 « Si le vœu porte sur une bête d'une
espèce *impure, qui ne convient pas pour
un sacrifice destiné au Seigneur, le propriétaire doit amener la bête concernée
devant le prêtre : 12 le prêtre en fera l'estimation, en tenant compte de ses qualités
ou de ses défauts ; on se conformera à
cette estimation. 13 Si le propriétaire désire racheter la bête, il doit payer un cinquième de plus que le montant fixé par le
prêtre.

14 « Si quelqu'un consacre sa maison au
Seigneur, le prêtre en fera l'estimation,
en tenant compte de son état bon ou
mauvais ; on se conformera à cette estimation. 15 Si le propriétaire désire racheter sa maison, il doit payer un cinquième
de plus que le montant fixé par le prêtre,
pour en reprendre possession.

16 « Si quelqu'un consacre au Seigneur
un de ses champs, sa valeur sera fixée
d'après la quantité de grain qu'on peut y
récolter : cinquante pièces d'argent pour
trois cents kilos d'orge. 17 Si le champ est
consacré dès l'année dite du "Jubilé"[d], le
tarif sera appliqué tel quel. 18 Si le champ
est consacré après l'année du "Jubilé", le
prêtre calculera un prix réduit en fonction du nombre d'années qui restent
jusqu'au prochain "Jubilé".

19 « Si le propriétaire désire racheter
son champ, il doit payer un cinquième de
plus que le montant fixé par le prêtre,
pour en reprendre possession.
20 « S'il ne rachète pas son champ, mais
qu'il le vende à quelqu'un d'autre, il ne
pourra plus le racheter lui-même : 21 lors
de l'année du "Jubilé", ce champ reviendra au Seigneur et deviendra propriété des
prêtres, comme un champ qui a été consacré au Seigneur de manière irrévocable.

22 « Si quelqu'un consacre au Seigneur
un champ qu'il a acheté et non hérité,
23 le prêtre en calculera la valeur en fonction du nombre d'années qui restent
jusqu'au prochain "Jubilé", et le donateur versera le jour même le montant
fixé. L'argent en sera consacré au Seigneur. 24 Mais lors du "Jubilé", le champ
reviendra au premier propriétaire, c'est-
à-dire à celui qui l'avait hérité.

25 « Toute estimation sera faite en monnaie du sanctuaire, dont la pièce de base
pèse dix grammes[e]. »

Offrandes diverses

26 « Un homme n'a pas le droit de
consacrer au Seigneur, à titre privé, un
animal premier-né, car tout premier-né,
veau, chevreau ou agneau, est déjà réservé au Seigneur. 27 S'il s'agit du premier
petit d'un animal *impur, le propriétaire
peut le racheter en payant un cinquième
de plus que le montant fixé par le prêtre.
S'il ne le rachète pas, le prêtre peut le
vendre à quelqu'un d'autre à la valeur
d'estimation.

28 « De plus, rien de ce qu'un homme
consacre au Seigneur de manière irrévocable ne peut être vendu ou racheté ; que
ce soit un être humain, un animal, ou encore un champ hérité, tout ce qui est
consacré de cette manière-là devient très
saint, réservé exclusivement au Seigneur[f]. 29 Même s'il s'agit d'un être humain, on ne peut pas le racheter : il doit
être mis à mort.

30 « On devra consacrer au Seigneur
un dixième des produits de la terre et

d **27.17** Voir 25.8-22.
e **27.25** Comparer Ex 30.13.
f **27.28** Voir Nomb 18.14.

10 tribu d'Éfraïm, fils de Joseph : Élichama, fils d'Ammihoud ;
tribu de Manassé, fils de Joseph : Gamliel, fils de Pedassour ;
11 tribu de Benjamin : Abidan, fils de Guidoni ;
12 tribu de Dan : Ahiézer, fils d'Ammichaddaï ;
13 tribu d'Asser : Paguiel, fils d'Okran ;
14 tribu de Gad : Éliassaf, fils de Déouel ;
15 tribu de Neftali : Ahira, fils d'Énan. »

16 Les chefs de famille de la communauté qui furent choisis étaient également des chefs militaires d'Israël.
17 Moïse et Aaron s'adjoignirent ces
douze hommes, personnellement désignés à cet effet, 18 et ils rassemblèrent
toute la communauté le premier jour du
deuxième mois. Tous les Israélites âgés
de vingt ans et plus se firent inscrire sur
la liste nominative, selon leur clan et leur
famille, 19 comme le Seigneur l'avait ordonné à Moïse. Le recensement eut lieu
dans le désert du Sinaï.

20-43 Pour chaque tribu d'Israël, on effectua le recensement par clan et par famille, et on dressa la liste nominative de tous les hommes âgés de vingt ans et plus, qui étaient aptes au service militaire. On commença par la tribu de Ruben, fils aîné de Jacob. On obtint les chiffres suivants :

tribu de Ruben :	46 500
tribu de Siméon :	59 300
tribu de Gad :	45 650
tribu de Juda :	74 600
tribu d'Issakar :	54 400
tribu de Zabulon :	57 400
tribu d'Éfraïm, fils de Joseph :	40 500
tribu de Manassé, fils de Joseph :	32 200
tribu de Benjamin :	35 400
tribu de Dan :	62 700
tribu d'Asser :	41 500
tribu de Neftali :	53 400

44 Tels sont les résultats du recensement effectué par Moïse, Aaron et les
douze chefs de famille représentant les
tribus d'Israël. 45 Le total des Israélites
recensés, âgés de vingt ans et plus, et aptes au service militaire, 46 s'élevait ainsi à
603 550.

Le rôle particulier de la tribu de Lévi

47 Les membres de la tribu de Lévi ne
furent pas recensés en même temps que
les autres Israélites[b]. 48 En effet, le Seigneur avait dit à Moïse : 49 « Ne recense
pas les descendants de Lévi en même
temps que les autres Israélites. 50 Tu leur
confieras la responsabilité de la demeure
sacrée où est déposé le *document de l'alliance, et celle de tous les accessoires et
du matériel qui s'y trouvent. Ils transporteront la demeure et ses accessoires,
assureront le service à l'intérieur de la demeure et camperont tout autour d'elle.
51 Lorsque vous lèverez le camp, ce sont
eux qui la démonteront ; ils la remonteront lorsque vous installerez de nouveau
votre camp. Si quelqu'un d'autre s'approche de la demeure, il devra être mis à
mort. 52 Les Israélites camperont dans le
secteur de leur unité d'armée, près de
leur étendard ; 53 seuls les descendants de
Lévi camperont autour de la demeure sacrée, et ils y accompliront leur service.
De cette manière les Israélites ne risqueront pas de provoquer ma colère contre
eux. » 54 Les Israélites agirent exactement
comme le Seigneur l'avait ordonné à
Moïse.

La disposition des tribus dans le camp

2 1 Le Seigneur dit à Moïse et à Aaron :
2 « Chaque Israélite doit camper près
de l'étendard de son unité d'armée et de
la bannière de sa famille. Le camp sera
installé autour de la *tente de la rencontre, mais à une certaine distance.

3-8 « A l'est se trouvera l'unité d'armée groupée autour de l'étendard de Juda. Les hommes recensés comme aptes au service militaire seront commandés par un chef de leur tribu, à savoir :
pour Juda : Nachon, fils d'Amminadab,
avec 74 600 hommes ;
pour Issakar : Netanéel, fils de Souar,
avec 54 400 hommes ;

b 1.47 Les descendants de *Lévi*, qui n'ont pas d'obligations militaires, seront recensés dans d'autres circonstances, voir chap. 3 et 4.

pour Zabulon : Éliab, fils de Hélon,
avec 57 400 hommes.
9 L'unité d'armée de Juda comptera donc
186 400 hommes.
Ce sont eux qui partiront en tête du peuple d'Israël.
10-15 « Au sud se trouvera l'unité d'armée groupée autour de l'étendard de Ruben. Les hommes recensés comme aptes
au service militaire seront commandés
par un chef de leur tribu, à savoir :
pour Ruben : Élissour, fils de Chedéour,
avec 46 500 hommes ;
pour Siméon : Cheloumiel, fils de Sourichaddaï, avec 59 300 hommes ;
pour Gad : Éliassaf, fils de Déouel,
avec 45 650 hommes.
16 L'unité d'armée de Ruben comptera
donc 151 450 hommes.
Ce sont eux qui partiront en second.
17 « Ensuite les descendants de Lévi
partiront, avec la tente de la rencontre.
Ils se trouveront donc entre les deux premières et les deux dernières unités. Ils
partiront eux aussi dans l'ordre où ils
campent, chaque homme à sa place, suivant l'étendard de son clan.
18-23 « A l'ouest se trouvera l'unité d'armée groupée autour de l'étendard
d'Éfraïm. Les hommes recensés comme
aptes au service militaire seront
commandés par un chef de leur tribu, à
savoir :
pour Éfraïm : Élichama, fils d'Ammihoud, avec 40 500 hommes ;
pour Manassé : Gamliel, fils de Pedassour, avec 32 200 hommes ;
pour Benjamin : Abidan, fils de Guidoni,
avec 35 400 hommes.
24 L'unité d'armée d'Éfraïm comptera
donc 108 100 hommes.
Cette troisième unité d'armée partira
après les descendants de Lévi.
25-30 « Au nord se trouvera l'unité d'armée groupée autour de l'étendard de
Dan. Les hommes recensés comme aptes
au service militaire seront commandés
par un chef de leur tribu, à savoir :
pour Dan : Ahiézer, fils d'Ammichaddaï,
avec 62 700 hommes ;
pour Asser : Paguiel, fils d'Okran,
avec 41 500 hommes ;
pour Neftali : Ahira, fils d'Énan,
avec 53 400 hommes.
31 L'unité d'armée de Dan comptera donc
157 600 hommes.
Ce sont eux qui partiront en dernier.
« Tous resteront groupés autour de
leurs étendards. »
32 Le total des Israélites recensés, par
famille et par unité d'armée, s'élevait à
603 550. 33 Les descendants de Lévi ne
furent pas recensés en même temps que
les autres Israélites, conformément à l'ordre que le Seigneur avait donné à Moïse.
34 Les Israélites agissaient exactement
comme le Seigneur l'avait ordonné à
Moïse : ils campaient près de leurs étendards, et partaient dans l'ordre indiqué,
par clans et par familles.

Les tâches de la tribu de Lévi

3 1 Voici quels étaient les membres de
la famille d'Aaron et Moïse, à l'époque où le Seigneur parla à Moïse sur le
mont Sinaï : 2 Aaron avait quatre fils,
dont l'aîné s'appelait Nadab et les autres
Abihou, Élazar et Itamar[c]. 3 Ils avaient
été consacrés comme prêtres et étaient
entrés en fonction. 4 Mais Nadab et Abihou moururent devant le *sanctuaire,
dans le désert du Sinaï, lorsqu'ils présentèrent au Seigneur une offrande de parfum profane[d]. Ils n'avaient pas de fils.
Seuls Élazar et Itamar restèrent alors
pour exercer le ministère de prêtres aux
côtés de leur père Aaron.
5 Le Seigneur dit à Moïse : 6 « Fais venir les descendants de Lévi et mets-les à
la disposition du prêtre Aaron pour qu'ils
le secondent[e]. 7 Ils exerceront leur ministère devant la *tente de la rencontre au
service d'Aaron et de toute la communauté d'Israël, et ils accompliront les tâches relatives à la demeure sacrée. 8 Ils
s'occuperont des accessoires de la tente et
accompliront, au service des Israélites,
les tâches relatives à la demeure. 9 Tu

---

c **3.2** Voir 26.60 ; Ex 6.23.
d **3.4** Voir Lév 10.1-7.
e **3.6** *pour qu'ils le secondent* : les descendants d'Aaron (lui-même membre de la tribu de Lévi) constituent la classe des *prêtres*. Les autres descendants de Lévi constituent la classe subordonnée des *lévites*.

frandes végétales quotidiennes et de
l'huile d'onction ; il veillera sur la demeure sacrée et tout ce qu'elle contient,
aussi bien les objets sacrés que les accessoires. »
17 Le Seigneur dit encore à Moïse et à
Aaron : 18 « Veillez à ce que les clans des
Quéhatites puissent subsister au milieu
des autres lévites. 19 Pour qu'ils ne risquent pas la mort en s'occupant des objets réservés exclusivement au service de
Dieu, agissez ainsi : Toi, Aaron, avec tes
fils, vous conduirez chacun d'eux personnellement à sa place en lui indiquant
ce qu'il doit faire ou l'objet qu'il doit porter. 20 Ainsi ils n'iront pas regarder, ne serait-ce qu'un instant, les objets sacrés ;
cela entraînerait leur mort. »

b. Les descendants de Guerchon

21 Le Seigneur dit à Moïse : 22 « Dresse
aussi la liste des descendants de Guerchon, par familles et par clans. 23 Tu recenseras les hommes âgés de trente à
cinquante ans, et ils seront enrôlés pour
accomplir certains services à la *tente de
la rencontre. 24 Voici les travaux dont ils
seront chargés : 25 ils porteront l'étoffe qui
recouvre la demeure sacrée et forme la seconde tente, la couverture en peaux de béliers et la couverture de cuir qui protège le
tout, le rideau placé à l'entrée de la tente,
26 les tentures et le rideau d'entrée qui délimitent la cour située autour de la demeure et de *l'autel, les cordes de la
clôture de la cour, ainsi que les accessoires
et ustensiles utilisés dans leur service[i].
27 Les Guerchonites accompliront leur
service sous la direction d'Aaron et de ses
fils, aussi bien pour les objets à transporter que pour les travaux à exécuter.
Ceux-ci leur diront ce qu'ils ont à faire et
à porter. 28 Telles sont les tâches confiées
aux descendants de Guerchon, dans la
tente de la rencontre. Itamar, fils du prêtre Aaron, surveillera leur travail. »

c. Les descendants de Merari

29 « Effectue également le recensement
des descendants de Merari, par clans et
par familles. 30 Tu recenseras les hommes
âgés de trente à cinquante ans, et ils seront enrôlés pour accomplir certains services à la *tente de la rencontre. 31 Voici
les travaux dont ils seront chargés : ils
porteront les cadres de la demeure sacrée,
les traverses, les colonnes, les socles, 32 les
colonnes de la clôture de la cour avec les
socles, les piquets et les cordes, ainsi que
tous les accessoires qu'ils utilisent. Les
prêtres dresseront la liste des objets que
chacun sera chargé personnellement de
transporter. 33 Telles sont les tâches
confiées aux descendants de Merari, dans
la tente de la rencontre. Itamar, fils du
prêtre Aaron, surveillera également leur
travail. »

Recensement des lévites en activité

34-49 Moïse, Aaron et les responsables
de la communauté d'Israël recensèrent,
par clans et par familles, tous les *lévites
descendant de Quéhath, Guerchon et
Merari, âgés de trente à cinquante ans ; il
s'agissait des hommes enrôlés pour accomplir diverses tâches à la *tente de la
rencontre. Ce recensement, effectué sur
l'ordre du Seigneur transmis par Moïse,
donna les résultats suivants :
descendants de Quéhath : 2 750 hommes ;
descendants de Guerchon : 2 630 hommes ;
descendants de Merari : 3 200 hommes.
Total des lévites : 8 580 hommes.
Chacun des lévites reçut les instructions nécessaires concernant le travail
qu'il devait accomplir et les objets qu'il
devait porter, conformément à l'ordre
que le Seigneur avait donné à Moïse.

Exclusion des gens en état d'impureté

5 1 Le Seigneur dit à Moïse : 2 « Ordonne aux Israélites d'exclure du
camp tous ceux qui sont *impurs par
suite d'une forme de *lèpre, d'une infection des organes sexuels ou d'un contact
avec un cadavre. 3 Vous devez les renvoyer[j], aussi bien les femmes que les
hommes, afin qu'ils ne rendent pas impur le camp où je suis présent au milieu
d'eux. » 4 Les Israélites obéirent à l'ordre

---

i **4.26** Voir Ex 26.1-14 ; 27.9-16.
j **5.3** Voir Lév 13.46.

que le Seigneur avait donné à Moïse : ils renvoyèrent du camp tous ceux qui étaient impurs.

Réparation en cas de délit

5 Le Seigneur dit à Moïse 6 de communiquer aux Israélites les prescriptions suivantes : « Si un homme ou une femme cause du tort à quelqu'un d'autre, il se rend coupable d'une faute grave envers le Seigneur. 7 Il doit confesser la faute commise, et rendre l'objet du délit au propriétaire légitime, en y ajoutant un cinquième de sa valeur. 8 Si le propriétaire est mort et n'a aucun proche parent que l'on puisse dédommager, l'objet doit être donné au Seigneur, c'est-à-dire remis au prêtre. Le coupable offre en outre un bélier en *sacrifice de réparation, afin que le prêtre effectue en sa faveur le geste rituel du pardon des péchés[k]. 9 Toute part prélevée sur une offrande apportée à Dieu par des Israélites appartient au prêtre. 10 Ce qu'un homme consacre au Seigneur est remis au prêtre ; ce qu'un homme donne à un prêtre, celui-ci peut le garder[l]. »

Loi concernant une femme soupçonnée d'adultère

11 Le Seigneur dit à Moïse 12 de communiquer aux Israélites les prescriptions suivantes : « Supposons qu'une femme mariée se soit mal conduite en étant infidèle à son mari : 13 elle s'est déshonorée en couchant en secret avec un autre homme ; son mari n'en a pas la preuve, car il n'y avait aucun témoin et elle n'a pas été prise sur le fait, 14 mais il la soupçonne d'inconduite. Il peut aussi arriver qu'un homme soupçonne sa femme de s'être déshonorée alors qu'il n'en est rien. 15 Dans les deux cas, le mari conduira sa femme auprès du prêtre et apportera l'offrande qui la concerne, à savoir trois kilos de farine d'orge. Il ne versera pas d'huile sur cette farine et n'y déposera pas non plus *d'encens, car il s'agit d'une offrande faite à cause d'un soupçon, à l'occasion d'une faute qu'on veut dénoncer. 16 Le prêtre conduira la femme au *sanctuaire pour qu'elle comparaisse devant le Seigneur. 17 Il prendra de l'eau sainte[m] dans un récipient en terre et y mélangera de la poussière ramassée sur le sol de la demeure sacrée. 18 Il décoiffera la femme qui comparaît devant le Seigneur, puis lui mettra dans les mains l'offrande de dénonciation, faite à cause du soupçon du mari. Lui-même tiendra dans ses mains l'eau amère[n], qui apporte la malédiction. 19 Il exigera de la femme qu'elle s'associe par un serment à ses paroles et lui dira : "S'il n'est pas vrai qu'un homme ait couché avec toi et que tu te sois déshonorée en trompant ton mari, sois préservée de la malédiction qu'apporte cette eau amère. 20 Mais si tu t'es effectivement déshonorée en trompant ton mari, si un autre homme que lui a couché avec toi, 21 que le Seigneur te rende stérile et fasse gonfler ton ventre, de telle sorte que tes compatriotes te citent en exemple quand ils prononceront une malédiction solennelle ; 22 que cette eau qui apporte la malédiction pénètre dans tes entrailles, pour faire gonfler ton ventre et te rendre stérile." La femme répondra : "*Amen ! Oui, qu'il en soit ainsi !"

23 « Le prêtre mettra par écrit les formules de malédiction, puis trempera le document dans l'eau amère pour les y effacer. 24 Avant de donner cette eau à la femme, afin qu'elle pénètre dans ses entrailles, 25 le prêtre lui reprendra des mains l'offrande de dénonciation, la présentera au Seigneur avec le geste rituel et l'apportera à *l'autel. 26 Il en prélèvera une poignée, appelée "mémorial"[o] et la brûlera sur l'autel. Après cela, il ordonnera à la femme de boire l'eau. 27 Quand elle la boira, il se passera ceci : si elle s'est effectivement déshonorée en étant infidèle à son mari, l'eau amère qui apporte la malédiction pénétrera dans ses en-

---

k **5.8** V. 5-8 : voir Lév 5.20-26.

l **5.10** Texte hébreu peu clair et traduction incertaine.

m **5.17** *eau sainte* : le sens de l'expression est incertain ; on ignore s'il s'agit d'*eau* conservée au *sanctuaire*, ou d'*eau* provenant d'une source *sacrée*.

n **5.18** *Il décoiffera* : probablement un signe de pénitence, dérivé d'un geste de deuil (comparer Lév 10.6). – *l'eau amère* : l'eau sainte mêlée de poussière.

o **5.26** Voir Lév 2.2 et la note.

trailles, fera gonfler son ventre et la rendra stérile. Dès lors, ses compatriotes la
citeront en exemple quand ils prononceront une malédiction. 28 Mais si la femme
ne s'est pas déshonorée, si elle n'est pas
coupable, elle sera préservée de la malédiction et pourra encore avoir des enfants.

29 « Telle est la loi relative aux soupçons
d'inconduite. Elle concerne la femme qui
se conduit mal et se déshonore en étant
infidèle à son mari, 30 ou celle qui est simplement soupçonnée d'inconduite par
son mari. Le mari fait comparaître sa
femme devant le Seigneur, et le prêtre accomplit tout ce rituel. 31 Alors on n'aura
rien à reprocher au mari ; mais la femme,
si elle est coupable, en subira les conséquences. »

Loi concernant le vœu de naziréat

6 1 Le Seigneur dit à Moïse 2 de
communiquer aux Israélites les prescriptions suivantes : « Si quelqu'un,
homme ou femme, prononce un vœu
d'abstinence et s'engage comme naziréen[p] au service du Seigneur, 3 il doit renoncer au vin et à toute autre boisson
alcoolique[q], au vinaigre de vin et à toute
autre boisson fermentée, de même qu'à
toute boisson à base de raisin ; il ne doit
manger ni raisins frais ni raisins secs.
4 Tant que dure son engagement, il ne
doit rien manger qui provienne d'une
plante de vigne, même pas les pépins ou
la peau des raisins[r]. 5 Il ne doit pas non
plus se couper les cheveux ou la barbe : il
est consacré au service du Seigneur et
doit donc laisser sa chevelure et sa barbe
pousser librement jusqu'à la fin de la période qu'il a fixée[s]. 6 Durant tout ce
temps également, il ne doit pas s'approcher du corps d'un défunt ; 7 il n'est
même pas autorisé à se rendre *impur en
s'approchant du cadavre de son père, de
sa mère, de son frère ou de sa sœur ; en effet il est consacré au service du Seigneur,
comme l'indiquent ses cheveux non coupés.

8 « Pendant toute la durée de son vœu,
cet homme est donc consacré au Seigneur. 9 Si quelqu'un vient à mourir
subitement à ses côtés, son temps de
consécration est interrompu par ce
contact impur. Au bout d'une semaine il
est de nouveau pur et il se rase alors la
tête. 10 Le jour suivant, il apporte deux
tourterelles ou deux pigeons au prêtre, à
l'entrée de la *tente de la rencontre. 11 Le
prêtre offre l'un des oiseaux en *sacrifice
pour obtenir le pardon, et l'autre en sacrifice complet. Ensuite il effectue sur
l'homme le geste rituel qui le purifie du
contact avec le cadavre. Le jour même il
le déclare en état de se consacrer de nouveau. 12 Alors l'homme reprend au début
son temps de consécration en offrant un
agneau d'un an en sacrifice de réparation.
La période précédente ne compte pas,
puisqu'elle a été interrompue.

13 « Voici le rituel concernant celui qui
s'est engagé au service du Seigneur :
lorsqu'il arrive au terme de la période
fixée, on le conduit à l'entrée de la *tente
de la rencontre. 14 Il amène en présent au
Seigneur trois animaux sans défaut : un
agneau d'un an destiné à un sacrifice
complet, une agnelle d'un an destinée à
un sacrifice pour le pardon, et un bélier
destiné à un sacrifice de communion. 15 Il
apporte également une corbeille de gâteaux sans *levain préparés avec de
l'huile, et de galettes sans levain arrosées
d'huile, ainsi que les offrandes de farine
et de vin accompagnant les sacrifices.
16 Le prêtre présente ces offrandes devant
le Seigneur, puis offre le sacrifice pour le
pardon et le sacrifice complet ; 17 il offre
ensuite le bélier du sacrifice de communion, avec la corbeille de gâteaux sans
levain ; il présente enfin les offrandes
de farine et de vin. 18 A ce moment-là,
l'homme qui s'était engagé au service du
Seigneur se rase la tête à l'entrée de la
*tente de la rencontre, et dépose ses che-
veux sur le feu où l'on brûle le sacrifice
de communion. 19 Le prêtre prend

p **6.2** Le *naziréen* montrait qu'il était au service de Dieu par deux signes extérieurs : il s'abstenait de boire de l'alcool et de se couper les cheveux.

q **6.3** Voir Luc 1.15.

r **6.4** *pépins, peau des raisins* : le sens des mots hébreux ainsi traduits est incertain. On a aussi compris *grains mal mûrs* et *vrille (de la vigne)*.

s **6.5** Voir Jug 13.5 ; 16.17 ; 1 Sam 1.11.

l'épaule du bélier, qu'on a fait cuire, et prélève dans la corbeille un gâteau sans levain et une galette ; il les dépose sur les mains de l'homme, après que celui-ci s'est rasé la tête. 20 Le prêtre les offre ensuite lui-même au Seigneur, avec le geste rituel de présentation. Ces offrandes-là reviennent au prêtre, en plus de la poitrine et du gigot de l'animal qui lui sont normalement réservés. Dès lors l'homme peut de nouveau boire du vin.

21 « Tel est le rituel concernant celui qui s'est engagé au service du Seigneur par un vœu ; et tels sont les présents qu'il doit offrir au Seigneur à cette occasion. S'il a les moyens d'ajouter d'autres dons, il le peut ; mais il doit en tout cas offrir ce qu'il a promis, conformément au rituel du vœu de consécration[t]. »

La formule de bénédiction

22 Le Seigneur dit à Moïse : 23 « Communique à Aaron et à ses fils les paroles qu'ils devront prononcer pour *bénir les Israélites. Ils diront :

24 "Que le Seigneur vous bénisse et vous protège !
25 Que le Seigneur vous regarde avec bonté
et vous accueille favorablement !
26 Que le Seigneur vous manifeste sa bienveillance
et vous accorde la paix !"

27 Lorsque les prêtres prononceront ainsi mon nom pour bénir les Israélites, je leur accorderai moi-même ma bénédiction. »

Les chariots offerts pour le sanctuaire

7 1 Le jour où Moïse eut terminé de dresser la demeure sacrée, il la consacra, avec tout son mobilier, en versant de l'huile d'onction sur elle, puis il consacra de la même façon *l'autel et tous ses accessoires. 2 Alors s'avancèrent les chefs de familles représentant les tribus d'Israël, ceux-là même qui avaient collaboré au recensement. 3 Ils amenaient comme présents pour le Seigneur six chariots couverts[u] et douze bœufs. Chaque chariot constituait l'offrande commune de deux chefs, et chaque bœuf celle d'un chef. Ils les amenèrent devant la demeure. 4 Le Seigneur dit à Moïse : 5 « Accepte leurs présents ! Ces chariots et ces bœufs seront utilisés pour le service de la *tente de la rencontre. Tu les confieras aux *lévites, en fonction de leurs tâches respectives. » 6 Moïse accepta donc les chariots et les bœufs, et les répartit entre les lévites : 7 il donna deux chariots et quatre bœufs aux Guerchonites, pour faciliter leur tâche, 8 et les quatre chariots et huit bœufs restants aux Merarites, pour faciliter la leur, qu'ils accomplissaient sous la direction d'Itamar, fils du prêtre Aaron. 9 Il ne remit ni chariots ni bœufs aux Quéhatites, car ils étaient responsables des objets sacrés, et ils devaient les porter sur leurs propres épaules.

Les présents pour la dédicace de l'autel

10 Le jour de la consécration de *l'autel, les chefs de familles amenèrent également des présents pour sa dédicace. 11 Mais le Seigneur dit à Moïse : « Que les chefs viennent à tour de rôle, un par jour, offrir leurs présents de dédicace. » 12-83 Ils vinrent dans l'ordre suivant :
premier jour : Nachon, fils d'Amminadab, de la tribu de Juda ;
deuxième jour : Netanéel, fils de Souar, de la tribu d'Issakar ;
troisième jour : Éliab, fils de Hélon, de la tribu de Zabulon ;
quatrième jour : Élissour, fils de Chedéour, de la tribu de Ruben ;
cinquième jour : Cheloumiel, fils de Sourichaddaï, de la tribu de Siméon ;
sixième jour : Éliassaf, fils de Déouel, de la tribu de Gad ;
septième jour : Élichama, fils d'Ammihoud, de la tribu d'Éfraïm ;
huitième jour : Gamliel, fils de Pedassour, de la tribu de Manassé ;
neuvième jour : Abidan, fils de Guidoni, de la tribu de Benjamin ;
dixième jour : Ahiézer, fils d'Ammichaddaï, de la tribu de Dan ;

---

t **6.21** V. 13-21 : voir Act 18.18 ; 21.23-24.
u **7.3** *couverts* : le sens du mot hébreu correspondant est incertain ; autre traduction *en forme de litière*.

onzième jour : Paguiel, fils d'Okran, de la tribu d'Asser ;
douzième jour : Ahira, fils d'Énan, de la tribu de Neftali.

Chacun amena les présents suivants :
– un plat en argent, pesant 1 300 grammes, et un bol à aspersion, en argent, pesant 700 grammes, selon l'unité de poids en vigueur au *sanctuaire ; ces deux récipients étaient remplis de farine pétrie avec de l'huile, pour une offrande végétale ;
– une coupe en or, pesant 100 grammes, remplie de parfum à brûler ;
– un taureau, un bélier et un agneau d'un an, destinés à des *sacrifices complets ;
– un bouc destiné à un sacrifice pour obtenir le pardon ;
– deux bœufs, cinq béliers, cinq boucs et cinq agneaux d'un an, destinés à des sacrifices de communion.

84 Au total, les présents offerts par les chefs de familles d'Israël, à l'occasion de la consécration de l'autel, furent les suivants : douze plats en argent, douze bols à aspersion, en argent, et douze coupes en or. 85 Chaque plat pesait 1 300 grammes, et chaque bol 700 grammes ; cela représentait en tout 24 kilos d'argent, selon l'unité de poids du sanctuaire. 86 Chaque coupe en or pesait 100 grammes ; les douze ensemble pesaient donc 1 200 grammes ; elles étaient remplies de parfum à brûler. 87 Il y avait en outre douze taureaux, douze béliers et douze agneaux d'un an, destinés aux sacrifices complets, avec les offrandes végétales correspondantes, douze boucs destinés aux sacrifices pour le pardon, 88 vingt-quatre taureaux, soixante béliers, soixante boucs et soixante agneaux d'un an, destinés aux sacrifices de communion. Tels furent les présents offerts pour la dédicace de l'autel, après sa consécration.

89 Lorsque Moïse entrait dans la *tente de la rencontre pour s'entretenir avec le Seigneur, il entendait la voix du Seigneur : elle venait d'un endroit situé entre les deux *chérubins, sur le couvercle du *coffre contenant le document de l'alliance. Alors il parlait avec lui[v].

La mise en place des lampes

8 1 Le Seigneur dit à Moïse 2 de communiquer à Aaron la prescription suivante : « Quand tu mettras en place les sept lampes, veille à ce qu'elles éclairent en avant du porte-lampes. » 3 Aaron obéit à l'ordre du Seigneur, transmis par Moïse : il plaça les lampes en prenant soin qu'elles éclairent vers l'avant. 4 Le porte-lampes était entièrement en or martelé, du pied jusqu'au dernier fleuron ; il correspondait au modèle que le Seigneur avait montré à Moïse[w].

La consécration des lévites

5 Le Seigneur dit à Moïse : 6 « Sépare les *lévites des autres Israélites, afin de les *purifier. 7 La cérémonie de purification se déroulera ainsi : tu les aspergeras avec de l'eau de purification[x], puis ils se raseront les poils sur le corps entier et laveront leurs vêtements ; après quoi ils seront purifiés. 8 Ils prendront avec eux un taureau, accompagné d'une offrande de farine pétrie avec de l'huile, et tu prendras toi-même un second taureau, destiné à un *sacrifice pour obtenir le pardon. 9-10 Tu rassembleras toute la communauté d'Israël, puis tu feras avancer les lévites devant moi, près de la *tente de la rencontre. Les Israélites poseront leur main sur eux. 11 Aaron me consacrera solennellement les lévites de la part des Israélites, afin qu'ils soient employés à mon service. 12 Ensuite les lévites poseront leur main sur la tête des deux taureaux ; Aaron m'offrira[y] l'un en sacrifice pour le pardon et l'autre en sacrifice complet, avant d'effectuer sur les lévites le geste rituel du pardon des péchés. 13 Tu placeras les lévites devant Aaron et ses fils, et tu me les consacreras solennellement. 14 De cette façon tu marqueras la différence entre les lévites et les autres Israélites, et les lévites m'appar-

v 7.89 *Alors il (=Moïse) parlait avec lui* : autre traduction *C'est ainsi que Dieu parlait avec lui*.
w 8.4 V. 1-4 : voir Ex 25.31-40 ; 37.17-24.
x 8.7 *eau de purification* : il s'agit peut-être de l'eau décrite au chap. 19, malgré un nom hébreu différent, ou de celle mentionnée en Lév 14.
y 8.12 *Aaron m'offrira* : d'après l'ancienne version grecque ; hébreu *offre-moi*.

tiendront. 15 A partir de ce moment-là, les
lévites pourront exercer leur ministère
dans la tente de la rencontre.
« Tu devras purifier les lévites et me les
consacrer, 16 car ils sont à ma disposition,
en tant que délégués des autres Israélites.
Je me les réserve pour remplacer les premiers-nés du peuple d'Israël. 17 En effet,
tous les premiers-nés en Israël m'appartiennent, aussi bien ceux des hommes
que ceux des animaux. Depuis le jour où
j'ai fait mourir tous les premiers-nés du
pays d'Égypte, les premiers-nés israélites
me sont consacrés[z]. 18 Toutefois je me
suis réservé les lévites pour remplacer les
premiers-nés israélites, 19 et je les mets à
la disposition d'Aaron et de ses fils, en
tant que délégués des autres Israélites. Ils
exerceront leur ministère au service des
autres Israélites dans la tente de la rencontre, et obtiendront ainsi le pardon en
leur faveur ; de cette manière je n'aurai
pas à sévir contre ceux qui viendraient
trop près du sanctuaire[a]. »

20 Moïse, Aaron et toute la communauté d'Israël exécutèrent scrupuleusement les ordres que le Seigneur avait
donnés à Moïse au sujet des lévites :
21 ceux-ci se purifièrent et lavèrent leurs
vêtements, puis Aaron les consacra solennellement au Seigneur et effectua sur eux
les gestes rituels du pardon et de la purification. 22 Après quoi les lévites
commencèrent à exercer leur ministère
dans la tente de la rencontre, sous la direction d'Aaron et de ses fils. On exécuta
ainsi les ordres que le Seigneur avait donnés à Moïse au sujet des lévites.
23 Le Seigneur dit encore à Moïse :
24 « Les lévites seront enrôlés dès l'âge de
vingt-cinq ans pour exercer leur ministère
dans la tente de la rencontre. 25 A partir de
cinquante ans, ils en seront dispensés et
n'auront plus de travaux à exécuter. 26 Ils
pourront aider les lévites en activité pour
les services à accomplir dans la tente, mais
n'auront plus de charges propres. Voilà les
dispositions que tu prendras en ce qui
concerne le service des lévites. »

La date de la célébration de la Pâque

9 1 Le Seigneur adressa la parole à
Moïse dans le désert du Sinaï ; c'était
durant le premier mois de l'année après
celle où les Israélites quittèrent l'Égypte.
Le Seigneur lui dit : 2 « Les Israélites doivent célébrer la fête de la *Pâque à la date
fixée. 3 Célébrez-la donc le quatorzième
jour de ce mois-ci, le soir, conformément
aux lois et aux règles qui la concernent. »
4 Moïse transmit cet ordre aux Israélites.
5 Ceux-ci célébrèrent la fête le soir du
quatorzième jour du premier mois, dans
le désert du Sinaï ; ils se conformèrent
scrupuleusement aux indications que le
Seigneur avait données à Moïse[b].

6 Pourtant certains hommes, qui
avaient été en contact avec un cadavre, se
trouvaient en état *d'impureté ce jour-là ;
à cause de cela, ils ne pouvaient pas célébrer la Pâque. Ils allèrent trouver Moïse et
Aaron ; 7 ils dirent à Moïse : « Nous avons
été rendus impurs par un cadavre. Faut-il
que nous soyons empêchés d'apporter notre offrande au Seigneur comme les autres
Israélites, parce qu'il y a une date fixe
pour cela ? » – 8 « Attendez jusqu'à ce que
j'aie appris ce que le Seigneur ordonne à
votre sujet », répondit Moïse.
9 Le Seigneur dit à Moïse 10 de communiquer aux Israélites les instructions suivantes : « Si, aujourd'hui ou dans des
générations à venir, des Israélites sont impurs pour avoir touché un cadavre, ou s'ils
se trouvent en voyage lointain, au moment de la célébration de la Pâque en mon
honneur, 11 ils célébreront quand même la
fête, mais au soir du quatorzième jour du
deuxième mois ; ils mangeront l'agneau
du sacrifice avec des pains sans *levain et
des herbes amères. 12 Ils ne laisseront aucun reste pour le lendemain, et ils ne briseront pas les os de l'animal[c]. Ils suivront
scrupuleusement le rituel de la Pâque.
13 Mais si quelqu'un néglige de célébrer la
Pâque à la date normale, alors qu'il n'est
ni en état d'impureté ni en voyage, il sera
exclu de la communauté d'Israël ; en ne
m'apportant pas son offrande au moment

z **8.17** Voir Ex 13.2.
a **8.19** Comparer 1.53.
b **9.5** V. 1-5 : voir Ex 12.1-13 et les notes.
c **9.12** Voir Ex 12.46 ; Jean 19.36.

voulu, il se rend coupable d'une faute.
[14] Enfin, si des étrangers installés dans votre pays désirent célébrer la Pâque en mon honneur, ils devront le faire conformément au rituel et aux règles qui la concernent. Le rituel est le même pour tous, Israélites et étrangers. »

La fumée recouvre la demeure sacrée

[15] Le jour où l'on dressa la demeure sacrée, la fumée[d] vint recouvrir la tente qui abritait le *document de l'alliance. Le soir, cette fumée devint lumineuse, et elle le resta jusqu'au matin.
[16] Dès lors il en fut toujours ainsi : la fumée recouvrait la demeure et devenait lumineuse la nuit.
[17] Chaque fois que la fumée s'élevait audessus de la tente, les Israélites levaient le camp, pour aller s'installer à l'endroit où la fumée venait se poser.
[18] De cette manière, les Israélites levaient le camp sur l'ordre du Seigneur, et ils le réinstallaient également sur son ordre ; ils ne déplaçaient pas le camp tant que la fumée restait sur la demeure.
[19] Si la fumée restait longtemps sur la demeure, les Israélites obéissaient au Seigneur et ne partaient pas.
[20] Si elle ne restait que peu de jours, on installait et on levait le camp selon les ordres du Seigneur.
[21] Parfois la fumée restait à un endroit seulement du soir au lendemain matin, ou bien un jour et une nuit ; dès qu'elle s'élevait, les Israélites levaient le camp.
[22] Mais si elle restait sur la demeure deux jours, un mois, ou plus longtemps encore, les Israélites ne déplaçaient pas leur camp avant que la fumée s'élève.
[23] Les Israélites n'installaient et ne levaient le camp que sur l'ordre du Seigneur. Ils accomplissaient leurs tâches au service du Seigneur conformément aux ordres qu'il avait donnés par l'intermédiaire de Moïse.

Les trompettes d'argent

10 [1] Le Seigneur dit à Moïse :
[2] « Fais fabriquer deux trompettes en argent martelé ; on s'en servira pour rassembler la communauté ou pour donner le signal du départ aux différents camps[e].
[3] Quand on sonnera des deux trompettes simultanément, toute la communauté se réunira autour de toi, à l'entrée de la *tente de la rencontre.
[4] Si on ne sonne que d'une trompette, seuls les responsables, les chefs de clans d'Israël, se réuniront autour de toi.
[5-6] Si on sonne de la trompette en l'accompagnant d'une ovation, ce sera un signal de départ : à la première sonnerie, les tribus qui campent à l'est de la tente de la rencontre se mettront en route ; à la deuxième sonnerie, celles qui campent au sud partiront[f].
[7] Mais pour les rassemblements, on sonnera de la trompette sans l'accompagner d'une ovation.

[8] « Seuls les prêtres, descendants d'Aaron, sont autorisés à sonner de la trompette. C'est une prescription que vous et vos descendants devrez observer en tout temps.

[9] « Lorsque, dans votre pays, vous partirez en guerre contre des adversaires qui vous attaquent, vous pousserez le cri de guerre en l'accompagnant de sonneries de trompettes, afin que je me souvienne de vous ; alors moi, le Seigneur votre Dieu, je vous délivrerai de vos ennemis.
[10] Aux jours de fête, le premier jour de chaque mois ou à l'occasion d'autres solennités, vous sonnerez de la trompette au moment où vous offrez les *sacrifices complets et les sacrifices de communion ; grâce à cela aussi, je me souviendrai de vous. Je suis le Seigneur votre Dieu[g]. »

---

d **9.15** *fumée* : voir Ex 13.21 et la note.
e **10.2** *différents camps* : voir chap. 2.
f **10.5-6** L'ancienne version grecque mentionne ici les troisième et quatrième sonneries, donnant le signal du départ aux camps situés à l'ouest et au nord.
g **10.10** Le texte hébreu en écriture samaritaine ajoute ici trois versets quasi semblables à ceux de Deut 1.6-8.

DU SINAÏ
A LA FRONTIÈRE DE MOAB
10–21

Les Israélites se mettent en route

11 Le vingtième jour du deuxième mois, durant la deuxième année après la sortie d'Égypte, la fumée s'éleva au-dessus de la *tente qui abritait le *document de l'alliance[h]. 12 Les Israélites se mirent en route et quittèrent le désert du Sinaï. La fumée alla se poser dans le désert de Paran. 13 C'était la première fois que les Israélites levaient le camp conformément à l'ordre du Seigneur transmis par Moïse[i].

14 L'unité d'armée groupée autour de l'étendard de Juda fut la première à se mettre en route. Les troupes de la tribu de Juda étaient commandées par Nachon, fils d'Amminadab ; 15 celles de la tribu d'Issakar par Netanéel, fils de Souar ; 16 et celles de la tribu de Zabulon par Éliab, fils de Hélon.

17 La demeure sacrée fut démontée ; les descendants de Guerchon et de Merari partirent alors en l'emportant.

18 L'unité d'armée groupée autour de l'étendard de Ruben se mit en route après eux. Les troupes de la tribu de Ruben étaient commandées par Élissour, fils de Chedéour ; 19 celles de la tribu de Siméon par Cheloumiel, fils de Sourichaddaï ; 20 et celles de la tribu de Gad par Éliassaf, fils de Déouel.

21 Les *lévites descendant de Quéhath, qui portaient les objets sacrés, partirent ensuite. Les autres lévites devaient dresser la demeure en attendant l'arrivée des Quéhatites.

22 L'unité d'armée groupée autour de l'étendard d'Éfraïm se mit en route à son tour. Les troupes de la tribu d'Éfraïm étaient commandées par Élichama, fils d'Ammihoud ; 23 celles de la tribu de Manassé par Gamliel, fils de Pedassour ; 24 et celles de la tribu de Benjamin par Abidan, fils de Guidoni.

25 Enfin l'unité d'armée groupée autour de l'étendard de Dan, qui constituait l'arrière-garde, se mit en route. Les troupes de la tribu de Dan étaient commandées par Ahiézer, fils d'Ammichaddaï ; 26 celles de la tribu d'Asser par Paguiel, fils d'Okran ; 27 et celles de la tribu de Neftali par Ahira, fils d'Énan.

28 C'est dans cet ordre que les troupes israélites se mirent en route.

Moïse cherche un guide pour le voyage

29 Moïse dit à Hobab, fils de son beau-père madianite Réouel[j] : « Nous partons pour le pays que le Seigneur a promis de nous donner. Viens avec nous, nous te ferons participer aux bienfaits que le Seigneur veut accorder à Israël. » – 30 « Non ! répondit Hobab. Je préfère retourner dans mon pays et ma famille. » – 31 « Je t'en prie, reprit Moïse, ne nous abandonne pas. Tu connais les endroits du désert où nous pourrons installer notre camp ; tu seras notre guide. 32 Si tu nous accompagnes, nous te ferons participer aux bienfaits que le Seigneur va nous accorder. »

33 Les Israélites quittèrent la montagne du Seigneur[k] pour une marche de trois jours. Le *coffre de l'alliance du Seigneur les précédait pour leur trouver un endroit où ils pourraient s'installer commodément. 34 De jour, la fumée du Seigneur planait au-dessus d'eux, lorsqu'ils levaient le camp. 35 Au moment du départ du coffre sacré, Moïse s'écriait : « Dresse-toi, Seigneur, afin que tes ennemis soient dispersés et que tes adversaires s'enfuient devant toi[l] ! » 36 Et lorsque l'on déposait le coffre, Moïse s'écriait : « Seigneur, reviens prendre place au milieu des familles innombrables d'Israël ! »

---

h **10.11** Voir 9.15-23.
i **10.13** Voir chap. 2.
j **10.29** Voir Ex 2.16 et la note.
k **10.33** Comparer Ex 3.1 et la note.
l **10.35** Voir Ps 68.1.

Les Israélites à Tabéra

11 1 Un jour, les Israélites adressèrent
au Seigneur des plaintes amères.
Lorsque le Seigneur entendit cela, il se
mit en colère ; il envoya contre eux un
feu qui ravagea l'extrémité du camp. 2 Le
peuple supplia Moïse à grands cris ; celui-ci intercéda auprès du Seigneur, et le
feu s'éteignit. 3 On donna à cet endroit le
nom de Tabéra, ce qui signifie "incendie", car c'est là que le Seigneur avait
incendié leur camp.

Le peuple réclame de la viande

4 Un autre jour, les étrangers d'origines
diverses qui se trouvaient parmi les Israélites furent obsédés par l'envie de
manger de la viande ; les Israélites eux-
mêmes recommencèrent à se plaindre en
disant : « Si seulement nous avions de la
viande à manger ! 5 Ah ! nos repas en
Égypte, quel souvenir ! Le poisson gratuit, les concombres, les melons, les poi-
reaux, les oignons et l'ail. 6 Ici, rien de
tout cela ; nous dépérissons à force de ne
voir que de la *manne ! » 7 – La manne
avait la forme des graines de coriandre et
était blanchâtre comme la résine du bdellium[m]. 8-9 Pendant la nuit, elle se déposait
sur le camp en même temps que la rosée[n].
Le matin, le peuple se dispersait pour en
ramasser ; on l'écrasait entre deux meules
ou on la pilait dans un mortier, puis on la
cuisait dans une marmite ou on en faisait
des galettes. La manne avait le goût de
gâteaux à l'huile. –

10 Moïse entendit les Israélites se plaindre, groupés par familles à l'entrée de
leurs tentes. Le Seigneur fut saisi d'une
ardente colère, et Moïse, très affligé, 11 lui
demanda : « Pourquoi me traites-tu de la
sorte, Seigneur ? Pourquoi me refuses-tu
ta bienveillance ? Pourquoi m'imposes-tu
le fardeau de diriger tout ce peuple ? 12 Ce
n'est pas moi qui ai porté ce peuple et qui
l'ai mis au monde, et pourtant tu m'ordonnes de le prendre dans mes bras
comme une nourrice prend un bébé,
pour le conduire dans le pays que tu as
promis à ses ancêtres. 13 Où pourrais-je
trouver de la viande pour tous ces gens
qui pleurent et exigent que je leur en
donne à manger ? 14 Je ne peux pas, tout
seul, supporter le fardeau que représente
ce peuple. C'est trop pour moi ! 15 Si tu
veux me traiter de cette manière, tue-moi
plutôt ! Tu me manifesteras ainsi ta bienveillance, et je ne serai pas témoin de
mon propre malheur. »

16 Le Seigneur répondit à Moïse :
« Rassemble soixante-dix hommes respectables, que tu connais comme *anciens et responsables du peuple. Tu les
amèneras à la *tente de la rencontre ; ils
se tiendront avec toi, là, devant moi. 17 Je
descendrai m'entretenir avec toi à cet endroit. Je prélèverai un peu de l'Esprit que
je t'ai donné, pour en répandre sur eux ;
ils pourront dès lors t'aider à porter la
charge que représente ce peuple, et tu ne
seras plus seul pour cela. 18 Quant au peuple, dis-leur : "*Purifiez-vous pour demain ! Vous aurez de la viande à manger,
car le Seigneur a entendu vos plaintes. Il
sait que vous avez grande envie de
viande, au point de prétendre que vous
étiez bien en Égypte ; c'est pourquoi il va
vous en donner à manger. 19 Vous n'en aurez pas seulement pour un jour ou deux,
ni même pour cinq, dix ou vingt jours.
20 Vous mangerez de la viande pendant
tout un mois, jusqu'à en être dégoûtés,
jusqu'à ce qu'elle vous ressorte par le nez.
Ce sera votre punition pour avoir rejeté le
Seigneur qui demeure au milieu de vous,
en vous plaignant devant lui d'être sortis
d'Égypte." »

21 Moïse s'exclama : « Ce peuple qui
m'entoure ne compte pas moins de six
cent mille hommes. Et tu prétends leur
donner de la viande à manger pour tout
un mois ! 22 Si nous abattions tous nos
moutons, nos chèvres et nos bœufs, cela
ne suffirait pas ; si nous pouvions pêcher
tous les poissons de la mer, même cela ne
suffirait pas ! » 23 Le Seigneur lui répondit : « Et ma puissance, n'est-elle pas suf-
fisante ? Tu verras sous peu si ce que je
t'ai dit se réalise ou non. »

---

m **11.7** Sur la *manne* et la *coriandre*, voir Ex 16.31 et la note. – *bdellium* : arbuste d'Arabie, produisant une résine parfumée très appréciée ; comparer Gen 2.12.

n **11.8-9** Voir Ex 16.13-15.

Dieu donne de son Esprit aux soixante-dix anciens

24 Moïse se retira et alla rapporter au
peuple ce que le Seigneur avait dit. Ensuite il rassembla soixante-dix *anciens
d'Israël et les plaça autour de la tente.
25 Le Seigneur descendit dans la colonne
de fumée[o] et s'entretint avec Moïse. Il
préleva un peu de l'Esprit qu'il avait
donné à Moïse, pour en répandre sur les
soixante-dix anciens. Dès que l'Esprit fut
sur eux, ils commencèrent à parler
comme des *prophètes, mais ils ne continuèrent pas.
26 Deux hommes, Eldad et Médad, qui
figuraient sur la liste des soixante-dix anciens, étaient restés dans le camp au lieu
de se rendre à la tente. L'Esprit se posa
aussi sur eux et ils se mirent à parler
comme des prophètes, en plein camp.
27 Un jeune homme courut avertir
Moïse : « Eldad et Médad sont en train de
prophétiser dans le camp ! » lui dit-il.
28 Josué, fils de Noun, qui était serviteur
de Moïse depuis sa jeunesse, s'écria :
« Moïse, mon maître, fais-les cesser ! »
29 Moïse lui répondit : « Es-tu jaloux pour
moi ? Si seulement le Seigneur répandait
son Esprit sur tous les Israélites, pour
qu'ils deviennent tous des prophètes ! »
30 Alors Moïse et les soixante-dix anciens
d'Israël regagnèrent le camp.

Quibroth-Taava : les cailles

31 Le Seigneur fit souffler de la mer un
vent qui amena des cailles et les rabattit
sur le camp. Il y en avait tout autour du
camp, sur une distance d'une journée de
marche et sur une épaisseur d'un mètre
environ. 32 Le peuple passa ce jour-là, la
nuit suivante et le lendemain à ramasser
des cailles. Celui qui en ramassa le moins
en avait plusieurs milliers de kilos. Ils les
étalèrent autour du camp pour les faire
sécher. 33 Mais dès que les Israélites eurent planté les dents dans cette viande, le
Seigneur se mit en colère contre eux et
les frappa d'un terrible fléau[p]. 34 On appela cet endroit Quibroth-Taava, ce qui
signifie "tombes de l'envie", car c'est là
qu'on enterra ceux du peuple qui avaient
été obsédés par l'envie de manger de la
viande.
35 De Quibroth-Taava, les Israélites se
rendirent à Hasséroth, où ils installèrent
leur camp.

Miriam frappée de la lèpre

12 1 Moïse avait épousé une femme
Kouchite[q]. Miriam et Aaron le
critiquèrent à propos de ce mariage. 2 Ils
dirent : « Le Seigneur n'a-t-il parlé qu'à
Moïse ? Ne nous a-t-il pas parlé, à nous
aussi[r] ? » Le Seigneur les entendit. 3 Or
Moïse était un homme très humble, plus
humble que tout autre homme sur la
terre. 4 Le Seigneur appela Moïse, Aaron
et Miriam et leur ordonna : « Rendez-
vous tous les trois à la *tente de la rencontre ! »
Ils s'y rendirent. 5 Le Seigneur descendit dans la colonne de fumée[s], se tint à
l'entrée de la tente et appela Aaron et Miriam. Ils s'avancèrent tous les deux. 6 Le
Seigneur leur dit : « Écoutez bien ce que
j'ai à vous déclarer : Quand il y a parmi
vous un *prophète, moi, le Seigneur[t], je
me fais connaître à lui et je lui parle au
moyen de visions et de rêves. 7 Mais ce
n'est pas le cas avec mon serviteur Moïse,
lui qui s'occupe fidèlement de tout mon
peuple[u]. 8 Je lui parle directement, en
langage clair ; je me montre à lui, il me
voit apparaître devant lui. Alors pourquoi n'avez-vous pas craint de critiquer
mon serviteur Moïse ? » 9 Rempli de colère, le Seigneur s'en alla. 10 Lorsque la
fumée s'éleva au-dessus de la tente, Miriam était couverte de taches blanches
comme la neige, des taches de *lèpre. Aaron la regarda : elle était lépreuse ! 11 Il
s'adressa à Moïse : « Nous sommes coupables ! lui dit-il. Mais je t'en prie, ne

---

o **11.25** Voir Ex 13.21 et la note.

p **11.33** *un terrible fléau* : peut-être une épidémie.

q **12.1** *kouchite* signifie probablement ici « appartenant à la tribu de Kouchan » (comparer Hab 3.7).

r **12.2** Autre traduction *Le Seigneur n'a-t-il parlé que par Moïse ? N'a-t-il pas parlé par nous aussi ?*

s **12.5** Voir Ex 13.21 et la note.

t **12.6** *Quand il y a...* : texte hébreu peu clair et traduction incertaine.

u **12.7** *de tout mon peuple* ou *de toute ma maison*, voir Hébr 3.2.

nous inflige pas la punition que nous mé-
ritons à cause de notre conduite insensée.
12 Que Miriam ne devienne pas semblable
à ces enfants mort-nés dont la chair est
déjà à moitié rongée au moment de leur
naissance ! »
13 Alors Moïse supplia le Seigneur en
ces mots : « Je t'en supplie, ô Dieu, daigne
la guérir ! » 14 Le Seigneur lui répondit :
« Si son père lui avait craché au visage, ne
serait-elle pas couverte de honte pour
une semaine ? Eh bien, qu'elle soit exclue
du camp pour une semaine aussi ! Ensuite seulement elle sera autorisée à y
rentrer[v]. » 15 On exclut donc Miriam du
camp pour une semaine. Les Israélites ne
se mirent pas en route avant qu'elle y soit
réadmise. 16 Ensuite ils quittèrent Hasséroth pour aller installer leur camp dans le
désert de Paran.

Moïse envoie des hommes explorer Canaan

13 1 Le Seigneur dit à Moïse : 2 « Envoie des gens explorer le pays de
Canaan que je donne aux Israélites. De
chaque tribu on enverra un homme
choisi parmi les responsables. » 3 Moïse
obéit à l'ordre du Seigneur ; il envoya du
désert de Paran des gens qui étaient tous
des chefs israélites. 4 En voici la liste :

Chammoua, fils de Zakour, de la tribu de Ruben ;
5 Chafath, fils de Hori, de la tribu de Siméon ;
6 Caleb, fils de Yefounné, de la tribu de Juda ;
7 Igal, fils de Joseph, de la tribu d'Issakar ;
8 Hosée, fils de Noun, de la tribu d'Éfraïm ;
9 Palti, fils de Rafou, de la tribu de Benjamin ;
10 Gaddiel, fils de Sodi, de la tribu de Zabulon ;
11 Gaddi, fils de Soussi, de la tribu de Manassé, fils de Joseph ;
12 Ammiel, fils de Guemali, de la tribu de Dan ;
13 Setour, fils de Mikaël, de la tribu d'Asser ;
14 Nabi, fils de Vofsi, de la tribu de Neftali ;
15 Gouel, fils de Maki, de la tribu de Gad.

16 Telle est donc la liste de ceux que
Moïse envoya explorer le pays de Canaan.
Moïse donna à Hosée, fils de Noun, le
nom de Josué[w].

17 Au moment d'envoyer ces hommes,
Moïse leur dit : « Pénétrez en Canaan par
le sud, puis gagnez la région montagneuse 18 et examinez la situation de la
contrée. Voyez si les habitants sont forts
ou faibles, nombreux ou pas. 19 Voyez si le
pays est bon ou mauvais, si les agglomérations sont des villes fortifiées ou de
simples campements. 20 Voyez si le sol est
riche ou pauvre, et si des arbres y poussent ou non. Allez-y courageusement et
rapportez-en des fruits. » – C'était en effet
la saison des premiers raisins –.
21 Ces hommes partirent donc du désert de Tsin pour aller explorer le pays de
Canaan jusqu'à Rehob, près de Lebo-
Hamath[x]. 22 Ils pénétrèrent dans le pays
par le sud et arrivèrent près d'Hébron, où
habitaient les clans d'Ahiman, de Chéchaï et de Talmaï, descendants du géant
Anac. – La ville d'Hébron fut fondée sept
ans avant celle de Soan[y] en Égypte. –
23 Ils se rendirent ensuite dans le vallon
d'Èchekol, où ils coupèrent une branche
de vigne portant une grappe de raisin[z].
Ils la placèrent, avec des grenades et des
figues, sur une sorte de brancard qu'ils
portaient à deux. 24 On a donné à cet
endroit le nom de vallon d'Èchekol
– "vallon de la grappe" – à cause de la

---

v **12.14** Comparer 5.2-3.

w **13.16** Les deux noms *Hosée* et *Josué* proviennent de la même racine hébraïque et signifient tous les deux *le Seigneur sauve*. – Josué apparaît déjà dans le récit d'Ex 17.8-16.

x **13.21** *désert de Tsin* : région située au sud de la Palestine. – *Rehob* : localité non identifiée ; *Lebo-Hamath* : endroit non identifié, mais en tout cas situé tout au nord du pays.

y **13.22** *Hébron* : localité située à 30 km environ au sud-ouest de Jérusalem. – *Anac* : personnage inconnu, symbolisant les anciens habitants de la Palestine. – *Soan* (nom hébreu de la ville de Tanis) : cette ville égyptienne a été reconstruite durant la seconde moitié du 18e siècle avant J.-C. (voir És 19.11 et la note).

z **13.23** Le *vallon d'Èchekol* se trouve au nord d'Hébron. Le mot hébreu *èchekol* signifie *grappe de raisin*, voir v. 24.

grappe de raisin que les Israélites y
avaient cueillie.

Les envoyés de Moïse font leur rapport

25 Au bout de quarante jours, les envoyés eurent fini d'explorer le pays et firent demi-tour. 26 Ils revinrent auprès de
Moïse, d'Aaron et de la communauté
d'Israël, à Cadès[a] dans le désert de Paran.
Ils les informèrent tous de ce qu'ils
avaient vu et leur montrèrent les fruits
du pays. 27 Voici ce qu'ils racontèrent à
Moïse : « Nous sommes allés dans le pays
où tu nous as envoyés. C'est vraiment un
pays qui regorge de lait et de miel[b]. En
voici quelques fruits. 28 Seulement ceux
qui l'habitent sont puissants, et les villes
sont très grandes et bien fortifiées. Nous
y avons même vu les descendants du
géant Anac. 29 Les Amalécites habitent la
partie sud du pays, les Hittites, les Jébusites et les *Amorites la région montagneuse, et les Cananéens la côte
méditerranéenne ainsi que la rive du
Jourdain. »
30 Caleb fit taire ceux qui se mettaient à
critiquer Moïse, puis s'écria : « Allons-y !
Nous nous emparerons de ce pays. Nous
en sommes capables ! » 31 Mais les compagnons de Caleb déclarèrent : « Nous ne
pouvons pas attaquer ces gens, ils sont
bien plus forts que nous ! » 32 Et ils
commencèrent à dénigrer devant les Israélites le pays qu'ils avaient exploré. Ils
disaient : « Le pays que nous avons exploré est un pays qui fait mourir ceux qui
viennent y habiter[c]. Les gens que nous y
avons vus sont tous de grande taille.
33 Nous avons même vu des géants[d], les
descendants d'Anac ; par rapport à eux,
nous nous sentions comme des fourmis,
et c'est bien l'impression qu'ils devaient
avoir eux-mêmes de nous. »

Le peuple refuse d'entrer en Canaan

14 1 Toute la nuit les Israélites crièrent et pleurèrent. 2 Ils protestaient contre Moïse et Aaron, leur
disant : « Ah, si seulement nous étions
morts en Égypte, ou dans ce désert !
3 Pourquoi le Seigneur nous conduit-il
dans un tel pays ? Nous y mourrons dans
des combats, nos femmes et nos enfants
feront partie du butin des vainqueurs. Ne
vaudrait-il pas mieux pour nous retourner en Égypte ? » 4 Ils se dirent alors les
uns aux autres : « Nommons un chef et
retournons en Égypte ! »
5 Moïse et Aaron se jetèrent le visage
contre terre, face à l'ensemble de la
communauté d'Israël. 6 Quant à Josué,
fils de Noun, et Caleb, fils de Yefounné,
deux de ceux qui avaient exploré le pays,
profondément bouleversés, ils *déchirèrent leurs vêtements, 7 et dirent à la
communauté : « Le pays que nous avons
exploré est un excellent pays, 8 qui regorge de lait et de miel. Si le Seigneur
nous est favorable, il nous conduira dans
ce pays et nous le donnera. 9 Seulement,
ne vous révoltez pas contre le Seigneur.
Et n'ayez pas peur des habitants de ce
pays : nous n'en ferons qu'une bouchée.
En effet leurs dieux protecteurs les ont
abandonnés, tandis que le Seigneur est
avec nous. Ne les craignez donc pas. »
10 Tout le peuple parlait de leur lancer
des pierres pour les tuer, mais soudain la
glorieuse présence du Seigneur se manifesta aux yeux des Israélites, sur la
*tente de la rencontre.

Moïse demande pardon pour le peuple

11 Le Seigneur dit à Moïse : « Ce peuple
ne cessera-t-il jamais de me rejeter ? Re-
fusera-t-il toujours de me faire confiance,
malgré tous les signes que je lui ai donnés
de ma puissance ? 12 Je vais le frapper de
la peste et l'exterminer, puis je ferai naître de toi une nation plus puissante et
plus nombreuse qu'Israël. » 13 Moïse répondit au Seigneur : « Les Égyptiens ont
su que, par ta force, tu avais fait sortir ce
peuple de chez eux. 14 Ils l'ont raconté
aux habitants de ce pays. Ceux-ci ont

---

a 13.26 *Cadès* (ou *Cadès-Barnéa*, 32.8 ; aujourd'hui Ayn Qédeis) est une oasis située entre le *désert de Paran* (v. 3) au sud, et le *désert de Tsin* (v. 21) au nord.

b 13.27 *un pays qui regorge de lait et de miel* : voir Ex 3.8 et la note.

c 13.32 Soit parce que c'est un pays malsain, soit parce que la guerre y règne continuellement.

d 13.33 Voir Gen 6.4

donc appris que toi, le Seigneur, tu accompagnes ton peuple, que tu te manifestes à lui face à face ; ils ont appris que
c'est toi qui le protèges, puisque tu marches devant lui, le jour dans une colonne
de fumée, la nuit dans une colonne de feu.
15 Si maintenant tu extermines ton peuple
d'un seul coup, les nations qui ont entendu parler de tout ce que tu as fait vont
dire : 16 "Le Seigneur n'a pas été capable
de conduire ce peuple dans le pays qu'il
lui avait promis ; c'est pourquoi il l'a massacré dans le désert." 17 Alors je t'en supplie, Seigneur, déploie ta puissance. Agis
selon ce que tu nous as affirmé : 18 "Je suis
le Seigneur, patient et d'une immense
bonté ; je supporte les péchés, les désobéissances. Mais je ne tiens pas le coupable pour innocent. J'interviens contre
celui qui a péché et contre ses descendants, jusqu'à la troisième ou la quatrième
génération[e]." 19 Seigneur, puisque tu es si
bon, pardonne encore le péché de ton peuple, comme tu n'as cessé de lui pardonner
depuis qu'il est sorti d'Égypte[f]. »

20 Le Seigneur répondit : « Je lui pardonne, comme tu le demandes. 21 Cependant, aussi vrai que je suis vivant et que
ma *gloire remplit toute la terre, je jure
22-23 que personne de cette génération
n'entrera dans ce pays. Ils ont vu ma glorieuse présence, et tous les actes puissants
que j'ai accomplis en Égypte et dans le désert ; malgré cela ils n'ont pas cessé de me
mettre à l'épreuve en me désobéissant.
C'est pourquoi aucun d'eux ne verra le
pays que j'ai promis à leurs ancêtres,
puisqu'ils m'ont tous rejetés[g]. 24 Mais mon
serviteur Caleb a été animé d'un autre esprit et m'est resté fidèle ; je le ferai entrer
dans le pays qu'il a exploré, et je donnerai
cette région à ses descendants[h]. 25 – Les
Amalécites et les Cananéens occupent actuellement les vallées de cette région. –
Demain donc, vous ferez demi-tour et
vous repartirez par le désert dans la direction de la *mer des Roseaux. »

Le Seigneur intervient contre son peuple

26 Le Seigneur dit encore à Moïse et à
Aaron : 27 « J'ai entendu les Israélites protester contre moi. Cette communauté
insupportable ne cessera-t-elle jamais
de le faire ? 28 Allez leur dire ceci :
"Aussi vrai que je suis vivant, moi, le
Seigneur, je déclare que je vous traiterai
selon les paroles que j'ai entendues de
vous[i] : 29 Vous mourrez dans ce désert[j].
Vous tous qui avez été recensés, dénom-
brés, et qui avez vingt ans et plus, vous
mourrez puisque vous avez protesté
contre moi. 30 Je le jure, vous n'entrerez
pas dans le pays où j'avais pourtant promis de vous faire habiter. Seuls y entreront Caleb, fils de Yefounné, et Josué,
fils de Noun. 31 Quant à vos jeunes enfants, dont vous disiez qu'ils devien-
draient le butin des vainqueurs, je les
ferai entrer dans le pays que vous avez
méprisé, et ils le connaîtront. 32 Vous
mourrez donc dans ce désert, 33 tandis
que vos enfants y garderont leurs troupeaux pendant quarante ans[k]. Ils supporteront ainsi les conséquences de
votre infidélité, jusqu'à ce que vous
soyez tous morts dans le désert. 34 Il
vous a fallu quarante jours pour explorer le pays ; eh bien, c'est pendant
quarante ans que vous subirez les
conséquences de vos péchés. A chaque
jour correspondra une année. Ainsi
vous saurez ce qu'il en coûte de s'opposer à moi[l]. 35 Voilà ce que j'avais à vous
dire, moi, le Seigneur. Et je vous assure
que je vais vous traiter ainsi, communauté insupportable liguée contre moi :
jusqu'au dernier vous mourrez dans le
désert." »

36 Ceux que Moïse avait envoyés explorer le pays et qui, au retour, avaient déni-
gré ce pays et incité la communauté
d'Israël à protester contre Moïse,
37 ceux-là moururent ; ils furent frappés

---

e **14.18** Voir Ex 20.5-6 ; 34.6-7 ; Deut 5.9-10 ; 7.9-10 ; comparer Ézék 18.
f **14.19** V. 13-19 : voir Ex 32.11-14.
g **14.22-23** V. 21-23 : voir Hébr 3.18.
h **14.24** Voir Jos 14.9-12.
i **14.28** *selon les paroles que j'ai entendues de vous* : voir v. 2.
j **14.29** Voir Hébr 3.17.
k **14.33** *quarante ans* : voir Act 7.36.
l **14.34** Ou *vous saurez ce que c'est que de m'avoir contre vous.*

par le Seigneur, pour avoir calomnié le
pays. 38 Parmi ces envoyés, seuls Josué et
Caleb restèrent en vie.

Le peuple désobéit de nouveau

39 Moïse rapporta toutes les paroles du
Seigneur aux Israélites. Ils en furent très
affligés. 40 C'est pourquoi, tôt le lendemain matin, ils se mirent en route vers la
région des montagnes en disant : « Nous
avons été coupables ! Mais maintenant
nous voici prêts à nous rendre à l'endroit
que le Seigneur a désigné. » – 41 « Qu'allez-vous faire là ? demanda Moïse. Vous
désobéissez à l'ordre du Seigneur. Vous
ne réussirez pas ! 42 Le Seigneur n'est pas
avec vous ; n'allez donc pas vous faire
battre par vos ennemis. 43 Les Amalécites
et les Cananéens sont là, devant vous ;
vous serez exterminés dans la bataille.
Puisque vous vous êtes détournés du Seigneur, celui-ci ne sera pas avec vous. »
44 Dans leur témérité, les Israélites
voulurent quand même monter dans la
région des montagnes. Mais Moïse resta
au camp, ainsi que le *coffre sacré, symbole de *l'alliance du Seigneur. 45 Les
Amalécites et les Cananéens descendirent des hauteurs où ils habitaient ; ils
battirent les Israélites et les poursuivirent jusqu'à Horma[m].

Les offrandes qui accompagnent les sacrifices

15 1 Le Seigneur dit à Moïse 2 de
communiquer aux Israélites les
prescriptions suivantes : « Quand vous
serez entrés dans le pays que je vais vous
donner et que vous y habiterez, 3 vous
m'offrirez des *sacrifices entièrement
consumés ou des sacrifices de communion, soit pour accomplir des vœux, soit
de manière spontanée, soit encore à l'occasion de fêtes. Vous choisirez pour un tel
sacrifice un bœuf, un mouton ou une
chèvre, et j'en apprécierai la fumée odorante. 4 Celui qui me présentera l'animal
l'accompagnera d'offrandes végétales : il
joindra trois kilos de farine pétrie avec
un litre et demi d'huile, 5 et un litre et
demi de vin à tout agneau offert en sacrifice complet ou en sacrifice de communion. 6 S'il s'agit d'un bélier, on y joindra
six kilos de farine pétrie avec deux litres
d'huile, 7 ainsi que deux litres de vin ; j'en
apprécierai la fumée odorante. 8 Si c'est
un bœuf que l'on m'offre en sacrifice
complet ou en sacrifice de communion,
soit pour accomplir un vœu, soit comme
sacrifice ordinaire, 9 on joindra à l'animal
une offrande de neuf kilos de farine pétrie avec trois litres d'huile, 10 ainsi que
trois litres de vin ; j'en apprécierai la
fumée odorante.
11 « On devra procéder de cette manière-là lors du sacrifice d'un bœuf, d'un
bélier, d'un agneau ou d'un chevreau.
12 Quel que soit le nombre des animaux
que vous offrirez, chacun d'eux sera
accompagné des offrandes prescrites.
13 Tous les Israélites suivront ces prescriptions lorsqu'ils m'offriront des sacrifices à la fumée odorante. 14 Les étrangers
séjournant temporairement dans votre
pays, ou ceux dont la famille y est installée depuis plusieurs générations, suivront les mêmes prescriptions que vous
s'ils veulent m'offrir des sacrifices à la fumée odorante. 15 Les règles seront donc
les mêmes pour tous les membres de l'assemblée, pour vous les Israélites comme
pour les étrangers, et elles seront valables
pour toutes les générations à venir. Moi,
le Seigneur, je ne traite pas les Israélites
différemment des étrangers : 16 les lois et
les règles sont identiques pour vous et
pour eux[n]. »

L'offrande des premiers pains

17 Le Seigneur dit à Moïse 18 de
communiquer aux Israélites les prescriptions suivantes : « Quand vous serez entrés dans le pays où je vous conduis 19 et
que vous pourrez manger du pain cuit
sur place, vous en prélèverez une partie
pour me l'offrir. 20 Avec de la pâte fraîchement pétrie, vous préparerez une galette
d'offrande, que vous me présenterez
comme on me présente une offrande de

---

m **14.45** *Horma* : localité non identifiée avec certitude, mais située probablement à une soixantaine de kilomètres au sud de Jérusalem, un peu à l'est de Berchéva.

n **15.16** Voir Lév 24.22.

grains après le battage des céréales.
21 Ainsi vous m'offrirez la première galette que vous aurez cuite. Cette règle est
valable également pour les générations à
venir. »

Les sacrifices pour un péché involontaire

22-23 « Supposons que vous désobéissiez
par mégarde à des commandements que
j'ai prescrits, pour vous et vos descendants, par l'intermédiaire de Moïse, dès
les origines ou par la suite. 24 Si la faute a
été commise sans que la communauté
s'en rende compte, c'est elle qui, dans son
ensemble, m'offrira un taureau en sacrifice complet dont j'apprécierai la fumée
odorante ; elle y joindra les offrandes ré-
glementaires de farine et de vin, ainsi
qu'un bouc en sacrifice pour obtenir le
pardon. 25 Le prêtre effectuera ensuite le
geste rituel du pardon des péchés sur
toute la communauté d'Israël, et ceux-ci
obtiendront le pardon ; en effet il s'agira
d'une faute involontaire pour laquelle
vous m'aurez apporté une offrande
consumée et un sacrifice pour le pardon.
26 Le pardon sera accordé à l'ensemble de
la communauté israélite et aux étrangers
vivant parmi eux, car tout le monde aura
été impliqué dans cette affaire.

27 « Si c'est une seule personne qui a péché par mégarde, elle devra offrir une
chèvre d'une année en sacrifice pour le
pardon. 28 Devant moi, le prêtre effectuera ensuite sur la personne coupable le
geste rituel du pardon, et celle-ci obtiendra le pardon[o]. 29 La règle sera la
même pour tous ceux qui auront péché
par mégarde, Israélites ou étrangers
vivant parmi eux.

30 « Mais si un Israélite ou un étranger
commet délibérément un péché, il m'offense et il sera exclu du peuple. 31 Il sera
responsable de son exclusion, pour avoir
méprisé ma parole et violé mes commandements. »

Un cas de violation du sabbat

32 Pendant le séjour au désert, des Israélites surprirent un homme qui ramas-
sait du bois un jour de *sabbat. 33 Ils
l'amenèrent devant Moïse, Aaron et
toute la communauté. 34 On le mit sous
bonne garde, dans l'attente d'une prescription sur la peine à lui infliger. 35 Le
Seigneur dit alors à Moïse : « Cet homme
doit être mis à mort ! Que toute la
communauté le tue en lui jetant des pierres, à l'extérieur du camp. » 36 On obéit
à l'ordre du Seigneur : on emmena
l'homme hors du camp, on lui jeta des
pierres, et il mourut.

Les franges des vêtements

37 Le Seigneur dit à Moïse[p] 38 de
communiquer aux Israélites les prescriptions suivantes : « Vous et vos descendants, vous ferez des franges au bord de
vos vêtements[q], et vous y mettez un fil
violet. 39 Vous porterez donc des vêtements à franges, et quand vous verrez celles-ci, vous vous rappellerez mes
commandements et les mettrez en pratique. Ainsi vous ne vous laisserez pas
entraîner dans des cultes idolâtriques par
vos penchants et vos désirs. 40 Vous penserez à mettre en pratique tous mes
commandements, et vous manifesterez
ainsi que vous m'appartenez. 41 Je suis le
Seigneur votre Dieu ; je vous ai fait sortir
d'Égypte pour devenir votre Dieu. Oui,
je suis le Seigneur votre Dieu. »

La révolte de Coré

16 1 Un *lévite nommé Coré[r], fils
d'Issar, de la famille des Quéhatites, entraîna trois Rubénites, Datan et
Abiram, fils d'Éliab, et On, fils de Péleth,
2 à s'opposer à Moïse. Ils étaient appuyés
par deux cent cinquante autres Israélites,
des chefs de la communauté et des
notables participant aux assemblées.
3 Ils s'attroupèrent autour de Moïse et
d'Aaron et leur déclarèrent : « Vraiment,
vous exagérez ! Tous les membres de la
communauté d'Israël appartiennent au
Seigneur, et le Seigneur est au milieu de

---

o **15.28** V. 27-28 : voir Lév 4.27-31.

p **15.37** Les v. 37-41, précédés de Deut 6.4-9 ; 11.13-21, constituent le *Shema*, profession de foi et prière quotidienne des croyants juifs.

q **15.38** Comparer Deut 22.12 ; Matt 23.5.

r **16.1** Voir Jude 11.

nous tous. Pourquoi donc vous croyez-
vous supérieurs au reste du peuple du
Seigneur ? »
4 Lorsque Moïse entendit ces reproches,
il se jeta le visage contre terre, 5 puis il dit
à Coré et à ses partisans : « Demain matin,
le Seigneur fera connaître celui qui lui appartient et qui a été consacré pour l'approcher. Il laissera venir auprès de lui celui
qu'il a choisi. 6 Vous donc, Coré et tes partisans, faites ceci : prenez des cassolettes,
7 demain vous y mettrez des braises et
vous répandrez du parfum par-dessus, en
présence du Seigneur. On verra bien alors
qui le Seigneur désignera et, par conséquent, qui lui appartient. C'est vous, les
lévites, qui exagérez ! » 8 Puis Moïse dit
encore à Coré : « Écoutez donc, vous, les
lévites ! 9 Cela ne vous suffit-il pas que le
Seigneur Dieu d'Israël vous ait choisis
parmi les autres Israélites pour vous permettre de l'approcher, pour vous occuper
de sa demeure sacrée et pour célébrer le
culte au nom de la communauté d'Israël ?
10 Il vous a admis, toi, Coré, et tous tes frères lévites, à vous approcher de lui, et vous
exigez en plus les fonctions de prêtres !
11 De cette manière, toi et tes partisans,
vous vous révoltez contre le Seigneur, car,
au fond, ce n'est pas contre Aaron que
vous protestez. »
12 Ensuite Moïse envoya quelqu'un appeler Datan et Abiram, les fils d'Éliab,
mais ils lui firent répondre : « Nous ne
voulons pas venir ! 13 Tu nous as déjà fait
quitter un pays qui regorgeait de lait et de
miel[s] pour nous emmener mourir dans le
désert. Pourtant cela ne te suffit pas, tu
voudrais encore t'imposer comme notre
chef ! 14 Non vraiment, tu ne nous as pas
conduits dans un pays qui regorge de lait
et de miel, tu ne nous as pas donné en
partage des champs et des vignes ! Imagines-tu avoir affaire à des aveugles ?
Nous refusons de venir ! » 15 Moïse fut
très irrité de cette réponse et dit au Seigneur : « N'accepte pas leur offrande ! Je
ne leur ai jamais rien pris, même pas un
âne, je n'ai jamais fait du tort à aucun
d'eux. »

Le châtiment de Coré et de ses partisans

16 Moïse dit à Coré : « Toi et tes partisans, venez demain vous présenter devant le Seigneur. Aaron aussi sera là.
17 Chacun de tes deux cent cinquante partisans prendra sa cassolette, y mettra du
parfum et l'apportera devant le Seigneur.
Aaron et toi, vous agirez de même. »
18 Coré et ses partisans obéirent : chacun
prit sa cassolette, y mit des braises, répandit du parfum par-dessus et vint se
placer à l'entrée de la *tente de la rencontre. Moïse et Aaron s'y présentèrent
aussi, 19 et Coré réunit en face d'eux toute
la communauté d'Israël, près de l'entrée
de la tente.

Alors la glorieuse présence du Seigneur se manifesta à toute la communauté, 20 et le Seigneur dit à Moïse et à
Aaron : 21 « Écartez-vous de ces gens, car
je vais les détruire en un instant ! »
22 Moïse et Aaron se jetèrent le visage
contre terre et s'écrièrent : « O Dieu, toi
qui as donné la vie à toutes les créatures,
vas-tu te mettre en colère contre toute la
communauté, alors qu'un seul homme a
péché ? » 23 Le Seigneur répondit à
Moïse : 24 « Ordonne au peuple de s'éloigner de l'endroit où habitent Coré, Datan
et Abiram. »
25 Moïse se releva et s'avança vers Datan et Abiram, suivi des *anciens d'Israël. 26 Il dit au peuple : « Écartez-vous
des tentes de ces pécheurs. Ne touchez
rien de ce qui leur appartient, car vous
mourriez vous aussi à cause de tous leurs
péchés. » 27 Le peuple s'éloigna alors de
l'endroit où habitaient Coré, Datan et
Abiram.

Datan et Abiram étaient sortis de leurs
tentes et se tenaient devant elles, en
compagnie de leurs femmes, de leurs enfants et des autres membres de leur famille. 28 Moïse déclara : « Vous allez avoir
la preuve que c'est bien le Seigneur qui
m'a envoyé pour accomplir tout cela, que
je n'agis pas de ma propre autorité : 29 Si
ces gens meurent de mort naturelle, at-

s **16.13** Comparer Ex 3.8 et la note. – Ici les adversaires de Moïse utilisent cette expression pour désigner l'Égypte, alors qu'elle désigne normalement le pays promis.

teints par le sort commun à tous, alors le Seigneur ne m'a pas envoyé. 30 Mais si le Seigneur réalise un acte extraordinaire, si la terre s'ouvre pour les engloutir, eux et tout ce qui leur appartient, s'ils descendent vivants dans le monde des morts, vous aurez la preuve qu'ils se sont moqués du Seigneur. » 31 A peine Moïse avait-il fini de parler que le sol se fendit sous les pieds de Datan et d'Abiram. 32 La terre s'ouvrit et les engloutit avec leurs familles, de même que les partisans de Coré et tous leurs biens. 33 Ces hommes descendirent vivants dans le monde des morts avec tout ce qui leur appartenait, la terre les recouvrit et ils disparurent du milieu de l'assemblée d'Israël. 34 Tous les Israélites qui se trouvaient à proximité d'eux s'enfuirent lorsqu'ils entendirent leurs cris, car ils craignaient que la terre ne les engloutisse eux aussi. 35 Une flamme envoyée par le Seigneur jaillit alors ; elle brûla vifs les deux cent cinquante hommes qui présentaient leur parfum.

Les cassolettes des partisans de Coré

17 1 Le Seigneur[t] dit à Moïse : 2 « Ordonne au prêtre Élazar, fils d'Aaron, de récupérer les cassolettes au milieu du feu, et de disperser les braises au loin. Ces cassolettes sont sacrées, 3 car elles m'ont été présentées, même si elles appartenaient à des hommes qui ont péché et en sont morts. On les martèlera pour en faire des feuilles métalliques dont on recouvrira *l'autel[u] ; cela servira d'avertissement pour les Israélites. » 4 Le prêtre Élazar prit les cassolettes de bronze de ceux qui avaient été brûlés vifs et on les martela pour en recouvrir l'autel. 5 Ce revêtement rappelait aux Israélites que personne d'autre que les descendants d'Aaron n'a le droit de brûler du parfum devant le Seigneur. Quiconque le ferait s'exposerait au même sort que Coré et ses partisans, comme le Seigneur en avait prévenu Aaron par l'intermédiaire de Moïse[v].

Le peuple proteste contre Moïse et Aaron

6 Le lendemain, toute la communauté d'Israël se mit à protester contre Moïse et Aaron. Ils disaient : « Vous avez fait mourir le peuple du Seigneur ! » 7 Les Israélites s'attroupèrent autour de Moïse et d'Aaron. Mais au moment où ils regardèrent du côté de la *tente de la rencontre, ils la virent enveloppée de la fumée où se manifestait la glorieuse présence du Seigneur[w]. 8 Moïse et Aaron se rendirent devant la tente, 9 et le Seigneur dit à Moïse : 10 « Éloignez-vous de ces gens. Je vais les exterminer en un instant. »

Moïse et Aaron se jetèrent le visage contre terre, 11 puis Moïse donna cet ordre à Aaron : « Prends ta cassolette, mets-y des braises provenant de *l'autel et répands du parfum par-dessus. Hâte-toi d'aller effectuer sur la communauté le geste rituel du pardon des péchés. En effet, le Seigneur s'est mis en colère et le fléau destructeur a déjà commencé. » 12 Aaron fit ce que Moïse lui disait ; il courut au milieu du rassemblement, là où le fléau avait déjà commencé, il brûla de *l'encens et effectua sur les Israélites le geste rituel du pardon. 13 Il se plaça entre ceux qui étaient déjà morts et ceux qui étaient encore vivants. Alors le fléau prit fin. 14 Le nombre des victimes fut de quatorze mille sept cents, sans compter les partisans de Coré qui étaient morts auparavant. 15 Aaron rejoignit Moïse, à l'entrée de la tente, dès que le fléau eut pris fin.

Le bâton d'Aaron

16 Le Seigneur[x] dit à Moïse : 17 « Ordonne aux Israélites que le responsable de chaque tribu te remette un bâton. Tu recevras donc douze bâtons et sur chacun

---

t **17.1** Dans certaines traductions, les v. 1-15 du chap. 17 sont numérotés 16.36-50.

u **17.3** Comparer Ex 27.2.

v **17.5** *en avait prévenu Aaron* : en hébreu, on a simplement un pronom personnel *l'en avait prévenu*. D'où les autres traductions possibles *comme le Seigneur en avait prévenu Coré par...* ; ou *Tout fut fait comme le Seigneur l'avait ordonné à Élazar par l'intermédiaire de Moïse*.

w **17.7** Voir Ex 13.21 et la note.

x **17.16** Dans certaines traductions, les v. 16-28 sont numérotés 17.1-13. Voir 17.1 et la note.

d'eux tu graveras le nom de la tribu correspondante, 18 sauf sur celui de la tribu de Lévi, où tu graveras le nom d'Aaron. Il y aura ainsi un bâton par chef de tribu. 19 Tu déposeras ces bâtons dans la *tente de la rencontre, devant le *coffre sacré contenant le document de l'alliance, là où je me manifeste à vous. 20 Et voici ce qui se passera : le bâton de celui que j'ai choisi produira des bourgeons ! Ainsi je mettrai fin aux protestations dont vous êtes l'objet de la part des Israélites, et qui m'atteignent aussi. »

21 Moïse transmit ces ordres aux Israélites. Alors les responsables des tribus lui remirent chacun un bâton, un par tribu ; il en reçut douze en tout, y compris celui d'Aaron. 22 Moïse les déposa devant le coffre sacré du Seigneur, dans la tente. 23 Le lendemain, lorsqu'il se rendit dans la tente, il constata que le bâton d'Aaron, de la tribu de Lévi, avait produit non seulement des bourgeons, mais aussi des fleurs et même des amandes mûres. 24 Moïse prit tous les bâtons dans la tente et alla les montrer aux Israélites. Tout le monde put les voir, et chacun des responsables reprit le sien. 25 Le Seigneur dit encore à Moïse : « Rapporte le bâton d'Aaron devant le coffre sacré ; on le conservera là pour rappeler aux Israélites qu'ils sont un peuple récalcitrant. De cette manière tu mettras fin aux protestations dont je suis l'objet de leur part, et ils ne s'exposeront plus à la mort[y]. » 26 Moïse exécuta scrupuleusement l'ordre du Seigneur.

Le rôle des prêtres et des lévites

27 Les Israélites dirent à Moïse : « Ne vois-tu pas que nous allons mourir, que nous courons tous à notre perte ? 28 Quiconque s'approche de la demeure du Seigneur est frappé par la mort ! Est-ce que nous allons tous, sans exception, finir de cette manière ? »

18 1 Alors le Seigneur dit à Aaron : « Toi, tes descendants et tes frères de la tribu de Lévi, vous serez désormais tenus pour responsables des fautes commises contre le *sanctuaire. Par contre, c'est seulement toi et tes descendants qui serez responsables des fautes commises dans l'exercice de votre ministère. 2 Tu feras venir tes frères *lévites auprès de toi. Lorsque toi et tes descendants, vous vous rendrez devant la tente du *document de l'alliance, ils seront vos adjoints et vos serviteurs ; 3 ils seront à votre service et au service de la tente, mais ils ne devront pas s'approcher des objets sacrés ou de *l'autel ; de cette manière ils n'exposeront personne à la mort, ni eux ni vous. 4 Ils seront vos adjoints pour tous les services et travaux à accomplir dans la *tente de la rencontre. Personne d'autre ne s'approchera de vous. 5 Vous-mêmes, vous accomplirez votre ministère dans le *lieu saint et à l'autel ; vous éviterez ainsi une nouvelle explosion de ma colère contre les Israélites. 6 Voyez, j'ai choisi vos frères lévites parmi les autres Israélites, ils m'appartiennent, et je vous les ai attribués pour accomplir des travaux à la tente de la rencontre. 7 Mais toi, Aaron, et tes descendants, vous accomplirez votre ministère de prêtres à l'autel et dans le lieu très saint derrière le rideau de séparation. C'est moi qui vous fais don de ce ministère ; si quelqu'un d'autre s'approche du sanctuaire, il devra être mis à mort. »

Les revenus des prêtres

8 Le Seigneur dit à Aaron : « Écoute, je te confie la responsabilité de toutes les offrandes que les Israélites me consacrent. Je te les donne ; c'est la part qui te revient et qui ensuite reviendra pour toujours à tes descendants. 9 Voici donc ce qui vous revient des offrandes qui me sont strictement réservées, après qu'on aura brûlé la part qui m'est destinée : tout ce que les Israélites me présentent comme offrandes végétales, sacrifices pour obtenir le pardon et sacrifices de réparation. Ces parts-là vous reviendront, à toi et à tes descendants, 10 et elles vous serviront de nourriture[z]. Mais, dans vos familles,

---

y **17.25** V. 23-25 : voir Hébr 9.4.
z **18.10** *et elles vous serviront de nourriture* : d'autres traduisent *et vous les mangerez dans le lieu très saint*.

seuls les hommes et les garçons pourront
en manger, car il s'agit de nourriture sacrée. 11 Vous pourrez y ajouter une partie
des dons présentés solennellement par les
Israélites ; ce sera pour toujours la part
que je vous donne, à toi et à tes descendants, et tous ceux et toutes celles de ta famille qui seront en état de *pureté
pourront en manger. 12 Je vous donne également les premiers produits du sol,
huile, vin nouveau et céréales, que les Israélites me consacrent ; 13 tout ce qu'ils
m'apportent ainsi sera pour vous, et tous
les membres de vos familles qui sont en
état de pureté pourront en manger. 14 Tout
ce que les Israélites me consacrent de manière irrévocable vous revient aussi[a].
15 Enfin, tous les premiers-nés qui me
sont offerts, tant ceux des hommes que
ceux des animaux, vous appartiendront ;
toutefois, vous ferez racheter tout garçon
premier-né, de même que le premier petit
d'une bête impure. 16 Le prix de rachat
d'un garçon, payable à l'âge d'un mois, est
fixé à cinq pièces d'argent, en monnaie du
*sanctuaire, dont la pièce de base pèse dix
grammes. 17 Un veau, un agneau ou un
chevreau premier-né ne peut pas être racheté : ces animaux-là me sont réservés de
manière exclusive. Vous répandrez leur
sang sur *l'autel et vous y offrirez les parties grasses en sacrifice consumé, pour
que j'en apprécie la fumée odorante.
18 Ensuite, la viande de ces animaux vous
reviendra, tout comme vous reviennent la
poitrine et le gigot droit d'un animal
offert solennellement en sacrifice de
communion. 19 Ainsi je vous donne tout
ce que les Israélites me présentent comme
offrandes sacrées ; ce sera pour toujours
votre part, à toi, à tes fils et à tes filles, en
vertu de l'alliance irrévocable[b] que j'ai
conclue avec toi et tes descendants. »

20 Et le Seigneur dit encore à Aaron :
« Tu n'auras pas de territoire ou de possession dans le pays que je donnerai en
partage aux Israélites. C'est moi qui serai
ta part, ta richesse au milieu des autres
Israélites. »

Les revenus des lévites

21 Le Seigneur continua : « Et voici le
salaire que j'accorde aux *lévites, pour le
service qu'ils accomplissent à la *tente
de la rencontre : je leur donne en partage
la dîme, c'est-à-dire un dixième de tout
ce qui est produit en Israël[c]. 22 Les autres
Israélites ne s'approcheront plus de la
tente sacrée, pour ne pas se rendre coupables et en mourir. 23 Seuls les lévites
accompliront le service à la tente et seront responsables des fautes qu'ils y
commettront. Vous observerez cette
prescription en tout temps. Les lévites
ne posséderont pas de territoire[d] comme
les autres tribus d'Israël, 24 mais je leur
donnerai en partage les dîmes que les Israélites doivent m'offrir. C'est pourquoi
j'ai pu leur dire qu'ils ne posséderaient
pas de territoire comme les autres tribus. »

25 Le Seigneur dit à Moïse 26 de
communiquer aussi les prescriptions suivantes aux lévites : « Lorsque les Israélites vous apporteront la dîme que je vous
donne en partage, vous prélèverez vous-
mêmes le dixième de cette dîme pour me
l'offrir. 27 Cela correspondra, de votre
part, à ce que vos compatriotes prélèvent
sur leurs céréales ou sur leur vin nouveau
pour me l'offrir. 28 De cette manière, vous
aussi, vous m'apporterez votre contribution ; vous la prélèverez sur la dîme que
vous recevrez de vos compatriotes et vous
me l'offrirez en la remettant au prêtre Aaron. 29 Sur tous les dons que vous recevrez, vous prélèverez intégralement la
meilleure part, qui me sera consacrée.
30 Lorsque vous l'aurez prélevée, vous
garderez le reste pour vous, comme les
autres Israélites gardent le reste de leurs
céréales, de leur vin et de leur huile.
31 Vous pourrez consommer ces produits
en n'importe quel endroit, avec tous les
membres de vos familles, car c'est votre
salaire pour le service accompli à la tente
de la rencontre. 32 Dès le moment où vous
aurez prélevé pour moi la meilleure part,
vous ne commettrez pas de faute en

---

a **18.14** Voir Lév 27.28.
b **18.19** Comparer Lév 2.13 ; 2 Chron 13.5 et les notes.
c **18.21** Voir Lév 27.30-33 ; Deut 14.22-29.
d **18.23** Comparer 35.1-8.

consommant ce qui reste ; vous ne risquerez donc pas de profaner les offrandes que les Israélites me consacrent, et de vous exposer ainsi à la mort. »

Les cendres de la vache rousse

19 1 Le Seigneur communiqua à Moïse et à Aaron 2 les prescriptions rituelles suivantes : « Ordonnez aux Israélites, leur dit-il, de vous procurer une vache rousse, qui ne présente absolument aucun défaut et qui n'ait jamais porté le *joug. 3 Vous la remettrez au prêtre Élazar. Celui-ci la conduira hors du camp et on l'égorgera en sa présence. 4 Élazar prendra un peu de son sang et, d'un doigt, il en fera sept aspersions en direction de l'entrée de la *tente de la rencontre. 5 On brûlera sous ses yeux la vache tout entière : peau, viande, sang et boyaux. 6 Le prêtre prendra du bois de cèdre, une branche *d'hysope et de la laine teinte en cramoisi, qu'il jettera sur le foyer où se consume la vache. 7 Ensuite le prêtre lavera ses vêtements et prendra un bain avant de regagner le camp ; il restera cependant *impur jusqu'au soir. 8 Celui qui brûlera la vache devra aussi laver ses vêtements et prendre un bain ; il restera impur jusqu'au soir. 9 Un homme en état de pureté recueillera les cendres de la vache et les déposera dans un endroit pur hors du camp. La communauté d'Israël les conservera pour préparer l'eau de purification[e]. – Ce rituel équivaut à un *sacrifice pour obtenir le pardon des péchés. – 10 Celui qui recueillera les cendres de la vache devra également laver ses vêtements ; il restera impur jusqu'au soir. Les Israélites et les étrangers vivant parmi eux observeront en tout temps ce rituel. »

Loi sur la purification

11 « Quiconque touche un cadavre humain est *impur pour une semaine. 12 Le troisième et le septième jour, il doit s'asperger avec l'eau de purification, et il sera pur[f] ; mais s'il néglige de se purifier le troisième et le septième jour, il restera impur. 13 Celui qui touche un cadavre humain et néglige de se purifier profane la demeure du Seigneur ; il sera exclu du peuple d'Israël. Puisqu'il n'a pas été aspergé avec l'eau de purification, son impureté demeure.

14 « Autre règle : Si une personne meurt dans une tente, ceux qui y pénètrent seront impurs pour une semaine, tout comme ceux qui s'y trouvent déjà. 15 S'il y a là un récipient non fermé par un couvercle solidement fixé, son contenu devient impur. 16 Si quelqu'un, en pleine campagne, bute sur le cadavre d'une personne assassinée ou morte de mort naturelle, il est impur pour une semaine, de même que celui qui bute sur des ossements humains ou sur un tombeau. 17 Pour purifier une personne impure, on prend des cendres de la vache offerte en *sacrifice pour le pardon des péchés, on les met dans un récipient et on ajoute de l'eau de source. 18 Un homme en état de pureté prend une branche *d'hysope, la plonge dans l'eau du récipient et en asperge la tente où quelqu'un est mort, tout son contenu, et les gens qui s'y trouvaient ; ou bien il en asperge la personne qui a touché des ossements, un cadavre ou une tombe. 19 Cette aspersion de la personne impure a lieu le troisième et le septième jour ; après l'aspersion du septième jour, la personne lave ses vêtements et prend un bain, et dès le soir elle est pure.

20 « Mais si une personne devenue impure ne se purifie pas, elle sera exclue de l'assemblée d'Israël, car elle rend profane le *sanctuaire du Seigneur. Puisqu'elle n'a pas été aspergée d'eau de purification, elle reste impure.

21 « Les Israélites observeront en tout temps ce rituel. Celui qui procède à une aspersion avec de l'eau de purification doit laver ses vêtements, et celui qui touche à cette eau est impur jusqu'au soir. 22 Tout ce qu'une personne impure touche devient impur, et quiconque touche

---

e **19.9** Voir Hébr 9.13.

f **19.12** *Le troisième... il sera pur* : d'après les versions anciennes et le contexte ; hébreu *Le troisième jour il doit s'asperger avec de l'eau de purification, et il sera pur le septième jour*.

une personne impure est lui-même impur jusqu'au soir. »

L'eau de Meriba

(Voir aussi Ex 17.1-7)

20 1 Toute la communauté d'Israël
arriva dans le désert de Tsin au
cours du premier mois et s'installa à
Cadès[g]. C'est là que Miriam mourut et
qu'elle fut enterrée.

2 Comme le peuple manquait d'eau, ils
s'attroupèrent autour de Moïse et d'Aaron. 3 Ils cherchèrent querelle à Moïse et
lui dirent : « Si seulement nous étions
morts sous les coups du Seigneur en
même temps que nos compatriotes !
4 Pourquoi nous avez-vous conduits dans
ce désert, nous, le peuple du Seigneur ?
Pour que nous y mourions avec nos troupeaux ? 5 Pourquoi nous avoir fait quitter
l'Égypte ? Pour nous amener dans cet endroit horrible ? On ne peut rien y semer,
on n'y trouve ni figuiers, ni vignes, ni
grenadiers, ni même d'eau à boire. »

6 Moïse et Aaron s'éloignèrent de cet
attroupement, se rendirent à l'entrée de
la *tente de la rencontre et s'y jetèrent le
visage contre terre. Alors la glorieuse présence du Seigneur se manifesta à eux, 7 et
le Seigneur dit à Moïse : 8 « Prends ton
bâton, puis, avec ton frère Aaron, rassemble la communauté d'Israël. Sous leurs
yeux, vous vous adresserez à ce rocher, là-
bas, et il donnera de l'eau ; oui, tu feras
jaillir de l'eau de ce rocher, pour donner à
boire aux Israélites et à leurs troupeaux ! » 9 Moïse alla chercher son bâton
dans la demeure du Seigneur, selon l'ordre reçu. 10 Aaron et lui convoquèrent
l'ensemble des Israélites devant le rocher
désigné, et leur dirent : « Écoutez donc,
vous, les rebelles ! Serons-nous capables
de faire jaillir pour vous de l'eau de ce
rocher ? »

11 Moïse leva le bras et frappa à deux reprises le rocher avec son bâton. Aussitôt
de grandes quantités d'eau en jaillirent,
et les Israélites purent s'y désaltérer, de
même que leurs troupeaux. 12 Mais le Seigneur dit à Moïse et à Aaron : « Vous
n'avez pas eu confiance en moi, vous
n'avez pas manifesté aux yeux des Israélites que je suis le vrai Dieu ! Pour
cette raison, ce n'est pas vous qui conduirez ce peuple dans le pays que je leur
donne[h]. » 13 A propos de cet événement,
on parle de l'eau de Meriba – l'eau de la
"Querelle" –, car les Israélites avaient
cherché querelle au Seigneur ; mais le
Seigneur s'est servi de cet événement
pour manifester qu'il est le vrai Dieu.

Le roi d'Édom refuse de laisser passer Israël

14 De Cadès, Moïse envoya des messagers au roi d'Édom. Ils lui dirent :
« Écoute le message de tes frères israélites ! Tu sais toutes les difficultés que
nous avons rencontrées. 15 Nos ancêtres
sont partis autrefois pour l'Égypte, et notre peuple y a longtemps séjourné. Les
Égyptiens nous ont maltraités, nos ancêtres et nous. 16 Nous avons appelé le
Seigneur à l'aide, il a entendu nos cris et
il a envoyé son *ange pour nous faire sortir d'Égypte. Nous voici maintenant à
Cadès, la ville située à la limite de ton territoire. 17 Veuille nous autoriser à traverser ton pays. Nous ne passerons ni dans
les champs cultivés ni dans les vignes,
nous ne boirons pas l'eau des puits ; nous
suivrons la grand-route[i] sans nous en
écarter ni à droite ni à gauche, jusqu'à ce
que nous ayons traversé tout ton territoire. » – 18 « Vous ne traverserez pas mon
pays ! répondit le roi d'Édom. Si vous
essayez, je vous ferai la guerre ! »

19 Les Israélites insistèrent : « Nous
resterons sur la route ! Si nous avons besoin d'eau pour nous-mêmes et nos troupeaux, nous te la payerons. Nous te
demandons simplement de pouvoir traverser ton pays. » – 20 « Vous ne le traverserez pas ! » répéta le roi. Et les Édomites
vinrent à la rencontre des Israélites avec
une nombreuse et puissante armée
21 pour les empêcher de traverser leur

---

g **20.1** *désert de Tsin, Cadès* : voir 13.21,26 et les notes.

h **20.12** La faute de Moïse et d'Aaron n'apparaît pas de manière évidente ; ce que Dieu leur reproche peut-être, c'est d'avoir *frappé le rocher* (v. 11) au lieu de *s'adresser à lui* (v. 8).

i **20.17** *la grand-route* ou *la route royale*, c'est-à-dire la route principale du pays.

territoire ; alors les Israélites prirent une autre direction.

La mort d'Aaron

22 Toute la communauté d'Israël quitta Cadès et se rendit à la montagne de Hor[j], 23 à la frontière d'Édom. Là, le Seigneur dit à Moïse et à Aaron : 24 « Aaron va bientôt mourir. En effet, il n'entrera pas dans le pays que je donne aux Israélites, puisque vous avez désobéi à mes ordres, à la source de Meriba. 25 Toi donc, Moïse, emmène Aaron et son fils Élazar au sommet de la montagne de Hor. 26 Après avoir ôté à Aaron ses vêtements sacerdotaux, tu en revêtiras Élazar[k]. Aaron mourra à cet endroit. » 27 Moïse suivit les instructions du Seigneur : sous les yeux de la communauté, ils montèrent tous les trois sur la montagne de Hor. 28 Moïse prit les habits d'Aaron et en revêtit Élazar. Aaron mourut là, au sommet[l] ; puis Moïse et Élazar redescendirent de la montagne. 29 Lorsque les Israélites comprirent qu'Aaron était mort, ils célébrèrent tous son deuil, et cela pendant trente jours.

Victoire des Israélites sur les Cananéens

21 1 Le roi d'Arad, un Cananéen habitant le sud du pays, apprit que les Israélites arrivaient par le chemin d'Atarim[m] ; il les attaqua et fit parmi eux quelques prisonniers. 2 Alors les Israélites promirent ceci au Seigneur : « Si tu livres ce peuple en notre pouvoir, nous détruirons complètement ses villes. » 3 Le Seigneur accepta la promesse des Israélites et leur livra ces Cananéens. Les Israélites les exterminèrent, détruisirent leurs villes et appelèrent cette région Horma, ce qui signifie "la Ruine"[n].

Les serpents venimeux

4 Les Israélites quittèrent la montagne de Hor et prirent la direction de la *mer des Roseaux afin de contourner le pays d'Édom[o]. Mais, en cours de route, le peuple perdit patience. 5 Les gens se mirent à critiquer Dieu et Moïse : « Pourquoi nous avez-vous fait quitter l'Égypte ? disaient-ils. Pour nous faire mourir dans le désert ? Il n'y a ici ni pain ni eau, et nous sommes dégoûtés de la *manne, cette nourriture de misère ! » 6 Alors le Seigneur envoya contre eux des serpents venimeux ; ils mordirent un grand nombre d'Israélites qui en moururent[p]. 7 Le reste du peuple se rendit auprès de Moïse pour lui dire : « Nous avons péché en vous critiquant, le Seigneur et toi ! Supplie donc le Seigneur d'éloigner ces serpents de nous. » Moïse se mit à prier le Seigneur en faveur du peuple. 8 Le Seigneur lui répondit : « Façonne un serpent de métal et fixe-le sur une perche. Quiconque aura été mordu et le regardera aura la vie sauve. » 9 Moïse façonna donc un serpent de bronze et le fixa sur une perche. Dès lors, toute personne qui avait été mordue par un serpent et regardait le serpent de bronze avait la vie sauve[q].

Les étapes jusqu'au mont Pisga

10 Les Israélites se mirent en route et se rendirent à Oboth. 11 L'étape suivante les conduisit d'Oboth à Yé-Abarim, dans le désert situé à l'est de Moab. 12 Celle d'après les conduisit au bord du torrent de Zéred. 13 La quatrième étape les conduisit au-delà de l'Arnon, la rivière qui prend naissance chez les *Amorites et traverse une région désertique avant de servir de frontière entre le pays de Moab et celui des Amorites. 14 Il en est question dans le *Livre des guerres du Seigneur*[r], là où

---

j **20.22** Endroit non identifié.

k **20.26** Sur cette transmission des *vêtements sacerdotaux*, voir Ex 29.29-30.

l **20.28** Voir 33.38-39 ; Deut 10.6.

m **21.1** *Arad* : localité située à 60 km environ au sud de Jérusalem ; *Atarim* : endroit non identifié. – Voir 33.40.

n **21.3** Voir 14.45 et la note.

o **21.4** Voir Deut 2.1.

p **21.6** *serpents venimeux* : traditionnellement appelés *serpents brûlants*, c'est-à-dire serpents dont le venin, mortel, provoque une sensation de brûlure. – V. 5-6 : voir 1 Cor 10.9.

q **21.9** Voir 2 Rois 18.4 ; Jean 3.14.

r **21.14** *Livre des guerres du Seigneur* : recueil de poèmes, inconnu par ailleurs ; les vers cités ici, passablement obscurs, constituent le seul fragment qui en reste.

l'on parle de : « ...Vaheb en Soufa, avec
ses affluents, l'Arnon 15 avec ses affluents, dont la rive située du côté d'Ar
constitue la frontière de Moab... »
16 L'étape suivante les conduisit au lieu
dit "Le Puits", où le Seigneur donna cet
ordre à Moïse : « Rassemble le peuple
pour que je puisse lui donner de l'eau. »
17 C'est alors que les Israélites chantèrent
le chant que voici[s] :

« Que l'eau jaillisse du puits, sous les
acclamations !
18 Les chefs l'ont creusé, les nobles l'ont
foré,
avec leurs bâtons de commandement
et leurs sceptres ! »

Du désert, les étapes suivantes les
conduisirent à Mattana, 19 puis à Naha-
liel, puis à Bamoth, 20 et enfin dans la vallée qui traverse le pays de Moab, en
direction de la crête du mont Pisga d'où
l'on domine le désert.

Victoires sur les rois Sihon et Og

21 Les Israélites envoyèrent des messagers dire à Sihon, roi des *Amorites :
22 « Nous désirons traverser ton pays.
Nous ne nous écarterons pas du chemin
pour passer dans les champs cultivés ou
dans les vignes, nous ne boirons pas l'eau
des puits ; nous suivrons la grand-route[t]
jusqu'à ce que nous ayons traversé tout
ton territoire. »

23 Cependant Sihon ne voulut pas les
laisser passer ; il rassembla toute son armée, vint à la rencontre des Israélites
jusqu'à Yahas, dans le désert, et les attaqua. 24 Les Israélites le battirent et occupèrent tout son pays, entre l'Arnon au
sud, le Yabboc au nord et la frontière fortifiée des Ammonites à l'est. 25 Ils s'emparèrent de toutes les villes des
Amorites, y compris Hèchebon et les
villages voisins, et ils s'y installèrent.
26 Hèchebon était la capitale de Sihon,
roi des Amorites, depuis qu'il avait fait
la guerre au précédent roi de Moab et lui
avait pris toute la région s'étendant
jusqu'à l'Arnon. 27 Les poètes en ont
parlé ainsi :

« Essayez de reconstruire Hèchebon,
venez rebâtir la ville de Sihon !
28 Un feu a jailli de Hèchebon,
de la cité de Sihon s'est échappée une
flamme ;
elle a dévoré Ar au pays de Moab
et les seigneurs des hauteurs de
l'Arnon.
29 Quel malheur pour toi, Moab !
Vous voilà perdus, adorateurs de
Kemoch !
Les hommes qui ont survécu, les
femmes,
tous ont été livrés prisonniers
à Sihon, roi des Amorites[u].

30 Mais nous avons lancé nos flèches sur
les Amorites.
Maintenant Hèchebon est détruite,
et tout le pays dévasté jusqu'à Dibon.
Nous avons tout ravagé,
tandis que le feu se répandait jusqu'à
Mèdeba[v]. »

31 C'est ainsi que les Israélites s'établirent
dans le pays des Amorites. 32 Moïse envoya des espions explorer la ville de Yazer ; puis les Israélites s'emparèrent des
villages voisins[w], et ils en délogèrent les
Amorites. 33 Ensuite ils changèrent de direction et prirent la route du *Bachan.
Aussitôt Og, roi du Bachan, et toute son
armée vinrent à la rencontre des Israélites pour les combattre, à Édréi. 34 Le
Seigneur dit à Moïse : « N'aie pas peur de
lui ! Je vais le livrer en ton pouvoir, avec
toute son armée et tout son pays. Tu le
traiteras comme tu as traité Sihon, le roi
des Amorites, qui résidait à Hèchebon. »
35 Les Israélites battirent Og, ses fils et
toute son armée, sans laisser le moindre
survivant, et ils occupèrent son pays.

---

s **21.17** Autre fragment de poème, d'origine inconnue.

t **21.22** Voir 20.17 et la note.

u **21.29** Autre traduction *Les hommes ont dû s'enfuir, et les femmes ont été livrées prisonnières...* – V. 28-29 : voir Jér 48.45-46.

v **21.30** Le texte hébreu de ce poème est souvent obscur (surtout le v. 30), et la traduction est incertaine. Sur les villes moabites qui y sont mentionnées, voir És 15.2,4 et les notes.

w **21.32** *s'emparèrent des villages voisins* : l'ancienne version grecque a lu *s'emparèrent de cette ville et des villages voisins*.

ISRAËL DANS LES PLAINES DE MOAB
22–36

Histoire de Balaam : L'appel du roi Balac

22 1 Une nouvelle étape conduisit les
Israélites dans les plaines de
Moab, sur la rive orientale du Jourdain,
en face de Jéricho. 2-4 Balac, fils de Sippor,
qui était roi de Moab à cette époque, apprit comment les Israélites avaient traité
les *Amorites. Le roi et tout son peuple
se mirent à trembler de terreur à l'idée
que les Israélites arrivaient en si grand
nombre. Alors les Moabites dirent aux
notables madianites : « Cette multitude
est sur le point de tout ravager autour de
nous, comme des bœufs qui broutent
toute l'herbe d'un pré. »
5 Le roi envoya une délégation à Balaam, fils de Béor, qui habitait Petor sur
l'Euphrate, dans le pays des Ammavites[x].
Il lui adressait ce message : « Il y a ici un
peuple venu d'Égypte, qui couvre toute la
surface du pays. Il s'est installé non loin
de chez moi. 6 Viens donc à mon aide, je
t'en prie, et maudis-le, car il est plus puissant que mon propre peuple. Si tu acceptes, je pourrai peut-être le vaincre et le
chasser de la région. Je sais en effet que
les *bénédictions et les malédictions que
tu prononces sont efficaces. » 7 Les messagers, des notables moabites et madianites, emportèrent de quoi payer le devin
Balaam et se rendirent chez lui. Ils lui
transmirent la requête de Balac. 8 Balaam
leur dit : « Passez la nuit ici. Demain je
vous donnerai la réponse que le Seigneur
m'aura communiquée. »
Les chefs de Moab demeurèrent donc
chez Balaam. 9 Alors Dieu vint demander
à Balaam : « Qui sont ces gens que tu as
reçus chez toi ? » 10 Balaam lui répondit :
« Balac, fils de Sippor et roi de Moab, a
envoyé ces hommes me dire : 11 “Le peuple qui a quitté l'Égypte couvre toute la
surface du pays. Viens donc à mon aide,
je te prie, et maudis-le. Si tu acceptes, je
pourrai peut-être le combattre et le chasser.” » – 12 « Tu n'iras pas avec eux ! lui dit
Dieu. Tu ne maudiras pas ce peuple, car
je l'ai béni. »
13 Le lendemain, dès qu'il fut debout,
Balaam dit aux notables envoyés par Balac : « Retournez dans votre pays. Le Seigneur m'interdit de partir avec vous. »
14 Les notables moabites revinrent dire
à Balac que Balaam avait refusé de les accompagner. 15 Balac envoya une nouvelle
délégation, composée de chefs plus nombreux et plus importants que la première
fois. 16 Ils allèrent transmettre à Balaam
cette requête de Balac : « Moi, Balac, fils
de Sippor, je t'en supplie, ne refuse pas de
venir chez moi. 17 Je te comblerai d'honneurs, je ferai tout ce que tu me demanderas ! Viens donc à mon aide et
maudis ce peuple. » 18 Mais Balaam répondit aux envoyés de Balac : « Même si
Balac me donnait tout l'argent et l'or
dont son palais est plein, je ne pourrais
en rien désobéir aux ordres du Seigneur
mon Dieu. 19 Pourtant, restez ici cette
nuit, vous aussi, et je saurai ce que le Seigneur veut encore me communiquer. »
20 Durant la nuit, Dieu vint dire à Balaam : « Si ces hommes sont venus t'inviter à les accompagner, pars avec eux.
Cependant tu devras faire uniquement ce
que je t'indiquerai. » 21 Au matin, Balaam
sella son ânesse et partit avec les chefs
moabites.

L'ânesse de Balaam

22 Le départ de Balaam provoqua la colère de Dieu. Tandis que Balaam chemi-
nait, monté sur son ânesse et accompagné
de deux serviteurs, *l'ange du Seigneur
alla se placer sur la route pour lui barrer
le passage. 23 L'ânesse vit l'ange debout
au milieu de la route, tenant à la main
son épée dégainée ; elle s'en écarta et
passa à travers champs. Balaam la battit
pour la ramener sur le chemin. 24 L'ange
alla se poster plus loin dans un chemin
encaissé, qui traversait des vignes entre

x 22.5 *Balaam* : voir Deut 23.5-6 ; Jos 24.9-10 ; Mich 6.5 ; 2 Pi 2.15-16 ; Jude 11. – *Petor* : localité non identifiée, probablement dans le nord de la Syrie actuelle. – *des Ammavites* : lecture probable ; hébreu *de son peuple*.

deux murs. 25 L'ânesse le vit, elle se serra
contre le mur et y meurtrit le pied de Balaam. Celui-ci se remit à la battre. 26 Une
fois encore l'ange les devança ; il se posta
dans un endroit si resserré qu'il n'y avait
moyen de passer ni à sa droite ni à sa gauche. 27 Lorsque l'ânesse le vit, elle se coucha sous son maître. Balaam se mit en
colère et la roua de coups de bâton.

28 Alors le Seigneur donna à l'ânesse la
possibilité de parler, et elle dit à Balaam :
« Que t'ai-je fait, pour que tu me battes à
trois reprises ? » – 29 « Tu t'es moquée de
moi ! lui répondit-il. Si j'avais une épée
sur moi, je t'aurais déjà tuée ! » – 30 « Pourtant je suis ton ânesse, celle que tu as
toujours montée ! reprit-elle. Ai-je l'habitude de me comporter ainsi avec toi ? » –
« Non ! » reconnut-il.

31 A cet instant, le Seigneur ouvrit les
yeux de Balaam, et celui-ci aperçut l'ange
debout au milieu de la route, tenant à la
main son épée dégainée. Aussitôt il se
jeta le visage contre terre. 32 L'ange lui
demanda : « Pourquoi as-tu battu ton
ânesse à trois reprises ? Je suis venu pour
te barrer le passage, car je pense que ce
voyage te mène à ta perte[y]. 33 L'ânesse
m'a vu, et à trois reprises elle s'est écartée
de moi. Si elle ne l'avait pas fait, je t'aurais tué, mais elle, je l'aurais laissée en
vie. » 34 Balaam dit à l'ange : « J'ai commis
une faute ! J'ignorais que tu te tenais devant moi sur la route. Mais maintenant,
si ce voyage te déplaît, je suis prêt à rentrer chez moi. » – 35 « Non ! répondit
l'ange. Accompagne ces gens. Mais tu
prononceras uniquement les paroles que
je t'indiquerai. » Alors Balaam continua
la route avec les envoyés de Balac.

Rencontre de Balaam et Balac

36 Lorsque Balac apprit que Balaam arrivait, il alla à sa rencontre jusqu'à Ar en
Moab, qui se trouve tout près de la frontière du pays, sur le cours de l'Arnon[z].
37 Balac lui demanda : « Pourquoi n'as-tu
pas accepté de venir la première fois que
j'ai envoyé une délégation pour t'inviter ?
Pensais-tu que je ne pourrais pas te
combler d'honneurs ? » – 38 « Eh bien, me
voici ! répondit Balaam. Mais que pourrais-je dire ? Je suis autorisé à prononcer
uniquement les messages que Dieu placera dans ma bouche. » 39 Balaam partit
avec Balac et ils se rendirent à Quiriath-
Houssoth. 40 Balac offrit des bœufs et des
moutons en *sacrifices et en remit des
parts à Balaam et aux chefs qui l'accompagnaient.

Balaam bénit le peuple d'Israël

41 Le lendemain matin, Balac monta
avec Balaam à Bamoth-Baal[a], d'où
l'on voyait une partie du peuple d'Israël.

23 1 Balaam demanda à Balac de lui
construire à cet endroit sept *autels, et de lui fournir sept taureaux et sept
béliers. 2 Balac exécuta cet ordre. Après
quoi, ils offrirent ensemble un taureau et
un bélier sur chaque autel. 3 Balaam dit à
Balac : « Reste ici, près des *sacrifices que
tu as offerts, pendant que je m'en irai à
l'écart. Le Seigneur se manifestera peut-
être à moi. Je te communiquerai alors ce
qu'il m'aura fait connaître. » Il monta sur
une colline dénudée[b]. 4 Là, Dieu se manifesta à Balaam, qui lui dit : « J'ai fait
dresser sept autels et j'ai offert un taureau
et un bélier sur chacun d'eux. » 5 Le Seigneur indiqua à Balaam le message qu'il
devait prononcer, puis il lui ordonna de
retourner auprès de Balac.

6 Balaam rejoignit donc Balac, qui se
tenait toujours près de ses sacrifices en
compagnie des chefs moabites. 7 Balaam
prononça ce poème :

« Balac, le roi de Moab, m'a fait venir
des montagnes orientales de Syrie :
"Viens prononcer, m'a-t-il demandé,
des malédictions et des menaces
contre les Israélites, les descendants de
Jacob !"
8 Mais comment pourrais-je maudire
celui que Dieu ne maudit pas lui-
même ?
Comment menacer un peuple
que le Seigneur ne menace pas ?

---

y 22.32 *car... à ta perte* : texte hébreu obscur et traduction incertaine.

z 22.36 *Ar en Moab* ou *la ville moabite* (voir 21.15,28).

a 22.41 *Bamoth-Baal* : peut-être le même endroit que Bamoth de 21.19.

b 23.3 *colline dénudée* : le sens du mot hébreu correspondant est incertain.

9 Je regarde ce peuple du haut des rochers,
je l'observe du sommet des collines ;
c'est un peuple qui habite à part,
il se sait différent des autres nations.
10 Qui peut compter la multitude des Israélites,
dénombrer la foule[c] des descendants de Jacob ?
Je souhaite avoir la même mort que ces justes,
partager le sort du peuple d'Israël. »
11 Balac dit à Balaam : « Que m'as-tu
fait là ? Je t'amène ici pour maudire mes
ennemis et tu les couvres de *bénédictions ! » 12 Balaam répondit : « Mon rôle
n'est-il pas de transmettre seulement ce
que le Seigneur me communique ? »

Deuxième bénédiction de Balaam

13 Balac reprit : « Viens avec moi à un
autre endroit d'où tu verras tous les Israélites. D'ici tu n'en voyais qu'une partie[d]. De là, tu les maudiras pour moi. »
14 Il emmena Balaam jusqu'à un poste de
guet[e], au sommet du mont Pisga ; là aussi
il construisit sept *autels et offrit un taureau et un bélier sur chaque autel. 15 Balaam dit à Balac : « Reste ici près des
*sacrifices que tu as offerts, pendant que
j'irai là-bas attendre un message. »
16 Le Seigneur se manifesta à Balaam,
lui indiqua le message qu'il devait prononcer, puis il lui ordonna de retourner
auprès de Balac. 17 Balaam rejoignit donc
Balac, qui se tenait toujours près de ses
sacrifices en compagnie des chefs moabites. Balac lui demanda : « Qu'a déclaré
le Seigneur ? » 18 Alors Balaam prononça
ce poème :

« Lève-toi, Balac, fils de Sippor,
écoute-moi attentivement !
19 Dieu n'est pas un homme pour mentir,
il n'est pas un être humain pour changer d'opinion.
Il n'affirme jamais rien sans tenir parole,
ce qu'il promet, il le réalise.
20 Moi, j'ai accepté de *bénir ce peuple,
le Seigneur l'a béni, je n'y changerai rien !
21 Le Seigneur ne discerne aucun mal,
aucune injustice dans le peuple d'Israël[f].
Il est leur Dieu, il habite au milieu d'eux,
il reçoit leur ovation royale.
22 C'est lui qui les a fait sortir d'Égypte
avec une force irrésistible, comme celle du buffle[g].
23 La divination et ses pratiques
ne sont pas en usage parmi les Israélites ;
en temps voulu, ils apprennent
tout ce que Dieu accomplit[h].
24 Ce peuple se lève comme un lion :
il dévore la chair de sa proie,
il boit le sang de sa victime,
et ensuite seulement il se recouche. »
25 Balac dit à Balaam : « Si tu ne veux
pas les maudire, abstiens-toi au moins
de les bénir ! » 26 Balaam lui répondit :
« Je t'ai pourtant bien prévenu que j'exé-
cutais scrupuleusement les ordres du Seigneur ! »

Troisième bénédiction de Balaam

27 Balac reprit : « Viens donc, que je
t'emmène encore à un autre endroit.
Dieu acceptera peut-être que là, tu mau-
disses ce peuple pour moi. » 28 Il emmena
Balaam au sommet du mont Péor, d'où
l'on domine le désert. 29 Balaam lui demanda de construire à cet endroit sept
*autels, et de lui fournir sept taureaux et
sept béliers. 30 Balac exécuta cet ordre,
puis offrit un taureau et un bélier sur
chaque autel.

24 1 Balaam comprit que le Seigneur
tenait à *bénir Israël ; il n'alla
donc pas à la recherche d'une révélation

---

c 23.10 *la foule* : autre traduction *même le quart*.

d 23.13 Autre traduction *à un autre endroit d'où tu ne verras qu'une partie des Israélites*.

e 23.14 *poste de guet* : peut-être un nom propre de lieu en hébreu, le *champ de Sofim*.

f 23.21 Autres traductions *On ne discerne aucun mal...* ou *On ne voit aucun malheur, aucune difficulté dans...*

g 23.22 Texte hébreu peu clair et traduction incertaine.

h 23.23 Autre traduction *Personne ne peut recourir à des pratiques magiques contre les Israélites ; on ne peut que proclamer tout ce que Dieu a fait pour eux*.

divine comme les fois précédentes, mais
il se tourna tout de suite vers le désert.
2 Lorsqu'il leva les yeux et vit les tribus
d'Israël installées dans leur camp, il fut
saisi par l'Esprit de Dieu 3 et il prononça
ce poème :

« Voici ce que je proclame,
moi, Balaam, fils de Béor,
moi, l'homme au regard pénétrant[i] ;
4 voici ce que je déclare,
moi qui entends les paroles de Dieu
et contemple les visions envoyées par
le *Tout-Puissant,
car il se révèle à moi lorsque je
l'adore.

5 Peuple d'Israël, vous les descendants
de Jacob,
combien sont belles les tentes que vous
habitez !
6 On dirait des torrents qui coulent,
des jardins sur les rives d'un fleuve ;
on dirait des aloès ou des cèdres
plantés par le Seigneur au bord d'un
ruisseau ;
7 on dirait de l'eau qui déborde d'un
réservoir
et irrigue abondamment les plantations.
Le roi des Israélites l'emportera sur
Agag[j],
leur royaume gagnera en puissance.
8 Dieu les a fait sortir d'Égypte
avec une force irrésistible, comme celle
du buffle.
Ils ne font qu'une bouchée
des nations qui les attaquent,
ils brisent les os de leurs adversaires,
ils les criblent de flèches.
9 Comme des lions, ils s'accroupissent,
se couchent...
Qui pourrait les forcer à se lever ?

Israël, béni soit celui qui te bénira,
et maudit soit celui qui te maudira[k] ! »

10 Balac se mit en colère contre Balaam
et, avec des gestes de menaces, il lui dit :
« Je t'amène ici pour maudire mes ennemis,
et, pour la troisième fois, tu les couvres
de bénédictions ! 11 Maintenant
va-t'en, retourne chez toi. Je t'avais promis
de te combler d'honneurs, mais le
Seigneur t'en a privé ! »

Balaam annonce l'avenir glorieux d'Israël

12 Balaam répondit à Balac : « J'avais
pourtant bien dit aux messagers que tu
m'as envoyés : 13 "Même si Balac me donnait
tout l'argent et l'or dont son palais
est plein, je ne pourrais en rien désobéir
aux ordres du Seigneur. Je prononce uniquement
les paroles que le Seigneur
m'indique." 14 Eh bien, maintenant, je
vais rejoindre mon peuple. Mais auparavant,
viens, je veux t'avertir de ce que les
Israélites feront subir un jour à ton peuple !
» 15 Et Balaam prononça ce poème :

« Voici ce que je proclame,
moi, Balaam, fils de Béor,
moi, l'homme au regard pénétrant[l] ;
16 voici ce que je déclare,
moi qui entends les paroles de Dieu,
qui pénètre les secrets du Très-Haut
et contemple les visions envoyées par
le *Tout-Puissant,
car il se révèle à moi lorsque je l'adore.

17 Je vois ce qui arrivera,
mais ce n'est pas pour aujourd'hui,
je discerne un événement,
mais il se produira plus tard :
Un astre apparaît parmi les descendants
de Jacob,
un souverain surgit au milieu du peuple
d'Israël ;
de son sceptre, il frappe les Moabites à
la tempe,
les nomades du pays sur la tête[m].
18 Il s'empare aussi de Séir,
le pays de ses ennemis édomites,
et les Israélites triomphent.

---

i **24.3** *au regard pénétrant* : le sens de l'expression hébraïque est incertain ; autre traduction *qui sais fermer les yeux* (pour me concentrer sur une révélation intérieure). – Le texte hébreu de tout ce poème est souvent obscur.

j **24.7** *Agag* : voir 1 Sam 15.

k **24.9** *Comme des lions...* : voir Gen 49.9. – *béni soit...* : voir Gen 12.3.

l **24.15** Voir v. 3 et la note.

m **24.17** *Un astre* : voir Matt 2.2. – *les nomades du pays* : le texte hébreu parle des *descendants de Seth*, expression qui désigne probablement des tribus nomades. – *sur la tête* : d'après le texte samaritain ; hébreu *sur le sol*.

19 Le descendant de Jacob domine ses adversaires,
il extermine les derniers habitants de leurs villes. »

Balaam annonce la ruine des ennemis d'Israël

20 Ensuite Balaam vit les Amalécites et
prononça ces mots :
« Voici Amalec, nation la plus puissante.
Mais son avenir, c'est la ruine totale. »

21 Il vit également les Quénites et déclara :
« Quénites, vous êtes en sécurité dans votre pays,
comme dans un nid accroché au rocher[n].
22 Pourtant vos demeures seront la proie des flammes,
et les Assyriens[o] vous emmèneront en captivité. »

23 Balaam ajouta encore ces mots :
« Hélas ! Qui arrive en bandes du nord ?[p]
24 Ceux qui arrivent de la côte de Chypre,
oppriment les Assyriens
et même les descendants d'Éber[q] ;
mais lui aussi court à la ruine. »

25 Après ces paroles, Balaam se mit en
route pour regagner son pays, tandis que
Balac s'en allait de son côté.

Les Israélites se livrent à l'idolâtrie

25 1 Les Israélites s'installèrent à
Chittim. Là ils commencèrent à se
livrer à la débauche avec des femmes
moabites. 2 Elles les entraînèrent à offrir
des *sacrifices à leurs dieux. Les Israélites partagèrent leurs repas sacrés et
adorèrent leurs dieux. 3 Ils s'associèrent
en particulier au culte du dieu *Baal, de
Péor, ce qui provoqua la colère du Seigneur contre eux. 4 Le Seigneur dit à
Moïse : « Prends les chefs du peuple et
fais-les pendre[r] en ma présence, face au
soleil ; alors l'ardente colère que je ressens envers vous s'apaisera. » 5 Moïse
donna cet ordre aux responsables israélites : « Que chacun de vous tue ceux de
ses hommes qui se livrent au culte du
Baal de Péor ! »

6 A ce moment-là un Israélite arriva
parmi les siens, accompagné d'une Madianite. Moïse et toute la communauté
d'Israël, qui pleuraient à l'entrée de la
*tente de la rencontre, les virent. 7 Le
prêtre Pinhas, fils d'Élazar et petit-fils
d'Aaron, se leva alors du milieu de la
communauté et saisit une lance ; 8 il pénétra derrière l'homme dans la tente où il
se rendait avec la Madianite et il les tua
tous les deux d'un coup en plein ventre.
Aussitôt le fléau qui s'était abattu sur les
Israélites prit fin. 9 Le nombre des victimes s'élevait déjà à vingt-quatre mille
morts[s].

10 Le Seigneur dit à Moïse : 11 « Le prêtre Pinhas, fils d'Élazar et petit-fils d'Aaron, a détourné ma colère des Israélites
en se montrant aussi intransigeant que
moi à leur égard. C'est pourquoi, bien
que j'exige d'être leur seul Dieu, je ne les
ai pas exterminés. 12 Maintenant, déclare-
lui que je conclus avec lui une *alliance
qui sera source de paix ; 13 cette alliance,
valable pour lui et pour ses descendants,
fait d'eux des prêtres pour toujours. Il a
en effet montré son attachement exclusif
pour moi, son Dieu, et il a obtenu ainsi le
pardon en faveur des Israélites. »

14 L'Israélite tué en même temps que la
Madianite s'appelait Zimri, fils de Salou ;
il était un des dirigeants de la tribu de Siméon. 15 Quant à la Madianite, elle s'appelait Kozbi ; son père, nommé Sour,
était chef de plusieurs clans d'une tribu
madianite. 16 Le Seigneur dit à Moïse :

---

n 24.21 L'hébreu joue ici sur la ressemblance des mots désignant les *Quénites* et le *nid*.

o 24.22 *Assyriens* : le terme hébreu pourrait aussi désigner la tribu des *Achourites*, mentionnée en Gen 25.3.

p 24.23 Le texte hébreu de ce verset est peu clair et la traduction incertaine. Autre traduction possible : *Hélas ! Qui survivra à l'intervention de Dieu ?*

q 24.24 Autre traduction du début du verset : *De la côte de Chypre arrivent des navires, l'envahisseur opprime...* D'après 1 Chron 1.25-27, *Éber* était un ancêtre d'Abraham, et donc des Hébreux.

r 25.4 *pendre* : le sens du verbe hébreu est incertain ; autres traductions *empaler* ou *écarteler*.

s 25.9 Voir 1 Cor 10.8.

17 « Attaquez les Madianites et extermi-
nez-les ! 18 Ils ont été pour vous des ennemis pleins de perfidie, dans l'affaire de
Péor et dans celle de Kozbi, la fille d'un
de leurs princes, qui fut tuée lors du fléau
de Péor. »

Second recensement des tribus d'Israël

26 19 Après ce fléau, 1 le Seigneur dit à
Moïse et au prêtre Élazar, fils
d'Aaron : 2 « Effectuez le recensement de
la communauté d'Israël, en comptant,
d'après leur famille, tous les hommes de
vingt ans et plus, aptes au service militaire[t]. » 3 Moïse[u] et Élazar s'adressèrent
alors aux Israélites dans les plaines de
Moab, près du Jourdain et en face de Jéricho. Ils leur annoncèrent 4 que le Seigneur avait ordonné à Moïse de recenser
tous les hommes de vingt ans et plus.

Les tribus israélites qui avaient quitté
l'Égypte étaient les suivantes :
5 Il y avait tout d'abord la tribu de Ruben, fils aîné de Jacob. Elle se composait
des clans issus de ses fils : les Hanokites,
descendants de Hanok ; les Pallouites,
descendants de Pallou ; 6 les Hesronites,
descendants de Hesron ; les Karmites,
descendants de Karmi. 7 Tels étaient les
clans rubénites, qui comptaient 43 730
hommes.
8 Un fils de Pallou, Éliab, 9 fut le père
de Nemouel, Datan et Abiram. Datan et
Abiram étaient ces notables de la
communauté qui s'opposèrent à Moïse et
à Aaron, aux côtés des partisans de Coré,
lorsque ceux-ci se révoltèrent contre le
Seigneur. 10 La terre s'ouvrit alors et les
engloutit en même temps que Coré, le
jour où tous les partisans de celui-ci moururent et où le feu brûla vifs deux cent
cinquante autres hommes. Ce fut un
exemple pour le reste du peuple. 11 Par
contre les fils de Coré ne moururent pas à
cette occasion.
12 La tribu de Siméon se composait des
clans suivants : les Nemouélites, descendants de Nemouel ; les Yaminites, descendants de Yamin ; les Yakinites,
descendants de Yakin ; 13 les Zéraïtes,
descendants de Zéra ; les Chaoulites, descendants de Chaoul. 14 Tels étaient les
clans siméonites, qui comptaient 22 200
hommes.
15 La tribu de Gad se composait des
clans suivants : les Sefonites, descendants de Sefon ; les Haguites, descendants de Hagui ; les Chounites,
descendants de Chouni ; 16 les Oznites,
descendants d'Ozni ; les Érites, descendants d'Éri ; 17 les Arodites, descendants
d'Arod ; les Arélites, descendants d'Aréli.
18 Tels étaient les clans gadites, qui
comptaient 40 500 hommes.
19-21 La tribu de Juda se composait des
clans suivants : les Chélanites, descendants de Chéla ; les Péressites, descendants de Pérès ; les Zéraïtes, descendants
de Zéra. Le clan des Péressites regroupait
les Hesronites, descendants de Hesron, et
les Hamoulites, descendants de Hamoul.
Deux des fils de Juda, Er et Onan, étaient
morts dans le pays de Canaan. 22 Tels
étaient les clans judéens, qui comptaient
76 500 hommes.
23 La tribu d'Issakar se composait des
clans suivants : les Tolaïtes, descendants
de Tola ; les Pouvites, descendants de
Pouva ; 24 les Yachoubites, descendants de
Yachoub ; les Chimronites, descendants
de Chimron. 25 Tels étaient les clans issa-
karites, qui comptaient 64 300 hommes.
26 La tribu de Zabulon se composait
des clans suivants : les Sérédites, descendants de Séred ; les Élonites, descendants
d'Élon ; les Yalélites, descendants de Yaléel. 27 Tels étaient les clans zabulonites,
qui comptaient 60 500 hommes.
28 Les tribus de Manassé et d'Éfraïm
comprenaient tous les descendants de Joseph. 29 La tribu de Manassé se composait
des clans suivants : les Makirites, descendants de Makir, et les Galaadites, descendants de Galaad, fils de Makir. 30 Le clan
des Galaadites regroupait les Yézérites,
descendants de Yézer ; les Héléquites,
descendants de Hélec ; 31 les Asriélites,
descendants d'Asriel ; les Chékémites,
descendants de Chékem ; 32 les Chemi-

t **26.2** Tous les hommes dont le *recensement* est présenté au chap. 1 sont morts (voir 26.64-65).

u **26.3** Le texte hébreu des v. 3 et 4 est peu clair.

daïtes, descendants de Chemida ; les Héférites, descendants de Héfer. [33] Selofad, fils de Héfer, n'eut pas de fils, mais seulement des filles, qui s'appelaient Mala, Noa, Hogla, Milka et Tirsa. [34] Tels étaient les clans manassites, qui comptaient 52 700 hommes.

[35] La tribu d'Éfraïm se composait des clans suivants : les Choutélaïtes, descendants de Choutéla ; les Békérites, descendants de Béker ; les Tahanites, descendants de Tahan. [36] Les Éranites étaient les descendants d'Éran, fils de Choutéla. [37] Tels étaient les clans éfraïmites, qui comptaient 32 500 hommes. Les clans de ces deux tribus comprenaient tous les descendants de Joseph.

[38] La tribu de Benjamin se composait des clans suivants : les Bélaïtes, descendants de Béla ; les Achebélites, descendants d'Achebel ; les Ahiramites, descendants d'Ahiram ; [39] les Choufamites, descendants de Choufam ; les Houfamites, descendants de Houfam. [40] Le clan des Bélaïtes regroupait les Ardites, descendants d'Arde, et les Naamanites, descendants de Naaman. [41] Tels étaient les clans benjaminites, qui comptaient 45 600 hommes.

[42] La tribu de Dan se composait d'un seul clan, celui des Chouhamites, descendants de Chouham. [43] Ce clan comptait 64 400 hommes.

[44] La tribu d'Asser se composait des clans suivants : les Imnaïtes, descendants d'Imna ; les Ichevites, descendants d'Ichevi ; les Beriaïtes, descendants de Beria. [45] Le clan des Beriaïtes regroupait les Hébérites, descendants de Héber, et les Malkiélites, descendants de Malkiel. [46] Asser avait une fille qui s'appelait Séra. [47] Tels étaient les clans assérites, qui comptaient 53 400 hommes.

[48] La tribu de Neftali se composait des clans suivants : les Yassiélites, descendants de Yassiel ; les Gounites, descendants de Gouni ; [49] les Yessérites, descendants de Yesser ; les Chillémites, descendants de Chillem. [50] Tels étaient les clans neftalites, qui comptaient 45 400 hommes.

[51] Le total des Israélites recensés s'éleva ainsi à 601 730 hommes.

Indications pour le partage du pays

[52] Le Seigneur dit à Moïse : [53] « Il faudra partager le pays entre les tribus, en tenant compte de leur importance : [54] chacune recevra un territoire proportionné au nombre des personnes recensées ; une tribu nombreuse obtiendra un territoire plus vaste qu'une petite tribu. [55] Cependant, tout en tenant compte du nombre de personnes de chaque tribu, on recourra au tirage au sort pour le partage du pays. [56] C'est par le tirage au sort qu'on décidera des régions attribuées aux tribus importantes et aux tribus plus petites[v]. »

Second recensement de la tribu de Lévi

[57] Dans la tribu de Lévi, on recensa les clans suivants : les Guerchonites, descendants de Guerchon ; les Quéhatites, descendants de Quéhath ; les Merarites, descendants de Merari. [58] Ils comprenaient les sous-clans des Libnites, des Hébronites, des Malites, des Mouchites et des Coréites[w]. Quéhath fut le père d'Amram, [59] qui épousa Yokébed, la fille de Lévi née en Égypte. Celle-ci donna trois enfants à Amram : Aaron, Moïse et leur sœur Miriam. [60] Aaron eut lui-même quatre fils, Nadab, Abihou, Élazar et Itamar[x]. [61] Mais Nadab et Abihou moururent lorsqu'ils présentèrent au Seigneur une offrande de parfum profane[y]. [62] Le total des hommes et des garçons âgés d'un mois et plus fut de 23 000. Ils n'avaient pas été recensés avec les autres Israélites, car ils ne devaient pas recevoir comme eux de territoire.

Conclusion du recensement

[63] Tels furent les résultats du recensement des Israélites, effectué par Moïse et le prêtre Élazar dans les plaines de Moab, près du Jourdain et en face de Jéricho.

---

v **26.56** V. 52-56 : voir 33.54 ; 34.13 ; Jos 14.1-2.
w **26.58** Sur les ancêtres *Libni, Hébron, Mali, Mouchi* et *Coré*, voir Ex 6.17-19,24.
x **26.60** Voir 3.2 ; Ex 6.23.
y **26.61** Voir 3.4 ; Lév 10.1-7.

64 Parmi ces Israélites, on ne trouvait plus
aucun de ceux qui avaient été recensés
par Moïse et le prêtre Aaron dans le désert du Sinaï[z], 65 car le Seigneur les avait
avertis qu'ils mourraient dans le désert.
Il n'en restait donc pas un seul, à part
Caleb, fils de Yefounné, et Josué, fils
de Noun[a].

Le droit d'héritage des femmes

27 1 Mala, Noa, Hogla, Milka et Tirsa
étaient les filles de Selofad, membre d'un clan de Manassé, qui descendait
de Joseph par Manassé, Makir, Galaad et
Héfer. Ces cinq femmes vinrent 2 se présenter devant Moïse, le prêtre Élazar, les
notables et toute la communauté, à l'entrée de la *tente de la rencontre, et elles
déclarèrent : 3 « Notre père est mort dans
le désert, bien qu'il n'ait pas fait partie du
groupe qui s'est ligué avec Coré contre le
Seigneur ; il est mort à cause de ses propres fautes. Mais il n'avait pas de fils.
4 Serait-il normal que la famille de notre
père ne soit plus représentée dans son
clan, simplement parce qu'il n'a pas eu de
fils ? Qu'on nous accorde donc une part
d'héritage en même temps qu'aux frères
de notre père ! »
5 Moïse présenta leur requête au Seigneur, 6 qui lui répondit : 7 « Les filles de
Selofad ont raison ! Donne-leur une part
d'héritage en même temps qu'aux frères
de leur père, que la part de leur père leur
revienne[b]. 8 Ensuite voici ce que tu diras
aux Israélites : "Si un homme meurt sans
avoir de fils, vous transmettrez ses biens
à sa fille. 9 S'il n'avait pas de fille, vous
transmettrez ses biens à ses frères. 10 S'il
n'avait pas de frères, vous transmettrez
ses biens à ses oncles paternels. 11 Si son
père n'avait pas non plus de frères, vous
transmettrez ses biens à son plus proche
parent ; c'est lui qui en héritera." Les
Israélites respecteront cette procédure, conformément à l'ordre que je te
donne. »

Josué est désigné pour succéder à Moïse

12 Le Seigneur dit à Moïse : « Monte
sur ce sommet de la chaîne des Abarim[c] ;
de là tu regarderas le pays que je vais
donner aux Israélites. 13 Tu le contem-
pleras, après quoi tu mourras, de la
même manière que ton frère Aaron.
14 En effet, vous avez désobéi à mes ordres dans le désert de Tsin, lorsque la
communauté me cherchait querelle ;
vous n'avez pas manifesté aux yeux des
Israélites que j'étais le vrai Dieu, quand
ils réclamaient de l'eau. » Il évoquait
l'épisode de l'eau de Meriba – l'eau de la
"Querelle" – à Cadès, dans le désert de
Tsin[d].
15 Moïse dit au Seigneur : 16 « Seigneur
Dieu, toi qui as donné la vie à toutes les
créatures, place à la tête du peuple un
homme, 17 un chef capable de le diriger
en toutes circonstances, afin que ton
peuple ne soit pas comme un troupeau
sans *berger[e]. » 18 Le Seigneur répondit
à Moïse : « Josué[f], fils de Noun, est un
homme animé de mon Esprit. Ap-
pelle-le auprès de toi et pose ta main sur
lui. 19 Tu le présenteras devant le prêtre
Élazar, en face de toute la communauté,
et tu en feras ton successeur, sous leurs
yeux. 20 Tu lui communiqueras une partie de ton autorité, afin que tous les Israélites lui obéissent. 21 Mais lui-même
devra s'en référer au prêtre Élazar : c'est
le prêtre qui me consultera pour lui au
moyen des dés sacrés[g]. Josué et la
communauté d'Israël se conformeront
en toutes circonstances à ses ordres. »
22 Moïse obéit au Seigneur : il fit venir
Josué, il le plaça devant le prêtre Élazar,
en face de toute la communauté, 23 il
posa ses mains sur lui et en fit son successeur, comme le Seigneur le lui avait
ordonné[h].

---

z **26.64** Voir chap. 1 et 3.
a **26.65** Voir 14.26-38.
b **27.7** Voir 36.2.
c **27.12** La *chaîne des Abarim* domine la rive est du Jourdain et de la mer Morte.
d **27.14** *l'épisode de Meriba* : voir 20.1-13. – V. 12-14 : voir Deut 3.23-27 ; 32.48-52.
e **27.17** Voir 1 Rois 22.17 ; Ézék 34.5 ; Matt 9.36 ; Marc 6.34.
f **27.18** Voir Ex 24.13.
g **27.21** Voir Ex 28.30 et la note.
h **27.23** Voir Deut 34.9.

Règles concernant les sacrifices
a. Pour chaque jour

28 1 Le Seigneur dit à Moïse 2 de
transmettre aux Israélites les ordres suivants : « Vous veillerez à présenter au Seigneur, aux moments fixés, les
offrandes qui lui sont dues, aliments
consumés dont il apprécie la fumée odorante.
3 « Chaque jour vous apporterez au Seigneur deux agneaux d'un an, sans défaut,
qu'on brûlera entièrement. C'est un sacrifice complet qu'on ne cessera jamais
de lui offrir. 4 Le premier agneau sera offert le matin, le second le soir, 5 en même
temps que trois kilos de farine pétrie avec
un litre et demi d'huile fine. 6 Ce sacrifice
quotidien sera identique à celui qui a été
présenté au Seigneur sur le mont Sinaï,
en offrande consumée à la fumée odorante. 7 L'agneau du matin sera accompagné d'une offrande d'un litre et demi de
vin, que l'on présentera au Seigneur dans
le *sanctuaire. 8 Le second agneau sera
offert au Seigneur le soir, et accompagné
des mêmes offrandes que celui du matin ;
ce sera un sacrifice consumé à la fumée
odorante. »

b. Pour le jour du sabbat

9 « Le jour du *sabbat, on offrira deux
agneaux d'un an, sans défaut, en même
temps qu'une offrande de six kilos de
farine pétrie avec de l'huile et qu'une
offrande de vin. 10 Ce sacrifice complet
s'ajoutera chaque sabbat au sacrifice
quotidien et à l'offrande de vin qui
l'accompagne. »

c. Pour le premier jour du mois

11 « Le premier jour de chaque mois,
vous offrirez au Seigneur, en sacrifices
complets, deux taureaux, un bélier et sept
agneaux d'un an, tous sans défaut. 12 Chaque animal sera accompagné d'une offrande de farine pétrie avec de l'huile :
offrande de neuf kilos pour chaque taureau, de six kilos pour le bélier, 13 et de
trois kilos pour chaque agneau. Le Seigneur appréciera la fumée odorante de
ces sacrifices consumés. 14 L'offrande de
vin sera de trois litres par taureau, de
deux litres pour le bélier et d'un litre et
demi par agneau. Tels sont les sacrifices
qu'on offrira au début de chaque mois de
l'année. 15 Vous offrirez également au Seigneur un bouc en sacrifice pour obtenir
le pardon, en plus du sacrifice complet
quotidien et de son offrande de vin. »

d. Pour la fête de la Pâque

16 « Le quatorzième jour du premier
mois de l'année, célébrez la fête de la *Pâque en l'honneur du Seigneur[i]. 17 Le
quinzième jour du même mois commencera la fête de sept jours au cours de laquelle le pain que vous mangerez sera
sans *levain. 18 Le premier jour de la fête,
vous vous rassemblerez pour adorer le
Seigneur et vous n'accomplirez pas votre
travail ordinaire. 19 Vous offrirez au Seigneur, en sacrifices entièrement consumés, deux taureaux, un bélier et sept
agneaux d'un an, tous sans défaut. 20 Chaque animal sera accompagné d'une offrande de farine pétrie avec de l'huile :
offrande de neuf kilos pour chaque taureau, de six kilos pour le bélier, 21 et de
trois kilos pour chacun des sept agneaux.
22 Vous offrirez également un bouc en sacrifice pour obtenir le pardon : on pourra
alors effectuer sur vous le geste rituel du
pardon des péchés. 23 Tous ces sacrifices
s'ajouteront au sacrifice complet de chaque matin. 24 Durant la semaine de fête,
le Seigneur pourra apprécier chaque jour
la fumée odorante des aliments consumés
qui accompagnent le sacrifice quotidien
et son offrande de vin. 25 Le septième
jour, vous vous rassemblerez encore pour
adorer le Seigneur et vous n'accomplirez
pas non plus votre travail ordinaire[j].

e. Pour la fête de la Pentecôte

26 « Le jour de la Pentecôte[k], lorsque
vous apporterez au Seigneur une offrande de céréales nouvellement récoltées, vous vous rassemblerez pour adorer
le Seigneur et vous n'accomplirez pas votre travail ordinaire. 27 Vous offrirez au

---

i **28.16** Voir Ex 12.1-13 et les notes.
j **28.25** V. 17-25 : voir Ex 12.14-20 et la note.
k **28.26** *la Pentecôte* : appelée aussi *la fête des moissons*, voir Ex 23.16 ; 34.22 ; Lév 23.15-21 ; Deut 16.9-12.

Seigneur, en sacrifices complets à la fumée odorante, deux taureaux, un bélier et
sept agneaux d'un an. 28 Chaque animal
sera accompagné d'une offrande de farine
pétrie avec de l'huile : offrande de neuf
kilos pour chaque taureau, de six kilos
pour le bélier, 29 et de trois kilos pour chacun des sept agneaux. 30 Vous offrirez également un bouc, afin qu'on effectue sur
vous le geste rituel du pardon des péchés.
31 Tous ces sacrifices s'ajouteront au sacrifice complet quotidien et à son offrande
végétale. Vous offrirez des animaux sans
défaut, avec les offrandes de vin pré-
vues. »

f. Pour le jour de l'Ovation

29 1 « Le premier jour du septième
mois[l], vous vous rassemblerez
pour adorer le Seigneur. Vous n'accomplirez pas votre travail ordinaire, car
c'est le jour de l'ovation. 2 Vous offrirez
au Seigneur, en sacrifices complets à la
fumée odorante, un taureau, un bélier et
sept agneaux d'un an, tous sans défaut.
3 Chaque animal sera accompagné d'une
offrande de farine pétrie avec de l'huile :
offrande de neuf kilos pour le taureau, de
six kilos pour le bélier, 4 et de trois kilos
pour chacun des sept agneaux. 5 Vous
m'offrirez également un bouc en sacrifice
pour obtenir le pardon : on pourra alors
effectuer sur vous le geste rituel du pardon des péchés. 6 Tous ces sacrifices
s'ajouteront au sacrifice complet quotidien et aux sacrifices complets du premier jour du mois, accompagnés des
offrandes de farine et de vin habituelles.
Le Seigneur appréciera la fumée odorante de ces sacrifices consumés. »

g. Pour le grand jour du Pardon des péchés

7 « Le dixième jour du septième mois,
vous vous rassemblerez pour adorer le
Seigneur, vous *jeûnerez et vous ne devrez faire aucun travail. 8 Vous offrirez au
Seigneur, en sacrifices complets à la fumée odorante, un taureau, un bélier et
sept agneaux d'un an, tous sans défaut.
9 Chaque animal sera accompagné d'une
offrande de farine pétrie avec de l'huile :
offrande de neuf kilos pour le taureau, de
six kilos pour le bélier, 10 et de trois kilos
pour chacun des sept agneaux. 11 Vous offrirez également un bouc en sacrifice
pour obtenir le pardon. Tous ces sacrifices s'ajouteront au sacrifice pour le pardon, offert selon le rituel spécial de ce
jour-là, le grand jour du pardon des péchés, et au sacrifice complet quotidien,
accompagné de ses offrandes de farine et
de vin[m]. »

h. Pour la fête des Huttes

12 « Le quinzième jour du septième
mois, vous vous rassemblerez pour adorer le Seigneur et vous n'accomplirez pas
votre travail ordinaire. Célébrez, durant
sept jours, une fête en l'honneur du Seigneur[n]. 13 Le premier jour, vous lui offrirez, en sacrifices consumés à la fumée
odorante, treize taureaux, deux béliers et
quatorze agneaux d'un an, tous sans défaut. 14 Chaque animal sera accompagné
d'une offrande de farine pétrie avec de
l'huile : offrande de neuf kilos pour chacun des treize taureaux, de six kilos pour
chacun des deux béliers, 15 et de trois kilos pour chacun des quatorze agneaux.
16 Vous offrirez également un bouc en sacrifice pour obtenir le pardon. Tous ces
sacrifices s'ajouteront au sacrifice
complet quotidien, accompagné de ses
offrandes de farine et de vin.
17-34 « Du deuxième au septième jour,
en plus du sacrifice complet quotidien,
vous offrirez en sacrifices des animaux
sans défaut, accompagnés des offrandes
habituelles. En voici la liste :

- deuxième jour : douze taureaux, deux béliers et quatorze agneaux d'un an, ainsi qu'un bouc ;
- troisième jour : onze taureaux, deux béliers et quatorze agneaux d'un an, ainsi qu'un bouc ;
- quatrième jour : dix taureaux, deux béliers et quatorze agneaux d'un an, ainsi qu'un bouc ;

---

l **29.1** Voir Lév 23.24 et la note.

m **29.11** V. 7-11 : voir Lév 16 ; 23.27-32.

n **29.12** Il s'agit de la *fête des Huttes*, appelée aussi *fête de la récolte*, voir Ex 23.16 ; 34.22 ; Lév 23.33-43 ; Deut 16.13-15.

cinquième jour : neuf taureaux, deux béliers et quatorze agneaux d'un an, ainsi qu'un bouc ;
sixième jour : huit taureaux, deux béliers et quatorze agneaux d'un an, ainsi qu'un bouc ;
septième jour : sept taureaux, deux béliers et quatorze agneaux d'un an, ainsi qu'un bouc.

35 « Le huitième jour de la fête, jour du rassemblement final, vous n'accomplirez pas votre travail ordinaire. 36 Vous offrirez au Seigneur, en sacrifices consumés à la fumée odorante, un taureau, un bélier et sept agneaux d'un an, tous sans défaut. 37 Chaque animal sera accompagné des offrandes de farine et de vin habituelles. 38 Vous offrirez également un bouc en sacrifice pour obtenir le pardon. Tous ces sacrifices s'ajouteront au sacrifice complet quotidien, accompagné de ses offrandes de farine et de vin.

39 « Tels sont les sacrifices que vous devrez offrir au Seigneur à l'occasion des jours de fête ; ils s'ajouteront aux sacrifices complets, aux offrandes de farine et de vin, et aux sacrifices de communion que vous pourrez lui présenter de manière spontanée ou pour accomplir un *vœu. »

30 1 Moïse[o] communiqua aux Israélites tous les ordres qu'il avait reçus du Seigneur.

Loi sur les vœux

2 Ensuite Moïse communiqua aux chefs des tribus israélites d'autres ordres du Seigneur : 3 « Quand un homme fait le *vœu de présenter une offrande au Seigneur, ou s'engage par un serment à s'abstenir de quelque chose, il ne doit pas manquer à sa parole, mais il doit agir scrupuleusement comme il l'a promis[p].

4 « Cependant, supposons qu'une jeune fille vivant encore chez son père s'engage envers le Seigneur par un vœu ou un serment. 5 Si son père ne lui dit rien au moment où il l'apprend, elle doit tenir ses engagements. 6 Si au contraire le père s'y oppose le jour même où il l'apprend, elle n'a pas à tenir ses engagements. Le Seigneur lui pardonnera, car son père l'a empêchée de tenir sa promesse.

7 « Supposons maintenant qu'une jeune fille prononce un vœu ou un serment inconsidéré. Ensuite elle se marie. 8 Si son mari ne lui dit rien le jour où il l'apprend, elle doit tenir ses engagements. 9 Si au contraire le mari s'y oppose le jour même où il l'apprend, il annule ainsi la promesse faite, et le Seigneur pardonnera à la femme de ne pas la tenir.

10 « Quand une veuve ou une divorcée fait un vœu, elle doit tenir son engagement.

11 « Par contre, supposons qu'une femme mariée fasse un vœu ou s'engage par un serment. 12 Si son mari ne formule pas d'opposition quand il l'apprend, elle doit tenir ses engagements. 13 Si au contraire le mari les annule le jour même où il l'apprend, elle n'a pas à tenir ses engagements. Le Seigneur lui pardonnera, car son mari a annulé la promesse faite. 14 Ainsi lorsqu'une femme fait un vœu ou s'engage à s'abstenir de quelque chose, le mari peut confirmer ou annuler ce qu'elle a promis. 15 Si le mari, un jour après l'avoir appris, n'a toujours rien dit à sa femme, il confirme par son silence les engagements qu'elle a pris. 16 Mais s'il décide de les annuler plus tard, il sera lui-même coupable de ce que sa femme ne tienne pas sa promesse. »

17 Telles sont les lois que le Seigneur a communiquées à Moïse au sujet des vœux prononcés par une femme mariée ou par une jeune fille célibataire habitant chez son père.

La guerre sainte contre les Madianites

31 1 Le Seigneur donna cet ordre à Moïse : 2 « Va punir les Madianites pour le mal qu'ils ont fait aux Israélites[q]. C'est après cela que tu quitteras ce monde. » 3 Alors Moïse dit au peuple : « Il faut que certains d'entre vous prennent leurs armes et aillent attaquer les Madia-

---

o **30.1** Dans certaines traductions, les v. 1-17 du chap. 30 sont numérotés 29.40–30.16.
p **30.3** Voir Deut 23.22-24 ; Matt 5.33.
q **31.2** Voir chap. 25, en particulier 25.17-18.

nites, afin de leur infliger la punition décidée par le Seigneur. 4 Désignez à cet effet mille combattants dans chaque tribu. »

5 On choisit dans les troupes d'Israël mille hommes par tribu, soit un total de douze mille soldats. 6 Moïse les envoya tous au combat, accompagnés du prêtre Pinhas, fils d'Élazar. Celui-ci emportait les objets sacrés, ainsi que les trompettes pour donner le signal du cri de guerre[r]. 7 Ils attaquèrent le pays de Madian, comme le Seigneur en avait donné l'ordre par l'intermédiaire de Moïse, et y massacrèrent tous les hommes. 8 Ils tuèrent aussi les cinq rois de Madian : Évi, Réquem, Sour, Hour et Réba, de même que Balaam, fils de Béor. 9 Ils firent prisonniers les femmes et les enfants des Madianites, et s'approprièrent leurs bêtes de somme, leurs troupeaux et tous leurs biens. 10 Ils incendièrent leurs villes et leurs campements, 11 puis s'en allèrent avec le butin, les gens et les bêtes dont ils s'étaient emparés. 12 Ils amenèrent le tout au camp situé dans les plaines de Moab, près du Jourdain et en face de Jéricho, pour le présenter à Moïse, au prêtre Élazar et à toute la communauté d'Israël.

13 Moïse, Élazar et les autres chefs de la communauté sortirent du camp pour les accueillir. 14 Moïse se mit en colère contre les commandants de régiments et de compagnies qui revenaient de cette campagne. Il leur dit : 15 « Quoi ! vous avez laissé la vie aux femmes ! 16 Vous le savez bien, pourtant, ce sont des femmes madianites qui, sur les conseils de Balaam, ont poussé les Israélites à commettre des fautes graves envers le Seigneur, lors de l'affaire de Péor[s] ; et à la suite de cela un fléau s'est abattu sur le peuple du Seigneur. 17 Eh bien maintenant, tuez tous les garçons, de même que toutes les femmes qui ont été mariées. 18 Mais vous pouvez garder pour vous toutes les filles encore vierges. 19 Tous ceux d'entre vous qui ont tué quelqu'un ou touché un cadavre doivent demeurer sept jours hors du camp ; ils devront se *purifier le troisième et le septième jour. Cet ordre concerne aussi vos prisonnières. 20 Vous purifierez également les vêtements, et tous les objets en peau, en poil de chèvre ou en bois. »

21 Puis le prêtre Élazar dit aux hommes qui avaient participé au combat : « Voici les règles que le Seigneur a communiquées à Moïse : 22 "Les objets en or, en argent, en cuivre, en fer, en étain ou en plomb, 23 c'est-à-dire les objets qui ne brûlent pas, vous les purifierez par le feu, puis vous les tremperez dans l'eau de purification[t]. Ce qui brûle, vous vous contenterez de le tremper dans l'eau de purification. 24 Après avoir lavé vos vêtements le septième jour, vous serez purs et vous pourrez regagner le camp." »

Le partage du butin

25 Le Seigneur dit à Moïse : 26 « Élazar et toi, avec l'aide des chefs de famille de la communauté, vous allez faire le compte de tout ce qui a été capturé, gens et bêtes. 27 Tu en feras ensuite deux parts égales, l'une pour ceux qui ont été mobilisés et ont pris part au combat, l'autre pour le reste de la communauté. 28 Sur la part attribuée aux combattants, tu retiendras pour moi une redevance qui s'élèvera à un être humain sur cinq cents, et à un animal sur cinq cents, en ce qui concerne les bœufs, les ânes, les moutons et les chèvres. 29 Tu remettras au prêtre Élazar la redevance ainsi prélevée pour moi. 30 Sur la part attribuée au reste des Israélites, tu retiendras un être humain sur cinquante, et un animal sur cinquante, en ce qui concerne les bœufs, les ânes, les moutons, les chèvres et les autres bêtes ; et tu remettras cette redevance aux *lévites, qui s'occupent de ma demeure sacrée. »

31 Moïse et Élazar exécutèrent l'ordre donné par le Seigneur à Moïse. 32 Du butin pris à l'ennemi par les combattants, il restait 675 000 moutons et chèvres,

---

r **31.6** *les objets sacrés* : peut-être l'Ourim et le Toummim (voir Ex 28.30 et la note) ; *les trompettes* : voir 10.9.

s **31.16** Le texte hébreu de ce verset n'est pas très clair. – *sur les conseils de Balaam* : le chap. 25 (*l'affaire de Péor*) ne mentionne pas ce rôle de Balaam.

t **31.23** *l'eau de purification* : voir 19.9.

[33] 72 000 bœufs, [34] 61 000 ânes [35] et 32 000 filles encore vierges. [36] La part attribuée aux combattants fut la suivante : 337 500 moutons et chèvres, [37] dont 675 furent prélevés pour le Seigneur ; [38] 36 000 bœufs, dont 72 pour le Seigneur ; [39] 30 500 ânes, dont 61 pour le Seigneur ; [40] 16 000 êtres humains, dont 32 pour le Seigneur. [41] Moïse remit au prêtre Élazar la redevance destinée au Seigneur, selon l'ordre reçu. [42-43] La part attribuée au reste de la communauté d'Israël était l'équivalent de celle des combattants. Elle comprenait 337 500 moutons et chèvres, [44] 36 000 bœufs, [45] 30 500 ânes [46] et 16 000 êtres humains. [47] Sur la part attribuée aux Israélites, Moïse préleva une redevance d'un être humain sur cinquante, et d'une bête sur cinquante ; et, selon l'ordre qu'il avait reçu du Seigneur, il la remit aux lévites, qui s'occupent de la demeure du Seigneur.

Une offrande volontaire pour Dieu

[48] Les chefs militaires, commandants de régiments et de compagnies, se réunirent auprès de Moïse [49] et ils lui dirent : « Nous avons fait le compte des combattants placés sous nos ordres : il n'en manque aucun. [50] C'est pourquoi nous apportons des offrandes pour le Seigneur, afin que nos vies soient préservées ; chacun de nous offre les objets d'or qu'il a trouvés : chaînettes, bracelets, anneaux, boucles d'oreille et colliers. »

[51] Moïse et le prêtre Élazar acceptèrent tous les objets d'or ouvragés qu'ils apportèrent. [52] Le poids total des objets offerts au Seigneur par les officiers fut d'environ 170 kilos. [53] Quant aux simples soldats, chacun garda pour lui-même le butin qu'il avait ramassé. [54] Moïse et Élazar déposèrent tous les objets d'or offerts par les officiers dans la *tente de la rencontre, afin que le Seigneur n'oublie pas les Israélites.

Trois tribus s'installent à l'est du Jourdain

32 [1] Les descendants de Ruben et de Gad possédaient des troupeaux nombreux et importants. Ils constatèrent que la région de Yazer et le pays de Galaad[u] convenaient bien à l'élevage du bétail. [2] C'est pourquoi ils allèrent trouver Moïse, le prêtre Élazar et les chefs de la communauté ; ils leur dirent : [3] « Les villes d'Ataroth, Dibon, Yazer, Nimra, Hèchebon, Élalé, Sebam, Nébo et Béon font partie [4] du territoire que les Israélites ont conquis avec l'aide du Seigneur. La région convient à l'élevage du bétail, et nous avons justement des troupeaux. » [5] Et ils ajoutèrent : « Si tu es d'accord avec notre suggestion, Moïse, permets qu'on nous donne en partage cette région ; ne nous emmène pas de l'autre côté du Jourdain. »

[6] Moïse leur répondit : « Comment ? Vos compatriotes iraient se battre tandis que vous resteriez tranquillement ici ? [7] Pourquoi voulez-vous décourager les Israélites de se rendre dans le pays que le Seigneur leur a donné ? [8] Vos pères ont commis la même faute autrefois, lorsque, de Cadès-Barnéa, je les ai envoyés explorer le pays de Canaan. [9] Ils se sont rendus dans le vallon d'Èchekol, ils ont exploré la région, et au retour ils ont découragé les autres Israélites de se rendre dans le pays que le Seigneur leur avait par avance donné[v]. [10] Ce jour-là le Seigneur s'est mis en colère et a déclaré solennellement : [11] "Aucun des hommes qui sont sortis d'Égypte et sont âgés de vingt ans et plus ne verra la terre que j'ai promise à Abraham, à Isaac et à Jacob, car ils ne m'ont pas obéi fidèlement. [12] Seuls Caleb, fils de Yefounné, du clan de Quenaz, et Josué, fils de Noun, y entreront, car ils me sont restés fidèles." [13] Ainsi, continua Moïse, le Seigneur s'est mis en colère contre les Israélites et il les a obligés à passer quarante ans dans le désert, jusqu'à la disparition de toute la génération dont la conduite lui avait déplu[w]. [14] Et maintenant, bande de pécheurs, vous voulez suivre les traces de vos pères et raviver la colère du Seigneur envers Israël ! [15] Si

---

u 32.1 *la région de Yazer* et *le pays de Galaad* sont deux territoires situés à l'est du Jourdain, séparés par le torrent du Yabboc.

v 32.9 V. 8-9 : voir 13.17-33.

w 32.13 V. 10-13 : voir 14.26-35.

vous, hommes de Ruben et de Gad, vous
êtes infidèles au Seigneur, il prolongera le
séjour du peuple d'Israël dans le désert;
vous aurez ainsi causé sa perte.»

16 Ces hommes s'approchèrent encore
de Moïse et lui dirent: «Non! Nous allons construire ici des enclos pour nos
troupeaux et des villes fortifiées pour
nos familles. 17 Ensuite nous nous em-
presserons de prendre les armes et nous
passerons en tête des autres Israélites
pour les mener dans le pays qui leur est
attribué. Pendant ce temps, nos familles
seront dans des villes fortifiées, à l'abri
des habitants de ce pays. 18 Nous reviendrons chez nous seulement quand chaque Israélite sera installé sur ses terres.
19 Nous renonçons à posséder comme
eux des terres de l'autre côté du Jourdain, si nous recevons notre territoire de
ce côté, à l'est de la rivière.» – 20 «Eh
bien, tenez votre promesse! leur dit
Moïse. Prenez vos armes pour aller
combattre sous les ordres du Seigneur;
21 que tous les hommes ainsi équipés passent de l'autre côté du Jourdain, comme
il le veut; qu'ils y restent jusqu'à ce que
le Seigneur ait dépossédé ses ennemis
22 et que le pays soit soumis à son autorité. Après quoi vous pourrez rentrer
chez vous, car vous serez sans reproches
envers le Seigneur et envers les autres Israélites. Alors le pays situé de ce côté-ci
du Jourdain vous appartiendra, avec
l'accord du Seigneur. 23 Mais si vous
n'agissez pas ainsi, vous commettrez un
péché envers le Seigneur, et vous en subirez les conséquences, sachez-le bien.
24 Construisez des villes pour vos familles et des enclos pour vos moutons et vos
chèvres, mais n'oubliez pas de tenir votre promesse.» – 25 «Nous ferons ce que
tu viens de nous ordonner, répondirent
les hommes de Ruben et de Gad. 26 Nous
laisserons nos enfants, nos femmes, nos
troupeaux et nos bêtes de somme ici
dans les villes de Galaad; 27 de notre
côté, nous prendrons les armes et mar-
cherons au combat sous les ordres du
Seigneur, comme tu l'as dit.»

28 Moïse donna des ordres à leur sujet
au prêtre Élazar, à Josué, fils de Noun, et
aux chefs de familles des diverses tribus
d'Israël. 29 Voici ce qu'il leur dit: «Si les
hommes de Gad et de Ruben prennent
leurs armes, passent le Jourdain en même
temps que vous et marchent au combat
sous les ordres du Seigneur, s'ils vous aident à soumettre le pays, vous leur accorderez comme territoire le pays de
Galaad. 30 Mais s'ils ne le font pas, ils devront recevoir des terres avec vous dans
le pays de Canaan.» 31 Les hommes de
Gad et de Ruben affirmèrent encore une
fois: «Nous ferons ce que le Seigneur
nous a dit! 32 Nous prendrons les armes
et nous pénétrerons dans le pays de Canaan sous les ordres du Seigneur, afin de
recevoir notre part de territoire de ce
côté-ci du Jourdain[x].»

33 Moïse accorda aux tribus de Gad et
de Ruben, et à la moitié de la tribu de
Manassé, fils de Joseph, le territoire de
Sihon, roi des *Amorites, et d'Og, roi du
*Bachan, y compris les villes avec les
terres voisines.

34 Les descendants de Gad rebâtirent
les villes de Dibon, Ataroth, Aroër,
35 Atroth-Chofan, Yazer, Yogboha,
36 Beth-Nimra et Beth-Haran; ils en firent des villes fortifiées. Ils construisirent aussi des enclos pour leurs
troupeaux.

37 Les descendants de Ruben rebâtirent Hèchebon, Élalé, Quiriataïm,
38 Nébo, Baal-Méon et Sibma, et ils donnèrent de nouveaux noms à certaines des
villes qu'ils avaient rebâties.

39 Les descendants de Makir, fils de
Manassé, gagnèrent la région de Galaad
et s'en emparèrent. Ils en chassèrent les
Amorites qui l'habitaient. 40 Alors Moïse
leur accorda ce territoire pour qu'ils s'y
installent. 41 Les descendants de Yaïr, un
autre fils de Manassé, allèrent s'emparer
des villages des Amorites, et ils les appelèrent "villages de Yaïr". 42 Enfin Noba
alla s'emparer de Quenath et des villages
voisins; et il donna à la ville son propre
nom, Noba.

x **32.32** V. 28-32: voir Jos 1.12-15.

Les étapes depuis la sortie d'Égypte

33 1 Voici les étapes que parcoururent les Israélites, lorsqu'ils quittèrent l'Égypte en bon ordre, sous la conduite de Moïse et d'Aaron. 2 Moïse avait noté les endroits où ils s'arrêtaient, sur l'ordre du Seigneur, et d'où ils repartaient. En voici la liste[y] :

3 Le quinzième jour du premier mois de l'année, le lendemain de la première *Pâque, les Israélites quittèrent Ramsès ; ils partirent sous les yeux des Égyptiens, comme s'ils étaient déjà libres[z]. 4 Les Égyptiens enterraient alors leurs premiers-nés, qui étaient tous morts frappés par le Seigneur. En effet, le Seigneur avait exécuté ainsi sa sentence contre les dieux de l'Égypte. 5 De Ramsès, les Israélites se rendirent à Soukoth. 6 De Soukoth, ils gagnèrent Étam, en bordure du désert. 7 D'Étam, ils revinrent jusqu'à Pi-Hahiroth, qui se trouve en face de Baal-Sefon, et ils installèrent leur camp en dessous de Migdol. 8 De Pi-Hahiroth[a], ils traversèrent la mer et gagnèrent le désert ; ils firent trois jours de marche dans le désert d'Étam et arrivèrent à Mara. 9 De Mara, ils gagnèrent Élim, où se trouvent douze sources et soixante-dix palmiers, et ils y installèrent leur camp. 10 D'Élim, ils allèrent camper près de la *mer des Roseaux. 11 De la mer des Roseaux, ils gagnèrent le désert de Sin. 12 Du désert de Sin, ils se rendirent à Dofca, 13 de Dofca à Alouch, 14 et d'Alouch à Refidim, où le peuple ne trouva pas d'eau à boire.

15 De Refidim, ils se rendirent dans le désert du Sinaï, 16 du désert à Quibroth-Taava, 17 de Quibroth-Taava à Hasséroth, 18 de Hasséroth à Ritma, 19 de Ritma à Rimmon-Pérès, 20 de Rimmon-Pérès à Libna, 21 de Libna à Rissa, 22 de Rissa à Quehélata, 23 de Quehélata au mont Chéfer, 24 du mont Chéfer à Harada, 25 de Harada à Maquéloth, 26 de Maquéloth à Tahath, 27 de Tahath à Téra, 28 de Téra à Mitca, 29 de Mitca à Hachemona, 30 de Hachemona à Mosséroth, 31 de Mosséroth à Bené-Yacan, 32 de Bené-Yacan à Hor-Guidgad, 33 de Hor-Guidgad à Yotbata, 34 de Yotbata à Abrona, 35 d'Abrona à Ession-Guéber, 36 d'Ession-Guéber à Cadès, dans le désert de Tsin, 37 et de Cadès à la montagne de Hor, près de la frontière d'Édom.

38-39 Sur l'ordre du Seigneur, le prêtre Aaron monta sur la montagne de Hor. Il mourut là, à l'âge de cent vingt-trois ans, le premier jour du cinquième mois, quarante ans après que les Israélites eurent quitté l'Égypte[b]. 40 C'est alors que le roi d'Arad, un Cananéen habitant le sud du pays, apprit l'arrivée des Israélites[c].

41 De la montagne de Hor, les Israélites se rendirent à Salmona, 42 de Salmona à Pounon, 43 de Pounon à Oboth, 44 d'Oboth à Yé-Abarim, à la frontière de Moab, 45 de Yé-Abarim à Dibon-Gad, 46 de Dibon-Gad à Almon-Diblataïm, 47 d'Almon-Diblataïm aux monts Abarim, en face du mont Nébo, 48 et des monts Abarim aux plaines de Moab, près du Jourdain et en face de Jéricho. 49 Ils installèrent leur camp dans les plaines de Moab, près du Jourdain, entre Beth-Yechimoth et Abel-Chittim.

Ordres du Seigneur pour le partage de Canaan

50 Dans les plaines de Moab, près du Jourdain et en face de Jéricho, le Seigneur ordonna à Moïse 51 de dire ceci aux Israélites : « Quand vous aurez traversé le Jourdain et pénétré dans le pays de Canaan, 52 vous chasserez devant vous tous les habitants du pays, vous détruirez toutes les statues de pierre ou de métal représentant leurs dieux, et vous démolirez leurs lieux sacrés. 53 Vous prendrez possession de leur territoire et vous vous y installerez, car je vous l'ai donné, il vous appartient. 54 Vous tirerez au sort pour le

---

y **33.2** Certains noms de lieux donnés dans ce chapitre figurent ailleurs dans l'Exode ou dans les Nombres ; d'autres ne se trouvent qu'ici. Beaucoup sont difficiles à localiser.

z **33.3** *déjà libres* : autre traduction *sous la protection de Dieu* ; voir Ex 14.8 et la note.

a **33.8** *De Pi-Hahiroth* : d'après quelques manuscrits hébreux et plusieurs versions anciennes ; texte hébreu traditionnel *De Pené-Hahiroth*.

b **33.38-39** Voir 20.22-28 ; Deut 10.6.

c **33.40** Voir 21.1.

répartir entre vos tribus et vos clans ;
vous assignerez aux clans des territoires
plus ou moins vastes, selon leur importance, et chaque clan acceptera la part
que le sort lui aura attribuée[d]. 55 Mais si
vous ne chassez pas devant vous tous les
habitants du pays, ceux que vous aurez
laissés subsister vous feront souffrir
comme des ronces aveuglant les yeux ou
des épines déchirant le dos. Ils vous har-
cèleront dans le pays même où vous serez
installés. 56 Et c'est vous que je traiterai
comme j'avais résolu de les traiter. »

Les frontières de Canaan

34 1 Le Seigneur ordonna à Moïse
2 de transmettre aux Israélites les
directives suivantes : « Vous allez pénétrer dans le pays de Canaan. C'est le pays
qui vous est attribué en possession à l'intérieur des frontières que voici :
3 « Au sud, votre territoire sera limité par
le désert de Tsin et le pays d'Édom. La
frontière partira, à l'est, de l'extrémité
sud de la mer Morte. 4 Elle tournera au
sud de la montée des Scorpions, se dirigera vers Tsin, passera au sud de Cadès-
Barnéa, puis par Hassar-Addar et
Asmon. 5 A Asmon, elle tournera de
nouveau pour rejoindre le torrent
d'Égypte[e] et aboutir à la mer Méditerranée.
6 « A l'ouest, la frontière sera constituée
par la mer Méditerranée.
7 « Au nord, vous tracerez la frontière entre la mer Méditerranée et la montagne
de Hor[f]. 8 De la montagne de Hor, vous la
ferez passer par Lebo-Hamath et Sedad.
9 Elle continuera par Zifron pour aboutir
à Hassar-Énan. Telle sera votre frontière
nord.
10 « A l'est, vous tracerez la frontière en
partant de Hassar-Énan en direction de
Chefam. 11 De là, elle se dirigera sur Harbéla[g], à l'est de Aïn, puis, plus loin, elle
ira toucher les pentes situées à l'est du lac
de Génésareth, 12 et rejoindra le cours du
Jourdain pour aboutir à la mer Morte.
« Telles seront les limites de votre pays. »
13 Moïse transmit ces directives aux Israélites. Il leur dit ensuite : « Voilà le pays
que le Seigneur a ordonné de répartir par
tirage au sort entre les neuf tribus et demie[h]. 14 En effet, les familles de Ruben et
de Gad, et la moitié de la tribu de Manassé ont déjà reçu leur territoire : 15 la
part attribuée à ces deux tribus et demie
se trouve en face de Jéricho, sur la rive
opposée du Jourdain, à l'est[i]. »

Liste des responsables du partage

16 Le Seigneur dit à Moïse : 17 « Le prêtre Élazar, et Josué fils de Noun, procéde-
ront au partage du pays. 18 Pour les aider
dans ce travail, vous leur adjoindrez un
responsable de chaque tribu. 19 En voici
la liste :
tribu de Juda : Caleb, fils de Yefounné ;
20 tribu de Siméon : Chemouel, fils d'Ammihoud ;
21 tribu de Benjamin : Élidad, fils de Kis-
lon ;
22 tribu de Dan : Bouqui, fils de Yogli ;
23 tribu de Manassé, fils de Joseph : Hanniel, fils d'Éfod ;
24 tribu d'Éfraïm, fils de Joseph : Quemouel, fils de Chiftan ;
25 tribu de Zabulon : Élissafan, fils de
Parnak ;
26 tribu d'Issakar : Paltiel, fils d'Azan ;
27 tribu d'Asser : Ahihoud, fils de Che-
lomi ;
28 tribu de Neftali : Pedahel, fils d'Ammihoud. »
29 Tels furent ceux que le Seigneur désigna pour procéder au partage du pays
de Canaan entre les tribus d'Israël.

Les villes lévitiques

35 1 Le Seigneur parla à Moïse, dans
les plaines de Moab, près du Jourdain et en face de Jéricho. Voici ce qu'il
lui dit : 2 « Ordonne aux Israélites de don-

---

d 33.54 Voir 26.52-56 ; 34.13 ; Jos 14.1-2.

e 34.5 *torrent d'Égypte* : probablement le wadi Arich, torrent qui se jette dans la Méditerranée, à 80 km environ au sud de Gaza.

f 34.7 Montagne non identifiée, mais en tout cas différente de celle mentionnée en 20.22-29 et en 33.37-41.

g 34.11 *Harbéla* : d'après l'ancienne version grecque ; texte hébreu traditionnel : *Ribla*.

h 34.13 Voir 26.52-56 ; 33.54 ; Jos 14.1-2.

i 34.15 Voir 32.33.

ner aux *lévites des villes choisies dans leur territoire, afin que ceux-ci puissent y habiter[j]. Qu'ils leur donnent également les pâturages voisins. 3 Les lévites s'installeront dans les villes, et disposeront des terres d'alentour pour le bétail et toutes les autres bêtes qu'ils possèdent. 4-5 Ces pâturages s'étendront sur cinq cents mètres au-delà des murailles, en direction de l'est, du sud, de l'ouest et du nord ; vous délimiterez ainsi un carré mesurant mille mètres de côté, avec la ville au centre. 6 On donnera aux lévites les six villes de refuge où peut s'enfuir celui qui a tué involontairement quelqu'un[k] et quarante-deux autres villes. 7 Cela fera en tout quarante-huit villes, avec les pâturages voisins. 8 Chaque tribu leur fournira un nombre de villes proportionnel à l'importance de son territoire : une grande tribu en fournira plus, une petite moins. »

Les villes de refuge

9 Le Seigneur dit à Moïse 10 de communiquer aux Israélites les prescriptions suivantes : « Lorsque vous aurez passé le Jourdain et serez entrés dans le pays de Canaan, 11 vous choisirez certaines villes comme villes de refuge. Là pourra s'enfuir celui qui aura tué une personne accidentellement[l] ; 12 il échappera ainsi à l'homme chargé de venger la victime[m], et ne sera pas mis à mort avant d'avoir été jugé par la communauté. 13 Il y aura six villes de refuge, 14 trois à l'est du Jourdain et trois dans le pays de Canaan. 15 Toute personne, Israélite, étranger, ou hôte de passage parmi les Israélites, qui a tué involontairement quelqu'un pourra se réfugier dans l'une de ces six villes.

16 « Si un meurtre a été commis au moyen d'un objet en métal, l'auteur est un assassin et doit être mis à mort. 17 Si le coup a été porté au moyen d'une pierre propre à causer la mort, l'auteur du meurtre est un assassin et doit être mis à mort. 18 Si le coup a été porté au moyen d'un objet en bois propre à causer la mort, l'auteur du meurtre est un assassin et doit être mis à mort. 19 C'est l'homme chargé de venger la victime qui tuera l'assassin, dès qu'il le trouvera. 20 Si le meurtrier a tué sa victime en la bousculant avec haine, en lui lançant un projectile avec de mauvaises intentions, 21 ou en la frappant méchamment d'un coup de poing, c'est un assassin et il doit être mis à mort ; l'homme chargé de venger la victime le tuera dès qu'il le trouvera.

22 « Cependant, il peut arriver qu'un homme cause la mort de quelqu'un en le bousculant, mais sans préméditation et sans hostilité, ou en l'atteignant avec un projectile, mais sans mauvaises intentions. 23 Il peut également laisser tomber sur quelqu'un qu'il n'a pas vu une pierre propre à le tuer, sans être l'ennemi de la victime et sans lui vouloir du mal. 24 La communauté suivra les règles relatives à ces cas-là pour prononcer un jugement dans l'affaire qui oppose l'auteur de l'accident mortel et le vengeur de la victime. 25 Elle protégera l'auteur de l'accident contre le vengeur en le ramenant dans la ville où il s'était réfugié.

« L'auteur de l'accident mortel devra rester dans la ville de refuge jusqu'à la mort du grand-prêtre, qui a été consacré au moyen de l'huile d'onction. 26 Mais s'il vient à quitter les limites de la ville de refuge 27 et que l'homme chargé de venger la victime le trouve, celui-ci pourra le tuer sans se rendre coupable d'un assassinat. 28 En effet l'auteur de l'accident doit demeurer dans la ville de refuge jusqu'à la mort du grand-prêtre. C'est seulement après celle-ci qu'il peut regagner ses terres.

29 « Vous appliquerez cette procédure en tout temps et quel que soit l'endroit où vous habiterez.

30 « Dans toute affaire de meurtre, le meurtrier ne sera condamné à mort que sur la déposition de plusieurs témoins.

---

j **35.2** Comparer Lév 25.32-34 ; Jos 21.1-42 ; 1 Chron 6.39-66.

k **35.6** Voir 35.9-34.

l **35.11** Comparer Deut 4.41-43 ; 19.1-13 ; Jos 20.1-9.

m **35.12** D'après Gen 9.6 ; Ex 21.23-25 ; Lév 24.19-21 ; Deut 19.21, la mort d'un homme appelait la mort de celui qui l'avait tué ; en fait un proche parent de *la victime* avait le devoir de *venger* le défunt en faisant mourir le responsable de cette mort.

Un seul témoin ne suffira pas[n]. 31 Vous
n'accepterez pas d'argent en échange de
la vie d'un meurtrier qui mérite la mort :
il doit mourir. 32 Vous n'accepterez pas
non plus d'argent pour laisser un homme
s'enfuir dans une ville de refuge, et retourner ensuite s'établir dans ses terres,
avant la mort du grand-prêtre.

33 « Vous ne devrez pas souiller le pays
que vous habiterez : or un meurtre
souille le pays, et lorsqu'un homme a été
assassiné, le pays ne peut être *purifié
que par la mort de l'assassin. 34 Vous veillerez donc à ne pas rendre impur le pays
que vous habiterez et dans lequel je demeurerai moi-même au milieu de vous.
Oui, moi, le Seigneur, je demeure au
milieu des Israélites. »

Règles pour le mariage des femmes qui héritent

36 1 Des descendants de Joseph, les
chefs de famille du clan de Galaad,
fils de Makir et petits-fils de Manassé,
vinrent trouver Moïse et les chefs de tribus israélites. 2 Ils dirent : « Moïse, lorsque le Seigneur t'a ordonné de partager le
pays entre les tribus d'Israël par tirage au
sort, il t'a ordonné également d'accorder
la part de territoire de notre frère Selofad
à ses filles[o]. 3 Si maintenant elles épou-
sent des hommes d'une autre tribu d'Israël, leur part sera retranchée de celle de
notre tribu et s'ajoutera au territoire de
leur nouvelle tribu. Ainsi la part qui nous
a été attribuée par le sort sera diminuée.
4 Et lors de l'année du "Jubilé"[p], leur part
passera définitivement de notre tribu à
leur nouvelle tribu. »

5 Sur l'ordre du Seigneur, Moïse
communiqua aux Israélites les prescriptions suivantes : « Ces descendants de Joseph ont raison. 6 Voici donc ce que le
Seigneur ordonne concernant les filles de
Selofad : Elles pourront épouser qui bon
leur semblera, à condition que ce soit
quelqu'un d'un clan de leur tribu paternelle. 7 Ainsi les terres d'Israël ne passeront pas d'une tribu à une autre ; chaque
Israélite restera fermement attaché au
territoire de sa tribu. 8 Si, dans l'une des
tribus, une femme reçoit des terres en héritage, elle devra épouser quelqu'un d'un
clan de sa tribu paternelle, afin que chaque tribu israélite conserve le territoire
reçu de ses ancêtres. 9 De cette manière
les terres ne passeront pas d'une tribu à
une autre ; chaque tribu d'Israël restera
fermement attachée à son territoire. »

10 Les filles de Selofad obéirent à l'ordre que le Seigneur avait donné à Moïse :
11 Mala, Tirsa, Hogla, Milka et Noa épousèrent des fils de leurs oncles paternels,
12 donc des descendants de Manassé, fils
de Joseph ; de cette façon les terres qu'elles avaient héritées restèrent dans la tribu
de leur père.

13 Tels sont les commandements et les
règles que le Seigneur communiqua aux
Israélites, par l'intermédiaire de Moïse,
dans les plaines de Moab, sur la rive du
Jourdain et en face de Jéricho.

---

n **35.30** Voir Deut 17.6 ; 19.15 ; Matt 18.16 ; 2 Cor 13.1 ; 1 Tim 5.19 ; Hébr 10.28.
o **36.2** Voir 27.1-11.
p **36.4** Voir Lév 25.8-54.

Deutéronome

***Introduction** – La fin du livre des Nombres nous présente le peuple d'Israël arrivé au seuil du pays promis. Le livre du* Deutéronome, *qui lui fait suite, contient d'abord trois discours que Moïse adresse aux Israélites (1.1–4.43 ; 4.44–28.68 ; 28.69–30.20). Moïse y rappelle les œuvres que Dieu, dans son amour inlassable, a accomplies en faveur de son peuple : il a conclu une *alliance avec lui, il l'a conduit durant les quarante ans de la traversée du désert, il l'a protégé contre ses ennemis et lui a communiqué ses commandements et ses promesses. Pourtant il ne s'agit pas d'une simple répétition d'événements ou de lois déjà connus par les livres précédents : Moïse y parle comme un vibrant prédicateur qui, avec chaleur, invite ses auditeurs à se souvenir de la fidélité du Seigneur et à choisir par conséquent la vie en communion avec lui, le vrai Dieu. « Écoute, peuple d'Israël : Le Seigneur, le Seigneur seul est notre Dieu. Tu dois aimer le Seigneur ton Dieu de tout ton cœur, de toute ton âme et de toute ta force » (6.4-5, cité en Matt 22.37). Ce texte constitue le début du* Shema, *profession de foi et prière quotidienne des croyants israélites.*

Les quatre derniers chapitres du livre contiennent deux textes poétiques et deux récits : d'une part, le chant de louange appelé « cantique de Moïse » (chap.32) ; d'autre part, le texte montrant comment Josué est désigné comme successeur de Moïse pour conduire Israël dans le pays promis (chap.31), et le récit de la mort de Moïse (chap.34).

La partie centrale du Deutéronome est probablement ce « livre de la loi », qui fut retrouvé au temple de Jérusalem sous le règne de Josias (2 Rois 22) et inspira la réforme religieuse entreprise par ce jeune roi. On perçoit encore les échos de son message dans plusieurs livres de l'Ancien Testament (Rois, Jérémie) et jusque dans le Nouveau Testament (par exemple Matt 4.4,7,10 ; Marc 12.32).

Au lecteur d'aujourd'hui comme à celui d'autrefois, le Deutéronome rappelle que le bonheur auquel tout homme aspire ne se trouve réellement que dans l'obéissance fidèle au Dieu sauveur et libérateur, en tout lieu et en toute circonstance.

PREMIER DISCOURS DE MOÏSE
1–4

1 1 Ce livre rapporte les discours que
Moïse adressa à tous les Israélites,
alors qu'ils étaient encore à l'est du Jourdain,
dans la plaine désertique située près
de Souf, entre Paran d'une part, et Tofel,
Laban, Hasséroth et Di-Zahab[a] d'autre
part. 2 – Du mont *Horeb à Cadès-Barnéa,
il y a onze jours de marche en suivant
la route qui mène à la région
montagneuse de Séir[b]. – 3 C'est quarante
ans après la sortie d'Égypte, le premier
jour du onzième mois, que Moïse transmit
aux Israélites tout ce que le Seigneur
lui avait ordonné de leur communiquer.

a **1.1** *Souf... Di-Zahab* : localités non identifiées.
b **1.2** *Cadès-Barnéa* : voir Nomb 13.26 et la note. – *Séir* : autre nom du pays d'Édom.

4 Cela se passait après que Moïse eut remporté une victoire d'abord sur Sihon, roi des *Amorites, qui résidait à Hèchebon, puis, à Édréi, sur Og, roi du *Bachan, qui résidait à Achetaroth[c].

5 A l'est du Jourdain, dans le pays de Moab, Moïse commença donc à enseigner la loi de Dieu. Voici ses paroles :

Dieu donne à Israël l'ordre de départ

6 Lorsque nous étions au mont *Horeb, le Seigneur notre Dieu nous a parlé ainsi : « Vous êtes restés assez longtemps au pied de cette montagne. 7 Remettez-vous en route maintenant ; gagnez la région montagneuse où demeurent les *Amorites, ainsi que les territoires voisins habités par les Cananéens, à savoir la plaine du Jourdain, la région des collines, le *Bas-Pays, la partie méridionale et la région côtière ; continuez même jusqu'aux montagnes du Liban et jusqu'à l'Euphrate, le grand fleuve[d]. 8 Voyez, je vous accorde ce pays. Allez en prendre possession, car c'est le pays que moi, le Seigneur, j'ai promis de donner à vos ancêtres Abraham, Isaac et Jacob, et à leurs descendants après eux. »

Moïse institue des juges

9 Alors, continua Moïse, je vous ai déclaré : « Je ne veux plus porter seul[e] la responsabilité de vous diriger. 10 Le Seigneur votre Dieu vous a multipliés, vous êtes maintenant aussi nombreux que les étoiles dans le ciel. 11 Je souhaite que le Seigneur, le Dieu de vos ancêtres, vous rende encore mille fois plus nombreux et vous *bénisse comme il l'a promis ! 12 Mais comprenez bien qu'il m'est impossible de porter seul la charge de régler vos problèmes, vos réclamations et vos disputes. 13 Choisissez donc parmi vous, dans chaque tribu, des hommes sages, compétents et de bonne réputation, et j'en ferai des responsables du peuple. » 14 Vous m'avez répondu que cette proposition était judicieuse. 15 Pour vous diriger, j'ai alors rassemblé les hommes sages et de bonne réputation qui avaient déjà des responsabilités dans vos tribus ; j'ai désigné les uns comme chefs de groupes de mille, de cent, de cinquante ou de dix hommes, et j'ai confié aux autres des tâches de surveillance dans chaque tribu. 16 Par la même occasion, j'ai donné les directives suivantes à ceux qui devaient rendre la justice parmi vous : « Examinez les causes que vos compatriotes vous soumettent, et rendez des jugements équitables dans les affaires opposant un Israélite et un de ses compatriotes ou un résident étranger. 17 Ne favorisez personne dans un jugement ; écoutez avec impartialité les gens simples et les personnages importants. Ne vous laissez impressionner par personne, car vous devez juger au nom de Dieu. Si une affaire est trop difficile pour vous, venez me la soumettre et je l'examinerai. » 18 A cette occasion-là, je vous ai indiqué tout ce que vous deviez faire.

Désobéissance d'Israël au seuil du pays promis

19 Après cela, sur l'ordre du Seigneur notre Dieu, nous avons quitté le mont *Horeb et nous avons traversé l'immense et redoutable désert que vous connaissez, en suivant la route qui conduit à la région montagneuse habitée par les *Amorites. Lorsque nous avons atteint Cadès-Barnéa[f], 20 je vous ai dit : « Vous voici arrivés près de la région montagneuse des Amorites, que le Seigneur notre Dieu nous donne. 21 Regardez, le Seigneur votre Dieu déploie ce pays devant vous. En route, allez vous en emparer, comme le Seigneur, le Dieu de vos ancêtres, vous l'a ordonné. Soyez courageux et forts ! »

22 Alors vous êtes tous venus me trouver en disant : « Envoyons des hommes en reconnaissance pour explorer le pays. Ils auront pour mission de nous faire rapport sur les chemins à suivre et sur les

---

c **1.4** Voir Nomb 21.21-35. – *Moïse* : autre traduction *le Seigneur* (l'hébreu a simplement ici un pronom de la 3e personne du singulier). – *à Édréi...* : les anciennes versions ont lu *sur Og, roi... à Achetaroth ou à Édréi*, comme en Jos 12.4.

d **1.7** Voir Jos 1.4 et la note.

e **1.9** Voir Ex 18.13-26.

f **1.19** V. 19-46 : voir Nomb 13.1–14.45. – *Cadès-Barnéa* : voir Nomb 13.26 et la note.

villes où nous arriverons. » 23 Votre proposition m'a paru judicieuse ; c'est pourquoi j'ai désigné douze hommes parmi vous, un de chaque tribu. 24 Ils ont pris la direction de la région montagneuse et ils ont gagné le vallon d'Èchekol[g], qu'ils ont exploré. 25 Ils y ont cueilli des fruits du pays et nous les ont rapportés. Ils nous ont déclaré : « Le pays que le Seigneur notre Dieu va nous donner est un bon pays. » 26 Pourtant vous avez désobéi aux ordres du Seigneur votre Dieu en refusant d'y aller. 27 Vous avez protesté à l'intérieur de vos tentes en déclarant : « C'est par haine envers nous que le Seigneur nous a fait sortir d'Égypte. Il veut nous livrer au pouvoir des Amorites pour nous exterminer ! 28 Pourquoi irions-nous là-bas ? Nous n'en avons pas le courage, car nos frères nous ont affirmé que les habitants de ce pays sont plus forts et plus nombreux que nous, et que les villes sont imposantes, avec des murailles qui s'élèvent jusqu'au ciel. Ils y ont même vu des descendants du géant Anac[h] ! »

29 « Ne tremblez pas, ne les craignez pas ! vous ai-je répondu. 30 Le Seigneur votre Dieu, qui marche devant vous, combattra pour vous, comme il l'a déjà fait sous vos yeux, soit en Égypte, 31 soit dans le désert. Vous l'avez constaté : il vous a portés, comme un homme porte son enfant, tout au long du voyage qui vous a amenés en ce lieu. » 32 Mais, à ce moment-là, vous n'avez pas fait confiance au Seigneur votre Dieu. 33 Pourtant c'est lui qui vous précédait sur la route, pour vous chercher un emplacement de camp ; de nuit il était présent dans la colonne de feu qui éclairait le chemin à suivre, et de jour dans la colonne de fumée.

34 Le Seigneur a entendu vos plaintes. Dans sa colère, il a déclaré : 35 « Je jure qu'aucun des hommes de cette génération mauvaise n'entrera dans le bon pays que j'ai promis de donner à leurs ancêtres. 36 Seul Caleb, fils de Yefounné, le verra ; je lui donnerai, pour lui et ses descendants, la région qu'il a parcourue, parce qu'il a été fidèle envers moi. »

37 A cause de vous, le Seigneur s'est mis en colère contre moi également. « Toi non plus, m'a-t-il dit, tu n'entreras pas dans ce pays. 38 Par contre ton serviteur Josué, fils de Noun, y entrera. Affermis son courage, car c'est lui qui devra conduire les Israélites à la conquête du pays. » 39 Puis le Seigneur s'est adressé à vous tous : « Vous disiez que vos enfants allaient devenir le butin des vainqueurs. Eh bien, eux qui, aujourd'hui, ne savent pas encore distinguer le bien du mal, ils entreront dans le pays avec Josué. C'est à eux que je le donnerai en possession. 40 Quant à vous, faites demi-tour et repartez par le désert en direction de la *mer des Roseaux. »

41 En réponse à cela, continua Moïse, vous m'avez affirmé : « Nous avons été coupables envers le Seigneur. Mais maintenant, nous voulons partir au combat, comme le Seigneur notre Dieu nous l'a ordonné. » Chacun de vous s'est équipé pour le combat, car vous pensiez qu'il était facile de vous emparer de la région montagneuse[i]. 42 Alors le Seigneur m'a déclaré : « Ordonne-leur de ne pas partir au combat, car je ne suis pas avec eux ; qu'ils n'aillent donc pas se faire battre par leurs ennemis. » 43 Je vous ai transmis cet avertissement, mais vous n'avez pas voulu m'écouter. Vous avez désobéi aux ordres du Seigneur et, pleins d'arrogance, vous avez gagné la région montagneuse. 44 Des hauteurs où ils habitaient, les Amorites sont descendus contre vous, ils vous ont battus dans la région de Séir et, comme un essaim d'abeilles, ils vous ont poursuivis jusqu'à Horma[j]. 45 A votre retour, vous vous êtes lamentés devant le Seigneur, mais il n'a rien voulu entendre, il n'a pas prêté attention à vous. 46 Alors vous êtes demeurés longtemps, très longtemps, à Cadès-Barnéa.

---

g **1.24** Voir Nomb 13.23 et la note.

h **1.28** Voir Nomb 13.22 et la note ; *plus nombreux* : d'après certains manuscrits ; texte hébreu traditionnel : *plus grands*.

i **1.41** *car vous pensiez...* : autre traduction *et vous avez décidé de gagner la région montagneuse*.

j **1.44** *Séir* : voir v. 2 et la note ; *Horma* : voir Nomb 14.45 et la note.

2 1 Ensuite nous avons fait demi-tour et
nous sommes repartis par le désert en
direction de la mer des Roseaux[k], comme
le Seigneur me l'avait ordonné. Nous
avons passé beaucoup de temps aux alentours de la région montagneuse de Séir.

Traversée des pays d'Édom, de Moab et d'Ammon

2 Un jour, le Seigneur m'a dit 3 que
nous devions prendre la direction du
nord, car nous avions passé suffisamment
de temps dans cette région. 4 Il m'a demandé de vous donner les instructions
suivantes : « Vous allez traverser la région
de Séir, où demeurent vos cousins, les
descendants d'Ésaü[l]. Ils auront peur de
vous ; pourtant gardez-vous 5 de les attaquer, car je ne vous attribuerai rien dans
leur territoire, pas même un endroit pour
y poser le pied. En effet, c'est aux descendants d'Ésaü que j'ai donné en partage la
région montagneuse de Séir. 6 Vous leur
payerez en argent la nourriture et même
l'eau dont vous aurez besoin. » 7 – Et, en
effet, le Seigneur votre Dieu vous a *bénis dans tout ce que vous avez entrepris,
et il a veillé sur vous lors de la traversée
de ce grand désert. Durant quarante ans,
il a été avec vous, et vous n'avez manqué
de rien. –

8 Nous avons renoncé à passer par la région de Séir, où demeurent nos cousins,
les descendants d'Ésaü. Nous avons aussi
évité la route du fond de la vallée et les localités d'Élath et d'Ession-Guéber. Nous
avons changé de direction pour traverser
le désert de Moab[m]. 9 Le Seigneur m'a
dit : « Ne provoquez pas les Moabites,
n'engagez pas de combat contre eux, car
je ne vous attribuerai rien dans leur territoire. En effet, c'est à eux, descendants de
Loth, que j'ai donné en partage le pays
d'Ar[n]. » – 10 Auparavant le pays d'Ar était
habité par les Émites, un peuple puissant, nombreux et d'aussi grande taille
que les descendants d'Anac[o]. 11 Certains
les prenaient pour des Refaïtes[p], comme
les Anaquites, mais les Moabites les appelaient Émites. 12 Quant à la région de
Séir, elle était peuplée auparavant de Horites, que les descendants d'Ésaü dépossédèrent et exterminèrent pour s'installer
à leur place. Les Israélites agirent de la
même façon dans le pays que le Seigneur
leur donna et qu'ils occupèrent. –

13 « Et maintenant, mettez-vous en
route, a ordonné le Seigneur, et traversez
le torrent de Zéred[q]. » C'est ce que nous
avons fait. 14 Trente-huit ans s'étaient
écoulés entre le départ de Cadès-Barnéa
et le passage du Zéred. A cette époque,
toute la génération de ceux qui étaient
aptes à combattre au moment du départ
avait disparu, comme le Seigneur le leur
avait juré[r]. 15 Le Seigneur lui-même intervint contre eux pour les supprimer
jusqu'au dernier.

16 Lorsque toute cette génération du
peuple eut disparu, 17 le Seigneur m'a dit
ceci : 18 « Vous allez maintenant franchir
la frontière de Moab et traverser le pays
d'Ar. 19 Vous arriverez en face du pays des
Ammonites. Ne provoquez pas ceux-ci,
ne les attaquez pas, car je ne vous attribuerai rien dans leur territoire. En effet,
ils sont aussi des descendants de Loth, et
c'est à eux que j'ai donné ce territoire en
partage[s]. » – 20 On considérait que cette
région appartenait aux Refaïtes. Auparavant, en effet, elle était peuplée de Refaïtes que les Ammonites appelaient
Zamzoumites. 21 C'était un peuple puissant, nombreux et d'aussi grande taille
que les descendants d'Anac. Mais le Seigneur les extermina à l'arrivée des
Ammonites, qui les dépossédèrent et
s'installèrent à leur place. 22 Le Seigneur
agit de la même façon en faveur des Édo-

---

k **2.1** Voir Nomb 21.4

l **2.4** *Séir* : voir 1.2 et la note. – *descendants d'Ésaü* : voir Gen 36.8.

m **2.8** La *vallée* est celle qui relie le golfe d'Aqaba à la mer Morte. – *Élath, Ession-Guéber* : localités situées à l'extrémité du golfe d'Aqaba. – *désert de Moab* : situé à l'est de Moab.

n **2.9** Les *descendants de Loth* sont les Moabites et les Ammonites ; voir Gen 19.37-38. – *Ar* est une ville de Moab ; le *pays d'Ar* désigne en fait le pays de Moab.

o **2.10** Voir Nomb 13.22 et la note.

p **2.11** Ancienne population du pays de Canaan (voir v. 20-21).

q **2.13** Torrent de Transjordanie qui se jette dans l'extrémité sud de la mer Morte.

r **2.14** Voir Nomb 14.28-35.

s **2.19** Voir v. 9 et la note.

mites, descendants d'Ésaü, qui habitent
la région de Séir : il extermina les Horites
à l'arrivée des Édomites qui les dépossédèrent et s'installèrent à leur place ; et ils
y sont encore aujourd'hui. 23 Quant aux
Avites, qui demeuraient dans les localités
de la région de Gaza, les gens venus de
Kaftor[t] les exterminèrent et s'installèrent
à leur place. –

24 Ensuite le Seigneur a ordonné :
« Mettez-vous en route et traversez le
torrent de l'Arnon. Je vais livrer en
votre pouvoir le roi *amorite Sihon, de
Hèchebon, et son pays. Commencez la
conquête, déclarez-lui la guerre ! 25 Dès
aujourd'hui, je vais faire en sorte que toutes les nations du monde vivent dans la
crainte et même la frayeur à votre égard.
Aussitôt qu'elles entendront parler de
vous, elles trembleront d'angoisse. »

Occupation du royaume de Sihon

26 Du désert de Quedémoth[u], j'ai envoyé des messagers au roi Sihon, de Hèchebon, avec cette proposition pacifique :
27 « Nous désirons traverser ton pays.
Nous nous déplacerons uniquement sur
la route, sans nous en écarter ni à droite
ni à gauche. 28 Nous te payerons en argent
la nourriture et l'eau dont nous aurons
besoin. Laisse-nous simplement traverser ton pays ; 29 les descendants d'Ésaü,
qui habitent la région de Séir, et les Moabites, qui habitent le pays d'Ar, nous ont
bien autorisés à traverser le leur[v]. Nous
franchirons ensuite le Jourdain pour gagner le pays que le Seigneur notre Dieu
nous donne. » 30 Mais le roi Sihon nous a
refusé l'autorisation de passer chez lui ;
en effet le Seigneur votre Dieu l'avait
rendu totalement inflexible, pour vous
permettre de vous emparer de son pays,
que vous occupez encore aujourd'hui.
31 Le Seigneur m'a dit : « Écoute, dès
maintenant je livre Sihon et son pays en
ton pouvoir. Commencez la conquête par
ce territoire. » 32 Sihon et toute son armée
se sont mis en campagne et sont venus
nous combattre à Yahas. 33 Le Seigneur
notre Dieu nous a donné la victoire :
nous les avons battus, lui, ses fils et toute
son armée. 34 Aussitôt après, nous nous
sommes emparés de toutes ses villes ;
nous les avons complètement détruites,
et nous y avons exterminé les hommes,
les femmes et les enfants ; nous n'avons
laissé aucun survivant. 35 Nous nous sommes contentés de prendre comme butin
le bétail, ainsi que les biens trouvés dans
les villes conquises. 36 De la ville d'Aroër
sur l'Arnon et de l'autre ville située dans
la même vallée, jusqu'au pays de Galaad,
aucune ville ne fut assez forte pour nous
résister. Le Seigneur notre Dieu les a toutes livrées en notre pouvoir. 37 Mais nous
n'avons pas touché au territoire des Ammonites : nous avons respecté toute la région située sur la rive du cours du
Yabboc, de même que les villes dans la région montagneuse, et les endroits que le
Seigneur notre Dieu avait ordonné
d'épargner.

Occupation du royaume d'Og

3 1 Nous nous sommes dirigés ensuite
vers le haut plateau du *Bachan. Og,
le roi du Bachan, et toute son armée se
ont mis en campagne et sont venus nous
combattre à Édréi. 2 Alors le Seigneur
m'a dit : « N'aie pas peur de lui ! Je vais le
livrer en ton pouvoir, avec toute son armée et son pays. Tu le traiteras comme tu
as traité Sihon, le roi des *Amorites, qui
résidait à Hèchebon. » 3 Le Seigneur notre Dieu nous a donc aussi donné la victoire sur Og et son armée : nous les avons
battus sans laisser aucun survivant.
4 Aussitôt après, nous nous sommes emparés de toutes ses villes ; aucune n'a pu
nous résister. Il s'agissait des soixante villes du territoire d'Argob, dans le Bachan,
sur lesquelles Og régnait. 5 Ces villes
étaient fortifiées, entourées de hautes
murailles et fermées par des portes à verrous. Il y avait en outre un très grand
nombre de villages non fortifiés. 6 Nous
avons complètement détruit toutes ces
localités et nous y avons exterminé les
hommes, les femmes et les enfants,
comme nous l'avions fait dans le pays du

---

t **2.23** *Gaza* : ville proche de la côte méditerranéenne, au sud-ouest de la Palestine. – *Kaftor* : voir Jér 47.4 et la note.

u **2.26** Ce *désert* s'étend au nord-ouest de l'Arnon.

v **2.29** *Séir* : voir 1.2 et la note ; *Ar* : voir v. 9 et la note.

roi Sihon, de Hèchebon. 7 Mais nous avons gardé comme butin le bétail, ainsi que les biens trouvés dans les villes.

Partage du pays de Galaad

8 Ainsi, nous nous sommes emparés à cette époque-là du territoire des deux rois *amorites installés à l'est du Jourdain, entre le torrent de l'Arnon et le mont Hermon[w]. 9 – Les Sidoniens appellent cette montagne Sirion, et les Amorites Senir. – 10 Nous avons conquis toutes les villes du plateau, et même tout le territoire de Galaad et du *Bachan jusqu'à Salka et Édréi, villes du royaume d'Og, dans le Bachan. 11 – Le roi Og, du Bachan, était le dernier survivant des Refaïtes. A Rabba, la capitale des Ammonites, on peut encore voir son cercueil; il est taillé dans de la pierre de basalte, et il mesure[x] plus de quatre mètres de long et environ deux mètres de large. –

12 Nous avons donc conquis à cette époque-là tout le pays qui s'étend au nord d'Aroër sur l'Arnon. J'ai donné aux descendants de Ruben et de Gad la moitié de la région montagneuse de Galaad, avec les villes qui s'y trouvaient[y]; 13 et j'ai donné à la demi-tribu orientale de Manassé le reste de Galaad et tout le Bachan, c'est-à-dire l'ancien royaume d'Og. – L'ensemble du territoire d'Argob et du Bachan est aussi connu sous le nom de pays des Refaïtes. 14 Les descendants de Yaïr, fils de Manassé, se sont emparés du territoire d'Argob, dans le Bachan, jusqu'à la frontière des Guéchourites et des Maakatites; ils ont appelé les localités de ce territoire "villages de Yaïr", nom qu'elles portent encore aujourd'hui. – 15 Aux descendants de Makir, fils de Manassé, j'ai donné la région de Galaad. 16 Quant aux descendants de Ruben et de Gad, je leur ai donné le territoire situé entre la région de Galaad et l'Arnon. Le torrent de l'Arnon en constitue la frontière sud et celui du Yabboc la frontière avec le pays des Ammonites[z]. 17 La frontière occidentale suit la vallée du Jourdain, entre le lac de Génésareth et la mer Morte, jusqu'au pied du mont Pisga, qui se dresse à l'est.

18 Alors je leur ai ordonné ceci: « Maintenant que le Seigneur votre Dieu vous a attribué ce territoire situé à l'est du Jourdain, il faut que tous les combattants parmi vous prennent leurs armes et traversent le Jourdain à la tête des autres Israélites, vos compatriotes. 19 Seuls vos femmes et vos enfants, et vos troupeaux qui sont nombreux, je le sais, demeureront ici, dans les villes que je vous ai attribuées. 20 Aidez vos compatriotes jusqu'à ce que le Seigneur leur ait permis d'être installés, comme vous-mêmes ici, après avoir reçu en partage, eux aussi, le territoire que le Seigneur votre Dieu leur attribuera, à l'ouest du Jourdain. A ce moment-là, chacun d'entre vous pourra regagner sa propriété dans le pays que je vous ai accordé[a]. »

21 A cette occasion, j'ai également donné mes ordres à Josué; je lui ai dit: « Tu as vu de tes propres yeux comment le Seigneur votre Dieu a traité les deux rois amorites. Il traitera de la même manière les rois des territoires que tu trouveras après la traversée du Jourdain. 22 N'ayez pas peur d'eux, car le Seigneur votre Dieu combattra pour vous. »

Moïse n'entrera pas en Canaan

23 Alors j'ai supplié le Seigneur en ces termes: 24 « Seigneur mon Dieu, tu m'as montré les premiers signes de ta grandeur et de ta puissance irrésistible. Il n'y a aucun autre dieu, ni au *ciel ni sur la terre, qui soit capable d'accomplir des actions ou des exploits tels que les tiens! 25 Permets-moi de franchir le Jourdain pour voir le pays merveilleux qui s'étend de l'autre côté, cette belle région montagneuse et les montagnes du Liban. »

---

w **3.8** Montagne au nord de la Palestine, où le Jourdain prend sa source.

x **3.11** *Refaïtes*: voir 2.11 et la note. – *son cercueil... il mesure*: autre traduction *son lit: c'est un meuble de fer, qui mesure*.

y **3.12** Autre traduction *Après avoir conquis tout ce pays, j'ai donné aux descendants de Ruben et de Gad la partie qui s'étend au nord d'Aroër sur l'Arnon, ainsi que la moitié...*

z **3.16** Le texte hébreu du v. 16 n'est pas très clair.

a **3.20** V. 18-20: voir Jos 1.12-15.

26 Mais à cause de vous, le Seigneur s'est emporté contre moi et a rejeté ma requête ; il m'a dit : « Cela suffit ! Cesse de me parler de cette affaire. 27 Monte au sommet du mont Pisga, ouvre tout grand tes yeux et regarde vers le nord, vers le sud, vers l'ouest et vers l'est. Mais sache bien que tu ne franchiras pas le Jourdain[b] ! 28 Tu donneras tes instructions à Josué. Tu affermiras son courage et sa détermination, car c'est lui qui devra traverser le Jourdain à la tête du peuple et remettre aux Israélites le pays que tu vas voir. » 29 Depuis lors, nous sommes restés ici, dans cette vallée, en face de Beth-Péor[c].

Mettre en pratique la loi de Dieu

4 1 Israélites, continua Moïse, obéissez aux lois et aux règles que je vous enseigne à mettre en pratique. Elles vous permettront de vivre, et vous pourrez prendre possession du pays que le Seigneur, Dieu de vos ancêtres, vous donne. 2 N'ajoutez rien aux commandements que je vous transmets de la part du Seigneur votre Dieu, n'en retranchez rien non plus : mettez-les tous en pratique[d]. 3 Vous avez vu de vos propres yeux comment le Seigneur votre Dieu a agi dans l'affaire du dieu *Baal de Péor[e] : il a exterminé tous ceux de votre peuple qui avaient rendu un culte à ce dieu ; 4 mais vous qui êtes restés fidèles au Seigneur votre Dieu, vous êtes tous encore en vie aujourd'hui.

5 Vous le savez, je vous ai enseigné des lois et des règles, comme le Seigneur mon Dieu me l'a ordonné ; vous les mettrez en pratique quand vous serez dans le pays dont vous allez prendre possession. 6 Si vous les mettez soigneusement en pratique, les autres nations qui auront connaissance de ces lois vous considéreront comme sages et intelligents ; on dira de vous : « Quelle sagesse, quelle intelligence il y a dans cette grande nation ! » 7 En effet, existe-t-il une autre nation, même parmi les plus grandes, qui ait des dieux aussi proches d'elle que le Seigneur notre Dieu l'est pour nous chaque fois que nous l'appelons à l'aide ? 8 Existe-t-il une autre nation, même parmi les plus grandes, qui possède des lois et des règles aussi justes que celles contenues dans le code de la loi que je vous présente aujourd'hui ?

La révélation au mont Horeb

9 Seulement prenez bien garde, veillez très soigneusement à ne pas oublier tous les événements dont vous avez été témoins. Qu'à aucun moment de votre vie ces événements ne s'effacent de votre mémoire : au contraire, racontez-les à vos enfants et à vos petits-enfants.

10 Souvenez-vous du jour où vous vous êtes présentés devant le Seigneur votre Dieu, au mont *Horeb ! Le Seigneur m'avait dit : « Rassemble tout le peuple, je veux leur communiquer mes commandements. Ils apprendront ainsi à me respecter, aussi longtemps qu'ils seront sur la terre, et ils devront l'enseigner à leurs descendants. » 11 Vous vous êtes alors avancés pour vous tenir au pied de la montagne ; de celle-ci jaillissaient des flammes qui montaient jusqu'au ciel, au cœur d'une sombre fumée et d'un épais nuage. 12 Le Seigneur vous a parlé du milieu du feu ; vous l'avez entendu parler, mais sans le voir ; vous ne perceviez que sa voix[f]. 13 Il vous a révélé son *alliance avec vous, il vous a ordonné de la respecter en obéissant aux dix commandements qu'il a écrits sur deux tablettes de pierre[g]. 14 A la même époque, j'ai reçu du Seigneur l'ordre de vous enseigner toutes les lois et les règles que vous devez mettre en pratique dans le pays dont vous allez prendre possession.

Mise en garde contre les idoles

15 Surtout, gardez-vous d'oublier ceci : Le jour où le Seigneur vous a parlé sur le mont *Horeb, du milieu du feu, vous ne l'avez pas vu lui-même. 16 Ne tombez donc pas dans le péché en vous fabri-

b **3.27** V. 23-27 : voir Nomb 27.12-14 ; Deut 32.48-52.
c **3.29** Localité située au pied du mont Pisga.
d **4.2** Voir 13.1 ; Apoc 22.18-19.
e **4.3** Voir Nomb 25.
f **4.12** V. 10-12 : voir Ex 19.10-25 ; Hébr 12.18-19.
g **4.13** Voir Ex 31.18 ; 34.28 ; Deut 9.10.

quant des idoles, des images représentant
des divinités[h], des hommes ou des femmes, 17 des animaux, des oiseaux, 18 des
reptiles ou des poissons[i]. 19 Ne levez pas
les yeux vers le ciel pour contempler le
soleil, la lune, les étoiles, toute la multitude des astres, ne vous laissez pas entraîner à les adorer et à les servir. Le
Seigneur votre Dieu a réservé ces pratiques aux autres peuples du monde ;
20 mais vous, il est allé vous chercher et
vous a fait sortir de l'enfer égyptien pour
que vous deveniez le peuple qui lui appartient, comme vous l'êtes aujourd'hui[j].
21 Pourtant, à cause de vous, le Seigneur
votre Dieu s'est mis en colère contre moi,
il a juré que je ne franchirai pas le Jourdain et que je n'entrerai pas dans le bon
pays qu'il va vous donner en possession[k].
22 En effet, je vais mourir dans ce pays-ci,
je ne franchirai jamais le Jourdain ; mais
vous allez le traverser pour prendre possession du bon pays qui est de l'autre côté.
23 Prenez donc bien garde de ne pas oublier *l'alliance que le Seigneur votre
Dieu a conclue avec vous. Ne vous fabriquez pas des idoles, des images de ce qu'il
vous a interdit de représenter, 24 car le Seigneur votre Dieu est un feu qui détruit, il
est un Dieu exigeant[l].
25 Quand vous serez installés depuis
longtemps dans le pays promis et que
vous aurez eu des enfants et des petits-
enfants, ne tombez pas dans le péché en
vous fabriquant des idoles, des images sacrées de quoi que ce soit, ou en faisant
d'autres choses qui déplaisent au Seigneur votre Dieu et qui l'irritent. 26 Si
vous commettez de tels péchés, je vous
avertis solennellement aujourd'hui, le
ciel et la terre m'en sont témoins, que
vous ne tarderez pas à disparaître du pays
dont vous allez prendre possession au-
delà du Jourdain ; vous n'y resterez pas
longtemps, car vous en serez complètement balayés. 27 Le Seigneur vous dispersera parmi les nations étrangères ; on ne
retrouvera qu'un petit nombre d'entre
vous dans les pays où il vous aura exilés.
28 Là vous adorerez des dieux taillés par
les hommes dans du bois ou de la pierre,
des dieux qui ne peuvent ni voir ni entendre, ni manger, ni sentir[m]. 29 Alors,
dans ces pays, vous rechercherez le Seigneur votre Dieu. Et vous le trouverez, si
vous le cherchez de tout votre cœur et de
toute votre âme[n]. 30 Finalement, quand
tout ce que je vous ai annoncé sera arrivé
et que vous serez dans la détresse, vous
reviendrez au Seigneur votre Dieu et
vous lui obéirez de nouveau. 31 En effet le
Seigneur votre Dieu est un Dieu plein
d'amour, qui ne vous abandonnera pas,
ne vous exterminera pas et n'oubliera jamais l'alliance qu'il a conclue avec vos
ancêtres.

Le privilège d'Israël

32 Réfléchissez aux événements d'autrefois, à ce qui est arrivé longtemps
avant vous, depuis que Dieu a créé l'humanité sur la terre. Méditez sur tout ce
qui s'est passé d'un bout à l'autre du
monde. Un fait aussi extraordinaire
s'est-il déjà produit ? A-t-on déjà entendu
raconter une chose pareille ? 33 Existe-t-il
un autre peuple qui ait pu entendre un
dieu lui parler du milieu du feu et qui ait
survécu, comme cela vous est arrivé ?
34 Ou bien un autre dieu que le vôtre a-t-il
essayé un jour d'arracher son peuple à la
domination d'un peuple ennemi en recourant à des épreuves, des prodiges extraordinaires, des exploits irrésistibles et
terrifiants[o] ? Non, mais le Seigneur votre
Dieu vous a arrachés de cette manière à
l'esclavage en Égypte, comme vous l'avez
vu de vos propres yeux ! 35 Vous avez eu le
privilège de voir cela, afin que vous sachiez que le Seigneur seul est Dieu, qu'il
n'y a pas d'autres dieux que lui[p]. 36 Du
*ciel, il vous a fait entendre sa voix pour
vous enseigner à être obéissants ; sur
terre, il vous a fait voir un grand feu, et

---

h **4.16** *idoles* : voir Ex 20.4 ; Lév 26.1 ; Deut 5.8 ; 27.15. – *divinités* : le sens du mot hébreu correspondant est incertain.
i **4.18** V. 16-18 : voir Rom 1.23.
j **4.20** Voir Ex 19.5 ; Tite 2.14 ; 1 Pi 2.9.
k **4.21** Voir Nomb 20.12.
l **4.24** Voir Hébr 12.29 ; Ex 20.5. Dieu est comme *un feu qui détruit* ceux qui n'acceptent pas ses exigences.
m **4.28** V. 27-28 : voir 28.36.
n **4.29** Voir Jér 29.13-14.
o **4.34** Allusion aux fléaux décrits en Ex 7.14–12.36.
p **4.35** Voir És 45.21 ; Marc 12.32.

vous l'avez entendu parler du milieu de ce
feu. 37 Parce qu'il aimait vos ancêtres et
qu'il vous a choisis, vous, leurs descendants, il vous a fait sortir d'Égypte lui-
même, grâce à sa force irrésistible. 38 Il va
maintenant mettre en fuite à votre approche des nations plus nombreuses et
plus puissantes que vous, et vous conduire
dans leur pays pour vous le donner en
possession. 39 Reconnaissez donc aujourd'hui, et réfléchissez-y sans cesse, que
le Seigneur seul est Dieu, aussi bien dans
le ciel que sur la terre, et qu'il n'y a pas
d'autres dieux que lui. 40 Mettez en pratique ses lois et ses commandements, que
je vous communique aujourd'hui. Vous, et
vos descendants par la suite, vous y trouverez le bonheur, et vous vivrez ainsi longtemps dans le pays que le Seigneur votre
Dieu vous donne pour toujours.

Trois villes de refuge en Transjordanie

41 C'est alors que Moïse choisit trois
villes à l'est du Jourdain 42 comme villes
de refuge[q] pour celui qui aurait tué une
personne involontairement et sans avoir
jamais eu de haine contre sa victime.
Dans ce cas, l'homme pourrait se réfugier
dans l'une de ces villes et y avoir la vie
sauve. 43 Ces villes furent Besser, dans le
plateau désertique, pour les gens de Ruben, ainsi que Ramoth, en Galaad, pour
les gens de Gad, et Golan, dans le *Bachan, pour les gens de Manassé.

DEUXIÈME DISCOURS DE MOÏSE
4–11

44 Voici la loi de Dieu que Moïse transmit aux Israélites. 45 Il leur en communiqua les exigences, les dispositions et les
règles, après qu'ils eurent quitté l'Égypte.
46 Ils se trouvaient alors à l'est du Jourdain, dans la vallée située en face de
Beth-Péor[r], au pays de Sihon, roi des
*Amorites. Sihon résidait à Hèchebon,
mais Moïse et les Israélites l'avaient
vaincu, après leur sortie d'Égypte, 47 et
s'étaient emparés de son pays, de même
que du pays d'Og, roi du *Bachan. – Ces
deux rois amorites régnaient à l'est du
Jourdain. – 48 Les Israélites occupèrent
ainsi la région qui s'étend d'Aroër sur
l'Arnon au mont Hermon, appelé aussi
Cion, 49 région qui englobe la partie
orientale de la vallée du Jourdain, jusqu'à
la mer Morte, au pied du mont Pisga.

Les Dix Commandements

5 1 Moïse convoqua tout le peuple d'Israël et leur dit :
« Israélites, écoutez les lois et les règles
que je vous transmets aujourd'hui. Ayez
soin de les apprendre et de les mettre en
pratique. 2 Le Seigneur notre Dieu a
conclu une *alliance avec nous au mont
*Horeb. 3 Il ne l'a pas conclue avec nos
pères seulement, mais avec nous tous
qui sommes encore vivants, ici aujourd'hui. 4 Sur la montagne, le Seigneur
vous a parlé face à face, du milieu du feu.
5 A ce moment-là, je me tenais entre le
Seigneur et vous, et je vous ai communiqué ce qu'il disait, car vous aviez peur
de ce feu et vous ne vouliez pas monter
sur la montagne. Le Seigneur vous a
déclaré[s] :
6 « Je suis le Seigneur ton Dieu, c'est moi
qui t'ai fait sortir d'Égypte où tu étais
esclave.
7 « Tu n'adoreras pas d'autres dieux que
moi.
8 « Tu ne te fabriqueras aucune idole, aucun objet qui représente ce qui est dans le
*ciel, sur la terre ou dans l'eau sous la
terre ; 9 tu ne t'inclineras pas devant des
statues de ce genre, tu ne les adoreras pas.
En effet, je suis le Seigneur ton Dieu, un
Dieu exigeant. Si quelqu'un est en tort à
mon égard, j'interviens contre lui et ses
descendants, jusqu'à la troisième ou la
quatrième génération ; 10 mais je traite
avec bonté pendant mille générations
ceux qui m'aiment et obéissent à mes
commandements.

---

q **4.42** *villes de refuge* : voir 19.1-13 ; Nomb 35.9-34 ; Jos 20.1-9.

r **4.46** Voir 3.29 et la note.

s 5.5 Les *Dix Commandements* sont aussi conservés en Ex 20.1-17, sous une forme légèrement différente. Voir les notes du texte de l'Exode.

11 « Tu ne prononceras pas mon nom de
manière abusive, car moi, le Seigneur ton
Dieu, je tiens pour coupable celui qui
agit ainsi.
12 « Prends soin de me consacrer le jour
du *sabbat, comme je te l'ai ordonné.
13 Tu as six jours pour travailler et faire
tout ton ouvrage. 14 Le septième jour,
c'est le sabbat, qui m'est réservé, à moi, le
Seigneur ton Dieu ; tu ne feras aucun travail ce jour-là, ni toi, ni tes enfants, ni tes
serviteurs ou servantes, ni ton bœuf, ni
ton âne, ni aucune autre de tes bêtes, ni
l'étranger qui réside chez toi ; tes serviteurs et servantes doivent pouvoir se reposer comme toi. 15 N'oublie pas que tu as
été esclave en Égypte, et que je t'en ai fait
sortir grâce à ma force irrésistible. C'est
pourquoi moi, le Seigneur ton Dieu, je
t'ai ordonné d'observer le repos du sabbat.
16 « Respecte ton père et ta mère, comme
je te l'ai ordonné, afin de jouir d'une vie
longue et heureuse dans le pays que moi,
le Seigneur ton Dieu, je te donne.
17 « Tu ne commettras pas de meurtre.
18 « Tu ne commettras pas d'adultère.
19 « Tu ne commettras pas de vol.
20 « Tu ne prononceras pas de faux témoignage contre ton prochain.
21 « Tu ne convoiteras pas la femme de ton
prochain ; tu n'envieras rien de ce qui appartient à ton prochain, ni sa maison, ni
son champ, ni son serviteur, ni sa servante, ni son bœuf, ni son âne. »
22 Tels sont les commandements que le
Seigneur vous a communiqués d'une
voix puissante, du milieu du feu, de la fumée et de l'épais nuage. Il s'adressait à
vous tous, qui étiez rassemblés au pied de
la montagne, et il n'a pas ajouté d'autres
commandements. Ensuite, il a écrit
ceux-ci sur deux tablettes de pierres qu'il
m'a remises.

Moïse, porte-parole de Dieu

23 Lorsque vous avez entendu cette
voix venant du milieu de l'obscurité, sur
la montagne qui semblait en feu, les chefs
et les *anciens de vos tribus se sont avancés jusqu'à moi. 24 Ils ont dit : « Le Seigneur notre Dieu a manifesté devant
nous sa grandeur et sa *gloire. Nous
l'avons entendu parler du milieu du feu.
Nous constatons donc aujourd'hui que
Dieu peut parler aux hommes sans que
ceux-ci perdent la vie. 25 Mais pourquoi
nous exposer à mourir dévorés par ce
grand feu ? Si nous écoutons encore la
voix du Seigneur notre Dieu, nous
mourrons certainement. 26 Jamais en effet un être humain n'est resté en vie
après avoir entendu, comme nous, le
Dieu vivant lui parler du milieu du feu[t].
27 Toi, Moïse, approche-toi du Seigneur
notre Dieu et écoute ce qu'il dit ; tu nous
communiqueras ensuite ses paroles,
nous les écouterons et nous les mettrons
en pratique[u]. » 28 Le Seigneur a entendu
vos propos et il m'a déclaré : « J'ai entendu ce que le peuple a dit. Il a eu raison
de parler ainsi. 29 Si seulement ils étaient
toujours disposés à me respecter en mettant en pratique tous mes commandements ! Eux et leurs descendants y
trouveraient le bonheur en tout temps !
30 Va leur ordonner maintenant de regagner leurs tentes. 31 Toi par contre,
reste ici auprès de moi : je vais te
communiquer tous les commandements,
les lois et les règles que tu devras leur enseigner, pour qu'ils les mettent en pratique dans le pays que je leur donnerai en
possession. »
32 Ainsi, continua Moïse, veillez à mettre en pratique tout ce que le Seigneur
votre Dieu vous a ordonné, sans jamais
vous en écarter. 33 Vous suivrez soigneusement le chemin que le Seigneur votre
Dieu vous a tracé, afin que vous puissiez
vivre et que votre vie soit longue et heureuse dans le pays dont vous allez prendre possession.

« Tu dois aimer le Seigneur ton Dieu »

6 1 Voici les commandements, les lois
et les règles que le Seigneur votre
Dieu m'a ordonné de vous enseigner,

---

t 5.26 Les Israélites étaient convaincus qu'il est impossible de voir Dieu, ou même d'entrer en relation directe avec lui, sans mourir (voir par exemple 4.33 ; Jug 13.22).

u 5.27 V. 22-27 : voir Hébr 12.18-19.

pour que vous les mettiez en pratique dans le pays dont vous allez bientôt prendre possession. 2 Vous apprendrez ainsi, tout au long de votre existence, à respecter le Seigneur votre Dieu et à obéir aux lois et aux commandements que je vous ai communiqués, pour vous et pour vos descendants, afin que vous jouissiez d'une longue vie. 3 Tenez-en compte, Israélites, et veillez à les mettre en pratique. Vous y trouverez le bonheur et vous deviendrez un peuple nombreux dans ce pays qui regorge de lait et de miel[v], comme vous l'a promis le Seigneur, Dieu de vos ancêtres.

4 « Écoute, peuple d'Israël : Le Seigneur notre Dieu est le seul Seigneur[w]. 5 Tu dois aimer le Seigneur ton Dieu de tout ton cœur, de toute ton âme et de toute ta force[x]. 6 Les commandements que je te communique aujourd'hui demeureront gravés dans ton cœur. 7 Tu les enseigneras à tes enfants ; tu en parleras quand tu seras assis chez toi ou quand tu marcheras le long d'une route, quand tu te coucheras ou quand tu te lèveras. 8 Pour ne pas les oublier, tu les attacheras sur ton bras et sur ton front, 9 tu les écriras sur les montants de porte de ta maison et sur les portes de tes villes[y]. »

Israël ne doit pas oublier son Dieu

10 Lorsque le Seigneur votre Dieu vous aura conduits dans le pays qu'il vous donne, comme il l'a promis à vos ancêtres Abraham, Isaac et Jacob[z], vous y trouverez de grandes et belles villes que vous n'avez pas bâties, 11 des maisons pleines de toutes sortes de richesses que vous n'avez pas amassées, des puits que vous n'avez pas creusés, des vignes et des oliviers que vous n'avez pas plantés. Vous aurez de quoi vous nourrir abondamment. 12 Prenez bien garde alors de ne pas oublier le Seigneur, qui vous a fait sortir d'Égypte où vous étiez esclaves. 13 Vous le respecterez et vous l'adorerez lui seul[a], vous ne prêterez serment qu'en son nom. 14 Vous ne rendrez pas de culte à d'autres dieux, les dieux des nations qui vous entoureront, 15 car le Seigneur votre Dieu, qui est présent au milieu de vous, est un Dieu exigeant. Prenez garde à ne pas provoquer sa colère, parce qu'il pourrait vous exterminer de la surface de la terre. 16 Ne mettez pas le Seigneur votre Dieu à l'épreuve, comme vous l'avez fait à Massa[b]. 17 Obéissez fidèlement aux commandements, aux instructions et aux lois qu'il vous a donnés. 18 Agissez avec droiture, faites ce qui plaît au Seigneur. Alors vous trouverez le bonheur et vous réussirez à prendre possession du bon pays que le Seigneur a promis à vos ancêtres ; 19 vous en chasserez vos ennemis, comme l'a déclaré le Seigneur.

20 Lorsque, dans l'avenir, vos enfants vous demanderont : « Pourquoi le Seigneur notre Dieu vous a-t-il donné ces instructions, ces lois et ces règles ? », 21 vous leur répondrez : « Nous étions esclaves du *Pharaon en Égypte, et le Seigneur nous a fait sortir de ce pays grâce à sa force irrésistible. 22 Nous avons vu les prodiges extraordinaires, impressionnants, par lesquels il a infligé le malheur au Pharaon, à sa famille et à tout son peuple. 23 Il nous a fait sortir d'Égypte pour nous conduire dans le pays qu'il veut nous donner, comme il l'a promis à nos ancêtres. 24 Alors il nous a ordonné de mettre en pratique toutes ces lois. Nous trouverons en tout temps le bonheur si nous respectons le Seigneur notre Dieu ; il nous maintiendra en vie, comme c'est le cas aujourd'hui. 25 Oui, si nous mettons soigneusement en pratique tous les commandements que le Seigneur nous a donnés, notre conduite sera conforme à ce qu'il veut[c]. »

---

v **6.3** Voir Ex 3.8 et la note.

w **6.4** Voir Nomb 15.37 et la note. Voir aussi Marc 12.29. – Le texte hébreu, en disant mot à mot... *[est] le Seigneur un*, insiste non seulement sur le fait que le Dieu d'Israël est le seul qui soit vraiment Dieu, mais aussi sur le fait qu'il est le même en tout temps (comparer Hébr 13.8).

x **6.5** Voir Matt 22.37 ; Marc 12.30 ; Luc 10.27.

y **6.9** V. 6-9 : voir 11.18-20.

z **6.10** Voir Gen 12.7 ; 26.3 ; 28.13.

a **6.13** Voir Matt 4.10 ; Luc 4.8.

b **6.16** Voir Ex 17.1-7 ; Matt 4.7 ; Luc 4.12.

c **6.25** Autre traduction du v. 25 *Notre devoir, c'est de mettre soigneusement en pratique... nous a donnés.*

Israël, peuple consacré au Seigneur

7 1 Le Seigneur votre Dieu va vous
conduire dans le pays dont vous devez prendre possession. A votre approche, il en chassera des populations
nombreuses, sept peuples plus importants et plus puissants que le vôtre : les
Hittites, les Guirgachites, les *Amorites,
les Cananéens, les Perizites, les Hivites et
les Jébusites[d]. 2 Il les livrera en votre pouvoir, vous les vaincrez et vous les exterminerez. Ne concluez aucun traité
avec eux et n'ayez pas pitié d'eux. 3 Ne
vous alliez pas à eux par des mariages : ne
donnez pas vos filles à leurs fils, et ne
choisissez pas parmi eux des épouses
pour vos fils. 4 Sinon ces étrangers entraîneraient vos descendants à se détourner du Seigneur pour adorer d'autres
dieux. Le Seigneur se mettrait en colère
contre vous et vous exterminerait sans
tarder. 5 Voici au contraire comment vous
devez agir à l'égard de ces nations : vous
démolirez leurs *autels, vous briserez
leurs pierres dressées, vous couperez
leurs poteaux sacrés et vous brûlerez
leurs idoles[e]. 6 Vous êtes en effet un peuple qui appartient en propre au Seigneur
votre Dieu. C'est vous que le Seigneur a
choisis, parmi tous les autres peuples de
la terre, pour être son bien le plus précieux[f].

Fidélité du Seigneur à son alliance

7 Si le Seigneur s'est attaché à vous et
vous a choisis, ce n'est pas parce que vous
étiez un peuple plus nombreux que les
autres. En fait vous êtes un peuple peu
nombreux par rapport aux autres, 8 mais
le Seigneur vous aime, et il a accompli ce
qu'il a promis à vos ancêtres : grâce à sa
force irrésistible, il vous a fait sortir du
pays où vous étiez esclaves, il vous a arrachés aux griffes du *Pharaon, le roi
d'Égypte.
9 Reconnaissez que le Seigneur votre
Dieu est le seul vrai Dieu. Il maintient
pour mille générations son *alliance avec
ceux qui obéissent à ses commandements[g], il reste fidèle envers ceux qui
l'aiment ; 10 mais il se dresse sans tarder
face à ceux qui le haïssent, et il les fait
mourir[h]. 11 Prenez donc au sérieux les
commandements, les lois et les règles que
je vous ordonne aujourd'hui de mettre en
pratique.
12 Si vous êtes attentifs à ces règles, si
vous veillez à les mettre en pratique, le
Seigneur votre Dieu maintiendra fidèlement en votre faveur l'alliance qu'il a
conclue avec vos ancêtres. 13 Dans son
amour, il vous rendra prospères ; il vous
accordera de nombreux enfants, ainsi
que d'abondantes récoltes de blé, de vin
et d'huile, et il accroîtra vos troupeaux de
bœufs, de moutons et de chèvres, lorsque
vous serez dans le pays qu'il vous donnera, comme il l'a promis à vos ancêtres.
14 Il vous rendra plus prospères que les
autres nations. Aucun d'entre vous,
homme ou femme, et aucune de vos bêtes
domestiques ne souffrira de stérilité.
15 Le Seigneur vous préservera de toutes
les maladies, de tous les terribles fléaux
qui, comme vous le savez, ont frappé
l'Égypte ; il ne vous les infligera pas, il les
réservera à ceux qui vous haïssent.
16 Vous devrez exterminer sans pitié
tous les peuples que le Seigneur votre
Dieu livrera en votre pouvoir. Vous
n'adorerez pas leurs dieux, car vous seriez pris au piège de l'idolâtrie[i].

Le Seigneur, protecteur de son peuple

17 Vous pensez peut-être : « Ces nations
sont plus puissantes que nous ! Comment
pourrions-nous les déposséder ? »
18 N'ayez pas peur d'elles ! Souvenez-vous
de ce que le Seigneur votre Dieu a fait au
*Pharaon et à toute l'Égypte : 19 vous avez
vu les dures épreuves qu'il leur a infligées, les prodiges extraordinaires qu'il a
accomplis, la force irrésistible par laquelle il vous a fait sortir de ce pays. Eh
bien, le Seigneur votre Dieu agira de la

d **7.1** Voir Act 13.19.
e **7.5** Voir 12.3.
f **7.6** Voir Ex 19.5 ; Tite 2.14 ; 1 Pi 2.9.
g **7.9** *Il maintient pour...* ou *Il maintient son alliance avec des milliers d'hommes, avec tous ceux qui...*
h **7.10** V. 9-10 : voir 5.9-10 ; Ex 20.5-6 ; 34.6-7 ; Nomb 14.18.
i **7.16** V. 12-16 : voir 11.13-17.

même façon à l'égard de toutes les nations dont vous avez peur ! 20 Il enverra
même des frelons contre elles[j], jusqu'à ce
que soient exterminés tous les survivants
qui chercheront à vous échapper en se cachant. 21 Ne tremblez pas devant ces nations : le Seigneur votre Dieu est avec
vous, et c'est un Dieu grand et redoutable. 22 A votre approche, il chassera peu
à peu ces populations. Vous ne pourrez
pas les exterminer d'un seul coup, sinon
les bêtes sauvages se multiplieraient à vos
dépens. 23 Mais finalement le Seigneur
votre Dieu vous soumettra ces nations ;
une grande panique les saisira et les
conduira à leur perte. 24 Il livrera leurs
rois en votre pouvoir et vous effacerez
tout souvenir d'eux sur la terre ; aucun
d'entre eux ne subsistera devant vous,
vous finirez par les exterminer tous.
25 Alors vous brûlerez les statues de leurs
dieux. Ne vous laissez pas tenter par leur
revêtement d'or ou d'argent, ne vous les
appropriez pas, car le Seigneur votre
Dieu juge cela abominable ; ce butin ferait votre malheur. 26 Qu'aucune idole de
ce genre ne soit introduite dans vos maisons. Si c'était le cas, vous mériteriez
d'être détruits avec elle. En effet, de tels
objets doivent être complètement détruits, vous devez les détester, les avoir en
horreur.

Le Seigneur a éduqué Israël au désert

8 1 Veillez à mettre en pratique tous les
commandements que je vous
communique aujourd'hui ; ils vous permettront de vivre et de devenir un peuple
nombreux. Vous pourrez alors prendre
possession du pays que le Seigneur a promis à vos ancêtres. 2 Souvenez-vous de la
longue marche que le Seigneur votre
Dieu vous a imposée à travers le désert,
pendant quarante ans ; il vous a ainsi fait
rencontrer des difficultés pour vous mettre à l'épreuve, afin de découvrir ce que
vous aviez au fond de votre cœur et de savoir si, oui ou non, vous vouliez observer
ses commandements. 3 Après ces difficultés, après vous avoir fait souffrir de la
faim, il vous a donné la *manne, une
nourriture inconnue de vous et de vos
ancêtres. De cette manière, il vous a
montré que l'homme ne vivra pas de pain
seulement, mais de toute parole que Dieu
prononce[k]. 4 Vos vêtements ne se sont pas
usés, vos pieds n'ont pas enflé durant ces
quarante ans. 5 Comprenez donc bien que
le Seigneur votre Dieu veut vous éduquer
comme un père éduque son fils. 6 Observez les commandements du Seigneur votre Dieu, conduisez-vous comme il le
désire et respectez-le.

Les tentations dans le pays promis

7 Le Seigneur votre Dieu va vous faire
entrer dans un bon pays, arrosé par des
torrents et par l'eau de nombreuses sources qui jaillissent des profondeurs dans la
plaine ou dans la montagne. 8 C'est un
pays où poussent le blé et l'orge, la vigne,
le figuier et le grenadier, un pays qui
abonde en huile d'olive et en miel ; 9 le
pain ne vous y sera pas rationné et vous
n'y manquerez de rien. De ses roches on
peut extraire du fer, et de ses montagnes
du cuivre. 10 Vous y aurez de quoi vous
nourrir abondamment, et vous remercie-
rez le Seigneur votre Dieu de vous avoir
donné ce bon pays.
11 Prenez bien garde ensuite de ne pas
oublier le Seigneur votre Dieu en négli-
geant d'obéir à ses commandements, à
ses règles et à ses lois que je vous communique aujourd'hui. 12 Vous aurez de quoi
vous nourrir abondamment, vous vous
construirez de belles maisons où vous
vous installerez, 13 vous posséderez davantage de bœufs, de moutons et de chèvres, davantage d'argent, d'or et de biens
de toute sorte. 14 Veillez alors à ne pas devenir orgueilleux, au point d'oublier que
le Seigneur votre Dieu vous a fait sortir
d'Égypte où vous étiez esclaves. 15 Il vous
a conduits à travers l'immense et redoutable désert peuplé de serpents venimeux[l] et de scorpions ; dans cette terre
complètement aride, il a fait jaillir pour

---

j **7.20** Ou *même sur elles le découragement*. Comparer Ex 23.28.

k **8.3** Sur la *manne*, voir Ex 16.31 et la note. – La seconde partie de ce verset est citée en Matt 4.4 et Luc 4.4.

l **8.15** Voir Nomb 21.6 et la note.

vous de l'eau du rocher le plus dur.
16 Dans ce même désert, il vous a donné la
*manne, une nourriture inconnue de vos
ancêtres ; il vous a fait rencontrer des difficultés pour vous mettre à l'épreuve, tout
en vous préparant un avenir heureux[m].
17 Ne pensez jamais que vous avez atteint
la prospérité par vous-mêmes, par vos
propres forces. 18 Souvenez-vous, c'est le
Seigneur votre Dieu qui vous donne les
forces nécessaires pour atteindre cette
prospérité, et il confirme ainsi, aujourd'hui encore, *l'alliance qu'il a
conclue avec vos ancêtres.

19 Si vous oubliez le Seigneur votre
Dieu, si vous vous mettez à rendre un
culte à d'autres dieux, à les adorer et à les
servir, je vous avertis solennellement aujourd'hui que vous disparaîtrez complètement. 20 Oui, si vous n'obéissez pas au
Seigneur votre Dieu, vous disparaîtrez
comme les nations que le Seigneur va éliminer à votre approche.

Israël n'a aucun mérite

9 1 Israélites, écoutez ! Vous êtes maintenant sur le point de traverser le
Jourdain. Vous allez mettre en fuite des
nations plus nombreuses et plus puissantes que vous, et vous vous emparerez
de villes imposantes, dont les murailles
s'élèvent jusqu'au ciel. 2 Vous dépossédе-
rez en particulier les Anaquites, gens
puissants et de haute taille, dont on dit,
comme vous le savez : « Qui peut subsister devant les descendants d'Anac[n] ? »
3 Vous pourrez constater sous peu que le
Seigneur votre Dieu marche devant vous,
comme un feu qui détruit tout ; il les
écrasera, les obligera à céder devant vous.
Vous les déposséderez et vous les exterminerez sans tarder, comme le Seigneur vous l'a promis.

4 Lorsque le Seigneur votre Dieu les
aura chassés devant vous, n'allez pas vous
vanter en disant : « Le Seigneur nous permet de prendre possession de ce pays
parce que nous l'avons mérité ! » En réalité, c'est à cause de la mauvaise conduite
de ces peuples que le Seigneur les mettra
en fuite à votre approche 5 et que vous
pourrez prendre possession de leur pays.
Ce n'est vraiment pas parce que vous le
mériteriez par votre loyauté ! Le Seigneur chassera ces peuples à cause de leur
mauvaise conduite, et pour réaliser la
promesse faite à vos ancêtres Abraham,
Isaac et Jacob. 6 Sachez-le donc, le Seigneur votre Dieu vous laissera vous emparer de ce bon pays, mais non parce que
vous le mériteriez. En fait, vous êtes un
peuple de rebelles !

Le veau d'or : la faute du peuple

7 Souvenez-vous comment vous avez
provoqué la colère du Seigneur votre
Dieu dans le désert ! Ne l'oubliez jamais !
Depuis le jour où vous avez quitté
l'Égypte jusqu'à votre arrivée ici, vous
n'avez pas cessé d'être en révolte contre
lui. 8 Au mont *Horeb en particulier,
vous avez mis le Seigneur dans une si
grande colère qu'il voulait vous exterminer. 9 J'étais monté sur la montagne pour
y recevoir les tablettes de pierre, document de *l'alliance que le Seigneur avait
conclue avec vous. Je suis resté quarante
jours et quarante nuits sur la montagne,
sans rien manger ni boire[o]. 10 Le Seigneur Dieu m'a remis les deux tablettes
de pierre sur lesquelles il avait écrit lui-
même tous les commandements qu'il
vous avait communiqués du milieu du
feu, le jour où vous étiez rassemblés au
pied de la montagne.

11 Au bout des quarante jours et quarante nuits, après m'avoir remis le *document de l'alliance, 12 le Seigneur m'a dit :
« Redescends tout de suite d'ici, car le
peuple que tu as fait sortir d'Égypte a
commis un grave péché. Ils n'ont pas
tardé à s'écarter du chemin que je leur
avais indiqué et se sont fabriqué une
idole en métal fondu. » 13 Et le Seigneur a
ajouté : « Eh bien, je l'ai constaté, ce peuple est un peuple de rebelles ! 14 Laisse-
moi intervenir : je vais les exterminer, je
vais effacer tout souvenir d'eux sur la
terre. Ensuite je ferai naître de toi une nation plus puissante et plus nombreuse

---

m **8.16** Sur la *manne*, voir Ex 16.31 et la note. – V. 11-16 : voir Osée 13.5-6.

n **9.2** Voir Nomb 13.22 et la note.

o **9.9** Voir Ex 24.18.

qu'eux. » 15 Je suis redescendu de la montagne, qui semblait en feu. Je tenais des deux mains les tablettes de pierre, document de l'alliance. 16 J'ai vu alors que vous aviez effectivement péché contre le Seigneur votre Dieu : vous aviez fabriqué un veau en métal fondu ! Vous n'aviez pas tardé à vous écarter du chemin indiqué par le Seigneur. 17 C'est pourquoi j'ai jeté les deux tablettes de pierre que je tenais et je les ai fracassées sous vos yeux[p].

Le veau d'or : Moïse intercède

18 Ensuite je suis tombé à terre devant le Seigneur, et je suis resté là de nouveau quarante jours et quarante nuits, sans rien manger ni boire. J'ai fait cela à cause du péché que vous aviez commis : vous aviez agi d'une manière qui déplaît au Seigneur et qui l'irrite. 19 Je redoutais la colère que le Seigneur ressentait contre vous, colère si ardente qu'il voulait vous exterminer. Pourtant, cette fois-là encore, le Seigneur a entendu ma prière. 20 Sa colère était particulièrement vive à l'égard d'Aaron et il voulait le faire mourir, mais j'ai prié pour lui aussi ce jour-là. 21 J'ai pris le veau que vous aviez fabriqué, œuvre de votre péché, et je l'ai jeté dans le feu. Puis j'ai écrasé ce qui restait, je l'ai réduit en fine poussière, et j'ai jeté cette poussière dans le torrent qui descend de la montagne.

22 A Tabéra, à Massa, à Quibroth-Taava[q], vous avez aussi provoqué la colère du Seigneur. 23 Et à Cadès-Barnéa[r], quand il voulut vous envoyer en expédition en vous disant : « Allez vous emparer du pays que je vous donne », vous avez désobéi aux ordres du Seigneur votre Dieu. Vous n'avez pas eu confiance en lui et vous n'avez pas tenu compte de ce qu'il vous disait. 24 Depuis qu'il vous connaît[s], vous avez toujours été rebelles à l'égard du Seigneur.

25 Lorsque le Seigneur a menacé de vous exterminer, je suis tombé à terre devant lui et je suis resté ainsi quarante jours et quarante nuits. 26 Je lui ai adressé cette prière : « Seigneur Dieu, ne détruis pas le peuple qui t'appartient, le peuple que tu as libéré et fait sortir d'Égypte, grâce à ton autorité souveraine et à ta puissance irrésistible. 27 Souviens-toi de tes serviteurs Abraham, Isaac et Jacob ! Ne prête pas attention à l'insoumission, à la méchanceté et aux péchés de ce peuple. 28 Il ne faut pas qu'on puisse dire, dans le pays d'où tu nous as fait sortir : "Le Seigneur n'était pas capable d'amener ces gens dans le pays qu'il leur avait promis", ou encore : "Il ne les aimait pas, et il les a délivrés seulement pour les laisser mourir dans le désert." 29 Seigneur, ils sont ton peuple, ils t'appartiennent, eux que tu as libérés en déployant ta force et ta puissance irrésistibles. »

Le veau d'or : le pardon de Dieu

10 1 Alors le Seigneur m'a donné cet ordre : « Taille deux tablettes de pierre, semblables aux précédentes ; fabrique aussi un coffre en bois. Ensuite monte vers moi sur la montagne. 2 J'inscrirai sur les tablettes les commandements qui figuraient sur celles que tu as fracassées, et tu les déposeras dans le coffre. » 3 J'ai donc fabriqué un coffre en bois d'acacia, j'ai taillé deux tablettes de pierre semblables aux précédentes, et je les ai emportées sur la montagne. 4 Le Seigneur a écrit sur les nouvelles tablettes, comme sur les premières, les dix commandements qu'il vous avait communiqués, du milieu du feu, le jour où vous étiez rassemblés au pied de la montagne. Puis il me les a remises. 5 Je suis redescendu de la montagne et je les ai déposées dans le coffre que j'avais fabriqué. Elles y sont restées, comme le Seigneur me l'avait ordonné.

– 6 Les Israélites quittèrent les puits de Bené-Yacan pour Mosséra. C'est là qu'Aaron mourut et fut enterré ; son fils Élazar lui succéda comme prêtre[t]. 7 De là,

---

p **9.17** Voir Ex 32.19.

q **9.22** *Tabéra* : voir Nomb 11.1-3 ; *Massa* : voir Ex 17.1-7 ; *Quibroth-Taava* : voir Nomb 11.31-34.

r **9.23** *Cadès-Barnéa* : voir 1.19-46 ; Nomb 13.26.

s **9.24** *Depuis qu'il vous connaît* : d'après l'ancienne version grecque ; texte hébreu traditionnel : *Depuis que je vous connais*.

t **10.6** Voir Nomb 20.28 ; 33.38.

les Israélites se rendirent à Goudgoda, et
de Goudgoda à Yotbata, endroit où l'on
trouve plusieurs cours d'eau. 8 A cette
époque, le Seigneur confia à la tribu de
Lévi les tâches particulières suivantes :
porter le *coffre de l'alliance du Seigneur,
se tenir à la disposition du Seigneur pour
le servir, et prononcer la *bénédiction en
son nom. Ces tâches sont encore les siennes aujourd'hui[u]. 9 C'est la raison pour laquelle cette tribu ne reçut pas de terres en
partage parmi les autres ; ce qu'elle a en
partage, c'est le privilège de servir le Seigneur, comme le Seigneur votre Dieu le
lui a dit. –

10 J'étais resté sur la montagne quarante jours et quarante nuits, comme la
fois précédente[v]. Cette fois-ci encore, le
Seigneur a entendu ma prière et il a renoncé à vous exterminer. 11 Il m'a ordonné : « En route, va te mettre à la tête
du peuple ; qu'ils aillent conquérir le
pays que j'ai juré à leurs ancêtres de leur
donner ! »

La loi d'amour et d'obéissance

12 Et maintenant, Israélites, qu'est-ce
que le Seigneur votre Dieu attend de
vous ? Il désire que vous le respectiez en
obéissant à sa volonté, en l'aimant et en
le servant de tout votre cœur et de toute
votre âme. 13 Il désire que vous mettiez
en pratique ses commandements et ses
lois, que je vous communique aujourd'hui pour votre bien. 14 Au Seigneur votre Dieu appartiennent le ciel
immense, la terre et tout ce qu'elle
abrite. 15 Autrefois, pourtant, le Seigneur
ne s'est attaché qu'à vos ancêtres, c'est
eux qu'il a aimés ; et maintenant c'est
vous, leurs descendants, qu'il a choisis
parmi toutes les nations, comme on peut
le constater. 16 Soyez donc entièrement
consacrés au Seigneur votre Dieu[w], ne
vous révoltez plus contre lui. 17 En effet,
il est le Dieu des dieux, le Seigneur des
seigneurs, le Dieu grand, puissant et redoutable, qui n'avantage personne[x] et ne
se laisse pas corrompre par des cadeaux.
18 Il prend la défense des orphelins et des
veuves, et il manifeste son amour pour
les étrangers installés chez vous, en leur
donnant de la nourriture et des vêtements. 19 Vous donc aussi, aimez les
étrangers qui sont parmi vous ; rappelez-vous que vous étiez des étrangers en
Égypte.

20 Respectez le Seigneur votre Dieu,
adorez-le, attachez-vous à lui seul, et ne
prêtez serment qu'en son nom. 21 C'est à
lui que vous devez adresser vos acclamations ; il est votre seul Dieu, lui qui a
accompli en votre faveur les actes merveilleux ou effrayants dont vous avez été
témoins[y]. 22 Vos ancêtres n'étaient pas
plus de soixante-dix lorsqu'ils sont arrivés en Égypte ; maintenant le Seigneur
votre Dieu vous a rendus aussi nombreux
que les étoiles dans le ciel[z].

Rappel de ce que Dieu a fait pour Israël

11 1 Aimez le Seigneur votre Dieu,
servez-le et mettez toujours en
pratique ses lois, ses règles et ses
commandements. 2 En cet instant, je ne
m'adresse pas à vos enfants, qui n'ont ni
vu ni expérimenté la façon dont le Seigneur votre Dieu a fait sentir sa puissance, mais à vous-mêmes, qui avez été
témoins de sa grandeur, de sa puissance
irrésistible 3 et de ses interventions spectaculaires. Le Seigneur est intervenu en
Égypte, contre le *Pharaon, roi des Égyptiens, et contre son pays[a] ; 4 il est intervenu contre son armée, ses chevaux et ses
chars, en ramenant sur eux l'eau de la
*mer des Roseaux, quand ils vous poursuivaient, et il les a fait disparaître pour

---

u **10.8** Voir Nomb 3.5-8 ; 8.5-19.

v **10.10** Voir Ex 34.28.

w **10.16** L'hébreu exprime cette idée par l'expression *Circoncisez votre cœur*. La circoncision était le signe de l'appartenance au peuple du Seigneur.

x **10.17** *Seigneur des seigneurs* : voir 1 Tim 6.15 ; Apoc 17.14 ; 19.16. – *qui n'avantage personne* : voir Act 10.34 ; Rom 2.11 ; Éph 6.9.

y **10.21** Il s'agit des interventions spectaculaires par lesquelles Dieu a manifesté sa puissance en Égypte, en vue de contraindre le Pharaon à laisser partir les Israélites ; voir Ex 7–12.

z **10.22** *soixante-dix* : voir Gen 46.27 ; Ex 1.5 et la note ; Act 7.14. – *aussi nombreux que...* : voir Gen 15.5 ; 22.17 ; Hébr 11.12.

a **11.3** Voir Ex 7.14–12.36.

toujours[b] ; 5 il est intervenu en votre faveur dans le désert, pour vous permettre
d'arriver ici ; 6 il est intervenu contre Datan et Abiram, les fils d'Éliab, de la tribu
de Ruben : devant tous les Israélites, la
terre s'est ouverte et les a engloutis avec
leurs familles, leurs tentes et tous ceux
qui avaient pris leur parti[c]. 7 Oui, vous
avez été témoins des interventions grandioses du Seigneur. 8 Mettez donc en pratique tous les commandements que je
vous communique aujourd'hui. Vous y
trouverez les forces nécessaires pour
prendre possession du territoire dans lequel vous allez entrer, 9 et vous pourrez
alors vivre longtemps dans le pays que le
Seigneur a juré de donner à vos ancêtres
et à leurs descendants, ce pays qui regorge de lait et de miel[d].

Le pays dont le Seigneur prend soin

10 Le pays dont vous allez prendre possession n'est pas comme l'Égypte que
vous avez quittée. Là-bas, après les semailles, il fallait irriguer les champs,
comme on le fait pour un jardin potager.
11 Par contre, le pays dont vous prendrez
possession est un pays de montagnes et
de vallées, qui est arrosé par les pluies ;
12 c'est un pays dont le Seigneur votre
Dieu prend soin et sur lequel il garde les
yeux fixés du début à la fin de l'année.
13 Si vous obéissez[e] fidèlement aux
commandements que je vous communique aujourd'hui, si vous aimez et servez le Seigneur votre Dieu de tout votre
cœur et de toute votre âme, 14 il fera[f] tomber la pluie sur vos terres en temps voulu,
en automne et au printemps, pour que
vous puissiez avoir de bonnes récoltes,
du blé, du vin et de l'huile. 15 Il fera aussi
pousser l'herbe des prés pour votre bétail.
Vous aurez de quoi vous nourrir abondamment.
16 Prenez donc bien garde de ne pas
vous laisser détourner du droit chemin,
de ne pas vous incliner devant d'autres
dieux pour les adorer. 17 Cela mettrait le
Seigneur en colère contre vous, et il fer-
merait le ciel pour qu'il ne tombe plus de
pluie ; la terre ne produirait plus de récoltes, et vous ne tarderiez pas à disparaître du bon pays que le Seigneur va
vous donner[g]. 18 Vous imprimerez dans
votre cœur et dans votre âme les
commandements que je vous donne.
Pour ne pas les oublier, vous les attache-
rez sur votre bras et sur votre front.
19 Vous les enseignerez à vos enfants ;
vous leur en parlerez quand vous serez
assis chez vous ou quand vous marcherez
le long d'une route, quand vous vous coucherez ou quand vous vous lèverez.
20 Vous les écrirez sur les montants de
porte de vos maisons et sur les portes de
vos villes[h]. 21 Grâce à cela, tant que le ciel
sera au-dessus de la terre, vous et vos descendants, vous subsisterez dans le pays
que le Seigneur a promis de donner à vos
ancêtres.
22 Oui, veillez soigneusement à mettre
en pratique tous les commandements que
je vous communique, aimez le Seigneur
votre Dieu, obéissez à sa volonté et restez-lui fidèlement attachés ; 23 alors il
mettra en fuite à votre approche les nations, plus nombreuses et plus puissantes
que vous, dont vous occuperez le territoire. 24 Tous les endroits où vous poserez
le pied seront à vous : votre pays s'étendra à partir du désert et comprendra
même le Liban, entre l'Euphrate, le
grand fleuve, à l'est, et la mer Méditerranée, à l'ouest. 25 Personne ne pourra vous
résister. Partout où vous irez dans le pays,
le Seigneur votre Dieu fera en sorte que
les habitants vivent dans la crainte et
même la frayeur à votre égard, comme il
vous l'a promis[i].
26 Écoutez, je vous donne à choisir
aujourd'hui entre la *bénédiction et la
malédiction : 27 Vous serez bénis si vous
obéissez aux commandements que je
vous communique aujourd'hui de la part

b **11.4** Voir Ex 14.
c **11.6** Voir Nomb 16. – *tous ceux qui...* : autre traduction *tous les êtres vivants qui les accompagnaient*.
d **11.9** Voir Ex 3.8 et la note.
e **11.13** Voir Nomb 15.37 et la note.
f **11.14** *il fera* : d'après le texte samaritain et les anciennes versions grecque et latine ; l'hébreu emploie ici une 1re personne du singulier, qui fait de ce verset et du suivant un discours direct du Seigneur.
g **11.17** V. 13-17 : voir 7.12-16 ; 28.1-14 ; Lév 26.3-5.
h **11.20** V. 18-20 : voir 6.6-9.
i **11.25** V. 24-25 : voir Jos 1.3-5.

du Seigneur votre Dieu ; 28 mais vous serez maudits si vous n'obéissez pas à ses commandements, si vous vous détournez du chemin que je vous trace, pour aller rendre un culte à d'autres dieux que vous ne connaissez pas maintenant.

29 Lorsque le Seigneur votre Dieu vous aura installés dans le pays dont vous allez prendre possession, vous prononcerez la bénédiction du haut du mont Garizim et la malédiction du haut du mont Ébal[j]. 30 – Ces montagnes se trouvent au-delà du Jourdain, de l'autre côté de la route occidentale, dans le pays des Cananéens qui habitent la vallée du Jourdain ; elles sont à proximité des chênes sacrés de Moré, en face du Guilgal[k]. – 31 Vous êtes sur le point de traverser le Jourdain pour gagner le pays que le Seigneur votre Dieu vous donne. Vous vous en emparerez pour vous y installer. 32 Vous veillerez alors à mettre en pratique toutes les lois et les règles que je vous transmets aujourd'hui.

LES LOIS DU SEIGNEUR
12-26

12 1 Voici les lois et les règles que vous veillerez à mettre en pratique tous les jours de votre vie, dans le pays que le Seigneur, le Dieu de vos ancêtres, vous donnera en possession.

Un seul lieu de culte

2 Vous détruirez complètement les lieux sacrés situés sur les sommets des montagnes et des collines, parmi les arbres verts, là où les nations que vous allez déposséder adorent leurs dieux. 3 Vous démolirez leurs *autels, vous briserez leurs pierres dressées, vous brûlerez leurs poteaux sacrés, vous abattrez les statues de leurs dieux ; vous effacerez de l'endroit tout souvenir de ces divinités[l]. 4 Dans le culte rendu au Seigneur votre Dieu, vous n'imiterez pas les pratiques de ces nations ; 5 vous irez l'adorer seulement dans le lieu qu'il choisira, sur le territoire de vos tribus, pour y demeurer et y manifester sa présence. 6 C'est là que vous apporterez vos *sacrifices complets et vos sacrifices de communion, la partie réservée de vos récoltes, vos dons volontaires, les offrandes présentées de manière spontanée ou pour accomplir un *vœu, ainsi que les premiers-nés de vos troupeaux de bœufs, de moutons et de chèvres. 7 C'est là aussi, au *sanctuaire du Seigneur, que vous et vos familles prendrez ensemble les repas sacrés ; vous serez pleins de joie, à cause du succès que le Seigneur votre Dieu vous aura accordé dans tout ce que vous entreprendrez.

8 Vous n'adorerez plus le Seigneur comme nous le faisons ici aujourd'hui, où chacun agit selon ce qui lui semble bon. 9 En effet, vous n'êtes pas encore arrivés dans le territoire que le Seigneur votre Dieu vous donnera en possession pour y mener une vie tranquille. 10 Mais vous allez traverser le Jourdain et vous installer dans le pays qu'il vous attribue ; il vous mettra à l'abri de tous les ennemis qui vous entourent et vous y habiterez en sécurité. 11 Alors vous apporterez au Seigneur votre Dieu, dans le lieu qu'il aura choisi pour y manifester sa présence, tout ce que je vous ai dit : vos sacrifices complets, vos sacrifices de communion, la partie réservée de vos récoltes, vos dons volontaires, et tout ce que vous aurez décidé d'offrir au Seigneur pour accomplir vos vœux. 12 Là, au sanctuaire du Seigneur votre Dieu, vous serez pleins de joie, vous, vos enfants, vos serviteurs et vos servantes, ainsi que les *lévites qui demeurent dans vos villes parce qu'ils ne possèdent pas de part de territoire au milieu de vous[m].

13 Prenez bien garde de ne pas offrir vos sacrifices dans tout lieu sacré que vous découvrirez. 14 Offrez-les exclusive-

---

j **11.29** Les monts *Garizim* et *Ébal* dominaient la ville de Sichem, respectivement au sud et au nord. Un sanctuaire israélite ancien semble avoir existé sur le mont Ébal (voir 27.4 ; Jos 8.30-33).

k **11.30** Les précisions géographiques et topographiques de ce verset nous échappent partiellement.

l **12.3** Voir 7.5.

m **12.12** Voir 10.8-9 ; Nomb 18.20,23.

ment dans le lieu que le Seigneur aura choisi, sur le territoire de l'une de vos tribus ; c'est là seulement que vous accomplirez tout ce que je vous ai ordonné. 15 Cependant, selon les biens que le Seigneur votre Dieu vous aura accordés là où vous habiterez, toutes les fois que vous le désirerez, vous pourrez tuer un animal pour en consommer la viande ; chacun, qu'il soit ou non en état de *pureté, pourra en manger, comme si c'était de la gazelle ou du cerf[n]. 16 Toutefois, vous ne consommerez pas le sang de l'animal[o] ; vous le verserez sur le sol, comme de l'eau.

17 Vous n'aurez pas le droit de manger chez vous la part de blé, de vin et d'huile qui doit être offerte à Dieu, ni les premiers-nés de vos troupeaux de bœufs, de moutons et de chèvres, pas plus que les dons volontaires et les offrandes présentées de manière spontanée ou pour accomplir un vœu. 18 Vous ne pourrez en manger qu'au sanctuaire édifié dans le lieu que le Seigneur votre Dieu choisira ; vous le ferez avec vos enfants, vos serviteurs et vos servantes, ainsi qu'avec les lévites qui demeurent dans vos villes. Vous y serez pleins de joie à cause de tout ce que vous aurez accompli. 19 Prenez bien garde de ne jamais négliger les lévites, aussi longtemps que vous vivrez dans votre pays.

20 Lorsque le Seigneur votre Dieu agrandira votre territoire, comme il vous l'a promis, si vous avez envie de viande, vous pourrez en manger autant que vous le voudrez. 21 Si vous habitez trop loin du lieu choisi par le Seigneur votre Dieu pour y manifester sa présence, vous pourrez tuer un animal pris dans vos troupeaux de bœufs, de moutons ou de chèvres que le Seigneur vous aura accordés ; vous mangerez alors autant de viande que vous le voudrez, en vous conformant aux ordres que je vous ai donnés. 22 Chacun de vous, qu'il soit ou non en état de pureté, pourra participer à ce repas, comme lorsqu'on mange de la gazelle ou du cerf. 23 Toutefois, évitez rigoureusement de consommer le sang de l'animal, car le sang est porteur de vie[p]. Ne consommez donc pas l'élément vital en même temps que la viande ; 24 ne le consommez pas, mais versez-le sur le sol, comme de l'eau. 25 Ne le consommez jamais, et vous trouverez ainsi le bonheur, vous et vos descendants, car vous aurez fait ce qui plaît au Seigneur.

26 Cependant vous amènerez au lieu choisi par le Seigneur les animaux consacrés, ou offerts pour accomplir un vœu. 27 S'il s'agit de sacrifices complets, vous offrirez la viande et le sang sur l'autel du Seigneur votre Dieu ; s'il s'agit de sacrifices de communion, vous verserez le sang sur l'autel du Seigneur et vous mangerez la viande.

28 Écoutez et mettez en pratique toutes les prescriptions que je vous ai communiquées : vous y trouverez en tout temps le bonheur, vous et vos descendants, car vous aurez fait ce qui est bien, ce qui plaît au Seigneur votre Dieu.

Contre les dieux cananéens

29 Le Seigneur votre Dieu éliminera, à votre approche, les nations établies dans le territoire où vous pénétrerez ; vous pourrez ainsi les déposséder et vous installer dans leur pays. 30 Lorsqu'elles auront été exterminées devant vous, ayez grand soin de ne pas vous laisser prendre au piège de leur exemple. Ne vous intéressez pas à leurs dieux, ne vous préoccupez pas de la façon dont elles les adoraient, avec l'intention d'adopter leurs pratiques. 31 Ne les imitez pas pour adorer le Seigneur votre Dieu ; en effet, dans leurs cultes, ces nations commettent toutes sortes d'actes que le Seigneur déteste et condamne : les gens vont même jusqu'à offrir leurs fils et leurs filles en *sacrifices à leurs dieux !

13 1 Veillez plutôt à mettre en pratique tous les commandements que je vous communique, sans rien y ajouter et sans rien en retrancher[q].

---

n 12.15 Le gibier pouvait être mangé librement, sans dépendre des règles concernant les animaux offerts en sacrifice.

o 12.16 Voir 15.23 ; Gen 9.4 ; Lév 7.26-27 ; 17.10-14.

p 12.23 Voir Lév 17.10-14.

q 13.1 Voir 4.2 ; Apoc 22.18-19. – Dans certaines traductions, les v. 13.1-19 sont numérotés 12.32–13.18.

Contre les adorateurs des faux dieux

2 Un jour peut-être un *prophète ou un visionnaire[r] se manifestera parmi vous, et vous annoncera un prodige extraordinaire. 3 Si le prodige se réalise conformément à la prédiction et si l'homme vous invite alors à adorer et servir des dieux étrangers, des dieux que vous ne connaissez pas, 4 n'écoutez pas ce qu'il vous dit. En effet, c'est le Seigneur votre Dieu qui vous mettra ainsi à l'épreuve pour savoir si vous l'aimez de tout votre cœur et de toute votre âme. 5 Ne rendez de culte qu'au Seigneur votre Dieu, ayez du respect pour lui, prenez au sérieux ses commandements, obéissez-lui, servez-le et demeurez attachés à lui seul. 6 On devra mettre à mort le prophète ou le visionnaire qui vous aura incités à vous détourner du Seigneur, le Dieu qui vous a arrachés à l'esclavage et vous a fait sortir d'Égypte ; il sera exécuté pour avoir voulu vous entraîner hors du chemin que le Seigneur votre Dieu vous ordonnait de suivre. Vous ferez ainsi disparaître le mal du milieu de vous.

7 Un jour peut-être l'un de vous verra son frère, ou son fils, ou sa fille, ou sa propre femme, ou son ami le plus cher, venir en cachette l'inviter à rendre un culte à des dieux étrangers, que ni vous ni vos ancêtres n'avez connus ; 8 ce seront des dieux qu'adorent les nations étrangères, proches ou lointaines, d'un bout du monde à l'autre. 9 Il ne faudra pas y consentir, ni même écouter des propositions de ce genre ; on n'aura aucune espèce de pitié pour le coupable et on ne prendra pas sa défense. 10 Il doit absolument être mis à mort. Celui qu'il aura essayé d'entraîner sera le premier à lui jeter des pierres pour le faire mourir, et le reste du peuple interviendra ensuite. 11 Le coupable sera exécuté à coups de pierres, pour avoir tenté de détourner quelqu'un du Seigneur, le Dieu qui vous a fait sortir d'Égypte où vous étiez esclaves. 12 Tous les Israélites apprendront ce qui s'est passé, ils en éprouveront de la crainte et ils ne commettront plus un tel crime.

13 Un jour peut-être vous apprendrez que, dans l'une des villes où le Seigneur votre Dieu vous aura permis de vous installer, 14 des vauriens de votre peuple ont entraîné leurs concitoyens à rendre un culte à des dieux étrangers que vous ne connaissez pas maintenant. 15 Alors vous vous informerez, vous ferez des recherches, vous mènerez une enquête minutieuse ; si l'on découvre que cet acte abominable a réellement été commis, 16 vous ferez mourir tous les habitants de la ville et vous massacrerez tout le bétail. Ensuite vous détruirez complètement la ville elle-même avec tout ce qui s'y trouve : 17 vous rassemblerez toutes ses richesses au milieu de la place publique, vous y mettrez le feu et vous incendierez la ville. Ce sera comme un *sacrifice entièrement brûlé en l'honneur du Seigneur votre Dieu. L'endroit restera pour toujours un tas de ruines, car la ville ne sera jamais rebâtie. 18 Vous ne vous approprierez rien de ce qui doit être détruit, afin que l'ardente colère du Seigneur votre Dieu s'apaise. Il vous manifestera toute sa bonté et vous rendra nombreux, comme il l'a promis à vos ancêtres, 19 si vous lui obéissez et mettez en pratique tous les commandements que je vous communique aujourd'hui, et si vous faites ce qui est juste à ses yeux.

Coutumes mortuaires interdites

14 1 Vous êtes les enfants du Seigneur votre Dieu ! Alors, en cas de deuil, ne vous faites pas d'entailles sur le corps, et ne rasez pas vos cheveux sur le devant de la tête[s]. 2 Vous êtes en effet un peuple qui appartient en propre au Seigneur votre Dieu. C'est vous qu'il a choisis, parmi tous les autres peuples de la terre, pour être son bien le plus précieux[t].

Viandes autorisées et interdites

3 Vous ne devez manger[u] aucune nourriture que le Seigneur considère comme

---

r **13.2** *visionnaire* : voir Jér 23.25-32.
s **14.1** Voir Lév 19.28 ; 21.5 ; Jér 41.5.
t **14.2** Voir Ex 19.5 ; Tite 2.14 ; 1 Pi 2.9.
u **14.3** Comparer les v. 3-20 avec Lév 11.1-23. Dans les listes de noms d'animaux et d'oiseaux, l'identification de certaines espèces n'est pas assurée.

impure. 4 Voici une liste de bêtes que vous pouvez manger : le bœuf, le mouton, la chèvre, 5 le cerf, la gazelle, le daim, le bouquetin, le mouflon, l'antilope, la chèvre sauvage 6 et toutes les autres bêtes qui ont des sabots fendus et qui ruminent. 7 Mais vous ne devez pas manger ceux qui ont seulement des sabots fendus ou qui ruminent seulement ; ainsi vous considérerez comme impurs les animaux suivants : le chameau, le lièvre et le daman[v], car ils ruminent, mais n'ont pas de sabots, 8 ainsi que le porc, car il a des sabots, mais il ne rumine pas. Ne consommez pas la viande de ces animaux-là et ne touchez même pas leurs cadavres.

9 Parmi les animaux vivant dans l'eau, vous pouvez manger ceux qui ont à la fois des nageoires et des écailles. 10 Mais vous ne devez pas manger ceux qui n'ont pas de nageoires ou pas d'écailles : considérez-les comme impurs.

11 Vous pouvez manger des oiseaux purs. 12 Mais voici une liste d'oiseaux que vous ne devez pas manger : les aigles, les gypaètes, les aigles marins, 13 les milans, les vautours, les diverses espèces de faucons 14 et de corbeaux, 15 les autruches[w], les chouettes, les mouettes, les diverses espèces d'éperviers, 16 les hiboux, les hulottes, les effraies, 17 les chouettes chevêches, les charognards, les cormorans, 18 les cigognes, les diverses espèces de hérons, les huppes et les chauves-souris.

19 Considérez comme impurs tous les insectes ailés ; on ne doit pas en manger. 20 Toutefois, vous pouvez manger les insectes qui sont purs[x].

21 Ne consommez pas la viande d'un animal qui a crevé. Donnez-la à manger aux étrangers qui résident chez vous, ou vendez-la à d'autres étrangers. Vous en effet, vous êtes un peuple qui appartient en propre au Seigneur votre Dieu. Vous ne ferez pas cuire un chevreau dans le lait de sa mère[y].

Règles concernant la dîme

22 Chaque année, vous mettrez de côté une partie de toutes vos récoltes. 23 Vous irez ensuite au *sanctuaire du Seigneur votre Dieu, dans le lieu qu'il aura choisi pour y manifester sa présence, et c'est là que vous consommerez cette part de votre blé, de votre vin et de votre huile, ainsi que les premiers-nés de vos troupeaux de bœufs, de moutons et de chèvres[z]. Vous apprendrez ainsi à respecter pour toujours le Seigneur votre Dieu. 24 Quand le Seigneur votre Dieu vous accordera d'abondantes récoltes, vous ne pourrez peut-être pas transporter ce que vous avez mis de côté jusqu'au lieu qu'il aura choisi pour y manifester sa présence, parce que la route sera trop longue. 25 Si c'est le cas, vous vendrez ces réserves et vous apporterez l'argent au sanctuaire du Seigneur votre Dieu. 26 Là, vous achèterez tout ce dont vous aurez envie, bœufs, moutons ou chèvres, vin ou autres boissons alcooliques, et en présence du Seigneur votre Dieu vous les consommerez joyeusement avec vos familles. 27 Dans ces occasions-là, ne négligez pas les *lévites qui demeurent dans votre ville, car ils ne possèdent pas de part de territoire au milieu de vous.

28 Tous les trois ans, vous mettrez de côté la part de récolte de l'année en cours et vous l'entreposerez dans vos villes. 29 Les lévites, qui ne possèdent pas de territoire au milieu de vous, pourront venir s'y ravitailler, ainsi que les étrangers, les orphelins et les veuves qui vivent parmi vous. Ils y trouveront de quoi se rassasier. Alors le Seigneur votre Dieu vous *bénira dans tout ce que vous entreprendrez.

Remise des dettes tous les sept ans

15 1 Tous les sept ans, vous accorderez une remise de dettes à vos débiteurs. 2 Voici comment cette règle doit être appliquée : Lorsque l'année de remise de dettes est proclamée en l'honneur du Seigneur, tous ceux qui ont prêté de l'argent à leur prochain doivent renoncer à être remboursés ; ils ne doivent

---

v **14.7** *daman* : petit mammifère de la taille d'un lapin.
w **14.15** Voir Lév 11.16 et la note.
x **14.20** Comparer le v. 20 avec Lév 11.21-22, qui définit ce que sont les insectes purs.
y **14.21** Voir Ex 23.19 et la note.
z **14.23** V. 22-23 : voir Lév 27.30-33.

pas contraindre un compatriote, leur prochain, à payer sa dette. 3 Vous pouvez contraindre un étranger à vous rembourser, mais vous devez renoncer à ce que vous avez prêté à un compatriote.

4 Toutefois, il n'y aura pas de pauvre parmi vous, car le Seigneur votre Dieu vous comblera de biens dans le pays qu'il vous donnera en possession, 5 pour autant que vous obéissiez à ses ordres, en mettant fidèlement en pratique tous les commandements que je vous communique aujourd'hui. 6 Quand le Seigneur votre Dieu vous comblera de biens comme il l'a promis, personne parmi vous n'aura besoin d'emprunter de l'argent ; au contraire, c'est vous qui en prêterez à de nombreux étrangers. Vous dominerez en effet de nombreuses nations étrangères, et aucune ne vous dominera.

7 S'il se trouve tout de même un pauvre parmi vos compatriotes, dans une ville du pays que le Seigneur votre Dieu vous donnera, vous ne lui fermerez pas votre cœur en lui refusant un prêt. 8 Au contraire, vous lui prêterez généreusement ce dont il a besoin[a]. 9 Et attention, ne vous laissez pas gagner par de mauvaises pensées en vous disant : « C'est bientôt la septième année, l'année de la remise des dettes. » N'allez pas vous montrer durs, pour cette raison, à l'égard d'un compatriote pauvre, en refusant de lui accorder quelque chose. Il adresserait alors au Seigneur une accusation contre vous et vous seriez coupables. 10 Accordez-lui donc un prêt, et accordez-le-lui de bon cœur. A cause de cette générosité, le Seigneur votre Dieu vous *bénira dans tout ce que vous entreprendrez. 11 Il y aura toujours des pauvres dans votre pays[b], c'est pourquoi je vous commande d'être généreux envers vos compatriotes malheureux et pauvres.

La libération des esclaves

12 Si l'un de vos compatriotes hébreux, homme ou femme, doit se vendre à vous[c] comme esclave, il vous servira pendant six ans. La septième année, vous lui rendrez sa liberté. 13 Mais vous ne le laisserez pas s'en aller les mains vides. 14 Vous lui donnerez de tout ce que le Seigneur votre Dieu vous aura généreusement accordé, moutons et chèvres, blé et vin. 15 Souvenez-vous que vous avez été esclaves en Égypte et que le Seigneur votre Dieu vous a libérés. C'est pour cela que je vous donne ce commandement aujourd'hui.

16 Si un esclave vous dit qu'il ne veut pas vous quitter, parce qu'il vous aime, vous et votre famille, et qu'il se trouve bien chez vous, 17 prenez alors un poinçon et percez-lui l'oreille contre la porte de la maison ; il sera ainsi votre esclave pour toujours. S'il s'agit d'une esclave, vous ferez de même.

18 Ne regrettez pas de rendre la liberté à un esclave ; en effet, en six ans de travail, il vous a fait gagner deux fois plus qu'un ouvrier salarié. Rendez-lui donc la liberté, et le Seigneur votre Dieu vous *bénira dans tout ce que vous entreprendrez[d].

Les premiers-nés des animaux

19 Tout premier-né mâle de vos vaches, brebis ou chèvres doit être consacré au Seigneur votre Dieu[e] ; vous ne ferez donc pas travailler un taureau premier-né, et vous ne tondrez pas un mouton premier-né. 20 Chaque année, vous les mangerez en famille, au *sanctuaire du Seigneur votre Dieu, dans le lieu qu'il aura choisi[f]. 21 Si l'un d'eux a un défaut, s'il est boiteux ou aveugle, ou s'il a n'importe quel autre défaut grave, vous ne l'offrirez pas en *sacrifice au Seigneur votre Dieu. 22 Vous le mangerez chez vous ; et chacun, qu'il soit ou non en état de *pureté, pourra participer à ce repas, comme lorsqu'on mange de la gazelle ou du cerf. 23 Toutefois, vous ne consommerez pas le sang de l'animal[g] ; vous le verserez sur le sol, comme de l'eau.

---

a **15.8** V. 7-8 : voir Lév 25.35.
b **15.11** Voir Matt 26.11 ; Marc 14.7 ; Jean 12.8.
c **15.12** *doit se vendre à vous* ou *vous est vendu*.
d **15.18** *il vous a fait... salarié* : le sens du texte hébreu n'est pas très clair. – V. 12-18 : voir Lév 25.39-46.
e **15.19** Voir Ex 13.12.
f **15.20** Voir 14.23.
g **15.23** Voir 12.16 ; Gen 9.4 ; Lév 7.26-27 ; 17.10-14.

La fête de la Pâque

16 1 Au cours du mois d'Abib[h], n'oubliez pas de célébrer la fête de la *Pâque en l'honneur du Seigneur votre Dieu. En effet, c'est durant une nuit de ce mois-là que le Seigneur vous a fait sortir d'Égypte. 2 Les animaux que vous offrirez au Seigneur lors de la Pâque seront pris dans les troupeaux de moutons, de chèvres ou de bœufs. La cérémonie se déroulera dans le lieu que le Seigneur aura choisi pour y manifester sa présence. 3 Au repas de la fête, vous ne mangerez pas de pain levé ; pendant sept jours, vous mangerez du pain sans *levain, qui vous rappellera avec quelle hâte vous avez dû quitter l'Égypte. En consommant ce pain de misère, vous vous souviendrez à jamais du jour où vous êtes sortis d'Égypte. 4 Durant ces sept jours, on ne devra trouver aucune trace de levain chez vous, dans tout votre pays. Quant à la viande de l'animal sacrifié le soir du premier jour, elle ne devra pas être gardée jusqu'au lendemain matin. 5 Vous ne serez pas autorisés à célébrer la Pâque dans n'importe laquelle des villes où le Seigneur votre Dieu vous aura permis d'habiter ; 6 vous le ferez uniquement dans celle qu'il aura choisie pour y manifester sa présence. Le sacrifice aura lieu le soir au coucher du soleil, c'est-à-dire à l'heure où vous êtes sortis d'Égypte[i]. 7 Vous ferez cuire l'animal et vous le mangerez dans le lieu choisi par le Seigneur. Le lendemain matin, vous rentrerez chez vous. 8 Pendant six jours vous mangerez du pain sans levain ; le septième jour, vous aurez une assemblée solennelle en l'honneur du Seigneur votre Dieu, et vous ne ferez aucun travail[j].

La fête de la Pentecôte

9 A partir du moment où vous commencerez la moisson, vous compterez sept semaines, 10 puis vous célébrerez la fête de la *Pentecôte en l'honneur du Seigneur votre Dieu. Vous préparerez des offrandes volontaires, à la mesure des bienfaits que le Seigneur vous aura accordés, 11 et vous vous rendrez au lieu que le Seigneur aura choisi pour y manifester sa présence ; là, au *sanctuaire du Seigneur, vous serez pleins de joie, vous, vos enfants, vos serviteurs et vos servantes, ainsi que les *lévites, les étrangers, les orphelins et les veuves qui vivent parmi vous. 12 Souvenez-vous que vous avez été esclaves en Égypte, et veillez à mettre en pratique toutes ces lois[k].

La fête des Huttes

13 Lorsque vous aurez terminé de battre les céréales et de presser le raisin, vous célébrerez pendant sept jours la fête des Huttes[l]. 14 Vous en ferez une fête joyeuse, vous, vos enfants, vos serviteurs et vos servantes, ainsi que les *lévites, les étrangers, les orphelins et les veuves qui vivent parmi vous. 15 Cette fête en l'honneur du Seigneur votre Dieu durera sept jours, dans le lieu qu'il aura choisi. Réjouissez-vous pleinement, car le Seigneur vous accordera d'abondantes récoltes et le succès dans tout ce que vous entreprendrez[m].

16 Chaque année tous les hommes de votre peuple iront donc se présenter trois fois devant le Seigneur votre Dieu dans le lieu qu'il aura choisi : lors des fêtes des *Pains sans levain, de la *Pentecôte et des Huttes. Ils n'iront pas au *sanctuaire du Seigneur les mains vides, 17 mais chacun apportera une offrande en fonction de ses moyens et à la mesure des bienfaits que le Seigneur votre Dieu lui aura accordés.

Règles concernant la justice

18 Dans toutes les villes que le Seigneur votre Dieu vous donnera, vous désignerez des juges et des magistrats chargés de rendre la justice avec impartialité parmi les membres de vos tribus. 19 Ne faussez pas le cours de la justice ; dans un jugement, ne favorisez personne, et ne vous

h **16.1** Voir au Vocabulaire CALENDRIER.
i **16.6** *c'est-à-dire...* : autre traduction *à la date de votre sortie d'Égypte*.
j **16.8** V. 1-8 : voir Ex 12.1-20 ; Lév 23.5-8 ; Nomb 28.16-25.
k **16.12** V. 9-12 : voir Lév 23.15-21 ; Nomb 28.26-31.
l **16.13** Voir au Vocabulaire CALENDRIER.
m **16.15** V. 13-15 : voir Lév 23.33-43 ; Nomb 29.12-38.

laissez pas corrompre par des cadeaux,
car les cadeaux rendent aveugles même
les plus clairvoyants et pervertissent les
décisions des justes[n]. 20 Vous vous ef-
forcerez de rendre la justice de manière
objective. Alors vous pourrez vivre et
prendre possession du pays que le Seigneur votre Dieu vous donne.

Pratiques religieuses interdites

21 Vous ne planterez ni poteau sacré ni
arbre sacré à côté de *l'autel que vous
construirez pour le Seigneur votre Dieu.
22 Vous ne dresserez pas non plus à cet
endroit de pierre sacrée, car le Seigneur
déteste de telles pratiques[o].

17 1 Vous n'offrirez pas en *sacrifice
au Seigneur votre Dieu un animal,
bœuf, mouton ou chèvre, ayant une
malformation ou un défaut grave, car le
Seigneur juge ce procédé abominable.
2 Un jour peut-être, dans l'une des villes où le Seigneur votre Dieu vous aura
permis d'habiter, un homme ou une
femme fera ce qui déplaît au Seigneur et
sera infidèle aux engagements pris envers
Dieu : 3 il ira servir et adorer des dieux
étrangers, ou même le soleil, la lune et la
multitude des astres. – Jamais le Seigneur ne vous a ordonné[p] d'agir ainsi ! –
4 Si vous entendez parler d'un cas de ce
genre, vous mènerez une enquête minutieuse ; si l'on découvre que cette chose
abominable s'est réellement produite en
Israël, 5 vous conduirez le coupable,
homme ou femme, à la porte de la ville[q]
et vous le mettrez à mort en lui jetant des
pierres.

6 Un accusé ne pourra être condamné à
mort que sur le témoignage de deux ou
trois personnes ; le témoignage d'une
seule personne ne suffira pas[r]. 7 Les témoins seront les premiers à lui jeter des
pierres pour le faire mourir, et le reste du
peuple interviendra ensuite. Vous ferez
ainsi disparaître le mal du milieu de
vous[s].

Cas difficiles jugés au sanctuaire

8 Si un tribunal local ne parvient pas à
rendre un jugement dans une affaire de
meurtre, de coups et blessures, ou dans
tout autre litige, vous pourrez vous rendre au lieu que le Seigneur aura choisi.
9 Vous irez y consulter les prêtres-lévites[t]
et le juge en fonction à ce moment-là, et
ils vous indiqueront comment juger l'affaire. 10 Vous appliquerez la sentence
qu'ils vous communiqueront au *sanctuaire du Seigneur, en veillant à suivre
exactement les directives reçues. 11 Vous
ne vous écarterez en aucune façon des directives et des instructions qui vous seront transmises. 12 Si quelqu'un, dans son
orgueil, agit sans tenir compte des directives du prêtre qui exerce son ministère
au sanctuaire du Seigneur votre Dieu, ou
de celles du juge, cet homme doit être
mis à mort. Vous ferez ainsi disparaître le
mal du milieu d'Israël. 13 Tout le peuple
sera dans la crainte en apprenant ce qui
s'est passé, et plus personne n'osera agir
avec un tel orgueil.

Règles concernant le roi

14 Lorsque vous aurez pénétré dans le
pays que le Seigneur votre Dieu vous accordera, que vous en aurez pris possession et vous vous y serez installés, vous
désirerez peut-être avoir un roi, pour être
comme toutes les nations voisines[u].
15 Vous vous donnerez alors pour roi
l'homme que le Seigneur votre Dieu
choisira lui-même. Ce sera un Israélite ;
vous n'accepterez pas comme roi un

---

n **16.19** *et pervertissent...* : autre traduction *et compromettent la cause des innocents*. Voir Ex 23.3,6-8 ; Lév 19.15.

o **16.22** V. 21-22 : voir Ex 34.13 ; Lév 26.1.

p **17.3** *adorer des dieux étrangers* : voir Ex 22.19. – *Jamais le Seigneur...* : d'après certains manuscrits de l'ancienne version grecque ; l'hébreu utilise ici une 1re personne du singulier, qui semble être une parole directe du *Seigneur*, mais on pourrait aussi traduire *Jamais je* (moi, Moïse,) *ne vous ai ordonné*.

q **17.5** L'exécution a lieu hors des portes de la ville, comparer Lév 24.14 ; Act 7.58 ; Hébr 13.12.

r **17.6** Voir 19.15 ; Nomb 35.30 ; Matt 18.16 ; 2 Cor 13.1 ; 1 Tim 5.19 ; Hébr 10.28.

s **17.7** Voir 1 Cor 5.13.

t **17.9** On désignait probablement ainsi les membres de la tribu de Lévi en service au *sanctuaire central (voir 17.18 ; 27.9), pour les distinguer des autres lévites dispersés dans le pays (voir 12.12 ; 18.6).

u **17.14** Voir 1 Sam 8.5.

étranger, quelqu'un qui n'est pas de votre peuple. 16 Votre roi ne devra pas posséder un grand nombre de chevaux, ni envoyer des gens en acheter en Égypte[v], car le Seigneur vous a dit que vous n'auriez plus à retourner dans ce pays. 17 Il ne devra pas avoir de nombreuses épouses, ce qui le détournerait de Dieu, ni accumuler beaucoup d'argent et d'or[w].

18 Quand le roi aura pris place sur le trône royal, il fera copier pour lui, dans un livre, la présente loi qui aura été conservée par les prêtres-lévites[x]. 19 Il la gardera auprès de lui et la lira tous les jours de sa vie, afin d'apprendre à respecter le Seigneur son Dieu en veillant à toujours mettre en pratique les exigences et les obligations qu'elle contient. 20 Cela lui évitera de se croire supérieur aux gens de son peuple et de désobéir au moindre détail des commandements. Alors lui-même et ses descendants pourront jouir d'un long règne à la tête d'Israël.

Les droits des descendants de Lévi

18 1 Les prêtres-lévites[y] et les autres membres de la tribu de Lévi ne recevront pas de terres en partage comme le reste des Israélites. Pour se nourrir, ils disposeront des *sacrifices offerts au Seigneur et des autres biens qui lui reviennent. 2 Ils n'auront pas de territoire parmi les Israélites, car ce qu'ils ont en partage, c'est le privilège de servir le Seigneur, comme il le leur a dit[z].

3 Les prêtres ont droit à une partie des animaux, bœufs, moutons ou chèvres, que les Israélites offrent en sacrifice de communion : on doit leur en donner l'épaule, les joues et l'estomac. 4 Vous leur remettrez également les premiers produits du sol, blé, vin nouveau et huile, ainsi que la laine des premiers moutons que vous tondrez. 5 Le Seigneur votre Dieu a, en effet, choisi les descendants de Lévi parmi toutes les tribus, afin qu'ils exercent pour toujours leur ministère à son service.

6 Si un *lévite désire quitter la ville d'Israël où il réside et venir dans le lieu que le Seigneur aura choisi, 7 il pourra exercer là son ministère au service du Seigneur son Dieu, au même titre que tous les autres lévites présents au *sanctuaire. 8 Il aura droit, pour sa nourriture, à une part semblable à la leur, indépendamment de ce que lui aura rapporté la vente de ses biens de famille[a].

Faux prophètes et vrai prophète

9 Lorsque vous aurez pénétré dans le pays que le Seigneur votre Dieu vous accordera, vous ne vous mettrez pas à imiter les pratiques abominables de ses habitants actuels. 10 Qu'on ne trouve parmi vous personne qui offre son fils ou sa fille en *sacrifice, ni personne qui s'adonne à la magie ou à la divination, qui observe les présages ou se livre à la sorcellerie, 11 qui jette des sorts ou qui interroge d'une manière ou d'une autre les esprits des morts[b]. 12 Le Seigneur votre Dieu a en horreur ceux qui agissent ainsi, et c'est pourquoi il va déposséder les habitants de ce pays lorsque vous arriverez. 13 Pour vous, conduisez-vous de manière irréprochable à l'égard du Seigneur votre Dieu[c].

14 Les peuples que vous allez déposséder écoutent les conseils de ceux qui pratiquent la magie ou la divination. Le Seigneur votre Dieu vous interdit d'agir ainsi. 15 Il vous enverra un *prophète comme moi, Moïse, qui sera un membre de votre peuple : vous écouterez ce qu'il vous dira[d]. 16 C'est bien ce que vous avez demandé au Seigneur, le jour où vous étiez rassemblés au mont *Horeb ; vous avez dit : « Nous ne voulons plus entendre le Seigneur notre Dieu nous parler

---

v **17.16** *ni envoyer...* : autres traductions *ni rétablir des relations avec l'Égypte pour...* ou *ni vendre son peuple comme esclave en Égypte, pour y acheter encore plus de chevaux*. – Comparer 1 Rois 10.26-28 ; 2 Chron 1.14-16 ; 9.25-28.

w **17.17** *nombreuses épouses* : voir 1 Rois 11.1-8 ; *argent et or* : voir 1 Rois 10.14-27 ; 2 Chron 1.15 ; 9.13-27.

x **17.18** *prêtres-lévites* : voir v. 9 et la note.

y **18.1** *prêtres-lévites* : voir 17.9 et la note.

z **18.2** Voir Nomb 18.20.

a **18.8** *indépendamment de...* : texte hébreu peu clair.

b **18.11** Le texte hébreu des v. 10-11 énumère diverses formes de magie et de consultation des morts. – Voir Ex 22.17 ; Lév 19.26,31 ; 1 Sam 28.7.

c **18.13** Voir Matt 5.48.

d **18.15** Voir Act 3.22 ; 7.37.

directement, ni voir ce feu ardent ! Nous
ne tenons pas à mourir[e] ! » 17 Le Seigneur
m'a alors déclaré : « Ce peuple a eu raison
de parler ainsi. 18 Je vais leur envoyer un
prophète comme toi, qui sera un membre
de leur peuple. Je lui communiquerai
mes messages, et il leur transmettra tout
ce que je lui ordonnerai. 19 Si un homme
ne tient pas compte des paroles que le
prophète prononcera en mon nom, je le
punirai moi-même[f]. 20 Mais si un prophète a l'audace de prononcer en mon
nom un message que je ne lui ai pas
communiqué, ou s'il parle au nom d'autres divinités, il devra être mis à mort. »

21 Vous vous demanderez peut-être
comment on peut reconnaître qu'un
message ne vient pas du Seigneur. 22 Eh
bien, si un prophète annonce quelque
chose au nom du Seigneur et que cela ne
se réalise pas, c'est que son message ne
vient pas du Seigneur. Le prophète a eu
l'audace de le prononcer lui-même. Ne
vous laissez pas impressionner par lui.

Les villes de refuge

19 1 Le Seigneur votre Dieu éliminera certaines nations pour vous
donner leur territoire ; vous pourrez ainsi
les déposséder et vous installer dans leurs
villes et dans leurs maisons. 2-3 Après
avoir divisé en trois régions le territoire
que le Seigneur vous accordera, vous y
désignerez trois villes dont vous faciliterez l'accès pour que celui qui aurait tué
une personne puisse y trouver refuge[g].

4 Seul un homme qui a tué quelqu'un
involontairement et sans avoir jamais eu
de haine pour sa victime pourra se réfugier dans l'une de ces villes et y avoir la
vie sauve. 5 C'est le cas, par exemple, d'un
homme qui se rend à la forêt avec un
compagnon, pour couper du bois : il
brandit sa hache pour abattre un arbre, le
fer se détache du manche et atteint le
compagnon, qui en meurt. L'auteur de
l'accident peut alors trouver refuge dans
l'une de ces villes et avoir la vie sauve. 6 Il
ne faudrait pas que l'homme chargé de
venger la victime[h] se mette, dans sa colère, à le poursuivre, puisse le rattraper si
la route est longue, et le tue. En effet,
l'auteur de l'accident ne doit pas être mis
à mort, puisqu'il n'avait jamais eu de
haine pour sa victime. 7 C'est pourquoi je
vous ordonne de désigner trois villes
comme villes de refuge.

8-9 Si vous veillez à mettre en pratique
tous les commandements que je vous
communique aujourd'hui, si vous aimez
le Seigneur votre Dieu et si vous obéissez
toujours à sa volonté, il agrandira un jour
votre territoire, il vous accordera tout le
pays qu'il a promis à vos ancêtres de vous
donner. Alors vous ajouterez trois villes
de refuge aux trois premières. 10 De cette
manière, dans le pays que le Seigneur votre Dieu vous donnera en possession, on
évitera qu'un homme innocent soit mis à
mort. Sinon, vous seriez responsables de
cette mort.

11 Mais si un homme éprouve de la
haine pour un autre, le guette, lui tombe
dessus et le frappe à mort, puis va se réfugier dans l'une de ces villes, 12 les *anciens de sa ville enverront des gens
l'arrêter ; on le livrera ensuite entre les
mains de celui qui est chargé de venger la
victime, pour qu'il le mette à mort.
13 Vous n'aurez aucune pitié de lui : vous
ferez ainsi disparaître du milieu d'Israël
l'assassin d'un innocent, et vous vous en
trouverez bien.

Les limites des terrains

14 Quand vous serez installés sur les
terres qui vous auront été attribuées,
dans le pays que le Seigneur votre Dieu
va vous donner en possession, vous ne
déplacerez pas les bornes, posées par les
premiers arrivés pour marquer le domaine de votre voisin[i].

Les témoins

15 Le témoignage d'une seule personne
ne suffit pas pour condamner un homme
soupçonné d'avoir commis un crime, un
délit ou toute autre faute. Les faits ne

---

e **18.16** Voir 5.25.
f **18.19** Voir Act 3.23.
g **19.2-3** *dont vous faciliterez l'accès* : autre traduction *en tenant compte des distances*. – *y trouver refuge* : comparer 4.41-43 ; Nomb 35.9-34 ; Jos 20.
h **19.6** Voir Nomb 35.12 et la note.
i **19.14** Voir 27.17.

peuvent être établis que sur le témoignage de deux ou trois personnes[j].

16 Si un faux témoin accuse quelqu'un d'un méfait, 17 les deux adversaires doivent se rendre au *sanctuaire du Seigneur. Ils y présenteront leur affaire devant les prêtres et les juges en fonction à ce moment-là. 18 Les juges mèneront une enquête minutieuse : lorsqu'ils auront démontré que le témoin a menti, qu'il a faussement accusé son compatriote, 19 vous lui infligerez la peine qu'il espérait voir appliquée à celui-ci. Vous ferez ainsi disparaître le mal du milieu de vous. 20 Les autres gens apprendront ce qui s'est passé, ils en éprouveront de la crainte et ils ne commettront plus un tel méfait. 21 Vous n'aurez aucune pitié à l'égard du coupable ; il doit être puni : vie pour vie, œil pour œil, dent pour dent, main pour main, pied pour pied[k].

Lois relatives à la guerre

20 1 Quand vous partirez en guerre contre vos ennemis, si vous voyez de la cavalerie, des chars de combat et une armée plus nombreuse que la vôtre, n'ayez pas peur. En effet, le Seigneur votre Dieu, qui vous a fait sortir d'Égypte, est avec vous. 2 Au moment où vous vous préparerez à combattre, le prêtre s'avancera devant l'armée et dira aux hommes : 3 « Soldats d'Israël, écoutez ! Aujourd'hui, vous êtes sur le point de combattre vos ennemis. Face à eux, ne perdez pas courage, n'ayez pas peur, ne vous affolez pas, ne tremblez pas. 4 Le Seigneur votre Dieu vous accompagne pour combattre avec vous contre vos ennemis et vous donner la victoire. »

5 Ensuite les officiers recruteurs diront aux soldats : « Y a-t-il parmi vous quelqu'un qui vient de construire une maison et n'a pas encore pu y habiter ? Qu'il retourne chez lui. Sinon il pourrait mourir à la guerre et un autre irait habiter sa maison. 6 Y a-t-il quelqu'un qui vient de planter une vigne et n'a pas encore pu en cueillir les premiers raisins ? Qu'il retourne chez lui. Sinon il pourrait mourir à la guerre, et un autre cueillerait ses raisins. 7 Y a-t-il quelqu'un qui vient de se fiancer et n'a pas encore pu se marier ? Qu'il retourne chez lui. Sinon il pourrait mourir à la guerre, et un autre épouserait sa fiancée. » 8 Les officiers recruteurs ajouteront ceci : « Y a-t-il parmi vous quelqu'un qui a perdu courage et a peur ? Qu'il retourne chez lui, afin de ne pas démoraliser les autres. » 9 Quand ces officiers auront fini de parler, on désignera[l] les chefs d'unité pour commander l'armée.

10 Quand vous irez attaquer une ville, vous proposerez d'abord aux habitants de se rendre sans combat. 11 S'ils acceptent et ouvrent les portes de la ville, ils seront tous soumis à des travaux obligatoires à votre service. 12 Mais s'ils n'acceptent pas et préfèrent se battre, vous assiégerez la ville. 13 Quand le Seigneur votre Dieu la livrera en votre pouvoir, vous y tuerez tous les hommes ; 14 vous pourrez garder comme butin les femmes, les enfants, le bétail et tout ce que vous trouverez dans la ville. Vous disposerez librement des biens de vos ennemis, puisque le Seigneur votre Dieu vous les aura donnés. 15 Vous agirez ainsi envers les villes très éloignées, qui n'appartiennent pas au pays où vous vous installerez. 16 Quant aux villes du pays que le Seigneur votre Dieu vous donnera en possession, vous n'y laisserez personne en vie. 17 Vous exterminerez totalement les Hittites, *Amorites, Cananéens, Perizites, Hivites et Jébusites, comme vous l'a ordonné le Seigneur votre Dieu, 18 afin qu'ils ne vous enseignent pas à imiter les actions abominables qu'ils commettent pour plaire à leurs dieux. Cela vous conduirait à pécher contre le Seigneur votre Dieu.

19 Lorsque vous attaquerez une ville et que vous l'assiégerez longtemps avant de pouvoir la prendre, vous ne détruirez pas les arbres fruitiers des environs. Vous pourrez en manger les fruits, mais vous ne couperez pas les arbres. Un arbre dans la campagne n'est pas un homme contre

---

j **19.15** Voir 17.6 ; Nomb 35.30 ; Matt 18.16 ; 2 Cor 13.1 ; 1 Tim 5.19 ; Hébr 10.28.
k **19.21** Voir Ex 21.23-25 ; Lév 24.19-20 ; Matt 5.38.
l **20.9** Ou *ils désigneront*.

lequel on part en guerre ! 20 Par contre vous pouvez couper les arbres qui ne portent pas de fruits comestibles, et les utiliser pour le siège de la ville qui est en guerre contre vous, jusqu'à ce qu'elle se rende.

Meurtre dont l'auteur est inconnu

21 1 Quand vous serez dans le pays que le Seigneur votre Dieu vous donnera en possession, supposons qu'on trouve dans les champs le cadavre d'un homme assassiné et que l'on ne connaisse pas l'auteur du meurtre. 2 Dans ce cas, vos *anciens et vos juges iront mesurer la distance entre le lieu où se trouve la victime et les villes voisines, 3 pour déterminer quelle est la ville la plus proche. Les anciens de cette ville prendront alors une jeune vache qu'on n'a pas encore fait travailler sous le *joug, 4 ils l'amèneront près d'un torrent où il y a toujours de l'eau et sur les bords duquel on n'a jamais labouré ni semé ; là, près du torrent, ils briseront la nuque de la vache.

5 A ce moment s'avanceront les prêtres, descendants de Lévi, que le Seigneur votre Dieu a choisis pour le servir et prononcer la *bénédiction en son nom. Ce sont eux en effet qui doivent régler les disputes et les affaires de coups et blessures. 6 Tous les anciens de la ville qui se sont approchés du cadavre se laveront les mains au-dessus de la vache dont on a brisé la nuque, 7 et ils déclareront : « Nous ne sommes pas les auteurs de ce meurtre, et nous n'avons pas vu ce qui s'est passé. 8 Seigneur, pardonne au peuple que tu as libéré, ne tiens pas Israël pour responsable du meurtre d'un innocent. » Alors Dieu leur accordera son pardon.

9 Vous agirez ainsi d'une façon qui plaît au Seigneur et vous éviterez d'être tenus pour responsables d'un tel meurtre.

Mariage avec une prisonnière

10 Lorsque vous partirez en guerre contre vos ennemis, que le Seigneur votre Dieu les livrera en votre pouvoir et que vous ferez des prisonniers, 11 l'un de vous apercevra peut-être parmi eux une jolie femme ; s'il en tombe amoureux et désire l'épouser, 12 il pourra l'emmener chez lui. La femme se rasera la tête, se coupera les ongles, 13 changera son vêtement de prisonnière contre un autre[m], et elle demeurera chez cet homme. Elle portera le deuil de son père et de sa mère pendant un mois. Ensuite seulement, l'homme pourra s'approcher d'elle et la prendre pour femme. 14 Si plus tard elle cesse de lui plaire, il lui rendra la liberté. Il n'aura pas le droit de la vendre pour en retirer de l'argent, ni d'en faire son esclave, après l'avoir obligée à être sa femme.

Les droits du fils aîné

15 Supposons qu'un homme ait deux femmes, et qu'il préfère l'une à l'autre. Chacune d'elle lui donne un fils, mais le premier-né est le fils de la femme qu'il aime le moins. 16 Quand il voudra répartir ses biens entre ses enfants, il n'aura pas le droit d'accorder au fils de sa femme préférée la part qui revient à un aîné, au détriment du fils de l'autre, qui est le véritable aîné. 17 Au contraire, il devra admettre que le fils de la femme qu'il aime le moins est l'aîné, et lui accorder une double part de tous ses biens. En effet, c'est lui qui est son premier enfant et qui possède les droits du fils aîné.

Le fils indiscipliné

18 Supposons qu'un homme ait un fils indiscipliné et rebelle, qui ne prête pas attention à ce que lui disent ses parents, même quand ceux-ci le punissent. 19 Le père et la mère se saisiront de lui et l'amèneront au tribunal, devant les *anciens de sa ville ; 20 ils leur déclareront : « Notre fils que voici est indiscipliné et rebelle, il ne prête pas attention à ce que nous lui disons, il ne se plaît que dans la débauche et l'ivrognerie. » 21 Alors tous les hommes de la ville lui jetteront des pierres jusqu'à ce qu'il meure. Vous ferez ainsi disparaître le mal du milieu de vous. Tous les

---

m 21.13 *Se raser la tête, se couper les ongles* et *changer de vêtements* sont trois actes par lesquels la prisonnière montre qu'elle rompt avec sa vie passée et qu'elle commence une vie nouvelle en s'intégrant au peuple d'Israël.

Israélites apprendront cela et ils en
éprouveront de la crainte.

Le cadavre d'un pendu

22 Supposons qu'un homme, coupable
d'un crime méritant la mort, soit exécuté
et qu'ensuite vous pendiez son cadavre à
un arbre. 23 Le corps ne devra pas demeurer sur l'arbre pendant la nuit ; il faudra
l'enterrer le jour même, car un cadavre
ainsi pendu attire la malédiction de Dieu
sur le pays[n]. Veillez donc à ne pas rendre
*impur le pays que le Seigneur votre
Dieu vous donne en possession.

Respecter les biens du prochain

22 1 Si vous apercevez une vache, un
mouton ou une chèvre apparte-
nant à un compatriote, errer à l'aventure,
ne laissez pas l'animal s'en aller, mais essayez de le ramener à son propriétaire.
2 Si le propriétaire habite trop loin, ou si
vous ne le connaissez pas, vous prendrez
l'animal chez vous et vous le garderez
jusqu'à ce que le propriétaire vienne le
chercher ; alors vous le lui rendrez. 3 Vous
agirez de même si vous trouvez un âne,
un manteau ou tout autre objet égaré par
son propriétaire. Vous ne pouvez pas
refuser de vous en occuper.
4 Si vous voyez un âne ou un bœuf appartenant à un compatriote tomber en
chemin, vous ne devez pas non plus laisser le propriétaire s'en occuper seul ;
aidez-le à relever l'animal[o].

Prescriptions diverses

5 Une femme ne doit pas porter des vêtements d'homme, ni un homme des vêtements de femme. Le Seigneur votre
Dieu a en horreur ceux qui agissent ainsi.
6 Si vous trouvez en chemin, sur un arbre ou par terre, un nid d'oiseaux avec la
mère couvant ses œufs ou protégeant ses
petits, vous ne devez pas prendre la mère
en même temps que les petits ; 7 laissez la
mère s'en aller et contentez-vous de prendre les petits. Vous jouirez alors d'une vie
longue et heureuse.
8 Quand vous bâtirez une nouvelle
maison, construisez un muret autour du
toit en terrasse, afin de ne pas être responsable si quelqu'un se tue en tombant
du toit.
9 Vous ne sèmerez pas dans vos vignes
d'autres sortes de plantes. Sinon toute la
récolte devrait être réservée à Dieu, aussi
bien les raisins que les autres plantes.
10 Vous ne labourerez pas en attelant un
bœuf et un âne à la même charrue.
11 Vous ne porterez pas des vêtements
faits de laine et de lin tissés ensemble[p].
12 Vous mettrez des pompons aux quatre coins de l'étoffe dont vous vous enve-
loppez[q].

Cas litigieux au sujet d'une femme

13 Supposons qu'un homme épouse
une femme, s'unisse à elle, puis cesse de
l'aimer. 14 Il répand de faux bruits à son
sujet et l'accuse d'inconduite en disant :
« J'ai épousé cette femme, mais quand je
me suis approché d'elle, je ne l'ai pas
trouvée vierge. » 15 Dans un cas de ce
genre, les parents de la jeune femme apporteront devant les *anciens de la ville,
au tribunal, la preuve que leur fille était
vierge[r]. 16 Le père leur déclarera : « J'ai
donné ma fille pour épouse à cet homme,
mais il a cessé de l'aimer, 17 il s'est mis à
l'accuser d'inconduite en me disant qu'il
ne l'a pas trouvée vierge. Voici pourtant
la preuve qu'elle l'était. » Et les parents
étendront devant les anciens le drap, taché de sang, de la nuit de noce. 18 Les anciens de la ville arrêteront alors l'homme
et lui feront infliger une correction. 19 Ils
le condamneront en plus à payer au père
de la jeune femme une indemnité de cent
pièces d'argent, pour avoir répandu de
faux bruits au sujet d'une jeune fille
israélite. Enfin il devra la garder pour
femme, et durant toute sa vie il n'aura
plus le droit de la renvoyer.
20 Si au contraire l'accusation se révèle
juste, s'il n'y a pas de preuve que la jeune
fille était vierge, 21 on amènera celle-ci à
l'entrée de la maison de son père, et les

---

n **21.23** Autre traduction *car l'homme ainsi pendu est l'objet de la malédiction de Dieu*. Voir Gal 3.13.
o **22.4** V. 1-4 : voir Ex 23.4-5.
p **22.11** V. 9-11 : voir Lév 19.19.
q **22.12** Comparer Nomb 15.37-41.
r **22.15** Voir v. 17.

hommes de la ville lui jetteront des pierres jusqu'à ce qu'elle meure ; elle s'est en
effet conduite de manière infâme en Israël, en ayant des relations sexuelles alors
qu'elle vivait encore chez son père. Vous
ferez ainsi disparaître le mal du milieu de
vous.
22 Si l'on surprend un homme en train
de coucher avec une femme mariée, les
deux complices doivent être mis à mort,
l'homme aussi bien que la femme. Vous
ferez ainsi disparaître le mal du milieu
d'Israël.
23 Si, dans une ville, un homme rencontre une jeune fille fiancée à quelqu'un
d'autre, et couche avec elle, 24 vous les
conduirez tous les deux à la porte de la
ville[s] et vous leur jetterez des pierres
jusqu'à ce qu'ils meurent. La jeune fille
sera exécutée parce qu'elle n'a pas appelé
au secours, bien que l'affaire se soit
déroulée à l'intérieur d'une ville ; et
l'homme, parce qu'il a couché avec une
femme promise à quelqu'un d'autre.
Vous ferez ainsi disparaître le mal du milieu de vous. 25 Mais si c'est dans la campagne qu'un homme rencontre une jeune
fille fiancée et qu'il la viole, lui seul sera
exécuté. 26 Vous ne ferez rien à la jeune
fille, car elle n'a pas commis de faute méritant la mort. – Ce cas est semblable à celui d'un homme qu'un autre attaque et
tue. – 27 La rencontre ayant eu lieu dans
la campagne, même si la jeune fiancée a
appelé au secours, il n'y avait personne
pour la délivrer.
28 Si un homme rencontre une jeune
fille qui n'est pas encore fiancée, qu'il
l'oblige à coucher avec lui et qu'on les
prenne sur le fait, 29 l'homme versera au
père de la jeune fille cinquante pièces d'argent, et il devra épouser celle-ci, puisqu'il
lui a fait violence. Durant toute sa vie, il
n'aura plus le droit de la renvoyer[t].

23 1 Personne ne doit avoir de relations sexuelles avec une des femmes de son père ; ce serait porter atteinte
aux droits de son père[u].

Les gens non admis dans l'assemblée des fidèles

2 Un homme dont les testicules ont été
écrasés ou dont le membre viril a été mutilé, ne doit pas être admis dans l'assemblée des fidèles du Seigneur.
3 Un homme né d'une union inter-
dite[v] ne doit pas être admis dans l'assemblée des fidèles. Même ses descendants
de la dixième génération n'y seront pas
admis.
4 Les Ammonites et les Moabites[w] ne
seront jamais admis dans l'assemblée
des fidèles. Même leurs descendants de
la dixième génération n'y seront pas admis. 5 En effet ces peuples ne sont pas
venus vous accueillir avec du pain et de
l'eau lorsque vous étiez en route, après la
sortie d'Égypte ; au contraire ils ont fait
venir de Petor, en Haute-Mésopotamie,
le devin Balaam, fils de Béor, et ils l'ont
payé pour qu'il vous maudisse. 6 Mais le
Seigneur votre Dieu n'a pas voulu écouter Balaam ; pour vous il a changé la malédiction en *bénédiction, parce qu'il
vous aime[x]. 7 Tant que vous serez une
nation, ne vous préoccupez jamais du
bien-être ou du bonheur de ces deux
peuples.
8 Ne traitez pas les Édomites avec mépris, car ils sont vos cousins[y]. Ne traitez
pas non plus les Égyptiens avec mépris,
car vous avez séjourné dans leur pays.
9 Les descendants de ces deux peuples,
établis dans votre pays, pourront être
admis dès la troisième génération dans
l'assemblée des fidèles du Seigneur.

La pureté du camp

10 Lorsque vous partirez en guerre
contre vos ennemis et que vous dresserez votre camp, vous veillerez à éviter
tout ce qui pourrait vous rendre *im-

---

s **22.24** Voir 17.5 et la note.
t **22.29** V. 28-29 : voir Ex 22.15-16.
u **23.1** Voir 27.20 ; Lév 18.8 ; 20.11. – Dans certaines traductions, les v. 23.1-26 sont numérotés 22.30–23.25.
v **23.3** Le sens du mot hébreu traduit par *né d'une union interdite* n'est pas certain. Pourtant il fait probablement allusion à Lév 18.6-20 ; 20.10-21. Après l'exil, on comprendra aussi comme *union interdite* le mariage d'un Juif avec une étrangère (Zach 9.6 ; comparer Néh 13.1-2,23-28).
w **23.4** Voir Gen 19.37-38.
x **23.6** V. 5-6 : voir Nomb 22–24.
y **23.8** Voir 2.4.

purs. 11 Si par exemple un de vos soldats
devient impur pendant la nuit à cause
d'une perte séminale, il devra sortir du
camp et ne pas y rentrer de la journée.
12 Dans l'après-midi, il se lavera, et au
coucher du soleil il pourra regagner le
camp.
13 Vous réserverez hors du camp un endroit retiré où vous pourrez aller satisfaire vos besoins naturels. 14 Chaque
soldat aura un outil dans son équipement
et, lorsqu'il se retirera à l'écart, il s'en servira pour creuser le sol, puis pour recouvrir ses excréments. 15 Votre camp doit
être un endroit consacré, car le Seigneur
votre Dieu le parcourt pour vous protéger et vous donner la victoire sur vos ennemis. S'il y découvrait quelque chose de
répugnant, il ne resterait pas auprès de
vous.

L'esclave en fuite

16 Si un esclave s'enfuit de chez son
maître et cherche refuge dans votre pays,
vous ne le ramènerez pas à son maître.
17 Il doit pouvoir s'installer parmi vous, à
l'endroit qu'il désire, dans la ville qui lui
convient. Vous ne l'exploiterez pas.

La prostitution sacrée

18 Aucun Israélite, homme ou femme,
ne doit se livrer à la prostitution sacrée[z].
19 N'acceptez pas que, pour accomplir un
*vœu, on apporte au *temple du Sei-
gneur votre Dieu le salaire gagné par des
gens qui agissent ainsi, car le Seigneur
juge leurs pratiques abominables.

Le prêt à intérêt

20 Si vous prêtez quelque chose à un
compatriote, argent, nourriture ou autre,
n'exigez de lui aucun intérêt. 21 Vous pouvez exiger des intérêts d'un étranger,
mais pas d'un compatriote. Obéissez à
cette règle dans le pays dont vous allez
prendre possession, et le Seigneur votre
Dieu vous *bénira dans tout ce que vous
entreprendrez[a].

Les vœux

22 Quand vous faites le vœu de présenter une offrande au Seigneur votre Dieu,
ne tardez pas à la lui apporter, sinon le
Seigneur devra vous la réclamer et vous
serez coupables d'un péché[b]. 23 Si vous
vous abstenez de faire des vœux, ce n'est
pas un péché. 24 Mais si vous formulez
un vœu, accomplissez-le fidèlement ;
conformez-vous à ce que vous avez librement promis au Seigneur votre Dieu.

Le droit de cueillir quelques fruits

25 Si vous passez à travers des vignes
qui ne vous appartiennent pas, vous pouvez manger autant de raisin que vous le
désirez, mais vous n'avez pas le droit d'en
emporter dans votre panier. 26 De même,
si vous traversez des champs de blé qui
ne sont pas à vous, vous pouvez cueillir à
la main quelques épis[c], mais vous n'avez
pas le droit de vous servir d'une faucille
pour en couper.

La femme répudiée

24 1 Supposons qu'un homme épouse
une femme, mais qu'un jour elle
cesse de lui plaire, car il a quelque chose à
lui reprocher. Il rédige alors une attestation de divorce[d], il la lui remet et la renvoie de chez lui. 2 Après l'avoir quitté, la
femme épouse un autre homme. 3 Supposons qu'à son tour, le second mari cesse
de l'aimer, rédige une attestation de divorce qu'il lui remet, et la renvoie de chez
lui, ou bien encore qu'il meure. 4 Dans
l'un ou l'autre cas, le premier mari n'a pas
le droit de reprendre pour femme celle
qu'il a renvoyée, car elle est devenue *impure pour lui ; le Seigneur jugerait cela
abominable. Vous ne devrez pas déshonorer par de telles pratiques le pays que le
Seigneur votre Dieu va vous donner en
possession.

Le jeune marié

5 Un homme qui vient de se marier est
dispensé de partir à l'armée, et on ne lui
imposera aucune autre charge. Il en sera

z **23.18** Voir Lév 19.29 ; Jér 2.20 et la note.
a **23.21** V. 20-21 : voir 15.7-11 ; Ex 22.24 ; Lév 25.36-37.
b **23.22** Voir Nomb 30.3 ; Matt 5.33.
c **23.26** Comparer Matt 12.1 ; Marc 2.23 ; Luc 6.1.
d **24.1** Voir Matt 5.31 ; 19.7 ; Marc 10.4.

libéré pendant un an, pour pouvoir se
consacrer à sa maison et rendre heureuse
la femme qu'il a épousée.

Les gages

6 On ne doit pas exiger en gage de
quelqu'un sa *meule à blé, même pas la
pierre supérieure de la meule, car ce serait le priver de ses moyens d'existence.

L'enlèvement de personnes

7 Si un Israélite enlève un de ses
compatriotes et qu'il le réduise en esclavage ou le vende, il doit être mis à mort.
Vous ferez ainsi disparaître le mal du
milieu de vous[e].

La lèpre

8 Prenez bien garde aux cas de *lèpre :
veillez soigneusement à mettre en pratique toutes les instructions que j'ai
communiquées aux prêtres-lévites[f] et
qu'ils vous transmettront. 9 Rappelez-
vous ce que le Seigneur votre Dieu a fait à
Miriam, lorsque vous étiez en route,
après la sortie d'Égypte[g].

Encore les gages

10 Si vous prêtez quelque chose à un
compatriote, ne pénétrez pas chez lui
pour y prendre un gage. 11 Restez dehors,
et celui à qui vous avez accordé le prêt
vous apportera le gage à l'extérieur.
12-13 S'il s'agit d'un pauvre qui vous donne
son manteau en gage, vous ne le garderez
pas durant la nuit ; vous le lui rendrez au
coucher du soleil, afin qu'il puisse s'en
couvrir pour dormir. Il vous en sera
reconnaissant et le Seigneur votre Dieu
lui-même considérera que vous avez accompli une bonne action[h].

Le respect dû aux pauvres

14 Ne profitez pas de la pauvreté ou de
la misère d'un ouvrier, que ce soit un
compatriote ou un étranger vivant dans
une ville de votre pays. 15 Versez-lui chaque jour son salaire ; qu'il reçoive son dû
avant le coucher du soleil. En effet, il est
pauvre et a un urgent besoin de sa paie.
S'il adressait au Seigneur une accusation
contre vous, vous seriez coupable d'un
péché[i].

Responsabilité personnelle

16 On ne doit pas mettre à mort des parents pour des péchés commis par leurs
enfants, ni des enfants pour des péchés
commis par leurs parents ; un être humain ne peut être mis à mort que pour
ses propres péchés[j].

Mesures en faveur des pauvres

17 Ne faussez pas le cours de la justice
au détriment d'un étranger orphelin[k]. Ne
prenez pas en gage les vêtements d'une
veuve. 18 Souvenez-vous que vous avez
été esclaves en Égypte et que le Seigneur
votre Dieu vous a libérés[l]. C'est pour cela
que je vous ordonne de mettre en pratique ces commandements.

19 Lorsque vous moissonnerez, si vous
avez oublié une gerbe dans le champ,
vous ne retournerez pas la prendre ; vous
la laisserez pour les étrangers, les orphelins et les veuves. Alors le Seigneur votre
Dieu vous *bénira dans tout ce que vous
entreprendrez. 20 De même, lorsque vous
récolterez les olives, vous ne passerez pas
une seconde fois pour recueillir les fruits
oubliés ; vous les laisserez pour les étrangers, les orphelins et les veuves. 21 Enfin,
lorsque vous vendangerez, vous ne repasserez pas dans la vigne pour ramasser
les grappes oubliées ; vous les laisserez
pour les étrangers, les orphelins et les
veuves[m]. 22 Souvenez-vous que vous avez
été esclaves en Égypte. C'est pour cela
que je vous ordonne de mettre en pratique ces commandements.

La manière de rendre la justice

25 1 Supposons que deux Israélites, à
la suite d'une querelle, se présentent devant un tribunal pour être jugés ;

e 24.7 Voir Ex 21.16.
f 24.8 Sur les *cas de lèpre*, voir Lév 13–14. – *prêtres-lévites* : voir 17.9 et la note.
g 24.9 Voir Nomb 12.10.
h 24.12-13 V. 10-13 : voir Ex 22.25-26.
i 24.15 V. 14-15 : voir Lév 19.13.
j 24.16 Voir 2 Rois 14.6 ; 2 Chron 25.4 ; Ézék 18.20.
k 24.17 Plusieurs manuscrits hébreux et des versions anciennes lisent *d'un étranger ou d'un orphelin*.
l 24.18 V. 17-18 : voir 27.19 ; Ex 23.9 ; Lév 19.33-34.
m 24.21 V. 19-21 : voir Lév 19.9-10 ; 23.22.

l'un est déclaré innocent et l'autre coupable. 2 Si le coupable est condamné à recevoir un certain nombre de coups, le juge le fera étendre par terre en sa présence, et on lui donnera le nombre de coups proportionné à la gravité de sa faute. 3 Toutefois, on ne dépassera pas quarante coups ; si on allait au-delà[n], votre compatriote serait déshonoré à vos yeux.

Le bœuf

4 Vous ne mettrez pas une muselière à un bœuf qui foule le blé[o].

La veuve sans enfant

5 Si deux frères vivent ensemble sur le même domaine et que l'un d'eux meure sans avoir de fils, sa veuve ne doit pas épouser quelqu'un d'extérieur à la famille. C'est son beau-frère qui exercera son devoir envers elle en la prenant pour épouse. 6 Le premier fils qu'elle mettra au monde sera alors considéré comme le fils de celui qui est mort, afin que son nom continue d'être porté en Israël[p].

7 Si un homme n'est pas d'accord d'épouser sa belle-sœur, celle-ci se rendra devant les *anciens, au tribunal, et expliquera : « Mon beau-frère n'a pas voulu exercer son devoir envers moi, il a refusé de donner à son frère un fils qui continue de porter son nom en Israël. » 8 Les anciens de la ville convoqueront l'homme et l'interrogeront. S'il maintient son refus d'épouser la veuve de son frère, 9 celle-ci s'avancera jusqu'à lui en présence des anciens, elle lui retirera sa sandale du pied[q], lui crachera au visage et déclarera : « Voilà comment on traite un homme qui refuse de donner un descendant à son frère ! » 10 Dès lors, en Israël, on surnommera la famille de cet homme “la famille du déchaussé”.

Coup interdit lors d'une bagarre

11 Supposons que deux hommes soient en train de se battre, et que la femme de l'un d'eux s'approche pour arracher son mari aux coups de l'adversaire. Si elle tend le bras et saisit l'adversaire par ses organes sexuels, 12 vous n'aurez aucune pitié d'elle : vous lui couperez la main.

L'honnêteté dans le commerce

13 Vous n'aurez pas dans votre sac des poids inexacts, certains plus lourds et d'autres plus légers. 14 Vous n'aurez pas non plus chez vous des mesures falsifiées, certaines plus grandes et d'autres plus petites. 15 Vous ne devrez avoir que des poids exacts et des mesures justes. Ainsi vous vivrez longtemps dans le pays que le Seigneur votre Dieu va vous donner. 16 En effet, le Seigneur votre Dieu a en horreur ceux qui commettent des injustices de ce genre[r].

Les Amalécites, ennemis héréditaires

17 Rappelez-vous ce que les Amalécites vous ont fait, lorsque vous étiez en route, après la sortie d'Égypte. 18 Ils n'avaient aucune crainte de Dieu, si bien qu'ils vous ont attendus le long du chemin, alors que vous étiez complètement exténués, et ils ont attaqué les retardataires à l'arrière de votre troupe. 19 Maintenant, le Seigneur votre Dieu va vous installer à l'abri de tous les ennemis qui vous entourent, dans le pays qu'il vous donne en possession ; vous exterminerez alors les Amalécites, de telle sorte que personne sur terre ne se souvienne d'eux. N'oubliez pas cela[s] !

Les premiers produits du sol La confession de foi

26 1 Vous allez pénétrer dans le pays que le Seigneur votre Dieu vous accorde et vous en prendrez possession.

---

n **25.3** Pour qu'on ne risque pas de dépasser *quarante coups*, on s'arrêtait normalement à trente-neuf coups, voir 2 Cor 11.24. – *si on allait au-delà* : autre traduction *si on provoquait une blessure grave en allant au-delà*.

o **25.4** La *muselière* est un appareil qui entoure le museau d'un animal pour l'empêcher soit de mordre, soit de manger pendant son travail. Voir 1 Cor 9.9 ; 1 Tim 5.18.

p **25.6** V. 5-6 : voir Matt 22.24 ; Marc 12.19 ; Luc 20.28.

q **25.9** Comme en Ruth 4.7, ce geste exprime la perte du droit d'épouser la veuve et du droit de propriété. En plus ici, il prend un aspect offensant.

r **25.16** V. 13-16 : voir Lév 19.35-36.

s **25.19** V. 17-19 : voir Ex 17.8-14 ; 1 Sam 15.2-9.

Quand vous y serez installés, 2 chacun de vous prélèvera une partie des premiers produits du sol qu'il aura fait pousser dans le pays donné par le Seigneur ; il la déposera dans une corbeille et l'apportera au lieu choisi par le Seigneur votre Dieu pour y manifester sa présence[t]. 3 Il ira trouver le prêtre en fonction à ce moment-là et lui dira : « Je proclame aujourd'hui devant le Seigneur ton Dieu que je suis arrivé dans le pays qu'il avait promis à nos ancêtres de nous donner. » 4 Le prêtre prendra la corbeille apportée et la placera devant *l'autel du Seigneur votre Dieu. 5 L'homme prononcera alors cette déclaration devant le Seigneur :

« Mon ancêtre était un Araméen errant[u] ; il s'est rendu en Égypte et y a d'abord séjourné avec le petit groupe de gens qui l'accompagnaient. Ceux-ci ont formé par la suite une grande nation, puissante et nombreuse. 6 Mais les Égyptiens nous ont maltraités et opprimés, en nous imposant un dur esclavage. 7 Nous avons appelé à l'aide le Seigneur, Dieu de nos ancêtres ; il a entendu nos cris et il a vu combien nous étions maltraités, brutalisés et opprimés. 8 Il nous a fait sortir d'Égypte, en recourant à des exploits irrésistibles et terrifiants, à des prodiges extraordinaires. 9 Il nous a conduits jusqu'ici et il nous a donné ce pays, qui regorge de lait et de miel[v]. 10 C'est pourquoi maintenant j'apporte au Seigneur les premiers produits des terres qu'il m'a accordées. »

L'homme déposera alors devant le *sanctuaire ce qu'il aura apporté et s'inclinera jusqu'à terre pour adorer le Seigneur votre Dieu. 11 Ensuite, avec les *lévites et les étrangers qui habitent votre pays, vous vous réjouirez de tous les bienfaits que le Seigneur votre Dieu vous a accordés, à vous et à vos familles.

Le prélèvement de la troisième année

12 Tous les trois ans, ce sera “l'année du prélèvement”. Lorsque vous aurez terminé de prélever la part réservée de vos récoltes, vous la mettrez à la disposition des *lévites, des étrangers, des orphelins et des veuves. Ceux-ci trouveront ainsi sur place de quoi se nourrir abondamment[w]. 13 Alors vous direz devant le Seigneur votre Dieu : « Seigneur, je n'ai rien gardé chez moi de tout ce qui t'est réservé. Comme tu l'exiges, j'ai tout mis à la disposition des lévites, des étrangers, des orphelins et des veuves. Je n'ai rien négligé, rien oublié de ce que tu ordonnes à ce sujet. 14 Je n'ai rien mangé de cette part réservée quand j'étais en deuil, je ne l'ai pas livrée alors que j'étais en état *d'impureté, je n'en ai rien donné en offrande pour un mort. J'ai écouté tes instructions, Seigneur mon Dieu, et j'ai obéi à tes ordres. 15 Regarde donc du haut du *ciel, là où tu demeures, et répands tes bienfaits sur Israël, ton peuple, et sur le pays que tu nous as donné selon la promesse faite à nos ancêtres, pays qui regorge de lait et de miel[x]. »

Israël, peuple du Seigneur

16 En ce jour, le Seigneur votre Dieu vous ordonne de mettre en pratique ses commandements et ses règles. Vous veillerez à vous y conformer de tout votre cœur et de toute votre âme. 17 Vous avez obtenu aujourd'hui une promesse du Seigneur : il sera votre Dieu, si vous faites ce qu'il désire, si vous lui obéissez en tenant compte de ses lois, de ses commandements et de ses règles. 18 De son côté, il a obtenu de vous cette promesse : vous serez son peuple, ceux qu'il appelle son bien le plus précieux[y], et vous obéirez à tous ses commandements. 19 Oui, le Seigneur votre Dieu veut que vous deveniez la première de toutes les nations qu'il a créées, en gloire, en renommée et en dignité, et que vous soyez le peuple qui lui appartient en propre, comme il l'a déclaré.

---

t **26.2** Voir Ex 23.19.
u **26.5** Il s'agit de Jacob, voir Gen 25.20 ; 28–31. Le pays d'Aram correspond approximativement à ce qu'on appellera plus tard la Syrie.
v **26.9** Voir Ex 3.8 et la note.
w **26.12** Voir 14.28-29.
x **26.15** Voir Ex 3.8 et la note.
y **26.18** Voir Ex 19.5 ; Tite 2.14 ; 1 Pi 2.9.

ISRAËL CÉLÈBRE L'ALLIANCE
27-28

Les pierres dressées sur le mont Garizim

27 1 Moïse, accompagné des *anciens du peuple, donna cet ordre
aux Israélites : « Vous obéirez à tous les
commandements que je vous communique aujourd'hui. 2 Le jour où vous traverserez le Jourdain pour entrer dans le
pays que le Seigneur votre Dieu vous
donne, vous dresserez de grandes pierres
que vous peindrez en blanc ; 3 sur ces
pierres, vous écrirez dès votre arrivée
tous les commandements de la loi que je
vous transmets. Ainsi vous pourrez entrer dans le pays regorgeant de lait et de
miel[z] que le Seigneur, le Dieu de vos ancêtres, vous donne selon la promesse
qu'il vous a faite. 4 Oui, quand vous aurez traversé le Jourdain, vous dresserez
sur le mont Garizim[a] les pierres dont je
viens de vous parler, et vous les peindrez
en blanc. 5 Ensuite vous construirez au
même endroit un *autel pour le Seigneur votre Dieu, au moyen de pierres
qu'aucun outil de fer n'a touchées ;
6 vous ne devrez utiliser que des pierres
non taillées pour le construire[b]. Sur cet
autel vous offrirez au Seigneur des *sacrifices complets ; 7 vous offrirez également des sacrifices de communion que
vous consommerez sur place dans la
joie, en présence du Seigneur votre
Dieu. 8 Quant aux pierres que vous aurez
dressées, vous écrirez dessus tous les
commandements de la loi de Dieu, de
manière bien lisible[c]. »
9 Ensuite Moïse, accompagné des prêtres-lévites[d], s'adressa encore au peuple : « Israélites, faites silence et
écoutez ! leur dit-il. Aujourd'hui vous
êtes devenus le peuple du Seigneur votre Dieu. 10 Obéissez-lui donc, mettez en
pratique ses commandements et ses lois,
que je vous communique en ce moment. » 11 Le même jour, Moïse donna
aussi au peuple l'ordre suivant :
12 « Quand vous aurez traversé le Jourdain, les tribus de Siméon, Lévi, Juda,
Issakar, Joseph et Benjamin se tiendront sur le mont Garizim[e] pour prononcer les *bénédictions en faveur du
peuple, 13 tandis que les tribus de Ruben, Gad, Asser, Zabulon, Dan et Neftali se tiendront sur le mont Ébal pour
prononcer les malédictions. »

Les douze malédictions

14 Les *lévites s'adresseront à tous les
Israélites et ils leur diront d'une voix
puissante :
15 « Maudit soit celui qui se fabrique une
idole taillée ou une statue en métal fondu
pour l'adorer en secret[f]. Le Seigneur déteste ce genre d'objet fabriqué par des
mains humaines. » Et tout le peuple
répondra : « *Amen ! »
16 « Maudit soit celui qui déshonore son
père et sa mère[g]. » Et tout le peuple
répondra : « Amen ! »
17 « Maudit soit celui qui déplace les bornes du domaine de son voisin[h]. » Et tout
le peuple répondra : « Amen ! »
18 « Maudit soit celui qui indique la mauvaise route à un aveugle[i]. » Et tout le peuple répondra : « Amen ! »
19 « Maudit soit celui qui fausse le cours
de la justice à l'égard d'un étranger, d'un
orphelin ou d'une veuve[j]. » Et tout le
peuple répondra : « Amen ! »
20 « Maudit soit celui qui couche avec une
des femmes de son père, car il porte ainsi
atteinte aux droits de son père[k]. » Et tout
le peuple répondra : « Amen ! »

---

z **27.3** Voir Ex 3.8 et la note.
a **27.4** *mont Garizim* : d'après le texte samaritain et une ancienne version latine ; texte hébreu traditionnel : *mont Ébal*. Voir 11.29 et la note.
b **27.6** Voir Ex 20.25.
c **27.8** V. 2-8 : voir Jos 8.30-32.
d **27.9** *prêtres-lévites* : voir 17.9 et la note.
e **27.12** Voir 11.29 et la note.
f **27.15** Voir 4.15-18 ; Ex 20.4 ; Lév 19.4.
g **27.16** Voir Ex 20.12.
h **27.17** Voir 19.14.
i **27.18** Voir Lév 19.14.
j **27.19** Voir 24.17-18 ; Ex 22.21 ; 23.9 ; Lév 19.33-34.
k **27.20** Voir 23.1 ; Lév 18.8 ; 20.11.

21 « Maudit soit celui qui s'accouple avec un animal[l]. » Et tout le peuple répondra : « Amen ! »

22 « Maudit soit celui qui couche avec sa demi-sœur, fille de son père ou de sa mère[m]. » Et tout le peuple répondra : « Amen ! »

23 « Maudit soit celui qui couche avec la mère de sa femme[n]. » Et tout le peuple répondra : « Amen »

24 « Maudit soit celui qui assassine quelqu'un en cachette. » Et tout le peuple répondra : « Amen ! »

25 « Maudit soit celui qui accepte de l'argent pour assassiner un innocent. » Et tout le peuple répondra : « Amen ! »

26 « Maudit soit celui qui ne respecte pas les commandements de la loi de Dieu et qui ne les met pas en pratique[o]. » Et tout le peuple répondra : « Amen ! »

Promesses de bonheur

28 1-2 Si vous obéissez fidèlement au Seigneur votre Dieu, si vous veillez à mettre en pratique tous les commandements que je vous communique aujourd'hui de sa part, alors il fera de vous la première de toutes les nations de la terre et il vous comblera des bienfaits que voici :

3 Il *bénira ceux qui habitent les villes et ceux qui habitent la campagne. 4 Il vous accordera de nombreux enfants et d'abondantes récoltes, et il accroîtra vos troupeaux de bœufs, de moutons et de chèvres. 5 Il remplira vos corbeilles de fruits et vos pétrins de farine. 6 Il vous bénira dans toutes les circonstances de votre existence.

7 Lorsque des ennemis vous attaqueront, le Seigneur vous donnera la victoire sur eux. S'ils arrivent par un seul chemin, ils s'enfuiront devant vous par sept chemins différents. 8 Le Seigneur votre Dieu protégera tout ce que vous aurez amassé dans vos greniers, il fera prospérer tout ce que vous entreprendrez. Oui, il vous comblera de bienfaits dans le pays qu'il vous accordera.

9 Si vous mettez en pratique les commandements du Seigneur votre Dieu et si vous obéissez à sa volonté, il fera de vous un peuple qui lui appartient en propre, comme il vous l'a promis. 10 Tous les autres peuples de la terre verront alors que vous êtes consacrés au service du Seigneur, et ils seront remplis de crainte à votre égard. 11 Le Seigneur accroîtra vos biens dans le pays qu'il a promis à vos ancêtres de vous donner : vous aurez de nombreux enfants, vos bêtes auront de nombreux petits et vos récoltes seront abondantes. 12 Pour vous, le Seigneur ouvrira le ciel, où il conserve précieusement l'eau, afin de laisser tomber la pluie sur vos terres en temps voulu et de faire prospérer tout ce que vous entreprendrez. Vous n'aurez pas besoin d'emprunter de l'argent ; au contraire, c'est vous qui en prêterez à de nombreux étrangers. 13 Le Seigneur fera de vous la première des nations, et non la dernière ; vous occuperez toujours une position dominante, et jamais une position inférieure. Mais pour cela, il faut mettre soigneusement en pratique les commandements que je vous communique aujourd'hui de la part du Seigneur votre Dieu ; 14 vous ne devez vous écarter en aucune façon des directives que je vous transmets, pour rendre un culte à d'autres dieux[p].

Menaces de malheur

15 Par contre, si vous n'obéissez pas au Seigneur votre Dieu, si vous ne veillez pas à mettre en pratique tous les commandements et les lois que je vous communique aujourd'hui de sa part, alors il vous infligera les malheurs que voici :

16 Il maudira ceux qui habitent les villes et ceux qui habitent la campagne. 17 Il ne mettra pas de fruits dans vos corbeilles, ni de farine dans vos pétrins. 18 Il refusera de vous accorder de nombreux enfants et d'abondantes récoltes, vos troupeaux de bœufs, de moutons et de chèvres ne s'accroîtront pas. 19 Il vous

---

l **27.21** Voir Ex 22.18 ; Lév 18.23 ; 20.15-16.
m **27.22** Voir Lév 18.9 ; 20.17.
n **27.23** Voir Lév 18.17 ; 20.14.
o **27.26** Voir Gal 3.10.
p **28.14** V. 1-14 : voir 11.13-17.

maudira dans toutes les circonstances de votre existence.

20 Dans tout ce que vous entreprendrez, le Seigneur vous enverra la malédiction, la terreur et les tracas, et vous ne tarderez pas à être complètement exterminés à cause du mal que vous aurez commis en l'abandonnant. 21 Il propagera une épidémie de peste jusqu'à ce que vous soyez éliminés du pays dont vous allez prendre possession. 22 Il vous fera souffrir de dépérissement, d'inflammations ou de fièvres. Il provoquera la sécheresse[q]. Les céréales sécheront sur pied, ou bien elles pourriront. Vous serez atteints de tous ces maux jusqu'à ce que vous disparaissiez. 23 Le ciel sera dur comme du bronze au-dessus de vos têtes, et la terre dure comme du fer sous vos pieds. 24 Au lieu de pluie, le Seigneur enverra du ciel sur vos terres de la poussière et du sable, jusqu'à ce que vous soyez exterminés. 25 Le Seigneur donnera à vos ennemis la victoire sur vous. Si vous les attaquez par un seul chemin, vous vous enfuirez devant eux par sept chemins différents. Tous les royaumes du monde seront épouvantés en voyant ce qui vous arrive. 26 Vos cadavres serviront de pâture aux vautours et aux chacals, que personne ne viendra déranger.

27 Le Seigneur vous enverra des furoncles, comme aux Égyptiens[r], il vous fera souffrir d'hémorroïdes, de gale, de pustules inguérissables. 28 Il vous frappera de folie, d'aveuglement et de délire. 29 En plein midi, vous avancerez en tâtonnant, comme des aveugles. Aucune de vos entreprises ne réussira, vous serez sans cesse exploités et dépouillés, et personne ne viendra à votre secours.

30 Lorsque l'un de vous se fiancera, quelqu'un d'autre couchera avec sa fiancée. Si un autre construit une maison, il ne pourra pas l'habiter. Si un autre encore plante une vigne, il ne pourra pas en cueillir les premiers raisins. 31 Vos bœufs seront abattus devant vous, et vous ne mangerez pas de leur viande ; vos ânes seront volés en votre présence, et vous ne pourrez pas les récupérer ; des ennemis s'empareront de vos brebis, et personne ne viendra à votre secours. 32 Sous vos yeux, vos fils et vos filles seront livrés comme esclaves à des étrangers ; vous vous fatiguerez à guetter leur retour à longueur de journée, et vous ne pourrez pas l'obtenir. 33 Un peuple inconnu se nourrira de vos récoltes, de tout le produit de votre travail ; vous serez sans cesse exploités et maltraités. 34 Le spectacle que vous aurez sous les yeux vous fera sombrer dans la folie.

35 Le Seigneur vous infligera de terribles furoncles, inguérissables, qui se développeront sur les genoux et les cuisses, avant de s'étendre partout, de la tête aux pieds.

36 Le Seigneur vous fera déporter, avec le roi que vous vous serez donné, chez une nation que ni vous ni vos ancêtres n'aurez connue, et là vous adorerez d'autres dieux qui ne sont que des statues de bois ou de pierre[s]. 37 Tous les peuples chez qui le Seigneur vous aura conduits seront stupéfaits de ce qui vous arrive ; ils se mettront à ricaner à votre sujet et à se moquer de vous.

38 Vous sèmerez du grain en abondance dans vos champs, mais vous ne ferez qu'une maigre récolte, car les *sauterelles auront tout dévasté. 39 Vous planterez des vignes et vous les soignerez, mais vous n'en boirez pas le vin ; vous ne pourrez même pas rentrer la vendange, car les chenilles auront tout dévoré. 40 Vous posséderez des oliviers dans tout le pays, mais vous n'aurez pas assez d'huile pour les soins du corps, car les olives seront tombées avant d'être mûres. 41 Vous mettrez au monde des fils et des filles, mais vous ne pourrez pas les garder près de vous, car ils seront emmenés en exil. 42 Tous les arbres et tous les produits de vos terres seront la proie des criquets.

43 Les étrangers qui séjourneront parmi vous augmenteront de plus en plus leur puissance, tandis que vous perdrez progressivement la vôtre. 44 Ce sont eux qui vous prêteront de l'argent, et non

---

q **28.22** *Il provoquera la sécheresse* : d'après l'ancienne version latine ; hébreu *Il fera éclater la guerre*.

r **28.27** Voir Ex 9.8-12.

s **28.36** Voir 4.27-28 ; 2 Rois 17.4-6 ; 25.11.

plus vous qui leur en prêterez. Ils seront
vos maîtres et vous serez à leur service.
45 Tous ces malheurs s'abattront sur
vous et s'acharneront contre vous jusqu'à
ce que vous soyez exterminés, parce que
vous aurez refusé d'obéir au Seigneur votre Dieu et d'observer les commandements et les lois qu'il vous ordonne de
mettre en pratique. 46 Cela restera toujours comme un avertissement solennel,
pour vous et vos descendants.

47 Si donc vous ne servez pas le Seigneur votre Dieu avec joie et de tout votre cœur lorsque vous aurez de tout en
abondance, 48 vous deviendrez les esclaves des ennemis que le Seigneur enverra
contre vous, vous aurez faim et soif, vous
serez nus et privés de tout. Le Seigneur
placera un *joug de fer sur vos épaules,
jusqu'à ce que vous soyez exterminés.
49 De très loin, du bout du monde, il fera
venir une nation dont vous ne connaîtrez
pas la langue, et il la lancera contre vous,
comme un aigle qui fond sur sa proie.
50 Ce seront des hommes au visage dur,
qui n'auront ni respect pour les vieux, ni
pitié pour les enfants. 51 Ils s'empareront
de vos bêtes et de vos récoltes, et vous
mourrez de faim ; ils ne vous laisseront ni
blé, ni vin, ni huile, ni les petits de vos
troupeaux de bœufs, de moutons ou de
chèvres, et vous finirez par disparaître.
52 Ils vous assiégeront dans toutes les villes du pays que le Seigneur votre Dieu
vous aura donné ; ils vous combattront
jusqu'à ce que s'écroulent les hautes murailles fortifiées derrière lesquelles vous
vous serez crus à l'abri. 53 Durant le siège,
vos ennemis vous réduiront à une telle
détresse que vous en viendrez à manger
vos enfants, vous dévorerez la chair des
fils et des filles que le Seigneur votre
Dieu vous aura accordés. 54 L'homme le
plus raffiné et le plus sensible parmi vous
regardera de travers son frère, sa propre
femme et les enfants qui lui resteront :
55 il craindra en effet d'avoir à partager
avec l'un d'eux la chair de ses enfants, sa
seule nourriture ; il n'aura rien d'autre à
manger durant le siège, par suite de la détresse à laquelle vos ennemis vous auront
réduits dans vos villes. 56 La femme la
plus raffinée et la plus sensible parmi
vous agira de même : elle qui était si délicate qu'elle ne daignait pas poser la
pointe de son pied sur le sol, elle regardera de travers son propre mari, son fils
et sa fille, 57 et même son bébé à peine né
et le placenta dont elle sera tout juste délivrée ; en effet, privée de tout durant le
siège, elle comptera les manger en cachette, par suite de la détresse à laquelle
vos ennemis vous auront réduits dans vos
villes[t].

58 Veillez à mettre en pratique tous les
commandements de la loi de Dieu, rassemblés dans ce livre, et respectez celui
qui porte le titre glorieux et redoutable
de "Seigneur votre Dieu". 59 Sinon, le
Seigneur lui-même vous infligera, à vous
et à vos descendants, toutes sortes de
blessures et de maladies, plus graves et
plus tenaces les unes que les autres. 60 Il
lâchera contre vous tous les fléaux que
vous avez tant redoutés en Égypte, et
vous en serez les victimes. 61 Il déchaînera même contre vous toutes sortes de
maladies et de blessures qui ne sont pas
mentionnées dans ce livre, jusqu'à ce que
vous soyez exterminés. 62 Après que vous
aurez été aussi nombreux que les étoiles
dans le ciel, seule une poignée d'entre
vous survivra, parce que vous aurez désobéi au Seigneur votre Dieu. 63 Autant le
Seigneur s'est plu à vous faire du bien et à
vous rendre nombreux, autant il se plaira
à vous conduire à votre perte et à vous exterminer. Il vous arrachera à la terre dont
vous allez prendre possession 64 et il vous
dispersera parmi les nations étrangères,
d'un bout du monde à l'autre. Vous y
adorerez d'autres dieux, que ni vous ni
vos ancêtres n'aurez connus, des statues
de bois ou de pierre. 65 Au milieu de ces
nations, vous ne connaîtrez aucune tranquillité, vous ne trouverez aucun endroit
où vous installer. Sous l'effet de la punition du Seigneur, l'inquiétude rongera
votre cœur, vos yeux perdront leur éclat
et le découragement s'emparera de tout

t **28.57** *son bébé* : d'après l'ancienne version grecque ; hébreu *ses bébés*. – V. 56-57 : voir 2 Rois 6.28-29 ; Lam 4.10.

votre être. 66 Votre vie ne tiendra qu'à un fil et vous n'en attendrez plus rien ; nuit et jour vous tremblerez de peur. 67 Lorsque vous verrez ce qui se passera, la terreur remplira vos cœurs ; le matin, vous direz : « Si seulement c'était le soir ! » et le soir : « Si seulement c'était le matin ! » 68 Le Seigneur vous ramènera par bateaux en Égypte : il vous fera retourner dans le pays dont je vous ai dit[u] pourtant que vous ne le verriez plus. Là-bas, hommes et femmes, vous essayerez de vous vendre à vos ennemis comme esclaves, mais personne ne voudra vous acheter.

DERNIER DISCOURS DE MOÏSE 28–30

69 Voici comment Moïse conclut une *alliance avec les Israélites, au nom du Seigneur et sur son ordre, dans le pays de Moab. – Cette alliance est distincte de celle qui avait été conclue au mont *Horeb[v]. –

Ce que Dieu a fait pour Israël

29 1 Moïse convoqua tout le peuple d'Israël et dit :

Lorsque vous étiez en Égypte, vous avez vu de vos propres yeux comment le Seigneur a traité le *Pharaon, ses ministres et tout son pays : 2 vous avez vu les dures épreuves qu'il leur a infligées et les prodiges extraordinaires, impressionnants qu'il a accomplis. 3 Pourtant, jusqu'à ce jour, le Seigneur ne vous a pas accordé un esprit capable de comprendre ce qui se passait : vos yeux et vos oreilles n'ont pas vraiment vu et entendu[w]. 4 Pendant quarante ans il vous a conduits à travers le désert ; ni vos vêtements ni vos sandales ne se sont usés, 5 et vous n'avez pas eu besoin de pain pour vous nourrir, ni de vin ou de bière pour vous désaltérer[x]. Le Seigneur a pris soin de vous, pour que vous puissiez comprendre qu'il est votre Dieu. 6 A notre arrivée ici, les rois Sihon, de Hèchebon, et Og, du *Bachan, sont venus nous attaquer, mais nous les avons battus[y] ; 7 nous nous sommes emparés de leur territoire et nous l'avons donné en partage aux tribus de Ruben, de Gad, et à la moitié de la tribu de Manassé[z]. 8 C'est pourquoi vous devez veiller à mettre en pratique les dispositions de *l'alliance que Dieu a conclue avec vous. Ainsi vous réussirez dans tout ce que vous entreprendrez.

Prendre au sérieux l'alliance avec Dieu

9 Israélites, vous voici réunis aujourd'hui en présence du Seigneur votre Dieu ; tout le monde est là, vos chefs et vos dirigeants, vos *anciens et vos officiers, 10 vos femmes et vos enfants, et même les étrangers qui vivent parmi vous dans le camp, et qui sont chargés de couper du bois ou de puiser de l'eau pour vous. 11 Le Seigneur votre Dieu conclut maintenant une *alliance avec vous, et vous invite à la confirmer par un serment solennel. 12 Ainsi vous serez son peuple et il sera votre Dieu, comme il vous l'a promis à vous-mêmes et comme il l'a juré à vos ancêtres Abraham, Isaac et Jacob. 13 Cette alliance que je vous propose et que je vous invite à confirmer solennellement n'est pas valable pour vous uniquement ; 14 elle concerne non seulement tout homme présent en ce moment même devant le Seigneur notre Dieu, mais aussi tous nos descendants qui ne sont pas encore nés à l'heure actuelle.

15 Vous vous souvenez de notre séjour en Égypte et de notre passage parmi les nations dont nous avons traversé le territoire. 16 Vous avez vu toutes les abominables idoles que ces peuples adorent, idoles en bois ou en pierre, en argent ou en or. 17 Que personne parmi vous,

u **28.68** *je vous ai dit* : autre traduction possible *il vous a dit*.
v **28.69** Dans certaines traductions, les v. 28.69–29.28 sont numérotés 29.1-29. – *dans le pays de Moab* : voir 1.4-5. – *alliance au mont Horeb* : voir Ex 3.1 et la note ; 24.3-8.
w **29.3** Voir Rom 11.8.
x **29.5** Voir Ex 16 ; 17.1-7.
y **29.6** Voir Nomb 21.21-35.
z **29.7** Voir Nomb 32.33.

homme ou femme, qu'aucune tribu, aucun clan, ne se détourne maintenant du
Seigneur notre Dieu pour rendre un culte
aux dieux de ces nations ; que personne
parmi vous ne devienne comme une
plante produisant un poison amer[a]. 18 Et
si l'un de vous, après avoir entendu ces paroles solennelles, se félicite intérieurement de ce qu'il est en se disant : « Tout ira
bien pour moi, même si je persiste dans
ma conduite ! » et s'il entraîne quelqu'un
d'autre dans l'idolâtrie[b], 19 le Seigneur ne
consentira pas à lui pardonner. Il ne tolé-
rera pas l'infidélité de cet homme, il laissera éclater sa colère contre lui, il le
frappera de toutes les malédictions contenues dans ce livre et effacera tout souvenir
de lui sur la terre. 20 Le Seigneur le livrera
au malheur en l'excluant tout à fait du
peuple d'Israël, conformément aux malédictions que comporte l'alliance décrite
dans le présent livre de la loi.

Le Seigneur réalisera ses menaces

21 Lorsque la génération qui vous suivra, celle de vos enfants, et les étrangers
venus de pays lointains, verront les catastrophes et les désastres que le Seigneur
aura infligés à votre pays, ils diront :
22 « Tout ce pays est brûlé par le soufre et
le sel ; on ne peut rien y semer, rien y
faire pousser, aucune herbe même ne s'y
développerait. Son sort est identique à
celui de Sodome et de Gomorrhe,
d'Adma et de Seboïm, les villes que le
Seigneur a détruites dans son ardente colère[c]. » 23 Alors toutes les autres nations
demanderont : « Pourquoi le Seigneur a-
t-il traité ainsi ce pays ? Pourquoi sa colère a-t-elle été si grande ? » 24 Et l'on répondra : « Cela est arrivé parce que ce
peuple a rompu *l'alliance que le Seigneur, le Dieu de leurs ancêtres, avait
conclue avec eux, lorsqu'il les a fait sortir
d'Égypte. 25 Ils se sont mis à servir et adorer des dieux étrangers, qu'ils ne connaissaient pas auparavant et que le Seigneur
ne leur permet pas d'adorer. 26 C'est pourquoi le Seigneur, plein de colère, a déchaîné contre ce pays tous les malheurs
décrits dans le présent livre ; 27 il a déversé son ardente et terrible colère sur
son peuple, il l'a arraché à sa terre et l'a
chassé dans un pays étranger, où il se
trouve encore aujourd'hui. »
28 Ce qui est caché, seul le Seigneur notre Dieu le connaît. Mais nous connaissons ce qui nous a été révélé pour
toujours, à nous et à nos descendants, à
savoir les commandements de la loi de
Dieu, que nous devons mettre en pratique.

Israël reviendra au Seigneur

30 1 Tout ce que je vous ai décrit, promesses de bonheur et menaces de
malheur[d], s'accomplira. Lorsque le Seigneur votre Dieu vous aura dispersés
chez des peuples étrangers, vous médite-
rez sur ces événements, 2 vous reviendrez
à lui et vous lui obéirez de nouveau. Vous
et vos descendants, vous vous conforme-
rez ainsi de tout votre cœur et de toute
votre âme aux commandements que je
vous communique aujourd'hui. 3 Le Seigneur votre Dieu changera votre sort[e], il
vous manifestera sa bonté et vous fera revenir de tous les pays où il vous aura dispersés. 4 Même si vous êtes alors en exil
aux extrémités de la terre, le Seigneur ira
vous y chercher et il vous rassemblera
5 pour vous ramener dans le pays de vos
ancêtres. Vous en reprendrez possession,
et le Seigneur vous y traitera mieux que
vos ancêtres, il vous y rendra plus nombreux qu'eux. 6 Le Seigneur votre Dieu
lui-même purifiera votre cœur[f] et celui
de vos descendants, pour que vous l'aimiez de tout votre cœur et de toute votre
âme, et qu'ainsi vous puissiez vivre.
7 Tous les malheurs que je vous ai décrits,
il les infligera à vos ennemis et à ceux qui
vous poursuivent de leur haine, 8 tandis
que vous, vous lui obéirez de nouveau, en
accomplissant tout ce que je vous ordonne de sa part aujourd'hui. 9 Le Seigneur votre Dieu vous accordera le suc-

a **29.17** Voir Hébr 12.15.
b **29.18** *et s'il entraîne...* : texte hébreu peu clair et traduction incertaine.
c **29.22** Voir Gen 19.24-25.
d **30.1** Voir chap. 28.
e **30.3** *changera votre sort* ou *ramènera vos prisonniers*.
f **30.6** L'hébreu exprime cette idée par l'expression *circoncira votre cœur* ; comparer 10.16 et la note.

cès dans tout ce que vous entreprendrez.
Vous aurez de nombreux enfants, vos bêtes auront de nombreux petits et vos récoltes seront abondantes. En effet, autant
le Seigneur s'est plu à faire du bien à vos
ancêtres, autant il se plaira à vous en
faire, 10 si vous lui obéissez et mettez en
pratique les commandements et les prescriptions contenus dans le présent livre
de la loi, et si vous revenez à lui de tout
votre cœur et de toute votre âme.

La parole de Dieu est toute proche

11 Les commandements que je vous
communique aujourd'hui ne sont pas
trop difficiles à comprendre ni hors d'atteinte pour vous. 12 Ils ne sont pas au
ciel[g], pour qu'on dise : « Qui montera au
ciel pour aller nous les chercher et nous
les communiquer, afin que nous puissions les mettre en pratique ? » 13 Ils ne
sont pas non plus au-delà des mers, pour
qu'on dise : « Qui traversera les mers
pour aller nous les chercher et nous les
communiquer, afin que nous puissions
les mettre en pratique ? » 14 Non, cette parole du Seigneur est tout près de vous,
dans votre bouche et dans votre cœur, et
vous pouvez la mettre en pratique.

Choisir la vie

15 Israélites, voyez : Aujourd'hui je
place devant vous la vie et le bonheur
d'une part, la mort et le malheur d'autre
part. 16 Prêtez donc attention aux
commandements que je vous communique aujourd'hui : acceptez d'aimer[h] le
Seigneur votre Dieu, de suivre le chemin qu'il vous trace, d'obéir à ses
commandements, à ses lois et à ses règles ; alors vous pourrez vivre, vous deviendrez nombreux, et le Seigneur vous
comblera de bienfaits dans le pays dont
vous allez prendre possession. 17 Mais si
vous vous détournez de lui, si vous lui
désobéissez, si vous vous laissez entraîner à adorer et servir d'autres dieux,
18 vous disparaîtrez complètement, je
vous en préviens dès aujourd'hui ; vous
ne resterez pas longtemps dans le pays
dont vous allez prendre possession au-
delà du Jourdain.

19 Oui, je vous avertis solennellement
aujourd'hui, le ciel et la terre m'en sont
témoins : je place devant vous la vie et la
*bénédiction d'une part, la mort et la
malédiction d'autre part. Choisissez donc
la vie, afin que vous puissiez vivre, vous
et vos descendants. 20 Aimez le Seigneur
votre Dieu, obéissez-lui, restez-lui fidèlement attachés : c'est ainsi que vous
pourrez vivre et passer de nombreuses
années dans le pays que le Seigneur a
promis de donner à vos ancêtres Abraham, Isaac et Jacob[i].

ADIEUX ET MORT DE MOÏSE
31-34

Josué désigné comme successeur de Moïse

31 1 Moïse dit encore à tous les Israélites : 2 « J'ai maintenant cent
vingt ans ; je ne suis plus en état de vous
diriger. D'ailleurs le Seigneur m'a dit
que je ne franchirai pas le Jourdain[j]. 3 Le
Seigneur votre Dieu lui-même marchera
devant vous ; il exterminera ceux qui habitent de l'autre côté, pour que vous
puissiez vous emparer de leur pays. Et
c'est Josué qui sera votre chef, comme le
Seigneur l'a dit. 4 Le Seigneur détruira
ces nations comme il a détruit Sihon et
Og, rois des *Amorites, et leur pays[k]. 5 Il
les livrera en votre pouvoir et vous les
traiterez exactement comme je vous l'ai
ordonné. 6 Soyez courageux et forts, ne
tremblez pas de peur devant eux, car le

---

g **30.12** Rom 10.6-8 cite librement les v. 12-14.

h **30.16** *Prêtez donc attention...* : d'après l'ancienne version grecque ; hébreu (où manque le début de la phrase) : *Ce que je vous commande aujourd'hui, c'est d'aimer*.

i **30.20** *c'est ainsi... passer* : autre traduction *c'est lui* (le Seigneur) *qui vous permettra de vivre et de passer.* – *Abraham, Isaac et Jacob* : voir Gen 12.7 ; 26.3 ; 28.13.

j **31.2** Voir Nomb 20.12.

k **31.4** Voir Nomb 21.21-35.

Seigneur votre Dieu marchera avec vous,
sans jamais vous abandonner. »
7 Puis Moïse appela Josué et lui dit en
présence de tous les Israélites : « Sois courageux et fort ! C'est toi qui conduiras les
Israélites dans le pays que le Seigneur a
promis à leurs ancêtres, c'est toi qui le
partageras entre eux. 8 Le Seigneur marchera devant toi, il sera avec toi, sans jamais t'abandonner[l]. N'aie donc pas peur
et ne te laisse pas abattre. »

Lecture publique de la Loi tous les sept ans

9 Moïse mit par écrit la loi de Dieu et
la confia aux prêtres, descendants de
Lévi, chargés de porter le *coffre de l'alliance, ainsi qu'aux *anciens d'Israël.
10-11 Moïse leur dit : « Tous les sept ans,
l'année de la remise des dettes, vous lirez
cette loi à l'occasion de la fête des Huttes[m]. Vous la lirez à haute voix à tous les
Israélites venus se présenter devant le
Seigneur Dieu, dans le lieu qu'il aura
choisi. 12 Tout le monde sera rassemblé,
hommes, femmes, enfants, même les
étrangers qui résident chez vous, afin
d'entendre cette lecture, pour apprendre
à respecter le Seigneur Dieu et obéir à
toute la loi. 13 Les enfants qui ne la
connaîtront pas encore l'entendront
aussi et apprendront à respecter le Seigneur Dieu, tant que vous vivrez dans le
pays dont vous allez prendre possession
de l'autre côté du Jourdain. »

Israël sera infidèle à Dieu

14 Le Seigneur dit à Moïse : « Le moment où tu vas mourir approche. Convoque Josué et venez vous présenter
ensemble devant la *tente de la rencontre ; là, je lui donnerai mes ordres. »
Moïse et Josué se rendirent donc à la
tente de la rencontre. 15 Le Seigneur leur
apparut dans une colonne de fumée[n], qui
se dressa à l'entrée de la tente ; 16 il déclara d'abord à Moïse : « Tu vas bientôt
mourir. Après ta mort, le peuple d'Israël
se mettra à rendre un culte idolâtrique
aux dieux étrangers qui sont adorés dans
le pays où il va entrer. Il m'abandonnera,
rompant ainsi *l'alliance que j'ai conclue
avec lui. 17 A cause de cela, je serai rempli
de colère contre lui, je l'abandonnerai, je
me détournerai de lui. Il deviendra la
proie des autres nations ; les malheurs et
la détresse s'acharneront sur lui. Les Israélites comprendront alors que ces malheurs les atteignent parce que moi, leur
Dieu, je ne suis plus au milieu d'eux.
18 Oui, je me détournerai d'eux en ce
temps-là, à cause de tout le mal qu'ils auront commis en adorant d'autres dieux.
19 Et maintenant, qu'on note les paroles
du cantique que je vais vous dicter[o]. Toi,
Moïse, tu les enseigneras aux Israélites,
tu veilleras à ce qu'ils les apprennent,
afin que ce cantique puisse me servir de
témoin contre eux. 20 En effet, je vais
conduire ce peuple sur la terre regorgeant de lait et de miel[p] que j'ai promise
à leurs ancêtres ; ils auront de quoi se
nourrir abondamment et vivre dans l'aisance, ils se mettront à adorer et à servir
des dieux étrangers, ils n'auront que mépris pour moi et ils rompront mon alliance. 21 Les malheurs et la détresse
s'acharneront alors sur eux, et ce cantique servira de témoin à charge contre
eux, car même leurs descendants ne cesseront jamais de le chanter. Dès aujourd'hui, avant même de les conduire
dans le pays que je leur ai promis, je sais
ce qu'ils ont dans l'esprit. »
22 Ce jour-là, Moïse nota les paroles du
cantique dicté par Dieu et les enseigna
aux Israélites.
23 Ensuite, le Seigneur donna ses ordres à Josué, fils de Noun, et il lui dit :
« Sois courageux et fort[q] ! C'est toi qui
conduiras les Israélites dans le pays que
je leur ai promis. Et moi, je serai avec
toi ! »

24 Moïse écrivit dans un livre le texte
complet de la loi de Dieu. Lorsqu'il eut
fini, 25 il s'adressa aux *lévites chargés de
porter le *coffre de l'alliance du Seigneur

l **31.8** Voir Jos 1.5 ; Hébr 13.5.
m **31.10-11** *remise des dettes* : voir 15.1-11. – *fête des Huttes* : voir au Vocabulaire CALENDRIER.
n **31.15** Voir Ex 13.21 et la note.
o **31.19** Voir chap. 32.
p **31.20** Voir Ex 3.8 et la note.
q **31.23** Voir Jos 1.6.

et leur donna l'ordre suivant : 26 « Prenez
ce livre, qui contient la loi de Dieu, et
placez-le à côté du coffre de l'alliance du
Seigneur votre Dieu. Il devra rester là
comme témoin contre les Israélites. 27 En
effet, je connais bien leur entêtement, je
sais qu'ils sont tous des rebelles. Si aujourd'hui, alors que je suis encore en vie
au milieu d'eux, ils se révoltent contre le
Seigneur, ils le feront d'autant plus après
ma mort. 28 Maintenant, rassemblez auprès de moi tous les *anciens et les responsables de vos tribus ; devant le ciel et
la terre qui en seront témoins, je leur
communiquerai de vive voix les paroles
du cantique dicté par Dieu. 29 Je sais, en
effet, qu'après ma mort, les Israélites
tomberont dans le péché et se détourne-
ront du chemin que je leur ai indiqué. Finalement le malheur les atteindra à cause
de tout ce qu'ils auront entrepris pour déplaire au Seigneur et pour l'irriter. »

Cantique de Moïse

30 Ensuite Moïse communiqua de vive
voix à toute l'assemblée d'Israël le texte
complet du cantique que voici :

32 1 « Ciel, prête l'oreille à mes paroles,
terre, écoute mes déclarations.

2 Mes instructions ruissellent
comme une pluie bienfaisante sur les plantes,
mes enseignements se répandent
comme la rosée sur l'herbe des champs.
3 Je vais proclamer le nom du Seigneur ;
Israélites, célébrez aussi la grandeur de notre Dieu !

4 Le Seigneur est un rocher protecteur.
Il agit de manière parfaite,
toutes ses décisions sont légitimes ;
toujours fidèle, jamais injuste,
il est plein de droiture et de vérité.

5 Mais vous, peuple mauvais et déraisonnable,
vous avez offensé le Seigneur.
Honte à vous !
Vous n'êtes plus ses enfants[r] !
6 Peuple abruti, peuple insensé,
peut-on se conduire ainsi envers lui ?
N'est-il pas votre père, votre créateur,
celui qui a fait de vous son peuple ?

7 Pensez aux jours d'autrefois,
remontez le cours des années ;
demandez à vos parents et aux vieillards
de vous raconter le passé.
8 Lorsque le Dieu très-haut a réparti
les pays entre les hommes,
il a fixé les frontières des nations ;
il a placé chaque peuple
sous l'autorité d'un être *céleste[s],
9 mais il s'est réservé le peuple d'Israël,
il a pris sous sa protection
les descendants de Jacob.

10 Le Seigneur a trouvé Israël au désert,
au milieu des hurlements des chacals.
Il a pris soin de lui, il l'a instruit,
il a veillé sur lui
comme sur la prunelle de ses yeux.
11 Il fut pour lui semblable à un aigle
qui plane au-dessus de son nid
et invite ses petits à s'envoler,
ou qui étend ses ailes au-dessous d'eux
et les retient s'ils tombent.
12 Oui, le Seigneur seul a conduit son peuple,
sans l'aide d'aucun autre dieu.

13 Il les a installés dans la région des collines
et les a nourris des produits des champs ;
pour eux, il a fait couler le miel parmi les rochers
et pousser les oliviers sur des sols rocailleux.
14 Les vaches et les brebis leur donnaient du lait,
les agneaux, les béliers bien gras et les boucs
leur fournissaient de la viande ;
ils mangeaient le meilleur froment
et buvaient le vin de leurs vignobles.

---

r **32.5** Texte hébreu peu clair et traduction incertaine.

s **32.8** *il a fixé… être céleste* : d'après un manuscrit hébreu de Qumrân et plusieurs versions anciennes ; texte hébreu traditionnel *il a fixé les frontières des nations d'après le nombre des descendants de Jacob*. – Ce verset est cité partiellement en Act 17.26.

15 Israël a mangé et s'est rassasié ;
Yechouroun[t], bien repu, s'est révolté ;
devenu gras et bouffi,
il a délaissé Dieu, son créateur,
il a déshonoré son protecteur et sauveur.
16 Les Israélites excitaient la colère du Seigneur
par des pratiques abominables,
ils provoquaient sa jalousie
en adorant des dieux étrangers.
17 Ils offraient des *sacrifices
à des êtres qui n'étaient même pas des dieux[u]
et qu'ils n'avaient jamais connus,
à des divinités nouvelles
que leurs ancêtres ignoraient.

18 "Oui, Israël, tu oublies ton protecteur,
celui qui t'a mis au monde,
tu négliges le Dieu qui t'a donné la vie !"
19 Lorsque le Seigneur a vu comment
ses enfants se moquaient de lui,
il a été rempli de mépris.
20 Alors il a déclaré :
"On ne peut pas avoir confiance en eux !
Ils ne respectent rien !
Je vais cesser de les protéger
et je verrai bien ce qui leur arrivera.
21 Ils m'ont rendu jaloux avec des faux dieux,
ils ont excité ma colère avec des idoles ;
eh bien, moi, je vais les rendre jaloux
avec des gens qui ne sont pas un vrai peuple,
j'exciterai leur colère
avec une nation sans intelligence[v].
22 Oui, ma colère s'est enflammée :
elle pénètre même les profondeurs du monde des morts ;
comme un feu elle ravage tous les produits de la terre,
elle brûle jusqu'aux racines des montagnes.
23 Je vais accumuler des malheurs sur eux,
je vais tirer contre eux toutes mes flèches :
24 lorsqu'ils seront affaiblis par la faim,
rongés par la fièvre ou les épidémies[w]
j'enverrai contre eux des bêtes féroces
et des serpents venimeux.
25 Dans les rues, on mourra par l'épée,
et dans les maisons, on mourra de frayeur.
La mort frappera tout le monde,
les jeunes gens et les jeunes filles,
les vieillards et les enfants."

26 "J'avais l'intention de les détruire complètement
et d'effacer tout souvenir d'eux sur la terre.
27 Mais j'ai eu peur que leurs ennemis se moquent de moi,
en imaginant avoir accompli eux-mêmes cet exploit,
en pensant que je n'y suis pour rien.

28 Israël est une nation[x] privée de bon sens ;
ils sont dépourvus d'intelligence.
29 Avec un peu de sagesse ils comprendraient
où tout cela les mène.
30 Un ennemi tout seul
peut-il mettre en fuite mille Israélites ?
et deux ennemis en poursuivre dix mille ?
Oui, si moi, le Seigneur, leur rocher protecteur,
je les livre au pouvoir de leurs adversaires.

31 Mais leurs ennemis savent eux-mêmes
que leur dieu protecteur
ne vaut pas le Dieu d'Israël[y].
32 Pour leur part, ils ne valent pas mieux

---

t **32.15** *Israël a mangé et s'est rassasié* : d'après le texte samaritain et l'ancienne version grecque ; ces mots manquent dans le texte hébreu. – *Yechouroun* : surnom attribué à Israël. Comparer És 44.2.

u **32.17** Voir 1 Cor 10.20.

v **32.21** Voir Rom 10.19 ; 1 Cor 10.22.

w **32.24** Texte hébreu peu clair et traduction incertaine.

x **32.28** On pourrait aussi traduire *Ces ennemis sont une nation* (le texte hébreu dit seulement *C'est une nation*).

y **32.31** Texte hébreu peu clair et traduction incertaine.

que les gens de Sodome et Gomorrhe[z] ;
tous pareils à une vigne qui produirait
des raisins amers et empoisonnés,
33 leur vin est comme du venin de serpent.

34 Voici ce que moi, le Seigneur,
j'ai préparé en secret,
ce que je tiens en réserve contre eux,
35 pour le jour de la vengeance et de la rétribution[a],
quand viendra le moment de leur chute.
Ce jour de malheur ne tardera pas,
le moment de leur déchéance est proche."

36 En effet, le Seigneur rendra justice à son peuple,
il sera sensible au sort de ses serviteurs
quand il les verra sans force,
privés de tout appui, de tout soutien[b].
37 Il leur demandera :
"Où sont les dieux
auprès desquels vous cherchiez refuge ?
38 Vous les nourrissiez de sacrifices d'animaux,
vous leur offriez du vin à boire !
Eh bien, qu'ils se manifestent
pour vous sauver et vous protéger !

39 Reconnaissez-le maintenant,
moi seul je suis capable de sauver.
Il n'existe pas d'autre dieu que moi.
C'est moi qui fais mourir et qui fais vivre,
c'est moi qui blesse et qui guéris !
Qui pourrait arracher quelqu'un de ma main ?
40 Le bras dressé vers le ciel,
je prononce le serment que voici :
'Aussi vrai que je suis vivant pour toujours,
41 j'aiguise et je polis mon épée,
je brandis déjà la punition,
je vais tirer vengeance de mes adversaires
et payer de retour ceux qui me haïssent.
42 Mes flèches s'enivreront de sang,
mon épée se repaîtra de chair.
Aucun des guerriers ennemis n'en réchappera ;
blessés ou captifs, tous en seront victimes' ".

43 Que le ciel se réjouisse avec le peuple du Seigneur,
que toutes les divinités s'inclinent devant Dieu.
Le Seigneur va venger la mort de ses enfants.
Il fera retomber sur ses adversaires le châtiment qu'ils méritent,
il rétribuera ses ennemis,
mais il purifiera la terre de son peuple[c]. »

44 Moïse et Josué[d], fils de Noun, vinrent se présenter devant le peuple et leur récitèrent à haute voix toutes les paroles de ce cantique.

45 Lorsque Moïse eut terminé de communiquer les enseignements du Seigneur aux Israélites, 46 il leur dit : « Prenez au sérieux les commandements que

z **32.32** Les *gens de Sodome et Gomorrhe* étaient connus pour leur immoralité, voir Gen 18.20-21 ; 19.4-11.

a **32.35** *pour le jour de...* : d'après le texte samaritain et l'ancienne version grecque ; Rom 12.19 et Hébr 10.30 citent ce verset d'après le texte hébreu *je vais tirer vengeance, je les payerai de retour*.

b **32.36** *le Seigneur... de ses serviteurs* : voir Ps 135.14 ; *2 Mac* 7.6. – *privés de...* : texte hébreu peu clair et traduction incertaine.

c **32.43** Le v. 43 est traduit à l'aide de manuscrits de Qumrân et de l'ancienne version grecque ; le texte hébreu traditionnel est *Que toutes les nations se réjouissent avec le peuple du Seigneur, / car le Seigneur va venger la mort de ses serviteurs. / Il infligera à ses adversaires le châtiment qu'ils méritent, / mais il rétablira son pays et son peuple*. En fait, les manuscrits de Qumrân donnent l'ensemble du verset sous une forme un peu différente, et l'ancienne version grecque le présente de la manière suivante, plus développée (l'élément entre parenthèses ne se trouve que dans le grec) : *Que le ciel se réjouisse avec le peuple du Seigneur, / que toutes les divinités s'inclinent devant Dieu ! / (Nations, réjouissez-vous avec son peuple, / que tous les anges de Dieu le fortifient !) / Dieu vengera la mort de ses enfants, / oui, il les vengera, / il fera retomber la vengeance sur ses adversaires, / sur ses ennemis le châtiment qu'ils méritent. / Et alors le Seigneur purifiera le pays de son peuple*. Les citations de Rom 15.10 et d'Hébr 1.6 proviennent de ce texte long. – Apoc 19.2 cite librement une partie de ce verset.

d **32.44** En hébreu, *Josué* est appelé ici *Hosée*, voir Nomb 13.16 et la note.

je vous ai donnés aujourd'hui. Transmettez-les à vos descendants, pour qu'ils veillent à mettre en pratique tout ce qu'exige la loi de Dieu. 47 En effet, ces commandements ne sont pas des paroles creuses. Ils vous permettront de vivre et de passer de nombreuses années dans le pays dont vous allez prendre possession au-delà du Jourdain. »

Annonce de la mort de Moïse

48 Le même jour, le Seigneur dit à
Moïse : 49 « Rends-toi sur la chaîne des Abarim, dans le pays de Moab, en face de Jéricho, et monte au sommet du mont Nébo. De là, tu regarderas le pays de Canaan que je vais donner en possession
aux Israélites. 50 Ensuite, sur cette montagne que tu auras gravie, tu mourras pour rejoindre tes ancêtres, tout comme ton frère Aaron est mort sur la montagne
de Hor et a rejoint ses ancêtres[e]. 51 Aaron
et toi, vous avez commis une faute grave envers moi, en présence des Israélites, lors de l'affaire de l'eau de Meriba, à Cadès, dans le désert de Tsin ; à cette occasion, vous n'avez pas manifesté au milieu du peuple que j'étais le vrai
Dieu[f]. 52 C'est pourquoi tu pourras seulement voir de loin le pays que je donne aux Israélites, mais tu n'y entreras pas toi-même[g]. »

Moïse bénit les douze tribus d'Israël

33 1 Avant de mourir, Moïse, l'homme de Dieu, prononça sur les Israélites les *bénédictions que voici :

2 « Le Seigneur est venu du mont Sinaï.
Comme le soleil, il s'est levé du pays de Séir,
des monts de Paran, il a éclairé son peuple.
Il est venu vers les siens, accompagné de milliers *d'anges,
et tenant dans sa main la loi flamboyante[h].
3 Le Seigneur aime les tribus d'Israël,
il protège tous les hommes qui lui appartiennent
et qui se rassemblent à ses pieds
pour recevoir ses instructions.
4 La loi que Moïse nous a donnée
est le précieux trésor des descendants de Jacob !
5 Le Seigneur a été reconnu roi de Yechouroun[i]
lorsque les chefs du peuple se sont réunis
avec toutes les tribus d'Israël. »

6 Et Moïse ajouta :
« Que la tribu de Ruben vive !
Qu'elle ne cesse jamais d'exister,
même si elle est peu nombreuse. »

7 Au sujet des descendants de Juda,
Moïse déclara :
« Seigneur, écoute l'appel de Juda,
réconcilie les Judéens avec leurs compatriotes !
Ils ont courageusement pris leur sort en main ;
aide-les quand leurs ennemis les attaquent. »

8 Au sujet des descendants de Lévi,
Moïse déclara :
« Seigneur, tu as confié les dés sacrés
à tes fidèles serviteurs, les descendants de Lévi,
après les avoir mis à l'épreuve à Massa
et les avoir jugés dans l'affaire de Meriba[j].
9 Ils ont montré plus d'amour pour toi
que pour leurs parents, leurs frères ou leurs enfants,
lorsqu'ils ont obéi à ton ordre
et respecté ainsi ton *alliance[k].
10 Ce sont eux qui enseignent aux Israélites
les commandements de ta loi,
et qui présentent sur ton *autel

---

e 32.50 Voir Nomb 20.22-26.
f 32.51 Voir Nomb 20.1-13.
g 32.52 V. 48-52 : voir 3.23-27 ; Nomb 27.12-14.
h 33.2 *Séir* : autre nom du pays d'Édom ; *Paran* : probablement un sommet en Édom. – A plusieurs endroits, le texte hébreu des v. 2-5 est obscur, et la traduction en est incertaine.
i 33.5 *Le Seigneur* : certains pensent qu'il pourrait s'agir plutôt de *Moïse* (hébreu *Il*). – *Yechouroun*, c'est-à-dire *Israël* ; voir 32.15 et la note.
j 33.8 *dés sacrés* : voir Ex 28.30 et la note. – *Massa, Meriba* : voir Ex 17.1-7 ; Nomb 20.1-13.
k 33.9 Allusion au récit d'Ex 32.25-29.

les offrandes de parfum et les *sacrifices complets[l].
11 Seigneur, renouvelle leurs forces
et bénis tout ce qu'ils entreprennent.
Brise la résistance de leurs adversaires
pour qu'ils ne se redressent plus jamais. »

12 Au sujet des descendants de Benjamin, Moïse déclara :
« Benjamin, la tribu bien-aimée du Seigneur,
demeure en sécurité auprès de son Dieu ;
il la protège jour après jour,
il habite au milieu d'eux[m]. »

13 Au sujet des descendants de Joseph, Moïse déclara :
« Leurs terres sont bénies par le Seigneur :
elles reçoivent la rosée du ciel
et l'eau qui monte des profondeurs du sol ;
14 le soleil fait pousser les plantes,
chaque mois mûrissent de nouvelles récoltes.
15 Couverte de montagnes et de collines,
la région a de tout temps été fertile.
16 Que les richesses de ce pays si prospère,
et la faveur du Dieu présent dans le buisson
se répandent sur la tribu de Joseph,
lui qui fut le chef de ses frères[n].
17 Honneur à Joseph !
Il est fort comme un taureau.
Comme le buffle antique,
il est armé de deux puissantes cornes
au moyen desquelles il frappe les nations
et les repousse jusqu'aux extrémités de la terre.
L'une des cornes, c'est la multitude d'Éfraïm,
l'autre, les troupes nombreuses de Manassé. »

18 Au sujet des descendants de Zabulon et d'Issakar, Moïse déclara :
« Zabulon, jouis de ton activité commerciale,
et toi, Issakar, de la tranquillité sous tes tentes !
19 Vous inviterez vos voisins sur une montagne sacrée
pour y offrir des sacrifices selon les règles,
car vous tirez votre richesse de la mer
et de trésors cachés dans le sable[o]. »

20 Au sujet des descendants de Gad, Moïse déclara :
« Je remercie le Seigneur,
qui donne à Gad un vaste territoire !
Comme un lion, Gad s'est couché,
prêt à déchirer sa proie
des pattes jusqu'à la tête.
21 Gad s'est attribué la meilleure part du pays,
il s'est réservé une part digne d'un commandant.
il a rejoint ensuite les chefs du peuple,
il a accompli le plan du Seigneur
et ses ordres en faveur d'Israël[p]. »

22 Au sujet des descendants de Dan, Moïse déclara :
« Dan est comme un jeune lion
qui bondit du *Bachan[q]. »

23 Au sujet des descendants de Neftali, Moïse déclara :
« Neftali est couvert de faveurs,
comblé de bienfaits par le Seigneur.
Qu'il étende son territoire
vers l'ouest et vers le sud[r] ! »

---

l **33.10** L'enseignement et la présentation des sacrifices sont les deux fonctions principales des prêtres, descendants de Lévi.

m **33.12** *au milieu d'eux* : Jérusalem est parfois considérée comme faisant partie du territoire de *Benjamin*.

n **33.16** V. 13-16 : voir Gen 49.25-26. – *présent dans le buisson* : voir Ex 3.1-6. – *chef de ses frères* : voir Gen 37.5-11 ; 44.14.

o **33.19** *de la mer* : allusion aux transactions commerciales avec les Phéniciens, peuple de marins (voir aussi Gen 49.13) ; *trésors cachés dans le sable* : allusion soit à la récolte de mollusques (murex) dont on tirait une teinture rouge très précieuse (la pourpre), soit à l'utilisation du sable pour la fabrication du verre.

p **33.21** *Il a rejoint...* : voir Nomb 32.16-18.

q **33.22** Allusion possible à des expéditions militaires à partir du *Bachan* voisin. Comparer Gen 49.17 ; Jos 19.47.

r **33.23** *Qu'il étende...* : autre traduction *Son territoire comprend le lac* (de Génésareth) *et ce qui s'étend au sud.*

24 Au sujet des descendants d'Asser, Moïse déclara :
« Béni soit Asser, parmi les fils de Jacob !
Que ses frères lui témoignent leur affection !
L'huile de ses olives est si abondante
qu'il pourrait y baigner ses pieds.
25 Il est à l'abri derrière ses portes
aux verrous de fer ou de bronze.
Que sa force[s] dure autant que sa vie ! »

26 Puis Moïse dit encore :
« Yechouroun[t], aucun dieu n'est semblable à ton Dieu !
Plein de majesté, il chevauche les nuages
et traverse le ciel pour venir à ton aide.
27 Depuis toujours, il est ton refuge ;
depuis toujours, sa puissance est grande ici-bas[u].
C'est lui qui chasse tes ennemis devant toi
et qui t'ordonne de les exterminer.

28 Les Israélites sont installés en sécurité,
les descendants de Jacob se sont mis à l'abri
dans un pays où poussent le blé et la vigne,
grâce à l'abondante rosée qui vient du ciel.

29 Heureux êtes-vous, Israélites !
Vous êtes le seul peuple que le Seigneur a sauvé ;
le Seigneur est pour vous un bouclier protecteur,
une épée qui vous donne la victoire.
Quand vos ennemis viendront vous demander grâce,
vous piétinerez leur orgueil. »

La mort de Moïse

34 1 Des plaines de Moab, Moïse
monta sur le mont Nébo, au sommet
de la Pisga, qui est à l'est de Jéricho[v].
Le Seigneur lui montra tout le pays : la
région de Galaad jusqu'à Dan, 2 les régions de Neftali, d'Éfraïm, de Manassé,
et celle de Juda jusqu'à la Méditerranée,
3 la région du Néguev, et enfin, dans la
vallée du Jourdain, le district de Jéricho
– la ville des Palmiers – jusqu'à Soar.
4 Alors le Seigneur lui dit : « Regarde le
pays que j'ai promis à Abraham, à Isaac et
à Jacob, lorsque je leur ai dit : "Je donnerai ce pays à vos descendants[w]." Je te le
montre, mais tu n'y entreras pas. »
5 Moïse, le serviteur du Seigneur, mourut là, dans le pays de Moab, comme le
Seigneur l'avait annoncé. 6 Dieu lui-
même l'enterra[x] dans une vallée de
Moab, en face de la localité de Beth-Péor,
et jusqu'à ce jour, personne n'a su exactement où se trouve sa tombe.
7 Moïse avait cent vingt ans quand il
mourut. Pourtant sa vue n'avait pas
baissé et il était encore plein de vitalité.
8 Les Israélites le pleurèrent dans les plaines de Moab pendant les trente jours que
dura son deuil. 9 Josué, fils de Noun, était
rempli d'un esprit de sagesse, parce que
Moïse avait posé les mains sur lui[y]. C'est
à lui que les Israélites obéirent dès lors,
en suivant les ordres que le Seigneur leur
avait transmis par Moïse.

10 En Israël, il n'y a plus jamais eu de
*prophète semblable à Moïse : le Sei-
gneur s'entretenait face à face avec lui[z] ;
11 il l'a envoyé accomplir des prodiges extraordinaires en Égypte, devant le *Pharaon, ses ministres et tout son peuple.
12 Et sous les yeux de tous les Israélites,
Moïse a agi avec une puissance redoutable.

---

s 33.25 *sa force* : d'après plusieurs versions anciennes ; le sens du mot hébreu est inconnu.

t 32.26 *Yechouroun*, c'est-à-dire *Israël* ; voir 32.15 et la note.

u 33.27 *depuis toujours, sa puissance...* : autre traduction *tu es à l'abri de sa puissance éternelle*.

v 34.1 *Jéricho* : ville située au fond de la vallée du Jourdain, à 12 km environ au nord de la mer Morte. Le *mont Nébo* (dont *la Pisga* est probablement un des principaux sommets) se trouve dans le massif montagneux qui domine, à l'est, la mer Morte. – Le paysage décrit jusqu'au v. 3 s'étend du nord au sud-ouest, et s'arrête au pied du mont Nébo.

w 34.4 Voir Gen 12.7 ; 26.3 ; 28.13.

x 34.6 Ou *On l'enterra*.

y 34.9 Voir Nomb 27.18-23.

z 34.10 Voir Ex 33.11.

33.26 [illegible]
33.27 [illegible]
34.1 [illegible]
34.4 [illegible]
34.6 Ou On l'enterra.
34.10 Voir Nombr 12.[illegible]
34.11 Voir [illegible]

Livres historiques

Josué

Introduction – *Le livre de* Josué *raconte la conquête du pays de Canaan et l'installation des tribus israélites dans ce pays sous la conduite de Josué, le successeur de Moïse. On peut y délimiter facilement trois grandes parties :*
– la conquête de Canaan (chap. 1–12) ;
– le partage du pays (chap. 13–21) ;
– la fin de la vie de Josué (chap. 22–24).

En donnant un pays à son peuple, Dieu réalise les promesses qu'il a faites aux ancêtres des Israélites et qu'il a renouvelées à Moïse. Dans l'histoire des relations entre Dieu et Israël la conquête de Canaan tient une place comparable à celle de la sortie d'Égypte. Comme la sortie d'Égypte, elle est marquée par les interventions de Dieu qui combat aux côtés de son peuple en lui assurant succès et victoire.

Le partage et l'attribution des territoires déjà conquis ou qui restent à conquérir montrent dans le détail la sollicitude de Dieu qui permet à tous les Israélites de vivre grâce à la possession d'une terre. C'est dans cette perspective qu'il faut lire les énumérations de lieux contenues dans certains chapitres du livre (par exemple chap. 13 ; 15 et 16).

*Tout au long du récit de la conquête et du partage du pays de Canaan, le livre de Josué rappelle que la fidélité de Dieu à ses promesses demande en retour un engagement du peuple à son égard. L'installation des Israélites au milieu d'étrangers qui ne connaissent pas Dieu comporte des risques nouveaux d'infidélité. C'est pourquoi Josué fera prendre à cet engagement la forme d'un renouvellement solennel de *l'alliance, lors de l'assemblée de Sichem, dont le récit clôture le livre (chap. 24). Le peuple y choisit de servir Dieu. Maintenant s'ouvre la longue histoire des Israélites et de leur pays, dont la possession sera sans cesse remise en question, de même que sans cesse il faudra rappeler au peuple d'Israël les exigences du choix qu'il a fait.*

Josué succède à Moïse

1 1 Moïse, le serviteur du Seigneur,
était mort. Le Seigneur dit alors à Josué, fils de Noun et auxiliaire de Moïse :
2 « Mon serviteur Moïse est mort. Maintenant, c'est à toi de traverser la rivière du
Jourdain avec tout le peuple, pour pénétrer dans le pays que je donne aux
Israélites. 3 Comme je l'ai promis à
Moïse, je vous accorde la propriété de
tout endroit où vous poserez le pied. 4 Du
sud au nord votre territoire s'étendra du
désert aux montagnes du Liban. D'est en
ouest il ira de l'Euphrate, le grand fleuve,
à la mer Méditerranée, en incluant le
pays des Hittites[a]. 5 Durant toute ta vie
personne ne pourra te résister, car je serai
avec toi comme j'ai été avec Moïse. Jamais je ne t'abandonnerai, jamais je ne te
laisserai sans secours. 6 Sois courageux et

a **1.4** *Le Liban* est le massif montagneux situé au nord, *l'Euphrate* se trouve au nord-est, *le pays des Hittites* désigne la Syrie-Palestine.

fort, car c'est toi qui donneras en partage à ce peuple le pays que j'ai promis à ses ancêtres[b]. 7 Il te suffira d'être courageux et fort et d'observer entièrement la loi que mon serviteur Moïse t'a transmise : ne t'en écarte jamais et ainsi tu réussiras dans tout ce que tu entreprendras. 8 Répète sans cesse les enseignements du livre de la loi et médite-les jour et nuit de façon à observer tout ce qui y est écrit. Alors tu mèneras à bien tes projets et ils réussiront. 9 N'oublie pas que je t'ai recommandé d'être courageux et fort. Ne tremble pas, ne te laisse pas abattre, car moi, le Seigneur ton Dieu, je serai avec toi partout où tu iras. »

Josué prépare la traversée du Jourdain

10 Josué ordonna aux responsables du peuple 11 de parcourir le camp pour transmettre les instructions suivantes aux Israélites : « Préparez des provisions, car dans trois jours, vous allez traverser le Jourdain pour prendre possession du pays que le Seigneur votre Dieu vous donne. » 12 Puis Josué s'adressa aux hommes des tribus de Ruben et de Gad ainsi que de la demi-tribu de Manassé ; il leur dit : 13 « Souvenez-vous de l'ordre que Moïse, le serviteur du Seigneur, vous a adressé quand il a déclaré : "Le Seigneur votre Dieu vous accorde le repos dans le territoire qu'il vous donne à l'est du Jourdain." 14 Vos femmes, vos enfants et vos troupeaux pourront rester dans cette région où Moïse vous a amenés. Quant à vous, les hommes en état de combattre, munis de vos armes, vous traverserez la rivière à la tête de vos compatriotes. Vous les aiderez 15 jusqu'à ce que le Seigneur votre Dieu leur accorde le repos, comme il l'a fait pour vous, et qu'eux aussi prennent possession du territoire qu'il leur attribue. Ensuite vous pourrez revenir occuper la région que Moïse, le serviteur du Seigneur, vous a donnée en partage à l'est du Jourdain[c]. »

16 Ils répondirent à Josué : « Nous ferons tout ce que tu nous ordonnes, nous irons partout où tu nous enverras. 17 Nous t'obéirons exactement comme nous avons obéi à Moïse. Le Seigneur ton Dieu sera certainement avec toi comme il a été avec Moïse. 18 Quiconque s'opposera à toi et refusera d'obéir à tes ordres sera mis à mort. Pour ta part, sois courageux et fort ! »

Josué envoie deux espions à Jéricho

2 1 Du camp de Chittim, Josué, fils de Noun, envoya secrètement deux hommes avec l'ordre d'explorer le pays et la ville de Jéricho. Arrivés à Jéricho, les deux espions allèrent passer la nuit dans la maison d'une prostituée nommée Rahab[d]. 2 Le roi de Jéricho apprit que des Israélites étaient arrivés cette nuit-là dans la ville pour explorer le pays. 3 Alors il fit dire à Rahab : « Les hommes qui sont venus chez toi ont pour mission d'examiner à fond le pays. Livre-les-nous. » 4 Rahab emmena les deux hommes et les cacha, puis elle répondit : « Des hommes sont effectivement venus chez moi, mais je ne savais pas d'où ils étaient. 5 Ils sont repartis à la tombée de la nuit au moment où on allait fermer la porte de la ville[e]. J'ignore où ils sont allés. Si vous vous dépêchez, vous pourrez les rattraper. »

6 En réalité, elle avait fait monter les hommes sur le toit en terrasse de sa maison et les avait cachés au milieu de tiges de lin qu'elle y avait déposées. 7 Les envoyés du roi partirent à leur poursuite et, dès qu'ils eurent quitté la ville, on referma la porte. Ils recherchèrent les espions en suivant la route qui mène aux gués du Jourdain. 8 De son côté, Rahab monta sur le toit de sa maison avant que les deux hommes soient endormis. 9 Elle leur dit : « Je sais que le Seigneur vous a donné ce pays. Vous nous inspirez une si grande terreur que chacun ici a perdu

---

b **1.6** V. 5-6 : voir Deut 31.6-8,23.

c **1.15** V. 13-15 : voir Nomb 32.28-32 ; Deut 3.18-20.

d **2.1** *Chittim* : c'est peut-être le même lieu qu'Abel-Chittim (Nomb 33.49) à quelques kilomètres au nord-est de la mer Morte. – *Jéricho* : ville proche du Jourdain, dans le fond de la vallée, sur la rive ouest. – *Rahab* est citée dans le NT en Matt 1.5 ; Hébr 11.31 et Jacq 2.25.

e **2.5** Pour empêcher des ennemis d'entrer dans une ville, *la porte* restait fermée pendant la nuit.

tout courage à cause de vous. 10 Nous avons appris, en effet, que le Seigneur a asséché la *mer des Roseaux pour vous permettre de la traverser, lorsque vous êtes sortis d'Égypte. Nous avons appris aussi que vous avez tué les deux rois *amorites, Sihon et Og, à l'est du Jourdain, et que vous avez détruit tout ce qui leur appartenait[f]. 11 A ces nouvelles, le cœur nous a manqué et personne ne se sent plus le courage de vous résister. En effet, le Seigneur, votre Dieu, est Dieu en haut dans le ciel et ici-bas sur la terre. 12 Maintenant, jurez-moi par le Seigneur que vous traiterez ma famille avec une bonté semblable à celle que j'ai eue à votre égard et donnez-moi un signe que vous dites vrai. 13 Promettez-moi de laisser la vie sauve à mes parents, mes frères et sœurs, et à tous les membres de leur familles ; vous ne permettrez pas que nous soyons tués. » 14 Les hommes lui répondirent : « Nous te le jurons sur notre vie, à condition que tu ne racontes rien de notre visite. Lorsque le Seigneur nous donnera ce pays, nous serons loyaux envers toi et te traiterons avec bonté. »

15 La maison de Rahab était aménagée dans la muraille même de la ville. Elle put ainsi faire descendre les deux hommes par la fenêtre au moyen d'une corde. 16 « Allez vous cacher dans les collines pour échapper à ceux qui vous recherchent, leur recommanda-t-elle. Restez-y trois jours, jusqu'à ce qu'ils soient revenus. Ensuite vous pourrez reprendre votre route. » 17 Les hommes lui dirent : « Nous tiendrons le serment que tu nous as demandé de te prêter. 18 Voici ce que tu feras : quand nous envahirons le pays, fixe ce cordon rouge à la fenêtre par laquelle tu nous fais descendre, puis rassemble dans ta maison tes parents, tes frères et sœurs et toute ta famille. 19 Si quelqu'un sort de chez toi, il sera seul responsable de sa mort et nous en serons innocents. Par contre, si on s'attaque à quelqu'un qui se trouve avec toi dans ta maison, c'est nous qui serons responsables de sa mort. 20 Toutefois, si tu racontes notre visite, nous ne serons plus tenus par le serment que tu nous as demandé. » – 21 « D'accord », répondit-elle. Puis elle renvoya les deux hommes. Dès qu'ils furent partis, elle fixa le cordon rouge à sa fenêtre. 22 Les espions gagnèrent les collines ; ils s'y cachèrent pendant trois jours jusqu'au retour à Jéricho de leurs poursuivants, qui les avaient cherchés en vain partout. 23 Les deux hommes quittèrent leur cachette, descendirent des collines, traversèrent le Jourdain et revinrent auprès de Josué. Ils lui racontèrent tout ce qui leur était arrivé. 24 « Certainement, lui dirent-ils, le Seigneur nous a livré tout le pays. Les habitants ont même perdu le courage de nous résister. »

La traversée du Jourdain

3 1 Tôt le lendemain matin, Josué et les Israélites quittèrent Chittim et descendirent au bord du Jourdain. Ils s'installèrent là en attendant le moment de le traverser. 2 Au bout de trois jours, les responsables du peuple parcoururent le camp 3 et donnèrent les instructions suivantes aux Israélites : « Dès que vous verrez les prêtres-lévites[g] emporter le *coffre de l'alliance du Seigneur votre Dieu, quittez cet endroit et suivez-les ; 4 de cette façon vous saurez quel chemin prendre, car vous n'êtes jamais passés par là auparavant. Cependant, n'allez pas trop près du coffre, tenez-vous-en toujours à une distance d'environ un kilomètre. »

5 Josué dit au peuple : « *Purifiez-vous, car demain le Seigneur va accomplir des prodiges au milieu de vous. » 6 Le jour suivant, il ordonna aux prêtres de porter le coffre de l'alliance et de marcher à la tête du peuple. C'est ce qu'ils firent.

7 Le Seigneur dit à Josué : « A partir d'aujourd'hui, je vais affermir ton autorité aux yeux de tous les Israélites ! Ils sauront que je suis avec toi comme j'ai été avec Moïse. 8 Pour ta part, ordonne aux prêtres qui portent le coffre de l'alliance de s'arrêter dans l'eau du Jourdain, dès

---

f **2.10** *Le Seigneur a asséché la mer des Roseaux* : voir Ex 14.21. – *Sihon et Og* : voir Deut 2.24 à 3.17 ; Nomb 21.21-35.

g **3.3** *les prêtres-lévites* : voir Deut 17.9 et la note.

qu'ils y auront pénétré. » 9 Alors Josué s'adressa aux Israélites : « Approchez-vous, leur dit-il, et écoutez ce que déclare le Seigneur votre Dieu. 10 Vous allez être convaincus que le Dieu vivant est au milieu de vous et qu'il chassera devant vous les Cananéens, les Hittites, les Hivites, les Perizites, les Guirgachites, les *Amorites et les Jébusites. 11 En effet, le coffre de l'alliance du Seigneur de toute la terre traversera le Jourdain devant vous. 12 Choisissez parmi vous douze hommes, un par tribu. 13 Dès que les prêtres qui portent le coffre sacré poseront les pieds dans le Jourdain, le cours de la rivière sera coupé : en amont, l'eau sera arrêtée comme par une digue. »

14 Le peuple quitta le camp pour traverser le Jourdain. Les prêtres qui portaient le coffre de l'alliance marchaient devant. 15 C'était l'époque de la moisson pendant laquelle le Jourdain déborde et inonde continuellement ses rives[h]. Dès que les prêtres y arrivèrent et posèrent les pieds dans l'eau, 16 la rivière cessa de couler, l'eau fut arrêtée comme par une digue, loin en amont, à Adam, ville des environs de Sartan[i] ; en aval, l'eau qui s'écoule vers la mer Morte disparut complètement. Le peuple put alors traverser le Jourdain en face de Jéricho. 17 Les prêtres qui portaient le coffre sacré restèrent dans le lit desséché de la rivière pendant que tout le peuple d'Israël passait à pied sec et jusqu'à ce que tout le monde ait atteint l'autre rive.

Les douze pierres commémoratives

4 1 Lorsque tout le peuple eut fini de traverser le Jourdain, le Seigneur donna les instructions suivantes à Josué : 2 « Choisissez douze hommes, un par tribu, 3 et ordonnez-leur d'aller chercher douze pierres dans le lit du Jourdain, à l'endroit exact où les prêtres ont posé leurs pieds. Ils devront emporter ces pierres et les déposer dans le lieu où vous passerez la nuit. » 4 Josué appela les douze Israélites qu'il avait fait choisir 5 et leur dit : « Passez devant le coffre du Seigneur votre Dieu et allez au milieu du Jourdain. Là, que chacun de vous charge une pierre sur son épaule, afin qu'il y en ait une pour chaque tribu d'Israël. 6 Ces pierres vous rappelleront ce qui s'est passé ici. Lorsque, dans l'avenir, vos enfants vous demanderont ce qu'elles signifient pour vous, 7 vous leur répondrez : "Le cours du Jourdain s'est arrêté au passage du *coffre de l'alliance du Seigneur. Oui, lorsque le coffre a traversé le Jourdain, le cours du fleuve s'est arrêté, et ces pierres doivent rappeler pour toujours aux Israélites le souvenir de ce prodige." »

8 Les hommes désignés obéirent aux ordres de Josué. Ils prirent douze pierres au milieu du Jourdain, une pour chaque tribu d'Israël, comme le Seigneur lui-même l'avait ordonné à Josué. Ils les emportèrent et les déposèrent là où ils passèrent la nuit. 9 Josué fit également dresser douze pierres dans le lit du Jourdain, à l'endroit où les prêtres porteurs du coffre de l'alliance avaient posé les pieds. Elles s'y trouvent encore aujourd'hui.

10 Les prêtres qui portaient le coffre restèrent debout dans le lit du Jourdain jusqu'à ce que le peuple eut exécuté toutes les instructions que le Seigneur lui avait transmises par l'intermédiaire de Josué. Ainsi Josué se conforma aux recommandations de Moïse. Le peuple se dépêcha de traverser le fleuve et, 11 lorsque tout le monde fut sur l'autre rive, les prêtres allèrent se remettre en tête avec le coffre sacré. 12 Les hommes en armes des tribus de Ruben et de Gad, ainsi que ceux de la demi-tribu de Manassé, traversèrent à la tête des autres Israélites, comme Moïse le leur avait ordonné[j]. 13 En présence du Seigneur, environ quarante mille soldats, prêts à combattre, franchirent le Jourdain en direction de la plaine de Jéricho. 14 Ce jour-là, le Seigneur affermit l'autorité de Josué aux yeux de tous les Israélites et, durant toute

---

h **3.15** Il s'agit de la *moisson* de l'orge, après la récolte du lin (voir 2.6), au moment de la crue du Jourdain provoquée par la fonte des neiges sur les montagnes du Liban (avril).

i **3.16** *Adam*, nommée en Osée 6.7, est une ville de Transjordanie, proche du confluent du Yabboq. *Sartan* est une ville voisine, dont le site est incertain.

j **4.12** Voir 1.12-15.

sa vie, ils le respectèrent comme ils avaient respecté Moïse.

15 Ensuite, le Seigneur dit à Josué : 16 « Ordonne aux prêtres qui portent le coffre contenant le *document de l'alliance de sortir du Jourdain. » 17 Josué leur en donna l'ordre. 18 Les prêtres obéirent, et dès qu'ils eurent posé les pieds sur le bord, la rivière se remit à couler et à inonder ses rives comme auparavant. 19 C'est le dixième jour du premier mois que les Israélites franchirent le Jourdain. Ils établirent leur camp au Guilgal, à l'est de Jéricho[k].

20 Josué fit dresser au Guilgal les douze pierres prises dans le Jourdain. 21 Puis il dit aux Israélites : « Lorsque, dans l'avenir, vos enfants vous demanderont ce que signifient ces pierres, 22 vous leur expliquerez comment le peuple d'Israël a traversé le Jourdain à pied sec. 23 En effet, le Seigneur votre Dieu a asséché le Jourdain pour vous permettre de le franchir, tout comme il avait asséché pour nous la *mer des Roseaux[l]. 24 Il a agi ainsi pour que tous les peuples de la terre sachent combien la puissance du Seigneur est grande, et pour que vous vous soumettiez toujours à l'autorité du Seigneur votre Dieu. »

5 1 Tous les rois des *Amorites vivant à l'ouest du Jourdain et les rois des Cananéens établis au bord de la mer Méditerranée apprirent que le Seigneur avait asséché le Jourdain pour permettre aux Israélites de le franchir. Alors le cœur leur manqua et ils ne se sentirent plus le courage de résister aux Israélites.

Circoncision des Israélites au Guilgal

2 En ce temps-là, le Seigneur dit à Josué : « Fais-toi des couteaux de pierre et *circoncis cette nouvelle génération d'Israélites. » 3 Josué se fit des couteaux de pierre et circoncit les Israélites. Cela se passa à l'endroit qu'on a appelé la colline de la Circoncision. 4-5 Lorsque le peuple d'Israël était sorti d'Égypte, tous les hommes en âge de combattre avaient été circoncis, mais cette génération-là périt dans le désert. Par contre, les garçons nés pendant la traversée du désert n'avaient pas été circoncis : c'est pourquoi Josué dut le faire. 6 Les Israélites avaient marché pendant quarante années dans le désert. A la fin de cette période, les hommes en âge de combattre à la sortie d'Égypte étaient tous morts pour avoir désobéi au Seigneur ; le Seigneur avait juré de ne pas leur laisser voir le pays qu'il avait promis à leurs ancêtres de donner à notre peuple, pays qui regorge de lait et de miel[m]. 7 A leur place, le Seigneur y fit entrer leurs fils, et ce sont eux que Josué circoncit puisqu'ils ne l'avaient pas encore été. 8 Lorsqu'ils eurent tous subi cette opération, ils restèrent au camp jusqu'à leur guérison. 9 Puis le Seigneur dit à Josué : « Aujourd'hui, je vous ai débarrassés de la honte que vous aviez ramenée d'Égypte. »

C'est pourquoi on donna à l'endroit le nom de Guilgal, qu'il porte encore maintenant[n].

Première Pâque en Canaan

10 Les Israélites campèrent au Guilgal, et ils célébrèrent la fête de la *Pâque le quatorzième jour du mois[o], au soir, dans la plaine proche de Jéricho. 11 Le lendemain, ils mangèrent des pains sans *levain et des épis grillés ; ils purent les préparer avec les produits du pays. 12 Dès lors, ils ne reçurent plus de manne ; cette année-là, ils se nourrirent de ce qui poussait dans le pays de Canaan[p].

Le chef de l'armée du Seigneur

13 Un jour où Josué se trouvait près de Jéricho, il vit soudain un homme debout

---

k 4.19 *le dixième jour du premier mois* est la date de préparation de la *Pâque, d'après Ex 12.3 ; *le premier mois* : c'est-à-dire fin mars-début avril. – *le Guilgal* n'a pas été identifié ; ce lieu devait être proche du *Jourdain*, probablement au nord-est de Jéricho.

l 4.23 Voir Ex 14.21.

m 5.6 *pays qui regorge de lait et de miel* : voir Ex 3.8 et la note.

n 5.9 *Je vous ai débarrassés de la honte... d'Égypte* : sans doute la honte de ne pas avoir été circoncis. – *Guilgal* : voir 4.19 et la note ; en hébreu ce nom est formé sur la même racine que le verbe traduit par *débarrasser*.

o 5.10 *le quatorzième jour du mois* : voir 4.19 et la note ; c'est la date où l'on célèbre la Pâque, voir Ex 12.6.

p 5.12 *la manne* : voir Ex 16.13-35. – *Canaan* : nom que le pays promis portait avant l'arrivée des Israélites.

en face de lui, une épée dégainée à la main. Josué s'approcha de lui et lui demanda : « Es-tu de notre côté ou du côté de nos ennemis ? » – 14 « Ni l'un ni l'autre, répondit l'homme. Je suis le chef de l'armée du Seigneur et je viens d'arriver. » Alors Josué se jeta la face contre terre et lui dit : « Je suis ton serviteur, que m'ordonnes-tu ? » 15 Le chef de l'armée du Seigneur lui répondit : « Enlève tes sandales, car tu te trouves dans un endroit saint[q]. » Et Josué obéit.

Les Israélites s'emparent de Jéricho

6 1 Les portes de la ville de Jéricho étaient toutes soigneusement barricadées contre les Israélites. Personne ne pouvait entrer, personne ne pouvait sortir. 2 Le Seigneur dit alors à Josué : « Regarde, je te livre Jéricho avec son roi et ses défenseurs. 3 Toi et tous tes soldats, vous marcherez autour de la ville, vous en ferez le tour une fois par jour, durant six jours. 4 Sept prêtres précéderont le *coffre sacré en portant chacun une trompette. Le septième jour, vous ferez sept fois le tour de la ville pendant que les prêtres sonneront de la trompette. 5 Lorsqu'ils feront entendre une note prolongée, le peuple poussera un formidable cri de guerre et les murailles de la ville s'écrouleront. Alors les Israélites monteront tous à l'assaut, chacun droit devant soi. » 6 Josué, fils de Noun, appela les prêtres et leur dit : « Chargez sur vos épaules le coffre de l'alliance du Seigneur et que sept d'entre vous le précèdent avec des trompettes. » 7 Puis il donna cet ordre au peuple : « En route ! Faites le tour de la ville. Que l'avant-garde passe devant le coffre sacré du Seigneur. » 8 Tout se déroula comme Josué l'avait ordonné. Les sept prêtres porteurs de trompettes avançaient en sonnant de leur instrument devant le coffre sacré. 9 L'avant-garde les précédait et l'arrière-garde suivait le coffre. Pendant qu'ils marchaient, le son des trompettes ne cessait de retentir. 10 Mais Josué avait commandé au peuple lui-même de rester parfaitement silencieux et de ne pousser le cri de guerre qu'au moment où il en donnerait l'ordre. 11 Il leur fit faire une fois le tour de la ville avec le coffre sacré, puis ils retournèrent au camp pour y passer la nuit.

12 Josué se leva tôt le lendemain matin et les prêtres chargèrent de nouveau le coffre sacré sur leurs épaules. 13 Les sept prêtres porteurs de trompettes se remirent en marche devant le coffre en sonnant de leur instrument. L'avant-garde les précédait et l'arrière-garde suivait le coffre. Pendant qu'ils marchaient, le son des trompettes ne cessait de retentir. 14 En ce deuxième jour, ils tournèrent également une fois autour de la ville, puis ils revinrent au camp. Ils agirent ainsi pendant six jours. 15 Le septième jour, ils se levèrent à l'aurore et firent sept fois le tour de la ville, de la même manière. C'est le seul jour où ils en firent sept fois le tour. 16 La septième fois, quand les prêtres eurent sonné de la trompette, Josué dit au peuple : « Poussez le cri de guerre ! Le Seigneur vous a livré la ville ! 17 Elle sera détruite avec tout ce qui s'y trouve, car elle est réservée au Seigneur. On laissera la vie sauve uniquement à Rahab, la prostituée, et à tous ceux qui se trouvent dans sa maison, car elle a caché nos espions. 18 Mais attention ! Ne prenez rien de ce qui doit être détruit, sinon vous attirerez le malheur et la destruction sur le camp d'Israël[r]. 19 Tout l'argent et l'or, tous les objets de bronze ou de fer seront consacrés au Seigneur et mis dans son trésor. »

20 On sonna de la trompette ; dès que le peuple l'entendit, il poussa un formidable cri de guerre et les murailles s'écroulèrent. Aussitôt, les Israélites montèrent à l'assaut de la ville, chacun droit devant soi, et ils s'en emparèrent. 21 Ils exterminèrent la population de la ville, hommes et femmes, jeunes et vieux. Ils tuèrent même les bœufs, les moutons et les ânes.

---

q **5.15** *Enlever ses sandales* est une marque de respect pour la sainteté d'un lieu, voir Ex 3.5.

r **6.18** Si un Israélite prend pour lui ce qui a été par avance réservé au Seigneur, il provoque la colère de celui-ci contre l'ensemble du peuple (voir 7.1-26).

Josué laisse la vie à Rahab

22 Josué dit aux deux hommes qui
avaient exploré la région de Jéricho :
« Allez dans la maison de Rahab la prostituée et faites-la sortir avec toute sa famille, comme vous le lui avez juré. » 23 Ils
s'y rendirent et emmenèrent Rahab, ses
parents, ses frères et sœurs et tous les autres membres de sa famille. Ils les installèrent en sûreté à l'extérieur du camp
israélite. 24 Puis on livra aux flammes la
ville et tout ce qu'elle contenait, à l'exception de l'argent, de l'or et des objets
de bronze ou de fer, qu'on plaça dans le
trésor du *sanctuaire du Seigneur. 25 Josué laissa la vie sauve à Rahab, la prostituée, ainsi qu'à tous les membres de sa
famille, parce qu'elle avait caché les espions chargés d'explorer Jéricho. Elle habita au milieu des Israélites, et ses
descendants y vivent encore maintenant.
26 En ce temps-là Josué prononça cet
avertissement solennel au sujet de Jéricho :

« Maudit soit-il par le Seigneur,
l'homme qui tentera de reconstruire
cette ville.
Il en creusera les fondations
au prix de son fils aîné ;
il en posera les portes
au prix de son fils cadet[s]. »

27 Le Seigneur fut avec Josué, dont la
renommée se répandit dans tout le pays.

Faute et châtiment d'Akan

7 1 Les Israélites commirent une faute
grave à propos des biens que le Seigneur avait interdit de prendre[t] : un
membre de la tribu de Juda, Akan, fils de
Karmi, lui-même fils de Zabdi et petit-
fils de Zéra, s'empara de certains d'entre
eux. C'est pourquoi le Seigneur fut pris
de colère contre les Israélites.
2 De Jéricho, Josué envoya des hommes vers Aï, une ville située à l'est de Béthel, près de Beth-Aven, avec l'ordre
d'explorer le pays. Lorsqu'ils l'eurent
fait, 3 ils revinrent dire à Josué : « Il est
inutile d'envoyer l'armée entière attaquer
Aï. Deux ou trois mille hommes suffiront. La population de la ville est trop
peu nombreuse pour qu'on dérange toute
notre armée. » 4 Trois mille hommes environ partirent donc à l'attaque, mais ils
durent s'enfuir devant les habitants d'Aï.
5 Ceux-ci tuèrent environ trente-six d'entre eux, poursuivirent les autres depuis la
porte de la ville jusqu'à Chébarim[u] et,
dans la descente, ils les mirent en déroute. Alors le peuple perdit tout courage, le cœur lui manqua.
6 Josué et les *anciens d'Israël *déchirèrent leurs vêtements, se couvrirent
la tête de poussière et se jetèrent la face
contre terre devant le *coffre sacré du
Seigneur ; ils restèrent ainsi jusqu'au
soir. 7 Josué s'exclama : « Ah, Seigneur
Dieu ! Pourquoi nous as-tu fait traverser
le Jourdain ? Est-ce pour nous livrer ensuite aux *Amorites et nous laisser mourir ? Si seulement nous étions restés de
l'autre côté de la rivière ! 8 Que puis-je
dire, Seigneur, maintenant que les Israélites ont pris la fuite devant leurs ennemis ? 9 Les Cananéens et les autres
habitants du pays vont l'apprendre, ils se
coaliseront contre nous et nous extermineront. Comment feras-tu reconnaître
alors ta grandeur ? »
10 Le Seigneur répondit à Josué : « Relève-toi ! Pourquoi t'es-tu jeté ainsi la face
contre terre ? 11 Les Israélites ont péché.
Ils ont rompu les engagements que je leur
avais ordonné de respecter ; ils se sont
emparés des biens que je leur avais interdit de prendre. Ils les ont volés et les ont
cachés en les mettant parmi leurs propres
affaires. 12 Dans ces conditions, ils ne
pourront plus résister à leurs ennemis, ils
prendront la fuite devant eux, ils sont
condamnés à la destruction. Je ne serai
plus de votre côté si vous ne détruisez pas
les biens que je vous avais interdit de
prendre. 13 Maintenant, va préparer le
peuple à me rencontrer, ordonne-lui de
se *purifier pour demain, car voici ce que
moi, le Seigneur, Dieu d'Israël, je déclare
aux Israélites : Vous avez en votre possession des biens que je vous avais interdit
de prendre. Vous ne pourrez pas résister à

s **6.26** Voir 1 Rois 16.34.
t **7.1** Voir 6.17-19.
u **7.5** *Chébarim* : localité inconnue.

vos ennemis tant que vous n'aurez pas éliminé ces biens. 14 Demain matin, vous vous présenterez devant moi tribu par tribu. La tribu que je désignerai s'avancera clan par clan, et le clan désigné, famille par famille. Les hommes de la famille désignée s'avanceront alors un par un[v]. 15 Je désignerai alors parmi eux celui qui est en possession des biens interdits. Il sera jeté au feu, avec tout ce qui lui appartient, pour avoir rompu les engagements pris à mon égard et s'être conduit de façon inadmissible en Israël. »

16 Tôt le lendemain matin, Josué fit avancer les Israélites tribu par tribu. La tribu de Juda fut désignée. 17 Il la fit alors avancer clan par clan, et celui de Zéra fut désigné. Il fit avancer ce clan famille par famille, et celle de Zabdi fut désignée. 18 Il fit avancer un par un les hommes de cette famille et Akan, fils de Karmi, petit-fils de Zabdi et arrière-petit-fils de Zéra, de la tribu de Juda, fut désigné. 19 Josué lui dit : « Mon ami, reconnais la grandeur du Seigneur, Dieu d'Israël, et dis-moi la vérité ; avoue ce que tu as fait, sans rien me cacher. » 20 Akan lui répondit : « Oui, c'est moi qui ai péché contre le Seigneur, Dieu d'Israël. Voici ce que j'ai fait : 21 j'ai vu dans le butin un magnifique manteau de Mésopotamie, deux cents pièces d'argent et un lingot d'or d'une livre. J'en ai eu tellement envie que je les ai pris. Vous les trouverez enterrés à l'intérieur de ma tente, l'argent est dessous. »

22 Josué envoya des hommes à la tente d'Akan. Ils se dépêchèrent d'y aller et trouvèrent les objets enterrés à l'intérieur, avec l'argent en dessous. 23 Ils les sortirent de la tente et les apportèrent à Josué et aux Israélites. On les déposa devant le Seigneur[w]. 24 Josué et tous les Israélites s'emparèrent d'Akan, avec l'argent, le manteau et le lingot d'or. Ils prirent aussi les fils et les filles d'Akan, ses bœufs, ses ânes, ses moutons et ses chèvres, sa tente et tous ses autres biens. Ils les emmenèrent dans la vallée d'Akor[x]. 25 Josué dit à Akan : « Tu as causé notre malheur ! Eh bien, maintenant, le Seigneur va causer ton malheur[y]. » Alors les Israélites le tuèrent en lui jetant des pierres. Ils tuèrent de la même façon tous les siens et brûlèrent tous ses biens. 26 Puis on éleva sur lui un grand tas de pierres qui existe toujours. C'est pourquoi, maintenant encore, ce lieu porte le nom de vallée d'Akor.

Après cela, la colère du Seigneur s'apaisa.

Conquête d'Aï

8 1 Le Seigneur dit à Josué : « N'aie pas peur et ne te laisse pas abattre. Prends toute ton armée et pars à l'attaque d'Aï. Regarde, je te livre le roi d'Aï ainsi que son peuple, sa ville et son territoire. 2 Tu traiteras cette ville et son roi comme tu as traité Jéricho et son roi. Cependant, toi et tes soldats, vous pourrez prendre comme butin les biens et le bétail que vous y trouverez. Organise une attaque surprise contre la ville depuis l'arrière[z]. »

3 Josué se prépara donc à aller attaquer Aï avec toute son armée. Il choisit trente mille hommes en état de combattre et les envoya de nuit 4 avec les ordres suivants : « Allez vous dissimuler à l'arrière de la ville, à faible distance, et soyez prêts à intervenir. 5 De mon côté, j'avancerai vers Aï avec mes hommes. Lorsque les habitants sortiront de la ville pour nous combattre, nous fuirons devant eux comme la première fois. 6 Ils se lanceront à notre poursuite et nous les entraînerons loin de la ville. Ils penseront, en effet, que nous fuyons devant eux comme l'autre fois. 7 Vous surgirez alors de vos positions pour vous emparer de la ville, car le Seigneur votre Dieu vous la livrera. 8 Dès que vous aurez pris la ville, vous y mettrez le feu suivant l'ordre du Seigneur. Observez soigneusement mes instruc-

---

v **7.14** Cette désignation se fait sans doute par tirage au sort (voir 1 Sam 14.40-42).

w **7.23** *devant le Seigneur* : c'est-à-dire devant le *coffre sacré considéré comme le trône du Seigneur.

x **7.24** La *vallée d'Akor* : à l'est de Jérusalem. Elle permettait de passer de la vallée du Jourdain à la région montagneuse du centre de la Palestine.

y **7.25** Le verbe traduit par *causer malheur* présente une forte assonance avec le nom d'*Akor*.

z **8.2** *L'arrière* de la ville, sur laquelle des défenseurs concentraient normalement toute leur attention.

tions. » 9 Josué envoya les soldats au lieu
choisi pour l'attaque surprise. Ils s'installèrent à l'ouest d'Aï, entre Béthel et Aï,
tandis que Josué passait la nuit avec le
reste de l'armée.
10 Tôt le lendemain matin, Josué ins-
pecta ses troupes puis, avec les *anciens
d'Israël, il les conduisit à l'attaque d'Aï.
11 Tous les soldats avancèrent avec lui et
arrivèrent en face de la ville. Ils prirent
position du côté nord ; ils étaient séparés
de la ville par une vallée. 12 Josué choisit
environ cinq mille hommes et leur ordonna de se cacher à l'ouest de la ville,
entre Béthel et Aï. 13 L'armée établit son
camp principal au nord de la ville tandis
qu'une partie des troupes était postée à
l'ouest. Josué passa cette nuit-là dans la
vallée. 14 Au matin, lorsque le roi d'Aï vit
les Israélites, il se dépêcha de sortir de la
ville avec tous ses soldats pour aller les
combattre au même lieu que précédemment, en direction de la vallée du Jourdain. Il ignorait qu'une attaque était
préparée sur ses arrières. 15 Josué et les
Israélites se laissèrent mettre en déroute
et s'enfuirent dans la pleine campagne
en direction du désert[a]. 16 Tous les hommes d'Aï reçurent l'ordre de les poursuivre et ils furent ainsi entraînés loin
de la ville. 17 Pas un homme ne resta
dans Aï[b], ils poursuivirent les Israélites
en laissant la ville sans défense. 18 Alors
le Seigneur dit à Josué : « Brandis ta
lance en direction d'Aï, car je vais te livrer la ville. » Josué obéit. 19 Dès qu'il eut
étendu la main, les Israélites qui étaient
cachés sortirent en toute hâte de leurs
positions : ils coururent jusqu'à la ville,
y pénétrèrent, s'en emparèrent et y mirent aussitôt le feu.
20 Les hommes d'Aï regardèrent en arrière et aperçurent la fumée qui s'élevait
de leur ville. Toute retraite leur était coupée, car les Israélites qui fuyaient vers le
désert se retournèrent contre leurs poursuivants. 21 En effet, quand Josué et ses
hommes virent que les soldats postés à
l'arrière de la ville avaient pris celle-ci et
qu'elle était en flammes, ils firent demi-
tour et attaquèrent les gens d'Aï. 22 Les autres Israélites quittèrent la ville pour les
attaquer à leur tour, si bien que les gens
d'Aï se trouvèrent pris en tenailles et furent tous tués. Personne ne put s'enfuir ; il
n'y eut pas de survivant, 23 à l'exception
du roi d'Aï qui fut capturé et amené à Josué. 24 Les Israélites massacrèrent leurs
ennemis en pleine campagne, là où
ceux-ci les avaient poursuivis ; lorsqu'il
n'en resta plus un seul en vie, ils regagnèrent la ville où ils exterminèrent le
reste de la population. 25 Tous les habitants d'Aï, douze mille hommes et femmes, furent tués ce jour-là. 26 Josué garda
sa lance brandie en direction d'Aï jusqu'à
ce que la population entière soit détruite.
27 Selon l'ordre donné par le Seigneur à Josué, les Israélites se contentèrent de prendre comme butin les biens et le bétail qui
se trouvaient dans la ville. 28 Josué brûla
Aï ; il en fit pour toujours un monceau de
ruines, un lieu désert[c], ce qu'elle est encore aujourd'hui. 29 On pendit le roi d'Aï à
un arbre où son corps resta jusqu'au soir.
Au coucher du soleil, Josué ordonna de
descendre le cadavre[d]. On le jeta près de la
porte de la ville et on éleva sur lui un
grand tas de pierres qui existe toujours.

Lecture de la loi sur le mont Ébal

30 Sur le mont Ébal[e], Josué fit un *autel
pour le Seigneur, Dieu d'Israël. 31 Il le
construisit selon les instructions que
Moïse, le serviteur du Seigneur, avait
données aux Israélites, instructions inscrites dans le livre de la loi de Moïse : un
autel en pierres brutes, non taillées avec
un outil de fer[f]. On y offrit au Seigneur
des *sacrifices complets et des sacrifices
de communion. 32 Là, sous le regard des
Israélites, Josué grava sur des pierres une
copie de la loi que Moïse avait écrite[g].
33 Les Israélites avec leurs *anciens, leurs

a **8.15** *en direction du désert* : c'est-à-dire vers les espaces inhabités qui bordent la vallée du Jourdain.

b **8.17** *dans Aï* : d'après l'ancienne version grecque ; hébreu *dans Aï et Béthel*.

c **8.28** Le nom d'*Aï* signifie en hébreu *tas de pierres*.

d **8.29** Les *cadavres* des suppliciés ne devaient pas rester suspendus pendant la nuit (voir Deut 21.22-23).

e **8.30** Voir Deut 11.29 et la note.

f **8.31** *non taillées... fer* : voir Ex 20.24-26 ; Deut 27.5-6.

g **8.32** *des pierres* ou *les pierres*. – *la loi... écrite* : voir Deut 27.2-3.

responsables et leurs juges, de même que les étrangers vivant parmi eux, se tenaient de part et d'autre du *coffre de l'alliance du Seigneur, en face des prêtres-lévites qui le portaient. La moitié d'entre eux était placée du côté du mont Garizim, et l'autre moitié du côté du mont Ébal. Moïse avait ordonné autrefois de procéder ainsi pour *bénir le peuple d'Israël[h]. 34 Josué lut alors tous les enseignements écrits dans le livre de la loi, avec les formules de bénédiction et celles de malédiction. 35 Josué lut tous les commandements de Moïse, sans en omettre un seul, devant l'ensemble du peuple, y compris les femmes, les enfants et les étrangers vivant parmi les Israélites.

L'alliance avec les gens de Gabaon

9 1 La nouvelle de la destruction d'Aï parvint aux rois de toutes les régions situées à l'ouest du Jourdain : dans la région montagneuse, le *Bas-Pays et la plaine côtière qui s'étend, le long de la Méditerranée, jusqu'au Liban. Alors Hittites, *Amorites, Cananéens, Perizites, Hivites et Jébusites 2 se liguèrent pour combattre Josué et les Israélites.

3 Les habitants de Gabaon[i], des Hivites, apprirent eux aussi comment Josué avait traité les villes de Jéricho et d'Aï ; 4 mais, pour leur part, ils décidèrent d'avoir recours à la ruse. Ils préparèrent des provisions, chargèrent leurs ânes de sacs usés et de vieilles *outres à vin déchirées et rapiécées ; 5 ils mirent des vêtements en lambeaux, des sandales usées et raccommodées et prirent avec eux du pain sec et réduit en miettes[j]. 6 Ils se rendirent au camp du Guilgal et s'adressèrent à Josué et aux Israélites : « Nous venons d'un pays lointain vous demander de conclure une alliance avec nous. » 7 Les Israélites leur répondirent : « Peut-être vivez-vous tout près de nous ? Dans ce cas, il ne nous est pas possible de conclure une alliance avec vous[k] ! » 8 Ils déclarèrent à Josué : « Nous sommes prêts à nous mettre à ton service[l]. » – « Mais qui êtes-vous et d'où venez-vous ? » leur demanda Josué. 9 Ils répondirent : « Nous, tes serviteurs, sommes venus d'un pays très lointain parce que nous avons entendu parler du Seigneur ton Dieu. Nous savons les prodiges qu'il a accomplis en Égypte 10 et le traitement qu'il a infligé aux deux rois amorites qui vivaient de l'autre côté du Jourdain : Sihon, le roi de Hèchebon et Og, le roi du *Bachan qui résidait à Achetaroth[m]. 11 Nos *anciens et tous nos compatriotes nous ont conseillé de prendre des provisions de route et de venir vous trouver. Ils nous ont dit de nous mettre à votre service en vous demandant de conclure une alliance avec nous. 12 Regardez notre pain ! Lorsque nous l'avons pris avec nous en quittant nos maisons pour venir ici, il était encore chaud, maintenant le voilà tout sec et réduit en miettes ! 13 Et ces outres ! Lorsque nous les avons remplies de vin, elles étaient neuves, maintenant les voilà toutes déchirées ! Nos vêtements et nos sandales sont de même complètement usés à cause du long voyage que nous avons fait. »

14 Les Israélites acceptèrent de manger une part de leurs provisions, mais ils négligèrent de consulter le Seigneur à leur sujet. 15 Josué conclut avec eux une alliance de paix qui leur garantissait la vie. Les responsables du peuple la confirmèrent par un serment solennel.

16 Trois jours après avoir conclu l'alliance avec eux, les Israélites apprirent qu'ils étaient en réalité leurs voisins. 17 Ils se mirent en route et, au bout de trois jours, ils arrivèrent dans les villes où ces gens vivaient : Gabaon, Kefira, Beéroth

---

h **8.33** Pour les *prêtres-lévites*, voir Deut 17.9 et la note. – *du côté du mont Garizim* : voir Deut 11.29 et la note. – *Moïse avait ordonné de procéder ainsi* : voir Deut 27.11-13.

i **9.3** *Gabaon* est une ville située à dix kilomètres au nord-ouest de Jérusalem.

j **9.5** La *ruse* des Gabaonites consiste à faire croire qu'ils ont marché longtemps et viennent de très loin (v. 12-13). Si les Israélites avaient su qu'ils étaient leurs voisins, ils auraient dû leur appliquer la loi concernant les villes proches des Israélites, voir Deut 20.16-18.

k **9.7** Voir la note sur le v. 5.

l **9.8** Les Gabaonites acceptent à l'avance une condition sociale inférieure (voir v. 11 et 23).

m **9.10** Voir 2.10 et la note.

et Quiriath-Yéarim[n]. 18 Cependant ils ne
les tuèrent pas, car les responsables du
peuple d'Israël leur avaient fait un serment solennel au nom du Seigneur, Dieu
d'Israël. Tous les Israélites se mirent
à protester contre leurs responsables,
19 mais ceux-ci leur répondirent : « Nous
ne pouvons pas maltraiter ces gens
puisque nous leur avons fait un serment
solennel au nom du Seigneur, Dieu d'Israël. 20 Nous devons les laisser en vie à
cause de notre serment, sinon nous at-
tirerions la colère du Seigneur sur nous.
Mais voici comment nous les traiterons :
21 tout en leur accordant la vie sauve,
nous les chargerons de couper du bois et
de puiser de l'eau pour nous[o]. » Telle fut
la proposition des responsables. 22 Josué
convoqua alors les Gabaonites et leur
dit : « Pourquoi nous avez-vous trompés
en affirmant que vous veniez de très loin,
alors que vous vivez tout près de nous ?
23 Maintenant vous êtes maudits, vous ne
cesserez jamais d'être tous des esclaves,
vous couperez du bois et puiserez de l'eau
pour le temple de mon Dieu. » 24 Les Gabaonites répondirent : « Voici pourquoi
nous avons agi ainsi : nous avons appris
que le Seigneur ton Dieu a ordonné à son
serviteur Moïse de vous donner tout ce
pays, et que vous deviez exterminer ses
habitants. Nous avons eu très peur de
vous et nous avons craint pour nos vies.
25 Maintenant, nous sommes en ton pouvoir, traite-nous comme tu le jugeras
bon. »
26 Voici ce que leur fit Josué : après
avoir empêché les Israélites de les tuer,
27 il leur imposa la charge de couper du
bois et de puiser de l'eau pour le peuple
d'Israël et pour *l'autel du Seigneur, à
l'endroit que le Seigneur choisirait. Aujourd'hui encore, leurs descendants exercent ces fonctions.

Victoire sur les rois amorites

10 1 Adoni-Sédec, roi de Jérusalem,
apprit que Josué s'était emparé
d'Aï et avait complètement détruit la
ville, en agissant envers elle et son roi
comme il avait agi envers Jéricho et son
roi. Il apprit aussi que les Gabaonites
avaient passé un accord de paix avec les
Israélites et vivaient parmi eux. 2 Ces
nouvelles causèrent une grande terreur à
Jérusalem, car la ville de Gabaon, plus
grande que celle d'Aï, était aussi importante que les villes royales et ne comptait
que de vaillants soldats. 3 C'est pourquoi
Adoni-Sédec envoya des messagers à Ho-
ham, roi d'Hébron, à Piram, roi de Yarmouth, à Yafia, roi de Lakich, et à Debir,
roi d'Églon[p], pour leur demander ceci :
4 « Venez m'aider à attaquer Gabaon, car
ses habitants ont conclu un accord avec
Josué et les Israélites. »
5 C'est ainsi que cinq rois *amorites,
ceux de Jérusalem, Hébron, Yarmouth,
Lakich et Églon, s'allièrent pour partir
en expédition avec toutes leurs troupes ;
ils assiégèrent Gabaon et l'attaquèrent.
6 Les Gabaonites firent dire à Josué, au
camp du Guilgal : « Ne refuse pas ton
aide à tes serviteurs, viens vite à notre secours et délivre-nous ! Tous les rois amorites de la région montagneuse se sont
ligués contre nous ! » 7 Aussitôt Josué
quitta le Guilgal avec ses soldats d'élite et
toute l'armée. 8 Le Seigneur lui déclara :
« N'aie pas peur d'eux ! Je vais les livrer
en ton pouvoir, aucun d'eux ne pourra te
résister. » 9 Après avoir marché toute la
nuit depuis le Guilgal, Josué et ses troupes attaquèrent les Amorites à l'improviste. 10 Le Seigneur mit les Amorites en
déroute devant les Israélites : ceux-ci leur
infligèrent une terrible défaite près de
Gabaon ; ils les poursuivirent sur la montée de Beth-Horon, puis continuèrent à
les harceler jusqu'à Azéca et Maquéda.
11 Lorsque les Amorites, en fuite devant
les Israélites, descendirent de l'autre côté
de Beth-Horon, le Seigneur fit tomber
d'énormes grêlons sur eux. Ils en reçurent jusqu'à Azéca, et il y eut plus
d'hommes tués par les grêlons que par les
épées des Israélites.

---

n **9.17** Ces quatre *villes* sont situées à quelques kilomètres au nord-ouest de Jérusalem.

o **9.21** *couper du bois et puiser de l'eau* étaient considérés comme des travaux inférieurs.

p **10.3** Les quatre villes qui vont s'unir à Jérusalem pour combattre Gabaon se trouvent au sud-ouest de Jérusalem.

12 Le jour où le Seigneur livra les Amorites à l'armée d'Israël, Josué adressa une
demande au Seigneur en présence de
tous les Israélites. Il s'écria :

« Soleil,
arrête-toi au dessus de Gabaon !
Lune,
immobilise-toi sur le val d'Ayalon ! »

13 Le soleil s'arrêta et la lune s'immobilisa
jusqu'à ce que la nation d'Israël ait pris le
dessus sur ses ennemis. Comme il est
écrit dans le *Livre du Juste*[q], le soleil s'arrêta au milieu du ciel, il interrompit sa
course vers le couchant pendant un jour
entier. 14 Jamais auparavant et jamais
depuis, il n'y eut de jour semblable à
celui-là, où le Seigneur agit comme le
lui demandait un homme : le Seigneur
lui-même combattait aux côtés d'Israël !
15 Ensuite Josué et tous les Israélites retournèrent au camp du Guilgal.

Josué exécute les cinq rois vaincus

16 Cependant les cinq rois *amorites
s'étaient enfuis et réfugiés dans la grotte
de Maquéda[r]. 17 On découvrit qu'ils
étaient cachés dans cette grotte et on vint
en informer Josué. 18 Celui-ci ordonna à
ses hommes : « Roulez de grosses pierres
à l'entrée de la grotte et postez-y des gardes. 19 Mais ne vous attardez pas là, pour-
suivez vos ennemis et coupez-leur la
retraite pour les empêcher de rejoindre
leurs villes. En effet, le Seigneur votre
Dieu vous les a livrés. » 20 Josué et les Israélites finirent par infliger aux Amorites
une très grande défaite, une défaite totale. Seuls, quelques fuyards purent
échapper au massacre et regagner leurs
villes fortifiées. 21 Après quoi tous les Israélites retournèrent sains et saufs auprès
de Josué, au campement établi près de
Maquéda. Plus personne dans le pays
n'osait prononcer un mot contre eux.
22 Ensuite, Josué ordonna de dégager
l'entrée de la grotte et de faire sortir les
cinq rois amorites pour les lui amener.
23 Son ordre fut exécuté et on conduisit
auprès de lui les rois de Jérusalem, d'Hébron, de Yarmouth, de Lakich et
d'Églon. 24 Dès que ceux-ci furent devant
lui, Josué convoqua les Israélites et dit
aux chefs des troupes qui s'étaient battus
à ses côtés : « Venez poser le pied sur le
cou de ces rois[s]. » Les chefs obéirent 25 et
Josué leur déclara : « N'ayez aucune
crainte et ne vous laissez pas abattre !
Soyez courageux et forts ! Le Seigneur
traitera de la même manière tous les ennemis que vous aurez à combattre. »
26 Après quoi Josué exécuta les rois et les
fit pendre à cinq arbres, où leurs corps
restèrent jusqu'au soir. 27 Au coucher du
soleil, il ordonna de descendre les
cadavres[t]. On les jeta dans la grotte où
les rois s'étaient cachés, et on boucha
l'entrée avec de grosses pierres qui s'y
trouvent encore aujourd'hui.

Josué conquiert les villes du sud

28 Le même jour, Josué s'empara de la
ville de Maquéda, il fit mourir son roi et
tous ses habitants ; il n'y laissa aucun survivant. Il traita le roi de Maquéda comme
il avait traité celui de Jéricho.
29 De Maquéda, Josué et les Israélites se
rendirent à Libna, qu'ils attaquèrent.
30 Le Seigneur leur livra également cette
ville et son roi ; ils en tuèrent les habitants sans laisser aucun survivant. Ils
traitèrent son roi de la même manière
que celui de Jéricho.
31 De Libna, Josué et les Israélites se
rendirent à Lakich, prirent position près
de la ville et l'attaquèrent. 32 Le Seigneur
livra Lakich aux Israélites le second jour
du combat ; ceux-ci en tuèrent les habitants, sans laisser aucun survivant,
comme ils l'avaient fait à Libna. 33 Ho-
ram, roi de Guézer, se porta au secours de
Lakich, mais Josué le battit, lui et son
armée, et ne laissa aucun survivant.
34 De Lakich, Josué et les Israélites se
rendirent à Églon, prirent position près
de la ville et l'attaquèrent. 35 Ils s'en emparèrent le jour même et, comme à Lakich, ils en exterminèrent les habitants.

---

q **10.13** Le *Livre du Juste* est un ancien recueil de poèmes, aujourd'hui perdu. Il est cité également en 2 Sam 1.18.

r **10.16** Voir v. 10.

s **10.24** Ce geste indique que l'ennemi est totalement vaincu (voir Ps 110.1).

t **10.27** Voir 8.29 et la note.

36 D'Églon, Josué et les Israélites montèrent jusqu'à Hébron et attaquèrent la
ville. 37 Ils s'en emparèrent, firent mourir
son roi et ses habitants. Ils prirent également les villes des environs et en tuèrent
les habitants. Comme à Églon, Josué détruisit entièrement la ville et extermina
la population sans laisser de survivant.
38 Ensuite, Josué et les Israélites firent
demi-tour pour se rendre à Debir qu'ils
attaquèrent. 39 Ils s'emparèrent de la ville
et de son roi, ainsi que des villes des environs. Ils massacrèrent les habitants sans
laisser de survivant. Josué traita Debir et
son roi comme il avait traité Hébron
ainsi que Libna et son roi.
40 Josué conquit tout le pays : la région
montagneuse, la région méridionale, le
*Bas-Pays et la région des coteaux. Il
n'épargna personne, il extermina tous les
êtres vivants, selon les ordres du Seigneur, Dieu d'Israël. 41 Josué mena sa
conquête de Cadès-Barnéa et Gaza, au
sud, jusqu'à la région de Gochen[u] et à Gabaon, au nord. 42 Il s'empara de ces territoires, il vainquit leurs rois en une seule
campagne, car le Seigneur, Dieu d'Israël,
combattait lui-même aux côtés de son
peuple. 43 Ensuite il regagna le camp du
Guilgal avec tous les Israélites.

Bataille de Mérom

11 1 Lorsque Yabin, roi de Hassor, apprit les victoires de Josué, il envoya des messagers à Yobab, roi de
Madon, au roi de Chimron et au roi
d'Akechaf. 2 Il en envoya également aux
rois établis dans la région montagneuse
du nord, dans la vallée du Jourdain au
sud du lac de Génésareth, dans le *Bas-
Pays et sur la côte près de Dor, à l'ouest ;
3 et aussi aux Cananéens à l'est et à l'ouest
du Jourdain, aux *Amorites, aux Hittites,
aux Perizites, aux Jébusites de la région
montagneuse, et aux Hivites habitant au
pied de l'Hermon, dans la région de
Mispa. 4 Tous les rois se mirent en route
avec des soldats innombrables, comme
les grains de sable au bord de la mer, et
un grand nombre de chevaux et de chars.
5 Ils joignirent leurs forces et allèrent
prendre position près des sources de Mérom pour attaquer les Israélites.
6 Le Seigneur dit à Josué : « N'aie pas
peur d'eux, car, demain, à cette heure-ci,
je les livrerai tous, blessés à mort, au peuple d'Israël. Tu couperas les jarrets de
leurs chevaux et tu mettras le feu à leurs
chars. » 7 Josué et ses soldats allèrent attaquer leurs ennemis à l'improviste aux
sources de Mérom. 8 Le Seigneur les livra
aux Israélites qui les battirent et les poursuivirent au nord jusqu'à Sidon, la
grande ville, et Misrefoth-Maïm et, à
l'est, jusqu'à la vallée de Mispé. Ils leur
infligèrent une complète défaite et ne
leur laissèrent aucun survivant. 9 Josué
agit comme le Seigneur le lui avait
ordonné : il coupa les jarrets de leurs
chevaux et mit le feu à leurs chars.

Prise de Hassor

10 En ce temps-là, Josué s'empara de
Hassor[v], qui était autrefois la capitale des
royaumes du nord. Il tua son roi 11 et fit
massacrer tous ses habitants ; il n'y resta
aucun être vivant et on brûla la ville.
12 Josué l'emporta sur tous les rois de la
coalition et s'empara de leurs villes. Il
massacra les rois et la population des villes, comme Moïse, le serviteur du Seigneur, l'avait ordonné. 13 Cependant les
Israélites ne mirent pas le feu aux villes
situées sur les collines, à l'exception de
Hassor, que Josué fit incendier. 14 Les Israélites prirent pour eux les biens et le
bétail qu'ils trouvèrent dans ces villes ;
mais ils en exterminèrent la population,
ils n'y laissèrent aucun être vivant.
15 Moïse avait transmis à Josué les ordres
que le Seigneur lui avait donnés à ce sujet, et Josué s'y conforma entièrement.

Josué achève de conquérir le pays

16 Josué conquit tout le pays : la région
montagneuse, la région méridionale, la
région de Gochen[w], le *Bas-Pays, la vallée du Jourdain ainsi que la région de
montagnes et de plaines du nord. 17 Il

---

u **10.41** *Gochen* : ville de la montagne dans le pays de Juda (Jos 15.51).

v **11.10** *Hassor* : importante ville du nord de la Palestine.

w **11.16** *la région de Gochen* : voir 10.41 et la note.

vainquit et tua les rois des territoires situés entre la montagne dénudée proche de Séir, au sud, et Baal-Gad dans la vallée du Liban, au pied du mont Hermon, au nord. 18 La guerre qu'il leur livra dura longtemps. 19 Seuls les Hivites résidant à Gabaon firent la paix avec les Israélites[x]. Toutes les autres villes furent conquises par les armes. 20 En effet, le Seigneur avait incité les habitants du pays à faire obstinément la guerre aux Israélites. Il fallait que ceux-ci les tuent sans pitié et les exterminent complètement, comme le Seigneur lui-même l'avait ordonné à Moïse.

21 En ce temps-là, Josué alla combattre les Anaquites qui vivaient dans les montagnes, à Hébron, Debir, Anab, et dans toutes les régions montagneuses de Juda et *d'Israël. Il les extermina et détruisit entièrement leurs villes. 22 Il ne resta plus d'Anaquites dans le pays d'Israël, il en subsista seulement à Gaza, Gath et Asdod[y]. 23 Ainsi Josué conquit tout le pays, comme le Seigneur l'avait ordonné à Moïse, puis il l'attribua aux Israélites en le partageant entre les différentes tribus. Alors le peuple se reposa de la guerre.

Liste des rois vaincus par les Israélites

12 1 Les Israélites avaient déjà vaincu deux rois à l'est du Jourdain, et conquis leurs territoires qui s'étendaient du torrent de l'Arnon jusqu'au mont Hermon, et comprenaient la partie orientale de la vallée du Jourdain. 2 Le premier était Sihon, le roi *amorite résidant à Hèchebon. Il régnait sur la moitié de la vallée de l'Arnon à partir d'Aroër, et sur la moitié du territoire de Galaad jusqu'au torrent du Yabboc, qui sert de frontière avec le pays des Ammonites. 3 Il possédait aussi la partie orientale de la vallée du Jourdain, du lac de Génésareth, au nord, jusqu'à la mer Morte, près de Beth-Yechimoth, et, plus au sud, la région située au pied du mont Pisga. 4 L'autre roi était Og, un des derniers Refaïtes[z], qui régnait sur le *Bachan et résidait à Achetaroth ou à Édréi. 5 Son royaume comprenait le mont Hermon, Salka, tout le Bachan jusqu'à la frontière des Guéchourites et des Maakatites[a], ainsi que la moitié du territoire de Galaad jusqu'au royaume de Sihon, roi de Hèchebon. 6 Moïse et les Israélites avaient vaincu ces deux rois, et Moïse, le serviteur du Seigneur, avait donné leurs territoires aux tribus de Ruben et de Gad ainsi qu'à la demi-tribu de Manassé.

7 Josué et les Israélites vainquirent ensuite les rois établis à l'ouest du Jourdain, dont les territoires s'étendaient de Baal-Gad dans la vallée du Liban, au nord, jusqu'à la montagne dénudée proche de Séir, au sud. Josué donna ces territoires aux Israélites en les répartissant entre tribus. 8 Il s'agissait de la région montagneuse, du *Bas-Pays, de la vallée du Jourdain, de la région des coteaux, du désert et de la région méridionale. C'étaient les territoires où vivaient les Hittites, les Amorites, les Cananéens, les Perizites, les Hivites et les Jébusites. 9 Les rois vaincus étaient ceux des villes suivantes : Jéricho, Aï, près de Béthel, 10 Jérusalem, Hébron, 11 Yarmouth, Lakich, 12 Églon, Guézer, 13 Debir, Guéder, 14 Horma, Arad, 15 Libna, Adoullam, 16 Maquéda, Béthel, 17 Tappoua, Héfer, 18 Afec, Saron, 19 Madon, Hassor, 20 Chimron-Meron, Akechaf, 21 Taanak, Méguiddo, 22 Quédech, Yocnéam du Carmel, 23 Dor sur la côte, Goïm en Galilée[b], 24 et Tirsa. Cela faisait un total de trente et un rois.

Territoires qui restent à conquérir

13 1 Josué était devenu très vieux. Le Seigneur lui dit : « Te voilà devenu très vieux et pourtant il reste une part considérable de pays à conquérir : 2 les territoires des Philistins et des Guéchourites[c], 3 c'est-à-dire la contrée, considérée comme cananéenne, qui s'étend du tor-

---

x **11.19** Voir 9.3-27.

y **11.22** Ces trois villes n'avaient pas été conquises par les Israélites. Elles furent occupées par les Philistins (voir 13.3).

z **12.4** Voir Deut 2.11 et la note.

a **12.5** Voir Deut 3.14.

b **12.23** *en Galilée* : d'après l'ancienne version grecque ; hébreu *du Guilgal*.

c **13.2** *Guéchourites* : population du sud de la Palestine, à ne pas confondre avec les Guéchourites du v. 11, dont le territoire bordait la rive orientale du lac de Génésareth.

rent du Chihor, à la frontière égyptienne,
jusqu'à la région d'Écron, au nord. Là se
trouvent les cinq chefs philistins qui dominent sur Gaza, Asdod, Ascalon, Gath
et Écron, ainsi que le territoire des Avites[d], 4 au sud. Il faudra conquérir également le pays des Cananéens, depuis Ara[e],
possession des Sidoniens, jusqu'à Afec, à
la frontière *amorite ; 5 de même, la région de Guébal et le Liban oriental de
Baal-Gad, au pied du mont Hermon,
jusqu'à Lebo-Hamath, 6 ainsi que la région montagneuse située entre le Liban
et Misrefoth-Maïm dont les habitants
sont tous Sidoniens. Au fur et à mesure
que les Israélites avanceront, je chasserai
devant eux les populations de ces régions. Tu attribueras aux Israélites les
différentes parties du pays, en les tirant
au sort, comme je te l'ai ordonné. 7 Répartis donc ces territoires entre les neuf tribus et la demi-tribu de Manassé qui n'ont
encore rien[f]. »

Le partage de la Transjordanie

8 Les tribus de Ruben, de Gad et la première moitié de la tribu de Manassé
avaient déjà reçu des terres en partage, à
l'est du Jourdain. C'est Moïse, le serviteur du Seigneur, qui les leur avait attribuées[g]. 9 Leurs territoires étaient limités
au sud par la ville d'Aroër sur l'Arnon et
par la ville située au milieu de la même
vallée. Ils comprenaient tout le plateau,
de Médeba à Dibon, 10 ainsi que les villes
du roi *amorite, Sihon, qui avait régné à
Hèchebon sur la contrée allant jusqu'à la
frontière ammonite. 11 Ils comprenaient
aussi le pays de Galaad, la région de Guéchour et de Maaka, le mont Hermon et
tout le *Bachan jusqu'à Salka[h]. 12 Le
royaume d'Og, un des derniers Refaïtes[i],
qui avait régné à Achetaroth et Édréi, au
Bachan, était inclus dans leurs parts.
Moïse avait vaincu et dépossédé les peuples de ces régions. 13 Cependant les
Israélites ne chassèrent pas les
Guéchourites ni les Maakatites de sorte
que, maintenant encore, ceux-ci vivent
en Israël.

14 La tribu de Lévi fut la seule à ne pas
recevoir de terres en partage. En effet, la
part qui revient aux descendants de Lévi
est prise sur les *sacrifices consumés
pour le Seigneur, Dieu d'Israël, comme le
Seigneur lui-même le leur a promis[j].

15 Le territoire que Moïse avait attribué aux clans de la tribu de Ruben 16 était
limité au sud par la ville d'Aroër sur
l'Arnon et par la ville située au milieu de
la même vallée. Il comprenait le plateau
autour de Médeba. 17 Il comprenait également Hèchebon et toutes les villes du
plateau : Dibon, Bamoth-Baal, Beth-
Baal-Méon, 18 Yahas, Quedémoth, Méfaath, 19 Quiriataïm, Sibma, Séreth-
Chahar sur la colline qui domine la vallée, 20 Beth-Péor, les versants du mont
Pisga et Beth-Yechimoth. 21 Outre les villes du plateau, tout le royaume de Sihon,
le souverain amorite qui avait régné à
Hèchebon, était inclus dans leur part.
Moïse avait vaincu Sihon ainsi que les
chefs de Madian qui lui étaient soumis et
qui vivaient dans le pays : Évi, Réquem,
Sour, Hour et Réba. 22 Le devin Balaam,
fils de Béor, fut un de ceux que les Israélites tuèrent à ce moment-là. 23 Le territoire des Rubénites avait le Jourdain
pour frontière ouest. Les villes et les localités nommées ci-dessus constituèrent
la part donnée aux clans de la tribu de
Ruben.

24 Le territoire que Moïse avait attribué
aux clans de la tribu de Gad 25 comprenait Yazer, toutes les villes de Galaad, la
moitié du pays des Ammonites jusqu'à
Aroër, près de Rabba. 26 Il s'étendait
d'Hèchebon à Ramath-Mispé et Beto-
nim, et de Mahanaïm à la région de Lo-
Dabar. 27 Dans la vallée du Jourdain, il
comprenait Beth-Haram, Beth-Nimra,
Soukoth et Safon, localités du royaume
de Sihon, qui avait régné à Hèchebon. Ce
territoire était situé à l'est du Jourdain

---

d **13.3** *les chefs philistins* : voir Gen 26.1 et la note. – *Les Avites* sont une population cananéenne habitant la région de Gaza (Deut 2.23).

e **13.4** *depuis Ara* ou *et Méara*.

f **13.7** Voir v. 8 ; l'ancienne version grecque ajoute ici *tu les leur donneras depuis le Jourdain jusqu'à la grande mer à l'ouest ; la Méditerranée sera leur frontière.*

g **13.8** Voir 1.12-15 et 12.6.

h **13.11** *Guéchour et Maaka* : voir Deut 3.14.

i **13.12** Voir Deut 2.11 et la note.

j **13.14** Voir Deut 18.1-8.

qui en formait la frontière jusqu'au lac de
Génésareth, au nord. 28 Toutes les villes et
localités nommées ci-dessus constituèrent la part donnée aux clans de la tribu
de Gad.

29 Le territoire que Moïse avait attribué
aux clans de la demi-tribu de Manassé
30 était limité au sud par Mahanaïm. Il
comprenait tout le Bachan, tout le pays
d'Og, roi du Bachan, ainsi que les
soixante villages de Yaïr situés dans cette
région. 31 Il englobait également la moitié
du pays de Galaad ainsi que les villes
d'Achetaroth et d'Édréi, les anciennes capitales d'Og, roi du Bachan. Tout ce territoire fut donné à la moitié des clans
descendant de Makir, fils de Manassé.

32 Moïse avait attribué ces différentes
parts dans la région située à l'est de Jéricho et du Jourdain, lorsqu'il se trouvait
dans les plaines de Moab. 33 Il ne donna
aucune terre en partage aux membres de
la tribu de Lévi, mais il leur dit que leur
part serait de servir le Seigneur, Dieu
d'Israël[k].

Le partage du pays de Canaan

14 1 Voici les territoires qui furent attribués au peuple d'Israël dans le
pays de Canaan. Le prêtre Élazar[l], Josué,
fils de Noun, et les chefs de famille des
différentes tribus les répartirent entre
les Israélites. 2 Comme le Seigneur l'avait
ordonné à Moïse, on tira au sort les terres attribuées aux neuf tribus et demie
qui n'en avaient pas encore. 3 Moïse avait
déjà distribué les terres situées à l'est du
Jourdain à deux tribus et demie, mais il
n'en avait pas donné aux descendants de
Lévi, 4 qui ne devaient recevoir aucun
territoire. Cependant les descendants de
Joseph formaient deux tribus, celles de
Manassé et d'Éfraïm[m]. Quant aux *lévites, ils reçurent uniquement des villes
pour y habiter avec les terrains des alentours pour leurs troupeaux et leurs
autres biens. 5 Ainsi les Israélites
partagèrent le pays conformément aux
ordres que le Seigneur avait donnés à
Moïse.

6 Un jour, des gens de la tribu de Juda
vinrent trouver Josué au Guilgal. Caleb,
fils de Yefounné, du clan de Quenaz, lui
dit : « A Cadès-Barnéa, tu t'en souviens,
le Seigneur a parlé de toi et de moi à
Moïse, l'homme de Dieu. 7 J'avais quarante ans lorsque Moïse, le serviteur du
Seigneur, m'envoya de Cadès-Barnéa explorer ce pays-ci. A mon retour, je lui fis
un rapport sincère ; 8 tandis que les hommes qui m'avaient accompagné découra-
geaient le peuple, je manifestai ma
fidélité au Seigneur mon Dieu[n]. 9 Ce
jour-là, Moïse me promit solennellement
que je recevrais en partage le pays que
j'avais parcouru, et que celui-ci appar-
tiendrait à moi et à mes descendants pour
toujours, à cause de ma fidélité au Seigneur Dieu. 10 Il y a maintenant quarante-cinq ans que le Seigneur a donné
cet ordre à Moïse, à l'époque où les Israélites traversaient le désert. Depuis ce
temps-là, le Seigneur m'a gardé en vie selon sa promesse, et me voici âgé de quatre-vingt-cinq ans. 11 Pourtant, je suis
toujours aussi vigoureux que lorsque
Moïse m'a envoyé en exploration. J'ai autant de forces qu'alors, que ce soit pour la
guerre ou pour toute autre activité.
12 Maintenant donc, attribue-moi la région montagneuse que le Seigneur m'a
promise en ce temps-là. Je t'avais alors
indiqué que les descendants d'Anac[o] y
vivent dans des villes grandes et bien fortifiées. Si le Seigneur est avec moi, je les
en chasserai comme il l'a lui-même annoncé. »

13 Josué *bénit Caleb, fils de Yefounné,
et lui donna la ville d'Hébron. 14 Cette
ville appartient maintenant encore aux
descendants de Caleb, fils de Yefounné,
du clan de Quenaz, parce que Caleb avait
manifesté sa fidélité au Seigneur, Dieu
d'Israël. 15 Hébron s'appelait autrefois

---

k **13.33** Voir Nomb 18.20 ; Deut 18.2.

l **14.1** *Canaan* : c'est-à-dire à l'ouest du Jourdain. – *Élazar* était un fils d'Aaron, auquel il succéda comme chef des prêtres (Nomb 20.26-28).

m **14.4** Les v. 3 et 4 expliquent pourquoi il reste neuf tribus et demie à pourvoir. Les douze tribus israélites sont formées des descendants des douze fils de Jacob : parmi ceux-ci les descendants de Lévi ne reçoivent pas de territoire propre, mais ceux de Joseph forment deux tribus.

n **14.8** Voir Nomb 13.

o **14.12** Voir Nomb 13.22 et la note.

Quiriath-Arba, ou ville d'Arba, nom du plus célèbre des Anaquites.

Alors le peuple se reposa de la guerre.

Le territoire attribué à Juda

15 1 Le territoire attribué par tirage au sort aux clans de Juda s'étendait au sud-est jusqu'à la frontière d'Édom. Le désert de Tsin en constituait la partie la plus méridionale. 2 La frontière sud partait de la baie qui se trouve à l'extrémité méridionale de la mer Morte. 3 Elle passait au sud de la montée des Scorpions et de Tsin. Au sud de Cadès-Barnéa, elle remontait par Hesron jusqu'à Addar, puis tournait en direction de Carca. 4 Elle continuait par Asmon et rejoignait le torrent d'Égypte[p] pour aboutir à la mer Méditerranée. Voilà où passait la frontière sud de Juda.

5 A l'est, la frontière était constituée par la mer Morte jusqu'à l'endroit où le Jourdain s'y jette.

C'est du même endroit que partait la frontière nord. 6 Elle montait ensuite à Beth-Hogla, passait au nord de Beth-Araba, puis continuait jusqu'à la pierre dite de Bohan, un des fils de Ruben. 7 Elle montait encore à Debir en passant par la vallée d'Akor, puis plus au nord elle tournait vers Guilgal, en face de la montée d'Adoumim, qui est au sud du ravin. Elle passait ensuite près des sources d'En-Chémech et rejoignait En-Roguel[q]. 8 Elle remontait alors la vallée de Hinnom, sur le versant sud de la colline des Jébusites, où se trouve Jérusalem, puis vers le sommet montagneux situé à l'ouest de la vallée de Hinnom et à l'extrémité nord de la vallée des Refaïtes. 9 De là, elle tournait vers les sources de Neftoa et rejoignait les villes situées près du mont Éfron, avant de se diriger vers Baala, appelée aussi Quiriath-Yéarim. 10 La frontière s'infléchissait à l'ouest de Baala vers la montagne de Séir[r], passait sur le versant nord de la montagne des Forêts, ou mont Kessalon, redescendait à Beth-Chémech et dépassait Timna. 11 Elle continuait en direction du versant nord de la ville d'Écron, tournait vers Chikaron, et se dirigeait vers Yabné en passant par le mont Baala. Elle aboutissait à la mer Méditerranée.

12 La frontière ouest était constituée par la mer Méditerranée.

Voilà comment était délimité le territoire attribué aux clans de la tribu de Juda.

13 Caleb, fils de Yefounné, reçut une partie du territoire de Juda, comme le Seigneur l'avait ordonné à Josué. On lui donna Quiriath-Arba, ou ville d'Arba, nom de l'ancêtre des Anaquites[s]. Cette ville s'appelle maintenant Hébron. 14 Caleb en chassa les trois clans anaquites : celui de Chéchaï, celui d'Ahiman et celui de Talmaï. 15 D'Hébron, il partit attaquer les habitants de Debir, ville qui s'appelait alors Quiriath-Séfer. 16 Caleb annonça qu'il donnerait sa fille Axa en mariage à celui qui réussirait à s'emparer de Quiriath-Séfer. 17 Otniel, fils de Quenaz et neveu de Caleb, s'empara de la ville et Caleb lui donna sa fille en mariage. 18 Lorsqu'elle arriva près d'Otniel, elle lui suggéra de demander un champ à son père Caleb. Elle descendit ensuite de son âne, Caleb lui demanda ce qu'elle désirait 19 et elle répondit : « Accorde-moi une faveur. Donne-moi des points d'eau, car la région que tu m'as attribuée, au sud, est aride. » Caleb lui donna les sources d'en haut et les sources d'en bas.

20 Tel était le territoire que les clans de la tribu de Juda reçurent en partage.

21 Les villes situées dans la partie méridionale du territoire de Juda, près de la frontière d'Édom, étaient Cabséel, Éder, Yagour, 22 Quina, Dimona, Adéada, 23 Quédech, Hassor, Itnan, 24 Zif, Télem, Béaloth, 25 Hassor-Hadatta, Querioth-Hesron, appelée aussi Hassor, 26 Amam, Chema, Molada, 27 Hassar-Gadda, Hèchemon, Beth-Péleth, 28 Hassar-Choual,

---

p 15.4 *le torrent d'Égypte* : voir Nomb 34.5 et la note.

q 15.7 *Debir* : il ne s'agit pas de la même ville que celle, proche d'Hébron, mentionnée en 10.38-39 ; 11.21 et 12.13. – *Guilgal* : lieu non identifié, différent de celui du même nom mentionné en 4.19-20 ; 5.9-10.

r 15.10 Cette *montagne de Séir* est différente de celle qui se trouve en Édom.

s 15.13 *l'ancêtre des Anaquites* : voir 14.12.

Berchéba et les localités voisines[t],
29 Baala, Iyim, Essem, 30 Eltolad, Kessil,
Horma, 31 Siclag, Madmanna, Sane-
sanna, 32 Lebaoth, Chilim et En-Rimmon, soit vingt-neuf villes[u] et les villages
voisins.
33 Les villes situées dans le *Bas-Pays
étaient Èchetaol, Sora, Achena, 34 Zanoa,
En-Gannim, Tappoua, Énam, 35 Yarmouth, Adoullam, Soko, Azéca, 36 Chaaraïm, Aditaïm, Guedéra et Guedérotaïm,
soit quatorze villes et les villages voisins.
37 Il y avait également Senan, Hadacha,
Migdal-Gad, 38 Dilan, Mispé, Yoctéel,
39 Lakich, Boscath, Églon, 40 Kabbon,
Lahémas, Kitlich, 41 Guedéroth, Beth-
Dagon, Naama et Maquéda, soit seize
villes et les villages voisins. 42 Il y avait
en outre Libna, Éter, Achan, 43 Ifta,
Achena, Nessib, 44 Quéila, Akzib et Marécha, soit neuf villes et les villages voisins. 45 On y trouvait encore Écron, avec
les localités et villages voisins, 46 toutes
les villes et les villages situés aux alentours d'Asdod entre Écron et la mer Méditerranée, 47 Asdod et Gaza avec les
localités et villages voisins, jusqu'au torrent d'Égypte et jusqu'à la côte de la
Méditerranée.
48 Les villes situées dans la région
montagneuse étaient Chamir, Yattir,
Soko, 49 Danna, Quiriath-Sanna, appelée
aussi Debir, 50 Anab, Echtemoa, Anim,
51 Gochen, Holon et Guilo, soit onze villes et les villages voisins. 52 Il y avait également Arab, Rouma, Échan, 53 Yanoum,
Beth-Tappoua, Aféca, 54 Houmeta, Quiriath-Arba, appelée aussi Hébron, et Sior,
soit neuf villes et les villages voisins. 55 Il
y avait en outre Maon, Karmel, Zif,
Youtta, 56 Jizréel[v], Yocdéam, Zanoa,
57 Caïn, Guibéa et Timna, soit dix villes et
les villages voisins. 58 On y trouvait enfin
Haloul, Beth-Sour, Guedor, 59 Maarath,
Beth-Anoth et Eltecône[w], soit six villes
et les villages voisins, 60 ainsi que Quiriath-Baal, appelée aussi Quiriath-Yéarim, et Rabba, soit deux villes et les
villages voisins.
61 Les villes situées dans le désert
étaient Beth-Araba, Middin, Sekaka,
62 Nibechan, Ir-Méla et En-Guédi, soit
six villes et les villages voisins.
63 Les descendants de Juda ne
réussirent pas à chasser les Jébusites, qui
habitaient Jérusalem, et ceux-ci vivent
maintenant encore dans cette ville avec
les gens de Juda.

Le territoire d'Éfraïm et de Manassé

16 1 Aux descendants de Joseph fut
attribué, par tirage au sort, un territoire dont la frontière sud partait du
Jourdain, près de Jéricho, à l'est de la
source alimentant la ville. De Jéricho, la
frontière traversait le désert pour s'élever
dans la région montagneuse de Béthel.
2 De là, elle se dirigeait vers Louz, passait
par Ataroth, où vivent les Arkites[x], 3 puis
descendait à l'ouest dans la contrée des
Yaflétites. Après avoir traversé Beth-Horon le Bas et Guézer, elle aboutissait à la
mer Méditerranée. 4 Les descendants de
Joseph, c'est-à-dire les tribus de Manassé
et d'Éfraïm, partagèrent ce territoire
entre eux.
5 Les clans de la tribu d'Éfraïm reçurent une partie du territoire dont la
frontière allait d'Atroth-Addar, au sud-
est, jusqu'à Beth-Horon le Haut 6 et, de
là, jusqu'à la mer Méditerranée. Au nord,
elle passait près de Mikmétath. A l'est de
Mikmétath, elle se dirigeait vers Taa-
nath-Silo, qu'elle traversait pour aller à
Yanoa. 7 De là, elle descendait à Ataroth
et Naara, rejoignait Jéricho et aboutissait
au Jourdain. 8 A l'ouest de Mikmétath, la
frontière allait de Tappoua jusqu'au torrent de Cana pour rejoindre la mer Méditerranée. Tel fut le territoire attribué
aux clans de la tribu d'Éfraïm, 9 auquel
on ajouta des villes et les villages voisins,

---

t 15.28 *et les localités voisines* : d'après l'ancienne version grecque ; l'hébreu a ici un mot inconnu.

u 15.32 L'énumération comporte trente-cinq villes et non pas *vingt-neuf*. Cette différence s'explique peut-être par le fait qu'on a compté les villes de la tribu de Siméon avec celles de Juda (voir 19.9).

v 15.56 *Jizréel* : il ne s'agit pas de la même ville que celle mentionnée en 19.18.

w 15.59 L'ancienne version grecque porte ici en outre *Técoa, Éfrata, c'est-à-dire Bethléem, Péor, Étam, Koulon, Tatam, Sorès, Kérem, Gallim, Béter, Manoko, soit douze villes et les villages voisins*.

x 16.2 Les *Arkites*, comme les *Yaflétites* (v. 3), sont probablement des populations cananéennes.

situés dans le territoire de la tribu de Manassé. 10 Les Éfraïmites ne chassèrent point les Cananéens qui habitaient Guézer. Ceux-ci y vivent maintenant encore parmi les Éfraïmites qui leur ont imposé certains travaux.

17 1 Les descendants de Manassé, fils aîné de Joseph, reçurent également leur part. Un territoire avait déjà été attribué aux descendants de Makir, le vaillant guerrier, fils aîné de Manassé et père de Galaad : ils avaient reçu la région de Galaad et du *Bachan, à l'est du Jourdain. 2 On attribua des terres aux autres clans descendant de Manassé. Ces clans étaient ceux d'Abiézer, d'Hélec, d'Asriel, de Chékem, d'Héfer et de Chemida, descendant tous de Manassé, fils de Joseph.

3 Selofad, fils de Héfer et petit-fils de Galaad, lui-même fils de Makir et petit-fils de Manassé, n'avait pas eu de fils mais seulement des filles. Ces filles s'appelaient Mala, Noa, Hogla, Milka et Tirsa. 4 Elles vinrent trouver le prêtre Élazar, Josué, fils de Noun, et les responsables du peuple. Elles leur dirent : « Le Seigneur a ordonné à Moïse de nous attribuer des terres tout comme aux hommes de notre tribu. » Conformément à l'ordre du Seigneur, elles reçurent des terres tout comme les hommes de leur tribu. 5 La tribu de Manassé eut donc dix parts en plus de Galaad et du Bachan, situés à l'est du Jourdain. 6 On donna en effet des terres non seulement aux hommes descendant de Manassé, mais également à des femmes de la même tribu. – La région de Galaad appartenait aux autres descendants de Manassé. –

7 Le territoire de Manassé s'étendait d'Asser à Mikmétath, à l'est de Sichem. De Mikmétath, la frontière descendait vers le sud jusque chez les habitants d'En-Tappoua. 8 La région appartenait à Manassé, mais la ville de Tappoua elle-même, à la frontière, fut attribuée aux Éfraïmites. 9 Ensuite, la frontière rejoignait la rive sud du torrent de Cana. Cependant, les villes situées au sud du torrent revinrent aux gens d'Éfraïm, bien qu'elles se trouvent dans le territoire de Manassé. La frontière passait de là au nord du torrent avant d'aboutir à la mer Méditerranée. 10 Ainsi la tribu d'Éfraïm s'étendait vers le sud et celle de Manassé vers le nord. La mer Méditerranée constituait la frontière occidentale. La tribu d'Asser se trouvait au nord-ouest de Manassé et celle d'Issakar au nord-est. 11 Dans les territoires d'Issakar et d'Asser, la tribu de Manassé reçut Beth-Chéan et Ibléam avec les localités voisines, ainsi que Dor, En-Dor, Taanak, Méguiddo, avec leurs habitants, et les localités voisines, c'est-à-dire le district de Dor[y]. 12 Cependant, les gens de Manassé ne réussirent pas à chasser les habitants de ces villes et les Cananéens continuèrent à y vivre. 13 Même lorsque les Israélites furent devenus plus puissants, ils ne parvinrent pas à les chasser, mais leur imposèrent certains travaux.

14 Les descendants de Joseph vinrent dire à Josué : « Pourquoi nous as-tu attribué une seule part du pays, à nous que le Seigneur a *bénis au point de nous rendre très nombreux ? » 15 Josué répondit : « Si vous êtes si nombreux et que la région montagneuse d'Éfraïm ne vous suffit pas, allez donc vous défricher du terrain dans les forêts qui appartiennent aux Perizites et aux Refaïtes[z]. » 16 Les descendants de Joseph répliquèrent : « La région montagneuse ne nous suffit pas, il est vrai, toutefois les Cananéens qui habitent dans les plaines possèdent des chars de fer, aussi bien ceux de Beth-Chéan et des localités voisines que ceux de la vallée de Jizréel[a]. » 17 Alors Josué déclara aux descendants de Joseph, membres de la tribu d'Éfraïm et de la demi-tribu occidentale de Manassé : « Vous êtes nombreux et très forts, en effet. C'est pourquoi vous ne recevrez pas seulement une part dans le pays : 18 toute

---

y **17.11** *le district de Dor* : autres traductions *les trois régions* ou *les trois collines*.

z **17.15** La région montagneuse occupée par *les Perizites et les Refaïtes* était probablement située à l'est du Jourdain.

a **17.16** *chars de fer* : chars de guerre à deux roues recouverts de plaques de fer. Ils donnaient la supériorité aux Cananéens dans les combats en pays de plaine. C'est pourquoi les Israélites ont d'abord occupé les régions montagneuses. – *Jizréel* : voir 19.18 et la note.

la région montagneuse couverte de forêts sera à vous ; vous la défricherez et vous l'occuperez entièrement. Vous parviendrez à en chasser les Cananéens, bien qu'ils aient des chars de fer et qu'ils soient puissants. »

Tirage au sort pour les tribus restantes

18 1 Après que les Israélites eurent soumis le pays, ils se rassemblèrent tous à Silo[b] et y installèrent la *tente de la rencontre. 2 Il restait parmi eux sept tribus qui n'avaient pas encore reçu de terres en partage. 3 Josué leur dit alors : « Jusqu'à quand attendrez-vous pour aller occuper le pays que le Seigneur, le Dieu de vos ancêtres, vous a donné ? 4 Désignez trois hommes par tribu. Je les enverrai parcourir le pays, ils examineront en détail les parts de leurs tribus, et reviendront m'en faire la description. 5 Ils répartiront le pays en sept parts. Les descendants de Juda resteront dans leur territoire du sud, et ceux de Joseph dans le leur, plus au nord. 6 Préparez donc une description de ces sept parts et venez me la présenter. Alors, en présence du Seigneur notre Dieu, je tirerai au sort la part de chacune de vos tribus. 7 Les descendants de Lévi ne recevront aucun territoire en partage, car leur part consiste à être prêtres au service du Seigneur. De leur côté, les tribus de Gad et de Ruben, ainsi qu'une moitié de la tribu de Manassé, ont déjà reçu leurs territoires à l'est du Jourdain. C'est Moïse lui-même, le serviteur du Seigneur, qui les leur a donnés. »

8 Les hommes désignés pour explorer le pays se préparèrent à partir. Avant qu'ils s'en aillent, Josué leur donna les instructions suivantes : « Allez parcourir le pays, examinez-le soigneusement et revenez me le décrire. Ici même, à Silo, je tirerai au sort, en présence du Seigneur, les différentes parts qui vous reviennent. » 9 Les hommes parcoururent tout le pays. Ils rédigèrent une description détaillée des sept parts qu'ils avaient délimitées, avec une liste des villes, puis ils retournèrent auprès de Josué au camp de Silo. 10 Josué tira ces parts au sort en présence du Seigneur et les répartit entre les Israélites ; il donna à chaque tribu le territoire qui lui revenait dans le pays.

Le territoire de Benjamin

11 La première part attribuée par le sort fut celle des clans de la tribu de Benjamin. Leur territoire était situé entre celui de Juda et celui des descendants de Joseph[c]. 12 La frontière nord partait du Jourdain, montait du côté nord de Jéricho, continuait vers l'ouest à travers la région montagneuse jusqu'au désert de Beth-Aven. 13 De là, elle se dirigeait vers Louz, passait du côté sud de Louz, appelée aussi Béthel, puis descendait à Atroth-Addar à travers la montagne située au sud de Beth-Horon le Bas. 14 A l'ouest de cette montagne, la frontière changeait de direction : elle tournait vers le sud pour aboutir à Quiriath-Baal, appelée aussi Quiriath-Yéarim, qui appartenait à la tribu de Juda. Voilà où passait la frontière ouest.

15 La frontière sud partait de Quiriath-Yéarim, allait vers Gasin[d] et aboutissait aux sources de Neftoa. 16 De là, elle descendait au pied de la montagne qui domine la vallée de Hinnom, au nord de la vallée des Refaïtes. Elle longeait la vallée de Hinnom, sur le versant sud de la colline jébusite, et continuait à descendre jusqu'à En-Roguel. 17 Elle tournait alors vers le nord en direction d'En-Chémech, puis de Gueliloth[e], en face de la montée d'Adoumim. De là, elle descendait vers la pierre dite de Bohan, un des fils de Ruben, 18 puis dans la vallée du Jourdain en passant au nord de la hauteur qui domine cette vallée. 19 Elle se prolongeait ensuite du côté nord de Beth-Hogla et aboutissait à l'extrémité nord de la mer Morte, à

---

b **18.1** Quand la tente de la rencontre y fut installée, *Silo*, dans le territoire d'Éfraïm, devint un centre religieux et un des lieux de rassemblement de tout Israël.

c **18.11** Le *territoire de Benjamin* est situé au nord de Jérusalem.

d **18.15** *allait vers Gasin* : d'après l'ancienne version grecque ; hébreu *allait vers l'ouest*.

e **18.17** *Gueliloth* : lieu mentionné en 15.7 sous le nom de *Guilgal* (voir 15.7 et la note).

l'endroit où le Jourdain s'y jette. Voilà où
passait la frontière sud. 20 Le Jourdain
constituait la frontière orientale.

Ainsi était délimité le territoire attribué aux clans de la tribu de Benjamin.

21 Les villes appartenant aux clans de
Benjamin étaient Jéricho, Beth-Hogla,
Émec-Quessis, 22 Beth-Araba, Semaraïm,
Béthel, 23 Avim, Para, Ofra, 24 Kefar-Am-
mona, Ofni et Guéba, soit douze villes et
les villages voisins. 25 Il y avait aussi Gabaon, Rama, Beéroth, 26 Mispé, Kefira,
Mossa, 27 Réquem, Irpéel, Tarala, 28 Séla,
Élef, la ville jébusite, c'est-à-dire Jérusalem, Guibéa et Quiriath, soit quatorze
villes et les villages voisins.

Tout cela constituait la part des clans
de Benjamin.

Le territoire de Siméon

19 1 La deuxième part attribuée par le
sort fut celle des clans de la tribu
de Siméon. Leur territoire était entouré
par celui de la tribu de Juda. 2 Il comprenait les villes de Berchéba, Chéba, Molada, 3 Hassar-Choual, Baala, Essem,
4 Eltolad, Betoul, Horma, 5 Siclag, Beth-
Markaboth, Hassar-Soussa, 6 Beth-Le-
baoth et Charouen, soit treize villes et les
villages voisins. 7 Il y avait aussi Aïn, Rimmon, Éter et Achan, soit quatre villes et
les villages voisins, 8 auxquels s'ajoutaient
toutes les localités environnantes jusqu'à
Baalath-Ber et Ramath-Néguev. Tout cela
constituait la part des clans de Siméon.
9 Le territoire de la tribu de Siméon avait
été pris dans celui de Juda, car les descendants de Juda avaient reçu un territoire
trop grand pour eux. C'est pourquoi la
tribu de Siméon se trouva entourée par le
territoire attribué à Juda.

Le territoire de Zabulon

10 La troisième part attribuée par le
sort fut celle des clans de la tribu de Zabulon[f]. Leur territoire s'étendait au sud
jusqu'à Sarid. 11 De là, la frontière remontait vers l'ouest jusqu'à Marala, puis
jusqu'à Dabbécheth et au torrent qui
coule à l'est de Yocnéam. 12 De l'autre
côté de Sarid, la frontière se dirigeait
vers l'est, touchait le territoire de Kis-
loth-Tabor, passait par Dabrath et montait jusqu'à Yafia. 13 Ensuite, elle
continuait plus à l'est jusqu'à Gath-Héfer et Eth-Cassin, rejoignait Rimmon et
tournait vers Néa. 14 Au nord, la frontière
contournait Hannaton et aboutissait
dans la vallée de Ifta-El. 15 Le territoire
comprenait douze villes avec les villages
voisins, en particulier les villes de
Cattath, Nahalal, Chimron, Idala et
Bethléem[g]. 16 Toutes ces localités se trouvaient dans la part attribuée aux clans de
la tribu de Zabulon.

Le territoire d'Issakar

17 La quatrième part attribuée par le
sort fut celle des clans de la tribu d'Issakar[h]. 18 Leur territoire comprenait Jizréel[i], Kessouloth, Chounem, 19 Hafaraïm,
Cion, Anaharath, 20 Rabbith, Quichion,
Ébès, 21 Rémeth, En-Gannim, En-Hadda
et Beth-Passès. 22 La frontière touchait à
Tabor, Chassaïm, Beth-Chémech et aboutissait au Jourdain[j]. Le territoire
comprenait seize villes avec les villages
voisins. 23 Toutes ces localités se trouvaient dans la part attribuée aux clans de
la tribu d'Issakar.

Le territoire d'Asser

24 La cinquième part attribuée par le
sort fut celle des clans de la tribu d'Asser[k]. 25 Leur territoire comprenait Helcath, Hali, Béten, Akechaf, 26 Alamélek,
Amad et Michal. A l'ouest, la frontière
touchait au mont Carmel[l] en suivant le

---

f **19.10** Le *territoire de Zabulon* est situé au centre de la Basse-Galilée, entre les tribus de Neftali (voir v. 32 et la note) et d'Asser (voir v. 24 et la note).

g **19.15** *Bethléem* dans le territoire de Zabulon est distincte de Bethléem de Juda nommée en 1 Sam 17.12 et Ruth 1.1.

h **19.17** Le *territoire d'Issakar* est situé au sud du lac de Génésareth, à l'ouest du Jourdain.

i **19.18** La ville de *Jizréel* a donné son nom à la vallée fertile qui traverse la Galilée d'est en ouest (voir 17.16).

j **19.22** La ville de *Tabor* a donné son nom au mont Tabor, à la frontière entre Zabulon, Issakar et Neftali. – *Beth-Chémech* est différente des villes du même nom mentionnées en 15.10 et 19.38.

k **19.24** La tribu *d'Asser* occupe la côte nord de la Palestine.

l **19.26** Le mont *Carmel* est une ligne de hauteurs qui s'avance dans la Méditerranée où elle forme un cap.

torrent du Chihor-Libnath. 27 A l'est, la frontière remontait vers Beth-Dagon, touchait le territoire de Zabulon et la vallée de Ifta-El, puis se dirigeait vers le nord pour atteindre Beth-Émec et Néiel. Elle continuait ensuite dans la même direction, passait à Caboul, 28 Abdon[m], Rehob, Hammon et Cana pour aboutir près de Sidon, la grande ville. 29 Elle tournait alors vers Rama et la forteresse de Tyr[n], puis elle se dirigeait vers Hossa et aboutissait à la mer Méditerranée en passant par Mahaleb, Akzib, 30 Oum, Afec et Rehob. En tout, le territoire comprenait vingt-deux villes et les villages voisins. 31 Toutes ces localités se trouvaient dans la part attribuée aux clans de la tribu d'Asser.

Le territoire de Neftali

32 La sixième part attribuée par le sort fut celle des clans de la tribu de Neftali[o]. 33 La frontière sud partait de Hélef et du chêne de Saananim, passait par Adami-Nékeb et Yabnéel, atteignait Laccoum et aboutissait au Jourdain. 34 A l'ouest, la frontière tournait vers Aznoth-Tabor, rejoignait Houcoc, longeait le territoire de Zabulon au sud, puis celui d'Asser à l'ouest. A l'est, elle était formée par le Jourdain[p]. 35 Les villes fortifiées étaient Siddim, Ser, Hammath, Raccath, Kinnéreth, 36 Adama, Rama, Hassor, 37 Quédech, Édréi, En-Hassor, 38 Iron, Migdal-El, Horem, Beth-Anath et Beth-Chémech : en tout dix-neuf villes avec les villages voisins. 39 Toutes ces localités se trouvaient dans la part attribuée aux clans de la tribu de Neftali.

Le territoire de Dan

40 La septième part attribuée par le sort fut celle des clans de la tribu de Dan[q]. 41 Leur territoire comprenait Sora, Èchetaol, Ir-Chémech, 42 Chaalabin, Ayalon, Itla, 43 Élon, Timna, Écron, 44 Eltequé, Guibeton, Baalath, 45 Yehoud, Bené-Berac, Gath-Rimmon, 46 le cours du Yarcon[r], Raccon, et le territoire autour de Jaffa. 47 Lorsque les membres de la tribu de Dan perdirent leur territoire, ils allèrent attaquer Léchem. Ils s'emparèrent de la ville et tuèrent ses habitants ; ils l'occupèrent complètement et s'y installèrent. Ils donnèrent alors à Léchem le nom de leur ancêtre, Dan[s]. 48 Toutes les villes nommées ci-dessus et les villages voisins faisaient partie du territoire attribué aux clans de la tribu de Dan.

49 Quand les Israélites eurent fini de répartir le pays entre eux, ils donnèrent une part de leur territoire à Josué, fils de Noun. 50 Conformément à l'ordre du Seigneur, ils attribuèrent à Josué la ville qu'il demanda, à savoir Timnath-Séra dans la région montagneuse d'Éfraïm. Josué rebâtit la ville et s'y installa.

51 Le prêtre Élazar[t], Josué, fils de Noun, et les chefs de famille des tribus israélites répartirent ces différents territoires par tirage au sort. Ils le firent à Silo, en présence du Seigneur, à l'entrée de la *tente de la rencontre. Ils achevèrent ainsi le partage du pays.

Les villes de refuge

20 1 Le Seigneur ordonna à Josué 2 de transmettre aux Israélites les instructions suivantes : « Choisissez les villes de refuge[u] dont j'ai chargé Moïse de vous parler. 3 Si quelqu'un parmi vous tue une personne accidentellement, sans l'avoir voulu, il pourra se réfugier dans l'une de ces villes et échapper ainsi à l'homme chargé de venger la victime[v]. 4 En arrivant à la ville de refuge, l'auteur

---

m **19.28** *Abdon* : d'après certains manuscrits et en accord avec 21.30 ; hébreu *Ébron*.

n **19.29** La *forteresse de Tyr* est l'île fortifiée en face de la ville de Tyr, port du littoral phénicien.

o **19.32** La tribu de *Neftali* occupe la région située au nord du lac de Génésareth.

p **19.34** *A l'est* : d'après l'ancienne version grecque ; hébreu *puis celui d'Asser à l'ouest et de Juda. A l'est...*

q **19.40** La tribu de *Dan* fut d'abord installée au bord de la Méditerranée, à l'ouest de Benjamin, dans la région de Jaffa.

r **19.46** Le *Yarcon* arrose *Jaffa*.

s **19.47** Les Danites abandonnèrent leur premier territoire pour s'installer tout au nord, autour de *Léchem*, près des sources du Jourdain.

t **19.51** Voir 14.1 et la note.

u **20.2** Sur les *villes de refuge*, voir Nomb 35.9-34. Le nombre traditionnel est de six villes, voir v. 7-8 et Nomb 35.6.

v **20.3** *l'homme chargé de venger la victime* : voir Nomb 35.12 et la note.

de l'accident mortel s'arrêtera à l'entrée, là où l'on traite les affaires publiques, et expliquera aux *anciens du lieu ce qui est arrivé. Ceux-ci le laisseront alors entrer dans la ville et lui indiqueront un endroit où il pourra habiter. 5 Si l'homme chargé de venger la victime poursuit l'auteur de l'accident jusque-là, les habitants de la ville ne livreront pas celui-ci ; en effet, c'est accidentellement qu'il a tué une personne pour qui il n'avait jamais eu de haine. 6 Il restera dans cette ville jusqu'à ce qu'il ait été jugé par la communauté et jusqu'à la mort du grand-prêtre en fonction à ce moment-là. Après quoi, il pourra retourner chez lui, dans la ville d'où il s'était enfui. »

7 Les Israélites mirent à part les villes de Quédech en Galilée, dans la région montagneuse de Neftali, de Sichem, dans la région montagneuse d'Éfraïm, et de Quiriath-Arba, appelée aussi Hébron, dans la région montagneuse de Juda[w]. 8 De l'autre côté du Jourdain, à l'est de Jéricho, ils choisirent Besser, sur le plateau désertique appartenant à la tribu de Ruben, Ramoth, en Galaad, appartenant à la tribu de Gad, et Golan dans le *Bachan, appartenant à la tribu de Manassé. 9 Ces villes furent choisies pour servir de refuge aux Israélites et aux étrangers installés chez eux. De cette façon, si quelqu'un tuait accidentellement une personne, il pouvait échapper à l'homme chargé de venger la victime et n'était pas mis à mort avant d'avoir été jugé par la communauté.

Les villes lévitiques

(Voir 1 Chron 6.39-66)

21 1 Les chefs des familles de la tribu de Lévi vinrent trouver le prêtre Élazar[x], Josué, fils de Noun, et les chefs de famille des autres tribus israélites 2 à Silo, dans le pays de Canaan. Ils leur dirent : « Le Seigneur a ordonné par l'intermédiaire de Moïse de nous donner des villes où nous puissions habiter, ainsi que les pâturages voisins pour notre bétail. » 3 Les Israélites choisirent donc dans leurs territoires un certain nombre de villes avec leurs pâturages pour les donner aux lévites, conformément à l'ordre du Seigneur.

4 Les clans lévitiques descendant de Quéhath furent désignés les premiers par le sort. Parmi eux, les descendants du prêtre Aaron reçurent par tirage au sort treize villes situées dans les territoires de Juda, de Siméon et de Benjamin. 5 Les autres descendants de Quéhath reçurent dix villes situées dans les territoires d'Éfraïm, de Dan et de la demi-tribu occidentale de Manassé. 6 Les clans descendant de Guerchon reçurent treize villes situées dans les territoires d'Issakar, d'Asser, de Neftali et de la demi-tribu de Manassé établie dans le *Bachan. 7 Les clans descendant de Merari reçurent douze villes situées dans les territoires de Ruben, de Gad et de Zabulon. 8 Les Israélites attribuèrent aux descendants de Lévi, par tirage au sort, toutes ces villes avec leurs pâturages ; ils se conformèrent ainsi à l'ordre que le Seigneur avait donné par l'intermédiaire de Moïse.

9 Voici les noms des villes de Juda et de Siméon attribuées 10 aux descendants d'Aaron, du clan de Quéhath, fils de Lévi. Ce sont eux, en effet, qui avaient été désignés les premiers par le sort. 11 On leur donna Quiriath-Arba, ou ville d'Arba, nom de l'ancêtre des Anaquites[y]. Cette ville, qui s'appelle maintenant Hébron, était située dans la région montagneuse de Juda. Elle leur fut donnée avec les pâturages voisins. 12 Par contre, les champs et les villages qui dépendaient de la ville, avaient déjà été attribués à Caleb, fils de Yefounné. 13 Avec Hébron, qui était une des villes de refuge, les descendants du prêtre Aaron reçurent Libna, 14 Yattir, Echtemoa, 15 Holon, Debir, 16 Achan[z], Youtta, Beth-Chémech, soit neuf villes avec leurs pâturages, toutes situées dans le territoire de Juda et de Siméon. 17 Dans le territoire de Benjamin,

---

w **20.7** *Quédech* de *Neftali*, *Sichem* et *Hébron* possédaient chacune un sanctuaire qui est probablement à l'origine du droit de refuge dans ces villes.

x **21.1** Voir 14.1 et la note.

y **21.11** *l'ancêtre des Anaquites* : voir 14.12 et 15.13.

z **21.16** *Achan* : d'après l'ancienne version grecque ; hébreu *Aïn*.

ils reçurent Gabaon, Guéba, 18 Anatoth,
Alémeth[a], soit quatre villes avec leurs pâturages. 19 Au total, les prêtres descendant d'Aaron reçurent treize villes et
leurs pâturages.
20 Les clans des autres descendants de
Quéhath reçurent par tirage au sort des
villes situées dans le territoire
d'Éfraïm : 21 Sichem, une des villes de
refuge, dans la région montagneuse,
Guézer, 22 Quibsaïm et Beth-Horon, soit
quatre villes avec les pâturages voisins.
23 Dans le territoire de Dan, ils reçurent
également quatre villes avec leurs pâturages : Eltequé, Guibeton, 24 Ayalon et
Gath-Rimmon. 25 Dans celui de la demi-
tribu occidentale de Manassé, ils reçurent les deux villes de Taanak et
Ibléam[b], avec leurs pâturages. 26 Ils eurent donc en tout dix villes avec les
pâturages. 27 Les clans lévitiques de
Guerchon reçurent deux villes et leurs
pâturages dans le territoire de la demi-
tribu orientale de Manassé : Golan dans
le Bachan, une des villes de refuge, et
Bèchetera. 28 Dans le territoire d'Issakar,
ils reçurent quatre villes avec leurs pâturages : Quichion, Dabrath, 29 Yarmouth
et En-Gannim. 30 Dans celui d'Asser, ils
reçurent également quatre villes avec les
pâturages des alentours : Michal, Abdon, 31 Helcath et Rehob. 32 Dans le territoire de Neftali, ils reçurent trois villes
avec leurs pâturages : Quédech, en Galilée, une des villes de refuge, Hammoth-
Dor et Cartan. 33 Les clans guerchonites
reçurent donc en tout treize villes et
leurs pâturages.
34 Les autres clans lévitiques, ceux des
descendants de Merari, reçurent quatre
villes avec leurs pâturages dans le territoire de Zabulon : Yocnéam, Carta,
35 Dimna et Nahalal. 36 Dans le territoire
de Ruben[c] situé à l'est du Jourdain, en
face de Jéricho, ils reçurent également
quatre villes avec leurs pâturages : Besser
dans la région désertique, une des villes
de refuge, Yahas, 37 Quedémoth et Méfaath. 38 Dans celui de Gad, ils reçurent
aussi quatre villes avec leurs pâturages :
Ramoth, en Galaad, une des villes de refuge, Mahanaïm, 39 Hèchebon et Yazer.
40 Les clans lévitiques descendant de Merari reçurent donc en tout douze villes
par tirage au sort.
41 Au total, les descendants de Lévi reçurent quarante-huit villes prises sur les
territoires des autres Israélites. 42 Chacune de ces villes leur fut attribuée avec
ses pâturages.
43 Le Seigneur donna aux Israélites
tout le pays qu'il avait promis à leurs ancêtres. Ils l'occupèrent et s'y installèrent.
44 Le Seigneur leur assura la paix sur toutes les frontières, comme il l'avait aussi
promis à leurs ancêtres. Il leur accorda la
victoire sur tous leurs ennemis, aucun
d'entre eux ne pouvait leur résister.
45 Ainsi toutes les promesses que le Seigneur avait faites au peuple d'Israël se
réalisèrent ; pas une seule ne resta sans
effet.

Les tribus à l'est du Jourdain

22 1 Alors Josué convoqua les hommes des tribus de Ruben et de
Gad, ainsi que ceux de la demi-tribu
orientale de Manassé. 2 Il leur dit : « Vous
avez obéi à tous les ordres de Moïse,
le serviteur du Seigneur, et vous avez
agi exactement comme je vous l'ai
commandé. 3 Pendant la longue période
qui s'achève aujourd'hui, vous n'avez jamais abandonné vos frères israélites et
vous avez ainsi obéi aux ordres du Seigneur votre Dieu. 4 Maintenant que le
Seigneur votre Dieu a accordé le repos à
vos compatriotes, comme il le leur avait
promis, vous pouvez retourner chez vous.
Vous irez habiter dans la région que
Moïse, le serviteur du Seigneur, vous a
donnée en partage à l'est du Jourdain.
5 Cependant observez soigneusement
toute la loi que Moïse, le serviteur du Seigneur, vous a transmise : aimez le Seigneur votre Dieu, obéissez à sa volonté,
mettez en pratique ses commandements,

---

a **21.18** *Alémeth* : d'après l'ancienne version grecque et conformément à 1 Chron 6.45 ; hébreu : *Almon*.

b **21.25** *Ibléam* : d'après l'ancienne version grecque ; l'hébreu répète ici *Gath-Rimmon* (v. 24).

c **21.36** Les v. 36 et 37 manquent dans les plus vieux manuscrits hébreux. On les trouve dans les anciennes versions grecques et latines et dans la liste parallèle de 1 Chron 6.62-66. Ils sont nécessaires pour obtenir le total de douze villes indiqué au v. 40.

attachez-vous à lui et servez-le de tout
votre cœur et de toute votre âme. »
6 Puis Josué les bénit et les invita à retourner chez eux 7-8 en leur disant : « Retournez chez vous en y emportant les
grandes richesses que vous avez acquises : troupeaux, argent et or, cuivre et fer,
vêtements en grand nombre. Partagez
avec les autres membres de vos tribus ce
butin pris à l'ennemi. » A la première
moitié de la tribu de Manassé, Moïse
avait donné un territoire dans le *Bachan, à l'est du Jourdain. A l'autre moitié, Josué attribua des terres à l'ouest du
Jourdain, comme aux autres tribus.

L'autel construit près du Jourdain

9 Les descendants de Ruben et de Gad,
ainsi que les membres de la demi-tribu
orientale de Manassé, retournèrent chez
eux. Ils quittèrent les autres Israélites à
Silo, dans le pays de Canaan ; ils se rendirent dans le pays de Galaad, région
qu'ils avaient reçue en partage, conformément aux ordres que le Seigneur avait
donnés par l'intermédiaire de Moïse. 10 A
leur arrivée en bordure du Jourdain,
alors qu'ils étaient encore dans le pays de
Canaan, ils construisirent un *autel d'aspect impressionnant près de la rivière.
11 On vint l'annoncer aux autres Israélites : « Écoutez, les tribus de Ruben et de
Gad, ainsi que la demi-tribu orientale de
Manassé, ont construit un autel en bordure du Jourdain, de notre côté, dans le
pays de Canaan. »
12 A cette nouvelle, les Israélites se rassemblèrent tous à Silo pour aller attaquer
les tribus orientales[d]. 13 Ils envoyèrent
Pinhas, fils du prêtre Élazar, dans le pays
de Galaad pour qu'il parle aux tribus de
Ruben et de Gad, ainsi qu'à la demi-tribu
orientale de Manassé. 14 Dix responsables
du peuple l'accompagnaient, un par
tribu ; c'étaient tous des chefs de famille
dans les clans d'Israël. 15 Ils se rendirent
dans le pays de Galaad auprès des tribus
orientales, et leur parlèrent ainsi 16 au
nom de tous les autres Israélites : « Pourquoi avez-vous commis une faute aussi
grave à l'égard du Dieu d'Israël ? Pourquoi cessez-vous maintenant d'obéir au
Seigneur ? En construisant votre propre
autel vous vous révoltez contre lui. 17 A
Péor, nous avons déjà commis une faute
dont nous subissons encore les conséquences, malgré le fléau que le Seigneur a
infligé alors à tout son peuple[e] ! N'est-ce
pas suffisant ? 18 Voilà que vous cessez
maintenant d'obéir au Seigneur ! Si vous
vous révoltez contre lui aujourd'hui, demain c'est sur tout le peuple d'Israël qu'il
fera tomber sa colère ! 19 Si vous considérez que votre territoire est indigne du
Seigneur, revenez dans le pays qui lui appartient, là où se trouve sa demeure
sainte, et occupez des terres au milieu des
nôtres. Mais surtout ne vous révoltez pas
contre lui et contre nous, en vous
construisant un autel rival de celui du
Seigneur notre Dieu. 20 Lorsque Akan,
descendant de Zéra, commit une faute
grave à propos des biens qu'il était interdit de prendre, c'est tout le peuple d'Israël qui subit la colère du Seigneur, vous
le savez bien[f] ! Et Akan ne fut pas seul à
mourir à cause de sa faute ! »
21 Les membres des tribus de Ruben et
de Gad, ainsi que ceux de la demi-tribu
orientale de Manassé, répondirent aux
chefs de clans des autres tribus : 22 « Le
Seigneur est le Dieu suprême, oui, il est
le Dieu suprême, et il sait pourquoi nous
avons agi ainsi. Tous les Israélites le sauront également ! Si c'est une révolte, une
faute grave commise contre le Seigneur,
qu'il ne nous laisse pas en vie plus longtemps ! 23 Si nous avons construit notre
propre autel pour désobéir au Seigneur
en y offrant des *sacrifices complets, des
offrandes végétales ou des sacrifices de
communion, que le Seigneur lui-même
nous en punisse[g] ! 24 Mais tel n'est pas le
cas ! Au contraire, nous avons agi ainsi,
car nous avions peur que, dans l'avenir,

---

d **22.12** L'autel bâti du côté du pays de Canaan est considéré comme un concurrent du sanctuaire de Silo et comme un signe de révolte contre Dieu (v. 16).

e **22.17** Voir Nomb 25.1-9.

f **22.20** Sur la *faute grave commise par Akan*, voir Jos 7.

g **22.23** Les *sacrifices* devaient être offerts seulement sur l'autel du sanctuaire d'Israël, à l'entrée de la *tente de la rencontre, voir Lév 1–3.

vos descendants disent aux nôtres: “Quel lien y a-t-il entre vous et le Seigneur, le Dieu d’Israël? 25 Le Seigneur lui-même a placé le Jourdain comme frontière entre nous et vous, gens de Ruben et de Gad. Non, vous n’avez aucun droit à l’égard du Seigneur!” Ainsi vos descendants pourraient inciter les nôtres à ne plus adorer le Seigneur. 26 C’est pourquoi, nous avons décidé de construire cet autel, mais non pour y offrir des sacrifices complets ou d’autres sacrifices. 27 Nous voulons seulement que, pour nous et pour vous, puis pour les générations futures, cet autel témoigne du droit que nous avons de rendre un culte au Seigneur par nos sacrifices complets, nos sacrifices de communion et nos autres sacrifices. De cette manière, vos descendants ne pourront pas affirmer aux nôtres qu’ils n’ont aucun droit à l’égard du Seigneur. 28 Nous nous sommes dit que si, plus tard, ils l’affirmaient tout de même à nous ou à nos descendants, on pourrait répondre: “Regardez, nos ancêtres ont donné à cet autel la forme même de l’autel du Seigneur. Cependant, ils ne l’ont pas construit pour y offrir des sacrifices complets ou d’autres sacrifices, mais pour qu’il soit un témoin entre nous et vous!” 29 Il n’est pas question de nous révolter maintenant contre le Seigneur ou de lui être infidèles en construisant un autel pour offrir des sacrifices complets, des offrandes végétales ou d’autres sacrifices. Nous n’en offrirons pas en dehors de l’autel du Seigneur notre Dieu, qui se trouve devant la demeure qui lui est consacrée.»

30 Le prêtre Pinhas, les responsables du peuple et les chefs des clans israélites furent satisfaits par les explications des gens de Ruben, de Gad et de Manassé. 31 Pinhas, fils du prêtre Élazar, leur déclara: «Maintenant nous savons que le Seigneur est avec nous, puisque vous n’avez pas commis à son égard la faute grave que nous craignions. Ainsi vous n’exposez pas les Israélites à subir le châtiment du Seigneur.»

32 Ensuite Pinhas, fils du prêtre Élazar, et les responsables du peuple prirent congé des tribus de Ruben et de Gad. Ils quittèrent le pays de Galaad pour regagner celui de Canaan et y faire leur rapport aux autres Israélites. 33 Ceux-ci se déclarèrent satisfaits et remercièrent Dieu. Ils abandonnèrent l’idée d’aller attaquer les tribus de Ruben et de Gad et de dévaster leurs territoires. 34 Les gens de Ruben et de Gad s’exclamèrent alors: «Cet autel témoigne pour nous tous que le Seigneur est Dieu!»

Et ils donnèrent à l’autel le nom de “Témoin”.

Le testament de Josué

23 1 Une longue période s’écoula après que le Seigneur eut assuré la paix au peuple d’Israël en le délivrant de tous les ennemis qui l’entouraient. Josué était devenu très vieux; 2 il convoqua tous les Israélites, y compris leurs *anciens, leurs chefs, leurs juges et leurs officiers. Il leur dit: «Me voici devenu très vieux. 3 Vous avez constaté comment le Seigneur votre Dieu a traité les peuples de ces régions à cause de vous. Il a combattu lui-même à vos côtés. 4 Voyez, j’ai réparti maintenant entre vos tribus, par tirage au sort, les territoires des peuples que j’ai déjà vaincus et ceux des peuples qui restent à soumettre entre le Jourdain, à l’est, et la mer Méditerranée, à l’ouest. 5 Le Seigneur votre Dieu chassera lui-même ces peuples devant vous, il les mettra en fuite à votre approche et vous occuperez leur pays selon sa promesse. 6 Cependant, soyez fermement résolus à observer et mettre en pratique ce qui est écrit dans le livre de la loi de Moïse, sans jamais vous en écarter. 7 Ne vous mêlez pas aux peuples qui restent encore parmi vous; n’invoquez pas leurs dieux et n’utilisez pas le nom de ces dieux dans vos serments, ne vous inclinez pas devant eux pour les adorer. 8 Attachez-vous uniquement au Seigneur votre Dieu, comme vous l’avez fait jusqu’à maintenant. 9 Le Seigneur a mis en fuite devant vous des peuples importants et puissants et, jusqu’à présent, personne n’a pu vous résister. 10 Un seul d’entre vous peut mettre en fuite mille ennemis, car le Seigneur votre Dieu combat à vos côtés comme il vous l’a promis. 11 Prenez donc bien garde d'aimer le Seigneur votre Dieu. 12 Si vous vous détournez de lui pour vous associer aux peuples qui restent encore parmi vous, si vous épousez leurs filles, si vous vous mêlez à eux et eux à vous, 13 sachez bien que le Seigneur ne continuera pas à les mettre en fuite devant vous. Ils deviendront alors pour vous des pièges, des trappes, ils vous feront souffrir comme des fouets frappant le dos ou des épines aveuglant les yeux. Vous finirez par disparaître de ce bon pays que le Seigneur votre Dieu vous a donné. 14 Pour ma part, je vais bientôt quitter ce monde. Maintenant, reconnaissez-le de tout votre cœur, de tout votre être : pas une seule des promesses que le Seigneur votre Dieu vous a faites n'est restée sans effet ; elles se sont toutes entièrement réalisées. 15 Eh bien, de la même manière qu'il a tenu ses promesses, le Seigneur votre Dieu réalisera ses menaces contre vous. Il ira jusqu'à vous exterminer dans le bon pays qu'il vous a donné. 16 Si vous rompez les engagements qu'il vous a ordonné de respecter, si vous vous inclinez devant des dieux étrangers pour les adorer, le Seigneur se mettra en colère contre vous et il ne tardera pas à vous faire disparaître de ce bon pays qu'il vous a donné. »

Israël décide de servir le Seigneur

24 1 Josué réunit à Sichem[h] l'assemblée de toutes les tribus d'Israël. Il convoqua les *anciens, les chefs, les juges et les officiers d'Israël, et ils vinrent se présenter devant Dieu. 2 Alors Josué dit à tous : « Voici ce que déclare le Seigneur, Dieu d'Israël : "Autrefois, vos ancêtres étaient établis de l'autre côté de l'Euphrate, le grand fleuve, et ils adoraient des dieux étrangers. C'était la famille de Téra, le père d'Abraham et de Nahor. 3 J'ai fait sortir votre ancêtre Abraham du pays situé de l'autre côté de l'Euphrate ; je l'ai conduit à travers tout le pays de Canaan[i] et je lui ai accordé une nombreuse descendance. Je lui ai donné Isaac 4 et à Isaac j'ai donné Jacob et Ésaü. J'ai attribué la région montagneuse de Séir à Ésaü pour qu'il s'y installe, mais Jacob et ses fils se rendirent en Égypte. 5 Plus tard, j'ai envoyé Moïse et Aaron et j'ai infligé divers fléaux à l'Égypte avant d'en faire sortir votre peuple[j]. 6 Une fois partis d'Égypte, vos ancêtres arrivèrent à la *mer des Roseaux, mais les Égyptiens les poursuivirent jusque-là avec des chars et des cavaliers. 7 Alors ils m'appelèrent à l'aide et je plaçai une colonne de fumée[k] entre votre peuple et les Égyptiens. Puis je rabattis sur ceux-ci l'eau de la mer et elle les recouvrit. Vous savez bien comment j'ai traité les Égyptiens ! Après cela, votre peuple a vécu pendant très longtemps dans le désert. 8 Ensuite je vous ai conduits dans le pays des *Amorites, installés à l'est du Jourdain. Ils vous ont attaqués mais je les ai livrés en votre pouvoir ; vous avez pu conquérir leur pays, car je les ai exterminés à votre approche. 9 Le roi de Moab, Balac, fils de Sippor, vous a également attaqués. Il fit même appeler Balaam, fils de Béor, pour qu'il vienne vous maudire. 10 Mais j'ai refusé d'écouter Balaam, qui dut vous bénir et je vous ai délivrés ainsi du pouvoir de Balac[l]. 11 Vous avez traversé le Jourdain et vous êtes parvenus à Jéricho. Les habitants de Jéricho combattirent contre vous, de même que les Amorites, les Perizites, les Cananéens, les Hittites, les Guirgachites, les Hivites et les Jébusites. Je les ai tous livrés en votre pouvoir[m]. 12 J'ai envoyé devant vous des frelons qui mirent en fuite les deux rois amorites[n]. Vos épées et vos arcs ne furent pour rien dans tout cela ! 13 Ainsi je vous ai donné un pays que vous n'aviez pas eu la peine de cultiver, des villes que vous n'aviez pas bâties mais que vous occupez, des vignes et des oliviers que vous n'aviez pas plantés mais dont vous mangez les fruits." »

---

h **24.1** La ville de *Sichem*, située à 50 km environ au nord de Jérusalem, était un lieu saint pour *l'assemblée des douze tribus*.

i **24.3** Voir Gen 12.1-7.

j **24.5** Voir Ex 7–12.

k **24.7** *je plaçai une colonne de fumée* : voir Ex 14.19 et la note sur Ex 13.21.

l **24.10** Voir Nomb 22 à 24.

m **24.11** Voir 3.4-17 ; 6.1-21.

n **24.12** *des frelons qui mirent en fuite* : autre traduction *le découragement qui mit en fuite*. – *les deux rois amorites* : voir 12.2-5.

14 Et Josué ajouta : « A vous maintenant de reconnaître l'autorité du Seigneur pour le servir de tout votre cœur, avec fidélité. Débarrassez-vous des dieux que vos ancêtres adoraient quand ils étaient de l'autre côté de l'Euphrate ou en Égypte, et mettez-vous au service du Seigneur. 15 Si cela ne vous convient pas, alors choisissez aujourd'hui les dieux auxquels vous rendrez votre culte : par exemple ceux que vos ancêtres adoraient de l'autre côté de l'Euphrate, ou ceux des Amorites dont vous habitez le pays. Mais ma famille et moi, nous servirons le Seigneur. »

16 Le peuple répondit : « Il n'est pas question que nous abandonnions le Seigneur pour nous mettre au service d'autres dieux ! 17 Car c'est le Seigneur notre Dieu qui nous a arrachés, nos pères et nous, à l'esclavage d'Égypte, et nous savons les grands miracles qu'il a faits alors. C'est lui qui nous a protégés tout le long du chemin que nous avons parcouru et au milieu de tous les peuples dont nous avons traversé le territoire. 18 C'est lui qui a repoussé devant nous tant de peuples, en particulier les Amorites qui vivaient dans ce pays. Nous donc aussi nous servirons le Seigneur, car c'est lui qui est notre Dieu. »

19 Alors Josué dit au peuple : « Vous ne serez pas capables de servir le Seigneur. C'est le vrai Dieu et il exige d'être votre seul Dieu[o]. Il ne supportera ni vos révoltes ni vos fautes. 20 Si vous l'abandonnez pour adorer des dieux étrangers, il se retournera contre vous, vous fera du mal et vous exterminera, après vous avoir fait tant de bien. » – 21 « Mais non, répondit le peuple, c'est bien le Seigneur que nous servirons. » 22 Josué reprit : « Vous êtes donc vos propres témoins : vous avez choisi vous-mêmes de servir le Seigneur. » – « Oui, déclarèrent-ils, nous en sommes témoins. » – 23 « Alors, dit Josué, débarrassez-vous des dieux étrangers qui se trouvent chez vous et attachez-vous de tout votre cœur au Seigneur, le Dieu d'Israël. » 24 Le peuple lui répondit : « Oui, nous voulons servir le Seigneur notre Dieu et obéir à ses ordres. »

25 Ce jour-là, à Sichem, Josué lia le peuple par un engagement solennel. Il établit pour le peuple une loi et des règles de conduite, 26 et les inscrivit dans le livre de la loi de Dieu. Puis il prit une grande pierre et la dressa sous le chêne, au sanctuaire du Seigneur. 27 Il dit ensuite au peuple : « Regardez bien cette pierre : elle servira de témoin à notre sujet, car elle a entendu toutes les paroles que le Seigneur nous a dites. Oui, elle sera un témoin contre vous pour vous empêcher d'être infidèles à votre Dieu. » 28 Alors Josué congédia l'assemblée et chacun retourna dans la part de terre qui lui revenait.

Mort de Josué

29 Après cela Josué, fils de Noun et serviteur du Seigneur, mourut à l'âge de cent dix ans. 30 On l'enterra dans la propriété qui lui avait été attribuée à Timnath-Séra, dans la région montagneuse d'Éfraïm, au nord du mont Gaach. 31 Les Israélites servirent le Seigneur durant toute la vie de Josué et, après sa mort, tant que vécurent les *anciens qui avaient vu les œuvres accomplies par le Seigneur en faveur d'Israël.

32 Les Israélites enterrèrent à Sichem les restes de Joseph qu'ils avaient ramenés d'Égypte. Ils les mirent dans la parcelle de terrain que Jacob avait achetée pour cent pièces d'argent aux descendants de Hamor, le fondateur de Sichem, et qui était devenue la propriété des descendants de Joseph[p].

33 Élazar, fils d'Aaron, mourut également. On l'enterra sur la colline qui avait été donnée à son fils Pinhas[q], dans la région montagneuse d'Éfraïm.

---

o **24.19** Voir Ex 20.5.

p **24.32** *Les Israélites enterrèrent... et qui était devenue la propriété des descendants de Joseph* : autre traduction *Les Israélites enterrèrent à Sichem les restes de Joseph, qu'ils avaient ramenés d'Égypte, et qui étaient devenus la propriété de ses descendants. Ils les mirent... de Sichem.* – *cent pièces d'argent* : voir Gen 33.19 et la note.

q **24.33** *Élazar* : voir 14.1 et la note. – *sur la colline qui avait été donnée* ou *à Guibéa (, la ville) qui avait été donnée.*

Juges

***Introduction** – Les récits du livre des* Juges *concernent la période troublée qui va de l'installation des Israélites en Canaan à l'établissement de la royauté. Le titre du livre provient du fait que sa partie centrale raconte les exploits ou résume la vie d'un certain nombre de « juges ». Ce terme désigne des hommes dont l'autorité vient de Dieu et s'étend à un domaine bien plus large que le domaine juridique. Ces hommes sont chargés soit de gouverner le peuple, soit de délivrer une ou plusieurs tribus en difficulté.*

Le livre des Juges *comporte trois grandes parties :*
La première relate des événements qui ont marqué l'installation des Israélites en Canaan jusqu'à la mort de Josué (1.1–2.10).
La deuxième montre essentiellement comment Dieu libère son peuple en choisissant et en envoyant des hommes qui réalisent concrètement cette libération (2.11–16.31).
La troisième partie rapporte deux épisodes qui soulignent le désordre régnant dans les tribus israélites avant l'établissement de la royauté (chap. 17–21).

Pour le livre des Juges*, ce qui arrive à Israël dépend de la relation que ce peuple entretient avec Dieu. Lorsqu'il est infidèle à Dieu, il est opprimé par les populations locales ou voisines, mais lorsqu'il revient à Dieu et l'appelle au secours, Dieu le délivre. Sans cesse, pourtant, les Israélites sont tentés de rendre un culte aux dieux du pays de Canaan ou d'accaparer Dieu à des fins personnelles (chap. 17–18), ou encore d'oublier ses exigences (chap. 19–21). En agissant ainsi, ils iraient à la catastrophe si Dieu ne venait pas à leur secours. La troisième partie du livre montre tout particulièrement ce qu'auraient pu devenir les tribus israélites abandonnées à elles-mêmes. Elle montre que, pour le peuple de Dieu, la question était alors de savoir sous quelle autorité il voulait vivre : était-il possible que chacun continue à vivre « comme il lui semblait bon » ?*

Israël s'installe en Canaan

1 [1] Après la mort de Josué, les Israélites
consultèrent le Seigneur pour savoir
laquelle de leurs tribus devait aller la première attaquer les Cananéens. [2] Le Seigneur répondit : « Ce sont les hommes de
la tribu de Juda ; je leur livre le pays. »
[3] Les hommes de Juda dirent alors aux
descendants de Siméon, frère de Juda :
« Venez avec nous conquérir le territoire
qui nous a été attribué, attaquons ensemble les Cananéens ! Ensuite nous irons
conquérir votre territoire avec vous. »
Les gens de la tribu de Siméon se joignirent à ceux de la tribu de Juda [4] et ils partirent donc à l'attaque. Le Seigneur leur
livra les Cananéens et les Perizites, et ils
tuèrent dix mille hommes à Bézec[a]. [5] En
effet, dans cette ville, ils trouvèrent le roi
Adoni-Bézec, lui livrèrent bataille et
remportèrent la victoire sur les Cananéens et les Perizites. [6] Adoni-Bézec s'enfuit, ils le poursuivirent, s'emparèrent de

---

a **1.4** *Bézec* : localité difficile à situer. Elle devait être proche de Jérusalem.

lui et lui coupèrent les pouces des mains
et des pieds. 7 Alors il s'exclama :
« Soixante-dix rois, dont on avait coupé
les pouces des mains et des pieds, ramas-
saient les miettes tombant de ma table.
Dieu m'a bien rendu ce que j'ai fait ! » On
emmena Adoni-Bézec à Jérusalem où il
mourut.

8 Les hommes de Juda attaquèrent Jérusalem et s'en emparèrent ; ils massacrèrent les habitants et brûlèrent la ville.
9 Ensuite ils partirent combattre les Cananéens qui vivaient dans la région
montagneuse, la région méridionale et le
*Bas-Pays. 10 Ils engagèrent le combat
contre ceux qui habitaient Hébron, appelée à ce moment-là Quiriath-Arba, et
ils y battirent les clans de Chéchaï,
d'Ahiman et de Talmaï. 11 De là, ils partirent attaquer les habitants de Debir, appelée à ce moment-là Quiriath-Séfer.
12 Caleb annonça qu'il donnerait sa fille
Axa en mariage à celui qui réussirait à
s'emparer de Quiriath-Séfer. 13 Otniel,
fils de Quenaz, le frère cadet de Caleb,
s'empara de la ville et Caleb lui donna sa
fille en mariage. 14 Lorsqu'elle arriva auprès d'Otniel, elle lui suggéra de demander un champ à son père Caleb. Elle
descendit ensuite de son âne, Caleb lui
demanda ce qu'elle désirait 15 et elle répondit : « Fais-moi une faveur ! Donne-
moi des points d'eau, car la région que tu
m'as attribuée, au sud, est aride. » Caleb
lui donna les sources d'en haut et les
sources d'en bas.

16 Les Quénites, descendants du beau-
père de Moïse, partirent de la ville des
Palmiers, avec les hommes de Juda et allèrent s'installer dans la partie méridionale du territoire de Juda, au sud d'Arad.
Ils allèrent habiter parmi les Amalécites[b].

17 Les hommes de Juda partirent à l'attaque avec les descendants de Siméon,
frère de Juda, et ils se rendirent maîtres
des Cananéens habitant à Sefath[c]. Ils détruisirent entièrement cette ville qu'on
appela désormais Horma, ce qui signifie
"la Ruine". 18 Les gens de Juda s'emparèrent ensuite des villes de Gaza, Ascalon
et Écron[d], ainsi que des territoires voisins. 19 Le Seigneur lui-même était avec
eux et ils conquirent la région montagneuse. Cependant ils ne purent pas
chasser les habitants des plaines, car
ceux-ci possédaient des chars de fer. 20 On
attribua Hébron à Caleb, comme Moïse
l'avait ordonné, et Caleb prit la ville aux
trois clans anaquites qui l'habitaient.
21 Les descendants de Benjamin ne réussirent pas à chasser les Jébusites qui habitaient Jérusalem, et ceux-ci vivent
maintenant encore dans cette ville avec
les Benjaminites.

22 Les descendants d'Éfraïm et de Manassé, fils de Joseph, partirent attaquer
Béthel[e] et le Seigneur fut avec eux. 23 Ils
envoyèrent d'abord des hommes reconnaître la ville, appelée alors Louz.
24 Les envoyés virent un homme en sortir
et ils lui dirent : « Montre-nous comment
on entre dans la ville et nous te traiterons
avec bonté. » 25 L'homme le leur montra.
C'est ainsi que les descendants d'Éfraïm
et de Manassé purent massacrer les habitants de la ville. Toutefois ils laissèrent
partir cet homme avec toute sa famille.
26 L'homme se rendit dans le pays des
Hittites ; il y construisit une ville qu'il
appela Louz[f], nom qu'elle porte encore
maintenant.

27 Les gens de Manassé ne réussirent
pas à chasser les habitants de Beth-
Chéan, Taanak, Dor, Ibléam et Méguiddo, ni ceux des localités voisines, et
les Cananéens continuèrent à vivre dans
cette région. 28 Même lorsque les Israélites furent devenus plus puissants, ils ne
parvinrent pas à les chasser, mais ils leur
imposèrent certains travaux.

29 Les gens d'Éfraïm ne réussirent pas à
chasser les Cananéens qui habitaient
Guézer et ceux-ci y vécurent parmi les
Éfraïmites.

---

b **1.16** *la ville des Palmiers* est un nom parfois donné à Jéricho (voir Deut 34.3), mais il peut aussi désigner la localité de Tamar ("palmier" en hébreu), au sud de la mer Morte. – *Arad* se trouve à 30 km au sud d'Hébron. – *parmi les Amalécites* : d'après d'anciennes versions ; hébreu *parmi le peuple*.

c **1.17** *Sefath* : localisation incertaine.

d **1.18** *Gaza, Ascalon et Écron* sont trois villes philistines, voir Jos 13.3.

e **1.22** *Béthel* : voir Gen 12.8 et la note.

f **1.26** *le pays des Hittites* : c'est-à-dire la région de Syrie-Palestine. – Cette nouvelle *Louz* est inconnue.

30 Les gens de Zabulon ne réussirent
pas à chasser les Cananéens habitant
Quitron et Nahalal. Ceux-ci y vécurent
avec la tribu de Zabulon qui leur imposa
certains travaux.
31 Les gens d'Asser ne réussirent pas à
chasser les habitants d'Akko et de Sidon,
ni ceux d'Alab, d'Akzib, de Helba, d'Afic
et de Rehob ; 32 c'est pourquoi ils durent
s'installer parmi les Cananéens du pays.
33 Les gens de Neftali ne réussirent pas
à chasser les Cananéens habitant Beth-
Chémech et Beth-Anath ; ils s'installèrent parmi eux et leur imposèrent
certains travaux.
34 Les *Amorites refoulèrent les descendants de Dan dans la région montagneuse ; ils ne les laissèrent pas
descendre dans la plaine. 35 Les Amorites
continuèrent donc à habiter Har-Hérès,
Ayalon et Chaalbim. Mais plus tard, les
descendants d'Éfraïm et Manassé établirent leur domination sur eux et leur
imposèrent certains travaux. 36 La frontière méridionale des Amorites longeait
le territoire des Édomites, en partant, à
l'est, de la montée des Scorpions[g].

Reproches du Seigneur à son peuple

2 1 *L'ange du Seigneur vint du Guilgal à Bokim[h]. Il déclara aux Israélites : « Je vous ai fait sortir d'Égypte et
vous ai conduits dans le pays que j'ai solennellement promis à vos ancêtres. J'ai
annoncé que je ne romprai jamais mon
*alliance avec vous. 2 Par contre, je vous
ai ordonné de ne pas conclure d'alliance
avec les habitants de ce pays et de démolir leurs *autels[i]. Or vous ne m'avez pas
obéi ! Qu'avez-vous fait là ! 3 Eh bien, je
l'affirme, je ne chasserai pas devant vous
les habitants du pays. Ceux-ci vous attireront dans un piège, vous y tomberez en
adorant leurs dieux. » 4 Lorsque l'ange du
Seigneur eut adressé ces paroles aux Israélites, ceux-ci se mirent tous à pleurer.
5 Ils appelèrent l'endroit Bokim, ce qui signifie "les Pleureurs", et ils y offrirent
des *sacrifices au Seigneur.

La mort de Josué

6 Après que Josué eut congédié l'assemblée[j], les Israélites se rendirent chacun
dans la part de terre qui lui revenait et occupèrent ainsi le pays. 7 Ils servirent le
Seigneur durant la vie de Josué et, après
sa mort, tant que vécurent les *anciens
qui avaient vu les grandes œuvres accomplies par le Seigneur en faveur d'Israël. 8 Josué, fils de Noun et serviteur du
Seigneur, mourut à l'âge de cent dix ans.
9 On l'enterra dans la propriété qui lui
avait été attribuée, à Timnath-Hérès[k],
dans la région montagneuse d'Éfraïm, au
nord du mont Gaach. 10 Puis les gens de
sa génération moururent à leur tour. La
génération suivante n'avait plus de
connaissance personnelle du Seigneur et
des œuvres qu'il avait accomplies en
faveur d'Israël.

Le peuple abandonne le Seigneur

11 Les Israélites firent alors ce qui déplaît au Seigneur et se mirent à adorer les
dieux *Baals. 12 Ils abandonnèrent le Seigneur, le Dieu de leurs ancêtres, qui les
avait fait sortir d'Égypte, et ils rendirent
un culte à d'autres dieux, ceux des peuples qui vivaient autour d'eux. Ils s'inclinèrent devant ces dieux et irritèrent ainsi
le Seigneur. 13 Ils abandonnèrent donc le
Seigneur pour adorer les Baals et les Astartés[l]. 14 Le Seigneur se mit en colère
contre les Israélites. Il les laissa sans défense devant des bandes de pillards qui
les dépouillèrent ; il les livra aux ennemis
qui les entouraient, si bien qu'ils ne purent plus leur résister. 15 Chaque fois
qu'ils allaient au combat, le Seigneur faisait échouer leur expédition, comme il le

---

g **1.36** *longeait le territoire des Édomites... Scorpions* : d'après des manuscrits de l'ancienne version grecque ; hébreu *partait de la montée des Scorpions, depuis la roche, puis remontait*.

h **2.1** *Le Guilgal* : voir Jos 4.19 et la note. – *Bokim* : localisation inconnue. Ce nom signifie *les Pleureurs* et on peut le rapprocher du chêne « des Pleurs » situé près de Béthel (Gen 35.8).

i **2.2** Voir Ex 34.12-13 ; Deut 7.2-5.

j **2.6** Voir Jos 24.1-28.

k **2.9** *Timnath-Hérès* : localité appelée aussi Timnath-Séra (Jos 19.50 ; 24.30).

l **2.13** Associée à Baal, *Astarté* était la déesse de l'amour et de la fécondité ; son culte était très répandu dans tout le Proche-Orient, d'où l'utilisation du pluriel.

leur avait annoncé et juré. Et ils tombèrent dans une profonde détresse. 16 Alors le Seigneur mit à leur tête des juges[m] et ceux-ci les délivrèrent du pouvoir des pillards. 17 Mais les Israélites n'obéirent pas à leurs juges, ils rendirent un culte idolâtrique à des dieux étrangers en s'inclinant devant eux. Ils s'écartèrent ainsi rapidement du chemin suivi par leurs ancêtres qui obéissaient aux commandements du Seigneur ; ils ne les imitèrent pas. 18 Chaque fois que le Seigneur leur envoyait un juge, il se tenait lui-même à ses côtés ; il délivrait les Israélites du pouvoir de leurs ennemis durant toute la vie de ce juge. En effet, le Seigneur avait pitié d'eux quand ils gémissaient sous les mauvais traitements de leurs oppresseurs. 19 Mais, à la mort du juge, ils retombaient dans une infidélité pire que celle de leurs ancêtres ; ils rendaient un culte à des dieux étrangers et s'inclinaient devant eux pour les adorer. Ils ne renonçaient ni à leurs mauvaises actions ni à leur attitude rebelle.

Le Seigneur met Israël à l'épreuve

20 Le Seigneur se mit en colère contre les Israélites et il déclara : « Les gens de ce peuple ont rompu les engagements que j'avais ordonné à leurs ancêtres de respecter ; ils ne m'ont pas obéi. 21 Eh bien, moi, je ne mettrai plus en fuite devant eux un seul homme des nations que Josué n'avait pas encore chassées lorsqu'il mourut. 22 Je me servirai d'elles pour savoir si, oui ou non, les Israélites veulent suivre ma volonté et m'obéir comme leurs ancêtres l'ont fait. » 23 Le Seigneur laissa donc subsister dans le pays les nations qu'il n'avait pas livrées à Josué ; il ne se pressa pas de les chasser.

3 1 Il les laissa subsister dans le pays pour mettre à l'épreuve les Israélites qui n'avaient pas participé aux guerres pour la conquête de Canaan. 2 Il voulait que les nouvelles générations, du moins celles qui ne s'étaient pas encore battues, apprennent à faire la guerre. 3 Voici ceux qu'il laissa dans le pays : les cinq chefs qui dominaient sur les Philistins, tous les Cananéens, les Sidoniens et les Hivites installés dans les montagnes du Liban, depuis le mont Baal-Hermon jusqu'à Lebo-Hamath. 4 Le Seigneur désirait se servir d'eux pour savoir si les Israélites obéiraient aux commandements qu'il avait donnés à leurs ancêtres par l'intermédiaire de Moïse. 5 C'est ainsi que les Israélites habitèrent parmi les Cananéens, les Hittites, les *Amorites, les Perizites, les Hivites et les Jébusites. 6 Ils allèrent prendre femme chez eux, ils leur donnèrent leurs filles en mariage, et ils adorèrent leurs dieux.

LES JUGES

Otniel

7 Les Israélites firent ce qui déplaît au Seigneur leur Dieu, ils l'oublièrent pour adorer les *Baals et les Achéras[n]. 8 Le Seigneur se mit en colère contre eux et il les livra à Kouchan-Richataïm, roi de Mésopotamie, auquel ils furent soumis pendant huit ans. 9 Ils appelèrent alors le Seigneur au secours et celui-ci leur envoya pour les libérer Otniel, fils de Quenaz, le frère cadet de Caleb. 10 L'Esprit du Seigneur s'empara d'Otniel, qui devint le chef du peuple d'Israël. Otniel partit en guerre et le Seigneur lui accorda la victoire sur le roi Kouchan-Richataïm. 11 Le pays connut le repos que procure la paix pendant quarante ans. Puis Otniel, fils de Quenaz, mourut.

Éhoud

12 Les Israélites firent de nouveau ce qui déplaît au Seigneur. C'est pourquoi le Seigneur dressa contre eux Églon, roi de

m **2.16** Les *juges* dont il est question dans ce livre sont avant tout des hommes que Dieu charge soit de commander, soit de gouverner le peuple, soit de délivrer une ou plusieurs tribus en difficulté.

n **3.7** *Achéra* est une divinité cananéenne que la Bible associe souvent au dieu Baal. Dans les lieux sacrés, elle était représentée par un poteau sacré, symbole de la fécondité.

Moab[o]. 13 Églon s'allia aux Ammonites et aux Amalécites pour aller attaquer Israël ; ils s'emparèrent de la ville des Palmiers[p]. 14 Les Israélites furent soumis au roi Églon pendant dix-huit ans. 15 Ils appelèrent alors le Seigneur au secours et celui-ci leur envoya un libérateur, Éhoud, un homme gaucher, qui était fils de Guéra, de la tribu de Benjamin.

Les Israélites envoyèrent Éhoud présenter des cadeaux à Églon, roi de Moab. 16 Éhoud se fabriqua une épée à deux tranchants, de cinquante centimètres environ, et la mit sous ses vêtements, contre sa cuisse droite. 17 Puis il alla offrir les cadeaux à Églon, qui était un homme très gros. 18 Lorsqu'il les eut donnés, il partit avec les hommes qui les avaient portés. 19 Arrivé aux idoles de pierre qui se trouvent près du Guilgal[q], Éhoud retourna sur ses pas et vint dire au roi : « J'ai un message secret pour sa Majesté le roi. » Le roi ordonna à ses serviteurs de le laisser tranquille et tous sortirent. 20 Il était alors assis dans la chambre fraîche qui lui était réservée sur la terrasse. Éhoud s'avança vers lui et déclara : « Le message que j'ai pour toi vient de Dieu. » Le roi se leva de son siège. 21 De sa main gauche, Éhoud saisit l'épée qu'il portait sur la cuisse droite et la plongea dans le ventre du roi. 22 Elle s'y enfonça tout entière, y compris la poignée, et la graisse se referma sur la lame, car Éhoud ne retira pas l'arme[r]. 23 Ensuite Éhoud sortit par derrière[s] après avoir fermé les portes de la chambre et tourné la clé.

24 Quand il fut parti, les serviteurs arrivèrent et constatèrent que les portes étaient fermées. Ils pensèrent que le roi était en train de satisfaire un besoin naturel à l'intérieur. 25 Ils attendirent jusqu'à en perdre patience, mais le roi n'ouvrait toujours pas les portes de l'appartement. Alors ils prirent la clé, ouvrirent eux-mêmes et découvrirent leur maître étendu par terre, mort ! 26 Pendant qu'ils perdaient du temps, Éhoud s'était enfui. Il dépassa les idoles de pierre et se mit en sûreté à Séira[t]. 27 Après être arrivé à cet endroit, il sonna de la trompette dans la région montagneuse d'Éfraïm[u], pour rassembler les Israélites ; puis il se mit à leur tête et ils descendirent des collines. 28 « Suivez-moi, leur dit-il, car le Seigneur vous a livré vos ennemis moabites. » Ils suivirent Éhoud, prirent aux Moabites les gués du Jourdain et ne laissèrent personne traverser la rivière. 29 Ce jour-là, ils tuèrent environ dix mille Moabites, tous des hommes robustes et courageux. Il n'y eut aucun survivant. 30 A partir de ce moment, les Moabites durent se soumettre aux Israélites et le pays connut le repos que procure la paix pendant quatre-vingts ans.

Chamgar

31 Le successeur d'Éhoud fut Chamgar, fils d'Anath. Il tua six cents Philistins avec un aiguillon à bœufs[v] et délivra lui aussi le peuple d'Israël.

Débora et Barac

4 1 Après la mort d'Éhoud, les Israélites firent de nouveau ce qui déplaît au Seigneur. 2 Le Seigneur les livra à Yabin, un roi cananéen qui résidait dans la ville de Hassor. Le chef de son armée était Sisra, qui habitait Harocheth-Goïm[w]. 3 Yabin possédait neuf cents chars de fer[x] et il opprima durement les Israélites pendant vingt ans. Alors ceux-ci appelèrent le Seigneur au secours.

---

o **3.12** *Moab* : voir Gen 19.37 et la note. Le royaume de Moab, créé au 13e siècle avant J.-C., réussit à s'étendre jusqu'à Jéricho à l'époque d'Éhoud.

p **3.13** *les Ammonites* : voir Gen 19.38 et la note. – *les Amalécites* : voir Ex 17.8 et la note. A l'époque des juges, les Amalécites sont les principaux ennemis des tribus d'Israël (voir 6.3,33 ; 7.12 ; 10.12). – *la ville des Palmiers* : il s'agit ici de Jéricho, voir 1.16 et la note.

q **3.19** *Le Guilgal* : voir Jos 4.19 et la note.

r **3.22** *Éhoud ne retira pas l'arme* : d'après l'ancienne version grecque ; l'hébreu ajoute une expression dont le sens est inconnu.

s **3.23** *par derrière* : autre traduction *par le vestibule*.

t **3.26** *Séira* : région qu'on peut situer au nord de Jéricho.

u **3.27** *la région montagneuse d'Éfraïm* se trouve au nord de Jérusalem.

v **3.31** *L'aiguillon* utilisé pour faire avancer les *bœufs* était un bâton terminé par une pointe de fer.

w **4.2** *Harocheth-Goïm* : localisation incertaine, peut-être à 15 km au sud-est de Haïfa, entre le pied du mont Carmel et le torrent de Quichon (voir 4.7 et la note).

x **4.3** *chars de fer* : voir Jos 17.16 et la note.

4 A cette époque, Débora, femme de Lapidoth, qui était *prophétesse, rendait la justice en Israël. 5 Elle siégeait sous un palmier, appelé ensuite palmier de Débora, entre Rama[y] et Béthel, dans la région montagneuse d'Éfraïm. C'est là que les Israélites venaient la consulter. 6 Un jour, Débora convoqua Barac, fils d'Abinoam, de Quédech dans le territoire de Neftali. Elle lui dit : « Voici ce que le Seigneur, Dieu d'Israël, t'ordonne : "Va recruter dix mille hommes dans les tribus de Neftali et de Zabulon et conduis-les sur le mont Tabor[z]. 7 J'inciterai Sisra, chef de l'armée de Yabin, à venir au torrent de Quichon[a] pour t'attaquer avec ses chars et ses troupes, et je le livrerai en ton pouvoir." » 8 Barac répondit à Débora : « Si tu viens avec moi, j'irai, mais si tu ne viens pas, je refuse de m'y rendre. » – 9 « Je t'accompagnerai donc, déclara-t-elle, cependant tu ne tireras aucune gloire de cette expédition, car c'est à une femme que le Seigneur livrera Sisra. »

Débora se rendit à Quédech avec Barac. 10 Celui-ci y rassembla les tribus de Neftali et de Zabulon. Dix mille hommes décidèrent de le suivre, et Débora elle-même partit avec lui. 11 Près de Quédech se trouvait Héber, le Quénite. Il s'était séparé des autres Quénites descendant de Hobab, le beau-frère de Moïse, et il avait planté sa tente à côté du chêne de Saananim[b].

12 Sisra apprit que Barac, fils d'Abinoam, était monté sur le Tabor. 13 Il rassembla ses neuf cents chars de fer et tous ses hommes à Harocheth-Goïm, puis, de là, ils se rendirent au torrent de Quichon. 14 Alors Débora dit à Barac : « En route ! C'est aujourd'hui que le Seigneur va te livrer Sisra. Le Seigneur lui-même marche devant toi ! » Barac descendit du mont Tabor à la tête de ses dix mille hommes. 15 Il se lança à l'attaque et le Seigneur mit en déroute devant lui Sisra, tous ses chars et toutes ses troupes. Sisra abandonna son char et s'enfuit à pied. 16 Barac poursuivit les chars et l'armée ennemis jusqu'à Harocheth-Goïm. Les troupes de Sisra furent massacrées : il n'en resta pas un seul homme.

17 Sisra s'enfuit en courant jusqu'à la tente de Yaël, femme de Héber le Quénite, parce que la paix régnait entre la famille de Héber et le roi Yabin de Hassor. 18 Yaël sortit au-devant de Sisra et lui dit : « Entre ici, mon général, entre chez moi. N'aie pas peur ! » Il entra dans sa tente et elle le cacha sous une couverture. 19 Il lui dit : « S'il te plaît, donne-moi un peu d'eau à boire ; j'ai soif. » Elle ouvrit *l'outre contenant du lait et lui donna à boire, puis elle remit la couverture sur lui. 20 Il lui dit encore : « Reste à l'entrée de la tente et si on vient te demander : "Y a-t-il quelqu'un ici ?" tu répondras : "Non !" »

21 Sisra, épuisé de fatigue, s'endormit profondément. Yaël prit alors un marteau et un piquet de la tente, et s'approcha doucement de lui. Elle lui transperça la tête avec le piquet qui s'enfonça dans le sol. Sisra en mourut. 22 Là-dessus, Barac, qui était à la poursuite de Sisra, arriva. Yaël sortit au-devant de lui et lui dit : « Viens, je te ferai voir l'homme que tu cherches. » Il entra dans la tente et découvrit Sisra étendu mort sur le sol, la tête transpercée par le piquet de tente.

23 Ce jour-là, Dieu permit aux Israélites de remporter la victoire sur Yabin, le roi cananéen. 24 Ils s'acharnèrent de plus en plus contre lui et réussirent finalement à le tuer.

Le cantique de Débora

5 1 Ce jour-là, Débora et Barac, fils d'Abinoam, chantèrent le cantique que voici[c] :

2 « En Israël,
chacun est prêt pour la guerre[d],

---

y **4.5** *Rama* : ville située à quelques kilomètres au nord de Jérusalem.

z **4.6** *le mont Tabor* : voir la note sur Jos 19.22.

a **4.7** Le *torrent de Quichon* longe le versant nord du mont Carmel et se jette dans la mer près de Haïfa.

b **4.11** *le beau-frère de Moïse* : d'après Nomb 10.29 ; hébreu *beau-père*. – *Saananim* : localité du territoire de Neftali, citée également en Jos 19.33.

c **5.1** Ce poème très ancien contient un certain nombre d'expressions dont le sens est difficile à déterminer exactement.

d **5.2** *En Israël, chacun est prêt pour la guerre* : littéralement *En Israël, on laisse flotter les chevelures* : allusion au fait que les guerriers laissaient flotter leur chevelure pour aller au combat.

le peuple s'est offert à combattre :
Remerciez le Seigneur !
3 Vous, les rois, vous, les souverains,
prêtez une oreille attentive !
Je vais chanter pour le Seigneur,
je vais célébrer le Seigneur, Dieu d'Israël.
4 Seigneur,
quand tu es venu du pays d'Édom,
quand tu es descendu des monts de
Séir[e]
la terre s'est mise à trembler,
les nuages ont déversé leur eau,
du ciel a ruisselé une pluie abondante,
5 les montagnes ont vacillé devant toi,
le Seigneur du Sinaï[f], le Dieu d'Israël.
6 A l'époque de Chamgar, fils d'Anath,
à l'époque de Yaël,
les caravanes désertaient le pays,
les voyageurs suivaient des chemins
détournés[g].
7 Il n'y avait plus de chefs,
plus de chefs dans le pays d'Israël,
jusqu'à ce que j'apparaisse, moi, Débora,
et que je sois comme une mère pour Israël[h].
8 On choisissait des dieux nouveaux
et aussitôt la guerre éclatait.
Mais à peine trouvait-on un bouclier
ou une lance
pour quarante mille hommes en Israël.
9 Mon cœur est avec les commandants
d'Israël
et avec les engagés volontaires du peuple.
Remerciez le Seigneur !
10 Vous qui montez de blanches ânesses,
vous qui êtes assis sur des tapis,
vous qui cheminez sur les routes,
proclamez-le[i] !
11 Près des abreuvoirs,
ceux qui distribuent l'eau
célèbrent les bienfaits du Seigneur,
ses bienfaits envers les chefs d'Israël[j],
lorsque le peuple a pris position
aux portes de la ville.

12 Réveille-toi, Débora, interviens !
Réveille-toi !
entonne un chant de guerre.
Debout, Barac, fils d'Abinoam,
ramène tes prisonniers !
13 Les survivants ont rejoint les chefs,
le peuple du Seigneur s'est rassemblé
auprès de lui[k], comme des héros.
14 Les vainqueurs des Amalécites
sont venus d'Éfraïm.
Benjamin les a suivis
et s'est mêlé à leurs troupes.
Le clan de Makir a fourni des chefs[l]
et la tribu de Zabulon des officiers.
15 Les chefs d'Issakar ont rejoint Débora ;
Issakar, fidèle à Barac,
s'est précipité à sa suite dans la
plaine.

Mais dans les clans de Ruben
on a tenu des discussions sans fin[m].
16 Pourquoi êtes-vous restés près des enclos
à écouter les *bergers appeler leurs
troupeaux ?
Oui, dans les clans de Ruben
on a tenu des discussions sans fin.
17 Au Galaad, à l'est du Jourdain,
les tribus n'ont pas bougé.
La tribu de Dan est demeurée
à proximité de ses navires,

---

e 5.4 *Séir* : voir Gen 32.4 et la note.

f 5.5 Voir Ex 19.18.

g 5.6 *Chamgar* : voir 3.31. – *Yaël* : voir 4.17-22. – *les caravanes... détournés* : la présence de Cananéens dans la plaine empêchait la circulation des caravanes et des voyageurs entre les tribus du nord et celles de la région montagneuse d'Éfraïm.

h 5.7 *(plus de) chefs* : l'hébreu emploie ici un terme rare, dont le sens est difficile à déterminer ; autre traduction *(plus de) paysans*. – *jusqu'à ce que j'apparaisse, moi, Débora* : autre traduction *jusqu'à ce que tu apparaisses, Débora*.

i 5.10 A cette époque *l'ânesse* était la monture des chefs et des personnages de marque (10.4 ; Nomb 22.21). – *Proclamez-le* : autre traduction *Méditez !*

j 5.11 *ceux qui distribuent l'eau* : sens probable d'un texte peu clair. – *envers les chefs* : autre traduction *envers les paysans*, voir le v. 7 et la note.

k 5.13 *auprès de lui* : d'après un manuscrit de l'ancienne version grecque ; hébreu *auprès de moi*.

l 5.14 *les Amalécites* : voir 3.13 et la note. – *Makir* est un clan de la tribu de Manassé, voir Jos 17.1.

m 5.15 Les *clans de Ruben* ne se sont pas décidés à participer au combat. D'autres tribus dans le même cas vont recevoir des reproches, celles du territoire de Galaad et celles de Dan et d'Asser (v. 17).

celle d'Asser est restée de même
au bord de la mer, près de ses ports[n].
18 Les gens de Zabulon, eux,
tout comme ceux de Neftali,
ont accepté d'affronter la mort
sur les champs de bataille.
19 Les rois ennemis, les rois de Canaan,
ont lancé une attaque contre Taanak,
près des sources de Méguiddo[o],
mais ils n'ont obtenu ni butin ni argent !
20 Du haut du ciel,
les astres ont pris part à la bataille,
en suivant leur chemin,
ils ont combattu Sisra.
21 Le torrent qui coule depuis si longtemps,
le torrent de Quichon[p] a balayé les ennemis.
Marchons hardiment au combat !
22 Alors les chevaux ont passé au galop,
martelant le sol de leurs sabots.

23 Maudissez la ville de Méroz[q]
proclame *l'ange du Seigneur,
maudissez-la, maudissez ses habitants,
car ils ne sont pas venus à l'aide du Seigneur,
ils n'ont pas combattu avec ses vaillants guerriers.
24 *Bénie soit, parmi toutes les femmes,
Yaël, femme de Héber le Quénite,
Oui, bénie soit-elle,
parmi toutes les femmes qui habitent sous tente.
25 Sisra lui demanda de l'eau,
elle lui donna du lait,
du lait crémeux dans une coupe magnifique.
26 Puis d'une main elle empoigna un piquet,
de l'autre elle saisit le marteau de l'ouvrier.
Elle frappa Sisra, elle lui fendit le crâne,
elle lui transperça la tête.
27 Il s'affaisse devant elle, il s'écroule,
il reste étendu à ses pieds sur le sol ;
il s'affaisse, il s'écroule, il est mort.

28 La mère de Sisra regarde par la fenêtre,
à travers le treillis, elle se lamente :
"Pourquoi son char se fait-il attendre ?
Pourquoi tarde-t-il à venir ?"
29 Elle se répète sans cesse la réponse
de ses compagnes les plus sages :
30 "Les soldats amassent le butin, sûrement,
ils sont en train de le partager :
une jeune fille ou deux pour chaque guerrier,
des étoffes teintes et brodées pour Sisra,
oui, une étoffe à double broderie
pour entourer le cou du vainqueur."

31 Que tous tes ennemis, Seigneur,
meurent comme est mort Sisra,
mais que tes amis soient comme le soleil
quand il se lève dans tout son éclat ! »

Et le pays connut le repos que procure la paix pendant quarante ans.

Les Madianites oppriment Israël

6 1 Les Israélites firent de nouveau ce
qui déplaît au Seigneur. C'est pourquoi le Seigneur les livra aux Madianites[r] pendant sept ans. 2 Les Madianites
opprimaient durement Israël. Pour leur
échapper, les Israélites utilisèrent les
couloirs, les cavernes et les endroits escarpés des montagnes. 3 Chaque fois que
les Israélites avaient ensemencé leurs
champs, les Madianites venaient les attaquer, avec les Amalécites[s] et des nomades de l'Orient. 4 Ils campaient sur
leurs terres et détruisaient les produits
du sol jusqu'à proximité de Gaza[t]. Ils ne
laissaient rien à manger aux Israélites, ils

---

n **5.17** *Galaad* : nom habituel de la Transjordanie centrale où sont installées la tribu de Gad et une partie de celle de Manassé, voir Nomb 32.1. – A cette époque *la tribu de Dan* était encore installée à l'ouest du territoire de Benjamin (voir 18.1 et la note). Les Danites servaient peut-être comme marins sur des *navires* phéniciens. – *Asser* occupait la plaine littorale au nord du mont Carmel.

o **5.19** *Taanak* et *Méguiddo* sont deux villes cananéennes importantes, situées à la bordure méridionale de la plaine de Jizréel.

p **5.21** *le torrent de Quichon* : voir la note sur 4.7.

q **5.23** *Méroz* : à 12 km au sud-est de Quédech de Neftali.

r **6.1** Voir Ex 2.15 et la note.

s **6.3** *les Amalécites* : voir 3.13 et la note.

t **6.4** *Gaza* : une des cinq capitales des Philistins, la plus au sud, non loin de la mer.

ne leur laissaient ni moutons, ni bœufs,
ni ânes. 5 En effet, ils se déplaçaient avec
leurs troupeaux et leurs tentes, ils arrivaient en masse comme les *sauterelles ;
ils étaient si nombreux, eux et leurs chameaux, qu'on ne pouvait pas les compter.
Ils envahissaient le pays et le dévastaient. 6 Ainsi, les Israélites furent plongés dans une telle misère par les
Madianites qu'ils appelèrent le Seigneur
à leur secours.

7 Lorsque les Israélites demandèrent
au Seigneur de les libérer des Madianites,
8 celui-ci leur envoya un *prophète qui
leur dit : « Voici ce que déclare le Seigneur, Dieu d'Israël : "C'est moi qui vous
ai fait sortir d'Égypte, le pays où vous
étiez esclaves. 9 Je vous ai délivrés des
Égyptiens et de tous ceux qui vous opprimaient. J'ai chassé vos ennemis au fur et
à mesure que vous avanciez et je vous ai
donné leur pays. 10 Je vous ai rappelé que
j'étais le Seigneur votre Dieu et que vous
ne deviez pas adorer les dieux des *Amorites dont vous habitez le pays. Mais vous
ne m'avez pas écouté !" »

Dieu charge Gédéon de sauver Israël

11 *L'ange du Seigneur vint au village
d'Ofra. Il s'assit sous le chêne situé dans
la propriété de Yoach, un homme du clan
d'Abiézer[u]. Gédéon, fils de Yoach, était
en train de battre le blé dans le pressoir à
raisin, pour ne pas être vu des Madianites. 12 L'ange du Seigneur lui apparut et
lui dit : « Le Seigneur est avec toi, valeureux combattant ! » 13 Gédéon répondit :
« Pardon, mon seigneur ! Si le Seigneur
est avec nous, pourquoi tous ces malheurs nous sont-ils arrivés ? Où sont
donc tous ces prodiges dont nous parlaient nos pères quand ils nous racontaient que le Seigneur les avait fait
sortir d'Égypte ? En réalité, le Seigneur
nous a abandonnés, il nous a livrés aux
Madianites. » 14 Le Seigneur se tourna
vers lui et lui dit : « Avec la force que tu
as, va délivrer Israël des Madianites.
C'est moi qui t'envoie. » – 15 « Je t'en prie,
Seigneur, répondit Gédéon, comment
pourrais-je sauver Israël ? Mon clan est le
plus faible de la tribu de Manassé et moi,
je suis le plus jeune de ma famille. »
16 Alors le Seigneur déclara : « Je serai
avec toi, c'est pourquoi tu battras les Madianites comme s'ils n'étaient qu'un seul
homme. » 17 Gédéon reprit : « Si tu m'accordes ta faveur, donne-moi un signe que
c'est bien toi, le Seigneur, qui me parles.
18 Ne t'en va pas avant que je sois revenu
avec l'offrande que je désire te présenter. » Le Seigneur répondit : « Je resterai
ici jusqu'à ton retour. »

19 Gédéon alla donc préparer un chevreau ainsi que des pains sans *levain
confectionnés avec trente kilos de farine.
Il mit la viande dans une corbeille et le
jus dans un pot, il les apporta sous le
chêne et les présenta à l'ange de Dieu.
20 L'ange lui dit : « Va poser la viande
et les pains sur ce rocher, puis verse le
jus par-dessus. » Gédéon obéit. 21 Alors
l'ange du Seigneur étendit la main et,
avec l'extrémité du bâton qu'il tenait, il
toucha la viande et les pains. Le feu jaillit
du rocher et brûla la viande et les pains.
Puis l'ange disparut. 22 Gédéon comprit
alors que c'était l'ange du Seigneur et il
s'écria : « Malheur à moi, Seigneur Dieu !
J'ai vraiment vu ton ange face à face ! »
23 Mais le Seigneur lui dit : « Sois en paix,
n'aie pas peur, tu ne mourras pas. »

24 A cet endroit Gédéon construisit un
*autel pour le Seigneur, et il l'appela "Le
Seigneur donne la paix". Cet autel se
trouve maintenant encore à Ofra, village
du clan d'Abiézer.

Gédéon démolit l'autel du dieu Baal

25 Cette nuit-là, le Seigneur ordonna à
Gédéon : « Prends le taureau de ton père,
le second, celui qui a sept ans. Démolis
*l'autel de *Baal que possède ton père et
coupe le poteau sacré dressé à côté[v]. 26 Au
sommet de cette colline, construis ensuite pour le Seigneur ton Dieu un autel
bien aménagé[w]. Tu prendras le taureau et

---

u **6.11** *Ofra* : localisation incertaine sur le territoire de Manassé. – *Abiézer* : clan de la tribu de Manassé.

v **6.25** *le second* : il s'agit du taureau né après que le premier a été offert en sacrifice au moment de sa naissance, comme le veut la loi (voir Ex 13.11-12). – *poteau sacré* : symbole de la déesse Achéra, voir 3.7 et la note.

w **6.26** *bien aménagé* : autre traduction *comme à l'ordinaire*.

tu l'offriras en *sacrifice complet, en utilisant pour le feu le bois du poteau sacré que tu auras coupé. » 27 Gédéon choisit dix de ses serviteurs pour faire ce que le Seigneur lui avait ordonné. Mais il le fit de nuit, car il avait peur d'agir en plein jour à cause de sa famille et des habitants du village. 28 Le matin, à leur réveil, les gens du village constatèrent que l'autel de Baal avait été démoli, que le poteau sacré dressé à côté avait été coupé, et que le taureau de la seconde portée avait été offert en sacrifice complet sur l'autel nouvellement construit. 29 « Qui a fait cela ? », se demandèrent-ils les uns aux autres. Ils se renseignèrent, firent des recherches et découvrirent que c'était Gédéon, fils de Yoach. 30 Ils dirent alors à Yoach : « Amène-nous ton fils pour que nous le mettions à mort, car il a détruit l'autel de Baal et coupé le poteau sacré dressé à côté. » 31 Yoach répondit à tous ceux qui faisaient front contre lui : « Est-ce à vous de défendre la cause de Baal et de venir à son secours ? Quiconque défendra sa cause sera mis à mort avant demain matin. Si Baal est Dieu, qu'il se défende lui-même, car c'est son autel qui a été détruit ! » 32 A partir de ce moment-là, on appela Gédéon Yeroubaal, c'est-à-dire "que Baal se défende", à cause de la parole de Yoach : « Que Baal se défende lui-même, car c'est son autel qui a été détruit ! »

Gédéon demande une confirmation à Dieu

33 Les Madianites, les Amalécites et les nomades de l'Orient se rassemblèrent, traversèrent le Jourdain et installèrent leur camp dans la plaine de Jizréel[x]. 34 Mais l'Esprit du Seigneur s'empara de Gédéon. Celui-ci sonna de la trompette pour appeler les hommes du clan d'Abiézer à le suivre. 35 Il envoya des messagers dans tout le territoire de Manassé pour appeler les hommes de la tribu à le suivre également. Il envoya encore des messagers dans les tribus d'Asser, de Zabulon et de Neftali, dont les hommes vinrent se joindre à lui.

36 Gédéon dit à Dieu : « Tu as déclaré que tu te servirais de moi pour délivrer Israël. 37 Eh bien, je vais étendre une toison de laine à l'endroit où l'on bat le blé. Si, durant la nuit, la rosée se dépose seulement sur la toison et que le sol tout autour reste sec, je serai convaincu que tu te serviras de moi pour délivrer Israël comme tu l'as affirmé. » 38 Et c'est ce qui arriva. Le lendemain matin, Gédéon alla presser la toison et il en fit sortir assez de rosée pour remplir d'eau un bol. 39 Il dit alors à Dieu : « Ne te mets pas en colère contre moi, si je te demande encore quelque chose. Je voudrais faire un dernier essai avec la toison : il faudrait, cette fois, que la toison seule soit sèche et qu'il y ait de la rosée sur le sol tout autour ! » 40 Cette nuit-là, Dieu réalisa la demande de Gédéon : seule la toison resta sèche et le sol tout autour se couvrit de rosée.

Trois cents hommes pour Gédéon

7 1 Tôt le matin, Gédéon, dit Yeroubaal, se mit en route avec ses troupes et ils allèrent camper près de la source de Harod. Le camp madianite se trouvait plus au nord, dans la plaine, du côté de la colline de Moré[y].

2 Le Seigneur dit à Gédéon : « Tes troupes sont trop nombreuses pour que je leur accorde la victoire sur les Madianites. Les Israélites se vanteraient d'avoir vaincu par leur propre force et s'attribueraient ainsi une gloire qui me revient. 3 Tu vas donc annoncer ceci devant tes troupes : "Que tous ceux qui tremblent[z] de peur s'éloignent du mont Galaad et retournent chez eux." » Vingt-deux mille d'entre eux s'en retournèrent et il en resta dix mille. 4 Mais le Seigneur dit à Gédéon : « Les troupes sont encore trop nombreuses. Fais-les descendre au bord du torrent et là je ferai un tri pour toi. Je te dirai qui doit aller avec toi et qui ne le

x 6.33 *Les Madianites, les Amalécites et les nomades de l'Orient* : voir 6.1-3 et les notes. – *la plaine de Jizréel* : voir Jos 19.18 et la note.

y 7.1 *Yeroubaal* : voir 6.32. – *la source de Harod* - ou source du tremblement - se trouve à l'est de la plaine de Jizréel, au pied du mont Guilboa. – *la colline de Moré* est au sud du mont Tabor.

z 7.3 *tremblent* : jeu de mot avec *Harod*, voir 7.1 et la note.

doit pas. » 5 Gédéon fit descendre ses troupes au bord du torrent. Puis le Seigneur lui dit : « Ceux qui laperont l'eau avec la langue comme le font les chiens, tu les sépareras de ceux qui s'agenouilleront pour boire. » 6 Il y eut trois cents hommes qui prirent de l'eau dans leur main pour la porter à la bouche et la laper ; tous les autres s'agenouillèrent pour boire. 7 Le Seigneur dit à Gédéon : « Avec les trois cents hommes qui ont lapé l'eau, je sauverai Israël en te livrant les Madianites. Quant aux autres, qu'ils retournent tous chez eux. » 8 Gédéon retint avec lui les trois cents hommes et renvoya les autres Israélites chez eux, mais l'on garda les provisions et les trompettes des partants.

Le camp des Madianites se trouvait plus bas dans la plaine.

Présage de victoire

9 Cette nuit-là, le Seigneur dit à Gédéon : « Debout ! Descends attaquer le camp madianite, car je te le livre. 10 Si tu as peur de l'attaquer, descends-y d'abord avec Poura, ton serviteur. 11 Tu entendras ce que l'on dit là-bas, et ensuite, tu auras le courage de partir à l'attaque. » Gédéon descendit avec son serviteur jusqu'aux avant-postes du camp. 12 Les Madianites, les Amalécites et les nomades de l'Orient étaient répandus dans la plaine, en aussi grand nombre que des *sauterelles ; leurs chameaux étaient innombrables, comme les grains de sable au bord de la mer. 13 Au moment où Gédéon arriva, un homme était en train de raconter un rêve à un camarade : « J'ai fait un rêve, lui disait-il. Je voyais un pain d'orge rouler à travers notre camp : il vint heurter une tente, la renversa et la mit sens dessus dessous[a]. » 14 Son camarade répondit : « Cela ne peut que représenter l'épée de Gédéon l'Israélite, le fils de Yoach. Dieu a décidé de nous livrer à lui avec tout le camp. » 15 Quand Gédéon eut entendu le récit du rêve et son interprétation, il s'inclina jusqu'à terre pour remercier Dieu. Puis il retourna au camp israélite et cria : « Debout ! le Seigneur vous a livré le camp madianite ! »

Déroute des Madianites

16 Gédéon divisa les trois cents hommes en trois groupes. Il remit à chaque homme une trompette, une cruche vide et une torche à placer dans la cruche. 17 Ensuite, il leur donna cet ordre : « Vous regarderez de mon côté et vous agirez exactement comme moi dès que je serai arrivé à la limite du camp. 18 Quand je sonnerai de la trompette, ainsi que les hommes qui m'accompagnent, vous sonnerez également de la trompette tout autour du camp et vous crierez : "Pour le Seigneur et pour Gédéon !" »

19 Peu avant minuit, Gédéon et son groupe de cent hommes arrivèrent à la limite du camp. On venait de remplacer les sentinelles. Ils sonnèrent de la trompette et brisèrent les cruches qu'ils portaient. 20 Les deux autres groupes en firent autant. Ils saisirent tous les torches de la main gauche et les trompettes de la main droite, et ils crièrent : « A l'assaut, pour le Seigneur et pour Gédéon ! » 21 Ils se tenaient autour du camp, chacun à sa place. Mais, dans le camp, tout le monde se mit à courir, à crier, à prendre la fuite. 22 Pendant que les trois cents hommes sonnaient de la trompette, le Seigneur fit s'entre-tuer les Madianites dans tout le camp. Finalement, ceux qui restaient s'enfuirent jusqu'à Beth-Chitta en direction de Seréda et jusqu'à la ville d'Abel-Mehola, près de Tabbath[b].

23 On fit appeler les Israélites des tribus de Neftali, d'Asser et de tout Manassé, et ils vinrent poursuivre les Madianites. 24 Gédéon envoya des messagers proclamer dans la région montagneuse d'Éfraïm : « Descendez tous bloquer le passage aux Madianites en occupant les gués le long du Jourdain jusqu'à Beth-Bara. » On appela donc les hommes d'Éfraïm qui descendirent occuper les gués le long du Jourdain jusqu'à Beth-Bara. 25 Ils capturèrent les deux chefs ma-

---

a 7.13 Le *pain d'orge* symbolise les Israélites cultivateurs ; la *tente* représente les Madianites nomades.

b 7.22 *Seréda* est une localité inconnue ; *Abel-Mehola* se trouve à l'ouest du Jourdain et *Tabbath* à l'est, ainsi peut-être que *Beth-Chitta*.

dianites, Oreb et Zeb ; ils tuèrent Oreb au
rocher d'Oreb et Zeb au pressoir de Zeb.
Ils continuèrent ensuite à poursuivre les
Madianites. Ils apportèrent à Gédéon, de
l'autre côté du Jourdain, les têtes d'Oreb
et de Zeb.

Mécontentement des Éfraïmites

8 1 Les hommes d'Éfraïm dirent à Gédéon : « Pourquoi nous as-tu traités
de la sorte ? Pourquoi ne nous as-tu pas
appelés en renfort lorsque tu es allé
combattre les Madianites ? » Et ils s'en
prirent violemment à lui. 2 Mais Gédéon
leur répondit : « Que représentent mes
exploits en comparaison du vôtre ? Votre
intervention, gens d'Éfraïm, même limitée, n'a-t-elle pas plus de valeur que les
succès obtenus par mon propre clan, le
clan d'Abiézer ? 3 C'est à vous que Dieu a
livré les chefs madianites Oreb et Zeb. Je
n'ai rien réussi de comparable. » Cette réponse de Gédéon calma la colère des
Éfraïmites.

Gédéon à l'est du Jourdain

4 Gédéon et ses trois cents hommes atteignirent le Jourdain et le traversèrent.
Ils étaient épuisés, mais ils continuèrent
à poursuivre leurs ennemis. 5 Ils arrivèrent à la ville de Soukoth et Gédéon dit
aux habitants : « Distribuez des galettes
de pain aux hommes qui m'accompagnent, car ils sont épuisés. Je suis à la
poursuite des rois madianites Zéba et
Salmounna[c]. » 6 Les chefs de la ville lui
répondirent : « Pourquoi devrions-nous
donner à manger à ta troupe ? Tiens-tu
déjà Zéba et Salmounna en ton pouvoir ? » – 7 « Eh bien, riposta Gédéon,
quand le Seigneur m'aura livré Zéba et
Salmounna, je vous déchirerai la peau
avec des épines et des chardons du désert. » 8 De là, Gédéon se rendit à Penouel[d] où il présenta la même demande
aux habitants. Ceux-ci lui répondirent de
la même manière que les gens de Soukoth. 9 Gédéon leur déclara : « Quand je
reviendrai après ma victoire, je démolirai
la tour de votre ville. »
10 Zéba et Salmounna étaient à Carcor[e]
avec leurs troupes qui ne comptaient plus
que quinze mille hommes. C'était tout ce
qui restait de l'armée des nomades de
l'Orient, car cent vingt mille soldats
avaient été tués. 11 Gédéon prit la route
que suivent les nomades, à l'est de Noba
et de Yogboha[f], et il attaqua le camp ennemi qui se croyait en sécurité. 12 Les
deux rois madianites Zéba et Salmounna
s'enfuirent, mais il les poursuivit, les captura et sema la panique dans toutes leurs
troupes.
13 En revenant de la bataille par la
montée de Hérès[g], 14 Gédéon captura un
jeune homme de Soukoth et l'interrogea.
Celui-ci lui donna par écrit les noms des
chefs et des *anciens de la ville, en tout
soixante-dix-sept hommes. 15 Gédéon alla
ensuite trouver les habitants de Soukoth
et leur déclara : « Rappelez-vous comment vous m'avez insulté en disant :
"Pourquoi devrions-nous donner à manger à tes hommes épuisés ? Tiens-tu déjà
Zéba et Salmounna en ton pouvoir ?" Eh
bien, je vous amène Zéba et Salmounna. »
16 Il prit des épines et des chardons du désert avec lesquels il donna une bonne leçon aux anciens de Soukoth. 17 Il démolit
aussi la tour de Penouel et tua les habitants de la ville.
18 Gédéon demanda ensuite à Zéba et
Salmounna : « Comment étaient les hommes que vous avez tués au Tabor[h] ? » –
« Ils te ressemblaient, répondirent-ils.
Chacun d'eux avait l'air d'un fils de roi ! »
– 19 « C'étaient mes frères, les fils de ma
propre mère, s'écria Gédéon. Par le Seigneur vivant, je jure que si vous ne les
aviez pas tués, je ne vous tuerais pas non
plus ! » 20 Il ordonna alors à Yéter, son fils

---

c 8.5 *Soukoth* : voir Gen 33.17 et la note. – *Zéba* (victime) et *Salmounna* (ombre errante) sont probablement des surnoms ironiques donnés par le narrateur aux deux rois madianites.

d 8.8 *Penouel* : ville de Transjordanie proche de Soukoth (voir Gen 32.31-32).

e 8.10 *Carcor* : lieu inconnu.

f 8.11 *Noba* : nom d'un clan de Manassé en Transjordanie (voir Nomb 32.42). – *Yogboha* : ville de Gad en Transjordanie à 13 km au nord-ouest d'Amman.

g 8.13 *Hérès* : localisation inconnue.

h 8.18 *Comment étaient les hommes... ?* : autre traduction *Où sont les hommes... ?* – *Tabor* : voir Jos 19.22 et la note. Gédéon fait allusion à une bataille inconnue, sans doute différente de celle du chap. 7.

aîné : « Vas-y, tue-les[i] ! » Mais le jeune
garçon n'osa pas tirer son épée : il était
encore jeune et il avait peur. 21 Zéba et
Salmounna dirent à Gédéon : « Tue-nous
donc toi-même, car c'est à un homme véritable de le faire ! » Gédéon tua les deux
rois et prit les ornements qui pendaient
au cou de leurs chameaux.

Fin de la vie de Gédéon

22 Après cela les Israélites dirent à Gédéon : « Sois notre chef et que ton fils
puis ton petit-fils te succèdent, car tu
nous as délivrés des Madianites. » –
23 « Non, répondit-il, je ne serai pas votre
chef et mon fils pas davantage. C'est le
Seigneur qui sera votre chef. » 24 Et il
ajouta : « J'aimerais pourtant vous demander quelque chose : que chacun de
vous me donne un anneau pris sur son
butin. » Les Madianites portaient en effet des anneaux d'or, comme tous les
hommes du désert. 25 « Nous te les donnons bien volontiers, » répondirent les
Israélites. Ils étendirent un manteau par
terre et chacun y jeta un anneau de son
butin. 26 Les anneaux d'or demandés par
Gédéon pesaient près de vingt kilos au
total. Il reçut également les ornements,
les boucles d'oreille et les magnifiques
habits rouges que portaient les rois madianites, ainsi que les colliers qui or-
naient le cou de leurs chameaux. 27 Avec
l'or, Gédéon fabriqua une statue qu'il
plaça à Ofra, son village. Les Israélites
se mirent à adorer cette idole, qui devint
ainsi un piège pour Gédéon et sa famille.

28 Dès lors, les Madianites furent soumis aux Israélites ; jamais plus ils ne se
relevèrent de leur défaite. Le pays connut
le repos que procure la paix pendant quarante ans, aussi longtemps que vécut
Gédéon.

29 Yeroubaal[j], c'est-à-dire Gédéon, fils
de Yoach, retourna habiter dans sa maison. 30 Il eut soixante-dix fils, car il avait
de nombreuses femmes. 31 Une épouse de
second rang, qu'il avait à Sichem, lui
donna un fils ; il l'appela Abimélek.
32 Gédéon mourut après une heureuse
vieillesse ; on l'enterra à Ofra, village du
clan d'Abiézer, dans le tombeau de
Yoach, son père.

33 Après la mort de Gédéon, les Israélites rendirent de nouveau un culte
idolâtrique aux *Baals. Ils prirent Baal-
Berith pour dieu[k] 34 et ils oublièrent le
Seigneur leur Dieu, qui les avait délivrés
de tous les ennemis d'alentour. 35 Ils ne
montrèrent aucun attachement à la famille de Gédéon, dit Yeroubaal, en reconnaissance de tout le bien que celui-ci
avait accompli en faveur d'Israël.

Abimélek devient roi à Sichem

9 1 Abimélek, fils de Yeroubaal, c'est-à-
dire Gédéon[l], se rendit à Sichem
pour parler avec ses oncles maternels et
toute la famille de sa mère. Il leur dit :
2 « Allez demander aux citoyens de la ville
s'ils préfèrent être gouvernés par les
soixante-dix fils de Yeroubaal ou par un
seul homme. Et rappelez-vous que je suis
de votre famille. » 3 Les oncles d'Abimélek allèrent répéter ses paroles aux citoyens de Sichem. Ceux-ci décidèrent de
prendre parti pour lui parce qu'il était un
des leurs. 4 Ils lui donnèrent soixante-dix
pièces d'argent provenant du temple de
*Baal-Berith[m]. Avec cet argent, Abimé-
lek paya des vauriens et des aventuriers
pour qu'ils le suivent.

5 Il se rendit dans la maison de son père
à Ofra et, là, il tua ses frères, les soixante-
dix fils de Yeroubaal, sur le même rocher.
Seul Yotam, le plus jeune d'entre eux, en
réchappa, car il s'était caché. 6 Les citoyens de Sichem et toute la population
de Beth-Millo se rassemblèrent. Ils se
rendirent au chêne de Sichem, à côté de
la pierre dressée, et proclamèrent Abimélek roi[n].

---

i **8.20** Le proche parent d'un homme tué par un autre avait le devoir de mettre à mort le meurtrier, voir par ex. Nomb 35.19-29 ; 2 Sam 3.27,30.

j **8.29** *Yeroubaal* : voir 6.32.

k **8.33** *Baal-Berith* était probablement un dieu adoré à Sichem (voir 9.4).

l **9.1** Dans tout ce chapitre *Gédéon* est appelé *Yeroubaal*, voir 6.32.

m **9.4** Voir 8.33.

n **9.6** *Beth-Millo* ou *maison du terre-plein* : l'expression désigne probablement la partie haute de la ville. – A propos du *chêne de Sichem*, voir Jos 24.26.

La fable de Yotam

7 Yotam en fut informé. Il monta au sommet du mont Garizim[o] et s'écria, aussi fort qu'il put : « Écoutez-moi, gens de Sichem, si vous voulez que Dieu vous écoute !

8 « Un jour, les arbres décidèrent de se choisir un roi. Ils dirent à l'olivier : "Règne sur nous !" 9 Mais l'olivier répondit : "Croyez-vous que je vais renoncer à produire de l'huile, appréciée par les dieux et par les hommes, pour me fatiguer à gouverner les autres arbres ?" 10 Les arbres dirent alors au figuier : "Toi, viens régner sur nous !" 11 Mais le figuier répondit : "Croyez-vous que je vais renoncer à produire des fruits sucrés et délicieux pour me fatiguer à gouverner les autres arbres ?" 12 Ils dirent ensuite à la vigne : "Toi, viens régner sur nous !" 13 Mais la vigne répondit : "Croyez-vous que je vais renoncer à produire du vin, qui remplit de joie les dieux et les hommes, pour me fatiguer à gouverner les autres arbres ?" 14 Finalement les arbres s'adressèrent d'un commun accord au buisson d'épines : "Toi, viens régner sur nous !", lui dirent-ils. 15 Et le buisson d'épines leur répondit : "Si vraiment vous voulez me choisir comme roi, venez vous placer sous mon ombre ! Si vous ne le faites pas, qu'un feu jaillisse de mes épines et brûle même les cèdres du Liban[p] !" »

16 Yotam continua : « Quant à vous, avez-vous agi de façon droite et loyale lorsque vous avez proclamé Abimélek roi ? Vous êtes-vous conduits correctement envers Yeroubaal et sa famille ? Lui avez-vous été reconnaissants des services qu'il vous a rendus ? 17 Mon père a combattu pour vous, il a risqué sa vie pour vous délivrer des Madianites. 18 Et voilà qu'aujourd'hui vous vous êtes soulevés contre sa famille ; vous avez tué ses fils, soixante-dix hommes, sur un même rocher. Mais Abimélek, le fils qu'il a eu de sa servante, vous l'avez proclamé roi sur les citoyens de Sichem parce qu'il est votre compatriote. 19 Si aujourd'hui vous avez agi de façon droite et loyale envers Yeroubaal et sa famille, qu'Abimélek fasse votre bonheur et vous le sien. 20 Sinon, qu'un feu sorte d'Abimélek pour brûler les citoyens de Sichem et la population de Beth-Millo, et qu'un feu sorte des habitants de Sichem et de Beth-Millo pour brûler Abimélek. »

21 Puis Yotam s'enfuit et alla se réfugier à Beéra[q], parce qu'il avait peur de son frère Abimélek.

La révolte de Sichem contre Abimélek

22 Abimélek exerça le pouvoir sur Israël pendant trois ans. 23 Après quoi Dieu envoya un esprit de discorde entre le roi et les citoyens de Sichem, et ceux-ci se révoltèrent contre Abimélek. 24 De cette manière, ils allaient tous payer pour leurs crimes : Abimélek, parce qu'il avait tué ses frères, les soixante-dix fils de Yeroubaal, et les Sichémites parce qu'ils s'étaient faits les complices de ce massacre. 25 Pour faire du tort à Abimélek, les citoyens de Sichem postèrent des hommes en embuscade sur les hauteurs proches de la ville ; ces hommes dévalisaient les voyageurs passant à leur portée[r]. Abimélek en fut informé.

26 Un jour, Gaal, fils d'Ébed, arriva à Sichem avec ses frères ; les citoyens de la ville placèrent leur confiance en lui. 27 Ils allèrent dans leurs vignes, récoltèrent les raisins et les pressèrent, puis ils organisèrent une fête. Ils se rendirent au temple de leur dieu, firent un banquet et prononcèrent des malédictions contre Abimélek. 28 Gaal leur demanda : « Qui sommes-nous à Sichem pour nous laisser dominer par Abimélek et qui est-il, lui ? C'est un fils de Yeroubaal et il fait gouverner la ville par Zéboul, n'est-ce pas ? Vous donc, soyez loyaux envers Hamor, le fondateur de Sichem[s] ! Nous n'avons aucune raison d'être soumis à Abimélek. 29 Pour ma part, si on me confiait le sort

---

o **9.7** Voir Deut 11.29 et la note.

p **9.15** Le *Liban*, chaîne montagneuse au nord de la Palestine, était célèbre par ses forêts de *cèdres*.

q **9.21** *Beéra* : localité située à 15 km au sud-est du mont Tabor.

r **9.25** Ces embuscades privaient Abimélek des droits qu'il percevait sur les marchandises passant par Sichem.

s **9.28** *Hamor, le fondateur de Sichem* : voir Gen 33.19.

des gens de Sichem, je renverserais Abimélek. » Puis Gaal s'écria[t] : « Abimélek,
renforce ton armée et viens me combattre ! »
30 Lorsque Zéboul, gouverneur de la
ville, apprit les paroles que Gaal avait
prononcées, il se mit en colère. 31 Il envoya secrètement des messagers dire à
Abimélek : « Gaal, fils d'Ébed, et ses frères viennent d'arriver à Sichem et sont en
train de soulever la ville contre toi. 32 Il
faut donc que, cette nuit, toi et tes hommes vous alliez vous cacher dans la campagne. 33 Tôt demain matin, au lever du
soleil, tu viendras attaquer la ville et,
lorsque Gaal et ses partisans sortiront à ta
rencontre, tu sauras les traiter comme il
convient. »
34 La nuit suivante, Abimélek et tous
ses hommes se répartirent en quatre
groupes et allèrent se cacher près de Sichem. 35 Lorsque Gaal sortit de la ville et
se tint près de la porte, Abimélek et son
groupe surgirent de leur cachette. 36 Gaal
les vit et dit à Zéboul : « Regarde ! Des
hommes descendent du haut des collines. » – « Mais non, lui répondit Zéboul,
c'est l'ombre des collines que tu prends
pour des hommes ! » 37 Gaal insista : « Regarde ! Ce sont bien des hommes qui descendent de la colline située au centre, et
un autre groupe vient par la route du
chêne des Devins[u]. » 38 Zéboul répliqua :
« Où sont donc tes beaux discours ? Tu
nous as dit : "Qui est Abimélek pour que
nous nous laissions dominer par lui ?"
Eh bien, voilà les gens que tu as traités
avec mépris. Maintenant, va donc te battre contre eux ! » 39 Gaal sortit alors de la
ville à la tête des Sichémites, et il livra bataille à Abimélek. 40 Abimélek le força
à s'enfuir et le poursuivit. Beaucoup
d'hommes furent mortellement blessés
avant même d'atteindre la porte de la
ville. 41 Abimélek alla s'installer à Arouma[v] tandis que Zéboul chassait Gaal et
ses frères de Sichem, en leur interdisant
d'y revenir.
42 Le jour suivant, les gens de Sichem
s'apprêtèrent à se rendre dans les
champs, et Abimélek en fut informé. 43 Il
prit ses hommes, les répartit en trois
groupes et se plaça en embuscade dans la
campagne. Lorsqu'il vit les Sichémites
sortir de la ville, il se précipita vers eux
pour les attaquer. 44 Abimélek et son
groupe se hâtèrent de prendre position à
la porte de la ville, pendant que les deux
autres groupes s'attaquaient aux gens
dans la campagne et les massacraient.
45 Abimélek poursuivit l'offensive durant
toute la journée et s'empara de la ville ; il
en tua les habitants, la détruisit entièrement et répandit du sel sur son emplacement[w].
46 Lorsque les habitants de Migdal-
Sichem l'apprirent, ils se rendirent tous
dans la salle aménagée sous le temple de
Baal-Berith[x]. 47 On informa Abimélek
qu'ils s'étaient réfugiés à cet endroit. 48 Il
partit alors sur le mont Salmon[y] avec ses
hommes. Il prit une hache, coupa une
branche d'arbre et la mit sur son épaule.
Il ordonna à ses hommes de se dépêcher
d'en faire autant. 49 Chacun d'eux coupa
une branche, puis ils suivirent Abimélek. Ils allèrent entasser les branches
contre la salle inférieure du temple
et l'incendièrent avec tous ceux qui se
trouvaient à l'intérieur. C'est ainsi que
moururent tous les habitants de Migdal-
Sichem, un millier d'hommes et de femmes environ.

Mort d'Abimélek

50 De là, Abimélek se rendit à Tébès[z]. Il
assiégea la ville et s'en empara. 51 Or il y
avait au milieu de la ville une tour fortifiée. Toute la population, hommes et femmes, alla s'y réfugier. Ils fermèrent les
portes derrière eux et montèrent sur le
toit en terrasse. 52 Abimélek vint attaquer

---

t **9.29** *Puis Gaal s'écria* : certains traduisent – d'après l'ancienne version grecque – *je lui dirais*.

u **9.37** Le *chêne des Devins* est probablement un autre nom du chêne de Moré (Gen 12.6 ; Deut 11.30).

v **9.41** *Arouma* : localité située à 14 km au sud-est de Sichem.

w **9.45** *Répandre du sel* sur une ville détruite est un rite de malédiction. Par son geste Abimélek veut donner un caractère définitif à la fin de Sichem.

x **9.46** *Baal-Berith* : voir 8.33 et la note.

y **9.48** Le *mont Salmon* désigne peut-être un des versants du mont Ébal (voir Deut 11.29 et la note).

z **9.50** Localité à quelques kilomètres au nord-est de Sichem.

la tour, il s'approcha de la porte d'entrée pour mettre le feu au bâtiment. 53 Mais une femme lui jeta une grosse pierre sur la tête et lui brisa le crâne. 54 Aussitôt Abimélek appela le jeune homme qui portait ses armes et lui ordonna : « Prends ton épée et achève-moi pour qu'on ne puisse pas raconter qu'une femme m'a tué. » Le jeune homme lui passa l'épée à travers le corps et Abimélek mourut. 55 Lorsque les Israélites virent qu'il était mort, ils s'en retournèrent chacun chez soi.

56 De cette manière, Dieu fit retomber sur Abimélek le mal qu'il avait commis à l'égard de son père en tuant ses soixante-dix frères. 57 Dieu avait également fait subir aux gens de Sichem les conséquences de leur grande méchanceté. Les malédictions que Yotam, fils de Yeroubaal, avait prononcées contre eux tous se réalisèrent ainsi[a].

Autres juges : Tola, Yaïr

10 1 Après la mort d'Abimélek, Tola, fils de Pouva et petit-fils de Dodo, vint délivrer le peuple d'Israël. C'était un homme de la tribu d'Issakar, qui habitait Chamir[b], dans la région montagneuse d'Éfraïm. 2 Il dirigea les Israélites pendant vingt-trois ans, puis il mourut et fut enterré à Chamir.

3 Yaïr, originaire de Galaad, lui succéda et fut le chef des Israélites pendant vingt-deux ans. 4 Il avait trente fils qui montaient trente ânes[c] et possédaient trente localités dans la région de Galaad. Maintenant encore ces localités sont appelées les villages de Yaïr. 5 A sa mort, Yaïr fut enterré à Camon[d].

Les Ammonites attaquent Israël

6 Les Israélites firent de nouveau ce qui déplaît au Seigneur : ils adorèrent les dieux *Baals et les déesses *Astartés[e], ainsi que les dieux des Syriens, des Sidoniens, des Moabites, des Ammonites et des Philistins. Ils abandonnèrent le Seigneur et ne lui rendirent plus de culte. 7 Alors le Seigneur se mit en colère contre les Israélites et les livra aux Philistins et aux Ammonites. 8 Dès lors et pendant dix-huit ans, ceux-ci opprimèrent et persécutèrent les Israélites qui vivaient en Galaad, la région *amorite située à l'est du Jourdain. 9 Les Ammonites traversèrent même le Jourdain pour combattre les tribus de Juda, de Benjamin et d'Éfraïm. Et les Israélites tombèrent dans une profonde détresse. 10 Ils appelèrent le Seigneur au secours et lui dirent : « Nous avons péché contre toi, car nous t'avons abandonné toi, notre Dieu, pour adorer les dieux Baals. » 11 Le Seigneur leur répondit : « Quand les Égyptiens, les Amorites, les Ammonites, les Philistins, 12 les Sidoniens, les Amalécites et les Maonites vous ont opprimés, vous m'avez appelé au secours. Ne vous ai-je pas délivrés de leur domination ? 13 Mais vous, vous m'avez abandonné pour adorer d'autres dieux. C'est pourquoi, je refuse de vous délivrer encore. 14 Appelez donc au secours les dieux que vous avez choisis. C'est à eux de vous délivrer lorsque vous êtes dans la détresse ! » 15 Alors les Israélites reprirent : « Seigneur, nous avons péché. Traite-nous comme tu le juges bon, mais délivre-nous encore aujourd'hui. » 16 Puis ils se débarrassèrent des dieux étrangers qu'ils avaient adoptés et rendirent de nouveau un culte au Seigneur. Et le Seigneur ne put pas supporter plus longtemps leur accablement.

17 Les Ammonites se rassemblèrent et prirent position dans la région de Galaad, tandis que les Israélites faisaient de même à Mispa[f]. 18 Alors les hommes des tribus installées en Galaad, ainsi que leurs chefs, se dirent les uns aux autres : « Qui va engager le combat contre les Ammonites ? Celui qui le fera deviendra le chef de toute la population de Galaad. »

---

a **9.57** Voir 9.20.
b **10.1** *Chamir* n'a pas été localisé.
c **10.4** *qui montaient trente ânes* : voir 5.10 et la note, voir aussi 12.14.
d **10.5** *Camon* : ville à l'est du Jourdain, à mi-chemin entre le lac de Génésareth et Ramoth en Galaad.
e **10.6** Voir 2.13 et la note.
f **10.17** Localité de Galaad située au sud du torrent du Yabboc et appelée aussi Mispé (voir 11.29 et Gen 31.49).

Jefté devient le chef d'Israël

11 1 Il y avait en Galaad un valeureux combattant, Jefté, le fils d'une prostituée et d'un homme appelé Galaad. 2 La femme de Galaad lui avait aussi donné des fils. Lorsqu'ils furent devenus grands, ceux-ci chassèrent Jefté en lui déclarant : « Tu n'as aucun droit sur l'héritage qui vient de notre père, car tu es le fils d'une autre femme. » 3 Alors Jefté s'enfuit loin de ses frères et s'installa dans la région de Tob[g]. Des aventuriers se groupèrent autour de lui et le suivirent dans ses expéditions.

4 Quelque temps plus tard, les Ammonites attaquèrent les Israélites. 5 Quand les hostilités éclatèrent, les *anciens de Galaad allèrent chercher Jefté dans la région de Tob. 6 « Viens prendre le commandement de nos troupes, lui dirent-ils, pour que nous puissions lutter contre les Ammonites. » 7 Mais Jefté leur répondit : « N'êtes-vous pas mes ennemis, vous qui m'avez chassé de la maison de mon père ? Pourquoi faites-vous appel à moi maintenant que vous êtes dans la détresse ? » 8 Les anciens reprirent : « Eh bien, nous nous tournons vers toi maintenant, pour que tu viennes combattre avec nous contre les Ammonites et que tu sois notre chef ainsi que celui de toute la population de Galaad. » 9 Jefté leur dit : « Si vous me ramenez avec vous pour combattre les Ammonites et que le Seigneur me les livre, je serai votre chef. » 10 Les anciens de Galaad déclarèrent alors à Jefté : « Le Seigneur en est témoin, nous promettons de faire ce que tu dis. »

11 Jefté partit donc avec les anciens de Galaad, le peuple le prit pour chef et lui donna le commandement des troupes. A Mispa[h], en présence du Seigneur, Jefté confirma l'accord conclu avec les anciens.

Messages de Jefté aux Ammonites

12 Jefté envoya des messagers dire au roi des Ammonites : « Quel motif de guerre y a-t-il entre nous pour que tu viennes attaquer mon pays ? » 13 Le roi des Ammonites fit répondre à Jefté : « Lorsque les Israélites sont sortis d'Égypte, ils se sont emparés de mon pays depuis la vallée de l'Arnon jusqu'au torrent du Yabboc et à la vallée du Jourdain. Rends-nous maintenant ces territoires de ton plein gré. »

14 Jefté envoya de nouveau des messagers au roi des Ammonites 15 pour lui dire de sa part : « Les Israélites ne se sont pas emparés du territoire des Moabites ni de celui des Ammonites. 16 En effet, lorsqu'ils quittèrent l'Égypte, ils traversèrent le désert jusqu'à la *mer des Roseaux, puis se rendirent à Cadès. 17 De là, ils envoyèrent des messagers demander au roi d'Édom l'autorisation de passer à travers son territoire. Mais celui-ci ne le leur permit pas. Les Israélites adressèrent la même demande au roi de Moab qui refusa également. Ils restèrent donc à Cadès. 18 Par la suite, ils reprirent leur route dans le désert, contournèrent les territoires d'Édom et de Moab, et arrivèrent à l'est de Moab. Ils établirent leur camp de l'autre côté de la rivière de l'Arnon, sans entrer dans le territoire moabite dont l'Arnon constitue la frontière. 19 De là, ils envoyèrent des messagers à Sihon, le roi *amorite qui régnait à Hèchebon ; ils lui demandèrent l'autorisation de traverser son territoire pour se rendre dans le pays qui leur était destiné. 20 Mais Sihon n'accepta pas : il rassembla toutes ses troupes, prit position à Yahas et attaqua les Israélites. 21 Le Seigneur, Dieu d'Israël, livra Sihon et ses troupes aux Israélites et ceux-ci remportèrent la victoire. Les Israélites conquirent tout le territoire habité par les Amorites, 22 depuis la vallée de l'Arnon jusqu'au torrent du Yabboc, et depuis le désert oriental jusqu'au Jourdain. 23 C'est le Seigneur, Dieu d'Israël, qui nous a permis à nous, son peuple, de conquérir le territoire des Amorites ; et toi, tu voudrais nous le prendre ? 24 Ne possèdes-tu pas le territoire que ton dieu Kemoch t'a accordé ? Eh bien, nous avons aussi le droit de posséder celui que le Seigneur nous a permis de conquérir. 25 Te crois-tu plus fort que

g **11.3** *Tob* : à l'extrémité nord de Galaad, à 60 km à l'est du lac de Génésareth.
h **11.11** Voir 10.17 et la note.

Balac, fils de Sippor, roi de Moab ? Lui
pourtant n'a pas cherché querelle au
peuple d'Israël, et il ne l'a pas attaqué.
26 Depuis trois cents ans, les Israélites
sont installés à Hèchebon et Aroër, et
dans les localités voisines, ainsi que dans
toutes les villes situées sur les bords de
l'Arnon. Pourquoi ne leur avez-vous pas
repris ce territoire pendant tout ce
temps-là ? 27 Pour ma part, je ne t'ai pas
causé de tort, c'est toi qui agis mal à mon
égard en me faisant la guerre. Que le Seigneur, le juge des hommes, tranche aujourd'hui entre les Israélites et les
Ammonites ! »
28 Mais le roi des Ammonites ne tint
pas compte du message de Jefté.

La promesse de Jefté

29 L'Esprit du Seigneur s'empara de
Jefté. Il parcourut la région de Galaad et
le territoire de Manassé, puis il se rendit
à Mispé en Galaad, pour passer dans le
territoire des Ammonites. 30 Il fit cette
promesse solennelle au Seigneur : « Si tu
livres les Ammonites en mon pouvoir,
31 je te consacrerai et t'offrirai en *sacrifice complet la première personne qui
sortira de ma maison pour venir à ma
rencontre, lorsque je reviendrai victorieux de chez les Ammonites. » 32 Jefté
franchit la frontière pour combattre les
Ammonites et le Seigneur les lui livra.
33 Jefté remporta une éclatante victoire, il
s'empara de vingt localités situées entre
Aroër, les alentours de Minnith et Abel-
Keramim[i]. Les Ammonites durent alors
se soumettre aux Israélites.
34 Lorsque Jefté revint chez lui à
Mispa, ce fut sa fille qui sortit à sa rencontre, en dansant au rythme des tambourins. Elle était sa fille unique, il
n'avait pas d'autre enfant. 35 Dès qu'il la
vit, il *déchira ses vêtements et s'écria :
« Ah ! ma fille, tu me plonges dans le malheur, tu es toi-même la cause de mon désespoir ! J'ai pris un engagement envers
le Seigneur et je ne peux pas revenir sur
ma promesse. » 36 Elle lui répondit : « Si
tu as pris un engagement envers le Seigneur, agis à mon égard comme tu le lui
as promis puisqu'il t'a permis de te venger de tes ennemis ammonites. 37 Cependant, ajouta-t-elle, accorde-moi un délai
de deux mois ; je me rendrai sur les collines avec mes amies pour m'y lamenter
de devoir mourir avant d'avoir été mariée. » 38 Jefté lui donna la permission de
partir pendant deux mois. Elle alla donc
sur les collines avec ses amies se lamenter
de devoir mourir avant d'avoir été mariée. 39 Au bout des deux mois, elle retourna auprès de son père qui accomplit à
son égard ce qu'il avait promis. Elle mourut alors qu'elle était encore vierge. Dès
lors, la coutume suivante s'est établie en
Israël : 40 chaque année, les femmes
israélites vont pleurer pendant quatre
jours sur le sort de la fille de Jefté, le
Galaadite.

Conflit des Éfraïmites avec Jefté

12 1 Les hommes d'Éfraïm se rassemblèrent, traversèrent le Jourdain et
se rendirent à Safon[j]. Ils dirent à Jefté :
« Pourquoi es-tu allé combattre les Ammonites sans nous appeler en renfort ?
Nous allons incendier ta maison et te
brûler avec elle. » 2 Jefté leur répondit :
« Mon peuple et moi, nous avons eu de
graves démêlés avec les Ammonites. J'ai
fait appel à vous, mais vous ne m'avez pas
délivré d'eux. 3 Quand j'ai vu que vous ne
veniez pas à mon secours, j'ai risqué ma
vie en allant attaquer les Ammonites, et
le Seigneur me les a livrés. Alors pourquoi venez-vous me combattre maintenant ? » 4 Jefté rassembla tous les hommes
de Galaad. Il livra bataille aux Éfraïmites
et les battit. Ce sont les Éfraïmites qui
avaient affirmé : « Vous, les gens de
Galaad, vous n'êtes que des fugitifs
d'Éfraïm, passés de la tribu d'Éfraïm à
celle de Manassé. » 5 Puis les Galaadites
occupèrent les gués du Jourdain pour
couper la route aux Éfraïmites. Chaque
fois qu'un fugitif se présentait pour passer, on lui demandait : « Es-tu Éfraïmite ? » S'il répondait "non", 6 on lui

---

i **11.33** Jefté traverse tout le territoire ammonite du nord au sud.

j **12.1** *Safon* : ville de la tribu de Gad au nord du Yabboc. On peut aussi traduire *vers le nord*.

ordonnait de prononcer le mot “Chiboleth”. L’homme disait “Sibolet”[k], car il ne réussissait pas à prononcer le terme correctement. Alors on s’emparait de lui et on le tuait près des gués du Jourdain. Quarante-deux mille hommes d’Éfraïm perdirent la vie à ce moment-là.

7 Jefté, le Galaadite, fut le chef des Israélites pendant six ans, puis il mourut et on l’enterra en Galaad, dans sa ville natale[l].

Ibsan, Élon et Abdon

8 Après Jefté, ce fut Ibsan de Bethléem[m] qui devint le chef des Israélites. 9 Il eut trente fils et trente filles. Il donna ses filles en mariage en dehors de sa tribu et il fit venir des femmes d’autres tribus pour ses fils. Il dirigea le peuple d’Israël pendant sept ans, 10 puis il mourut et fut enterré à Bethléem.

11 Après Ibsan, Élon, de la tribu de Zabulon, devint le chef des Israélites pendant dix ans. 12 Puis il mourut et fut enterré à Ayalon, dans le territoire de Zabulon.

13 Après Élon, Abdon, fils de Hillel de Piraton[n], devint le chef des Israélites. 14 Il eut quarante fils et trente petits-fils qui montaient soixante-dix ânes[o]. Abdon dirigea le peuple d’Israël pendant huit ans. 15 Puis il mourut et fut enterré à Piraton, dans le territoire d’Éfraïm, au mont de l’Amalécite.

Naissance de Samson

13 1 Les Israélites firent de nouveau ce qui déplaît au Seigneur. C’est pourquoi le Seigneur les livra aux Philistins pendant quarante ans.

2 Dans la localité de Sora[p], il y avait un homme appelé Manoa qui appartenait à un clan de la tribu de Dan. Sa femme n’avait jamais pu avoir d’enfant. 3 Un jour, *l’ange du Seigneur apparut à cette femme et lui dit : « Je sais que tu n’as pas d’enfant parce que tu es stérile. Pourtant, tu vas être enceinte et tu donneras naissance à un fils. 4 A partir de maintenant, garde-toi bien de boire du vin ou de toute autre boisson alcoolique et ne mange aucune nourriture *impure, 5 à cause de ta grossesse et de la naissance de ton fils. Le garçon ne devra pas avoir les cheveux coupés, car il sera consacré à Dieu dès avant sa naissance[q]. C’est lui qui commencera à délivrer les Israélites de la domination des Philistins. » 6 La femme rentra chez elle et dit à son mari : « Un homme de Dieu s’est présenté à moi. On aurait dit l’ange de Dieu, tant il était impressionnant à voir. Je ne lui ai pas demandé d’où il venait et il ne m’a pas dit son nom. 7 Il m’a annoncé que j’allais être enceinte et donner naissance à un fils. Il m’a ordonné de ne boire dorénavant ni vin ni boisson alcoolique et de ne manger aucune nourriture impure, parce que le garçon doit être consacré à Dieu dès avant sa naissance et pour toute sa vie. »

8 Manoa adressa alors cette prière au Seigneur : « Seigneur, je t’en supplie, fais revenir l’homme de Dieu que tu nous as déjà envoyé, pour qu’il nous enseigne la conduite à suivre envers le garçon qui va naître. » 9 Dieu exauça la demande de Manoa : l’ange de Dieu revint se présenter à la femme pendant qu’elle était aux champs. Son mari n’était pas avec elle ; 10 elle courut donc le lui annoncer : « Écoute, dit-elle, l’homme qui était venu me trouver l’autre jour m’est de nouveau apparu. » 11 Manoa accompagna immédiatement sa femme, s’approcha de l’homme et lui demanda : « Est-ce toi

---

k **12.6** Ce mot, qui signifie « épi », n’avait pas la même prononciation dans toutes les tribus.

l **12.7** *en Galaad, dans sa ville natale* : d’après l’ancienne version grecque ; hébreu *dans les villes de Galaad*.

m **12.8** *Bethléem* : voir Jos 19.15 et la note.

n **12.13** *Piraton* : ville située à 12 km au sud-ouest de Sichem.

o **12.14** Voir 5.10 et la note ; voir aussi 10.4.

p **13.2** La localité de *Sora*, située à 22 km à l’ouest de Jérusalem, a été donnée à la tribu de Dan d’après Jos 19.41. Après le déplacement des Danites vers le nord (Jos 19.47), elle appartint à la tribu de Juda (Jos 15.33).

q **13.5** Les obligations imposées ici (v. 4-5) concernent ordinairement celui qui est consacré à Dieu par un vœu particulier (Nomb 6.1-8). Si la mère elle-même doit s’abstenir de *boissons alcooliques* (v. 4), c’est sans doute pour marquer que l’enfant *sera consacré à Dieu dès avant sa naissance*.

qui as parlé à ma femme ? » – « Oui, c'est
moi », lui répondit-il. 12 Manoa reprit :
« Eh bien, quand tes paroles se réaliseront, quelles règles devrons-nous suivre
à l'égard du garçon ? Que devrons-nous
faire pour lui ? » 13 L'ange du Seigneur
dit à Manoa : « Ta femme devra s'abstenir de tout ce que je lui ai mentionné :
14 elle ne goûtera d'aucun produit de la
vigne, elle ne boira ni vin ni boisson alcoolique, elle ne mangera d'aucune
nourriture impure. Qu'elle observe soigneusement mes ordres. » 15 Manoa dit
alors à l'ange : « Laisse-nous t'inviter.
Nous te préparerons un chevreau. »
16 L'ange répondit : « Même si je reste, je
ne mangerai pas la nourriture que tu me
présenteras. Mais, si tu le veux, prépare
un *sacrifice complet et offre-le au Seigneur. » Manoa n'avait pas compris qu'il
s'agissait de l'ange du Seigneur. 17 Il lui
demanda : « Dis-nous ton nom pour que
nous puissions t'honorer lorsque tes
paroles se réaliseront. » 18 L'ange répliqua : « Pourquoi veux-tu connaître mon
nom ? C'est un nom merveilleux[r]. »
19 Manoa prépara un chevreau et une offrande et il les plaça sur un rocher pour
les offrir au Seigneur, à celui qui accomplit des merveilles[s]. Pendant que
Manoa et sa femme regardaient 20 les
flammes du sacrifice monter de *l'autel
vers le ciel, ils virent l'ange du Seigneur
s'élever au milieu des flammes. Alors ils
se jetèrent le visage contre terre. 21 Manoa comprit qu'il s'agissait de l'ange du
Seigneur. L'ange ne leur apparut plus
jamais. 22 Manoa dit à sa femme : « A
coup sûr nous allons mourir, car nous
avons vu Dieu[t]. » 23 Sa femme lui répondit : « Si le Seigneur voulait nous faire
mourir, il n'aurait pas accepté notre sacrifice complet et notre offrande ; il ne
nous aurait pas montré ce que nous
avons vu ni communiqué les instructions que nous avons entendues. »

24 La femme de Manoa donna naissance à un fils qu'elle appela Samson. Le
garçon grandit et le Seigneur le *bénit.
25 Il se trouvait au camp de Dan, entre
Sora et Èchetaol, lorsque l'Esprit du Seigneur le poussa à l'action pour la première fois.

Premiers exploits de Samson

14 1 Un jour, Samson se rendit à Timna[u] où il remarqua une jeune fille
philistine. 2 A son retour, il en parla à ses
parents : « A Timna, leur dit-il, j'ai remarqué une jeune fille philistine et je désire
que vous la demandiez en mariage pour
moi. » 3 Ses parents lui répliquèrent : « Ne
trouves-tu pas de jeune fille dans ton clan
ou dans notre peuple, pour que tu ailles
en choisir une chez ces Philistins *incirconcis ? » Mais Samson dit à son père :
« C'est celle-là qui me plaît, demande-la
en mariage pour moi. » 4 Les parents de
Samson ne savaient pas que le Seigneur
lui-même avait inspiré ce désir à leur fils
pour avoir une occasion de s'en prendre
aux Philistins. En effet, à cette époque, les
Philistins dominaient sur les Israélites.

5 Samson et ses parents partirent pour
Timna. Lorsqu'ils arrivèrent aux vignes
proches de la localité, un jeune lion bondit en rugissant vers Samson. 6 Alors l'Esprit du Seigneur s'empara de Samson et,
de ses mains nues, il mit le lion en pièces
comme s'il s'agissait d'un simple chevreau. Il ne raconta pas son exploit à ses
parents. 7 Il continua son chemin et alla
s'entretenir avec la jeune fille philistine.
Elle lui plaisait beaucoup. 8 Quelques
jours plus tard, il retourna à Timna pour
l'épouser. En route, il fit un détour pour
aller voir le cadavre du lion ; il trouva,
dans la carcasse de l'animal, un essaim
d'abeilles et du miel. 9 Il recueillit le miel
dans ses mains et en mangea tout en
continuant sa route. Puis il rejoignit ses
parents et leur en donna à manger, mais il
ne leur raconta pas qu'il avait pris ce miel
dans le cadavre d'un lion.

Samson propose une devinette aux Philistins

10 Le père de Samson se rendit chez la
jeune fille ; Samson y offrit un festin de

---

r **13.18** *merveilleux* : autre traduction *mystérieux*.
s **13.19** *qui accomplit des merveilles* : autre traduction *qui agit mystérieusement*.
t **13.22** Voir Ex 33.20.
u **14.1** *Timna* est une ville danite (Jos 19.43) située près de Sora (13.2) et alors occupée par les Philistins.

mariage comme les jeunes gens ont l'habitude de le faire. 11 Quand les Philistins le
virent, ils choisirent trente jeunes gens
pour lui tenir compagnie. 12 Samson leur
déclara : « Je vais vous proposer une devinette. Si vous en trouvez la réponse et
me l'expliquez avant la fin des sept journées de festin, je vous donnerai trente
chemises fines et trente habits de fête.
13 Sinon, c'est vous qui me donnerez trente
chemises fines et trente habits de fête. » –
« Propose ta devinette, lui répondirent-ils,
nous écoutons. » 14 Samson leur dit :

« De celui qui mange,
est sorti ce qui se mange.
De celui qui est fort,
est sorti ce qui est doux.
Qu'est-ce ? »

Au bout de trois jours les jeunes gens
n'avaient pas encore trouvé la réponse.
15 Le septième jour[v], ils déclarèrent à la
femme de Samson : « Persuade ton mari
de nous donner la réponse de la devinette, sinon nous vous brûlerons, toi et
toute ta famille. Est-ce donc pour nous
dépouiller que vous nous avez invités ? »
16 La femme de Samson alla dire en pleurant à son mari : « Tu ne m'aimes pas du
tout, tu me détestes ! Tu as proposé une
devinette à mes compatriotes sans me
l'avoir expliquée. » – « Je ne l'ai pas expliquée à mes propres parents, répondit
Samson. Pourquoi te l'expliquerais-je à
toi ? » 17 La femme de Samson le fatigua
de ses pleurs pendant les sept jours du
festin. Le dernier jour, Samson lui donna
la réponse de la devinette, car il était ex-
cédé. Elle communiqua aussitôt la solution à ses compatriotes. 18 Le septième
jour, avant le coucher du soleil, les hommes de la ville vinrent dire à Samson :

« Qu'y a-t-il de plus doux que le miel ?
Qu'y a-t-il de plus fort qu'un lion ? »

Il leur répondit : « Si vous n'aviez pas labouré avec ma jeune vache, vous n'auriez
pas trouvé la réponse. »
19 Alors l'Esprit du Seigneur s'empara
de Samson qui se rendit à Ascalon[w]. Il y
tua trente hommes, prit leurs vêtements
et les donna comme habits de fête à ceux
qui avaient trouvé la réponse de la devinette. Puis, rempli de colère, il retourna chez son père. 20 On donna sa
femme au jeune homme qui avait été son
garçon d'honneur[x].

Vengeance de Samson

15 1 Quelque temps après, à l'époque
où l'on moissonnait le blé, Samson alla rendre visite à sa femme ; il lui
apportait un chevreau[y]. Il demanda à
entrer dans la chambre de sa femme,
mais son beau-père lui en refusa l'accès.
2 « J'ai pensé, lui dit-il, que tu ne l'aimais
plus et je l'ai donnée à ton garçon d'honneur. Mais sa jeune sœur est plus jolie
qu'elle, ne trouves-tu pas ? Tu peux la
prendre à sa place. » 3 Samson déclara :
« Cette fois-ci personne ne pourra me reprocher le mal que je vais faire aux Philistins. »
4 Il partit et captura trois cents renards.
Il se procura des torches, il attacha les renards deux à deux par la queue et fixa une
torche à chaque paire de queues. 5 Il alluma les torches, lâcha les bêtes dans les
champs de blé des Philistins et mit ainsi
le feu aux gerbes de blé, aux épis encore
sur pied et même aux plantations de vignes et d'oliviers. 6 Les Philistins demandèrent qui avait fait cela et on leur
répondit : « C'est Samson ! Il a agi ainsi
parce que son beau-père, un habitant de
Timna, a repris sa femme et l'a donnée au
garçon d'honneur. » Alors les Philistins
allèrent brûler vifs la femme et son père.
7 Samson leur dit : « Puisque vous vous
conduisez de la sorte, je ne me tiendrai
pas tranquille tant que je ne me serai pas
vengé de vous. » 8 Il les attaqua et leur infligea une défaite complète. Puis il partit
vivre dans une grotte du rocher d'Étam[z].

Samson et la mâchoire d'âne

9 Les Philistins vinrent prendre position dans le territoire de Juda et dé-

---

v 14.15 Certaines versions anciennes ont *le quatrième jour*.

w 14.19 Voir Jos 13.3 et la note.

x 14.20 Le *garçon d'honneur* était spécialement responsable du bon déroulement de la fête de mariage.

y 15.1 Samson a fait un mariage où la femme continue de vivre chez son père. L'époux ne paie pas de dot, mais quand *il rend visite à sa femme*, il lui apporte des cadeaux.

z 15.8 Endroit escarpé dans le territoire de Juda.

ployèrent leurs troupes contre la localité
de Léhi[a]. 10 Les hommes de Juda leur demandèrent : « Pourquoi venez-vous nous
attaquer ? » Ils répondirent : « C'est pour
capturer Samson et le traiter comme il
nous a traités. » 11 Alors trois mille hommes de Juda se rendirent à la grotte du
rocher d'Étam. Ils dirent à Samson : « Tu
sais bien que les Philistins dominent sur
nous. Ne vois-tu pas le tort que tu nous
causes ! » – « Je les ai traités comme ils
m'ont traité », répondit Samson. 12 Ils reprirent : « Nous sommes venus ici pour te
ligoter et te livrer aux Philistins. » – « Jurez-moi que vous ne me tuerez pas vous-
mêmes », leur demanda Samson. 13 Ils lui
répondirent : « Non, nous n'avons pas
l'intention de te mettre à mort. Nous
voulons seulement te ligoter et te livrer à
eux. » Ils le ligotèrent avec deux cordes
neuves et le ramenèrent de la grotte.
14 Quand il arriva à Léhi, les Philistins
vinrent à sa rencontre avec des cris de
triomphe. Alors l'Esprit du Seigneur
s'empara de Samson : les cordes qui
liaient ses bras et ses mains cédèrent
aussi facilement que du fil de lin brûlé.
15 Samson trouva la mâchoire d'un âne
récemment tué, il la ramassa et s'en servit
pour massacrer mille hommes. 16 Puis il
s'écria :

« Avec une mâchoire d'âne,
j'ai tué mille hommes,
avec une mâchoire d'âne,
j'ai entassé des cadavres[b]. »

17 Après quoi il jeta la mâchoire au loin ;
c'est pourquoi on appela l'endroit Ra-
math-Léhi, ce qui signifie "colline de la
Mâchoire". 18 Samson eut soudain très
soif, il appela le Seigneur au secours et lui
dit : « O Dieu, c'est toi qui m'as accordé
cette grande victoire. Est-ce que maintenant je vais mourir de soif et tomber
entre les mains de ces *incirconcis ? »
19 Dieu fendit le rocher creux qui se
trouve à Léhi et il en sortit de l'eau. Samson put boire et retrouva ainsi ses forces.
On donna à cette source le nom de
"source de Coré", c'est-à-dire "source de
celui qui appelle". Elle existe encore
aujourd'hui.

20 Samson fut le chef des Israélites pendant vingt ans à l'époque des Philistins.

Samson et les portes de Gaza

16 1 Un jour, Samson se rendit à Gaza[c]. Il y rencontra une prostituée
et alla coucher avec elle. 2 Les habitants
de la ville apprirent que Samson se trouvait à cet endroit. Ils organisèrent des
rondes et firent le guet toute la nuit à la
porte de la ville. Mais ils n'entreprirent
rien contre Samson pendant la nuit en
pensant qu'ils pouvaient attendre le matin pour le tuer. 3 Mais Samson ne resta
couché que la première partie de la nuit.
A minuit il se leva, il empoigna les battants de la porte de la ville et les arracha
avec les deux montants et le verrou de
bois. Il chargea le tout sur ses épaules et
alla le déposer au sommet de la colline située en face de la ville d'Hébron[d].

Dalila trahit Samson

4 Après cela, Samson tomba amoureux
d'une femme nommée Dalila, qui habitait dans la vallée du Sorec[e]. 5 Les cinq
chefs philistins vinrent dire à Dalila :
« Persuade Samson de te faire savoir d'où
lui vient sa force extraordinaire et comment on peut en venir à bout. Nous pourrons ainsi le ligoter et nous rendre
maîtres de lui. Chacun de nous te donnera onze cents pièces d'argent. » 6 Alors
Dalila demanda à Samson : « Je t'en prie,
dis-moi d'où te vient ta force extraordinaire. Avec quoi faudrait-il te lier pour se
rendre maître de toi ? » 7 Samson lui répondit : « Si on me liait avec sept cordes
d'arc neuves, qui ne sont pas encore sèches, je deviendrais aussi faible qu'un
homme ordinaire. » 8 Les chefs philistins
apportèrent à Dalila sept cordes d'arc
neuves, pas encore sèches, et elle s'en servit pour ligoter Samson. 9 Elle avait caché

---

a **15.9** Le nom de *Léhi*, localité proche du territoire philistin, signifie mâchoire.

b **15.16** *j'ai entassé des cadavres* : autre traduction *je les ai bien rossés* ou, d'après l'ancienne version grecque, *je les ai exterminés*.

c **16.1** *Gaza* : voir la note sur 6.4.

d **16.3** *Hébron* : à 70 km de Gaza.

e **16.4** Petite vallée, à l'ouest de Sora, la ville de Samson (13.2).

des gens à l'intérieur de la maison. Soudain elle cria : « Samson, les Philistins
viennent t'attaquer ! » Samson rompit les
cordes comme si c'était un cordon rongé
par le feu. Ainsi on ne découvrit pas le
secret de sa force.
10 Dalila dit à Samson : « Tu t'es moqué
de moi en me racontant des mensonges.
Apprends-moi maintenant comment on
pourrait te lier. » – 11 « Si on me liait avec
des cordes neuves, qui n'ont pas encore
servi, je deviendrais aussi faible qu'un
homme ordinaire », lui répondit-il. 12 Dalila se procura alors des cordes neuves
qu'elle utilisa pour ligoter Samson, puis
elle cria : « Samson, les Philistins viennent t'attaquer ! » Des gens étaient de
nouveau cachés à l'intérieur de la maison. Cependant Samson rompit les cordes qui lui liaient les bras comme si
c'était du fil.
13 Dalila dit à Samson : « Tu t'es encore
moqué de moi en me racontant des mensonges. Cette fois apprends-moi vraiment
comment on pourrait te lier. » Samson lui
répondit : « Si tu tissais les sept tresses de
ma tête sur la chaîne d'un métier à tisser
et si tu les fixais avec la cheville du métier, je deviendrais aussi faible qu'un
homme ordinaire. » 14 Dalila endormit
Samson, tissa les sept tresses de sa tête
sur la chaîne d'un métier à tisser[f] et les
fixa à l'aide de la cheville, puis elle cria :
« Samson, les Philistins viennent t'attaquer ! » Samson se réveilla et arracha la
cheville, le métier à tisser et la chaîne.
15 Dalila lui dit : « Comment peux-tu
affirmer que tu m'aimes, alors que tu ne
me fais pas confiance ? Voilà trois fois
que tu te moques de moi et que tu refuses
de m'apprendre d'où provient ta force extraordinaire. » 16 Dalila excéda Samson en
répétant tous les jours les mêmes reproches, au point que, fatigué à en
mourir, il perdit patience 17 et lui révéla
son secret : « Mes cheveux n'ont jamais
été coupés, lui dit-il, car j'ai été consacré
à Dieu dès avant ma naissance[g]. Si on me
coupait les cheveux, je perdrais ma force
et deviendrais aussi faible qu'un homme
ordinaire. » 18 Dalila comprit qu'il lui
avait révélé son secret et elle fit dire aux
chefs philistins : « Cette fois-ci vous pouvez venir, car Samson m'a révélé son secret. » Ils se rendirent chez elle avec
l'argent qu'ils avaient promis. 19 Dalila
endormit Samson sur ses genoux et appela un homme qui coupa ses sept tresses[h]. Elle commença ainsi à le réduire en
son pouvoir, car sa force le quitta. 20 Alors
elle cria : « Samson, les Philistins viennent t'attaquer ! » Il se réveilla et pensa
qu'il s'en sortirait et se libérerait comme
les autres fois, car il ne savait pas que le
Seigneur lui avait retiré son aide. 21 Mais
les Philistins s'emparèrent de lui et lui
crevèrent les yeux. Ils l'emmenèrent à
Gaza, l'attachèrent avec des chaînes de
bronze et l'obligèrent à moudre le blé
dans la prison. 22 Cependant ses cheveux,
qui avaient été coupés, se mirent à repousser.

Dernier exploit et mort de Samson

23 Un jour, les chefs philistins se rassemblèrent pour fêter leur victoire et offrir un grand sacrifice à leur dieu Dagon.
Ils chantaient :
« Notre dieu a livré entre nos mains
Samson, l'ennemi des Philistins. »
24 En voyant son dieu[i], le peuple l'acclamait aussi en ces termes :
« Notre dieu a livré entre nos mains
Samson, l'ennemi des Philistins,
le fléau de notre nation,
qui décimait notre population. »
25 Comme ils étaient d'humeur joyeuse,
ils réclamèrent qu'on fasse venir Samson
pour les amuser. On tira Samson de la
prison et les gens se divertirent en le
voyant. Lorsqu'on le plaça entre les colonnes du temple, 26 il demanda au garçon qui le conduisait par la main :
« Guide-moi pour que je puisse toucher

---

f **16.14** *et si tu les fixais avec la cheville... d'un métier à tisser* : la fin du v. 13 et le début du v. 14 sont traduits d'après l'ancienne version grecque, car quelques lignes semblent avoir disparu du texte hébreu.

g **16.17** Voir 13.4-5 et la note.

h **16.19** *qui coupa* : d'après les anciennes versions ; hébreu *et elle coupa*.

i **16.24** *En voyant son dieu, le peuple l'acclamait* : hébreu *le peuple le vit et acclama son dieu*. Certains traduisent *le peuple vit Samson et...*

les colonnes qui soutiennent le temple et m'y appuyer. »

27 Or le temple était rempli d'hommes et de femmes. Les cinq chefs philistins étaient là et environ trois mille personnes se tenaient sur la terrasse pour se divertir à la vue de Samson. 28 Alors Samson adressa cette prière au Seigneur : « Seigneur Dieu, souviens-toi de moi ! Redonne-moi de la force, rien que cette fois, ô Dieu, afin que d'un seul coup, je puisse me venger des Philistins pour la perte de mes deux yeux. » 29 Samson palpa ensuite les deux colonnes centrales sur lesquelles reposait le temple ; il appuya sa main droite contre l'une des colonnes et sa main gauche contre l'autre. 30 Il s'écria : « Que je meure en même temps que les Philistins ! » Il poussa de toutes ses forces et le temple s'effondra sur les chefs et sur tous les gens qui s'y trouvaient. Ceux qu'il entraîna avec lui dans la mort furent plus nombreux que ceux qu'il avait tués pendant toute sa vie.

31 Ses frères et toute sa famille vinrent chercher son corps. Ils l'emportèrent et le déposèrent dans le tombeau de son père Manoa, entre Sora et Èchetaol.

Samson avait été à la tête des Israélites pendant vingt ans.

Mika et son lieu de culte privé

17 1 Il y avait dans la région montagneuse d'Éfraïm[j] un homme appelé Mika. 2 Un jour, il déclara à sa mère : « Tu te rappelles que, lorsqu'on t'a dérobé onze cents pièces d'argent, tu as maudit le voleur en ma présence. Eh bien, j'ai cet argent, c'est moi qui l'avais pris. » Sa mère dit alors : « Sois *béni par le Seigneur, mon fils ! » 3 Mika rendit les onze cents pièces d'argent à sa mère et elle lui dit : « J'ai décidé de consacrer solennellement cet argent au Seigneur, en ta faveur, mon fils ; il servira à fabriquer une idole recouverte de métal fondu. Je te le remets donc maintenant. » 4 Mais il rendit de nouveau les pièces d'argent à sa mère ; elle en prit deux cents qu'elle donna au fondeur. Celui-ci fabriqua une idole recouverte de métal fondu, qu'on plaça dans la maison de Mika.

5 Or cet homme, Mika, avait chez lui un lieu de culte. Il fit fabriquer une autre idole ainsi que des statuettes sacrées, puis il installa un de ses fils comme prêtre à son service. 6 A cette époque, il n'y avait pas de roi en Israël et chacun agissait comme il lui semblait bon.

7 Un jeune *lévite séjournait alors à Bethléem, localité de la tribu de Juda. 8 Il quitta Bethléem, pour chercher un autre lieu de résidence. En cours de route, il arriva à la maison de Mika, dans la région montagneuse d'Éfraïm. 9 Mika lui demanda : « D'où viens-tu ? » – « Je suis un lévite de Bethléem, en Juda, lui répondit-il, et je suis à la recherche d'un lieu de résidence. » 10 Mika lui dit : « Reste chez moi et deviens le prêtre de ma famille. Je te donnerai dix pièces d'argent par an, ainsi que les vêtements et la nourriture qui te seront nécessaires. » Le lévite entra 11 et il accepta de rester chez Mika, qui le traita comme son fils. 12 Mika l'installa comme prêtre à son service et le logea chez lui. 13 Mika se dit : « Je suis certain maintenant que le Seigneur me fera du bien puisque j'ai un lévite pour prêtre. »

Les Danites changent de territoire

18 1 A cette époque, il n'y avait pas de roi en Israël. La tribu de Dan cherchait alors un territoire où s'installer, car, à la différence des autres tribus israélites, elle n'en possédait pas encore[k]. 2 Les Danites choisirent donc parmi eux cinq hommes particulièrement courageux ; ils les envoyèrent des localités de Sora et Èchetaol avec l'ordre d'explorer soigneusement le pays. Ces hommes arrivèrent dans la région montagneuse d'Éfraïm[l] et ils s'arrêtèrent près de la maison de Mika. 3 Pendant qu'ils étaient là, ils entendirent le jeune *lévite et reconnurent son accent. Ils allèrent alors

---

j **17.1** *la région montagneuse d'Éfraïm* se trouve au nord de Jérusalem.

k **18.1** Comme l'indique 1.34, les Danites ne purent pas occuper le territoire qui leur avait été attribué (voir Jos 19.40-46) et ils durent en changer (Jos 19.47).

l **18.2** *Sora* : voir 13.2 et la note ; *Èchetaol* : localité proche de Sora. – *la région montagneuse d'Éfraïm* : voir 17.1 et la note.

lui dire : « Qui t'a demandé de venir à cet endroit ? Que fais-tu ici ? Qu'est-ce qui t'y retient ? » 4 Il répondit : « Mika m'a offert une situation : il me paie un salaire et je suis son prêtre. » – 5 « Eh bien, reprirent-ils, consulte Dieu. Nous désirons savoir si le voyage que nous avons entrepris réussira. » 6 Le prêtre leur déclara : « Soyez sans crainte ! Le Seigneur vous accompagne dans votre voyage. »

7 Les cinq hommes se remirent en route et allèrent jusqu'à Laïch. Ils y trouvèrent des gens tranquilles, qui vivaient dans la paix et la sécurité, à la manière des Sidoniens. Personne n'avait rien à reprocher à celui qui exerçait le pouvoir dans la région. Ces gens vivaient loin des Sidoniens et ne dépendaient de personne[m]. 8 Les envoyés danites retournèrent à Sora et Èchetaol, et leurs compatriotes leur demandèrent ce qu'ils avaient découvert. 9 Ils leur déclarèrent : « Venez ! Allons attaquer les gens de Laïch. Nous avons constaté que la région est excellente. Ne restez pas là sans rien faire, dépêchez-vous de partir à la conquête de cette région ! 10 Quand vous y arriverez, vous trouverez une population sans méfiance, établie dans un vaste territoire. Dieu vous livrera ce territoire où il ne manque rien de ce qu'on peut avoir sur terre. »

11 Alors six cents hommes de la tribu de Dan, équipés pour le combat, quittèrent Sora et Èchetaol. 12 Ils allèrent installer leur camp à l'ouest de Quiriath-Yéarim[n], dans le pays de Juda. C'est pourquoi cet endroit a reçu le nom de Mahané-Dan, c'est-à-dire "camp de Dan", qu'il porte encore maintenant. 13 De là, ils se rendirent dans la région montagneuse d'Éfraïm et arrivèrent près de la maison de Mika. 14 Les cinq hommes qui avaient exploré la région de Laïch, dirent à leurs camarades : « Savez-vous que, dans l'une de ces maisons, il y a une idole et des statuettes sacrées, ainsi qu'une autre idole recouverte de métal fondu[o] ? A vous de décider ce que vous devez faire. » 15 Ensuite les cinq hommes se dirigèrent vers la maison de Mika, ils y entrèrent et demandèrent au jeune lévite qui y habitait comment il allait. 16 Pendant ce temps, les six cents Danites, équipés pour le combat, se tenaient à l'entrée de la maison. 17 Les cinq hommes qui avaient exploré le pays, ayant pénétré dans la maison, s'emparèrent des différentes idoles, des statuettes sacrées, ainsi que de l'idole recouverte de métal fondu. Le prêtre se tenait à l'entrée avec les six cents hommes armés. 18 En voyant les autres pénétrer dans la maison de Mika et enlever les idoles et les objets sacrés, le prêtre leur demanda : « Que faites-vous là ? » – 19 « Chut ! lui répondirent-ils, ne dis pas un mot ! Viens avec nous, deviens le prêtre de notre tribu. Que préfères-tu : être prêtre pour la famille d'un seul homme ou pour toute une tribu israélite ? » 20 Le prêtre fut très heureux de la proposition, il prit les idoles et les statuettes et se joignit à la troupe.

21 Les Danites se remirent en route, en se faisant précéder par les enfants, le bétail et les bagages. 22 Ils étaient déjà loin de la maison de Mika lorsque celui-ci et les voisins se rassemblèrent et se lancèrent à leur poursuite. 23 Aux cris qu'ils poussaient contre les Danites, ceux-ci se retournèrent et demandèrent à Mika : « Qu'est-ce qui te prend ? Que signifie cet attroupement ? » 24 Il leur répondit : « Vous vous êtes emparés des dieux que je m'étais fabriqués[p] et vous avez emmené mon prêtre. Il ne me reste plus rien et vous osez me demander ce que j'ai ? » 25 Ils lui répliquèrent : « Ne nous fatigue pas de tes plaintes ! Certains d'entre nous pourraient en être exaspérés et vous attaquer. Tu causerais ainsi ta perte et celle de

m **18.7** *Laïch* : voir Jos 19.47, où la ville est appelée Léchem, et la note. – Les *Sidoniens* habitaient Sidon, port de la côte phénicienne, au nord de la Palestine. C'étaient des gens pacifiques qui s'occupaient surtout de commerce. – *Personne... région* : sens possible d'un texte hébreu peu clair. – *ne dépendaient de personne* : autre traduction *n'entretenaient de relation avec personne*.

n **18.12** *Quiriath-Yéarim* : à 13 km à l'ouest de Jérusalem.

o **18.14** Voir 17.5.

p **18.24** *des dieux que je m'étais fabriqués* ou *du dieu que je m'étais fabriqué*.

ta famille. » 26 Puis ils reprirent leur marche. Mika, voyant qu'ils étaient les plus forts, fit demi-tour et rentra chez lui.

La ville de Dan et son sanctuaire

27 Les Danites emportèrent les objets que Mika avait faits et emmenèrent le prêtre qu'il avait eu à son service. Ils allèrent attaquer Laïch, massacrèrent la population paisible et confiante qui y vivait et brûlèrent la ville. 28 Laïch, située dans la vallée de Beth-Rehob, était loin de Sidon et ses habitants ne dépendaient de personne[q]. C'est pourquoi personne ne vint à leur secours. Les Danites reconstruisirent la ville et s'y installèrent. 29 Ils changèrent le nom qu'on lui donnait auparavant, Laïch, et l'appelèrent Dan, comme leur ancêtre, le fils de Jacob. 30 Ils installèrent l'idole de Mika pour qu'elle serve à leur culte, et Yonatan, fils de Guerchom et petit-fils de Moïse, devint le prêtre de la tribu de Dan. Les descendants de Yonatan gardèrent cette charge jusqu'au moment où la population partit en déportation[r]. 31 Ils conservèrent l'idole de Mika pendant tout le temps qu'il y eut un *sanctuaire de Dieu à Silo[s].

Le crime des Benjaminites de Guibéa

19 1 A l'époque où il n'y avait pas de roi en Israël, un *lévite séjournait dans un endroit écarté de la région montagneuse d'Éfraïm[t]. Il avait pris comme épouse de second rang une femme de Bethléem, en Juda. 2 Celle-ci se brouilla avec lui[u] ; elle le quitta et retourna chez son père, à Bethléem, où elle resta quatre mois. 3 Son mari se mit en route pour la rejoindre et la convaincre de revenir. Il emmena avec lui son serviteur et deux ânes. La jeune femme fit entrer son mari dans la maison de son père ; celui-ci, dès qu'il le vit, l'accueillit avec joie. 4 Le beau-père retint son gendre qui resta trois jours chez lui : le lévite et son serviteur mangèrent, burent et dormirent là. 5 Le quatrième jour, ils se levèrent de bonne heure. Lorsque le lévite fut sur le point de partir, son beau-père lui dit : « Mange donc quelque chose pour prendre des forces, vous vous en irez ensuite. » 6 Alors les deux hommes se mirent à table ; ils mangèrent et ils burent ensemble. Le beau-père dit au lévite : « Accorde-toi un peu de bon temps, accepte de passer encore la nuit ici. » 7 Le lévite voulait partir, mais son beau-père insista tellement qu'il y renonça et resta une nuit de plus chez lui. 8 Le cinquième jour, il se leva de bonne heure pour partir. Son beau-père lui dit : « Restaure-toi d'abord, remettez votre départ à cet après-midi. » Alors ils mangèrent ensemble. 9 Lorsque le lévite voulut s'en aller avec sa femme et son serviteur, son beau-père lui dit : « Écoute, il se fait tard, l'obscurité arrive, dormez ici. Accorde-toi un peu de bon temps et reste encore cette nuit. Demain vous vous lèverez tôt pour rentrer chez toi. »

10 Cette fois-ci le lévite refusa de rester et il se mit en route avec sa femme et ses deux ânes munis de leurs selles. Ils arrivèrent en vue de Jébus, c'est-à-dire Jérusalem. 11 Lorsqu'ils furent près de la ville, le jour avait beaucoup baissé, et le serviteur dit à son maître : « Dirigeons-nous vers la ville des Jébusites, allons y passer la nuit. » – 12 « Non, répondit son maître, nous n'irons point dans une ville étrangère, où il n'y a pas d'Israélites. Continuons jusqu'à Guibéa[v]. » 13 Puis il ajouta : « Tâchons d'atteindre Guibéa ou Rama[w] ; nous passerons la nuit dans une de ces deux localités. » 14 Ils continuèrent donc leur route. Le soleil se couchait lorsqu'ils arrivèrent près de Guibéa, dans le territoire de Benjamin. 15 Ils gagnèrent cette

---

q **18.28** Voir 18.7 et la note.

r **18.30** *Yonatan* est le nom du lévite des chap. 17 et 18. – *Moïse* : d'après les anciennes versions ; hébreu *Manassé*. – *partirent en déportation* : il s'agit probablement de la déportation qui eut lieu sous Téglath-Phalasar en 734 avant J.-C. (voir 2 Rois 15.29).

s **18.31** Voir Jos 18.1 et la note.

t **19.1** Voir la note sur 18.2.

u **19.2** *se brouilla avec lui* : autre traduction *lui fut infidèle*.

v **19.12** *dans une ville étrangère* : Jérusalem sera conquise seulement par David sur les Jébusites (voir 2 Sam 5.6-7). – *Guibéa* : à 6 km au nord de Jérusalem.

w **19.13** *Rama* est à 3 km au nord de Guibéa.

localité dans l'intention d'y dormir. Ils y entrèrent et s'assirent sur la place publique, mais personne ne les invita à loger dans sa maison[x].

16 Ce même soir, un vieil homme, qui revenait de son travail aux champs, entra dans la localité. Il était originaire de la région montagneuse d'Éfraïm, mais il vivait à Guibéa, dont les habitants étaient benjaminites. 17 Il remarqua le voyageur qui attendait sur la place. « D'où viens-tu et où vas-tu ? » lui demanda-t-il. 18 Le lévite lui répondit : « Nous venons de Bethléem, en Juda, et nous regagnons un endroit écarté de la région montagneuse d'Éfraïm. C'est là que j'habite, et je retourne chez moi[y] après un voyage à Bethléem. Personne ne m'a invité dans sa maison, 19 et pourtant nous avons de la paille et du fourrage pour nos ânes, ainsi que du pain et du vin pour moi, ma femme et mon serviteur. Nous ne manquons de rien. » 20 Le vieil homme lui dit alors : « Sois le bienvenu ! je vais m'occuper de ce qui pourrait te manquer ; il ne faut pas que tu passes la nuit sur la place ! » 21 Il le fit entrer chez lui et donna du fourrage aux ânes. Les voyageurs se lavèrent les pieds, puis ils mangèrent et burent.

22 Pendant qu'ils se régalaient, des hommes de la localité, une bande de voyous, encerclèrent la maison et frappèrent à la porte. Ils dirent au vieux maître de maison : « Fais sortir l'homme que tu as reçu chez toi. Nous voulons prendre du plaisir avec lui[z]. » 23 Le vieil homme sortit et leur dit : « Mes amis, je vous en supplie, ne commettez pas ce crime ! Ne vous conduisez pas de façon aussi infâme, alors que cet homme est mon hôte. 24 Écoutez, j'ai une fille encore vierge et il a avec lui une épouse de second rang. Je vais vous les amener, vous pourrez les prendre et les traiter comme vous en aurez envie, mais ne vous conduisez pas de façon aussi infâme envers cet homme. » 25 Cependant ces hommes ne voulurent rien entendre. Alors le lévite leur amena sa femme dehors. Ils la violèrent, en abusèrent toute la nuit et ne la laissèrent qu'à l'aube.

26 A l'approche du matin, la femme vint tomber à l'entrée de la maison du vieil homme chez qui son mari se trouvait. Elle resta là jusqu'à ce qu'il fasse jour. 27 Le matin venu, son mari alla ouvrir la porte de la maison et sortit pour reprendre sa route. Il trouva sa femme étendue à l'entrée de la maison, les mains sur le seuil. 28 « Lève-toi, dit-il, nous partons. » Mais il n'y eut pas de réponse ! Alors l'homme chargea le corps de sa femme sur son âne, et il retourna chez lui. 29 Arrivé dans sa maison, il prit un couteau, et découpa le cadavre de sa femme en douze morceaux. Il envoya un morceau à chacune des tribus d'Israël. 30 Il chargea ses envoyés de dire à tous les Israélites : « A-t-on jamais fait chose semblable depuis que les Israélites sont sortis d'Egypte[a] ? Examinez cette affaire, consultez-vous et prenez une décision. » Tous ceux qui voyaient cela s'exclamaient : « On n'a jamais rien vu ou fait de semblable depuis que les Israélites sont sortis d'Égypte ! »

Guerre punitive contre Benjamin

20 1 Tous les Israélites se rassemblèrent d'un commun accord à Mispa, en présence du Seigneur. Ils vinrent de partout, depuis Dan, au nord, jusqu'à Berchéba, au sud, ainsi que depuis le pays de Galaad, à l'est[b]. 2 Les chefs et les hommes de toutes les tribus d'Israël

x **19.15** La *place*, où se déroulait la vie publique, se trouvait toujours à l'entrée de la localité, près de la porte principale. – *personne ne les invita* : c'était un devoir sacré d'accueillir dans sa maison les étrangers de passage.

y **19.18** *chez moi* : d'après l'ancienne version grecque ; l'hébreu porte *à la maison du Seigneur*, ce qui peut désigner le lieu consacré à Dieu où le lévite habite.

z **19.22** Comparer avec l'épisode raconté en Gen 19.1-8.

a **19.30** Cette partie du v. 30 est traduite d'après un manuscrit de l'ancienne version grecque ; elle est omise dans le texte hébreu d'où elle semble avoir disparu.

b **20.1** L'expression *depuis Dan jusqu'à Berchéba* désigne la totalité du territoire israélite (voir 1 Sam 3.20). – Le *pays de Galaad* était occupé par la tribu de Gad et la demi-tribu orientale de Manassé (voir Jos 13.24-31). – *Mispa* : localité de Benjamin à 13 km au nord de Jérusalem, à ne pas confondre avec Mispa de Galaad (voir 10.17 et la note).

étaient présents à ce rassemblement du
peuple de Dieu : il y avait quatre cent
mille soldats à pied, habiles à manier
l'épée. 3 Et les hommes de la tribu de
Benjamin apprirent que les autres Israélites s'étaient rendus à Mispa.
Les Israélites demandèrent : « Ra-
contez-nous comment ce crime a été
commis. » 4 Le *lévite dont la femme
avait été tuée, répondit : « J'étais entré
avec mon épouse de second rang dans la
localité de Guibéa[c], sur le territoire de
Benjamin, pour y passer la nuit. 5 Les habitants de Guibéa sont venus pour me
faire du mal et ont encerclé, de nuit, la
maison où je me trouvais. Ils ont voulu
me tuer et ils ont abusé de ma femme
jusqu'à ce qu'elle en meure. 6 Alors j'ai
pris son cadavre et je l'ai découpé en
morceaux que j'ai envoyés dans toutes les
tribus d'Israël. En effet un acte odieux,
infâme, avait été commis en Israël.
7 Maintenant que vous voici tous réunis,
Israélites, discutez-en ensemble et prenez
une décision. » 8 D'un commun accord le
peuple se leva pour déclarer : « Aucun
d'entre nous ne retournera chez lui, dans
sa tente ou sa maison. 9 Voici ce que nous
allons faire à l'égard de Guibéa : nous tirerons au sort 10 pour choisir un dixième
des hommes appartenant à chaque tribu
d'Israël ; ils seront chargés d'approvisionner les troupes qui iront attaquer
Guibéa[d] pour punir cette localité de l'acte
infâme commis en Israël par ses habitants. »
11 Ainsi, tous les Israélites furent d'accord de s'associer pour marcher contre
Guibéa. 12 Les différentes tribus envoyèrent des messagers dans tout le territoire
de Benjamin pour dire : « Comment un
crime aussi odieux a-t-il pu être commis
chez vous ? 13 Livrez-nous maintenant les
coupables, les voyous de Guibéa, nous les
mettrons à mort et nous ferons ainsi disparaître le mal du peuple d'Israël. »
Mais les Benjaminites ne voulurent
pas écouter leurs compatriotes israélites.
14 Ils vinrent de leurs diverses localités et
se rassemblèrent à Guibéa pour combattre les Israélites. 15 Ce jour-là, on enrôla
vingt-six mille soldats venus de toutes
leurs localités, sans compter les habitants
de Guibéa qui enrôlèrent sept cents
combattants d'élite. 16 Dans cette armée,
sept cents combattants d'élite étaient
gauchers. Chacun d'eux pouvait, avec sa
fronde, lancer une pierre sur un cheveu
sans le manquer. 17 De leur côté, les autres
tribus israélites rassemblèrent quatre
cent mille soldats entraînés à la guerre.
18 Les Israélites se rendirent à Béthel[e]
et consultèrent Dieu pour savoir laquelle
de leurs tribus devait aller la première
attaquer les Benjaminites. Le Seigneur
désigna la tribu de Juda. 19 Dès le
lendemain matin, les Israélites se mirent
en marche et allèrent installer leur camp
près de Guibéa. 20 Puis ils s'avancèrent
pour combattre les Benjaminites et se
rangèrent en ordre de bataille en face de
Guibéa. 21 Les Benjaminites sortirent de
la localité et, ce jour-là, ils massacrèrent
vingt-deux mille Israélites. 22-23 Les Israélites allèrent se lamenter jusqu'au soir
devant le Seigneur. Ils le consultèrent
pour savoir s'ils devaient engager un autre combat contre leurs compatriotes de
Benjamin. Le Seigneur leur répondit af-
firmativement. Alors les troupes israélites reprirent courage et se rangèrent en
ordre de bataille au même endroit que le
jour précédent. 24-25 Ils attaquèrent de
nouveau les Benjaminites. En ce
deuxième jour de combat, les Benjaminites sortirent de Guibéa et massacrèrent
dix-huit mille soldats israélites bien entraînés. 26 Alors toute la population d'Israël se rendit à Béthel. Les gens s'y
assirent en présence du Seigneur pour se
lamenter et, ce jour-là, ils *jeûnèrent
jusqu'au soir. Ils présentèrent au Seigneur des *sacrifices complets et des sacrifices de communion. 27-28 A cette
époque, en effet, le *coffre sacré de Dieu
se trouvait à Béthel ; Pinhas, fils d'Élazar
et petit-fils d'Aaron, en était responsable.
Les Israélites consultèrent le Seigneur
pour savoir s'ils devaient encore aller
combattre leurs compatriotes de Benja-

---

c **20.4** *Guibéa* : voir 19.12 et la note.

d **20.10** *Guibéa* : selon une version ancienne ; hébreu *Guéba*.

e **20.18** *Béthel* : voir Gen 12.8 et la note.

min ou y renoncer. Le Seigneur leur répondit : « Allez-y, demain je les livrerai
en votre pouvoir. »
29 Les Israélites cachèrent des soldats
tout autour de Guibéa. 30 Puis, pour le
troisième jour consécutif, ils allèrent attaquer les hommes de Benjamin et, comme
les fois précédentes, ils se rangèrent en ordre de bataille en face de la localité. 31 Les
Benjaminites sortirent pour les combattre
et se laissèrent entraîner loin de Guibéa.
Comme les autres fois, ils se mirent à tuer
des soldats israélites et firent une trentaine de victimes, en pleine campagne,
sur le chemin de Béthel et sur celui de
Guibéa. 32 Ils pensaient avoir battu les
Israélites comme ils l'avaient fait précédemment. Mais les Israélites avaient
décidé de fuir et d'attirer les Benjaminites
sur des chemins de campagne, loin de
Guibéa. 33 Les troupes israélites quittèrent ensuite les différents points où elles
se trouvaient pour se regrouper à Baal-
Tamar, tandis que les hommes postés près
de la ville surgissaient soudain de leurs
cachettes, du côté de la plaine de Guéba[f].
34 Ainsi dix mille soldats d'élite, de tout
Israël, arrivèrent en face de Guibéa. Il y
eut une bataille acharnée, mais les Benjaminites ne se rendaient pas compte du
désastre qui allait les frapper. 35 Le Seigneur mit les Benjaminites en déroute devant les Israélites qui tuèrent ce jour-là
vingt-cinq mille cent de leurs soldats.
36 Les Benjaminites comprirent alors
qu'ils étaient perdus.

Les Israélites avaient cédé du terrain
aux Benjaminites parce qu'ils comptaient
sur l'intervention des soldats cachés autour de Guibéa. 37 Ces derniers s'avancèrent rapidement vers la localité, ils
l'envahirent et massacrèrent les habitants. 38 Ils avaient convenu d'un signal
avec le reste des Israélites : ils devaient
faire monter un nuage de fumée au-
dessus de la localité. 39 Lorsque les troupes israélites reculèrent durant la bataille, les Benjaminites tuèrent environ
trente de leurs hommes et ils pensèrent
les avoir battus comme la fois précédente.
40 Mais, à ce moment-là, le nuage de fumée
qui servait de signal commença à s'élever
au-dessus de Guibéa. Les Benjaminites
regardèrent en arrière et aperçurent la fumée qui s'élevait de leur ville entièrement
en flammes. 41 Les Israélites se retournèrent contre les Benjaminites, et ceux-ci
furent épouvantés, car ils avaient vu le désastre qui les frappait. 42 Ils s'enfuirent devant les Israélites et se dirigèrent vers le
désert, mais ils furent pris entre le gros
des troupes et les soldats qui venaient de
la localité et les massacraient[g]. 43 Les Israélites encerclèrent les hommes de Benjamin ou les poursuivirent, en les mettant
à mort en chemin et sans leur laisser de répit[h], jusqu'à un endroit situé à l'est de
Guibéa. 44 Ainsi moururent dix-huit mille
soldats de Benjamin, tous des hommes
courageux. 45 Les autres Benjaminites
s'enfuirent en direction du désert, vers le
rocher de Rimmon. Cinq mille d'entre
eux furent tués le long des chemins, on
poursuivit le reste jusqu'à Guidom et on
en massacra encore deux mille[i]. 46 Le total
des Benjaminites tués ce jour-là fut de
vingt-cinq mille soldats, tous des hommes
courageux. 47 Toutefois six cents de ceux
qui s'étaient enfuis en direction du désert
purent échapper et arriver au rocher de
Rimmon, où ils demeurèrent quatre mois.
48 Les Israélites se retournèrent contre les
Benjaminites qui restaient ; passant d'une
ville à l'autre, ils massacrèrent tous les
hommes aussi bien que le bétail[j], puis ils
mirent le feu à toutes les localités de la région.

Renaissance de la tribu de Benjamin

21 1 Lorsque les hommes d'Israël
s'étaient réunis à Mispa[k], ils
avaient fait le serment qu'aucun d'entre

---

f 20.33 *Baal-Tamar* : endroit inconnu proche de Guibéa. – *Guéba* est une localité de Benjamin à 4 km au nord-est de Guibéa.

g 20.42 *mais... massacraient* : cette partie du verset donne un sens possible d'un texte hébreu difficile.

h 20.43 *sans leur laisser de répit* : sens possible d'un texte peu clair.

i 20.45 *Rimmon* : à 9 km au nord-est de Guibéa. – *furent tués* : autre traduction *furent ramassés*. – *Guidom* : localité inconnue.

j 20.48 *passant d'une ville à l'autre... bétail* : d'après l'ancienne version latine ; le texte hébreu n'est pas clair.

k 21.1 Voir 20.1 et la note.

eux ne donnerait sa fille en mariage à un homme de la tribu de Benjamin. 2 Cette fois-ci, le peuple se rendit à Béthel[l], et les gens y restèrent assis jusqu'au soir devant Dieu. Ils se lamentèrent et pleurèrent abondamment. 3 Ils disaient : « Pourquoi ce malheur, Seigneur, Dieu d'Israël ? Pourquoi faut-il que maintenant une des tribus d'Israël disparaisse ? » 4 Tôt le lendemain matin, le peuple construisit un *autel à cet endroit et offrit des *sacrifices complets et des sacrifices de communion. 5 Puis les Israélites se demandèrent les uns aux autres : « Parmi toutes les tribus d'Israël, y a-t-il un groupe qui ne soit pas venu à l'assemblée tenue devant le Seigneur à Mispa ? » En effet, ils avaient fait le serment solennel de mettre à mort quiconque ne se rendrait pas à Mispa. 6 Par ailleurs, ils s'apitoyaient sur le sort de leurs compatriotes de Benjamin et disaient : « Aujourd'hui une tribu israélite est en train de disparaître. 7 Que ferons-nous pour procurer des femmes aux hommes de Benjamin qui ont survécu, puisque nous avons promis solennellement devant le Seigneur de ne pas leur donner nos filles en mariage ? »

8 Ils s'informèrent pour savoir s'il y avait un groupe, parmi les tribus israélites, qui n'était pas venu à Mispa se présenter devant le Seigneur. Et on découvrit que personne de Yabech, en Galaad[m], ne s'était rendu au camp où avait lieu l'assemblée. 9 En effet, lorsqu'on recensa les participants, aucun homme de Yabech ne répondit. 10 Les membres de l'assemblée envoyèrent alors à Yabech douze mille hommes courageux avec les ordres suivants : « Allez massacrer les habitants de Yabech, en Galaad, y compris les femmes et les enfants. 11 Vous tuerez les hommes dans leur totalité et les femmes qui ont déjà appartenu à un homme. Voilà ce que vous ferez. » 12 Dans la population de Yabech, ils trouvèrent quatre cents jeunes filles encore vierges. Ils les amenèrent au camp de Silo[n], dans le pays de Canaan.

13 Ensuite, les membres de l'assemblée envoyèrent des messagers parler aux Benjaminites réfugiés au rocher de Rimmon, pour leur offrir la paix. 14 Les Benjaminites retournèrent aussitôt chez eux. On leur donna les femmes qui n'avaient pas été tuées à Yabech, mais il n'y en eut pas assez pour tous.

15 Les Israélites s'apitoyèrent sur les gens de Benjamin, parce que le Seigneur avait créé un vide parmi les tribus d'Israël. 16 Les responsables de l'assemblée dirent : « Il n'y a plus de femmes dans la tribu de Benjamin. Que ferons-nous pour en procurer aux hommes qui ont survécu ? 17 Il faut assurer une descendance aux survivants de Benjamin[o] pour ne pas laisser mourir une tribu d'Israël. 18 Mais nous ne pouvons pas leur permettre d'épouser nos filles, puisque nous avons fait le serment de maudire tout Israélite qui donnerait sa fille en mariage à un homme de Benjamin. »

19 Ils se rappelèrent alors qu'on allait bientôt célébrer la fête annuelle du Seigneur, à Silo[p], localité située au nord de Béthel, au sud de Lebona, et à l'est de la route qui relie Béthel à Sichem. 20 Ils donnèrent le conseil suivant aux hommes de Benjamin : « Allez vous cacher dans les vignes 21 et faites-y le guet. Quand les filles de Silo sortiront pour former leurs danses, vous surgirez des vignes. Chacun de vous enlèvera une des jeunes filles, puis il l'emmènera avec lui dans le territoire de Benjamin pour en faire sa femme. 22 Si leurs pères ou leurs frères viennent se plaindre à nous, nous leur répondrons : "Nous vous prions d'être compréhensifs envers les hommes de Benjamin, car nous n'avons pas pu prendre de femme pour chacun d'eux lors de la bataille de Yabech[q]. Comme ce n'est pas vous qui leur

---

l **21.2** *Béthel* : voir Gen 12.8 et la note.

m **21.8** *Yabech, en Galaad* : localité située à 70 km environ au nord-est de Jérusalem, à l'est du Jourdain.

n **21.12** *Silo* : voir Jos 18.1 et la note.

o **21.17** *il faut assurer une descendance aux survivants de Benjamin* : sens probable d'une expression peu claire.

p **21.19** Il s'agit vraisemblablement d'une fête locale à l'occasion des vendanges.

q **21.22** Voir v. 10-14.

avez accordé vos filles, on ne peut pas vous accuser d'avoir rompu votre serment." »

[23] Les hommes de Benjamin suivirent ce conseil : ils enlevèrent autant de femmes qu'il leur en fallait parmi les jeunes filles qui dansaient à Silo, et ils les emmenèrent. Ils s'en retournèrent dans leur territoire, reconstruisirent leurs villes et
s'y installèrent. [24] Les autres Israélites
quittèrent l'assemblée ; chacun rejoignit sa tribu et son clan et regagna sa part de territoire.

[25] A cette époque, il n'y avait pas de roi en Israël et chacun agissait comme il lui semblait bon.

Survol de la Bible

Les pages qui suivent te donnent un bref aperçu de la Bible. L'essentiel de l'Ancien et du Nouveau Testament y est résumé en 15 paragraphes.

Ce « survol rapide » de la Bible est complété par quelques pages informatives présentant les groupes thématiques auxquels se rattachent les divers livres bibliques, par exemple les livres de la Loi, les recueils d'hymnes, les écrits prophétiques, etc.

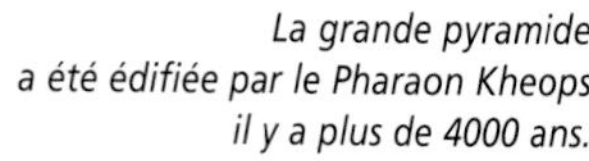

La grande pyramide a été édifiée par le Pharaon Kheops il y a plus de 4000 ans.

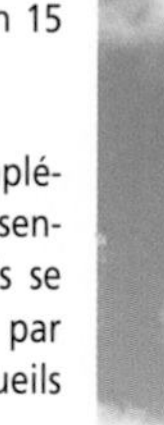

L'Ancien Testament

1. Le commencement

Les premiers chapitres de la Genèse proclament que Dieu a créé le ciel, la terre et tous les êtres vivants. Le monde que Dieu a créé est bon, mais il est vite bouleversé par l'égoïsme et la désobéissance des humains. Malgré la révolte de ses créatures, Dieu ne les abandonne pas. Après le terrible châtiment du déluge, il leur promet de ne plus maudire la terre (Genèse 8.21-22; voir aussi la page en couleur 64).

2. Abraham et ses descendants

La deuxième partie de la Genèse est une collection de récits sur les ancêtres d'Israël, les « patriarches ». On y passe de la multiplicité et de la diversité des peuples (chapitres 10 et 11) à l'histoire particulière du peuple d'Israël, qui commence avec Abraham. Dieu appelle Abraham à être le père d'un peuple destiné à l'adorer, lui seul, et à vivre selon sa volonté divine. Abraham, son fils Isaac, et son petit-fils Jacob deviennent les ancêtres des Israélites.

L'arrière-petit-fils d'Abraham, Joseph, accède au poste de ministre du Pharaon, roi d'Égypte. L'étonnante histoire de sa carrière est racontée aux chapitres 37–50 de la Genèse. On y découvre aussi comment les frères de Joseph et leurs familles se rendent en Égypte. C'est là que les descendants de Jacob se multiplient pour former le peuple d'Israël. « Israël » est le nom que Dieu donne à Jacob (Genèse 32.23-33), et que portera le peuple de ses descendants. Les douze tribus d'Israël tiennent leurs noms des douze fils de Jacob (voir Genèse 49.1-28).

3. La libération

L'Exode reprend l'histoire des Israélites plusieurs générations après Joseph. Beaucoup de choses ont changé: les descendants d'Abraham, d'Isaac et de Jacob sont devenus un grand peuple. Réduits à l'esclavage, ils doivent construire d'immenses villes pour les Pharaons (Exode 1.1-14). Les chapitres 4 à 14 de l'Exode racontent comment Dieu va libérer les Israélites de l'esclavage, sous la conduite de Moïse. C'est à cet événement que ce livre doit son nom, qui vient du grec « exodos » et signifie « sortie ». Dieu a promis à Moïse de faire entrer les Israélites au pays de Canaan – mais leur chemin ne les y conduit pas directement: dans un premier temps, il les mène au désert.

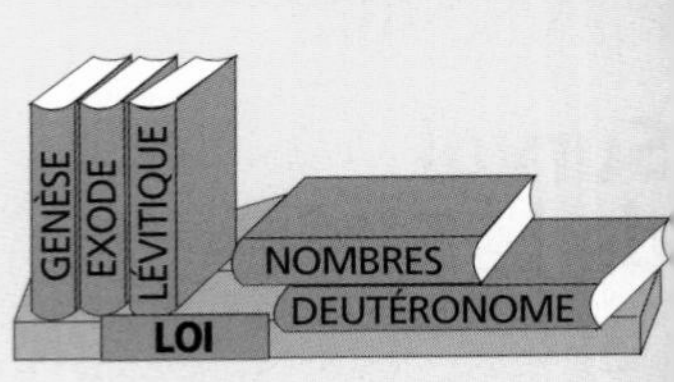

Les livres de la Loi (ou Pentateuque)

Ces livres retracent l'histoire du peupl[e] d'Israël des origines jusqu'au moment où [il] est sur le point de prendre possession d[u] pays promis par Dieu, de « la terre promise ». Les lois qui régissent la vie du peupl[e] y occupent une grande place (tu en saura[s] plus en lisant le chapitre concernant les di[x] commandements et la Loi, aux pages e[n] couleur 65–66). C'est pourquoi ces cin[q] livres sont appelés « livres de la Loi ». Leu[r] contenu forme une unité, mais il a été réparti en cinq livres pour des raisons pratiques. Autrefois, il n'existait pas de livre avec des pages à feuilleter. On écrivait su[r] des peaux d'animaux, assemblées e[n] longues bandes et enroulées. Comme l[a] surface disponible sur ces rouleaux était limitée, cette importante œuvre historiqu[e] et juridique a dû être subdivisée en cin[q] rouleaux.

C'est de là que vient le nom de « Pentateuque », qui signifie en grec « livre des cinq rouleaux »; en hébreu, cette entité s'appelle Torah – Loi ou directives de Dieu. Pour le judaïsme, c'est le cœur de l'Écriture. Les noms des cinq livres qui composent le Pentateuque proviennent de l'ancienne version grecque, dite la Septante.

Dans la **Genèse** (d'un terme grec signifiant « naissance, origine »), il est question d'un double commencement: celui de l'univers et celui du peuple d'Israël. C'est là qu'est relatée l'histoire des ancêtres de ce peuple. (Pour des infos supplémentaires sur la création, voir les pages en couleur 61–62).

L'**Exode** raconte l'histoire mouvementée des descendants de Jacob, esclaves en Égypte, en commençant par la vie de Moïse. Celui-ci est choisi par Dieu comme guide des Israélites, chargé de les faire sortir d'Égypte. C'est pourquoi le livre porte le nom d'Exode (= sortie).

Le **Lévitique** contient essentiellement des prescriptions concernant le culte et les sacrifices. Son nom rappelle que les Lévites, prêtres appartenant à la tribu de Lévi, étaient responsables de l'obéissance à ces prescriptions. S'y ajoutent des règles pour la vie communautaire. Elles se résument en ce commandement bien connu: « Chacun de vous doit aimer son prochain comme lui-même ! » (Lévitique 19.18).

Le livre des **Nombres** tient son nom du fait qu'il parle de deux recensements des Israélites: le premier avant le départ du Sinaï (chapitres 1 à 4), et le second avant l'entrée dans le pays de Canaan (chapitre 26).

Le nom du **Deutéronome,** qui signifie « deuxième loi », rappelle qu'il y est question d'une seconde proclamation de la Loi par Moïse. Celle-ci se situe avant l'entrée dans la terre promise. De nombreux articles de loi correspondent à ceux des autres livres du Pentateuque. On y trouve cependant une nouveauté: les sacrifices ne doivent être offerts à Dieu qu'en un seul lieu du pays: au temple de Jérusalem (voir Deutéronome 12).

A toi de te lancer !

Le début de l'histoire de la relation entre Dieu et son peuple ne se passe pas sans conflits. Sans cesse, le peuple doute de ce Dieu qu'on ne peut ni voir ni toucher, et qui ne se fait connaître aux humains que par sa Parole et par des signes. L'épisode du « veau d'or », idole fabriquée par les Israélites, est particulièrement éloquent. Après l'avoir lu en Exode 32, réfléchis: Quels sont, selon toi, les « veaux d'or » que nous nous fabriquons aujourd'hui ? Et qu'en est-il de notre confiance en Dieu ?

Au Mont Sinaï, Dieu se révèle à son peuple et conclut une alliance avec lui. Dieu s'engage ainsi à être fidèle à ce peuple, avec lequel il « sera » toujours. C'est ce que suggère le nom mystérieux par lequel Dieu se fait connaître à Moïse : « JE SUIS » (Exode 3.14). Par ses commandements et ses instructions, Dieu fait savoir à son peuple ce qu'il attend de lui en retour.

Les « dix commandements », ou « Décalogue », constituent le noyau central de ces lois (Exode 20.1-17 et Deutéronome 5.1-21 ; voir aussi le chapitre « Les Dix commandements et la Loi », pages en couleur 65–66). L'ensemble des lois est réparti dans les livres de l'Exode, du Lévitique, des Nombres et du Deutéronome (voir la séquence d'infos « Les livres de la Loi », pages en couleur 22–23). Malgré l'alliance que Dieu a conclue avec son peuple, les Israélites recommencent sans cesse à douter et à se révolter contre leur Dieu. Dieu les punit en prolongeant leur séjour dans le désert : le peuple y erre pendant quarante ans avant de trouver enfin sa patrie dans la terre promise. (Pour en savoir plus sur la sortie d'Égypte, consulte la page en couleur 63.)

Le massif du Sinaï.

4. L'installation dans le pays promis

La Bible présente longuement l'étape suivante de l'histoire d'Israël. Le livre de Josué raconte les combats difficiles que Josué, le successeur de Moïse, a dû mener pour entrer en possession du pays de Canaan, la terre promise par Dieu. L'épisode le plus frappant est la prise de la ville de Jéricho, décrite dans Josué 6.1-27.

Le peuple d'Israël est entouré de peuples ennemis. Le livre des Juges raconte quatre tentatives d'invasion contre lesquelles il doit se défendre après la mort de Josué. Durant ces périodes troublées, Dieu suscite des libérateurs, qui repoussent les ennemis d'Israël. On les appelle les «grands juges»; les plus connus sont Jefté, Gédéon et Samson. Les «petits juges» quant à eux assument une charge à la fois politique, religieuse et juridique. Puisque l'unification d'Israël ne peut pas être durablement réalisée sous les juges, les Israélites réclament un roi.

Jéricho est l'une des villes les plus anciennes du monde. Elle a été démolie et reconstruite à plusieurs reprises. Un récit biblique bien connu relate la prise de Jéricho par les Israélites (Josué 6). La photo montre une tour de Jéricho vieille de 9000 ans.

Pour entrer dans la terre promise, les Israélites devaient traverser le Jourdain.

Panorama de la vieille ville de Jérusalem. A l'emplacement actuel du Dôme du Rocher avec sa coupole dorée se trouvait, à l'époque biblique, le temple.

5. Les premiers rois

Le premier roi est Saül. Après des débuts prometteurs dans sa lutte contre les Philistins, il connaît des échecs et se suicide à l'issue d'une bataille perdue (1 Samuel 31). Pour les auteurs des récits bibliques, son échec tient principalement à son infidélité aux commandements de Dieu.

David, son successeur, est au contraire un homme «selon le cœur de Dieu». Son histoire s'étend de 1 Samuel 16 à 1 Rois 2. Certes, David ne fait pas figure d'homme irréprochable (comme le prouve le récit de son adultère avec Batchéba, voir 2 Samuel 11 et 12). Mais il est le souverain que Dieu a choisi; Dieu lui accorde le succès dans ses entreprises. C'est pourquoi les générations suivantes honorent David comme le roi d'Israël par excellence. Les prophètes annoncent la venue du souverain idéal qui sera issu de sa descendance et qui relèvera le royaume déjà effondré à leur époque.

David est un homme d'État exceptionnel. Il parvient à tisser des liens solides entre les douze tribus d'Israël. Grâce à des relations commerciales internationales il procure la richesse au pays. Il fait de Jérusalem la capitale d'Israël et y construit un palais royal. David projette en outre d'ériger un grand temple en l'honneur de Dieu, et en commence les préparatifs. Mais le temple ne sera construit que sous le règne de Salomon, fils de David (voir 1 Rois 6 à 8). Salomon est surtout connu pour sa sagesse proverbiale. Pendant son règne, les richesses et l'influence d'Israël s'accroissent. Mais à cette période faste succède celle du déclin progressif du royaume qui aboutira bientôt à l'éclatement du royaume.

Les livres historiques

Parmi les livres qu'on peut considérer comme « historiques », certains appartiennent à la catégorie des « livres prophétiques » dans la Bible hébraïque : ce sont les livres de Josué, de Juges, de Samuel et des Rois, qui racontent l'histoire d'Israël depuis l'occupation de Canaan jusqu'à la déportation à Babylone. Les livres de Ruth, d'Esther, d'Esdras, de Néhémie et des Chroniques appartiennent, dans la Bible hébraïque, aux « Autres écrits ».

Lorsqu'elle reconsidère son histoire, une nation échappe difficilement à la tentation d'idéaliser le passé. Les auteurs des livres historiques de l'Ancien Testament cependant ont su mettre en évidence non seulement les succès, mais aussi les échecs d'Israël. Ils étaient convaincus que tout allait bien pour le peuple tant qu'il avait confiance en Dieu et se conformait à sa volonté. Par contre, dès qu'il se détournait de Dieu, il en résultait des souffrances. Tu trouveras des exemples dans 2 Chroniques 15.1–16.14 et dans 2 Rois 17.1-12.

Considérée sous cet angle, l'histoire d'Israël se présente dans l'Ancien Testament comme une histoire de constante désobéissance : les Israélites ont sans cesse abandonné leur Dieu pour se tourner vers d'autres divinités. En 722 av. J.-C. leurs ennemis s'emparent du nord du pays, puis en 587 av. J.-C. du sud ; les livres historiques présentent ces défaites comme des punitions consécutives à l'infidélité des Israélites.

A toi de te lancer !

Lis l'histoire du roi Josias (2 Rois 22.1 à 23.24) : bien avant son règne, Israël s'était divisé en deux royaumes suite à de longues luttes intestines. Le livre des Rois considère cette scission comme la conséquence de la désobéissance envers Dieu. En particulier dans le royaume du Nord, qui a disparu, on avait prié des divinités étrangères. Dans le royaume du Sud, au contraire, le roi Josias s'engage sur un autre chemin, celui de l'obéissance.

6. Une nation divisée

Juste après le brillant règne de Salomon, le grand royaume que David avait établi s'effondre. Sous le règne de Roboam, fils de Salomon, un conflit éclate entre le Nord et le Sud du pays. Au sud, dans le Royaume de Juda, les descendants de David gouvernent sans être contestés, ils gardent Jérusalem pour capitale. Le nord forme un royaume à part (1 Rois 12.1–20). Le roi Omri fait de Samarie la capitale du royaume du Nord ou royaume d'Israël. Lui et son fils Achab tentent de trouver un accord avec les Cananéens qui vivent dans leur royaume et qui vénèrent des divinités étrangères. Les plus importantes divinités des Cananéens sont le dieu Baal, dieu du ciel et maître de la nature, et Achéra ou Astarté, la déesse de l'amour et de la fécondité. Sous les règnes d'Omri et d'Achab, leur culte est toléré, et un temple pour Baal est même construit à Samarie (1 Rois 16.29-33). Vers le milieu du 8e siècle av. J.-C., Israël, gravement menacé par les Assyriens, finit par être occupé. Suite à la prise de la capitale Samarie, en 722 av. J.-C., le royaume du Nord cesse d'exister. Une bonne partie de la population, notamment ses couches supérieures, est déportée en Assyrie, d'où elle ne reviendra jamais.

Dans le royaume du Sud, Juda, la vénération de divinités étrangères suscite régulièrement la critique. C'est alors que les prophètes Ésaïe et Jérémie entrent en jeu : ils exhortent les rois de leur époque à obéir à Dieu et les avertissent du jugement que Dieu ne tardera pas à faire tomber sur son peuple infidèle (voir la séquence d'information sur les livres prophétiques, page en couleur 33).

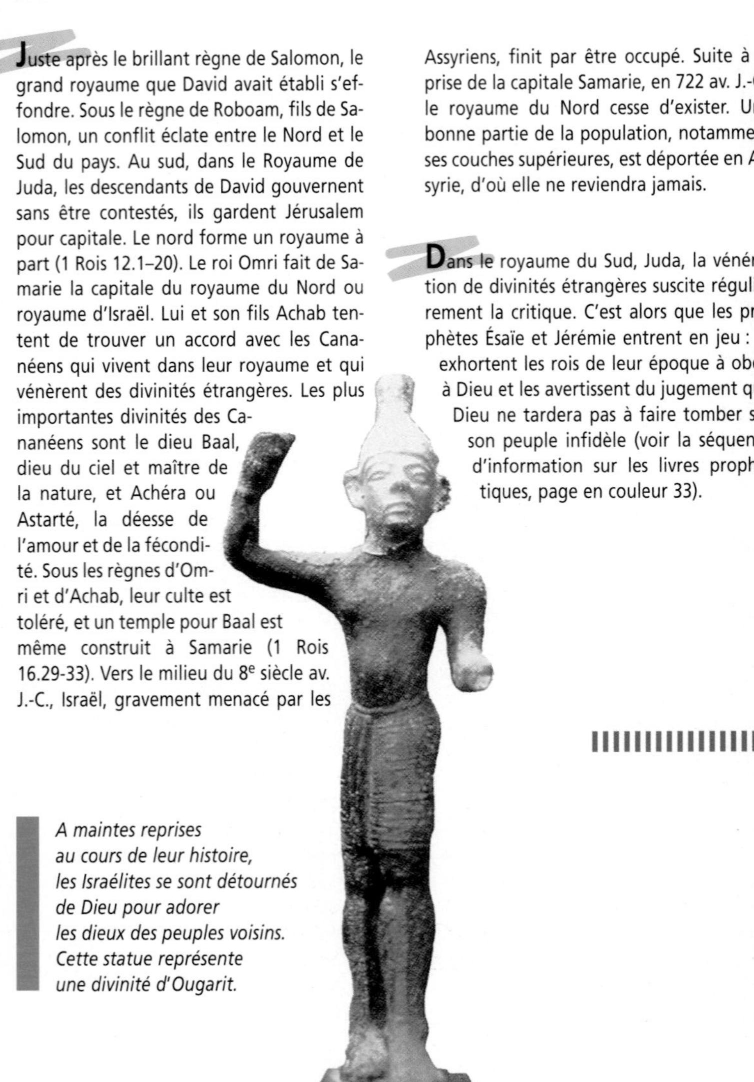

A maintes reprises au cours de leur histoire, les Israélites se sont détournés de Dieu pour adorer les dieux des peuples voisins. Cette statue représente une divinité d'Ougarit.

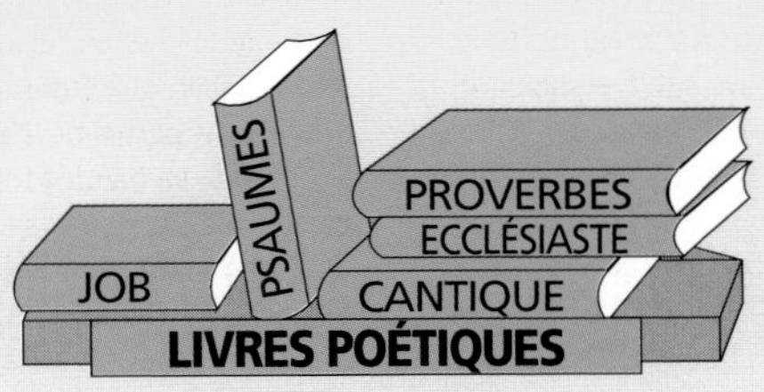

Les écrits de sagesse

Le livre de Job, les Proverbes et l'Ecclésiaste se rattachent à une catégorie d'écrits très largement répandue au Proche-Orient et désignée sous le nom de « littérature de sagesse ». Par « sagesse » on entend dans ce contexte la compréhension de l'ordre de notre monde. Cette sagesse, qui met en relation les expériences de la vie quotidienne et la connaissance de Dieu, se transmet la plupart du temps de maître à élève, sous forme de courts proverbes faciles à mémoriser. Puisque les écrits bibliques de sagesse sont parfois rédigés dans un langage artistique et poétique, on les compte parmi les livres poétiques. Le livre de Job est assez représentatif à cet égard. Le livre des Proverbes quant à lui est une collection de brèves sentences. Plusieurs des thèmes qui y sont traités sont étonnamment actuels: amitié, travail, vie de famille, comportement communautaire.

Le livre de l'Ecclésiaste (ou Qohéleth) contient l'enseignement d'un « philosophe » qui réfléchit aux divers aspects de la vie humaine. Celle-ci paraît souvent bien courte et insignifiante, et l'auteur doute que les êtres humains puissent un jour en saisir le sens. C'est pourquoi il conclut que seul Dieu connaît le sens de toutes choses.

Au centre du livre de Job se trouve le problème de la souffrance: comment Dieu, qui est bon, peut-il laisser un homme innocent souffrir ? Le livre raconte l'histoire de Job, durement éprouvé par une série de coups du destin. Dans le dialogue avec ses amis, il cherche désespérément une réponse à ses questions. Et en guise de réponse, Dieu lui donne la révélation des merveilles de sa création. Celles-ci montrent que Dieu gouverne avec sagesse, même si l'homme ne peut pas toujours comprendre ses plans.

A toi de te lancer !

Voici quelques proverbes qui n'ont rien perdu de leur actualité: Proverbes 11.25; 12.18; 13.20; 15.4; 29.7.

« L'orgueil précède la chute. » Cette célèbre phrase est, comme nombre d'autres proverbes bien connus, tirée de la Bible (Proverbes 16.18). Voir aussi Proverbes 24.29.

Au moment où le royaume du Nord est occupé par les Assyriens, le roi Ézékias règne en Juda. Il purifie le culte d'Israël de tout élément païen. Son pays subit également une attaque des Assyriens, mais ceux-ci lèvent de façon surprenante le siège de Jérusalem. 2 Rois 19.35 explique cet événement par l'intervention directe de Dieu.

Josias (639–609 av. J.-C.) fait partie des rois qui ont lutté pour que Dieu seul soit adoré dans leur pays. Sous son règne, un livre de Loi est trouvé (très probablement tout ou partie du Deutéronome), qui appelle à adorer le Dieu unique d'Israël au lieu qu'il s'est choisi, le temple de Jérusalem, et nulle part ailleurs. Bien que Josias parvienne à reconquérir une partie de l'ancien royaume du Nord, Juda va bientôt tomber sous la domination des Babyloniens. Une tentative de se débarrasser du joug babylonien échoue et entraîne, en 587 av. J.-C., la prise de Jérusalem, la déportation de la plus grande partie de la population vers Babylone et l'anéantissement du royaume de Juda.

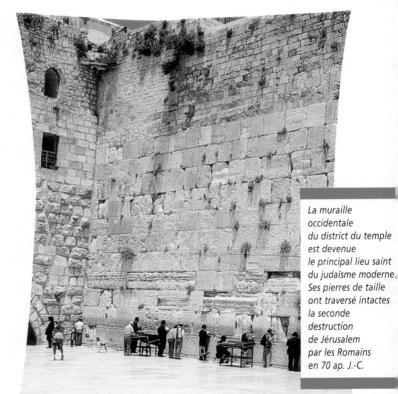

La muraille occidentale du district du temple est devenue le principal lieu saint du judaïsme moderne. Ses pierres de taille ont traversé intactes la seconde destruction de Jérusalem par les Romains en 70 ap. J.-C.

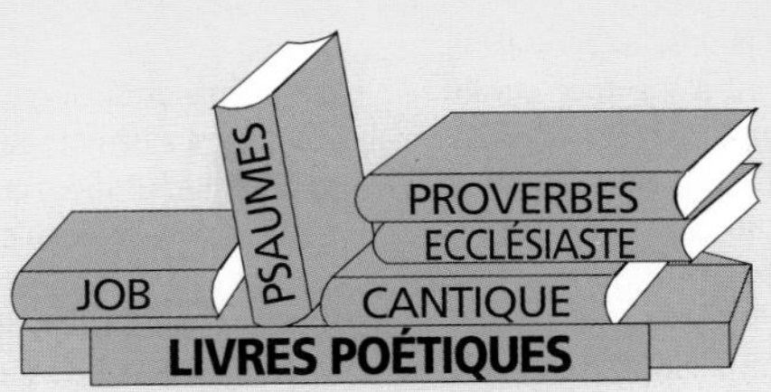

Les recueils d'hymnes

Deux livres bibliques sont en fait une collection d'hymnes: les Psaumes et le Cantique des cantiques. Le Cantique des cantiques est formé de poèmes d'amour.

Le livre des Psaumes comprend des chants et des prières qui étaient pour la plupart chantés ou récités dans le culte israélite. Ils ont longtemps été transmis oralement. Leur mise par écrit en a fait un « recueil de chants et de prières » pour la communauté. On distingue différents types de Psaumes, selon la personne qui parle (un particulier ou l'ensemble du peuple), à qui elle s'adresse (à Dieu ou à un être humain), et selon qu'elle exprime une plainte ou la louange.

Voici quelques exemples des différents types de Psaumes:

Au Psaume 7, la personne qui prie se plaint à Dieu de sa détresse et l'appelle au secours. Ce Psaume est une plainte, un chant de lamentation d'un particulier. Le Psaume 79 en revanche est une lamentation du peuple entier, qui se tourne vers Dieu après une défaite militaire. Le Psaume 150 quant à lui est un chant de louange destiné au culte du temple. Le livre des Psaumes contient aussi des chants de reconnaissance d'un particulier (Psaume 23) ou du peuple (Psaume 124).

Tu comprendras plus facile un psaume si tu cherches à saisir dans quel état d'esprit le poète l'a composé. Quels sentiments décrivait-il? Était-il heureux ou triste? Avait-il des raisons de louer Dieu ou plutôt de se lamenter?

Si tu trouves dans un psaume l'expression de ce que tu ressens toi-même, prends-le pour toi et adresse-le à Dieu comme prière.

Être amoureux... la Bible en parle-t-elle aussi? Lis le début du Cantique des cantiques, par exemple 1.1-8.

Lis aussi le Psaume 69, dans lequel un particulier appelle Dieu au secours. Quels sentiments exprime-t-il?

7. Exil et retour

Cinquante ans après la prise de Jérusalem, l'empire babylonien est à son tour envahi par les Perses, et Cyrus, l'empereur perse, met en place une nouvelle politique : en 538 av. J.-C., il proclame un édit autorisant les exilés à retourner à Jérusalem et à rebâtir le temple. C'est ce que racontent les six premiers chapitres du livre d'Esdras. Comme la reconstruction du temple est sans cesse retardée, les prophètes Aggée et Zacharie interviennent pour faire reprendre les travaux. Sous Néhémie, que les Perses envoient comme gouverneur à Jérusalem de 445 à 433 av. J.-C., les murailles de la ville sont également reconstruites. Lire à ce sujet Néhémie 1 à 6.

Le peuple de Dieu est rentré chez lui, à Jérusalem ; il a de nouveau son propre temple et une ville fortifiée ; la célébration du culte reprend dans le temple.

Les tableaux chronologiques des pages en couleur 78–80 te donnent un aperçu général des événements rapportés dans la Bible. La plupart des éditions de la Bible contiennent leur propre tableau chronologique.

Babylone : reconstitution de l'une des grandes portes de la ville, la porte d'Ishtar.

Les livres prophétiques

La plupart des gens pensent qu'un « prophète » est une personne qui sait prédire l'avenir. Or cela est tout à fait accessoire dans la Bible. Un prophète est plutôt une personne chargée par Dieu de transmettre un message de sa part. Il s'agit souvent de critiquer la situation qui prévaut lorsque les gens ne se conforment plus aux instructions de Dieu. Les prophètes sont chargés de rappeler au peuple qu'il est le peuple de Dieu et qu'il s'est engagé à se soumettre à ses commandements. La plupart du temps, leur critique est assortie de l'annonce du jugement divin. En réalité, elle a pour objet la conversion des humains, qui permettra à Dieu de changer son jugement en grâce.

Des prophètes apparaissent chaque fois que les royaumes d'Israël et de Juda arrivent à un tournant critique de leur histoire. A l'époque où l'empire assyrien est à son apogée, entre 750 et 690 av. J.-C., Amos, Osée, Ésaïe et Michée exhortent leur peuple à la conversion. Alors que l'empire assyrien s'écroule, entre 650 et 600 av. J.-C, ce sont Nahoum, Habacuc et Sophonie qui interviennent. Et lors de la montée de la puissance babylonienne, Jérémie puis Ézékiel sont entrés en scène. Quant à Abdias, son message date d'après la prise de Jérusalem. Après le renversement de Babylone par l'empire perse en pleine expansion et le retour d'exil, la vie du peuple d'Israël doit être réorganisée, ce sont Aggée et Zacharie qui rappellent les exigences de Dieu et ses promesses à cette époque.

Le classement biblique des livres prophétiques fait en sorte que les douze petits prophètes suivent les trois grands, Ésaïe, Jérémie et Ézékiel. Bien que les appellations « grand » et « petit » se réfèrent avant tout à la longueur des livres, elles reflètent également l'importance relative du message de chacun des prophètes. Comme l'indique le classement adopté par certaines éditions de la Bible, le livre de Daniel n'appartenait pas à l'origine à la série des livres prophétiques. Il n'y a été classé que dans la version grecque de l'Ancien Testament, que suivent d'autres éditions. (Pour d'autres infos à ce sujet, voir les introductions aux divers livres bibliques.)

A toi de te lancer !

Lis Ésaïe 58.1-12. Quels désordres le prophète dénonce-t-il chez ses contemporains ? Quels problèmes abordés par Ésaïe sont toujours d'actualité aujourd'hui ?

8. Les derniers siècles avant l'ère chrétienne

La reconstruction du temple et de la ville de Jérusalem sous la conduite d'Esdras et de Néhémie marque la fin des événements racontés par la bible hébraïque. Cela se situe au 5e siècle av. J.-C. Que devient ensuite la Palestine?

Par sa conquête de la Syrie et de la Palestine en 332 av. J.C., l'empereur grec Alexandre le Grand met fin à la domination perse sur Juda. Il inaugure l'ère de l'hellénisme, c'est-à-dire de la prédominance de la langue et de la culture grecques. A la mort d'Alexandre, ses successeurs se partagent son empire. Juda dépendra d'abord des Ptolémée, souverains de l'Égypte (312–198 av. J. -C.), puis des Séleucides, qui dominent la Syrie.

Pendant cette période, le judaïsme ne peut échapper à la confrontation avec la culture grecque, mais les Juifs conservent longtemps la liberté d'exercer leur religion. Le conflit éclate sous le roi Antiochus IV Épiphane qui veut imposer en tout point le mode de vie hellénique: il fait piller le temple de Jérusalem, et va jusqu'à y faire ériger un autel à Zeus. Il interdit la circoncision, les sacrifices juifs et le respect du sabbat. Cela déclenche la «révolte des Maccabées», d'après le nom de son principal meneur, Judas Maccabée (=marteau). La révolte s'achève en 142 av. J.-C. avec le retrait des derniers occupants syriens. Les Juifs forment une nation autonome jusqu'en 63 av. J.-C. La Palestine devient alors province romaine. Le roi Hérode, dit «roi de Juda», nommé par l'empereur, est un loyal collaborateur de Rome, craint et détesté par les Juifs.

Alexandre le Grand importe la culture grecque en Israël.

Les livres deutérocanoniques (ou apocryphes)

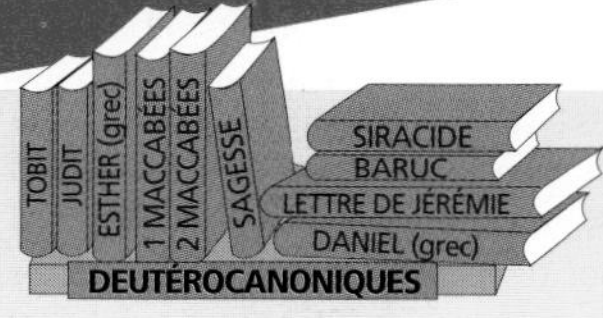

De nombreuses éditions de la Bible contiennent une série d'écrits datant des trois siècles avant la naissance du Christ. En effet, au 1er siècle de notre ère, il n'existait encore aucune liste officielle des livres saints acceptés par tous les juifs, qu'ils soient à Jérusalem ou à Alexandrie. C'est seulement après la ruine de Jérusalem (en 70 ap. J.-C.) que, réagissant contre toute influence étrangère, des érudits pharisiens réunis à Jamnia ont écarté tous les écrits non rédigés en hébreu et dressé (vers 90 ap J.-C.) une liste des livres qu'ils acceptaient comme inspirés et normatifs, c'est-à-dire comme «canoniques». Les juifs d'Alexandrie par contre avaient accueilli des livres rédigés en grec – par exemple la Sagesse – ou des livres dont l'original hébreu s'était perdu – le Siracide. Ces livres sont contenus dans la version grecque de l'Ancien Testament, appelée la Septante (datant d'environ 200 av. J.-C.), qui présente donc un «canon» plus large. Les premiers chrétiens et l'Église naissante se sont conformés à l'usage qui prévalait dans le pays où ils étaient implantés, si bien que cette différence de canon s'est perpétuée jusqu'à nos jours.

Ces livres discutés font partie intégrante de la Bible pour les catholiques, qui les appellent «deutérocanoniques». Les protestants, par contre, à la suite des réformateurs du 16e siècle, estiment qu'ils ne sont pas inspirés au même titre que les autres écrits canoniques et les appellent «apocryphes». Dans les éditions interconfessionnelles de la Bible, ils sont regroupés dans une section à part, entre l'Ancien et le Nouveau Testament. Ces livres constituent en tout cas d'importants témoignages permettant de mieux comprendre la situation du judaïsme au moment de l'arrivée de Jésus.

Parmi les deutérocanoniques se trouvent des livres historiques comme Tobit, Judith ou les livres des Maccabées. Tobit relate l'histoire dramatique d'une famille aux alentours de la fin du royaume du Nord d'Israël. Judith rend hommage à une veuve dont la confiance en Dieu et le courage ont préservé Israël de l'anéantissement imminent. Les livres des Maccabées retracent les événements survenus lors de la révolte des Maccabées.

Le livre de la Sagesse et le Siracide appartiennent à la littérature de sagesse. Des suppléments grecs aux livres d'Esther et de Daniel appartiennent aussi aux livres deutérocanoniques. Le livre de Baruc et la lettre de Jérémie enfin se situent dans la tradition des prophètes.

A toi de te lancer!

Certaines histoires des deutérocanoniques sont surtout connues grâce à d'extraordinaires représentations artistiques. Les dessins de Rembrandt inspirés du livre de Tobit par exemple font partie des chefs-d'œuvre de l'art occidental. La scène, souvent représentée, de Suzanne au bain est également tirée des deutérocanoniques. Lis à ce sujet Daniel grec 13.1-64.

En ce temps d'oppression, le peuple se souvient du message des prophètes de l'Ancien Testament. En effet, ils annoncent la venue d'un roi de paix envoyé par Dieu (Ésaïe 11.1-10; Zacharie 9.9-10); ce souverain idéal issu de la lignée de David doit libérer Israël de la tyrannie. Puisque le roi est consacré par une onction d'huile, le souverain attendu est appelé «l'Oint» (en hébreu «messie»; voir l'article «Messie» du vocabulaire). C'est dans ce cadre que se situe la venue de Jésus.

L'âne, en tant que monture, joue un rôle particulier chez le prophète Zacharie. Celui-ci annonce en effet que le Sauveur promis, le Messie, viendra sauver Jérusalem, monté sur un âne.

Ruth

***Introduction** – L'histoire de* Ruth *nous reporte à l'époque où les Juges, comme on les appelait, dirigeaient le peuple d'Israël, mais elle a été rédigée plus tard, à une date qu'il est difficile de préciser.*

Un des buts du livre qui la raconte est de montrer comment une femme étrangère est entrée dans le peuple de Dieu. Pour cela le récit met l'accent sur la loyauté exemplaire de Ruth, la Moabite, vis-à-vis de la famille de son mari ainsi que du Dieu d'Israël. Il décrit la manière dont cette loyauté est payée de retour : du malheur initial où elles se trouvaient, Ruth et sa belle-mère Noémi sont progressivement rétablies dans l'abondance et le bonheur. Le récit, rédigé avec beaucoup de fraîcheur, montre un exemple saisissant de fidélité dans les relations humaines et de confiance en Dieu.

La naissance du fils de Ruth est pourtant le point culminant du récit : cet enfant deviendra en effet le grand-père du roi David. Appartenant ainsi aux ancêtres de David, Ruth la Moabite a sa place dans la généalogie même de Jésus (Matt 1.5).

Les malheurs de la famille d'Élimélek

1 1 A l'époque où les juges exerçaient
le pouvoir en Israël, il y eut une famine dans le pays. Alors un homme de
Bethléem en Juda partit avec sa femme
et ses deux fils ; ils allèrent habiter pour
un temps dans le pays de Moab[a].
2 L'homme s'appelait Élimélek, sa
femme Noémi et ses deux fils Malon et
Kilion ; ils appartenaient au clan d'Éfrata[b]. Au cours de leur séjour en Moab,
3 Élimélek mourut et Noémi resta seule
avec ses deux fils. 4 Ceux-ci épousèrent
des Moabites ; l'une d'elles s'appelait
Orpa, l'autre Ruth. Au bout de dix ans,
5 Malon et Kilion moururent à leur tour.
Noémi resta seule, privée de ses enfants
et de son mari.

Ruth accompagne Noémi à Bethléem

6 Au pays de Moab, Noémi apprit que
le Seigneur avait été favorable à son peuple et lui avait donné de bonnes récoltes.
Alors elle se prépara à quitter ce pays
avec ses deux belles-filles. 7 Elles partirent ensemble pour retourner au pays
de Juda, mais, en chemin, 8 Noémi leur
dit : « Rentrez chez vous maintenant,
chacune dans la maison de sa mère. Que
le Seigneur soit bon pour vous comme
vous l'avez été pour ceux qui sont morts
et pour moi-même ! 9 Qu'il permette à
chacune de vous de trouver le bonheur
dans la maison d'un mari ! » Puis elle
embrassa ses deux belles-filles pour
prendre congé, mais celles-ci pleurèrent
abondamment 10 et lui dirent : « Non !
nous t'accompagnons auprès de ton peuple. » 11 Noémi reprit : « Rentrez chez
vous, mes filles. Pourquoi voulez-vous
venir avec moi ? Je ne suis plus en âge
d'avoir des fils qui pourraient vous
épouser[c]. 12 Rentrez chez vous. Laissez-
moi. Je suis trop vieille pour me remarier. Et même si je disais : "Il y a encore
de l'espoir pour moi, cette nuit même je
serai à un homme qui me donnera des
fils", 13 pourriez-vous attendre qu'ils
aient grandi ? Renonceriez-vous à épouser quelqu'un d'autre ? Non, mes filles !
C'est contre moi que le Seigneur s'est
tourné, mon sort est beaucoup trop dur
pour vous[d]. »
14 Les deux belles-filles pleurèrent de
plus belle. Finalement Orpa embrassa sa
belle-mère pour prendre congé, mais
Ruth refusa de la quitter. 15 Noémi dit à
Ruth : « Regarde, ta belle-sœur est retournée vers son peuple et son dieu. Fais
comme elle, retourne chez toi. » 16 Mais
Ruth répondit : « N'insiste pas pour que je
t'abandonne et que je retourne chez moi.
Là où tu iras, j'irai ; là où tu t'installeras, je
m'installerai. Ton peuple sera mon peuple ; ton Dieu sera mon Dieu. 17 Là où tu
mourras, je mourrai et c'est là que je serai
enterrée. Que le Seigneur m'inflige la plus
terrible des punitions si ce n'est pas la
mort seule qui me sépare de toi ! »
18 Quand Noémi vit que Ruth était ré-
solue à l'accompagner, elle cessa d'insister 19 et elles allèrent ensemble jusqu'à
Bethléem.

Leur arrivée provoqua de l'excitation dans toute la localité. Les femmes s'exclamaient : « Est-ce vraiment Noémi ? »
20 Noémi leur déclara : « Ne m'appelez
plus Noémi – "l'Heureuse" –, mais ap-
pelez-moi Mara – "l'Affligée" –, car le
Dieu *tout-puissant m'a durement affligée. 21 Je suis partie d'ici les mains pleines et le Seigneur m'a fait revenir les
mains vides. Ne m'appelez donc plus
Noémi, puisque le Seigneur tout-
puissant s'est tourné contre moi et a
causé mon malheur. »
22 C'est ainsi que Noémi revint du
pays de Moab avec Ruth, sa belle-fille

---

a **1.1** *l'époque où les juges exerçaient le pouvoir en Israël* : c'est-à-dire aux environs de 1100 avant J.-C., voir le livre des Juges. – *Moab* : plateau fertile situé à l'est de la mer Morte.

b **1.2** *Éfrata* : clan de Juda fixé dans la région de *Bethléem*, village situé à quelques kilomètres au sud de Jérusalem.

c **1.11** Quand un homme mourait sans enfant, son frère, ou à défaut son plus proche parent, devait épouser la veuve pour assurer une descendance au défunt. C'est la coutume appelée « lévirat », voir Deut 25.5-10 ; Gen 38.6-8 ; Matt 22.24.

d **1.13** *mon sort... dur pour vous* : autre traduction *je suis dans une très grande tristesse à votre sujet*.

moabite. Lorsqu'elles arrivèrent à Bethléem, on commençait juste à récolter
l'orge[e].

Ruth glane dans le champ de Booz

2 1 Noémi avait un parent du côté
d'Élimélek, son mari. C'était un
homme riche et considéré, appelé Booz.
2 Un jour, Ruth la Moabite dit à Noémi :
« Permets-moi d'aller dans un champ ramasser les épis que les moissonneurs laissent derrière eux[f]. Je trouverai bien
quelqu'un d'assez bon pour me le permettre. » – « Vas-y, ma fille », répondit
Noémi. 3 Ruth partit donc et alla glaner
dans un champ, derrière les moissonneurs. Or il se trouva que ce champ appartenait à Booz, le parent d'Élimélek.
4 Un peu plus tard, Booz arriva de
Bethléem. Il salua les moissonneurs en
disant : « Que le Seigneur soit avec
vous ! » – « Que le Seigneur te *bénisse ! » répondirent-ils. 5 Booz demanda
au chef des moissonneurs : « Qui est
cette jeune femme ? » 6 L'homme répondit : « C'est la jeune Moabite, celle qui a
accompagné Noémi à son retour de
Moab. 7 Elle a demandé la permission de
glaner derrière les moissonneurs. Elle
est venue ce matin et jusqu'à maintenant
c'est à peine si elle s'est reposée[g]. »
8 Alors Booz dit à Ruth : « Écoute mon
conseil. Ne va pas glaner dans un autre
champ ; reste ici et travaille avec mes
servantes. 9 Observe bien à quel endroit
le champ est moissonné et suis les femmes qui glanent. Sache que j'ai ordonné
à mes serviteurs de te laisser tranquille.
Si tu as soif, va boire de l'eau dans les
cruches qu'ils ont remplies. » 10 Ruth
s'inclina jusqu'à terre et dit à Booz :
« Pourquoi me traites-tu avec tant de
bonté et t'intéresses-tu à moi qui suis
une étrangère ? » 11 Booz répondit : « On
m'a raconté comment tu as agi à l'égard
de ta belle-mère depuis que ton mari est
mort. Je sais que tu as quitté ton père, ta
mère et le pays où tu es née pour venir
vivre au milieu d'un peuple que tu ne
connaissais pas auparavant. 12 Je souhaite que le Seigneur te récompense
pour tout cela. Oui, que le Seigneur, le
Dieu d'Israël, te récompense abondamment, puisque c'est sous sa protection
que tu es venue te placer. » 13 Ruth répondit : « Tu es vraiment bon pour moi[h],
maître ! Tu me donnes du courage en me
parlant aussi amicalement, alors que je
ne suis même pas l'égale d'une de tes
servantes. »
14 A l'heure du repas, Booz dit à Ruth :
« Viens manger avec nous ; prends un
morceau de pain et trempe-le dans la vi-
naigrette. » Ruth s'assit donc à côté des
moissonneurs et Booz lui offrit des grains
rôtis. Elle en mangea autant qu'elle voulut et il lui en resta. 15 Lorsqu'elle fut retournée glaner, Booz donna cet ordre à
ses serviteurs : « Laissez-la glaner également entre les gerbes sans lui adresser de
remarques[i]. 16 Retirez même quelques
épis des gerbes et abandonnez-les par
terre pour qu'elle les ramasse. Surtout, ne
lui reprochez rien. » 17 Ruth glana dans le
champ de Booz jusqu'au soir, puis elle
battit les épis qu'elle avait ramassés et
elle remplit un grand sac de grains
d'orge[j].
18 Elle rapporta le sac au bourg et montra à sa belle-mère tout ce qu'elle avait récolté. Elle avait ramené également le
reste de son repas et elle le lui donna.
19 Noémi lui demanda : « Où as-tu glané
tout cela aujourd'hui ? Dans quel champ
as-tu travaillé ? Que Dieu *bénisse celui
qui s'est intéressé à toi ! »

Ruth raconta alors à sa belle-mère
qu'elle avait travaillé dans le champ d'un
homme appelé Booz. 20 Noémi déclara :

---

e **1.22** On récoltait l'orge en avril-mai.

f **2.2** Les pauvres avaient l'autorisation de ramasser les épis oubliés par les moissonneurs, voir Lév 19.9-10 ; Deut 24.19-21.

g **2.7** *glaner (derrière les moissonneurs)* : d'après des versions anciennes ; hébreu *glaner et ramasser entre les gerbes*. – *C'est à peine... reposée* : sens possible d'un texte difficile ; autres traductions *elle n'a pas pris de repos à la maison* ou *elle n'a pris qu'un peu de repos à la maison*.

h **2.13** *Tu es vraiment bon pour moi* : autre traduction *Sois bon pour moi !*

i **2.15** Normalement on n'avait le droit de glaner que lorsque les moissonneurs avaient terminé leur travail et que les gerbes avaient été enlevées.

j **2.17** *un grand sac de grains d'orge* : hébreu *un éfa d'orge*, c'est-à-dire une trentaine de kilos.

« Je vois que le Seigneur garde sa bonté
pour nous les vivants comme pour ceux
qui sont morts. Qu'il bénisse cet
homme ! » Elle ajouta : « Booz est notre
proche parent, un de ceux qui sont chargés de prendre soin de nous[k]. » 21 Alors
Ruth reprit : « Il m'a même dit de continuer à glaner derrière ses serviteurs
jusqu'à ce qu'ils aient terminé toute la
moisson. » 22 Noémi dit à Ruth : « Très
bien, ma fille, continue de travailler avec
les servantes de Booz. Si tu allais dans le
champ de quelqu'un d'autre, tu risquerais d'être maltraitée. »

23 Ruth alla donc glaner avec les servantes de Booz jusqu'à ce que toute l'orge
et tout le blé aient été récoltés. Elle continuait à habiter avec sa belle-mère.

Ruth passe la nuit aux pieds de Booz

3 1 Un jour, Noémi dit à Ruth : « Ma
fille, je dois chercher à assurer ton
avenir pour que tu sois heureuse.
2 Comme tu le sais, ce Booz qui t'a laissée
travailler avec ses servantes est notre parent. Or ce soir, il va aller battre l'orge sur
son aire[l]. 3 Lave-toi donc, parfume-toi et
mets tes plus beaux habits. Ensuite,
rends-toi à l'endroit où il bat son orge,
mais ne te montre pas avant qu'il ait fini
de manger et de boire. 4 Lorsqu'il se couchera, observe la place où il s'installe.
Approche-toi ensuite, écarte un peu sa
couverture et couche-toi à ses pieds[m].
Après cela, il t'indiquera lui-même comment tu dois agir. » – 5 « Je ferai tout ce
que tu m'as dit », répondit Ruth.

6 Ruth se rendit donc à l'aire de Booz et
se conduisit exactement comme sa belle-
mère le lui avait recommandé. 7 Booz
mangea et but, ce qui le mit d'excellente
humeur, puis il alla se coucher au bord de
son tas de grains[n]. Ruth s'approcha doucement, écarta la couverture et s'étendit à
ses pieds.

8 Au milieu de la nuit, Booz se réveilla
en sursaut, il se pencha en avant et vit
avec surprise qu'une femme était couchée à ses pieds. 9 « Qui es-tu ? » demanda-t-il. Elle répondit : « C'est moi,
Ruth, ta servante. Veuille me prendre
sous ta protection, car tu as à mon égard
la responsabilité d'un proche parent[o]. »
10 Booz lui déclara : « Que le Seigneur te
*bénisse, Ruth ! Tu viens de donner à la
famille de ta belle-mère une preuve de
fidélité encore plus grande que précédemment. En effet, tu n'as pas recherché
l'amour des jeunes gens, riches ou pauvres. 11 Eh bien, n'aie aucun souci ! Je
ferai pour toi ce que tu demandes, car
toute la population sait que tu es une
femme de valeur. 12 Il est exact que j'ai à
ton égard la responsabilité d'un proche
parent, mais il existe un homme dont le
degré de parenté avec ta famille est plus
étroit. 13 Passe ici la fin de la nuit ; demain matin nous verrons s'il veut exercer sa responsabilité à ton égard. Si oui,
qu'il le fasse. S'il ne le désire pas, je te
promets, par le Seigneur vivant, que
j'exercerai ma responsabilité à ton
égard. En attendant, reste couchée
jusqu'au matin. »

14 Ruth resta donc aux pieds de Booz,
mais elle se leva à l'aube, avant que la lumière du jour permette de la reconnaître.
En effet, Booz ne voulait pas qu'on sache
qu'elle était venue à cet endroit. 15 Il lui
dit : « Enlève la cape que tu portes et
tiens-la bien. » Elle tendit sa cape et il y
versa six mesures d'orge qu'il l'aida à
charger. Ensuite, il retourna au bourg[p].
16 Ruth rejoignit sa belle-mère. Celle-ci

---

k 2.20 *Booz* était de la famille d'Élimélek (voir 2.1). Le *proche parent* d'un défunt avait une priorité pour racheter la terre de celui-ci et la conserver dans la famille, voir 4.1,8 ; Jér 32.7-9. Il devait dans ce cas se soumettre à la loi du lévirat, voir 1.11 et la note, 3.9 et 4.5,14.

l 3.2 *L'aire* est l'endroit où l'on procède au battage des céréales pour séparer le grain de son enveloppe.

m 3.4 Ce geste équivaut à une demande de protection de la part de Ruth, voir v. 9. Ce peut même être plus précisément une proposition de mariage, les termes employés en hébreu étant souvent des euphémismes pour parler des relations sexuelles.

n 3.7 Booz se couche *au bord de son tas de grains* pour le surveiller pendant la nuit.

o 3.9 *la responsabilité d'un proche parent* : voir 2.20 et la note.

p 3.15 *il retourna...* : d'anciennes versions et certains manuscrits hébreux portent *elle retourna*. – *six mesures* : le texte ne précise pas de quelle mesure il s'agit. Le contexte indique qu'il s'agit d'une très grande quantité.

lui demanda : « Comment cela s'est-il
passé, ma fille ? »

Ruth lui raconta alors tout ce que Booz
avait fait pour elle. 17 Elle ajouta : « Il m'a
même donné ces six mesures d'orge en
disant que je ne devais pas revenir chez
toi les mains vides. » 18 Noémi lui dit :
« Attends calmement ici, ma fille, jusqu'à
ce que tu saches comment l'affaire va
tourner. Booz ne sera satisfait que s'il la
règle aujourd'hui même ! »

Booz s'occupe de la succession d'Élimélek

4 1 Booz se rendit à la porte de la localité[q], et s'assit. Le plus proche parent
d'Élimélek, celui dont Booz avait parlé à
Ruth, passa justement par là. Booz l'appela : « Viens t'asseoir ici », lui dit-il.
C'est ce que fit l'homme. 2 Booz demanda
alors à dix des *anciens de la localité de
s'installer avec eux. Lorsqu'ils eurent
pris place, 3 il déclara au parent d'Élimélek : « Tu sais que Noémi est revenue du
pays de Moab. Eh bien, elle met en vente
le champ qui appartenait à Élimélek, notre parent. 4 J'ai décidé de t'en informer
et de te proposer de l'acheter devant les
anciens et les autres personnes ici présentes. Si tu veux exercer ton droit de rachat,
fais-le, sinon préviens-moi, car c'est à
moi que ce droit revient tout de suite
après toi. » L'homme dit : « Je veux bien
acheter le champ. » 5 Booz reprit : « Si tu
achètes le champ à Noémi, tu devras en
même temps prendre pour femme Ruth,
la Moabite, pour que la propriété du
champ reste dans la famille de son mari
décédé[r]. » 6 L'homme répondit : « Dans
ces conditions, j'y renonce, pour ne pas
porter atteinte à mes propres biens. Reprends à ton compte mon droit de rachat,
car je ne peux vraiment pas l'exercer moi-
même. »

7 Autrefois en Israël, quand des gens
achetaient des biens ou échangeaient un
droit de propriété, l'une des personnes
ôtait sa sandale et la donnait à l'autre
pour conclure le marché. Ce geste prouvait que l'affaire était réglée. 8 C'est pourquoi, au moment où l'homme disait à
Booz d'acheter le champ, il ôta sa sandale
et la lui donna[s]. 9 Booz déclara alors aux
anciens et à tous ceux qui étaient là :
« Vous êtes témoins aujourd'hui que
j'achète à Noémi tout ce qui appartenait à
Élimélek et à ses fils, Kilion et Malon.
10 En même temps, je prends pour femme
Ruth la Moabite, la veuve de Malon. De
cette façon, la propriété restera dans la famille du mort et il aura des descendants
pour perpétuer son nom parmi ses concitoyens et dans les affaires de sa localité.
Vous en êtes également témoins. » 11 Les
anciens et tous ceux qui étaient présents
répondirent : « Oui, nous en sommes
témoins. Que le Seigneur *bénisse la
femme qui entre dans ta maison ; qu'elle
soit semblable à Rachel et à Léa qui ont
donné naissance au peuple d'Israël ! Que
ta richesse soit grande dans le clan
d'Éfrata[t] et ton nom célèbre dans tout
Bethléem ! 12 Que le Seigneur t'accorde
de nombreux enfants par cette jeune
femme et qu'ainsi ta famille soit semblable à celle de Pérès[u], le fils de Juda et
de Tamar ! »

Booz épouse Ruth ; naissance d'Obed, ancêtre de David

13 Alors Booz prit Ruth pour femme et
elle fut à lui. Le Seigneur la *bénit, elle
devint enceinte et donna naissance à un
fils. 14 Les femmes de Bethléem dirent à
Noémi : « Loué soit le Seigneur ! Aujourd'hui il a fait naître celui qui prendra
soin de toi. Que ton petit-fils devienne
célèbre en Israël ! 15 Il va transformer ta
vie et te protéger dans ta vieillesse. Ta
belle-fille vaut mieux pour toi que sept
fils, car elle t'aime et t'a donné ce petit-
fils. » 16 Noémi prit l'enfant et le tint serré

---

q **4.1** La porte d'une localité était le lieu de la vie sociale : on s'y rassemblait, on y traitait des affaires, la justice y était rendue.

r **4.5** *tu devras... pour femme Ruth* : d'après d'anciennes versions ; hébreu *tu l'achèteras aussi à Ruth*. – Pour tout ce verset, voir 2.20 et la note.

s **4.8** *et la lui donna* : d'après l'ancienne version grecque ; ces mots manquent en hébreu.

t **4.11** *Rachel et Léa* : les deux femmes de Jacob, voir Gen 29.11ss. – *Éfrata* : voir 1.2 et la note.

u **4.12** *Pérès* est un ancêtre de Booz, voir 4.18-21 ; 1 Chron 2.5,9-12.

contre elle[v], puis elle se chargea de l'élever. 17 Les femmes du voisinage proclamèrent : « Noémi a un fils ! » et elles
appelèrent l'enfant Obed. Obed fut le
père de Jessé, père de David.

Liste des ancêtres de David

18 Voici la liste des ancêtres de David à
partir de Pérès : Pérès fut le père d'Hesron, 19 Hesron celui de Ram, Ram d'Amminadab, 20 Amminadab de Nachon,
Nachon de Salma, 21 Salma de Booz, Booz
d'Obed, 22 Obed de Jessé et Jessé de David.

---

v **4.16** *et le tint serré contre elle* : il s'agit sans doute d'un geste d'adoption, comparer Gen 30.3-8 ; 48.5-12 ; 50.23.

Premier livre de

Samuel

Introduction – Le ⋆prophète Samuel, dont le nom a été donné à ce livre et au suivant, est en fait le dernier des « Juges », ces sauveurs que Dieu donnait à son peuple dans les temps de crise. Il exerce son double ministère, politique et religieux, dans une période de transition (chap. 1–7). Israël ne se contente plus des interventions occasionnelles des « Juges » et aspire à l'institution d'une autorité politique plus régulière. Malgré ses réticences, Samuel doit, à la demande du peuple et sur l'ordre de Dieu, établir un roi en la personne de Saül (chap. 8–10). Très vite pourtant Saül se laisse aller à des infidélités envers Dieu, de sorte que Dieu lui retire son appui (chap. 11–15). Dieu choisit alors le jeune David, qui succèdera plus tard à Saül. David entre au service de Saül et se familiarise ainsi avec la vie de la cour, avant de s'enfuir pour échapper à Saül qui veut le tuer. Les chapitres 16 à 30 montrent la déchéance progressive de Saül et la puissance grandissante de David. Le livre se termine par le récit de la mort de Saül et de ses fils au cours d'une bataille contre les Philistins (chap. 31).

Ce livre nous rappelle que Dieu seul est le vrai roi de son peuple. Dans ce peuple l'autorité légitime ne peut être exercée que par celui qui accepte pleinement d'être lui-même soumis à l'autorité unique de Dieu.

Anne au sanctuaire de Silo

1 1 A Rama, dans la région montagneuse d'Éfraïm, vivait un Éfraïmite,
du district de Souf[a], appelé Elcana ; il
était fils de Yeroam, lui-même fils d'Élihou, petit-fils de Tohou et arrière-petit-
fils de Souf. 2 Il avait épousé deux femmes, Anne et Peninna ; Peninna avait des
enfants, mais Anne n'en avait pas.
3 Chaque année, Elcana se rendait de
Rama au ⋆sanctuaire de Silo[b] pour y adorer le Seigneur, le Dieu de l'univers, et lui
offrir un ⋆sacrifice. Les deux fils d'Héli,
Hofni et Pinhas, étaient prêtres du Seigneur à Silo. 4 Elcana avait l'habitude de
donner à Peninna et à chacun de ses enfants un morceau de l'animal sacrifié ;
5 mais à Anne, il donnait une part de
choix, car il l'aimait beaucoup, bien que
le Seigneur ne lui ait pas accordé d'enfants[c]. 6 Quant à Peninna, l'autre femme,
elle cherchait sans cesse à vexer Anne
pour l'humilier de n'avoir pas d'enfant.
7 Et chaque année, lorsque Anne se rendait au sanctuaire du Seigneur, la même
scène se répétait.
Une année, comme Anne se mettait à
pleurer et ne voulait rien manger, 8 son

---

a **1.1** *A Rama* [...] *du district de Souf* : d'après l'ancienne version grecque (localité située à 40 km environ au nord-ouest de Jérusalem) ; hébreu *A Ramataïm-Sofim* (appellation unique de cette localité).

b **1.3** Localité située à 30 km environ au nord de Jérusalem (voir Jos 18.1-10).

c **1.5** *une part de choix* : texte hébreu peu clair et traduction incertaine ; autre traduction, d'après l'ancienne version grecque *à Anne aussi il ne donnait qu'un seul morceau, bien qu'il l'aimât plus que Peninna ; et pourtant le Seigneur ne lui avait pas accordé d'enfants.*

mari lui demanda : « Anne, pourquoi pleures-tu ? Pourquoi ne veux-tu rien manger ? Pourquoi es-tu si triste ? Est-ce que je ne vaux pas mieux pour toi que dix fils ? »

9 Après que l'on eut mangé et bu aux abords du sanctuaire de Silo, Anne se leva. Le prêtre Héli était assis près du montant de la porte. 10 Anne était très affligée. Tout en pleurs, elle pria le Seigneur 11 en prononçant cette promesse : « Seigneur, Dieu de l'univers, vois combien je suis malheureuse ! Ne m'oublie pas, aie pitié de moi ! Donne-moi un fils, je m'engage à le consacrer pour toujours à ton service ; ses cheveux ne seront jamais coupés[d]. » 12 Anne pria longuement. Héli l'observait, 13 il voyait ses lèvres remuer, mais n'entendait aucun son, car elle priait intérieurement. Héli pensa qu'elle était ivre 14 et lui dit : « Resteras-tu encore longtemps dans cet état ? Va faire passer ton ivresse ailleurs ! » – 15 « Non, je ne suis pas ivre, répondit Anne. Je suis une femme malheureuse, mais je n'ai pas bu. Je suis ici pour confier ma peine au Seigneur. 16 Ne me considère pas comme une femme de rien. Si j'ai prié aussi longtemps, c'est parce que mon cœur débordait de chagrin et d'humiliation. » 17 Alors Héli déclara : « Va en paix. Et que le Dieu d'Israël t'accorde ce que tu lui as demandé. » – 18 « Et toi, répondit-elle, garde-moi ta bienveillance. » Anne s'en alla et accepta de manger. La tristesse avait disparu de son visage.

19 Tôt le lendemain matin, Elcana et sa famille allèrent se prosterner devant le Seigneur, puis ils retournèrent chez eux, à Rama.

Naissance et enfance de Samuel

Elcana s'unit à sa femme Anne, et le Seigneur exauça la prière de celle-ci. 20 Anne devint enceinte, puis mit au monde un fils. Alors elle déclara : « Puisque je l'ai demandé au Seigneur, je lui donne le nom de Samuel[e]. »

21 Par la suite, Elcana se rendit de nouveau à Silo avec sa famille pour y offrir au Seigneur le *sacrifice annuel et un sacrifice particulier qu'il avait promis. 22 Mais cette fois, Anne n'alla pas avec son mari. Voici ce qu'elle lui avait expliqué : « J'attends que l'enfant soit sevré ; alors je l'amènerai à Silo, je le présenterai devant le Seigneur, et il restera là pour toujours. » 23 Elcana avait répondu : « C'est bien ! Puisque tu le juges bon, reste ici avec lui jusqu'à ce qu'il soit sevré. Que le Seigneur réalise sa promesse. » Anne était donc restée à Rama pour allaiter son fils.

24 Lorsqu'elle l'eut sevré, et bien qu'il fût encore tout jeune, elle l'emmena au *sanctuaire du Seigneur à Silo. Elle et son mari avaient pris un taureau de trois ans[f], un sac de farine et une *outre de vin. 25 Ils offrirent le taureau en sacrifice, puis ils conduisirent l'enfant auprès d'Héli. 26 Anne dit à Héli : « Te souviens-tu de cette femme qui se tenait un jour ici, non loin de toi, pour prier le Seigneur ? Aussi vrai que tu es vivant, c'était moi. 27 C'est pour obtenir cet enfant que je priais. Le Seigneur me l'a donné. 28 A mon tour, je veux le donner au Seigneur ; pour toute sa vie, il appartiendra au Seigneur. » Alors Samuel[g] se prosterna devant le Seigneur.

Anne remercie le Seigneur

2 1 Ensuite Anne prononça cette prière :

« Grâce au Seigneur, j'ai de la joie plein le cœur.
Grâce au Seigneur, j'ai la tête haute,
je peux rire de mes ennemis.
Je me réjouis : Dieu m'a secourue.
2 Le Seigneur est sans pareil,
notre Dieu seul est un rocher.
A part lui, il n'y a pas de Dieu.

---

d **1.11** *ses cheveux ne seront jamais coupés* : voir Nomb 6.1-21.

e **1.20** En hébreu, il y a une certaine ressemblance entre le nom de *Samuel* et le verbe signifiant *demander*.

f **1.24** *tout jeune* : on allaitait les enfants jusque vers un an, parfois même jusqu'à trois ans. – *un taureau de trois ans* : d'après un manuscrit hébreu trouvé à Qumrân, et les anciennes versions grecque et syriaque ; texte hébreu traditionnel *trois taureaux*.

g **1.28** *Samuel* : le sujet pronominal de l'hébreu (*il*) pourrait aussi désigner *Héli* ; les anciennes versions latine et syriaque ont un pluriel (*ils*) qui désigne toute la famille.

3 Ne multipliez pas les paroles hautaines,
ne prononcez plus de propos insolents,
car le Seigneur est un Dieu qui sait tout,
il juge toutes les actions des hommes[h].
4 Les guerriers puissants voient leurs arcs se briser
mais ceux qui étaient faibles retrouvent de la force.
5 Ceux qui étaient rassasiés cherchent un gagne-pain
mais ceux qui étaient affamés n'ont plus besoin de travailler.
La femme stérile met au monde sept enfants
mais celle qui en avait beaucoup perd sa fécondité.
6 Le Seigneur fait mourir et fait vivre,
il fait descendre dans le monde des morts ou en fait remonter.
7 Le Seigneur appauvrit et enrichit,
il abaisse, mais il élève aussi.
8 Il remet debout le misérable tombé à terre
et le malheureux abandonné sur un tas d'ordures
pour leur donner les places d'honneur
en compagnie des gens importants.
Au Seigneur appartient toute la terre,
c'est lui qui l'a posée sur ses colonnes.
9 Il veille sur l'existence de ceux qui le respectent,
mais ceux qui le renient meurent dans les ténèbres.
Car un homme ne peut pas triompher par sa propre force.
10 Du haut du *ciel, le Seigneur fait gronder le tonnerre
pour écraser ses adversaires,
car il est le souverain juge de la terre.
Il rend puissant le roi de son peuple,
il augmente le pouvoir du roi qu'il a choisi[i]. »

11 Après cela, Elcana retourna chez lui à Rama ; mais le jeune Samuel demeura à Silo pour servir le Seigneur, sous la surveillance du prêtre Héli.

Les fils d'Héli

12 Les fils d'Héli étaient des vauriens, qui ne se préoccupaient pas du Seigneur.
13 Bien qu'ils fussent prêtres, voici comment ils se comportaient à l'égard des gens[j] : par exemple, lorsque quelqu'un offrait un *sacrifice, le serviteur du prêtre s'approchait de la viande en train de cuire, tenant en main une fourchette à
trois dents ; 14 il la plongeait dans le récipient – marmite, chaudron ou terrine – et s'emparait pour le prêtre de tout ce que la fourchette ramenait. C'est ainsi que les fils d'Héli agissaient à l'égard de tous les Israélites venant au *sanctuaire de Silo.
15 Parfois même, avant que l'on ait fait brûler la graisse de la victime[k], le serviteur du prêtre arrivait et disait à l'homme qui offrait un sacrifice : « Donne-moi, pour le prêtre, de la viande à rôtir ; il n'acceptera pas de toi de la viande cuite,
seulement de la viande crue. » 16 Si l'autre
lui disait : « Qu'on fasse d'abord brûler la graisse ; ensuite tu prendras ce que tu désires », le serviteur lui répondait : « Non, c'est maintenant que tu m'en donnes, sinon j'en prendrai de force. » 17 Ainsi les
fils d'Héli offensaient gravement le Seigneur, car ils traitaient sans respect les sacrifices qu'on lui offrait.

18 Quant au jeune Samuel, vêtu du pagne de lin, il accomplissait son service en présence du Seigneur.

La famille de Samuel

19 Chaque année, la mère de Samuel confectionnait un petit manteau et l'apportait à son fils, quand elle se rendait avec son mari à Silo pour offrir le *sacrifice annuel. 20 Héli* bénissait Elcana et sa
femme, et disait à Elcana : « Que le Seigneur t'accorde d'avoir d'autres enfants de cette femme, pour remplacer celui

h 2.3 *il juge...* ou *devant lui, aucune mauvaise action ne subsistera*.

i 2.10 V. 1-10 : comparer Luc 1.46-55.

j 2.13 Autre traduction (v. 12-13) *...des vauriens, qui ne se préoccupaient ni du Seigneur*, 13 *ni des règles que les prêtres doivent observer à l'égard du peuple*.

k 2.15 La législation de Lév 3 prescrit que les parties grasses du sacrifice de communion soient brûlées dès qu'on a égorgé la victime. Ainsi la faute des fils d'Héli est particulièrement grave, puisqu'ils exigent en fait d'être servis avant le Seigneur.

qu'elle lui a donné. » Ensuite ils retour-
naient chez eux. 21 Le Seigneur intervint
en faveur d'Anne : celle-ci mit au monde
encore trois fils et deux filles.

Quant au jeune Samuel, il grandissait
devant le Seigneur.

Héli adresse des reproches à ses fils

22 Le prêtre Héli était devenu très
vieux. Lorsqu'il apprit comment ses fils
agissaient envers les Israélites, et que
même ils couchaient avec les femmes qui
étaient de service à l'entrée de la *tente
de la rencontre[l], 23 il leur dit : « Qu'est-ce
que j'apprends ? Tout le monde parle de
votre mauvaise conduite ! Pourquoi agissez-vous ainsi ? 24 Arrêtez, mes enfants !
Ce que j'entends raconter de vous dans le
peuple du Seigneur est horrible[m]. 25 Si
quelqu'un commet une faute contre un
homme, Dieu peut arbitrer ; mais si un
homme commet une faute contre le Seigneur, qui pourrait arbitrer ? » Mais ils ne
tinrent aucun compte de ce que disait
leur père. En effet le Seigneur avait
décidé qu'ils devaient mourir.

26 Quant au jeune Samuel, il continuait
de grandir et d'être apprécié tant par le
Seigneur que par les hommes.

Le châtiment annoncé à Héli et à sa famille

27 Un *prophète vint trouver Héli et lui
dit : « Voici ce que déclare le Seigneur :
Quand tes ancêtres étaient en Égypte au
service du *Pharaon, tu sais bien que je
me suis fait connaître à eux : 28 parmi toutes les tribus d'Israël, c'est ton ancêtre
Aaron que j'ai choisi pour qu'il devienne
mon prêtre, chargé d'offrir les *sacrifices
sur mon *autel, de brûler le parfum et de
me consulter. Je lui ai même attribué,
ainsi qu'à ses descendants, une part des
sacrifices offerts par les Israélites[n].
29 Alors, pourquoi traitez-vous sans respect les sacrifices et les offrandes que j'ai
ordonné de me présenter en tout temps ?
Pourquoi vous engraissez-vous des meilleurs morceaux de ce que mon peuple
d'Israël m'apporte en offrande ? Pourquoi honores-tu tes fils plus que moi-
même ? 30 Puisqu'il en est ainsi, voici ce
que je t'annonce, moi, le Seigneur, le
Dieu d'Israël : J'avais promis à ta famille,
à ton clan même, que pour toujours vous
seriez mes prêtres ; mais maintenant, j'affirme solennellement qu'il n'en est plus
question. En effet, j'honore ceux qui
m'honorent, mais ceux qui me méprisent
seront méprisés à leur tour. 31 Je ne vais
pas tarder à retrancher de ta famille et de
ton clan tous ceux qui sont dans la force
de l'âge, afin qu'on n'y trouve plus de
vieillards. 32 En tout temps tes regards seront pleins d'angoisse[o]. Tout ira bien
pour le peuple d'Israël, tandis que dans ta
famille il n'y aura plus jamais de vieillards. 33 Je maintiendrai pourtant un de
tes descendants à proximité de mon autel, pour que tu en sois rongé de jalousie
et de désespoir. Quant aux autres, ils
mourront comme simples laïcs.

34 « Tu auras une preuve de ce que j'affirme dans ce qui arrivera à tes deux fils,
Hofni et Pinhas : ils mourront tous les
deux le même jour. 35 Ensuite, je me choisirai un prêtre fidèle, qui agira selon ce
que je désire ; je lui accorderai des descendants qui seront prêtres sans interruption, au côté du roi que j'aurai
désigné. 36 Alors, le survivant de ta famille ira se jeter à genoux devant le prêtre pour obtenir une pièce d'argent ou
une miche de pain, et lui dira : "Je t'en
supplie, accorde-moi n'importe quelle
occupation aux côtés des prêtres, afin que
j'aie de quoi manger." »

3 1 Quant au jeune Samuel, il servait le
Seigneur, sous la surveillance d'Héli.

Dieu établit Samuel comme prophète

En ce temps-là, il était rare que le Seigneur parle directement à un homme ou
lui accorde une vision.

---

l 2.22 On ignore quel était le *service* de ces *femmes*.

m 2.24 *Ce que j'entends...* : autre traduction *Ces rumeurs que j'entends sont horribles : vous poussez les gens à désobéir à la loi du Seigneur*.

n 2.28 Voir Ex 28.1 ; Lév 7.35-36.

o 2.32 Autre traduction *Tu verras un rival s'occuper du sanctuaire*.

2 Une nuit, le prêtre Héli, qui était devenu presque aveugle, dormait à sa place
habituelle. 3 Samuel aussi dormait. Il
était dans le temple du Seigneur, près du
*coffre sacré. Avant l'aube, alors que la
lampe du *sanctuaire brûlait encore[p], 4 le
Seigneur appela Samuel. Celui-ci répondit : « Oui, Maître », 5 puis il accourut auprès d'Héli et lui dit : « Tu m'as appelé ;
me voici ! » – « Je ne t'ai pas appelé, dit
Héli ; retourne te coucher. » Samuel alla
se recoucher.
6 Une seconde fois le Seigneur appela :
« Samuel ! » L'enfant se leva et revint dire
à Héli : « Tu m'as appelé ; me voici ! »
– « Non, mon enfant ! répondit Héli, je
ne t'ai pas appelé ; retourne te coucher. »
7 Samuel ne connaissait pas encore personnellement le Seigneur, car celui-ci
ne lui avait jamais parlé directement
jusqu'alors.
8 Pour la troisième fois, le Seigneur appela : « Samuel ! » Samuel se leva, revint
trouver Héli et lui dit : « Tu m'as appelé ;
me voici ! » Cette fois, Héli comprit que
c'était le Seigneur qui appelait l'enfant.
9 Il lui dit alors : « Va te recoucher. Et si
on t'appelle de nouveau, tu répondras :
“Parle, Seigneur, ton serviteur écoute !” »
Samuel alla donc se recoucher à sa place.

10 Le Seigneur vint et se tint là ;
comme les autres fois, il appela : « Samuel, Samuel ! » L'enfant répondit :
« Parle, ton serviteur écoute. » 11 Le Seigneur déclara à Samuel : « Je vais frapper
Israël d'un malheur tel qu'il fera l'effet
d'un coup de tonnerre sur ceux qui l'apprendront. 12 Ce jour-là, je réaliserai à
l'égard d'Héli et de sa famille tous les
malheurs dont je les ai menacés, sans rien
négliger. 13 Je l'ai averti que je condam-
nais sa famille pour toujours ; en effet, ses
fils ont péché en me traitant avec mépris,
et lui, qui savait cela, les a laissés faire.
14 C'est pourquoi j'ai juré à la famille
d'Héli que ni *sacrifices ni offrandes ne
pourront jamais faire oublier son péché. »
15 Samuel resta couché jusqu'au matin.
Puis il alla ouvrir les portes du *sanctuaire. Il craignait de raconter sa vision à
Héli ; 16 mais Héli l'appela : « Samuel,
mon enfant ! » – « Oui, Maître », répondit-il. 17 « Que t'a dit le Seigneur ? demanda Héli ; ne me cache rien. Si tu me
caches un seul mot de ce que Dieu t'a dit,
je veux qu'il t'inflige la plus terrible des
punitions. » 18 Alors Samuel lui raconta
tout, sans rien cacher. Héli déclara : « Il
est le Seigneur ! Qu'il fasse ce qu'il juge
bon. »

19 Samuel devint grand. Le Seigneur
était avec lui, si bien qu'aucune des paroles que Samuel prononçait de sa part ne
restait sans effet. 20 C'est ainsi que dans
tout le pays d'Israël, de Dan à Berchéba[q],
on sut que Samuel était un vrai *prophète du Seigneur. 21 Le Seigneur continua de se manifester à Silo : en effet, c'est
là qu'il se révélait à Samuel pour lui faire
4 connaître sa parole, 1 et Samuel transmettait cette parole à tout le peuple
d'Israël.

Le coffre sacré aux mains des ennemis

Un jour, les Israélites se mirent en
campagne pour combattre les Philistins.
Ils établirent leur camp à la Pierre-du-
secours, tandis que les Philistins établis-
saient le leur à Afec[r]. 2 Les Philistins se
mirent en ordre de bataille contre les Israélites. Le combat fut acharné[s]. Les Philistins écrasèrent les Israélites et leur
tuèrent environ quatre mille hommes
dans cette bataille. 3 Lorsque les survivants arrivèrent au camp, les *anciens
d'Israël se dirent : « Pourquoi le Seigneur
a-t-il laissé les Philistins nous écraser aujourd'hui ? Allons donc chercher à Silo le
*coffre de l'alliance du Seigneur. Quand

---

p 3.3 *près du coffre sacré* : selon Ex 25.22, c'est du haut du *coffre sacré* que Dieu s'adresse à ceux qui sont dans le sanctuaire. – Sur *la lampe du sanctuaire* (allumée durant la nuit), voir Ex 27.20-21.

q 3.20 *de Dan à Berchéba* : voir Jug 20.1 et la note.

r 4.1 L'ancienne version grecque insère au début du paragraphe une phrase absente du texte hébreu *Un jour les Philistins s'assemblèrent pour combattre les Israélites ; alors (les Israélites se mirent en campagne contre eux...).* – *la Pierre-du-secours* (en hébreu *Ében-Ézer*), *Afec* : deux endroits distants de quelques kilomètres seulement, et situés à 40 km environ au nord-ouest de Jérusalem.

s 4.2 *fut acharné* : le sens du verbe hébreu n'est pas assuré.

le Seigneur[t] sera au milieu de nous, il nous sauvera de nos ennemis. » 4 On envoya alors des gens à Silo pour en ramener le coffre de l'alliance du Seigneur, le Dieu de l'univers, qui siège au-dessus des *chérubins[u]. Les deux fils du prêtre Héli, Hofni et Pinhas, accompagnèrent le coffre sacré. 5 Dès qu'il arriva au camp, les soldats israélites firent une si grande ovation que la terre en trembla.

6 Les Philistins entendirent cela et s'écrièrent : « Que signifient cette bruyante ovation dans le camp des Hébreux ? » Lorsqu'ils surent que le coffre du Seigneur était arrivé au camp d'Israël, 7 ils prirent peur ; ils se disaient en effet : « Dieu est arrivé dans leur camp ; précédemment il n'y était pas, mais maintenant, malheur à nous ! 8 Oui, malheur à nous ! Qui nous sauvera du pouvoir de ce Dieu si puissant qui a infligé aux Égyptiens toutes sortes de fléaux dans le désert[v] ? 9 Allons, Philistins, montrons-nous courageux et soyons des hommes. Nous risquons de devenir les esclaves des Hébreux, tout comme ils ont été les nôtres ; combattons-les donc courageusement ! » 10 Les Philistins engagèrent alors le combat ; les Israélites furent battus et s'enfuirent chez eux. Ce fut une très lourde défaite : trente mille soldats israélites furent tués, 11 le coffre sacré fut pris par les Philistins, et les deux fils d'Héli, Hofni et Pinhas, moururent.

Mort du prêtre Héli et de sa belle-fille

12 Le même jour, un homme de la tribu de Benjamin s'échappa du champ de bataille et courut jusqu'à Silo ; en signe de tristesse, il avait *déchiré ses vêtements et mis de la poussière sur sa tête. 13 Héli était au bord de la route, assis sur son siège ; il attendait avec impatience, car il était très inquiet au sujet du *coffre sacré de Dieu. L'homme entra dans la ville et annonça la nouvelle. Alors tous les habitants se lamentèrent à grands cris. 14 Héli entendit ces cris et demanda ce que cela signifiait ; l'homme vint en hâte lui apporter la nouvelle. 15 – Héli avait alors quatre-vingt-dix-huit ans, et il était totalement aveugle. – 16 L'homme lui dit : « Je viens d'arriver du combat. Je me suis enfui aujourd'hui même. » – « Que s'est-il passé, mon garçon ? » demanda Héli. 17 « Les Israélites ont pris la fuite devant les Philistins, répondit le messager ; ce fut une lourde défaite pour notre armée. De plus, tes deux fils, Hofni et Pinhas, sont morts, et le coffre sacré de Dieu a été emporté par les Philistins. » 18 Au moment où le messager mentionna le coffre sacré, Héli, qui était sur son siège, tomba à la renverse en travers[w] de la porte du *sanctuaire ; il se brisa la nuque et mourut, car il était lourd et âgé. Il avait été à la tête du peuple d'Israël pendant quarante ans.

19 La belle-fille d'Héli, la femme de Pinhas, était enceinte et près d'accoucher. Lorsqu'elle apprit que les Philistins s'étaient emparés du coffre sacré, et que son beau-père et son mari étaient morts, elle s'accroupit[x] car les douleurs l'avaient saisie, et elle accoucha. 20 Puis, comme elle était sur le point de mourir, les femmes qui se tenaient près d'elle lui dirent : « N'aie pas peur ! Tu as donné naissance à un fils. » Mais elle ne répondit rien ; elle ne fit même pas attention. 21 Par la suite, elle déclara : « Puisque la *gloire de Dieu a quitté Israël, je donne à l'enfant le nom d'Ikabod. » Ce nom, qui signifie "Il n'y a plus de gloire", était une allusion à la prise du coffre sacré, et à la mort de son beau-père et de son mari. 22 Elle affirma ainsi que la gloire avait quitté Israël parce que le coffre du Seigneur avait été emporté par les ennemis.

---

t **4.3** *Silo* : voir 1.3 et la note. – *le Seigneur* : autre traduction *le coffre* (qui symbolise la présence du Seigneur).

u **4.4** Voir Ex 25.22.

v **4.8** *ce Dieu... infligé* : autre traduction possible *ces dieux si puissants qui ont infligé*. – *toutes sortes de fléaux* : allusion en termes très généraux aux fléaux d'Égypte (Ex 7–11) et à la destruction de l'armée égyptienne (Ex 14).

w **4.18** *en travers* ou *à côté*.

x **4.19** *elle s'accroupit* : il s'agit probablement de la position habituelle en ce temps-là de la femme qui accouchait ; autre traduction *elle s'effondra*.

Le coffre sacré chez les Philistins

5 1 Les Philistins s'étaient donc emparés du *coffre sacré de Dieu ; ils l'emmenèrent de la Pierre-du-secours à Asdod[y], 2 l'introduisirent dans le temple de leur dieu Dagon et le placèrent à côté de la statue de Dagon. 3 Le lendemain, lorsque les gens d'Asdod se levèrent, ils trouvèrent la statue de Dagon par terre, étendue devant le coffre du Seigneur ; ils la remirent en place. 4 Le matin suivant, ils virent que la statue était de nouveau par terre, devant le coffre sacré ; il n'en restait d'ailleurs que le corps, car la tête et les mains, brisées, gisaient sur le seuil du temple. 5 – C'est la raison pour laquelle les prêtres de Dagon et tous ceux qui entrent dans son temple, à Asdod, évitent encore aujourd'hui de poser le pied sur le seuil. –

6 Le Seigneur fit sentir encore plus sévèrement sa puissance aux gens d'Asdod : il les épouvanta et leur infligea des hémorroïdes[z], à eux et aux habitants des environs. 7 Quand ils virent ce qui leur arrivait, ils déclarèrent : « Nous ne voulons pas que le coffre sacré du Dieu d'Israël reste chez nous ; ce Dieu nous a trop fait sentir sa puissance, à nous et à notre dieu Dagon. »

8 Ils convoquèrent chez eux tous les chefs des Philistins et leur demandèrent : « Que devons-nous faire du coffre sacré du Dieu d'Israël ? » – « Transportez-le à Gath[a] », répondirent-ils. On le transporta donc à Gath, 9 mais dès qu'il y arriva, le Seigneur fit sentir sa puissance aux habitants de la ville. Il y eut une terrible panique ; tous les habitants, du plus petit au plus grand, attrapèrent des hémorroïdes. 10 Aussitôt, ils firent porter le coffre à Écron[b] ; mais dès qu'il y arriva, les gens d'Écron poussèrent de grands cris et dirent : « On a transporté le coffre du Dieu d'Israël chez nous pour nous faire tous mourir ! »

11 Ils convoquèrent à leur tour les chefs des Philistins et leur dirent : « Renvoyez le coffre du Dieu d'Israël dans son pays, sinon nous allons tous mourir. » En effet, une panique effroyable régnait dans la ville, car le Seigneur y avait aussi fait sentir très fortement sa puissance ; 12 les gens qui ne mouraient pas attrapaient des hémorroïdes, et leurs cris de détresse montaient jusqu'au *ciel.

Les Philistins renvoient le coffre sacré en Israël

6 1 Le *coffre sacré du Seigneur demeura sept mois dans le pays des Philistins. 2 Finalement, ceux-ci demandèrent à leurs prêtres et à leurs devins : « Que ferons-nous du coffre du Seigneur ? Dites-nous de quelle manière nous devons le renvoyer dans son pays. » – 3 « Si vous voulez renvoyer le coffre du Dieu d'Israël, répondirent les prêtres et les devins, ne le renvoyez surtout pas sans rien. Au contraire, offrez quelque chose au Dieu d'Israël, à titre de compensation. Alors vous guérirez et vous saurez pour quelle raison ce Dieu ne cessait pas de vous faire sentir sa puissance[c]. » – 4 « Mais quel genre de compensation devrons-nous lui offrir ? » demandèrent les Philistins. Les prêtres et les devins répondirent : « D'après le nombre des chefs des Philistins, offrez-lui cinq objets d'or représentant des hémorroïdes et cinq souris en or. En effet, c'est un seul et même fléau qui vous a atteints, vous[d] et vos chefs. 5 Faites donc des représentations de vos hémorroïdes, ainsi que des souris qui dévastent votre pays, et reconnaissez la *gloire du Dieu d'Israël. Il renoncera peut-être à manifester sa puis-

---

y 5.1 *la Pierre-du-secours* : voir 4.1 et la note ; *Asdod* : une des cinq villes principales des Philistins, située à l'ouest de Jérusalem, près de la côte méditerranéenne.

z 5.6 Autre traduction *des tumeurs*. De même dans la suite du récit.

a 5.8 *Gath* : une autre des cinq villes principales des Philistins, située à 45 km environ au sud-ouest de Jérusalem.

b 5.10 *Écron* : encore une des villes principales des Philistins, située à 45 km environ à l'ouest de Jérusalem.

c 6.3 *Alors vous guérirez...* : l'ancienne version grecque traduit ainsi *Alors vous guérirez et vous serez pardonnés. Ensuite pour quelle raison ce Dieu ne cesserait-il pas de...*

d 6.4 *qui vous a atteints, vous* : d'après quelques manuscrits hébreux et les anciennes versions ; texte hébreu traditionnel *qui les a atteints, eux*.

sance contre vous, vos dieux et votre
pays. 6 Ne vous obstinez pas comme le
*Pharaon et les Égyptiens l'ont fait.
Souvenez-vous comment ce Dieu les a
traités jusqu'à ce qu'ils laissent partir les
Israélites. 7 Alors maintenant, construisez un char neuf et prenez deux vaches
qui allaitent leurs veaux et n'ont jamais
porté le *joug. Vous les attellerez au
char, mais vous ramènerez leurs veaux à
l'étable. 8 Vous prendrez le coffre du Seigneur et le déposerez sur le char ; vous
placerez dans une caissette, à côté du
coffre, les objets d'or que vous offrez à
Dieu, à titre de compensation. Ensuite,
vous laisserez partir le char. 9 Et vous
verrez : si les vaches prennent le chemin
du pays d'Israël, en direction de Beth-
Chémech[e], cela veut dire que c'est bien
le Dieu d'Israël qui nous a fait tout ce
mal ; si elles ne prennent pas cette direction, nous saurons que ce n'est pas lui
qui nous a infligé ces malheurs, mais
qu'ils nous sont arrivés par hasard. »
10 Les Philistins firent ce qu'on leur
avait conseillé. Ils prirent deux vaches
qui allaitaient et les attelèrent au char,
mais ils enfermèrent leurs veaux à l'étable. 11 Ils placèrent sur le char le coffre
sacré ainsi que la caissette contenant les
souris d'or et les représentations des
hémorroïdes.

12 Les vaches prirent tout droit le chemin de Beth-Chémech. Elles le suivirent
sans cesser de meugler ; elles ne se détournèrent ni à droite ni à gauche. Les
chefs des Philistins marchèrent derrière
le char jusqu'à la limite de Beth-Chémech. 13 Les habitants de cette ville
étaient dans la plaine, en train de moissonner le blé. Ils aperçurent le coffre
sacré et en furent pleins de joie. 14 Le char
arriva au champ de Yochoua, de Beth-
Chémech, et s'arrêta là, près d'une grosse
pierre. On découpa le bois du char en
morceaux, puis on offrit les vaches en
*sacrifice complet au Seigneur.

15 Les *lévites avaient enlevé du char le
coffre du Seigneur et la caissette qui
contenait les objets d'or, et avaient déposé le tout sur la grande pierre. Puis, le
même jour, les gens de Beth-Chémech
offrirent au Seigneur des sacrifices
complets et des sacrifices de communion.
16 Le même jour aussi, les cinq chefs des
Philistins, après avoir vu cela, retournèrent à Écron.

17 Voici le compte des hémorroïdes d'or
que les Philistins offrirent au Seigneur à
titre de compensation : une pour la ville
d'Asdod, une pour Gaza, une pour Ascalon, une pour Gath et une pour Écron[f].
18 Quant aux souris d'or, leur nombre correspondait à celui des localités, villes fortifiées ou villages de campagne, du
territoire des cinq chefs philistins.
– Leur territoire s'étend jusqu'à la
grande pierre du champ de Yochoua, de
Beth-Chémech, sur laquelle on avait déposé le coffre du Seigneur[g]. –

19 Le Seigneur punit les habitants de
Beth-Chémech, parce qu'ils avaient regardé dans le coffre sacré ; il fit mourir
soixante-dix hommes sur cinquante
mille[h]. Alors tous les survivants prirent
le deuil, parce que le Seigneur les avait
très durement punis. 20 Puis ils déclarèrent : « Personne ne pourrait subsister
en présence du Seigneur, ce Dieu sans pareil. Où allons-nous donc faire transporter, loin de chez nous, son coffre sacré ? »
21 Ils envoyèrent des messagers aux habitants de Quiriath-Yéarim[i] pour leur dire :
« Les Philistins ont rapporté le coffre du
Seigneur. Venez donc le chercher et em-
7 portez-le chez vous. » 1 Les gens de
Quiriath-Yéarim vinrent donc le
chercher et le transportèrent dans la maison d'Abinadab, qui se trouve sur une
colline[j]. Ensuite ils consacrèrent Élazar,
fils d'Abinadab, comme gardien du coffre du Seigneur.

---

e 6.9 *Beth-Chémech* : localité située à 25 km environ à l'ouest de Jérusalem.

f 6.17 Il s'agit des cinq villes principales des Philistins. *Gaza* et *Ascalon* étaient situées sur la côte méditerranéenne (voir aussi 5.1,8,10 et les notes).

g 6.18 *la grande pierre* : d'après les anciennes versions grecque et araméenne ; hébreu *la grande prairie*. – Le texte hébreu de la fin du verset est peu clair et la traduction incertaine.

h 6.19 *soixante-dix hommes sur cinquante mille* : texte hébreu peu clair.

i 6.21 Localité située à 13 km environ au nord-ouest de Jérusalem.

j 7.1 Voir 2 Sam 6.3.

Les Philistins vaincus. Samuel, chef d'Israël

2 Après que le *coffre sacré du Seigneur eut été déposé à Quiriath-Yéarim, beaucoup de temps s'écoula, une vingtaine d'années. Les Israélites aspiraient à se rapprocher du Seigneur. 3 Alors Samuel leur dit : « Si c'est de tout votre cœur que vous revenez au Seigneur, cessez d'adorer les idoles *d'Astarté et de tous les autres dieux étrangers ; attachez-vous au Seigneur et servez-le, lui seul ; alors il vous sauvera du pouvoir des Philistins. » 4 Les Israélites rejetèrent donc les idoles des dieux *Baals et de la déesse Astarté, et ils adorèrent le Seigneur seul. 5 Samuel ordonna ensuite : « Que tout le peuple se rassemble à Mispa[k] ; là je prierai le Seigneur en votre faveur. » 6 Les Israélites se rassemblèrent à Mispa. Ils puisèrent de l'eau, la répandirent sur le sol devant le Seigneur et *jeûnèrent ce jour-là. Enfin ils confessèrent qu'ils étaient coupables envers le Seigneur. C'est là, à Mispa, que Samuel devint le chef du peuple d'Israël.

7 Lorsque les Philistins apprirent que les Israélites étaient rassemblés à Mispa, leurs chefs décidèrent d'aller les attaquer. A cette nouvelle, les Israélites furent effrayés 8 et ils dirent à Samuel : « Ne nous abandonne pas ! Ne cesse pas de supplier le Seigneur notre Dieu en notre faveur, pour qu'il nous sauve du pouvoir des Philistins. » 9 Samuel prit un tout jeune agneau et l'offrit en *sacrifice au Seigneur en le brûlant complètement ; puis il supplia le Seigneur en faveur des Israélites et le Seigneur l'exauça. 10 En effet, tandis que Samuel offrait le sacrifice, les Philistins s'étaient avancés pour attaquer Israël ; mais alors le Seigneur fit retentir le tonnerre à grand fracas, jetant la confusion dans l'armée des Philistins, qui furent battus par les Israélites. 11 L'armée d'Israël sortit de Mispa, poursuivit les Philistins jusqu'au-dessous de Beth-Kar[l] et les battit complètement. 12 Samuel s'écria : « Jusqu'ici le Seigneur nous a secourus ». Il prit alors une pierre, la dressa entre Mispa et La Dent et l'appela "Pierre-du-secours"[m].

13 Les Philistins furent humiliés par cette défaite. Le Seigneur leur fit sentir sa puissance tant que vécut Samuel, et ils ne recommencèrent plus à envahir le territoire d'Israël. 14 Les localités que les Philistins avaient prises aux Israélites, dans la région située entre Écron et Gath[n], furent rendues aux Israélites ; cette région fut ainsi libérée de la domination des Philistins. La paix régna également entre les Israélites et les *Amorites.

15 Samuel fut le chef du peuple d'Israël jusqu'à sa mort. 16 Chaque année il se mettait en route et passait par Béthel, le Guilgal[o] et Mispa, pour rendre la justice dans ces trois villes. 17 Puis il rentrait chez lui, à Rama[p], où il rendait aussi la justice pour les Israélites. C'est là qu'il construisit un *autel pour le Seigneur.

Les Israélites demandent un roi

8 1 Quand Samuel fut devenu vieux, il plaça ses fils à la tête du peuple d'Israël. 2 Son fils aîné s'appelait Joël et le second Abia. Ils s'installèrent à Berchéba[q] pour y rendre la justice. 3 Mais ils ne suivirent pas l'exemple de leur père. Attirés par l'argent, ils acceptaient des cadeaux et prononçaient des jugements injustes. 4 C'est pourquoi les *anciens d'Israël se réunirent et se rendirent chez Samuel à Rama[r] ; 5 ils lui déclarèrent : « Vois-tu, Samuel, tu es vieux, et tes fils ne suivent pas

---

k 7.5 Localité située à 12 km environ au nord de Jérusalem.

l 7.11 Localité inconnue.

m 7.12 *La Dent* : endroit inconnu ; *Pierre-du-secours* : cet endroit n'est sans doute pas le même que celui mentionné en 4.1.

n 7.14 *Écron, Gath* : voir 5.8,10 et les notes.

o 7.16 *Béthel* : localité située à 15 km environ au nord de Jérusalem ; *le Guilgal* : nom de plusieurs localités dans le pays d'Israël ; il s'agit probablement ici du *Guilgal* situé près de Jéricho (voir Jos 4.19-20 ; 5.9-10).

p 7.17 *Rama* : voir 1.1 et la note.

q 8.2 *Berchéba* : localité située à 70 km environ au sud-ouest de Jérusalem.

r 8.4 *Rama* : voir 1.1 et la note.

ton exemple. Désigne donc un roi pour nous gouverner, comme cela se fait chez tous les autres peuples[s]. » 6 Samuel fut très mécontent qu'ils aient demandé un roi et il se mit à prier le Seigneur. 7 Le Seigneur lui répondit : « Écoute les Israélites, accepte leurs revendications. En effet, ce n'est pas toi qu'ils rejettent, c'est moi ! Ils ne veulent plus que je sois leur roi. 8 Depuis le jour où je les ai fait sortir d'Égypte jusqu'à maintenant, ils n'ont pas cessé de m'abandonner pour adorer d'autres dieux ; ce qu'ils ont ainsi fait avec moi, ils vont maintenant le faire avec toi aussi. 9 C'est pourquoi, accepte leurs revendications ; seulement, avertis-les solennellement et indique-leur quels seront les droits du roi qui régnera sur eux. »

Les droits du roi

10 Samuel rapporta les paroles du Seigneur à ceux qui lui avaient demandé un roi : 11 « Sachez, leur dit-il, quels seront les droits du roi qui régnera sur vous : Il prendra parmi vos fils des soldats pour conduire ses chars de guerre, pour monter ses chevaux, ou pour courir devant son propre char ; 12 certains auront à commander un régiment ou une compagnie. Il en prendra d'autres pour labourer ses champs et rentrer ses moissons, ou pour lui fabriquer des armes et des équipements de chars. 13 Il prendra aussi vos filles comme parfumeuses, cuisinières ou boulangères. 14 Il s'appropriera les meilleurs de vos champs, de vos vignes ou de vos plantations d'oliviers et les donnera à ses officiers ; 15 il prélèvera sur les produits de vos champs et de vos vignes une redevance de dix pour cent, qu'il donnera à ses fonctionnaires et à ses officiers. 16 Il réquisitionnera vos serviteurs et vos servantes, les plus forts de vos jeunes gens, et même vos ânes, pour travailler à son service. 17 Il prélèvera une bête sur dix dans vos troupeaux de moutons et de chèvres. En un mot, vous serez ses esclaves. 18 Alors vous vous plaindrez au Seigneur à cause du roi que vous vous serez choisi, mais il ne vous répondra pas. »

19 Les Israélites refusèrent de tenir compte des paroles de Samuel et déclarèrent : « Tant pis, nous voulons quand même un roi, 20 pour être comme tous les autres peuples. Nous voulons un roi qui rende la justice parmi nous, qui marche à la tête de notre armée et qui combatte avec nous. » 21 Samuel écouta tout ce que disaient les Israélites et le rapporta au Seigneur. 22 Le Seigneur lui répondit : « Accorde-leur ce qu'ils te demandent : donne-leur un roi. » Après cela, Samuel invita les Israélites à retourner chez eux.

Saül et les ânesses perdues

9 1 A cette époque-là, dans le pays de Benjamin, vivait un Benjaminite de condition aisée ; il s'appelait Quich et était fils d'Abiel, lui-même fils de Seror, petit-fils de Bekorath et arrière-petit-fils d'Afia. 2 Quich avait un fils nommé Saül, un beau jeune homme : personne en Israël n'avait plus belle allure que lui, il dépassait tout le monde d'une tête.

3 Un jour, les ânesses de Quich s'égarèrent. Quich ordonna donc à son fils Saül de prendre avec lui un serviteur et de partir à la recherche de ces bêtes. 4 Saül et son compagnon traversèrent d'abord la région montagneuse d'Éfraïm, puis le territoire de Chalicha, mais ils ne trouvèrent rien ; ils passèrent par celui de Chaalim[t], en vain, puis par celui de Benjamin, mais ils ne trouvèrent toujours rien. 5 Quand ils arrivèrent dans la région de Souf[u], Saül dit à son serviteur : « Rentrons à la maison, sinon mon père oubliera les ânesses pour ne plus s'inquiéter que de nous. » 6 Le serviteur répondit : « Je sais que dans cette ville, là, devant nous, il y a un *prophète, un homme réputé : tout ce qu'il annonce arrive à coup sûr. Allons donc le voir maintenant ; il nous indiquera peut-être de quel côté nous devons poursuivre nos recherches. » – 7 « Mais, si nous y allons, dit Saül, qu'apporterons-nous à ce prophète ? Nous n'avons plus de pain dans nos sacs, nous n'avons aucun cadeau à lui offrir, il

---

s **8.5** Voir Deut 17.14.
t **9.4** *Chalicha, Chaalim* : régions non identifiées ; comparer 2 Rois 4.42.
u **9.5** *Souf* : région inconnue.

ne nous reste rien. » – 8 « J'ai avec moi une petite pièce d'argent, reprit le serviteur ; nous la lui donnerons pour qu'il nous indique le chemin à prendre. » 9-11 Saül dit alors : « C'est bien ; allons-y. »

Et ils se rendirent à la ville où se trouvait le prophète. En cours de route, ils croisèrent des jeunes filles qui descendaient de la ville pour aller puiser de l'eau. Ils leur demandèrent : « Est-ce que le voyant est ici ? »

– Autrefois en Israël, lorsqu'on voulait consulter Dieu, on disait : « Allons donc chez le voyant ». En effet, celui qu'on appelle aujourd'hui “prophète”, on l'appelait alors “voyant”. –

12 Les jeunes filles leur répondirent : « Oui, il est arrivé juste avant vous ; il est venu dans notre ville aujourd'hui, car c'est le jour où la population offre un *sacrifice sur le lieu sacré. Dépêchez-vous 13 et vous le trouverez dès que vous entrerez en ville, avant qu'il monte au lieu sacré pour le repas. Personne ne mangera avant qu'il arrive, car c'est lui qui doit bénir le sacrifice ; les invités ne mangeront qu'ensuite. Allez-y maintenant, vous le trouverez tout de suite. »

Saül rencontre Samuel

14 Ils continuèrent leur route. Au moment où ils entraient dans la ville, Samuel, qui en sortait pour se rendre au lieu sacré, arriva près d'eux.

15 Or le jour précédent, le Seigneur avait averti Samuel de cette rencontre en disant : 16 « Demain à la même heure, je te ferai rencontrer un homme de la tribu de Benjamin ; tu le consacreras comme chef de mon peuple Israël, pour qu'il le délivre du pouvoir des Philistins. En effet, mon peuple m'a appelé au secours, et j'ai vu dans quelle situation il se trouve. » 17 Ainsi, dès que Samuel aperçut Saül, le Seigneur lui dit : « Voici l'homme dont je t'ai parlé ; c'est lui qui gouvernera mon peuple. »

18 Saül s'approcha de Samuel et, à la porte de la ville, lui demanda : « Indique-moi, s'il te plaît, où loge le voyant. » – 19 « C'est moi, le voyant, répondit Samuel. Veuille passer devant moi et montons au lieu sacré. Pour aujourd'hui, vous mangerez avec moi ; demain matin, quand j'aurai répondu à toutes les questions que tu te poses, je te laisserai aller. 20 Quant aux ânesses disparues depuis trois jours, ne t'en inquiète plus : on les a retrouvées. Mais il faut maintenant que tu saches vers qui se porte l'attente du peuple d'Israël : c'est vers toi, vers la famille de ton père[v] ! » 21 Saül répondit : « Comment ? Je ne suis qu'un Benjaminite, un membre de la plus petite des tribus d'Israël, et mon clan est le moins nombreux de la tribu de Benjamin ! Comment peux-tu me dire une telle chose ? »

22 Cependant Samuel emmena Saül et son serviteur et les conduisit dans la salle du repas ; il les installa à la place d'honneur, en compagnie d'une trentaine d'invités. 23 Il ordonna ensuite au cuisinier d'apporter le morceau de viande qu'il lui avait remis et fait mettre de côté. 24 Celui-ci alla chercher le gigot avec le morceau attenant et les déposa devant Saül. Samuel dit alors à Saül : « Voici devant toi les morceaux qu'on t'a réservés pour cette occasion. Mange, en compagnie de ceux que j'ai invités[w]. » Ainsi Saül mangea, ce jour-là, avec Samuel. 25 Puis ils redescendirent du lieu sacré à la ville, et Samuel s'entretint avec Saül, sur le toit en terrasse de la maison.

Samuel consacre Saül comme roi d'Israël

26 Le lendemain, Saül et son serviteur se réveillèrent de bon matin. Lorsque le jour parut, Samuel appela Saül sur la terrasse : « En route, lui dit-il, je vais te raccompagner un bout de chemin. » Et Saül partit en compagnie de Samuel. 27 Quand ils arrivèrent à la limite de la ville, Samuel dit à Saül : « Ordonne à ton servi-

---

v **9.20** *vers qui...* : autre traduction *à qui doit revenir ce qu'il y de plus précieux en Israël : c'est à toi et à la famille de ton père !*

w **9.24** *Samuel* : d'après les anciennes versions grecque et latine ; hébreu *Il* (qui pourrait aussi désigner le cuisinier). – *Voici devant toi...* : le texte hébreu de ces deux phrases est peu clair, et la traduction incertaine.

teur de passer en avant. » Le serviteur s'éloigna. Samuel reprit : « Et toi, maintenant, reste ici, je vais te faire connaître ce que déclare le Seigneur. »

10 1 Samuel prit alors le flacon d'huile qu'il avait emporté et le versa sur la tête de Saül. Puis il embrassa Saül et lui dit : « Le Seigneur lui-même t'a consacré comme chef de son peuple[x]. 2 Tout à l'heure tu vas me quitter. A Selsa[y], dans le territoire de Benjamin, tu rencontreras deux hommes près de la tombe de Rachel et ils te diront : "Les ânesses que tu cherches sont retrouvées ; ton père ne s'en soucie donc plus, mais il s'inquiète de vous et se demande ce qu'il doit faire pour retrouver son fils." 3 Tu continueras ton chemin et tu arriveras près du chêne de Tabor. Là, tu rencontreras trois hommes qui se rendent au *sanctuaire de Béthel[z], l'un portant trois chevreaux, le deuxième trois galettes de pain, et le troisième une *outre de vin. 4 Ils te demanderont si tout va bien et t'offriront deux pains consacrés[a] que tu accepteras. 5 Ensuite, tu te rendras à Guibéa-Élohim, où se trouvent les gouverneurs philistins[b]. Lorsque tu arriveras près de la ville, tu rencontreras un groupe de *prophètes qui descendent du lieu sacré, précédés de joueurs de harpes, de tambourins, de flûtes et de lyres ; eux-mêmes seront en pleine excitation prophétique. 6 Alors l'Esprit du Seigneur s'emparera de toi ; tu seras saisi de la même excitation qu'eux et tu deviendras un autre homme. 7 Quand tous ces événements se seront produits, tu sauras que Dieu est vraiment avec toi. Dès lors, agis selon les circonstances. 8 Tu devras encore descendre au Guilgal[c] avant moi ; je t'y rejoindrai plus tard, pour offrir des *sacrifices complets et des sacrifices de communion. Tu m'y attendras sept jours ; quand je serai là, je te communiquerai ce que tu devras faire. »

9 Dès que Saül eut quitté Samuel, Dieu le transforma profondément. Et tous les événements annoncés par Samuel s'accomplirent ce même jour. 10 Ainsi, lorsque Saül et son serviteur arrivèrent à Guibéa, ils rencontrèrent un groupe de prophètes ; l'Esprit de Dieu s'empara de Saül, qui se joignit à eux et fut saisi de la même excitation prophétique. 11 Tous ceux qui le connaissaient de longue date et qui le virent tout excité au milieu des prophètes se demandèrent les uns aux autres : « Qu'est-il arrivé au fils de Quich ? Est-ce que Saül, lui aussi, est devenu prophète[d] ? » 12 L'un d'eux ajouta : « Et les autres, qui est leur maître[e] ? » De là est né le proverbe qui dit : « Est-ce que Saül, lui aussi, est devenu prophète ? »

13 Lorsque Saül eut retrouvé son calme, il se rendit au lieu sacré. 14 Son oncle lui demanda : « Où êtes-vous allés, toi et ton serviteur ? » – « A la recherche des ânesses, répondit Saül. Mais nous ne les avons pas retrouvées, et nous sommes allés consulter Samuel. » 15 L'oncle reprit : « Raconte-moi donc ce que Samuel vous a dit ». – 16 « Il nous a simplement annoncé que les ânesses étaient retrouvées », affirma Saül. Mais il ne lui raconta rien de ce que Samuel lui avait dit au sujet de la royauté.

Saül désigné roi par le tirage au sort

17 Samuel convoqua les Israélites au *sanctuaire de Mispa[f]. 18 Il leur dit :

---

x **10.1** Les anciennes versions grecque et latine présentent un texte plus long pour ce verset : *Le Seigneur lui-même t'a consacré comme chef d'Israël, son peuple. C'est toi qui gouverneras le peuple du Seigneur et qui le délivreras du pouvoir des ennemis qui l'environnent. Et maintenant, pour te prouver que c'est bien le Seigneur qui t'a consacré comme chef de son peuple, voici ce qui va t'arriver :*

y **10.2** *Selsa* : localité non identifiée.

z **10.3** *Tabor* : endroit non identifié (il ne s'agit pas ici du mont Tabor). – *Béthel* : voir 7.16 et la note.

a **10.4** *consacrés* : d'après un manuscrit hébreu trouvé à Qumrân et l'ancienne version grecque ; le mot manque dans le texte hébreu traditionnel.

b **10.5** *Guibéa-Élohim* (parfois *Guibéa*) : localité située à 6 km au nord de Jérusalem. – *gouverneurs philistins* ou *garnisons philistines*.

c **10.8** *au Guilgal* : voir 7.16 et la note.

d **10.11** Voir 19.23-24.

e **10.12** Ou *qui est leur père ?* Le sens de la question n'est pas très clair. Ou bien on s'étonne de ne pas voir un *chef* à la tête de ce groupe, ou bien on classe ces prophètes parmi les gens de basse condition, puisqu'on ne les connaît pas sous le nom de *leur père*. De toute façon les gens sont surpris de voir Saül au milieu d'eux.

f **10.17** *Mispa* : voir 7.5 et la note.

« Voici ce que déclare le Seigneur, le Dieu
d'Israël : "C'est moi qui vous ai fait sortir
d'Égypte, vous, le peuple d'Israël ; c'est
moi qui vous ai délivrés de la domination
des Égyptiens et de celle des autres
royaumes qui vous ont opprimés." 19 Or
vous, maintenant, continua Samuel, vous
avez rejeté votre Dieu, qui pourtant vous
a sauvés aux jours de malheur et d'angoisse, et vous lui avez dit : "Donne-nous
un roi ![g]" Eh bien, venez donc vous présenter devant le Seigneur, par tribus, puis
par clans. »

20 Samuel fit avancer chaque tribu d'Israël et tira au sort : le Seigneur désigna la
tribu de Benjamin. 21 Il fit alors avancer
chaque clan de la tribu de Benjamin, et le
clan de Matri fut désigné. Enfin, dans ce
clan, Saül, fils de Quich, fut désigné. On
le chercha, mais sans réussir à le trouver.
22 On interrogea de nouveau le Seigneur :
« Cet homme est-il venu ici ?[h] » – « Allez
voir parmi les bagages, répondit le Seigneur ; il y est caché. » 23 On y courut, on
l'en ramena, et il se présenta au milieu du
peuple : il dépassait tout le monde d'une
tête !

24 Samuel dit au peuple : « Regardez !
Voici celui que le Seigneur a choisi. Il n'a
pas son pareil dans tout le peuple. » Alors
tous lui firent une ovation en criant :
« Vive le roi ! » 25 Ensuite, Samuel énu-
méra devant eux les droits et devoirs du
roi[i], puis il les écrivit dans un livre qu'il
déposa dans le sanctuaire. Enfin il renvoya les Israélites chez eux. 26 De son
côté, Saül rentra chez lui à Guibéa, accompagné d'une troupe de partisans que
Dieu lui avait suscités. 27 Mais il y eut
aussi des vauriens pour dire : « Comment
cet individu pourrait-il nous sauver ? »
En effet, ils le méprisaient et ne lui apportèrent pas de cadeaux. Mais Saül n'y
attacha pas d'importance[j].

Saül remporte une victoire sur les Ammonites

11 1 Nahach, le roi des Ammonites,
vint assiéger la ville de Yabech,
en Galaad[k]. Les habitants de Yabech lui
dirent : « Passe un accord avec nous.
Nous sommes prêts à nous soumettre. »
– 2 « Bien, répondit le roi, j'accepte de
conclure un accord avec vous, mais à
cette condition : je crèverai l'œil droit à
chacun de vous, pour humilier tout le
peuple d'Israël. » 3 Les *anciens de la ville
reprirent : « Accorde-nous un délai de
sept jours. Nous allons envoyer des messagers dans tout le territoire d'Israël. Si
personne ne vient à notre secours, nous
nous rendrons à toi. »

4 Les messagers se rendirent à Guibéa[l],
la ville de Saül, et racontèrent aux gens ce
qui se passait. Tous les habitants pleurèrent abondamment. 5 Saül, qui revenait
justement des champs avec ses bœufs, demanda pourquoi tout le monde pleurait.
On lui rapporta les paroles des gens de
Yabech. 6 Quand Saül entendit cela, l'Esprit de Dieu s'empara de lui et il fut saisi
d'une vive indignation. 7 Il prit deux
bœufs, les découpa en morceaux, puis envoya des messagers porter ces morceaux
dans tout le territoire d'Israël, avec
l'avertissement suivant : « Ainsi seront
traités les bœufs de quiconque ne suivra
pas Saül et Samuel au combat. »

Les Israélites furent terrifiés et se rassemblèrent comme un seul homme.
8 Saül les passa en revue à Bézec[m] : ils
étaient trois cent mille des tribus du nord
et trente mille de la tribu de Juda.
9 Quant aux messagers venus de Yabech,
on les chargea d'aller dire à leurs concitoyens : « Demain vers midi, vous serez
délivrés. » Les messagers allèrent transmettre cette nouvelle aux habitants de
Yabech. Ceux-ci en furent remplis de joie
10 et dirent aux Ammonites : « Demain,

---

g **10.19** *vous avez rejeté votre Dieu* : allusion à 8.7. – *vous lui avez dit* : quelques manuscrits hébreux lisent *vous m'avez dit*.

h **10.22** *Cet homme...* : d'après l'ancienne version grecque ; hébreu *Quelqu'un d'autre est-il encore venu ici ?*

i **10.25** Comparer Deut 17.14-20.

j **10.27** *Mais Saül n'y attacha pas d'importance* : sens possible d'une expression hébraïque peu claire. Plusieurs traductions modernes suivent le texte d'un manuscrit hébreu trouvé à Qumrân et de l'ancienne version grecque, qui ont lu *Environ un mois plus tard*, mots à rattacher au début du chap. 11.

k **11.1** *Ammonites* : peuple habitant à l'est du Jourdain. – *Yabech, en Galaad* : voir Jug 21.8 et la note.

l **11.4** *Guibéa* : voir 10.5 et la note.

m **11.8** Localité située à 70 km environ au nord de Jérusalem.

nous nous rendrons à vous, et vous nous
traiterez comme il vous plaira.»
11 Le lendemain, Saül répartit son armée en trois groupes, qui pénétrèrent en
plein camp ennemi avant la fin de la nuit.
Ils tuèrent des Ammonites jusque vers
midi. Les survivants se dispersèrent au
point qu'il n'en resta pas deux ensemble.
12 Alors les Israélites dirent à Samuel:
«Où sont donc ceux qui ne voulaient pas
que Saül règne sur nous[n] ? Qu'on nous
les livre, afin que nous les fassions mourir!» 13 Mais Saül déclara: «Personne ne
doit être mis à mort en un tel jour, car aujourd'hui, le Seigneur a donné la victoire
à Israël.» 14 Ensuite, Samuel dit aux Israélites: «Venez, allons au Guilgal[o] pour
y confirmer la royauté de Saül.» 15 Tout le
peuple se rendit au Guilgal. Et là, dans le
*sanctuaire, Saül fut à nouveau proclamé
roi, puis on offrit des *sacrifices de
communion au Seigneur. Saül et tous les
habitants d'Israël se livrèrent à de grandes réjouissances.

Discours de Samuel aux Israélites

12 1 Samuel dit aux Israélites: «Eh
bien, je vous ai accordé tout ce que
vous m'avez demandé: j'ai établi un roi
sur vous. 2 Désormais c'est lui qui vous
dirigera, car moi, je suis maintenant
vieux et usé – mes fils sont des adultes,
comme vous –. Je vous ai dirigés depuis
ma jeunesse jusqu'à ce jour. 3 C'est pourquoi je me tiens devant vous: en présence du Seigneur et du roi qu'il a choisi,
portez vos accusations contre moi, si
vous en avez. Ai-je volé le bœuf de
quelqu'un ? ou l'âne de quelqu'un ? Ai-je
exploité quelqu'un ? ou causé du tort à
quelqu'un ? Ai-je accepté un cadeau de
quelqu'un, pour fermer les yeux sur ses
agissements ? Si c'est le cas, je vous rendrai ce que je vous ai pris.» 4 Les Israélites répondirent: «Tu ne nous as ni
exploités, ni causé du tort, et tu ne t'es jamais laissé acheter par un cadeau.» 5 Samuel reprit: «Le Seigneur et le roi sont
donc témoins aujourd'hui que vous
n'avez rien à me reprocher.» – «C'est
exact», répondirent-ils.
6 Samuel leur dit encore: «Le Seigneur en est témoin, lui qui s'est servi de
Moïse et d'Aaron pour faire sortir
d'Égypte vos ancêtres[p]. 7 Maintenant
donc, comparaissez en justice avec moi
devant le Seigneur. Rappelez-vous
d'abord tous les bienfaits qu'il vous a accordés, à vous et à vos ancêtres. 8 Après
que Jacob et les siens se furent rendus en
Égypte, vos ancêtres, persécutés, ont appelé le Seigneur à l'aide[q] ; le Seigneur a
envoyé Moïse et Aaron pour les faire
sortir d'Égypte et les installer dans ce
pays-ci. 9 Mais vos ancêtres ont ensuite
oublié le Seigneur leur Dieu. C'est pourquoi il a permis à Sisra, général de l'armée de Hassor, aux Philistins et au roi de
Moab, de les combattre et de les vaincre[r].
10 Vos ancêtres ont de nouveau appelé le
Seigneur à l'aide; ils ont déclaré: "Seigneur, nous sommes coupables, car nous
t'avons abandonné pour adorer les idoles
des dieux *Baals et de la déesse Astarté[s].
Mais maintenant, délivre-nous de nos
ennemis et nous te servirons!" 11 Alors le
Seigneur a envoyé Gédéon, Bédan, Jefté[t],
et finalement moi, Samuel, pour vous délivrer des ennemis qui vous entouraient.
Ainsi vous avez pu habiter en sécurité
dans le pays. 12 Mais quand vous avez vu
Nahach, roi des Ammonites, venir vous
attaquer, vous m'avez dit: "Nous voulons
un roi!" comme si le Seigneur n'était pas
votre roi[u]. 13 Eh bien, vous l'avez, le roi
que vous avez choisi, vous l'avez demandé et le Seigneur vous l'a accordé.
14 Si désormais vous respectez et servez le
Seigneur votre Dieu, si vous lui obéissez
sans vous révolter contre ses commandements, si vous le suivez, vous et votre roi,
tout ira bien. 15 Mais si vous ne lui obéis-

---

n **11.12** Allusion à 10.27.
o **11.14** *au Guilgal*: voir 7.16 et la note.
p **12.6** Voir Ex 6.26.
q **12.8** Voir Ex 2.23.
r **12.9** *Sisra*: voir Jug 4; *Hassor*: localité située à 15 km environ au nord du lac de Génésareth; *Philistins*: voir Jug 13.1; *Moab*: voir Jug 3.12-14.
s **12.10** Voir Jug 10.10-15. – *Astarté*: voir Jug 2.13 et la note.
t **12.11** *Gédéon*: voir Jug 6–8; *Bédan*: personnage inconnu; *Jefté*: voir Jug 11.
u **12.12** *Nahach*: voir chap. 11. – *Nous voulons un roi!*: voir 8.19.

sez pas, si vous vous révoltez contre ses
commandements, le Seigneur vous fera
sentir sa puissance, à vous et à vos
ancêtres[v]. 16 Et maintenant, tenez-vous
prêts à regarder le grand prodige que le
Seigneur va accomplir sous vos yeux:
17 C'est l'époque de la moisson du blé,
n'est-ce pas ? Je vais prier le Seigneur, et
il fera gronder le tonnerre et tomber la
pluie[w]. Ainsi vous découvrirez la grandeur de la faute que vous avez commise
envers le Seigneur en demandant un
roi. »

18 Samuel pria le Seigneur, qui, le jour
même, fit gronder le tonnerre et tomber
la pluie. Alors tout le peuple fut rempli
d'une grande crainte à l'égard du Seigneur et de Samuel, 19 et ils dirent à Samuel : « Supplie le Seigneur ton Dieu en
notre faveur, afin que nous ne mourions
pas, car à tous nos péchés, nous avons
ajouté celui de demander un roi. »
– 20 « N'ayez pas peur, répondit Samuel.
Certes, vous avez commis cette faute
grave. Mais ne vous détournez plus du
Seigneur, servez-le de tout votre cœur.
21 Si vous vous détourniez de lui, ce
serait pour servir des faux dieux, incapables de secourir ou de sauver
quelqu'un, puisqu'ils sont des faux
dieux. 22 Le Seigneur ne vous abandonnera pas, car c'est lui-même qui a voulu
faire de vous son peuple, et il tient à préserver son renom. 23 Quant à moi, je me
garderai bien de pécher contre le Seigneur en cessant de prier pour vous ; je
continuerai de vous indiquer le bon et
droit chemin. 24 De votre côté, reconnaissez l'autorité du Seigneur, servez-le sincèrement, de tout votre cœur,
et considérez tous les grands prodiges
qu'il a accomplis en votre faveur. 25 Mais
si vous faites le mal, vous serez détruits,
vous et votre roi. »

Révolte contre les Philistins. Faute de Saül

13 1[x] 2 Saül choisit parmi les Israélites trois mille soldats, dont deux
mille restèrent avec lui à Mikmas et dans
la région montagneuse de Béthel, tandis
que les mille autres s'installèrent avec
son fils Jonatan à Guibéa de Benjamin[y].
Saül renvoya les autres Israélites chez
eux.

3 Un jour, Jonatan tua le gouverneur
philistin établi à Guéba[z]. Les Philistins
l'apprirent. Saül fit sonner de la trompette
dans tout le pays, car il se disait : « Il faut
que les Hébreux le sachent ». 4 Les Israélites apprirent que Saül avait tué un
gouverneur philistin et provoqué ainsi la
colère des Philistins à l'égard d'Israël.
Alors toute l'armée se rassembla auprès de
Saül au Guilgal[a]. 5 Les Philistins de leur
côté s'étaient rassemblés pour combattre
Israël : ils avaient trente mille chars, six
mille cavaliers, et des soldats aussi nombreux que des grains de sable au bord de la
mer. Ils vinrent camper à Mikmas, à l'est
de Beth-Aven[b]. 6 Lorsque la population israélite se vit menacée de si près, les gens
allèrent se cacher dans des cavernes, des
trous, des failles de rocher, des souterrains
et des citernes. 7 Certains d'entre eux franchirent le Jourdain pour se réfugier dans
les territoires de Gad et de Galaad.

Pendant ce temps, Saül était encore au
Guilgal et toute son armée tremblait de
peur. 8 Durant sept jours, on attendit le
moment du rendez-vous que Samuel
avait fixé[c], mais Samuel n'arriva pas au
Guilgal. Les soldats commencèrent à
abandonner Saül et à se disperser. 9 Alors
Saül ordonna de préparer les animaux

---

v **12.15** *à vos ancêtres* : probablement par une profanation de leurs sépultures, comparer 2 Rois 23.16 ; Amos 2.1.

w **12.17** La *moisson du blé* se situe en mai-juin, époque où les orages et *la pluie* sont extrêmement rares en Palestine.

x **13.1** Le verset 1 (absent dans l'ancienne version grecque) apparaît dans le texte hébreu sous une forme incomplète *Saül était âgé de ... ans quand il devint roi, et il régna ...-deux ans sur Israël.*

y **13.2** *Mikmas* : localité située à 12 km au nord-est de Jérusalem ; *Béthel* : voir 7.16 et la note ; *Guibéa de Benjamin* : voir 10.5 et la note.

z **13.3** Localité située à 9 km au nord-est de Jérusalem ; mais il vaudrait peut-être mieux lire, avec l'ancienne version grecque, *Guibéa* (voir aussi 10.5).

a **13.4** *au Guilgal* : voir 7.16 et la note.

b **13.5** *Beth-Aven* : ce nom désigne assez souvent dans l'Ancien Testament la localité de Béthel ; ici il semble plutôt désigner une autre localité située plus au sud.

c **13.8** Sur le *rendez-vous* fixé par Samuel, voir 10.8.

pour le *sacrifice complet et les sacrifices de communion, puis offrit lui-
même le sacrifice complet[d]. 10 Il achevait
cette cérémonie lorsque Samuel arriva.
Saül alla au-devant de lui pour le saluer.
11 « Qu'as-tu fait là ? » lui demanda Samuel. Saül répondit : « J'ai vu que les
soldats m'abandonnaient et que tu
n'étais pas venu au rendez-vous ; de
plus, je savais que les Philistins étaient
rassemblés à Mikmas. 12 J'ai alors pensé
qu'ils allaient venir nous attaquer au
Guilgal avant que nous ayons pu nous
rendre le Seigneur favorable. C'est pourquoi j'ai pris la responsabilité d'offrir
moi-même le sacrifice complet. » –
13 « Tu as agi comme un insensé ! lui dit
Samuel. Tu n'as pas tenu compte de l'ordre que tu as reçu du Seigneur ton Dieu.
Si tu l'avais fait, le Seigneur aurait permis que ta famille règne pour toujours
sur Israël. 14 Mais maintenant, ton règne
ne durera pas. Le Seigneur s'est choisi
un homme qui correspond à son désir,
et il l'a désigné comme chef de son
peuple[e], puisque tu n'as pas obéi à ses
ordres. »

15 Samuel quitta le Guilgal et s'en alla
de son côté. Le reste de la troupe accompagna Saül lorsqu'il partit du Guilgal
pour rejoindre ses autres soldats à Guibéa
de Benjamin[f]. Saül passa en revue les soldats qui se trouvaient encore auprès de
lui : ils étaient environ six cents. 16 Saül
s'installa à Guéba de Benjamin avec son
fils Jonatan et la troupe qui lui restait,
tandis que les Philistins campaient à
Mikmas. 17 Un jour, une troupe de choc
sortit du camp philistin et se divisa en
trois sections. La première section prit la
direction d'Ofra, dans le territoire de
Choual[g], 18 la seconde, celle de Beth-
Horon, et la troisième, celle de la frontière, par le chemin qui domine la vallée
des Hyènes, côté désert[h].

19 A cette époque, on ne trouvait aucun
forgeron dans tout le territoire d'Israël,
car les Philistins ne voulaient pas que les
Hébreux puissent se fabriquer des épées
ou des lances. 20 Chaque Israélite devait
se rendre chez un forgeron philistin pour
faire aiguiser son soc de charrue, sa
pioche, sa hache ou son pic[i]. 21 L'aigui-
sage d'un soc de charrue, d'une pioche,
d'une fourche, d'une hache, ou le redres-
sement d'un aiguillon à bétail coûtait les
deux tiers d'une pièce d'argent. 22 Au jour
du combat, la troupe de Saül et Jonatan
se trouvait donc dépourvue d'épées et de
lances. Seuls le roi et son fils en possédaient.

23 Un groupe de soldats philistins alla
prendre position au col de Mikmas.

Jonatan attaque un groupe de Philistins

14 1 Un jour Jonatan, fils de Saül, dit
au jeune serviteur qui portait ses
armes : « Viens, allons jusqu'au groupe
de soldats philistins postés là-bas, en
face. » Mais Jonatan n'en informa pas
son père. 2 Celui-ci se trouvait alors à la
limite de Guibéa, assis sous le grenadier
de Migron[j], avec environ six cents soldats. 3 Le prêtre qui se tenait là, avec les
objets sacrés servant à consulter Dieu,
était Ahia, fils d'Ahitoub et neveu
d'Ikabod. – Ikabod était fils de Pinhas
et petit-fils d'Héli, lequel avait été prêtre du Seigneur à Silo[k]. – Personne
parmi les soldats ne savait que Jonatan
était parti.

4 Pour essayer d'atteindre le groupe de
soldats philistins, Jonatan s'engagea dans
un passage, entre deux pointes rocheuses
appelées respectivement Bossès et
Senné ; 5 la première se dresse du côté
nord, en face de Mikmas, la seconde du

---

d **13.9** L'offrande de *sacrifices* était un acte cultuel faisant partie des préparatifs de combat (voir 7.9).

e **13.14** Il s'agit de David, dont l'histoire est racontée à partir du chap. 16. Comparer Act 13.22.

f **13.15** Le texte de ce verset est conservé dans les anciennes versions grecque et latine ; le texte hébreu, incomplet, dit *Samuel quitta le Guilgal et se rendit à Guibéa de Benjamin*.

g **13.17** *Ofra* : localité située au nord de Mikmas ; *le territoire de Choual* n'est pas mentionné ailleurs.

h **13.18** *Beth-Horon* : localité située à l'ouest de Mikmas ; *vallée des Hyènes* : région située au sud-est de Mikmas.

i **13.20** La traduction des termes techniques mentionnés dans les v. 20 et 21 est incertaine.

j **14.2** *Guibéa* : voir 10.5 et la note ; *Migron* : endroit non identifié, proche de Mikmas (voir 13.2 et la note).

k **14.3** *Héli* : voir chap. 1–4 ; *Silo* : voir 1.3 et la note.

côté sud, en face de Guéba[l]. 6 Jonatan dit
à son serviteur : « Viens, allons jusqu'à ce
groupe de Philistins païens. Peut-être
que le Seigneur agira en notre faveur. En
effet rien ne l'empêche de nous donner la
victoire, que nous soyons nombreux ou
non. » – 7 « Fais tout ce qui te plaît, répondit le serviteur. Allons-y, je te suis comme
ton ombre ! » – 8 « Eh bien, reprit Jonatan,
nous allons nous diriger vers ces gens et
nous montrer à eux. 9 S'ils nous disent :
“Arrêtez-vous jusqu'à ce que nous soyons
venus vers vous”, nous resterons sur
place, nous ne monterons pas vers eux.
10 Si au contraire ils nous disent : “Montez vers nous”, nous monterons, car ce
sera pour nous le signe que le Seigneur
les livre en notre pouvoir. »

11 Tous deux allèrent donc se montrer
aux Philistins. Ceux-ci se dirent entre
eux : « Tiens ! Voilà des Hébreux qui sortent des trous où ils s'étaient cachés. »
12 Ils interpellèrent Jonatan et son serviteur : « Montez vers nous ! leur crièrent-
ils. Nous voulons vous raconter quelque
chose. » Alors Jonatan dit au serviteur :
« Monte derrière moi, le Seigneur les a livrés à Israël. » 13 Jonatan monta en s'aidant des mains et des pieds, suivi de son
serviteur. Les Philistins tombaient sous
les coups de Jonatan, et le serviteur, derrière lui, les achevait. 14 Cette première
défaite infligée par Jonatan et son serviteur causa la mort d'une vingtaine de
Philistins, tués sur un espace des plus
restreints[m]. 15 Les Philistins restés dans
le camp ainsi que toute la population des
environs en furent terrifiés ; la terreur
s'empara même des postes de gardes et
des troupes de choc des Philistins. En
plus, la terre se mit à trembler ; ce fut
alors une immense panique.

16 De Guibéa de Benjamin, les sentinelles de Saül virent cette foule de Philistins qui couraient dans toutes les
directions. 17 Saül ordonna à ses soldats :
« Qu'on fasse l'appel ! Voyez qui est parti
d'ici. » On fit l'appel et l'on constata que
Jonatan et son serviteur manquaient.
18 Saül dit au prêtre Ahia : « Apporte ici le
*coffre sacré du Seigneur. » – Ce jour-là
en effet, le coffre sacré se trouvait au
camp des Israélites. – 19 Pendant que Saül
parlait au prêtre, le tumulte allait en augmentant dans le camp philistin. Saül dit
alors à Ahia : « Inutile de consulter
Dieu ! »

20 Saül rassembla sa troupe et ils partirent au combat. Ils trouvèrent leurs ennemis qui se battaient entre eux, dans un
tumulte indescriptible. 21 Des Hébreux,
qui précédemment s'étaient soumis aux
Philistins et qui participaient à leur expédition militaire, se rallièrent[n] à Israël,
aux côtés de Saül et Jonatan. 22 Tous les
autres Israélites qui s'étaient cachés dans
la région montagneuse d'Éfraïm apprirent que les Philistins avaient pris la
fuite. Ils se mirent eux aussi à les poursuivre et à les combattre. 23 C'est ainsi
que, ce jour-là, le Seigneur accorda la victoire à Israël.

Les soldats israélites sauvent Jonatan

La bataille se déroula jusqu'au-delà de
Beth-Aven[o]. 24 Ce jour-là, les Israélites
avaient souffert, car Saül les avait placés
sous la menace de cette malédiction : « Si
quelqu'un prend de la nourriture avant le
soir, avant que je me sois vengé de mes
ennemis, qu'il soit maudit[p] ! » Personne
n'avait donc mangé quoi que ce soit. 25 Ils
arrivèrent tous[q] dans une forêt, où il y
avait du miel jusque par terre. 26 En pénétrant dans la forêt, les soldats virent ce
miel qui s'écoulait ; toutefois aucun d'eux
n'en prit pour en manger, car tous
avaient peur de la malédiction. 27 Mais
Jonatan ignorait que son père avait imposé un serment à tout le monde. Il étendit le bâton qu'il tenait, en trempa
l'extrémité dans un rayon de miel, et le
ramena à sa bouche. Alors son visage
s'éclaira. 28 Un des soldats lui dit : « Ton

---

l 14.5 *Guéba* : voir 13.3 et la note.

m 14.14 *sur un espace...* : texte hébreu obscur et traduction incertaine.

n 14.21 *se rallièrent* : d'après les versions anciennes ; hébreu peu clair.

o 14.23 *Beth-Aven* : voir 13.5 et la note.

p 14.24 Le *jeûne imposé par Saül est probablement une pratique visant à obtenir l'aide de Dieu, et donc la victoire.

q 14.25 *Ils arrivèrent tous* : texte hébreu peu clair et traduction incertaine.

père nous a imposé un serment, avec
cette menace : “Si quelqu'un prend de la
nourriture aujourd'hui, qu'il soit maudit!” C'est pourquoi tout le monde est
épuisé. » 29 Jonatan déclara : « Mon père a
fait le malheur du pays! Regarde donc
comme j'ai repris des forces depuis que
j'ai mangé un peu de ce miel. 30 Si tous les
soldats avaient pu, aujourd'hui, se nourrir grâce au butin pris à leurs ennemis, la
défaite des Philistins en serait maintenant beaucoup plus grande. »

31 Ce jour-là, les Israélites battirent et
poursuivirent les Philistins de Mikmas
jusqu'à Ayalon[r]. Ils en furent si épuisés
32 qu'ils se précipitèrent sur le butin, prirent des moutons, des bœufs et des
veaux, les égorgèrent sur place et les
mangèrent à l'endroit même où le sang
avait coulé. 33 On avertit Saül que le peuple commettait une faute à l'égard du Seigneur en mangeant les bêtes là où on les
avait saignées. Saül s'écria : « Quelle infidélité! Roulez immédiatement une
grosse pierre jusqu'ici[s]. 34 Ensuite, passez
parmi les gens et dites-leur de venir à
moi, chacun avec son bœuf ou son mouton. C'est ici qu'ils égorgeront leurs bêtes, puis ils pourront les manger ; de cette
façon, ils ne commettront pas de faute à
l'égard du Seigneur en les mangeant là où
elles ont été saignées. » Ce soir-là, chacun
amena donc sa bête et l'égorgea à cet endroit. 35 C'est ainsi que Saül construisit
un *autel pour le Seigneur. Ce fut le premier autel qu'il lui construisit.

36 Puis Saül donna l'ordre suivant :
« Descendons pendant la nuit à la poursuite des Philistins, pillons-les jusqu'à ce
que le jour se lève, et ne leur laissons
aucun survivant. » – « Fais tout ce que tu
juges bon », répondirent ses soldats. Mais
le prêtre proposa : « Consultons d'abord
Dieu. » 37 Saül demanda donc à Dieu :
« Dois-je descendre à la poursuite des
Philistins ? Les livreras-tu en notre pouvoir ? » Mais Dieu ne lui donna pas de
réponse ce jour-là.

38 Alors Saül convoqua tous les chefs
du peuple auprès de lui et leur dit : « Examinez attentivement quel péché a été
commis aujourd'hui. 39 Par le Seigneur
vivant, le Sauveur d'Israël, je jure que le
fautif mourra, même s'il s'agit de mon
fils Jonatan. » Dans toute la troupe, personne ne répondit. 40 Saül reprit : « Vous,
tous les Israélites, mettez-vous d'un côté,
tandis que mon fils Jonatan et moi-même
nous tiendrons de l'autre côté. » – « Fais
comme tu l'entends », lui répondirent les
soldats. 41 Saül pria le Seigneur : « Dieu
d'Israël, pourquoi ne m'as-tu pas donné
de réponse aujourd'hui ? Seigneur, réponds-moi par les sorts sacrés : si la faute
vient de Jonatan ou de moi-même, réponds par l'Ourim ; si la faute vient de
l'armée, réponds par le Toummim[t]. » Jonatan et Saül furent désignés et l'armée
mise hors de cause.

42 Saül ordonna : « Qu'on tire au sort
entre Jonatan et moi ! » Jonatan fut désigné. 43 Alors Saül lui dit : « Révèle-moi
ce que tu as fait. » Jonatan répondit :
« Avec l'extrémité de mon bâton, j'ai pris
un peu de miel et je l'ai mangé. Voilà, je
suis prêt à mourir. » – 44 « Que Dieu m'inflige la plus terrible des punitions si tu ne
meurs pas, Jonatan ! » s'écria Saül. 45 Mais
les soldats dirent à Saül : « Jonatan devrait-il mourir, lui qui a procuré cette
grande victoire à Israël ? C'est inconcevable ! Par le Seigneur vivant, nous ne
permettrons pas qu'un seul cheveu
tombe de sa tête, car c'est avec l'aide de
Dieu qu'il a agi en ce jour ! » Ainsi l'armée obtint que Jonatan échappe à la
peine de mort. 46 Saül cessa de poursuivre
les Philistins, et ceux-ci retournèrent
chez eux.

Les victoires de Saül. Sa famille

47 Dès que Saül fut devenu roi d'Israël,
il combattit tous ses ennemis d'alentour :
les Moabites, les Ammonites, les Édo-

---

r **14.31** *Mikmas* : voir 13.2 et la note ; *Ayalon* : localité située à 25 km environ à l'ouest de Mikmas.

s **14.33** Cette *grosse pierre* servira *d'autel pour sacrifier les animaux conformément à la loi. Comparer Lév 19.26 et la note.

t **14.41** *Dieu d'Israël... le Toummim* : d'après plusieurs versions anciennes ; le texte hébreu, incomplet et assez obscur, pourrait signifier *Dieu d'Israël, donne quelque chose de complet*. Sur les objets appelés *Ourim* et *Toummim*, voir Ex 28.30 et la note.

4 Samuel obéit et se rendit à Bethléem. Les *anciens de la ville, tout inquiets, vinrent au-devant de lui et demandèrent : « Ta venue annonce-t-elle quelque chose d'heureux ? » – 5 « Oui, répondit-il. Je suis venu offrir un sacrifice au Seigneur. *Purifiez-vous pour la cérémonie et venez ensuite avec moi. »

Samuel invita aussi Jessé et ses fils à se purifier et à participer au sacrifice. 6 Lorsque ceux-ci arrivèrent, Samuel aperçut Éliab et se dit : « C'est certainement lui que le Seigneur a choisi. » 7 Mais le Seigneur lui dit : « Ne te laisse pas impressionner par sa mine et sa taille imposante, car je ne l'ai pas choisi. Je ne juge pas de la même manière que les hommes ; les hommes s'arrêtent aux apparences, mais moi je vois jusqu'au fond du cœur. »

8 Jessé appela ensuite Abinadab et le fit passer devant Samuel, qui déclara : « Le Seigneur n'a pas non plus choisi celui-ci. » 9 Jessé fit passer Chamma, mais Samuel répéta : « Le Seigneur n'a pas non plus choisi celui-ci. » 10 Jessé fit ainsi passer sept de ses fils devant Samuel, mais Samuel lui dit : « Le Seigneur n'a choisi aucun d'eux. » 11 Puis il ajouta : « Sont-ils tous là ? » – « Non, répondit Jessé ; il y a encore le plus jeune, David, qui garde les moutons. » – « Envoie-le chercher, ordonna Samuel. Nous ne commencerons pas le repas sacrificiel avant qu'il soit là. »

12 Jessé le fit donc venir. Le jeune homme avait le teint clair[j], un regard franc et une mine agréable. Le Seigneur dit alors à Samuel : « C'est lui, consacre-le comme roi. » 13 Samuel prit l'huile et en versa sur la tête de David pour le consacrer, en présence de ses frères. L'Esprit du Seigneur s'empara de David, et fut avec lui dès ce jour-là. Ensuite Samuel s'en retourna à Rama[k].

14 L'Esprit du Seigneur avait quitté Saül, et un esprit mauvais, envoyé par le Seigneur, le tourmentait. 15 Les serviteurs de Saül lui dirent : « Nous savons qu'un esprit mauvais, envoyé par Dieu, te tourmente. 16 Il te suffit de donner un ordre ; nous sommes à ta disposition. Nous te trouverons quelqu'un qui sache jouer de la lyre. Ainsi, lorsque l'esprit mauvais s'abattra sur toi, le musicien jouera et cela te soulagera. » – 17 « D'accord, répondit Saül, cherchez-moi un bon musicien et amenez-le-moi. » 18 Un des serviteurs dit : « Je connais justement quelqu'un, un fils de Jessé, de Bethléem ; c'est un bon musicien, un homme de valeur, et un soldat. Il s'exprime avec intelligence et il a belle apparence. De plus, le Seigneur est avec lui. »

19 Saül envoya des messagers dire à Jessé : « Envoie-moi ton fils David, le gardien de moutons. » 20 Jessé prit un âne, le chargea de pain, d'une *outre de vin et d'un chevreau, et il remit le tout à David pour Saül. 21 Dès que David arriva chez Saül, il entra à son service. Saül éprouva une si vive affection pour lui qu'il lui confia le soin de porter ses armes. 22 Puis Saül fit dire à Jessé : « Je désire que David demeure à mon service, car je l'apprécie beaucoup. » 23 Dès lors, quand l'esprit mauvais envoyé par Dieu s'abattait sur Saül, David prenait sa lyre et en jouait. Cela soulageait Saül, il se calmait et l'esprit mauvais le quittait.

David et Goliath

17 1 Les Philistins réunirent leurs armées pour une expédition ; ils se rassemblèrent à Soko en Juda, et ils établirent leur camp à Éfès-Dammim, entre Soko et Azéca[l]. 2 De leur côté, Saül et l'armée d'Israël se rassemblèrent et campèrent dans la vallée du Térébinthe[m] ; puis ils se rangèrent en ordre de bataille face aux Philistins. 3 Ainsi les Philistins et les Israélites se trouvaient sur des hauteurs de part et d'autre de la vallée.

4 Un soldat philistin s'avança hors des rangs, pour lancer un défi aux Israélites. Il était de la ville de Gath[n] et s'appelait

---

j **16.12** *avait le teint clair* : autre traduction *était roux, il avait*.

k **16.13** *Rama* : voir 1.1 et la note.

l **17.1** *Soko, Azéca* : deux localités situées à 30 km environ au sud-ouest de Jérusalem.

m **17.2** La *vallée du Térébinthe* se trouve au sud de Soko et Azéca.

n **17.4** *Gath* : voir 5.8 et la note.

Goliath. Il mesurait près de trois mètres ; 5-6 il avait mis un casque et des jambières de bronze, ainsi qu'une cuirasse à écailles pesant soixante kilos. Il portait en bandoulière un sabre de bronze. 7 Il avait aussi une lance dont le bois[o] était gros comme le cylindre d'un métier à tisser et dont la pointe de fer pesait plus de sept kilos. Devant lui, marchait son porteur de bouclier. 8 Goliath s'arrêta et cria aux soldats israélites : « Pourquoi vous êtes-vous mis en ordre de bataille ? Je suis un Philistin ; vous, des sujets de Saül. Choisissez parmi vous un homme qui vienne me combattre. 9 S'il peut me vaincre et me tuer, nous serons vos esclaves ; mais si c'est moi qui peux le vaincre et le tuer, c'est vous qui serez nos esclaves. 10 Aujourd'hui, je lance un défi à votre armée, ajouta-t-il. Envoyez-moi donc un homme pour que nous nous battions. » 11 Lorsque Saül et toute son armée entendirent ces paroles du Philistin, ils furent écrasés de terreur.

12 David était fils de Jessé, du clan d'Éfrata, qui habitait Bethléem de Juda ; Jessé avait huit fils, et, à l'époque de Saül, il était un notable respecté[p]. 13-14 Ses trois fils aînés, Éliab, Abinadab et Chamma, avaient été mobilisés ; ils étaient partis combattre avec Saül. Quant à David, le plus jeune, 15 il allait servir Saül et revenait régulièrement s'occuper des moutons de son père, à Bethléem.

16 Pendant quarante jours, Goliath le Philistin se présenta matin et soir en face de l'armée d'Israël. 17 Un de ces jours-là, Jessé dit à David : « Prends ce sac de grains grillés et ces dix pains, et apporte-les rapidement au camp pour tes frères. 18 Prends également ces dix fromages, que tu offriras au commandant de l'unité. Tu verras si tes frères sont en bonne santé, et tu me rapporteras d'eux un signe prouvant que tout va bien. 19 Tu les trouveras avec Saül et toute l'armée d'Israël dans la vallée du Térébinthe, où ils affrontent les Philistins. »

20 Tôt le lendemain matin, David confia ses moutons à un gardien, prit ce qu'il devait emporter et s'en alla, comme Jessé le lui avait ordonné. Il arriva au camp à l'heure où l'armée allait prendre position et poussait le cri de guerre. 21 Israélites et Philistins se mirent en ordre de bataille, face à face. 22 David laissa ses affaires entre les mains du gardien des bagages et se rendit en hâte là où se trouvait l'armée. Il y rejoignit ses frères et leur demanda comment ils allaient. 23 Il était en train de parler avec eux lorsque Goliath, le Philistin de Gath, sortit des rangs et répéta son défi habituel[q]. David l'entendit. 24 Tous les Israélites reculèrent quand ils virent Goliath, car ils avaient très peur ; 25 on disait : « Vous voyez cet homme ! C'est pour nous provoquer qu'il s'avance ainsi. Eh bien, celui qui réussira à le tuer, le roi le comblera de richesses, lui donnera sa propre fille en mariage et accordera des privilèges à sa famille en Israël. »

26 David demanda aux soldats qui étaient près de lui : « Quelle récompense recevra celui qui tuera ce Philistin et qui vengera ainsi l'insulte infligée à Israël ? Et qui est donc ce Philistin païen qui ose insulter l'armée du Dieu vivant ? » 27 On répondit à David en lui répétant ce qui était promis au vainqueur. 28 Mais son frère aîné, Éliab, l'entendit discuter avec les soldats et se fâcha : « Pourquoi es-tu venu ici ? lui dit-il. A qui as-tu laissé ton petit troupeau, dans le désert ? Je te connais bien, petit prétentieux, espèce de vaurien ! C'est pour assister au combat que tu es venu. » – 29 « Qu'ai-je fait de mal ? demanda David. J'ai simplement posé une question. » 30 Il tourna le dos à son frère et s'adressa à un autre soldat. Il continua de poser la même question et chacun lui donna la même réponse.

31 Tout le monde entendit parler de l'intérêt de David pour cette affaire. Saül

o **17.7** *le bois* : d'après une ancienne tradition juive ; texte hébreu traditionnel *la flèche*.

p **17.12** *il était un notable respecté* : le texte hébreu est peu clair ; plusieurs versions anciennes disent *il était très âgé*.

q **17.23** *des rangs* : d'après une ancienne tradition juive ; texte hébreu traditionnel *des cavernes*. – *son défi habituel* : voir v. 8-10.

lui-même en fut informé. Il fit aussitôt venir David, 32 qui lui dit : « Majesté, personne ne doit perdre courage à cause de ce Philistin. J'irai, moi, me battre contre lui. » – 33 « Non, répondit Saül, tu ne peux pas aller le combattre. Tu n'es qu'un enfant, alors qu'il est soldat depuis sa jeunesse. » – 34 « Majesté, reprit David, quand je garde les moutons de mon père, si un lion ou un ours vient et emporte un mouton du troupeau, 35 je le poursuis, je le frappe et j'arrache la victime de sa gueule. S'il se dresse contre moi, je le saisis à la gorge et je le frappe à mort. 36 C'est ainsi que j'ai tué des lions et des ours. Eh bien, je ferai subir le même sort à ce Philistin païen, puisqu'il a insulté l'armée du Dieu vivant. 37 Le Seigneur qui m'a protégé des griffes du lion et de l'ours saura aussi me protéger des attaques de ce Philistin. » – « Vas-y donc, répondit Saül, et que le Seigneur soit avec toi. »

38 Saül prêta son équipement militaire à David : il lui mit son casque de bronze sur la tête et le revêtit de sa cuirasse. 39 David fixa encore l'épée de Saül par-dessus la cuirasse, puis il essaya d'avancer, mais il en fut incapable, car il n'était pas entraîné. Alors il déclara qu'il ne pouvait pas marcher avec cet équipement, par manque d'habitude, et il s'en débarrassa. 40 Il prit son bâton et alla choisir cinq pierres bien lisses au bord du torrent ; il les mit dans son sac de berger, puis, la fronde à la main, il se dirigea vers Goliath. 41 De son côté, Goliath, précédé de son porteur de bouclier, s'approchait de plus en plus de David. 42 Il examina David et n'eut que mépris pour lui, car David, jeune encore, avait le teint clair[r] et une jolie figure. 43 Goliath lui cria : « Me prends-tu pour un chien, toi qui viens contre moi avec des bâtons ? Maudit sois-tu, par tous les dieux des Philistins ! 44 Viens ici, que je donne ta chair en nourriture aux oiseaux et aux bêtes sauvages. » – 45 « Toi, répondit David, tu viens contre moi avec une épée, une lance et un sabre ; moi je viens armé du nom du Seigneur de l'univers, le Dieu des troupes d'Israël, que tu as insultés[s]. 46 Aujourd'hui même, le Seigneur te livrera en mon pouvoir ; je vais te tuer et te couper la tête. Aujourd'hui même, je donnerai les cadavres des soldats philistins en nourriture aux oiseaux et aux bêtes sauvages. Alors tous les peuples sauront qu'Israël a un Dieu, 47 et tous les Israélites ici rassemblés sauront que le Seigneur n'a pas besoin d'épée ni de lance pour donner la victoire. Il est le maître de cette guerre et il va vous livrer en notre pouvoir. » 48 Goliath se remit à marcher en direction de David. Celui-ci courut rapidement à la rencontre du Philistin, 49 prit une pierre dans son sac, la lança avec sa fronde et l'atteignit en plein front. La pierre s'y enfonça et l'homme s'écroula, la face contre terre.

50 Ainsi David triompha de Goliath et le tua, sans épée, grâce à sa fronde et à une pierre. 51 Il courut jusqu'à Goliath, lui tira son épée du fourreau et lui coupa la tête. Alors les Philistins, voyant que leur héros était mort, s'enfuirent. 52 Les soldats d'Israël et de Juda poussèrent leur cri de guerre et les poursuivirent jusqu'aux abords de Gath et jusqu'à l'entrée d'Écron[t]. Des cadavres de Philistins jonchaient la route de Chaaraïm jusqu'à Gath et Écron.

53 Les Israélites abandonnèrent la poursuite et revinrent piller le camp philistin. 54 David prit la tête de Goliath pour l'amener à Jérusalem ; quant aux armes du géant, il les garda dans sa propre tente.

Jonatan conclut un pacte d'amitié avec David

55 Lorsque Saül avait vu David partir à la rencontre de Goliath, il avait demandé au général Abner : « De qui ce garçon est-il le fils, Abner ? » – « Je n'en sais absolument rien, Majesté », répondit le général. 56 « Alors, tâche de savoir de qui il s'agit », ordonna le roi. 57 C'est pourquoi, lorsque David revint au camp après avoir

---

r **17.42** Voir 16.12 et la note.

s **17.45** Ou *insultées*.

t **17.52** *Gaï* : endroit non identifié, que l'ancienne version grecque a remplacé par *Gath*. – *Écron* : voir 5.10 et la note.

tué Goliath, Abner alla le chercher et
l'amena devant Saül. – David avait encore à la main la tête du Philistin. –
58 « Qui es-tu, mon garçon ? » lui demanda
Saül. David répondit : « Je suis le fils de
ton serviteur Jessé, de Bethléem ».

18 1 Pendant que David achevait de
parler avec Saül, Jonatan, le fils de
Saül, se prit d'affection pour le jeune
homme et se mit à l'aimer comme lui-
même. 2 Ce jour-là, Saül garda David auprès de lui, il ne le laissa pas retourner
chez son père. 3 Quant à Jonatan, il aimait
tellement David qu'il conclut un pacte
d'amitié avec lui. 4 Il ôta le manteau qu'il
portait et le lui donna ; il lui offrit également ses habits militaires, et même son
épée, son arc et son ceinturon.

5 Chaque fois que Saül l'envoyait en expédition militaire, David remportait des
succès ; c'est pourquoi Saül lui confia le
commandement de ses troupes de choc,
ce qui plut autant aux soldats qu'aux officiers du roi.

Saül essaie de tuer David

6 Au retour de l'armée, après que David
eut tué le Philistin Goliath, des femmes
de toutes les villes israélites vinrent à la
rencontre du roi Saül ; elles chantaient et
dansaient, au son des tambourins et d'autres instruments de musique, et poussaient des cris de joie. 7 En chœurs
alternés, elles proclamaient joyeusement :

« Saül a battu des milliers d'ennemis,
David en a battu des dizaines de milliers[u]. »

8 Saül fut agacé, irrité même par ce chant.
Il se disait : « On lui en accorde dix fois
plus qu'à moi ! Pour peu, on lui donnerait encore la royauté ! » 9 Dès ce moment,
il regarda David avec méfiance.

10 Le lendemain, un esprit mauvais envoyé par Dieu s'empara de Saül, qui se
mit à divaguer dans sa propre maison.
David lui jouait de la lyre, comme les autres jours, et Saül tenait sa lance à la
main. 11 Soudain, il brandit sa lance en se
disant : « Je vais le clouer au mur. » Mais
par deux fois, David évita le coup. 12 Saül
eut peur de David, car il comprit que le
Seigneur l'avait abandonné pour être
avec David. 13 C'est pourquoi il éloigna
David de lui, en le désignant comme chef
d'un de ses régiments. Dès lors, David
participa aux expéditions à la tête de sa
troupe, 14 et à chaque fois, il rencontrait le
succès, car le Seigneur était avec lui. 15 La
frayeur de Saül ne cessait d'augmenter
lorsqu'il apprenait les grands succès de
David. 16 Par contre, les Israélites et les
Judéens aimaient tous David, car c'était
lui qui les commandait dans leurs expéditions.

David épouse Mikal, fille de Saül

17 Saül se dit : « Je ne veux pas me débarrasser moi-même de David ; ce sont
les Philistins qui s'en chargeront. » Il
s'adressa donc à David et lui dit : « Voici
ma fille aînée, Mérab ; je te la donnerai
pour épouse, si tu te montres vaillant à
mon service, en participant aux guerres
du Seigneur. » – 18 « Majesté, répondit David, je ne suis rien ; ma famille, le clan de
mon père, n'est rien en Israël ! Comment
pourrais-je devenir le gendre du roi ? »
19 Mais au moment où Saül devait donner
Mérab pour épouse à David, il l'accorda
au contraire à Adriel, d'Abel-Mehola[v].

20 Cependant Mikal, l'autre fille de
Saül, tomba amoureuse de David.
Lorsqu'on annonça cette nouvelle à Saül,
il en fut satisfait ; 21 il se dit en effet : « Je
vais lui accorder Mikal comme épouse, et
elle sera un piège pour le faire tomber entre les mains des Philistins. » – Ainsi, à
deux reprises, Saül proposa à David de
devenir son gendre. – 22 Saül donna cet
ordre à ses ministres : « Parlez discrètement à David ; dites-lui : "Le roi t'apprécie et nous, ses ministres, nous t'aimons.
Accepte donc maintenant de devenir le
gendre du roi." » 23 Les ministres rapportèrent ces paroles à David. Celui-ci leur
dit : « Croyez-vous que ce soit une petite
affaire pour moi d'entrer dans la famille
royale, alors que je ne suis qu'un homme
pauvre et insignifiant ? »

24 Les ministres allèrent raconter au roi
ce que David avait répondu. 25 « Eh bien,

---

u **18.7** Voir 21.11 ; 29.5.
v **18.19** *Abel-Mehola* : voir Jug 7.22 et la note.

déclara Saül, dites-lui ceci : “Le roi ne
s’intéresse pas au cadeau traditionnel
pour ce mariage. Il se contentera de cent
prépuces de Philistins[w] pour tirer vengeance de ses ennemis.” » Saül comptait
bien que David tomberait ainsi entre les
mains des Philistins. 26 Les ministres
rapportèrent ces paroles à David. Celui-ci
trouva acceptable, dans ces conditions,
de devenir le gendre du roi. Avant la fin
du délai fixé par le roi, 27 David et ses
hommes s’étaient mis en campagne et
avaient tué deux cents Philistins. David
rapporta leurs prépuces et les fit compter
en présence de Saül, afin de devenir son
gendre. Alors le roi lui accorda sa fille en
mariage.

28 Lorsqu’il fut tout à fait évident pour
Saül que le Seigneur était avec David et
que Mikal, sa propre fille, l’aimait, 29 sa
crainte à l’égard de David augmenta encore et sa haine envers lui devint définitive.

30 A cette époque, les chefs philistins
partirent en campagne contre les Israélites. Or dans chaque combat, David
remportait plus de succès que tous les autres officiers de Saül, de sorte qu’il jouissait d’un très grand prestige.

Jonatan prend la défense de David

19 1 Saül informa son fils Jonatan et
tous ses ministres de son intention de faire mourir David. Mais Jonatan,
qui avait beaucoup d’affection pour David, 2 l’en avertit : « Saül, mon père, a l’intention de te faire mourir, dit-il. Sois sur
tes gardes demain matin, trouve-toi une
bonne cachette et restes-y. 3 Je sortirai
avec mon père et je l’accompagnerai dans
le champ où tu te seras caché. Je lui parlerai de toi, je verrai comment il réagit et je
te le ferai savoir. »

4 Jonatan vanta à son père les qualités
de David, puis il ajouta : « Toi, le roi, tu
ne dois pas commettre une faute à l’égard
de ton serviteur David. Il n’en a pas
commis à ton égard ; au contraire il a toujours agi pour ton profit. 5 Il a risqué sa
vie pour tuer le Philistin Goliath, et ce
jour-là, le Seigneur a accordé une grande
victoire à Israël ; tu l’as vu et tu t’en es
réjoui. Pourquoi donc te rendrais-tu
coupable de verser le sang d’un innocent,
en faisant mourir David sans motif ? »
6 Saül se laissa convaincre par les propos
de Jonatan et déclara : « Par le Seigneur
vivant, je jure qu’il ne sera pas mis à
mort. » 7 Alors Jonatan alla chercher David, lui rapporta toute la conversation et
le ramena vers Saül. David reprit son service auprès du roi comme par le passé.

David sauvé par Mikal

8 La guerre reprit. David partit
combattre les Philistins et leur infligea
une telle défaite qu’ils s’enfuirent devant
lui.

9 Un jour, l’esprit mauvais envoyé par
le Seigneur s’empara de Saül, alors qu’il
était chez lui, sa lance à la main. David
était en train de jouer de la lyre. 10 D’un
coup de lance, Saül tenta de clouer David
au mur, mais David s’écarta et la lance se
planta dans le mur. David put s’échapper
sain et sauf cette nuit-là. 11 Saül envoya
des gens surveiller la maison de David
afin de le mettre à mort au matin[x]. Mais
Mikal, la femme de David, l’en informa
et lui dit : « Si tu ne te sauves pas cette
nuit, demain tu es un homme mort ! »
12 Elle le fit alors descendre par la fenêtre
et il s’enfuit pour sauver sa vie. 13 Ensuite,
elle prit l’idole familiale et la plaça dans
le lit de David ; elle étendit une moustiquaire[y] en poil de chèvre à la tête du lit et
couvrit l’idole avec une couverture.
14 Lorsque les envoyés de Saül vinrent arrêter David, Mikal leur dit : « Il est malade. » 15 Saül les envoya une seconde
fois : « Retournez voir David, leur dit-il,
et ramenez-le-moi dans son lit, afin que
je puisse le mettre à mort ! »

16 Les envoyés du roi y retournèrent :
ils ne trouvèrent que l’idole dans le lit, et
la moustiquaire étendue à la tête du lit.
17 Saül questionna Mikal : « Pourquoi

---

w **18.25** Les *Philistins* étaient des incirconcis (voir au Vocabulaire CIRCONCISION). Les *prépuces* rapportés par David seront la preuve qu’il a bien tué des ennemis d’Israël.

x **19.11** Voir Ps 59.1.

y **19.13** *moustiquaire* : mot hébreu obscur, traduction incertaine.

m'as-tu trompé de cette manière ? Pourquoi as-tu laissé mon ennemi s'échapper ? » Mikal répondit : « Il m'a menacée
de me tuer, si je ne le laissais pas partir. »

David et Saül à Nayoth

18 Pendant ce temps, David avait réussi
à s'échapper. Il se rendit chez Samuel, à
Rama, et lui raconta tout ce que Saül lui
avait fait. Alors ils allèrent ensemble s'installer à Nayoth[z]. 19 On informa Saül que
David se trouvait à Nayoth, près de Rama.
20 Saül envoya de nouveau des gens pour
l'arrêter. Quand ceux-ci virent la troupe
de prophètes, avec leur chef Samuel, en
pleine excitation prophétique, l'Esprit de
Dieu s'empara d'eux et ils furent saisis de
la même excitation. 21 Dès que Saül apprit
cette nouvelle, il envoya d'autres gens,
mais eux aussi furent saisis de cette excitation prophétique. Saül envoya un troisième groupe, et la même chose se
reproduisit. 22 Alors il partit en personne
pour Rama. Arrivé à la grande citerne de
Sékou[a], il demanda : « Où se trouvent Samuel et David ? » – « A Nayoth, près de
Rama », lui répondit-on. 23 Il s'y rendit. En
cours de route, l'Esprit de Dieu s'empara
de lui aussi ; il fut possédé par l'excitation
prophétique jusqu'à son arrivée à Nayoth.
24 Comme les autres, il ôta ses vêtements,
il prophétisa en présence de Samuel, puis
s'effondra nu, et resta ainsi tout le jour et
toute la nuit suivante. C'est pourquoi on
dit : « Est-ce que Saül, lui aussi, est devenu
prophète ?[b] »

Jonatan protège David

20 1 David quitta Nayoth près de Rama[c] et vint trouver Jonatan, fils de
Saül. Il lui demanda : « Quelle faute ou
quel crime ai-je commis envers ton
père ? Il cherche à me faire mourir. » –
2 « C'est invraisemblable, répondit Jonatan. Il n'est pas question que tu meures.
Mon père n'a jamais fait quoi que ce soit
sans m'en parler d'abord. Pourquoi
m'aurait-il caché ce projet-là ? C'est impossible. » – 3 « Je te jure pourtant que
c'est bien le cas, reprit David. Seulement ton père sait très bien que je suis
ton ami ; il s'est donc dit : "Il ne faut pas
que Jonatan l'apprenne, il en aurait trop
de chagrin." Mais, par le Seigneur vivant et par ta propre vie, je t'assure que
je suis à deux doigts de la mort. » –
4 « Alors, que veux-tu que je fasse pour
toi ? » demanda Jonatan. 5 « Eh bien,
dit David, demain, c'est la fête de la
nouvelle lune ; je devrais normalement participer au repas du roi. Mais
autorise-moi à partir, et j'irai me cacher
dans la campagne jusqu'au soir[d]. 6 Ton
père remarquera certainement mon absence ; tu lui expliqueras que je t'ai demandé l'autorisation d'aller rapidement
à Bethléem, ma ville d'origine, pour
participer au *sacrifice annuel avec
toute ma famille. 7 S'il déclare que c'est
bien, je ne risque rien. Mais s'il se met
en colère, tu auras la preuve qu'il a décidé ma mort. 8 Tu pourras alors manifester ta fidélité envers moi, puisque
nous sommes liés par un pacte d'amitié
au nom du Seigneur. D'ailleurs, si je
suis coupable de quoi que ce soit, tue-
moi toi-même plutôt que de me livrer à
ton père. » 9 Jonatan s'écria : « Jamais de
la vie ! Et si j'apprends que mon père a
décidé de te faire du mal, je te jure de
t'en informer. » – 10 « Et par qui m'in-
formeras-tu, si ton père te donne une réponse menaçante ? » demanda David.
11 « Viens, allons dehors », répondit Jonatan. Et ils sortirent ensemble dans la
campagne.

12 Jonatan reprit : « Par le Seigneur,
Dieu d'Israël, je te promets qu'à cette
heure-ci, après-demain, j'aurai interrogé
mon père sur ses intentions. Si elles te
sont favorables, je ne te ferai rien dire.
13 Mais au cas où mon père aurait l'idée
de te faire du mal, je veux que le Seigneur
m'inflige la plus terrible des punitions si

---

z **19.18** *Rama* : voir 1.1 et la note ; *Nayoth* : endroit non identifié ; on pourrait aussi comprendre ce mot hébreu comme un nom commun signifiant *les cellules* et désignant les habitations d'un groupe de *prophètes.

a **19.22** Endroit non identifié.

b **19.24** Voir 10.11.

c **20.1** *Nayoth près de Rama* : voir 19.18 et la note.

d **20.5** *la fête de la nouvelle lune* : voir Nomb 28.11-15. – *jusqu'au soir* : d'après l'ancienne version grecque ; texte hébreu traditionnel *jusque dans la soirée d'après-demain*.

je ne t'en informe pas[e]. Alors je te laisserai partir et tu t'en iras sans être inquiété. Je souhaite que le Seigneur soit avec toi comme il a été avec mon père. 14 Plus tard, si je suis encore vivant, agis envers moi avec la bonté du Seigneur, pour que je ne meure pas. 15 Puis continue toujours d'agir avec bonté envers mes descendants[f], même lorsque le Seigneur fera disparaître tes ennemis, un à un, de la surface de la terre. » 16 Jonatan conclut donc un pacte d'amitié avec David et sa famille, en disant : « Que le Seigneur tire vengeance des ennemis de David[g]. » 17 Il demanda encore à David de prononcer un serment au nom de son amour pour lui ; David en effet aimait Jonatan de tout son cœur.

18 Jonatan reprit : « Demain, on remarquera ton absence à la fête de la nouvelle lune, car ta place à table restera inoccupée. 19 Après-demain[h], tu descendras vite à l'endroit où tu t'es caché l'autre jour et tu te tiendras près de la pierre Ézel. 20 Et moi, je tirerai trois flèches dans cette direction, sur un but que je me serai fixé, 21 puis j'enverrai mon jeune serviteur les chercher. Si je lui crie : "Regarde, les flèches ne sont pas si loin, reviens les ramasser", c'est que tout va bien pour toi et que tu peux revenir. Il n'y aura aucun danger, je l'affirme devant le Seigneur. 22 Mais si je lui crie : "Les flèches sont encore plus loin", alors va-t'en, car le Seigneur veut que tu partes. 23 Quant au pacte d'amitié que nous avons conclu, toi et moi, le Seigneur nous permettra d'y rester fidèles pour toujours. » 24 David alla donc se cacher dans la campagne.

Au jour de la nouvelle lune, le roi Saül prit place à table pour le repas. 25 Comme d'habitude, il s'assit sur le siège qui lui était réservé, contre le mur ; le général Abner s'assit à côté de lui et Jonatan en face[i], mais la place de David resta inoccupée. 26 Ce jour-là, Saül ne dit rien ; il pensa que David n'avait pas pu venir, à cause d'une affaire imprévisible *d'impureté rituelle[j]. 27 Mais le lendemain, deuxième jour de la fête, lorsque Saül vit la place de David de nouveau inoccupée, il demanda à Jonatan : « Pourquoi David n'est-il pas venu au repas, ni hier, ni aujourd'hui ? » 28 Jonatan répondit : « David m'a demandé avec insistance de pouvoir se rendre à Bethléem. 29 "Laisse-moi partir, m'a-t-il dit ; nous avons un sacrifice de famille là-bas, et mon frère m'ordonne d'y assister. Si je suis ton ami, permets-moi d'y aller pour voir les miens." Voilà pourquoi David n'a pas participé aux repas de fête chez toi. » 30 Saül se mit en colère contre Jonatan et lui dit : « Fils de chienne ! Je sais que tu as pris pour ami ce fils de Jessé, à ta honte et à celle de ta mère. 31 Mais écoute bien ceci : Tant que cet individu sera en vie, tu ne seras jamais sûr de pouvoir régner. C'est pourquoi fais-le arrêter et qu'on l'amène ici, car il mérite la mort. » – 32 « Pourquoi devrait-il mourir ? répliqua Jonatan. Qu'a-t-il fait de mal ? » 33 Saül brandit sa lance contre Jonatan pour le frapper. Alors Jonatan comprit que son père était fermement décidé à faire mourir David. 34 Fort en colère, il quitta la table et refusa de manger quoi que ce soit en ce deuxième jour de la fête. En effet, il était très inquiet au sujet de David, que son père avait si gravement insulté.

35 Le lendemain matin, Jonatan sortit dans la campagne pour aller à l'endroit convenu avec David. Il était accompagné d'un jeune serviteur. 36 Il lui dit : « Cours en avant ! Tu ramasseras les flèches que je vais tirer. » Le serviteur partit, et Jonatan tira une flèche de manière à le dépasser. 37 Tandis que le serviteur approchait de l'endroit où la flèche s'était plantée, Jona-

---

e **20.13** Dans le texte hébreu des v. 12b et 13, la construction de la phrase n'est pas très claire ; on pourrait aussi traduire *Si elles te sont favorables et que je ne te fasse rien dire*, 13 *je veux que le Seigneur m'inflige la plus terrible des punitions. Mais au cas où mon père jugerait bon de te faire du mal, je t'en informerai.*

f **20.15** Voir 2 Sam 9.1.

g **20.16** Le texte hébreu des v. 12-16 est peu clair, et la traduction incertaine.

h **20.19** *Après-demain* : texte hébreu obscur et traduction incertaine.

i **20.25** *en face* : d'après l'ancienne version grecque ; hébreu *se leva*.

j **20.26** *impureté rituelle* : un homme en état d'impureté n'était pas autorisé à participer à un repas de fête religieuse (voir par exemple Lév 7.21).

tan lui cria : « La flèche n'est-elle pas encore plus loin ? 38 Allons, dépêche-toi, ne
t'arrête pas ! » Le serviteur ramassa la flèche et revint vers son maître. 39 Il ignorait
tout du rendez-vous ; seuls Jonatan et
David étaient au courant. 40 Jonatan remit son arc et ses flèches au serviteur et
lui ordonna de les rapporter en ville. 41 Le
serviteur s'en alla et David sortit de sa cachette, au sud de la pierre. Trois fois il
s'inclina jusqu'à terre devant Jonatan,
puis ils s'embrassèrent tout en pleurant
abondamment[k]. 42 Ensuite Jonatan dit à
David : « Va en paix. Et souviens-toi du
pacte d'amitié que nous avons conclu au
nom du Seigneur, en disant : "Que le Seigneur nous permette d'y rester toujours
fidèles, toi et moi, et nos descendants
21 après nous." » 1 Alors David[l] s'en
alla, et Jonatan retourna en ville.

David à Nob, chez le prêtre Ahimélek

2 David se rendit à Nob[m], chez le prêtre
Ahimélek. Celui-ci vint tout inquiet à sa
rencontre et lui demanda : « Pourquoi
es-tu seul, sans aucun compagnon ? »
3 David lui répondit : « Le roi m'a donné
un ordre, puis m'a dit : "Personne ne doit
connaître la mission que je te confie."
C'est pourquoi j'ai donné rendez-vous à
mes compagnons à un certain endroit.
4 Pour l'instant, de quoi disposes-tu
comme nourriture ? Donne-moi cinq
pains ou ce que tu peux trouver d'autre. »
– 5 « Je n'ai pas de pain ordinaire, déclara
le prêtre, il n'y a ici que du pain consacré[n]. Mais je peux t'en donner, pour autant que tes compagnons n'aient pas eu
récemment de relations avec des femmes. » 6 David lui dit : « Bien sûr, de telles
relations nous ont été interdites, comme
toujours en pareil cas. De plus, quand je
pars en expédition, les armes de mes
compagnons sont consacrées ; et même si
la présente expédition a un caractère profane, elle est aujourd'hui consacrée
puisque les armes le sont[o]. » 7 Alors le
prêtre remit à David des pains consacrés,
car il n'en avait pas d'autres. Ces pains
avaient été offerts au Seigneur, puis retirés du *sanctuaire pour être remplacés
par des pains frais[p].
8 Ce jour-là, un serviteur de Saül se
trouvait au sanctuaire du Seigneur, pour
accomplir un devoir religieux. C'était un
Édomite, nommé Doëg, le plus robuste
des *bergers de Saül[q].
9 David dit encore à Ahimélek : « N'aurais-tu pas ici une lance ou une épée ? La
mission du roi était si urgente que je n'ai
eu le temps de prendre ni mon épée ni
aucune autre arme. » – 10 « Il y a l'épée de
Goliath, le Philistin que tu as vaincu
dans la vallée du Térébinthe, répondit le
prêtre. Elle se trouve derrière les habits
sacerdotaux[r], enveloppée dans un manteau. Prends-la si tu veux ; c'est la seule
arme que nous avons ici. » – « Donne-la-
moi, répondit David, je n'en trouverais
pas de meilleure. »

David chez les Philistins de Gath

11 Ce même jour, David continua de
fuir Saül et se rendit chez Akich, le roi de
Gath[s]. 12 Les ministres d'Akich dirent à
leur maître : « N'est-ce pas là David, le roi
du pays d'Israël ? C'est de lui que les femmes chantaient en dansant :

"Saül a battu des milliers d'ennemis,
David en a battu des dizaines de milliers[t]" ? »

13 David ressentit la gravité de ces propos et eut très peur du roi Akich[u]. 14 Il
adopta un comportement anormal devant les Philistins : il se mit à divaguer
parmi eux, à tracer des signes sur les bat-

---

k 20.41 *tout en pleurant abondamment* : d'après l'ancienne version grecque ; hébreu obscur.

l 21.1 Dans certaines traductions, les v. 21.1-16 sont numérotés 20.43–21.15.

m 21.2 Localité proche de Jérusalem, au nord, mais non identifiée avec certitude.

n 21.5 *du pain consacré* : voir Lév 24.5-9.

o 21.6 Le texte hébreu du v. 6 n'est pas très clair. De plus la réponse même de David est volontairement peu claire, car il ne veut pas avouer à Ahimélek qu'il est en fuite et non en mission officielle.

p 21.7 Voir Matt 12.3-4 ; Marc 2.25-26 ; Luc 6.3-4.

q 21.8 *Doëg* : voir 22.6-23.

r 21.10 *l'épée de Goliath* : voir chap. 17, en particulier 17.51-54. – *vallée du Térébinthe* : voir 17.2 et la note. – *habits sacerdotaux* ou *objets du culte*.

s 21.11 *Gath* : voir 5.8 et la note.

t 21.12 Voir 18.7 ; 29.5.

u 21.13 Voir Ps 56.1.

tants des portes et à baver dans sa barbe[v].
15 Akich dit à ses ministres : « Vous voyez
bien que cet homme a perdu la raison !
Pourquoi me l'amenez-vous ? 16 Est-ce
que je manque de fous, que vous m'ame-
niez encore celui-ci pour me fatiguer avec
ses extravagances ? Non, il n'entrera pas
chez moi ! »

David devient chef de bande

22 1 Là-dessus, David quitta Gath et
se réfugia dans la caverne
d'Adoullam[w]. Lorsque ses frères et tous
les siens l'apprirent, ils vinrent l'y rejoindre. 2 De plus, des gens en difficulté,
des endettés, des mécontents, en tout
quatre cents personnes environ, se rassemblèrent auprès de lui. Il devint leur
chef.
3 D'Adoullam, David se rendit à
Mispé, en Moab[x], et dit au roi de Moab :
« Permets que mon père et ma mère viennent s'installer chez toi jusqu'à ce que je
sache ce que Dieu veut faire de moi. »
4 David les conduisit à la cour du roi de
Moab, où ils demeurèrent pendant tout
le temps que David resta dans son refuge.
5 Un jour, le *prophète Gad dit à David :
« Ne reste pas dans ce refuge, rentre au
pays de Juda. » David partit donc et se
rendit dans la forêt de Héreth[y].

Saül fait massacrer les prêtres de Nob

6 Saül apprit qu'on avait repéré David
et ses compagnons. Le roi était alors à
Guibéa[z], installé sur la colline, à l'ombre d'un tamaris, sa lance à la main.
Tous ses serviteurs se tenaient près de
lui 7 et il leur dit : « Écoutez donc, vous
les Benjaminites ! Est-ce que le fils de
Jessé[a] vous donnera à tous, comme moi,
des champs et des vignes ? Est-ce à vous
que David confiera le commandement
de ses régiments et de ses compagnies ?
Non ! 8 Alors pourquoi complotez-vous
tous contre moi ? Personne ne m'informe que mon fils a conclu un pacte
d'amitié avec David. Aucun de vous ne
s'inquiète de m'informer, quand mon
fils incite cet individu à me tendre
des pièges, comme c'est le cas aujourd'hui ! »
9 Doëg l'Édomite, qui se trouvait
parmi les serviteurs de Saül, lui dit : « Un
jour j'ai vu le fils de Jessé arriver à Nob
auprès d'Ahimélek, fils d'Ahitoub[b].
10 Ahimélek a consulté le Seigneur pour
lui, il l'a ravitaillé et lui a donné l'épée de
Goliath, le Philistin[c]. »
11 Le roi envoya des gens chercher le
prêtre Ahimélek ainsi que tous les membres de sa famille qui étaient prêtres à
Nob. Ils vinrent tous se présenter devant
le roi. 12 Saül dit à Ahimélek : « Écoute
donc, fils d'Ahitoub. » – « Oui, Majesté »,
répondit le prêtre. 13 « Pourquoi avez-
vous comploté contre moi, toi et le fils de
Jessé ? reprit le roi. Tu lui as donné de la
nourriture et une épée, et tu as consulté
Dieu pour lui, afin qu'il se révolte contre
moi et me tende des pièges, comme c'est
le cas aujourd'hui. » 14 Ahimélek lui dit :
« Mais, Majesté, y a-t-il parmi tous tes
serviteurs quelqu'un d'aussi fidèle que
David ? Il est ton gendre et le chef de ta
garde personnelle, il est très honoré au
palais. 15 Ce n'était pas la première fois, ce
jour-là, que je consultais Dieu pour lui.
Loin de moi l'idée de comploter contre
toi ! Ne nous soupçonne pas, ni moi, ni
personne de ma famille. En effet, j'ignorais absolument tout de cette affaire. »
– 16 « Ahimélek, déclara le roi, vous
mourrez, toi et toute ta famille. »
17 Puis le roi s'adressa à ses gardes du
corps, qui se trouvaient à ses côtés : « Allez-y, leur dit-il, mettez à mort les prêtres
du Seigneur, puisque eux aussi ont aidé
David ; ils savaient que David était en
fuite et ils ne m'en ont pas informé. »
Mais aucun des gardes de Saül ne voulut
porter la main sur les prêtres du Seigneur
pour les tuer. 18 Le roi dit alors à Doëg
l'Édomite : « Vas-y, toi, tue ces prêtres. »

---

v **21.14** Voir Ps 34.1.
w **22.1** *la caverne* : voir Ps 57.1 ; 142.1. – *Adoullam* : localité située à 25 km environ au sud-ouest de Jérusalem.
x **22.3** Localité non identifiée.
y **22.5** La *forêt de Héreth* se situe au sud d'Adoullam.
z **22.6** *Guibéa* : voir 10.5 et la note.
a **22.7** *le fils de Jessé* : il s'agit de David, voir 16.1-13.
b **22.9** Voir 21.2-10, en particulier 21.2 et la note.
c **22.10** V. 9-10 : voir Ps 52.2.

Doëg s'avança et de sa propre main tua
les prêtres. Ce jour-là, il fit mourir quatre-vingt-cinq hommes qui avaient le
droit de porter les habits sacrés. 19 Quant
à Nob, la ville de ces prêtres, Saül y fit
massacrer les hommes, les femmes, les
enfants et les bébés, de même que les
bœufs, les ânes, les moutons et les chèvres. 20 Seul un certain Abiatar, fils d'Ahimélek et petit-fils d'Ahitoub, réussit à
s'échapper et s'enfuit auprès de David.
21 Il informa David que Saül avait massacré les prêtres du Seigneur. 22 David lui
dit : « L'autre jour, j'ai bien vu que Doëg
l'Édomite était aussi à Nob. Je savais
qu'il raconterait tout à Saül. C'est donc
moi qui suis responsable de la mort de
tous les tiens. 23 Mais maintenant reste
avec moi et ne crains plus rien. C'est le
même ennemi, Saül, qui en veut à ma vie
et à la tienne ; auprès de moi, tu es en
sécurité. »

23 1 Un jour, quelqu'un informa David que les Philistins assiégeaient
la ville de Quéila[d] et pillaient les réserves
de céréales. 2 David consulta le Seigneur :
« Dois-je aller attaquer ces Philistins ? »
demanda-t-il. « Va les attaquer, répondit
le Seigneur ; tu délivreras ainsi Quéila. »
3 Les compagnons de David lui dirent
alors : « Vois-tu, ici en Juda, nous avons
déjà peur ! Ce sera pire encore si nous allons à Quéila nous battre contre les troupes des Philistins ! » 4 David consulta une
nouvelle fois le Seigneur, qui lui répondit : « Debout, va à Quéila ! Je livrerai les
Philistins en ton pouvoir. » 5 David et ses
compagnons se rendirent donc à Quéila
et attaquèrent les Philistins. Ils s'emparèrent de leurs troupeaux et leur infligèrent une lourde défaite. David délivra
ainsi les habitants de Quéila.

6 Lorsque Abiatar, fils d'Ahimélek,
était venu se réfugier auprès de David, à
Quéila, il avait emmené les objets sacrés
servant à consulter le Seigneur[e].

7 Saül apprit que David était entré à
Quéila ; alors il déclara : « Dieu l'a livré
en mon pouvoir, puisqu'il s'est laissé
prendre au piège en entrant dans une
ville aux portes verrouillées. » 8 Saül mobilisa toute l'armée pour aller assiéger
David et ses compagnons dans Quéila.
9 David se rendit compte que Saül préparait un mauvais coup contre lui ; il ordonna donc au prêtre Abiatar d'apporter
les objets sacrés pour consulter Dieu.
10 Puis il dit : « Seigneur, Dieu d'Israël,
j'ai entendu dire que Saül s'apprête à venir à Quéila pour détruire la ville à cause
de moi. 11 Est-ce que les gens de Quéila
me livreront à Saül, s'il vient assiéger la
ville comme je l'ai appris ? Seigneur,
Dieu d'Israël, je t'en prie, réponds-moi. »
– « Saül va venir », répondit le Seigneur.
12 David reprit : « Alors, est-ce que les
gens de Quéila nous livreront à Saül, moi
et mes compagnons ? » – « Oui, ils le
feront », déclara le Seigneur. 13 Aussitôt,
David et ses compagnons, au nombre de
six cents environ, quittèrent Quéila et
s'en allèrent à l'aventure. Saül, apprenant
que David s'était échappé de la ville,
abandonna l'expédition.

14 David gagna le désert de Zif[f] et s'installa dans des endroits escarpés de la région montagneuse. Jour après jour, Saül
le recherchait, mais Dieu ne permit pas
que David tombe entre ses mains. 15 David voyait bien que Saül partait en expédition pour le faire mourir, mais il
restait à Horcha[g], dans le désert de Zif.

16 Un jour, Jonatan, fils de Saül, se rendit auprès de David à Horcha et fortifia
sa confiance en Dieu. 17 Il lui dit : « Ne
crains rien ! Saül, mon père, ne réussira
pas à mettre la main sur toi. C'est toi qui
seras roi d'Israël, moi, je ne serai que ton
plus proche collaborateur : mon père lui-
même le sait bien. » 18 Tous deux conclurent un pacte d'amitié[h] au nom du Seigneur. Puis Jonatan retourna chez lui
tandis que David demeurait à Horcha.

Saül poursuit David

19 Des habitants de Zif allèrent trouver
Saül à Guibéa et lui dirent : « Ne sais-tu

---

d **23.1** Localité située à 4 ou 5 km au sud d'Adoullam (voir 22.1 et la note).
e **23.6** Texte hébreu peu clair et traduction incertaine.
f **23.14** *Zif* : localité située à 35 km environ au sud de Jérusalem.
g **23.15** *Horcha* : à 3 km au sud de Zif.
h **23.18** Voir 18.3.

pas que David se cache dans notre région, dans les endroits escarpés proches de Horcha, dans les collines de Hakila[i], au sud de la plaine inculte ? 20 Si donc tu désires le surprendre, tu n'as qu'à venir, nous nous chargeons de te le livrer. » – 21 « Que le Seigneur vous *bénisse, s'écria Saül ; vous avez eu pitié de moi. 22 Maintenant, allez encore vérifier vos informations, découvrez exactement l'endroit où il se tient, et qui l'y a vu. On m'a dit en effet qu'il est très rusé. 23 Repérez toutes les cachettes où il peut se réfugier, puis revenez vers moi avec des indications précises. Alors j'irai avec vous ; s'il est dans le pays, je fouillerai chaque portion du territoire de Juda pour le trouver. »

24 Les gens de Zif quittèrent Saül et retournèrent chez eux. A ce moment-là David se trouvait dans la partie basse du désert de Maon[j], au sud de la plaine inculte. 25 Saül et ses soldats partirent à la recherche de David. Celui-ci en fut informé ; il alla s'installer dans un massif rocheux du désert de Maon. Quand Saül l'apprit, il se mit à le pourchasser dans cette région. 26 Saül et ses soldats avançaient sur le flanc d'une colline tandis que David et ses compagnons progressaient sur l'autre flanc. Ceux-ci se hâtaient pour échapper à Saül, car avec sa troupe il essayait de les encercler afin de les capturer. 27 Mais un messager arriva et dit à Saül : « Viens vite, les Philistins attaquent le pays ! » 28 Saül cessa aussitôt de poursuivre David et il marcha contre les Philistins. C'est pourquoi on a appelé cet endroit "le Rocher de la Séparation".

David refuse de tuer Saül

24 1 David quitta cette région et alla s'installer près d'En-Guédi[k], dans un endroit difficilement accessible. 2 Lorsque Saül revint de sa campagne militaire contre les Philistins, il apprit que David était dans la région désertique d'En-Guédi. 3 Il rassembla trois mille hommes choisis dans l'armée d'Israël et partit à la recherche de David et de ses compagnons, qui se trouvaient en face de la Roche-aux-Bouquetins[l]. 4 En passant près des parcs à moutons qui bordaient la route, Saül vit une caverne[m] et y entra pour satisfaire un besoin naturel. Or David était caché au fond de cette caverne avec ses compagnons. 5 Ceux-ci lui chuchotèrent : « Voici le moment annoncé par le Seigneur lorsqu'il t'a dit : "Un jour je te livrerai ton ennemi pour que tu le traites comme il te plaira." » Alors David s'avança et coupa discrètement un pan du manteau de Saül. 6 Mais dès qu'il eut fait cela, son cœur se mit à battre très fort. 7 Il dit à ses compagnons : « Que le Seigneur me préserve d'attenter à la vie de mon maître, comme vous le suggérez ! En effet, c'est le Seigneur lui-même qui l'a choisi comme roi. » 8 Par ces paroles, David réussit à empêcher ses compagnons de se jeter sur Saül.

Saül quitta la caverne et reprit la route. 9 David sortit peu après lui et cria : « Majesté, Majesté ! » Saül se retourna pour regarder. David s'inclina respectueusement jusqu'à terre, 10 puis lui demanda : « Pourquoi écoutes-tu ceux qui prétendent que je cherche à te nuire ? 11 Tu peux constater qu'aujourd'hui même le Seigneur t'avait livré en mon pouvoir dans cette caverne. On me conseillait de te tuer, mais je t'ai épargné. Je n'ai pas voulu attenter à ta vie, car c'est le Seigneur qui t'a choisi comme roi. 12 Regarde, ô mon roi, regarde ce que je tiens : un pan de ton manteau ! Je n'ai fait que couper le pan de ton manteau et je ne t'ai pas tué. Tu vois donc bien que je n'ai pas l'intention de te nuire ou de me révolter contre toi. Tu vois que je n'ai commis aucune faute envers toi. C'est toi qui me poursuis pour m'ôter la vie. 13 Que le Seigneur soit l'arbitre entre nous deux ; qu'il me venge du mal que tu m'as fait, mais moi-même je ne te ferai rien. 14 Tu connais le proverbe

---

i **23.19** *Zif, Horcha* : voir v. 14-15 et les notes ; *Guibéa* : voir 10.5 et la note ; *Hakila* : probablement à l'est de Zif. – Voir Ps 54.2.

j **23.24** Le *désert de Maon* s'étend au sud du désert de Zif.

k **24.1** Dans certaines traductions, les v. 24.1-23 sont numérotés 23.29–24.22. – *En-Guédi* : localité située sur la rive ouest de la mer Morte.

l **24.3** *la Roche-aux-Bouquetins* : endroit non identifié aux environs d'En-Guédi.

m **24.4** *une caverne* : voir Ps 57.1 ; 142.1.

d'autrefois qui dit : "Des méchants ne peut sortir que la méchanceté", mais moi, je ne te ferai aucun mal. 15 Contre qui le roi d'Israël s'est-il mis en campagne ? Contre moi ! Tu me pourchasses, moi qui ne suis qu'un chien crevé, qu'une misérable puce ! 16 Eh bien, le Seigneur sera l'arbitre entre nous ; qu'il examine et défende ma cause, qu'il me rende justice et me délivre de tes attaques. »

17 Lorsque David eut achevé de parler, Saül demanda : « David, mon fils, est-ce bien toi qui me parles ? » Et il pleura abondamment. 18 Puis il reprit : « C'est toi qui as raison et moi qui ai tort. Tu m'as fait du bien alors que je t'ai fait du mal. 19 Tu m'as révélé aujourd'hui ta bonté pour moi. Le Seigneur m'avait en effet livré en ton pouvoir, mais tu ne m'as pas tué. 20 D'habitude, quand un homme surprend son ennemi, le laisse-t-il s'en aller sain et sauf ? Jamais ! Que le Seigneur te récompense donc pour le bien que tu m'as fait aujourd'hui. 21 Par ailleurs, je sais que tu seras roi un jour, et que sous ton autorité, le royaume d'Israël sera stable. 22 Alors jure-moi au nom du Seigneur qu'après ma mort, tu n'effaceras pas tout souvenir de moi et de ma famille en exterminant mes descendants. » 23 David le lui jura. Puis Saül retourna chez lui, tandis que David et ses compagnons regagnaient leur refuge dans la montagne.

Nabal refuse d'aider David

25 1 A cette époque, Samuel mourut. Tous les Israélites se rassemblèrent pour prendre part aux cérémonies de deuil ; on l'enterra chez lui à Rama. Ensuite, David se rendit au désert de Paran[n].

2 Dans la localité de Maon habitait un homme, un important propriétaire, qui possédait trois mille moutons et mille chèvres. Ses domaines se trouvaient à Karmel et il y était alors pour la tonte de ses troupeaux[o]. 3 Il s'appelait Nabal, et sa femme Abigaïl. Celle-ci était intelligente et belle, tandis que son mari était dur et méchant. Il était du clan de Caleb.

4 Dans le désert, David apprit que Nabal procédait à la tonte de ses bêtes. 5 Il décida de lui envoyer dix de ses compagnons auxquels il dit : « Allez à Karmel, chez Nabal, et demandez-lui de ma part si tout va bien. 6 Vous lui direz : "Que l'année te soit favorable ![p] Que tout aille bien pour toi, pour ta famille et pour tout ce qui t'appartient. 7 David a appris que les tondeurs sont chez toi. Or, pendant tout le temps où tes *bergers étaient à Karmel avec nous, nous ne leur avons fait aucun mal et ils n'ont rien perdu. 8 Tu peux les interroger, ils te le confirmeront. David te prie donc d'être bienveillant envers nous, en ce jour de fête où nous venons à toi ; donne-nous, pour nous et ton serviteur David, ce dont tu peux disposer." »

9 Les compagnons de David allèrent porter ce message à Nabal, de la part de David, puis ils attendirent. 10 Mais Nabal leur répondit : « David, le fils de Jessé, qui est-ce ? Aujourd'hui il y a bien trop d'esclaves qui s'évadent de chez leurs maîtres. 11 Et moi, je devrais prendre de mon pain, de mon eau, de la viande que j'ai préparée pour mes tondeurs, et les donner à des gens dont je ne sais même pas d'où ils viennent ! » 12 Les compagnons de David s'en retournèrent et vinrent lui rapporter la réponse de Nabal. 13 David leur ordonna : « Que chacun prenne son épée ! » Chacun passa son épée dans sa ceinture ; David prit aussi la sienne. Quatre cents hommes environ partirent avec lui, tandis que deux cents autres restaient auprès des bagages.

Abigaïl vient en aide à David

14 Un des serviteurs de Nabal vint avertir Abigaïl, la femme de son maître, en ces termes : « Depuis le désert, David a envoyé des messagers saluer notre maî-

n 25.1 *Rama* : voir 1.1 et la note ; *désert de Paran* : désert de la péninsule du Sinaï.

o 25.2 *Maon, Karmel* : deux localités situées à 40 km environ au sud de Jérusalem. – La *tonte* des moutons, au printemps, était une occasion de fête et de festin, voir v. 8, et comparer 2 Sam 13.23-27.

p 25.6 *Que l'année te soit favorable !* : traduction incertaine d'un texte hébreu obscur ; autres traductions *Pour la vie !* ou, selon l'ancienne version latine, *(Vous direz) à mon frère :*

tre, mais celui-ci les a mal reçus. 15 Pourtant, ces gens ont été très bons pour nous, ils ne nous ont fait aucun mal et nous n'avons rien perdu pendant tout le temps que nous les avons côtoyés dans les campagnes. 16 Jour et nuit, ils ont été comme une muraille protectrice autour de nous, aussi longtemps que nous avons gardé les troupeaux dans la région où ils étaient. 17 Maintenant donc, réfléchis bien à ce que tu dois faire, car, sans aucun doute, le malheur va s'abattre sur notre maître et sur sa famille. Il a lui-même si mauvais caractère qu'on ne peut rien lui dire. » 18 Abigaïl se hâta de prendre deux cents pains, deux *outres de vin, cinq moutons tout apprêtés, cinq mesures de grains grillés, cent grappes de raisins secs et deux cents gâteaux de figues. Elle chargea le tout sur des ânes, 19 puis ordonna à ses serviteurs : « Passez en avant, je vous suis. »

Abigaïl n'avait rien dit à Nabal, son mari. 20 Installée sur son âne, elle descendait, cachée par la colline. Pendant ce temps, David et ses compagnons avançaient dans sa direction. Soudain elle se trouva en face d'eux. 21 David venait justement de se dire : « Voilà ce que j'ai gagné à protéger, dans le désert, tous les biens de cet individu, afin qu'il ne subisse aucune perte : il me rend le mal pour le bien ! 22 Alors, que Dieu m'inflige[q] la plus terrible des punitions si jusqu'à demain matin je laisse un seul homme en vie dans la famille de Nabal. »

23 Dès qu'Abigaïl aperçut David, elle descendit en hâte de son âne ; elle s'inclina devant David, se jeta le visage contre terre 24 à ses pieds et lui dit : « A moi la faute, Excellence, à moi seule ! Permets-moi toutefois de te parler, écoute ce que j'ai à te dire. 25 Ne t'occupe pas de Nabal, c'est un vaurien qui mérite bien son nom : il s'appelle Nabal l'Abruti, et il est vraiment une brute. Quant à moi, je n'avais pas vu que tu nous avais envoyé quelques-uns de tes compagnons. 26 Mais maintenant, par le Seigneur vivant et par ta propre vie, le Seigneur lui-même te retient d'en venir au meurtre et de te faire justice toi-même. Que tes ennemis et ceux qui te veulent du mal subissent le même sort que Nabal[r]. 27 Accepte les cadeaux que je t'apporte, qu'ils soient répartis entre les jeunes hommes qui t'accompagnent. 28 Veuille aussi me pardonner ma faute. En effet, je suis sûre que le Seigneur accordera pour toujours le règne à ta famille, car tu participes aux guerres du Seigneur, et on ne pourrait trouver aucun mal en toi tout au long de ton existence. 29 Un homme s'est mis en tête de te poursuivre, il veut ta mort ; mais le Seigneur ton Dieu protégera toujours ta vie en la gardant auprès de lui, tandis qu'il rejettera au loin la vie de tes ennemis, comme avec une fronde. 30 Lorsque le Seigneur accomplira tous les bienfaits qu'il t'a promis et fera de toi le chef d'Israël, 31 il ne faudrait pas que tu aies la conscience tourmentée par le remords d'avoir tué inutilement quelqu'un et de t'être fait justice toi-même. Et quand le Seigneur t'aura accordé le bonheur, souviens-toi de moi ! » 32 David répondit à Abigaïl : « Je remercie le Seigneur, le Dieu d'Israël, qui t'a envoyée en ce moment à ma rencontre. 33 Je te remercie aussi, toi qui, avec bon sens, m'as empêché d'en venir au meurtre et de me faire justice moi-même. 34 Vraiment, par le Seigneur vivant, le Dieu d'Israël qui m'a retenu de te faire du mal, je te jure que, si tu n'étais pas venue aussi rapidement à ma rencontre, demain à l'aube il ne serait plus resté un seul homme vivant dans la famille de Nabal. »

35 David accepta ce qu'Abigaïl lui avait apporté, puis il reprit : « Retourne en paix chez toi. Tu vois, j'ai entendu ta supplication et je l'accueille favorablement. »

Mort de Nabal. David épouse Abigaïl

36 Lorsque Abigaïl arriva à la maison, elle y trouva Nabal en train de festoyer : c'était un vrai festin de roi. Nabal était si joyeux et tellement ivre qu'elle ne lui dit pas un mot avant l'aube. 37 Elle attendit

---

q 25.22 *m'inflige* : d'après l'ancienne version grecque ; hébreu *inflige à mes ennemis*.

r 25.26 La fin du v. 26 anticipe sur le récit de la punition et de la mort de Nabal.

que son ivresse soit dissipée, au matin,
pour lui raconter ce qui s'était passé. Nabal en reçut un tel choc qu'il resta paralysé. 38 Une dizaine de jours plus tard, le
Seigneur le frappa d'une nouvelle attaque
et il mourut.

39 Quand David apprit la mort de Nabal, il s'écria : « Je remercie le Seigneur
qui a pris ma défense au moment où
j'étais insulté par l'attitude de Nabal. Je
le remercie de m'avoir retenu de faire le
mal, et d'avoir fait retomber sur la tête de
Nabal sa propre méchanceté. » Puis
David envoya des messagers proposer à
Abigaïl de devenir sa femme. 40 Les
messagers arrivèrent chez elle à Karmel
et lui dirent : « David nous envoie te
chercher pour que tu deviennes sa
femme. » 41 Abigaïl s'inclina devant eux,
le visage contre terre, et répondit : « Je
deviendrai l'esclave de son Excellence ; je
suis prête à laver les pieds de ses serviteurs. » 42 Elle se releva en hâte, monta sur
son âne et, accompagnée de cinq servantes, partit à la suite des messagers de
David ; et elle devint sa femme.

43 Précédemment, David avait déjà
épousé Ahinoam, de Jizréel[s] ; Ahinoam
et Abigaïl furent donc toutes deux ses
épouses. 44 Quant à la première femme de
David, Mikal, fille de Saül, son père
l'avait donnée en mariage à Palti, fils de
Laïch, de Gallim[t].

Au désert de Zif : David épargne de nouveau Saül

26 1 Les habitants de Zif allèrent
trouver Saül à Guibéa et lui dirent : « Ne sais-tu pas que David se cache
dans les collines de Hakila[u], près de la
plaine inculte ? » 2 Saül se mit donc en
route pour le désert de Zif afin d'y chercher David. Il était accompagné de trois
mille des meilleurs soldats d'Israël. 3 Il
établit son camp dans les collines de Hakila, au bord de la route. David, qui se tenait dans le désert, apprit que Saül venait
l'y pourchasser. 4 Il envoya des gens s'informer, et eut ainsi la certitude que Saül
était arrivé. 5 Il se rendit à l'emplacement
du camp de Saül et repéra l'endroit précis
où dormaient Saül et Abner, fils de Ner,
le chef de l'armée ; Saül dormait au centre du camp, et toute la troupe campait
autour de lui.

6 David appela Ahimélek le Hittite et
Abichaï, frère de Joab, dont la mère s'appelait Serouia ; il leur demanda : « L'un
de vous viendrait-il avec moi jusqu'au
camp de Saül ? » – « J'irai avec toi », répondit Abichaï.

7 Pendant la nuit, David et Abichaï se
rendirent au camp de l'armée : Saül, couché, dormait au centre du camp, sa lance
plantée en terre près de sa tête. Abner et
la troupe dormaient tout autour de lui.
8 Abichaï dit à David : « Cette nuit, Dieu
livre ton ennemi en ton pouvoir. Permets-moi d'aller le clouer au sol avec sa
lance. Un coup suffira, je n'aurai pas besoin de lui en donner un deuxième. » –
9 « Non, répondit David, ne le tue pas !
Penses-tu que l'on puisse rester impuni
après avoir attenté à la vie du roi que le
Seigneur a choisi ? 10 Par le Seigneur vivant, je te l'affirme, le Seigneur lui-même
mettra fin à sa vie, soit qu'il meure de
mort naturelle, soit qu'il succombe au
cours d'un combat. 11 Mais que le Seigneur me préserve d'attenter à la vie du
roi qu'il s'est choisi. Contentons-nous de
prendre la lance qui est près de son chevet et la cruche d'eau, et allons-nous-en. »

12 David prit la lance et la cruche près
de la tête de Saül et ils s'en allèrent. Personne ne se réveilla, personne ne vit ni ne
sut quoi que ce soit ; tout le monde dormait, car le Seigneur avait fait tomber sur
eux un profond sommeil. 13 David passa
de l'autre côté de la vallée, et se tint sur
une hauteur, à bonne distance du camp
de Saül. 14 Il cria en direction de l'armée
pour appeler Abner, fils de Ner : « Eh,
Abner ! Réponds donc ! » – « Qui ose déranger ainsi le roi ? » demanda Abner.
15 David reprit : « Abner, tu es un homme,
n'est-ce pas ? Il n'y a pas de meilleur soldat que toi en Israël ! Alors pourquoi
n'as-tu pas mieux protégé le roi, ton maître ? Quelqu'un est venu pour le tuer.
16 Par le Seigneur vivant, ce n'est pas beau

---

s **25.43** Localité du pays de Juda, voir Jos 15.56.
t **25.44** Localité proche de Jérusalem, au nord-est.
u **26.1** *Zif, Hakila* : voir 23.14,19 et les notes ; *Guibéa* : voir 10.5 et la note.

de négliger ainsi ton devoir ! Vous mériteriez tous la mort pour n'avoir pas protégé
votre maître, le roi choisi par le Seigneur !
Regarde donc au chevet du roi : Où sont
sa lance et sa cruche d'eau ? »
17 Saül reconnut la voix de David et demanda : « David, mon fils, est-ce bien toi
qui me parles ? » – « C'est bien moi, Majesté », répondit David. 18 Et il ajouta :
« Pourquoi le roi me poursuit-il ? Que lui
ai-je fait ? Quel mal ai-je commis ? 19 Que
le roi veuille bien écouter ce que j'ai à lui
dire : Si c'est le Seigneur qui l'a poussé à
agir ainsi envers moi, qu'il se laisse apaiser par un *sacrifice. Mais si ce sont des
hommes, que le Seigneur les maudisse.
En effet, on me chasse aujourd'hui, on
m'empêche de résider dans le pays accordé par le Seigneur à son peuple, et
c'est comme si on me disait : “Va adorer
d'autres dieux[v] !” 20 Mais moi, je ne veux
pas mourir loin de la présence du Seigneur. Pourquoi le roi s'est-il mis en campagne contre moi, une simple puce ?
Pourquoi me pourchasse-t-il, comme on
chasse une perdrix dans les montagnes ? »
21 Saül s'écria : « Je suis coupable ! Reviens, David, mon fils, je ne te ferai plus
de mal, puisque cette nuit tu as respecté
ma vie. Je me suis conduit comme un insensé, je me suis lourdement trompé. »
22 David répondit : « La lance du roi est
ici ; l'un de ses jeunes soldats peut venir
la récupérer. 23 Que le Seigneur récompense chacun de nous de son respect
du droit et de sa fidélité. Aujourd'hui le
Seigneur t'avait livré en mon pouvoir,
mais je n'ai pas voulu attenter à ta vie, car
tu es le roi choisi par le Seigneur. 24 De
même que ta vie a eu un grand prix pour
moi, que ma vie ait un grand prix pour le
Seigneur, et qu'il me délivre de toute détresse. » 25 Alors Saül déclara : « Que le
Seigneur te *bénisse, David, mon fils. Tu
feras de grandes choses, tu réussiras certainement. » David s'en alla de son côté,
tandis que Saül retournait chez lui.

David se réfugie chez les Philistins

27 1 David réfléchit et se dit : « Un
jour ou l'autre, Saül parviendra à
m'éliminer. Je n'ai pas de meilleure solution que de m'enfuir dans le pays des
Philistins. Saül cessera de me pourchasser dans tout le territoire d'Israël, et ainsi
je lui aurai échappé. » 2 Alors David partit
avec ses six cents compagnons et se rendit chez Akich, fils de Maok et roi de
Gath[w]. 3 Ils s'installèrent tous à Gath, auprès d'Akich, chacun avec sa famille ;
David avait avec lui ses deux femmes,
Ahinoam, de Jizréel, et Abigaïl, veuve de
Nabal, de Karmel[x]. 4 Lorsque Saül apprit
que David s'était réfugié à Gath, il cessa
de le pourchasser.
5 Un jour, David dit à Akich : « Si le roi
considère que je suis digne de sa
confiance, qu'il m'autorise à m'installer
dans l'une des localités de la campagne.
Pourquoi devrais-je résider avec lui dans
la ville royale ? » 6 Le jour même, Akich
lui donna la ville de Siclag[y]. Voilà pourquoi cette ville a fait partie, jusqu'à maintenant, du territoire des rois de Juda.
7 Le séjour de David dans le pays des
Philistins dura un an et quatre mois. 8 De
Siclag, David et ses compagnons lançaient des attaques contre les Guéchourites, les Guirzites ou les Amalécites,
c'est-à-dire les populations qui habitaient
entre Télem et Chour[z] et jusqu'à la frontière de l'Égypte. 9 Ils dévastaient leur
pays et ne laissaient en vie ni homme ni
femme ; ils emmenaient les moutons et
les bœufs, les ânes et les chameaux, ainsi
que les vêtements, et revenaient auprès
d'Akich. 10 Quand Akich demandait à
David : « Contre qui avez-vous lancé une
attaque aujourd'hui ? », David lui répondait : « Contre la partie sud du territoire
de Juda », ou « Contre la partie sud du ter-

---

v **26.19** *d'autres dieux* : en chassant David de son pays et de son peuple, on le condamnait en quelque sorte à ne plus pouvoir adorer convenablement le Seigneur et à *adorer d'autres dieux*.

w **27.2** *Gath* : voir 5.8 et la note.

x **27.3** *Ahinoam* : voir 25.43 ; *Abigaïl* : voir 25.14-42.

y **27.6** Localité située probablement à 50 km environ au sud-ouest de Jérusalem.

z **27.8** *Guéchourites* : peuple voisin des Philistins (voir Jos 13.2) ; *Guirzites* : peuplade inconnue ; *Amalécites* : voir Ex 17.8 et la note. – *qui habitaient entre Télem et Chour* : d'après l'ancienne version grecque ; hébreu : *qui de tout temps avaient habité cette région, en direction de Chour*. – *Chour* : voir Ex 15.22 et la note.

ritoire des Yeramélites », ou encore « Contre la partie sud du territoire des Quénites »[a]. 11 David ne laissait ramener vivant à Gath ni homme ni femme, qui auraient pu, craignait-il, donner à son sujet des informations défavorables, en disant : « Voilà ce que David a fait. » David agit de cette manière pendant tout le temps qu'il résida dans le pays des Philistins. 12 C'est pourquoi Akich avait pleine confiance en lui, car il pensait : « David s'est rendu absolument odieux à ses compatriotes israélites. Il sera donc pour toujours à mon service. »

28 1 A cette époque-là, les Philistins rassemblèrent leurs troupes en une seule armée pour aller combattre Israël. Akich dit à David : « Il est entendu que, toi et tes compagnons, vous participerez avec moi à cette expédition. » – 2 « Très bien, répondit David. Tu verras toi-même ce que je vais faire. » – « Dans ces conditions, reprit Akich, je te prends comme garde du corps pour toujours. »

Saül consulte la sorcière d'En-Dor

3 A la mort de Samuel, tous les Israélites avaient pris part aux cérémonies de deuil, puis on l'avait enterré dans sa ville de Rama. Par ailleurs, Saül avait interdit dans son royaume les pratiques consistant à évoquer et interroger les morts[b].

4 Un jour, les Philistins rassemblèrent leurs troupes et vinrent camper près de Chounem. Saül mobilisa l'armée d'Israël, qui campa près du mont Guilboa[c]. 5 Lorsque Saül vit le camp des Philistins, il eut très peur et se mit à trembler comme une feuille. 6 Il voulut consulter le Seigneur, mais celui-ci ne lui répondit ni par un rêve, ni par les dés sacrés du prêtre[d], ni par un *prophète. 7 Alors Saül donna cet ordre à ses officiers : « Cherchez-moi une femme capable d'interroger les morts, pour que je puisse aller la consulter. » – « Il y en a une à En-Dor[e] », lui répondit-on. 8 Saül se déguisa et partit pour En-Dor avec deux compagnons ; il arriva de nuit chez la femme et lui dit : « Je désire que tu interroges un mort pour moi. Fais apparaître celui que je vais t'indiquer. » – 9 « Mais, répondit la femme, tu sais bien que Saül a éliminé du pays les pratiques consistant à évoquer et interroger les morts. Est-ce que tu cherches à me tendre un piège pour me faire mourir également ? » – 10 « Par le Seigneur vivant, déclara Saül, je te jure que tu ne risques rien dans cette affaire. » – 11 « Qui donc dois-je faire apparaître pour toi ? » demanda la femme. Il répondit : « Samuel ».

12 Lorsque la femme vit Samuel, elle poussa un grand cri, puis elle interpella Saül en ces mots : « Mais tu es Saül ! Pourquoi m'as-tu trompée ? » – 13 « Ne crains rien, répondit le roi. Dis-moi plutôt ce que tu as vu. » – « J'ai vu une sorte de fantôme qui montait des profondeurs de la terre », dit-elle. 14 Le roi reprit : « Comment est-il ? » – « C'est un homme âgé, enveloppé d'un manteau », dit-elle.

Saül comprit qu'il s'agissait bien de Samuel, et il s'inclina respectueusement jusqu'à terre. 15 Samuel lui demanda : « Pourquoi as-tu troublé mon repos ? Pourquoi m'as-tu fait appeler ? » – « Je suis tellement angoissé, répondit Saül. Les Philistins m'ont déclaré la guerre et Dieu s'est détourné de moi. Il ne me répond plus, ni par un prophète, ni par un rêve. Alors je t'ai fait appeler : viens me dire ce que je dois faire. » – 16 « Pourquoi m'interroger, moi ? dit Samuel. Tu vois bien que le Seigneur lui-même s'est détourné de toi et qu'il est devenu ton ennemi. 17 Il a accompli ce que j'avais annoncé de sa part : il t'a repris la royauté pour la donner à un autre, à David[f]. 18 Tu as refusé d'obéir aux ordres du Seigneur, en n'exterminant pas complètement les Amalécites[g]. C'est

a **27.10** Les *Yéramélites* et les *Quénites* sont des peuples voisins et alliés de Juda. – Par ces réponses, David faisait croire aux Philistins qu'il était l'ennemi de Juda et de ses alliés (voir v. 12).

b **28.3** *la mort de Samuel* : voir 25.1. – *les pratiques...* : voir Lév 19.31 et la note.

c **28.4** *Chounem* : village de Galilée, à 80 km au nord de Jérusalem ; *Guilboa* : sommet situé à quelques kilomètres au sud-est de Chounem, de l'autre côté de la plaine de Jizréel.

d **28.6** Voir Ex 28.30 et la note.

e **28.7** *En-Dor* : localité située à 12 km environ au nord de Guilboa.

f **28.17** Voir 15.28.

g **28.18** Voir chap. 15.

pourquoi le Seigneur te traite aujourd'hui de cette manière. [19] Il va te livrer, ainsi que ton peuple, au pouvoir des
Philistins. Demain, toi et tes fils, vous serez avec moi dans le monde des morts, et
ton armée sera au pouvoir des Philistins. »

[20] Dès qu'il eut entendu ces paroles de
Samuel, Saül s'écroula de tout son long,
saisi d'une peur épouvantable. De plus
il était sans force, n'ayant rien mangé
depuis le jour précédent. [21] La femme
s'approcha de lui et vit combien il était
épouvanté. Alors elle lui dit : « J'ai obéi
à tes ordres. Au risque de ma vie, j'ai
fait ce que tu m'ordonnais. [22] Maintenant, écoute-moi à ton tour : je vais
t'apporter un peu de nourriture ; tu
mangeras pour reprendre des forces
avant de te remettre en route. » [23] Saül
refusa de manger quoi que ce soit, mais
ses compagnons et la femme insistèrent, si bien qu'il finit par accepter ; il
se releva de terre et s'assit sur le lit.
[24] Sans tarder, la femme tua un veau
qu'elle engraissait, puis elle prit de la
farine, fit de la pâte et cuisit des galettes
de pain. [25] Elle servit ce repas à Saül et à
ses compagnons. Après avoir mangé, ils
se mirent en route alors qu'il faisait
encore nuit.

Les Philistins renvoient David

29 [1] Les Philistins rassemblèrent
toutes leurs troupes à Afec, tandis
que les Israélites campaient à la source
proche de Jizréel[h]. [2] Les chefs des Philistins défilèrent à la tête des compagnies
et des régiments ; David et ses hommes,
qui accompagnaient le roi Akich, ne défilèrent qu'en dernier. [3] Les officiers philistins demandèrent : « Qui sont ces
Hébreux ? » Akich leur répondit : « Ne
reconnaissez-vous pas David, qui fut au
service de Saül, roi d'Israël, mais qui est
avec moi depuis un ou deux ans ? Du
jour où il a abandonné son maître
jusqu'à présent, je n'ai aucun reproche à
lui adresser. »

[4] Les officiers philistins se mirent en
colère contre Akich et lui dirent : « Renvoie cet homme ; qu'il retourne à la ville
où tu lui as permis de résider. Il ne faut
pas qu'il participe à notre expédition, il
pourrait se tourner contre nous au cours
du combat. En effet, comment regagne-
rait-il le mieux la faveur de son ancien
maître, sinon en lui livrant nos hommes ?
[5] N'oublions pas que c'est ce David dont
les femmes disaient en chantant et en
dansant :

"Saül a battu des milliers d'ennemis,
David en a battu des dizaines de milliers[i]." »

[6] Akich appela donc David et lui dit :
« Par le Seigneur vivant, tu es un
homme loyal. Je trouvais judicieux que
tu participes avec moi à cette expédition
militaire, car, du jour où tu es arrivé
chez moi jusqu'à présent, je ne t'ai jamais vu mal agir. Mais tu ne plais pas
aux autres chefs philistins. [7] Par conséquent, retourne en paix chez toi, afin de
ne pas les indisposer. » [8] David lui demanda : « Mais qu'ai-je donc fait ?
Qu'as-tu à me reprocher, depuis le jour
où je suis entré à ton service jusqu'à présent, pour que je ne puisse pas aller
combattre tes ennemis ? » – [9] « Rien, je le
sais, répondit Akich. Tu m'es aussi
agréable qu'un *ange de Dieu. Seulement, les officiers philistins m'ont dit :
"Il ne doit pas participer à notre expédition !" [10] Tu devras donc te lever tôt
demain matin, de même que les hommes qui t'ont accompagné, et vous irez à
l'endroit où je vous ai permis de résider.
Ne garde pas de rancune en ton cœur,
car tu m'es agréable ; levez-vous tôt et
partez dès qu'il fera jour[j]. »

[11] Le lendemain matin, David et ses
compagnons se levèrent tôt pour retourner au pays des Philistins. Quant aux
Philistins, ils se rendirent à Jizréel.

---

h **29.1** *Afec* : voir 4.1 et la note. – *Jizréel* : ville située dans la vallée du même nom, à 80 km environ au nord de Jérusalem. La *source* est peut-être celle d'En-Harod, à quelques kilomètres au sud-est de la ville, au pied du mont Guilboa.

i **29.5** Voir 18.7 ; 21.12.

j **29.10** *et vous irez... agréable* : d'après l'ancienne version grecque ; ces mots manquent dans le texte hébreu.

Siclag pillée.
David poursuit les Amalécites

30 1 Le surlendemain, David et ses
compagnons arrivèrent à Siclag.
Or les Amalécites avaient lancé une attaque au sud de Juda et contre Siclag[k] ; ils
avaient détruit et incendié la ville. 2 Ils
avaient fait prisonniers les femmes et les
autres habitants, petits et grands ; ils
n'avaient tué personne, mais ils les
avaient emmenés et avaient continué leur
chemin. 3 Ainsi, lorsque David et ses
compagnons arrivèrent à la ville, ils découvrirent qu'elle avait été incendiée, et
que leurs femmes, leurs fils et leurs filles
avaient été enlevés. 4 Alors David et toute
sa troupe se mirent à se lamenter et pleurèrent jusqu'à épuisement. 5 On avait emmené même les deux femmes de David,
Ahinoam, de Jizréel, et Abigaïl, veuve de
Nabal, de Karmel. 6 Finalement David se
vit dans une situation très angoissante,
car ses compagnons parlaient de le tuer à
coups de pierres ; chacun d'eux était
plein d'amertume en pensant à ses fils et
à ses filles. Cependant, grâce au Seigneur
son Dieu, David reprit courage.

7 David dit au prêtre Abiatar, fils
d'Ahimélek[l] : « Apporte-moi les objets
sacrés pour consulter le Seigneur. » Abiatar les apporta. 8 David interrogea le Seigneur : « Si je poursuis cette bande de
pillards, est-ce que je les rattraperai ? » –
« Poursuis-les, répondit le Seigneur. Tu
les rattraperas et tu délivreras les prisonniers. »

9 David et ses six cents compagnons se
mirent en route. Lorsqu'ils arrivèrent au
torrent du Bessor[m], 10 deux cents hommes, trop fatigués pour traverser le torrent, s'arrêtèrent à cet endroit. David
continua la poursuite avec les quatre
cents autres. 11 Dans la campagne, les soldats trouvèrent un jeune Égyptien qu'ils
amenèrent à David. On lui donna du
pain à manger et de l'eau à boire, 12 puis
une tranche de gâteau de figues et deux
grappes de raisins secs. Quand il eut
mangé cela, il retrouva des forces, car il
n'avait rien mangé ni bu depuis trois
jours et trois nuits. 13 David l'interrogea :
« A qui appartiens-tu et d'où viens-tu ? » –
« Je suis un Égyptien, esclave d'un Amalécite, répondit-il. Mon maître m'a abandonné il y a trois jours parce que j'étais
tombé malade. 14 Auparavant nous avions
lancé des attaques contre le sud des territoires des Crétois, des Judéens et des Calébites[n], et nous avions incendié la ville
de Siclag. » – 15 « Veux-tu me conduire
jusqu'à cette bande de pillards ? » lui demanda David. L'homme répondit : « Si
tu me jures devant Dieu que tu ne me
mettras pas à mort, ou que tu ne me livre-
ras pas à mon maître, je te conduirai
jusqu'à eux. »

Les Amalécites battus par David

16 L'homme conduisit donc David
jusqu'aux Amalécites, qu'ils trouvèrent
éparpillés dans toute la région, mangeant, buvant, faisant la fête avec le riche
butin emporté du pays des Philistins et
du pays de Juda. 17 David les combattit
victorieusement de l'aube jusqu'au soir
du lendemain. Personne n'en réchappa,
sauf quatre cents jeunes gens qui réussirent à s'enfuir à dos de chameaux. 18 David put sauver tout ce que les Amalécites
avaient pris ; il délivra en particulier ses
deux femmes. 19 Personne ne manquait
des petits et des grands, des fils et des filles, et le butin était intact. Tout ce que les
ennemis avaient emporté, David le ré-
cupéra. 20 Il s'empara aussi des troupeaux
de moutons et de bœufs des Amalécites,
et ceux qui conduisaient ce bétail disaient : « Voici le butin de David ! »

21 David retourna auprès des deux
cents hommes qui avaient été trop fatigués pour le suivre et qu'on avait laissés
près du torrent du Bessor. Ils vinrent au-
devant de David et de ceux qui l'accompagnaient. David s'avança avec sa
troupe et les salua. 22 A ce moment-là, un
groupe de mauvais sujets et de vauriens,
parmi les soldats qui avaient accompagné

---

k **30.1** *Siclag* : voir 27.6 et la note.
l **30.7** Voir 22.20.
m **30.9** Le *torrent du Bessor* coule à 35 km environ au sud-ouest de Siclag et va se jeter dans la Méditerranée. – L'hébreu ajoute ici *les autres s'arrêtèrent*, mots qui semblent anticiper sur le v. 10.
n **30.14** *Calébites* : clan de la tribu de Juda.

David, déclarèrent : « Puisqu'ils ne sont
pas venus avec nous, on ne leur donnera
rien du butin récupéré ; on rendra seulement à chacun sa femme et ses enfants.
Qu'ils les emmènent et s'en aillent. »
23 Mais David dit : « Mes amis, n'agissez
pas ainsi avec ce que le Seigneur nous a
donné. Il nous a protégés, il nous a même
livré la bande de pillards qui avaient attaqué Siclag. 24 Personne ne peut approuver
votre proposition. En effet,

"A chacun sa part de butin,
à celui qui marche au combat
comme à celui qui garde le camp :
entre eux, ils partageront." »

25 Ce jour-là David érigea cette décision
en règle légale pour Israël ; et cette règle
est encore valable aujourd'hui.

26 De retour à Siclag, David envoya des
parts de butin à ceux des *anciens de
Juda qui étaient ses amis. Il leur faisait
dire : « Voici pour vous un cadeau tiré du
butin pris aux ennemis du Seigneur. »
27 Il en envoya aux anciens de Béthel[o], de
Ramoth dans le Néguev, de Yattir, 28 à
ceux d'Aroër, de Sifmoth, d'Echtemoa,
29 de Rakal, à ceux des villes des Yeramélites et des Quénites, 30 à ceux de Horma,
de Bor-Achan, d'Atak, 31 d'Hébron[p], et à
ceux de toutes les localités où il était
passé précédemment avec ses compagnons.

La mort de Saül

31 1 Sur le mont Guilboa[q], les Philistins attaquèrent les Israélites.
Ceux-ci s'enfuirent et beaucoup furent
tués. 2 Les Philistins s'acharnèrent alors
contre Saül et ses fils. Ils réussirent à tuer
Jonatan, Abinadab et Malkichoua, les fils
du roi. 3 Dès lors, tout le poids du combat
se porta contre Saül. Des tireurs à l'arc le
découvrirent, et Saül en fut terrifié. 4 Il
dit à celui qui portait ses armes : « Prends
ton épée et tue-moi, car je ne veux pas
que ces Philistins païens me tuent eux-
mêmes et se moquent de moi. » Mais son
porteur d'armes refusa, tant il avait peur.
Alors Saül prit son épée et se jeta dessus.
5 Lorsque le porteur d'armes vit que son
maître était mort, il se jeta aussi sur son
épée et mourut. 6 C'est ainsi que Saül, ses
trois fils, son porteur d'armes et ses soldats moururent tous le même jour.

7 Les Israélites qui habitaient l'autre
côté de la vallée[r] et l'autre rive du Jourdain apprirent que l'armée d'Israël avait
fui, et que Saül et ses fils étaient morts ;
ils abandonnèrent alors leurs villes pour
s'enfuir, et les Philistins vinrent s'y installer.

8 Le lendemain, les Philistins, venus
pour dépouiller les morts, trouvèrent les
cadavres de Saül et de ses trois fils sur le
mont Guilboa. 9 Ils coupèrent la tête de
Saül, lui enlevèrent ses armes, et firent
circuler ces trophées dans leur pays, afin
de répandre cette bonne nouvelle dans
les temples de leurs idoles et parmi le
peuple. 10 Ensuite ils déposèrent ses armes dans le temple *d'Astarté, et attachèrent son cadavre à la muraille de
Beth-Chéan[s].

11 Les habitants de Yabech, en Galaad[t],
apprirent ce que les Philistins avaient fait
à Saül. 12 Les hommes les plus courageux
de la ville se mirent en route et marchèrent durant toute la nuit jusqu'à Beth-
Chéan ; ils détachèrent le cadavre de Saül
et ceux de ses fils de la muraille de la
ville, puis rentrèrent à Yabech. Là ils les
brûlèrent. 13 Ils rassemblèrent ensuite
leurs ossements, les enterrèrent sous un
arbre, le tamaris de Yabech, et *jeûnèrent
pendant sept jours.

---

o **30.27** *Béthel* : selon le texte hébreu ; toutefois comme la localité de Béthel ne se trouve pas dans le pays de Juda, il faudrait plus probablement lire *Betouel* (d'après 1 Chron 4.30).

p **30.31** La plupart des localités énumérées dans les v. 27-31 se situent dans le pays de Juda. La générosité de David (v. 26) lui assura plus tard le soutien des Judéens qui, les premiers, le choisirent pour roi, à *Hébron* précisément (voir 2 Sam 2.1-4).

q **31.1** *Guilboa* : voir 28.4 et la note.

r **31.7** *la vallée* : la plaine de Jizréel, où les Philistins ont installé leur camp (28.4).

s **31.10** *Beth-Chéan* : localité située près du Jourdain, à 75 km environ de Jérusalem.

t **31.11** *Yabech, en Galaad* : voir 11.1 et la note ; cette localité est située à 15 km au sud-est de Beth-Chéan.

Deuxième livre de

Samuel

***Introduction** – A l'origine, ce livre et le précédent ne constituaient qu'un seul ouvrage, connu sous le nom du premier personnage important qu'on y mentionnait, le *prophète Samuel. Dans la division actuelle en deux livres,* 2 Samuel *raconte le règne de David, le premier et le plus grand roi de tout Israël.*

Il s'ouvre sur la lamentation funèbre que David prononce lorsqu'il apprend la mort de Saül et de son fils Jonatan ; il rapporte ensuite comment David devint roi de la tribu de Juda (chap. 1–4). Un fils de Saül, Ichebaal, règne durant une brève période sur les tribus du Nord ; à sa mort, ces tribus se rallient à David et le choisissent comme roi. David va donc régner désormais sur l'ensemble des douze tribus (chap. 5–20). Les chapitres 21 à 24 rassemblent enfin quelques morceaux divers, relatifs au règne de David, mais qui n'avaient pas trouvé place dans les chapitres précédents.

Le roi David nous est présenté sans complaisance. 2 Samuel *nous montre sa grandeur et sa puissance, mais ne nous cache pas ses faiblesses, et ne nous tait pas les événements tragiques qui ont assombri la vie de sa famille. David nous apparaît ainsi sous un jour très humain, tout en montrant la vraie grandeur de celui qui sait reconnaître ses fautes et en demander pardon à Dieu.*

Plus tard, spécialement dans les temps d'oppression, David deviendra pour Israël le modèle du roi sauveur que Dieu a promis d'envoyer à son peuple. Israël se souviendra en effet de la promesse de Dieu transmise à David par le prophète Natan : il y aura toujours un de tes descendants comme roi après toi (chap. 7). On comprend alors pourquoi Jésus, le sauveur envoyé par Dieu, est parfois désigné dans le Nouveau Testament comme le « Fils de David » (voir Matt 20.29-34 ; 21.9).

David apprend la mort de Saül

1 [1] Saül était déjà mort quand David revint s'installer à Siclag après avoir
battu les Amalécites[a]. Il y passa deux
jours. [2] Le troisième jour, un jeune messager venant du camp de Saül arriva. Il
avait les vêtements *déchirés et de la
poussière sur la tête, en signe de deuil.
Dès qu'il fut près de David, il s'inclina
jusqu'à terre.
[3] « D'où viens-tu ? » lui demanda David. « Je me suis enfui du camp d'Israël »,
répondit-il. [4] « Raconte-moi donc ce qui
s'est passé », dit David. « L'armée d'Israël
a pris la fuite au cours du combat, dit
l'homme ; un grand nombre de soldats
ont été tués. Même Saül et son fils Jonatan sont morts. » – [5] « Comment sais-tu
que Saül et Jonatan sont morts ? » lui de-

a **1.1** *Saül était mort* : voir 1 Sam 31.4-5. – *Siclag* : voir 1 Sam 27.6 et la note. – *après avoir battu...* : voir 1 Sam 30.

manda encore David. 6 « Je me trouvais
par hasard sur le mont Guilboa[b], raconta
le jeune homme. J'ai vu Saül qui s'appuyait sur sa lance ; il était serré de près
par les chars et les cavaliers ennemis. 7 Il
s'est retourné, m'a aperçu et m'a appelé.
“Oui, Majesté”, ai-je répondu. 8 Il m'a demandé qui j'étais. Je lui ai répondu que
j'étais un Amalécite[c]. 9 Alors il m'a dit de
venir lui donner la mort, car il se sentait
mal, bien qu'il eût encore tous ses esprits.
10 Je me suis donc approché et je lui ai
donné la mort, car je savais qu'il ne survi-
vrait pas à sa défaite. Ensuite, Excellence,
j'ai pris la couronne et le bracelet qu'il
portait et je te les ai apportés ici. »

11 David déchira ses vêtements et tous
ceux qui étaient près de lui firent de
même. 12 Jusqu'au soir ils pleurèrent et
*jeûnèrent, célébrant ainsi le deuil de
Saül, de Jonatan et de tous les Israélites,
membres du peuple du Seigneur, qui
étaient morts au combat. 13 Ensuite David dit au jeune messager : « Qui es-tu ? »
– « Je suis le fils d'un Amalécite installé
dans ce pays », répondit-il. 14 « Et tu n'as
pas craint de faire mourir le roi que le
Seigneur avait choisi ! » s'écria David.
15 Il appela un de ses jeunes soldats et lui
ordonna : « Vas-y, tue-le ! » Le soldat
frappa à mort l'Amalécite, 16 tandis que
David lui déclarait : « C'est par ta faute
que tu meurs ; tu t'es condamné toi-
même en disant : “C'est moi qui ai
donné la mort au roi choisi par le Seigneur.” »

Complainte de David sur Saül et Jonatan

17 Alors David composa une complainte à l'occasion de la mort de Saül
et de Jonatan. 18 Il ordonna de l'enseigner aux habitants de Juda. C'est la
« Complainte de l'Arc ». La voici, telle
qu'on la trouve dans le *Livre du Juste*[d] :

19 Israël, pourquoi sont-ils morts, tes vaillants guerriers,
tes glorieux combattants gisant sur les hauteurs ?

20 Ne publiez pas cette nouvelle dans la ville de Gath,
ne la propagez pas dans les rues d'Ascalon[e].
Que les femmes des Philistins n'aient pas cette joie,
que les filles de ces païens ne triomphent pas.

21 Montagnes de Guilboa[f],
soyez privées de rosée et de pluie,
qu'on ne voie plus de champs fertiles sur vos pentes.
C'est là qu'ont été déshonorés les boucliers des guerriers,
le bouclier de Saül, qui ne sera plus jamais frotté d'huile.

22 Devant les ennemis à tuer,
devant la vigueur des adversaires,
l'arc de Jonatan ne reculait pas
et l'épée de Saül accomplissait toujours sa tâche.

23 Toute leur vie, Saül et Jonatan se sont aimés tendrement,
dans leur mort même ils n'ont pas été séparés,
eux qui étaient plus rapides que des aigles,
plus courageux que des lions.

24 Femmes du pays d'Israël, pleurez sur Saül !
Il vous revêtait de beaux habits précieux,
il ornait vos robes de bijoux d'or.

25 Pourquoi sont-ils morts en plein combat, les vaillants guerriers,
pourquoi Jonatan a-t-il succombé sur les hauteurs ?

26 Mon cœur souffre à cause de toi, Jonatan,
mon frère, mon meilleur ami.

---

b **1.6** *le mont Guilboa* : voir 1 Sam 28.4 et la note.
c **1.8** *Amalécite* : voir Ex 17.8 et la note.
d **1.18** *Il ordonna... de l'Arc* : autre traduction *Il ordonna d'enseigner le tir à l'arc aux habitants de Juda*. – *le Livre du Juste* : voir Jos 10.13 et la note.
e **1.20** *Gath, Ascalon* : voir 1 Sam 5.8 ; 6.17 et les notes.
f **1.21** *Montagnes de Guilboa* : voir 1 Sam 28.4 et la note.

Ton amitié pour moi était merveilleuse,
bien plus encore que l'amour des femmes.

27 Pourquoi sont-ils morts, ces vaillants
guerriers,
pourquoi ont-ils péri, ces illustres soldats ?

A Hébron, David est consacré roi de Juda

2 1 Après ces événements, David
consulta le Seigneur : « Dois-je me
rendre dans une des villes de Juda ? » demanda-t-il. « Oui », répondit le Seigneur.
« Dans laquelle ? » demanda encore David. « A Hébron[g] », dit le Seigneur. 2 David s'y rendit, accompagné de ses deux
femmes, Ahinoam, de Jizréel, et Abigaïl,
veuve de Nabal, de Karmel[h]. 3 Il emmena
également ses compagnons et leurs familles, qui s'installèrent dans les localités
voisines d'Hébron. 4 Alors les gens de
Juda vinrent à Hébron pour y consacrer
David roi de Juda.

Lorsqu'on informa David que les habitants de Yabech, en Galaad[i], avaient enterré Saül, 5 il envoya des messagers leur
dire : « Que le Seigneur vous *bénisse
d'avoir enterré Saül votre maître et
d'avoir montré un tel attachement à son
égard. 6 Que le Seigneur à son tour vous
traite avec bonté et fidélité. Quant à moi,
je vous ferai aussi du bien, puisque vous
avez agi ainsi. 7 Et maintenant, reprenez
courage, soyez des hommes résolus. Votre maître Saül est mort, et c'est moi que
les gens de Juda ont consacré pour que je
règne sur eux. »

Ichebaal désigné comme roi d'Israël

8 Abner, fils de Ner, le général en chef
de Saül, avait emmené Ichebaal, fils de
Saül, à Mahanaïm[j]. 9 Là, il l'avait proclamé roi pour les régions de Galaad,
d'Asser[k], de Jizréel, d'Éfraïm et de Benjamin, bref pour tout *Israël. 10 Ichebaal
avait quarante ans lorsqu'il devint roi
d'Israël, et il régna deux ans. Seule la
tribu de Juda reconnut l'autorité de David. 11 Celui-ci régna sur Juda, à Hébron,
durant sept ans et demi.

Bataille entre Juda et Israël à Gabaon

12 Abner, fils de Ner, et la garde d'Ichebaal, fils de Saül, quittèrent Mahanaïm et
prirent la direction de Gabaon[l]. 13 Joab,
dont la mère s'appelait Serouia, et la
garde de David se mirent aussi en route.
Les deux troupes se rencontrèrent près
du réservoir de Gabaon et prirent position de part et d'autre de ce réservoir.
14 Abner dit à Joab : « Je propose que nos
jeunes soldats luttent en combat singulier devant nous. » – « D'accord », répondit Joab. 15 Des soldats s'avancèrent ; on
en compta douze de la tribu de Benjamin, représentant Ichebaal, et douze de
la garde de David. 16 Chaque soldat saisit
son adversaire par la tête et lui planta son
épée dans le côté, de sorte qu'ils tombèrent tous ensemble. On appela cet endroit de Gabaon le Champ des Rochers[m].

17 Le même jour, un combat extrêmement violent éclata. Abner et ses hommes furent battus par la garde de David.
18 Joab, Abichaï et Assaël, dont la mère
s'appelait Serouia, étaient présents. Assaël, qui était aussi léger et rapide qu'une
gazelle sauvage, 19 se mit à poursuivre
Abner, sans dévier ni à droite ni à gauche.
20 Abner, tournant la tête, demanda :
« Est-ce bien toi, Assaël ? » – « Oui, c'est
bien moi », répondit-il. 21 « Poursuis
quelqu'un d'autre, à droite ou à gauche,
lui dit Abner. Essaie d'attraper l'un des
jeunes soldats et de t'emparer de son
équipement. » Mais Assaël ne voulut pas
cesser de poursuivre Abner. 22 Celui-ci re-

---

g 2.1 *Hébron* : localité située à 30 km environ au sud-ouest de Jérusalem.

h 2.2 Voir 1 Sam 25.42-43.

i 2.4 *Yabech, en Galaad* : voir 1 Sam 31.11-13 et la note.

j 2.8 *Ichebaal* : appelé parfois *Ichevi* (certaines traductions l'appellent *Ichebocheth*). – *Mahanaïm* : voir Gen 32.3 et la note.

k 2.9 *Asser* : d'après l'ancienne version araméenne ; hébreu *Achour* (région non identifiée).

l 2.12 *Gabaon* : ville située à 10 km au nord-ouest de Jérusalem.

m 2.16 *Champ des Rochers* ou peut-être *Champ des épées tranchantes*. Il n'est pas sûr que le nom du lieu soit en relation avec l'événement qui vient d'être raconté.

prit : « Assaël, cesse de me poursuivre !
Pourquoi m'obliger à te tuer ? Ensuite je
ne pourrais plus regarder ton frère Joab
en face. » 23 Assaël refusa pourtant de
changer de direction. Alors Abner le
frappa en plein ventre avec l'extrémité de
sa lance ; celle-ci ressortit dans le dos
d'Assaël, qui s'affaissa et mourut sur
place. Tous ceux qui arrivèrent à l'endroit
où gisait Assaël s'arrêtèrent.
24 Alors Joab et Abichaï se lancèrent
à la poursuite d'Abner. Le soleil se
couchait lorsqu'ils arrivèrent à Guibéa-
Amma, à l'est de Guia[n] sur le chemin du
désert de Gabaon. 25 Les soldats benjaminites se groupèrent en rangs serrés
auprès d'Abner, et occupèrent le
sommet d'une colline. 26 Abner interpella Joab : « Allons-nous sans fin bran-
dir l'épée pour nous exterminer ? Ne
comprends-tu pas que cette affaire finira
tristement ? Qu'attends-tu donc pour ordonner à tes soldats d'arrêter cette poursuite fratricide ? » – 27 « Par le Dieu
vivant, s'écria Joab, je t'assure que si tu
n'avais pas demandé cet arrêt, mes hommes n'auraient pas cessé de vous poursuivre avant demain matin. »
28 Joab fit sonner de la trompette. Ses
soldats cessèrent de poursuivre les Israélites et mirent fin au combat. 29 Abner et ses hommes cheminèrent toute
cette nuit-là dans la vallée du Jourdain,
puis franchirent le fleuve, traversèrent
tout le Bitron et arrivèrent à Mahanaïm[o]. 30 Joab, ayant cessé de poursuivre
Abner, rassembla sa troupe. Seuls dix-
neuf soldats de la garde de David manquaient à l'appel, en plus d'Assaël. 31 Par
contre, la garde de David avait frappé à
mort trois cent soixante Benjaminites et
autres soldats d'Abner. 32 On emporta le
corps d'Assaël et on le déposa dans le
tombeau de son père à Bethléem. Ensuite Joab et ses hommes marchèrent
toute la nuit et atteignirent Hébron au
lever du jour.

3 1 La guerre dura longtemps entre les
partisans de Saül et ceux de David.
Mais David consolidait de plus en plus sa
position, tandis que les descendants de
Saül perdaient progressivement leur pouvoir.

Les fils de David nés à Hébron

(Voir 1 Chron 3.1-4)

2 A Hébron, David eut plusieurs fils. Il
eut Amnon, l'aîné, d'Ahinoam, de Jizréel ; 3 Kilab, le second, d'Abigaïl, veuve
de Nabal, de Karmel ; Absalom, le troisième, de Maaka, fille de Talmaï, roi de
Guéchour[p] ; 4 Adonia, le quatrième, de
Haguite ; Chefatia, le cinquième, d'Abital ; 5 Itréam, le sixième, d'Égla, elle aussi
femme du roi. Tels furent les fils de
David qui naquirent à Hébron.

Abner se brouille avec Ichebaal

6 Tant que la guerre dura entre partisans de Saül et partisans de David, Abner
renforça son pouvoir dans le parti de
Saül. 7 Saül avait eu une épouse de second
rang, du nom de Rispa, fille d'Aya. A son
sujet, Ichebaal dit un jour à Abner :
« Pourquoi as-tu couché avec une épouse
de mon père[q] ? » 8 Abner fut vivement indigné en entendant ces mots et déclara :
« Suis-je un chien, à la solde des Judéens ?
Jusqu'à présent, j'ai prouvé mon attachement à l'égard de la famille de ton père
Saül, de ses frères et de ses amis, j'ai tout
fait pour que tu ne tombes pas entre les
mains de David, et toi, aujourd'hui, tu
me reproches un écart avec cette femme !
9 Que le Seigneur m'inflige la plus terrible des punitions si je ne réalise pas
pour David ce que le Seigneur lui a promis. 10 Car il a juré de retirer la royauté à
la famille de Saül afin d'étendre l'autorité
royale de David sur *Israël comme sur
Juda, d'un bout à l'autre du pays[r]. »
11 Ichebaal fut incapable de lui répondre
un seul mot, tant il avait peur de lui.

---

n **2.24** *Guibéa-Amma* (ou *la colline d'Amma*) et *Guia* sont des endroits non identifiés.

o **2.29** *traversèrent tout le Bitron* : texte hébreu peu clair (*Bitron* : lieu non identifié) ; autre traduction parfois proposée *marchèrent (encore) toute la matinée*. – *Mahanaïm* : voir v. 8.

p **3.3** *Guéchour* : voir 13.37-38 et la note.

q **3.7** Cet acte pouvait exprimer une prétention au pouvoir royal. Comparer 16.21-22 ; 1 Rois 2.22.

r **3.10** *retirer la royauté à la famille de Saül* : voir 1 Sam 15.28. – *d'un bout à l'autre du pays* : l'hébreu exprime cela en disant *de Dan à Berchéba*, localités situées respectivement tout au nord et tout au sud du pays d'Israël.

Abner se rallie à David

12 Là-dessus, Abner envoya des messagers à David pour lui dire : « A qui appartient le pays ? Conclus une alliance avec moi, et je t'aiderai à rallier tout *Israël autour de toi. » 13 David lui répondit : « Bien, je suis d'accord de conclure une alliance avec toi. Je ne te demande qu'une chose : Ne viens pas me trouver sans te faire précéder par ma femme Mikal[s], fille de Saül. A cette condition, tu pourras te présenter devant moi. » 14 Puis David envoya des messagers à Ichebaal, fils de Saül, pour lui dire : « Rends-moi ma femme Mikal, que j'ai épousée au prix de cent prépuces[t] de Philistins. » 15 Alors Ichebaal fit venir Mikal de chez son mari Paltiel[u], fils de Laïch. 16 Paltiel l'accompagna. Tout en pleurs, il marcha derrière elle jusqu'à Bahourim[v]. Là, Abner lui ordonna de retourner chez lui et il obéit.

17 Abner eut un entretien avec les *anciens d'Israël ; il leur dit : « Depuis longtemps, vous désirez que David soit votre roi. 18 Eh bien, c'est le moment d'agir ! En effet, le Seigneur a déclaré au sujet de David : "C'est par l'intermédiaire de mon serviteur David que je veux délivrer Israël, mon peuple, de la domination des Philistins et de tous ses autres ennemis." »

19 Abner parla aussi avec les Benjaminites. Ensuite il partit pour Hébron afin d'exposer à David lui-même le projet qui avait reçu le plein accord des Benjaminites et des autres Israélites[w]. 20 Il arriva chez David, à Hébron, avec vingt hommes. David leur offrit un banquet. 21 Abner dit à David : « Majesté, je suis prêt à repartir et à rassembler tous les Israélites autour de toi. Ils concluront une alliance avec toi, et tu pourras alors régner sur tout le pays, comme tu le désires. » David autorisa Abner à s'en aller, et celui-ci partit en paix.

Joab assassine Abner

22 Peu après, Joab arriva avec la garde de David ; il revenait d'une expédition et rapportait un butin important. Abner n'était plus chez David à Hébron, car le roi l'avait laissé repartir en paix. 23 Dès que Joab fut là avec toute sa troupe, quelqu'un l'informa qu'Abner, fils de Ner, était venu trouver le roi et que celui-ci l'avait laissé repartir en paix. 24 Joab entra chez le roi et lui dit : « Qu'as-tu fait là ? Abner vient chez toi, et tu le laisses repartir ! 25 Tu connais pourtant bien Abner, fil de Ner ! S'il est venu, c'est pour te tromper, pour espionner tes allées et venues et savoir tout ce que tu fais. »

26 Joab sortit de chez le roi et chargea des messagers de rattraper Abner. A l'insu de David, ils le firent revenir de la citerne de Sira[x]. 27 Quand Abner fut de retour à Hébron, Joab l'attira à l'écart, à l'intérieur de la porte de la ville, comme pour lui parler confidentiellement. Et là, il le poignarda en plein ventre, le tuant pour venger la mort de son frère Assaël.

28 Dès que David apprit ce qui s'était passé, il s'écria : « Le Seigneur le sait, moi et mon royaume, nous sommes à jamais innocents du meurtre d'Abner, fils de Ner. 29 Que seuls Joab et toute sa famille en subissent les conséquences ! Qu'il y ait toujours dans cette famille des hommes atteints d'écoulements *impurs ou de *lèpre, des hommes réduits à des occupations féminines, des hommes qui meurent de mort violente ou qui manquent de nourriture ! » 30 C'est ainsi que Joab et son frère Abichaï assassinèrent Abner parce que celui-ci avait tué leur frère Assaël lors du combat de Gabaon[y].

31 David dit à Joab et à tous ceux qui l'accompagnaient : « *Déchirez vos vêtements, revêtez-vous d'étoffes grossières

---

s **3.13** *Mikal* : voir 1 Sam 18.20-30 ; 25.44.

t **3.14** *prépuces* : voir au Vocabulaire CIRCONCISION.

u **3.15** *Paltiel* : appelé *Palti* en 1 Sam 25.44.

v **3.16** *Bahourim* : localité non identifiée avec précision, mais située à quelques kilomètres seulement à l'est de Jérusalem.

w **3.19** L'*accord des Benjaminites* était important, car ceux-ci étaient particulièrement liés à la famille de Saül, lui-même benjaminite.

x **3.26** *citerne de Sira* : lieu non identifié, probablement au nord d'Hébron.

y **3.30** Voir 2.18-23.

et prenez part à la cérémonie funèbre en l'honneur d'Abner. » Le roi David lui-même marcha derrière le corps du défunt. 32 On enterra Abner à Hébron. Le roi éclata en sanglots sur sa tombe, et toute la foule pleura aussi. 33 Puis le roi prononça la complainte suivante, au sujet d'Abner :

Pourquoi es-tu mort, Abner,
d'une mort digne d'un insensé ?
34 Tu n'avais pas les mains liées
ni les pieds enchaînés.
Pourtant tu es tombé mort
comme un homme surpris par des criminels.

Tous les assistants continuèrent de pleurer. 35 Ensuite ils s'approchèrent de David pour lui offrir de la nourriture, alors qu'il faisait encore jour, mais le roi fit ce serment : « Que Dieu m'inflige la plus terrible des punitions si je mange un morceau de pain ou quoi que ce soit avant le coucher du soleil ! »

36 Le peuple entier en eut connaissance et l'approuva. D'ailleurs le peuple approuvait toujours ce que faisait le roi. 37 Ainsi toute la population de Juda et tous les Israélites surent ce jour-là que ce n'était pas le roi qui avait donné l'ordre d'assassiner Abner, fils de Ner. 38 David dit encore à ses ministres : « Vous rendez-vous compte qu'aujourd'hui un chef, un grand chef d'Israël, est mort ? 39 Moi, malgré mon titre de roi, je me sens actuellement faible par rapport à la violence de ces hommes, dont la mère s'appelle Serouia. Que le Seigneur veuille donc les punir lui-même d'avoir commis ce crime. »

Baana et Rékab assassinent Ichebaal

4 1 Ichebaal, fils de Saül, apprit qu'Abner était mort à Hébron ; il en fut consterné, et tous les Israélites furent épouvantés.

2 Ichebaal avait sous ses ordres deux chefs de bandes, nommés Baana et Rékab ; c'étaient les fils de Rimmon, un Benjaminite de Beéroth[z]. – Beéroth est considéré comme faisant partie du territoire de Benjamin, 3 depuis que ses anciens habitants sont allés se réfugier à Guittaïm[a], où leurs descendants se trouvent encore aujourd'hui. – 4 D'autre part Jonatan, lui aussi fils de Saül, avait laissé un fils, Mefibaal[b], qui était estropié des deux jambes. Mefibaal avait cinq ans lorsque arriva de Jizréel la nouvelle de la mort de Saül et de Jonatan ; sa nourrice voulut le prendre pour fuir, mais dans sa hâte, elle le laissa tomber et l'enfant en demeura estropié.

5 Rékab et Baana, les fils de Rimmon, de Beéroth, se rendirent chez Ichebaal ; ils y arrivèrent à l'heure la plus chaude de la journée, alors qu'il faisait la sieste. 6-7 Ils pénétrèrent dans la maison, comme s'ils apportaient du blé ; ils trouvèrent Ichebaal[c] étendu sur son lit dans sa chambre à coucher et le frappèrent en plein ventre. Après l'avoir ainsi tué, les deux frères lui coupèrent la tête et s'échappèrent en l'emportant. Ensuite ils suivirent le chemin de la vallée du Jourdain durant toute la nuit. 8 Ils apportèrent la tête d'Ichebaal au roi David, à Hébron, et lui dirent : « Majesté, voici la tête d'Ichebaal, le fils de ton ennemi Saül[d], qui voulait ta mort. En ce jour, le Seigneur t'a vengé de Saül et de ses descendants. » – 9 « Par le Seigneur vivant, qui m'a délivré de toute détresse ! s'exclama David. 10 Celui qui m'a annoncé la mort de Saül croyait m'apporter une bonne nouvelle, mais je l'ai fait arrêter et exécuter à Siclag[e]. C'est ainsi que je l'ai récompensé pour sa bonne nouvelle. 11 Comment donc vais-je récompenser

---

z **4.2** *Beéroth* : localité située à 15 km environ au nord de Jérusalem.

a **4.3** *Guittaïm* : localité non identifiée, située probablement dans la région de Lod, au nord-ouest de Jérusalem.

b **4.4** *Mefibaal* : appelé parfois *Meribaal* (certaines traductions l'appellent *Mefibocheth*). – Voir 9.3-13.

c **4.6-7** Dans l'ancienne version grecque, le texte des v. 6-7 se présente comme suit *La portière de la maison s'était endormie en triant du blé ; Rékab et son frère Baana se faufilèrent et pénétrèrent dans la maison. Ils trouvèrent Ichebaal...*

d **4.8** Autre traduction *la tête de ton ennemi Ichebaal, fils de Saül.*

e **4.10** Voir 1.15.

des individus malfaisants, qui ont assassiné un homme innocent, dans sa maison, sur son lit ? Je vais vous punir du meurtre que vous avez commis et vous éliminer de la surface de la terre. »

12 David donna un ordre à ses jeunes soldats, qui exécutèrent Rékab et Baana. Ensuite on leur coupa les mains et les pieds, que l'on suspendit près du réservoir d'Hébron. Quant à la tête d'Ichebaal, on la déposa dans la tombe d'Abner, fils de Ner[f], à Hébron.

David est consacré roi d'Israël

(Voir 1 Chron 11.1-3)

5 1 Toutes les tribus d'Israël vinrent trouver David à Hébron[g] et lui dirent : « Nous sommes de ta race, de ta famille. 2 Autrefois, lorsque Saül était encore notre roi, tu étais déjà à la tête des expéditions militaires d'Israël. Et le Seigneur t'avait déjà dit : "C'est toi qui gouverneras Israël, mon peuple, c'est toi qui en seras le chef." » 3 Tous les *anciens d'Israël vinrent également trouver le roi David à Hébron. Celui-ci y conclut un accord avec eux devant le Seigneur, et ils le consacrèrent roi d'Israël. 4 David avait trente ans lorsqu'il devint roi, et il régna quarante ans. 5 A Hébron, il régna sept ans et demi sur la tribu de Juda, puis à Jérusalem, il régna trente-trois ans sur l'ensemble d'Israël et de Juda[h].

David s'empare de Jérusalem

(Voir 1 Chron 11.4-9 ; 14.1-2)

6 Le roi David et ses compagnons marchèrent contre Jérusalem. Les Jébusites[i], qui habitaient cette région, dirent à David : « Vous n'entrerez pas dans notre ville. Même des aveugles et des boiteux seraient assez forts pour vous repousser. » C'était leur façon d'affirmer que David ne pourrait jamais prendre la ville. 7 David s'empara pourtant de la forteresse de *Sion, nommée par la suite *Cité de David.

8 Ce jour-là, David avait dit : « Si quelqu'un veut battre les Jébusites, il n'a qu'à attaquer par le canal souterrain pour les atteindre. Je les déteste cordialement, ces boiteux et ces aveugles[j] ! » C'est pourquoi l'on dit : « Les aveugles et les boiteux ne sont pas admis dans le temple du Seigneur. »

9 David s'installa dans la forteresse ; c'est lui qui la nomma "Cité de David". Ensuite il fit construire d'autres ouvrages défensifs, entre la terrasse appelée Millo et sa résidence[k]. 10 Ainsi David devint de plus en plus puissant, car le Seigneur, le Dieu de l'univers, était avec lui.

11 Hiram, roi de Tyr, envoya une délégation à David. Il lui fit livrer du bois de cèdre et lui envoya aussi des charpentiers et des tailleurs de pierres, pour lui construire un palais. 12 David reconnut alors que le Seigneur lui-même l'avait établi roi d'Israël et avait donné de l'éclat à son règne, à cause d'Israël, son peuple.

Les fils de David nés à Jérusalem

(Voir 1 Chron 3.5-9 ; 14.3-7)

13 Après avoir quitté Hébron pour Jérusalem, David épousa encore d'autres femmes, de rang principal et de second rang, qui lui donnèrent d'autres fils et filles. 14 Voici la liste de ses fils nés à Jérusalem : Chammoua[l], Chobab, Natan, Salomon, 15 Ibar, Élichoua, Néfeg, Yafia, 16 Élichama, Éliada[m] et Éliféleth.

Victoires de David sur les Philistins

(Voir 1 Chron 14.8-16)

17 Les Philistins apprirent que l'on avait consacré David roi d'Israël ; alors

---

f **4.12** *fils de Ner* : d'après un manuscrit hébreu trouvé à Qumrân et l'ancienne version grecque ; ces mots sont absents du texte hébreu traditionnel.

g **5.1** *Hébron* : voir 2.1-4.

h **5.5** V. 4-5 : voir 1 Rois 2.11 ; 1 Chron 3.4 ; 29.27.

i **5.6** *Les Jébusites* : voir Jos 15.63 ; Jug 1.21.

j **5.8** *pour les atteindre... ces aveugles !* : autre traduction *pour atteindre ces boiteux et ces aveugles, qui me détestent cordialement !*

k **5.9** Le texte hébreu de ce verset est peu clair ; d'autres traduisent *Ensuite David construisit un mur, depuis le Millo vers l'intérieur* ; sur *le Millo*, voir 1 Rois 9.15 et la note.

l **5.14** *Chammoua* : appelé parfois *Chima* (1 Chron 3.5).

m **5.16** *Éliada* : appelé parfois *Beéliada* (1 Chron 14.7).

ils se mirent tous en campagne pour
s'emparer de lui. David en fut informé et
se rendit dans un refuge fortifié[n]. 18 Les
Philistins arrivèrent et se déployèrent
dans la vallée des Refaïtes[o]. 19 David
consulta le Seigneur : « Dois-je aller attaquer les Philistins ? demanda-t-il. Les livreras-tu en mon pouvoir ? » – « Va les
attaquer ! répondit le Seigneur. Certainement je te les livrerai. »

20 David se rendit donc à Baal-Peras-
sim[p], où il battit les Philistins. Il déclara :
« Le Seigneur a fait devant moi une brèche dans les rangs de mes ennemis,
comme un torrent dans une digue. » De
là vient le nom donné à cet endroit, Baal-
Perassim, ce qui signifie "le Maître des
Brèches". 21 Les Philistins avaient abandonné sur place leurs idoles ; David et ses
hommes les emportèrent.

22 Une nouvelle fois, les Philistins se
mirent en campagne et se déployèrent
dans la vallée des Refaïtes. 23 David
consulta de nouveau le Seigneur, qui lui
dit : « Ne les attaque pas d'ici ! Va te placer sur leurs arrières et approche-toi
d'eux aux abords de la forêt de micocouliers[q]. 24 Lorsque tu entendras un bruit
de pas à la cime des arbres, interviens
avec rapidité, car c'est à ce moment-là
que je me serai avancé devant toi pour
battre l'armée philistine. » 25 David agit
selon les ordres du Seigneur. Il put ainsi
battre les Philistins et les poursuivre de
Guéba jusqu'à l'entrée de Guézer[r].

David décide d'apporter à Jérusalem le coffre du Seigneur

(Voir 1 Chron 13.4-14)

6 1 David rassembla de nouveau tous
les soldats d'élite d'Israël, au nombre
de trente mille. 2 Accompagné de cette armée, il se rendit à Baala, en Juda, pour y
reprendre le *coffre sacré de Dieu ; ce
coffre porte le nom de "coffre du Seigneur", du Dieu de l'univers, qui siège
au-dessus des *chérubins[s]. 3 Il se trouvait
dans la maison d'Abinadab, sur la colline. On le déposa sur un char neuf et on
l'emmena. Ouza et Ahio, fils d'Abinadab,
conduisaient le char[t] 4 où reposait le coffre ; Ahio marchait devant. 5 David et
tous les Israélites exprimaient leur joie
devant le Seigneur en jouant de toutes
sortes d'instruments en bois de pin, tels
que lyres et harpes, avec accompagnement de tambourins, de sistres et de cymbales. 6 Lorsqu'on arriva près de l'aire de
Nakon[u], les bœufs faillirent faire tomber
le coffre sacré. Ouza, de la main, essaya
de le retenir. 7 Alors le Seigneur se mit en
colère contre lui : il le frappa sur place à
cause de ce geste irréfléchi[v]. Ouza mourut là, à côté du coffre.

8 David fut bouleversé de voir que le
Seigneur avait porté ce coup mortel à
Ouza ; il appela l'endroit Pérès-Ouza[w],
nom qui a subsisté jusqu'à maintenant.
9 Ce jour-là, il eut peur du Seigneur et déclara : « Je ne peux pas accueillir chez moi
le coffre du Seigneur ! » 10 Il renonça donc
à transférer le coffre chez lui, dans la
*Cité de David, mais le fit déposer dans
la maison d'Obed-Édom, un homme originaire de Gath. 11 Le coffre y demeura
trois mois, et le Seigneur *bénit Obed-
Édom et tous les siens[x].

Arrivée du coffre sacré à Jérusalem

(Voir 1 Chron 15.25–16.3)

12 On informa le roi David que le Seigneur avait *béni la famille d'Obed-

---

n 5.17 *refuge fortifié* : probablement celui d'Adoullam, voir 1 Sam 22.1-5 ; 24.23.

o 5.18 La *vallée des Refaïtes* se situe au sud-ouest de Jérusalem.

p 5.20 Endroit non identifié.

q 5.23 L'identification de l'espèce d'arbre est incertaine.

r 5.25 *Guéba* : voir 1 Sam 13.3 et la note ; *Guézer* : localité située à 30 km environ au nord-ouest de Jérusalem, près de la limite du territoire philistin.

s 6.2 *Baala, en Juda* : autre nom de *Quiriath-Yéarim* (voir 1 Sam 6.21 ; 7.1). – *qui siège au-dessus des chérubins* : voir Ex 25.22.

t 6.3 D'après un manuscrit hébreu trouvé à Qumrân et l'ancienne version grecque ; ici le texte hébreu traditionnel répète accidentellement les mots *neuf et on l'emmena. Il se trouvait dans la maison d'Abinadab, sur la colline.* – Voir 1 Sam 7.1-2.

u 6.6 Endroit non identifié.

v 6.7 Le *geste irréfléchi* d'Ouza consiste à avoir touché le coffre, ce que seuls les *lévites avaient le droit de faire (voir Deut 10.8).

w 6.8 En hébreu, il y a jeu de mots entre le verbe traduit par *avait porté ce coup mortel* et le nom *Pérès*.

x 6.11 Voir 1 Chron 26.4-5.

Édom en faisant prospérer toutes ses affaires, à cause du *coffre sacré. Alors David se rendit chez Obed-Édom, pour en faire amener le coffre à la *Cité de David, dans un joyeux cortège. 13 Lorsque les porteurs du coffre eurent avancé de six pas, David sacrifia un taureau et un veau gras. 14 Puis il se mit à danser de toutes ses forces en l'honneur du Seigneur, vêtu seulement du pagne de lin des prêtres. 15 David et les Israélites emmenèrent le coffre du Seigneur à Jérusalem, au milieu des ovations et des sonneries de trompettes.

16 Au moment où le coffre arriva dans la Cité de David, Mikal, fille de Saül, regarda par la fenêtre et vit le roi David danser et tournoyer devant le coffre. Alors elle éprouva un profond mépris pour lui. 17 On vint déposer le coffre à la place qui lui était réservée, dans la tente que David avait fait dresser pour lui. Ensuite David offrit au Seigneur des *sacrifices complets et des sacrifices de communion. 18 Quand il eut achevé de les offrir, il bénit le peuple au nom du Seigneur, le Dieu de l'univers. 19 Il fit distribuer des vivres à toute la foule des Israélites ; chaque homme et chaque femme reçut une galette de pain, un gâteau de dattes et un gâteau de raisins secs. Ensuite chacun retourna chez soi[y].

20 David rentra chez lui pour saluer les siens. Mais Mikal sortit au-devant de lui et lui dit : « Qu'il était glorieux, aujourd'hui, le roi d'Israël, lorsqu'il s'est donné en spectacle devant les servantes de ses serviteurs, à moitié nu comme le ferait un homme de rien ! »

21 David lui répondit : « C'est en l'honneur du Seigneur que j'ai agi ainsi, lui qui m'a choisi, de préférence à ton père et à toute sa famille, pour faire de moi le chef d'Israël son peuple ; et je manifesterai encore ma joie en son honneur. 22 Je m'abaisserai, je m'humilierai encore plus à mes propres yeux, mais c'est ainsi que je serai glorieux, même pour les servantes dont tu parlais. » 23 Mikal, fille de Saül, n'eut pas d'enfant jusqu'à sa mort.

Une promesse de Dieu pour David et ses descendants

(Voir 1 Chron 17.1-15)

7 1 Le roi David s'installa dans son palais. Le Seigneur le protégeait de tous les ennemis qui entouraient son royaume. 2 Un jour, le roi dit au *prophète Natan : « J'habite une maison en bois de cèdre et le *coffre sacré de Dieu n'a pour abri qu'une tente de toile[z]. Qu'en penses-tu ? » – 3 « Tu as certainement une idée à ce sujet, répondit Natan. Vas-y, réalise-la, car le Seigneur est avec toi. »

4 Mais la nuit suivante, le Seigneur adressa la parole à Natan pour lui dire : 5 « Va trouver David, mon serviteur. Tu lui diras : Voici ce que te déclare le Seigneur : "Ce n'est pas toi qui me construiras un temple où je puisse habiter. 6-7 Je n'ai d'ailleurs jamais habité dans un temple, depuis le jour où j'ai fait sortir d'Égypte le peuple d'Israël et jusqu'à présent. Au contraire, j'ai accompagné les Israélites en n'ayant qu'une tente comme demeure. Bien plus, durant tout ce temps, j'ai confié à plusieurs chefs le soin de gouverner Israël, mon peuple, mais je n'ai reproché à aucun d'entre eux de ne pas m'avoir construit un temple en bois de cèdre." 8 C'est pourquoi tu diras encore à David : Voici ce que te déclare le Seigneur, le Dieu de l'univers : "Lorsque tu n'étais qu'un gardien de moutons, je t'ai pris au pâturage pour faire de toi le chef d'Israël, mon peuple[a]. 9 Je t'ai soutenu dans toutes tes entreprises, j'ai exterminé tes ennemis devant toi. Grâce à moi, tu vas acquérir un renom semblable à celui des plus grands rois de la terre. 10 Je vais donner à Israël, mon peuple, un lieu où je l'installerai pour qu'il y demeure sans rien avoir à craindre. Aucune nation malveillante ne recommencera à l'opprimer comme autrefois, 11 à l'époque où j'ai confié à des juges le soin de gouverner Israël, mon peuple. Je te protégerai toi-même de tous tes ennemis. Enfin,

---

y **6.19** *gâteau de dattes, gâteau de raisins secs* : traduction incertaine. – *retourna chez soi* : voir 1 Chron 16.43.

z **7.2** *maison en bois de cèdre* : voir 5.11 ; *tente de toile* : voir 6.17.

a **7.8** *pris au pâturage* : voir 1 Sam 16.11 ; *chef d'Israël* : voir 5.2.

je t'annonce que moi, le Seigneur, je vais
t'accorder des descendants[b]. 12 Lorsque
sera venu pour toi le moment de mourir,
je désignerai l'un de tes propres enfants
pour te succéder comme roi, et j'établirai
fermement son autorité[c]. 13 C'est lui qui
me construira un temple[d], et moi je l'installerai sur un trône inébranlable. 14 Je serai un père pour lui et il sera un fils pour
moi[e]. S'il agit mal, je le punirai comme
un père punit son fils. 15 Cependant je ne
lui retirerai pas mon appui, comme je l'ai
fait pour Saül lorsque je l'ai rejeté[f] et que
je l'ai remplacé par toi. 16 Un de tes descendants régnera toujours après toi, car le
pouvoir royal de ta famille sera inébranlable." » 17 Natan rapporta à David tout
ce que Dieu lui avait dit dans cette vision.

Prière de David

(Voir 1 Chron 17.16-27)

18 Alors le roi David alla se présenter
devant le Seigneur, dans la tente sacrée,
et dit : « Seigneur mon Dieu, je sais que
ni moi ni ma famille n'avons mérité tout
ce que tu nous as déjà accordé. 19 Mais
pour toi, Seigneur, ce n'est pas encore
suffisant. Voilà que tu fais des promesses
pour l'avenir de ma famille ; de plus tu
m'en informes, moi qui ne suis qu'un
homme[g]. 20 Seigneur, que pourrais-je
ajouter, puisque tu me connais, moi, ton
serviteur ? 21 Parce que tu l'as promis et
que tu m'aimes, tu as accompli toutes
ces choses merveilleuses et tu me les as
révélées. 22 Seigneur mon Dieu, comme
tu es grand ! Personne n'est semblable à
toi. Il n'existe vraiment pas d'autre Dieu
que toi, comme nous l'avons toujours
entendu dire. 23 De même, aucun peuple
sur terre n'est semblable à Israël. Tu es
venu le libérer, lui seul, de l'oppression
des Égyptiens et de leurs dieux, pour en
faire ton peuple. Tu l'as rendu célèbre,
en accomplissant pour lui des choses
merveilleuses ou effrayantes dans ton
pays[h]. 24 Tu en as fait ton peuple pour
toujours, Seigneur, et tu es devenu son
Dieu. 25 Maintenant, Seigneur mon
Dieu, accomplis ce que tu as dit, réalise
en tout temps ce que tu as promis à mon
sujet et au sujet de mes descendants.
26 Ainsi ta renommée sera établie pour
toujours ; on dira : "Le Dieu d'Israël,
c'est le Seigneur de l'univers !" Assure la
durée de ma dynastie. 27 En effet, Seigneur de l'univers et Dieu d'Israël, tu
m'as révélé ton intention de m'accorder
des descendants qui régneront après
moi. C'est pourquoi j'ai trouvé le courage de t'adresser cette prière. 28 Seigneur Dieu, c'est toi qui es Dieu, ce que
tu dis se réalise ! Et tu me promets maintenant ce bonheur ! 29 Veuille donc *bénir ma famille afin que mes descendants
règnent toujours devant toi. Comme tu
l'as promis, Seigneur mon Dieu, que ta
bénédiction repose toujours sur ma famille ! »

Victoires de David sur des nations voisines

(Voir 1 Chron 18.1-13)

8 1 Par la suite, David battit les Philistins et les humilia en les privant de
leur domination sur la région. 2 Il battit
aussi les Moabites. Il les obligea à s'étendre par terre et fit mourir les deux tiers
d'entre eux, ne laissant en vie qu'un
homme sur trois[i]. Dès lors, les Moabites
furent des sujets de David, soumis au

---

b **7.11** Dans les v. 5-11, l'hébreu joue sur les deux sens du mot traduit habituellement par « maison ». Littéralement, le Seigneur déclare à David : *Ce n'est pas toi qui me construiras une maison* (= *un temple*, v. 5), mais moi, *je te construirai une maison* (= *je vais t'accorder des descendants*, v. 11).

c **7.12** Voir 1 Rois 2.12,46.

d **7.13** Voir 1 Rois 6.

e **7.14** Voir Ps 2.7 ; 2 Cor 6.18 ; Hébr 1.5.

f **7.15** V. 14-15 : comparer Ps 89.31-35. – *rejeté* : voir 1 Sam 15.28.

g **7.19** *de plus... qu'un homme* : texte hébreu obscur et traduction incertaine.

h **7.23** Le texte hébreu de ce verset n'est pas facile à comprendre. Avec une légère correction, inspirée du parallèle 1 Chron 17.21, on pourrait traduire : ... *de l'oppression des Égyptiens, pour en faire ton peuple. Tu l'as rendu célèbre, en accomplissant pour lui des choses merveilleuses ou effrayantes, afin de chasser devant lui des nations et leurs divinités.*

i **8.2** Le texte hébreu évoque la façon de procéder au choix des victimes : les ennemis étendus à terre côte à côte étaient mesurés avec un cordeau ; ceux qui se trouvaient sous les deux premières longueurs de cordeau étaient exécutés, et on laissait en vie ceux qui se trouvaient sous la troisième longueur.

payement d'un tribut. 3 Il battit encore Hadadézer, fils de Rehob et roi de l'État syrien de Soba[j], au moment où Hadadézer tentait de reprendre la région de l'Euphrate. 4 Il fit prisonniers mille sept cents cavaliers et vingt mille fantassins de son armée ; il garda pour lui une centaine d'attelages, mais fit couper les jarrets de tous les autres chevaux. 5 Là-dessus, les Syriens de Damas vinrent au secours de Hadadézer ; David les battit également et tua vingt-deux mille d'entre eux. 6 Il leur imposa des gouverneurs, et les Syriens furent ses sujets, soumis au payement d'un tribut. Ainsi le Seigneur donna la victoire à David dans toutes ses campagnes militaires. 7 David s'empara des boucliers d'or que portaient les gardes de Hadadézer et les emporta à Jérusalem. 8 Il s'empara aussi de grandes quantités de bronze qui se trouvaient à Bétah et à Bérotaï[k], deux villes du royaume de Hadadézer.

9 Toou, roi de Hamath[l], apprit que David avait battu toute l'armée de Hadadézer. 10 Il envoya son fils Yoram saluer le roi David et le féliciter de sa campagne victorieuse contre Hadadézer. En effet, Hadadézer était un adversaire de Toou. Yoram apporta à David des objets d'or, d'argent et de bronze. 11 Le roi les consacra au Seigneur, comme il avait consacré l'argent et l'or provenant des nations qu'il avait déjà soumises 12 – Édomites[m], Moabites, Ammonites, Philistins et Amalécites –, ainsi que du butin pris à Hadadézer. 13 C'est de cette manière que David acquit sa réputation.

Après avoir battu les Syriens, David revint et battit encore les Édomites dans la vallée du Sel[n], tuant dix-huit mille d'entre eux. 14 Il leur imposa des gouverneurs, et les Édomites furent ses sujets. Ainsi le Seigneur donna la victoire à David dans toutes ses campagnes militaires.

Liste des fonctionnaires de David

(Voir 1 Chron 18.14-17)

15 David régna sur l'ensemble d'Israël. Il rendait la justice avec impartialité à l'égard de tout le peuple. 16 Joab, dont la mère s'appelait Serouia, était chef de l'armée ; Yochafath, fils d'Ahiloud, était porte-parole du roi ; 17 Sadoc, fils d'Ahitoub, et Ahimélek, fils d'Abiatar, étaient prêtres ; Seraya était secrétaire ; 18 Benaya, fils de Yoyada, commandait les Crétois et les Pélétiens de la garde royale ; les fils de David étaient aussi des prêtres.

David accueille Mefibaal chez lui

9 1 Un jour, David demanda : « Reste-t-il un survivant de la famille de Saül ? J'aimerais le traiter avec bonté, à cause de Jonatan[o]. » 2 Or la famille de Saül avait eu un serviteur nommé Siba ; on le fit venir devant le roi. David lui demanda : « Es-tu bien Siba ? » – « Oui, Majesté », répondit-il. 3 « Ne reste-t-il plus personne de la famille de Saül, que je puisse traiter avec la bonté de Dieu ? » reprit le roi. « Il reste un fils de Jonatan, déclara Siba ; il a les jambes estropiées[p]. » – 4 « Où est-il ? » demanda le roi. « Il se trouve chez Makir, fils d'Ammiel, à Lo-Dabar[q] », répondit Siba.

5 David envoya quelqu'un le chercher à Lo-Dabar. 6 Lorsque Mefibaal, fils de Jonatan et petit-fils de Saül, arriva chez David, il se jeta le visage contre terre devant le roi. David l'interrogea : « Es-tu bien Mefibaal ? » – « C'est bien moi, Majesté », répondit-il. 7 « N'aie pas peur ! lui dit David. A cause de ton père Jonatan, je veux te traiter avec bonté. Je te rendrai toutes les terres qui appartenaient à ton grand-

j **8.3** Royaume situé au nord de Damas.

k **8.8** *Bétah* : localité inconnue. Il vaudrait peut-être mieux lire, avec 1 Chron 18.8, *Tibath*, nom d'une localité de Syrie, connue bien que non identifiée. – *Bérotaï* : localité située à 50 km environ au nord de Damas.

l **8.9** Royaume syrien situé au nord-est de la Palestine.

m **8.12** *Édomites* : d'après quelques manuscrits hébreux et les anciennes versions grecque et syriaque ; le texte hébreu traditionnel parle des *Syriens*.

n **8.13** *et battit encore les Édomites* : texte probable (voir Ps 60.2, ainsi que le v. 14) ; ces mots manquent en hébreu. – La *vallée du Sel*, qui relie la mer Morte au golfe d'Aqaba, s'appelle aujourd'hui *La Araba*.

o **9.1** Voir 1 Sam 20.15-17.

p **9.3** Voir 4.4.

q **9.4** *Makir* : voir 17.27. – *Lo-Dabar* : localité située entre le lac de Génésareth et la mer Morte, à l'est du Jourdain.

père Saül, et de plus tu mangeras tous les jours à ma table. » 8 Mefibaal s'inclina et dit : « Pourquoi le roi se préoccupe-t-il de moi, un pauvre chien crevé ? »

9 Cependant le roi fit venir Siba, serviteur de Saül, et lui dit : « J'ai donné à Mefibaal, le petit-fils de ton maître, tout ce qui appartenait à Saül et à sa famille. 10 Toi, tes fils et tes serviteurs, vous travaillerez la terre pour lui, afin de fournir à sa famille ce qui leur servira de nourriture. Quant à Mefibaal, il[r] mangera tous les jours à ma table. » Siba, qui avait quinze fils et vingt serviteurs, 11 dit au roi : « Tout ce que le roi m'a ordonné, je le ferai. Toutefois Mefibaal a l'habitude de manger à ma table, puisqu'il est l'un des descendants de Saül[s]. »

12 Mefibaal avait un jeune fils, Mika, et il disposait pour son service personnel de tous ceux qui habitaient la maison de Siba. 13 Du fait qu'il boitait des deux pieds, il s'installa à Jérusalem, pour pouvoir aller chaque jour manger à la table du roi.

Les ministres de David déshonorés

(Voir 1 Chron 19.1-5)

10 1 Quelque temps après, le roi des Ammonites mourut et son fils Hanoun lui succéda. 2 David se dit : « Je veux traiter Hanoun, fils de Nahach, avec bonté, tout comme son père l'a fait à mon égard. » Il envoya donc quelques-uns de ses ministres présenter ses condoléances à Hanoun, à l'occasion de la mort de son père. Lorsque les ministres de David arrivèrent dans le pays des Ammonites, 3 les princes ammonites dirent à leur maître Hanoun : « T'imagines-tu que c'est seulement pour honorer la mémoire de ton père que David envoie des ministres t'apporter ses condoléances ? N'est-ce pas plutôt pour qu'ils jouent les espions en parcourant la ville[t], afin de pouvoir un jour s'en emparer ? » 4 Alors Hanoun fit arrêter les ministres de David : on leur rasa la moitié de la barbe, on leur coupa les vêtements à mi-hauteur, au niveau des fesses, et on les renvoya. 5 David en fut informé. Il envoya des messagers à la rencontre de ses ministres, qui étaient écrasés de honte. Le roi leur faisait dire : « Restez à Jéricho jusqu'à ce que vos barbes aient repoussé. Alors seulement vous reviendrez ici. »

Guerre contre les Ammonites et les Syriens

(Voir 1 Chron 19.6-19)

6 Les Ammonites comprirent qu'ils s'étaient rendus odieux à David. Ils prirent donc à leur solde vingt mille soldats des États syriens de Beth-Rehob et de Soba, mille hommes de l'armée du roi de Maaka et douze mille de Tob[u]. 7 Dès que David l'apprit, il dépêcha sur les lieux le général Joab avec toute l'armée de métier. 8 Les Ammonites allèrent se ranger en ordre de bataille près de la porte de leur capitale. Les Syriens de Soba et de Beth-Rehob, ainsi que les soldats de Tob et de Maaka, occupaient une autre position dans la campagne. 9 Joab constata qu'il devait faire face à deux fronts, l'un devant lui et l'autre derrière. Il choisit les meilleurs soldats d'Israël et les plaça en face des Syriens. 10 Il confia le reste de l'armée à son frère Abichaï et le plaça en face des Ammonites. 11 Il dit à son frère : « Si les Syriens sont plus forts que moi, tu viendras à mon secours. Si au contraire les Ammonites sont plus forts que toi, c'est moi qui viendrai à ton secours. 12 Montre-toi courageux, combattons avec vaillance pour notre peuple et les villes de notre Dieu. Et que le Seigneur agisse comme il le jugera bon. » 13 Joab et sa troupe s'avancèrent pour combattre les Syriens ; ceux-ci s'enfuirent devant lui.

---

r **9.10** *afin de...* : d'après l'ancienne version grecque ; hébreu : *et vous apporterez ce qui servira à sa nourriture. En effet, Mefibaal...*

s **9.11** *Toutefois Mefibaal...* : Siba semble émettre une timide protestation contre l'ordre du roi (v. 10). Mais les anciennes versions grecque, latine et syriaque ont un texte différent *Dès lors Mefibaal mangea à la table de David, comme s'il était l'un des fils du roi.*

t **10.3** *la ville* : Rabba, la capitale des Ammonites, voir 11.1.

u **10.6** *Beth-Rehob* : localité non identifiée ; *Soba* : voir 8.3 ; 1 Sam 14.47 et les notes ; *Maaka, Tob* : endroits non identifiés. – *de Tob* ou *de l'armée du roi de Tob.*

14 Quand les Ammonites virent les Syriens en fuite, ils s'enfuirent eux-mêmes devant Abichaï et rentrèrent dans leur ville. Alors Joab mit fin à la campagne contre les Ammonites et regagna Jérusalem.

15 Les Syriens, constatant qu'ils avaient été battus par les Israélites, rassemblèrent toutes leurs troupes. 16 Hadadézer envoya des messagers mobiliser les Syriens habitant au-delà de l'Euphrate. Ceux-ci arrivèrent à Hélam[v] ; à leur tête se trouvait Chobak, commandant en chef de l'armée de Hadadézer. 17 David en fut informé ; il rassembla toute l'armée israélite, passa le Jourdain et se rendit à Hélam. Les Syriens se placèrent en ordre de bataille, face à David. Ils attaquèrent, 18 mais ils furent mis en fuite par les Israélites. David et ses troupes tuèrent sept cents attelages de chevaux et quarante mille cavaliers ; ils blessèrent le général Chobak lui-même, qui mourut là. 19 Lorsque tous les rois soumis à Hadadézer virent qu'ils avaient été battus par les Israélites, ils firent la paix avec eux et se soumirent à eux. Et les Syriens n'osèrent plus porter secours aux Ammonites.

David et Batchéba

11 1 Au printemps suivant – c'est la saison où, d'habitude, les rois partent pour la guerre –, le roi David envoya le général Joab, à la tête de l'armée d'Israël et de ses officiers, combattre les Ammonites ; ils ravagèrent leur pays et assiégèrent la capitale Rabba. David, lui, était resté à Jérusalem[w].

2 Or un après-midi, après s'être reposé, David se leva et alla se promener sur le toit en terrasse du palais. De là, il aperçut une femme qui se baignait. Elle était très belle. 3 Il fit prendre des renseignements sur elle ; on lui dit : « C'est Batchéba, la fille d'Éliam et la femme d'Urie le Hittite. » 4 David envoya des messagers l'inviter. Elle vint chez lui, il coucha avec elle, puis elle retourna chez elle. Or elle venait de se *purifier, à la suite de ses règles[x].

5 Batchéba devint enceinte. Elle en avertit David : « J'attends un enfant », lui fit-elle dire. 6 Aussitôt, David adressa l'ordre suivant au général Joab : « Envoie-moi Urie le Hittite. » Joab l'envoya. 7 Urie vint se présenter devant le roi, qui lui demanda des nouvelles de Joab et de l'armée, ainsi que du déroulement de la guerre. 8 Puis il lui dit : « Va chez toi et prends un peu de repos. » Urie quitta le palais et le roi lui fit envoyer un cadeau.

9 Mais Urie ne se rendit pas chez lui ; il alla dormir en compagnie des soldats de la garde royale, près de l'entrée du palais. 10 Lorsque David en fut informé, il interrogea Urie : « Voyons, tu viens d'arriver après un long trajet. Pourquoi ne vas-tu pas chez toi ? » – 11 « Majesté, répondit Urie, le *coffre sacré du Seigneur ainsi que l'armée d'Israël et de Juda n'ont pour abris que des tentes ; le général Joab et tes officiers campent en rase campagne. Et pendant ce temps, moi, j'irais à la maison pour manger, boire et dormir avec ma femme ? Jamais de la vie je ne ferai une chose pareille, je te le jure ! » – 12 « Bon, répondit le roi, reste encore ici aujourd'hui. Je te laisserai repartir demain. » Urie resta donc à Jérusalem jusqu'au lendemain. 13 David l'invita à manger et à boire à sa table, et il l'enivra. Mais le soir, Urie alla quand même dormir avec les soldats de la garde royale, plutôt que de rentrer chez lui.

14 Le lendemain matin, David écrivit une lettre à Joab et la confia à Urie. 15 Il y disait : « Placez Urie en première ligne, là où le combat est le plus violent, puis retirez-vous en le laissant seul, afin qu'il soit atteint par l'ennemi et qu'il meure. »

Mort d'Urie, mari de Batchéba

16 Joab, qui surveillait la ville assiégée, plaça donc Urie à l'endroit qu'il savait gardé par de valeureux soldats ennemis. 17 Les défenseurs de la ville firent une sortie contre les assiégeants. Ils tuèrent

---

v **10.16** *Hadadézer* : voir 8.3. – *Hélam* : ville de Transjordanie, non localisée avec certitude.

w **11.1** Voir 1 Chron 20.1.

x **11.4** Cette dernière phrase explique à la fois la toilette du v. 2, et le fait que David est, sans doute possible, le père de l'enfant (v. 5).

quelques soldats et officiers de l'armée de
David. Urie lui-même fut tué. 18 Joab envoya alors à David un rapport sur le déroulement du combat, 19 en donnant au
messager les instructions suivantes:
« Quand tu auras terminé le récit du
combat, 20 le roi va peut-être se fâcher et
te dire: "Pourquoi vous êtes-vous tellement approchés de la ville lors de ce
combat ? Ne savez-vous pas que l'on tire
du haut de la muraille ? 21 Qui a tué Abimélek, le fils de Yeroubaal, à Tébès[y] ?
C'est une femme ! elle a lancé sur lui une
grosse pierre, du haut de la muraille, et il
est mort ! Pourquoi donc vous êtes-vous
tellement approchés de la muraille ?" Si
le roi te parle ainsi, tu lui annonceras:
"L'officier Urie, le Hittite, est mort lui
aussi." »

22 Le messager partit et alla présenter à
David le rapport dont Joab l'avait
chargé: 23 « Les défenseurs de la ville, ra-
conta-t-il, étaient plus forts que nous. Ils
ont fait une sortie contre nous en rase
campagne. Nous les avons quand même
repoussés jusqu'à la porte de la ville.
24 Mais alors, les tireurs à l'arc ont tiré sur
nous du haut de la muraille. C'est ainsi
que quelques-uns de tes officiers sont
morts, entre autres Urie le Hittite. » 25 Le
roi répondit au messager: « Va redonner
du courage à Joab en lui disant: "Ne
prends pas cette affaire au tragique. Dans
une guerre, il y a toujours des morts de
part et d'autre. Mène fermement l'attaque de la ville et détruis-la." »

26 Lorsque Batchéba apprit que son
mari était mort, elle prit le deuil. 27 Mais
quand le temps du deuil fut passé, David
la fit venir chez lui. Il l'épousa et elle lui
donna un fils.

Natan annonce à David la punition de Dieu

12 Mais ce que David avait fait déplut au Seigneur ; 1 le Seigneur envoya donc le *prophète Natan auprès de
David[z]. Natan entra chez le roi et lui dit:
« Dans une ville, il y avait deux hommes,
l'un riche et l'autre pauvre. 2 Le riche
avait de grands troupeaux de bœufs et de
moutons. 3 Le pauvre ne possédait
qu'une seule petite brebis qu'il avait
achetée. Il la nourrissait, et elle grandissait chez lui, en même temps que ses enfants. Elle mangeait la même nourriture
et buvait le même lait que lui, elle dormait tout près de lui. Elle était comme sa
fille. 4 Un jour, un visiteur arriva chez le
riche. Celui-ci évita de prendre une bête
de ses troupeaux pour le repas ; au
contraire, il prit la brebis du pauvre et
l'apprêta pour son visiteur. »

5 David fut vivement indigné par cette
attitude du riche ; il dit à Natan: « Aussi
vrai que le Seigneur est vivant, l'homme
qui a fait cela mérite la mort ! 6 Puisqu'il a
agi ainsi, sans aucune pitié, il remplacera
la brebis volée par quatre autres brebis. »
– 7 « L'homme qui a fait cela, c'est toi ! répliqua Natan. Et voici ce que déclare le
Seigneur, le Dieu d'Israël: "Je t'ai consacré roi d'Israël. Je t'ai sauvé des attaques
de Saül. 8 J'ai livré en ton pouvoir la famille de ton maître Saül. J'ai mis dans tes
bras les femmes de ton maître. J'ai placé
sous ton autorité les peuples d'Israël et de
Juda. N'est-ce pas assez ? Je pourrais encore en faire bien plus pour toi. 9 Alors
pourquoi m'as-tu méprisé[a] en faisant ce
qui me déplaît ? Tu as assassiné Urie le
Hittite, oui, tu as tout organisé pour qu'il
soit tué par les Ammonites, puis tu as
pris sa femme et tu l'as épousée. 10 Eh
bien, dès maintenant, la violence ne cessera jamais de régner dans ta famille,
puisque tu t'es moqué de moi en prenant
et en épousant la femme d'Urie. 11 Écoute
bien ce que je te déclare: Je vais faire venir le malheur sur toi, du milieu de ta
propre famille. Sous tes yeux je prendrai
tes femmes et je les donnerai à l'un de tes
proches, qui couchera avec elles au grand
jour[b]. 12 Car ce que tu as fait en cachette,
je le ferai arriver en plein jour, à la vue de
tout ton peuple." »

13 David répondit à Natan: « Je suis
coupable envers le Seigneur, je le reconnais. » – « Puisqu'il en est ainsi, dit

y **11.21** Allusion à l'épisode raconté en Jug 9.50-54.
z **12.1** Voir Ps 51.2.
a **12.9** *m'as-tu méprisé*: d'après l'ancienne version grecque ; hébreu *as-tu méprisé mes commandements*.
b **12.11** Voir 16.21-22.

Natan, le Seigneur te pardonne; tu ne
mourras pas. 14 Seulement, dans cette affaire, tu as gravement offensé le Seigneur[c]. C'est pourquoi ton enfant qui
vient de naître mourra. » 15 Puis Natan retourna chez lui.

Mort de l'enfant de Batchéba

Le Seigneur frappa d'une maladie l'enfant que Batchéba, la veuve d'Urie, avait
donné à David. 16 David supplia Dieu en
faveur de l'enfant; il se mit à *jeûner, et,
quand il rentrait chez lui, il passait la
nuit couché à même le sol. 17 Les plus respectés de ses serviteurs vinrent auprès de
lui et l'invitèrent à se relever, mais il ne le
voulut pas et refusa même de manger
quoi que ce soit avec eux. 18 Au bout
d'une semaine, l'enfant mourut. Les serviteurs redoutaient d'annoncer cette
nouvelle à David, car ils se disaient:
« Tant que l'enfant était en vie, le roi ne
voulait pas tenir compte de ce que nous
lui disions. Comment lui annoncer maintenant que l'enfant est mort? Il pourrait
commettre un acte désespéré! » 19 David,
les voyant chuchoter entre eux, comprit
ce qui était arrivé. Il leur demanda:
« Est-ce que mon fils est mort? » – « Oui,
il est mort », répondirent-ils. 20 Alors David se releva de terre, se baigna, se par-
fuma et changea de vêtements; puis il se
rendit au *sanctuaire pour y adorer le
Seigneur.

A son retour chez lui, il ordonna qu'on
lui serve un repas et il mangea. 21 Ses serviteurs l'interrogèrent: « Majesté, que signifie cette façon d'agir? Lorsque ton fils
était encore vivant, tu jeûnais et tu pleu-
rais, et maintenant qu'il est mort, tu te
relèves et tu te remets à manger! » –
22 « Mais oui, répondit David, tant que
mon fils était vivant, j'ai jeûné et pleuré,
me disant: "Qui sait? Le Seigneur se
montrera peut-être indulgent à mon
égard, et permettra que l'enfant survive."
23 Maintenant qu'il est mort, pourquoi
jeûnerais-je? Jamais je ne pourrai le faire
revenir à la vie! C'est moi qui irai le rejoindre, et non lui qui reviendra vers
moi. »

Naissance de Salomon

24 David alla consoler sa femme Batchéba et passa la nuit avec elle. Elle mit
au monde un fils, qu'il appela Salomon.
Le Seigneur l'aima 25 et le fit savoir à David par l'intermédiaire du *prophète Natan. A cause de cet amour, Natan donna à
l'enfant le nom de Yedidia, ce qui signifie
"aimé du Seigneur".

David s'empare de la ville de Rabba

(Voir 1 Chron 20.1-3)

26 Pendant ce temps, le général Joab
avait attaqué Rabba, la capitale des Ammonites, et s'était emparé du quartier où
résidait le roi. 27 Il envoya des messagers
dire à David: « J'ai attaqué Rabba. Je me
suis même emparé du quartier où se
trouve la réserve d'eau. 28 Maintenant
donc, mobilise le reste de l'armée, et
viens assiéger la ville pour la prendre
toi-même. Je ne voudrais pas m'en emparer et que tout l'honneur m'en revienne. » 29 David mobilisa le reste de
l'armée, vint attaquer Rabba et s'en empara. 30 Il prit la couronne qui se trouvait
sur la tête de la statue du dieu ammonite
Milkom[d]. Cette couronne d'or pesait
plus de trente kilos, et portait une pierre
précieuse, qui fut placée sur la couronne
royale de David. En outre, on emporta
de la ville un très abondant butin. 31 David déporta les habitants et les affecta à
des travaux forcés, en tant que scieurs et
tailleurs de pierres, bûcherons, ou mou-
leurs de briques[e]. Il fit de même pour
toutes les autres villes des Ammonites.
Ensuite il rentra à Jérusalem avec toute
son armée.

Amnon et Tamar

13 1 Voici ce qui se passa par la suite.
Absalom, fils de David, avait une
sœur ravissante, qui s'appelait Tamar.

---

c **12.14** *tu as gravement offensé le Seigneur*: texte probable; hébreu *tu as gravement offensé les ennemis du Seigneur* ou éventuellement *tu as fourni aux ennemis du Seigneur l'occasion de l'offenser.*

d **12.30** *du dieu ammonite Milkom*: d'après l'ancienne version grecque; hébreu *de leur roi.*

e **12.31** Le texte hébreu n'étant pas très clair, on a parfois compris que David avait supplicié les vaincus au moyen des outils particuliers de ces diverses professions.

Amnon, un autre fils de David, en tomba amoureux. 2 Amnon était si tourmenté par son amour pour sa demi-sœur Tamar qu'il en devint malade. En effet, il lui semblait impossible de l'approcher, car elle était encore vierge[f]. 3 Mais il avait un ami très avisé, Yonadab, fils de Chamma et neveu de David. 4 Yonadab lui demanda : « Prince, pourquoi donc es-tu si déprimé chaque matin ? Ne veux-tu pas me le dire ? » – « C'est que je suis amoureux de Tamar, la sœur de mon demi-frère Absalom », répondit Amnon. 5 « Eh bien, suggéra Yonadab, couche-toi sur ton lit et fais semblant d'être malade. Lorsque ton père viendra te rendre visite, tu lui diras : “Permets que ma sœur Tamar vienne me faire à manger. Elle préparera la nourriture devant moi, sous mes yeux, elle me la présentera elle-même et j'en mangerai.” »

6 Amnon se coucha donc et fit semblant d'être malade. Le roi vint lui rendre visite et Amnon lui dit : « Permets que ma sœur Tamar vienne confectionner devant moi deux petits gâteaux ; elle me les servira elle-même, et je les mangerai. » 7 David fit dire à Tamar, chez elle : « Va chez ton frère Amnon et prépare-lui à manger. » 8 Tamar se rendit auprès d'Amnon et le trouva au lit. Elle prépara de la pâte, la pétrit, confectionna des gâteaux sous ses yeux et les fit cuire. 9 Prenant ensuite la poêle, elle les disposa pour qu'il puisse manger, mais il refusa. Il ordonna de faire sortir tout le monde, et tous obéirent. 10 Il dit alors à Tamar : « Viens m'apporter ces gâteaux jusqu'à mon lit ; c'est là que tu me les serviras toi-même et que je les mangerai. »

Tamar prit les gâteaux qu'elle avait faits et les apporta jusqu'au lit d'Amnon. 11 Au moment où elle les lui présenta pour qu'il les mange, il la saisit en lui disant : « Viens au lit avec moi, Tamar. » – 12 « Non, Amnon ! s'écria-t-elle. Ne me fais pas violence ! On n'agit pas ainsi en Israël. Ne commets pas cette infamie ! 13 Où irais-je ensuite traîner ma honte ? Et toi, tu passerais pour un ignoble individu en Israël. Voyons, parles-en plutôt au roi, il ne refusera pas de me donner à toi. » 14 Amnon ne voulut rien entendre. Étant plus fort qu'elle, il la maîtrisa et la viola.

15 Là-dessus, il se mit à la haïr profondément. Il la détesta avec plus de passion qu'il l'avait aimée précédemment. Il lui ordonna : « Va-t'en ! » – 16 « Non ! cria-t-elle. Me renvoyer ainsi serait un crime encore plus grand que celui que tu viens de commettre. » Mais Amnon ne voulut de nouveau rien entendre. 17 Il appela son jeune serviteur et lui dit : « Qu'on expulse cette fille de chez moi. Verrouille bien la porte derrière elle. » 18 Le serviteur l'expulsa et verrouilla la porte.

Tamar portait une tunique de luxe, comme en portaient habituellement les princesses avant d'être mariées. 19 Elle répandit des cendres sur sa tête et *déchira sa belle tunique. Elle mit sa main sur son visage et s'en alla en poussant des cris. 20 Son frère Absalom lui demanda : « Est-ce qu'Amnon t'a fait violence, petite sœur ? N'en parle pas, car c'est ton frère. Et n'y attache pas trop d'importance. » Dès lors, Tamar demeura chez son frère Absalom, comme une femme abandonnée. 21 Le roi David fut très irrité quand il apprit ce qui s'était passé ; pourtant il ne reprocha rien à Amnon, car c'était son fils aîné et il l'aimait beaucoup[g]. 22 Quant à Absalom, il n'adressa plus du tout la parole à Amnon, tant il le haïssait d'avoir violé sa sœur Tamar.

Absalom fait tuer Amnon et s'enfuit

23 Deux ans s'écoulèrent. Un jour Absalom, qui avait les tondeurs de moutons chez lui, à Baal-Hassor près d'Éfraïm[h], y invita tous les fils du roi. 24 Il alla trouver David et lui dit : « J'ai chez moi les ton-

---

f **13.2** Une jeune femme en âge de se marier mais encore célibataire ne vivait pas librement en compagnie des hommes, même de sa propre parenté. Elle était cantonnée dans les appartements des femmes.

g **13.21** *pourtant il...* : ces mots, absents du texte hébreu traditionnel, sont restitués à l'aide d'un manuscrit hébreu et des anciennes versions grecque et latine.

h **13.23** *Baal-Hassor, Éfraïm* : deux localités situées à 25 km environ au nord de Jérusalem.

deurs de moutons. Fais-moi l'honneur de venir à cette fête avec tes ministres. » – 25 « Non, mon fils ! répondit le roi. Ce serait une trop grande charge pour toi si nous y allions tous. » Absalom insista, mais le roi refusa d'y aller ; il lui donna simplement sa *bénédiction. 26 Absalom reprit : « Puisque tu refuses de venir, permets au moins à mon frère Amnon de nous accompagner. » – « Pourquoi cela ? » demanda le roi. 27 De nouveau, Absalom insista, et finalement, le roi laissa Amnon et ses autres fils partir avec lui.

Absalom prépara un festin, un vrai festin de roi[i]. 28 Ensuite il donna des ordres à ses serviteurs : « Surveillez Amnon, leur dit-il. Quand le vin l'aura rendu bien joyeux et que je vous dirai : "Frappez Amnon !", tuez-le. Allez-y sans crainte, j'en prends la responsabilité. Alors courage, montrez-vous vaillants ! » 29 Les serviteurs exécutèrent l'ordre d'Absalom et tuèrent Amnon. Aussitôt, les autres fils du roi se levèrent de table, montèrent chacun sur son mulet et s'enfuirent.

30 Ils étaient encore en route lorsque David reçut cette nouvelle : « Absalom a tué tous tes fils. Il n'en reste pas un seul en vie. » 31 Alors le roi *déchira ses vêtements et se coucha à même le sol. Tous ses ministres, les habits déchirés, se tenaient autour de lui. 32 Mais Yonadab, fils de Chamma et neveu de David, prit la parole et déclara : « Que le roi ne s'imagine pas qu'on a fait mourir tous ses fils. Seul Amnon est mort. Absalom s'était promis cela depuis le jour où Amnon avait violé sa sœur Tamar. 33 Ne te mets donc pas dans l'idée que tous tes fils sont morts. Non, Amnon seul est mort, 34 et Absalom s'est enfui. »

Le jeune homme placé en sentinelle aperçut soudain une troupe nombreuse qui descendait par la route de Horonaïm, au flanc de la colline. Il vint en avertir le roi en ces termes : « J'ai vu des gens arriver par la route de Horonaïm, au flanc de la colline[j]. » 35 Yonadab dit alors au roi : « Ce sont les fils du roi qui arrivent ! Tout s'est passé comme je te l'ai dit. » 36 Yonadab finissait à peine de parler lorsque les fils du roi arrivèrent. Ils éclatèrent en sanglots. Le roi lui-même et tous ses ministres versèrent d'abondantes larmes.

37-38 Absalom s'était enfui ; il se rendit chez Talmaï, fils d'Ammihoud et roi de Guéchour[k], où il demeura trois ans. Quant à David, pendant tout ce temps, il porta le deuil de son fils Amnon. 39 Mais son ressentiment à l'égard d'Absalom finit par s'apaiser, lorsqu'il fut consolé de la mort d'Amnon.

Le retour d'Absalom à Jérusalem

14 1 Joab, dont la mère s'appelait Serouia, constata que le roi David était mieux disposé envers Absalom. 2 Il fit alors venir de Técoa[l] une femme habile et lui dit : « Tu vas faire semblant d'être en deuil : tu mettras des vêtements de deuil, tu ne te parfumeras pas, et tu te comporteras comme une femme qui pleure un mort depuis longtemps. 3 Tu iras trouver le roi et tu lui diras ce que je vais t'indiquer. » Et Joab lui indiqua ce qu'elle devait dire. 4 La femme s'adressa au roi ; se jetant le visage contre terre devant lui, elle s'écria : « Il faut que le roi vienne à mon secours ! » – 5 « Que veux-tu ? » demanda le roi. « Ah, Majesté, répondit-elle, je suis veuve, mon mari est mort. 6 J'avais deux fils ; ils se sont battus dans les champs et l'un a tué l'autre, car il n'y avait personne pour les séparer. 7 Alors tous les membres du clan se sont dressés contre moi ; ils m'ont dit : "Livre-nous le meurtrier. Nous le ferons mourir pour venger le meurtre de son frère. – Et du même coup, nous sup-

---

i 13.27 *Absalom prépara...* : d'après les anciennes versions grecque et latine, et un manuscrit hébreu ; ces mots ne figurent pas dans le texte hébreu traditionnel.

j 13.34 *qui descendait par la route de Horonaïm...* : d'après l'ancienne version grecque ; hébreu *qui descendait par la route derrière lui, au flanc de la colline.* (Dans le texte hébreu, le rapport adressé par la sentinelle au roi est donc absent.)

k 13.37-38 *Guéchour* : principauté syrienne, à l'est du lac de Génésareth. D'après 3.3, *Talmaï* était le grand-père maternel d'Absalom.

l 14.2 Localité située à 15 km environ au sud de Jérusalem.

primerons l'héritier. –" De cette manière,
ils veulent anéantir le peu d'espérance
qui me reste, et priver mon mari d'une
descendance qui continue de porter son
nom sur terre. »
8 Le roi lui dit : « Rentre chez toi. Je
vais donner des ordres à ton sujet. » –
9 « Majesté, reprit la femme, quoi qu'il arrive, nous sommes prêts, ma famille et
moi-même, à porter la responsabilité de
cette affaire. Que cela ne retombe ni sur
toi ni sur la royauté. » – 10 « Si quelqu'un
te fait des remarques, affirma le roi, tu
n'as qu'à me l'amener ! Il ne recommencera plus à s'en prendre à toi ! »
11 La femme lui dit encore : « Que le roi
veuille me faire une promesse au nom du
Seigneur son Dieu, afin que l'homme
chargé de venger la mort[m] de mon fils ne
redouble pas les ravages en faisant mourir celui qui me reste. » – « Par le Seigneur
vivant, déclara le roi, je te jure que pas un
cheveu de ton fils ne tombera à terre. »
12 La femme reprit : « Que le roi me
permette de dire encore quelque chose. »
– « Parle ! » lui dit-il. 13 « Pourquoi as-tu
agi ainsi contre l'intérêt du peuple de
Dieu ? dit-elle. En parlant comme tu l'as
fait tout à l'heure, tu t'es en quelque sorte
déclaré coupable, puisque tu ne fais pas
revenir Absalom du pays où il est exilé.
14 Nous devons tous mourir un jour, et
nous sommes alors comme de l'eau qu'on
répand par terre et qu'on ne peut plus recueillir. Mais ce n'est pas le sort que Dieu
envisage maintenant pour Absalom ; au
contraire il a pris des dispositions pour
que celui-ci ne reste pas banni loin de
lui[n]. 15 Si je suis venue maintenant dire
tout cela au roi, c'est que l'on m'avait fait
peur. Je me suis donc dit : "Je parlerai au
roi ; alors il fera peut-être ce que je lui
propose, 16 il acceptera de m'arracher à
celui qui veut nous éliminer, mon fils et
moi-même, du peuple que Dieu s'est
choisi[o]." 17 En effet, Majesté, je pensais
ceci : "Ce que le roi dira contribuera certainement à calmer les esprits. Car le roi
est comme un *ange de Dieu, il sait discerner le bien et le mal." Que le Seigneur
ton Dieu soit donc avec toi ! »
18 Le roi dit à la femme : « Je vais te poser une question et tu me répondras sans
rien cacher. » – « Que le roi daigne parler ! » répondit la femme. 19 Le roi demanda : « N'est-ce pas Joab qui a
combiné tout cela avec toi ? » – « Aussi
vrai que le roi est vivant, c'est la vérité
même ! Ton serviteur Joab m'a effectivement dicté toutes les paroles que je devais
dire. 20 Il a agi pour retourner la situation.
Mais toi, tu comprends tout ce qui se
passe sur terre, car tu es aussi sage que
l'ange de Dieu. »

21 Le roi alla parler à Joab : « J'ai décidé
d'agir selon ta suggestion, dit-il. Va chercher le jeune Absalom et ramène-le ici. »
22 Joab se jeta le visage contre terre devant
le roi et le remercia en ces mots : « Je sais
maintenant que le roi m'a conservé sa
bienveillance, puisqu'il accepte de faire
ce que j'ai proposé. »
23 Joab se releva et partit pour Guéchour[p]. Il en ramena Absalom à Jérusalem. 24 Le roi déclara : « Qu'il retourne
chez lui ! Qu'il ne vienne pas se présenter
devant moi ! » Alors Absalom se rendit
chez lui, sans avoir vu le roi.

David se réconcilie avec Absalom

25 Dans tout Israël, il n'y avait personne d'aussi beau, d'aussi admiré
qu'Absalom : de la plante des pieds au
sommet de la tête, on ne trouvait aucun
défaut en lui. 26 A la fin de chaque année,
il se coupait les cheveux, parce qu'ils devenaient trop lourds. Il pesait alors sa
chevelure : elle faisait plus de deux kilos,
selon les poids officiels du roi. 27 Absalom
eut trois fils et une fille. La fille s'appelait
Tamar, et elle était d'une grande beauté.

28 Absalom demeura deux ans à Jérusalem, sans être admis chez le roi. 29 Un
jour, il fit appeler Joab, pour l'envoyer
auprès du roi, mais Joab refusa de venir
chez lui. Une seconde fois, Absalom lui

---

m **14.11** *l'homme chargé de venger la mort* : voir Nomb 35.9-29 ; Deut 19.4-13 ; Jos 20.

n **14.14** Le texte hébreu du v. 14 est peu clair, et la traduction en partie incertaine.

o **14.16** *du peuple que Dieu s'est choisi* : autre traduction *du pays accordé par Dieu à son peuple*.

p **14.23** Voir 13.37-38 et la note.

envoya quelqu'un, mais de nouveau Joab refusa. 30 Alors Absalom dit à ses domestiques : « Vous voyez le champ d'orge qui appartient à Joab, à côté du mien. Allez y mettre le feu ! » Les domestiques exécutèrent son ordre. 31 Aussitôt, Joab se rendit chez Absalom et lui demanda : « Pourquoi tes domestiques ont-ils mis le feu à mon champ ? » – 32 « Parce que je t'avais demandé de venir ici et que tu as refusé, dit Absalom. Je voulais t'envoyer chez le roi avec le message suivant : “A quoi bon être revenu de Guéchour ? Il vaudrait mieux pour moi y être encore !” Maintenant, je veux être admis chez le roi. Et si je suis coupable, qu'il me fasse mourir ! » 33 Joab alla communiquer au roi le message d'Absalom. Le roi fit appeler Absalom, qui accourut et se jeta le visage contre terre devant lui. Alors le roi l'embrassa.

Absalom tente de prendre le pouvoir

15 1 Par la suite, Absalom se procura un char et des chevaux, ainsi qu'une troupe de cinquante hommes qui couraient devant son char. 2 Tôt le matin, il se postait au bord de la route à l'entrée de la ville. Chaque fois que passait une personne se rendant chez le roi pour demander justice à propos d'un procès, Absalom l'interpellait et lui demandait : « D'où viens-tu ? » – « Prince, je viens de telle tribu d'Israël. » – 3 « Bien, disait Absalom. Ton affaire est bonne et tu es dans ton droit ; seulement vois-tu, il n'y aura personne pour t'écouter de la part du roi. » 4 Et il ajoutait : « Ah, si j'étais juge dans ce pays ! Tous ceux qui ont des querelles ou des procès à régler viendraient me trouver, et moi je leur rendrais justice. » 5 Si l'homme approchait alors pour s'incliner jusqu'à terre devant lui, Absalom le retenait et l'embrassait.

6 Absalom agissait de cette manière à l'égard de tous ceux qui venaient demander justice au roi, et il gagnait insidieusement l'affection des Israélites.

7 Au bout de quatre ans, Absalom dit un jour au roi : « Permets-moi d'aller à Hébron[q], pour y accomplir la promesse que j'ai faite au Seigneur. 8 En effet, quand je séjournais à Guéchour[r], en Syrie, j'ai promis au Seigneur que s'il me ramenait à Jérusalem, je lui offrirais des *sacrifices. » – 9 « Va en paix », répondit le roi. Alors Absalom se rendit à Hébron. 10 De là, il envoya discrètement ses partisans dans toutes les tribus d'Israël, avec la consigne suivante : « Quand vous entendrez une certaine sonnerie de trompette, vous annoncerez qu'Absalom est devenu roi, à Hébron. » 11 Deux cents hommes, invités par Absalom, étaient venus avec lui de Jérusalem. Mais ils l'avaient accompagné en toute innocence, ignorant tout de cette conspiration.

12 Pendant qu'il offrait les sacrifices, Absalom fit encore chercher Ahitofel, conseiller de David, dans la ville de Guilo[s] où il résidait. Ainsi le nombre des partisans d'Absalom augmentait, et la conspiration devint de plus en plus forte.

David s'enfuit de Jérusalem

13 C'est alors que David fut informé de l'affaire : « Les Israélites ont pris le parti d'Absalom », lui dit-on. 14 Aussitôt David dit à tous ceux de ses ministres qui étaient avec lui à Jérusalem : « Fuyons, sans quoi Absalom ne nous laissera pas en vie. Et dépêchons-nous, sinon il ne tardera pas à venir nous attaquer et il répandra le malheur dans la ville en massacrant toute la population. » – 15 « Majesté, répondirent les ministres, quelle que soit ta décision, nous sommes à ta disposition. » 16 Alors le roi et tous ses proches s'en allèrent à pied. Le roi ne laissa que dix de ses épouses de second rang pour occuper le palais.

17 Au moment où le roi et tous ceux qui l'accompagnaient sortaient de la ville, ils firent halte près de la dernière maison. 18 Toutes les troupes de David se mirent à défiler : les Crétois et les Pélétiens de la garde royale, puis les six cents soldats de Gath[t] qui avaient suivi David, tous défilèrent devant le roi. 19 Celui-ci dit à Ittaï,

---

q 15.7 *quatre ans* : d'après les anciennes versions grecque et syriaque ; hébreu *quarante ans*. – *Hébron* : voir 2.1-4, et la note de 2.1.

r 15.8 *Guéchour* : voir 13.37-38.

s 15.12 *Guilo* : localité située à 10 km environ au nord-ouest d'Hébron.

t 15.18 *Gath* : voir 1 Sam 5.8 et la note ; 1 Sam 27.

chef des soldats de Gath : « Pourquoi veux-tu venir avec nous ? Retourne en ville et demeure avec le nouveau roi. Après tout, tu es un étranger, un expatrié. 20 Il n'y a pas longtemps que tu es arrivé auprès de moi, et aujourd'hui déjà je t'entraînerais avec nous, alors que je ne sais même pas où aller ? Non, retourne en ville et ramènes-y tes compatriotes. Et que le Seigneur agisse envers toi avec bonté et loyauté[u] ! » 21 Mais Ittaï répondit : « Par le Seigneur vivant et par la propre vie du roi, je le jure : là où sera le roi, je serai, pour y vivre ou y mourir avec lui. » – 22 « Bien, dit David, passe en avant. »

Ittaï passa donc en avant, avec ses soldats et leurs familles. 23 Tout le monde pleurait et poussait des cris, tandis que la troupe défilait devant David. Le roi lui-même traversa le torrent du Cédron[v] avec sa suite, par la route qui conduit au désert. 24 Le prêtre Sadoc était aussi là avec les *lévites portant le *coffre de l'alliance de Dieu. Ceux-ci déposèrent le coffre et le prêtre Abiatar offrit des *sacrifices jusqu'à ce que tous ceux qui venaient de la ville aient fini de passer[w]. 25 Le roi dit alors à Sadoc : « Ramène le coffre sacré en ville. Si le Seigneur me veut du bien, il me fera revenir et me permettra de revoir le coffre et le *sanctuaire. 26 Si au contraire il décide de me retirer sa faveur, eh bien, qu'il me traite comme il le jugera bon. » 27 Puis le roi ajouta : « Vois-tu, retourne tranquillement en ville, avec ton fils Ahimaas ainsi qu'avec Abiatar et son fils Yonatan. 28 Pour ma part, je vais attendre dans la région désertique proche des gués du Jourdain, jusqu'à ce que je reçoive des nouvelles de vous. » 29 Sadoc et Abiatar ramenèrent donc le coffre sacré à Jérusalem et y demeurèrent.

David envoie Houchaï espionner Absalom

30 David gravissait le mont des Oliviers[x] tout en pleurant. Il s'était voilé le visage et marchait nu-pieds. Tous ceux qui montaient avec lui avaient aussi le visage voilé et pleuraient. 31 On informa David qu'Ahitofel[y] se trouvait parmi les conspirateurs, aux côtés d'Absalom ; alors David s'écria : « Seigneur, je t'en prie, rends stupides les conseils d'Ahitofel ! » 32 Or, au moment où David atteignait le sommet de la colline, là où l'on adore Dieu, il vit venir à sa rencontre son conseiller personnel Houchaï, l'Arkite, la tunique *déchirée et de la poussière sur la tête. 33 David lui dit : « Ne viens pas avec moi, tu serais une charge pour moi. 34 Retourne plutôt en ville et va dire à Absalom : "Je me mets au service de Sa Majesté le roi. Précédemment j'ai servi son père, mais maintenant c'est lui-même que je veux servir." De cette manière, tu pourras m'aider en faisant obstacle aux conseils d'Ahitofel. 35 De plus, tu auras l'appui des prêtres Sadoc et Abiatar. Tu les informeras de tout ce que tu apprendras dans le palais royal. 36 Ahimaas, fils de Sadoc, et Yonatan, fils d'Abiatar, sont tous deux avec eux ; vous les enverrez m'apporter toutes les nouvelles que vous aurez apprises. » 37 Houchaï, conseiller de David, rentra donc à Jérusalem au moment où Absalom lui-même y arrivait.

David et Siba

16 1 David venait de dépasser le sommet de la colline lorsque Siba, le serviteur de Mefibaal, arriva à sa rencontre. Il conduisait deux ânes sellés, qui portaient deux cents pains, cent grappes de raisins secs, une corbeille de[z] fruits de saison et une *outre de vin. 2 Le roi lui demanda : « Que veux-tu faire de cela ? » – « Majesté, répondit Siba, les ânes serviront de montures pour ta famille, les

---

u **15.20** *Et que le Seigneur...* : d'après l'ancienne version grecque ; le texte hébreu n'a que les mots *Bonté et Loyauté*.

v **15.23** Le *torrent du Cédron* coule, de façon intermittente, au pied de la muraille est de Jérusalem.

w **15.24** En hébreu, le texte des v. 23-24 est peu clair.

x **15.30** Le *mont des Oliviers* se situe en face de Jérusalem, de l'autre côté du Cédron.

y **15.31** *On informa David* : d'après les versions anciennes et quelques manuscrits hébreux ; texte hébreu traditionnel *David informa*. – *Ahitofel* : voir v. 12.

z **16.1** *Siba, Mefibaal* : voir chap. 9. – *une corbeille de* : d'après un manuscrit hébreu trouvé à Qumrân et l'ancienne version grecque ; texte hébreu traditionnel *cent*.

pains et les fruits serviront de nourriture pour tes soldats, et le vin servira de boisson pour ceux qui seront fatigués dans le désert. » 3 Le roi reprit : « Où est donc Mefibaal, le petit-fils de ton maître Saül ? » – « Il est resté à Jérusalem, dit Siba, car il a pensé que maintenant les Israélites allaient lui rendre la royauté de son grand-père. » – 4 « Eh bien, dit le roi, je te donne tout ce qui appartenait à Mefibaal. » Alors Siba s'inclina jusqu'à terre et dit : « Merci, Majesté, de m'accorder ta faveur. »

Chiméi maudit David

5 Lorsque le roi David arriva près de Bahourim[a], un certain Chiméi, fils de Guéra, qui était du même clan que Saül, sortit de ce village et se mit à le maudire. 6 Il lui lançait des pierres, ainsi qu'à ses ministres, malgré la foule et les soldats qui marchaient à droite et à gauche du roi. 7 Il le maudissait en criant : « Va-t'en, va-t'en, vaurien, assassin ! 8 Le Seigneur te punit de tous les meurtres que tu as commis à l'égard de la famille de Saül. Tu as volé la royauté à Saül, et c'est pour cela que le Seigneur l'a donnée à ton fils Absalom. Et toi, maintenant, tu es dans le malheur, car tu es un assassin ! » 9 Abichaï, dont la mère s'appelait Serouia, dit au roi : « Majesté, ce chien crevé ne va pas te maudire plus longtemps. Laisse-moi aller lui couper la tête. » – 10 « Abichaï, répondit le roi, de quoi vous mêlez-vous, toi et ton frère Joab ? Si cet homme me maudit parce que le Seigneur lui a ordonné de me maudire, personne ne peut le lui reprocher. 11 D'ailleurs, ajouta David à l'intention d'Abichaï et de tous ses ministres, lorsque mon fils, mon propre fils, cherche à me faire mourir, il n'est pas étonnant que ce Benjaminite, lui aussi, agisse ainsi[b]. Laissez-le tranquille ! Qu'il me maudisse, si le Seigneur le lui a ordonné. 12 Peut-être que le Seigneur verra mon malheur[c]. Alors il changera sa malédiction en *bénédiction. »

13 Tandis que David et ses compagnons poursuivaient leur marche sur la route, Chiméi avançait non loin d'eux, sur le flanc de la montagne ; il continuait à prononcer des malédictions et à leur lancer des pierres et de la terre. 14 Enfin le roi et ses compagnons arrivèrent au bord du Jourdain[d]. Ils étaient exténués et se reposèrent là.

Houchaï rejoint Absalom

15 Absalom était entré à Jérusalem avec toute une foule d'Israélites ; Ahitofel aussi était avec lui. 16 Lorsque Houchaï l'Arkite, conseiller personnel de David, arriva près d'Absalom, il s'écria : « Vive le roi ! Vive le roi ! » 17 Absalom lui demanda : « Est-ce là toute ta fidélité à l'égard de ton ami David ? Pourquoi ne l'as-tu pas accompagné ? » – 18 « Je ne l'ai pas voulu, répondit Houchaï, car je suis du côté de celui que le Seigneur et tout le peuple d'Israël ont choisi comme roi ; je resterai donc avec toi. 19 D'ailleurs, je n'entre pas ainsi au service de n'importe qui. N'es-tu pas le fils de mon ami ? Tout comme j'ai servi ton père jusqu'à présent, c'est toi que je servirai désormais. »

Absalom et les épouses de David

20 Absalom dit à Ahitofel : « Discutez entre vous de ce que nous devons faire. » 21 Ahitofel répondit tout de suite à Absalom : « Va coucher avec les épouses que ton père a laissées pour occuper le palais[e]. Tu te rendras ainsi odieux à ton père, tous les Israélites l'apprendront, et tes partisans en seront encouragés. » 22 On dressa alors pour Absalom une tente sur le toit en terrasse du palais, et Absalom alla y coucher avec les épouses de son père, à la vue de tout Israël[f].

23 En ce temps-là, un conseil donné par Ahitofel était aussi écouté qu'une parole de Dieu lui-même. Autant David qu'Absalom se conformaient à tous ses conseils.

---

a **16.5** *Bahourim* : voir 3.16 et la note.
b **16.11** Comparer 3.19 et la note.
c **16.12** *mon malheur* : d'après les anciennes versions grecque, latine et syriaque ; hébreu *mon œil* ou *mon péché*.
d **16.14** *au bord du Jourdain* : d'après l'ancienne version grecque ; ces mots sont absents du texte hébreu.
e **16.21** Voir 15.16 ; 3.7 et la note.
f **16.22** V. 21-22 : voir 12.11-12.

Houchaï contredit un conseil d'Ahitofel

17 1 Peu après, Ahitofel dit à Absalom : « Permets-moi de choisir douze mille hommes et de me lancer à la poursuite de David cette nuit même. 2 Je le surprendrai au moment où il sera fatigué et démoralisé, et je l'épouvanterai ; tous ceux qui l'accompagnent s'enfuiront, et alors je le tuerai, lui seul. 3 Ensuite je ramènerai à toi tout le peuple. En effet, dès que l'homme dont tu veux te débarrasser sera mort, tout le peuple reviendra à toi et vivra en paix[g]. »

4 Cette proposition parut judicieuse à Absalom et à tous les *anciens d'Israël. 5 Cependant Absalom ordonna : « Qu'on appelle également Houchaï l'Arkite, et qu'il nous donne son avis. » 6 Quand Houchaï arriva, Absalom lui dit ce qu'Ahitofel avait proposé. Puis il lui demanda : « Devons-nous exécuter son plan ? Sinon, fais-nous une autre proposition. » 7 Houchaï répondit à Absalom : « Cette fois-ci, le conseil donné par Ahitofel n'est pas le meilleur. 8 Tu connais bien ton père et ses hommes : ce sont tous de vaillants soldats, et ils sont exaspérés, comme une ourse qui aurait perdu son petit dans la campagne. Par ailleurs, ton père, qui est un homme de guerre, ne passera pas la nuit avec les autres. 9 Actuellement, il est certainement caché dans une grotte ou en quelque autre endroit. Si dès le début il y a des tués dans nos rangs, la nouvelle se répandra que l'armée d'Absalom a subi une défaite. 10 Alors même les plus braves, ceux qui ont un cœur de lion, perdront courage, car tous les Israélites savent que ton père est un valeureux combattant et que ses compagnons sont pleins de bravoure. 11 Voici donc ce que je propose : mobilise tous les soldats israélites, d'un bout à l'autre du pays, en aussi grand nombre que les grains de sable au bord de la mer ; ensuite va combattre personnellement avec eux[h]. 12 Nous atteindrons David où qu'il se trouve, nous lui tomberons dessus comme la rosée sur le sol. De lui et de ses hommes, pas un seul n'en réchappera. 13 S'ils se réfugient dans une ville, tous nos soldats amèneront des cordes et nous traînerons cette ville dans le torrent voisin, jusqu'à ce qu'il n'en reste plus le moindre caillou. »

14 Absalom et les Israélites déclarèrent : « Le conseil de Houchaï est meilleur que celui d'Ahitofel ! » En effet le Seigneur avait décidé de faire échouer le conseil, pourtant valable, d'Ahitofel, afin d'amener le malheur sur Absalom.

David passe le Jourdain

15 Houchaï rapporta aux prêtres Sadoc et Abiatar ce qu'Ahitofel avait proposé à Absalom et aux *anciens d'Israël, et ce que lui-même avait ensuite proposé. 16 Puis il ajouta : « Maintenant, dépêchez-vous d'envoyer un message à David. Faites-lui dire de ne pas passer la nuit dans la plaine du Jourdain. Il doit absolument traverser le fleuve, afin de ne pas se faire exterminer avec tous ses compagnons. »

17 Yonatan, fils d'Abiatar, et Ahimaas, fils de Sadoc, étaient postés près de la source des Blanchisseurs ; une servante était chargée de leur porter les messages qu'eux-mêmes devaient transmettre au roi David[i]. En effet, il ne fallait pas qu'ils entrent dans la ville, de peur d'être vus. 18 Pourtant un jeune homme les vit et en informa Absalom. Les deux messagers se hâtèrent alors de partir. Ils se rendirent chez un habitant de Bahourim[j] ; dans la cour de sa maison, il y avait un puits où ils descendirent se cacher. 19 La maîtresse de maison prit une bâche, l'étendit sur l'ouverture du puits et y répandit du grain, de sorte qu'on ne remarquait rien.

---

g **17.3** *tout le peuple. En effet, dès que l'homme...* : le texte hébreu est peu clair et la traduction incertaine ; l'ancienne version grecque dit *tout le peuple, comme une jeune épouse revient vers son époux. En effet, tu ne veux te débarrasser que d'un seul homme. Alors tout le peuple vivra en paix*.

h **17.11** La mobilisation générale de l'armée prendra plusieurs jours ; cela laissera du temps à Houchaï pour avertir David (v. 15-22), et à David pour se préparer au combat (chap. 18).

i **17.17** La *source des Blanchisseurs* était située dans la vallée du Cédron, au sud-est de Jérusalem. L'endroit s'appelle aujourd'hui le « Puits de Job ». – *qu'eux-mêmes devaient transmettre* : voir 15.36.

j **17.18** Voir 3.16 et la note.

20 Des envoyés d'Absalom arrivèrent chez cette femme et lui demandèrent : « Où sont Ahimaas et Yonatan ? » – « Ils sont passés par le réservoir d'eau[k] », leur dit-elle.

Les envoyés les cherchèrent, mais ils ne les trouvèrent pas ; alors ils rentrèrent à Jérusalem. 21 Après leur départ, Ahimaas et Yonatan sortirent du puits et allèrent avertir le roi David ; ils lui racontèrent ce qu'Ahitofel avait proposé et lui dirent en conclusion : « Il faut vous hâter de traverser le fleuve. » 22 Aussitôt, David et ceux qui l'accompagnaient se mirent à traverser le Jourdain. A l'aube, ils avaient tous passé, sans exception.

23 Quand Ahitofel vit que son conseil n'avait pas été suivi, il sella son âne et retourna dans la ville qu'il habitait[l] ; il donna des ordres à sa famille, puis il se pendit. On l'enterra dans le tombeau de son père.

David à Mahanaïm

24 David avait gagné Mahanaïm[m], pendant qu'Absalom passait le Jourdain avec toutes les troupes israélites. 25 Absalom avait désigné Amassa comme chef de l'armée à la place de Joab. Amassa était le fils d'un Israélite nommé Yéter, qui avait épousé Abigal, fille de Nahach et sœur de Serouia, mère de Joab[n]. 26 Absalom et les Israélites établirent leur camp dans le pays de Galaad[o].

27 A son arrivée à Mahanaïm, David fut rejoint par Chobi, fils de Nahach, de Rabba, capitale des Ammonites, par Makir, fils d'Ammiel, de Lo-Dabar, et par Barzillaï, de Roguelim, en Galaad[p]. 28-29 Ces hommes apportaient du matériel de couchage, des lainages, de la vaisselle, ainsi que de la nourriture pour David et ses compagnons : blé, orge, farine, grain grillé, fèves, lentilles, miel, beurre, fromages de vache et de brebis[q]. En effet, ils s'étaient dit : « Ces gens doivent être exténués, affamés et assoiffés par leur passage dans le désert. »

Défaite des troupes d'Absalom

18 1 David passa en revue les troupes qui l'accompagnaient, et désigna des commandants de régiments et de compagnies ; 2 il confia un tiers de l'armée à Joab, dont la mère s'appelait Serouia, un autre tiers à Abichaï, frère de Joab, et le troisième tiers à Ittaï, de Gath[r]. Puis il annonça aux soldats son intention de partir en guerre avec eux. 3 Mais les soldats s'écrièrent : « Non, tu ne dois pas venir avec nous ! En effet, si nous sommes mis en fuite, nous, les ennemis n'y attacheront pas d'importance. Même si la moitié d'entre nous étaient tués, ils n'y attacheraient pas d'importance. Mais toi, tu vaux dix mille soldats comme nous. Par conséquent, il est préférable que tu restes dans la ville, d'où tu pourras nous envoyer du secours. » – 4 « Bien, répondit le roi ; je ferai ce que vous jugez préférable. »

Alors le roi se plaça près de la porte de la ville, tandis que l'armée sortait, rangée par compagnies et par régiments. 5 Le roi dit encore à Joab, à Abichaï et à Ittaï : « Je vous en supplie, ne faites pas de mal à mon fils Absalom ! » Tous les soldats l'entendirent donner cette consigne aux chefs.

6 L'armée de David se mit en route pour aller combattre les troupes d'Absalom, et la bataille eut lieu dans la région des forêts d'Éfraïm[s]. 7 Les troupes d'Ab-

---

k 17.20 *Ils sont passés par le réservoir d'eau* : autre traduction *Ils ont passé le canal.* Le mot hébreu rendu par *réservoir d'eau*, qui n'apparaît qu'ici, est traduit d'après le contexte.

l 17.23 Voir 15.12.

m 17.24 Voir Gen 32.3 et la note.

n 17.25 Selon l'ancienne version grecque et le texte de 1 Chron 2.16-17, *Yéter* était un *Ismaélite*, et *Abigal* une fille de *Jessé*.

o 17.26 Indication géographique vague : le *pays de Galaad* s'étend à l'est du Jourdain, Mahanaïm (v. 24) en fait partie.

p 17.27 *Rabba* : voir 11.1 ; *Lo-Dabar* : voir 9.4 et la note ; *Roguelim* : localité située probablement à 25 km environ au sud-ouest du lac de Génésareth.

q 17.28-29 La signification de certains termes hébreux de cette liste n'est pas assurée. – *fromages de vache et de brebis* : texte probable, en déplaçant un mot ; hébreu *moutons et fromages de vaches*.

r 18.2 *Gath* : voir 1 Sam 5.8 et la note.

s 18.6 La localisation des *forêts d'Éfraïm* est incertaine ; il s'agit peut-être de la région à l'est du Jourdain, mentionnée en Jos 17.15. L'ancienne version grecque parle ici de la *forêt de Mahanaïm* (voir 17.24,27).

salom furent battues par celles de David.
Leur défaite fut lourde ce jour-là, avec
des pertes s'élevant à vingt mille hommes. 8 La bataille s'étendit à toute la région, et ceux qui perdirent la vie dans la
forêt furent plus nombreux que ceux qui
moururent au combat.

Joab tue Absalom

9 A un certain moment, Absalom,
monté sur un mulet, se trouva face à des
soldats de David. Le mulet s'engagea
sous les branches enchevêtrées d'un
grand arbre. La tête d'Absalom se prit
dans les branches et, le mulet continuant
sa route, Absalom resta suspendu entre
ciel et terre. 10 Un soldat de David le vit
et alla dire à Joab : « J'ai vu Absalom,
pris dans les branches d'un arbre. » –
11 « Comment, dit Joab, tu l'as vu ? Pourquoi ne l'as-tu pas frappé et abattu sur
place ? Je t'aurais donné dix pièces d'argent et une ceinture ! » 12 Mais le soldat
répondit à Joab : « Même si tu m'offrais
mille pièces d'argent, je refuserais de
faire du mal au fils du roi. Nous avons
tous entendu le roi vous dire, à toi, à Abichaï et à Ittaï : "Veillez à ce que personne
ne fasse du mal au jeune Absalom." 13 Si
je l'avais tué, prétendant n'avoir rien entendu, le roi aurait fini par découvrir
mon mensonge – car il découvre tout – et
toi-même, alors, tu te serais bien gardé de
prendre ma défense. » 14 Joab s'écria : « Je
ne vais pas perdre mon temps avec toi ! »

Il prit trois bâtons pointus et alla les
planter dans le cœur d'Absalom qui, pris
dans l'arbre, était encore vivant. 15 Les
dix jeunes soldats qui portaient les armes
de Joab entourèrent aussitôt Absalom et
l'achevèrent. 16 Ensuite Joab fit sonner de
la trompette pour arrêter le combat. Les
soldats de David cessèrent donc de poursuivre l'armée d'Absalom. 17 On prit le
corps d'Absalom, on le jeta dans une
grande fosse en pleine forêt, et on éleva
sur lui un gros tas de cailloux. Pendant ce
temps, les soldats d'Absalom fuyaient,
chacun rentrant chez soi.

18 Quand il était encore en vie, Absalom avait fait ériger la grande pierre qui
se trouve dans la vallée du Roi, car il
s'était dit : « Je n'ai pas de fils pour perpétuer mon nom. » Il avait donc donné son
nom à cette pierre, qu'aujourd'hui encore
on appelle "monument d'Absalom"[t].

David apprend la mort d'Absalom

19 Ahimaas, fils de Sadoc, dit à Joab :
« Permets-moi de courir porter au roi la
nouvelle que le Seigneur lui a rendu justice en le délivrant de ses ennemis. » –
20 « Non, répondit Joab, car aujourd'hui
tu ne serais pas un messager de bonne
nouvelle. Tu iras porter des nouvelles un
autre jour, mais aujourd'hui ne le fais pas,
car il s'agit de la mort du fils du roi. »
21 Puis Joab adressa cet ordre à un esclave
éthiopien : « Va, toi, raconter au roi ce
que tu as vu ! » L'esclave s'inclina devant
Joab et partit en courant. 22 Cependant
Ahimaas insista auprès de Joab en disant : « Peu importe, je veux y courir
aussi, à la suite de cet Éthiopien. » –
« Mais pourquoi donc, mon ami ? demanda Joab. Pareille nouvelle ne te vaudra aucune récompense ! » – 23 « Peu
importe, répéta Ahimaas, je veux y aller. »
– « Bon, vas-y », lui dit Joab. Ahimaas
partit en courant par la route de la plaine
du Jourdain, et dépassa l'Éthiopien.

24 A ce moment-là, David était installé
entre la porte extérieure et la porte intérieure de la ville. Un guetteur, monté sur
la plate-forme dominant la porte, au sommet de la muraille, scrutait l'horizon.
Soudain il aperçut un homme isolé qui
courait. 25 Il cria pour en informer le roi.
Celui-ci déclara : « S'il est seul, il apporte
de bonnes nouvelles. »

Le messager se rapprochait, 26 lorsque
le guetteur aperçut un autre homme qui
courait. Il cria au portier : « Voici encore
un homme isolé, qui arrive en courant. »
– « Celui-là également apporte de bonnes
nouvelles », dit le roi. 27 Le guetteur
continua : « D'après sa façon de courir, je

t **18.18** La *vallée du Roi*, non identifiée, se trouvait probablement aux environs de Jérusalem. Le "tombeau d'Absalom", que l'on montre aujourd'hui encore dans la vallée du Cédron, est une construction plus tardive qui n'a rien à voir avec le *monument d'Absalom*.

reconnais le premier : c'est Ahimaas, fils
de Sadoc. » – « C'est un garçon de valeur,
dit le roi ; il apporte certainement une
bonne nouvelle. »
28 En arrivant, Ahimaas cria au roi :
« Tout va bien ! » Il se jeta le visage contre
terre devant lui et ajouta : « Je remercie le
Seigneur ton Dieu, qui a livré en ton pouvoir ceux qui s'étaient révoltés contre
toi. » – 29 « Et le jeune Absalom, va-t-il
bien ? » demanda le roi. Ahimaas répondit : « Au moment où Joab nous a envoyés, cet autre serviteur et moi-même,
j'ai remarqué une grande agitation, mais
je ne sais pas de quoi il s'agissait. » –
30 « Bien ! dit le roi. Retire-toi, mais reste
à proximité. »
Ahimaas se retira de devant le roi et attendit. 31 A cet instant l'Éthiopien arriva ;
il dit au roi : « Voici une bonne nouvelle
pour Sa Majesté le roi : Aujourd'hui le
Seigneur lui a rendu justice en le délivrant de tous ses adversaires ! » – 32 « Et le
jeune Absalom, va-t-il bien ? » lui demanda le roi. « Majesté, répondit-il, souhaitons que ce qui est arrivé à ce jeune
homme arrive également à tes ennemis et
à tous ceux qui se révoltent contre toi ! »

La douleur de David

19 1 Alors le roi David[u] fut accablé. Il
se rendit dans la pièce située au-
dessus de la porte de la ville pour pleurer.
Et tout en marchant, il criait : « Oh, mon
fils Absalom, mon fils, mon fils, oh, mon
Absalom ! Pourquoi ne suis-je pas mort à
ta place ? Oh, Absalom, mon fils, mon
fils ! »
2 On annonça à Joab que le roi pleurait
et se lamentait au sujet d'Absalom. 3 Et ce
jour-là, les soldats, au lieu de célébrer la
victoire, furent accablés de tristesse. En
effet, ils avaient appris, eux aussi,
combien le roi était éprouvé par la mort
de son fils. 4 Ils rentrèrent en ville fur-
tivement, comme des soldats honteux
d'avoir abandonné une bataille. 5 Quant
au roi, le visage voilé, il continuait de
crier : « Oh, mon fils Absalom, oh, Absalom, mon fils, mon fils ! »
6 Alors Joab vint trouver le roi et lui
dit : « En agissant ainsi aujourd'hui, tu
couvres de honte tes soldats, qui t'ont
sauvé la vie, ainsi qu'à tes fils, tes filles et
toutes tes épouses. 7 En effet, ton affection va à ceux qui te détestent et ta haine
à ceux qui t'aiment. Tu montres que les
chefs de ton armée et tous ceux qui te servent fidèlement ne comptent pas pour
toi. Oui, je vois : Si aujourd'hui nous
étions tous morts, mais qu'Absalom soit
encore en vie, tu trouverais cela très bien.
8 Allons, ressaisis-toi maintenant et va
dire à tes soldats quelques mots d'encouragement. Si tu n'y vas pas, je te jure au
nom du Seigneur qu'aucun d'eux ne restera un jour de plus à ton service. Ce serait là pour toi un malheur plus grand
que tous ceux qui t'ont atteint depuis ta
jeunesse. » 9 Alors le roi alla s'installer
près de la porte de la ville. On l'annonça
aux soldats, qui vinrent tous se rassembler auprès de lui.

David invité à rentrer à Jérusalem

Les soldats d'Absalom s'étaient enfuis,
et chacun d'eux était rentré chez lui.
10 Dans toutes les tribus israélites, on se
mit à discuter âprement ; on disait : « Le
roi David nous avait délivrés de nos ennemis, en particulier des Philistins, et il a
dû fuir le pays à cause d'Absalom. 11 Mais
cet Absalom, que nous nous étions donné
comme roi, est mort à la guerre. Alors
qu'attendons-nous pour faire revenir le
roi David ? »
12 De son côté, David envoya ce message aux prêtres Sadoc et Abiatar :
« Adressez-vous aux *anciens de Juda et
demandez-leur : "Pourquoi seriez-vous
les derniers à entreprendre de ramener le
roi chez lui, alors qu'il est lui-même au
courant des intentions des autres Israélites[v] ? 13 Vous êtes les frères du roi, ses
plus proches parents. Ne soyez donc pas
les derniers à le faire revenir." 14 Puis
vous irez dire de ma part à Amassa :
"N'es-tu pas de ma parenté ? Que Dieu
m'inflige donc la plus terrible des punitions si je ne te donne pas pour toujours

---

u **19.1** Dans certaines traductions, les v. 19.1-44 sont numérotés 18.33–19.43.

v **19.12** Traduction d'après l'ancienne version grecque ; le texte hébreu répète ici *chez lui*.

la place de Joab à la tête de mon armée !" » 15 Les paroles de David convainquirent les gens de Juda. D'un commun accord, ils firent dire au roi : « Reviens ici, avec tous tes serviteurs ! » 16 Alors le roi prit le chemin du retour et descendit jusqu'au bord du Jourdain.

David épargne Chiméi

Les gens de Juda étaient venus au Guilgal[w], à la rencontre du roi, pour l'aider à traverser le fleuve. 17 Chiméi[x], fils de Guéra, le Benjaminite de Bahourim, s'était hâté de descendre avec eux pour se présenter devant le roi David. 18 Il était accompagné de mille Benjaminites, ainsi que de Siba, le serviteur de la famille de Saül, avec ses quinze fils et ses vingt serviteurs. Ceux-ci devaient accourir au Jourdain à la rencontre du roi, 19 au moment où le radeau transportant la famille royale traverserait la rivière[y], et ils devaient exécuter les ordres que le roi pourrait donner.

Lorsque le roi eut traversé la rivière, Chiméi se jeta à terre devant lui 20 et lui dit : « Que le roi ne me tienne pas pour coupable ! Qu'il oublie la faute que j'ai commise, le jour où il quittait Jérusalem ; qu'il ne m'en garde pas rancune. 21 Je sais bien que j'ai commis une faute, mais aujourd'hui, le roi peut le constater, je suis descendu à sa rencontre avant tous les autres Israélites du Nord. »

22 Abichaï, dont la mère s'appelait Serouia, intervint et dit au roi : « Est-ce un motif suffisant pour ne pas mettre à mort Chiméi, alors qu'il a maudit le roi choisi par le Seigneur ? » 23 Mais David dit à Abichaï et à son frère Joab : « De quoi vous mêlez-vous, fils de Serouia ? Pourquoi en cet instant vous opposez-vous à mes intentions ? Je ne veux pas qu'on mette à mort quelqu'un d'Israël, en ce jour où j'acquiers la certitude d'être vraiment le roi de ce peuple ! » 24 Et le roi déclara à Chiméi : « Tu ne seras pas mis à mort, je te le jure. »

David se réconcilie avec Mefibaal

25 Mefibaal, le petit-fils de Saül, était aussi venu à la rencontre du roi. Entre le jour où le roi était parti et celui où il revenait sain et sauf à Jérusalem[z], Mefibaal n'avait ni taillé sa moustache, ni lavé ses pieds ou ses vêtements. 26 Lorsqu'il se trouva devant le roi, celui-ci lui demanda : « Mefibaal, pourquoi n'es-tu pas parti avec moi ? » – 27 « Majesté, répondit-il, c'est que mon serviteur m'a trompé ! Je m'étais pourtant dit : "Puisque je marche difficilement, je vais faire seller mon ânesse, la monter et accompagner ainsi le roi." 28 Et mon serviteur est allé te raconter des mensonges à mon sujet[a]. Cependant, toi, tu es comme un *ange de Dieu, tu peux faire ce qui te plaît. 29 Il n'y avait, dans toute la famille de mon grand-père Saül, que des gens dignes de mort à tes yeux ; malgré cela, tu m'as accueilli parmi ceux qui mangent à ta table. Je n'ai donc aucun droit de te demander une autre faveur. » – 30 « Bon, dit le roi, assez parlé de cela ! Je décide que Siba et toi, vous vous partagerez les terres de Saül. » – 31 « Siba peut même tout prendre pour lui, déclara Mefibaal. L'essentiel, c'est que le roi puisse rentrer sain et sauf chez lui. »

David récompense Barzillaï

32 Barzillaï[b], de Roguelim, en Galaad, était également descendu au Jourdain ; il l'avait passé avec le roi, avant de prendre congé de lui sur la rive. 33 C'était un vieillard de quatre-vingts ans ; étant très riche, il avait pu ravitailler le roi lorsque ce dernier se trouvait à Mahanaïm. 34 Le roi lui dit : « Barzillaï, viens avec moi à Jérusalem, et j'y assurerai ton entretien. » – 35 « Majesté, répondit-il, combien de temps me reste-t-il à vivre ? Trop peu pour que je monte avec toi à Jérusalem ! 36 J'ai actuellement quatre-vingts ans et je

---

w **19.16** Nom de plusieurs localités en Israël ; ici il s'agit probablement du *Guilgal* situé à proximité de Jéricho (voir Jos 3–4).

x **19.17** Sur *Chiméi*, voir 16.5-14.

y **19.19** En hébreu, la fin du v. 18 et le début du v. 19 ne sont pas clairs et la traduction est incertaine.

z **19.25** *Mefibaal* : voir 9.1-13 ; 16.1-4. – *à Jérusalem* : en hébreu, le mot correspondant se trouve placé dans le v. 26 : ... *se trouva à Jérusalem devant le roi,...*

a **19.28** Voir 16.1-4.

b **19.32** Sur *Barzillaï*, voir 17.27-29.

ne suis plus en état de distinguer ce qui
est bon de ce qui est mauvais ; je ne peux
plus apprécier le goût de ce que je mange
et bois, ni les voix des chanteurs et chanteuses. Pourquoi donc serais-je une
charge pour toi ? 37 C'est tout juste si je
peux traverser le Jourdain avec toi. D'ailleurs je ne mérite pas une telle récompense ! 38 Laisse-moi donc retourner
dans ma ville ; j'y mourrai près du tombeau de mon père et de ma mère. Mais
voici mon fils[c] Kimham : c'est lui qui ira
avec toi, et tu le traiteras comme tu le jugeras bon. » – 39 « D'accord, dit le roi,
Kimham m'accompagnera, et je le traiterai comme tu le désires. Tout ce que tu
solliciteras de moi, je te l'accorderai. »
40 Toute la foule passa le Jourdain, que
le roi avait traversé auparavant. David
embrassa Barzillaï et le *bénit, puis celui-ci s'en retourna chez lui. 41 Le roi se
rendit au Guilgal[d], accompagné de Kimham.

Querelle entre Judéens et Israélites

Tous les Judéens et la moitié des Israélites du Nord accompagnèrent le roi.
42 Les gens du Nord s'approchèrent de lui
et lui demandèrent : « Pourquoi nos frères, les Judéens, t'ont-ils accaparé pour te
faire traverser le Jourdain, avec ta famille, alors que tous tes soldats t'accompagnaient ? » 43 Les Judéens leur
répliquèrent : « C'est parce que nous sommes plus proches parents du roi que
vous ! Pourquoi vous fâcher à ce sujet ?
Avons-nous vécu aux dépens du roi ? ou
avons-nous reçu des cadeaux de lui ? »
44 Aussitôt les Israélites s'écrièrent :
« Mais nous avons dix fois plus de droits
que vous sur le roi[e] ; oui, même sur David, nous avons plus de droits que vous !
Pourquoi donc nous traitez-vous avec un
tel dédain ? C'est pourtant bien nous qui,
les premiers, avons parlé de faire revenir
notre roi ! » Mais les Judéens se montrèrent plus violents dans la discussion
que les Israélites.

Chéba se révolte contre David

20 1 Il y avait là, au Guilgal, un vaurien, un Benjaminite nommé
Chéba, fils de Bikri. Il sonna de la trompette et cria :

> « Nous n'avons rien à faire avec David,
> nous n'avons rien de commun avec ce
> fils de Jessé !
> Gens d'Israël, que chacun retourne
> chez soi[f] ! »

2 Alors les Israélites quittèrent David
pour suivre Chéba, et seuls les Judéens
restèrent avec leur roi, pour l'accompagner du Jourdain à Jérusalem.
3 Dès son arrivée au palais, le roi fit
chercher les dix épouses de second rang
qu'il y avait laissées pour l'occuper. Il les
plaça dans une maison bien gardée et
pourvut à leur entretien, mais il n'eut
plus de relations avec elles. Dès lors, elles
furent séquestrées jusqu'au jour de leur
mort ; elles étaient comme veuves d'un
vivant[g].

Joab assassine Amassa

4 Ensuite le roi dit à Amassa : « Mobilise l'armée de Juda ! Je te donne trois
jours pour venir te présenter ici avec
eux. » 5 Amassa alla exécuter cet ordre,
mais il dépassa le délai fixé par le roi.
6 Alors David dit à Abichaï : « A présent,
Chéba est plus dangereux pour nous que
ne l'était Absalom. Pars donc à la tête de
ma garde personnelle et poursuis cet
homme avant qu'il trouve abri dans des
villes fortifiées et nous échappe[h]. »
7 La troupe commandée par Joab, ainsi
que les Crétois et les Pélétiens de la garde
royale, c'est-à-dire tous les soldats de métier, se mirent en campagne avec Abichaï ; ils quittèrent Jérusalem et
poursuivirent Chéba. 8 Ils se trouvaient
près de la grande pierre de Gabaon[i] lors-

---

c **19.38** *mon fils* : d'après l'ancienne version grecque ; ces mots sont absents du texte hébreu.

d **19.41** Voir v. 16 et la note.

e **19.44** *dix fois plus de droits* : les tribus du Nord sont au nombre de *dix*, alors que Juda est une tribu unique.

f **20.1** Voir 1 Rois 12.16 ; 2 Chron 10.16.

g **20.3** *les dix épouses de second rang* : voir 15.16 ; 16.21-22. – La dernière phrase du verset traduit une expression hébraïque peu claire.

h **20.6** *et nous échappe* : hébreu peu clair et traduction incertaine.

i **20.8** *Gabaon* : voir 2.12 et la note.

que Amassa les rejoignit. Joab était vêtu
de son équipement militaire, avec un
ceinturon auquel était fixée l'épée dans
son fourreau. Au moment où Joab
s'avança, l'épée tomba. 9 Joab dit à
Amassa : « Comment vas-tu, mon frère ? »
Et de la main droite il saisit la barbe
d'Amassa pour l'embrasser. 10 Amassa ne
prit pas garde à l'épée que Joab avait ramassée de la main gauche. Celui-ci la lui
planta en plein ventre. Les intestins
d'Amassa se répandirent à terre, et il
mourut sans que Joab ait à lui donner un
second coup.

Fin de la révolte de Chéba

Ensuite Joab et son frère Abichaï reprirent la poursuite de Chéba. 11 Un soldat de Joab était resté près du corps
d'Amassa et disait : « Que les amis de
Joab et les partisans de David suivent
Joab ! » 12 Cependant Amassa s'était roulé
dans son sang au milieu du chemin, et le
soldat remarqua que tout le monde s'arrêtait. Alors il tira le cadavre à l'écart du
chemin, dans le champ voisin, et jeta sur
lui un manteau. 13 Dès qu'il eut fait cela,
les soldats passèrent tout droit et continuèrent, derrière Joab, à poursuivre
Chéba.
14 Joab traversa toutes les tribus d'Israël et atteignit la ville d'Abel-Beth-
Maaka ; tous les Bérites se réunirent pour
le rejoindre eux aussi[j]. 15 Joab et ses troupes assiégèrent la ville, car Chéba s'y
trouvait ; ils élevèrent un remblai de terre
jusqu'au niveau de l'avant-mur de la
ville, puis ils se mirent à saper la muraille
pour la faire s'écrouler.
16 De la ville, une femme avisée cria :
« Écoutez, écoutez donc ! Demandez à
Joab de venir jusqu'ici, j'ai à lui parler. »
17 Joab s'approcha. La femme lui demanda : « Es-tu bien Joab ? » – « Oui, c'est
bien moi ! » répondit-il. Elle reprit :
« Daigne donc écouter ce que j'ai à te
dire. » – « J'écoute », dit Joab.
18 La femme poursuivit : « On avait
coutume de dire autrefois : "Que l'on
procède à une consultation à Abel-Beth-
Maaka, et l'affaire sera réglée !" 19 Notre
ville est l'une des plus paisibles et des
plus fidèles d'Israël[k]. Mais toi, tu cherches à anéantir cette ville, qui est parmi
les principales d'Israël ! Pourquoi
veux-tu ainsi détruire ce qui appartient
au Seigneur ? » – 20 « Jamais de la vie !
s'écria Joab. Je n'ai aucune intention de
saccager ou de détruire quoi que ce soit !
21 Il n'est pas question de cela. Il s'agit
seulement d'un individu de la région
montagneuse d'Éfraïm, Chéba, fils de Bikri, qui s'est révolté contre le roi David.
Livrez-le-moi, lui seul, et je lèverai le
siège. » – « Bien, dit la femme, nous allons
te lancer sa tête par-dessus la muraille. »
22 La femme rejoignit ses concitoyens
et leur donna ce sage conseil. On coupa
alors la tête de Chéba et on la lança à
Joab. Celui-ci fit sonner de la trompette ;
aussitôt ses soldats levèrent le siège, puis
rentrèrent chez eux. Joab lui-même retourna auprès du roi à Jérusalem.

Liste des fonctionnaires de David

23 Joab était chef de toute l'armée d'Israël ; Benaya, fils de Yoyada, commandait
les Crétois et les Pélétiens de la garde
royale ; 24 Adoram était responsable des
travaux obligatoires ; Yochafath, fils
d'Ahiloud, était porte-parole du roi ;
25 Cheva était secrétaire ; Sadoc et Abiatar
étaient prêtres ; 26 Ira, descendant de Yaïr,
était aussi prêtre au service de David.

Les Gabaonites et les descendants de Saül

21 1 Pendant le règne de David, il y
eut une famine qui dura trois années. David consulta le Seigneur, qui lui
répondit : « Cela arrive à cause des meurtres que Saül et les siens ont commis,
lorsque Saül a fait mourir les Gabaonites[l]. »
2 Le roi convoqua les Gabaonites pour
leur parler. Ceux-ci n'étaient pas des Is-

---

j 20.14 *Joab* : hébreu *Il*, qui pourrait aussi désigner *Chéba*. – *Abel-Beth-Maaka* : une des localités les plus septentrionales d'Israël, à 40 km environ au nord du lac de Génésareth. – *les Bérites* : peuple inconnu. – Le texte hébreu de tout ce verset est assez obscur.

k 20.19 En hébreu, le v. 18 et le début du v. 19 ne sont pas clairs et la traduction est incertaine.

l 21.1 Sur Gabaon, voir 2.12 et la note.

raélites, mais des survivants des *Amorites, à qui les Israélites avaient promis la
vie sauve ; cependant Saül, dans son zèle
pour *Israël et Juda, avait cherché à les
exterminer[m]. 3 David leur demanda :
« Que dois-je faire pour vous ? Comment
puis-je réparer le mal que vous avez subi,
afin que vous *bénissiez le peuple du Seigneur ? » 4 Les Gabaonites répondirent :
« Notre différend avec Saül et sa famille
ne peut pas se régler avec de l'argent ou
de l'or, ni en mettant à mort un Israélite[n]. » – « Alors dites-moi ce que vous
désirez, reprit David. Je vous l'accorderai. » 5 Les Gabaonites lui dirent : « Saül
avait l'intention d'en finir avec nous, de
nous exterminer, de ne laisser subsister
aucun de nous dans tout le territoire d'Israël. 6 Qu'on nous livre donc sept hommes parmi ses descendants, et nous les
pendrons en présence du Seigneur, à
Guibéa[o], la ville où résidait Saül, le roi
choisi par le Seigneur. » – « Je vous les
livrerai », déclara le roi.

7 David épargna Mefibaal, fils de Jonatan et petit-fils de Saül, à cause du pacte
d'amitié qu'il avait conclu avec Jonatan,
au nom du Seigneur[p]. 8 Mais il fit chercher Armoni et Mefibocheth, les deux
fils que Rispa, fille d'Aya, avait donnés à
Saül, et les cinq fils que Mikal, fille de
Saül, avait donnés à Adriel, fils de Barzillaï, d'Abel-Mehola[q]. 9 Il les livra aux
Gabaonites qui les pendirent sur une colline, devant le Seigneur. Tous les sept
succombèrent ensemble. Cette exécution
eut lieu dans les tout premiers jours de la
moisson de l'orge[r].

10 Rispa, veuve de Saül, prit l'étoffe
grossière qu'elle portait, l'étendit sur le
rocher, et demeura là depuis le début de
la moisson jusqu'au moment où il se mit
à pleuvoir sur les corps. De jour, elle empêchait les oiseaux de se poser sur eux, et
de nuit, elle éloignait les bêtes sauvages.
11 On informa David de ce qu'avait fait
Rispa. 12 Alors il alla reprendre les ossements de Saül et de son fils Jonatan aux
citoyens de Yabech, en Galaad. En effet,
après avoir vaincu Saül à Guilboa, les
Philistins avaient pendu les corps de Saül
et de Jonatan sur l'esplanade de Beth-
Chéan, où les gens de Yabech étaient venus les dérober[s]. 13 David emporta de Yabech les ossements de Saül et de Jonatan.
Puis on rassembla les ossements des sept
pendus 14 et on alla les déposer, avec ceux
de Saül et de Jonatan, dans le tombeau de
Quich, père de Saül, à Séla[t], dans le territoire de Benjamin.

Après qu'on eut exécuté tous les ordres du roi, Dieu se montra propice au pays.

Combats contre les Philistins

(Voir 1 Chron 20.4-8)

15 Un nouveau conflit éclata entre Philistins et Israélites. David et ses soldats
descendirent attaquer les Philistins. Soudain David ressentit de la fatigue.
16 Ichebi-Benob, un descendant de Harafa[u], résolut de tuer David. Il était équipé
de neuf, et la pointe de bronze de sa lance
pesait plus de trois kilos. 17 Mais Abichaï,
dont la mère s'appelait Serouia, se porta
au secours du roi et frappa à mort le Philistin. Alors les soldats firent promettre à
David de ne plus participer avec eux aux
combats, afin que la royauté ne s'éteigne
pas en Israël.

18 Plus tard, il y eut encore un combat
contre les Philistins, à Gob[v] ; à cette occasion-là, Sibkaï, de Houcha, tua Saf, un
autre descendant de Harafa. 19 Au cours
d'un autre combat contre les Philistins,
également à Gob, Élanan, fils de Yari, de

m **21.2** *promis la vie sauve* : voir Jos 9.3-27. – *cherché à les exterminer* : on ignore à quel moment et en quelles circonstances Saül a agi ainsi à l'égard des *Gabaonites*.

n **21.4** *en mettant à mort un Israélite* : la réponse des Gabaonites n'est pas claire ; ils veulent peut-être simplement souligner qu'ils n'ont pas le droit de vie et de mort sur les Israélites.

o **21.6** *pendrons* : le sens du verbe hébreu n'est pas certain ; autres traductions *empalerons* ou *écartèlerons*. – *Guibéa* : voir 1 Sam 10.5 et la note.

p **21.7** *Mefibaal* : voir 9.1-13. – *pacte... au nom du Seigneur* : voir 1 Sam 20.14-16,42.

q **21.8** *Mikal* : selon 1 Sam 18.19, c'est *Mérab* qui épousa *Adriel*. – *Abel-Mehola* : voir Jug 7.22 et la note.

r **21.9** La *moisson de l'orge* a lieu généralement en avril.

s **21.12** Sur les lieux mentionnés et l'événement lui-même, voir 1 Sam 31 et les notes.

t **21.14** Localité non identifiée.

u **21.16** *de Harafa* ou *de Rafa*. Il pourrait s'agir alors de l'ancêtre des Refaïtes, voir Deut 2.11 et la note.

v **21.18** Endroit inconnu.

Bethléem, tua Goliath, de Gath[w], dont le
bois de la lance était gros comme le cylindre d'un métier à tisser. 20 Un autre
combat encore eut lieu, à Gath. Il y avait
là un soldat ennemi, qui avait six doigts à
chaque main et à chaque pied, soit un total de vingt-quatre ; il était lui aussi un
descendant de Harafa. D'un tempéra-
ment bagarreur, 21 il insulta les Israélites.
Alors Yonatan, fils de Chamma et neveu
de David, le tua.

22 Ces quatre soldats philistins, descendants de Harafa, de Gath, tombèrent
donc sous les coups de David et de ses
soldats.

David remercie Dieu après une victoire

(Voir Ps 18)

22 1 David adressa ce cantique au Seigneur quand celui-ci l'eut délivré de tous ses ennemis, en particulier de Saül :

2 Le Seigneur est pour moi un roc,
un refuge où je suis en sûreté.
3 Mon Dieu est pour moi un rocher
où je suis à l'abri du danger,
un bouclier qui me protège,
une forteresse où je suis sauvé.
Je cherche asile auprès de lui
pour être délivré des violents.
4 Qu'on acclame le Seigneur !
Dès que je l'appelle au secours,
je suis délivré de mes ennemis.
5 La Mort faisait déferler ses vagues sur moi,
elle m'effrayait comme un torrent destructeur ;
6 j'étais presque prisonnier du monde des ombres,
son piège se refermait sur moi.
7 Dans ma détresse j'ai appelé le Seigneur,
j'ai lancé mes appels vers mon Dieu.
De son *temple il a entendu ma voix,
il a bien voulu écouter mon cri.

8 Alors la terre fut prise de tremblements,
le ciel vacilla sur ses bases ;
terre et ciel chancelèrent devant la colère du Seigneur.
9 Une fumée montait de ses narines,
un feu dévorant sortait de sa bouche,
accompagné d'étincelles brûlantes.
10 Le Seigneur inclina le ciel et descendit,
un sombre nuage sous les pieds.
11 Monté sur un *chérubin il prit son vol,
il apparut sur les ailes du vent.
12 Il s'enveloppa d'obscurité,
se dissimula dans d'épaisses nuées,
dans des nuages gonflés d'eau.
13 Devant lui une vive lumière,
d'où jaillissaient des étincelles de feu.
14 Du ciel le Seigneur fit gronder le tonnerre,
le Dieu très-haut fit retentir sa voix.
15 Il lança des éclairs en tous sens,
tira des flèches dans toutes les directions.
16 Devant ces menaces du Seigneur,
devant la tempête de sa colère,
le fond des océans fut dévoilé,
les fondations du monde apparurent.

17 Alors du haut du ciel il étendit la main et me saisit,
il m'arracha au danger qui me submergeait,
18 il me délivra de mes puissants ennemis,
de mes adversaires trop forts pour moi.
19 Au jour du désastre ils m'avaient assailli,
mais le Seigneur est venu me soutenir,
20 il m'a dégagé, m'a rendu la liberté.
Il m'aime, voilà pourquoi il m'a délivré.

21 Le Seigneur me traite ainsi parce que je lui reste fidèle ;
il me récompense d'avoir toujours agi honnêtement.
22 J'observe les recommandations du Seigneur,
je ne me rends pas coupable envers mon Dieu.
23 Oui, j'observe les règles qu'il a prescrites,

---

w **21.19** *Yari* : orthographe probable du nom. En hébreu, le nom se lit *Yaré*, et il est suivi d'un mot inutile, repris à la fin du verset où il est à sa place. – *Gath* : voir 1 Sam 5.8 et la note.

je ne m'écarte pas de ce qu'il a ordonné.
24 Je veux qu'il n'ait rien à me reprocher,
je me garde d'être en faute.
25 Alors le Seigneur m'a récompensé de lui être resté fidèle
et d'avoir fait ce qu'il jugeait honnête.

26 Seigneur, tu te montres fidèle envers qui t'est fidèle,
irréprochable avec l'homme irréprochable.
27 Tu te montres pur avec qui est pur,
mais tu ridiculises l'homme de mauvaise foi.
28 Tu viens au secours du peuple humilié,
mais tu regardes avec mépris les orgueilleux.
29 Seigneur, tu es pour moi une lampe,
oui, Seigneur, tu éclaires la nuit où je suis.
30 Avec toi, je prends d'assaut une muraille[x],
grâce à toi, mon Dieu, je peux franchir un rempart.

31 Dieu est un guide parfait[y], les avis qu'il donne sont sûrs ;
il est comme un bouclier pour tous ceux qui se réfugient auprès de lui.
32 Un seul est Dieu, c'est le Seigneur ;
un seul est un rocher pour nous, c'est notre Dieu !
33 C'est lui, mon puissant protecteur,
qui dégage la route devant moi,
34 qui me donne l'agilité de la gazelle
et me maintient debout sur les hauteurs[z].
35 C'est lui qui m'entraîne au combat
et m'aide à tendre l'arc le plus puissant.
36 Seigneur, comme un bouclier tu me protèges et me sauves,
tu réponds à mes appels et tu me rends fort.
37 Grâce à toi je cours plus vite sans faire de faux pas.
38 Je poursuis mes ennemis et les extermine,
je ne fais pas demi-tour avant d'en avoir fini avec eux.
39 Je les taille en pièces, je les achève,
ils ne se relèveront plus ;
ils sont à terre, je mets le pied sur eux.
40 Tu me donnes la force de combattre,
tu fais plier mes agresseurs, les voici à mes pieds.
41 Devant moi tu mets en fuite mes ennemis,
je peux réduire à rien mes adversaires.
42 Ils ont beau implorer du regard,
personne ne leur vient en aide ;
ils s'adressent au Seigneur,
mais il ne leur répond pas.
43 Je les broie, je les réduis en poussière,
je les piétine comme la boue des rues.

44 Tu me mets à l'abri de mon peuple révolté,
tu me gardes à la tête des nations.
Des gens inconnus se soumettent à moi,
45 des étrangers viennent me flatter[a],
au moindre mot ils m'obéissent,
46 ils perdent leur assurance,
ils trébuchent, à cause de leurs chaînes.

47 Le Seigneur est vivant !
Merci à celui qui est mon rocher !
Dieu est grand,
il est mon rocher et mon sauveur !
48 C'est le Dieu qui me donne ma revanche
et qui me soumet des peuples.
49 Seigneur, tu me soustrais à mes ennemis,
tu me rends victorieux de mes agresseurs,
tu me délivres des hommes violents.
50 Je veux donc te louer parmi les nations,
te célébrer par mes chants[b].
51 Le Seigneur fait de grandes choses pour secourir le roi qu'il a choisi,
il traite avec bonté celui qu'il a consacré,

---

x **22.30** Autre traduction *Avec toi, je me précipite sur une troupe armée.*

y **22.31** Autres traductions *Dieu agit d'une manière irréprochable* ou *La voie que Dieu me trace est parfaite.*

z **22.34** *sur les hauteurs* : d'après l'ancienne version grecque ; hébreu *sur mes hauteurs*. – Voir Hab 3.19.

a **22.45** Texte hébreu peu clair et traduction incertaine.

b **22.50** Voir Rom 15.9.

David, et ses descendants, pour toujours.

Dernières déclarations de David

23 1 Voici les dernières déclarations
de David :

Écoutez les paroles de David, fils de Jessé,
les paroles de l'homme souverainement élevé,
que le Dieu de Jacob a choisi comme roi
et que le peuple d'Israël se plaît à chanter[c] :
2 L'Esprit du Seigneur s'exprime par moi,
il place sa parole sur ma langue.
3 Le Dieu d'Israël a parlé,
le protecteur d'Israël m'a déclaré :
« Le roi qui gouverne les hommes avec justice
et se soumet à Dieu pour les diriger
4 est pareil au soleil qui se lève, lumineux,
dans un ciel matinal sans nuage.
A la chaleur de ses rayons, après la pluie,
la verdure sort de terre. »
5 Voici comment Dieu agit avec ma famille :
il a conclu avec moi une alliance perpétuelle,
fixée par des règles qui la préservent[d].
En toute occasion, il m'assure la victoire,
il réalise mes désirs.
6 Mais tous ceux qui méprisent Dieu
sont comme des branches épineuses qu'on élimine.
On ne les empoigne pas à main nue ;
7 celui qui veut y toucher s'arme d'un crochet de fer
ou d'un bois de lance, et brûle tout sur place[e].

Les guerriers de David

(Voir 1 Chron 11.10-47)

8 Voici la liste des plus vaillants guerriers de David[f] : *Ichebaal,* le Hakmonite,
qui appartenait à l'élite de la garde ; on
l'appelait aussi Adino l'Esnite, et c'est lui
qui fit huit cents victimes en une seule
fois.
9 Vient ensuite *Élazar,* fils de Dodo et
petit-fils d'un homme d'Ahoa. Il était
l'un des trois guerriers accompagnant
David, lorsqu'ils défièrent les Philistins[g]
rassemblés pour le combat ; l'armée d'Israël battit en retraite,
10 mais Élazar tint
ferme et tua des Philistins jusqu'à ce que
sa main se crispe de fatigue sur la poignée
de son épée. Le Seigneur accorda ce
jour-là une éclatante victoire à Israël ;
l'armée ne revint auprès d'Élazar que
pour dépouiller les victimes.
11 Vient ensuite *Chamma,* fils d'Agué,
de Harar. Lorsque les Philistins se rassemblèrent à Léhi, où se trouvait un
champ de lentilles, l'armée d'Israël prit la
fuite devant eux ;
12 mais Chamma se
posta au milieu du champ, le dégagea et
battit les Philistins. Le Seigneur accorda
ainsi une éclatante victoire à Israël.

13 Un jour, au temps de la moisson,
trois membres de l'élite de la garde vinrent trouver David à la caverne d'Adoullam, car une troupe de Philistins campait
dans la vallée des Refaïtes[h].
14 David était
dans son refuge fortifié, et un groupe de
Philistins occupait Bethléem.
15 David,
pris d'un désir soudain, demanda : « Qui
m'apportera à boire de l'eau provenant de
la citerne située à la porte de Bethléem ? »
16 Alors les trois guerriers firent irruption
dans le camp philistin, puisèrent de l'eau
dans la citerne, l'emportèrent et la présentèrent à David. Mais lui ne voulut pas
la boire ; il l'offrit au Seigneur en la versant sur le sol,
17 et il déclara : « Je n'ai pas
le droit, Seigneur, de boire cette eau !

---

c **23.1** 1 Sam 18.7 offre un exemple de chant célébrant les exploits de David.

d **23.5** Voir chap. 7.

e **23.7** Le texte hébreu du v. 7 est peu clair et la traduction incertaine.

f **23.8** La liste suivante, en hébreu, contient de nombreux passages peu clairs. Il y est question en particulier d'un *« groupe des Trente »* et d'un *« groupe des Trois »*, qui sont parfois confondus dans le texte original.

g **23.9** *défièrent les Philistins* ou *se moquèrent des Philistins.*

h **23.13** *Adoullam* : voir 1 Sam 22.1 et la note ; *vallée des Refaïtes* : voir 5.18 et la note.

N'est-elle pas comme le sang même des
hommes qui sont allés la chercher, au péril de leur vie ? » Il refusa donc de la boire.
Tel fut l'exploit de ces trois guerriers.

18 *Abichaï,* frère de Joab, dont la mère
s'appelait Serouia, appartenait à l'élite de
la garde. C'est lui qui, un jour, brandit
son javelot contre trois cents adversaires
et les tua. Il acquit une renommée semblable à celle du "groupe des Trois" ; 19 il
fut l'un des plus célèbres du "groupe des
Trente", et devint même leur chef, mais il
ne fit pas partie du "groupe des Trois".
20 *Benaya,* de Cabséel, fils de Yoyada, lequel était un vaillant soldat, accomplit de
nombreux exploits. C'est lui qui tua les
deux Ariel[i] de Moab ; lui aussi qui, un
jour où il neigeait, descendit dans une citerne pour y tuer un lion. 21 C'est lui encore qui tua un imposant Égyptien armé
d'une lance : il l'attaqua avec un bâton, lui
arracha la lance de la main et s'en servit
pour le tuer. 22 Tels furent les exploits de
Benaya, qui acquit une renommée semblable à celle du groupe des trois guerriers. 23 Il fut l'un des plus célèbres du
"groupe des Trente", mais il ne fit pas partie du "groupe des Trois". David lui confia
le commandement de la garde royale.
24 Le "groupe des Trente" comprenait
aussi : *Assaël,* frère de Joab, *Élanan,* fils de
Dodo, de Bethléem, 25 *Chamma,* de Harod, *Élica,* de Harod, 26 *Hélès,* de Péleth,
Ira, fils d'Iquèch, de Técoa, 27 *Abiézer,*
d'Anatoth, *Mebounnaï,* de Houcha, 28 *Salmon,* d'Ahoa, *Maraï* de Netofa, 29 *Héleb,*
fils de Baana, de Netofa, *Ittaï,* fils de Ribaï, de Guibéa, dans le territoire de Benjamin, 30 *Benaya,* de Piraton, *Hiddaï,* des
torrents de Gaach, 31 *Abialbon,* de Beth-
Araba, *Azmaveth,* de Bahourim, 32 *Éliaba,*
de Chaalbon, un des fils de Yachen,
Yonatan[j], 33 *Chamma,* de Harar, *Ahiam,*
fils de Charar, de Harar, 34 *Éliféleth,* fils
d'Ahasbaï et petit-fils d'un homme de
Maaka, *Éliam,* fils d'Ahitofel, de Guilo,
35 *Hesraï,* de Karmel, *Paaraï,* d'Arab,
36 *Igal,* fils de Natan, de Soba, *Bani,* de la
tribu de Gad, 37 *Sélec,* l'Ammonite, *Naraï,*
de Beéroth, porteur d'armes de Joab, dont
la mère s'appelait Serouia, 38 *Ira,* de la famille de Yéter, *Gareb,* de la même famille,
39 et *Urie,* le Hittite. Au total, ils étaient
trente-sept.

David fait recenser le peuple d'Israël

(Voir 1 Chron 21.1-6)

24 1 Un jour, le Seigneur se mit de
nouveau en colère contre les Israélites[k]. Il poussa David à agir contre
leur intérêt, en lui suggérant de dénombrer les Israélites et les Judéens. 2 Le roi
dit à Joab, chef de l'armée, qui accompagnait le roi : « Parcours tout le territoire
d'Israël, du nord au sud, et que l'on recense le peuple, car je veux connaître le
chiffre de la population. » 3 Joab répondit
au roi : « Majesté, je souhaite que le Seigneur ton Dieu rende le peuple cent fois
plus nombreux, et que tu puisses le voir
de tes propres yeux ! Mais toi, pourquoi
désires-tu faire une chose pareille[l] ? »
4 Cependant l'ordre du roi était catégorique, de sorte que Joab et les officiers supérieurs durent l'exécuter. Ils sortirent de
chez le roi pour aller recenser le peuple
d'Israël. 5 Ils passèrent le Jourdain et
commencèrent par la ville d'Aroër et la
ville qui se trouve au fond de la vallée[m].
Ils traversèrent la tribu de Gad en direction de Yazer, 6 pénétrèrent dans le territoire de Galaad, se rendirent dans le pays

---

i 23.20 *les deux Ariel* : personnages inconnus.

j 23.32 *un des fils de Yachen, Yonatan* : hébreu peu clair ; certains traduisent en corrigeant d'après l'ancienne version grecque et le texte de 1 Chron 11.34 *Yachen, le Gounite, Yonatan, fils de (Chamma).*

k 24.1 Allusion à 21.1-14.

l 24.3 Le recensement était un moyen de connaître, entre autres, la puissance militaire d'un royaume (voir v. 9). Seulement le roi du peuple de Dieu ne doit pas compter sur le grand nombre de ses soldats, mais sur la puissance de son Dieu. Le recensement ordonné par David est interprété par Joab comme un manque de confiance en Dieu.

m 24.5 *et commencèrent... de la vallée* : d'après certains manuscrits de l'ancienne version grecque ; hébreu *et campèrent à Aroër, au sud de la ville qui se trouve au fond de la vallée. – Aroër* : localité située à l'est de la mer Morte, à la frontière de Moab. – Selon l'itinéraire décrit jusqu'au v. 7, les envoyés de David parcourent le pays en commençant par la région est, puis en passant au nord et à l'ouest pour finir par le sud.

n 24.6 *dans le pays des Hittites, à Cadès* : d'après l'ancienne version grecque ; hébreu *dans le pays de Tahtim-Hodchi* (pays inconnu). – *Cadès* : localisation incertaine, au nord de la Palestine.

des Hittites, à Cadès[n], à Dan-Yaan et aux
alentours, puis à Sidon. 7 Ils continuèrent
par la ville fortifiée de Tyr et par toutes
les villes qui avaient appartenu aux Hivites et aux Cananéens[o] pour gagner Berchéba, dans le sud du territoire de Juda.
8 Après avoir parcouru tout le pays, ils regagnèrent Jérusalem, au bout de neuf
mois et vingt jours. 9 Joab communiqua
au roi le résultat du recensement : Israël
comptait 800 000 soldats en état de se
battre, et Juda 500 000.

Dieu punit la faute de David

(Voir 1 Chron 21.7-17)

10 Soudain, David se sentit coupable
d'avoir fait ce recensement, et il dit au Seigneur : « En agissant ainsi, j'ai commis une
faute grave. Je reconnais que je me suis
conduit comme un insensé ! Seigneur, pardonne-moi ce péché. » 11-12 Le Seigneur
adressa alors la parole au *prophète Gad,
conseiller de David : « Va trouver David !
Tu lui diras : "Voici ce que déclare le Seigneur : Je te propose trois châtiments ;
je t'infligerai celui que tu choisiras." »
Le lendemain, quand David se leva,
13 Gad se rendit chez lui et lui communiqua le message de Dieu, puis il lui demanda : « Préfères-tu que ton pays passe
par sept années de famine, ou bien que tu
aies à fuir pendant trois mois devant l'ennemi lancé à ta poursuite, ou encore que
la peste s'abatte pour trois jours sur ton
pays ? Réfléchis et dis-moi ce que je dois
répondre à celui qui m'envoie. » 14 David
répondit : « Je suis dans une grande angoisse... Mais je préfère tomber entre les
mains du Seigneur plutôt qu'entre celles
des hommes, car le Seigneur sait avoir pitié. »
15 Le Seigneur envoya donc une épidémie de peste sur Israël, dès ce matin-là et
pour la durée annoncée. D'un bout à l'autre du pays, soixante-dix mille hommes
moururent. 16 Lorsque *l'ange du Seigneur, la main dirigée contre Jérusalem,
fut sur le point d'y répandre le fléau, le
Seigneur renonça à sévir davantage. Il dit
à l'ange exterminateur : « Cela suffit ;
abaisse ta main ! »
A ce moment-là, l'ange du Seigneur se
trouvait près de l'endroit où le Jébusite[p]
Aravna battait son blé. 17 David, après
avoir vu l'ange qui exterminait le peuple,
dit au Seigneur : « Je suis le coupable. C'est
moi, le roi, qui ai péché[q] ; eux, les gens de
mon peuple, n'ont rien fait de mal. C'est
donc moi et ma famille qu'il faut punir. »

David construit un autel pour le Seigneur

(Voir 1 Chron 21.18-26)

18 Le même jour, Gad vint trouver David et lui dit : « Monte sur l'aire où Aravna
bat son blé, et construis là un *autel pour
le Seigneur. » 19 David s'y rendit comme le
Seigneur le lui avait ordonné par l'intermédiaire de Gad. 20 D'en haut, Aravna vit
le roi et ses ministres qui venaient vers lui.
Il s'avança, se jeta le visage contre terre devant le roi 21 et demanda : « Comment se
fait-il que le roi vienne chez moi ? » – « Je
désire t'acheter cet emplacement-ci, répondit David. Je veux y construire un autel pour le Seigneur, afin que le fléau qui
s'est abattu sur le peuple prenne fin. »
Aravna déclara alors : 22 « Que le roi
prenne tout ce qu'il désire, pour faire une
offrande à Dieu. Voici mes bœufs pour le
*sacrifice, ainsi que les chariots et les har-
nais comme combustible. 23 Je donne tout
au roi. J'espère que le Seigneur son Dieu
accueillera cette offrande avec faveur. »
24 Mais le roi lui dit : « Tu ne me donneras
rien ! Je veux acheter cela, te le payer. Je ne
vais quand même pas offrir au Seigneur
mon Dieu des sacrifices qui ne me coûtent
rien ! »
David lui paya cinquante pièces d'argent pour l'aire et les bœufs. 25 Il
construisit à cet endroit un autel et offrit
au Seigneur des sacrifices complets et des
sacrifices de communion. Alors le Seigneur se montra propice au pays et le
fléau qui s'était abattu sur Israël prit fin.

---

o **24.7** *Hivites, Cananéens* : voir au Vocabulaire AMORITES.

p **24.16** *Jébusite* : descendant des habitants de Jébus, nom que portait Jérusalem avant d'être conquise par David.

q **24.17** *le roi* (ou *le berger*) : d'après un manuscrit hébreu trouvé à Qumrân et l'ancienne version grecque ; ce mot ne figure pas dans le texte hébreu traditionnel.

Premier livre des

Rois

***Introduction** – À l'origine, les deux livres des Rois ne constituaient qu'un seul ouvrage, suite chronologique des livres de Samuel. Dans la division actuelle,* 1 Rois *raconte le règne de Salomon, fils de David, et de ses premiers successeurs.*

*Au moment où David est devenu trop vieux pour exercer effectivement le pouvoir royal, deux de ses fils intriguent en vue de lui succéder (1.1–2.12). Finalement c'est Salomon qui devient roi. Son règne sera essentiellement marqué par la construction du temple et du palais royal. Malheureusement il finira sa vie dans l'infidélité et l'idolâtrie (2.13–11.43). Dieu permet alors que le royaume soit déchiré : les tribus du Nord n'acceptent pas de se soumettre à l'autorité du fils de Salomon et se donnent un autre roi (12.1–14.20). Désormais, et pour deux siècles environ, deux royaumes, Juda et *Israël, vont exister côte à côte ; ils seront tantôt alliés, tantôt adversaires (14.21–22.53).*

*Ce livre souligne avec insistance combien il est nécessaire que le roi soit fidèle à Dieu. Une telle fidélité est source de prospérité nationale, alors que l'idolâtrie et la désobéissance à Dieu conduisent inévitablement à la catastrophe. Plusieurs *prophètes se manifestent à divers moments pour rappeler aux rois les exigences de Dieu ; le principal d'entre eux fut Élie (chap. 17–19 ; 21).*

Adonia voudrait devenir roi

1 1 Le roi David était devenu très vieux. Même quand on le couvrait de vêtements, il ne parvenait pas à se réchauffer. 2 Alors les gens de son entourage lui dirent : « Nous allons chercher pour sa Majesté le roi une jeune fille vierge qui sera à son service, qui le soignera et qui couchera auprès de lui pour le réchauffer. » 3-4 Ils cherchèrent donc une belle jeune fille dans tout le pays d'Israël ; au village de Chounem[a], ils en trouvèrent une qui était particulièrement belle ; elle s'appelait Abichag. Ils l'amenèrent au roi, elle entra à son service et le soigna, mais le roi n'eut pas de relations avec elle.

5-6 A cette même époque, Adonia, le fils de David et de Haguite, qui était lui aussi un très beau jeune homme, jouait au prince en disant : « C'est moi qui serai le roi ! » – En effet, il était né juste après Absalom. – Il s'était procuré des chars et des chevaux[b], ainsi qu'une troupe de cinquante hommes qui couraient devant son char. Pourtant, son père ne lui reprocha rien à ce sujet et ne lui demanda même jamais pourquoi il agissait ainsi. 7 Adonia se mit à comploter avec le général Joab, dont la mère s'appelait Serouia,

a **1.3-4** Village de Galilée, à 80 km au nord de Jérusalem. Voir 2 Rois 4.8.

b **1.5-6** *Adonia* : voir 2 Sam 3.2-4. – *des chevaux* ou *des cavaliers*.

et avec le prêtre Abiatar[c], qui devinrent ses partisans. 8 Par contre, le prêtre Sadoc, Benaya, fils de Yoyada, le *prophète Natan, ainsi que Chiméi, Réi et les soldats de la garde personnelle de David, n'étaient pas des partisans d'Adonia.

Natan et Batchéba, partisans de Salomon

9 Un jour, Adonia organisa une grande fête à la “Pierre-qui-Glisse” près de la source des Blanchisseurs[d] ; on y sacrifia des moutons, des taureaux et des bêtes grasses. Il y avait invité les fils du roi David, ses frères, et tous les hommes importants de la région de Juda qui étaient au service du roi, 10 à l'exception du *prophète Natan, de Benaya, des soldats de la garde et de son frère Salomon.

11 Alors Natan vint trouver Batchéba, la mère de Salomon[e] : « Tu as certainement appris, lui dit-il, qu'Adonia, le fils de Haguite, agit comme s'il était roi ; mais Sa Majesté le roi David n'en sait rien. 12 Je vais donc te donner un conseil ; si tu le suis, tu pourras sauver ta vie et celle de ton fils Salomon. 13 Va trouver le roi David et dis-lui ceci : “Sa Majesté le roi m'avait bien promis[f] que mon fils Salomon deviendrait roi après lui et qu'il prendrait place sur son trône. Alors pourquoi est-ce Adonia qui est devenu roi ?” » 14 Et Natan continua : « Au moment où tu finiras de parler avec le roi, moi aussi j'irai le trouver et je confirmerai ce que tu auras dit. »

15 Batchéba se rendit donc chez le roi, qui était dans sa chambre à cause de son grand âge. Abichag de Chounem était là pour le servir. 16 Batchéba s'agenouilla et s'inclina profondément devant le roi, qui lui demanda : « Que désires-tu ? » 17 Elle répondit : « Sa Majesté le roi m'avait promis devant le Seigneur son Dieu que mon fils Salomon deviendrait roi après lui et qu'il prendrait place sur son trône. 18 Mais je viens d'apprendre que c'est Adonia qui est devenu roi, sans que tu en saches rien. 19 En effet, Adonia a organisé une grande fête au cours de laquelle il a sacrifié des quantités de taureaux, de bêtes grasses et de moutons ; il y a invité tous tes fils ainsi que le prêtre Abiatar et le général Joab, mais pas ton fils Salomon. 20 Maintenant, Majesté, tout le peuple d'Israël attend avec impatience que tu proclames publiquement le nom de celui qui doit te succéder comme roi. 21 Sinon, quand tu ne seras plus là, on nous traitera, mon fils Salomon et moi-même, comme des coupables. »

22 Au moment où Batchéba finissait de parler avec le roi, le prophète Natan arriva au palais. 23 On annonça au roi son arrivée, puis Natan entra et s'inclina devant le roi, le visage contre terre. 24 Ensuite il dit : « Est-ce bien Sa Majesté le roi qui a décidé qu'Adonia deviendrait roi après lui et qu'il prendrait place sur son trône ? 25 En effet, Adonia est descendu aujourd'hui à la “Pierre-qui-Glisse”, il a organisé une grande fête au cours de laquelle il a sacrifié des quantités de taureaux, de bêtes grasses et de moutons. Il y a invité tes fils, ainsi que les chefs de l'armée et le prêtre Abiatar ; tous ceux-là sont en train de manger et de boire avec lui, et crient : “Vive le roi Adonia !” 26 Mais il n'a invité ni le prêtre Sadoc, ni Benaya, fils de Yoyada, ni ton fils Salomon, ni moi-même. 27 Est-il possible que Sa Majesté le roi ait ainsi décidé de se choisir un successeur sans nous en informer, nous, ses fidèles serviteurs ? »

David désigne Salomon pour lui succéder

28 Alors le roi David ordonna : « Rappelez Batchéba ! » Quand Batchéba fut de nouveau devant lui, 29 il lui fit ce serment : « Par le Seigneur vivant, qui m'a toujours secouru quand j'étais dans des situations difficiles, 30 je jure que je vais réaliser aujourd'hui même ce que je t'avais déjà promis devant le Seigneur, le Dieu d'Israël, lorsque je t'ai dit : “Ton fils

---

c **1.7** *Joab* : neveu (voir 1 Chron 2.13-16) et général en chef de David (voir 2 Sam 8.16). – *Abiatar* : un des deux prêtres confidents de David, voir 2 Sam 8.17. (Sur l'autre, *Sadoc*, voir v. 8).

d **1.9** *source des Blanchisseurs* : voir 2 Sam 17.17 et la note.

e **1.11** Voir 2 Sam 12.24.

f **1.13** L'histoire du règne de David (2 Sam) ne nous rapporte pas en quelles circonstances le roi a prononcé cette promesse relative à Salomon.

Salomon deviendra roi après moi et prendra place sur mon trône." » 31 Alors Batchéba s'agenouilla, s'inclina jusqu'à terre
devant le roi, puis elle s'écria : « Vive Sa
Majesté le roi David, pour toujours ! »
32 Ensuite David fit appeler le prêtre
Sadoc, le *prophète Natan et Benaya, fils
de Yoyada ; lorsqu'ils furent devant lui,
33 il leur ordonna : « Rassemblez les gens
de mon entourage ; puis faites monter
mon fils Salomon sur ma mule royale et
conduisez-le à la source de Guihon[g].
34 Là, le prêtre Sadoc et le prophète Natan verseront de l'huile sur sa tête[h] pour
le consacrer roi d'Israël. Alors vous sonnerez de la trompette et vous crierez :
"Vive le roi Salomon !" 35 Ensuite vous
remonterez à la ville en marchant derrière lui ; et Salomon viendra prendre
place sur mon trône et me succédera
comme roi, car c'est lui que j'ai désigné
comme chef à la tête des peuples *d'Israël et de Juda. » 36 Benaya répondit au
roi : « C'est bien dit, Majesté ! C'est le
Seigneur Dieu lui-même qui a parlé par
la bouche du roi. 37 Qu'il soit avec Salomon comme il a été avec toi, et qu'il
rende le règne de Salomon encore plus
glorieux que le tien ! »

Salomon est consacré roi

(Voir 1 Chron 29.21-25)

38 Le prêtre Sadoc, le *prophète Natan
et Benaya, fils de Yoyada, avec les Crétois
et les Pélétiens[i] de la garde royale, se rendirent donc auprès de Salomon ; ils le firent monter sur la mule royale de David
et le conduisirent à la source de Guihon.
39 Le prêtre Sadoc avait pris dans la
*tente du Seigneur la corne remplie
d'huile consacrée ; il en versa sur la tête
de Salomon pour le consacrer roi. Alors
on sonna de la trompette et tous ceux qui
étaient là se mirent à crier : « Vive le roi
Salomon ! » 40 Puis tout le monde remonta à la ville en marchant derrière lui ;
les gens jouaient de la flûte et manifestaient une si grande joie que la terre était comme secouée par leurs cris.

Salomon pardonne à Adonia

41 Adonia et tous ses invités, qui
avaient fini de manger, entendirent du
bruit ; Joab distingua même la sonnerie
de trompette et demanda : « Que signifie
cette agitation bruyante dans la ville ? »
42 Il finissait de poser cette question
quand Yonatan, le fils du prêtre Abiatar,
arriva. « Entre, lui dit Adonia, car tu es
un homme d'honneur, et tu apportes
certainement de bonnes nouvelles. » –
43 « Hélas non ! répondit Yonatan. Sa Majesté le roi David a désigné Salomon pour
lui succéder comme roi. 44 David a ordonné au prêtre Sadoc, au *prophète Natan et à Benaya, fils de Yoyada, avec les
Crétois et les Pélétiens de la garde, d'accompagner Salomon ; alors ceux-ci l'ont
fait monter sur la mule royale, 45 puis le
prêtre Sadoc et le prophète Natan l'ont
consacré roi près de la source de Guihon.
Ensuite tout le monde est remonté de là
en manifestant sa joie, et la population de
la ville est tout excitée ; voilà d'où venait
le bruit que vous avez entendu. 46 De
plus, continua Yonatan, Salomon a pris
place sur le trône royal, 47 et les ministres
sont venus féliciter[j] Sa Majesté le roi David en disant : "Nous souhaitons que ton
Dieu rende la renommée de Salomon encore plus grande que la tienne, et qu'il rende son règne encore plus glorieux que le tien." Et alors le roi, sur son lit, s'est
incliné profondément 48 et a déclaré : "Je
remercie le Seigneur, le Dieu d'Israël, qui m'a donné aujourd'hui un successeur, et qui surtout m'a permis de vivre ces événements." »
49 Tous les invités d'Adonia furent ef-
frayés par ces paroles ; ils se levèrent et
s'en allèrent chacun de son côté. 50 Adonia lui-même eut tellement peur de Salomon qu'il alla se réfugier auprès de
*l'autel des sacrifices[k]. 51 Quelqu'un vint
l'annoncer à Salomon en ces termes :
« Adonia a tellement peur de toi qu'il

---

g **1.33** La *source de Guihon* est située dans la vallée du Cédron, sur le flanc est de la colline de Jérusalem. Un de ses noms actuels est « Fontaine de la Vierge ».

h **1.34** Voir 1 Sam 10.1 ; 16.13.

i **1.38** *Pélétiens* : soldats d'origine étrangère, mais inconnue, qui, avec les *Crétois*, formaient la *garde* personnelle de David.

j **1.47** *féliciter* : autre traduction *bénir*.

k **1.50** Celui qui allait *se réfugier auprès de l'autel* demandait par ce geste la protection de Dieu.

s'est réfugié auprès de l'autel ; là, il a dit : "Je ne quitterai cet endroit que si le roi Salomon me promet de ne pas me faire mourir." » 52 Salomon répondit : « S'il se conduit en honnête homme, je ne lui ferai aucun mal ; mais s'il commet la moindre faute, il devra mourir. »

53 Le roi Salomon envoya quelqu'un chercher Adonia auprès de l'autel ; on le fit descendre de là, et il vint s'incliner jusqu'à terre devant le roi. Alors Salomon lui dit : « Tu peux retourner chez toi ! »

Les dernières instructions de David

2 1 Lorsque David sentit que la mort était proche, il donna ses instructions à son fils Salomon. 2 « Je vais bientôt quitter ce monde, lui dit-il ; montre-toi donc courageux et conduis-toi en homme responsable. 3 Sois fidèle au Seigneur ton Dieu ; fais toujours ce qu'il veut, et obéis à ses lois, à ses commandements, à ses ordres et à ses enseignements, à tout ce qui est écrit dans la loi de Moïse ; c'est ainsi que tu réussiras dans tout ce que tu entreprendras. 4 Alors le Seigneur accomplira ce qu'il m'avait promis en disant : "Si tes descendants font fidèlement ce que je veux, s'ils se conduisent à mon égard avec une entière franchise et avec une totale sincérité, il y aura toujours après toi l'un d'entre eux qui régnera sur le peuple d'Israël." 5 Par ailleurs, continua David, tu te souviens de tout le mal que m'a fait Joab, dont la mère s'appelle Serouia ; c'est lui qui a assassiné les deux chefs des armées d'Israël, Abner fils de Ner et Amassa fils de Yéter[l] ; lorsqu'il a fait cela, il a commis un acte de guerre en temps de paix et il en est totalement responsable. 6 C'est pourquoi, tu agiras avec sagesse en ne le laissant pas mourir tranquillement de vieillesse. 7 Tu te souviens aussi des fils de Barzillaï, de Galaad, qui sont venus me secourir[m] le jour où je m'enfuyais devant ton frère Absalom ; à cause de cela, tu les traiteras avec bonté et ils mangeront tous les jours à ta table. 8 Enfin n'oublie pas Chiméi, fils de Guéra, du village de Bahourim dans le territoire de Benjamin : il a prononcé contre moi une terrible malédiction le jour où je fuyais à Mahanaïm ; mais quand j'ai pris le chemin du retour, il est descendu au bord du Jourdain pour m'accueillir ; alors je lui ai promis devant le Seigneur de ne pas le faire mourir[n]. 9 Mais maintenant, toi qui es un homme sage, tu ne le tiendras pas pour innocent. Tu sais comment le traiter : malgré son grand âge, tu veilleras à ce qu'il soit mis à mort. »

David meurt. Salomon lui succède

(Voir 1 Chron 29.26-28)

10 Lorsque David mourut, on l'enterra dans la *Cité de David, à Jérusalem. 11 Il avait régné quarante ans sur le peuple d'Israël, à savoir sept ans à Hébron et trente-trois ans à Jérusalem[o]. 12 Son fils Salomon lui succéda[p]. Dès lors, l'autorité royale de Salomon s'affermit.

Salomon se débarrasse d'Adonia

13 Un jour Adonia, le fils de David et de Haguite, alla trouver Batchéba, la mère de Salomon ; celle-ci lui demanda : « Viens-tu me voir avec de bonnes intentions ? » – « Oui, répondit-il, 14 et il ajouta : J'aimerais te parler. » – « Parle ! » lui dit-elle. 15 Il reprit : « Tu sais que la royauté aurait dû me revenir ; d'ailleurs tout le peuple d'Israël s'attendait à ce que je devienne roi. Mais les choses se sont passées autrement : c'est mon frère Salomon qui est devenu roi plutôt que moi, car le Seigneur l'a voulu ainsi. 16 Maintenant, j'ai juste une chose à te demander ; ne me la refuse pas. » – « Parle donc », lui dit-elle. 17 « Je t'en prie, reprit Adonia, demande au roi Salomon de me donner Abichag, de Chounem, pour qu'elle devienne ma femme ; il ne te refusera certainement pas cela. » – 18 « Bien, dit Batchéba, j'irai en parler au roi pour toi. »

19 Elle alla donc se présenter devant Salomon pour lui parler d'Adonia. Le roi se

---

l **2.5** Voir 2 Sam 3.26-27 ; 20.9-10.
m **2.7** Voir 2 Sam 17.27-29 ; 19.32-33.
n **2.8** Voir 2 Sam 16.5-13 ; 19.16-24.
o **2.11** Voir 2 Sam 5.1-5 ; 1 Chron 3.4.
p **2.12** *Salomon* a commencé à régner aux environs de 970 avant J.-C.

leva de son trône, s'avança vers elle et s'inclina profondément ; puis il se rassit, fit mettre un trône à sa droite et sa mère y prit place. 20 Batchéba lui dit : « J'ai juste une petite chose à te demander ; ne me la refuse pas. » – « Ma mère, lui répondit le roi, demande ce que tu veux, je ne te le refuserai pas. » – 21 « Eh bien ! reprit-elle, ne pourrait-on pas donner Abichag, de Chounem, à ton frère Adonia, pour qu'elle devienne sa femme ? » 22 Salomon répondit à sa mère : « Comment ? Tu oses demander Abichag de Chounem pour Adonia ? Mais demande tout de suite la royauté pour lui[q], puisqu'il est mon frère aîné ! Demande-la pour lui et ses partisans, le prêtre Abiatar et le général Joab ! »

23 Ensuite Salomon prononça ce serment devant le Seigneur : « Que Dieu m'inflige la plus terrible des punitions si Adonia ne paie pas de sa vie une pareille demande ! 24 Par le Seigneur vivant qui m'a installé fermement sur le trône de mon père David et qui m'a promis la royauté pour moi et mes descendants, je jure qu'Adonia mourra aujourd'hui même ! » 25 Alors Salomon envoya Benaya, fils de Yoyada, l'exécuter. C'est ainsi qu'Adonia mourut.

Salomon chasse Abiatar de Jérusalem

26 Le roi dit ensuite au prêtre Abiatar : « Retire-toi à Anatoth, dans ta propriété, car tu mérites la mort ; mais je ne veux pas te faire mourir aujourd'hui, parce qu'autrefois, du temps de mon père David, tu as porté le *coffre de l'alliance du Seigneur Dieu et tu as participé à toutes les épreuves de mon père[r]. » 27 Salomon interdit donc à Abiatar d'exercer ses fonctions de prêtre du Seigneur. Ainsi se réalisa ce que le Seigneur avait dit contre la famille du grand-prêtre Héli, au *sanctuaire de Silo[s].

Salomon se débarrasse de Joab

28 Lorsque Joab apprit ce qui était arrivé à Adonia et à Abiatar, il s'enfuit à la *tente du Seigneur et s'y réfugia auprès de *l'autel des sacrifices[t]. En effet, il avait pris parti pour Adonia, bien qu'il n'eût pas pris parti précédemment pour Absalom. 29 Quelqu'un vint annoncer la nouvelle à Salomon en ces termes : « Joab s'est enfui à la tente du Seigneur et s'est réfugié près de l'autel. » Salomon envoya quelqu'un demander à Joab : « Pourquoi t'es-tu réfugié près de l'autel ? » – « J'ai eu peur de toi, répondit Joab, et je me suis réfugié auprès du Seigneur[u]. » Alors Salomon ordonna à Benaya, fils de Yoyada, d'aller le tuer. 30 Benaya se rendit à la tente et dit à Joab : « Le roi t'ordonne de sortir de là. » – « Non ! répondit Joab. Je veux mourir ici. »

Benaya revint chez le roi et lui répéta ce qu'avait répondu Joab. 31 « Très bien ! s'écria le roi. Tue-le sur place comme il l'a dit, puis enterre-le ; ainsi la famille de mon père et moi-même, nous serons dégagés de toute responsabilité en ce qui concerne la mort des deux hommes innocents que Joab a assassinés. 32 En effet, Abner fils de Ner, chef de l'armée *d'Israël, et Amassa fils de Yéter, chef de l'armée de Juda, étaient des hommes plus justes et meilleurs que Joab ; pourtant ce dernier les a assassinés sans que mon père en sache rien. Eh bien, que le Seigneur fasse subir à Joab les conséquences de ce double meurtre ! 33 Oui, c'est Joab et ses descendants qui en subiront les conséquences pour toujours, tandis que David et ses descendants, sa famille et les rois qui lui succéderont jouiront d'un bonheur sans fin, accordé par le Seigneur. » 34 Benaya retourna donc vers Joab et le tua ; puis il le fit enterrer dans sa propriété, située en pleine campagne. 35 Le roi remplaça Joab par Benaya à la tête de l'armée, et Abiatar par Sadoc comme prêtre du sanctuaire.

---

q **2.22** Voir 2 Sam 3.7 et la note ; 16.21-22.

r **2.26** *Anatoth* : localité située à 4 km au nord-ouest de Jérusalem ; patrie du prophète Jérémie (voir Jér 1.1). – *tu as porté le coffre de l'alliance* : voir 2 Sam 15.24-29. – *les épreuves de mon père* : voir 1 Sam 22.20-23.

s **2.27** Voir 1 Sam 2.30-36.

t **2.28** Voir 1.50 et la note.

u **2.29** *Salomon envoya... du Seigneur* : d'après l'ancienne version grecque ; ces mots manquent dans le texte hébreu.

Salomon se débarrasse de Chiméi

36 Salomon fit venir Chiméi et lui dit : « Construis-toi une maison à Jérusalem ; je veux que tu habites là et je t'interdis de sortir de la ville. 37 Je t'avertis solennellement : si un jour tu sors de la ville et que tu traverses le torrent du Cédron, tu mourras ; tu subiras ainsi la peine de ton crime. » – 38 « Bien, Majesté ! répondit Chiméi. Je vais faire ce que tu as dit. »

Chiméi demeura longtemps à Jérusalem. 39 Mais environ trois ans plus tard, deux de ses esclaves s'enfuirent chez Akich, fils de Maaka et roi de la ville de Gath[v]. Lorsque Chiméi apprit que ses esclaves étaient chez Akich, 40 il sella son âne et partit pour Gath ; il alla réclamer ses esclaves à Akich et rentra avec eux à Jérusalem. 41 On annonça à Salomon que Chiméi était allé à Gath, puis était rentré à Jérusalem. 42 Alors le roi le fit venir et lui dit : « Je t'avais fait promettre devant le Seigneur de ne pas sortir de la ville, et je t'avais prévenu que si tu en sortais pour aller où que ce soit, tu mourrais. Tu m'avais répondu : “Bien ! J'ai compris”. 43 Pourquoi donc n'as-tu pas tenu la promesse faite devant le Seigneur ? Pourquoi as-tu désobéi à l'ordre que je t'avais donné ? 44 Et tu te souviens aussi, ajouta le roi, de tout le mal que tu as fait à mon père David ; tu en es parfaitement conscient. Eh bien, le Seigneur lui-même te fera subir les conséquences de ta méchanceté. 45 Mais le Seigneur me *bénira et il affermira pour toujours la royauté dans la famille de David[w]. » 46 Sur l'ordre du roi, Benaya, fils de Yoyada, sortit du palais avec Chiméi et le tua.

Dès lors, l'autorité royale de Salomon fut fermement établie.

Salomon épouse une fille du Pharaon

3 1 Le roi Salomon épousa une fille du *Pharaon, roi d'Égypte, et, par ce mariage, il s'allia avec le Pharaon. Il amena sa femme dans la *Cité de David à Jérusalem, en attendant d'avoir fini de bâtir son propre palais, ainsi que le temple du Seigneur et les murailles qui entourent Jérusalem. 2 A cette époque, les gens offraient les sacrifices dans les lieux sacrés du pays, car on n'avait pas encore construit de temple consacré au Seigneur. 3 Salomon manifesta son amour pour le Seigneur en faisant ce que son père David lui avait ordonné ; pourtant lui aussi offrait des sacrifices d'animaux et brûlait du parfum dans les lieux sacrés.

Salomon demande à Dieu la sagesse pour régner

(Voir 2 Chron 1.2-13)

4 Un jour, le roi se rendit à Gabaon[x] pour y offrir des sacrifices. C'était là en effet le lieu sacré le plus important : Salomon avait déjà offert des centaines de *sacrifices complets sur *l'autel de ce lieu. 5 Pendant que Salomon était à Gabaon, le Seigneur Dieu lui apparut durant la nuit dans un rêve et lui dit : « Que pourrais-je te donner ? Demande-le-moi. » 6 Salomon répondit : « Seigneur, tu as manifesté une grande bonté envers ton serviteur David mon père, tout comme lui-même s'est conduit en homme digne de confiance, juste et loyal envers toi ; et tu lui as conservé ta bonté en lui donnant un fils pour lui succéder comme roi, ainsi qu'on peut le voir aujourd'hui. 7 Oui, Seigneur mon Dieu, c'est toi qui m'as fait roi pour succéder à mon père David. Mais moi, je suis encore trop jeune pour savoir comment je dois remplir cette tâche. 8 Et je me trouve soudain à la tête du peuple que tu as choisi, ce peuple si nombreux qu'on ne peut pas le compter exactement. 9 Veuille donc, Seigneur, me donner l'intelligence nécessaire pour gouverner ton peuple et pour reconnaître ce qui est bon ou mauvais pour lui. Sans cela, personne ne serait capable de gouverner ton peuple, qui est considérable. »

10 Cette demande de Salomon plut au Seigneur. 11 Il répondit donc au roi : « Tu n'as demandé pour toi-même ni de vivre longtemps, ni de devenir riche, ni que tes ennemis meurent ; tu as demandé de

---

v **2.39** *Gath* : voir 1 Sam 5.8 et la note.
w **2.45** Voir 2 Sam 7.13-16.
x **3.4** Localité située à 10 km au nord-ouest de Jérusalem.

pouvoir gouverner mon peuple avec intelligence et justice. 12 C'est pourquoi, conformément à ce que tu as demandé, je vais te donner de la sagesse et de l'intelligence ; tu en auras plus que n'importe qui, avant toi ou après toi. 13 Et je vais même te donner ce que tu n'as pas demandé, la richesse et la gloire ; pendant toute ta vie, tu en auras plus qu'aucun autre roi. 14 Enfin, si tu fais ce que je désire, si tu obéis à mes lois et à mes commandements comme ton père David, alors je prolongerai ta vie. »

15 Quand Salomon se réveilla, il se rendit compte que Dieu lui avait parlé dans un rêve. Il revint à Jérusalem et se présenta devant le Seigneur, devant le *coffre de l'alliance. Il offrit à Dieu des sacrifices complets, puis des *sacrifices de communion, et enfin il donna un banquet à tous les gens de son entourage.

Salomon rend la justice avec sagesse

16 Un jour, deux prostituées vinrent se présenter devant le roi Salomon. 17 La première dit : « Que Sa Majesté veuille bien m'écouter. Moi et cette femme, nous habitons la même maison. J'ai mis au monde un fils, dans la maison, à un moment où elle était là. 18 Deux jours plus tard, elle aussi a mis au monde un fils. Nous vivons seules dans cette maison, il n'y a personne d'autre que nous deux. 19 Or cette nuit, le fils de cette femme est mort parce qu'elle s'était couchée sur lui. 20 Alors elle s'est levée au milieu de la nuit, et pendant que je dormais, elle a pris mon fils qui était à côté de moi et elle l'a couché dans son lit ; puis elle a placé son fils, qui était mort, à côté de moi. 21 Ce matin, quand je me suis levée pour allaiter mon fils, je l'ai trouvé mort ; je l'ai regardé attentivement à la lumière, et j'ai vu que ce n'était pas mon fils... »

22 A ce moment, l'autre femme s'écria : « Ce n'est pas vrai ! C'est mon fils qui est vivant et c'est le tien qui est mort ! » Mais la première reprit : « Non ! C'est ton fils qui est mort et le mien qui est vivant ! » C'est ainsi qu'elles se disputaient devant le roi. 23 Salomon prit la parole et déclara : « L'une d'entre vous dit : “L'enfant qui est vivant, c'est mon fils, et c'est ton fils qui est mort !” L'autre répond : “Non ! C'est ton fils qui est mort et c'est le mien qui est vivant !” 24 Eh bien ! voici ce que j'ordonne : “Qu'on m'apporte une épée.” » Dès qu'on l'eut apportée, 25 le roi ajouta : « Coupez l'enfant vivant en deux et donnez-en la moitié à chacune des femmes ! »

26 La mère de l'enfant vivant, poussée par son profond amour pour son fils, s'écria : « Majesté, qu'on donne plutôt l'enfant vivant à cette femme, mais surtout qu'on ne le fasse pas mourir ! » Quant à l'autre femme, elle disait : « Coupez l'enfant en deux ; de cette manière il ne sera ni à moi, ni à elle. » 27 Alors le roi déclara : « Ne tuez pas l'enfant ; remettez-le à la première des deux femmes, car c'est elle qui est la mère de l'enfant vivant ! »

28 Tous les Israélites apprirent comment Salomon avait rendu la justice à cette occasion, et ils furent remplis d'un profond respect envers le roi. En effet ils avaient compris que Dieu lui-même l'avait rempli de sagesse pour rendre la justice.

Salomon organise son royaume

4 1 Salomon fut roi de l'ensemble du peuple d'Israël. 2 Voici les noms de ses hauts fonctionnaires[y] : Azaria, fils de Sadoc, prêtre ; 3 Élihoref et Ahia, les fils de Chicha, secrétaires ; Yochafath, fils d'Ahiloud, porte-parole du roi ; 4 Benaya, fils de Yoyada, chef de l'armée ; Sadoc et Abiatar, prêtres ; 5 Azaria, fils de Natan, chef des gouverneurs ; Zaboud, fils de Natan, prêtre et conseiller personnel du roi ; 6 Ahichar, chef du palais royal ; Adoniram, fils d'Abda, responsable des travaux obligatoires.

7 Salomon avait aussi douze gouverneurs répartis dans tout le pays d'Israël, qui devaient fournir la nourriture pour le roi et pour tout le personnel du palais. Chacun d'eux à tour de rôle était responsable de cette tâche pendant un mois de

y **4.2** Comparer une liste semblable en 2 Sam 8.15-18.

l'année. 8 Voici qui étaient ces gouverneurs[z] :
Le fils de Hour, pour la région montagneuse d'Éfraïm ;
9 le fils de Déquer, pour la région de Ma-
cas, Chaalbim, Beth-Chémech et Élon-
Beth-Hanan ;
10 le fils de Hessed, à Arouboth, pour la
région de Soko et tout le pays de Héfer ;
11 le fils d'Abinadab, pour toute la région
des collines de Dor – il avait épousé Ta-
fath, une fille de Salomon – ;
12 Baana, fils d'Ahiloud, pour la région de
Taanak et Méguiddo, et toute la région de
Beth-Chéan – la région de Beth-Chéan
touche à Sartan au-dessous de Jizréel ;
elle s'étend de Beth-Chéan à Abel-Mehola et jusqu'au-delà de Yocméam – ;
13 le fils de Guéber, à Ramoth, en Galaad,
pour la région des villages de Yaïr, fils de
Manassé, en Galaad, et le territoire
d'Argob, sur le plateau du *Bachan ;
toute cette région comptait soixante villes fortifiées, entourées de murailles et
fermées par des portes avec verrous de
bronze ;
14 Ahinadab, fils d'Iddo, pour la région de
Mahanaïm ;
15 Ahimaas, pour la région de Neftali – lui
aussi avait épousé une fille de Salomon,
qui s'appelait Basmath – ;
16 Baana, fils de Houchaï, pour la région
d'Asser et de Béaloth ;
17 Yochafath, fils de Paroua, pour la région d'Issakar ;
18 Chiméi, fils d'Éla, pour la région de
Benjamin ;
19 Guéber, fils d'Ouri, pour le pays de Galaad, ainsi que les pays de Sihon, roi des
*Amorites, et d'Og, roi du Bachan.
En plus de ces douze, il y avait aussi un
gouverneur dans le pays de Juda[a].
20 Les habitants du royaume de Juda et
Israël étaient très nombreux, aussi nombreux que les grains de sable au bord de
la mer. Ayant suffisamment à manger et à
5 boire, ils menaient une vie heureuse.
1 Salomon dominait tous les petits
royaumes qui s'étendaient depuis l'Euphrate, le grand fleuve, jusqu'au pays
des Philistins et même jusqu'à la frontière de l'Égypte[b]. Tous les rois de ces
royaumes furent ainsi soumis à Salomon
et lui versèrent des impôts tant qu'il vécut.
2 Chaque jour, Salomon avait besoin
des vivres suivants pour lui-même et
pour tout son personnel : neuf tonnes de
farine grossièrement moulue, dix-huit
tonnes de farine finement moulue, 3 dix
bœufs spécialement engraissés, vingt
bœufs pris au pâturage et cent moutons,
sans compter d'autres animaux comme
des cerfs, des gazelles, des daims et des
volailles engraissées.
4 Salomon dominait donc tout le territoire situé au sud-ouest de l'Euphrate,
depuis Tifsa jusqu'à Gaza[c], de sorte que
tous les rois de cette région lui étaient
soumis. Il vivait ainsi en paix avec tous
ses voisins. 5 Les habitants de Juda et
d'Israël bénéficiaient de cette sécurité ;
d'un bout à l'autre du pays[d], chacun vivait tranquillement au milieu de ses vignes et de ses figuiers, tant que régna
Salomon.
6 Salomon avait aussi douze mille chevaux, ainsi que des écuries pouvant recevoir quarante mille chevaux pour ses
chars[e].
7 Les douze gouverneurs désignés par
le roi fournissaient tous les vivres nécessaires pour Salomon et pour ses invités ;
chacun d'eux était responsable de cette
tâche pendant un mois de l'année et faisait attention que rien ne manque.
8 Quant à l'orge et à la paille nécessaires
pour les chevaux et les bêtes de trait, les
gouverneurs les faisaient livrer, selon les

z **4.8** Aux v. 8, 9, 10, 11 et 13, le nom des *gouverneurs* est absent. La liste a peut-être été copiée sur un document endommagé.

a **4.19** *En plus de...* : texte hébreu obscur ; autres traductions *En plus de ces douze, il y avait un gouverneur pour l'ensemble du pays* ou *Il n'y avait qu'un seul gouverneur pour cette région*.

b **5.1** Comparer Gen 15.18 ; 2 Chron 9.26. – Dans certaines traductions, les v. 1-14 du chap. 5 sont numérotés 4.21-34.

c **5.4** *Tifsa* : localité située sur la rive occidentale de l'Euphrate, à 80 km à l'est de l'actuelle ville d'Alep (Syrie) ; *Gaza* : ville philistine située dans la plaine côtière de la Méditerranée, au sud du royaume de Salomon.

d **5.5** Voir 2 Sam 3.10 et la note.

e **5.6** Voir 10.26 ; 2 Chron 1.14 ; 9.25 ; comparer Deut 17.16. – *(douze mille) chevaux* ou *cavaliers*.

ordres reçus, à l'endroit où se trouvait le
roi.

Salomon surpasse en sagesse tous les hommes

9 Dieu avait donné à Salomon une immense sagesse et une immense intelligence. Ainsi les questions auxquelles
Salomon s'intéressa furent aussi nombreuses que les grains de sable au bord
de la mer. 10 Salomon dépassa en sagesse
tous les sages de l'Arabie et de l'Égypte.
11 Il surpassait n'importe qui, même
Étan l'Ezrahite, même Héman, Kalkol
et Darda, les fils de Mahol[f]; sa sagesse
était si grande que sa réputation se répandit chez tous les peuples voisins. 12 Il
a prononcé trois mille proverbes et
composé plus de mille chants[g]. 13 Il a
parlé de toutes sortes de plantes, depuis
le cèdre du Liban jusqu'à la branche
d'hysope qui pousse au pied d'un mur;
il a parlé aussi des animaux, des oiseaux,
des reptiles et des poissons. 14 On venait
de toutes les nations pour entendre Salomon s'exprimer avec sagesse; on venait de la part de tous les rois de la terre,
qui avaient entendu parler de cette
sagesse.

Salomon prépare la construction du temple

(Voir 2 Chron 2.2-15)

15 Hiram, roi de la ville de Tyr[h], avait
toujours été un ami de David. Quand il
apprit que Salomon avait été consacré roi
pour succéder à son père David, il envoya
une délégation lui présenter ses vœux.
16 Salomon à son tour lui envoya des messagers pour lui dire: 17 «Tu sais que mon
père David n'a pas pu construire un temple consacré au Seigneur son Dieu, parce
que ses ennemis ne cessaient pas de l'attaquer d'un côté ou d'un autre. Mais le
Seigneur a fini par lui donner la victoire
sur eux; 18 et maintenant le Seigneur
mon Dieu m'a accordé la paix sur toutes
mes frontières, de sorte que je n'ai plus à
redouter ni adversaire ni malheur. 19 Je
me suis donc décidé à construire un temple consacré au Seigneur mon Dieu. En
effet le Seigneur avait déclaré ceci à mon
père David: "C'est ton fils, celui que je
désignerai pour te succéder comme roi,
qui construira le temple où l'on viendra
m'adorer[i]." 20 Eh bien, je t'en prie, ordonne maintenant à tes bûcherons d'aller
sur le mont Liban couper les cèdres dont
j'aurai besoin; car, tu le sais bien, il n'y a
chez nous personne d'aussi compétent
que vous, les Phéniciens[j], pour abattre
les arbres. Mes propres ouvriers aideront
les tiens. Ensuite je te payerai intégralement le salaire que tu m'indiqueras pour
tes bûcherons.»

21 Lorsque le roi Hiram reçut ce message de Salomon, il en fut très heureux
et il s'écria: «Il faut remercier le Seigneur en ce jour, car il a donné à David
un fils plein de sagesse pour régner sur
le grand peuple d'Israël!» 22 Puis il envoya cette réponse à Salomon: «J'ai bien
reçu la demande que tu m'as adressée.
J'accepte de te fournir tout le bois de cèdre et de pin[k] que tu désires. 23 Mes ouvriers transporteront les troncs d'arbres
des hauteurs du Liban jusqu'à la côte.
Ils les assembleront en grands radeaux
pour les faire flotter par mer jusqu'à
l'endroit que tu m'indiqueras. Là, ils dé-
feront les radeaux et tes ouvriers viendront y chercher les troncs. Comme
paiement, tu me fourniras les provisions
que je désire pour nourrir le personnel
de mon palais.»

24 Alors Hiram livra à Salomon tout le
bois de cèdre et de pin qu'il désirait; 25 de
son côté, Salomon lui fournissait chaque
année six mille tonnes de blé et huit
mille litres d'huile d'olive de première
qualité, pour approvisionner son palais.

26 Le Seigneur avait donné de la sagesse à Salomon, comme il le lui avait

---

f 5.11 *Étan l'Ezrahite*: voir Ps 89.1. – *Mahol*: personnage inconnu. Ce mot pourrait être aussi un nom commun *(danse)*; l'expression *fils de la danse* signifierait alors *danseurs*.

g 5.12 *proverbes*: voir Prov 1.1; 10.1; 25.1; *chants*: voir Cant 1.1.

h 5.15 *Hiram* était *roi* de la région de *Tyr* et de Sidon (actuellement Sour et Saïda, au Liban); voir 5.20 et la note. – Dans certaines traductions, les v. 15-32 sont numérotés 1-18 (voir 5.1 et la note).

i 5.19 Voir 2 Sam 7.12-13; 1 Chron 17.11-12.

j 5.20 *Phéniciens*: autre traduction *Sidoniens*; il s'agit des habitants du royaume de Hiram.

k 5.22 *pin*: autres traductions *cyprès* ou *genévrier*.

promis. Salomon put ainsi vivre en bonne entente avec Hiram et conclure une alliance avec lui.

Salomon organise les travaux obligatoires

(Voir aussi 2 Chron 1.18 ; 2.1,16-17)

27 Le roi Salomon organisa des travaux obligatoires, auxquels trente mille Israélites durent participer. 28 Chaque mois, dix mille d'entre eux étaient envoyés sur le mont Liban, où ils dépendaient d'Adoniram, le responsable des travaux obligatoires ; ils y travaillaient pendant un mois, puis revenaient passer deux mois chez eux. 29 Il y avait aussi soixante-dix mille porteurs et quatre-vingt mille tailleurs de pierre qui travaillaient pour Salomon dans la montagne, 30 sans compter les trois mille trois cents contremaîtres, subordonnés aux gouverneurs de Salomon, et qui surveillaient l'ouvrage de cette foule de travailleurs. 31 Conformément aux ordres du roi, ils extrayaient et taillaient de belles grandes pierres pour les fondations du temple. 32 Les ouvriers de Salomon et de Hiram, avec l'aide des spécialistes de la ville de Byblos[l], finissaient de les tailler. C'est ainsi qu'on prépara le bois et les pierres nécessaires pour construire le temple.

La construction du temple

(Voir aussi 2 Chron 3.1-14)

6 1 Le roi Salomon commença la construction du temple du Seigneur quatre cent quatre-vingts ans après que les Israélites furent sortis d'Égypte. Salomon régnait depuis quatre ans sur le peuple d'Israël, lorsque les travaux débutèrent, pendant le mois de Ziv[m], c'est-à-dire le deuxième mois de l'année.

2 Le temple que Salomon fit construire pour le Seigneur mesurait trente mètres de long, dix mètres de large et quinze mètres de haut. 3 Devant la *grande salle du temple, il y avait un vestibule d'entrée, de dix mètres de large, comme le temple, et de cinq mètres de profondeur. 4 Dans les murs du temple se trouvaient des fenêtres à cadre, recouvertes d'un grillage[n]. 5 On construisit une annexe de trois étages qui s'appuyait contre les murs extérieurs de la grande salle et de la salle du fond. 6 Le rez-de-chaussée de l'annexe avait deux mètres et demi de large, l'étage intermédiaire trois mètres et l'étage supérieur trois mètres et demi. En effet, le mur extérieur du temple n'avait pas la même épaisseur sur toute sa hauteur ; il était moins épais à chaque niveau, de sorte que la charpente ne pénétrait pas dans les murs du temple[o]. 7 Pour construire le temple, on utilisa les pierres telles qu'elles provenaient de la carrière ; ainsi, pendant tout le temps de la construction, on n'entendit pas un seul coup de marteau, ni de pic, ni d'aucun autre outil de fer. 8 La porte de l'étage intermédiaire se trouvait sur le côté sud du temple ; on y accédait par un escalier tournant, de même qu'à l'étage supérieur. 9 Pour finir la construction du temple, on fit un plafond au moyen de poutres et de planches de cèdre. 10 Quant à l'annexe construite sur le pourtour du temple, elle avait deux mètres et demi de haut par étage, et les poutres de cèdre reposaient sur le mur du temple.

11 Le Seigneur adressa la parole à Salomon : 12 « Tu es en train de construire ce temple pour moi. Eh bien, si tu te conduis conformément à mes lois, si tu agis selon les règles que je t'ai données, si tu t'appliques à obéir à tous mes commandements, alors je réaliserai la promesse que j'ai faite à ton sujet lorsque j'ai parlé à ton père David ; 13 je viendrai demeurer dans ce temple parmi les Israélites et je n'abandonnerai jamais Israël, mon peuple. »

La décoration intérieure du temple

14 Lorsqu'on eut fini les travaux de maçonnerie du temple, selon les ordres de

---

l **5.32** Localité située à 30 km au nord de l'actuelle ville de Beyrouth.

m **6.1** *Ziv* : voir au Vocabulaire CALENDRIER.

n **6.4** *grillage* : traduction incertaine ; il s'agit peut-être de plaques de pierre ajourées, permettant l'aération du bâtiment, et servant en même temps de motif décoratif.

o **6.6** A chaque étage de l'annexe, le mur du temple mesurait cinquante centimètres de moins en épaisseur. Il formait ainsi deux rebords sur lesquels reposait la charpente de l'annexe (voir v. 10).

Salomon, 15 on recouvrit les murs intérieurs de boiseries de cèdre, de bas en haut, et on posa un plancher en bois de pin. 16 On recouvrit aussi de boiseries de cèdre les murs de la pièce du fond, dix mètres de boiserie de bas en haut ; puis on aménagea l'intérieur de cette pièce pour en faire la salle du *coffre de l'alliance, appelée "*lieu très saint"[p]. 17 Le reste du temple, c'est-à-dire la *grande salle qui précède la salle du coffre, avait vingt mètres de long. 18 Les boiseries intérieures du temple étaient décorées de sculptures représentant des fruits de coloquintes et des fleurs épanouies. Tout était recouvert de boiseries de cèdre, de sorte qu'on ne voyait aucune pierre. 19 On arrangea l'intérieur de la salle du fond, la pièce importante du temple, pour y déposer le coffre de l'alliance du Seigneur. 20-21 Cette pièce avait dix mètres de long, dix mètres de large et dix mètres de haut. On l'avait recouverte d'or fin, de même que tout l'intérieur du temple. Devant l'entrée de cette pièce, on tendit une chaîne en or et on plaça un *autel en bois de cèdre recouvert d'or. 22 Ainsi le temple tout entier était recouvert d'or, de même que l'autel placé près de l'entrée de la salle du coffre[q].

23-26 On façonna alors deux *chérubins en bois d'olivier sauvage, pour les placer dans la salle du coffre. Chacun mesurait cinq mètres de haut. Le premier avait des ailes de deux mètres et demi de long, ce qui faisait cinq mètres d'un bout à l'autre de ses ailes. Le second mesurait également cinq mètres ; il avait les mêmes dimensions et la même forme que le premier. 27 On plaça les chérubins au milieu de la salle du coffre ; ils avaient les ailes étendues, de telle manière qu'une aile du premier chérubin touchait un mur de la salle, et une aile du second chérubin touchait l'autre mur, tandis que les deux autres ailes se touchaient au milieu de la pièce. 28 On avait recouvert d'or les deux chérubins[r].

29 Sur tous les murs du temple, dans les deux salles, on grava des motifs en relief, des chérubins, des palmes et des fleurs épanouies. 30 Et on recouvrit d'or même le plancher du temple, également dans les deux salles.

31 Pour fermer la salle du coffre, on fit une porte à deux battants, en bois d'olivier sauvage ; le linteau et les montants de la porte avaient cinq moulures[s]. 32 On sculpta sur les deux battants des chérubins, des palmes et des fleurs épanouies, qu'on recouvrit d'or ; l'or fut martelé sur les chérubins et sur les palmes. 33 On fit de même une porte pour fermer la grande salle ; mais là, les montants en bois d'olivier sauvage avaient quatre moulures, 34 les deux battants étaient en bois de pin, et chaque battant était décoré de deux anneaux sculptés[t]. 35 On y sculpta aussi des chérubins, des palmes et des fleurs épanouies, et on recouvrit d'or les parties sculptées.

36 Puis on entoura la cour intérieure d'un mur comportant trois rangées superposées de pierres de taille et une rangée de poutres de cèdre.

37 Ainsi, on posa les fondations du temple du Seigneur pendant la quatrième année du règne de Salomon, au mois de Ziv. 38 On termina de le construire dans tous ses détails et conformément à tous les plans pendant la onzième année du règne de Salomon, au mois de Boul[u], c'est-à-dire le huitième mois. Il fallut donc sept ans pour le construire.

La construction du palais royal

7 1 Salomon fit aussi construire son palais royal ; il lui fallut treize ans pour en terminer tous les bâtiments. 2 On construisit le bâtiment appelé "La Forêt du Liban", qui avait cinquante mètres de long, vingt-cinq mètres de large et quinze mètres de haut. Il portait ce nom à cause de quatre rangées de colonnes en bois de cèdre, sur lesquelles reposaient les pou-

---

p **6.16** *lieu très saint* : comparer Ex 26.33-34.

q **6.22** Comparer Ex 30.1-3.

r **6.28** V. 23-28 : comparer Ex 25.18-20.

s **6.31** *moulures* : traduction incertaine ; de même au v. 33.

t **6.34** Autre traduction *chaque battant était fait de deux panneaux pivotants*.

u **6.38** *Boul* : voir au Vocabulaire CALENDRIER.

tres du plafond, également en cèdre. 3 Le
plafond, en bois de cèdre lui aussi, était
fixé sur les quarante-cinq poutres trans-
versales – trois rangées de quinze – qui
reposaient sur les colonnes. 4 Sur chaque
côté du bâtiment, il y avait trois rangées
de fenêtres à cadre ; les fenêtres se faisaient vis-à-vis, sur trois niveaux. 5 Toutes les portes avec leurs encadrements
étaient rectangulaires, et elles se faisaient également vis-à-vis, en trois endroits.

6 On construisit ensuite la “Salle des
Colonnes”, qui avait vingt-cinq mètres
de long et quinze mètres de large. Elle
servait de vestibule, avec ses colonnes et
son auvent[v] placés en avant de “La Forêt
du Liban”.

7 On construisit encore la “Salle du
Trône”, appelée aussi “Salle du Jugement”, car c’était là que Salomon rendait
la justice ; elle était recouverte de boiseries de cèdre, de bas en haut[w].

8 Le bâtiment dans lequel Salomon habitait se trouvait dans une autre cour, en
retrait par rapport à “La Forêt du Liban”, mais il était construit de la même
manière.

Enfin le bâtiment destiné à la fille du
*Pharaon, que Salomon avait épousée[x],
était construit de la même manière que le
vestibule de “La Forêt du Liban”.

9 Tous ces bâtiments furent construits
avec des pierres soigneusement choisies ; elles avaient les dimensions des
pierres de taille et on en avait découpé à
la scie les deux côtés apparents. On les
utilisa depuis les fondations jusqu’au
bord du toit, et dans les constructions
extérieures, pour les murs de la grande
cour. 10 Pour les fondations elles-mêmes,
on employa aussi des belles pierres de
grandes dimensions, à savoir quatre et
cinq mètres de long, 11 et c’est là-dessus
qu’on posa les pierres taillées et les poutres de cèdre. 12 Autour de la grande
cour, le mur comportait trois rangées
superposées de pierres de taille et une
rangée de poutres de cèdre, comme
c’était le cas pour la cour intérieure du
temple du Seigneur et pour le vestibule
du temple.

Les travaux confiés à Hiram

(Voir 2 Chron 2.12-13)

13-14 Il y avait à Tyr un spécialiste du
travail du bronze, nommé Hiram. Il était
tyrien par son père, mais originaire de la
tribu de Neftali par sa mère, qui était
veuve ; il était très habile et intelligent et
il connaissait parfaitement la technique
du travail du bronze. C’est pourquoi le
roi Salomon le fit venir de Tyr pour fabriquer tous les objets dont il avait besoin.

Les colonnes de bronze

(Voir 2 Chron 3.15-17)

15 Hiram fabriqua deux colonnes de
bronze ; elles avaient neuf mètres de haut
et six mètres de tour[y]. 16 Il fit aussi deux
chapiteaux, à placer sur le sommet des colonnes ; ils étaient coulés en bronze, et
avaient chacun deux mètres et demi de
haut. 17 Il fit encore d’autres décorations de
bronze, des sortes de filets et des sortes de
chaînettes à pompons, pour les chapiteaux ; il y en avait sept à chacun des chapiteaux. 18 Il fit également une décoration
représentant des fruits de grenadiers ; il y
en avait deux rangs sur les filets recouvrant
les chapiteaux. 19 Sur chaque colonne, il y
avait un second chapiteau, de deux mètres
de haut, en forme de fleur de lis[z]. 20 Immédiatement au-dessus des chapiteaux, il y
avait une partie renflée ; ce renflement se
trouvait donc au-delà du filet et des deux
cents grenades placées en rangs autour de
chaque chapiteau. 21 On dressa les deux colonnes devant le vestibule du temple, l’une
à droite, qu’on appela Yakin – ce qui signifie “Dieu affermit” –, et l’autre à gauche,
qu’on appela Boaz – “En Dieu est la
force” –. 22[a] Ainsi Hiram termina la fabrication des colonnes.

v **7.6** *auvent* : traduction incertaine. Cet *auvent* protégeait l’entrée en cas de mauvais temps.

w **7.7** *de bas en haut* : d’après les anciennes versions syriaque et latine ; hébreu *de bas en bas*.

x **7.8** Voir 3.1.

y **7.15** Voir Jér 52.21, qui précise l’épaisseur de la paroi des colonnes (creuses) : huit centimètres.

z **7.19** L’hébreu ajoute ici *dans le vestibule d’entrée*, mots qui ne se rattachent à rien.

a **7.22** L’hébreu répète ici une partie du v. 19 : *et sur chaque colonne un chapiteau en forme de fleur de lis*.

La grande cuve de bronze

(Voir 2 Chron 4.2-5)

23 Hiram fit alors une grande cuve ronde
en bronze ; elle mesurait cinq mètres de
diamètre, deux mètres et demi de haut et
quinze mètres de tour. 24 Au-dessous du
bord de la cuve, sur tout le pourtour, se
trouvait une décoration de fruits de coloquintes ; il y en avait vingt par mètre, sur
deux rangées. Cette décoration avait été
coulée en même temps que la cuve. 25 La
cuve reposait sur douze taureaux de
bronze ; trois regardaient vers le nord,
trois vers l'ouest, trois vers le sud et trois
vers l'est, tandis que leurs arrière-trains
étaient tous tournés vers l'intérieur, sous la
cuve. 26 La paroi de la cuve avait huit centimètres d'épaisseur ; son rebord était travaillé comme le bord d'une coupe, en
forme de pétale de lis. La cuve contenait
environ quatre-vingt mille litres[b].

Les chariots de bronze

27 Puis Hiram fit dix chariots de
bronze ; chacun mesurait deux mètres de
long, deux mètres de large et un mètre et
demi de haut. 28 Voici comment ils
étaient construits : des plaques de
bronze, étroites, formaient le cadre ; des
plaques semblables étaient aussi fixées
entre les montants, 29 et étaient décorées
de lions, de taureaux et de *chérubins, de
même que le haut des montants ; au-
dessous des lions et des taureaux, il y
avait des sortes de guirlandes qui pendaient. 30 Chaque chariot avait quatre
roues de bronze, tournant sur des axes de
bronze. Les axes eux-mêmes étaient fixés
dans des sortes de pieds, aux quatre angles. Ces pièces en forme de pied avaient
été coulées en même temps que le cadre,
mais ne dépassaient pas les guirlandes.
31 Dans la partie supérieure du chariot, il
y avait une ouverture ronde, surélevée de
cinquante centimètres, qui servait de
support pour le bassin ; cette ouverture
mesurait soixante-quinze centimètres de
diamètre. La partie qui dépassait du cadre était carrée et non pas ronde, et elle
était décorée de motifs gravés sur des plaques de bronze. 32 Les quatre roues
étaient donc fixées au-dessous du bord
du cadre, et les axes des roues passaient
au travers du chariot. Les roues avaient
soixante-quinze centimètres de diamètre ; 33 elles étaient faites de la même manière que des roues de char : les axes, les
jantes, les rayons, les moyeux, tout était
en bronze coulé. 34 Les quatre pièces en
forme de pied, aux quatre angles d'un
chariot, faisaient corps avec le cadre du
chariot. 35 La surface supérieure de chaque chariot était décorée d'une couronne
de vingt-cinq centimètres de large, tout
autour de l'ouverture. Sur cette partie supérieure se trouvaient des poignées et des
plaques de bronze, faisant également
corps avec le reste du chariot. 36 On grava
encore des chérubins, des lions et des palmes sur les surfaces planes et non encore
décorées des poignées et des plaques ; et
tout autour on grava des guirlandes.
37 Les dix chariots furent fabriqués de la
même manière, chacun d'une seule pièce,
tous de mêmes dimensions et de même
forme.

38 Hiram fit encore dix bassins de
bronze[c], à placer sur les dix chariots.
Chaque bassin mesurait deux mètres de
haut et contenait environ mille six cents
litres. 39 On plaça cinq des chariots avec
bassins à droite du temple, et les cinq autres à gauche. La grande cuve ronde fut
placée sur le côté droit du temple, près de
l'angle sud-est.

Liste récapitulative des objets de métal

(Voir 2 Chron 4.7–5.1)

40 Lorsque Hiram eut fait les bassins,
les pelles et les bols à aspersion[d], il eut
terminé de fabriquer tout ce que le roi Salomon lui avait commandé pour le temple du Seigneur :
41 deux colonnes,
deux chapiteaux ronds, à placer au
sommet des colonnes,
deux sortes de filets pour recouvrir les

---

b **7.26** Cette réserve d'eau était utilisée pour laver les animaux offerts en sacrifice (voir Lév 1.9), et pour des purifications liturgiques des officiants (voir Lév 16.22-24).

c **7.38** Comparer Ex 30.17-21.

d **7.40** Comparer Ex 27.3.

chapiteaux ronds au sommet des colonnes,
42 quatre cents grenades accrochées aux deux filets, à savoir deux rangs de grenades à chaque filet recouvrant ces chapiteaux,
43 dix chariots,
dix bassins placés sur les chariots,
44 une grande cuve ronde,
douze taureaux portant cette cuve,
45 des récipients pour les cendres, des pelles et des bols à aspersion.
Tous ces objets que Hiram fabriqua pour le
temple du Seigneur, sur l'ordre du roi Salomon, étaient en bronze poli. 46 On les coula
en pleine terre, dans la vallée du Jourdain,
entre les villages de Soukoth et de Sartan[e].
47 Puis Salomon les fit installer dans le
temple du Seigneur ; mais il y en avait une
telle quantité que l'on ne chercha même
pas à connaître le poids du bronze utilisé.

48 Salomon fit également fabriquer
tous les objets d'or nécessaires au temple
du Seigneur :
*l'autel des parfums, en or,
la table où l'on dépose les pains offerts à Dieu, en or[f],
49 les dix porte-lampes[g] placés devant la "salle très sainte", cinq à droite et cinq à gauche, en or fin,
les fleurons, les lampes et les pincettes pour les porte-lampes, en or,
50 les bassines, les mouchettes, les bols à aspersion, les coupes, les cassolettes, en or fin,
les gonds des portes de la salle appelée "*lieu très saint", et ceux des portes de la *grande salle, en or.

51 Lorsque le roi Salomon eut terminé
tous les travaux de construction du temple
du Seigneur, il fit amener ce que son père
David avait consacré au Seigneur[h], argent, or et objets divers, et il déposa le tout
dans la chambre du trésor du temple.

Le coffre de l'alliance déposé dans le temple

(Voir 2 Chron 5.2–6.2)

8 1 A ce moment-là, le roi Salomon invita les *anciens du peuple, les chefs
des tribus et les représentants des vieilles
familles d'Israël à se rassembler auprès de
lui à Jérusalem, pour transporter le *coffre de l'alliance du Seigneur depuis la
*Cité de David[i], qu'on appelle également
*Sion, jusqu'au temple. 2 Alors tous les Is-
raélites se rassemblèrent aussi auprès du
roi pour la fête du mois d'Étanim, qui est
le septième mois[j]. 3 Les anciens du peuple d'Israël vinrent accompagner les prêtres qui portaient le coffre de l'alliance.
4 Les prêtres et les *lévites transportèrent
ainsi le coffre de l'alliance du Seigneur, de
même que la *tente de la rencontre et les
objets sacrés qui s'y trouvaient. 5 Le roi
Salomon et toute la communauté d'Israël
réunie avec lui devant le coffre offrirent
en sacrifices un si grand nombre de moutons et de bœufs qu'on ne pouvait pas les
compter exactement.
6 Ensuite les prêtres introduisirent le
coffre à la place prévue pour lui, dans la
salle appelée "*lieu très saint", sous les
ailes des *chérubins. 7 En effet, les chérubins avaient les ailes étendues au-dessus
de l'endroit prévu pour le coffre, afin
d'abriter le coffre et les barres qui servaient à le porter. 8 Ces barres étaient assez longues ; on voyait leurs extrémités
depuis la *grande salle qui précède la
salle du coffre, mais non pas depuis l'extérieur ; tout est resté en place jusqu'à ce
jour. 9 Le coffre contenait seulement les
deux tablettes de pierre que Moïse y avait
déposées ; ce sont les tablettes qu'il avait
reçues au mont *Horeb[k], lorsque le Seigneur conclut une alliance avec les Israélites après les avoir fait sortir
d'Égypte.
10 Quand les prêtres ressortirent du
"*lieu saint", un nuage remplit le temple

e **7.46** Localités situées sur la rive orientale du Jourdain, à 60 km environ au nord-est de Jérusalem. La région se prêtait à ce genre de travaux.

f **7.48** *l'autel* : comparer Ex 30.1-3 ; *la table* : comparer Ex 25.23-30.

g **7.49** Comparer Ex 25.31-40.

h **7.51** Voir 2 Sam 8.11 ; 1 Chron 18.11.

i **8.1** Voir 2 Sam 6.12-16 ; 1 Chron 15.25-29.

j **8.2** *Étanim* : voir au Vocabulaire CALENDRIER. – *la fête* du *septième mois* est probablement la fête des Huttes, voir Lév 23.33-43.

k **8.9** Voir Deut 10.5.

du Seigneur. 11 Les prêtres ne purent pas reprendre leur service à cause de ce nuage, car c'était la glorieuse présence du Seigneur qui remplissait le temple[l]. 12 Alors Salomon s'écria :

« Seigneur, tu avais décidé d'habiter
dans un lieu obscur.
13 Mais moi, je t'ai construit un temple
majestueux,
où tu pourras habiter pour toujours ! »

Discours de consécration du temple

(Voir 2 Chron 6.3-11)

14 Tous les Israélites étaient rassemblés, debout ; Salomon se tourna vers eux et les salua[m]. 15 Puis il dit : « Je remercie le Seigneur, le Dieu d'Israël ! Il a lui-même accompli ce qu'il avait promis à mon père David en ces termes : 16 "Depuis le jour où j'ai fait sortir d'Égypte Israël, mon peuple, je n'ai jamais choisi une ville particulière parmi toutes les villes d'Israël pour qu'on y construise un temple où je puisse manifester ma présence, mais je t'ai choisi, toi, David, pour être le chef de mon peuple Israël[n]." 17 Or, poursuivit Salomon, mon père David projetait de construire un temple consacré au Seigneur, Dieu d'Israël. 18 Mais le Seigneur lui a dit : "Tu as eu l'excellente intention de construire un temple pour moi[o]. 19 Seulement ce n'est pas toi qui le feras construire, mais ton fils. Oui, c'est ton propre fils qui fera construire ce temple pour moi[p] !" 20 Ainsi, continua Salomon, le Seigneur a tenu sa promesse : j'ai succédé à mon père David, en prenant place sur le trône d'Israël, comme le Seigneur l'avait annoncé, et j'ai construit ce temple consacré au Seigneur, le Dieu d'Israël. 21 J'y ai même préparé une place pour le coffre contenant le *document de l'alliance, l'alliance que le Seigneur a conclue avec nos ancêtres, lorsqu'il les a fait sortir d'Égypte. »

La prière solennelle de Salomon

(Voir 2 Chron 6.12-40)

22 Ensuite Salomon se tint devant *l'autel du Seigneur, en face de tous les Israélites assemblés ; il leva les mains vers le ciel pour prier 23 et dit : « Seigneur, Dieu d'Israël, il n'y a pas de Dieu comme toi, ni là-haut dans le ciel, ni ici-bas sur la terre. Tu maintiens ton *alliance avec tes serviteurs, tu leur restes fidèle, quand ils se conduisent eux-mêmes devant toi avec une entière loyauté. 24 Tu as fait pour ton serviteur David, mon père, ce que tu lui avais promis. Oui, ce que tu lui avais dit, tu l'as accompli toi-même aujourd'hui. 25 Eh bien, maintenant, Seigneur, Dieu d'Israël, accomplis également ce que tu avais promis à ton serviteur David mon père, lorsque tu lui as dit : "Si tes descendants se conduisent loyalement à mon égard comme tu l'as fait toi-même, je t'assure qu'il y aura toujours devant moi l'un d'entre eux qui régnera après toi sur le peuple d'Israël[q]." 26 Ainsi, Dieu d'Israël, réalise maintenant, je t'en supplie, cette promesse faite à ton serviteur David, mon père !

27 « Mais Dieu pourrait-il vraiment habiter sur la terre ? Le ciel, malgré son immensité, ne peut déjà pas le contenir[r] ! Encore moins ce temple que j'ai construit. 28 Pourtant, Seigneur mon Dieu, tourne-toi vers moi, entends ma prière suppliante, oui, écoute l'appel pressant que je t'adresse aujourd'hui. 29 Ouvre tes yeux ! Considère ce temple avec bienveillance nuit et jour, puisque c'est le lieu dont tu as dit : "J'y manifesterai ma présence[s]". Écoute la prière que je t'adresse d'ici. 30 Écoute mon appel et l'appel qu'Israël, ton peuple, t'adresse, tourné vers ce lieu. Écoute-nous, Seigneur, dans le ciel, là où tu habites ; écoute-nous et pardonne-nous.

---

l **8.11** V. 10-11 : comparer Ex 40.34-35.

m **8.14** *les salua* : autre traduction *les bénit*.

n **8.16** *jamais choisi une ville particulière* : la ville de Jérusalem appartenait aux Jébusites, avant que David s'en empare et en fasse la capitale d'Israël, voir 2 Sam 5.6-9. – *chef de mon peuple* : voir 2 Sam 7.4-11 ; 1 Chron 17.3-10.

o **8.18** V. 17-18 : voir 2 Sam 7.1-3 ; 1 Chron 17.1-2.

p **8.19** Voir 2 Sam 7.12-13 ; 1 Chron 17.11-12.

q **8.25** Voir 2.4.

r **8.27** Voir 2 Chron 2.5.

s **8.29** Voir Deut 12.11.

31 « Quand un homme est accusé
d'avoir fait du tort à son prochain, on
peut exiger de lui un serment lié à une
malédiction ; s'il vient alors prêter serment devant ton autel dans ton temple,
32 toi, Seigneur, dans le ciel, sois attentif,
interviens, et prononce le jugement sur
tes serviteurs, afin que le coupable soit
puni et que le juste soit reconnu innocent.

33 « Quand les Israélites seront battus
par leurs ennemis parce qu'ils t'auront
désobéi, s'ils te demandent pardon, s'ils
te louent, s'ils te prient et te supplient
dans ce temple, 34 toi, Seigneur, dans le
ciel, sois attentif, pardonne leurs péchés
et rends-leur les terres que tu as données
autrefois à leurs ancêtres, puisqu'ils sont
ton peuple.

35 « Ou bien, quand le ciel se fermera et
qu'il n'y aura plus de pluie parce que les
Israélites t'auront désobéi, s'ils se tournent vers ce lieu pour te prier, s'ils te
louent et si, humiliés, ils cessent de te désobéir, 36 toi, Seigneur, dans le ciel, sois
attentif et pardonne leurs péchés,
puisqu'ils sont tes serviteurs et ton peuple ; bien plus, enseigne-leur à se bien
conduire, puis fais tomber la pluie sur
cette terre qui t'appartient et que tu leur
as donnée en propriété.

37 « Quand le pays sera frappé par la famine ou la peste, quand les céréales sécheront ou pourriront sur pied, quand les
*sauterelles et les criquets arriveront en
masse, quand des ennemis opprimeront
les Israélites jusque dans leurs villes fortifiées, quand se produira n'importe
quelle catastrophe ou n'importe quelle
épidémie, 38 si les Israélites, ton peuple,
frappés du plus profond remords, t'adressent des prières suppliantes, s'ils se tournent vers ce temple et lèvent les mains
pour te prier, 39 toi, Seigneur, dans le ciel
où tu habites, sois attentif, pardonne-
leur, interviens et traite chacun selon sa
conduite, puisque tu connais son cœur.
En effet, toi seul tu connais le cœur de
tous les hommes. 40 Agis de cette manière, afin que les Israélites te respectent
toujours, tout le temps qu'ils vivront sur
cette terre que tu as donnée à nos ancêtres.

41-42 « Quand on parlera de ton nom
glorieux et de la puissance avec laquelle
tu agis, même les peuples étrangers l'apprendront ; si alors un étranger,
quelqu'un qui ne fait pas partie d'Israël,
ton peuple, vient d'un pays éloigné pour
te prier dans ce temple, 43 toi, Seigneur,
dans le ciel où tu habites, sois attentif et
accorde-lui ce qu'il demande. De cette
manière tous les peuples de la terre te
connaîtront, ils apprendront à te respecter comme Israël, ton peuple, te respecte,
et ils sauront que ce temple que j'ai
construit t'est vraiment consacré.

44 « Quand, sur ton ordre, les Israélites
iront combattre leurs ennemis, s'ils se
tournent vers cette ville que tu as choisie
et vers le temple que j'ai construit pour
toi, s'ils te prient, toi, le Seigneur, 45 sois
donc attentif dans le ciel, écoute leur
prière suppliante et viens à leur aide.

46 « Quand les Israélites te désobéiront
– car il n'y a aucun homme qui ne déso-
béisse jamais –, tu leur montreras peut-
être ton irritation en les livrant à leurs
ennemis et en permettant à ces derniers
de les emmener en captivité dans leur
pays proche ou lointain ; 47 si alors, dans
le pays où ils sont captifs, ils réfléchissent, s'ils recommencent à te supplier
en disant : "Nous avons désobéi, nous
avons péché, nous sommes coupables !",
48 s'ils te demandent pardon de tout leur
cœur et de toute leur âme dans la contrée
ennemie où ils sont captifs, s'ils se tournent vers le pays que tu as donné à leurs
ancêtres, vers cette ville que tu as choisie
et vers le temple que j'ai construit pour
toi, et s'ils te prient, 49 toi alors, dans le
ciel où tu habites, sois attentif, écoute
leur prière suppliante et viens à leur
aide ; 50 pardonne-leur d'avoir péché
contre toi et de t'avoir désobéi, et permets que leurs ennemis les traitent avec
pitié. 51 En effet, ils sont ton peuple, ils
t'appartiennent depuis que tu les as fait
sortir de l'enfer égyptien.

52 « Ouvre tes yeux, Seigneur Dieu ;
écoute les supplications que nous t'adres-
serons, ton peuple et moi-même, toutes
les fois que nous crierons vers toi. 53 En
effet c'est toi qui nous as choisis parmi
tous les peuples de la terre pour que nous

t'appartenions. Toi-même tu l'as déclaré par l'intermédiaire de ton serviteur Moïse, lorsque tu as fait sortir d'Égypte nos ancêtres. »

Salomon demande la bénédiction de Dieu

54 Durant cette solennelle prière de supplication adressée au Seigneur, Salomon s'était tenu à genoux devant *l'autel, les mains levées vers le ciel. Lorsqu'il eut terminé de prier, il se releva 55 et, debout, il *bénit à haute voix toute l'assemblée d'Israël. Il dit : 56 « Je remercie le Seigneur qui a donné la paix à Israël, son peuple, tout comme il l'avait promis ; en effet, il a réalisé en tous ses détails la merveilleuse promesse qu'il avait faite par l'intermédiaire de son serviteur Moïse[t]. 57 Maintenant, je demande au Seigneur notre Dieu d'être avec nous comme il a été avec nos ancêtres ; qu'il ne nous abandonne pas, qu'il ne cesse pas de nous soutenir ; 58 qu'il attire nos pensées vers lui afin que nous nous conduisions comme il le veut, en obéissant aux commandements, aux lois et aux règles qu'il a donnés à nos ancêtres. 59 Que le Seigneur notre Dieu se souvienne jour et nuit des supplications que je lui ai adressées, afin que jour après jour il vienne à notre aide, à vous et à moi, car nous sommes son peuple. 60 Ainsi tous les peuples de la terre sauront que le Seigneur seul est Dieu, et qu'il n'y en a pas d'autre. 61 Et alors votre cœur appartiendra sans réserve au Seigneur notre Dieu, pour obéir à ses lois et à ses commandements comme aujourd'hui. »

Les sacrifices offerts au Seigneur

(Voir 2 Chron 7.4-10)

62 Le roi Salomon et tous les Israélites qui étaient présents offrirent des sacrifices en l'honneur du Seigneur. 63 Salomon offrit vingt-deux mille bœufs et cent vingt mille moutons et chèvres en *sacrifices de communion, pour inaugurer le temple du Seigneur. 64 Ce même jour, le roi consacra tout le centre de la cour qui s'étend devant le temple du Seigneur ; en effet *l'autel de bronze qui se trouve près de l'entrée du temple était trop petit pour recevoir tous les sacrifices, et Salomon dut utiliser la cour pour faire brûler les *sacrifices complets, les offrandes végétales et les parties grasses des sacrifices de communion.

65 A cette même occasion, Salomon célébra la fête des Huttes en compagnie des Israélites assemblés en grand nombre ; ils étaient venus de tout le pays, depuis Lebo-Hamath au nord, jusqu'au torrent d'Égypte[u] au sud. Ils célébrèrent donc la fête en présence du Seigneur Dieu pendant sept jours, puis encore pendant sept jours, soit quatorze jours. 66 Le lendemain, le roi renvoya les Israélites chez eux. Ceux-ci vinrent saluer[v] le roi, puis s'en allèrent tout joyeux et le cœur content parce que le Seigneur s'était montré plein de bienveillance envers son serviteur David et envers Israël, son peuple.

Seconde apparition du Seigneur à Salomon

(Voir 2 Chron 7.11-22)

9 1 Lorsque le roi Salomon eut fini de construire le temple du Seigneur, ainsi que son propre palais et tout ce qu'il avait eu envie de construire, 2 le Seigneur lui apparut une seconde fois, de la même manière qu'il lui était apparu à Gabaon[w]. 3 Le Seigneur lui dit : « J'ai entendu la prière suppliante que tu m'as adressée ; j'ai donc consacré ce temple que tu as construit, en acceptant d'y manifester pour toujours ma présence parmi vous ; toujours plein de bonté envers vous, je veillerai sur lui. 4 Quant à toi, si tu te conduis envers moi comme ton père David, de manière sincère et loyale, si tu fais tout ce que je t'ordonne, si tu obéis aux lois et aux règles que je t'ai données, 5 sache que j'affermirai pour toujours l'autorité du roi sur le peuple d'Israël. C'est ce que j'ai promis à ton père David en lui di-

---

t **8.56** Voir Deut 12.10 ; Jos 21.44-45.

u **8.65** *fête des Huttes* : l'hébreu parle simplement de *la fête* ; voir v. 2 et la note. – *Lebo-Hamath* : voir Nomb 13.21 et la note ; *torrent d'Égypte* : voir Nomb 34.5 et la note.

v **8.66** *saluer* : autre traduction *bénir*.

w **9.2** Voir 3.4-15.

sant qu'il y aurait toujours l'un de ses descendants qui régnerait, après lui, sur le peuple d'Israël[x]. 6 Mais si toi et ton peuple, et vos descendants, vous vous détournez de moi, si vous désobéissez aux commandements et aux lois que je vous ai donnés, si vous servez d'autres dieux et si vous vous inclinez devant eux pour les adorer, 7 je vous arracherai, vous, les Israélites, de la terre que je vous ai donnée ; et je rejetterai loin de moi le temple que j'ai consacré en mon honneur. Alors tous les peuples ricaneront au sujet d'Israël et se moqueront de lui. 8 Quand les gens passeront près de ce temple en ruine, ils seront stupéfaits et épouvantés ; ils demanderont : "Pourquoi le Seigneur a-t-il traité ce pays et ce temple d'une telle manière ?"[y], 9 et on leur répondra : "C'est parce que les Israélites ont abandonné le Seigneur leur Dieu, qui avait fait sortir d'Égypte leurs ancêtres ; le Seigneur leur a infligé tous ces malheurs, parce qu'ils ont adoré d'autres dieux." »

Activités diverses de Salomon

(Voir 2 Chron 8.1-18)

10-11 Hiram, roi de Tyr, avait fourni à Salomon tout le bois de cèdre et de pin et tout l'or qu'il désirait pour ses constructions. Lorsque au bout de vingt ans Salomon eut fini de construire le temple du Seigneur et son propre palais, il donna à Hiram vingt villes situées dans la région de la Galilée. 12 Alors Hiram vint de Tyr pour inspecter ces villes, mais il n'en fut pas satisfait 13 et il s'exclama : « Mon frère Salomon, ces villes que tu m'as données ne valent rien ! » C'est pourquoi, encore aujourd'hui, on appelle cette région "Pays de Kaboul" – c'est-à-dire "Pays de Rien" –. 14 Pourtant Hiram fit livrer à Salomon trois tonnes et demie d'or.

15 Le roi Salomon avait organisé des travaux obligatoires pour construire le temple du Seigneur, le palais royal, la terrasse appelée Millo[z] et les murailles de Jérusalem, ainsi que les villes de Hassor, de Méguiddo et de Guézer. – 16 Le *Pharaon, roi d'Égypte, avait attaqué Guézer ; il avait pris la ville et l'avait incendiée, après avoir massacré les Cananéens qui l'habitaient, puis il l'avait donnée comme cadeau de noces à sa fille, lorsqu'elle épousa Salomon ; 17 c'est pourquoi Salomon dut reconstruire Guézer. – Salomon reconstruisit également les villes de Beth-Horon-le-Bas, 18 Baalath, Tamar dans la région désertique du pays, 19 de même que toutes les villes où il faisait entreposer ses provisions, celles où il garait ses chars de guerre et celles où il logeait ses chevaux. Il bâtit tout ce qu'il désira dans la ville même de Jérusalem, sur le mont Liban et dans tout le pays soumis à son autorité.

Voici donc comment Salomon avait organisé les travaux obligatoires[a] : 20 Il y avait encore dans le pays un certain nombre *d'Amorites, de Hittites, de Perizites, de Hivites et de Jébusites, c'est-à-dire des gens qui n'étaient pas israélites. 21 Ils avaient subsisté parce que le peuple d'Israël n'avait pas pu les exterminer. C'est à eux que Salomon imposa ces travaux, et ils y sont soumis aujourd'hui encore. 22 Mais Salomon en dispensa les Israélites : au contraire, il les enrôla dans l'armée, comme soldats, officiers, capitaines, adjudants, conducteurs de chars ou cavaliers. 23 Les gouverneurs désignèrent cinq cent cinquante contremaîtres pour surveiller l'ouvrage de toute la foule des travailleurs qui exécutaient les travaux de Salomon.

24 Après que la fille du *Pharaon eut déménagé de la *Cité de David dans le palais construit pour elle, Salomon fit aménager la terrasse appelée Millo.

25 Trois fois par an, Salomon offrait des *sacrifices complets et des sacrifices de communion ; il les faisait brûler en l'honneur du Seigneur sur *l'autel qu'il avait

---

x **9.5** Voir 2.4.

y **9.8** *en ruine* : d'après quelques versions anciennes ; l'hébreu pourrait signifier *auparavant si grandiose*. – Voir 2 Rois 25.9 ; 2 Chron 36.19.

z **9.15** Précédemment une dépression séparait la *Cité de David, au sud, de l'esplanade du temple, au nord ; c'est Salomon qui fit combler cette dépression (*Millo* = remplissage).

a **9.19** Cette phrase, reprise du début du v. 15, est ajoutée ici pour faciliter la compréhension.

fait construire pour lui. Le temple était
ainsi utilisé conformément à son but[b].
26 Le roi Salomon fit construire des bateaux à Ession-Guéber près d'Élath, un
port sur la *mer des Roseaux dans le pays
d'Édom. 27 Le roi Hiram envoya à Salomon des marins phéniciens expérimentés
pour accompagner les siens. 28 Tous ces
marins se rendirent alors ensemble dans
le pays d'Ofir[c], d'où ils rapportèrent plus
de douze tonnes d'or pour le roi Salomon.

La reine de Saba rend visite à Salomon

(Voir 2 Chron 9.1-12)

10 1 La reine du pays de Saba entendit parler de Salomon[d]. Elle vint
donc lui rendre visite pour éprouver sa
sagesse en lui posant des questions difficiles. 2 Elle arriva à Jérusalem avec une
suite très imposante, et avec des chameaux portant des parfums, de l'or en
grande quantité et des pierres précieuses.
Elle se présenta devant Salomon et l'interrogea sur tous les sujets qu'elle avait
préparés. 3 Salomon répondit à toutes ses
questions ; il n'y en eut pas une seule à laquelle le roi ne put pas répondre. 4 La
reine de Saba entendit les paroles pleines
de sagesse de Salomon, elle admira le palais qu'il s'était fait construire, 5 la nourriture qu'on apportait sur les tables, la
façon dont les gens de son entourage
étaient placés, le costume de ceux qui servaient à manger et à boire, elle vit les
*sacrifices qu'il offrait au Seigneur dans
le temple : elle fut si impressionnée par
tout cela qu'elle en eut le souffle coupé.
6-7 Alors elle dit au roi : « Dans mon pays,
j'avais entendu parler de toi et de ta sagesse, mais avant d'être venue voir de
mes propres yeux, je ne croyais pas ce
qu'on me disait. Or tout cela était bien
vrai, et même on ne m'en avait pas raconté la moitié : ta sagesse et ta prospérité
dépassent tout ce que j'avais entendu
dire. 8 Quel privilège pour tes femmes et[e]
tous les gens de ton palais ! Ils se trouvent
toujours en ta présence et peuvent entendre tes paroles pleines de sagesse. 9 Il faut
remercier le Seigneur ton Dieu qui t'a
choisi pour régner sur Israël ! C'est parce
qu'il aime ce peuple pour toujours que le
Seigneur t'en a fait le roi et t'a chargé d'y
faire respecter le droit et la justice[f]. »
10 Ensuite la reine de Saba donna au roi
Salomon environ trois tonnes et demie
d'or, une grande quantité de parfums,
ainsi que des pierres précieuses. Depuis
ce jour-là, on n'a plus jamais vu arriver
une telle quantité de parfums dans le
pays d'Israël.

11 Les bateaux du roi Hiram, qui
étaient allés à Ofir, en avaient rapporté de
l'or, ainsi qu'une grande quantité de bois
de santal[g] et de pierres précieuses. 12 Le
roi Salomon avait utilisé le bois de santal
pour faire une balustrade[h] dans le temple
du Seigneur, une autre dans le palais
royal, ainsi que des instruments de musique, lyres et harpes, pour les chanteurs.
Jusqu'à maintenant, on n'a plus jamais
vu arriver en Israël une telle quantité de
bois de santal.

13 De son côté, le roi Salomon donna à
la reine de Saba tout ce qu'elle désirait et
demandait, en plus des cadeaux qu'il lui
offrit de lui-même avec une générosité
toute royale. Puis la reine et son entourage retournèrent dans leur pays.

Notes diverses sur la richesse de Salomon

(Voir 2 Chron 1.14-17 ; 9.13-28)

14 En une seule année, le roi Salomon
vit arriver à Jérusalem un total de vingt

---

b **9.25** *Trois fois par an* : voir Ex 23.17 ; 34.23 ; Deut 16.16. – *il les faisait brûler... pour lui* : texte hébreu obscur et traduction incertaine. – *Le temple... son but* : autre traduction *Et Salomon termina le temple*.

c **9.28** Pays mal localisé, peut-être au sud de la péninsule arabique, ou même plus loin sur la côte africaine ou en Inde.

d **10.1** *Saba* : région située au sud de la péninsule arabique, correspondant à peu près au Yémen actuel. – Après *Salomon*, l'hébreu ajoute deux mots (signifiant *pour le nom du Seigneur*) qu'on ne sait comment rattacher à la phrase.

e **10.8** *tes femmes et* : d'après les anciennes versions grecque et syriaque ; hébreu *tes serviteurs*,.

f **10.9** V. 1-9 : voir Matt 12.42 ; Luc 11.31.

g **10.11** Sur le *roi Hiram*, voir 5.15-26. – *bois de santal* : le sens du mot hébreu est incertain ; il s'agit d'un bois précieux.

h **10.12** Le mot hébreu, dont le sens est incertain, évoque quelque chose pour s'appuyer.

tonnes d'or ; 15 il faut y ajouter les taxes prélevées sur les importations et le commerce, et les impôts payés par les rois étrangers[i] ou perçus par les gouverneurs du pays.

16 Le roi Salomon fit fabriquer deux cents grands boucliers en alliage d'or – pour chacun il fallait six kilos d'or –, 17 et trois cents petits boucliers du même alliage – pour chacun il fallait un kilo et demi d'or –, et il les fit déposer dans le bâtiment appelé “La Forêt du Liban”.

18 Le roi fit encore fabriquer un grand trône décoré d'ivoire et recouvert d'or pur. 19 Ce trône se trouvait sur une estrade à six marches, il avait un dossier arrondi et des bras de chaque côté du siège ; deux lions sculptés étaient placés de part et d'autre du trône, 20 et douze autres lions répartis sur les marches, six à gauche et six à droite. On n'a rien fait de pareil dans aucun autre royaume.

21 Toutes les coupes du roi Salomon étaient en or, et toute la vaisselle de “La Forêt du Liban” en or fin. On ne faisait rien en argent, car à l'époque de Salomon on considérait l'argent comme sans grande valeur. 22 Le roi avait des bateaux qu'il envoyait en expédition lointaine avec ceux du roi Hiram ; tous les trois ans, ces bateaux revenaient chargés d'or, d'argent, d'ivoire, de singes et d'oiseaux exotiques.

23 Le roi Salomon surpassait tous les autres rois de la terre par ses richesses et par sa sagesse. 24 En effet Dieu lui avait accordé une telle sagesse que des gens venaient de partout le consulter. 25 Année après année, tous ces gens lui apportaient en cadeau des objets d'argent et d'or, des vêtements, des armes, des parfums, des chevaux ou des mulets.

26 Salomon rassembla des chars de guerre et des chevaux : il eut mille quatre cents chars et douze mille chevaux, dont il garda un certain nombre auprès de lui à Jérusalem, alors que les autres étaient répartis dans les villes aménagées à cet effet[j]. 27 Grâce au roi, il y avait autant d'argent que de cailloux à Jérusalem, et les cèdres étaient aussi nombreux que les sycomores qui poussent dans le *Bas-Pays. 28 Les chevaux de Salomon provenaient d'Égypte et de Cilicie, où des marchands allaient les acheter pour le roi[k]. 29 Un char importé d'Égypte coûtait six cents pièces d'argent, et un cheval cent cinquante pièces. Ces mêmes marchands en importaient aussi pour les rois des Hittites et pour les rois de Syrie.

Salomon est infidèle au Seigneur

(Voir 2 Chron 11.18–12.1)

11 1 Le roi Salomon, qui avait épousé la fille du roi d'Égypte, épousa aussi beaucoup d'autres étrangères, à savoir des Moabites, des Ammonites, des Édomites, des Sidoniennes et des Hittites[l]. 2 Pourtant le Seigneur avait dit aux Israélites au sujet de ces nations païennes : « Ne vous mêlez pas aux gens de ces nations et ne les laissez pas se mêler à vous ; car ils vous entraîneraient à adorer leurs dieux[m]. » Mais par amour Salomon s'attacha à ces femmes étrangères ; 3 il eut ainsi sept cents épouses de rang princier et trois cents épouses de second rang, qui toutes l'influencèrent beaucoup. 4 En effet, quand Salomon fut devenu vieux, ses épouses l'entraînèrent à adorer d'autres dieux, de sorte qu'il cessa d'aimer le Seigneur son Dieu de tout son cœur, à la différence de son père David. 5 Il adora *Astarté, la déesse des Sidoniens, et Milkom, l'ignoble dieu des Ammonites ; 6 il fit ce qui déplaît au Seigneur, car il ne lui obéissait pas fidèlement comme son père David. 7 A cette époque, Salomon aménagea un lieu sacré, sur la colline en face de Jérusalem, pour Kemoch, l'ignoble dieu des Moabites ; il en fit aussi aménager un pour Milkom[n], l'ignoble dieu des Ammonites. 8 Il fit la même chose pour les dieux de toutes ses épouses païennes, afin qu'elles puissent leur présenter des of-

---

i **10.15** *les taxes* : d'après les versions anciennes ; hébreu *les hommes*. – *étrangers* : le texte de 2 Chron 9.14 et certaines versions anciennes parlent des rois *d'Arabie*.

j **10.26** Voir 5.6 et la note.

k **10.28** Comparer Deut 17.16.

l **11.1** Voir Deut 17.17.

m **11.2** Voir Ex 34.15-16 ; Deut 7.3-4.

n **11.7** *Milkom* : d'après les v. 5 et 33, et l'ancienne version grecque ; hébreu *Molek*.

sez-moi y réfléchir, leur répondit Roboam. Dans trois jours, revenez me trouver.»
Ils s'en allèrent donc. 6 Le roi Roboam
demanda conseil aux *anciens qui
avaient entouré son père Salomon
lorsqu'il vivait encore ; il leur posa la
question suivante : « Quelle réponse me
conseillez-vous de donner à ces gens ?»
7 Les anciens lui dirent : « Si aujourd'hui
tu leur montres que tu es prêt à servir le
peuple, si tu réponds par des paroles positives, ils seront pour toujours à ton service.»
8 Mais le roi négligea le conseil donné
par les anciens. Il interrogea les jeunes
gens qui l'entouraient et qui avaient
grandi avec lui. 9 Il leur dit : « Ces gens
me demandent de les soulager un peu du
fardeau que mon père leur a imposé
comme un joug. Quelle réponse me
conseillez-vous de leur donner ? » 10 Les
jeunes de son âge lui dirent : « Ces gens se
plaignent donc de ce que ton père les a
traités comme des esclaves, et ils te demandent de les soulager un peu de ce fardeau. Eh bien, voici ce que tu dois leur
répondre : "Mon petit doigt est plus gros
que le bras de mon père[y]. 11 Mon père
vous a chargés d'un joug pesant, moi je
vous chargerai d'un joug encore plus pesant ; mon père vous a fait marcher à
coups de fouet, moi je vous ferai marcher
à coups de fouet redoublés." »
12 Le troisième jour, Jéroboam et tout
le peuple vinrent trouver Roboam,
comme il le leur avait dit. 13 Le roi négligea le conseil que les anciens lui avaient
donné ; il répondit donc au peuple avec
dureté, 14 suivant le conseil de ses compagnons de jeunesse. Il dit : « Mon père
vous a imposé un joug pesant, moi je
vous imposerai un joug encore plus pesant ; mon père vous a fait marcher à
coups de fouet, moi je vous ferai marcher
à coups de fouet redoublés. » 15 Ainsi le
roi n'accepta pas les revendications du
peuple. Le Seigneur Dieu dirigea les événements de cette manière pour réaliser la
promesse qu'il avait faite à Jéroboam, fils
de Nebath, par l'intermédiaire du *prophète Ahia, de Silo[z].

Le royaume divisé

(Voir 2 Chron 10.16–11.4)

16 Lorsque les Israélites du Nord
comprirent que le roi n'acceptait pas
leurs revendications, ils déclarèrent :
« Nous n'avons rien à faire avec David,
nous n'avons rien de commun avec ce
fils de Jessé !
Gens d'Israël, retournons chez nous ;
et toi, descendant de David, occupe-toi
maintenant de ton royaume[a] ! »
Et ils quittèrent la place. 17 Roboam ne
fut plus reconnu comme roi que par les
habitants du territoire de Juda. 18 Pourtant il envoya Adoram[b], le responsable
des travaux obligatoires, auprès des Israélites du Nord ; mais ceux-ci le tuèrent
à coups de pierres. Alors Roboam réussit
tout juste à monter sur son char pour fuir
à Jérusalem. 19 C'est ainsi que les tribus
israélites du Nord rejetèrent l'autorité de
la famille de David ; et telle est encore la
situation aujourd'hui.
20 Lorsque tous les Israélites du Nord
apprirent que Jéroboam était de retour,
ils convoquèrent leur propre assemblée,
ils le firent venir et le désignèrent comme
leur roi ; ainsi, seule la tribu de Juda resta
fidèle à la famille de David.
21 Dès que Roboam fut arrivé à Jérusalem, il rassembla cent quatre-vingt mille
soldats d'élite, des tribus de Juda et de
Benjamin, afin d'aller combattre le
royaume d'Israël et de s'y imposer
comme roi, lui, le fils de Salomon. 22 Mais
Dieu adressa la parole au *prophète Chemaya et lui dit : 23 « Parle à Roboam, fils
de Salomon et roi de Juda, ainsi qu'à tout
le peuple de Juda et de Benjamin ; dis-
leur : 24 Voici ce que déclare le Seigneur :
"N'allez pas combattre contre les gens
d'Israël, qui sont vos propres frères ; que
chacun d'entre vous retourne chez soi.
En effet, c'est moi qui ai décidé tout ce

y **12.10** Il s'agit probablement d'une expression proverbiale, dont le sens est expliqué par la suite de la réponse.

z **12.15** Voir 11.29-39.

a **12.16** Comparer 2 Sam 20.1.

b **12.18** Il s'agit peut-être du même personnage que celui appelé Adoniram en 4.6 ; 5.28, et celui appelé Hadoram en 2 Chron 10.18.

qui s'est passé." » Lorsqu'ils entendirent
l'ordre du Seigneur, ils obéirent et retournèrent chez eux.
25 Jéroboam fit fortifier la ville de Sichem dans la région montagneuse
d'Éfraïm pour s'y installer. Plus tard, il
quitta Sichem et fit fortifier la ville de
Penouel.

Le péché de Jéroboam

26 Jéroboam se dit en lui-même :
« Dans les circonstances présentes, les
gens de mon royaume risquent de retourner à la famille de David. 27 En effet, s'ils
doivent aller à Jérusalem pour offrir des
*sacrifices dans le *temple du Seigneur,
leur cœur va s'attacher à leur ancien maître Roboam, roi de Juda ; alors ils me tueront et se soumettront à Roboam. »
28 Ayant cherché une idée, le roi fit fabriquer deux veaux en or, puis il dit au peuple : « Vous êtes montés assez souvent à
Jérusalem. Voyez, gens *d'Israël, il est
ici, votre Dieu qui vous a fait sortir
d'Égypte[c]. » 29 Jéroboam fit dresser l'une
des statues d'or à Béthel et l'autre à Dan[d].
30 Il poussa ainsi les gens à pécher. Un
grand nombre de personnes accompagnèrent la seconde statue jusqu'à Dan.

31 Jéroboam fit construire des *sanctuaires près des lieux sacrés, et il désigna
comme prêtres des gens du peuple, qui
ne faisaient pas partie de la tribu sacerdotale de Lévi. 32 Il fixa une fête le quinzième jour du huitième mois, fête
semblable à celle qui se déroulait en Juda[e], et il présenta lui-même des sacrifices
sur *l'autel. Voilà ce qu'il fit à Béthel, offrant des sacrifices aux veaux qu'il avait
fabriqués ; il y installa aussi quelques-uns
des prêtres qu'il avait désignés pour les
lieux sacrés.

Le culte de Béthel est condamné

33 Le quinzième jour du huitième mois
– il avait de lui-même choisi cette date –,
Jéroboam célébra donc à Béthel une fête
pour le peuple *d'Israël. Au cours de
cette fête, il offrit lui-même des *sacrifices sur *l'autel qu'il avait fait construire.

13 1 Or un *prophète avait reçu l'ordre du Seigneur de se rendre du
pays de Juda à Béthel ; il y arriva au moment où Jéroboam était occupé à faire
brûler un sacrifice sur l'autel. 2 Il prononça cette parole du Seigneur contre
l'autel : « Autel ! Autel ! Écoute ce que
déclare le Seigneur ! Un garçon va naître
dans la famille de David ; il s'appellera
Josias[f]. Sur toi, autel, il sacrifiera les
prêtres des lieux sacrés, là où ceux-ci faisaient auparavant brûler les sacrifices.
Sur toi, on brûlera même des ossements
humains ! » 3 Le prophète annonça encore ceci : « L'autel va se briser, et les
cendres grasses qui s'y trouvent vont
tomber à terre. Vous aurez ainsi la
preuve que c'est bien le Seigneur qui a
parlé. »
4 Lorsque le roi Jéroboam entendit ce
que le prophète disait contre l'autel de
Béthel, il tendit le bras par-dessus l'autel
et cria : « Arrêtez cet homme ! » Mais son
bras demeura tendu et paralysé, de sorte
qu'il ne pouvait plus le ramener à lui.
5 Au même moment, l'autel se brisa et les
cendres grasses qui étaient dessus tombèrent à terre, conformément à ce que le
prophète avait annoncé de la part du Seigneur. 6 Aussitôt le roi dit au prophète :
« Je t'en prie, supplie le Seigneur ton
Dieu de me pardonner et de guérir mon
bras. » Le prophète pria le Seigneur, et le
bras du roi fut complètement rétabli.
7 Alors le roi invita le prophète en ces
termes : « Viens avec moi dans la maison,
allons manger quelque chose. Ensuite je
te ferai un cadeau. » 8 Mais le prophète répondit au roi : « Même si tu me donnais
la moitié de ta fortune, je n'irais pas chez
toi. Je ne mangerai pas une miette de
pain et je ne boirai pas une goutte d'eau
en ce lieu. 9 En effet, le Seigneur m'a or-

---

c **12.28** Comparer Ex 32.1-5. On pourrait aussi traduire *ils sont ici, vos dieux qui vous ont fait sortir d'Égypte*.

d **12.29** Localités situées respectivement tout au sud et tout au nord du royaume *d'Israël.

e **12.32** Il s'agit probablement de la *fête* des Huttes, célébrée à Jérusalem dès le quinzième jour du septième mois ; voir 8.2 ; Lév 23.33-43.

f **13.2** Voir 2 Rois 22–23, surtout 23.15-16.

donné ceci : “Tu ne mangeras rien, tu ne
boiras rien, et pour rentrer chez toi, tu
passeras par un autre chemin que celui
que tu auras suivi pour aller à Béthel.” »
10 Il repartit donc par un autre chemin
que celui par lequel il était venu.

Le prophète désobéit

11 Or il y avait un vieux *prophète qui
vivait à Béthel. Ses fils vinrent[g] lui raconter tout ce que le prophète venu de
Juda avait fait ce jour-là à Béthel, et ce
qu'il avait dit au roi. 12 Alors le père leur
demanda : « Par où est-il reparti ? » Les
fils allèrent voir par où il était parti.
13 Puis le père leur dit : « Préparez-moi
mon âne ! » Ses fils sellèrent l'âne, et le
père y monta. 14 Il suivit le même chemin
que l'autre prophète ; il le trouva assis à
l'ombre d'un grand arbre et lui demanda : « Es-tu bien le prophète venu de
Juda ? » – « Oui ! C'est moi », répondit
l'autre. 15 Le premier reprit : « Viens chez
moi, pour manger quelque chose. » –
16 « Non, dit l'autre, je ne peux pas faire
demi-tour et t'accompagner, je ne dois
rien manger ni boire avec toi en cet endroit-là. 17 En effet, le Seigneur m'a bien
dit : “Tu ne mangeras ni ne boiras rien là-
bas ; et pour rentrer chez toi, tu passeras
par un autre chemin que celui que tu auras suivi pour aller.” » 18 Mais le vieux
prophète insista : « Moi aussi, je suis prophète comme toi, dit-il. Or un *ange m'a
parlé de la part du Seigneur et m'a ordonné de te ramener chez moi, pour que
tu puisses manger et boire quelque
chose. » En réalité, c'était un mensonge.
19 Le prophète de Juda l'accompagna
pourtant à la maison, pour manger et
boire quelque chose.

Le prophète est condamné

20 Or, pendant qu'ils étaient tous deux à
table, le Seigneur adressa la parole au
vieux *prophète de Béthel, 21 qui dit à celui venu de Juda : « Voici ce que déclare le
Seigneur : “Tu as désobéi au Seigneur, tu
n'as pas respecté l'ordre que le Seigneur
ton Dieu t'avait donné ; 22 tu es revenu
pour manger et boire quelque chose en
cet endroit, alors que le Seigneur te
l'avait interdit ; eh bien, à cause de cela,
tu vas mourir et ton corps ne sera pas déposé dans le tombeau de tes ancêtres.” »
23 Après qu'ils eurent mangé et bu, le
prophète de Juda prépara l'âne que le
vieux prophète avait mis à sa disposition,
24 et il s'en alla. En cours de route, il rencontra un lion qui le tua ; son cadavre
resta étendu en travers du chemin, tandis
que l'âne et le lion se trouvaient chacun
d'un côté. 25 Des gens qui passaient virent
ce cadavre sur le chemin, et le lion à côté.
Ils allèrent raconter cela dans la ville où
habitait le vieux prophète. 26 Quand celui-ci l'apprit – c'était donc lui qui avait
fait revenir l'autre à Béthel, alors qu'il
était déjà en chemin –, il déclara : « C'est
le prophète de Juda, celui qui a désobéi à
l'ordre du Seigneur. Le Seigneur l'a livré
à un lion, qui s'est jeté sur lui et l'a tué,
conformément à ce que le Seigneur lui
avait dit. » 27 Puis il ordonna à ses fils :
« Préparez-moi mon âne ! »
Lorsqu'ils eurent sellé l'âne, 28 le vieux
prophète partit. Il trouva le cadavre en
travers du chemin, ainsi que l'âne et le
lion à côté ; pourtant le lion n'avait pas
mangé le cadavre et il n'avait fait aucun
mal à l'âne. 29 Alors le vieux prophète ramassa le cadavre, le chargea sur l'âne et le
ramena à Béthel, pour y organiser la cérémonie funèbre et l'enterrer. 30 Il le déposa
dans son propre tombeau, tandis que les
gens chantaient à son sujet cette lamentation funèbre : « Hélas, mon frère est
mort ! »

31 Après l'enterrement, le vieux prophète dit à ses fils : « Lorsque je mourrai,
vous m'enterrerez dans le même tombeau que ce prophète ; vous déposerez
mon corps à côté du sien. 32 Car il a vraiment parlé de la part du Seigneur contre
*l'autel de Béthel et contre tous les
*sanctuaires des lieux sacrés, qui se trou-
vent dans les villes de la Samarie : ce qu'il
a proclamé se réalisera certainement. »

33 Malgré l'avertissement qu'il avait
reçu, le roi Jéroboam ne modifia pas sa
mauvaise conduite ; il continua de désigner des gens du peuple comme prêtres
des lieux sacrés : si quelqu'un avait envie

---

g **13.11** *Ses fils vinrent* : d'après la suite du récit et les versions anciennes ; hébreu *Son fils vint*.

de ce titre, on le consacrait et il devenait prêtre des lieux sacrés. 34 Cette conduite entraîna toute la famille de Jéroboam dans le péché, et c'est à cause de cela que cette famille fut éliminée et disparut complètement de la surface de la terre.

Suite du règne de Jéroboam Ier

14 1 A cette même époque, Abia, fils de Jéroboam, tomba malade. 2 Alors Jéroboam dit à sa femme : « Déguise-toi pour qu'on ne reconnaisse pas que tu es ma femme, puis va à Silo. C'est là qu'habite le *prophète Ahia, celui qui m'a annoncé que je régnerais sur le peuple *d'Israël. 3 Tu emporteras dix pains, quelques gâteaux et un pot de miel, et tu iras le trouver. Il t'annoncera certainement ce qui doit arriver à notre garçon. » 4 C'est ce qu'elle fit : elle se rendit à Silo et se présenta chez le prophète Ahia. Or celui-ci était tellement âgé qu'il était devenu aveugle, 5 mais le Seigneur l'avait prévenu en ces termes : « La femme de Jéroboam va venir. Elle sera déguisée et elle t'interrogera au sujet de son fils qui est malade. Tu lui donneras telle et telle réponse. »

6 Ainsi, dès qu'Ahia entendit le bruit des pas de celle qui arrivait devant sa porte, il cria : « Entre, femme de Jéroboam ! Pourquoi fais-tu semblant d'être quelqu'un d'autre ? De toute façon, j'ai pour toi une mauvaise nouvelle. 7 Retourne dire à Jéroboam : Voici ce que te déclare le Seigneur, le Dieu d'Israël : "Tu n'étais qu'un simple citoyen ; or je t'ai pris pour faire de toi le chef d'Israël, mon peuple ; 8 j'ai arraché la royauté à la famille de David pour te la donner ; mais toi, tu n'as pas imité mon serviteur David, qui obéissait à mes commandements et me servait de tout son cœur, sans rien faire qui me déplaise. 9 Tu as agi plus mal encore que tous tes prédécesseurs : tu m'as irrité en te fabriquant des statues de dieux étrangers, tu t'es débarrassé de moi. 10 C'est pourquoi je vais envoyer le malheur sur ta famille, j'exterminerai tous les hommes de ta parenté, enfants et adultes, je ferai totalement disparaître ta famille, comme on fait disparaître les ordures d'un coup de balai[h]. 11 Tout membre de ta famille qui mourra dans la ville sera dévoré par les chiens, et celui qui mourra dans la campagne sera déchiqueté par les vautours." Voilà ce qu'a déclaré le Seigneur. »

12 Le prophète Ahia continua : « Quant à toi, femme de Jéroboam, retourne chez toi ; mais dès que tu poseras le pied dans la ville, ton enfant mourra. 13 Alors tout le peuple d'Israël participera à la cérémonie funèbre et on l'enterrera. – Lui seul, en effet, parmi tous les descendants de Jéroboam, sera enterré dans un tombeau, parce qu'il est le seul, dans toute cette famille, en qui le Seigneur, le Dieu d'Israël a trouvé quelque chose qui lui a plu. – 14 Par la suite, le Seigneur désignera un nouveau roi d'Israël ; et celui-ci exterminera la famille de Jéroboam. – C'est pour aujourd'hui ; que dis-je, pour tout de suite[i] ! – 15 Puis le Seigneur frappera les gens d'Israël, qui trembleront alors comme les roseaux au bord de l'eau ; le Seigneur les arrachera de cette bonne terre qu'il avait donnée à leurs ancêtres et il les dispersera de l'autre côté de l'Euphrate, le fleuve de Babylone. Voilà ce qui leur arrivera pour avoir irrité le Seigneur en fabriquant des poteaux sacrés. 16 Il les abandonnera, parce que Jéroboam a péché et qu'il a poussé le peuple d'Israël à pécher. » 17 La femme de Jéroboam s'en alla et rentra à Tirsa. Au moment où elle passa le seuil de sa maison, son enfant mourut. 18 On l'enterra, et tout le peuple d'Israël participa à la cérémonie funèbre, conformément à ce que le prophète Ahia avait annoncé de la part du Seigneur.

19 Le reste de l'histoire de Jéroboam est contenu dans le livre intitulé *Actes des rois d'Israël* ; on y raconte les guerres qu'il a livrées et la façon dont il a régné. 20 Lorsqu'il mourut après avoir régné vingt-deux ans, ce fut son fils Nadab qui lui succéda.

---

h **14.10** Voir 15.29.

i **14.14** Le texte entre tirets est obscur et la traduction incertaine. Il s'agit peut-être d'une remarque d'un copiste ancien.

Suite du règne de Roboam, roi de Juda

(Voir 2 Chron 12.1-16)

21 Lorsque Roboam, fils de Salomon et de Naama l'Ammonite, était devenu roi de Juda, il avait quarante et un ans ; il régna dix-sept ans à Jérusalem. C'est en effet la ville que le Seigneur a choisie dans tout le territoire d'Israël pour y manifester sa présence au milieu de son peuple. 22 Les gens de la tribu de Juda firent ce qui déplaît au Seigneur. Ils provoquèrent sa colère par leurs péchés encore plus que ne l'avaient fait leurs ancêtres. 23 Eux aussi aménagèrent des lieux sacrés et dressèrent des pierres et des poteaux sacrés au sommet de toutes les collines où il y avait des arbres verts[j]. 24 Il y eut même des hommes et des femmes qui pratiquaient la prostitution sacrée dans le pays[k]. En somme, ils imitèrent toutes les pratiques abominables des nations que le Seigneur avait chassées pour faire place au peuple d'Israël.

25 Pendant la cinquième année du règne de Roboam, le roi d'Égypte Chichac vint attaquer Jérusalem. 26 Il emporta les trésors du temple du Seigneur et ceux du palais royal ; il prit absolument tout, en particulier tous les boucliers d'or que Salomon avait faits[l]. 27 Alors, pour les remplacer, le roi Roboam fit fabriquer des boucliers en bronze, et il les confia aux chefs des soldats qui gardaient les portes du palais royal. 28 Ainsi, toutes les fois que le roi se rendait au temple du Seigneur, les gardes portaient les boucliers, puis ils les ramenaient dans le local de garde.

29 Tout le reste de l'histoire de Roboam est contenu dans le livre intitulé *Actes des rois de Juda*. 30 Il fut constamment en guerre contre Jéroboam. 31 Lorsqu'il mourut, on l'enterra dans le tombeau familial de la *Cité de David. Sa mère était Ammonite et s'appelait Naama. Ce fut son fils Abiam[m] qui lui succéda.

Abiam, roi de Juda

(Voir 2 Chron 13.1-3,22-23)

15 1 Pendant la dix-huitième année du règne de Jéroboam, fils de Nebath, sur *Israël, Abiam devint roi de Juda, 2 et il régna trois ans à Jérusalem. Sa mère s'appelait Maaka, et elle était fille d'Abichalom[n]. 3 Abiam commit les mêmes péchés que son père avant lui, et contrairement à son ancêtre David, il n'aima pas le Seigneur son Dieu de tout son cœur. 4 Le Seigneur son Dieu lui accorda quand même un fils pour lui succéder[o], afin que la famille royale ne s'éteigne pas et que Jérusalem reste la capitale du royaume ; mais ce fut à cause de David, 5 qui avait fait ce qui plaît au Seigneur, sans jamais désobéir à aucun de ses commandements, excepté dans l'affaire d'Urie le Hittite[p].

6 Roboam avait été constamment en guerre contre Jéroboam[q].

7 Tout le reste de l'histoire d'Abiam est contenu dans le livre intitulé *Actes des rois de Juda*. Lui aussi fut en guerre contre Jéroboam[r]. 8 Lorsqu'il mourut, on l'enterra dans la *Cité de David ; ce fut son fils Asa qui lui succéda.

Asa, roi de Juda

(Voir 2 Chron 14.1-2 ; 15.16-19 ; 16.1-6,11-14)

9 Pendant la vingtième année du règne de Jéroboam sur *Israël, Asa devint roi de Juda, 10 et il régna quarante et un ans à Jérusalem. Sa grand-mère[s] s'appelait

---

j **14.23** Voir 2 Rois 17.9-10.
k **14.24** Voir Deut 23.17.
l **14.26** Voir 10.16-17 ; 2 Chron 9.15-16.
m **14.31** *Abiam* : quelques manuscrits hébreux, plusieurs versions anciennes et le texte parallèle de 2 Chron 12.16 appellent ce personnage *Abia*.
n **15.2** *Abichalom* : malgré l'orthographe du nom légèrement différente en hébreu, il pourrait s'agir d'*Absalom*, fils de David.
o **15.4** Voir 11.36.
p **15.5** Voir 2 Sam 11.
q **15.6** Ce verset répète presque mot à mot 14.30, où l'information donnée est en meilleure place.
r **15.7** Voir 2 Chron 13.3-21.
s **15.10** *sa grand-mère* : le texte hébreu dit *sa mère* (de même au v. 13), mais voir 15.2, où Maaka est mère d'Abiam. La mère du roi est souvent nommée au début du récit d'un règne, car elle jouissait probablement d'une certaine influence à la cour. Maaka a pu conserver ce rôle au début du règne de son petit-fils Asa, après le règne très bref de son fils Abiam (15.1-8).

Maaka, et elle était fille d'Abichalom. 11 Asa fit ce qui plaît au Seigneur, tout comme son ancêtre David. 12 Il expulsa du pays les hommes et les femmes qui pratiquaient la prostitution sacrée et supprima toutes les idoles que ses ancêtres avaient fabriquées[t]. 13 Il retira même à sa grand-mère Maaka le titre de "Grande Dame", parce qu'elle avait eu l'horrible idée de faire une idole pour la déesse *Achéra. Asa ordonna de détruire cette idole et de la brûler au bord du torrent du Cédron. 14 Pourtant il ne supprima pas les lieux sacrés, bien qu'il eût toujours aimé le Seigneur de tout son cœur. 15 Il fit aussi apporter dans le temple du Seigneur les offrandes consacrées par son père et par lui-même, à savoir de l'argent, de l'or et divers objets.

16 Asa fut constamment en guerre contre Bacha, roi d'Israël. 17 Celui-ci vint un jour attaquer le pays de Juda ; il se mit à fortifier le village de Rama[u], pour empêcher Asa et les Judéens de circuler librement de ce côté-là. 18 Alors Asa confia à ses ministres tout ce qui restait d'argent et d'or dans le trésor du temple, ainsi que le trésor du palais royal ; il les chargea de porter tout cela à Damas, au roi de Syrie Ben-Hadad, fils de Tabrimmon et petit-fils de Hézion, et de lui transmettre le message suivant : 19 « Faisons alliance, toi et moi, comme nos pères respectifs. Tu vois, je t'envoie de l'argent et de l'or en cadeau. Va donc rompre ton alliance avec Bacha, roi d'Israël, afin qu'il retire ses troupes de mon territoire. » 20 Ben-Hadad accepta la proposition d'Asa et envoya les chefs de ses forces armées attaquer les villes d'Israël. Ils prirent Yon, Dan, Abel-Beth-Maaka, la région de Kinnéreth et tout le reste du territoire de Neftali. 21 Quand Bacha apprit cette nouvelle, il cessa de fortifier Rama et retourna s'installer à Tirsa. 22 Le roi Asa fit alors convoquer tous les Judéens sans exception ; ceux-ci emportèrent les pierres et les poutres que Bacha avait rassemblées pour fortifier Rama, et ils les utilisèrent pour fortifier les localités de Guéba-de-Benjamin et de Mispa[v], comme l'ordonna le roi Asa.

23 Tout le reste de l'histoire d'Asa est contenu dans le livre intitulé *Actes des rois de Juda* ; on y raconte le courage qu'il a montré, tout ce qu'il a fait et les villes qu'il a fortifiées. A la fin de sa vie, il eut une maladie des pieds. 24 Lorsqu'il mourut, on l'enterra dans le tombeau familial de la *Cité de David ; ce fut son fils Josaphat qui lui succéda.

Nadab, roi d'Israël

25 Pendant la deuxième année du règne d'Asa sur Juda, Nadab, fils de Jéroboam, devint roi *d'Israël, et il régna deux ans. 26 Il fit ce qui déplaît au Seigneur, il se conduisit aussi mal que son père, qui avait poussé le peuple d'Israël à pécher, et il commit les mêmes péchés que lui[w]. 27 Alors Bacha, fils d'Ahia, de la tribu d'Issakar, forma un complot contre le roi. Tandis que Nadab et l'armée d'Israël assiégeaient la ville de Guibeton, occupée par les Philistins, Bacha assassina le roi Nadab ; 28 cela se passa pendant la troisième année du règne d'Asa sur Juda. Bacha s'empara du pouvoir 29 et, dès qu'il fut roi, il fit massacrer toute la famille de Jéroboam et ne laissa subsister aucun de ses descendants ; il extermina tout le monde, conformément à ce que le *prophète Ahia de Silo avait annoncé de la part du Seigneur[x]. 30 Tout cela arriva parce que Jéroboam avait péché et avait poussé le peuple d'Israël à pécher, ce qui avait grandement irrité le Seigneur, le Dieu d'Israël.

31 Tout le reste de l'histoire de Nadab est contenu dans le livre intitulé *Actes des rois d'Israël*.

32 Asa fut constamment en guerre contre Bacha, roi d'Israël[y].

Bacha, roi d'Israël

33 Pendant la troisième année du règne d'Asa sur Juda, Bacha, fils d'Ahia, devint

---

t **15.12** Voir 2 Chron 15.8-15.
u **15.17** Localité située à 9 km au nord de Jérusalem.
v **15.22** Localités proches de Rama.
w **15.26** Voir 12.29-30.
x **15.29** Voir 14.10-11.
y **15.32** Ce verset répète textuellement 15.16, où l'information donnée est à sa place normale.

donc roi de tout *Israël ; il régna à Tirsa
pendant vingt-quatre ans. 34 Il fit ce qui
déplaît au Seigneur : il se conduisit aussi
mal que Jéroboam, qui avait poussé le
peuple d'Israël à pécher, et il commit les
mêmes péchés que lui.

16 1 Le Seigneur adressa la parole au
*prophète Yéhou, fils de Hanani,
pour qu'il transmette à Bacha le message
suivant : 2 « Tu n'étais qu'un citoyen insignifiant ; or je t'ai pris pour faire de toi
le chef d'Israël, mon peuple. Mais tu t'es
conduit aussi mal que Jéroboam, tu as
poussé les Israélites à pécher, et ceux-ci
m'ont irrité par leurs péchés. 3 C'est pourquoi je vais vous faire disparaître, toi et ta
famille, je vous traiterai comme la famille
de Jéroboam, fils de Nebath. 4 Tout membre de ta famille qui mourra dans la ville
sera dévoré par les chiens, et celui qui
mourra dans la campagne sera déchiqueté par les vautours. »

5 Le reste de l'histoire de Bacha est
contenu dans le livre intitulé *Actes des rois
d'Israël* ; on y raconte ce qu'il a fait et le
courage qu'il a montré. 6 Lorsqu'il mourut, on l'enterra à Tirsa ; ce fut son fils
Éla qui lui succéda.

7 Quand le Seigneur s'était adressé à
Bacha et à sa famille par l'intermédiaire
du prophète Yéhou, fils de Hanani, ce fut
pour deux raisons : premièrement parce
que Bacha et les siens avaient fait ce qui
déplaît au Seigneur et l'avaient personnellement irrité par leurs actions, tout
comme Jéroboam et sa famille ; et
deuxièmement parce que Bacha avait fait
massacrer les descendants de Jéroboam.

Éla, roi d'Israël

8 Pendant la vingt-sixième année du
règne d'Asa sur Juda, Éla, fils de Bacha,
devint roi *d'Israël ; il régna à Tirsa
pendant deux ans. 9 Un de ses officiers,
Zimri, commandant de la moitié des unités de chars, forma un complot contre lui.
Tandis que le roi était à Tirsa, chez Arsa,
le chef du palais royal, en train de boire et
de s'enivrer, 10 Zimri vint et l'assassina ;
cela se passa pendant la vingt-septième
année du règne d'Asa sur Juda. Zimri
s'empara du pouvoir 11 et, dès qu'il eut
pris place sur le trône royal, il fit massacrer toute la famille de Bacha : il ne laissa
subsister aucun homme, enfant ou adulte,
ni dans sa parenté ni parmi ses partisans.
12 Zimri extermina donc toute la famille
de Bacha, conformément à ce que le *prophète Yéhou avait annoncé de la part du
Seigneur. 13 Tout cela arriva parce que Bacha et son fils Éla avaient péché et avaient
poussé le peuple d'Israël à pécher, et parce
qu'ils avaient irrité le Seigneur, le Dieu
d'Israël, par leur idolâtrie.

14 Tout le reste de l'histoire d'Éla est
contenu dans le livre intitulé *Actes des rois
d'Israël*.

Zimri, roi d'Israël

15 Pendant la vingt-septième année du
règne d'Asa sur Juda, Zimri devint donc
roi *d'Israël ; il régna à Tirsa pendant
sept jours. L'armée d'Israël était alors en
position contre la ville de Guibeton, occupée par les Philistins. 16 Les soldats apprirent que Zimri avait comploté contre
le roi et l'avait même assassiné. Aussitôt,
d'un commun accord et dans le camp
même[z], ils désignèrent le général Omri
comme roi d'Israël. 17 Alors Omri quitta
Guibeton avec toute son armée et ils allèrent assiéger Tirsa. 18 Lorsque Zimri vit
que la ville était prise, il se retira dans
une salle[a] du palais royal, il y mit le feu et
mourut dans l'incendie. 19 Tout cela arriva parce que Zimri avait péché en faisant ce qui déplaît au Seigneur et en se
conduisant aussi mal que Jéroboam, qui
avait poussé le peuple d'Israël à pécher.

20 Le reste de l'histoire de Zimri est
contenu dans le livre intitulé *Actes des rois
d'Israël* ; on y raconte aussi le complot
qu'il forma.

21 Après la mort de Zimri, le peuple
d'Israël se divisa : une moitié voulait désigner comme roi Tibni, fils de Guinath ;
l'autre moitié voulait désigner Omri.
22 Finalement, les partisans d'Omri l'em-

---

z **16.16** Décision non conforme aux règles établies, et qui devra être confirmée officiellement, voir 16.21-22.

a **16.18** Le mot traduit par *salle* désigne une partie bien déterminée du palais, mais on ne sait pas laquelle.

portèrent sur ceux de Tibni, fils de Guinath ; Tibni mourut, et ce fut Omri qui
devint roi.

Omri, roi d'Israël

23 Pendant la trente et unième année
du règne d'Asa sur Juda, Omri devint
donc roi *d'Israël pour douze ans. Il régna d'abord six ans à Tirsa. 24 Ensuite il
alla trouver Sémer et lui acheta la colline
de Samarie pour six mille pièces d'argent ; il construisit une ville sur cette colline et l'appela précisément Samarie,
d'après le nom de Sémer, l'ancien propriétaire. 25 Mais Omri fit ce qui déplaît
au Seigneur ; il fut même pire que tous
les rois qui l'avaient précédé : 26 il se
conduisit aussi mal que Jéroboam, fils de
Nebath, qui avait poussé les gens d'Israël
à pécher et à irriter le Seigneur, le Dieu
d'Israël, par leur idolâtrie.
27 Le reste de l'histoire d'Omri est
contenu dans le livre intitulé *Actes des rois
d'Israël* ; on y raconte ce qu'il a fait et le
courage qu'il a montré. 28 Lorsqu'il mourut, on l'enterra à Samarie ; ce fut son fils
Achab qui lui succéda.

Achab, roi d'Israël

29 Pendant la trente-huitième année du
règne d'Asa sur Juda, Achab, fils d'Omri,
devint roi *d'Israël, et il régna vingt-
deux ans à Samarie. 30 Mais il fit ce qui
déplaît au Seigneur, encore bien plus que
tous les rois qui l'avaient précédé. 31 Non
content d'imiter les péchés de Jéroboam,
fils de Nebath[b], il alla jusqu'à épouser Jézabel, fille d'Etbaal, roi des Sidoniens, et
il s'inclina devant le dieu *Baal pour lui
rendre un culte. 32 A Samarie même, il
construisit un temple pour Baal, y fit
dresser un *autel pour les *sacrifices 33 et
y plaça un poteau sacré. Par toutes ses actions, il irrita le Seigneur, le Dieu d'Israël, plus encore que tous les rois d'Israël
qui l'avaient précédé.

34 C'est à cette même époque qu'un certain Hiel, de Béthel, reconstruisit la ville
de Jéricho. Mais ce que Josué, fils de
Noun, avait prédit de la part du Seigneur
se réalisa[c] : Hiel perdit son fils aîné Abiram lorsqu'on creusa les fondations de la
ville, et son fils cadet Segoub lorsqu'on
en posa les portes.

Le prophète Élie annonce une sécheresse

17 1 Élie, un homme du village de Tichebé, en Galaad, dit au roi
Achab : « Par le Seigneur vivant, le Dieu
d'Israël dont je suis le serviteur, voici ce
que je te déclare : "Il n'y aura ces pro-
chaines années ni rosée ni pluie, sauf si je
le demande[d]." »

Élie au bord du torrent de Kerith

2 Puis le Seigneur adressa la parole à
Élie : 3 « Pars d'ici, lui dit-il, va vers
l'orient et cache-toi près du torrent de
Kerith, à l'est du Jourdain. 4 Là, tu trouveras à boire au torrent, et je donnerai
l'ordre aux corbeaux de t'apporter de la
nourriture. » 5 Élie fit ce que le Seigneur
lui avait dit ; il alla s'installer près du torrent de Kerith. 6 Les corbeaux lui apportaient du pain et de la viande matin et
soir, et il buvait l'eau du torrent.

Élie chez la veuve de Sarepta

7 Mais au bout d'un certain temps, le
torrent fut à sec, parce qu'il n'avait pas
plu dans le pays. 8 Alors le Seigneur
adressa la parole à Élie : 9 « En route, lui
dit-il, va dans la ville de Sarepta, proche
de Sidon, pour y habiter. J'ai commandé
à une veuve de là-bas de te donner à manger[e]. »
10 Élie se mit donc en route pour Sarepta. Lorsqu'il arriva à l'entrée de la
ville, il vit une veuve en train de ramasser
du bois. Il l'appela et lui dit : « Apporte-
moi, je te prie, un peu d'eau à boire. »
11 Elle partit en chercher, mais il la rappela et lui dit : « Apporte-moi aussi un
morceau de pain. » – 12 « Par le Seigneur
vivant, ton Dieu, je te jure que je n'ai pas
de pain, répondit-elle ; il ne me reste
qu'une poignée de farine dans un bol et

---

b **16.31** Voir 12.29-30.
c **16.34** Voir Jos 6.26.
d **17.1** Annonce de sécheresse, car le pays d'Israël est peu arrosé naturellement par des cours d'eau. – Voir Jacq 5.17.
e **17.9** Voir Luc 4.25-26.

un peu d'huile dans un pot. Je suis venue ramasser quelques bouts de bois ; je vais aller préparer ce qui nous reste pour mon fils et pour moi ; et quand nous l'aurons mangé, nous n'aurons plus qu'à mourir. » – 13 « N'aie pas peur ! lui dit Élie. Va et fais comme tu l'as dit. Seulement, tu me prépareras d'abord une petite galette de pain que tu m'apporteras ; ensuite tu en feras une pour toi et pour ton fils. 14 En effet, voici ce que déclare le Seigneur, le Dieu d'Israël : "La farine ne manquera pas dans le bol, l'huile ne manquera pas dans le pot, jusqu'à ce que le Seigneur fasse tomber la pluie sur la terre." »

15 La femme alla faire ce qu'Élie lui avait dit ; et ils eurent à manger pendant longtemps, elle et son fils, ainsi que le prophète. 16 La farine ne manqua pas dans le bol, ni l'huile dans le pot, conformément à ce qu'Élie avait annoncé de la part du Seigneur.

Élie rend la vie au fils de la veuve

17 Quelque temps après, le fils de la veuve qui avait accueilli le *prophète chez elle tomba malade. Il fut même si malade qu'il finit par mourir. 18 Sa mère dit à Élie : « Prophète de Dieu, pourquoi m'as-tu fait cela ? Es-tu venu pour rappeler mes fautes à Dieu, et provoquer ainsi la mort de mon fils ? » 19 Il lui répondit : « Donne-moi ton fils ! »

Elle le tenait dans ses bras ; il le prit, le porta à l'étage supérieur, dans la chambre[f] où il logeait, et le coucha sur son lit. 20 Puis il pria le Seigneur en ces termes : « Seigneur mon Dieu, cette veuve m'a accueilli chez elle : veux-tu vraiment la rendre malheureuse en faisant mourir son fils ? »

21 Élie s'étendit ensuite trois fois sur l'enfant, en adressant au Seigneur cette prière : « Seigneur mon Dieu, je t'en supplie, rends la vie à cet enfant. » 22 Le Seigneur répondit à la prière d'Élie : il rendit la vie à l'enfant, qui se remit à respirer. 23 Élie prit l'enfant, le ramena à l'étage inférieur et le rendit à sa mère en disant : « Regarde, ton fils est vivant ! » 24 La femme lui déclara : « Cette fois-ci, je reconnais que tu es un prophète de Dieu et que tu parles vraiment de la part du Seigneur. »

Élie doit annoncer la fin de la sécheresse

18 1 Après un temps assez long, durant la troisième année de la sécheresse, le Seigneur adressa la parole à Élie : « Va te présenter devant le roi Achab, lui dit-il, car je vais faire tomber la pluie sur le sol desséché. » 2 Élie s'en alla pour se présenter devant Achab.

A Samarie, la famine s'était aggravée ; 3 Achab avait appelé Obadia, le chef du palais royal. – Obadia était un adorateur très fidèle du Seigneur : 4 lorsque la reine Jézabel avait fait mettre à mort les prophètes du Seigneur, Obadia avait sauvé cent de ces prophètes en les cachant par groupes de cinquante dans des cavernes, où il les avait ravitaillés en nourriture et en eau. – 5 Achab dit à Obadia : « Viens, nous allons parcourir le pays et visiter toutes les sources et tous les torrents. Nous découvrirons peut-être de l'herbe pour nourrir les chevaux et les mulets, et ainsi nous n'aurons pas à abattre des bêtes. » 6 Ils déterminèrent les régions du pays que chacun devait parcourir ; ainsi Achab partit de son côté pendant qu'Obadia partait du sien.

7 Tandis qu'Obadia était en route, il rencontra soudain Élie. Il le reconnut, s'inclina profondément devant lui et dit : « Est-ce bien toi, mon seigneur Élie ? » – 8 « C'est bien moi ! répondit Élie. Va dire à ton maître Achab : "Élie arrive !" » – 9 « Qu'ai-je fait de mal, demanda Obadia, pour que tu me livres au pouvoir d'Achab ? Tu m'envoies à la mort ! 10 Par ton Dieu, le Seigneur vivant, je t'assure que mon maître a envoyé des gens dans toutes les nations et dans tous les royaumes pour te rechercher. Quand les représentants d'un de ces pays disaient : "Il n'est pas chez nous", ils devaient encore jurer qu'on ne t'avait pas trouvé. 11 Et maintenant, tu m'ordonnes d'aller annoncer à mon maître : "Élie arrive !" 12 Mais dès que je me serai éloigné de toi,

f 17.19 Pièce supplémentaire, construite parfois sur le toit plat des maisons orientales.

l'Esprit du Seigneur t'emportera je ne sais où ; j'irai faire mon rapport à Achab, on ne te retrouvera pas et on me tuera ! Pourtant je suis un adorateur fidèle du Seigneur depuis ma jeunesse. 13 Est-ce qu'on ne t'a pas raconté, mon seigneur, comment j'ai agi quand Jézabel faisait massacrer les prophètes du Seigneur ? comment j'ai caché cent de ces prophètes, par groupes de cinquante, dans des cavernes où je les ravitaillais en nourriture et en eau ? 14 Et maintenant, tu m'ordonnes d'aller annoncer à mon maître : "Élie arrive !" Il va me tuer ! » 15 Mais Élie lui répondit : « Par le Dieu vivant, le Seigneur de l'univers, dont je suis le serviteur, je t'assure qu'aujourd'hui même je me présenterai devant Achab. »

Élie se présente devant Achab

16 Obadia alla donc retrouver Achab et lui fit son rapport ; Achab vint à la rencontre d'Élie, 17 et dès qu'il le vit, il lui dit : « Te voilà, toi qui amènes le malheur sur le peuple *d'Israël ! » 18 Élie répondit : « Ce n'est pas moi qui ai amené le malheur sur Israël ; c'est toi et ta famille, parce que vous avez refusé d'obéir aux commandements du Seigneur et que vous avez adoré les dieux *Baals. 19 Mais maintenant, envoie des messagers. Qu'ils rassemblent tout le peuple d'Israël autour de moi, sur le mont Carmel, avec les quatre cent cinquante *prophètes du dieu Baal et les quatre cents prophètes de la déesse *Achéra, qui sont les protégés de la reine Jézabel. »

Élie et les prophètes de Baal au Carmel

20 Achab fit convoquer toutes les tribus *d'Israël, de même que les *prophètes, sur le mont Carmel. Quand ils furent rassemblés, 21 Élie s'avança devant tout le peuple et dit : « Quand cesserez-vous de sautiller tantôt sur un pied, tantôt sur l'autre ? Ou bien c'est le Seigneur qui est le vrai Dieu, et alors rendez un culte au Seigneur ! Ou bien c'est *Baal qui est le vrai Dieu, et alors rendez un culte à Baal ! » Mais personne dans le peuple ne répondit.

22 Élie reprit : « Moi je reste seul comme prophète du Seigneur, tandis que les prophètes de Baal sont au nombre de quatre cent cinquante. 23 Qu'on nous donne deux taureaux : les prophètes de Baal en choisiront un, qu'ils découperont et placeront sur du bois pour l'offrir en sacrifice, mais sans allumer le feu. Je préparerai l'autre et je le placerai sur du bois, mais je n'allumerai pas non plus le feu. 24 Ils prieront leur dieu, et moi je prierai le Seigneur. Le vrai Dieu sera celui qui répondra aux prières en allumant le feu. » Tout le peuple répondit : « Nous sommes d'accord. » 25 Alors Élie dit aux prophètes de Baal : « Choisissez l'un des taureaux et préparez-le, vous les premiers, puisque vous êtes les plus nombreux ; ensuite priez votre dieu, mais n'allumez pas le feu. »

26 Ils prirent le taureau qu'on leur présenta, ils préparèrent le sacrifice, puis ils supplièrent Baal depuis le matin jusqu'à midi : « Baal, réponds-nous ! » disaient-ils, et ils dansaient en sautillant autour de *l'autel qu'ils avaient construit ; mais ils ne reçurent pas un mot de réponse. 27 Vers midi, Élie se mit à se moquer d'eux, en disant : « Criez plus fort ! Puisqu'il est un dieu, il est très occupé ; ou bien il a une obligation urgente, ou encore il est en voyage ; peut-être qu'il dort, et il faut le réveiller. » 28 Ils crièrent plus fort ; selon leur coutume, ils se blessèrent volontairement avec des épées et des lances jusqu'à ce que le sang coule sur leur corps. 29 Quand midi fut passé, ils appelèrent Baal avec encore plus d'excitation jusqu'à l'heure où l'on offre le sacrifice de l'après-midi, mais ils ne reçurent aucune réponse : ni un mot ni un signe.

30 Alors Élie invita tout le peuple à s'approcher de lui ; quand ils se furent approchés, Élie se mit à réparer l'autel du Seigneur, qui était en ruine. 31 Il prit douze pierres, nombre correspondant aux douze tribus des descendants de Jacob – c'est à ce Jacob que le Seigneur avait déclaré : « Tu t'appelleras désormais Israël »[g].– 32 Avec ces pierres, il reconstruisit donc l'autel consacré au

g **18.31** Voir Gen 32.29 ; 35.10.

voya des messagers dire à Achab, roi *d'Israël : 3 « Voici un message de la part du roi Ben-Hadad : "Livre-moi ton argent et ton or, ainsi que tes femmes et tes enfants les plus beaux !" » 4 Le roi d'Israël lui fit répondre : « J'obéis aux ordres de Sa Majesté le roi ! Je me livre moi-même à lui, avec tout ce qui m'appartient. » 5 Mais les messagers vinrent le trouver une seconde fois et lui transmirent ce nouveau message de la part de Ben-Hadad : « Je t'ai envoyé l'ordre de me donner ton argent et ton or, tes femmes et tes fils. 6 Eh bien, sache que demain à pareille heure j'enverrai mes serviteurs chez toi. Ils fouilleront ton palais et les maisons de tes ministres, et ils prendront et emporteront tous les objets précieux auxquels tu tiens. »

7 Alors le roi d'Israël convoqua tous les *anciens du pays et leur dit : « Vous pouvez constater vous-mêmes clairement que celui-là nous veut du mal ; en effet, quand il a envoyé ses messagers pour me réclamer mes femmes et mes enfants, ainsi que mon argent et mon or, je ne lui ai pourtant rien refusé. » 8 Tous les anciens et tout le peuple lui dirent : « Ne l'écoute pas, n'accepte pas. » 9 Il donna donc la réponse suivante aux messagers de Ben-Hadad : « Dites à Sa Majesté : "Tout ce que le roi m'a demandé la première fois, je l'aurais fait ; mais ce qu'il exige maintenant, je ne peux pas l'admettre[t]." »

Les messagers allèrent porter cette réponse à Ben-Hadad. 10 Alors celui-ci envoya un troisième message au roi Achab : « Que les dieux m'infligent la plus terrible des punitions si je laisse subsister de Samarie assez de décombres pour remplir les mains de tous ceux qui m'accompagnent ! » 11 Le roi d'Israël répondit : « Rappelez à Ben-Hadad ce que dit le proverbe : "Celui qui part au combat ne doit pas se vanter comme s'il en revenait vainqueur." » 12 Ben-Hadad était en train de boire avec les autres rois dans les tentes, quand il reçut cette réponse ; il donna aussitôt aux officiers l'ordre de préparer l'attaque. Ses officiers s'y préparèrent.

Le roi Achab remporte la victoire

13 Alors un *prophète vint trouver Achab, roi *d'Israël, et lui dit : « Voici ce que déclare le Seigneur : "Tu as vu cette grande foule de soldats ! Eh bien, je vais les livrer en ton pouvoir aujourd'hui même, pour que tu saches que c'est moi le Seigneur." » 14 Achab demanda : « Par le moyen de qui seront-ils livrés en mon pouvoir ? » – « Voici ce que déclare le Seigneur, répondit le prophète : "Par le moyen des jeunes soldats recrutés par les chefs de provinces." » Achab reprit : « Qui engagera le combat ? » – « Toi ! » répondit-il.

15 Achab passa en revue les jeunes soldats recrutés par les chefs de provinces, au nombre de deux cent trente-deux, puis il passa aussi en revue toute l'armée d'Israël, au nombre de sept mille combattants. 16 Ils lancèrent une attaque à midi, tandis que Ben-Hadad et les trente-deux autres rois, ses alliés, continuaient de s'enivrer dans les tentes. 17 Les jeunes soldats passèrent les premiers à l'attaque. Ben-Hadad envoya une patrouille voir ce qui se passait. On lui rapporta que des hommes étaient sortis de Samarie. 18 « S'ils viennent demander la paix, dit-il, prenez-les vivants ; mais s'ils viennent attaquer... prenez-les aussi vivants ![u] »

19 Cependant les jeunes soldats et l'armée qui les suivait étaient sortis de la ville ; 20 ils frappèrent chacun un adversaire, si bien que les Syriens s'enfuirent et que les Israélites se mirent à les poursuivre. Quant à Ben-Hadad, il parvint à se sauver à cheval avec quelques autres cavaliers. 21 C'est ainsi que le roi d'Israël attaqua : il extermina les chevaux, détruisit les chars, et infligea une lourde défaite à l'armée des Syriens. 22 Le prophète vint alors trouver le roi d'Israël pour lui dire : « Prends courage, et réfléchis bien à ce

t **20.9** Achab accepte de tout remettre à son adversaire pour éviter la guerre, mais il ne peut admettre que les ennemis viennent eux-mêmes piller sa capitale.

u **20.18** Il semble que Ben-Hadad, ivre, ne sache plus très bien ce qu'il veut.

que tu dois faire, car l'an prochain à la même époque, le roi de Syrie reviendra t'attaquer. »

Nouvelle victoire d'Achab

23 Les gens de son entourage dirent au roi de Syrie : « Le Dieu d'Israël est un Dieu des montagnes : voilà pourquoi les Israélites ont été plus forts que nous ; mais combattons-les dans la plaine : il est certain que là nous serons plus forts qu'eux. 24 Maintenant, fais donc ceci : Destitue tous les rois, tes alliés, et remplace-les par des gouverneurs. 25 Et toi, recrute une armée aussi nombreuse que celle que tu as perdue, ainsi que des chevaux et des chars en aussi grand nombre qu'avant ; puis nous combattrons l'armée *d'Israël dans la plaine ; il est certain que nous serons plus forts qu'eux. » Ben-Hadad accepta de suivre leur conseil.

26 L'année suivante à la même époque, il passa en revue l'armée syrienne, puis il la conduisit jusqu'à la ville d'Afec[v], pour engager le combat contre Israël. 27 Les soldats d'Israël aussi furent passés en revue par Achab et ravitaillés, puis ils marchèrent à la rencontre de leurs adversaires. Ils campèrent en deux groupes, face aux Syriens. Ils ressemblaient à deux petits troupeaux de chèvres, tandis que les Syriens couvraient le pays. 28 De nouveau le *prophète de Dieu vint trouver le roi d'Israël et lui dit : « Voici ce que déclare le Seigneur : "Puisque les Syriens ont dit que moi, le Seigneur, j'étais un Dieu des montagnes et non pas des plaines, je vais livrer toute leur nombreuse armée en ton pouvoir. Ainsi vous saurez que je suis le Seigneur." » 29 Pendant sept jours ils campèrent les uns en face des autres. Le septième jour ils engagèrent le combat ; les Israélites battirent les Syriens et tuèrent cent mille soldats à pied en un seul jour. 30 Ceux qui restaient, vingt-sept mille hommes, s'enfuirent dans la ville d'Afec, mais la muraille de la ville s'écroula sur eux.

Achab épargne la vie du roi de Syrie

Cependant Ben-Hadad, qui avait réussi à fuir, se réfugia en ville dans la pièce la plus retirée d'une maison. 31 Les gens de son entourage lui dirent : « Écoute, nous avons appris que les rois *d'Israël sont des rois pleins de pitié. Nous allons donc nous habiller d'étoffes grossières, nous passer des cordes autour du cou, et nous irons trouver le roi d'Israël. Peut-être qu'il ne te fera pas mourir. » 32 Ils se vêtirent donc d'étoffes grossières, se passèrent des cordes autour du cou, se rendirent chez le roi d'Israël et lui dirent : « Ton esclave Ben-Hadad te supplie d'épargner sa vie. » – « Il est encore en vie ? demanda Achab. Eh bien, il est mon frère ! »

33 Les envoyés de Ben-Hadad trouvèrent que c'était bon signe et se hâtèrent d'en profiter, en s'écriant : « Ben-Hadad est donc ton frère ! » – « Allez le chercher », reprit Achab. Ben-Hadad sortit de sa cachette et vint vers Achab, qui le fit monter sur son char. 34 Ben-Hadad dit à Achab : « Je veux te rendre les villes que mon père avait prises à ton père. Tu pourras aussi faire vendre les produits de ton pays à Damas, comme mon père pouvait vendre les nôtres à Samarie. » – « Et moi, dit Achab, je vais conclure une *alliance avec toi, puis je te renverrai libre. » Après avoir conclu cette alliance, il le renvoya libre.

Dieu condamne la faiblesse d'Achab

35 A ce moment-là, le Seigneur ordonna à un membre d'une communauté de *prophètes de dire à l'un de ses compagnons : « Frappe-moi ! », mais l'autre refusa. 36 Alors le premier lui dit : « Puisque tu n'as pas obéi à l'ordre du Seigneur, dès que tu m'auras quitté, un lion te tuera. » En effet, l'autre s'en alla et rencontra un lion qui le tua.

37 Le premier alla trouver un autre homme et lui dit : « Frappe-moi ! » Celui-ci le frappa et le blessa. 38 Alors le prophète se déguisa, ramena sa coiffure sur son visage et alla se poster au bord de la route où devait passer le roi Achab. 39 Lorsque le roi passa, le prophète lui

v **20.26** *Afec* se trouve probablement dans la région relativement plate à l'est du lac de Génésareth.

cria : « Majesté, j'étais en plein combat
lorsque quelqu'un est sorti des rangs et
m'a amené un prisonnier, en disant :
"Garde-moi cet homme ! S'il s'échappe,
tu payeras cela de ta vie, ou bien tu me
verseras trois mille pièces d'argent". 40 Et
voilà, tandis que j'étais occupé de-ci
de-là, le prisonnier s'est échappé ! » –
« Eh bien, tu as prononcé toi-même ta
condamnation », lui répondit le roi *d'Israël. 41 Aussitôt l'homme releva la coiffure qui cachait son visage, et le roi
d'Israël reconnut qu'il était membre
d'une communauté de prophètes[w]. 42 Le
prophète lui dit alors : « Voici ce que déclare le Seigneur : "Puisque tu as laissé
échapper l'homme que j'avais condamné
à mort, tu payeras cela de ta vie, et ton
peuple mourra à la place de son peuple." » 43 Le roi d'Israël s'en retourna
chez lui, à Samarie, inquiet et furieux.

Le roi Achab laisse assassiner Naboth

21 1 Après ces événements, voici ce
qui arriva : Il y avait à Jizréel un
homme appelé Naboth ; il possédait dans
cette ville une vigne, tout près d'un palais
appartenant à Achab, roi de Samarie.
2 Un jour, Achab dit à Naboth : « Cède-
moi ta vigne pour que je puisse m'en faire
un jardin potager, puisqu'elle est juste à
côté de mon palais ; en échange, je te
donnerai une vigne bien meilleure, ou si
tu préfères, je t'en payerai le prix. » 3 Mais
Naboth lui répondit : « Je n'ai pas le droit
devant le Seigneur de te céder la vigne
que j'ai héritée de mes ancêtres[x] ! »

4 Achab s'en retourna chez lui, déçu et
furieux à cause de cette réponse de Naboth : « Je ne te céderai pas ce que j'ai hérité de mes ancêtres. » Il se coucha sur
son lit, se tourna contre le mur et ne voulut plus rien manger. 5 Sa femme Jézabel
vint le trouver et lui demanda : « Pourquoi es-tu de mauvaise humeur ? Pourquoi ne veux-tu rien manger ? » – 6 « J'ai
parlé à Naboth, de Jizréel, répondit-il ; je
lui ai dit : "Cède-moi ta vigne contre de
l'argent, ou si tu préfères, je te donnerai
une autre vigne en échange", mais il m'a
répondu : "Je ne te céderai pas ma vigne." » 7 Jézabel lui dit alors : « Vraiment,
tu oublies que tu es le roi *d'Israël ! Relève-toi ! Mange et réjouis-toi ! C'est moi
qui vais te donner la vigne de Naboth, de
Jizréel. »

8 Elle écrivit des lettres au nom du roi
Achab, elle les marqua avec le *cachet
royal et elle les fit porter aux *anciens et
aux autorités de la ville où habitait Naboth. 9 Dans ces lettres, elle avait écrit
ceci : « Convoquez la population à une cérémonie de *jeûne, et demandez à Naboth de présider cette assemblée. 10 En
face de lui, placez deux vauriens, qui l'accuseront d'avoir maudit Dieu et le roi.
Ensuite conduisez-le hors de la ville et je-
tez-lui des pierres jusqu'à ce qu'il
meure[y]. »

11 Les anciens et les autorités de la ville
de Naboth firent ce que Jézabel leur avait
ordonné dans ses lettres. 12 Ils convoquèrent la population à une cérémonie de
jeûne et demandèrent à Naboth de présider cette assemblée. 13 Les deux vauriens
vinrent se placer en face de Naboth et se
mirent à l'accuser devant tout le monde en
disant : « Naboth a maudit Dieu et le roi ! »
Aussitôt, on le conduisit hors de la
ville et on lui jeta des pierres jusqu'à ce
qu'il meure. 14 Alors les autorités de la
ville envoyèrent un messager informer
Jézabel que Naboth avait été exécuté et
qu'il était mort. 15 Lorsque Jézabel apprit
cela, elle alla dire à Achab : « Va prendre
possession de la vigne que Naboth, de
Jizréel, refusait de te vendre : il est
mort. » 16 A cette nouvelle, Achab se rendit à la vigne de Naboth et en prit possession.

Dieu condamne la conduite d'Achab et de Jézabel

17 Alors le Seigneur adressa la parole au
*prophète Élie, de Tichebé : 18 « Rends-

---

w **20.41** Les *prophètes* vivant en communauté portaient peut-être un signe sur le front, ou une tonsure. Le prophète avait caché ce signe distinctif sous sa coiffure.

x **21.3** A l'époque royale, seul celui qui possédait effectivement sa terre familiale était un Israélite à part entière. – Comparer Lév 25.23.

y **21.10** Celui qui est coupable d'avoir *maudit Dieu* (Lév 24.10-16) ou *le roi* (2 Sam 19.22) doit être mis à mort.

toi auprès d'Achab, le roi *d'Israël qui réside à Samarie, lui dit-il. Il se trouve dans
la vigne de Naboth, où il est allé pour en
prendre possession. 19 Va lui dire : Voici ce
que déclare le Seigneur : "Ainsi, tu as assassiné quelqu'un, et tu viens maintenant
prendre possession de ses biens !" Puis tu
ajouteras : Voici ce que déclare encore le
Seigneur : "A l'endroit même où les
chiens ont léché le sang de Naboth, les
chiens lécheront aussi ton propre sang." »
20 Élie alla porter ce message à Achab,
qui lui dit : « Eh bien, mon ennemi, tu
m'as retrouvé ! » – « Oui, je t'ai retrouvé,
dit Élie. Et puisque tu as pris plaisir à
faire ce qui déplaît au Seigneur, 21 voici ce
qu'il déclare : "Je vais envoyer le malheur
sur toi ; je te ferai disparaître, j'exterminerai d'Israël tous les hommes de ta parenté,
enfants et adultes. 22 Je traiterai ta famille
comme j'ai traité celle de Jéroboam, fils
de Nebath, et celle de Bacha, fils d'Ahia,
parce que tu m'as grandement irrité et
que tu as poussé le peuple d'Israël à pécher." 23 Et, ajouta Élie, le Seigneur a aussi
parlé contre Jézabel en déclarant : "Les
chiens dévoreront Jézabel au pied de la
muraille de Jizréel[z]." 24 De plus, roi
Achab, tout membre de ta famille qui
mourra dans la ville sera dévoré par les
chiens, et celui qui mourra dans la campagne sera déchiqueté par les vautours. »

25 On n'a certainement jamais vu personne prendre autant de plaisir que le roi
Achab à faire ce qui déplaît au Seigneur ;
c'est qu'il y était poussé par sa femme Jézabel. 26 Il a agi d'une façon particulièrement abominable lorsqu'il adorait des
idoles, tout comme les *Amorites que le
Seigneur avait chassés pour faire place au
peuple d'Israël.

Achab s'humilie de sa conduite

27 Lorsque le roi Achab eut entendu le
message du Seigneur, il s'humilia en *déchirant ses vêtements, en portant une
étoffe grossière directement sur la peau et
en *jeûnant ; il gardait sur lui cette étoffe
grossière même pour dormir, et il marchait à pas lents. 28 Alors le Seigneur
adressa la parole à Élie, de Tichebé :
29 « Regarde combien Achab est devenu
humble devant moi, dit-il. Puisqu'il s'est
humilié ainsi, je n'enverrai pas le malheur sur sa famille pendant son règne,
mais pendant celui de son fils. »

Achab veut reprendre la ville de Ramoth

(Voir 2 Chron 18.1-3)

22 1 Deux années passèrent, sans
guerre entre la Syrie et *Israël.
2 Dans le courant de la troisième année,
Josaphat, roi de Juda, vint voir Achab, roi
d'Israël. 3 Or Achab avait dit à son entourage : « Vous savez bien que la ville de Ramoth, en Galaad[a], est à nous. Pourquoi
hésitons-nous à aller la reprendre au roi
de Syrie ? » 4 Il demanda donc au roi Josaphat : « Viendrais-tu combattre avec moi
pour reprendre Ramoth de Galaad ? » Josaphat lui répondit : « Nous ne faisons
qu'un, toi et moi, ton peuple et le mien,
tes chevaux et les miens. »

Les prophètes de métier prédisent le succès

(Voir 2 Chron 18.4-11)

5 Pourtant Josaphat ajouta : « Consulte
d'abord le Seigneur. » 6 Le roi *d'Israël
rassembla alors ses *prophètes, au nombre de quatre cents environ[b], et leur demanda : « Dois-je aller combattre pour
reprendre Ramoth de Galaad, ou dois-je
y renoncer ? » – « Tu peux y aller, répondirent les prophètes, le Seigneur te livrera la ville. » 7 Mais Josaphat demanda :
« N'y a-t-il ici aucun autre prophète par
qui nous puissions consulter le Seigneur ? » – 8 « Il y en a bien encore un, répondit le roi d'Israël, mais je ne l'aime
pas, car il m'annonce toujours du mal, jamais rien de bon. C'est Michée, fils d'Imla[c]. » Josaphat s'écria : « Ne parle pas ainsi

---

z **21.23** Voir 2 Rois 9.36.

a **22.3** Ville frontière de Transjordanie, au sud-est du lac de Génésareth ; elle fut longtemps disputée entre Israélites et Syriens.

b **22.6** Ces *prophètes* de métier étaient entretenus à la cour du roi ; on attendait d'eux qu'ils soutiennent la politique royale, plutôt qu'ils ne parlent de la part de Dieu (comparer v. 13).

c **22.8** Ce *Michée, fils d'Imla* est différent de « Michée de Moréchethx », qui a donné son nom au livre du prophète « Michée » ; voir v. 28 et la note.

d'un prophète ! » 9 Alors le roi d'Israël appela un fonctionnaire du palais et lui ordonna d'aller rapidement chercher
Michée, fils d'Imla.
10 Le roi d'Israël et le roi de Juda
étaient assis chacun sur son trône, revêtus de leurs habits royaux, sur la place située près de la porte de la ville de
Samarie, pendant que les prophètes proclamaient leur message devant eux. 11 Un
certain Sidequia, fils de Kenaana, s'était
fabriqué des cornes de fer, et il disait :
« Voici ce que déclare le Seigneur : "Ces
cornes sont le signe de la puissance avec
laquelle tu écraseras l'armée syrienne." »
12 Et tous les autres prophètes confirmaient ce message en disant : « Tu peux
aller attaquer Ramoth de Galaad. Tu
réussiras, le Seigneur te livrera la ville. »

Le prophète Michée prédit la défaite

(Voir 2 Chron 18.12-27)

13 Le messager qui était allé chercher
Michée lui dit : « Écoute, tous les *prophètes sont unanimes à prédire au roi le
succès ; arrange-toi donc pour parler
comme eux : prédis toi aussi le succès. »
14 Mais Michée lui répondit : « Par le Seigneur vivant, je proclamerai ce que le
Seigneur m'aura dit. »
15 Il vint se présenter devant le roi, qui
lui posa cette question : « Michée, devons-
nous aller combattre pour reprendre Ramoth de Galaad, ou devons-nous y renoncer ? » – « Tu peux y aller, répondit
Michée ; tu réussiras, le Seigneur te livrera
la ville. » 16 Mais le roi reprit : « Combien
de fois faudra-t-il que je t'adjure de me
dire seulement la vérité de la part du Seigneur ? » 17 Alors Michée déclara :
« J'ai vu tout le peuple d'Israël
dispersé sur les montagnes
comme un troupeau sans *berger[d].
Et le Seigneur a dit :
"Ils n'ont plus de chef.
Que chacun retourne tranquillement
chez soi." »
18 Le roi d'Israël dit à Josaphat : « Je te
l'avais bien dit ! Il m'annonce toujours
du mal, jamais rien de bon ! » 19 Mais Michée reprit : « Écoute plutôt ce que dit le
Seigneur. J'ai vu, en effet, le Seigneur assis sur son trône royal, avec tous ses serviteurs *célestes debout à sa droite et à sa
gauche ; 20 il a demandé : "Qui veut aller
donner à Achab la mauvaise idée d'attaquer Ramoth de Galaad, afin qu'il y soit
tué ?" Quelqu'un a proposé ceci, un autre
cela. 21 Alors l'Esprit qui inspire les prophètes s'est avancé devant le Seigneur et a
dit : "Moi, j'irai lui en donner l'idée !" –
"Comment ?" a demandé le Seigneur.
22 "J'irai, a-t-il dit, et je ferai prononcer
des mensonges par tous les prophètes du
roi." Le Seigneur lui a répondu : "C'est
un excellent moyen pour le tromper ;
vas-y et fais cela !" 23 Eh bien, ajouta Michée, maintenant, c'est fait. Le Seigneur a
laissé un esprit inspirer des mensonges à
tous tes prophètes ; mais en réalité, le Seigneur a décidé de t'envoyer le malheur. »
24 Aussitôt Sidequia, fils de Kenaana,
s'approcha de Michée et lui donna une
gifle en disant : « Est-ce que l'Esprit du
Seigneur est sorti de moi pour aller te
parler ? » 25 Michée répondit : « Oui ! Et
tu le comprendras bien toi-même le jour
où tu iras te cacher dans le recoin le plus
secret de ta maison. » 26 Alors le roi d'Israël donna l'ordre suivant à un serviteur :
« Saisis Michée et confie-le au gouverneur de la ville Amon et au prince Yoach.
27 Tu leur ordonneras de ma part de mettre cet individu en prison, et de ne lui
donner qu'une misérable ration de pain
et d'eau, jusqu'à ce que je revienne sain et
sauf de cette expédition. » 28 Michée lui
répondit : « Si tu reviens sain et sauf, c'est
que le Seigneur n'a pas parlé par mon
intermédiaire[e]. »

Le roi Achab est tué au combat

(Voir 2 Chron 18.28-34)

29 Le roi d'Israël et Josaphat, roi de
Juda, allèrent donc attaquer Ramoth de
Galaad. 30 Le roi *d'Israël dit à Josaphat :
« Je vais me déguiser pour aller au
combat[f], mais toi, mets tes habits

---

d 22.17 Voir Nomb 27.17 ; Ézék 34.5 ; Matt 9.36 ; Marc 6.34.

e 22.28 L'hébreu ajoute ici *Il dit : Vous, tous les peuples, écoutez*, mots empruntés au début du livre de *Michée de Morécheth* (Voir Mich 1.1-2).

f 22.30 D'après les versions anciennes ; hébreu *Déguise-toi et va au combat*.

royaux. » Ainsi le roi d'Israël se déguisa
pour aller au combat. 31 Or le roi de Syrie
avait ordonné aux trente-deux chefs de ses
chars de guerre de n'attaquer ni les simples soldats, ni les officiers, mais seulement le roi d'Israël. 32 C'est pourquoi,
lorsque les chefs de chars virent Josaphat,
ils se dirent que c'était certainement le roi
d'Israël et ils se tournèrent contre lui pour
l'attaquer. Mais Josaphat poussa son cri de
guerre 33 et les chefs des chars se rendirent
compte que ce n'était pas le roi d'Israël;
alors ils cessèrent de le poursuivre.

34 Or un soldat syrien tira de l'arc au
hasard, et la flèche atteignit le roi d'Israël
entre les plaques protectrices de sa cuirasse. Le roi dit au conducteur de son
char : « Fais demi-tour ! Fais-moi sortir
de la bataille, car je me sens très mal. »
35 Mais ce jour-là, le combat fut si violent que le roi dut rester face à l'armée syrienne, soutenu par quelqu'un sur son
char ; et le soir, il mourut. Le sang de sa
blessure avait coulé au fond du char. 36 Au
coucher du soleil, on cria dans le camp :
« Que chacun retourne dans sa ville, chacun chez soi, 37 car le roi est mort[g] ! »

On ramena le corps à Samarie et on l'y
enterra. 38 Et tandis qu'on lavait le char
d'Achab à l'étang de Samarie, les chiens
vinrent lécher son sang et les prostituées
se baignèrent là, selon ce que le Seigneur
avait annoncé[h].

39 Le reste de l'histoire d'Achab est
contenu dans le livre intitulé *Actes des
rois d'Israël* ; on y raconte tout ce qu'il a
fait, comment il s'est construit un palais
richement décoré d'ivoire, et combien
de villes il s'est fait bâtir. 40 Lorsqu'il
mourut, ce fut son fils Ahazia qui lui
succéda.

Josaphat, roi de Juda

(Voir 2 Chron 20.31–21.1)

41 Josaphat, fils d'Asa, était devenu roi
de Juda pendant la quatrième année du
règne d'Achab, roi *d'Israël. 42 Il avait
alors trente-cinq ans, et il régna vingt-
cinq ans à Jérusalem. Sa mère s'appelait
Azouba, et elle était fille de Chili. 43 Il se
conduisit d'une manière droite et imita
en tout son père Asa, faisant ce qui plaît
au Seigneur. 44 Pourtant il ne supprima
pas les lieux sacrés ; les gens continuaient
d'y aller pour offrir des sacrifices d'animaux et brûler des parfums. 45 Enfin Josaphat vécut en paix avec le roi d'Israël.

46 Le reste de l'histoire de Josaphat est
contenu dans le livre intitulé *Actes des rois
de Juda* ; on y raconte le courage qu'il a
montré, les guerres qu'il a livrées, 47 et
comment il a éliminé du pays tous les
hommes et les femmes qui pratiquaient
la prostitution sacrée et qui avaient subsisté du temps de son père Asa. 48 Par ailleurs, à cette époque, il n'y avait pas de
roi dans le pays d'Édom, mais seulement
un préfet nommé par le roi de Juda[i].
49 Josaphat fit construire de grands bateaux à Ession-Guéber pour aller chercher de l'or dans le pays d'Ofir[j], mais
l'expédition ne réussit pas, car les bateaux firent naufrage à Ession-Guéber.
50 Alors Ahazia, fils d'Achab, proposa à
Josaphat que des marins de son propre
pays accompagnent ceux de Josaphat sur
les bateaux, mais Josaphat n'accepta pas.
51 Lorsque Josaphat mourut, on l'enterra
dans le tombeau familial de la *Cité de
David ; ce fut son fils Joram qui lui succéda.

Ahazia, roi d'Israël

52 Ahazia, fils d'Achab, était devenu roi
*d'Israël à Samarie pendant la dix-sep-
tième année du règne de Josaphat, roi de
Juda, et il régna deux ans sur le peuple
d'Israël. 53 Il fit ce qui déplaît au Seigneur ; il se conduisit aussi mal que son
père, que sa mère, et que le roi Jéroboam,
fils de Nebath, qui avait poussé le peuple
d'Israël à pécher. 54 Il s'inclina devant le
dieu *Baal pour lui rendre un culte, irritant ainsi le Seigneur, le Dieu d'Israël,
tout comme l'avait fait son père.

---

g **22.37** *car le roi est mort* : d'après l'ancienne version grecque ; hébreu *Et le roi mourut*.

h **22.38** L'Ancien Testament n'a pas conservé cette prophétie concernant le bain des *prostituées*.

i **22.48** Comparer 2 Rois 8.20.

j **22.49** Voir 9.28 et la note.

Deuxième livre des
Rois

***Introduction** – Le* deuxième livre des Rois *continue le premier livre du même nom : il raconte le règne des derniers monarques des royaumes de Juda et *d'Israël.*

*La première partie (chap. 1–17) nous mène jusqu'à la ruine du royaume d'Israël, mal gouverné par des rois infidèles à Dieu. En raison de leur endurcissement Dieu permet à Salmanasar, roi d'Assyrie, de venir s'emparer de Samarie, la capitale du royaume israélite du Nord, vers 722 avant J.-C., et de déporter une partie de la population. Plusieurs chapitres de cette partie sont dominés par la figure du *prophète Élisée, disciple et successeur d'Élie (chap. 2–13).*

La seconde partie (chap. 18–25) concerne les 130 années environ pendant lesquelles le royaume de Juda va subsister seul, jusqu'à ce que le roi Nabucodonosor de Babylone vienne s'emparer de Jérusalem en 587 avant J.-C., détruise le temple et déporte en Babylonie l'élite de la population de Juda (chap. 25).

Dieu condamne la conduite d'Ahazia

1 1 Après la mort du roi Achab, les
Moabites se révoltèrent contre la domination *d'Israël.

2 Un jour, le roi Ahazia, qui se trouvait
dans une chambre à l'étage supérieur de
son palais de Samarie, tomba de la fenêtre et se blessa gravement. Alors il envoya des messagers consulter Baal
Zeboub[a], le dieu de la ville d'Écron, pour
savoir s'il se rétablirait après cet accident.
3 Mais un *ange du Seigneur vint dire à
Élie, de Tichebé : « Va à la rencontre des
messagers du roi de Samarie et dis-leur :
"N'y a-t-il pas de Dieu en Israël ? Pourquoi donc allez-vous consulter Baal Zeboub, le dieu d'Écron ?" 4 Et tu ajouteras :
"Voici ce que le Seigneur déclare au roi
d'Israël : Tu ne quitteras plus le lit où tu
es couché ; tu vas mourir !" »

Élie fit ce que le Seigneur lui avait
commandé. 5 Aussitôt, les messagers retournèrent auprès du roi, qui leur demanda : « Pourquoi donc êtes-vous
revenus ? » – 6 « Un homme s'est approché de nous, répondirent-ils, et il nous a
ordonné de retourner vers toi et de te
dire : "Voici ce que déclare le Seigneur :
N'y a-t-il pas de Dieu en Israël ? Pourquoi donc envoies-tu des messagers
consulter Baal Zeboub, le dieu d'Écron ?
A cause de cela, tu ne quitteras plus le lit
où tu es couché ; tu vas mourir !" » 7 Le
roi leur demanda : « Comment était
l'homme qui est venu à votre rencontre
et qui vous a transmis ce message ? » 8 Ils
répondirent : « Il portait un vêtement fait
de poils de chameau, avec une ceinture

---

a **1.2** *une chambre à l'étage supérieur* : comparer 1 Rois 17.19 et la note. – *Baal Zeboub* : ce nom signifie « le Maître des mouches » ; c'est une déformation ironique et humiliante de *Baal Zeboul*, « Baal le Prince ».

autour de la taille[b].» Le roi s'écria: «C'est Élie, de Tichebé!»

Ahazia tente de faire arrêter Élie

9 Le roi envoya un officier avec une troupe de cinquante soldats pour arrêter Élie. Ceux-ci montèrent vers le sommet d'une montagne où Élie était assis. L'officier lui dit: «*Prophète de Dieu, descends! C'est un ordre du roi!» 10 Élie lui répondit: «Puisque je suis prophète de Dieu, j'ordonne qu'un feu descende du ciel et vous extermine, toi et tes cinquante hommes[c]!» Aussitôt, un feu descendit du ciel et extermina l'officier et ses cinquante soldats.

11 Le roi envoya un autre officier, avec cinquante soldats également, auprès d'Élie; l'officier dit à Élie: «Prophète de Dieu, dépêche-toi de descendre! C'est un ordre du roi!» 12 Élie répondit: «Puisque je suis prophète de Dieu, j'ordonne qu'un feu descende du ciel et vous extermine, toi et tes cinquante hommes!» Aussitôt, un feu envoyé par Dieu descendit du ciel et extermina l'officier et ses cinquante soldats.

13 Une troisième fois, le roi envoya un officier avec cinquante soldats. Ils montèrent sur la montagne; lorsqu'ils furent en vue d'Élie, l'officier se mit à genoux et le supplia en ces termes: «Prophète de Dieu, épargne ma vie et celle de mes cinquante hommes! 14 Je sais qu'un feu est descendu du ciel et a exterminé les deux premiers officiers et leurs hommes. Mais je t'en supplie, épargne ma vie!» 15 Un *ange du Seigneur dit alors à Élie: «Descends avec lui sans crainte.»

Élie descendit donc avec l'officier vers le roi 16 et lui dit: «Voici ce que déclare le Seigneur: “Puisque tu as envoyé des messagers consulter Baal Zeboub, le dieu d'Écron, comme s'il n'y avait pas de Dieu qu'on puisse consulter en *Israël, eh bien, tu ne quitteras plus le lit où tu es couché, tu vas mourir!”» 17 Ahazia mourut en effet conformément au message du Seigneur transmis par Élie. Il n'avait pas de fils; ce fut donc son frère[d] Joram qui lui succéda, pendant la deuxième année du règne de Joram, fils de Josaphat et roi de Juda.

18 Tout le reste de l'histoire d'Ahazia est contenu dans le livre intitulé *Actes des rois d'Israël*.

Dieu enlève Élie au ciel. Élisée lui succède

2 1 Voici comment un jour le Seigneur enleva Élie au *ciel dans un tourbillon de vent: Élie et Élisée avaient quitté le Guilgal et marchaient ensemble. 2 En cours de route, Élie dit à Élisée: «Reste ici; le Seigneur m'envoie à Béthel.» Mais Élisée lui répondit: «Par le Seigneur vivant et par ta propre vie, je jure que je ne te quitterai pas!» Ils se rendirent donc ensemble à Béthel.

3 Les membres du groupe de *prophètes qui habitaient Béthel demandèrent à Élisée: «Sais-tu qu'aujourd'hui le Seigneur va enlever ton maître au ciel?» – «Oui, je le sais aussi, répondit Élisée; mais ne me parlez pas de cela!»

4 Élie dit de nouveau à Élisée: «Reste ici, Élisée! Le Seigneur m'envoie à Jéricho.» Mais Élisée lui répondit: «Par le Seigneur vivant et par ta propre vie, je jure que je ne te quitterai pas!» Ils se rendirent donc ensemble à Jéricho.

5 Les membres du groupe de prophètes qui habitaient Jéricho s'approchèrent d'Élisée et lui demandèrent: «Sais-tu qu'aujourd'hui le Seigneur va enlever ton maître au ciel?» – «Oui, je le sais aussi, répondit Élisée; mais ne me parlez pas de cela!»

6 Élie dit encore à Élisée: «Reste ici; le Seigneur m'envoie au bord du Jourdain.» Mais Élisée lui répondit: «Par le Seigneur vivant et par ta propre vie, je jure que je ne te quitterai pas!» Ils se mirent donc en route ensemble. 7 Une cinquantaine de prophètes les suivirent; toutefois, ils restèrent à une certaine distance d'Élie et d'Élisée, qui se tenaient sur la rive du Jourdain. 8 Élie ôta son manteau, le roula et en frappa l'eau du fleuve; l'eau s'écarta de part et d'autre,

---

b **1.8** Comparer Matt 3.4; Marc 1.6.
c **1.10** Comparer Luc 9.54.
d **1.17** *son frère*: d'après l'ancienne version grecque; ces mots manquent en hébreu.

et ils purent tous deux traverser à pied sec.

9 Quand ils eurent traversé, Élie dit à Élisée : « Demande-moi ce que tu désires que je fasse pour toi, avant que le Seigneur m'enlève d'auprès de toi. » Élisée répondit : « J'aimerais recevoir en héritage une double part de ton esprit prophétique. » – 10 « Tu demandes une chose difficile à obtenir, reprit Élie. Toutefois, si tu me vois, au moment où le Seigneur m'enlèvera d'auprès de toi, c'est que ta demande se réalisera ; si tu ne me vois pas, c'est qu'elle ne se réalisera pas. »

11 Pendant qu'ils marchaient et s'entretenaient, un char étincelant, tiré par des chevaux éclatant de lumière, les sépara ; et aussitôt, Élie fut enlevé au ciel dans un tourbillon de vent. 12 Lorsque Élisée vit cela, il se mit à crier : « Mon père ! Mon père ! Tu valais tous les chars et tous les cavaliers d'Israël[e] ! » Quand il ne vit plus Élie, il *déchira ses vêtements en deux. 13 Ensuite il ramassa le manteau qu'Élie avait laissé tomber de ses épaules[f] et il retourna sur la rive du Jourdain où il s'arrêta. 14 Il prit ce manteau et frappa l'eau du fleuve, en s'écriant : « Où est le Seigneur, le Dieu d'Élie ? Oui ! Où est-il ? » Il frappa donc l'eau du fleuve, qui s'écarta de part et d'autre, et il put passer.

15 Les membres du groupe de prophètes de Jéricho virent à distance ce qu'avait fait Élisée et ils se dirent : « L'esprit prophétique qui animait Élie anime maintenant Élisée. » Ils vinrent à la rencontre d'Élisée, s'inclinèrent jusqu'à terre devant lui 16 et lui dirent : « Vois-tu, nous avons avec nous cinquante hommes courageux. Nous allons les envoyer rechercher ton maître, car l'Esprit du Seigneur, après l'avoir enlevé, l'a peut-être jeté sur une montagne ou dans une vallée. » Mais Élisée leur dit de ne pas les envoyer[g]. 17 Cependant ils insistèrent tellement qu'Élisée finit par accepter. Ils envoyèrent donc leurs cinquante hommes, qui cherchèrent Élie[h] pendant trois jours sans le trouver. 18 Quand ils revinrent, Élisée, qui était encore à Jéricho, leur déclara : « Je vous avais bien dit de ne pas y aller ! »

Élisée purifie la source de Jéricho

19 Les habitants de Jéricho dirent à Élisée : « Comme tu peux le voir, mon seigneur, notre ville est bien située, mais l'eau est malsaine et la terre ne produit rien. » – 20 « Apportez-moi du sel dans une écuelle neuve », dit Élisée. Ils lui en apportèrent. 21 Élisée se rendit alors à la source et jeta le sel dans l'eau en disant : « Voici ce que déclare le Seigneur : “J'ai rendu cette eau saine ; elle ne causera plus la mort des êtres vivants, ni la stérilité de la terre.” » 22 En effet, l'eau devint saine, et elle l'est encore aujourd'hui, conformément à ce qu'Élisée avait annoncé.

Dieu punit des gamins qui se moquent d'Élisée

23 De Jéricho, Élisée partit pour Béthel. En cours de route, des gamins venus de la ville se moquèrent de lui en criant : « Monte, le tondu ! Monte, le tondu ! » 24 Il se retourna, les regarda avec sévérité et les maudit au nom du Seigneur. Alors deux ourses sortirent de la forêt et mirent en pièces quarante-deux de ces enfants. 25 Ensuite Élisée se rendit au mont Carmel, puis du Carmel il revint à Samarie.

Joram, roi d'Israël

3 1 Joram, fils d'Achab, était devenu roi *d'Israël pendant la dix-huitième année du règne de Josaphat, roi de Juda ; il régna douze ans à Samarie. 2-3 Il fit ce qui déplaît au Seigneur ; il imita Jéroboam, fils de Nebath, qui avait poussé le peuple d'Israël à pécher ; il ne cessa pas de commettre les mêmes péchés que lui. Toutefois il n'agit pas aussi mal que son père et sa mère, puisqu'il supprima la

---

e **2.12** Comparer 13.14.

f **2.13** C'est le *manteau* qu'Élie avait jeté sur Élisée (voir 1 Rois 19.19) pour l'inviter à le suivre. Si Élisée en devient maintenant le propriétaire, c'est qu'il est le digne successeur d'Élie.

g **2.16** Autre traduction *Vois-tu, nous sommes ici cinquante hommes courageux. Nous allons partir à la recherche de ton maître,... Mais Élisée leur dit de ne pas y aller.*

h **2.17** *Ils envoyèrent...* : autre traduction *Ces cinquante hommes cherchèrent donc Élie*.

pierre sacrée que son père avait dressée en l'honneur du dieu *Baal.

Expédition militaire contre le pays de Moab

4 Le roi de Moab, Mécha, avait des élevages de moutons ; il devait livrer chaque année cent mille agneaux et cent mille moutons avec leur laine comme impôt pour le roi *d'Israël. 5 Mais lorsque le roi Achab mourut, Mécha se révolta contre son successeur Joram. 6 Celui-ci quitta aussitôt Samarie pour passer en revue toute l'armée d'Israël, 7 puis il envoya des messagers dire à Josaphat, roi de Juda : « Le roi de Moab s'est révolté contre moi. Veux-tu venir avec moi pour attaquer son pays ? » – « D'accord, lui fit répondre le roi de Juda ; nous ne faisons qu'un, toi et moi, ton peuple et le mien, tes chevaux et les miens. 8 Mais, ajoutait-il, par où passerons-nous ? » – « Par le désert d'Édom[i] », lui fit dire Joram.

9 Les rois d'Israël, de Juda et d'Édom se mirent donc en route. Après avoir marché pendant sept jours, ils ne trouvèrent plus d'eau ni pour les troupes ni pour les bêtes de somme. 10 Alors le roi d'Israël s'écria : « Malheur ! C'est le Seigneur qui nous a attirés ici, nous les trois rois, pour nous livrer au pouvoir des Moabites ! » 11 Mais Josaphat demanda : « N'y a-t-il pas ici un *prophète par qui nous puissions consulter le Seigneur ? » Un officier du roi d'Israël répondit : « Nous avons avec nous Élisée, fils de Chafath, qui était un collaborateur intime du prophète Élie. » – 12 « Bien ! reprit Josaphat. Cet homme-là saura nous annoncer ce que le Seigneur veut nous dire. »

Aussitôt, les rois d'Israël, de Juda et d'Édom allèrent trouver Élisée. 13 Le prophète s'adressa au roi d'Israël et lui dit : « Pourquoi viens-tu me déranger ? Va plutôt consulter les prophètes de ton père ou ceux de ta mère ! » – « Non ! répondit le roi. C'est le Seigneur qui nous a attirés ici, nous les trois rois, pour nous livrer au pouvoir des Moabites. » 14 Élisée reprit : « Par le Dieu vivant, le Seigneur de l'univers dont je suis le serviteur, je réponds uniquement parce que je respecte Josaphat, roi de Juda ; autrement je ne ferais pas attention à toi, je ne te regarderais même pas. 15 Maintenant, qu'on m'amène un musicien. »

Tandis que le musicien jouait de son instrument, la puissance du Seigneur saisit Élisée ; 16 celui-ci se mit à parler : « Voici ce qu'ordonne le Seigneur : "Creusez un grand nombre de fosses dans le lit desséché de ce torrent, 17 car moi, le Seigneur, je déclare que ce vallon va se remplir d'eau ; vous n'entendrez pas de vent, vous ne verrez pas de pluie, et pourtant vous aurez de l'eau à boire, pour vous-mêmes, pour vos troupeaux et pour vos bêtes de somme." 18 Mais, continua Élisée, c'est encore peu de chose pour le Seigneur ; il va même livrer le pays de Moab en votre pouvoir. 19 Vous pourrez détruire toutes les plus belles villes fortifiées, vous pourrez abattre tous les arbres fruitiers, boucher toutes les sources et jeter des pierres dans tous les champs cultivés pour les ravager. » 20 Or le lendemain, à l'heure où l'on offre le *sacrifice matinal, on vit de l'eau descendre du pays d'Édom et recouvrir le sol.

21 Lorsqu'on avait appris, en Moab, que ces trois rois venaient attaquer le pays, on avait mobilisé tous les hommes en âge de porter les armes et on les avait placés sur la frontière. 22 Au matin, quand les soldats moabites se réveillèrent, le soleil se reflétait à la surface de l'eau. Ils virent cette eau qui, de loin, leur apparaissait rouge comme du sang 23 et ils s'écrièrent : « C'est du sang ! Les rois et leurs armées se sont sûrement querellés et entre-tués. Debout, gens de Moab, au pillage ! »

24 Mais lorsqu'ils approchèrent du camp d'Israël, les soldats israélites surgirent et les battirent ; alors les Moabites s'enfuirent. Les Israélites les poursuivirent, pénétrèrent dans leur territoire et

i **3.8** Joram veut contourner la mer Morte pour attaquer Moab par le sud. Le roi d'*Édom* (voir v. 9) était alors soumis au roi de Juda.

leur infligèrent une sévère défaite[j]. 25 Ils détruisirent les villes, ils lancèrent chacun une pierre dans tous les champs cultivés jusqu'à ce qu'ils soient recouverts, ils bouchèrent toutes les sources et abattirent tous les arbres fruitiers.

Finalement, seule la ville de Quir-Hérès[k] était encore intacte, mais les soldats armés de lance-pierres vinrent aussi l'encercler et l'attaquer. 26 Le roi de Moab comprit qu'il ne pouvait pas résister à cette attaque ; il rassembla donc sept cents soldats porteurs d'épée pour faire une percée en direction du roi de Syrie[l], mais cela ne réussit pas. 27 Alors il fit venir son fils aîné, qui devait lui succéder comme roi, et il l'offrit en sacrifice sur la muraille de la ville ; les Israélites éprouvèrent une telle crainte[m] qu'ils levèrent le siège et retournèrent chez eux.

Élisée secourt une veuve

4 1 Un jour, une femme, dont le mari avait été membre d'un groupe de *prophètes, vint trouver Élisée et le supplia de l'aider : « Élisée, lui dit-elle, tu sais que mon mari était un fidèle adorateur du Seigneur. Maintenant, il est mort, et l'homme à qui nous avions emprunté de l'argent va venir chercher mes deux enfants pour en faire ses esclaves. » 2 Élisée lui dit : « Que pourrais-je faire pour toi ? Dis-moi ce que tu possèdes chez toi. » – « Je ne possède rien du tout, répondit-elle ; il ne me reste qu'un peu d'huile, juste de quoi me parfumer. » – 3 « Eh bien ! reprit Élisée, va chez tes voisins et emprunte-leur des récipients vides. Surtout, empruntes-en assez. 4 Puis rentre chez toi avec tes enfants, et ferme bien la porte. Alors tu verseras l'huile dans tous ces récipients et tu les mettras de côté au fur et à mesure qu'ils seront pleins. »

5 La femme s'en alla donc. Quand elle fut chez elle avec ses enfants, elle ferma la porte ; les enfants se mirent à lui passer les récipients, et elle les remplissait. 6 A un certain moment, elle dit à l'un des enfants : « Passe-moi encore un récipient vide. » Mais ils étaient tous pleins, et l'enfant lui dit qu'il n'y en avait plus. Alors l'huile s'arrêta de couler. 7 La femme alla raconter au prophète ce qui venait d'arriver ; celui-ci lui dit : « Va vendre cette huile et rembourse ta dette ; ce qui te restera d'argent vous permettra ensuite de vivre, toi et tes enfants. »

Élisée au village de Chounem

8 Une autre fois, Élisée était passé par le village de Chounem[n]. Il y avait là une femme riche qui avait insisté pour qu'il vienne prendre un repas chez elle. C'est pourquoi, depuis ce jour, Élisée allait toujours manger chez elle quand il passait dans cette région.

9 Cette femme dit à son mari : « Je suis sûre que cet homme qui passe toujours chez nous est un saint *prophète de Dieu. 10 Nous devrions construire une petite chambre à l'étage supérieur de la maison[o] et y mettre pour lui un lit, une table, un siège et une lampe. Il pourrait loger là quand il passe chez nous. »

11 C'est ainsi qu'un jour Élisée vint chez ces gens et monta dans la petite chambre pour y passer la nuit. 12 Puis il dit à son serviteur Guéhazi d'aller chercher la maîtresse de maison. Lorsque celle-ci se présenta devant la chambre, 13 Élisée chargea Guéhazi de lui dire : « Tu t'es donné beaucoup de peine pour nous. Que pouvons-nous faire pour toi ? Peut-on intervenir en ta faveur auprès du roi ou du chef de l'armée ? » – « Non ! merci, répondit-elle. Au milieu de mon peuple, je ne manque de rien. » 14 Élisée dit alors à Guéhazi : « Que faire pour elle ? » – « Eh bien ! répondit Guéhazi, elle n'a pas de fils, et son mari est âgé. » – 15 « Rappelle-la donc ! » dit Élisée.

Lorsqu'elle se présenta sur le pas de la porte, 16 Élisée lui déclara : « L'an pro-

---

j **3.24** Le texte hébreu de la fin du verset est obscur et la traduction incertaine.

k **3.25** Capitale du royaume de Moab.

l **3.26** *de Syrie* : d'après une ancienne version latine ; hébreu *d'Édom*. Le *roi de Moab* cherche à obtenir un appui de la part du *roi de Syrie*, ennemi lui-même des troupes coalisées qui l'attaquent.

m **3.27** *une telle crainte* ou *une telle indignation*. La *crainte* est celle de voir le dieu de Moab venir en aide à son peuple.

n **4.8** *Chounem* : voir 1 Rois 1.3-4 et la note.

o **4.10** Comparer 1 Rois 17.19 et la note.

chain, à la même époque, tu tiendras un
fils dans tes bras. » Mais elle s'écria :
« C'est impossible ! Toi qui es prophète de
Dieu, ne me dis pas un mensonge ! »
17 Cependant cette femme devint enceinte, et à la même époque, l'année suivante, elle mit au monde un fils,
conformément à ce qu'Élisée lui avait annoncé.

Élisée rend la vie au fils de son hôtesse

18 L'enfant grandit. Un jour, il alla
trouver son père qui travaillait avec les
moissonneurs. 19 Soudain il s'écria :
« Papa ! Oh, ma tête ! J'ai mal à la tête ! »
Le père dit à un serviteur : « Porte-le vite
à sa mère. » 20 Le serviteur apporta l'enfant à sa mère. Celle-ci le prit sur ses genoux, mais vers midi il mourut.
21 Alors elle monta dans la chambre
d'Élisée, coucha l'enfant sur le lit, puis
ferma la porte. Elle se rendit aux champs,
22 appela son mari et lui dit : « Envoie-
moi un serviteur avec une ânesse ; je me
rends vite chez le *prophète de Dieu et
je reviens. » 23 Son mari lui demanda :
« Pourquoi vas-tu chez lui aujourd'hui ?
Ce n'est pas la fête de la nouvelle lune,
même pas un jour de *sabbat. » – « Ne
t'inquiète pas ! » répondit-elle. 24 Elle
sella l'ânesse et dit au serviteur : « Allons-y, conduis l'ânesse ; tu ne m'arrête-
ras que si je te l'ordonne. »

25 Elle partit donc en direction du
mont Carmel[p], pour aller trouver Élisée.
Lorsque ce dernier la vit de loin, il dit à
son serviteur Guéhazi : « Regarde, c'est la
femme qui me reçoit à Chounem.
26 Cours donc jusque vers elle et demande-lui si tout va bien pour elle-
même, pour son mari et pour leur enfant. » La femme répondit à Guéhazi que
tout allait bien. 27 Cependant, quand elle
arriva près d'Élisée sur la montagne, elle
se jeta à ses pieds ; Guéhazi voulut la repousser, mais Élisée lui dit : « Laisse-la
tranquille ! Elle est remplie d'une tristesse dont j'ignore la cause, car Dieu ne
me l'a pas fait connaître. »
28 Au même instant, la femme s'écria :
« Est-ce moi qui t'avais demandé un fils ?
Non ! Je t'avais même dit : “Ne me donne
pas un faux espoir.” » 29 Élisée dit à Guéhazi : « Es-tu prêt à partir ? Prends mon
bâton de *prophète et va à Chounem. Si
tu rencontres quelqu'un en chemin, ne
t'arrête pas pour le saluer ; et si quelqu'un
veut te saluer, ne perds pas de temps à lui
répondre. Là-bas, tu poseras mon bâton
sur le visage de l'enfant. » 30 Mais la mère
de l'enfant dit à Élisée : « Par le Seigneur
vivant, et par ta propre vie, je ne m'en irai
pas sans toi. » Alors Élisée partit avec elle.
31 Cependant Guéhazi était arrivé
avant eux ; il posa le bâton d'Élisée sur le
visage de l'enfant, mais rien ne se passa :
pas un bruit, pas un mouvement. Il revint donc vers le prophète et lui annonça : « L'enfant ne s'est pas réveillé. »
32 Lorsque Élisée parvint à la maison,
l'enfant mort était toujours étendu sur le
lit. 33 Élisée entra dans la chambre, ferma
la porte derrière lui et se mit à prier le
Seigneur. 34 Puis il se plaça sur l'enfant,
bouche contre bouche, les yeux en face
des yeux, et mains contre mains ; et tandis qu'il était ainsi agenouillé sur lui, le
corps de l'enfant se réchauffa. 35 Élisée se
releva et se mit à marcher de long en
large dans la pièce, puis il s'agenouilla de
nouveau sur lui. Soudain l'enfant éternua
sept fois et ouvrit les yeux. 36 Aussitôt Élisée appela Guéhazi et lui dit : « Va chercher la mère de l'enfant. » Guéhazi
descendit la chercher ; lorsqu'elle arriva,
Élisée lui dit : « Viens reprendre ton fils. »
37 Elle s'avança, se jeta aux pieds du prophète et s'inclina jusqu'à terre. Puis elle
prit son fils et s'en alla.

La soupe immangeable

38 Un jour, alors que la famine régnait
dans le pays, Élisée était revenu au Guilgal[q] et avait réuni le groupe de *prophètes autour de lui. Il ordonna à son
serviteur : « Mets la grande marmite sur
le feu et prépare-nous une soupe. »
39 Alors un membre du groupe s'en alla
dans les champs pour chercher des her-

---

p **4.25** Voir 2.25.
q **4.38** *la famine* : il s'agit peut-être de celle de sept ans mentionnée en 8.1. – *au Guilgal* : voir 2.1.

bes ; il trouva une sorte de vigne sauvage,
sur laquelle il cueillit des fruits ressemblant à de petites courges[r] ; il en remplit
la poche de son vêtement et, à son retour,
il les coupa en morceaux et les mit dans
la marmite ; personne ne savait ce que
c'était. 40 Mais lorsqu'on servit cette
soupe aux hommes, ils la goûtèrent et se
mirent aussitôt à crier : « La soupe est
empoisonnée, prophète de Dieu ! » En effet, personne ne pouvait la manger.
41 Alors Élisée ordonna d'apporter de la
farine ; il en mit dans la soupe, puis dit à
son serviteur : « Sers-en à ces gens et
qu'ils mangent ! » Or le contenu de la
marmite était devenu tout à fait man-
geable.

Élisée nourrit cent personnes

42 A cette même époque, un homme arriva de Baal-Chalicha[s] ; il apportait au
*prophète vingt pains d'orge, faits de fa-
rine nouvelle, et un sac de grain qu'il venait de récolter. Élisée dit à son serviteur
de partager ces vivres entre tous, 43 mais
le serviteur répondit : « Comment pourrais-je nourrir cent personnes avec
cela ? » – « Partage ces vivres entre tous,
reprit Élisée, car voici ce que déclare le
Seigneur : "Chacun aura assez à manger,
et il y aura même des restes." » 44 Le serviteur répartit le pain entre ses compagnons ; chacun en mangea et il y eut
effectivement des restes, comme le Seigneur l'avait annoncé.

Guérison de Naaman le lépreux

5 1 Le général en chef du roi de Syrie
s'appelait Naaman. Son maître l'appréciait beaucoup et le traitait avec faveur ; en effet, c'était par lui que le
Seigneur avait donné la victoire aux Syriens. Mais cet homme, un vrai héros,
était *lépreux. 2 Or des pillards syriens,
qui avaient pénétré en bandes dans le
territoire *d'Israël, en avaient ramené
prisonnière une fillette, qui devint
la servante de la femme de Naaman. 3 La
fillette dit un jour à sa maîtresse : « Ah ! si
seulement mon maître se présentait au
*prophète qui est à Samarie. Celui-ci le
guérirait tout de suite de sa lèpre. »
4 Naaman alla parler au roi de ce que la
petite servante israélite avait dit : 5 « Bien,
dit le roi, va trouver le roi d'Israël avec la
lettre que je te remettrai pour lui. » Naaman partit donc en emportant environ
trois cents kilos d'argent, soixante kilos
d'or et dix habits de fête. 6 Il remit au roi
d'Israël la lettre où le roi de Syrie avait
écrit : « Je t'envoie mon général Naaman,
porteur de cette lettre, pour que tu le gué-
risses de sa lèpre. » 7 Dès que le roi d'Israël eut fini de lire la lettre, il *déchira
ses vêtements et s'écria : « Suis-je Dieu,
moi, avec le pouvoir de faire mourir et de
faire revivre les gens ? Voilà le roi de Syrie qui m'envoie quelqu'un à guérir de la
lèpre ! Vous voyez bien : il cherche à
m'entraîner dans un conflit ! »

8 Lorsque le prophète Élisée apprit que
le roi d'Israël avait déchiré ses vêtements,
il lui fit dire : « Pourquoi es-tu pareille-
ment bouleversé ? Cet homme n'a qu'à
venir chez moi, et il saura qu'il y a vraiment un prophète dans le pays d'Israël. »
9 Naaman vint donc avec son char et
ses chevaux, et attendit devant la porte de
la maison d'Élisée. 10 Élisée envoya
quelqu'un lui dire : « Va te plonger sept
fois dans l'eau du Jourdain. Alors tu seras
guéri et *purifié. » 11 Naaman s'en alla
très mécontent, en disant : « Je pensais
que le prophète sortirait de chez lui pour
se présenter devant moi, qu'il prierait le
Seigneur son Dieu, passerait sa main sur
l'endroit malade et me guérirait de ma lèpre. 12 D'ailleurs les rivières de Damas,
l'Abana et le Parpar, valent certainement
mieux que tous les cours d'eau du pays
d'Israël ! Ne pourrais-je pas m'y plonger
pour être purifié ? »

Naaman fit donc demi-tour et s'en alla
furieux. 13 Mais ses serviteurs vinrent lui
dire : « Maître, si le prophète t'avait ordonné quelque chose de difficile, ne l'aurais-tu pas fait ? Alors pourquoi ne pas
faire ce qu'il te dit : te plonger simplement dans l'eau pour être purifié ? »

---

r **4.39** Il s'agissait certainement de coloquintes, fruits arrondis et amers, qui ont un violent effet purgatif.

s **4.42** Localité non identifiée de la tribu d'Éfraïm. Elle se trouvait probablement dans le « territoire de Chalicha », voir 1 Sam 9.4.

14 Naaman descendit au bord du Jourdain et se trempa sept fois dans l'eau, comme Élisée l'avait dit, et il fut purifié : sa peau redevint semblable à celle d'un petit enfant[t]. 15 Aussitôt il revint chez le prophète avec tous ceux qui l'accompagnaient ; il se présenta devant lui et dit : « Maintenant je sais que sur toute la terre il n'y a pas d'autre Dieu que celui d'Israël. Veuille donc accepter le cadeau que je t'offre. » 16 Mais Élisée répondit : « Par le Seigneur vivant dont je suis le serviteur, je t'assure que je n'accepterai rien. » Naaman insista, mais Élisée refusa.

17 Naaman reprit : « Puisque tu refuses tout cadeau, permets-moi au moins d'emporter un peu de terre de ton pays, de quoi charger deux mulets ; en effet, je ne veux plus offrir de *sacrifices complets ou de sacrifices de communion à d'autres dieux qu'au Seigneur d'Israël[u]. 18 Seulement je demande d'avance pardon au Seigneur pour ceci : Quand mon maître, le roi de Syrie, entre dans le temple de son dieu Rimmon pour prier, je dois m'incliner jusqu'à terre en même temps que lui, car il s'appuie sur mon bras. Que le Seigneur veuille donc bien me pardonner ce geste. » 19 Élisée lui répondit : « Tu peux t'en aller en paix. » Et Naaman partit.

La faute de Guéhazi

Naaman n'était pas encore bien loin 20 lorsque Guéhazi, le serviteur d'Élisée, se dit : « Mon maître n'a rien voulu accepter de ce que Naaman le Syrien lui offrait. Eh bien, moi, aussi vrai que le Seigneur est vivant, je vais le rattraper et obtenir quelque chose de lui ! » 21 Et Guéhazi partit pour le rattraper ; quand Naaman le vit accourir, il sauta de son char et se précipita vers lui en demandant : « Que se passe-t-il ? » – 22 « Tout va bien ! répondit Guéhazi. Mon maître m'a simplement envoyé te dire que deux membres d'un groupe de *prophètes viennent d'arriver chez lui, venant de la région montagneuse d'Éfraïm. Il te prie de donner pour eux trente kilos d'argent et deux habits de fête. » – 23 « Accepte de prendre soixante kilos d'argent », lui dit Naaman. Il insista et mit l'argent dans deux sacs qu'il ficela ; il prépara aussi deux habits, et fit porter le tout par deux de ses serviteurs, qui accompagnèrent Guéhazi. 24 Lorsqu'ils arrivèrent à l'endroit appelé Ofel[v], Guéhazi reprit les sacs et les habits et les déposa chez lui, puis il renvoya les serviteurs de Naaman.

25 Guéhazi retourna auprès de son maître, qui lui demanda : « D'où viens-tu, Guéhazi ? » – « Je ne suis allé nulle part, Maître », répondit-il. 26 Mais Élisée reprit : « Crois-tu que je n'ai pas pu voir en esprit cet homme qui sautait de son char et venait à toi ? Mais ce n'est pas le moment d'accepter de beaux habits, et encore moins de l'argent pour te payer des oliviers et des vignes, du gros et du petit bétail, des esclaves et des servantes ; 27 en effet, la *lèpre de Naaman va s'attacher à toi et à tes descendants pour toujours ! » Quand Guéhazi quitta Élisée, son corps, couvert de lèpre, était blanc comme la neige.

La hache perdue et retrouvée

6 1 Un jour, les membres du groupe de *prophètes dirent à leur maître Élisée : « Regarde, le local où nous nous réunissons avec toi est trop petit pour nous. 2 Permets-nous de descendre au bord du Jourdain, chacun de nous préparera une poutre, et nous nous construirons là un nouveau local de réunion. » – « Allez-y », dit Élisée. 3 Mais l'un des prophètes reprit : « Maître, accepte de venir avec nous ! » – « D'accord, je viens », répondit Élisée. 4 Il descendit donc avec eux au bord du Jourdain, où ils abattirent des arbres.

5 Tandis que l'un d'eux taillait sa poutre, le fer de sa hache se détacha du man-

---

t 5.14 V. 1-14 : voir Luc 4.27.

u 5.17 En ce temps-là, où chaque nation avait son dieu (ou ses dieux), on pensait qu'un dieu ne pouvait être adoré que dans son propre pays. Naaman espérait pourtant que le Dieu d'Israël accepterait ses sacrifices, s'il les lui offrait, à Damas, sur un autel fait de terre provenant du pays d'Israël.

v 5.24 *Ofel* : il s'agit peut-être d'un quartier situé près de l'entrée de la ville. Le mot signifie *excroissance* et pourrait donc désigner une colline. Il y avait aussi un *Ofel* à Jérusalem, voir Néh 3.26-27.

che et tomba dans la rivière; l'homme s'écria: «Quel malheur, Maître! C'est une hache que j'avais empruntée!» 6 Élisée lui demanda: «Où le fer est-il tombé?» L'homme lui montra l'emplacement; alors Élisée coupa un morceau de bois et le lança à cet endroit. Aussitôt le fer de hache revint à la surface. 7 «Récupère-le», lui dit Élisée. Et l'homme n'eut qu'à étendre la main pour le prendre.

Élisée capture des soldats syriens

8 A l'époque où le roi de Syrie était en guerre contre *Israël, il consulta ses officiers, puis leur dit où il voulait que son armée campe. 9 Mais Élisée fit dire au roi d'Israël: «Fais attention! Évitez de passer à tel endroit, car l'armée syrienne s'y installe.» 10 Le roi d'Israël put donc envoyer des soldats surveiller l'endroit indiqué.

Cela arriva plusieurs fois: Élisée avertissait le roi d'Israël, et celui-ci pouvait prendre ses précautions. 11 Le roi de Syrie fut profondément troublé par ces événements; il convoqua ses officiers et leur dit: «Il y a parmi nous un traître qui travaille pour le roi d'Israël! Ne voulez-vous pas me le dénoncer?» 12 L'un des officiers lui répondit: «Il n'y a pas de traître parmi nous, Majesté! Mais le *prophète Élisée, en Israël, est capable de révéler à son roi même ce que tu dis dans ta chambre à coucher.» 13 Alors le roi de Syrie ordonna: «Allez voir où il se trouve, pour que je puisse le faire capturer.»

Quand on l'avertit qu'Élisée se trouvait à Dotan[w], 14 le roi y envoya une forte troupe de soldats, avec des chars et des chevaux, qui arrivèrent de nuit et encerclèrent la ville. 15 Le lendemain matin, le serviteur d'Élisée se leva de bonne heure et sortit de la ville; il vit les soldats, les chevaux et les chars qui entouraient la ville. «Malheur, Maître! s'écria-t-il. Qu'allons-nous faire?» – 16 «N'aie pas peur! répondit Élisée. Ceux qui se trouvent avec nous sont plus nombreux que ceux qui sont avec eux.» 17 Ensuite il pria en ces termes: «Seigneur, ouvre ses yeux pour qu'il puisse voir.» Le Seigneur ouvrit les yeux du serviteur d'Élisée, et celui-ci put voir que, tout autour d'Élisée, la montagne était couverte de chevaux et de chars étincelants[x].

18 Cependant les soldats syriens se mirent en marche vers le prophète; Élisée pria de nouveau: «Seigneur, bouche les yeux de tous ces soldats.» Et Dieu leur boucha les yeux, comme Élisée l'avait demandé. 19 Alors Élisée dit aux soldats: «Vous êtes sur le mauvais chemin, ce n'est pas la ville qu'on vous a indiquée; suivez-moi, et je vous conduirai vers l'homme que vous recherchez.» Mais en fait Élisée les conduisit à Samarie. 20 Lorsqu'ils y entrèrent, Élisée pria encore: «Seigneur, demanda-t-il, ouvre leurs yeux pour qu'ils voient maintenant.» Lorsque Dieu eut ouvert leurs yeux, ils virent qu'ils se trouvaient en pleine ville de Samarie.

21 Dès que le roi d'Israël vit tous ces soldats, il demanda à Élisée: «Mon père, faut-il les tuer?» – 22 «Non! répondit Élisée, ne les tue pas. Habituellement tu ne mets pas à mort ceux que ton armée fait prisonniers au combat. Alors, à ceux-ci, donne plutôt à manger et à boire, puis laisse-les retourner chez leur roi.» 23 Le roi d'Israël leur fit donc servir un grand festin; après qu'ils eurent mangé et bu, il les laissa retourner chez le roi de Syrie. Depuis lors, les bandes de pillards syriens cessèrent de pénétrer dans le territoire d'Israël.

La famine à Samarie

24 A une autre époque, le roi de Syrie, Ben-Hadad, rassembla toute son armée et alla assiéger Samarie. 25 Alors il y eut une grande famine dans la ville: les assiégeants bloquaient si bien la ville, qu'une simple tête d'âne coûtait quatre-vingts pièces d'argent, et une livre de pois chiches[y] cinq pièces d'argent.

---

w **6.13** Localité située à 45 km environ au nord de Jérusalem, et à 10 km au nord de Samarie.
x **6.17** Comparer 2.11.
y **6.25** *pois chiches*: traduction incertaine; autre interprétation possible *crotte de pigeon*, utilisée comme combustible.

26 Un jour, le roi *d'Israël passait sur la
muraille ; une femme lui cria : « Au secours, Majesté ! » 27 Mais le roi lui répondit : « Si le Seigneur ne te secourt pas,
moi non plus je ne peux pas te secourir !
Il n'y a plus de réserve, ni de blé, ni de
vin. » 28 Pourtant il ajouta : « Que veux-
tu ? » Elle répondit : « Tu vois cette
femme ! L'autre jour, elle a proposé que
nous mangions mon fils, et que nous
mangions le sien le lendemain. 29 Nous
avons donc cuit et mangé mon fils[z] ; mais
le lendemain, quand je lui ai dit d'amener son fils pour que nous le mangions,
elle l'a caché. »
30 Quand le roi entendit la femme lui
raconter cela, il *déchira ses vêtements ;
il était alors sur la muraille, de sorte que
tous les gens de la ville purent voir que,
par-dessous, il portait une étoffe grossière directement sur la peau[a]. 31 Le roi
s'écria : « Que Dieu m'inflige le plus terrible des malheurs si ce soir Élisée, fils de
Chafath, a encore la tête sur les épaules. »

Élisée annonce la fin de la famine

32 Cependant Élisée tenait une réunion
chez lui avec les *anciens de la ville. Le
roi lui envoya quelqu'un. Mais avant
même que cet envoyé arrive, Élisée dit
aux anciens : « Voyez-vous cela ! Cet assassin envoie quelqu'un pour me couper
la tête. Faites attention : quand cet
homme arrivera, fermez la porte et empê-
chez-le d'entrer. D'ailleurs, on entend
déjà son maître qui arrive derrière lui. »
33 Élisée parlait encore lorsque le roi[b] arriva et déclara : « C'est le Seigneur qui
nous envoie tous ces malheurs ! Que
7 puis-je encore espérer de lui ? » 1 Élisée répondit : « Écoutez tous ce que
déclare le Seigneur : "Demain à la même
heure, on ne payera qu'une pièce d'argent
pour douze kilos de farine ou vingt-
quatre kilos d'orge, au marché de Samarie." »
2 L'aide de camp du roi, celui qui l'accompagnait toujours, répliqua : « Même
si le Seigneur envoyait du grain en perçant des trous dans la voûte du ciel, ce
que tu viens de dire pourrait-il se réaliser ? » – « Eh bien, répondit Élisée, tu le
verras, mais tu n'en profiteras pas. »

Le camp des Syriens abandonné

3 Il y avait quatre *lépreux, installés
hors de la ville, près de la grande porte. Ils
se dirent l'un à l'autre : « Pourquoi restons-nous ici en attendant la mort ? 4 Si
nous décidons d'entrer dans la ville, nous
y mourrons parce qu'on n'y trouve plus
rien à manger ; si nous restons ici, nous
mourrons également ! Descendons plutôt
au camp des Syriens et rendons-nous à
eux ; s'ils nous laissent vivre, tant mieux,
nous vivrons ; et s'ils nous font mourir, eh
bien, nous mourrons ! » 5 Vers le soir, ils
descendirent donc en direction du camp
des Syriens. Ils arrivèrent à la limite du
camp, mais ils ne trouvèrent personne.

6 En effet, dans le camp des Syriens, le
Seigneur avait fait entendre le bruit
d'une puissante armée, équipée de chevaux et de chars. Les Syriens s'étaient dit
les uns aux autres : « Le roi *d'Israël a
payé les rois des Hittites et des Égyptiens
pour qu'ils envoient leurs armées contre
nous ! » 7 A la nuit tombée, ils s'étaient
donc enfuis pour sauver leur vie ; ils
avaient abandonné leur camp tel qu'il
était, laissant sur place les tentes, les chevaux et les ânes.

8 Les quatre lépreux arrivèrent donc à
la limite du camp. Ils entrèrent dans une
tente, où ils mangèrent et burent ce qu'ils
y trouvèrent ; puis ils emportèrent de
l'argent, de l'or et des vêtements qu'ils
allèrent cacher ailleurs ; ensuite ils
entrèrent dans une autre tente et
emportèrent divers objets qu'ils allèrent
aussi cacher.

Fin du siège et de la famine

9 Mais ils se dirent alors l'un à l'autre :
« Ce que nous faisons là n'est pas bien :
aujourd'hui nous connaissons une bonne

---

z **6.29** Voir Deut 28.57 ; Lam 4.10.

a **6.30** Dans certaines circonstances difficiles ou tragiques, les anciens Israélites portaient à même la peau une étoffe rugueuse, en signe d'humiliation devant Dieu.

b **6.33** *le roi* : texte probable ; hébreu *le messager* (les deux mots hébreux sont presque identiques).

nouvelle et nous la gardons pour nous. Si nous attendons qu'il fasse jour pour la publier, nous serons certainement punis. Allons ! Nous devons porter cette nouvelle au palais royal. » [10] Ils retournèrent à la ville, appelèrent les sentinelles de la grande porte et les informèrent : « Nous sommes allés au camp des Syriens, dirent-ils ; il n'y a plus personne, nous n'avons pas entendu une voix humaine. Il ne reste que les chevaux et les ânes attachés et les tentes abandonnées. » [11] Les sentinelles appelèrent aussitôt quelqu'un pour transmettre ce message à l'intérieur du palais royal.

[12] Le roi se leva, en pleine nuit, puis il dit à son entourage : « Je vais vous expliquer ce que les Syriens sont en train de nous préparer ! Ils savent que nous sommes affamés : c'est pourquoi ils ont quitté leur camp et sont allés se cacher dans la campagne. Ils se disent que nous sortirons de Samarie, et qu'alors ils pourront nous capturer vivants et pénétrer dans la ville. » [13] Un des officiers proposa au roi : « Prenons cinq des chevaux qui sont encore vivants – de toute façon, ils risquent de mourir comme tous les habitants de la ville – et envoyons quelques hommes avec ces chevaux pour voir ce qui se passe[c]. » [14] Le roi fit donc atteler deux chars et envoya une patrouille pour rechercher l'armée syrienne et voir ce qui se passait. [15] La patrouille suivit les traces de l'armée jusqu'au Jourdain ; tout le long du chemin, il y avait des quantités de vêtements et d'objets dont les Syriens s'étaient débarrassés pour fuir plus vite. Alors les envoyés revinrent en informer le roi.

[16] Aussitôt, les habitants de Samarie descendirent vers le camp abandonné par les Syriens, pour le piller. Et, comme le Seigneur l'avait annoncé, on ne paya qu'une pièce d'argent pour douze kilos de farine ou vingt-quatre kilos d'orge. [17] Le roi avait ordonné à son aide de camp, celui qui l'accompagnait toujours, d'aller surveiller ce qui se passait au marché, à la porte de la ville ; mais la foule massée à cet endroit le piétina et il mourut, comme le *prophète Élisée l'avait annoncé, lorsque le roi *d'Israël était venu le trouver.

[18] En effet, Élisée avait annoncé au roi : « Demain à la même heure, on ne payera qu'une pièce d'argent pour vingt-quatre kilos d'orge ou douze kilos de farine, au marché de Samarie. » [19] L'aide de camp du roi avait alors répliqué : « Même si le Seigneur envoyait du grain en perçant des trous dans la voûte du ciel, ce que tu viens de dire pourrait-il se réaliser ? », et Élisée lui avait répondu : « Tu le verras, mais tu n'en profiteras pas. » [20] C'est bien ce qui arriva : la foule massée à la porte de la ville piétina l'aide de camp, qui mourut.

Fin de l'histoire de la femme de Chounem

8 [1] Un jour, Élisée avait parlé à la femme dont il avait ramené le fils de la mort à la vie[d] ; il lui avait dit : « Partez d'ici, toi et ta famille, et allez vous installer où vous pourrez ; en effet, le Seigneur a décidé d'envoyer la famine dans le pays *d'Israël ; elle va commencer et durera sept ans. » [2] La femme avait fait ce que le *prophète lui recommandait : elle était partie aussitôt avec sa famille et s'était installée pour sept ans dans le pays des Philistins. [3] Au bout de ces sept ans, elle revint avec les siens de chez les Philistins et elle se rendit chez le roi pour réclamer sa maison et son domaine[e].

[4] A ce moment-là, le roi était en train de parler avec Guéhazi, le serviteur d'Élisée. Il lui avait demandé de raconter toutes les choses extraordinaires que le prophète avait faites. [5] Guéhazi lui racontait justement l'histoire de l'enfant mort qu'Élisée avait ramené à la vie, lorsque la mère de cet enfant arriva auprès du roi pour réclamer sa maison et son domaine. Alors Guéhazi s'exclama : « Majesté, voici précisément cette femme, avec son fils qu'Élisée a ramené à la vie. »

---

c **7.13** Le texte hébreu du v. 13 est obscur et la traduction incertaine.

d **8.1** Voir 4.8-37.

e **8.3** Des voisins avaient pu s'en emparer pendant que la propriétaire légitime était absente.

6 Le roi questionna la femme, qui lui raconta toute l'histoire. Aussitôt le roi ordonna à l'un de ses hommes de confiance
de s'occuper de cette affaire : « Je veux,
dit-il, qu'on lui rende tout ce qui lui appartient et qu'on l'indemnise pour tout
ce que son domaine a produit depuis
qu'elle a quitté le pays jusqu'à aujourd'hui. »

Élisée et Hazaël

7 Une autre fois, Élisée se rendit à Damas. Or le roi de Syrie, Ben-Hadad, était
malade ; lorsqu'il apprit que le *prophète
était en ville, 8 il dit à Hazaël[f] : « Va porter
un cadeau au prophète Élisée. Tu lui demanderas ensuite de consulter le Seigneur pour savoir si je guérirai de cette
maladie. »
9 Hazaël partit trouver le prophète : il
emmenait avec lui, sur quarante chameaux, les meilleurs produits de Damas
pour les offrir en cadeau à Élisée. Il se
présenta devant le prophète et lui dit :
« Je suis l'envoyé de ton humble serviteur Ben-Hadad, le roi de Syrie. Il m'a
chargé de te demander s'il guérirait de sa
maladie. » 10 Élisée répondit : « Va lui dire
qu'il guérira certainement[g] ! Mais en réalité, le Seigneur m'a révélé qu'il allait
mourir. »
11 Soudain le regard du prophète devint fixe et son visage absolument
rigide[h], puis il se mit à pleurer. 12 « Pourquoi pleures-tu, prophète ? » demanda
Hazaël. Élisée répondit : « Je pleure parce
que je sais déjà le mal que tu vas faire aux
Israélites : tu incendieras leurs villes fortifiées, tu égorgeras les jeunes gens, tu
écraseras les petits enfants et tu éventre-
ras les femmes enceintes. » – 13 « Comment pourrais-je faire de telles choses,
moi qui ne dispose d'aucun pouvoir ? »
reprit Hazaël. « Le Seigneur m'a révélé
que tu deviendras roi de Syrie[i] », répliqua
Élisée.

14 Hazaël quitta Élisée et retourna vers
son maître ; celui-ci lui demanda : « Que
t'a dit le prophète ? » – « Il m'a dit que tu
guériras certainement », répondit Hazaël.
15 Mais le lendemain, Hazaël prit une
couverture, la trempa dans l'eau et l'appliqua sur le visage du roi pour l'étouffer.
Le roi mourut, et Hazaël régna à sa place.

Joram, roi de Juda

(Voir 2 Chron 21.2-20)

16 Pendant la cinquième année du règne
de Joram, fils d'Achab et roi *d'Israël[j], Joram, fils de Josaphat, devint roi de Juda ;
17 il avait trente-deux ans et il régna huit
ans à Jérusalem. 18 Il épousa une fille
d'Achab[k]. Il se conduisit aussi mal que les
rois d'Israël et que la famille d'Achab, faisant ce qui déplaît au Seigneur. 19 Pourtant
le Seigneur ne voulut pas anéantir le
royaume de Juda ; en effet, il avait promis
à son serviteur David que ses descendants
régneraient toujours à Jérusalem[l].

20 Ce fut pendant le règne de Joram que
le peuple d'Édom se révolta contre la domination de Juda et se donna un roi[m].
21 Joram se rendit alors à Saïr[n] avec tous
ses chars de guerre : mais en pleine nuit,
le roi et les commandants de chars durent forcer la ligne des Édomites qui les
avaient encerclés, et les soldats judéens
s'enfuirent chez eux. 22 Depuis ce moment-là, le peuple d'Édom est resté indépendant de Juda.
La ville de Libna[o] se révolta aussi à la
même époque.

23 Tout le reste de l'histoire de Joram
est contenu dans le livre intitulé *Actes des*

---

f **8.8** Voir 1 Rois 19.15. *Hazaël* travaillait probablement au palais royal de Damas.

g **8.10** Une ancienne tradition juive a lu *qu'il ne guérira certainement pas*.

h **8.11** Signes montrant que le prophète est en train de recevoir un message du Seigneur dans une vision.

i **8.13** Voir 1 Rois 19.15.

j **8.16** L'hébreu ajoute ici une phrase absente de plusieurs versions anciennes *et Josaphat était roi de Juda* ; cela pourrait signifier que Josaphat avait abdiqué et que son fils, qui s'appelait aussi Joram, était ainsi devenu roi avant la mort de son prédécesseur.

k **8.18** Il s'agit d'Athalie, voir v. 26.

l **8.19** Voir 2 Sam 7.12-16 : 1 Rois 11.36.

m **8.20** Voir Gen 27.40.

n **8.21** Localité inconnue, probablement dans le pays d'Édom ou à proximité. – Le texte hébreu des v. 21-22 est peu clair et la traduction incertaine.

o **8.22** Localité située à 40 km environ à l'ouest de Jérusalem ; elle passa alors sous la domination des Philistins.

rois de Juda. 24 Lorsqu'il mourut, on l'enterra dans le tombeau familial de la *Cité
de David ; ce fut son fils Ahazia qui lui
succéda.

Ahazia, roi de Juda

(Voir 2 Chron 22.1-6)

25 Pendant la douzième année du règne
de Joram, fils d'Achab et roi *d'Israël,
Ahazia, fils de Joram, devint roi de Juda ;
26 il avait vingt-deux ans et il régna un an
à Jérusalem. Sa mère s'appelait Athalie,
et elle était de la famille d'Omri, roi d'Israël. 27 Ahazia se conduisit aussi mal que
la famille d'Achab, faisant ce qui déplaît
au Seigneur, tout comme cette famille à
laquelle il était allié par mariage.

28 Avec Joram, fils d'Achab, Ahazia alla
combattre Hazaël, roi de Syrie, à Ramoth, en Galaad. Au cours du combat, les
Syriens blessèrent le roi Joram ; 29 celui-ci retourna à Jizréel pour soigner ses
blessures. Alors Ahazia se rendit à Jizréel
pour le voir, puisqu'il était souffrant.

Jéhu est consacré roi

9 1 Un jour, le *prophète Élisée appela
un jeune membre d'un groupe de
prophètes et lui dit : « Prépare-toi à partir. Tu emporteras ce flacon d'huile et tu
te rendras à Ramoth, en Galaad. 2 Là-bas,
tu iras trouver Jéhu, fils de Yochafath et
petit-fils de Nimchi ; tu l'appelleras et tu
l'emmèneras à l'écart de ses compagnons,
dans une pièce retirée. 3 Tu prendras alors
le flacon et tu verseras l'huile sur sa tête
en lui disant : Voici ce que déclare le Seigneur : "Je te consacre roi *d'Israël !"
Puis, ajouta Élisée, tu ouvriras la porte et
tu t'enfuiras sans tarder. »
4 Le jeune prophète se rendit donc à
Ramoth de Galaad. 5 Lorsqu'il y arriva,
les chefs de l'armée d'Israël tenaient une
séance ; le jeune prophète déclara : « J'ai
quelque chose à te dire, chef ! » – « Auquel d'entre nous veux-tu parler ? » demanda Jéhu. « A toi-même, chef ! »
répondit le prophète.
6 Jéhu se leva et l'emmena dans la maison ; le prophète versa l'huile sur sa tête
en lui disant : « Voici ce que déclare le
Seigneur, le Dieu d'Israël : "Je te consacre pour régner sur mon peuple, Israël[p].
7 C'est toi qui feras mourir les descendants d'Achab, ton ancien maître. Ainsi
je vengerai tous mes serviteurs, prophètes ou autres, que Jézabel a fait assassiner.
8 Oui, toute la famille d'Achab mourra,
j'exterminerai tous les hommes de sa parenté, enfants et adultes. 9 Je traiterai sa
famille comme j'ai traité celle de Jéroboam, fils de Nebath, et celle de Bacha,
fils d'Ahia[q]. 10 Quant à Jézabel, personne
ne l'enterrera, car les chiens la dévoreront dans le champ de Jizréel[r]." » Après
avoir dit cela, le prophète ouvrit la porte
et s'enfuit.

11 Jéhu sortit et retourna auprès des autres officiers du roi, qui lui demandèrent : « Que se passe-t-il ? Que te voulait
cette espèce de fou ? » – « Oh ! rien, répondit Jéhu. Vous connaissez ce genre de
prophètes et ce qu'ils peuvent vous raconter. » – 12 « Tu mens, reprirent les autres. Raconte-nous donc ce qui s'est
passé. » – « Eh bien ! dit Jéhu, il m'a parlé
de telle et telle manière ; il m'a dit en particulier : Voici ce que déclare le Seigneur : "Je te consacre roi d'Israël !" »
13 Aussitôt, tous les officiers enlevèrent
leurs manteaux et les étendirent[s] au haut
de l'escalier pour y faire asseoir Jéhu ; les
musiciens sonnèrent de la trompette et
tout le monde se mit à crier : « Vive le roi
Jéhu ! »

Jéhu complote contre le roi Joram

14-15 A cette époque-là, toute l'armée
*d'Israël protégeait la ville de Ramoth de
Galaad contre Hazaël, roi de Syrie. Mais
le roi Joram, en combattant Hazaël, avait
été blessé par les Syriens. Il était donc
rentré à Jizréel pour se faire soigner et s'y
trouvait alité.
Jéhu, fils de Yochafath et petit-fils de
Nimchi, complota alors contre Joram ; il

---

p **9.6** Comparer 1 Rois 19.16.
q **9.9** Voir 1 Rois 15.29 ; 16.11-12.
r **9.10** Voir 1 Rois 21.23.
s **9.13** « Étendre son manteau sous quelqu'un » est une manière d'exprimer sa soumission envers lui et de l'honorer. Comparer Matt 21.8 et les récits parallèles.

dit aux autres officiers : « Si vous êtes
prêts à me soutenir, faites attention que
personne ne s'échappe de la ville pour aller à Jizréel annoncer ce qui vient de se
passer ici. »
16 Puis il monta sur son char et partit
pour Jizréel, où se trouvait Joram, alité,
ainsi qu'Ahazia, roi de Juda, qui était
venu lui rendre visite. 17 La sentinelle
installée sur la tour de Jizréel vit arriver
la troupe qui accompagnait Jéhu et fit
dire au roi : « Je vois venir une troupe
d'hommes. » – « Envoie un cavalier au-
devant d'eux pour demander si tout va
bien », ordonna Joram. 18 Le cavalier partit à la rencontre de ces gens et leur dit :
« Le roi demande si tout va bien. » – « De
quoi te mêles-tu ? répondit Jéhu. Passe
derrière nous. » Alors la sentinelle annonça : « Le messager est arrivé près de
ces gens, mais il ne revient pas. »
19 Joram fit envoyer un second cavalier,
qui, arrivé près d'eux, leur dit : « Le roi
demande si tout va bien. » – « De quoi te
mêles-tu ? répondit Jéhu. Passe derrière
nous. » 20 La sentinelle annonça : « Le second messager est arrivé près de ces gens,
mais il ne revient pas non plus. Cependant, je reconnais Jéhu, petit-fils de Nimchi, d'après sa façon de conduire : il
conduit comme un fou. »
21 Le roi Joram ordonna qu'on attelle
son char, puis il y monta ; Ahazia, roi de
Juda, monta également sur le sien. Ils allèrent à la rencontre de Jéhu et le rejoignirent près du champ qui avait
appartenu à Naboth, de Jizréel[t].

Mort du roi Joram d'Israël

22 Dès que Joram eut rejoint Jéhu, il lui
demanda : « Tout va-t-il bien, Jéhu ? » –
« Comment peux-tu me demander cela ?
répondit Jéhu. Tu sais bien que ta mère
Jézabel continue d'adorer les faux dieux
et de pratiquer la magie... » 23 Joram fit
demi-tour et s'enfuit, en criant à Ahazia :
« Attention, Ahazia, c'est une trahison ! »
24 Jéhu saisit son arc et tira ; la flèche
atteignit Joram entre les épaules et ressortit après avoir traversé le cœur ; Joram
s'écroula mort au fond de son char.
25 Alors Jéhu dit à son aide de camp Bid-
car : « Prends son cadavre et jette-le dans
le champ de Naboth, de Jizréel. Souviens-toi en effet de ce que le Seigneur a
prédit à son père, le roi Achab[u], le jour où
nous deux, avec d'autres conducteurs
de chars, nous l'avions accompagné :
26 "Moi, le Seigneur, lui a-t-il dit, j'ai tout
vu, hier, quand tu as fait mourir Naboth
et ses fils. Eh bien, moi, le Seigneur, je
jure que je te punirai pour cela, précisément dans ce champ[v]." Ainsi donc,
ajouta Jéhu, prends le cadavre de Joram
et jette-le dans ce champ, conformément
à ce que le Seigneur a annoncé. »

Mort du roi Ahazia de Juda

(Voir 2 Chron 22.7-9)

27 Lorsque Ahazia, roi de Juda, vit cela,
il s'enfuit en direction de Beth-Gan, mais
Jéhu le poursuivit. Jéhu ordonna à ses
compagnons de tuer Ahazia lui aussi. Ils
le frappèrent alors qu'il conduisait son
char sur la route qui monte à Gour, non
loin d'Ibléam. Ahazia parvint à fuir
jusqu'à Méguiddo[w], où il mourut. 28 Ses
serviteurs l'emmenèrent sur son char à
Jérusalem, où on l'enterra dans le tombeau familial de la *Cité de David.
29 C'est pendant la onzième année du
règne de Joram, fils d'Achab, qu'Ahazia
était devenu roi de Juda[x].

Mort de Jézabel

30 Jézabel apprit tout ce qui s'était
passé ; alors elle se maquilla les paupières, se fit toute belle, et lorsque Jéhu
revint à Jizréel, elle se mit à la fenêtre.
31 Dès qu'il eut passé la porte de la ville,
elle lui cria : « Comment vas-tu, espèce de
Zimri, assassin de son roi[y] ? » 32 Jéhu leva
la tête vers la fenêtre et s'écria : « Qui veut
être pour moi ? Qui ? » Deux ou trois
hommes de confiance du palais royal se

---

t **9.21** Voir 1 Rois 21.
u **9.25** Voir 1 Rois 21.20-29.
v **9.26** Comparer 1 Rois 21.19.
w **9.27** *Beth-Gan* et *Ibléam* sont deux localités proches l'une de l'autre, à 12 km environ au sud de Jizréel. La route normale de Jizréel à *Méguiddo* passait par *Beth-Gan*.
x **9.29** Ce verset répète approximativement l'information déjà donnée à sa place normale en 8.25.
y **9.31** Comparer 1 Rois 16.9-19.

penchèrent aux fenêtres. 33 « Jetez-la en
bas ! » leur ordonna-t-il. Alors ils poussèrent Jézabel par la fenêtre. Elle tomba,
son sang éclaboussa la muraille et les chevaux, et Jéhu lui passa sur le corps avec
son char.
34 Jéhu entra dans le palais, se fit servir
à manger et à boire, puis il dit à ses
compagnons : « Occupez-vous quand
même d'enterrer cette femme maudite,
car elle était fille du roi. » 35 Ils sortirent
pour aller l'enterrer, mais ils ne retrou-
vèrent d'elle que le crâne, les mains et les
pieds. 36 Ils retournèrent l'annoncer à
Jéhu, qui s'exclama : « C'est bien là ce que
le *prophète Élie, de Tichebé, avait déclaré de la part du Seigneur : "Les chiens
dévoreront le corps de Jézabel dans le
champ de Jizréel[z]. 37 Et les restes de Jézabel seront dispersés dans ce champ,
comme du fumier étendu sur le sol, de
sorte qu'on ne pourra même pas dire :
C'est Jézabel." »

Massacre de la famille d'Achab

10 1 Il y avait soixante-dix descendants d'Achab qui habitaient Samarie. Jéhu envoya des lettres à Samarie,
aux "Princes de Jizréel[a]", aux *anciens et
aux gens chargés d'éduquer les descendants d'Achab ; il leur écrivait ceci :
2 « Vous vous occupez des enfants de la famille royale ; vous disposez de chars, de
chevaux et d'armes, et vous habitez une
ville fortifiée. Dès que vous aurez reçu
cette lettre, 3 voyez parmi les descendants
du roi lequel est le plus capable et le plus
digne d'être roi, installez-le sur le trône
et préparez-vous à combattre pour la famille royale. »
4 Tous ces gens eurent très peur ; ils se
dirent les uns aux autres : « Comment
pourrions-nous résister à Jéhu, nous,
alors que deux rois[b] ne l'ont pas pu ? »
5 Aussitôt, le chef du palais royal, le
commandant militaire de la ville, les anciens et les éducateurs firent porter
cette réponse à Jéhu : « Nous sommes à
ton service ; nous ferons tout ce que tu
nous ordonneras ; nous ne désignerons
pas de nouveau roi. Fais donc ce qui te
plaît. »
6 Jéhu leur écrivit une seconde lettre en
ces termes : « Si vous êtes pour moi, si
vous voulez obéir à mes ordres, coupez la
tête à tous les descendants du roi et
apportez-les-moi à Jizréel, demain à la
même heure. » Les soixante-dix descendants de la famille royale logeaient chez
les citoyens influents de Samarie, qui assuraient leur éducation.

7 Lorsque les autorités reçurent cette
lettre, ils firent venir les soixante-dix descendants du roi et les tuèrent ; ils entas-
sèrent leurs têtes dans des corbeilles
qu'ils firent porter à Jéhu, à Jizréel. 8 Un
messager vint lui annoncer qu'on avait
apporté ces têtes ; Jéhu ordonna qu'on les
mette en deux tas près de la porte de la
ville, jusqu'au lendemain. 9 Le lendemain matin, il sortit de la ville, s'arrêta et
adressa ces mots à la foule : « Vous, vous
êtes innocents ! Moi, je suis responsable
d'avoir comploté contre le roi Joram et de
l'avoir tué. Mais tous ceux-ci, qui les a assassinés ? 10 Reconnaissez donc qu'aucune des paroles que le Seigneur avait
prononcées contre la famille d'Achab
n'est restée sans effet ! Le Seigneur a accompli tout ce que le *prophète Élie avait
annoncé de sa part[c]. » 11 Alors Jéhu tua
tous les survivants de la famille d'Achab
qui habitaient Jizréel[d], de même que tous
les partisans influents, les familiers et les
prêtres de ce roi ; il n'en laissa échapper
aucun.

Massacre des princes de Juda

(Voir 2 Chron 22.8)

12 Ensuite Jéhu se mit en route pour
Samarie. Alors qu'il arrivait à Beth-
Équed-des-Bergers, 13 il rencontra des
proches parents d'Ahazia, roi de Juda.
« Qui êtes-vous ? » leur demanda-t-il.
« Nous sommes des proches parents
d'Ahazia, répondirent-ils. Nous sommes
venus saluer les enfants de la reine Jéza-

---

z **9.36** Voir 1 Rois 21.23.
a **10.1** *"Princes de Jizréel"* : il s'agit peut-être d'un titre officiel de la cour de Samarie.
b **10.4** Joram et Ahazia, voir 9.22-28.
c **10.10** Voir 1 Rois 21.21,29.
d **10.11** Voir Osée 1.4.

bel et le reste de la famille royale. » –
14 « Prenez-les vivants ! » s'écria Jéhu. Ses
compagnons les prirent vivants et, après
les avoir tués, jetèrent leurs cadavres
dans le puits de Beth-Équed. Ces gens
étaient au nombre de quarante-deux, et
aucun d'entre eux n'échappa.

Jéhu rencontre Yonadab

15 Un peu plus loin, Jéhu vit Yonadab,
fils de Rékab[e], qui venait vers lui. Jéhu le
salua et lui dit : « Es-tu loyal envers moi,
comme je le suis envers toi ? » – « Oui ! »
répondit Yonadab. « Eh bien, serrons-
nous la main ! » déclara Jéhu. Ils se ser-
rèrent la main, puis Jéhu le fit monter sur
son char : 16 « Viens avec moi, dit-il, et tu
verras avec quel amour passionné je sers le
Seigneur. » Et il l'emmena[f] sur son char.
17 Dès son arrivée à Samarie, Jéhu tua tous
les survivants de la famille d'Achab qui
habitaient là, et extermina cette famille,
conformément à ce que le Seigneur avait
annoncé au *prophète Élie.

Jéhu supprime le culte de Baal

18 Jéhu fit rassembler toute la population de Samarie et déclara : « Le roi
Achab a adoré le dieu *Baal ; moi, Jéhu,
je vais l'adorer beaucoup plus que lui.
19 Que l'on convoque tous les *prophètes
de Baal, ses adorateurs et ses prêtres ;
qu'ils viennent tous vers moi. Aucun
d'eux ne doit manquer, car je veux célébrer une grande fête avec sacrifices en
l'honneur de Baal. Tous les absents seront mis à mort. »
Jéhu agissait ainsi par ruse, pour
anéantir les adorateurs de Baal. 20 C'est
pourquoi il ordonna de convoquer une
assemblée solennelle en l'honneur de
Baal. On la convoqua 21 en envoyant des
messagers dans tout le pays *d'Israël.
Tous les adorateurs de Baal vinrent, aucun n'osa être absent ; ils remplirent
complètement le temple de Baal. 22 Alors
Jéhu ordonna au responsable des vêtements sacrés d'en fournir à tous les participants. Cela fait, 23 Jéhu et Yonadab, fils
de Rékab, entrèrent dans le temple et dirent aux adorateurs de Baal : « Assurez-
vous qu'il n'y a parmi vous aucun adorateur du Dieu d'Israël, mais seulement des
adorateurs de Baal. »
24 Jéhu avait fait placer à l'extérieur du
temple quatre-vingts soldats, à qui il
avait dit : « Je vais livrer tous ces gens en
votre pouvoir ; si l'un de vous en laisse
échapper un seul vivant, il mourra à sa
place. » Jéhu et Yonadab s'avancèrent
pour offrir des *sacrifices de communion
et des sacrifices complets. 25 Quand Jéhu
eut terminé, il ordonna aux soldats et à
leurs chefs : « Entrez et massacrez ces
gens ! Qu'aucun d'eux ne sorte vivant
d'ici. » Ils les massacrèrent donc, jetèrent
les cadavres dehors, puis pénétrèrent
dans le lieu très saint du temple de Baal[g].
26 Ils portèrent dehors les piliers sacrés du
temple et les brûlèrent, 27 puis ils fracas-
sèrent la pierre dressée consacrée à Baal.
Enfin ils démolirent le temple lui-même
et, sur son emplacement, ils édifièrent
des toilettes publiques, qui existent encore aujourd'hui.

Jéhu, roi d'Israël

28 C'est ainsi que Jéhu fit disparaître du
royaume *d'Israël le culte de *Baal.
29 Toutefois, il ne cessa pas de commettre
les mêmes péchés que Jéroboam, fils de
Nebath, qui avait poussé le peuple d'Israël à pécher en adorant les veaux d'or à
Béthel et à Dan[h].
30 Alors le Seigneur dit à Jéhu : « C'est
bien, tu as fait ce que je trouve juste ; tu
as réalisé ce que j'avais décidé pour punir
la famille d'Achab ; c'est pourquoi tes
descendants jusqu'à la quatrième génération te succéderont comme rois d'Israël. »
31 Pourtant Jéhu n'obéit pas de tout son
cœur à la loi du Seigneur, le Dieu d'Israël, et il ne cessa pas de commettre les
mêmes péchés que Jéroboam, qui avait
poussé le peuple d'Israël à pécher.

---

e **10.15** Sur *Yonadab* et ses descendants, les Rékabites, voir Jér 35.

f **10.16** *il l'emmena* : d'après les anciennes versions ; hébreu *ils l'emmenèrent*.

g **10.25** *Ils les massacrèrent...* : le texte hébreu est obscur et la traduction incertaine.

h **10.29** Voir 1 Rois 12.28-30.

32 A cette même époque, le Seigneur commença d'entamer le territoire d'Israël ; il permit à Hazaël, roi de Syrie, de battre les Israélites dans tout leur pays ; 33 ils perdirent ainsi toute la région située à l'est du Jourdain et au nord d'Aroër sur l'Arnon, à savoir les pays de Galaad et du *Bachan, occupés par les tribus de Ruben, de Gad et de Manassé.

34 Le reste de l'histoire de Jéhu est contenu dans le livre intitulé *Actes des rois d'Israël* ; on y raconte tout ce qu'il a fait et le courage qu'il a montré. 35-36 Il avait régné vingt-huit ans sur Israël à Samarie. Lorsqu'il mourut, on l'enterra à Samarie ; ce fut son fils Joachaz qui lui succéda.

Athalie s'empare du pouvoir à Jérusalem

(Voir 2 Chron 22.10-12)

11 1 Lorsque Athalie, la mère du roi Ahazia, apprit que son fils était mort, elle décida de faire mourir tous les descendants de la famille royale. 2 Mais au moment du massacre, Yochéba, fille du roi Joram de Juda et sœur d'Ahazia, parvint à emmener secrètement un fils de son frère, nommé Joas, et elle le cacha avec sa nourrice dans une chambre à coucher du *temple ; Athalie n'en sut rien, de telle sorte que l'enfant échappa au massacre. 3 Pendant six ans, il resta caché avec sa nourrice dans le *temple du Seigneur[i], tandis qu'Athalie régnait sur le pays.

Joas est consacré roi

(Voir 2 Chron 23.1-21)

4 Au cours de la septième année, le prêtre Yoyada fit venir les capitaines des Cariens[j] et des autres soldats de la garde ; il les emmena dans le *temple du Seigneur, conclut un accord avec eux, en leur faisant prêter serment, puis il leur montra le fils du roi. 5 Ensuite il leur donna les ordres suivants : « Voici ce que vous allez faire : Une de vos compagnies entre en service le jour du *sabbat ; normalement la première section est chargée de garder le palais royal, 6 la deuxième section la porte de Sour[k], et la troisième section la porte qui se trouve derrière le corps de garde ; eh bien, ces trois sections garderont le palais à tour de rôle. 7 Vos deux autres compagnies, qui normalement ne sont pas en service le jour du sabbat, viendront garder le temple, où se trouve le jeune roi[l]. 8 Tous les soldats auront leur arme à la main ; ils entoureront le roi et l'accompagneront lorsqu'il se déplacera. Quiconque s'approchera de vos rangs sera mis à mort. »

9 Les capitaines agirent comme le prêtre Yoyada le leur avait ordonné : ils rassemblèrent leurs soldats, aussi bien ceux qui prenaient leur tour de garde le jour du sabbat que ceux qui terminaient leur service ce jour-là, et ils se rendirent auprès de Yoyada. 10 Celui-ci confia aux capitaines les lances[m] et les boucliers qui avaient appartenu au roi David et qui étaient déposés dans le temple du Seigneur. 11 Les soldats se placèrent en demi-cercle, les armes à la main, de l'angle sud-est à l'angle nord-est du temple, devant le bâtiment et *l'autel, prêts à entourer le roi. 12 Alors Yoyada fit sortir Joas : il lui remit l'insigne royal et le document de *l'alliance[n], puis on le consacra roi en versant de l'huile sur sa tête ; aussitôt tout le monde se mit à applaudir et à crier : « Vive le roi ! »

13 Lorsque Athalie entendit le bruit des gardes et du peuple, elle rejoignit la foule au temple du Seigneur. 14 Elle aperçut le nouveau roi, debout près de la colonne du temple[o], selon la coutume ; les officiers et les joueurs de trompettes se tenaient près de lui. Toute la population

---

i **11.3** D'après 2 Chron 22.11, *Yochéba* était la femme du prêtre Yoyada, ce qui explique le fait qu'elle ait pu cacher Joas *dans le temple*, c'est-à-dire dans les locaux attribués aux prêtres.

j **11.4** *Cariens* : soldats originaires d'Asie Mineure, formant une troupe de garde du palais et du temple.

k **11.6** L'emplacement de cette *porte* est inconnu.

l **11.7** Le texte hébreu des v. 5-7 est peu clair et la traduction incertaine.

m **11.10** *les lances* : d'après les anciennes versions grecque, syriaque et latine ; hébreu *la lance*.

n **11.12** *le document de l'alliance* : autres traductions *le témoignage* ou *la Loi* ; le terme hébreu ainsi traduit est trop vague pour que l'on puisse savoir de quoi il s'agit exactement dans ce contexte.

o **11.14** *près de la colonne du temple* : autre traduction *sur l'estrade*.

manifestait sa joie, tandis que les musiciens sonnaient de la trompette. Alors
Athalie *déchira ses vêtements en
criant : « Trahison ! Trahison ! »
15 Yoyada ne voulait pas qu'on la tue
dans le temple. C'est pourquoi il
s'adressa aux capitaines qui commandaient les soldats de la garde et leur
donna l'ordre suivant : « Faites-la sortir
entre vos rangs ; si quelqu'un la suit, mettez-le à mort. » 16 On l'entraîna vers le palais royal et, quand elle arriva à la porte
des Chevaux[p], on l'exécuta.

17 Yoyada conclut, entre le Seigneur
d'une part, le roi et la population d'autre
part, une alliance qui engageait ceux-ci à
être le peuple du Seigneur ; il conclut
aussi une alliance entre le roi et son peuple. 18 Alors la foule se rendit au temple
de *Baal et le démolit ; on fracassa les autels et les statues, et on tua Mattan, prêtre
de Baal, devant les autels. Ensuite Yoyada
organisa des équipes chargées de veiller
sur le temple du Seigneur.
19 Yoyada rassembla encore les capitaines, les Cariens et le reste de la garde,
avec tout le peuple, pour conduire le roi
du temple au palais, en passant par la
porte des gardes. Lorsque Joas s'assit sur
le trône royal, 20 tous manifestèrent leur
joie.
La ville fut tranquille après qu'Athalie
eut été mise à mort au palais royal.

Joas, roi de Juda

(Voir 2 Chron 24.1-3)

12 1-2 Pendant la septième année[q] du
règne de Jéhu sur *Israël, Joas, qui
avait alors sept ans, devint roi de Juda ; il
régna quarante ans à Jérusalem. Sa mère,
qui était de Berchéba, s'appelait Sibia.
3 Joas fit ce qui plaît au Seigneur durant
toute sa vie, parce que le prêtre Yoyada
l'avait bien éduqué. 4 Toutefois, il ne supprima pas les lieux sacrés ; les gens continuaient d'y aller pour offrir des sacrifices
d'animaux et brûler des parfums.

Joas fait réparer le temple

(Voir 2 Chron 24.4-14)

5-6 Joas dit un jour aux prêtres : « Vous
devez recueillir tout l'argent apporté au
*temple pour le service du Seigneur, ar-
gent servant à payer diverses taxes personnelles ou argent offert librement.
Vous le ferez récolter par vos receveurs
attitrés[r] et vous l'emploierez pour réparer
le temple, là où on le jugera nécessaire. »
7 Mais la vingt-troisième année de son
règne, les prêtres n'avaient encore rien
réparé dans le temple. 8 Alors Joas interpella Yoyada et les autres prêtres et leur
demanda : « Pourquoi ne faites-vous pas
réparer le temple ? Puisqu'il en est ainsi,
vous ne recueillerez désormais plus
d'argent par l'intermédiaire de vos
receveurs ; vous le laisserez pour les
réparations du temple. » 9 Les prêtres
consentirent donc à ne plus recevoir d'argent de la part des gens, et à ne plus s'occuper des réparations du temple.
10 Le prêtre Yoyada se procura un coffre, perça un trou dans le couvercle, puis
plaça ce coffre à côté de *l'autel, à droite
de l'entrée du temple. Les prêtres gardiens de l'entrée[s] furent chargés de déposer dans le coffre tout l'argent apporté au
temple. 11 Lorsqu'ils voyaient qu'il y
avait beaucoup d'argent dans le coffre, ils
faisaient venir le secrétaire du roi et le
chef des prêtres, qui emportaient cet argent et le pesaient. 12 L'argent, une fois
comptabilisé, était remis aux entrepreneurs et aux surveillants des travaux qui
pouvaient alors payer les ouvriers occupés aux réparations, charpentiers,
13 maçons et tailleurs de pierre ; ils pouvaient également acheter du bois et des
pierres de taille, et régler toutes les autres
dépenses nécessitées par les réparations.
14 On n'utilisa pas ces dons apportés au
temple pour fabriquer des bassines, des

---

p **11.16** Cette *porte* faisait probablement communiquer la cour du palais royal et celle du temple.

q **12.1-2** Dans certaines traductions, les v. 1-22 du chap. 12 sont numérotés 11.21–12.21.

r **12.5-6** *taxes personnelles* : voir Ex 30.11-16 ; Lév 27.1-8 ; Matt 17.24-27. – *Vous le ferez récolter par vos receveurs attitrés* : autre traduction *Chacun des prêtres le récoltera auprès de ses connaissances* (de même au v. 8).

s **12.10** *Les prêtres gardiens de l'entrée* sont des personnages importants dans la hiérarchie des prêtres (voir 23.4 ; 25.18), bien que leur fonction précise ne soit pas connue.

mouchettes, des bols à aspersion[t], des trompettes, ou tout autre objet d'or ou d'argent. 15 On remettait tout aux entrepreneurs, et ceux-ci s'occupaient des réparations nécessaires. 16 On ne contrôlait d'ailleurs pas les gens chargés de payer les ouvriers, car ils agissaient honnêtement[u].

17 Quant à l'argent que certaines personnes versaient au lieu d'offrir un *sacrifice pour une faute commise, il n'était pas déposé dans le coffre, mais revenait aux prêtres[v].

Fin du règne de Joas

(Voir 2 Chron 24.23-27)

18 A cette époque, le roi de Syrie, Hazaël, vint attaquer la ville de Gath ; après l'avoir prise, il décida d'attaquer Jérusalem. 19 Aussitôt, Joas rassembla tous les objets de valeur que ses ancêtres, les rois de Juda, Josaphat, Joram et Ahazia, et lui-même avaient offerts au Seigneur, ainsi que tout l'or déposé dans la chambre du trésor du temple et dans celle du palais royal ; il fit porter tout cela en cadeau au roi Hazaël, qui renonça à venir attaquer Jérusalem.

20 Tout le reste de l'histoire de Joas est contenu dans le livre intitulé *Actes des rois de Juda*. 21-22 Ses officiers complotèrent contre lui ; deux d'entre eux, Yozabad, fils de Chiméath, et Yehozabad, fils de Chomer, l'assassinèrent à Beth-Millo[w]. On l'enterra dans le tombeau familial de la *Cité de David ; ce fut son fils Amassia qui lui succéda.

Joachaz, roi d'Israël

13 1 Pendant la vingt-troisième année du règne de Joas, fils d'Ahazia, sur le royaume de Juda, Joachaz, fils de Jéhu, devint roi *d'Israël à Samarie ; il y régna dix-sept ans. 2 Il fit ce qui déplaît au Seigneur ; il ne cessa pas d'imiter les péchés de Jéroboam, fils de Nebath, qui avait poussé le peuple d'Israël à pécher. 3 Alors le Seigneur se mit en colère contre les Israélites et les livra au pouvoir d'Hazaël, roi de Syrie, puis au pouvoir de son fils Ben-Hadad. Cela dura longtemps.

4 Mais Joachaz supplia le Seigneur de s'apaiser ; celui-ci l'entendit et, après avoir vu comment le roi de Syrie opprimait Israël, 5 il envoya un libérateur qui délivra les Israélites de la domination des Syriens. Dès lors, les Israélites purent vivre en paix comme précédemment. 6 Pourtant ils ne cessèrent pas d'imiter les péchés de Jéroboam et de sa famille, car Jéroboam avait poussé le peuple d'Israël à pécher ; même le poteau sacré de la déesse *Achéra resta dressé à Samarie.

7 Finalement, les troupes de Joachaz ne comptaient plus que cinquante cavaliers[x], dix chars et dix mille soldats à pied ; en effet, le roi de Syrie en avait détruit beaucoup et n'avait laissé d'eux qu'un peu de poussière au bord des routes.

8 Le reste de l'histoire de Joachaz est contenu dans le livre intitulé *Actes des rois d'Israël* ; on y raconte tout ce qu'il a fait et le courage qu'il a montré. 9 Lorsqu'il mourut, on l'enterra à Samarie ; ce fut son fils Joas qui lui succéda.

Joas, roi d'Israël

10 Pendant la trente-septième année du règne de Joas sur Juda, Joas, fils de Joachaz, devint roi *d'Israël à Samarie ; il y régna seize ans. 11 Il fit ce qui déplaît au Seigneur et ne cessa pas d'imiter tous les péchés de Jéroboam, fils de Nebath, qui avait poussé le peuple d'Israël à pécher.

12 Le reste de l'histoire de Joas est contenu dans le livre intitulé *Actes des rois d'Israël* ; on y raconte tout ce qu'il a fait, et le courage qu'il a montré en combattant contre Amassia, roi de Juda.

---

t **12.14** Sur ces divers ustensiles, voir 1 Rois 7.50.

u **12.16** Voir 22.7.

v **12.17** Comparer Lév 7.7.

w **12.21-22** *Yozabad* ou, d'après certains manuscrits et des versions anciennes, *Yozakar*. – *Beth-Millo* : endroit inconnu ; il s'agit peut-être d'un quartier de Jérusalem. – L'hébreu ajoute ici deux mots incompréhensibles dans ce contexte *celui qui descend à Silla* (autre endroit inconnu).

x **13.7** *cavaliers* ou *chevaux*.

13 Lorsqu'il mourut, on l'enterra à Samarie dans le tombeau des rois d'Israël ; ce
fut alors Jéroboam qui devint roi[y].

Élisée prédit la victoire sur les Syriens

14 Lorsque Élisée fut frappé de la maladie dont il allait mourir, Joas, roi *d'Israël, se rendit auprès de lui ; penché sur
lui, il se mit à pleurer et s'écria : « Mon
père ! Mon père ! Tu vaux tous les chars et
tous les cavaliers d'Israël ![z] » 15 Élisée lui
dit : « Procure-toi un arc et des flèches. »
Le roi se les fit apporter. 16-17 « Ouvre la
fenêtre du côté est », continua Élisée. Le
roi l'ouvrit. « Prends ton arc et tends-le »,
ajouta encore le *prophète.
Le roi prit l'arc ; Élisée plaça ses
mains sur les mains du roi, puis lui ordonna de tirer. Dès que le roi eut tiré, le
prophète s'écria : « Cette flèche prédit
une victoire donnée par le Seigneur, une
victoire contre l'armée syrienne ! Oui, tu
battras les Syriens à Afec[a] et tu les ex-
termineras. » 18 Ensuite Élisée lui ordonna : « Prends les autres flèches. » Le
roi les prit. « Frappe le sol ! » lui dit le
prophète. Le roi frappa trois fois par
terre, puis s'arrêta. 19 Le prophète, irrité,
lui déclara : « Si tu avais frappé par terre
cinq ou six fois, alors tu aurais pu battre
les Syriens définitivement ; mais maintenant, tu ne pourras les battre que trois
fois. »

20 Élisée mourut et on l'enterra.
Chaque année, des bandes de pillards
moabites pénétraient dans le territoire
d'Israël. 21 Un jour, des gens qui allaient
enterrer un mort virent soudain une de
ces bandes. Ils lancèrent le corps dans le
tombeau d'Élisée et s'enfuirent[b]. Dès que
le mort eut touché les os d'Élisée, il
revint à la vie et se releva.

La victoire sur les Syriens

22 Hazaël, roi de Syrie, avait opprimé
les Israélites durant tout le règne de Joachaz. 23 Mais le Seigneur, dans sa bienveillance, finit par avoir pitié d'eux ; il
leur pardonna, à cause de *l'alliance
qu'il avait conclue avec Abraham, Isaac
et Jacob, et il renonça à les exterminer.
Il ne les avait pas encore exilés loin de
lui[c].

24 Lorsque Hazaël mourut, ce fut son
fils Ben-Hadad qui lui succéda comme
roi de Syrie. 25 Aussitôt Joas lui reprit les
villes israélites qu'Hazaël avait arrachées
au royaume de son père Joachaz. A trois
reprises, Joas battit Ben-Hadad, et il ré-
cupéra ses villes.

Amassia, roi de Juda

(Voir 2 Chron 25.1-4, 11-12, 17-28 ; 26.1-2)

14 1 Pendant la deuxième année du
règne de Joas, fils de Joachaz, sur
le royaume *d'Israël, Amassia succéda
comme roi de Juda à son père Joas ; 2 il
avait vingt-cinq ans, et il régna vingt-
neuf ans à Jérusalem. Sa mère, qui était
de Jérusalem, s'appelait Yoaddan.
3 Amassia fit ce qui plaît au Seigneur,
mais pourtant pas comme son ancêtre
David ; il agit exactement comme son
père Joas ; 4 il ne supprima pas les lieux
sacrés ; les gens continuaient d'y aller
pour offrir des sacrifices d'animaux et
brûler des parfums.

5 Lorsque Amassia eut solidement établi son autorité royale, il fit mettre à
mort les officiers qui avaient assassiné
son père, le roi Joas[d]. 6 Mais il épargna
les enfants des assassins, pour respecter
ce qui est écrit dans le livre de la loi de
Moïse ; en effet le Seigneur y a donné cet
ordre : « On ne doit pas mettre à mort
des parents pour des péchés commis par
leurs enfants, ni des enfants pour des péchés commis par leurs parents ; un être

---

y **13.13** Les v. 12-13 sont répétés presque mot pour mot en 14.15-16, car jusqu'en 14.14, il s'agit encore d'événements dans lesquels le roi Joas d'Israël a joué un rôle. En particulier la guerre entre Joas et Amassia (v. 12) est racontée en 14.8-14.

z **13.14** Comparer 2.12.

a **13.16-17** *Afec* : voir 1 Rois 20.26 et la note.

b **13.21** *et s'enfuirent* : d'après l'ancienne version grecque ; hébreu *et (le mort) alla (et toucha...)*.

c **13.23** *Il ne les avait pas...* : autre traduction *Il continua de les supporter comme jusqu'à présent*.

d **14.5** Voir 12.21-22.

humain ne peut être mis à mort que pour ses propres péchés[e] ». 7 Ce fut aussi Amassia qui battit dix mille soldats édomites dans la vallée du Sel ; au cours du combat, il s'empara de la ville de Séla[f], à laquelle il donna le nom de Yoctéel, nom qu'elle porte encore aujourd'hui.

8 Là-dessus, Amassia envoya des messagers auprès du roi d'Israël, Joas, fils de Joachaz et petit-fils de Jéhu. Il lui faisait dire : « Viens ! Affrontons-nous dans un combat ! » 9 Joas adressa cette réponse à Amassia : « Il y avait une fois sur le mont Liban un buisson épineux ; il demanda à un cèdre du Liban de lui donner sa fille comme épouse pour son fils ; mais une bête sauvage du Liban passa sur le buisson et l'écrasa »[g]. 10 Et Joas ajoutait : « Parce que tu as battu les Édomites, tu fais le fier ! Contente-toi de cette gloire et reste chez toi ! Pourquoi veux-tu commencer une guerre qui finira mal pour toi, et où tu seras battu avec toute l'armée de Juda ? »

11 Mais Amassia ne tint pas compte de cet avertissement. Alors Joas, roi d'Israël, se mit en campagne ; son armée et celle d'Amassia s'affrontèrent à Beth-Chémech[h], au pays de Juda. 12 L'armée de Juda fut battue par celle d'Israël, et tous les soldats judéens s'enfuirent chez eux. 13 A Beth-Chémech, Joas, roi d'Israël, fit prisonnier le roi de Juda Amassia, fils de Joas et petit-fils d'Ahazia ; de là, il se rendit à Jérusalem et démolit la muraille de la ville sur une longueur de près de deux cents mètres, entre la porte d'Éfraïm et la porte de l'Angle[i]. 14 Il prit l'or, l'argent et tous les objets précieux qui se trouvaient dans le temple et dans le trésor du palais royal ; il prit également des otages et retourna à Samarie.

15 Le reste de l'histoire de Joas est contenu dans le livre intitulé *Actes des rois d'Israël* ; on y raconte ce qu'il a fait, le courage qu'il a montré et la guerre qu'il a faite à Amassia, roi de Juda. 16 Lorsqu'il mourut, on l'enterra à Samarie dans le tombeau des rois d'Israël ; ce fut son fils Jéroboam qui lui succéda[j].

17 Après la mort de Joas, roi d'Israël, Amassia, roi de Juda, vécut encore quinze ans. 18 Le reste de l'histoire d'Amassia est contenu dans le livre intitulé *Actes des rois de Juda*.

19 A Jérusalem, des gens complotèrent contre Amassia ; celui-ci s'enfuit à Lakich[k], mais on le fit poursuivre et mettre à mort à cet endroit. 20 Ensuite on ramena son corps à Jérusalem, sur un char tiré par plusieurs chevaux, et on l'enterra dans le tombeau familial de la *Cité de David. 21 Azaria[l], fils d'Amassia, était âgé de seize ans lorsque le peuple de Juda le désigna comme roi pour succéder à son père. 22 C'est lui qui, après la mort de son père, reconquit la ville d'Élath[m] et la rebâtit.

Jéroboam II, roi d'Israël

23 Pendant la quinzième année du règne d'Amassia, fils de Joas, sur le royaume de Juda, Jéroboam, fils de Joas *d'Israël, devint roi à Samarie ; il y régna quarante et un ans. 24 Il fit ce qui déplaît au Seigneur, et ne cessa pas de commettre les mêmes péchés que Jéroboam, fils de Nebath, qui avait poussé le peuple d'Is-

---

e **14.6** Citation de Deut 24.16.

f **14.7** La *vallée du Sel*, qui relie la mer Morte au golfe d'Aqaba, s'appelle aujourd'hui *la Araba*. – *Séla* : localité édomite, au sud de la mer Morte. Certains l'identifient à Pétra.

g **14.9** Petite fable, rappelant celle de Jug 9.8-15, mais dont l'explication de détail est difficile : d'après le v. 10, il semble que Joas laisse entendre à Amassia, par cette fable, que sa prétention l'expose à un écrasement subit.

h **14.11** Localité située à 25 km environ à l'ouest de Jérusalem.

i **14.13** La partie de *muraille* détruite se trouvait probablement dans le secteur nord ou nord-ouest de la ville.

j **14.16** Les v. 15-16 répètent presque mot pour mot 13.12-13, où l'information donnée se trouve à une place plus normale.

k **14.19** *Lakich* : localité sitée à 45 km environ au sud-ouest de Jérusalem (aujourd'hui Tell-ed-Duweir).

l **14.21** *Azaria* : ce roi est appelé Ozias dans le deuxième livre des Chroniques et dans les livres des prophètes.

m **14.22** *Élath* faisait partie du territoire édomite, qui s'était libéré de la domination de Juda (voir 8.20-22).

raël à pécher. 25 Il reconquit tous les territoires qui avaient appartenu à Israël, depuis Lebo-Hamath au nord, jusqu'à la
mer Morte au sud, conformément à ce
que le *prophète Jonas, fils d'Amittaï, de
Gath-Héfer, avait annoncé de la part du
Seigneur, le Dieu d'Israël[n]. 26 En effet, le
Seigneur avait vu la tragique[o] misère de
ce royaume : il n'y avait personne, vraiment plus personne pour secourir Israël.
27 Mais le Seigneur n'avait pas décidé
d'exterminer ce peuple ; c'est pourquoi il
le délivra par le moyen de Jéroboam, fils
de Joas.

28 Le reste de l'histoire de Jéroboam est
contenu dans le livre intitulé *Actes des rois
d'Israël* ; on y raconte tout ce qu'il a fait, le
courage qu'il a montré dans les combats
et la manière dont il a rendu à Israël les
villes de Damas et de Hamath, qui
avaient appartenu au royaume de David.
29 Lorsque Jéroboam mourut, on l'enterra
à Samarie[p] dans le tombeau des rois d'Israël ; ce fut son fils Zacharie qui lui succéda.

Azaria, roi de Juda

(Voir 2 Chron 26.3-4, 21-23)

15 1 Pendant la vingt-septième année
du règne de Jéroboam sur *Israël,
Azaria, fils d'Amassia, devint roi de
Juda ; 2 il avait seize ans et il régna cinquante-deux ans à Jérusalem. Sa mère,
qui était de Jérusalem, s'appelait Yekolia. 3 Azaria fit ce qui plaît au Seigneur,
tout comme son père Amassia. 4 Toutefois il ne supprima pas les lieux sacrés ;
les gens continuaient d'y aller pour offrir des sacrifices d'animaux et brûler
des parfums.
5 Le Seigneur infligea une grave maladie à Azaria : le roi devint *lépreux et le
resta jusqu'à sa mort ; il dut résider à
l'écart[q] des autres gens. Son fils Yotam, le
chef du palais royal, fut chargé de gouverner le royaume.
6 Tout le reste de l'histoire d'Azaria est
contenu dans le livre intitulé *Actes des rois
de Juda*. 7 Lorsqu'il mourut[r], on l'enterra
dans le tombeau familial de la *Cité de
David ; ce fut son fils Yotam qui lui succéda.

Zacharie, roi d'Israël

8 Pendant la trente-huitième année du
règne d'Azaria sur Juda, Zacharie, fils de
Jéroboam, devint roi *d'Israël à Samarie ;
il y régna six mois. 9 Il fit ce qui déplaît au
Seigneur, comme ses ancêtres ; il ne cessa
pas de commettre les mêmes péchés que
Jéroboam, fils de Nebath, qui avait
poussé le peuple d'Israël à pécher. 10 Un
certain Challoum, fils de Yabech,
complota contre lui, l'assassina en public[s] et prit le pouvoir. 11 Le reste de l'histoire de Zacharie est contenu dans le
livre intitulé *Actes des rois d'Israël*.
12 Ainsi s'accomplit ce que le Seigneur
avait annoncé à Jéhu : « Tes descendants
jusqu'à la quatrième génération te succéderont comme rois d'Israël[t] ».

Challoum, roi d'Israël

13 Challoum, fils de Yabech, devint roi
*d'Israël pendant la trente-neuvième an-
née du règne d'Azaria sur Juda ; mais il
ne régna qu'un mois à Samarie. 14 Un certain Menahem, fils de Gadi, vint de
Tirsa, entra dans Samarie, et y assassina
Challoum ; puis il prit le pouvoir.
15 Le reste de l'histoire de Challoum
est contenu dans le livre intitulé *Actes des
rois d'Israël* ; on y raconte aussi comment
il complota contre Zacharie.
16 C'est alors que Menahem attaqua la
ville de Tifsa ; il en massacra les habitants et ravagea la région qui s'étend de
Tirsa à Tifsa. Il attaqua cette ville parce
qu'on ne lui en avait pas ouvert les por-

---

n **14.25** *Lebo-Hamath* : voir Nomb 13.21 et la note. – *mer Morte* : appelée ici en hébreu *mer de la Araba* (comparer 14.7 et la note). – *Jonas* : l'Ancien Testament n'a pas conservé ce message du prophète Jonas.

o **14.26** *tragique* : d'après les versions anciennes ; hébreu *rebelle*.

p **14.29** *on l'enterra à Samarie* : d'après l'ancienne version grecque ; ces mots manquent dans le texte hébreu.

q **15.5** *résider à l'écart* : le texte hébreu est peu clair ; la traduction s'inspire de Lév 13.46.

r **15.7** Voir És 6.1.

s **15.10** *en public* : texte hébreu peu clair ; l'ancienne version grecque dit *à Ibléam*.

t **15.12** Voir 10.30. *Zacharie* était l'arrière-arrière-petit-fils de *Jéhu*.

tes, et il y éventra toutes les femmes enceintes[u].

Menahem, roi d'Israël

17 Pendant la trente-neuvième année
du règne d'Azaria sur Juda, Menahem,
fils de Gadi, devint roi *d'Israël ; il régna dix ans à Samarie. 18 Durant toute sa
vie, il fit ce qui déplaît au Seigneur, et
ne cessa pas de commettre les mêmes
péchés que Jéroboam, fils de Nebath,
qui avait poussé le peuple d'Israël à pécher.
19 Poul, roi d'Assyrie[v], pénétra dans le
territoire d'Israël ; alors Menahem lui
donna trente tonnes d'argent afin qu'il
l'aide à établir solidement son autorité
royale. 20 Pour rassembler tout cet argent,
Menahem préleva un impôt en Israël ;
chaque personnage important dut payer
cinquante pièces d'argent. Lorsqu'on
versa la somme convenue au roi d'Assyrie, celui-ci quitta le pays d'Israël et retourna chez lui.
21 Tout le reste de l'histoire de Menahem est contenu dans le livre intitulé *Actes des rois d'Israël*. 22 Lorsque Menahem
mourut, ce fut son fils Pecahia qui lui
succéda.

Pecahia, roi d'Israël

23 Pendant la cinquantième année du
règne d'Azaria sur Juda, Pecahia, fils de
Menahem, devint roi *d'Israël à Samarie ; il y régna deux ans. 24 Il fit ce qui déplaît au Seigneur, et ne cessa pas de
commettre les mêmes péchés que Jéroboam, fils de Nebath, qui avait poussé le
peuple d'Israël à pécher. 25 Un certain
Péca, fils de Remalia, qui était son aide de
camp, complota contre lui. Avec une
troupe de cinquante hommes de Galaad,
il l'attaqua dans une des salles du palais
royal[w] ; après l'avoir assassiné, il prit le
pouvoir.
26 Tout le reste de l'histoire de Pecahia
est contenu dans le livre intitulé *Actes des
rois d'Israël*.

Péca, roi d'Israël

27 Pendant la cinquante-deuxième année du règne d'Azaria sur Juda, Péca, fils
de Remalia, devint roi *d'Israël à Samarie ; il y régna vingt ans. 28 Il fit ce qui déplaît au Seigneur, et ne cessa pas de
commettre les mêmes péchés que Jéroboam, fils de Nebath, qui avait poussé le
peuple d'Israël à pécher.
29 A l'époque où Péca régnait sur Israël,
Téglath-Phalasar, roi d'Assyrie, s'empara
des villes d'Yon, Abel-Beth-Maaka, Yanoa, Quédech et Hassor ; il occupa le territoire de Galaad, celui de Galilée et tout
le pays de Neftali[x] ; il en déporta les habitants en Assyrie. 30 Un certain Osée, fils
d'Éla, complota contre le roi Péca ; il l'assassina et prit le pouvoir. C'était alors la
vingtième année du règne de Yotam, fils
d'Azaria et roi de Juda.
31 Tout le reste de l'histoire de Péca est
contenu dans le livre intitulé *Actes des rois
d'Israël*.

Yotam, roi de Juda

(Voir 2 Chron 27.1-3, 7-9)

32 Pendant la deuxième année du règne
de Péca, fils de Remalia, sur le royaume
*d'Israël, Yotam, fils d'Azaria, devint roi
de Juda ; 33 il avait vingt-cinq ans et il régna seize ans à Jérusalem. Sa mère s'appelait Yeroucha, et elle était fille de
Sadoc. 34 Yotam fit ce qui plaît au Seigneur, agissant tout comme son père Azaria. 35 Toutefois il ne supprima pas les
lieux sacrés ; les gens continuaient d'y aller pour offrir des sacrifices d'animaux et
brûler des parfums.

---

u **15.16** *Tifsa* : localité de Palestine non identifiée (mais différente de Tifsa en Syrie du nord, voir 1 Rois 5.4) ; l'ancienne version grecque parle de Tappoua. – Le texte hébreu de la fin du verset est peu clair ; on pourrait aussi traduire *Si on ne lui ouvrait pas la porte d'une ville, il l'attaquait et y éventrait toutes les femmes enceintes*.

v **15.19** D'après les documents assyriens, *Poul* et *Téglath-Phalasar* (v. 29) sont deux noms du même personnage. – La période de grande puissance de l'Assyrie se situe entre 745 environ et 612 avant J.-C.

w **15.25** *une des salles* : voir 1 Rois 16.18 et la note. – Après *du palais royal*, le texte hébreu ajoute quelques mots difficiles à interpréter et que l'on pourrait à la rigueur comprendre comme les noms *(Argob et Arié)* de deux personnages attaqués en même temps que le roi.

x **15.29** *roi d'Assyrie* : voir v. 19 et la note. – *le territoire de Galaad,...* : la région nord-est du royaume d'Israël.

C'est Yotam qui construisit la porte supérieure du *temple du Seigneur[y].

36 Tout le reste de l'histoire de Yotam est contenu dans le livre intitulé *Actes des rois de Juda*. 37 C'est pendant le règne de Yotam que le Seigneur commença d'envoyer Ressin, roi de Syrie, et Péca, roi d'Israël, contre le pays de Juda[z]. 38 Lorsque Yotam mourut, on l'enterra dans le tombeau familial de la *Cité de David ; ce fut son fils Ahaz qui lui succéda.

Ahaz, roi de Juda

(Voir 2 Chron 28.1-27)

16 1 Pendant la dix-septième année du règne de Péca, fils de Remalia, sur le royaume *d'Israël, Ahaz, fils de Yotam, devint roi de Juda ; 2 il avait vingt ans et il régna seize ans à Jérusalem, mais il ne fit pas ce qui plaît au Seigneur son Dieu, contrairement à son ancêtre David. 3 Il imita plutôt la conduite des rois d'Israël ; il alla même jusqu'à offrir son fils en sacrifice[a], selon l'abominable pratique des nations que le Seigneur avait chassées du pays pour faire place au peuple d'Israël. 4 Il offrit des sacrifices d'animaux et brûla des parfums dans les lieux sacrés, sur les collines où il y avait des arbres verts.

5 Ressin, roi de Syrie, et Péca, fils de Remalia et roi d'Israël, vinrent faire la guerre à Ahaz[b] en l'assiégeant dans Jérusalem, mais ils ne réussirent pas à le vaincre. 6 A la même époque, Ressin, roi de Syrie, soumit la ville d'Élath au contrôle des Syriens, après en avoir chassé les gens de Juda[c] ; les Édomites revinrent s'y installer et y sont restés depuis lors.

7 Ahaz fit porter le message suivant à Téglath-Phalasar, roi d'Assyrie : « Je suis ton serviteur, ton fils. Viens me délivrer des rois de Syrie et d'Israël qui m'ont attaqué. » 8 En même temps, il rassembla l'or et l'argent qui se trouvaient dans le *temple du Seigneur et dans le trésor du palais royal, et les envoya en cadeau au roi d'Assyrie. 9 Celui-ci fit ce qu'Ahaz lui demandait ; il alla attaquer la ville de Damas, s'en empara et en déporta les habitants à Quir ; quant à Ressin, il le fit mourir.

10 Le roi Ahaz se rendit à Damas pour y rencontrer Téglath-Phalasar. Lorsqu'il vit *l'autel du temple de Damas, il en envoya le croquis et le plan détaillé à Jérusalem, au prêtre Ouria. 11 Ouria fabriqua un nouvel autel selon les instructions qu'Ahaz lui avait envoyées, et il l'acheva avant même qu'Ahaz soit rentré de Damas. 12 Quand le roi fut de retour, il vit l'autel, s'en approcha 13 et y offrit lui-même un *sacrifice complet accompagné d'une offrande de farine et de vin, ainsi qu'un sacrifice de communion dont il répandit le sang sur l'autel. 14 Puis il fit déplacer l'autel de bronze consacré au Seigneur[d] : cet autel se trouvait près de l'entrée du temple, entre le nouvel autel et le temple, et il le fit mettre derrière le nouvel autel, au nord. 15 Enfin, le roi Ahaz donna l'ordre suivant au prêtre Ouria : « Désormais, tu utiliseras le grand autel : tu y présenteras le sacrifice complet de chaque matin, l'offrande de farine de chaque après-midi, les sacrifices complets du roi, accompagnés des offrandes de farine, ceux du peuple, accompagnés des offrandes de farine et de vin ; tu y répandras également le sang des animaux offerts en sacrifices. Quant à l'autel de bronze, je prendrai moi-même une décision[e]. »

16 Le prêtre Ouria exécuta tous les ordres du roi Ahaz. 17 Celui-ci fit encore découper les plaques de bronze des chariots du temple, et enlever les bassins qui étaient sur ces chariots ; il ôta la grande cuve ronde qui reposait sur les douze taureaux de bronze[f] et la fit déposer directe-

---

y **15.35** Cette *porte supérieure* est peut-être celle qui est mentionnée en Jér 20.2 et Ézék 9.2.

z **15.37** Sur *Ressin* et *Péca*, voir És 7–8.

a **16.3** Les sacrifices d'enfants sont strictement interdits par la loi de Dieu, voir Lév 20.2-5 ; Deut 12.31 ; 18.10.

b **16.5** Voir És 7–8.

c **16.6** *après en avoir chassé les gens de Juda* : voir 14.22 et la note.

d **16.14** *l'autel...* : voir 1 Rois 8.64 ; 2 Chron 4.1.

e **16.15** *je prendrai...* : autre traduction *je l'utiliserai pour pratiquer la divination* (en examinant les entrailles des animaux offerts en sacrifice).

f **16.17** Sur les *chariots*, voir 1 Rois 7.27-39 ; sur la *grande cuve*, voir 1 Rois 7.23-26.

ment sur le sol pavé. 18 Enfin, pour plaire au roi d'Assyrie, il supprima la "Galerie du *Sabbat", construite à l'intérieur du temple, et "l'Entrée du Roi", située à l'extérieur[g].

19 Tout le reste de l'histoire d'Ahaz est contenu dans le livre intitulé *Actes des rois de Juda*. 20 Lorsqu'il mourut[h], on l'enterra dans le tombeau familial de la *Cité de David ; ce fut son fils Ézékias qui lui succéda.

Osée, roi d'Israël ; prise de Samarie

17 1 Pendant la douzième année du règne d'Ahaz sur Juda, Osée, fils d'Éla, devint roi *d'Israël à Samarie ; il y régna neuf ans. 2 Il fit ce qui déplaît au Seigneur, toutefois pas autant que les précédents rois d'Israël. 3 Salmanasar, roi d'Assyrie, vint l'attaquer ; Osée dut se soumettre à lui et lui payer une redevance annuelle. 4 Mais plus tard, Osée complota contre lui : il envoya des messagers auprès du roi d'Égypte à Saïs[i], et refusa de payer sa redevance au roi d'Assyrie ; lorsque Salmanasar découvrit ce complot, il fit arrêter et emprisonner Osée. 5 Puis il envahit le pays et vint assiéger Samarie. Au bout de trois ans, 6 c'est-à-dire neuf ans après le début du règne d'Osée, le roi d'Assyrie s'empara de la ville. Il déporta la population d'Israël en Assyrie et l'installa dans la région de Hala, dans celle de Gozan où coule le Habor, et dans les villes de Médie[j].

Les causes de la ruine du royaume d'Israël

7 Ces événements arrivèrent parce que les Israélites avaient péché contre le Seigneur, leur Dieu, qui les avait délivrés du pouvoir du *Pharaon, roi d'Égypte, et les avait fait sortir de ce pays. En effet, ils adorèrent d'autres dieux, 8 ils adoptèrent les coutumes des nations que le Seigneur avait chassées du pays pour faire place au peuple d'Israël, ainsi que les coutumes introduites par les rois *d'Israël[k], 9 ils prononcèrent des paroles inadmissibles[l] contre le Seigneur leur Dieu. Ils aménagèrent des lieux sacrés dans toutes leurs localités, aussi bien dans les simples postes d'observation que dans les villes fortifiées, 10 ils dressèrent des pierres et des poteaux sacrés au sommet de toutes les collines où il y avait des arbres verts[m], 11 ils offrirent des *sacrifices dans tous les lieux sacrés, comme les nations que le Seigneur avait exilées pour leur faire place, ils y commirent de si mauvaises actions qu'ils irritèrent le Seigneur. 12 Enfin ils adorèrent les idoles, malgré l'ordre du Seigneur de ne pas le faire.

13 Le Seigneur adressa des avertissements aux gens d'Israël et de Juda par l'intermédiaire de divers *prophètes : « Renoncez à votre mauvaise conduite[n], obéissez à mes commandements et à mes ordres formulés dans la loi que j'ai donnée à vos ancêtres et que je vous ai communiquée par mes serviteurs les prophètes. » 14 Mais ces gens refusèrent d'écouter ce qu'on leur disait. Ils se montrèrent aussi rebelles que leurs ancêtres, qui n'avaient pas cru en Dieu leur Seigneur, 15 ils rejetèrent les lois de Dieu, *l'alliance qu'il avait conclue avec leurs ancêtres et les avertissements qu'il leur avait adressés, ils s'attachèrent à des dieux inconsistants et devinrent eux-mê-

---

g **16.18** Le texte du v. 18 est peu clair et la traduction incertaine. On ignore ce qu'étaient exactement la *Galerie du Sabbat* et l'*Entrée du Roi*.

h **16.20** Voir És 14.28.

i **17.4** A cette époque, *Saïs*, dans le delta du Nil, était la capitale de l'Égypte. Autre traduction *auprès de So, roi d'Égypte* ; mais on ne connaît aucun roi d'Égypte ayant porté un nom semblable.

j **17.6** En 722 ou 721 avant J.-C., ce fut le roi Sargon II, frère et successeur de Salmanasar V, qui s'empara de Samarie. – *Hala* : localité de Mésopotamie du nord, non identifiée ; *Gozan* : autre localité de Mésopotamie du nord ; *Habor* : aujourd'hui Khabur, affluent de la rive gauche de l'Euphrate ; *Médie* : pays situé à l'est de l'Assyrie et au sud de la mer Caspienne.

k **17.8** Le texte hébreu de la fin du v. 8 est peu clair, et la traduction incertaine.

l **17.9** Autre traduction *ils commirent en secret des actes inconvenants*.

m **17.10** V. 9-10 : voir 1 Rois 14.23.

n **17.13** Environ 150 ans plus tard, Jérémie (18.11) et Ézékiel (33.11) s'exprimaient dans des termes semblables.

mes tout aussi inconsistants, ils suivirent
l'exemple des nations voisines que le Seigneur leur avait interdit d'imiter ; 16 ils
négligèrent tous les commandements du
Seigneur leur Dieu, ils se fabriquèrent
deux statues de veaux en métal fondu[o] et
un poteau sacré, ils adorèrent les astres,
ils servirent le dieu *Baal, 17 ils offrirent
leurs fils et leurs filles en sacrifices[p], ils
recoururent à diverses formes de magie,
ils s'adonnèrent aux pratiques qui déplaisent au Seigneur et l'irritèrent.
18 Alors le Seigneur laissa éclater sa colère
contre les gens d'Israël ; il ne voulut plus
les voir devant lui, de sorte que seule la
tribu de Juda subsista.

19 Mais les gens de Juda aussi désobéirent aux commandements du Seigneur leur Dieu et adoptèrent les
coutumes qui avaient été introduites
dans le royaume d'Israël. 20 C'est pourquoi le Seigneur rejeta l'ensemble des Israélites ; il les livra au pouvoir de peuples
pillards pour les humilier et finit par les
exiler loin de lui.

21 Lorsque le Seigneur avait détaché le
territoire d'Israël du royaume constitué
par David[q], les gens d'Israël s'étaient
donné comme roi Jéroboam, fils de Nebath ; celui-ci les avait alors détournés de
l'obéissance au Seigneur et les avait entraînés dans de graves péchés. 22 Dès lors,
les gens d'Israël ne cessèrent pas d'imiter
tous les péchés que Jéroboam avait
commis. 23 Finalement le Seigneur ne
voulut plus les voir devant lui et les fit
déporter en Assyrie, où ils se trouvent encore. C'est ainsi que le Seigneur réalisa ce
qu'il avait annoncé par ses serviteurs les
prophètes.

L'origine des Samaritains

24 Le roi d'Assyrie fit venir des gens de
Babylone, de Kouta, d'Ava, de Hamath et
de Sefarvaïm[r] pour les installer dans les
localités de la Samarie, à la place des Israélites qui avaient été déportés ; ces gens
prirent donc possession de la région et s'y
établirent dans les localités. 25 Toutefois,
au début de leur installation, ils n'adoraient pas le Seigneur ; c'est pourquoi celui-ci envoya des lions qui tuèrent
plusieurs d'entre eux. 26 On informa alors
le roi d'Assyrie que les populations dé-
placées et installées dans les localités de
la Samarie ne connaissaient pas le culte
du dieu de ce pays, de sorte que le dieu
avait envoyé des lions pour les faire mourir. 27 Le roi ordonna donc de ramener en
Samarie un des prêtres qu'on avait déportés et de l'y installer pour qu'il enseigne
aux gens la façon de rendre un culte à ce
dieu. 28 C'est ainsi qu'un prêtre déporté
de Samarie revint s'installer à Béthel et
enseigna aux habitants comment adorer
le Seigneur.

29 Toutefois ces populations étrangères
se fabriquèrent des statues de leurs dieux
et les dressèrent dans les *sanctuaires
construits par les anciens habitants de la
Samarie ; chaque population fit cela dans
les villes qu'elle occupait : 30 les déportés
venus de Babylone se firent une statue de
Soukoth-Benoth, ceux de Kouta une statue de Nergal, ceux de Hamath une statue d'Achima, 31 et ceux d'Ava des statues
de Nibaz et de Tartac ; les gens de Sefarvaïm offrirent même leurs enfants en sacrifice à leurs dieux Adrammélek et
Anammélek[s]. 32 En même temps, ils adoraient tous le Seigneur. Ils désignèrent
aussi parmi eux des hommes pour être
prêtres dans leurs sanctuaires et y présider leurs cérémonies. 33 D'un côté donc,
ils adoraient le Seigneur, et de l'autre, ils
servaient leurs dieux, selon les coutumes
de leurs pays d'origine.

34 Aujourd'hui encore, leurs descendants suivent ces anciennes coutumes.
Cependant ils n'adorent pas vraiment le
Seigneur ; ils n'observent exactement ni
leurs lois et pratiques traditionnelles, ni
la loi et les commandements que le Sei-

---

o **17.16** Voir 1 Rois 12.28.
p **17.17** Voir 16.3 et la note.
q **17.21** Voir 1 Rois 12.
r **17.24** Localités dont le roi d'Assyrie s'était emparé. – Les rois d'Assyrie, comme ceux de Babylone, ont fréquemment déporté les populations vaincues pour assurer leur domination territoriale.
s **17.31** Dans cette liste de dieux étrangers, seul *Nergal* est connu comme dieu honoré en Mésopotamie.

gneur a communiqués aux descendants
de Jacob – c'est à ce Jacob que le Seigneur
avait donné le nom d'Israël[t] –. 35 Pourtant
le Seigneur avait conclu une *alliance
avec les descendants de Jacob et leur
avait donné entre autres les commandements suivants : « N'adorez pas d'autres
dieux ; ne vous inclinez pas devant eux ;
ne les servez pas et ne leur offrez aucun
sacrifice. 36 Vous m'adorerez moi seul, le
Seigneur, qui vous ai fait sortir d'Égypte
grâce à ma force irrésistible ; c'est devant
moi que vous vous inclinerez et à moi
que vous offrirez des sacrifices. 37 Vous
obéirez jour après jour aux règles, aux
prescriptions et aux commandements,
en un mot à toute la loi que je vous ai
donnée par écrit ; en particulier, vous
ne devez pas adorer d'autres dieux.
38 N'oubliez pas l'alliance que j'ai conclue
avec vous et, je le répète, n'adorez pas
d'autres dieux. 39 C'est moi, le Seigneur
votre Dieu, que vous devez adorer, car
c'est moi seul qui peux vous délivrer de
tous vos ennemis[u]. »

40 Mais ces gens refusèrent d'écouter ;
ils continuèrent d'agir selon leurs anciennes coutumes. 41 Ainsi, d'un côté, ils
adoraient le Seigneur, et de l'autre, ils
servaient leurs idoles ; et après eux, leurs
enfants et tous leurs descendants ont
continué de faire la même chose jusqu'à
maintenant.

Ézékias, roi de Juda

(Voir aussi 2 Chron 29.1-2 ; 31.1)

18 1 Pendant la troisième année du
règne d'Osée, fils d'Éla, sur le
royaume *d'Israël, Ézékias, fils d'Ahaz,
devint roi de Juda ; 2 il avait vingt-cinq
ans et il régna vingt-neuf ans à Jérusalem.
Sa mère s'appelait Abi, et elle était fille de
Zacharie. 3 Ézékias fit ce qui plaît au Seigneur, tout comme son ancêtre David.
4 C'est lui qui supprima les lieux sacrés,
qui fit briser les pierres dressées et couper les poteaux sacrés. Il fit aussi fracasser le serpent de bronze que Moïse avait
fabriqué[v] : en effet, jusqu'à cette époque-là, les Israélites brûlaient des parfums en l'honneur de ce serpent qu'on
appelait Nehouchtan. 5 Ézékias eut
confiance dans le Seigneur, le Dieu d'Israël, plus que tous les rois de Juda qui
l'avaient précédé ou qui lui succédèrent.
6 Il demeura attaché au Seigneur sans jamais se détourner de lui ; il obéit fidèlement aux commandements que le
Seigneur avait donnés à Moïse. 7 Le Seigneur était avec lui, et ainsi Ézékias réussissait dans tout ce qu'il entreprenait. Il
se révolta contre le roi d'Assyrie et ne lui
fut plus soumis ; 8 de plus il battit les Philistins, les poursuivit jusque dans le territoire de Gaza[w] et s'empara aussi bien des
villes fortifiées que des simples postes
d'observation.

Rappel de la prise de Samarie

9 Pendant la quatrième année du règne
d'Ézékias, qui correspondait à la septième année du règne d'Osée, fils d'Éla,
sur le royaume *d'Israël, le roi d'Assyrie, Salmanasar, était venu assiéger Samarie ; 10 la ville fut prise au bout de
trois ans, c'est-à-dire pendant la sixième
année du règne d'Ézékias ou la neuvième année du règne d'Osée. 11 Le roi
d'Assyrie déporta la population d'Israël
en Assyrie et l'installa dans la région de
Hala, dans celle de Gozan où coule le
Habor, et dans les villes de Médie[x].
12 Tout cela arriva parce que les Israélites
n'avaient pas écouté ce que commandait
le Seigneur leur Dieu et qu'ils avaient
été infidèles à son *alliance ; ils
n'avaient ni écouté ni mis en pratique
les commandements transmis par
Moïse, le serviteur du Seigneur.

Sennakérib envahit le royaume de Juda

(Voir És 36.1 ; voir aussi 2 Chron 32.1)

13 Pendant la quatorzième année[y] du
règne d'Ézékias, le roi d'Assyrie Sennakérib vint attaquer toutes les villes forti-

---

t **17.34** Voir Gen 32.29 ; 35.10.
u **17.39** Les v. 35-39 ne citent pas un texte précis, mais des formules fréquentes dans le Deutéronome.
v **18.4** Voir Nomb 21.8-9.
w **18.8** Ville des Philistins, sur la côte de la Méditerranée.
x **18.11** V. 9-11 : voir 17.5-6 et la note.
y **18.13** Les chap. 36–39 du livre d'Ésaïe présentent un récit parallèle à celui de 2 Rois 18.13–20.19.

fiées du royaume de Juda et s'en empara.
14 Alors Ézékias, le roi de Juda, fit porter
ce message au roi d'Assyrie, qui se trouvait à Lakich : « J'ai commis une faute[z] !
Renonce à m'attaquer ici. Je suis prêt à
payer la somme que tu m'imposeras. » Le
roi d'Assyrie exigea d'Ézékias neuf mille
kilos d'argent et neuf cents kilos d'or.
15 Ézékias dut prendre tout l'argent qui se
trouvait dans le *temple du Seigneur et
dans le trésor du palais royal. 16 Il dut
même découper le revêtement d'or qu'il
avait fait poser sur les portes du temple et
sur leurs montants, et livra le tout au roi
d'Assyrie.

Discours de l'aide de camp de Sennakérib

(Voir És 36.2-22 ; voir aussi 2 Chron 32.9-16)

17 Cependant le roi d'Assyrie, qui se
trouvait à Lakich, envoya au roi Ézékias, à Jérusalem, le général en chef, le
chef d'état-major, ainsi que son propre
aide de camp, à la tête d'une troupe importante. Dès qu'ils arrivèrent devant la
ville, ils se placèrent près du canal du réservoir supérieur, sur la route qui mène
au champ des Blanchisseurs[a], 18 et demandèrent à parler au roi. Mais ce fut
Éliaquim, fils de Hilquia et chef du palais royal, qui sortit de la ville à leur rencontre, accompagné du secrétaire
Chebna et de Yoa, fils d'Assaf et porte-
parole du roi. 19 L'aide de camp assyrien
leur dit : « Allez transmettre à Ézékias ce
message du Grand Roi, le roi d'Assyrie :
"Quelle belle confiance tu as là ! 20 Tu
t'imagines que de simples paroles tiennent lieu de plan de bataille et de courage pour faire la guerre ! Sur qui
comptes-tu pour oser te révolter contre
moi ? 21 Sur l'Égypte ? Sur ce roseau
cassé qui transperce la main de quiconque s'y appuie ? Voilà ce que vaut le
*Pharaon, roi d'Égypte, pour tous ceux
qui comptent sur lui ! 22 Vous allez sans
doute me répondre que vous comptez
sur le Seigneur votre Dieu. Mais c'est
précisément toi, Ézékias, qui as supprimé ses lieux sacrés et ses *autels, en
ordonnant aux gens de Jérusalem et de
Juda de ne rendre leur culte que devant
l'autel de Jérusalem. 23 Eh bien, fais donc
un pari avec mon maître le roi d'Assyrie : je suis prêt à te fournir deux mille
chevaux, si tu peux trouver des cavaliers
pour les monter. 24 Mais comment pourrais-tu mettre en fuite un seul officier de
mon maître, même parmi les moindres ?
Et tu comptes sur l'Égypte pour obtenir
des chars et des chevaux ! 25 D'ailleurs,
mon maître est-il venu attaquer ce pays
et le dévaster sans que le Seigneur l'ait
voulu ? Pas du tout ! C'est le Seigneur
lui-même qui lui en a donné l'ordre[b]." »
26 Alors Éliaquim, fils de Hilquia,
Chebna et Yoa demandèrent à l'aide de
camp assyrien : « Parle-nous en araméen[c],
s'il te plaît, nous le comprenons. Évite de
t'adresser à nous en hébreu, à cause de
tous les gens qui sont sur la muraille en
train de nous écouter. » 27 Mais l'aide de
camp lui répondit : « Croyez-vous que le
message de mon maître soit destiné seulement à votre maître et à vous ? Il
concerne aussi tous ces gens qui se tiennent sur la muraille et qui, comme vous,
n'auront bientôt plus que leurs excréments à manger et leur urine à boire[d] ! »
28 Puis l'aide de camp se dressa et cria
de toutes ses forces en hébreu : « Écoutez
le message du Grand Roi, le roi d'Assyrie : 29 "Ne vous laissez pas tromper par
Ézékias : il est incapable de vous arracher
à mon pouvoir. 30 Il prétend qu'il faut
faire confiance au Seigneur, que celui-ci
vous sauvera sûrement et m'empêchera
de prendre cette ville. N'en croyez rien.

---

z **18.14** *Lakich* : voir 14.19 et la note. – *J'ai commis une faute* : il s'agit probablement de la révolte mentionnée au v. 7.

a **18.17** Le *réservoir supérieur*, non identifié avec certitude, pourrait désigner la piscine de Siloé (voir Jean 9.7), située à l'angle sud-est de la ville. Un *canal* y amenait l'eau de la source de Guihon (voir 1 Rois 1.33 et la note). Le *champ des Blanchisseurs* n'est pas identifié non plus ; il pouvait se trouver dans la vallée du Cédron, à proximité peut-être de la « source des Blanchisseurs » (voir 1 Rois 1.9 et la note). La *route*, près du *canal*, désigne vraisemblablement un endroit bien connu des contemporains, à l'extérieur des murailles de la ville.

b **18.25** *C'est le Seigneur...* : voir És 7.17-25 ; 10.5-6.

c **18.26** L'*araméen* était alors la langue de la diplomatie internationale.

d **18.27** Lorsque la ville sera assiégée et que par conséquent la famine régnera.

31 N'écoutez pas Ézékias, écoutez plutôt ce que je vous propose, moi le roi d'Assyrie : cessez toute résistance et rendez-vous à moi. Alors chacun de vous pourra profiter de sa vigne, de son figuier et de l'eau de sa citerne. 32 Plus tard, je viendrai pour vous emmener dans un pays comme le vôtre, un pays riche en blé pour le pain, en vignes pour le vin, en oliviers pour l'huile, et même en miel. Ainsi, au lieu de mourir ici, vous pourrez vivre là-bas. N'écoutez donc pas Ézékias, car il vous égare lorsqu'il prétend que le Seigneur vous sauvera. 33 Les dieux des autres nations m'ont-ils empêché de mettre la main sur leur pays ? 34 Qu'ont-ils fait, les dieux de Hamath et d'Arpad ? Et ceux de Sefarvaïm, de Héna et d'Ava ? Quelqu'un m'a-t-il empêché de prendre Samarie[e] ? 35 Parmi tous ces dieux, aucun n'a pu m'interdire de mettre la main sur son pays. Comment le Seigneur m'empêcherait-il alors de prendre Jérusalem ?" »

36 Tous ceux qui étaient là gardaient le silence ; ils ne répondirent pas un mot, car tel était l'ordre du roi Ézékias. 37 Puis Éliaquim, fils de Hilquia et chef du palais royal, le secrétaire Chebna et Yoa, fils d'Assaf et porte-parole du roi, après avoir *déchiré leurs vêtements, revinrent auprès d'Ézékias et lui rapportèrent ce que l'aide de camp assyrien avait déclaré.

Ézékias consulte le prophète Ésaïe

(Voir És 37.1-7)

19 1 Dès que le roi Ézékias eut entendu leur rapport, il *déchira lui aussi ses vêtements, prit la tenue de deuil et se rendit au *temple du Seigneur. 2 En même temps, il envoya le chef du palais Éliaquim, le secrétaire Chebna et les prêtres les plus anciens chez le *prophète Ésaïe, fils d'Amots. Ces hommes, eux aussi en tenue de deuil, 3 devaient dire au prophète : « Voici un message d'Ézékias : "Ce jour est pour nous un jour d'angoisse, de punition, d'humiliation. Comme on dit, l'enfant est à terme, mais la mère manque de force pour le mettre au monde. 4 Le roi d'Assyrie a envoyé son aide de camp pour insulter le Dieu vivant. Ah, si seulement le Seigneur ton Dieu entendait toutes ces insultes et le punissait d'avoir ainsi parlé ! Toi, prie le Seigneur en faveur de ce qui reste de son peuple." »

5 Quand les envoyés du roi Ézékias eurent accompli leur démarche auprès d'Ésaïe, 6 celui-ci leur dit : « Allez rapporter à votre maître ce que déclare le Seigneur : "Tu as entendu les officiers du roi d'Assyrie m'insulter. N'aie pas peur de ce qu'ils ont dit. 7 Le roi va recevoir une nouvelle ; je lui inspirerai alors de retourner dans son pays. Et là-bas je le ferai mourir assassiné[f]." »

Nouvelles menaces de Sennakérib

(Voir És 37.8-13 ; voir aussi 2 Chron 32.17)

8 L'aide de camp assyrien apprit que son maître avait quitté Lakich pour assiéger Libna[g] ; c'est donc là qu'il vint le trouver. 9 Le roi d'Assyrie fut informé que le *Pharaon Tiraca l'Éthiopien venait l'attaquer. Il fit alors porter ce nouveau message à Ézékias, 10 le roi de Juda : « Tu comptes trop sur ton Dieu en prétendant qu'il m'empêchera de prendre Jérusalem ; ne te laisse pas tromper par lui. 11 Tu as bien appris comment les rois d'Assyrie ont traité tous les autres pays et les ont dévastés. Et tu t'imagines que vous serez épargnés ? 12 Quand mes prédécesseurs ont détruit Gozan, Haran, Ressef et la capitale des Édénites, Telassar, les dieux de ces nations n'ont pas pu préserver ces villes. 13 Réfléchis au sort des rois de Hamath, Arpad, Laïr, Sefarvaïm, Héna et Ava[h] ! »

Prière d'Ézékias

(Voir És 37.14-20)

14 Ézékias prit la lettre apportée par les messagers assyriens et la lut. Puis il monta au *temple et la présenta au Sei-

---

e **18.34** *Hamath...* : voir en 17.24 une liste un peu différente de villes dont les Assyriens s'étaient emparés.

f **19.7** Voir les v. 35-37.

g **19.8** *Libna* : voir 8.22 et la note.

h **19.13** *Gozan,... Ava* (v. 12-13) : voir 17.24 ; 18.34 et les notes.

gneur. 15 Ensuite il prononça cette
prière : « Seigneur, Dieu d'Israël, toi qui
sièges au-dessus des *chérubins[i], c'est
toi qui es le seul Dieu pour tous les
royaumes du monde, c'est toi qui as fait
le ciel et la terre. 16 Seigneur, écoute
bien, regarde attentivement, remarque
les insultes que les messagers de Sennakérib ont prononcées contre toi, le Dieu
vivant. 17 Seigneur, c'est vrai, les rois
d'Assyrie ont exterminé les autres nations et ravagé leur territoire. 18 Ils ont
pu mettre au feu et détruire les dieux de
ces nations, parce que ce n'étaient pas
de vrais dieux, mais seulement des statues de bois ou de pierre fabriquées par
les hommes. 19 Mais toi, Seigneur notre
Dieu, sauve-nous maintenant des griffes
de Sennakérib. Alors dans tous les
royaumes du monde on saura, Seigneur,
que toi seul es Dieu. »

Ésaïe transmet la réponse du Seigneur

(Voir És 37.21-35)

20 Alors Ésaïe, fils d'Amots, fit porter
ce message à Ézékias : « Voici ce que déclare le Seigneur, le Dieu d'Israël : J'ai
entendu la prière que tu m'as adressée au
sujet du roi d'Assyrie, Sennakérib.
21 Écoute les paroles que je prononce
contre lui :

La cité de *Sion te méprise, elle te trouve ridicule.
Jérusalem la belle rit de toi en hochant la tête.
22 Qui as-tu insulté ? Qui as-tu outragé ?
Contre qui as-tu osé parler et jeter un regard insolent ?
Contre moi, l'unique vrai Dieu, le Dieu d'Israël !
23 Par l'intermédiaire de tes messagers,
tu m'as insulté, moi le Seigneur.
Tu as dit : "Moi Sennakérib, monté sur mon char,
j'ai gravi des sommets, jusqu'au cœur du Liban,
pour y couper ses plus beaux cèdres et ses plus hauts cyprès.
J'atteindrai ses derniers sommets et son parc forestier.
24 Moi, j'ai creusé des puits et j'ai bu l'eau des autres peuples.
Je mettrai à sec les bras du Nil rien qu'en posant les pieds sur le sol égyptien !"

25 Eh bien, Sennakérib, ne le sais-tu pas ?
Depuis longtemps, c'est moi qui ai préparé ces événements,
depuis un lointain passé j'en ai formé le plan,
maintenant je les réalise.
Je t'avais destiné à réduire en tas de ruines les villes fortifiées.
26 Leurs habitants, les bras ballants,
sont paralysés de peur et se sentent humiliés.
Ils font penser à l'herbe des champs,
à la verdure des prés, aux plantes sur les toits,
qui sèchent avant d'avoir fini de pousser.

27 Et je sais tout de toi : je sais quand tu t'assieds,
quand tu sors ou quand tu entres,
et quand tu t'emportes contre moi.
28 Or tu t'es emporté contre moi ;
j'ai entendu tes insolences.
C'est pourquoi je vais te maîtriser
par un crochet dans le nez[j], par un mors dans la bouche.
Je te ramènerai chez toi par le chemin que tu as pris pour venir.

29 Quant à toi, Ézékias, je te signale ce
qui doit arriver : cette année, on consom-
mera le blé qui aura poussé tout seul ;
l'année prochaine également. Mais l'année suivante, vous pourrez semer et
moissonner votre blé, cultiver vos vignes
et profiter de la vendange. 30 Les survivants du royaume de Juda seront de nouveau comme un arbre qui enfonce ses
racines dans le sol et dont les branches se
couvrent de fruits. 31 Oui, à Jérusalem
surgira un peuple de survivants, sur le
mont Sion se lèveront des rescapés. »

---

i **19.15** Voir Ex 25.22.

j **19.28** *par un crochet dans le nez* : comme on mettait un crochet dans les naseaux d'un animal pour le *maîtriser*. Des sculptures anciennes montrent des prisonniers à qui l'on a fixé un tel crochet dans le nez.

Ésaïe ajouta : « Voilà ce que fera le Seigneur dans son ardent amour. 32 Et maintenant, voici ce qu'il déclare au sujet du roi d'Assyrie : "Il n'entrera pas dans cette ville, il ne tirera pas de flèches contre elle, il ne lancera pas d'attaque à l'abri des boucliers, il n'élèvera pas de remblai pour donner l'assaut. 33 Il repartira par le chemin qu'il avait pris pour venir. Il n'entrera pas ici, je le déclare, moi le Seigneur. 34 Je protégerai Jérusalem et je la sauverai, parce que je suis Dieu, et par fidélité à David mon serviteur." »

Départ des Assyriens, mort de Sennakérib

(Voir És 37.36-38 ; voir aussi 2 Chron 32.21-22)

35 La nuit suivante, *l'ange du Seigneur intervint dans le camp assyrien et y fit mourir 185 000 hommes. Le matin les survivants, à leur réveil, découvrirent tous ces cadavres. 36 Alors Sennakérib, le roi d'Assyrie, fit démonter le camp et repartit pour Ninive, sa capitale, où il resta. 37 Un jour qu'il était en prière au temple de son dieu Nisrok, deux de ses fils, Adrammélek et Saresser, l'assassinèrent ; puis ils s'enfuirent au pays d'Ararat[k]. Un autre de ses fils, Assarhaddon, lui succéda.

Maladie et guérison d'Ézékias

(Voir És 38.1-8 ; voir aussi 2 Chron 32.24)

20 1 A cette époque le roi Ézékias fut atteint d'une maladie mortelle. Le *prophète Ésaïe, fils d'Amots, vint le voir et lui dit : « Voici ce que le Seigneur déclare : C'est le moment pour toi de régler tes affaires, car tu ne survivras pas à ta maladie. » 2 Alors Ézékias se tourna contre le mur et adressa au Seigneur cette prière : 3 « Ah ! Seigneur, souviens-toi : je me suis conduit envers toi avec une entière loyauté, j'ai toujours agi de manière à te plaire ! » Puis il ne put retenir ses larmes.

4 Cependant Ésaïe n'était pas encore arrivé dans la cour[l] intérieure du palais, que le Seigneur lui ordonna 5 de retourner auprès d'Ézékias, le chef du peuple de Dieu, pour lui dire : « Voici ce que déclare le Seigneur, le Dieu de ton ancêtre David : "J'ai entendu ta prière et j'ai vu tes larmes. Eh bien, je vais te guérir ; dès après-demain, tu pourras de nouveau te rendre au *temple du Seigneur. 6 Je vais même prolonger ta vie de quinze ans ! Je vous arracherai, toi et Jérusalem, aux griffes du roi d'Assyrie. Je protégerai cette ville, parce que je suis Dieu, et par fidélité à David mon serviteur." »

7 Ésaïe fit préparer une pâte de figues écrasées ; on la mit sur l'endroit malade, pour que le roi guérisse[m]. 8 Alors Ézékias demanda au prophète : « Quel signe m'assurera que le Seigneur me guérira, et qu'après-demain je pourrai de nouveau me rendre au temple du Seigneur ? » 9 Ésaïe lui dit : « Le Seigneur va t'accorder un signe pour t'assurer qu'il réalisera ce qu'il a promis : l'ombre va se déplacer de dix marches sur l'escalier d'Ahaz[n] : préfères-tu qu'elle avance ou qu'elle recule ? » – 10 « Il serait plus facile que l'ombre avance de dix marches, répondit Ézékias ; je préfère qu'elle recule. » 11 Alors le prophète Ésaïe pria le Seigneur, et celui-ci fit reculer l'ombre de dix marches sur l'escalier[o].

Ézékias reçoit les ambassadeurs de Babylone

(Voir És 39)

12 A cette époque, le roi de Babylone, Mérodak-Baladan, fils de Baladan, apprit qu'Ézékias avait été malade. Il lui envoya des ambassadeurs, porteurs d'une lettre et d'un cadeau[p]. 13 Ézékias les accueillit,

---

k **19.37** Le *pays d'Ararat* (comparer Gen 8.4) désigne l'Arménie actuelle.

l **20.4** *dans la cour* : d'après une ancienne tradition juive et les versions anciennes ; texte hébreu traditionnel *dans la ville*.

m **20.7** *pour que le roi guérisse* : d'après le texte parallèle d'És 38.21 ; texte hébreu de 2 Rois *et le roi fut guéri*.

n **20.9** Ici et au v. 11, le texte hébreu n'est pas très clair ; au lieu d'un *escalier*, sur les *marches* duquel l'ombre progresse, il pourrait être question d'un *cadran solaire* sur les *degrés* duquel l'ombre se déplace.

o **20.11** Le récit parallèle d'Ésaïe insère ici (És 38.9-20) une prière de reconnaissance prononcée par Ézékias.

p **20.12** En 703 avant J.-C., *Mérodak-Baladan* a libéré la Babylonie de la domination assyrienne. L'envoi des *ambassadeurs* auprès d'Ézékias signifie probablement une tentative d'alliance judéo-babylonienne contre l'Assyrie.

puis leur fit visiter tout le bâtiment où
l'on gardait les objets de valeur, argent,
or, parfums et huiles aromatiques. Il leur
montra également son dépôt d'armes et
tout ce qui se trouvait dans ses réserves.
Il ne leur cacha absolument rien, ni dans
son palais, ni dans l'ensemble de son
royaume.
14 Après cela, le *prophète Ésaïe vint
trouver le roi Ézékias et lui demanda:
« Que t'ont dit ces gens ? Et d'abord, d'où
venaient-ils ? » – « Ils venaient de très
loin, de Babylone », répondit Ézékias.
15 Ésaïe reprit : « Et qu'ont-ils vu dans ton
palais ? » – « Tout ce qui s'y trouve, dit
Ézékias ; je ne leur ai rien caché de mes
trésors. » 16 Alors Ésaïe dit à Ézékias :
« Écoute ce qu'annonce le Seigneur :
17 "Un jour, tout ce qui se trouve maintenant dans ton palais, tout ce que tes prédécesseurs y ont amassé, tout cela sera
emporté à Babylone. Il n'en restera rien
ici, déclare le Seigneur[q]. 18 On emmènera
même certains de tes descendants pour
en faire des *eunuques au service du roi
dans le palais de Babylone[r]." » 19 Ézékias
répondit à Ésaïe : « C'est une bonne chose
que tu m'annonces de la part du Seigneur. » Il se disait en effet : « Tant que je
serai en vie, nous aurons la paix et la
sécurité. »

20 Le reste de l'histoire d'Ézékias est
contenu dans le livre intitulé *Actes des rois
de Juda* ; on y raconte le courage qu'il a
montré, et comment il a fait construire
un réservoir et creuser un canal pour
amener l'eau dans la ville de Jérusalem[s].
21 Lorsqu'il mourut, ce fut son fils Manassé qui lui succéda.

Manassé, roi de Juda

(Voir 2 Chron 33.1-10, 18-20)

21 1 Manassé avait douze ans lorsqu'il
devint roi ; il régna cinquante-
cinq ans à Jérusalem. Sa mère s'appelait
Hefsi-Ba. 2 Il fit ce qui déplaît au Seigneur, imitant toutes les pratiques abominables des nations que le Seigneur
avait chassées du pays pour faire place au
peuple d'Israël[t]. 3 Il rétablit les lieux sacrés que son père Ézékias avait détruits, il
dressa des *autels en l'honneur du dieu
*Baal, fabriqua un poteau sacré, comme
l'avait fait autrefois Achab, roi *d'Israël[u],
et rendit un culte aux astres. 4 Il dressa
d'autres autels païens dans le temple de
Jérusalem, au sujet duquel le Seigneur
avait déclaré : « C'est là que je manifesterai ma présence ». 5 Dans les deux cours
du temple aussi, il dressa des autels en
l'honneur des astres. 6 Il alla même
jusqu'à offrir son fils en sacrifice, à pratiquer diverses formes de magie et à
consulter ceux qui interrogent les esprits
des morts[v] ; il fit de plus en plus ce qui
déplaît au Seigneur et l'irrita. 7 Il fabriqua
en outre une statue de la déesse *Achéra
et la plaça dans le temple. Pourtant le Seigneur avait déclaré à David et à son fils
Salomon : « Ici, dans le temple de Jérusalem, ville que j'ai choisie parmi toutes
celles des douze tribus d'Israël, je manifesterai pour toujours ma présence. 8 Si
le peuple d'Israël observe tous mes
commandements et toute la loi que mon
serviteur Moïse lui a transmise, je ne
l'obligerai plus à errer loin du pays que
j'ai donné à ses ancêtres[w] ». 9 Mais les
gens de Juda n'obéirent pas au Seigneur ;
au contraire, Manassé les incita à se
conduire encore plus mal que les anciens
habitants du pays, que le Seigneur avait
exterminés pour faire place à son peuple.
10 Alors le Seigneur chargea ses serviteurs les *prophètes de dire : 11 « Le roi
Manassé a commis tous ces actes abominables ; il s'est conduit encore plus mal
que les *Amorites autrefois ; par ses idoles, il a même poussé les gens de Juda à
pécher ; 12 c'est pourquoi, voici ce que déclare le Seigneur, le Dieu d'Israël : "Je
vais frapper Jérusalem et tout Juda d'un

---

q **20.17** Voir 24.13 ; 2 Chron 36.10.
r **20.18** Voir 24.14-15 ; Dan 1.1-7.
s **20.20** Au cours de fouilles archéologiques, on a retrouvé le *canal* qu'Ézékias *a fait creuser* pour amener en ville l'eau de la source de Guihon (voir 1 Rois 1.33 et la note).
t **21.2** Voir Jér 15.4.
u **21.3** Voir 1 Rois 16.31-33.
v **21.6** Voir 16.3 et la note ; Deut 18.10-11.
w **21.8** Les v. 7-8 ne citent pas un texte précis de l'Ancien Testament, mais reprennent l'essentiel de passages comme 2 Sam 7.8-16 (= 2 Chron 6.4-11) ; 1 Rois 2.2-4.

malheur tel qu'il fera l'effet d'un coup de tonnerre sur ceux qui l'apprendront. 13 Je vais détruire Jérusalem comme j'ai détruit Samarie et la famille d'Achab ; je vais nettoyer Jérusalem de ses habitants, comme un plat qu'on nettoie puis retourne. 14 J'abandonnerai ceux de mon peuple qui auront survécu ; je les livrerai au pouvoir de leurs ennemis, qui les dépouilleront de tout en pillant leur pays. 15 J'agirai ainsi parce que mon peuple n'a pas cessé de faire ce qui me déplaît et de m'irriter, depuis le jour où ses ancêtres sont sortis d'Égypte jusqu'à maintenant." »

16 Le roi Manassé fit périr de si nombreuses personnes innocentes que la ville de Jérusalem fut remplie de sang[x] ; ces crimes s'ajoutaient à tous les péchés dans lesquels il entraîna le peuple de Juda, en le poussant à faire ce qui déplaît au Seigneur.

17 Le reste de l'histoire de Manassé est contenu dans le livre intitulé *Actes des rois de Juda* ; on y raconte tout ce qu'il a fait et la façon dont il a péché. 18 Lorsque Manassé mourut, on l'enterra dans le jardin du palais, appelé aussi "Jardin d'Ouza" ; ce fut son fils Amon qui lui succéda.

Amon, roi de Juda

(Voir 2 Chron 33.21-25)

19 Amon avait vingt-deux ans lorsqu'il devint roi ; il régna deux ans à Jérusalem. Sa mère s'appelait Mechoulléméth, et elle était fille de Harous, de Yotba. 20 Amon fit ce qui déplaît au Seigneur, comme son père Manassé. 21 Il se conduisit aussi mal que lui ; comme lui, il adora les idoles. 22 Il ne se conduisit pas comme le Seigneur le désire ; au contraire, il se détourna du Seigneur, le Dieu de ses ancêtres.

23 Les officiers d'Amon complotèrent contre lui et l'assassinèrent dans son palais. 24 Mais les citoyens de Juda firent mourir ceux qui avaient comploté contre le roi et désignèrent son fils Josias pour lui succéder.

25 Tout le reste de l'histoire d'Amon est contenu dans le livre intitulé *Actes des rois de Juda*. 26 On l'enterra dans son tombeau, au "Jardin d'Ouza", et ce fut donc son fils Josias qui lui succéda.

Josias, roi de Juda

(Voir 2 Chron 34.1-2)

22 1 Josias avait huit ans lorsqu'il devint roi ; il régna trente et un ans à Jérusalem[y]. Sa mère s'appelait Yedida, et elle était fille d'un nommé Adaya, de Boscath. 2 Josias fit ce qui plaît au Seigneur ; il se conduisit tout comme son ancêtre David, sans jamais s'écarter de son exemple.

Le grand-prêtre découvre le livre de la loi

(Voir 2 Chron 34.8-18)

3 Un jour de la dix-huitième année de son règne, Josias envoya le secrétaire Chafan, fils d'Assalia et petit-fils de Mechoullam, au *temple du Seigneur. 4 « Va trouver le grand-prêtre Hilquia, lui dit-il ; demande-lui de compter l'argent que les fidèles ont donné pour le temple et que les prêtres gardiens de l'entrée ont récolté[z]. 5-6 Que l'on remette cet argent aux entrepreneurs chargés de réparer le temple ; ils pourront ainsi payer les charpentiers, les maçons et les autres ouvriers, et acheter le bois et les pierres de taille nécessaires à ces réparations. 7 Mais qu'on ne leur demande pas de comptes au sujet de cet argent, car ils agissent honnêtement. »

8 Après avoir reçu ce message, le grand-prêtre annonça à Chafan qu'il avait trouvé le livre de la loi[a] dans le temple du Seigneur, et il le lui donna. Chafan le lut, 9 puis retourna faire son rapport au roi : « Les prêtres, dit-il, ont vidé le coffre du temple, et ont remis l'argent aux entrepreneurs chargés des réparations. »

---

x **21.16** Ce début du v. 16 fait peut-être aussi allusion à des sacrifices humains offerts par Manassé (voir v. 6).

y **22.1** Voir Jér 3.6.

z **22.4** Voir 12.9-10.

a **22.8** Ce *livre de la loi* comprenait probablement la partie centrale du Deutéronome actuel. Certains pensent qu'il pourrait même s'agir de l'ensemble des cinq premiers livres de la Bible (ou Pentateuque).

10 Puis il ajouta : « Le grand-prêtre Hilquia m'a donné ce livre. » Et il le lut au roi.

Josias fait consulter la prophétesse Houlda

(Voir 2 Chron 34.19-28)

11 Dès que le roi Josias eut entendu ce que contenait le livre de la loi, il fut si bouleversé qu'il *déchira ses vêtements. 12 Il convoqua le grand-prêtre, Hilquia, Ahicam, fils de Chafan, Akbor, fils de Mikaya, le secrétaire Chafan et Assaya, l'un de ses ministres, et leur dit : 13 « Allez consulter le Seigneur pour moi et pour le peuple de Juda, sur le contenu de ce livre qu'on vient de trouver. En effet, nos ancêtres n'ont pas obéi aux commandements qui y sont écrits et, par conséquent, la colère du Seigneur contre nous doit être très grande. »

14 Le grand-prêtre Hilquia, Ahicam, Akbor, Chafan et Assaya se rendirent donc chez la *prophétesse Houlda, qui habitait le Quartier Neuf de Jérusalem. Son mari, un certain Challoum, fils de Ticva et petit-fils de Haras, était le responsable des vêtements sacrés du temple[b]. Ces hommes exposèrent la situation à la prophétesse. 15 Alors Houlda les chargea de rapporter le message suivant au roi : 16 « Voici ce que déclare le Seigneur, le Dieu d'Israël : "Je vais frapper d'un malheur Jérusalem et ses habitants, comme cela est écrit dans le livre que le roi de Juda a lu. 17 Les gens de Jérusalem m'ont abandonné, ils ont offert des sacrifices à d'autres dieux ; tout ce qu'ils ont fait m'a irrité. C'est pourquoi ma colère contre cette ville est grande, et elle n'est pas près de s'apaiser. 18 Quant au roi lui-même, qui vous a envoyés me consulter, voici ce que je lui déclare, moi, le Seigneur, le Dieu d'Israël : Tu as entendu le message de ce livre. 19 Tu as écouté attentivement ce que j'ai dit au sujet de Jérusalem et de ses habitants : leur sort sera si terrible que leur nom servira dans les formules de malédiction. Tu t'es alors repenti, tu as reconnu tes fautes devant moi, tu as déchiré tes vêtements et versé des larmes. Eh bien, moi aussi je t'ai entendu, je te l'affirme, 20 et c'est pourquoi je te laisserai mourir en paix ; tu seras déposé dans ta tombe sans avoir vu tous les malheurs dont je vais frapper Jérusalem." »

Josias renouvelle l'alliance avec Dieu

(Voir 2 Chron 34.29-32)

Le grand-prêtre Hilquia et ses compagnons rapportèrent ce message au roi Jo-
23 sias. 1 Aussitôt, le roi convoqua
auprès de lui tous les *anciens de
Juda et de Jérusalem. 2 Ils se rendirent ensemble au *temple du Seigneur, accompagnés de la population de Jérusalem et de Juda, prêtres, *prophètes et gens de toutes conditions. Puis le roi leur lut à tous le livre de *l'alliance découvert dans le temple. 3 Il se tint ensuite près de la colonne du temple[c] et renouvela l'alliance avec le Seigneur ; chacun devait s'engager à être fidèle au Seigneur, à obéir de tout son cœur et de toute son âme à ses commandements, à ses enseignements et à ses prescriptions, et à mettre en pratique tout ce qui est écrit dans le livre de l'alliance. Tout le peuple accepta cet engagement.

Réforme religieuse en Juda

(Voir 2 Chron 34.3-5)

4 Ensuite le roi ordonna au grand-prêtre Hilquia, à ses adjoints et aux prêtres gardiens de l'entrée du *temple de débarrasser le sanctuaire de tous les objets servant au culte de *Baal, *d'Achéra et des astres ; on brûla ces objets en dehors de Jérusalem, dans la vallée du Cédron, et on en porta les cendres à Béthel[d]. 5 Josias renvoya les faux prêtres que les rois de Juda avaient désignés pour offrir[e] des sacrifices dans les lieux sacrés des villes de Juda et des environs de Jérusalem ; il les

---

b **22.14** Les participants à une cérémonie religieuse revêtaient généralement des habits spéciaux réservés à cet usage. Comparer 10.22.

c **23.3** *près de la colonne du temple* : comparer 11.14 et la note.

d **23.4** *à Béthel* : voir v. 15-20.

e **23.5** *pour offrir* : d'après les versions anciennes ; hébreu *et il offrit*.

renvoya, parce qu'ils offraient des sacrifices à Baal, au Soleil, à la Lune, aux signes du zodiaque et à tous les autres
astres. 6 Il fit enlever du temple le poteau
sacré d'Achéra ; on le porta hors de Jérusalem pour le brûler dans la vallée du
Cédron ; on le réduisit complètement en
cendres et l'on répandit celles-ci sur le
terrain servant de cimetière populaire[f].
7 Josias fit encore démolir les locaux,
proches du temple, où l'on pratiquait la
prostitution sacrée et où des femmes tissaient des vêtements pour le culte
d'Achéra.

8 Ensuite Josias fit venir à Jérusalem
tous les prêtres qui, de Guéba à Berchéba[g], officiaient dans les villes de Juda,
et il rendit inutilisables les lieux sacrés
où ils offraient des sacrifices. A Jérusalem, on démolit les *autels situés près des
portes de la ville, entre autres celui qui se
trouvait à la porte de Yochoua, gouverneur de la ville, à gauche en entrant. 9 Cependant les prêtres qui avaient officié
dans les lieux sacrés ne furent pas autorisés à offrir des sacrifices sur l'autel du
Seigneur, à Jérusalem ; mais ils pouvaient
manger des *pains sans levain, tout
comme les autres prêtres.

10 Josias rendit inutilisable le brûloir
du Tofeth, dans la vallée de Hinnom, afin
que les gens n'y brûlent plus leur fils ou
leur fille en sacrifice au dieu Molek[h]. 11 Il
supprima les chevaux que les rois de Juda
avaient consacrés au culte du Soleil. Ces
chevaux se trouvaient à côté de l'entrée
du temple, dans les bâtiments annexes,
près de la chambre du fonctionnaire Ne-
tan-Mélek. Josias fit brûler les chars du
Soleil. 12 Il démolit les autels que les rois
de Juda avaient dressés sur le toit plat des
appartements d'Ahaz, ainsi que ceux
dressés par Manassé dans les deux cours
du temple ; il les fit mettre en pièces sur
place[i], et fit jeter les débris dans la vallée
du Cédron. 13 Il rendit inutilisables les
lieux sacrés que le roi Salomon avait installés au sud du mont des Oliviers[j], la
colline qui fait face à Jérusalem ; ces lieux
sacrés étaient dédiés à *Astarté, l'ignoble
déesse des Sidoniens, à Kemoch, l'ignoble dieu des Moabites, et à Milkom,
l'abominable dieu des Ammonites. 14 Josias fit briser les pierres dressées, couper
les poteaux sacrés, et recouvrir les emplacements sacrés avec des ossements humains[k].

Réforme religieuse en Israël

(Voir 2 Chron 34.6-7)

15 Josias démolit aussi le lieu sacré de
Béthel[l], que Jéroboam, fils de Nebath,
avait installé pour entraîner le peuple
*d'Israël dans le péché ; il incendia le lieu
sacré, démolit *l'autel, brûla le poteau sacré et réduisit le tout en poussière.

16 A cette occasion, Josias, s'étant retourné, vit le cimetière qui se trouvait sur
la colline ; alors il envoya des gens prendre des ossements dans les tombes, pour
les brûler sur l'autel et le rendre ainsi
inutilisable, conformément à ce qu'avait
dit le *prophète du Seigneur, lorsque le
roi Jéroboam se tenait devant l'autel, au
cours de la fête. Puis Josias se retourna et
vit le tombeau de ce prophète du Seigneur[m] 17 et il demanda : « Quelle est
donc cette pierre tombale que je vois là-
bas ? » Des habitants de la ville lui répondirent : « C'est la tombe du prophète
venu de Juda, celui qui avait annoncé
tout ce que tu viens de faire à cet autel,
ici. » 18 Alors Josias ordonna : « Laissez
cette tombe ! Que personne ne touche

---

f **23.6** V. 4-6 : voir 21.3.

g **23.8** *Guéba* : localité située à 10 km environ au nord de Jérusalem ; *Berchéba* : localité située à 70 km environ au sud-ouest de Jérusalem. L'expression *de Guéba à Berchéba* signifie « dans tout le royaume de Juda ».

h **23.10** *Tofeth* ; voir Jér 7.31 ; 19.1-6. – *la vallée de Hinnom* était située au sud de Jérusalem. – Sur le *dieu Molek*, voir Lév 18.21 et la note.

i **23.12** *autels... dressés par Manassé* : voir 21.4-5. – *il les fit mettre en pièces sur place* : texte hébreu peu clair et traduction incertaine.

j **23.13** Voir 1 Rois 11.7. – Le *mont des Oliviers* se trouve à l'est de Jérusalem, de l'autre côté du Cédron. Autre traduction *mont de la Perdition* (en hébreu, il y a jeu de mots entre *mont des Oliviers* et *mont de la Perdition*).

k **23.14** Les *emplacements sacrés*, rendus impurs par les *ossements humains*, sont privés ainsi de leur caractère sacré ; comparer les v. 16 et 20.

l **23.15** Sur ce *lieu sacré*, voir 1 Rois 12.26–13.10.

m **23.16** *lorsque le roi Jéroboam... du Seigneur* : d'après l'ancienne version grecque ; ces mots manquent dans le texte hébreu.

aux ossements de ce prophète ! » C'est
ainsi que l'on épargna ses ossements, tout
comme ceux du prophète venu de Samarie[n].

19 Les rois d'Israël avaient irrité le Seigneur en construisant des lieux de culte
païens dans les villes de la Samarie. Josias
en détruisit aussi tous les bâtiments,
exactement comme il l'avait fait à Béthel.
20 Sur les autels, il égorgea les prêtres mêmes qui y avaient officié, et il brûla des
ossements humains.
Ensuite Josias retourna à Jérusalem.

Le peuple de Juda célèbre la Pâque

(Voir 2 Chron 35.1, 18-19)

21 Le roi Josias ordonna au peuple tout
entier de célébrer la fête de la *Pâque en
l'honneur du Seigneur leur Dieu, comme
le livre de *l'alliance le commande[o]. 22 En
effet, depuis l'époque où Israël était gouverné par les Juges, et pendant tout le
temps où des rois régnaient sur *Israël et
sur Juda, on n'avait pas célébré une fête
de la Pâque comme celle-ci. 23 Mais alors
on la célébra à Jérusalem en l'honneur du
Seigneur, pendant la dix-huitième année
du règne de Josias.

Conclusion sur le règne de Josias

(Voir 2 Chron 35.20-27 ; 36.1)

24 Pour obéir aux ordres du livre de la
loi, trouvé par le grand-prêtre Hilquia
dans le temple du Seigneur, Josias éli-
mina de Jérusalem et du pays de Juda les
gens qui interrogeaient les esprits des
morts, et il fit détruire les statuettes sacrées, les idoles et autres objets de culte
païens.
25 En résumé, il n'y avait pas eu avant
Josias de roi comme lui, qui se soit attaché au Seigneur de tout son cœur, de
toute son âme et de toute sa force, comme
la loi de Moïse le commande ; et après
lui, il n'y en a pas eu non plus.
26 Cependant la colère du Seigneur à
l'égard du royaume de Juda était si
grande qu'il refusa de se laisser apaiser,
tant le roi Manassé l'avait irrité. 27 Et c'est
pourquoi il déclara : « De même qu'autrefois je n'ai plus voulu voir devant moi les
gens du royaume *d'Israël, de même je
ne veux plus voir ceux du royaume de
Juda. Je vais rejeter Jérusalem, cette ville
que j'avais choisie, et le temple, où j'avais
promis de manifester ma présence. »

28 Tout le reste de l'histoire de Josias est
contenu dans le livre intitulé *Actes des rois
de Juda*. 29 C'est pendant son règne que le
*Pharaon Néco, roi d'Égypte, conduisit
son armée vers l'Euphrate pour secourir
le roi d'Assyrie ; le roi Josias voulut s'opposer au passage des Égyptiens, mais il
fut tué à Méguiddo[p] lors du premier
combat. 30 Ses officiers transportèrent
son corps sur un char de Méguiddo à Jérusalem, où on l'enterra dans son tombeau. Ensuite les citoyens de Juda
choisirent Joachaz, fils de Josias, et le
consacrèrent comme roi pour succéder à
son père.

Joachaz, roi de Juda

(Voir 2 Chron 36.2-4)

31 Joachaz avait vingt-trois ans lorsqu'il
devint roi ; il ne régna que trois mois à
Jérusalem. Sa mère s'appelait Hamoutal,
et elle était fille d'Irméya, de Libna[q].
32 Joachaz fit ce qui déplaît au Seigneur,
tout comme ses ancêtres. 33 Le *Pharaon
Néco l'emmena prisonnier à Ribla, au
pays de Hamath[r] et mit ainsi fin à son règne ; en même temps, Néco exigea du
pays de Juda une redevance de trois mille
kilos d'argent et trente kilos d'or.
34 Ensuite il désigna Éliaquim, fils de
Josias, comme roi pour succéder à son
père, et changea son nom en Joaquim.
Quant à Joachaz, il l'emmena en Égypte
où il mourut[s]. 35 Joaquim dut prélever des
impôts dans son royaume afin de verser

---

n **23.18** Sur la *tombe* et les deux prophètes, voir 1 Rois 13.29-31.

o **23.21** *comme le livre...* : voir Deut 16.1-8.

p **23.29** *Méguiddo* : voir 9.27 et la note.

q **23.31** *Libna* : voir 8.22 et la note.

r **23.33** *Ribla* : ville située au nord du Liban, près de l'actuelle frontière avec la Syrie. La ville de *Hamath*, un peu plus au nord, avait donné son nom à une province assyrienne (*pays de Hamath*).

s **23.34** Voir Jér 22.10-12.

au Pharaon ce qu'il exigeait ; lorsque chaque citoyen eut payé sa part, Joaquim put remettre l'argent et l'or à Néco.

Joaquim, roi de Juda

(Voir 2 Chron 36.5-8)

36 Joaquim avait vingt-cinq ans lorsqu'il devint roi ; il régna onze ans à Jérusalem. Sa mère s'appelait Zéboudda, et elle était fille de Pedaya, de Rouma[t]. 37 Joaquim fit ce qui déplaît au Seigneur,

24 tout comme ses ancêtres. 1 C'est pendant son règne que Nabucodonosor, roi de Babylone, envahit le pays de Juda[u] ; Joaquim dut se soumettre à lui. Mais au bout de trois ans, il se révolta. 2 Alors le Seigneur envoya contre Joaquim des bandes de pillards babyloniens, syriens, moabites et ammonites, qui dévastèrent le royaume de Juda, conformément à ce que les *prophètes avaient annoncé de la part du Seigneur. 3 Ce fut le Seigneur qui provoqua ces malheurs dans le royaume de Juda, parce qu'il ne voulait plus le voir devant lui. En effet, le roi Manassé avait tellement péché, 4 il avait fait mourir de si nombreuses personnes innocentes et avait rempli la ville de Jérusalem de tant de crimes, que le Seigneur ne voulut plus rien pardonner[v].

5 Tout le reste de l'histoire de Joaquim est contenu dans le livre intitulé *Actes des rois de Juda*. 6 Lorsque Joaquim mourut, ce fut son fils Joakin qui lui succéda.

7 Quant au roi d'Égypte, il n'osa plus sortir de son pays, car le roi de Babylone s'était emparé de tous les territoires précédemment soumis à la domination égyptienne, entre la frontière nord de l'Égypte et l'Euphrate, le fleuve de Babylone.

Joakin, roi de Juda ; première déportation

(Voir 2 Chron 36.9-10)

8 Joakin avait dix-huit ans lorsqu'il devint roi ; il ne régna que trois mois à Jérusalem. Sa mère s'appelait Nehoucheta, et elle était fille d'Elnatan, de Jérusalem. 9 Joakin fit ce qui déplaît au Seigneur, tout comme son père.

10 A cette époque-là, l'armée babylonienne, commandée par les officiers du roi Nabucodonosor, vint assiéger Jérusalem. 11 Pendant le siège, Nabucodonosor vint lui-même sur place. 12 Alors le roi Joakin sortit de la ville avec sa mère, ses officiers, ses hauts fonctionnaires et ses hommes de confiance, et il se rendit au roi de Babylone. Celui-ci les fit prisonniers[w]. C'était la huitième année du règne de Nabucodonosor.

13 Conformément à ce que le Seigneur avait annoncé, Nabucodonosor emporta tous les trésors du temple et du palais, et mit en pièces tous les ustensiles d'or que le roi Salomon avait fait fabriquer pour le culte du temple[x]. 14 Il déporta la population de Jérusalem, les hauts fonctionnaires, les personnages importants, en tout dix mille personnes, sans compter les artisans et les serruriers. Il ne laissa sur place que les habitants les plus pauvres. 15 Il déporta à Babylone le roi Joakin, sa mère, ses épouses et ses hommes de confiance, avec les chefs de Juda[y]. 16 Il emmena donc à Babylone tous les personnages importants, soit sept mille hommes, ainsi que les artisans et serruriers, soit mille hommes, car tous ces gens étaient aptes au service militaire.

17 Ensuite Nabucodonosor désigna Mattania, oncle de Joakin, comme roi, et changea son nom en Sédécias[z].

Sédécias, roi de Juda

(Voir Jér 52.1-3 ; 2 Chron 36.11-12)

18 Sédécias avait vingt et un ans lorsqu'il devint roi ; il régna onze ans à Jérusalem. Sa mère s'appelait Hamoutal ; elle était fille d'Irméya, de Libna[a]. 19 Sédécias fit ce qui déplaît au Seigneur, tout comme Joaquim.

---

t **23.36** *Joaquim* : voir Jér 22.18-19 ; 26.1-6. – *Rouma* : localité non identifiée, probablement en Galilée.
u **24.1** Voir Jér 25 ; Dan 1.1-2.
v **24.4** Sur les *crimes* de Manassé, voir 21.10-16.
w **24.12** Voir Jér 22.24-30 ; 24.1 ; 29.2.
x **24.13** Voir 20.17.
y **24.15** Voir Ézék 17.12.
z **24.17** Voir Jér 37.1 ; Ézék 17.13.
a **24.18** *Libna* : voir 8.22 et la note.

20 Ce fut le Seigneur qui, dans sa colère,
provoqua les malheurs de Jérusalem et
du royaume de Juda, et qui finit par rejeter son peuple loin de lui.

Nabucodonosor assiège Jérusalem

(Voir Jér 39.1-7 ; 52.3-11)

Sédécias se révolta contre le roi Nabu-
25 codonosor de Babylone[b]. 1 Celui-ci vint alors à Jérusalem avec
toute son armée et installa son camp devant la ville ; les Babyloniens entourèrent la ville de tranchées. C'était la
neuvième année du règne de Sédécias, le
dixième jour du dixième mois[c]. 2 Le
siège dura jusqu'à la onzième année de
son règne[d].

3 La famine devint terrible dans la
ville ; il n'y avait plus de quoi nourrir la
population. Le neuvième jour du quatrième mois[e], 4 les Babyloniens ouvrirent
une brèche dans la muraille de la ville. A
la nuit tombée, les combattants de Juda
s'enfuirent. Malgré les Babyloniens qui
encerclaient Jérusalem, ils passèrent par la
porte située entre les deux murailles[f], près
du jardin du roi. Le roi Sédécias prit alors
le chemin qui mène à la vallée du Jourdain. 5 Mais les troupes babyloniennes se
lancèrent à sa poursuite et le rattrapèrent
dans la plaine de Jéricho ; toute son armée
l'avait abandonné. 6 Les Babyloniens le firent prisonnier et le conduisirent au roi
de Babylone, qui se trouvait à Ribla[g].
C'est là que les Babyloniens rendirent leur
jugement contre Sédécias. 7 On exécuta les
fils de Sédécias en présence de leur père.
Après quoi Nabucodonosor fit crever les
yeux de Sédécias, et l'envoya solidement
enchaîné à Babylone[h].

Prise de Jérusalem ; seconde déportation

(Voir Jér 39.8-10 ; 52.12-30 ; 2 Chron 36.17-21)

8 La dix-neuvième année du règne de
Nabucodonosor, roi de Babylone, le septième jour du cinquième mois[i], Nebouzaradan fit son entrée à Jérusalem ; c'était le
chef des gardes, un officier du roi de Babylone. 9 Il incendia le *temple, le palais
royal et les maisons de la ville, en particulier toutes celles des personnages de
haut rang[j]. 10 Les troupes babyloniennes,
qui accompagnaient le chef des gardes,
démolirent les murailles qui entouraient
Jérusalem.

11 Ensuite Nebouzaradan déporta à Babylone les habitants qui étaient demeurés
dans la ville, tant ceux qui s'étaient rendus aux Babyloniens que le reste de la population. 12 Mais il laissa une partie des
gens les plus pauvres pour cultiver les
vignes et les champs.

13 Les Babyloniens mirent en pièces les
colonnes de bronze qui se trouvaient à
l'entrée du temple, ainsi que les chariots
et la grande cuve de bronze placés dans la
cour[k]. Ils emportèrent tout ce bronze à
Babylone. 14 Ils prirent aussi tous les objets de bronze qui servaient pour le culte :
récipients à cendres, pelles, mouchettes
et coupes. 15 Le chef des gardes prit encore tous les objets d'or et d'argent, tels
que cassolettes et bols à aspersion[l].

16 Il fut impossible de peser tout le
bronze provenant des objets que le roi
Salomon avait fait confectionner pour le
temple du Seigneur : les deux colonnes,
la grande cuve ronde et les chariots. 17 Par
exemple, les colonnes avaient chacune
neuf mètres de haut ; elles étaient surmontées chacune d'un chapiteau de
bronze, haut d'un mètre et demi, et décoré tout autour d'une sorte de filet de
bronze, et de fruits de grenadiers, égale-

---

b **24.20** Voir Ézék 17.15.

c **25.1** *le dixième jour du dixième mois* : vers fin décembre de l'année 589 avant J.-C. – Voir Jér 21.1-10 ; 34.1-5 ; Ézék 24.2.

d **25.2** *onzième année de son règne* : en 587 avant J.-C.

e **25.3** *du quatrième mois* : ajouté d'après le texte parallèle de Jér 52.6. La date se situe vers fin juin.

f **25.4** *les combattants... s'enfuirent* : comme l'indique la suite (v. 5) et le récit de Jér 39.4, le roi Sédécias se trouvait parmi les fuyards. – *la porte située entre les deux murailles* : probablement au sud de la ville. – Voir aussi Ézék 33.21.

g **25.6** *Ribla* : voir 23.33 et la note.

h **25.7** Voir Ézék 12.13.

i **25.8** Vers fin juillet.

j **25.9** Voir 1 Rois 9.8.

k **25.13** Sur les *colonnes*, voir 1 Rois 7.15-22 ; sur les *chariots*, voir 1 Rois 7.27-37 ; sur la *grande cuve*, voir 1 Rois 7.23-26.

l **25.15** Sur les divers objets de *bronze* (v. 14), d'*argent* et d'*or* servant pour le culte, voir 1 Rois 7.45-51.

ment en bronze. Les deux colonnes étaient identiques, ainsi que les filets.

[18] Le chef des gardes fit arrêter le grand-prêtre Seraya, son adjoint Sefania, et les trois prêtres gardiens de l'entrée du temple. [19] Il fit arrêter également un fonctionnaire responsable du personnel militaire, puis cinq personnes de la cour du roi, le secrétaire chargé du recrutement des soldats – c'était un chef de l'armée –, et soixante citoyens de Juda ; tous ces gens se trouvaient alors à Jérusalem. [20] Nebouzaradan les conduisit auprès du roi de Babylone, à Ribla. [21] Celui-ci les fit exécuter sur place, au pays de Hamath.

C'est ainsi que le peuple de Juda fut déporté loin de son territoire.

Guedalia, gouverneur du pays de Juda

(Voir Jér 40.7–41.18)

[22] Le roi Nabucodonosor de Babylone avait laissé une partie de la population dans le pays de Juda. Il désigna pour gouverner ces gens un certain Guedalia, fils d'Ahicam et petit-fils de Chafan. [23] Lorsque les officiers et les soldats judéens qui ne s'étaient pas rendus aux Babyloniens apprirent cette décision de Nabucodonosor, ils allèrent trouver Guedalia à Mispa. Les officiers étaient Ismaël, fils de Netania, Yohanan, fils de Caréa, Seraya, fils de Tanehoumeth, de Netofa, et Yazania, de Maaka. [24] Guedalia leur dit à tous : « Je vous promets que vous n'avez rien à craindre de la part des Babyloniens ; installez-vous dans le pays et soumettez-vous au roi de Babylone ; vous y trouverez votre avantage. »

[25] Mais au septième mois de cette année-là, Ismaël, fils de Netania et petit-fils d'Élichama, qui était de la famille royale, vint à Mispa avec dix hommes ; ils frappèrent à mort Guedalia, de même que les Judéens et les Babyloniens qui étaient chez lui. [26] Alors l'ensemble de la population et les officiers gagnèrent l'Égypte, car ils eurent peur des Babyloniens[m].

Le roi de Babylone gracie Joakin

(Voir Jér 52.31-34)

[27] Trente-sept ans après la déportation du roi Joakin, de Juda, Évil-Mérodak devint roi de Babylone[n]. Le vingt-septième jour du douzième mois de cette année-là, il accorda sa grâce à Joakin et le fit sortir de prison ; [28] il lui parla avec bonté et lui attribua un rang supérieur à celui des autres rois qui se trouvaient avec lui à Babylone. [29] Joakin fut autorisé à ne plus porter la tenue des prisonniers, et désormais il prit toujours ses repas à la table du roi de Babylone. [30] C'est ainsi que chaque jour jusqu'à sa mort, Joakin reçut du roi de Babylone ce qui était nécessaire à son entretien.

---

m **25.26** Voir Jér 43.5-7.

n **25.27** *Évil-Mérodak devint roi de Babylone* en 561 avant J.-C.

Premier livre des

Chroniques

Introduction – *Les deux livres des* Chroniques *sont issus du même milieu en Israël, probablement la classe des prêtres, et constituent un seul ouvrage. C'est comme une fresque monumentale, qui raconte à sa manière l'histoire du peuple de Dieu depuis ses origines jusqu'à l'exil à Babylone.*

Cette histoire est racontée, non pas du point de vue d'un historien au sens strict, mais d'un théologien et d'un prédicateur engagé. Il utilise largement les sources qui lui sont antérieures, tout particulièrement les livres de Samuel et des Rois, mais les choix qu'il opère dans ses sources montrent bien quels sont les enseignements qui lui tiennent à cœur : Dieu *seul doit gouverner le peuple d'Israël ; les rois ne sont que ses serviteurs, chargés de représenter son autorité dans tous les domaines de la vie. A ce point de vue,* David *est le roi parfaitement fidèle : c'est lui qui a conquis* Jérusalem, *devenue plus tard la ville sainte grâce au* *temple *; c'est lui aussi qui a dirigé la vie politique et organisé la vie religieuse d'Israël. Après la mort de ce roi modèle, l'auteur concentre son attention sur ses descendants, placés à la tête du royaume de* Juda.

*

Le début de 1 Chroniques *rappelle toute l'histoire d'Adam à David de façon très succincte, sous forme de listes généalogiques (chap. 1–9). La seconde partie du livre (chap. 10–29) est consacrée à l'histoire du règne de David, dont l'auteur a laissé de côté plusieurs épisodes : la jeunesse de David, sa vie errante, son conflit avec Saül, sa royauté de sept ans et demi à Hébron, l'épisode de Batchéba, la révolte d'Absalom, etc. Elle développe par contre tout ce qui conduisit David à prévoir et préparer la construction du temple de Jérusalem : le rapatriement du *coffre de l'alliance, l'initiative malheureuse d'un recensement du peuple d'Israël et l'édification qui s'ensuivit d'un *autel sur l'emplacement du futur sanctuaire, enfin l'organisation des diverses classes de desservants destinés à y officier : prêtres, lévites, chantres, portiers, etc.*

LISTES GÉNÉALOGIQUES
1–9

D'Adam aux descendants d'Ésaü

1 1 Adam[a] fut le père de Seth, Seth celui d'Énos, 2 Énos de Quénan, Quénan de Malaléel, Malaléel de Yéred, 3 Yéred de Hénok, Hénok de Matusalem, Matusalem de Lémek, 4 et Lémek de Noé. Noé fut le père de Sem, Cham et Japhet.

5 Fils de Japhet : Gomer, Magog, Madaï, Yavan, Toubal, Méchek et Tiras. 6 Fils de Gomer : Achekénaz, Difath[b] et Togarma. 7 Fils de Yavan : Élicha, Tarsis, Kittim et Rodanim.

8 Fils de Cham : Kouch, Misraïm, Pouth et Canaan. 9 Fils de Kouch : Séba, Havila, Sabta, Ragma et Sabteka ; fils de Ragma : Saba et Dédan. 10 Kouch fut aussi le père de Nemrod, qui a été le premier souverain sur la terre. 11 Misraïm fut l'ancêtre des gens de Loud, Anem, Lehab, Naftou, 12 Patros, Kaslou – d'où sont issus les Philistins – et Kaftor. 13 Canaan fut le père de Sidon, son fils aîné, et de Heth, 14 et l'ancêtre des Jébusites, Amorites, Guirgachites, 15 Hivites, Arquites, Sinites, 16 Arvadites, Semarites et Hamatites.

17 Fils de Sem : Élam, Assour, Arpaxad, Loud, Aram, Ous, Houl, Guéter et Méchek. 18 Arpaxad fut le père de Chéla, et Chéla celui d'Éber. 19 Éber eut deux fils : le premier s'appelait Péleg, ce qui signifie "Division", parce qu'à l'époque où il vécut, la population de la terre se divisa ; son frère s'appelait Yoctan. 20 Yoctan fut le père d'Almodad, Chélef, Hassarmaveth, Yéra, 21 Hadoram, Ouzal, Dicla, 22 Ébal, Abimaël, Saba, 23 Ofir, Havila et Yobab ; tous ceux-là furent les fils de Yoctan.

24 Sem fut le père d'Arpaxad, Arpaxad celui de Chéla, 25 Chéla d'Éber, Éber de Péleg, Péleg de Réou, 26 Réou de Seroug, Seroug de Nahor, Nahor de Téra, 27 Téra d'Abram, lequel reçut plus tard le nom d'Abraham.

28 Fils d'Abraham : Isaac et Ismaël[c]. 29 Voici la liste de leurs descendants :

D'Ismaël sont nés Nebayoth, l'aîné, Quédar, Adbéel, Mibsam, 30 Michema, Douma, Massa, Hadad, Téma, 31 Yetour, Nafich et Quedma ; tels furent les fils d'Ismaël.

32 Quetoura, épouse de second rang d'Abraham, mit au monde Zimran, Yoxan, Medan, Madian, Ichebac et Choua. Fils de Yoxan : Saba et Dédan. 33 Fils de Madian : Éfa, Éfer, Hanok, Abida et Elda. Tous ceux-là furent les descendants de Quetoura.

34 Abraham fut le père d'Isaac. Fils d'Isaac : Ésaü et Israël[d]. 35 Fils d'Ésaü : Élifaz, Réouel, Yéouch, Yalam et Cora. 36 Fils d'Élifaz : Téman, Omar, Sefi, Gatam, Quenaz, Timna et Amalec. 37 Fils de Réouel : Nahath, Zéra, Chamma et Miza. 38 Fils de Séir : Lotan, Chobal, Sibéon – qui fut le père d'Ana et le grand-père de Dichon –, Esser et Dichan. 39 Fils de Lotan : Hori et Homam – Lotan avait une sœur, Timna –. 40 Fils de Chobal : Alian, Manahath, Ébal, Chefi et Onam. Fils de Sibéon : Aya et Ana. 41 Fils d'Ana : Dichon ; fils de Dichon : Hamran, Èchehan, Itran et Keran. 42 Fils d'Esser : Bilehan, Zavan et Yakan. Fils de Dichan[e] : Ous et Aran.

---

a **1.1** L'auteur des *Chroniques* s'intéresse surtout aux règnes de David (1 Chron 10–29), de Salomon (2 Chron 1–9) et des rois de Juda (2 Chron 10–36). Dans 1 Chron 1–9, il résume toute l'histoire antérieure à David au moyen de *listes généalogiques*. Celles-ci ont été établies à partir des livres plus anciens, ou directement reprises de ces mêmes livres (de Genèse à 1 Samuel), avec fréquemment de petites divergences. – V. 1-4 : comparer Gen 5 ; v. 5-23 : comparer Gen 10 ; v. 24-27 : comparer Gen 11.10-26 ; v. 28-31 : comparer Gen 25.13-16 ; v. 32-34 : comparer Gen 25.1-4,19-26 ; v. 35-42 : comparer Gen 36.10-28.

b **1.6** *Difath* : ou *Rifath*, d'après Gen 10.3 et des manuscrits anciens.

c **1.28** *Isaac* est mentionné avant son frère aîné *Ismaël* parce qu'il a été l'ancêtre des Israélites.

d **1.34** *Israël* : autre nom de Jacob, voir Gen 32.29 ; 35.10.

e **1.42** *Yakan* : ou *Akan*, d'après Gen 36.27 et des manuscrits anciens. – *Dichan* : d'après le v. 38 ; hébreu *Dichon* (mais les descendants de *Dichon* sont déjà nommés au v. 41).

Les rois et chefs de clans d'Édom
(Voir Gen 36.31-43)

43-50 Voici la liste des rois qui se succédèrent sur le trône d'Édom, avant que
des rois règnent en Israël : Béla, fils de
Béor, de la ville de Dinaba ; à sa mort, Yobab, fils de Zéra, de Bosra, lui succéda.
Régnèrent ensuite : Houcham, de la région de Téman ; Hadad, fils de Bédad, de
la ville d'Avith : c'est lui qui battit les
Madianites dans le pays de Moab ; Samla,
de Masréca ; Chaoul, de Rehoboth-sur-
la-Rivière ; Baal-Hanan, fils d'Akbor ;
Hadad, de la ville de Paï : il avait épousé
Métabéel, fille de Matred et petite-fille de
Mé-Zahab.
51 Après la mort du roi Hadad, Édom
fut gouverné par des chefs de clans. En
voici la liste : Timna, Alva, Yéteth,
52 Oholibama, Éla, Pinon, 53 Quenaz, Téman, Mibsar, 54 Magdiel et Iram. Tels
furent les chefs de clans d'Édom.

Les descendants de Juda, fils de Jacob

2 1 Voici la liste[f] des fils de Jacob – appelé aussi Israël – : Ruben, Siméon,
Lévi, Juda, Issakar, Zabulon, 2 Dan,
Joseph, Benjamin, Neftali, Gad et Asser.
3 Juda eut trois fils de son épouse cananéenne, la fille de Choua. Ce furent Er,
Onan et Chéla. Er, l'aîné, déplut tellement au Seigneur qu'il le fit mourir.
4 Plus tard, Juda eut de sa belle-fille Tamar deux autres fils, Pérès et Zéra. Il eut
donc cinq fils en tout. 5 Fils de Pérès :
Hesron et Hamoul. 6 Fils de Zéra : Zimri,
Étan, Héman, Kalkol et Dara[g], cinq en
tout. 7 Fils de Karmi : Akar. C'est lui qui
attira le malheur sur Israël en gardant
pour lui une partie du butin réservé à
Dieu[h]. 8 Fils d'Étan : Azaria. 9 Fils de
Hesron : Yeraméel, Ram et Caleb, appelé
aussi Keloubaï.
10 Ram fut le père d'Amminadab, Amminadab celui de Nachon, chef de la
tribu de Juda ; 11 Nachon fut le père de
Salma, Salma celui de Booz, 12 Booz
d'Obed et Obed de Jessé. 13 Jessé fut le
père de sept fils. Ce furent, dans l'ordre,
Éliab, Abinadab, Chamma, 14 Netanéel,
Raddaï, 15 Ossem et David ; 16 leurs sœurs
étaient Serouia et Abigal[i]. Fils de Serouia : Abichaï, Joab et Assaël, trois en
tout. 17 Abigal eut un fils, Amassa, dont le
père était Yéter l'Ismaélite.
18 Caleb, fils de Hesron, eut trois fils de
ses femmes Azouba et Yerioth : Yécher,
Chobab et Ardon[j]. 19 Après la mort
d'Azouba, Caleb prit pour femme Éfrata,
qui lui donna un fils, Hour. 20 Hour fut le
père d'Ouri, et Ouri celui de Bessalel.
21 A l'âge de soixante ans, Hesron
épousa la fille de Makir, père de Galaad ;
il en eut un fils, Segoub. 22 Segoub fut le
père de Yaïr, qui posséda vingt-trois localités du territoire de Galaad. 23 Mais les
rois de Guéchour et d'Aram s'emparèrent
des villages de Yaïr, ainsi que de la ville
de Quenath et des villages voisins, au total soixante localités. Tous ceux qui y habitaient étaient les descendants de Makir,
père de Galaad. 24 Après la mort de Hesron, dont la femme était Abia, Caleb
s'unit de nouveau à Éfrata[k], qui lui donna
un fils, Achehour ; celui-ci fut le fondateur de Técoa.
25 Le fils aîné de Hesron, Yeraméel, eut
plusieurs fils : Ram, le premier-né, puis
Bouna, Oren, Ossem et Ahia. 26 Yeraméel
eut une autre épouse, Atara, qui fut la
mère d'Onam. 27 Fils de Ram, l'aîné de
Yeraméel : Maas, Yamin et Équer. 28 Fils
d'Onam : Chammaï et Yada. Fils de
Chammaï : Nadab et Abichour. 29 Abichour épousa Abihaïl qui lui donna Aban
et Molid. 30 Fils de Nadab : Séled et Appaïm. Séled mourut sans enfant. 31 Fils
d'Appaïm : Ichéi ; fils d'Ichéi : Chéchan ;

---

f **2.1** V. 1-2 : comparer Gen 35.23-26 ; v. 3-4 : comparer Gen 38 ; v. 9-12 : comparer Ruth 4.18-22 ; v. 13-15 : comparer 1 Sam 16.6-13.

g **2.6** *Dara* : ou *Darda*, d'après 1 Rois 5.11 et des manuscrits anciens.

h **2.7** Au début du verset, certains traducteurs, s'inspirant de Jos 7.1, ajoutent *(Fils) de Zimri : Karmi. Fils (de Karmi :...) – Akar* : en Jos 7, ce personnage est appelé *Akan*. Ici il y a un jeu de mots entre le nom *Akar* et le verbe traduit par *attira le malheur*.

i **2.16** *Abigal* ou *Abigaïl* (de même au v. 17).

j **2.18** *Caleb* : voir Jos 14.6. – *eut trois fils...* : autre traduction *eut une fille de sa femme Azouba, Yerioth ; celle-ci eut trois fils,...*

k **2.24** *dont la femme... Éfrata* : d'après l'ancienne version grecque ; hébreu obscur.

fils de Chéchan : Alaï. 32 Fils de Yada, le frère de Chammaï : Yéter et Yonatan. Yéter mourut sans enfant. 33 Fils de Yonatan : Péleth et Zaza. Tels furent les descendants de Yeraméel.

34 Chéchan n'eut pas de fils, mais seulement des filles. Il avait un serviteur égyptien, Yara, 35 à qui il donna une de ses filles en mariage. Celle-ci mit au monde un fils, Attaï. 36 Attaï fut le père de Natan, Natan celui de Zabad, 37 Zabad d'Éflal, Éflal d'Obed, 38 Obed de Yéhou, Yéhou d'Azaria, 39 Azaria de Hélès, Hélès d'Élassa, 40 Élassa de Sismaï, Sismaï de Challoum, 41 Challoum de Yecamia, et Yecamia d'Élichama.

42 Fils de Caleb, le frère de Yeraméel : Mécha, l'aîné, qui fut père de Zif ; quant aux descendants de Marécha, ce sont eux qui peuplèrent Hébron. 43 Fils d'Hébron : Cora, Tappoua, Réquem et Chéma. 44 Chéma fut le père de Raham, et Raham celui de Yorcoam. Réquem fut le père de Chammaï, 45 Chammaï celui de Maon, et Maon celui de Beth-Sour. 46 Caleb eut une épouse de second rang, Éfa, qui lui donna Haran, Mossa et Gazez. Haran eut un fils qu'il appela aussi Gazez. 47 Fils de Yadaï[l] : Réguem, Yotam, Guéchan, Péleth, Éfa et Chaaf. 48 Caleb eut une autre épouse de second rang, Maaka, qui lui donna Chéber et Tirana. 49 Plus tard elle mit encore au monde Chaaf, qui fut le père de Madmanna, et Cheva, qui fut le père de Makbéna et de Guibéa. En outre, Caleb eut une fille nommée Axa.

50 Voici encore d'autres descendants de Caleb : Hour, fils aîné de son épouse Éfrata, eut trois fils : Chobal, qui fut le fondateur de Quiriath-Yéarim, 51 Salma, qui fut celui de Bethléem, et Haref, qui fut celui de Beth-Guéder. 52 Chobal, fondateur de Quiriath-Yéarim, eut des descendants : les habitants de Haroé, la moitié de ceux de Menouhoth, 53 et les clans de Quiriath-Yéarim, à savoir les Itrites, les Poutites, les Choumatites et les Micheraïtes, qui peuplèrent les localités de Sora et d'Èchetaol.

54 Descendants de Salma : les gens de Bethléem, de Netofa, d'Atroth-Beth-Yoab, la moitié de ceux de Manahath, ceux de Sora, 55 ainsi que les clans des lettrés habitant Yabès, à savoir les Tiratites, les Chimatites et les Soukatites – ceux-ci sont des Quénites descendant de Hammath, l'ancêtre de la famille des Rékabites –.

Les descendants de David

3 1 Voici la liste[m] des fils de David qui naquirent à Hébron : Amnon, le premier-né, fils d'Ahinoam, de Jizréel ; Daniel, le second, fils d'Abigaïl, de Karmel ; 2 Absalom, le troisième, fils de Maaka, elle-même fille de Talmaï, roi de Guéchour ; Adonia, le quatrième, fils de Haguite ; 3 Chefatia, le cinquième, fils d'Abital ; Itréam, le sixième, fils d'Égla, elle aussi femme du roi. 4 Ces six fils naquirent pendant les sept ans et demi que David régna à Hébron. Ensuite David régna trente-trois ans à Jérusalem[n], 5 où il eut encore des enfants. Batchéba, fille d'Ammiel, lui donna quatre fils : Chima, Chobab, Natan et Salomon[o]. 6-8 Il eut neuf autres fils : Ibar, Élichoua, Elpéleth[p], Noga, Néfeg, Yafia, Élichama, Éliada et Éliféleth. 9 En outre ses épouses de second rang lui donnèrent aussi des fils. Il eut également une fille, Tamar.

10 Les descendants de Salomon, en ligne directe, furent Roboam, Abia[q], Asa, Josaphat, 11 Joram, Ahazia, Joas, 12 Amassia, Azaria[r], Yotam, 13 Ahaz, Ézékias, Manassé, 14 Amon et Josias. 15 Fils de Josias : Yohanan, l'aîné, Joaquim, le second, Sédécias, le troisième, et Challoum[s], le quatrième. 16 Fils de Joaquim : Yekonia[t] et Sédécias.

---

l **2.47** Ce personnage n'apparaît nulle part ailleurs ; on ignore quelle place il occupe dans la généalogie de Caleb.

m **3.1** V. 1-4 : comparer 2 Sam 3.2-5 ; v. 5-8 : comparer 2 Sam 5.14-16.

n **3.4** Voir 29.27 ; 2 Sam 5.4-5 ; 1 Rois 2.11.

o **3.5** Voir 2 Sam 11–12.

p **3.6-8** *Élichoua, Elpéleth* : d'après la liste parallèle de 14.5 ; ici le texte hébreu dit *Élichama*, *Éliféleth*, noms qui sont répétés en fin de liste.

q **3.10** Les v. 10-16 donnent la liste des rois de Juda, selon 1 Rois 12–2 Rois 25. – *Abia* : ce roi est nommé *Abiam* dans 1 Rois 14.31 ; 15.1-8.

r **3.12** *Azaria* : voir 2 Rois 14.21 et la note.

s **3.15** *Challoum* : voir Jér 22.10-11 et la note.

t **3.16** *Yekonia* : nommé *Joakin* dans 2 Rois 24.6,8-17.

17 Fils de Yekonia[u], lequel fut emmené
captif à Babylone : Chéaltiel, 18 Malki-
ram, Pedaya, Chénassar, Yecamia, Ho-
chama et Nedabia. 19 Fils de Pedaya :
Zorobabel et Chiméi. Zorobabel eut deux
fils, Mechoullam et Hanania, ainsi
qu'une fille, Chelomith, 20 puis encore
cinq fils, Hachouba, Ohel, Bérékia, Has-
sadia et Youchab-Hessed.

21 Descendants de Hanania : Pelatia et
Yechaya, ainsi que les fils de Refaya,
d'Arnan, d'Obadia et de Chekania[v].
22 Chekania eut six fils, Chemaya[w], Hattouch, Igal, Baria, Néaria et Chafath.
23 Néaria eut trois fils, Éliohénaï, Hizquia
et Azricam. 24 Éliohénaï eut sept fils, Hodavia, Éliachib, Pelaya, Accoub, Yohanan, Delaya et Anani.

Autre liste des descendants de Juda

4 1 Descendants de Juda : Pérès, Hesron, Karmi, Hour et Chobal[x].
2 Réaya, fils de Chobal, fut le père de Yahath, et Yahath celui d'Ahoumaï et de
Lahad. Ces derniers furent les ancêtres
des clans de Sora.

3 Les fondateurs d'Étam furent Jizréel,
Ichema et Idbach ; ils avaient une sœur,
Haslelponi. 4 Penouel, fondateur de Guedor, et Ézer, fondateur de Houcha,
étaient fils de Hour, le fils aîné d'Éfrata et
fondateur de Bethléem[y].

5 Achehour, fondateur de Técoa[z], eut
deux femmes, Héla et Naara. 6 Naara lui
donna quatre fils, Ahouzam, Héfer,
Temni et Ahachetari. 7 Héla lui en donna
trois, Séreth, Sohar et Etnan.

8 Cos fut le père d'Anoub et de Sobéba,
et l'ancêtre des clans d'Aharéhel, fils de
Haroum[a].

9 Yabès était un homme plus considéré
que ses frères ; sa mère lui avait donné le
nom de Yabès parce qu'elle avait beaucoup souffert en le mettant au monde[b].
10 Yabès prononça cette prière : « Dieu
d'Israël, accorde-moi ta *bénédiction ;
augmente mes possessions, étends sur
moi ta main protectrice et éloigne de moi
le malheur et la souffrance ! » Dieu lui
accorda ce qu'il avait demandé.

11 Keloub, frère de Chouha, fut le père
de Méhir, Méhir celui d'Èchetôn,
12 Èchetôn de Beth-Rafa, Passéa et Tehinna ; Tehinna fut le fondateur de la
ville de Nahach. Leurs descendants habitèrent Réka[c].

13 Fils de Quenaz : Otniel et Seraya.
Fils d'Otniel : Hatath et Méonotaï[d].
14 Méonotaï fut le père d'Ofra. Seraya fut
le père de Yoab, l'ancêtre des artisans qui
habitaient la vallée des Artisans.

15 Caleb, fils de Yefounné, eut trois fils,
Irou, Éla et Naam. Éla fut le père de
Quenaz.

16 Fils de Yahallélel : Zif, Zifa, Tiria et
Assarel.

17-18 Fils d'Ezra : Yéter, Méred, Éfer et
Yalon. Méred épousa une fille du roi
d'Égypte, Bitia, qui lui donna Miriam,
Chammaï et Icheba, le fondateur d'Ech-
temoa. Méred avait aussi une épouse ju-
déenne qui lui donna Yéred, fondateur de
Guedor, Héber, fondateur de Soko, et
Yecoutiel, fondateur de Zanoa.

19 Hodia épousa une sœur de Naham ;
leurs descendants furent les Garmites,
qui peuplèrent Quéila, et les Maakatites,
qui peuplèrent Echtemoa.

20 Fils de Chimon : Amnon, Rinna,
Ben-Hanan et Tilon. Descendants
d'Ichéi : Zoheth et son fils[e].

---

u **3.17** On ignore l'origine de la liste donnée dans les v. 17-24.

v **3.21** Le texte hébreu de ce verset est peu clair.

w **3.22** Ici le texte hébreu ajoute les mots *et les fils de Chemaya*, qui ne s'intègrent pas au contexte.

x **4.1** Ces personnages figurent au chap. 2, respectivement dans les v. 4,5,7,19 et 50.

y **4.4** *Hour, Éfrata* : voir 2.50. – Le texte hébreu des v. 3-4 est peu clair.

z **4.5** Voir 2.24

a **4.8** Aucun des personnages de ce verset n'apparaît ailleurs dans une liste de descendants de Juda.

b **4.9** *Yabès* : comparer 2.55 ; en hébreu il y a ici un jeu de mots entre le nom de *Yabès* et les mots traduits par *beaucoup souffert* (v. 9) et *la souffrance* (v. 10).

c **4.12** Aucun des personnages mentionnés dans les v. 11-12 n'apparaît ailleurs dans une liste de descendants de Juda. Les localités mentionnées sont inconnues.

d **4.13** *Quenaz, Otniel* : voir v. 15, et Jos 15.17. – *et Méonotaï* : d'après les anciennes versions grecque et latine ; ce nom manque dans le texte hébreu du v. 13.

e **4.20** Aucun des personnages mentionnés dans les v. 16-20 n'apparaît ailleurs dans une liste de descendants de Juda.

21 Descendants de Chéla, fils de Juda[f] :
Er, fondateur de Léka, Lada, fondateur
de Marécha, ainsi que les clans qui travaillent les étoffes de lin fin, à Beth-
Achebéa. 22 Chéla fut aussi l'ancêtre de
Yoquim, des habitants de Kozéba, et de
Yoach et Saraf, qui épousèrent des femmes moabites[g] avant de revenir s'installer à Léhem – ces choses-là sont
anciennes –. 23 Leurs descendants furent
potiers ; ils habitaient Netaïm et Guedéra[h], où ils travaillaient au service du roi.

Les descendants de Siméon

24 Fils de Siméon : Nemouel, Yamin,
Yarib, Zéra et Chaoul[i]. 25 Les descendants
de Chaoul, en ligne directe, furent Challoum, Mibsam et Michema. 26 Ceux de
Michema furent Hammouel, Zakour et
Chiméi. 27 Chiméi eut seize fils et six filles, mais les autres chefs de familles n'eurent que peu d'enfants. C'est pourquoi les
clans de la tribu de Siméon ne furent jamais aussi nombreux que ceux de Juda.

28-32 Jusqu'à l'époque du règne de David[j], ils habitèrent les villes qui suivent,
ainsi que les villages environnants : Berchéba, Molada, Hassar-Choual, Bila, Essem, Tolad, Betouel, Horma, Siclag,
Beth-Markaboth, Hassar-Soussim, Beth-
Biri et Chaaraïm. Ils habitèrent aussi
cinq autres villes, Étam, Aïn, Rimmon,
Token et Achan, 33 de même que les villages des alentours, jusqu'à Baalath. Telles sont les localités où ils habitèrent. La
liste de leurs familles figure dans les
registres.

34-38 Voici la liste des chefs de clans de
Siméon : Mechobab, Yamlek, Yocha, fils
d'Amassia, Joël, Yéhou, fils de Yochibia,
lui-même fils de Seraya et petit-fils d'As-
siel, Éliohénaï, Yakoba, Yechohaya, Assaya, Adiel, Yessimiel, Benaya et Ziza, fils
de Chiféi et petit-fils d'Allon, lui-même
descendant de Yedaya, Chimri et Chemaya. Leurs familles devinrent si nombreuses 39 qu'elles se dispersèrent
jusqu'aux abords de Guedor, à l'est de la
vallée, pour chercher des pâturages à
moutons. 40 Ils y trouvèrent de bons et riches pâturages, dans une région vaste et
très paisible, où avaient habité autrefois
des descendants de Cham. 41 En effet, à
l'époque d'Ézékias, roi de Juda, les chefs
qui viennent d'être mentionnés arrivèrent dans cette région, détruisirent les
tentes et les abris où demeuraient les descendants de Cham[k] et exterminèrent la
population, dont on ne trouve plus trace
aujourd'hui. Ensuite ils s'installèrent à
leur place, puisqu'il y avait là des pâturages pour leurs moutons.

42 Certains membres de la tribu de Siméon, au nombre de cinq cents, gagnèrent la région montagneuse d'Édom sous
la conduite des quatre fils d'Ichéi, Pelatia, Néaria, Refaya et Ouziel. 43 Ils tuèrent
les survivants amalécites qui s'étaient enfuis là-bas et s'y installèrent. Et leurs descendants y sont encore aujourd'hui.

Les descendants de Ruben

5 1-3 Ruben était le premier des fils de
Jacob, mais après qu'il eut couché
avec une des épouses de son père, ses
droits de fils aîné furent attribués à Joseph, lui aussi fils de Jacob. Ruben ne fut
donc plus considéré comme aîné. Quant
à Juda, il fut le plus puissant parmi ses
frères, et ce fut un de ses descendants qui
devint roi d'Israël[l], mais les droits de fils
aîné furent quand même attribués à
Joseph.

Fils de Ruben, le premier des fils de
Jacob : Hanok, Pallou, Hesron et Karmi.

4 Les descendants de Joël[m], en ligne directe, furent Chemaya, Gog, Chiméi,
5 Mika, Réaya, Baal 6 et Beéra ; ce dernier

---

f **4.21** Voir 2.3.

g **4.22** *qui épousèrent...* ou *qui furent des chefs en Moab*.

h **4.23** Ou *ils habitaient des plantations et des enclos*.

i **4.24** Comparer Gen 46.10, où les noms sont parfois différents.

j **4.28-32** A *l'époque de David*, la petite tribu de Siméon semble avoir cessé de subsister en tant que telle. Elle avait probablement été assimilée par sa grande voisine le tribu de Juda. – V. 28-33 : comparer Jos 19.1-8.

k **4.41** *les abris* : texte probable ; hébreu *les Méounites*. – Les *descendants de Cham* devaient être exterminés parce qu'ils étaient cananéens.

l **5.1-3** *Ruben* : voir Gen 35.22 ; *Juda* : voir Gen 49.8-10.

m **5.4** *Joël* est inconnu par ailleurs dans la généalogie de Ruben. Selon certaines versions anciennes, il serait fils de *Karmi*.

était un chef rubénite que le roi d'Assyrie
Téglath-Phalasar emmena en déportation[n].
7 Les cousins de Beéra, chefs de clans
ou de familles, figuraient dans les registres; le premier était Yéiel, ensuite
Zacharie 8 et enfin Béla, fils d'Azaz,
petit-fils de Chéma[o] et arrière-petit-fils
de Joël.
Les Rubénites vivaient dans le territoire situé entre Aroër au sud, le mont
Nébo et la ville de Baal-Méon au nord.
9 A l'est, ils étaient installés jusqu'au bord
du désert qui séparait leur territoire de
l'Euphrate, le fleuve de Babylone, car ils
possédaient de nombreux troupeaux
dans cette région appelée Galaad[p]. 10 A
l'époque de Saül, ils avaient fait la guerre
aux Hagrites et les avaient soumis; ensuite ils s'étaient installés dans toutes les
régions de l'est de Galaad.

Les descendants de Gad

11 Les descendants de Gad vivaient au
nord des Rubénites, sur le plateau du
*Bachan[q], et jusqu'à Salka à l'est. 12 On y
trouvait les clans de Joël, le principal, de
Chafan, le second, de Yanaï et de Chafath. 13 En outre, il y avait sept autres
clans: ceux de Mikaël, Mechoullam,
Chéba, Yoraï, Yakan, Zia et Éber. 14 Les
fondateurs de ces clans étaient fils
d'Abihaïl, dont les ancêtres en ligne directe étaient Houri, Yaroa, Galaad, Mikaël, Yechichaï, Yado et Bouz. 15 Ahi, fils
d'Abdiel et petit-fils de Gouni, était le
chef de ces clans-là. 16 Les descendants
de Gad habitaient donc les territoires de
Galaad et du Bachan, ainsi que les régions qui en dépendaient, y compris les
pâturages de Saron, jusqu'à leur extrême
limite.
17 Les membres de cette tribu furent
inscrits dans les registres à l'époque des
rois Yotam, de Juda, et Jéroboam[r], *d'Israël.
18 Les tribus de Ruben et Gad, et la
demi-tribu de Manassé[s] pouvaient fournir un contingent de 44 760 vaillants soldats bien instruits, capables de manier
bouclier, épée ou arc, et prêts à se mettre
en campagne. 19 Ils firent la guerre aux
Hagrites, ainsi qu'aux descendants de Yetour, Nafich[t] et Nodab. 20 Au cours de
cette guerre, ils implorèrent l'aide de
Dieu; puisqu'ils avaient confiance en lui,
Dieu accueillit favorablement leur prière
et les secourut. Ils purent ainsi soumettre
les Hagrites et leurs alliés. 21 Ils s'emparèrent de leur bétail, à savoir cinquante
mille chameaux, deux cent cinquante
mille moutons et chèvres et deux mille
ânes; de plus ils firent cent mille prisonniers. 22 Ils avaient aussi tué de nombreux
ennemis. Cela arriva parce que cette
guerre dépendait de Dieu. Ils s'installèrent alors dans le territoire des Hagrites
et y demeurèrent jusqu'à l'exil.

Les descendants de Manassé en Transjordanie

23 Une moitié de la tribu de Manassé
était venue s'installer dans le territoire
qui s'étend entre le *Bachan au sud, et
Baal-Hermon, Senir et l'Hermon au
nord[u]. Sa population devint nombreuse.
24 Voici les noms des chefs de familles:
Éfer, Ichéi, Éliel, Azriel, Irméya, Hodavia et Yadiel. Ils étaient tous des gens de
valeur et de renom.
25-26 Les tribus de Ruben et Gad, et la
demi-tribu de Manassé furent infidèles
envers le Dieu de leurs ancêtres; elles
l'abandonnèrent pour adorer les divinités des nations que Dieu avait exterminées à leur arrivée. Alors le Dieu d'Israël
incita les rois d'Assyrie Poul et Téglath-
Phalasar à envahir les territoires de ces
tribus et à en déporter les populations

---

n **5.6** Voir 2 Rois 15.29.

o **5.8** *Chéma* : probablement le même personnage que *Chemaya* (v. 4).

p **5.9** En fait les Rubénites habitaient la région située au sud de ce qu'on appelle habituellement *Galaad*. Mais il se pourrait aussi qu'à une certaine époque le nom de *Galaad* ait désigné une région plus étendue vers le sud.

q **5.11** La tribu de *Gad* est habituellement placée plus au sud, dans la région de Galaad (v. 16). Mais voir la note précédente.

r **5.17** Il s'agit de *Jéroboam* II, roi *d'Israël de 787 à 747 avant J.-C. (voir 2 Rois 14.16-29).

s **5.18** Voir v. 23.

t **5.19** Voir Gen 25.15.

u **5.23** *Baal-Hermon* et *Senir* sont peut-être les noms de deux endroits (sommets ?) du mont *Hermon*.

dans les régions de Hala, Habor et Hara,
et près du fleuve de Gozan, où elles
résident encore aujourd'hui[v].

Les descendants de Lévi : les grands-prêtres

27 Fils de Lévi[w] : Guerchon, Quéhath
et Merari. 28 Fils de Quéhath : Amram,
Issar, Hébron et Ouziel. 29 Amram eut
deux fils, Aaron et Moïse, et une fille, Miriam. Fils d'Aaron : Nadab, Abihou, Élazar et Itamar. 30 Élazar fut le père de
Pinhas, Pinhas celui d'Abichoua, 31 Abichoua de Bouqui, Bouqui d'Ouzi, 32 Ouzi
de Zéraya, Zéraya de Merayoth, 33 Merayoth d'Amaria, Amaria d'Ahitoub,
34 Ahitoub de Sadoc, Sadoc d'Ahimaas,
35 Ahimaas d'Azaria, Azaria de Yohanan,
36 et Yohanan d'Azaria. Cet Azaria fut
prêtre dans le *temple que Salomon fit
construire à Jérusalem. 37 Azaria fut le
père d'Amaria, Amaria celui d'Ahitoub,
38 Ahitoub de Sadoc, Sadoc de Challoum,
39 Challoum de Hilquia, Hilquia d'Azaria, 40 Azaria de Seraya, et Seraya de Yossadac. 41 Yossadac fut déporté par
Nabucodonosor, lorsque le Seigneur envoya en exil la population de Jérusalem et
du royaume de Juda.

Autres descendants de Lévi

6 1 Fils de Lévi[x] : Guerchom, Quéhath
et Merari. 2 Fils de Guerchom : Libni
et Chiméi. 3 Fils de Quéhath : Amram,
Issar, Hébron et Ouziel. 4 Fils de Merari :
Mali et Mouchi. Tels sont les ancêtres qui
ont donné leur nom aux clans de la tribu
de Lévi.

5 Les descendants de Guerchom, en ligne directe, furent Libni, Yahath,
Zimma, 6 Yoa, Iddo, Zéra et Yéatraï.

7 Ceux de Quéhath furent Ammina-
dab, Coré, Assir, 8 Elcana, Abiassaf, Assir,
9 Tahath, Ouriel, Ozias et Chaoul.

10 Elcana eut d'autres fils, Amassaï,
Ahimoth 11 et Elcana. Les descendants
d'Elcana furent Sofaï, Nahath, 12 Éliab,
Yeroam et Elcana. 13 Fils de Samuel : Joël,
l'aîné, et Abia, le second[y].

14 Les descendants de Merari, en ligne
directe, furent Mali, Libni, Chiméi,
Ouza, 15 Chima, Haguia et Assaya.

16 David confia à des descendants de
Lévi la fonction de chanteurs au *sanctuaire du Seigneur, dès que le *coffre sacré y fut déposé. 17 Avant que Salomon ait
construit le temple de Jérusalem, ces
hommes exerçaient leur service musical
devant la *tente de la rencontre, selon les
règles fixées.

18 Voici ceux qui accomplissaient ce
service, en compagnie des membres de
leurs chorales :

Du clan de Quéhath, Héman le chantre, dont les ancêtres en ligne directe
étaient Joël, Samuel, 19 Elcana, Yeroam,
Éliel, Toa, 20 Souf, Elcana, Mahath,
Amassaï, 21 Elcana, Joël, Azaria, Sefania,
22 Tahath, Assir, Abiassaf, Coré, 23 Issar,
Quéhath, Lévi et Jacob.

24 A droite de Héman se tenait son collègue Assaf, dont les ancêtres en ligne directe étaient Bérékia, Chima, 25 Mikaël,
Baasséya, Malkia, 26 Etni, Zéra, Adaya,
27 Étan, Zimma, Chiméi, 28 Yahath, Guerchom et Lévi.

29 Les membres de la chorale du clan
de Merari se tenaient à leur gauche. Ils
étaient dirigés par Étan, dont les ancêtres
en ligne directe étaient Quichi, Abdi,
Mallouk, 30 Hachabia, Amassia, Hilquia,
31 Amsi, Bani, Chémer, 32 Mali, Mouchi,
Merari et Lévi.

33 Les autres membres de la tribu de
Lévi accomplissaient toutes les autres
tâches concernant le sanctuaire de Dieu.

34 Aaron et ses descendants étaient
chargés de présenter les *sacrifices d'animaux et les offrandes de parfum sur les
*autels correspondants. Ils s'occupaient

---

v **5.25-26** *Poul, Tēglath-Phalasar* : voir 2 Rois 15.19 et la note. – *Hala... Gozan* : voir 2 Rois 17.6 et la note.

w **5.27** Dans certaines traductions, les v. 5.27-41 sont numérotés 6.1-15.

x **6.1** Dans certaines traductions, les v. 6.1-66 sont numérotés 6.16-81. Voir 5.27 et la note. – V. 1-4 : voir Ex 6.16-19 ; Nomb 3.17-20. – Le personnage nommé *Guerchom* dans ce chapitre et en 15.7 est appelé *Guerchon* dans le reste de l'AT.

y **6.13** *Joël... le second* : d'après les anciennes versions grecque et syriaque, et 1 Sam 8.2 ; ici le texte hébreu, peu clair, pourrait se traduire *Fils de Samuel l'aîné : Vachni et Abia*. Bien que l'auteur ne l'indique pas explicitement ici, il considère que *Samuel* est le fils d'*Elcana* (v. 12 ; voir v. 18-19, et 1 Sam 1).

ainsi de tout ce qui était strictement réservé à Dieu. C'étaient eux aussi qui présidaient les cérémonies de pardon en faveur du peuple d'Israël, conformément à tous les ordres transmis par Moïse, le serviteur de Dieu. 35 Voici la liste des descendants d'Aaron[z], en ligne directe : Élazar, Pinhas, Abichoua, 36 Bouqui, Ouzi, Zéraya, 37 Merayoth, Amaria, Ahitoub, 38 Sadoc et Ahimaas.

Les villes attribuées aux descendants de Lévi

39 Voici la liste[a] des endroits du pays où habitèrent les descendants d'Aaron, du clan de Quéhath. Ils furent les premiers à recevoir leur territoire par tirage au sort : 40 ils reçurent la ville d'Hébron, en Juda, avec les pâturages des alentours ; 41 mais les champs et les villages qui dépendaient de la ville avaient déjà été attribués à Caleb, fils de Yefounné[b]. 42-45 Les descendants d'Aaron reçurent, pour leurs familles, les localités suivantes comme villes de refuge : Hébron, Libna, Yattir, Echtemoa, Hilen, Debir, Achan, Beth-Chémech, et dans le territoire de Benjamin, Guéba, Alémeth et Anatoth, chacune de ces treize villes[c] avec les pâturages des alentours.

46 Les familles des autres descendants de Quéhath reçurent par tirage au sort dix villes situées dans les territoires d'Éfraïm, de Dan, et de la demi-tribu occidentale de Manassé[d]. 47 Les familles des descendants de Guerchom reçurent treize villes situées dans les territoires d'Issakar, d'Asser, de Neftali, et de la demi-tribu de Manassé établie dans le *Bachan. 48 Les familles des descendants de Merari reçurent par tirage au sort douze villes situées dans les territoires de Ruben, de Gad et de Zabulon. 49 Les Israélites donnèrent ces villes avec leurs pâturages aux descendants de Lévi. 50 Les villes situées dans les territoires de Juda, de Siméon et de Benjamin, et qui ont été mentionnées plus haut, furent aussi attribuées par tirage au sort.

51-55 Les familles du clan de Quéhath reçurent pour y habiter les villes de refuge suivantes : du territoire d'Éfraïm, Sichem dans la région montagneuse, Guézer, Yocméam, Beth-Horon, Ayalon et Gath-Rimmon ; du territoire de la demi-tribu occidentale de Manassé, Aner et Biléam. Chacune de ces villes fut donnée avec les pâturages des alentours[e].

56-61 Les familles du clan de Guerchom reçurent les villes suivantes : du territoire[f] de la demi-tribu orientale de Manassé, Golan dans le Bachan et Achetaroth ; du territoire d'Issakar, Quédech, Dabrath, Ramoth et Anem ; du territoire d'Asser, Machal, Abdon, Houcoc et Rehob ; du territoire de Neftali, Quédech, en Galilée, Hammon et Quiriataïm. Chacune de ces villes fut donnée avec les pâturages des alentours.

62-66 Les autres descendants de Lévi, c'est-à-dire ceux de Merari, reçurent les villes suivantes : du territoire de Zabulon, Rimmono et Tabor ; du territoire de Ruben, situé à l'est du Jourdain, en face de Jéricho, Besser, dans la région désertique, Yahas, Quedémoth et Méfaath ; du territoire de Gad, Ramoth, en Galaad, Mahanaïm, Hèchebon et Yazer. Chacune de ces villes fut donnée avec les pâturages des alentours.

Les descendants d'Issakar

7 1 Issakar eut quatre fils, Tola, Pouva, Yachoub et Chimron. 2 Descendants de Tola : Ouzi, Refaya, Yeriel, Yamaï, Ibsam et Chemouel. Ceux-là furent les

z **6.35** V. 35-38 : comparer 5.30-34.

a **6.39** V. 39-45 : comparer Jos 21.10-19 ; v. 46-48 : comparer Jos 21.5-8 ; v. 51-66 : comparer Jos 21.20-39.

b **6.41** Voir Jos 14.13-14.

c **6.42-45** *villes de refuge* : si un homme tuait quelqu'un sans l'avoir voulu, il pouvait se réfugier dans une de ces *villes* et échapper ainsi à la vengeance (voir Jos 21.1-9). – La liste des v. 42-45 ne cite que onze villes, la liste parallèle de Jos 21 mentionne en plus *Youtta* et *Gabaon*, aux v. 16 et 17.

d **6.46** Texte probable, rétabli d'après Jos 21.5 ; le texte hébreu de 1 Chron est obscur.

e **6.51-55** Après *Beth-Horon*, le texte parallèle de Jos 21.23 mentionne *dans le territoire de Dan, Eltequé, Guibeton, (Ayalon...)*. On retrouve ainsi les trois tribus et les dix villes mentionnées en Jos 21.5 (voir la note précédente).

f **6.56-61** Le texte hébreu du début de ce paragraphe est peu clair ; la traduction s'inspire du texte parallèle des v. 51-55.

chefs des familles issues de Tola. Ils
étaient des hommes de valeur dans leurs
familles. A l'époque de David le nombre
des descendants de Tola était de 22 600.
3 Ouzi eut pour fils Izrahia. Izrahia et ses
fils Mikaël, Obadia, Joël et Issia furent
tous les cinq des chefs de familles. 4 Leurs
familles comptaient un si grand nombre
de femmes et de fils qu'elles devaient
fournir 36 000 hommes aptes à combattre.
5 Tous les autres membres des clans
d'Issakar, hommes de valeur figurant
dans les registres, étaient au nombre de
87 000.

Les descendants de Benjamin et de Neftali

6 Benjamin eut trois fils, Béla, Béker et
Yediaël. 7 Béla eut cinq descendants, Esbon, Ouzi, Ouziel, Yerimoth et Iri, hommes de valeur qui furent chefs de leurs
familles respectives. Ces familles figuraient dans les registres pour un total de
22 034 hommes. 8 Descendants de Béker :
Zémira, Yoach, Éliézer, Éliohénaï, Omri,
Yerémoth, Abia, Anatoth et Alémeth.
Tous ces descendants de Béker, 9 hommes
de valeur, furent chefs de leurs familles
respectives. Ces familles figuraient dans
les registres pour un total de 20 200 hommes. 10 Descendants de Yediaël : Bilehan,
qui eut pour fils Yéouch, Benjamin,
Éhoud, Kenaana, Zétan, Tarsis et Ahi-
chahar. 11 Tous ces descendants de Yediaël, hommes de valeur, furent chefs de
leurs familles respectives, lesquelles
comptaient 17 200 hommes aptes à combattre.
12 Chouppim et Houppim étaient fils
d'Ir[g]. Houchim était fils d'Aher.
13 Fils de Neftali : Yassiel, Gouni, Yesser et Challoum ; la mère de Neftali était
Bila[h].

Les descendants de Manassé en Cisjordanie

14 Descendants de Manassé : Asriel et
Makir, que lui donna une épouse de second rang, syrienne ; Makir fut le père de
Galaad. 15 Makir trouva une épouse pour
Houppim et une pour Chouppim. Il avait
une sœur nommée Maaka. Il eut un second fils, Selofad, qui n'eut lui-même
que des filles. 16 La femme de Makir,
Maaka, lui donna encore un fils, qu'elle
appela Pérech, puis un autre, qu'elle appela Chérech. Chérech fut le père d'Oulam et Réquem, 17 et Oulam celui de
Bédan.
Tels sont les descendants de Galaad,
fils de Makir et petit-fils de Manassé.
18 La sœur de Galaad, Hammoléketh,
mit au monde Ichod, Abiézer et Mala.
19 Les fils de Chemida[i] furent Ahian,
Chékem, Liqui et Aniam.

Les descendants d'Éfraïm

20 Les descendants d'Éfraïm, en ligne
directe, furent Choutéla, Béred, Tahath,
Élada, Tahath, 21 Zabad et Choutéla. Ézer
et Élad, deux autres fils d'Éfraïm, tentèrent de s'emparer des troupeaux appartenant aux habitants de la région de
Gath, mais ceux-ci les tuèrent. 22 Éfraïm
porta le deuil pendant longtemps. Ses
proches parents vinrent le consoler.
23 Plus tard Éfraïm passa encore la nuit
avec sa femme, et elle lui donna un fils. Il
l'appela Beria, car sa maison était dans le
malheur[j]. 24 Éfraïm eut aussi une fille,
Chéra, qui construisit Beth-Horon-le-
Bas, Beth-Horon-le-Haut et Ouzen-
Chéra. 25 Les descendants de Beria[k], en ligne directe, furent Réfa, Réchef, Téla, Tahan, 26 Ladan, Ammihoud, Élichama,
27 Noun et Josué.
28 Le territoire que les Éfraïmites reçurent pour y habiter comprenait Béthel
et les villages voisins, Naaran à l'est, Guézer et les villages voisins à l'ouest, ainsi
que la région située entre Sichem et Aya,
avec les villages voisins.
29 Les descendants de Manassé possédaient les villes de Beth-Chéan, Taanak,
Méguiddo et Dor, chacune avec les villages voisins.

---

g **7.12** *Ir* : il s'agit peut-être du personnage nommé *Iri* au v. 7.

h **7.13** *Bila* : voir Gen 30.7-8.

i **7.19** *Chemida* : voir Nomb 26.32 ; Jos 17.2.

j **7.23** En hébreu il y a un jeu de mots entre le nom de *Beria* et le mot traduit par *dans le malheur*.

k **7.25** *de Beria* ou *d'Éfraïm* (la liste de noms des v. 25-27 serait alors la suite de la liste, interrompue, des v. 20-21).

Telles furent les villes où habitaient les
descendants de Joseph, fils de Jacob.

Les descendants d'Asser

30 Fils d'Asser : Imna, Icheva, Ichevi
et Beria ; leur sœur était Séra. 31 Fils de
Beria : Héber et Malkiel ; Malkiel fut le
fondateur de Birzaïth. 32 Héber fut le
père de Yafleth, Chémer et Hotam, ainsi
que de leur sœur Choua. 33 Fils de Yafleth : Passak, Bimal et Assevath. 34 Fils
de Chémer : Ahi, Roga, Houbba et
Aram. 35 Fils de Hotam[l], son frère : Sofa,
Imna, Chélech et Amal. 36 Fils de Sofa :
Soua, Harnéfer, Choual, Béri, Imra,
37 Besser, Hod, Chamma, Chilecha, Itran
et Beéra. 38 Fils d'Itran : Yefounné, Pi-
chepa et Éra.

39 Fils d'Oulla : Ara, Hanniel et Ris-
sia[m].

40 Tous ces gens-là étaient des descendants d'Asser. Ils étaient d'excellents
chefs de familles, des hommes de valeur
et des dirigeants remarquables. Selon le
registre des hommes aptes à combattre, la
tribu pouvait fournir 26 000 hommes.

Autre liste des descendants de Benjamin

8 1 Benjamin fut le père de cinq fils. Ce
furent, dans l'ordre, Béla, Achebel,
Ara, 2 Noha et Rafa. 3 Béla eut pour fils
Addar, Guéra, Abihoud, 4 Abichoua,
Naaman, Ahoa, 5 Guéra, Chefoufan et
Houram.

6 Les fils d'Éhoud, chefs de familles
des habitants de Guéba, les firent émigrer à Manahath[n]. Voici leurs noms :
7 Naaman, Ahia et Guéra. C'est Guéra,
père d'Ouza et d'Ahihoud, qui dirigea
l'émigration.

8 Charaïm[o] renvoya ses deux femmes
Houchim et Baara ; plus tard, dans le
pays de Moab, 9 il prit une autre femme,
Hodech, et devint père de Yobab, Sibia,
Mécha, Malkam, 10 Yéous, Sakia et
Mirma. Ses fils devinrent des chefs de familles. 11 Auparavant Charaïm avait eu
deux fils de son épouse Houchim, Abi-
toub et Elpaal. 12 Fils d'Elpaal : Éber, Mi-
cham et Chémed. Chémed construisit la
ville d'Ono, ainsi que celle de Lod avec
les villages voisins.

13 Beria et Chéma, chefs de familles des
habitants d'Ayalon, mirent en fuite les
habitants de Gath. 14-16 Fils de Beria :
Ahio, Chachac, Yerémoth, Zébadia,
Arad, Éder, Mikaël, Ichepa et Yoha.

17-18 Fils d'Elpaal : Zébadia, Mechoullam, Hizqui, Héber, Ichemérai, Izlia et
Yobab.

19-21 Fils de Chiméi : Yaquim, Zikri,
Zabdi, Éliénaï, Silletaï, Éliel, Adaya,
Beraya et Chimrath.

22-25 Fils de Chachac : Ichepan, Éber,
Éliel, Abdon, Zikri, Hanan, Hanania,
Élam, Anetotia, Ifdéya et Penouel.

26-27 Fils de Yeroam : Chamecheraï,
Cheharia, Atalia, Yaréchia, Élia et Zikri.

28 Tels furent les chefs de familles, dans
leurs générations respectives. Ils habitaient Jérusalem.

29 Le fondateur[p] de Gabaon habitait
cette ville, avec sa femme Maaka, 30 son
fils aîné Abdon et ses autres fils Sour,
Quich, Baal, Ner[q], Nadab, 31 Guedor,
Ahio, Zéker 32 et Micloth, qui fut le père
de Chima. Ces derniers, contrairement à
leur famille, habitaient Jérusalem avec
d'autres membres de leur clan.

Les descendants de Saül

(Voir 9.39-44)

33 Ner fut le père de Quich, Quich celui
de Saül, et Saül de Jonatan, Malkichoua,
Abinadab et Ichebaal. 34 Fils de Jonatan :
Meribaal[r] ; Meribaal fut le père de Mika.
35 Fils de Mika : Piton, Mélek, Taréa et
Ahaz. 36 Ahaz fut le père de Yoadda,
Yoadda celui d'Alémeth, Azmaveth et
Zimri, Zimri de Mossa, 37 Mossa de Bi-
néa, Binéa de Rafa, Rafa d'Élassa, et
Élassa d'Assel. 38 Assel eut six fils, dont
voici les noms : Azricam, Bokrou, Is-

---

l **7.35** *Hotam* : d'après le v. 32 ; hébreu *Hélem*, personnage inconnu.

m **7.39** Aucun des personnages de ce verset n'apparaît ailleurs dans une liste de descendants d'Asser.

n **8.6** *Éhoud* est probablement un fils d'*Abihoud*, mentionné au v. 3. – *Manahath* : localité non identifiée.

o **8.8** Personnage inconnu.

p **8.29** V. 29-32 : voir 9.35-38.

q **8.30** *Ner* : d'après le texte parallèle de 9.36 ; ce nom manque dans le texte hébreu de 8.30.

r **8.34** Le même personnage est nommé *Mefibaal* dans 2 Samuel ; voir par exemple 4.4 ; 9.6-13.

maël, Chéaria, Obadia et Hanan. 39 Assel avait un frère, Échec, qui fut le père d'Oulam, le premier-né, Yéouch, le second, et Éliféleth, le troisième. 40 Les fils d'Oulam furent des hommes de valeur, et des tireurs à l'arc. Ils eurent beaucoup de fils et de petits-fils, 150 en tout.

Tous ceux qui précèdent faisaient partie de la tribu de Benjamin. **9** 1 Tous les Israélites furent inscrits, familles par familles, dans le registre des rois d'Israël.

Les habitants de Jérusalem

Les Judéens avaient été déportés à Babylone, à cause de leur infidélité envers Dieu. 2 Les premiers à regagner leur ville pour reprendre possession de leurs biens furent des laïcs israélites, puis les prêtres, les lévites et les gens s'occupant du *temple.

3 A Jérusalem vinrent s'installer des gens de Juda, de Benjamin, d'Éfraïm et de Manassé[s].

4 De la tribu de Juda, il y avait Outaï, fils d'Ammihoud, lui-même fils d'Omri, petit-fils d'Imri et arrière-petit-fils de Bani, membre du clan de Pérès. 5 Du clan de Chéla[t], il y avait Assaya, l'aîné de sa famille, avec ses fils. 6 Du clan de Zéra, il y avait Yéouel. Les Judéens installés à Jérusalem étaient au nombre de 690.

7 De la tribu de Benjamin, il y avait Sallou, fils de Mechoullam, petit-fils de Hodavia et arrière-petit-fils de Hassenoua ; 8 Ibnéya, fils de Yeroam ; Éla, fils d'Ouzi et petit-fils de Mikri ; Mechoullam, fils de Chefatia, petit-fils de Réouel et arrière-petit-fils d'Ibnia. 9 Tous ces hommes étaient des chefs dans leurs familles respectives. Les Benjaminites installés à Jérusalem étaient au nombre de 956.

10 De la classe des prêtres, il y avait Yedaya, Yoyarib, Yakin, 11 et Azaria, dont les ancêtres en ligne directe étaient Hilquia, Mechoullam, Sadoc, Merayoth et Ahitoub, le responsable du temple ; 12 il y avait aussi Adaya, dont les ancêtres étaient Yeroam, Pachehour et Malkia ; il y avait encore Massaï, dont les ancêtres étaient Adiel, Yazéra, Mechoullam, Mechillémith et Immer. 13 Avec les autres prêtres, ces chefs de familles étaient au nombre de 1 760, tous hommes de valeur s'occupant du service du temple.

14 De la classe des *lévites, il y avait Chemaya, dont les ancêtres en ligne directe étaient Hachoub, Azricam et Hachabia, du clan de Merari ; 15 il y avait aussi Bacbaccar, Hérech, Galal et Mattania, dont les ancêtres étaient Mika, Zikri et Assaf ; 16 il y avait encore Obadia, dont les ancêtres étaient Chemaya, Galal et Yedoutoun, et enfin Bérékia, fils d'Assa et petit-fils d'Elcana, qui habitait dans le territoire dépendant de la ville de Netofa.

17 Parmi les portiers, il y avait Challoum, le responsable, et ses frères Accoub, Talmon et Ahiman. 18 Ce sont leurs descendants qui sont encore aujourd'hui en fonction à la porte orientale, la porte du roi. Leurs ancêtres avaient été portiers du camp des lévites. 19 Challoum, fils de Coré, petit-fils d'Abiassaf et arrière-petit-fils de Coré, ainsi que les autres membres de la famille de Coré, étaient chargés de surveiller l'entrée de la *tente de la rencontre, comme leurs ancêtres l'avaient été dans le camp du peuple du Seigneur. 20 Pinhas, fils d'Élazar, avait été leur chef auparavant, car le Seigneur était avec lui. 21 Zacharie, fils de Mechélémia, était aussi un des portiers de la tente de la rencontre.

22 Au total, ceux qui avaient été choisis comme portiers étaient au nombre de 212. Ils étaient enregistrés dans leurs villages d'origine. C'est David et le *prophète Samuel qui avaient attribué à leurs ancêtres ces postes de confiance ; 23 ils conservèrent donc de génération en génération les fonctions de portiers et de gardiens du *sanctuaire du Seigneur.

24 Il y avait des portiers attitrés à chacune des quatre portes, à l'est, à l'ouest, au nord et au sud. 25 D'autres portiers, vivant dans leurs villages respectifs, venaient à intervalles réguliers accomplir avec eux le service de garde pendant une semaine. 26 En effet, il y avait quatre chefs portiers permanents. C'étaient des lé-

---

s **9.3** V. 2-3 : voir Esd 2.70 ; Néh 7.72.

t **9.5** *Du clan de Chéla* : d'après 2.3 ; hébreu *Du clan de Silo*.

vites, qui avaient la responsabilité des locaux et des trésors du temple. 27 Ils passaient la nuit dans les parages du temple,
puisqu'ils devaient le surveiller et en
ouvrir les portes chaque matin.
28 Certains des portiers avaient la
charge de compter les objets de culte
qu'on emportait et qu'on rapportait.
29 D'autres s'occupaient du reste des ustensiles et des objets sacrés, ainsi que de
la farine, du vin, de l'huile, de *l'encens
et du parfum. 30 Cependant le soin de préparer le mélange du parfum était réservé
à des prêtres.
31 Un lévite, Mattitia, fils aîné de Challoum, du clan de Coré, était responsable
de la fabrication des galettes d'offrande.
32 Quelques autres lévites, du clan de
Quéhath, étaient chargés de confectionner les pains sacrés qu'on offre à Dieu
chaque jour de *sabbat.
33 Les chefs de familles lévitiques responsables du chant habitaient dans leurs
propres locaux ; ils étaient dispensés de
toute autre charge, car ils étaient de service jour et nuit.
34 Tels furent les chefs de familles lévitiques, dans leurs générations respectives. Ils habitaient Jérusalem.

La famille de Saül

(Voir 8.29-38)

35 Le fondateur de Gabaon, Yéiel, habitait cette ville, avec sa femme Maaka,
36 son fils aîné Abdon et ses autres fils,
Sour, Quich, Baal, Ner, Nadab, 37 Guedor,
Ahio, Zacharie et Micloth. 38 Micloth fut
le père de Chimam ; contrairement à leur
famille, ils habitaient Jérusalem, avec
d'autres membres de leur clan.
39 Ner fut le père de Quich, Quich celui
de Saül, et Saül de Jonatan, Malkichoua,
Abinadab et Ichebaal. 40 Fils de Jonatan :
Meribaal ; Meribaal fut le père de Mika.
41 Fils de Mika : Piton, Mélek et Taréa.
42 Ahaz fut le père de Yara, Yara celui
d'Alémeth, Azmaveth et Zimri, Zimri de
Mossa, 43 Mossa de Binéa, Binéa de Refaya, Refaya d'Élassa, et Élassa d'Assel.
44 Assel eut six fils, dont voici les noms :
Azricam, Bokrou, Ismaël, Chéaria, Obadia et Hanan.

HISTOIRE DE DAVID, ROI D'ISRAËL
10–29

La mort de Saül

(Voir 1 Sam 31.1-13)

10 1 Un jour les Philistins attaquèrent
les Israélites, sur le mont Guilboa[u]. Les Israélites s'enfuirent et beaucoup furent tués. 2 Les Philistins
s'acharnèrent alors contre Saül et ses fils.
Ils réussirent à tuer Jonatan, Abinadab et
Malkichoua, les fils du roi. 3 Dès lors tout
le poids du combat se porta contre Saül.
Des tireurs à l'arc le découvrirent, et Saül
en fut effrayé. 4 Il dit à celui qui portait ses
armes : « Prends ton épée et tue-moi, car
je ne veux pas que ces Philistins païens le
fassent eux-mêmes et se moquent de
moi. » Mais son porteur d'armes refusa,
tant il avait peur. Alors Saül prit son épée
et se jeta dessus. 5 Lorsque le porteur d'armes vit que son maître était mort, il se
jeta aussi sur son épée et mourut. 6 C'est
ainsi que Saül et ses trois fils moururent ;
ce fut la fin de la famille royale.
7 Tous les Israélites qui habitaient la
vallée[v] apprirent que l'armée d'Israël
avait fui, et que Saül et ses fils étaient
morts ; ils abandonnèrent alors leurs villes pour s'enfuir, et les Philistins vinrent
s'y installer.
8 Le lendemain les Philistins, venus
pour dépouiller les morts, trouvèrent les
cadavres de Saül et de ses fils sur le mont
Guilboa. 9 Ils dépouillèrent Saül, emportèrent sa tête et ses armes, et firent circuler ces trophées dans leur pays, afin de
répandre cette bonne nouvelle parmi
leurs idoles et leur peuple. 10 Ensuite ils
déposèrent ses armes dans le temple d'un
de leurs dieux, et clouèrent son crâne
dans le temple de Dagon.
11 Les gens de Yabech, en Galaad[w], apprirent tout ce que les Philistins avaient

---

u **10.1** *mont Guilboa* : voir 1 Sam 28.4 et la note.
v **10.7** *la vallée* : voir 1 Sam 31.7 et la note.
w **10.11** *Yabech, en Galaad* : voir 1 Sam 31.11 et la note.

fait à Saül. 12 Les hommes les plus courageux de la ville se mirent en route et allèrent reprendre les cadavres de Saül et de ses fils pour les ramener à Yabech. Ils enterrèrent leurs ossements sous un arbre, le térébinthe de Yabech, et *jeûnèrent pendant sept jours.

13 Saül mourut parce qu'il avait été infidèle envers le Seigneur : il avait négligé d'obéir à ses commandements, et il avait même évoqué l'esprit d'un mort pour le consulter[x], 14 au lieu de consulter le Seigneur. Dieu le fit donc mourir et confia la royauté à David, fils de Jessé.

David est consacré roi d'Israël

(Voir 2 Sam 5.1-3)

11 1 Tout le peuple d'Israël se rassembla auprès de David à Hébron[y] et lui dit : « Nous sommes de ta race, de ta famille. 2 Autrefois, lorsque Saül était encore roi, tu étais déjà à la tête des expéditions militaires d'Israël. Et le Seigneur ton Dieu t'avait déjà dit : "C'est toi qui gouverneras Israël, mon peuple, c'est toi qui en seras le chef." » 3 Tous les *anciens d'Israël vinrent également trouver le roi David à Hébron. Celui-ci y conclut un accord avec eux devant le Seigneur, et ils le consacrèrent roi d'Israël, conformément à ce que Samuel avait annoncé de la part du Seigneur.

David s'empare de Jérusalem

(Voir 2 Sam 5.6-10)

4 David et tous les Israélites allèrent assiéger Jérusalem. La ville s'appelait aussi Jébus, car les Jébusites[z], qui habitaient cette région, y étaient installés. 5 Les Jébusites dirent à David : « Vous n'entrerez pas dans notre ville ! » David s'empara pourtant de la forteresse de *Sion, nommée par la suite *Cité de David. 6 Il avait dit : « Le premier qui tuera un Jébusite deviendra commandant en chef de l'armée. » Joab, dont la mère s'appelait Serouia, attaqua le premier, et ce fut donc lui qui devint chef de l'armée. 7 David s'installa dans la forteresse, qu'on appela pour cette raison "Cité de David". 8 Puis il édifia de nouveaux quartiers tout autour de la terrasse appelée Millo, tandis que Joab restaurait le reste de la ville[a]. 9 Ainsi David devint de plus en plus puissant, car le Seigneur, le Dieu de l'univers, était avec lui.

Les guerriers de David

(Voir 2 Sam 23.8-39)

10 Voici la liste des principaux guerriers de David. Avec tout Israël, ils avaient proclamé David roi, selon l'ordre du Seigneur concernant son peuple ; ils lui demeurèrent fidèles tout au long de son règne. 11 Ces guerriers étaient[b] :

Ichebaal, fils d'un Hakmonite et chef des gardes ; c'est lui qui, un jour, brandit sa lance contre trois cents adversaires et les tua tous, au cours d'un seul combat.

12 Vient ensuite *Élazar*, fils de Dodo, d'Ahoa, qui faisait partie du "groupe des Trois". 13 Il était auprès de David, à Pas-Dammim, lorsque les Philistins se rassemblèrent pour le combat ; l'armée d'Israël se mit à fuir devant eux. Il y avait là un champ d'orge ; 14 Élazar et ses hommes se postèrent au milieu du champ, le dégagèrent et battirent les Philistins. Le Seigneur accorda ainsi une éclatante victoire à Israël.

15 Un jour, trois membres de l'élite de la garde vinrent trouver David au rocher proche de la caverne d'Adoullam, car des Philistins campaient dans la vallée des Refaïtes[c]. 16 David était dans son refuge fortifié, tandis que le gouverneur philistin se trouvait à Bethléem. 17 David, pris d'un désir soudain, demanda : « Qui m'apportera à boire de l'eau provenant de la citerne située à la porte de Bethléem ? » 18 Alors les trois guerriers firent irruption dans le camp philistin, puisèrent de l'eau dans la citerne, l'emportèrent et la présentèrent à David. Mais lui ne voulut pas la boire ; il l'offrit au Seigneur en la ver-

---

x **10.13** Voir 1 Sam 13.8-14 ; 15.1-24 ; 28. Comparer aussi Lév 19.31 ; 20.6.

y **11.1** *Hébron* : voir 2 Sam 2.1-4.

z **11.4** *Jébusites* : voir au Vocabulaire AMORITES ; voir aussi Jos 15.63 ; Jug 1.21.

a **11.8** Le texte hébreu de ce verset n'est pas clair ; sur le *Millo*, voir 1 Rois 9.15 et la note.

b **11.11** Voir 2 Sam 23.8 et la note.

c **11.15** *Adoullam* : voir 1 Sam 22.1 et la note ; *vallée des Refaïtes* : voir 2 Sam 5.18 et la note.

sant sur le sol, 19 et il déclara : « Je n'ai pas
le droit, mon Dieu, de boire cette eau !
Cela équivaudrait à boire le sang des
hommes qui sont allés la chercher, au péril de leur vie. » Il refusa donc de la boire.
Tel fut l'exploit de ces trois guerriers.

20 *Abichaï*, frère de Joab, fut le chef du
“groupe des Trois”. C'est lui qui, un jour,
brandit sa lance contre trois cents adversaires et les tua. Il acquit sa renommée
dans le “groupe des Trois”. 21 Il fut plus
célèbre que les deux autres et devint
même leur chef. Il était insurpassable
dans le “groupe des Trois”.
22 *Benaya*, de Cabséel, fils de Yoyada, lequel était un vaillant soldat, accomplit de
nombreux exploits. C'est lui qui tua les
deux Ariel[d] de Moab ; lui aussi qui, un
jour où il neigeait, descendit dans une citerne pour y tuer un lion. 23 C'est lui encore qui tua un Égyptien mesurant près
de deux mètres et demi et armé d'une
lance grosse comme le cylindre d'un métier à tisser ; il l'attaqua avec un bâton, lui
arracha le javelot de la main et s'en servit
pour le tuer. 24 Tels furent les exploits de
Benaya, qui acquit une renommée semblable à celle du groupe des trois guerriers. 25 Il fut l'un des plus célèbres du
“groupe des Trente”, mais il ne fit pas partie du “groupe des Trois”. David lui confia
le commandement de la garde royale.
26 Quant aux autres guerriers,
c'étaient : *Assaël*, frère de Joab, *Élanan*,
fils de Dodo, de Bethléem, 27 *Chammoth*,
de Haror, *Hélès*, de Palon, 28 *Ira*, fils
d'Iquèch, de Técoa, *Abiézer*, d'Anatoth,
29 *Sibkaï*, de Houcha, *Ilaï*, d'Ahoa, 30 *Maraï*, de Netofa, *Héled*, fils de Baana, de
Netofa, 31 *Ittaï*, fils de Ribaï, de Guibéa,
dans le territoire de Benjamin, *Benaya*,
de Piraton, 32 *Houraï*, des torrents de
Gaach, *Abiel*, de Beth-Araba, 33 *Azmaveth*,
de Bahourim, *Éliaba*, de Chaalbon, 34 les
fils de Hachem, de Guizon, *Yonatan*, fils
de Chagué, de Harar, 35 *Ahiam*, fils de Sa-
kar, de Harar, *Élifal*, fils d'Our, 36 *Héfer*,
de Mekéra, *Ahia*, de Palon, 37 *Hesro*, de
Karmel, *Naaraï*, fils d'Ezbaï, 38 *Joël*, frère
de Natan, *Mibar*, fils d'un Hagrite, 39 *Sélec*, l'Ammonite, *Naraï*, de Beéroth, porteur d'armes de Joab, dont la mère
s'appelait Serouia, 40 *Ira*, de la famille de
Yéter, *Gareb*, de la même famille, 41 *Urie*,
le Hittite, *Zabad*, fils d'Alaï, 42 *Adina*, fils
de Chiza, un des chefs de la tribu de Ruben, accompagné de trente soldats, 43 *Hanan*, fils de Maaka, *Yochafath*, de Méten,
44 *Ouzia*, d'Achetaroth, *Chama* et *Yéiel*,
fils de Hotam, d'Aroër, 45 *Yediaël*, fils de
Chimri, et *Yoha*, son frère, de Tis, 46 *Éliel*,
de Mahava, *Yeribaï* et *Yochavia*, fils d'El-
nam, *Itma*, du pays de Moab, 47 ainsi
qu'*Éliel*, *Obed* et *Yassiel*, de Soba[e].

Les premiers compagnons de David à Siclag

12 1 A l'époque où David se cachait à
Siclag[f] pour échapper à Saül, fils
de Quich, des hommes vinrent l'y rejoindre. C'étaient de vaillants soldats,
prêts à combattre avec lui ; 2 équipés
d'arcs et de frondes, ils étaient capables
de lancer des pierres ou de tirer des flèches aussi bien de la main gauche que de
la droite.
Voici ceux qui arrivèrent de la tribu de
Benjamin, la propre tribu de Saül :
3 Ahiézer, le chef, et son frère Yoach, fils
de Chema, de Guibéa, Yeziel et Péleth,
fils d'Azmaveth, Beráka et Yéhou, d'Anatoth, 4 Ichemaya, de Gabaon, l'un des
chefs du groupe des trente guerriers[g],
5 Irméya, Yaziel, Yohanan et Yozabad, de
Guedéra, 6 Élouzaï, Yerimoth, Béalia,
Chemaria et Chefatia, de Harouf, 7 Elcana, Issia, Azarel, Yoézer et Yachobam,
descendants de Cora, 8 ainsi que Yoéla et
Zébadia, fils de Yeroam, de Guedor.
9 D'autres hommes quittèrent la tribu
de Gad pour rejoindre David dans son refuge du désert. C'étaient de vaillants
guerriers, bien exercés au combat et sachant manier le bouclier et la lance. Ils
étaient aussi redoutables que des lions, et
aussi rapides que des gazelles dans les
montagnes. 10-14 Ils étaient onze : Ézer,

d 11.22 *les deux Ariel* : personnages inconnus.
e 11.47 *de Soba* : texte hébreu obscur et traduction incertaine.
f 12.1 *Siclag* : voir 1 Sam 27.6 et la note.
g 12.4 *groupe des trente guerriers* : voir 2 Sam 23.8-39. – Dans certaines traductions, le v. 5 constitue la fin du v. 4, et les v. 6-41 sont numérotés 5-40.

Obadia, Éliab, Michemanna, Irméya, Attaï, Éliel, Yohanan, Elzabad, Irméya et Makbannaï. 15 Ces Gadites étaient des chefs militaires ; le moindre d'entre eux valait[h] cent soldats et le meilleur mille. 16 Ce sont eux qui franchirent le Jourdain au premier mois de l'année, à l'époque où il inonde ses rives, et qui mirent en fuite tous les habitants des vallées latérales, à l'est comme à l'ouest.

17 Un groupe de Benjaminites et de Judéens alla trouver David dans son refuge. 18 David vint au-devant d'eux et leur déclara : « Si vous venez me trouver dans un esprit de paix et pour m'aider, je vous accueille de tout cœur. Mais si c'est pour me trahir et me livrer à mes adversaires, bien que je n'aie rien fait de mal, que le Dieu de nos ancêtres en soit témoin et qu'il vous punisse. »

19 Alors l'Esprit de Dieu s'empara d'Amassaï, chef des gardes, qui s'écria :

« Nous sommes avec toi,
nous sommes de ton côté,
David, fils de Jessé !
La paix est pour toi
et pour ceux qui t'aident,
car le Seigneur t'a secouru. »

David les accueillit et leur confia des postes de chefs dans sa troupe.

20 Des hommes de la tribu de Manassé se rallièrent à David lorsqu'il se joignit aux Philistins pour une expédition contre Saül. A vrai dire, David et ses compagnons ne combattirent pas aux côtés des Philistins, car les chefs de ceux-ci les renvoyèrent ; ils se disaient en effet : « David se ralliera à son ancien maître Saül, en nous livrant à lui »[i]. 21 Et c'est au moment où David regagnait Siclag que les hommes de Manassé le rejoignirent ; c'étaient Adna, Yozabad, Yediaël, Mikaël, Yozabad, Élihou et Silletaï, commandants des régiments de Manassé. 22 Ils étaient tous de vaillants guerriers et apportaient leur aide à la troupe de David. Ils devinrent des chefs de son armée. 23 Jour après jour, des hommes se joignaient à la troupe de David pour le soutenir, à tel point que son armée devint immense[j].

Nombre des partisans de David venus à Hébron

24 Voici le nombre des hommes aptes à combattre qui rejoignirent David à Hébron pour lui transmettre la royauté de Saül, selon l'ordre du Seigneur :

25 De la tribu de Juda, 6 800 soldats armés de boucliers et de lances. 26 De la tribu de Siméon, 7 100 vaillants soldats. 27 De la tribu de Lévi, 4 600 hommes, 28 ainsi que Yoyada, chef du clan d'Aaron, accompagné de 3 700 hommes ; 29 il y avait aussi le jeune Sadoc, un vaillant soldat, avec 22 chefs de sa propre famille. 30 De la tribu de Benjamin, la propre tribu de Saül, 3 000 hommes dont la plupart avaient été jusqu'alors au service de la famille de Saül. 31 De la tribu d'Éfraïm, 20 800 vaillants soldats, tous hommes de renom dans leur famille. 32 De la demi-tribu occidentale de Manassé, 18 000 hommes, qui avaient été spécialement désignés pour aller proclamer David roi. 33 De la tribu d'Issakar, 200 officiers avec ceux qui étaient sous leurs ordres, des hommes sachant tous discerner quand et comment les Israélites devaient agir. 34 De la tribu de Zabulon, 50 000 soldats bien entraînés, prêts à se mettre en ligne de bataille, équipés de toutes sortes d'armes et agissant avec un ensemble parfait. 35 De la tribu de Neftali, 1 000 officiers avec 37 000 soldats armés de boucliers et de lances. 36 De la tribu de Dan, 28 600 soldats prêts à se mettre en ligne de bataille. 37 De la tribu d'Asser, 40 000 soldats bien entraînés et prêts, eux aussi, à se mettre en ligne de bataille. 38 Des tribus installées à l'est du Jourdain, Ruben, Gad et la moitié de Manassé, 120 000 hommes équipés de toutes sortes d'armes.

39 Tous ces soldats, prêts à se ranger en bataille, vinrent à Hébron et de tout cœur proclamèrent David roi sur l'ensemble d'Israël. Les autres Israélites étaient tous d'accord pour lui conférer cette royauté.

---

h 12.15 *valait* ou *commandait*.
i 12.20 Allusion au récit de 1 Sam 29.1-5.
j 12.23 *devint immense* : l'hébreu exprime cette idée en disant *devint une armée de Dieu*.

40 Ils restèrent là trois jours avec David,
mangeant et buvant ce que leurs concitoyens avaient préparé pour eux. 41 De
plus des gens des régions voisines, et
même d'Issakar, de Zabulon et de Neftali, apportaient des quantités de vivres, à
dos d'ânes, de chameaux, de mulets et de
bœufs : de la farine, des gâteaux de figues,
des grappes de raisins secs, du vin, de
l'huile ; on amenait même des bœufs et
des moutons. Tout le pays en effet vivait
dans la joie.

David décide d'amener à Jérusalem le coffre sacré

(Voir 2 Sam 6.1-11)

13 1 David tint conseil avec les
commandants de régiments et de
compagnies, ainsi qu'avec les autres notables. 2 Ensuite il dit à tous les Israélites
rassemblés : « Si vous le jugez bon, et si le
Seigneur notre Dieu l'approuve, hâtons-
nous d'envoyer des messagers à nos
compatriotes restés dans tout le territoire
d'Israël, en particulier aux prêtres et aux
*lévites dans les villes et régions avoisi-
nantes qu'ils habitent. Invitons-les à
nous rejoindre. 3 Nous ramènerons alors
le *coffre sacré de notre Dieu chez nous,
puisque nous ne nous en sommes pas
préoccupés du temps de Saül. »
4 Toute l'assemblée trouva le projet judicieux et décida qu'il fallait le réaliser.
5 David convoqua donc les Israélites de
tout le pays, depuis la frontière d'Égypte
au sud, jusqu'à Lebo-Hamath au nord,
pour aller chercher le coffre sacré à Quiriath-Yéarim[k]. 6 Avec eux il se rendit à
Baala, c'est-à-dire Quiriath-Yéarim, en
Juda, pour y reprendre le coffre de Dieu,
“le coffre du Seigneur qui siège au-
dessus des *chérubins[l]”, comme on l'appelle. 7 Il se trouvait dans la maison
d'Abinadab. On le déposa sur un char
neuf, que conduisirent Ouza et Ahio.
8 David et tous les Israélites exprimaient
leur joie devant Dieu de toute leur
force : ils chantaient avec accompagnement de lyres, de harpes, de tambourins, de cymbales et de trompettes.
9 Lorsqu'on arriva près de l'aire de Kidon[m], les bœufs faillirent faire tomber le
coffre sacré. Ouza essaya, de la main, de
le retenir. 10 Alors le Seigneur se mit en
colère contre lui et le punit d'avoir osé
toucher le coffre. Ouza mourut là, en
présence du Seigneur.
11 David fut bouleversé de voir que le
Seigneur avait porté ce coup mortel à
Ouza ; il appela l'endroit Pérès-Ouza[n],
nom qui a subsisté jusqu'à maintenant.
12 Ce jour-là, il eut peur de Dieu et déclara : « Je ne peux pas faire venir chez
moi le coffre sacré de Dieu ! » 13 Il ne
transféra donc pas le coffre chez lui, dans
la *Cité de David, mais le fit déposer
dans la maison d'Obed-Édom, un
homme originaire de Gath. 14 Le coffre
demeura trois mois dans la famille
d'Obed-Édom, et le Seigneur *bénit sa
famille et tous ses biens[o].

David à Jérusalem

(Voir 3.5-9 ; 2 Sam 5.11-16)

14 1 Hiram, roi de Tyr, envoya une
délégation à David. Il lui fit livrer
du bois de cèdre et lui envoya aussi des
tailleurs de pierre et des charpentiers
pour lui construire un palais. 2 David reconnut alors que le Seigneur lui-même
l'avait établi roi d'Israël et que sa royauté
rayonnait d'un éclat souverain, à cause
d'Israël, le peuple de Dieu.
3 A Jérusalem, David épousa encore
d'autres femmes dont il eut d'autres fils
et filles. 4 Voici la liste de ses fils nés à Jérusalem : Chammoua, Chobab, Natan,
Salomon, 5 Ibar, Élichoua, Elpéleth,
6 Noga, Néfeg, Yafia, 7 Élichama, Beéliada
et Éliféleth.

Victoires de David sur les Philistins

(Voir 2 Sam 5.17-25)

8 Les Philistins apprirent que David
avait été consacré roi de l'ensemble d'Israël ; alors ils se mirent tous en campagne

---

k **13.5** *Lebo-Hamath* : voir Nomb 13.21 et la note ; *Quiriath-Yéarim* : voir 1 Sam 6.21 et la note ; 7.1-2.

l **13.6** Voir Ex 25.22.

m **13.9** *aire de Kidon* : endroit non identifié (comparer 2 Sam 6.6).

n **13.11** *Pérès-Ouza* : voir 2 Sam 6.8 et la note.

o **13.14** Voir 26.4-5.

pour s'emparer de lui. David en fut informé et marcha à leur rencontre. 9 Les Philistins arrivèrent et ravagèrent la vallée des Refaïtes[p]. 10 David consulta Dieu : « Dois-je aller attaquer les Philistins ? demanda-t-il. Les livreras-tu en mon pouvoir ? » – « Va les attaquer ! répondit le Seigneur. Je te les livrerai. »

11 Les Philistins s'avancèrent jusqu'à Baal-Perassim[q], où David les battit. David déclara : « Par ma main, Dieu a fait une brèche dans les rangs de mes ennemis, comme un torrent dans une digue. » – De là vient le nom donné à cet endroit, Baal-Perassim, ce qui signifie "le Maître des Brèches". – 12 Les Philistins, en fuyant, avaient abandonné sur place les statues de leurs dieux ; David ordonna qu'on les brûle.

13 Les Philistins recommencèrent à ravager la vallée des Refaïtes. 14 David consulta de nouveau Dieu, qui lui dit : « Ne les attaque pas par derrière, fais un détour à bonne distance et approche-toi d'eux aux abords de la forêt de micocouliers[r]. 15 Lorsque tu entendras un bruit de pas à la cime des arbres, lance une attaque, car c'est à ce moment-là que je me serai avancé devant toi pour battre l'armée philistine. » 16 David agit selon les ordres du Seigneur. Les Israélites purent ainsi battre les Philistins et les poursuivre de Gabaon à Guézer[s]. 17 Dès lors la renommée de David se répandit dans tous les pays, et le Seigneur le rendit redoutable à toutes les nations.

David prépare le transport du coffre sacré

15 1 David se fit construire des maisons dans la *Cité de David. Il prépara un emplacement et y dressa une tente pour abriter le *coffre sacré de Dieu. 2 Alors il déclara : « Seuls les *lévites ont le droit de porter le coffre sacré ; ce sont eux en effet que Dieu a choisis à titre définitif pour le porter et pour s'en occuper[t]. »

3 David convoqua tout Israël à Jérusalem, afin d'amener le coffre à l'emplacement préparé pour lui. 4 Il rassembla les prêtres, descendants d'Aaron, ainsi que les lévites. 5 Parmi ces derniers, il y avait : le chef Ouriel, avec 120 autres membres du clan de Quéhath ; 6 le chef Assaya et 220 autres membres du clan de Merari ; 7 le chef Joël et 130 autres membres du clan de Guerchom[u] ; 8 le chef Chemaya et 200 autres membres du clan d'Élissafan ; 9 le chef Éliel et 80 autres membres du clan d'Hébron ; 10 le chef Amminadab et 112 autres membres du clan d'Ouziel.

11 David appela les prêtres Sadoc et Abiatar, et les lévites Ouriel, Assaya, Joël, Chemaya, Éliel et Amminadab. 12 Il leur dit : « Vous qui êtes des chefs de familles lévitiques, *purifiez-vous, ainsi que les membres de vos familles, puis allez chercher le coffre du Seigneur, du Dieu d'Israël, pour l'amener à l'endroit que j'ai préparé pour lui. 13 La première fois, vous n'étiez pas là, et à cause de cela le Seigneur notre Dieu nous a porté un coup mortel. En effet, nous ne l'avions pas consulté selon les règles[v]. »

14 Les prêtres et les lévites se purifièrent en vue du transport du coffre sacré. 15 Les lévites chargèrent ensuite le coffre sur leurs épaules, au moyen des barres, conformément aux instructions que Moïse avait données de la part du Seigneur[w]. 16 David ordonna aux chefs des lévites de placer les membres de leurs familles qui devaient chanter en s'accompagnant de harpes, de lyres et de cymbales, et qui devaient manifester leur joie par une musique éclatante. 17 On donna donc leur place à Héman, fils de Joël, à son collègue Assaf, fils de Bérékia, ainsi qu'à leur collègue Étan, fils de Cou-

---

p **14.9** La *vallée des Refaïtes* se situe au sud-ouest de Jérusalem.

q **14.11** Endroit non identifié.

r **14.14** L'identification de l'espèce d'arbre est incertaine.

s **14.16** *Gabaon* : voir 1 Rois 3.4 et la note ; *Guézer* : voir 2 Sam 5.25 et la note.

t **15.2** Autre traduction *et pour servir Dieu*. – Voir Deut 10.8.

u **15.7** Voir 6.1 et la note.

v **15.13** *La première fois* : allusion aux événements racontés en 13.9-11. – *nous ne l'avions pas...* : autre traduction *nous ne nous étions pas occupés du coffre comme il convenait*.

w **15.15** *Les lévites* : voir Nomb 4.1-15. – *des barres* : voir Ex 25.13-14.

chaya, du clan de Merari. 18 Auprès d'eux
et sous leurs ordres se trouvaient d'autres
lévites, les portiers Zacharie, Ben[x], Yaziel, Chemiramoth, Yéhiel, Ounni, Éliab,
Benaya, Maasséya, Mattitia, Élifléhou,
Micnéya, Obed-Édom et Yéiel. 19 Les
chantres Héman, Assaf et Étan jouaient
des cymbales de bronze retentissantes ;
20 Zacharie, Aziel, Chemiramoth, Yéhiel,
Ounni, Éliab, Maasséya et Benaya
jouaient sur des harpes les notes aiguës[y] ;
21 Mattitia, Élifléhou, Micnéya, Obed-
Édom, Yéiel et Azazia jouaient sur des lyres les notes graves[z], pour entraîner le
chant. 22 Kenania, chef des lévites chargés de porter le coffre sacré, devait surveiller ce transport[a], à cause de sa
compétence. 23 Les portiers Bérékia et Elcana devaient se tenir près du coffre, 24 de
même que les portiers Obed-Édom et Yé-
hia. Quant aux prêtres Chebania, Yochafath, Netanéel, Amassaï, Zacharie,
Benaya et Éliézer, ils devaient sonner de
la trompette devant le coffre de Dieu.

Arrivée du coffre sacré à Jérusalem

(Voir 2 Sam 6.12-19)

25 David, les *anciens d'Israël et les
commandants militaires qui étaient allés
chercher le *coffre de l'alliance du Seigneur chez Obed-Édom étaient dans la
joie. 26 Dieu accorda sa protection aux
*lévites qui portaient le coffre ; alors on
lui offrit en *sacrifices sept taureaux et
sept béliers. 27 David était vêtu d'un manteau de lin fin, de même que les lévites
qui portaient le coffre, les musiciens et
Kenania, le responsable du transport[b].
En outre, David portait le pagne de lin
des prêtres. 28 Tous les Israélites emmenèrent le coffre sacré à Jérusalem, au milieu des ovations, des sonneries de cors et
de trompettes, et de la musique des cymbales, des harpes et des lyres.
29 Au moment où le coffre arriva dans
la *Cité de David, Mikal, fille de Saül, regarda par la fenêtre et vit le roi David
danser de joie. Alors elle éprouva un pro-
16
fond mépris pour lui. 1 On vint déposer le coffre à l'intérieur de la
tente que David avait fait dresser pour
lui. Ensuite on offrit à Dieu des sacrifices
complets et des sacrifices de communion. 2 Quand David eut achevé d'offrir
ces sacrifices, il *bénit le peuple au nom
du Seigneur. 3 Il fit distribuer des vivres
aux Israélites : chaque homme et chaque
femme reçut un pain rond, un gâteau de
dattes et un gâteau de raisins secs[c].

Les lévites chantent les louanges du Seigneur

(Voir Ps 105.1-15 ; 96 ; 106.1,47-48)

4 David plaça devant le *coffre du Seigneur quelques-uns des *lévites de service, pour célébrer, louer et acclamer le
Seigneur, le Dieu d'Israël. 5 Assaf les dirigeait et Zacharie le secondait. Yéiel[d],
Chemiramoth, Yéhiel, Mattitia, Éliab,
Benaya, Obed-Édom et Yéiel jouaient de
la harpe et de la lyre, tandis qu'Assaf faisait retentir des cymbales. 6 Les prêtres
Benaya et Yaziel sonnaient continuellement de la trompette devant le coffre sacré. 7 Pour la première fois ce jour-là,
David chargea Assaf et ses collègues de
louer le Seigneur.

8 Louez le Seigneur, dites bien haut qui
est Dieu,
annoncez aux autres peuples ses exploits.
9 Chantez pour lui, célébrez-le en musique,
parlez de toutes ses merveilles.
10 Soyez fiers de lui, l'unique vrai Dieu,
ayez le cœur en joie, fidèles du Seigneur.
11 Tournez-vous vers le Seigneur tout-
puissant,
cherchez continuellement sa présence.
12-13 Vous qui descendez d'Israël[e], son
serviteur,

---

x **15.18** *Ben* ou *fils de...* (le nom du père aurait alors disparu du texte hébreu).
y **15.20** *les notes aiguës* : traduction incertaine.
z **15.21** *les notes graves* : autre traduction *à huit cordes*.
a **15.22** Autre traduction *Kenania, chef des lévites musiciens, devait donner le ton*.
b **15.27** *du transport* ou *des musiciens*.
c **16.3** Voir 2 Sam 6.19 et la note.
d **16.5** *Yéiel* : appelé *Yaziel* en 15.18.
e **16.12-13** *Israël* : autre nom de Jacob, voir Gen 32.29 ; 35.10.

vous, les fils de Jacob qu'il a choisis,
rappelez-vous les merveilles qu'il a faites,
rappelez-vous ses prodiges, les décisions qu'il a prononcées.

14 Notre Dieu, c'est lui, le Seigneur ;
ses décisions concernent la terre entière.
15 Souvenez-vous qu'il s'est engagé pour toujours,
qu'il a donné sa parole pour mille générations.
16 C'est la promesse qu'il a faite à Abraham,
c'est son serment en faveur d'Isaac ;
17 c'est la décision qu'il a confirmée à Jacob,
sa promesse éternelle en faveur d'Israël,
18 quand il lui a dit : « Je te donne le pays de Canaan,
c'est la part qui vous est attribuée, à toi et à tes descendants »[f].

19 Ceux-ci n'étaient alors qu'en petit nombre,
tout juste quelques émigrés dans le pays.
20 Ils allaient d'une nation chez une autre,
d'un royaume à un autre.
21 Mais Dieu ne laissa personne les maltraiter,
à cause d'eux il avertit des rois :
22 « Défense de toucher à ceux que j'ai consacrés, disait-il ;
défense de faire du mal à ceux qui sont mes porte-parole ! »[g]

23 Gens du monde entier, chantez pour le Seigneur,
jour après jour annoncez qu'il est le Sauveur.
24 Parlez de sa *gloire à tous les hommes,
chez tous les peuples racontez ses merveilles.

25 Le Seigneur est grand et mérite bien qu'on l'acclame.
Il est plus redoutable que tous les dieux.
26 Les dieux des nations sont tous des nullités,
tandis que le Seigneur a fait le ciel.
27 Il rayonne de grandeur et de majesté,
le lieu où il se trouve est rempli de puissance et d'allégresse.

28 Peuples de tous pays, venez honorer le Seigneur,
en proclamant sa gloire et sa puissance.
29 Venez proclamer sa gloire,
apportez vos dons devant lui.
Courbez-vous jusqu'à terre devant le Seigneur,
quand il manifeste qu'il est Dieu.
30 Tremblez devant lui, gens du monde entier,
la terre est ferme, elle tiendra bon.
31 Que le ciel se réjouisse, que la terre s'émerveille !
Que l'on dise à tous les hommes : « Le Seigneur est roi ! »
32 Que la mer mugisse avec ce qu'elle contient !
Que la campagne soit en fête avec tout ce qui la peuple !
33 Que les arbres des forêts poussent des cris de joie devant le Seigneur,
car il vient pour rendre la justice sur terre.

34 Louez le Seigneur, car il est bon,
et son amour n'a pas de fin[h].
35 Criez vers lui :
« Dieu notre Sauveur, sauve-nous,
délivre-nous des nations étrangères
et rassemble-nous.
Alors, en te louant, nous prononcerons ton nom, ton nom unique,
nous nous réjouirons de t'acclamer. »
36 Merci au Seigneur, au Dieu d'Israël,
remerciez-le en tout temps.

Et toute l'assemblée s'écria : « *Amen !
Acclamez le Seigneur ! »
37 David ordonna ensuite à Assaf et à
ses collègues de rester auprès du coffre de
l'alliance du Seigneur, pour y accomplir

f **16.18** V. 16-18 : voir Gen 12.7 ; 26.3 ; 28.13.
g **16.22** V. 21-22 : voir Gen 20.3-7.
h **16.34** Voir 2 Chron 5.13 ; Esd 3.11 ; Ps 100.5 ; 107.1 ; 118.1,29 ; 136.1 ; Jér 33.11.

leur service, sans interruption, selon l'ordre prévu pour chaque jour. 38 Et il désigna comme portiers Obed-Édom et
soixante-huit hommes de sa parenté,
ainsi qu'Obed-Édom, fils de Yedoutoun,
et Hossa.
39 David confia au prêtre Sadoc et aux
prêtres de sa parenté le service du *sanctuaire du Seigneur qui se trouvait sur le
lieu sacré de Gabaon[i]. 40 Ils devaient y
présenter sur *l'autel les *sacrifices
complets offerts au Seigneur chaque matin et chaque soir, et accomplir toutes les
tâches inscrites dans la loi que le Seigneur a donnée à Israël. 41 Ils étaient en
compagnie de Héman, de Yedoutoun et
des autres hommes spécialement désignés pour louer le Seigneur, à cause de
son amour sans fin. 42 Héman et Yedoutoun s'occupaient des trompettes et des
cymbales des musiciens, ainsi que des autres instruments utilisés pour accompagner les chants sacrés. Les fils de
Yedoutoun étaient portiers.
43 Ensuite chacun retourna chez soi.
David rentra aussi chez lui saluer les
siens[j].

Une promesse de Dieu pour David et ses descendants

(Voir 2 Sam 7.1-17)

17 1 David s'installa dans son palais.
Un jour il dit au *prophète Na-
tan : « J'habite une maison construite en
bois de cèdre et le *coffre de l'alliance du
Seigneur n'a pour abri que les toiles
d'une tente[k]. Qu'en penses-tu ? » – 2 « Tu
as certainement une idée à ce sujet, répondit Natan. Réalise-la, car Dieu est
avec toi. »
3 Mais la nuit suivante, le Seigneur
adressa la parole à Natan pour lui dire :
4 « Va trouver David mon serviteur. Tu lui
diras : Voici ce que te déclare le Seigneur : "Ce n'est pas toi qui me construiras un *temple où je puisse habiter. 5 Je
n'ai d'ailleurs jamais habité dans un temple, depuis le jour où j'ai fait sortir Israël
d'Égypte et jusqu'à présent. Au contraire,
je me suis abrité sous des tentes, en me
déplaçant d'un endroit à un autre. 6 De
plus, durant tout le temps où j'accompa-
gnais Israël, j'ai confié à plusieurs juges
le soin de gouverner mon peuple, mais
je n'ai reproché à aucun d'entre eux de
ne pas m'avoir construit un temple en
bois de cèdre." 7 C'est pourquoi tu diras
encore à David : Voici ce que te déclare
le Seigneur, le Dieu de l'univers : "Lorsque tu n'étais qu'un gardien de moutons, je t'ai pris au pâturage pour faire
de toi le chef d'Israël, mon peuple[l]. 8 Je
t'ai soutenu dans toutes tes entreprises,
j'ai exterminé tes ennemis devant toi.
Grâce à moi tu vas acquérir un renom
semblable à celui des plus grands rois de
la terre. 9 Je vais donner à Israël, mon
peuple, un lieu où je l'installerai pour
qu'il y demeure sans rien avoir à craindre. Aucune nation malveillante ne recommencera à le maltraiter comme
autrefois, 10 à l'époque où j'ai confié à
des juges le soin de gouverner Israël,
mon peuple ; je ferai plier tous tes ennemis. Et je t'annonce que moi, le
Seigneur, je vais t'accorder des descendants[m]. 11 Lorsque sera venu pour toi le
moment de mourir, je désignerai l'un de
tes propres fils pour te succéder comme
roi, et j'établirai fermement son autorité[n]. 12 C'est lui qui me construira un
temple[o], et moi je l'installerai sur un
trône inébranlable. 13 Je serai un père
pour lui et il sera un fils pour moi. Je ne
lui retirerai pas mon appui, comme je
l'ai fait pour le roi qui t'a précédé[p]. 14 Je
le maintiendrai comme roi à la tête de
mon peuple, pour toujours, car le pouvoir royal de sa famille sera inébranlable." »
15 Natan rapporta à David tout ce que
Dieu lui avait dit dans cette vision.

---

i **16.39** Voir 1 Rois 3.4 et la note.

j **16.43** Voir 2 Sam 6.19-20.

k **17.1** *une maison en bois de cèdre* : voir 2 Sam 5.11 ; *les toiles d'une tente* : voir 2 Sam 6.17.

l **17.7** *pris au pâturage* : voir 1 Sam 16.11 ; *chef d'Israël* : voir 2 Sam 5.2.

m **17.10** Dans les v. 4-10, l'hébreu joue sur les deux sens du mot traduit habituellement par « maison ». Voir 2 Sam 7.11 et la note.

n **17.11** Voir 1 Rois 2.12,46.

o **17.12** Voir 1 Rois 6.

p **17.13** *un père pour lui, un fils pour moi* : voir 2 Cor 6.18 ; Hébr 1.5. – *le roi qui t'a précédé* : Saül, voir 1 Sam 15.28.

Prière de David

(Voir 2 Sam 7.18-29)

16 Alors le roi David alla se présenter
devant le Seigneur, dans la tente sacrée,
et dit : « Seigneur mon Dieu, je sais que
ni moi ni ma famille n'avons mérité tout
ce que tu nous as déjà accordé. 17 Mais
pour toi, Seigneur, ce n'est pas suffisant.
Voilà que tu fais des promesses pour
l'avenir de ma famille ; tu me traites
comme si j'étais un homme supérieur[q].
Seigneur mon Dieu, 18 que pourrais-je
ajouter au sujet de la gloire que tu m'accordes, puisque tu me connais, moi, ton
serviteur ? 19 Seigneur, parce que tu m'aimes, tu as accompli toutes ces choses
merveilleuses, pour manifester ton infinie grandeur. 20 Seigneur, personne n'est
semblable à toi. Il n'existe vraiment pas
d'autre Dieu que toi, comme nous l'avons
toujours entendu dire. 21 De même aucun
peuple sur terre n'est semblable à Israël.
Tu es venu le libérer, lui seul, de l'oppression des Égyptiens, pour en faire ton peuple. Tu t'es rendu célèbre en recourant à
des actions merveilleuses ou effrayantes
pour chasser des nations devant ton peuple. 22 Tu en as fait ton peuple pour toujours, Seigneur, et tu es devenu son Dieu.
23 Maintenant, Seigneur, accomplis ce
que tu as dit, et que la promesse que tu as
faite à mon sujet et au sujet de mes descendants se réalise en tout temps. 24 Oui,
qu'elle se réalise, et ainsi ta renommée
sera établie pour toujours ; on dira : "Le
Dieu d'Israël, le Dieu qui est pour Israël,
c'est le Seigneur de l'univers." Assure la
durée de ma dynastie. 25 En effet, mon
Dieu, tu m'as révélé ton intention de
m'accorder des descendants qui régneront après moi. C'est pourquoi je me
trouve ici, devant toi, en train de prier.
26 Seigneur, c'est toi qui es Dieu, et tu me
promets maintenant ce bonheur ! 27 Tu as
décidé de *bénir ma famille afin que mes
descendants règnent toujours devant toi.
Seigneur, puisque c'est toi qui la bénis,
elle sera bénie pour toujours[r]. »

Victoires de David sur des nations voisines

(Voir 2 Sam 8.1-14)

18 1 Par la suite, David battit les Philistins et les humilia en leur prenant la ville de Gath et les villages
voisins. 2 Il battit aussi les Moabites, qui
devinrent alors ses sujets, soumis au
payement d'un tribut. 3 Il battit encore
Hadadézer, roi de l'État syrien de Soba,
dont le royaume s'étendait en direction
de Hamath[s], au moment où Hadadézer
tentait d'établir sa domination sur la région de l'Euphrate. 4 Il s'empara de mille
chars, et fit prisonniers sept mille cavaliers et vingt mille fantassins de son armée ; il garda pour lui une centaine
d'attelages, mais fit couper les jarrets de
tous les autres chevaux. 5 Là-dessus les
Syriens de Damas vinrent au secours de
Hadadézer ; David les battit également et
tua vingt-deux mille d'entre eux. 6 Il leur
imposa des gouverneurs, et les Syriens
furent ses sujets, soumis au payement
d'un tribut. Ainsi le Seigneur donna la
victoire à David dans toutes ses campagnes militaires. 7 David s'empara des
boucliers d'or que portaient les gardes de
Hadadézer, et les emporta à Jérusalem.
8 Il s'empara aussi de grandes quantités
de bronze qui se trouvaient à Tibath et à
Koun, deux villes du royaume de Hadadézer. Plus tard Salomon utilisa ce métal
pour fabriquer la grande cuve ronde, les
colonnes et les ustensiles de bronze du
*temple[t].

9 Toou, roi de Hamath, apprit que David avait battu toute l'armée de Hadadézer, roi de Soba. 10 Il envoya son fils
Hadoram saluer le roi David et le féliciter
de sa campagne victorieuse contre Hadadézer. En effet, Hadadézer était un adversaire de Toou. Hadoram apporta à
David toutes sortes d'objets d'or, d'argent
et de bronze. 11 Le roi les consacra au Seigneur, comme l'argent et l'or pris aux au-

---

q **17.17** *un homme supérieur* : traduction incertaine.

r **17.27** Autres traductions *qui le bénis, le roi sera béni pour toujours*, ou *qui bénis, béni sois-tu pour toujours*.

s **18.3** *Soba* : royaume situé au nord de Damas ; *Hamath* : localité et royaume situés encore plus au nord ; voir v. 9, ainsi que 2 Sam 8.9 et la note.

t **18.8** *Tibath, Koun* : localités de Syrie, situées probablement dans les environs de l'actuelle Baalbek. – *grande cuve ronde, colonnes, ustensile de bronze* : voir respectivement 1 Rois 7.23-26,15-22,45.

tres nations, Édomites, Moabites, Ammonites, Philistins et Amalécites.

12 Abichaï, dont la mère s'appelait Serouia, battit les Édomites dans la vallée du Sel, tuant dix-huit mille d'entre eux[u]. 13 Il leur imposa des gouverneurs, et les Édomites furent ses sujets. Ainsi le Seigneur donna la victoire à David dans toutes ses campagnes militaires.

Liste des fonctionnaires de David

(Voir 2 Sam 8.15-18)

14 David régna sur l'ensemble d'Israël. Il rendait la justice avec impartialité à l'égard de tout le peuple. 15 Joab, dont la mère s'appelait Serouia, était chef de l'armée ; Yochafath, fils d'Ahiloud, était porte-parole du roi ; 16 Sadoc, fils d'Ahitoub, et Abimélek, fils d'Abiatar, étaient prêtres ; Chavecha était secrétaire ; 17 Benaya, fils de Yoyada, commandait les Crétois et les Pélétiens de la garde royale. Les fils de David étaient ses principaux collaborateurs.

Les ministres de David déshonorés

(Voir 2 Sam 10.1-5)

19 1 Quelque temps après, Nahach, roi des Ammonites, mourut et son fils lui succéda. 2 David se dit : « Je veux traiter Hanoun, fils de Nahach, avec bonté, puisque son père l'a fait à mon égard. » Il envoya donc une délégation présenter ses condoléances à Hanoun, à l'occasion de la mort de son père. Lorsque les ministres de David, chargés de cette mission, arrivèrent dans le pays des Ammonites, 3 les princes ammonites dirent à Hanoun : « T'imagines-tu que c'est seulement pour honorer la mémoire de ton père que David envoie des ministres t'apporter ses condoléances ? N'est-ce pas plutôt pour qu'ils jouent les espions en parcourant le pays, afin de pouvoir un jour s'en emparer ? » 4 Alors Hanoun fit arrêter les ministres de David : on leur rasa la barbe, on leur coupa les vêtements à mi-hauteur, au niveau des fesses, et on les renvoya. 5 Ils s'en allèrent. David fut informé de ce qui était arrivé à ses ministres. Il envoya des messagers à leur rencontre, car ils étaient écrasés de honte. Le roi leur faisait dire : « Restez à Jéricho jusqu'à ce que vos barbes aient repoussé. Alors seulement vous reviendrez ici. »

Guerre contre les Ammonites et les Syriens

(Voir 2 Sam 10.6-19)

6 Hanoun et les Ammonites comprirent qu'ils s'étaient rendus odieux à David. Ils prirent donc à leur solde des Syriens de Haute-Mésopotamie, de Maaka et de Soba[v], avec chars et cavaliers, au prix de trente tonnes d'argent. 7 Ils se procurèrent trente-deux mille chars de guerre, et louèrent les services du roi de Maaka avec son armée. Ceux-ci vinrent camper dans les environs de Mèdeba[w], tandis que les Ammonites, sortant de leurs villes, se rassemblaient pour le combat.

8 Dès que David l'apprit, il dépêcha sur les lieux le général Joab avec toute l'armée de métier. 9 Les Ammonites allèrent se ranger en ordre de bataille près de la porte de leur capitale. Les rois venus à leur aide occupaient une autre position dans la campagne. 10 Joab constata qu'il devait faire face à deux fronts, l'un devant lui et l'autre derrière. Il choisit les meilleurs soldats d'Israël et les plaça en face des Syriens. 11 Il confia le reste de l'armée à son frère Abichaï ; ces troupes-là furent placées en face des Ammonites. 12 Joab dit à son frère : « Si les Syriens sont plus forts que moi, tu viendras à mon secours. Si au contraire les Ammonites sont plus forts que toi, c'est moi qui te secourrai. 13 Montre-toi courageux, combattons avec vaillance pour notre peuple et les villes de notre Dieu. Et que le Seigneur agisse comme il le jugera bon. » 14 Joab et sa troupe s'avancèrent pour combattre les Syriens ; ceux-ci s'enfuirent devant lui. 15 Quand les Ammonites virent les Syriens en fuite, ils s'enfuirent eux-mêmes devant Abichaï,

---

u **18.12** *vallée du Sel* : voir 2 Sam 8.13 et la note. – Voir aussi Ps 60.2.

v **19.6** *Maaka* : région non identifiée ; *Soba* : voir 18.3 et la note.

w **19.7** *Mèdeba* : voir És 15.2 et la note.

le frère de Joab, et rentrèrent dans la ville. Alors Joab regagna Jérusalem.

16 Les Syriens, constatant qu'ils avaient été battus par les Israélites, envoyèrent des messagers mobiliser leurs compatriotes habitant au-delà de l'Euphrate. A leur tête se trouvait Chofak, commandant en chef de l'armée de Hadadézer[x]. 17 David en fut informé ; il rassembla toute l'armée israélite, passa le Jourdain, fonça vers eux et prit position à proximité de leurs lignes. Il plaça ses troupes en ordre de bataille, face aux Syriens. Les Syriens attaquèrent, 18 mais ils furent mis en fuite par les Israélites. David et ses troupes tuèrent sept mille attelages de chevaux et quarante mille fantassins ; il tuèrent même le général Chofak. 19 Lorsque les rois soumis à Hadadézer virent qu'ils avaient été battus par les Israélites, ils firent la paix avec David et se soumirent à lui. Dès lors les Syriens ne voulurent plus porter secours aux Ammonites.

Joab s'empare de la ville de Rabba

(Voir 2 Sam 11.1 ; 12.26-31)

20 1 Au printemps suivant – c'est la saison où, d'habitude, les rois partent pour la guerre –, Joab partit à la tête de l'armée, ravagea le territoire des Ammonites et alla assiéger la capitale Rabba. David, lui, était resté à Jérusalem.

Lorsque Joab se fut emparé de Rabba et l'eut détruite, 2 David prit la couronne qui se trouvait sur la tête de la statue du dieu ammonite Milkom[y]. On constata que cette couronne d'or pesait plus de trente kilos, et portait une pierre précieuse, qui fut placée sur la couronne royale de David. En outre on emporta de la ville un très abondant butin. 3 David déporta les habitants et les affecta à des travaux forcés, en tant que scieurs et tailleurs de pierre ou bûcherons[z]. Il fit de même pour toutes les autres villes des Ammonites. Ensuite il rentra à Jérusalem avec toute son armée.

Combats contre les Philistins

(Voir 2 Sam 21.18-22)

4 Plus tard, Israël engagea un combat contre les Philistins, à Guézer ; à cette occasion-là, Sibkaï, de Houcha, tua Sippaï, un descendant des Refaïtes[a]. Les Philistins en furent humiliés. 5 Au cours d'un autre combat contre les Philistins, Élanan, fils de Yaïr, tua Lami, frère de Goliath, de Gath, dont le bois de la lance était gros comme le cylindre d'un métier à tisser[b]. 6 Un autre combat encore eut lieu, à Gath. Il y avait là un soldat ennemi de haute taille, qui avait six doigts à chaque extrémité, soit vingt-quatre doigts ; il était, comme les autres, un descendant de Harafa. 7 Il insulta les Israélites. Alors Yonatan, fils de Chamma et neveu de David, le tua.

8 Ces soldats philistins, descendants de Harafa, de Gath, tombèrent donc sous les coups de David et de ses soldats.

David fait recenser le peuple d'Israël

(Voir 2 Sam 24.1-9)

21 1 Un jour, *Satan décida de nuire à Israël en poussant David à dénombrer les Israélites. 2 David dit à Joab et aux autres chefs de l'armée : « Allez recenser les Israélites, du sud au nord du pays, puis venez me faire votre rapport, car je veux connaître le chiffre de la population. » 3 Joab lui répondit : « Majesté, je souhaite que le Seigneur rende les Israélites cent fois plus nombreux ! Aujourd'hui ils sont déjà tous à ton service. Mais pourquoi donc désires-tu connaître leur nombre et entraîner Israël dans la désobéissance ?[c] »

4 Cependant l'ordre du roi était catégorique, de sorte que Joab dut l'exécuter. Il partit, parcourut tout Israël, puis regagna Jérusalem. 5 Il communiqua à David

---

x **19.16** *Hadadézer* : voir 18.3.

y **20.2** *Milkom* : voir 2 Sam 12.30 et la note.

z **20.3** *bûcherons* : d'après le texte parallèle de 2 Sam 12.31 ; le texte hébreu des Chroniques répète ici le mot traduit précédemment par *scieurs (de pierres)*. Voir aussi la note de 2 Sam 12.31.

a **20.4** *Guézer* : voir 2 Sam 5.25 et la note. – *Refaïtes* : tribu installée, avant l'arrivée des Israélites, à l'est du Jourdain (voir Deut 3.11).

b **20.5** *Goliath* : voir 1 Sam 17.4-7. – *Gath* : voir 1 Sam 5.8 et la note.

c **21.3** Voir 2 Sam 24.3 et la note.

le résultat du recensement: *Israël
comptait 1 100 000 hommes en état de se
battre, et Juda 470 000.
6 Joab n'avait pas recensé les tribus de
Lévi et de Benjamin avec les autres, car
l'ordre du roi l'avait profondément choqué.

Dieu punit la faute de David

(Voir 2 Sam 24.10-17)

7 Cette entreprise déplut à Dieu, qui
punit Israël. 8 David dit à Dieu : « En
agissant ainsi, j'ai commis une faute
grave. Je reconnais que je me suis
conduit comme un insensé ! Pardonne-
moi ce péché. »
9 Le Seigneur adressa la parole au
*prophète Gad, conseiller de David :
10 « Va trouver David ! Tu lui diras :
"Voici ce que déclare le Seigneur : Je te
propose trois châtiments ; je t'infligerai
celui que tu choisiras." »
11 Gad se rendit chez David et lui dit :
« Voici ce que déclare le Seigneur : "Que
choisis-tu ? 12 Trois années de famine ? ou
trois mois de défaite, pendant lesquels tu
seras harcelé par l'épée de tes ennemis ?
ou trois jours pendant lesquels le Seigneur frappera le pays de son épée en envoyant son *ange exterminateur répandre la peste dans tout le territoire
d'Israël ?" Réfléchis et dis-moi ce que je
dois répondre à celui qui m'envoie. »
13 David répondit : « Je suis dans une
grande angoisse... Mais je préfère tomber
entre les mains du Seigneur plutôt qu'entre celles des hommes, car le Seigneur
sait avoir pitié. »
14 Le Seigneur envoya donc une épidémie de peste sur Israël ; soixante-dix
mille Israélites en moururent. 15 Le Seigneur conduisit l'ange à Jérusalem,
pour y répandre le fléau. Mais lorsqu'il
vit l'ange exterminateur accomplir sa
tâche, le Seigneur renonça à sévir davantage et lui dit : « Cela suffit ; abaisse
ta main ! »
A ce moment-là, l'ange du Seigneur se
tenait près de l'endroit où le Jébusite[d]
Ornan battait son blé. 16 David leva les
yeux et vit l'ange qui se tenait entre ciel
et terre, brandissant son épée dégainée en
direction de Jérusalem. David et les *anciens, qui étaient vêtus d'habits de deuil,
se jetèrent le visage contre terre. 17 David
dit à Dieu : « N'est-ce pas moi qui ai ordonné de dénombrer la population ?
C'est donc moi qui suis coupable, c'est
moi qui ai commis une faute ! Eux, les
gens de mon peuple, n'ont rien fait de
mal. Seigneur mon Dieu, c'est moi et ma
famille qu'il faut punir, sans infliger ce
fléau à ton peuple. »

David construit un autel pour le Seigneur

(Voir 2 Sam 24.18-25)

18 *L'ange du Seigneur dit à Gad :
« Ordonne à David de monter sur l'aire
où Ornan bat son blé, et d'y construire
un *autel pour le Seigneur. » 19 David s'y
rendit comme Gad le lui avait ordonné
de la part du Seigneur. 20 Ornan était en
train de battre son blé. Il se retourna et
aperçut l'ange ; ses quatre fils, qui
étaient avec lui, allèrent se cacher. 21 David monta vers Ornan. Dès que celui-ci
vit le roi, il quitta l'aire et vint se jeter le
visage contre terre devant lui. 22 David
lui dit : « Cède-moi l'emplacement de
ton aire. Je veux y construire un autel
pour le Seigneur, afin que le fléau qui
s'est abattu sur le peuple prenne fin.
Cède-le-moi donc, je te le payerai à sa
pleine valeur. » 23 Ornan répondit : « Que
le roi prenne ce dont il a besoin et qu'il
fasse ce qu'il désire. Voici mes bœufs, je
les donne pour le *sacrifice, et voici les
chariots comme combustible et le blé
pour l'offrande végétale. Je donne tout. »
24 Mais le roi lui dit : « Tu ne me donneras rien ! Je veux acheter cela, te le payer
à sa pleine valeur. Je ne vais quand
même pas offrir au Seigneur ce qui t'appartient, lui faire des sacrifices qui ne
me coûtent rien ! »
25 David remit à Ornan six cents pièces
d'or, pour l'achat de cet emplacement.
26 Il construisit à cet endroit un autel
pour le Seigneur et y plaça des sacrifices
complets et des sacrifices de communion.
Il pria ensuite le Seigneur, qui lui répon-

d **21.15** *Jébusite* : voir 2 Sam 24.16 et la note.

dit en envoyant du ciel le feu destiné à
brûler les sacrifices sur l'autel. 27 Alors le
Seigneur ordonna à l'ange de remettre
l'épée dans son fourreau.

28 David constata que le Seigneur avait
répondu à sa prière, sur l'aire d'Ornan, le
Jébusite ; dès lors, il y offrit régulièrement des sacrifices. 29 A cette époque, le
*sanctuaire que Moïse avait fabriqué
dans le désert se trouvait, avec l'autel des
sacrifices, sur le lieu sacré de Gabaon[e].
30 Mais David ne pouvait pas s'y rendre
pour consulter Dieu, tant il avait été
effrayé par l'épée de l'ange du Seigneur.
22 1 C'est pourquoi il disait : « Le
sanctuaire du Seigneur Dieu se
trouve ici, et voici l'autel où les Israélites
doivent offrir leurs sacrifices. »

David prépare la construction du temple

2 David ordonna de rassembler les
étrangers[f] habitant le pays d'Israël ; il leur
imposa la tâche de façonner des pierres de
taille en vue de la construction du *temple
de Dieu. 3 Il prépara une grande quantité
de fer, destiné à la fabrication des clous
pour les battants des portes, ainsi que des
crochets ; il accumula une masse incalculable de bronze, 4 de même qu'une
quantité considérable de bois de cèdre, que
les Sidoniens et les Tyriens[g] lui fournissaient en abondance. 5 En effet, David se
disait : « Mon fils Salomon est jeune et
sans expérience. Or le temple à construire
pour le Seigneur devra être renommé dans
tous les pays pour sa grandeur insurpassable et sa splendeur. Je veux donc faire
des préparatifs en vue de cette construction[h]. » Ainsi David fit de nombreux préparatifs avant sa mort.

David charge Salomon de construire le temple

6 David convoqua son fils Salomon et
lui ordonna de construire un *temple
pour le Seigneur, le Dieu d'Israël. 7 Il lui
dit : « Mon fils, j'avais moi-même l'intention de construire un temple consacré au
Seigneur mon Dieu. 8 Cependant le Seigneur m'a déclaré : "Tu as fait couler
beaucoup de sang au cours des grandes
guerres que tu as menées. A cause de tout
ce sang répandu à terre devant moi, ce
n'est pas toi qui construiras un temple où
l'on viendra m'adorer. 9 Mais un fils va
naître de toi : ce sera un homme de paix
et je ne permettrai pas aux ennemis qui
l'entourent de troubler sa tranquillité. Il
portera le nom de Salomon, – ce qui signifie 'le Pacifique' –, car durant son règne j'accorderai à Israël paix et sécurité.
10 C'est lui qui me construira un temple.
Il sera un fils pour moi et je serai un père
pour lui. Je rendrai inébranlable sa
royauté sur Israël."[i] 11 Eh bien, mon fils,
continua David, que le Seigneur ton
Dieu soit avec toi, afin que tu réussisses
à lui construire un temple, comme il
l'a promis à ton sujet. 12 Qu'il t'accorde
du discernement et de l'intelligence
lorsqu'il te donnera l'autorité sur Israël,
pour que tu puisses obéir à sa loi. 13 Si tu
respectes et accomplis les prescriptions et
les règles qu'il a données à Moïse pour Israël, alors tu réussiras en tout. Sois courageux et fort ; ne crains rien, ne t'effraie
pas[j]. 14 J'ai pris la peine d'accumuler,
pour le temple du Seigneur, plus de trois
mille tonnes d'or, plus de trente mille
tonnes d'argent, ainsi qu'une quantité incalculable de bronze et de fer. J'ai aussi
préparé du bois et des pierres. Tu pourras
en ajouter encore. 15 Tu auras à ton service des ouvriers, artisans spécialisés
dans le travail de la pierre et du bois, ou
experts en tout autre ouvrage. 16 Tu disposes d'une quantité inépuisable d'or,
d'argent, de bronze et de fer. Eh bien,
mets-toi à l'ouvrage, et que le Seigneur
soit avec toi. »

---

e **21.29** *Gabaon* : voir 16.39 ; 1 Rois 3.4 et la note.

f **22.2** Par le terme *étrangers*, l'auteur désigne les descendants des anciennes peuplades qui avaient habité la Palestine avant l'installation des Israélites (voir au Vocabulaire AMORITES).

g **22.4** Les *Sidoniens* et les *Tyriens* (habitants des régions de Sidon et de Tyr) étaient spécialisés dans le travail du bois, en provenance du mont Liban (voir 1 Rois 5.20 et la note).

h **22.5** *en vue de cette construction* : autre traduction *pour aider Salomon*.

i **22.10** V. 7-10 : voir 17.1-14 ; 2 Sam 7.1-16.

j **22.13** Comparer Jos 1.6-9.

17 Ensuite David ordonna à tous les
chefs d'Israël de venir en aide à son fils
Salomon : 18 « Le Seigneur votre Dieu
n'est-il pas avec vous ? leur dit-il. Il vous
a accordé la tranquillité de tous les côtés,
depuis qu'il a livré les anciens habitants
du pays à mon pouvoir. Les voici maintenant soumis au Seigneur et à son peuple.
19 Alors appliquez-vous de tout votre
cœur et de tout votre être à connaître la
volonté du Seigneur votre Dieu. Mettez-
vous à l'ouvrage et construisez le *sanctuaire du Seigneur Dieu ; vous pourrez
ainsi déposer le *coffre de l'alliance du
Seigneur et les objets consacrés à Dieu
dans le temple que vous aurez construit
en son honneur. »

David organise les groupes de lévites

23 1 David, devenu très vieux, désigna son fils Salomon comme roi
d'Israël[k]. 2 Puis il fit venir tous les chefs
d'Israël, ainsi que les prêtres et les
*lévites.
3 On compta un à un les lévites adultes,
âgés de trente ans et plus ; leur nombre
s'éleva à trente-huit mille. 4 David en désigna vingt-quatre mille pour surveiller
la construction du *temple du Seigneur,
six mille comme administrateurs et juges, 5 quatre mille comme portiers et les
quatre mille autres pour acclamer le Seigneur avec les instruments de musique
qu'il avait fait fabriquer pour cet usage.
6 Il répartit les lévites en différents groupes, selon qu'ils appartenaient aux clans
de Guerchon, Quéhath ou Merari, les fils
de Lévi.

7 Guerchon eut pour fils Ladan et
Chiméi. 8 Ladan eut trois fils : Yéhiel, le
premier, puis Zétam et Joël. 9 Chiméi eut
trois fils : Chelomith, Haziel et Haran, qui
furent les chefs des familles issues de Ladan. 10 Chiméi eut encore quatre fils[l] : Yahath, Ziza, Yéouch et Beria. 11 Yahath était
le premier, Ziza le second ; Yéouch et Beria eurent peu de fils, si bien qu'ils furent
enregistrés comme une seule famille.

12 Quéhath eut quatre fils : Amram, Issar, Hébron et Ouziel. 13 Fils d'Amram :
Aaron et Moïse. Aaron fut mis à part à
titre définitif, de même que ses descendants, pour s'occuper du "*lieu très
saint"[m] ; ils devaient présenter au Seigneur les offrandes de parfum, accomplir le service divin et prononcer la
*bénédiction au nom du Seigneur.
14 Quant à Moïse, il fut l'homme de
Dieu ; cependant ses fils furent considérés comme de simples membres de la
tribu de Lévi. 15 Fils de Moïse : Guerchom et Éliézer. 16 Fils de Guerchom :
Chebouel, le premier. 17 Éliézer eut un
fils, Rehabia ; il n'en eut pas d'autres,
mais Rehabia eut de très nombreux descendants. 18 Fils d'Issar : Chelomith, le
premier. 19 Fils d'Hébron : Yeria, le premier, Amaria, le second, Yaziel, le troisième, et Yecamam, le quatrième. 20 Fils
d'Ouziel : Mika, le premier, et Issia, le
second.

21 Fils de Merari : Mali et Mouchi.
Mali eut deux fils, Élazar et Quich. 22 Élazar mourut sans avoir eu de fils. Il ne laissait que des filles et ce furent leurs
cousins, les fils de Quich, qui les épousèrent. 23 Mouchi eut trois fils, Mali, Éder
et Yerémoth.

24 Tels furent les descendants de Lévi,
chefs de leurs familles respectives, enregistrés un à un dans les listes nomina-
tives. Ils étaient chargés, dès l'âge de
vingt ans, de s'occuper du service dans le
temple du Seigneur. 25 En effet, David
avait déclaré : « Le Seigneur, le Dieu d'Israël, a accordé la paix à son peuple ; lui-
même demeure pour toujours à Jérusalem. 26 Ainsi les lévites n'ont plus à
transporter la *tente de la rencontre et
tous les objets du culte. » 27 Selon la décision finale de David, les lévites sont inscrits sur les listes dès l'âge de vingt ans.

---

k **23.1** Voir 1 Rois 1.1-40.
l **23.10** Le sens des v. 9-10 en hébreu n'est pas très clair ; en particulier on ne voit pas précisément quelle est la relation entre la liste des *fils de Chiméi* du v. 9 et celle du v. 10.
m **23.13** *Aaron fut mis à part* : voir Ex 28.1. – *du lieu très saint* ou *des choses très saintes*.

[28] Ils sont aux ordres des descendants d'Aaron pour le service dans le temple du Seigneur, dans les cours et dans les locaux adjacents ; ils *purifient les objets sacrés et accomplissent des tâches particulières dans le *sanctuaire : [29] confectionner les pains sacrés offerts à Dieu[n], préparer la farine destinée aux offrandes végétales – galettes sans *levain, gâteaux cuits sur une plaque et autres pâtisseries –, et contrôler les mesures de capacité et de longueur. [30] Ils doivent être présents matin et soir pour louer et acclamer le Seigneur, [31] ainsi que chaque fois qu'on lui offre des *sacrifices complets, le jour du *sabbat, le premier jour du mois ou les autres jours de fêtes[o]. En tout temps, ils accompliront, en nombre réglementaire, leur tâche devant le Seigneur. [32] Ils prendront soin de la tente de la rencontre et du sanctuaire, et collaboreront avec les descendants d'Aaron, leurs frères, au service dans le temple du Seigneur[p].

Les groupes de prêtres

24 [1] Les descendants d'Aaron furent répartis en groupes. Aaron avait eu quatre fils, Nadab, Abihou, Élazar et Itamar. [2] Nadab et Abihou moururent[q] avant leur père, sans avoir de fils, si bien que seuls Élazar et Itamar exercèrent le ministère de prêtres. [3] Plus tard David, secondé par Sadoc, descendant d'Élazar, et par Ahimélek, descendant d'Itamar, répartit les prêtres en groupes, selon les devoirs de leur service. [4] On constata qu'il y avait plus d'hommes parmi les descendants d'Élazar que parmi ceux d'Itamar. C'est pourquoi on répartit les descendants d'Élazar en seize groupes familiaux et ceux d'Itamar en huit groupes, avec leurs chefs respectifs. [5] La répartition des uns et des autres se fit par tirage au sort, car il y avait des "princes consacrés" et des "princes de Dieu"[r] aussi bien parmi les descendants d'Élazar que parmi ceux d'Itamar.

[6] Le secrétaire Chemaya, fils de Netanéel, de la tribu de Lévi, inscrivit leurs noms en présence du roi, des chefs, du prêtre Sadoc, d'Ahimélek, fils d'Abiatar, et des chefs de familles sacerdotales et lévitiques. Pour le clan d'Élazar, on tirait au sort deux fois consécutives, pour celui d'Itamar, une seule fois[s]. [7-18] Voici la liste des chefs des groupes désignés par le tirage au sort :

1. Yoyarib	13. Houppa
2. Yedaya	14. Yéchébab
3. Harim	15. Bilga
4. Séorim	16. Immer
5. Malkia	17. Hézir
6. Miamin	18. Happissès
7. Haccos	19. Petahia
8. Abia	20. Ézékiel
9. Yéchoua	21. Yakin
10. Chekania	22. Gamoul
11. Éliachib	23. Delaya
12. Yaquim	24. Maazia.

[19] Les groupes se conformaient à cet ordre pour leur service dans le *temple du Seigneur ; ils y accomplissaient leur tâche selon les directives transmises par leur ancêtre Aaron, qui les avait reçues du Seigneur, le Dieu d'Israël lui-même.

Liste complémentaire de lévites

[20] Voici d'autres descendants de Lévi[t] :

Parmi les descendants d'Amram, il y eut Choubaël, et parmi ceux de Choubaël, Yédia. [21] Parmi les descendants de Rehabia, il y eut Issia, le premier de sa famille. [22] Parmi les descendants d'Issar, il y eut Chelomoth, et parmi ceux de Chelomoth, Yahath. [23] Fils d'Hébron : Yeria, le premier[u], Amaria, le second, Yaziel, le troisième, et Yecamam, le quatrième.

---

n **23.29** Voir Lév 24.5-9.
o **23.31** Voir Nomb 28–29.
p **23.32** V. 28-32 : voir Nomb 3.5-9.
q **24.2** Voir Lév 10.1-2.
r **24.5** On ignore ce que désignent précisément les deux appellations *princes consacrés* et *princes de Dieu*. Elles dénotent l'existence de rivalités entre les deux clans, rivalités qu'on s'efforce de surmonter.
s **24.6** Le texte hébreu de la fin du v. 6 est peu clair ; la traduction proposée est en partie suggérée par le fait que les descendants d'Élazar étaient deux fois plus nombreux que ceux d'Itamar (voir v. 4).
t **24.20** Cette liste reprend, et développe parfois, celle donnée au chap. 23, avec ici ou là quelques variantes de noms.
u **24.23** *Fils d'Hébron... premier* : texte rétabli d'après 23.19 ; ici le texte hébreu, lacuneux, dit *Benaï, Yeria, (Amaria, le second...)*.

24 Fils d'Ouziel : Mika. Parmi les descendants de Mika, il y eut Chamir. 25 Parmi les descendants d'Issia, frère de Mika, il y eut Zacharie. 26 Fils de Merari : Mali, Mouchi et Yazia ; 27 descendants de Merari, par son fils Yazia : Choham, Zakour et Ibri. 28 Fils de Mali : Élazar, qui n'eut pas de fils, 29 et Quich, dont Yeraméel fut un fils. 30 Fils de Mouchi : Mali, Éder et Yerimoth.

Tels furent les descendants des *lévites, selon leurs familles respectives. 31 Eux aussi, tout comme leurs frères, les descendants d'Aaron, tirèrent au sort l'ordre de leur service, en présence du roi David, de Sadoc et Ahimélek, et des chefs de familles sacerdotales et lévitiques. Ainsi la famille d'un aîné fut traitée de la même façon que celle d'un frère plus jeune.

Les groupes de chanteurs

25 1 David, secondé par les chefs des équipes responsables du culte, mit à part[v] les descendants d'Assaf, de Héman et de Yedoutoun ; ils chantaient les messages de Dieu en s'accompagnant de lyres, de harpes et de cymbales. Voici la liste des hommes effectuant ce service :

2 Les fils d'Assaf : Zakour, Joseph, Netania et Assaréla ; ils étaient dirigés par leur père, qui chantait les messages de Dieu selon les instructions du roi.

3 Les fils de Yedoutoun : Guedalia, Seri, Yechaya, Chiméi[w], Hachabia et Mattitia ; tous les six étaient dirigés par leur père, qui chantait les messages de Dieu en s'accompagnant de la lyre pour louer et acclamer le Seigneur.

4 Les fils de Héman : Bouquia, Mattania, Ouziel, Chebouel, Yerimoth, Hanania, Hanani, Éliata, Guidalti, Romameti-Ézer, Yochebécacha, Malloti, Hotir et Mahazioth[x]. 5 C'étaient là tous les fils de Héman, lequel annonçait au roi les messages de Dieu, pour exalter sa puissance[y]. Dieu avait accordé à Héman quatorze fils et trois filles.

6 Tous ces gens chantaient dans le *temple du Seigneur sous la direction de leur père, en s'accompagnant de cymbales, de harpes et de lyres ; ils exerçaient leur ministère au service du roi, sous la direction d'Assaf, Yedoutoun et Héman. 7 Ces chanteurs expérimentés et les membres de leurs groupes, également formés pour louer le Seigneur par le chant, étaient deux cent quatre-vingt-huit au total.

8 On tira au sort pour déterminer l'ordre des services, sans faire de différence entre les jeunes et les vieux, ni entre les chanteurs expérimentés et les débutants.

9-31 Voici la liste des chefs des groupes désignés par le tirage au sort :

1. Joseph, fils d'Assaf
2. Guedalia
3. Zakour
4. Isri
5. Netania
6. Bouquia
7. Yessaréla
8. Yechaya
9. Mattania
10. Chiméi
11. Azarel
12. Hachabia
13. Choubaël
14. Mattitia
15. Yerémoth
16. Hanania
17. Yochebécacha
18. Hanani
19. Malloti
20. Éliata
21. Hotir
22. Guidalti
23. Mahazioth
24. Romameti-Ézer[z].

---

v **25.1** Autre traduction *David, secondé par les chefs de l'armée, mit à part pour le culte*.

w **25.3** *Chiméi* : d'après l'ancienne version grecque et le v. 17 (ci-dessous, nº 10) ; ce nom est absent du texte hébreu du v. 3, mais il est indispensable pour obtenir le total de *six*.

x **25.4** Les neuf derniers noms de cette liste (de *Hanania* à *Mahazioth*) forment en hébreu une phrase composée d'expressions de louange qui pourraient se traduire *Fais-moi grâce, Seigneur, / fais-moi grâce. / Tu es mon Dieu. / J'ai élevé / et j'ai magnifié (ton) aide. / Assis dans la détresse, / j'ai parlé. / Donne abondamment / des visions*.

y **25.5** *lequel... puissance* : texte hébreu peu clair. On ignore s'il s'agit de la *puissance* de Dieu ou de celle du roi.

z **25.9-31** Quelques noms de cette dernière liste ont une orthographe différente de celle qui apparaît dans les v. 2-4 : *Isri* (nº 4) = *Seri* (v. 3) ; *Yessaréla* (nº 7) = *Assaréla* (v. 2) ; *Azarel* (nº 11) = *Ouziel* (v. 4) ; *Choubaël* (nº 13) = *Chebouel* (v. 4) ; *Yerémoth* (nº 15) = *Yerimoth* (v. 4).

Chaque chef formait avec d'autres
membres de sa famille un groupe de
douze.

Les groupes de portiers

26 1 Les portiers formaient aussi des
groupes. Mechélémia, fils de Coré
et petit-fils d'Abiassaf[a], du clan de Coré,
2 eut sept fils : ce furent, dans l'ordre, Zacharie, Yediaël, Zébadia, Yatniel, 3 Élam,
Yohanan et Éliohénaï.

4 Obed-Édom eut huit fils : ce furent,
dans l'ordre, Chemaya, Yozabad, Yoa, Sa-
kar, Netanéel, 5 Ammiel, Issakar et Péoul-
taï. En effet, Dieu avait *béni Obed-
Édom[b]. 6 Son aîné Chemaya eut des fils
qui occupèrent des positions dominantes
dans la famille, car c'étaient des hommes
de valeur. 7 Les fils de Chemaya furent
Otni, Refaël, Obed et Elzabad, ainsi que
leurs frères Élihou et Semakia, tous deux
particulièrement estimés. 8 Ces descendants d'Obed-Édom, avec leurs propres
fils et d'autres parents, étaient tous des
hommes de valeur, pleins d'énergie dans
leur service. Ils étaient au nombre de
soixante-deux.

9 Le groupe de Mechélémia[c], constitué
par ses fils et ses frères, comptait dix-huit
hommes de valeur.

10 Hossa, du clan de Merari, eut quatre
fils : Chimri, le premier de la famille,
– son père lui attribua cette position,
bien qu'il ne fût pas l'aîné –, 11 Hilquia, le
second, Tebalia, le troisième, et Zacharie,
le quatrième ; le groupe de Hossa, constitué par tous ses fils et ses frères, comptait
treize hommes.

12 Les chefs et les membres de ces groupes de portiers accomplissaient ensemble
leur tâche dans le *temple du Seigneur.
13 Ils se répartirent les portes à garder
en tirant au sort d'après leurs familles,
jeunes et vieux sur pied d'égalité.

14 Le sort attribua la porte orientale à
Chélémia[d]. Son fils Zacharie, dont les
avis étaient remplis de bon sens, se vit
confier par le sort la porte nord. 15 Obed-
Édom eut la garde de la porte sud, et
ses fils la surveillance des entrepôts.
16 Chouppim et Hossa se partagèrent la
garde de la porte ouest et de la porte de
Challéketh[e], qui s'ouvre sur le chemin
montant.

Les équipes respectives de garde
étaient réparties de la manière suivante :
17 à la porte orientale, six *lévites par
jour ; à la porte nord, quatre par jour ; à la
porte sud, quatre par jour ; aux entrepôts,
deux équipes de deux ; 18 pour le bâtiment annexe situé à l'ouest, quatre hommes sur la route et deux dans le bâtiment[f].

19 Tels étaient les groupes de portiers,
recrutés dans les clans de Coré et de
Merari.

Tâches spéciales confiées à certains lévites

20 D'autres *lévites[g] avaient la responsabilité des trésors du *temple et des
objets sacrés offerts à Dieu. 21 Les descendants de Ladan, du clan de Guerchon,
chefs de leurs familles respectives, étaient
Yéhiéli, 22 ainsi que les fils de Yéhiéli, Zétam et son frère Joël ; ils avaient la responsabilité des trésors du temple du
Seigneur. 23 Pour les clans d'Amram, d'Issar, d'Hébron et d'Ouziel, 24 Chebouel,
descendant de Guerchom, lui-même fils
de Moïse, était le surveillant général des
trésors. 25 Dans sa parenté se trouvait la
lignée des descendants d'Éliézer, frère de
Guerchom : Rehabia, fils d'Éliézer, puis
Yechaya, Yoram, Zikri et Chelomith.
26 Chelomith, avec ses frères, était responsable des objets qui avaient été consacrés
à Dieu par le roi David, par les chefs de
familles, par les commandants de régiments et de compagnies, et par les autres
chefs militaires. 27 Ces hommes avaient
consacré à Dieu une part du butin pris

---

a **26.1** *Abiassaf* : d'après 9.19 ; ici le texte hébreu parle d'*Assaf*.

b **26.5** V. 4-5 : voir 13.14 ; 2 Sam 6.11.

c **26.9** Voir v. 1-3.

d **26.14** *Chélémia* est le même personnage que *Mechélémia* des v. 1 et 9.

e **26.16** Ce nom de *porte* n'est pas mentionné ailleurs.

f **26.18** *bâtiment (annexe)* : traduction incertaine ; le mot hébreu pourrait éventuellement désigner une *cour*.

g **26.20** *D'autres lévites* : d'après l'ancienne version grecque ; hébreu *Les lévites, Ahia*.

lors des guerres, en vue d'entretenir le temple du Seigneur. 28 Tout ce que le *prophète Samuel, Saül, fils de Quich, Abner, fils de Ner, et Joab, dont la mère s'appelait Serouia, avaient consacré à Dieu se trouvait aussi sous la responsabilité de Chelomith et de ses frères.

29 Kenania et ses fils, du clan d'Issar, s'occupaient des affaires civiles d'Israël, en tant qu'administrateurs et juges.

30 Hachabia et mille sept cents autres hommes de valeur du clan d'Hébron veillaient sur le territoire d'Israël situé à l'ouest du Jourdain ; ils étaient chargés de toutes les affaires, tant religieuses que civiles. 31 Yeria était le chef du clan d'Hébron. Pendant la quarantième année du règne de David, on fit des recherches généalogiques relatives à ce clan, et on trouva à Yazer, en Galaad[h], des hommes de valeur qui en étaient membres. 32 Le roi David désigna, à côté de Yeria, deux mille sept cents membres de ce clan, tous chefs de familles, pour s'occuper de l'ensemble des affaires religieuses et civiles, dans la région habitée par les tribus de Ruben et de Gad, et la demi-tribu orientale de Manassé.

Organisation militaire du royaume

27 1 Voici une liste d'Israélites au service du roi : chefs de familles, commandants de régiments ou de compagnies, et administrateurs. Leur activité concernait les divisions militaires qui, tout au long de l'année, étaient de service à tour de rôle pour un mois. Chaque division comptait vingt-quatre mille hommes ; 2-15 elles étaient placées sous les ordres des chefs suivants :

Premier mois : Yachobam, fils de Zabdiel, du clan de Pérès ; il commandait lui-même l'état-major du mois.

Deuxième mois : Dodaï, d'Ahoa, secondé par le commandant Micloth.

Troisième mois : Benaya, fils du grand-prêtre Yoyada. Benaya était un membre du "groupe des Trente" ; lorsqu'il en devint le chef, c'est son fils Ammizabad qui reprit le commandement de sa division[i].

Quatrième mois : Assaël, frère de Joab, et par la suite son fils Zebadia.

Cinquième mois : Chamouth, du clan d'Izra.

Sixième mois : Ira, fils d'Iquèch, de Técoa.

Septième mois : Hélès, de Palon, de la tribu d'Éfraïm.

Huitième mois : Sibkaï, de Houcha, du clan de Zéra.

Neuvième mois : Abiézer, d'Anatoth, de la tribu de Benjamin.

Dixième mois : Maraï, de Netofa, du clan de Zéra.

Onzième mois : Benaya, de Piraton, de la tribu d'Éfraïm.

Douzième mois : Heldaï, de Netofa, du clan d'Otniel.

Organisation civile du royaume : les chefs de tribus

16 A la tête des tribus d'Israël se trouvaient les chefs suivants :

Tribu de Ruben : Éliézer, fils de Zikri.

Tribu de Siméon : Chefatia, fils de Maaka.

17 Tribu de Lévi : Hachabia, fils de Quemouel.

Descendant d'Aaron : Sadoc.

18 Tribu de Juda : Élihou, un des frères de David[j].

Tribu d'Issakar : Omri, fils de Mikaël.

19 Tribu de Zabulon : Ichemaya, fils d'Obadia.

Tribu de Neftali : Yerimoth, fils d'Azriel.

20 Tribu d'Éfraïm : Osée, fils d'Azazia.

Demi-tribu occidentale de Manassé : Joël, fils de Pedaya.

21 Demi-tribu orientale de Manassé, installée en Galaad : Iddo, fils de Zacharie.

Tribu de Benjamin : Yassiel, fils d'Abner.

---

h **26.31** *Yazer, en Galaad* : localité non identifiée, mais située dans la région de Ramoth (voir 6.62-66).

i **27.2-15** *secondé par le commandant Micloth* : texte hébreu peu clair et traduction incertaine. – *Benaya... sa division* : autre traduction *Benaya était un membre éminent du "groupe des Trente" ; il était secondé par son fils Ammizabad.* – Sur le *"groupe des Trente"*, voir 11.10-47.

j **27.18** *Élihou* n'apparaît pas ailleurs parmi les *frères de David* ; l'ancienne version grecque le remplace par *Éliab* (voir 2.13 ; 1 Sam 16.6). On pourrait aussi traduire *un parent de David* au lieu de *un des frères de David*.

22 Tribu de Dan : Azarel, fils de Yeroam.

Tels étaient les chefs des tribus d'Israël.

23 David ne fit pas dénombrer les jeunes de vingt ans et au-dessous, car le Seigneur avait annoncé qu'il rendrait les Israélites aussi nombreux que les étoiles du ciel[k]. 24 Joab, dont la mère s'appelait Serouia, avait commencé le dénombrement, mais il ne l'acheva pas, car Dieu se mit en colère contre Israël à cause de cette entreprise. C'est pourquoi le chiffre total de la population ne figure pas dans le livre intitulé *Actes du roi David*[l].

Les administrateurs des biens royaux

25 Azmaveth, fils d'Adiel, était intendant du trésor royal.

Yonatan, fils d'Ozias, était intendant des réserves entreposées dans le pays, tant dans les villes que dans les villages et les postes de garde.

26 Ezri, fils de Keloub, était responsable des ouvriers agricoles travaillant dans le pays.

27 Chiméi, de Rama, était intendant des vignobles.

Zabdi, de Chefam, était intendant des réserves de vin provenant de ces vignobles.

28 Baal-Hanan, de Beth-Guéder, était intendant des plantations d'oliviers et de sycomores dans le *Bas-Pays.

Yoach était intendant des réserves d'huile.

29 Chitraï, de Saron, était responsable des troupeaux de bœufs paissant dans les pâturages de Saron.

Chafath, fils d'Adlaï, était responsable de ceux paissant ailleurs dans les plaines.

30 Obil, l'Ismaélite, était responsable des chameaux.

Yédia, de Méronoth, était responsable des ânesses.

31 Yaziz, le Hagrite, était responsable des moutons et des chèvres.

Telle est la liste des gens qui administraient les biens appartenant au roi David.

L'entourage privé de David

32 Yonatan, oncle de David, homme intelligent et instruit, était conseiller du roi. Yéhiel, fils d'un Hakmonite, était chargé de l'éducation des enfants du roi. 33 Ahitofel était aussi conseiller du roi. Houchaï, l'Arkite, était le confident du roi. 34 Ahitofel eut pour successeurs Yoyada, fils de Benaya, et Abiatar. Quant au commandant en chef de l'armée royale, c'était Joab.

David présente Salomon comme son successeur

28 1 Le roi David réunit à Jérusalem tous les chefs d'Israël : chefs de tribus, chefs de divisions militaires au service du roi, commandants de régiments ou de compagnies, administrateurs des biens et des troupeaux appartenant au roi et à ses fils, de même que les hommes de confiance du palais, les soldats les plus vaillants et tous les hommes de valeur. 2 Le roi se leva et leur dit : « Hommes de mon peuple, mes amis, écoutez-moi. J'avais l'intention de construire un *temple pour y déposer le *coffre de l'alliance du Seigneur, le marchepied de notre Dieu. J'avais donc tout préparé à cet effet, 3 mais Dieu m'a dit : "Ce n'est pas toi qui construiras un temple où l'on viendra m'adorer, car tu es un homme de guerre, qui as fait couler beaucoup de sang." 4 Cependant c'est moi que le Seigneur, le Dieu d'Israël, a choisi parmi toute la famille de mon père, afin que moi et mes descendants nous régnions pour toujours sur Israël. Autrefois il a choisi Juda comme prince, puis, dans la tribu de Juda, il a choisi la famille de mon père, et ensuite, parmi les fils de mon père, il lui a plu de me faire roi de l'ensemble d'Israël. 5 Maintenant, entre les nombreux fils qu'il m'a accordés, il a choisi Salomon pour qu'il prenne place sur le trône d'Israël et y exerce la royauté de la part du Seigneur. 6 Il m'a déclaré : "C'est ton fils Salomon qui me construira un temple avec ses cours, car c'est lui que

---

k **27.23** Voir Gen 15.5 ; 22.17 ; 26.4.

l **27.24** Voir 21.1-14 ; 2 Sam 24.1-15. –*Actes du roi David* : ce *livre* est perdu.

j'ai choisi ; il sera un fils pour moi et je serai un père pour lui. 7 Je lui prépare un règne qui durera éternellement, si, comme aujourd'hui, il met fermement en pratique mes commandements et mes règles"[m]. 8 Eh bien maintenant, mes amis, face à tout Israël, le peuple du Seigneur, et en présence de notre Dieu qui nous entend, engagez-vous à étudier et à observer tous les commandements du Seigneur notre Dieu. Ainsi vous continuerez à posséder le bon pays où vous êtes et vous pourrez le laisser en héritage perpétuel à vos descendants. 9 – Quant à toi, mon fils Salomon, apprends à bien connaître le Dieu que j'ai servi, adore-le avec un cœur sans partage et un esprit bien disposé. En effet, le Seigneur regarde jusqu'au fond des cœurs, et discerne toutes les pensées des hommes. Si tu le recherches, il se laissera trouver par toi ; mais si tu l'abandonnes, il te rejettera définitivement. 10 A présent, tu peux constater que le Seigneur t'a choisi pour construire le temple qui sera son *sanctuaire. Prends donc courage et mets-toi à l'œuvre. »

David remet à Salomon les plans du temple

11 David remit à Salomon le plan du *sanctuaire, avec ses locaux annexes, – chambres à trésor, chambres supérieures ou intérieures –, et la salle du *coffre sacré. 12 Il lui remit aussi les plans de tout ce qu'il avait prévu de construire, les cours du temple, les salles autour des cours, les salles destinées aux trésors du temple et aux objets sacrés offerts à Dieu. 13 Il lui confia la liste des groupes de prêtres et de *lévites, celle des services à accomplir dans le temple du Seigneur, celle des objets de culte du temple. 14 Il lui indiqua le poids d'or nécessaire pour chaque objet d'or, et le poids d'argent pour chaque objet d'argent, selon l'utilisation respective, 15 ainsi que le poids des porte-lampes et des lampes d'or, des porte-lampes et des lampes d'argent, selon leur utilisation respective, 16 le poids de chacune des tables d'or destinées aux pains offerts à Dieu[n], celui des tables d'argent, 17 le poids des fourchettes à viande, des bols à aspersion et des flacons d'or pur, celui des bassines d'or et d'argent, selon leur utilisation respective, 18 et le poids de *l'autel du parfum, en or fin. Il lui donna enfin le modèle du char sacré, en particulier des *chérubins d'or qui couvrent de leurs ailes déployées le coffre de l'alliance du Seigneur[o].

19 Alors David déclara : « Tout cela figure dans le document que j'ai reçu de la part du Seigneur ; ce document explique en détail la façon d'exécuter les plans. » 20 Puis il ajouta : « Mon fils, sois courageux et fort ; mets-toi à l'œuvre sans crainte ni frayeur ! Le Seigneur mon Dieu ne t'abandonnera pas ; il est avec toi et te soutiendra jusqu'à ce que soit achevé le travail à accomplir pour son temple. 21 Les prêtres et lévites, organisés en groupes pour célébrer le culte du temple, sont aussi à tes côtés ; de même, tu peux compter pour le travail à faire sur des gens pleins de bonne volonté et de compétence, parmi les chefs et l'ensemble du peuple. »

Dons pour la construction du temple

29 1 Le roi David dit à toute l'assemblée présente : « Mon fils Salomon, que le Seigneur a choisi, est jeune et sans expérience. Or le travail à accomplir est considérable, car il ne s'agit pas de construire un palais pour un homme, mais le *temple du Seigneur Dieu[p]. 2 J'ai consacré tous mes efforts à faire des préparatifs pour le temple de Dieu : j'ai amassé de l'or, de l'argent, du bronze, du fer, du bois, pour tous les objets à fabriquer avec ces divers matériaux ; j'ai préparé des quantités de pierres de cornaline et d'autres pierres décoratives, des pierres noires et de diverses couleurs, toutes sortes de pierres précieuses, ainsi que des blocs d'albâtre. 3 Quant à ma fortune personnelle, en or et en argent, je la donne

---

m **28.7** V. 2-7 : voir 17.1-14 ; 2 Sam 7.1-16.

n **28.16** Sur ces *pains*, voir Lév 24.5-9.

o **28.18** *char sacré* : ce terme ne figure pas dans le récit de la construction du temple de Salomon (1 Rois 6–7). Il fait penser au véhicule mystérieux décrit en Ézék 1 et 10, où le Seigneur apparaît entouré de *chérubins*.

p **29.1** V. 1-2 : voir 22.5.

pour le temple de mon Dieu, je l'ajoute à
tout ce que j'ai déjà préparé pour ce
*sanctuaire que j'aime tant. 4 Je donne
cent tonnes d'or d'Ofir[q] et deux cent quarante tonnes d'argent fin destiné à recouvrir les parois du temple. 5 Et
maintenant, qui de vous s'engage librement à consacrer au Seigneur de l'or ou
de l'argent, pour que les artisans puissent
fabriquer tous les objets d'or et d'argent
nécessaires ? »

6 Alors les chefs de familles, les chefs
des tribus d'Israël, les commandants de
régiments ou de compagnies, et les responsables des équipes travaillant pour le
roi s'engagèrent librement 7 à donner
pour le service du temple de Dieu cent
soixante-dix tonnes d'or, dix mille pièces
d'or, plus de trois cents tonnes d'argent,
environ six cents tonnes de bronze et
plus de trois mille tonnes de fer. 8 Ceux
qui possédaient des pierres précieuses les
confièrent à Yéhiel[r], du clan de Guerchon, pour le trésor du temple du Seigneur. 9 Tous ces gens avaient offert de
bon cœur leurs biens pour le Seigneur, et
ils en étaient joyeux. Le roi David aussi
était rempli d'une grande joie.

Prière de David

10 David remercia le Seigneur en présence de toute l'assemblée : « Merci à toi
en tout temps, Seigneur, Dieu de notre
ancêtre Jacob ! s'écria-t-il[s]. 11 C'est à toi,
Seigneur, qu'appartiennent la grandeur,
la puissance, la splendeur, l'éclat et la majesté[t] ! Oui, dans le ciel et sur la terre,
tout t'appartient, Seigneur, car tu es le
roi, le souverain maître de tous les êtres.
12 La richesse et la *gloire viennent de
toi, qui domines sur toute chose. Tu possèdes la force et la puissance, tu détiens le
pouvoir d'élever et de fortifier qui tu
veux. 13 C'est pourquoi, notre Dieu, nous
te louons et nous proclamons ton nom
merveilleux. 14 Je ne suis rien, mon peuple n'est rien, ce n'est pas par nous-
mêmes que nous avons le pouvoir de t'offrir ces dons. Nous avons tout reçu de toi,
et nous ne pouvons t'offrir que ce qui
nous vient de toi. 15 Devant toi nous
n'avons pas plus de droits que des étrangers ou des hôtes de passage, comme tous
nos ancêtres. Notre vie sur terre, aussi
éphémère qu'une ombre, s'écoule sans sécurité. 16 Seigneur notre Dieu, nous
avons accumulé des quantités de matériaux pour te construire le *temple où
nous irons t'adorer, toi le vrai Dieu ; or
tout cela vient de toi, tout t'appartient.
17 Mon Dieu, je sais que tu examines nos
pensées secrètes et que tu apprécies la
droiture ; eh bien, c'est d'un cœur droit
que j'ai offert volontairement mes richesses, et aujourd'hui j'ai vu ton peuple ici
rassemblé faire de même avec joie. 18 Seigneur, Dieu de nos ancêtres Abraham,
Isaac et Jacob, permets que ton peuple
conserve toujours ces mêmes dispositions d'esprit, que ses pensées soient fermement tournées vers toi. 19 Et accorde à
mon fils Salomon un cœur entièrement
disposé à observer tes commandements,
tes enseignements et tes lois, à les mettre
tous en pratique, et à construire le *sanctuaire pour lequel j'ai fait tous ces préparatifs. »

20 David dit ensuite à toute l'assemblée : « Remerciez le Seigneur votre
Dieu. » Tous remercièrent donc le Seigneur, Dieu de leurs ancêtres ; ils s'agenouillèrent et s'inclinèrent jusqu'à terre
pour rendre hommage au Seigneur et au
roi.

Salomon proclamé roi. Mort de David

21 Le lendemain, on présenta au Seigneur des *sacrifices de communion et
des sacrifices complets ; on lui offrit
mille taureaux, mille béliers et mille
agneaux, accompagnés des offrandes de
vin nécessaires. Le nombre des sacrifices
de communion fut suffisant pour nourrir
tous les Israélites présents. 22 Ce jour-là
on mangea et on but en présence du Seigneur, dans une ambiance de grande joie

q **29.4** L'*or d'Ofir* (voir 1 Rois 9.28 et la note) était réputé pour sa qualité.

r **29.8** Le même personnage est nommé *Yéhiéli*, en 26.21.

s **29.10** Autre traduction *Merci à toi, Seigneur, Dieu d'Israël ! s'écria-t-il. Depuis toujours tu es notre père et tu le resteras toujours.*

t **29.11** Comparer Matt 6.13.

Pour la seconde fois on désigna Salomon,
fils de David, comme roi[u] ; on lui conféra
cette autorité au service du Seigneur, et
en même temps on consacra Sadoc
comme grand-prêtre. 23 Salomon prit
place sur le trône royal du Seigneur, où il
succéda à son père David. Il y montra si
bien ses qualités que tout Israël lui obéit.
24 Toutes les autorités, les soldats, et
même les autres fils de David, reconnurent la souveraineté du roi Salomon[v].
25 Le Seigneur accrut au plus haut point
le prestige de Salomon, aux yeux de tout
Israël. Il accorda à son règne une splendeur qui dépassait celle de ses prédécesseurs sur le trône d'Israël.

26 David, fils de Jessé, avait régné sur
l'ensemble d'Israël. 27 Son règne dura
quarante ans, dont sept à Hébron et
trente-trois à Jérusalem[w]. 28 Il mourut au
terme d'une heureuse vieillesse, couvert
de richesse et de gloire ; ce fut son fils
Salomon qui lui succéda.

29 L'histoire du roi David, du début à
la fin, est contenue dans les livres intitulés *Actes du voyant Samuel*, *Actes du *prophète Natan* et *Actes du prophète Gad*[x] ;
30 on y raconte son règne, ses actes de bravoure, ainsi que les événements survenus
dans sa vie privée, dans la politique d'Israël et dans celle des autres royaumes.

---

u **29.22** *Pour la seconde fois* : cette expression évoque 23.1, où il est question une première fois de la désignation de Salomon comme successeur de son père.

v **29.24** V. 23-24 : voir 1 Rois 2.12.

w **29.27** Voir 3.4 et la note.

x **29.29** *voyant Samuel* : voir 1 Sam 9.9-11. – Les trois *livres* mentionnés dans ce verset sont perdus.

Deuxième livre des
Chroniques

***Introduction** – (Voir l'introduction à 1 Chroniques).*

*Le 2*e *livre des Chroniques se subdivise en deux parties : le règne de Salomon, fils de David (chap. 1–9), et le règne de ses descendants sur le royaume de Juda, jusqu'à la prise de Jérusalem par Nabucodonosor et l'exil à Babylone (chap. 10–36).*

*Les deux derniers versets de l'ouvrage font le lien avec les livres d'Esdras et de Néhémie, et nous invitent à y poursuivre la lecture de l'histoire du peuple d'Israël. En effet, ils citent le début de l'édit publié par le roi Cyrus, qui permit aux Juifs d'aller reconstruire le *temple de érusalem. Ce même édit est cité en entier au début du livre d'Esdras.*

HISTOIRE DE SALOMON, ROI D'ISRAËL
1–9

1 [1] Salomon, fils de David, affermit son
autorité royale. Le Seigneur son
Dieu fut avec lui et fit de lui un roi prestigieux.

Salomon demande à Dieu la sagesse pour régner

(Voir 1 Rois 3.4-15)

[2] Salomon convoqua tous les Israélites,
en particulier les commandants de régiments et de compagnies, les juges et tous
les chefs de famille, qui étaient des notables israélites. [3] Avec tous ceux qui se
rassemblèrent auprès de lui, il se rendit
au lieu sacré de Gabaon ; là, en effet, se
dressait la *tente de la rencontre avec
Dieu, que Moïse, le serviteur du Seigneur, avait fabriquée dans le désert[a].

[4] David avait ramené le *coffre sacré de
Dieu de Quiriath-Yéarim[b] à Jérusalem, et
l'avait déposé à l'endroit préparé à cet effet, sous une tente. [5] Mais il avait placé
*l'autel de bronze fabriqué par Bessalel[c],
fils d'Ouri et petit-fils de Hour, devant la
tente du Seigneur à Gabaon.

C'est là que Salomon et tous ceux qui
l'accompagnaient vinrent consulter le
Seigneur. [6] Salomon s'avança devant le
Seigneur et offrit mille *sacrifices
complets sur l'autel de bronze proche de
la tente de la rencontre. [7] Durant la nuit
suivante, Dieu lui apparut et lui dit :
« Que pourrais-je te donner ? Demande-le-moi. » [8] Salomon lui répondit : « Seigneur, tu as manifesté une grande bonté
envers mon père David, et maintenant tu
m'as désigné comme roi pour lui succéder. [9] Alors, Seigneur Dieu, réalise la promesse que tu as faite à mon père. Tu m'as
établi roi d'un peuple aussi nombreux
que les grains de poussière de la terre[d].

---

a **1.3** *Gabaon* : voir 1 Rois 3.4 et la note. – Sur la construction de la *tente de la rencontre*, voir Ex 36.8-38.

b **1.4** Sur le transport du *coffre sacré*, voir 1 Chron 13 et 15. – *Quiriath-Yéarim* : voir 1 Sam 6.21 et la note.

c **1.5** Sur *Bessalel* et la construction de l'*autel*, voir Ex 35.30–36.1 ; 38.1-2.

d **1.9** Voir Gen 13.16 ; 28.14.

10 Veuille donc me donner sagesse et discernement pour que je sache remplir
cette tâche à la tête de ce peuple. Sans
cela, personne ne pourrait gouverner ton
peuple, qui est si grand. »
11 Dieu dit à Salomon : « Tu n'as demandé ni de devenir très riche, ni d'être
couvert de gloire, ni que tes adversaires
meurent, ni même de vivre longtemps ;
selon ton désir profond, tu as demandé
sagesse et discernement, afin de pouvoir
gouverner mon peuple, dont je t'ai fait
roi. 12 C'est pourquoi tu recevras la sagesse et le discernement. Et en plus je te
donnerai de grandes richesses et de la
gloire ; tu en auras plus que n'importe
quel autre roi, avant toi ou après toi. »
13 Salomon quitta alors le lieu sacré de
Gabaon où se trouvait la tente de la rencontre, et regagna Jérusalem pour y remplir sa tâche de roi d'Israël.

Puissance et richesse de Salomon

(Voir 1 Rois 10.26-29 ; 2 Chron 9.25-28)

14 Salomon rassembla des chars de
guerre et des chevaux : il eut mille quatre
cents chars et douze mille chevaux[e], dont
il garda un certain nombre auprès de lui à
Jérusalem, alors que les autres étaient répartis dans les villes aménagées à cet effet.
15 Grâce au roi, il y avait autant d'argent et
d'or que de cailloux à Jérusalem[f], et les
cèdres étaient aussi nombreux que les sycomores qui poussent dans le *Bas-Pays.
16 Les chevaux de Salomon provenaient
d'Égypte et de Cilicie, où des marchands
allaient les acheter pour le roi[g]. 17 Ces
marchands importaient d'Égypte un char
pour six cents pièces d'argent, et un cheval pour cent cinquante pièces. Ils en importaient aussi pour les rois des Hittites
et pour les rois de Syrie.

Salomon prépare la construction du temple

(Voir 1 Rois 5.15-32 ; 7.13-14)

18 [h]Salomon décida de construire un
*temple consacré au Seigneur, ainsi
2 qu'un palais royal pour lui-même. 1 Il
enrôla soixante-dix mille porteurs et
quatre-vingt mille tailleurs de pierre
pour travailler dans la montagne, sous
les ordres de trois mille six cents surveillants.
2 Salomon envoya à Hiram, roi de la
ville de Tyr, le message suivant : « Tu as
fourni du bois de cèdre à mon père David
pour qu'il puisse se construire sa résidence. Agis de même envers moi[i]. 3 Je
suis en effet sur le point de construire, en
l'honneur du Seigneur mon Dieu, un
temple qui lui sera consacré. On y brûlera pour lui les offrandes de parfum, on
y exposera sans interruption les pains sacrés[j] et l'on y offrira les *sacrifices
complets, matin et soir, ainsi que les jours
de *sabbat, le premier jour de chaque
mois et les autres jours de fête du Seigneur notre Dieu. Ces règles, données
aux Israélites, sont valables pour toujours. 4 Or le temple que je veux
construire doit être grandiose, car notre
Dieu est plus grand que n'importe quel
dieu. 5 En fait, personne ne pourrait lui
construire une demeure, puisque le *ciel,
malgré son immensité, ne peut déjà pas le
contenir[k]. Moi-même, je ne prétends pas
lui construire une demeure, mais seulement un lieu de culte où on lui offrira des
sacrifices. 6 Eh bien donc, envoie-moi un
spécialiste du travail de l'or, de l'argent,
du bronze et du fer, qui sache aussi apprêter les étoffes teintes en rouge, en cramoisi ou en violet, et qui connaisse l'art
de la gravure. Il travaillera avec mes propres spécialistes, ceux que mon père David a désignés et qui habitent Jérusalem
ou ailleurs dans le pays de Juda. 7 Four-
nis-moi aussi du bois de cèdre, de pin et
de santal[l], en provenance du mont Liban.
Je sais que tes bûcherons sont compétents pour couper les arbres du Liban ;
mes ouvriers iront aider les tiens, 8 et ils

---

e **1.14** Voir 1 Rois 5.6 et la note.
f **1.15** Voir Deut 17.17 et la note.
g **1.16** Voir 1 Rois 10.28 et la note.
h **1.18** Dans certaines traductions, les v. 1.18–2.17 sont numérotés 2.1-18.
i **2.2** *Hiram* : certaines traductions, à la suite de la plupart des manuscrits hébreux, orthographient ce nom *Houram*. – *Tu as fourni...* : voir 1 Chron 14.1.
j **2.3** *les pains sacrés* : voir Lév 24.5-9.
k **2.5** Voir 6.18 ; 1 Rois 8.27.
l **2.7** *pin* : autres traductions *cyprès* ou *genévrier ; santal* : voir 1 Rois 10.11 et la note.

me prépareront ensemble une grande quantité de bois, car le temple que je veux construire sera particulièrement majestueux. 9 De mon côté, je fournirai, pour tes bûcherons occupés à couper les arbres, six mille tonnes de semoule de blé, six mille tonnes d'orge, huit cent mille litres de vin et huit cent mille litres d'huile. »

10 Hiram, roi de Tyr, répondit par écrit à Salomon : « C'est parce que le Seigneur aime son peuple qu'il t'en a fait le roi. 11 Il faut remercier le Seigneur, le Dieu d'Israël, qui a créé le ciel et la terre, car il a donné à David un fils plein de sagesse, de bon sens et d'intelligence, capable de construire un temple pour le Seigneur, ainsi qu'un palais royal pour lui-même. 12 Eh bien, maintenant, je t'envoie un spécialiste particulièrement doué, Houram-Abi[m]. 13 Il est tyrien par son père, mais originaire de la tribu de Dan par sa mère. Il sait travailler l'or, l'argent, le bronze, le fer, la pierre, le bois, et apprêter les étoffes teintes en rouge, en violet ou en cramoisi et celles de lin fin ; il connaît aussi l'art de la gravure ; il saura même élaborer n'importe quel projet qu'on lui confiera. Il travaillera avec tes propres spécialistes et avec ceux que ton père, le roi David, avait désignés. 14 De ton côté, envoie-nous le blé, l'orge, l'huile et le vin dont tu as parlé. 15 Nous irons couper sur le mont Liban tous les arbres dont tu as besoin, et nous te les amènerons par mer, assemblés en grands radeaux, jusqu'à Jaffa[n]. De là tu pourras les faire transporter à Jérusalem. »

16 Salomon enrôla tous les hommes d'origine étrangère qui résidaient en Israël, d'après le dénombrement effectué par son père David[o] : il y en avait cent cinquante-trois mille six cents. 17 Il en désigna soixante-dix mille comme porteurs, quatre-vingt mille comme tailleurs de pierre dans la montagne, et trois mille six cents comme surveillants, pour organiser le travail de tout ce monde.

La construction du temple

(Voir 1 Rois 6.1-38)

3 1 Salomon entreprit de construire le *temple du Seigneur à Jérusalem, sur le mont Moria, là où le Seigneur était apparu à son père David. David y avait préparé un emplacement sur l'aire du Jébusite Ornan[p]. 2 Salomon régnait depuis quatre ans lorsque les travaux débutèrent, pendant le second mois de l'année[q].

3 Voici les dimensions fixées par Salomon pour la construction du temple de Dieu : trente mètres de long et dix mètres de large[r]. 4 Le vestibule d'entrée, par-devant, avait dix mètres de large, comme le temple, et soixante mètres de haut[s] ; on en recouvrit tout l'intérieur d'or pur. 5 Sur les murs de la *grande salle, on appliqua des planches de pin, recouvertes d'or fin, où l'on représenta des palmes et des chaînettes. 6 On décora encore cette salle au moyen de pierres précieuses. Quant à l'or qu'on employait, il provenait de Parvaïm[t]. 7 On recouvrit d'or même les poutres, les seuils, les murs et les portes de la salle, et on grava des *chérubins sur les murs.

8 On construisit également la salle appelée "*lieu très saint"[u] : elle avait dix mètres de large, comme le temple, et dix mètres de profondeur ; on utilisa vingt tonnes d'or fin pour en revêtir l'intérieur.

---

m **2.12** *Houram-Abi* (ou *Hiram-Abi*) est appelé simplement *Houram* en 4.11, et *Hiram* en 1 Rois 7.13.

n **2.15** *Jaffa* : ville de la côte méditerranéenne, actuellement faubourg de Tel-Aviv.

o **2.16** Voir 1 Chron 2.22.

p **3.1** *Moria* : seul passage de l'Ancien Testament où ce nom est donné à la colline généralement appelée *Sion. Mais comparer Gen 22, où il est question du « pays de Moria » (v. 2), dans lequel se trouve la « montagne » où « le Seigneur prend soin » (v. 14) ; cela a pu conduire l'auteur des Chroniques à identifier la colline du temple et la « montagne » du « Seigneur ». – *l'aire du Jébusite Ornan* : voir 1 Chron 21.15–22.1.

q **3.2** *pendant le second mois* : d'après les versions anciennes, hébreu *pendant le second mois, au second* ; les mots supplémentaires pourraient être le reste d'une expression plus développée *au second jour du mois*.

r **3.3** L'auteur, qui donne les dimensions en « coudées », précise qu'il s'agit de l'ancienne « coudée », plus courte que celle en usage de son temps.

s **3.4** *soixante mètres de haut* : 1 Rois 6.2 parle de *quinze mètres* comme hauteur de tout le bâtiment.

t **3.6** *Parvaïm* : lieu inconnu.

u **3.8** Comparer Ex 26.33-34.

9 Les clous d'or utilisés pesaient cinq
cents grammes. Même les chambres supérieures furent recouvertes d'or.
10 On façonna ensuite deux chérubins
en métal fondu[v] ; on les recouvrit d'or
et on les plaça dans le "lieu très saint".
11-13 Ces chérubins se tenaient debout,
côte à côte, la tête tournée vers l'entrée.
Chacun d'eux avait deux ailes déployées
de deux mètres et demi, dont l'une touchait un mur de la salle et la seconde touchait l'aile de l'autre chérubin. Leurs
quatre ailes ainsi déployées s'étendaient
donc sur dix mètres[w]. 14 On tissa aussi un
rideau de lin fin, teint en violet, rouge et
cramoisi, sur lequel on broda des chérubins[x].

Les colonnes de bronze et l'autel

(Voir 1 Rois 7.15-22)

15 On[y] fit deux colonnes hautes de dix-
sept mètres, à placer devant le *temple ;
au sommet de chacune se trouvait un
chapiteau de deux mètres et demi de
haut. 16 On fit des chaînettes[z] qu'on plaça
au sommet des colonnes, puis on fit des
décorations représentant des fruits de
grenadiers, une centaine, qu'on suspendit aux chaînettes. 17 On dressa les colonnes devant le *sanctuaire, l'une à
droite et l'autre à gauche de l'entrée ; on
appela celle de droite Yakin – ce qui signifie "Dieu affermit" –, et celle de gauche Boaz – "En Dieu est la force" –.

4 1 On fit un *autel de bronze, de dix
mètres sur dix, et cinq mètres de
haut[a].

La grande cuve et les bassins de bronze

(Voir 1 Rois 7.23-26)

2 On fit une grande cuve ronde en
bronze ; elle mesurait cinq mètres de diamètre, deux mètres et demi de haut et
quinze mètres de tour. 3 Au-dessous du
bord de la cuve, sur tout le pourtour, se
trouvait une décoration représentant des
taureaux[b] ; il y en avait vingt par mètres,
sur deux rangées. Cette décoration avait
été coulée en même temps que la cuve.
4 La cuve reposait sur douze taureaux de
bronze ; trois regardaient vers le nord,
trois vers l'ouest, trois vers le sud et trois
vers l'est, tandis que leurs arrière-trains
étaient tous tournés vers l'intérieur, sous
la cuve. 5 La paroi de la cuve avait huit
centimètres d'épaisseur ; son rebord était
travaillé comme le bord d'une coupe, en
forme de pétale de lis. Sa capacité était
d'environ cent vingt mille litres.
6 On fit dix bassins de bronze ; on en
plaça cinq à droite du *temple et les cinq
autres à gauche, pour les *purifications :
on y lavait les victimes offertes en *sacrifices complets[c]. L'eau de la grande cuve
était destinée aux purifications des prêtres.

Liste récapitulative des objets de métal

(Voir 1 Rois 7.40-51)

7 On fit dix porte-lampes en or, selon le
modèle prescrit, et on les plaça dans la
*grande salle du temple, cinq à droite et
cinq à gauche[d].
8 On fit dix tables, qu'on disposa aussi
dans la grande salle, cinq à droite et cinq
à gauche[e].
On fit cent bols à aspersion, en or.
9 On fit une cour pour les prêtres, ainsi
qu'une autre cour, plus grande, avec des
portes ; les portes étaient recouvertes de
bronze.
10 La grande cuve ronde avait été placée sur le côté droit du temple, près de
l'angle sud-est.

---

v **3.10** *en métal fondu* : le sens du mot hébreu est incertain ; l'ancienne version grecque a traduit *en bois*, ce qui correspond au récit de 1 Rois 6.23.

w **3.11-13** Comparer Ex 25.18-20.

x **3.14** Comparer Ex 26.31.

y **3.15** D'après 4.11 et le texte parallèle de 1 Rois 7, il est probable que l'auteur de tous ces travaux soit l'artisan *Houram* (ou *Houram-Abi*, 2.12).

z **3.16** Le texte hébreu ajoute ici quelques mots *(dans le "lieu très saint")* qui ne sont probablement pas en place ; on corrige parfois ces mots en *comme un collier*.

a **4.1** Comparer Ex 27.1-2.

b **4.3** *représentant des taureaux* : en 1 Rois 7.24, on lit *de fruits de coloquintes* (les mots hébreux traduits de ces deux manières respectives se ressemblent).

c **4.6** *dix bassins... pour les purifications* : comparer Ex 30.17-21. – *les victimes...* : voir Lév 1.9,13 ; autre traduction *les ustensiles utilisés* lors des *sacrifices complets*.

d **4.7** Comparer Ex 25.31-40.

e **4.8** Comparer Ex 25.23-30.

[11] Lorsque Houram eut fait les récipients pour les cendres, les pelles et les bols à aspersion, il eut terminé de fabriquer tout ce que le roi Salomon lui avait commandé pour le temple de Dieu :

[12] deux colonnes,
deux chapiteaux ronds, à placer au sommet des colonnes,
deux sortes de filets pour recouvrir les chapiteaux ronds au sommet des colonnes,
[13] quatre cents grenades accrochées aux deux filets, à savoir deux rangs de grenades à chaque filet recouvrant ces chapiteaux ;
[14] il avait aussi fait des chariots et des bassins qu'on pose dessus,
[15] une grande cuve ronde,
douze taureaux portant cette cuve,
[16] des récipients pour les cendres, des pelles et des fourchettes à viande.

Tous ces objets que Houram-Abi fabriqua pour le temple du Seigneur, sur l'ordre du roi Salomon, étaient en bronze
poli. [17] On les coula en pleine terre dans
la vallée du Jourdain, entre les villages de
Soukoth et de Serédata[f]. [18] Salomon fit
faire une telle quantité d'objets que l'on ne chercha même pas à connaître le poids du bronze utilisé.

[19] Salomon fit aussi fabriquer tous les objets d'or nécessaires au temple de Dieu :

*l'autel des parfums, en or,
les tables où l'on dépose les pains offerts à Dieu[g],
[20] les porte-lampes, avec leurs lampes qui doivent brûler devant la "salle très sainte" selon la règle établie, en or fin,
[21] les fleurons, les lampes et les pincettes pour les porte-lampes, en or de la meilleure qualité,
[22] les mouchettes, les bols à aspersion, les coupes, les cassolettes, en or fin,
les portes du temple, aussi bien les portes intérieures donnant sur le "*lieu très saint" que les portes de la grande salle, en or.

5 [1] Lorsque Salomon eut terminé tous les travaux de construction du temple du Seigneur, il fit amener ce que son père David avait consacré au Seigneur[h], argent, or et objets de toutes sortes, et il déposa le tout dans la chambre du trésor du temple.

Le coffre de l'alliance déposé dans le temple

(Voir 1 Rois 8.1-13)

[2] A ce moment-là, le roi Salomon invita les *anciens du peuple, les chefs des tribus et les représentants des vieilles familles d'Israël à se rassembler à Jérusalem pour transporter le *coffre de l'alliance du Seigneur depuis la *Cité de David[i], qu'on appelle également *Sion,
jusqu'au *temple. [3] Alors tous les Israé-
lites se rassemblèrent aussi pour la fête
du septième mois[j]. [4] Les anciens du peu-
ple d'Israël vinrent accompagner les *lévites qui portaient le coffre de l'alliance.
[5] Les prêtres-lévites[k] transportèrent ainsi
le coffre sacré, de même que la *tente de la rencontre et les objets sacrés qui s'y
trouvaient. [6] Le roi Salomon et toute la
communauté d'Israël réunie avec lui devant le coffre offrirent en *sacrifices un si grand nombre de moutons et de bœufs qu'on ne pouvait pas les compter exactement.

[7] Ensuite les prêtres introduisirent le coffre à la place prévue pour lui, dans la salle appelée "*lieu très saint", sous les
ailes des *chérubins. [8] Les chérubins
avaient les ailes étendues au-dessus de l'endroit prévu pour le coffre, afin de couvrir le coffre et les barres qui servaient à le porter. [9] Ces barres étaient
assez longues ; on ne voyait leurs extrémités que si l'on se trouvait entre le coffre et l'entrée de la salle, mais pas depuis l'extérieur ; elles sont restées en

---

f 4.17 *Serédata* : localité inconnue. Le mot hébreu est probablement une déformation du nom de *Sartan*, voir 1 Rois 7.46 et la note. Du point de vue géographique, il ne peut correspondre à la localité de *Seréda*, qui se trouve dans une tout autre région (voir 1 Rois 11.26).

g 4.19 *les pains offerts à Dieu* : voir Lév 24.5-9.

h 5.1 Voir 2 Sam 8.11 ; 1 Chron 18.11.

i 5.2 Voir 2 Sam 6.12-16 ; 1 Chron 15.29.

j 5.3 Voir 1 Rois 8.2 et la note.

k 5.5 *prêtres-lévites* : voir Deut 17.9 et la note.

place jusqu'à ce jour. 10 Le coffre contenait seulement les deux tablettes de
pierre que Moïse y avait placées ; ce sont
les tablettes qu'il avait reçues au mont
*Horeb, lorsque le Seigneur conclut une
alliance avec les Israélites après les avoir
fait sortir d'Égypte[l].
11 Les prêtres ressortirent du *sanctuaire. Tous les prêtres présents s'étaient
*purifiés, sans observer l'ordre des grou-
pes[m]. 12 Les lévites musiciens, Assaf, Héman, Yedoutoun, ainsi que leurs fils et les
autres membres de leurs clans, étaient revêtus de lin fin ; ils se tenaient avec des
cymbales, des harpes et des lyres à l'est de
*l'autel. Près d'eux se trouvaient cent
vingt prêtres sachant jouer de la trompette. 13 Tous ensemble, les joueurs de
trompette et les autres musiciens se firent
entendre à l'unisson, pour acclamer et
louer le Seigneur. Lorsque s'éleva ce
chant accompagné par les trompettes, les
cymbales et les autres instruments : « Acclamez le Seigneur, car il est bon, et son
amour n'a pas de fin »[n], un nuage remplit
le temple, la maison du Seigneur. 14 Les
prêtres ne purent pas reprendre leur service à cause de ce nuage, car c'était la
glorieuse présence du Seigneur qui remplissait le temple[o].

6 1 Alors Salomon s'écria :
« Seigneur, tu avais décidé d'habiter
dans un lieu obscur.
2 Mais moi, je t'ai construit un temple
majestueux,
où tu pourras habiter pour toujours ! »

Discours de consécration du temple

(Voir 1 Rois 8.14-21)

3 Tous les Israélites étaient rassemblés,
debout ; Salomon se tourna vers eux et
les salua[p]. 4 Puis il dit : « Je remercie le
Seigneur, le Dieu d'Israël ! Il a lui-même
accompli ce qu'il avait promis à mon père
David en ces termes : 5 "Depuis le jour où
j'ai fait sortir d'Égypte mon peuple, je
n'ai jamais choisi une ville particulière
parmi toutes les villes d'Israël[q] pour
qu'on y construise un *temple où je
puisse manifester ma présence, et je n'ai
pas non plus choisi un homme particulier pour être le chef d'Israël, mon peuple. 6 Mais j'ai choisi Jérusalem pour y
manifester ma présence, et je t'ai choisi,
toi, David, pour gouverner mon peuple." 7 Or, poursuivit Salomon, mon père
David projetait de construire un temple
consacré au Seigneur, le Dieu d'Israël.
8 Mais le Seigneur lui a dit : "Tu as eu
l'excellente intention de construire un
temple pour moi. 9 Seulement ce n'est
pas toi qui le feras construire, mais ton
fils. Oui, c'est ton propre fils qui fera
construire ce temple pour moi[r] !"
10 Ainsi, continua Salomon, le Seigneur
a tenu sa promesse : j'ai succédé à mon
père David en prenant place sur le trône
d'Israël, comme le Seigneur l'avait annoncé, et j'ai construit ce temple consacré au Seigneur, le Dieu d'Israël. 11 J'y ai
même déposé le coffre contenant le *document de l'alliance que le Seigneur a
conclue avec les Israélites. »

La prière solennelle de Salomon

(Voir 1 Rois 8.22-53)

12 Ensuite le roi se tint devant *l'autel
du Seigneur, en face de tous les Israélites
assemblés, et il leva les mains pour prier.
13 Salomon avait fait faire un socle de
bronze qu'on avait placé au milieu de la
cour ; ce socle mesurait deux mètres et
demi sur deux mètres et demi, et un mètre et demi de haut. Salomon y monta
donc et s'agenouilla, en face de tous les
Israélites assemblés ; il leva les mains
vers le ciel pour prier 14 et dit : « Seigneur,
Dieu d'Israël, il n'y a pas de Dieu comme
toi, ni dans le *ciel ni sur la terre. Tu
maintiens ton *alliance avec tes serviteurs, tu leur restes fidèle, quand ils se
conduisent eux-mêmes devant toi avec
une entière loyauté. 15 Tu as fait pour ton
serviteur David, mon père, ce que tu lui
avais promis. Oui, ce que tu lui avais dit,
tu l'as accompli toi-même aujourd'hui.

---

l **5.10** Voir Deut 10.5.
m **5.11** Sur les *groupes* de prêtres, voir 1 Chron 24.1-19.
n **5.13** Voir 1 Chron 16.34 et la note.
o **5.14** V. 13-14 : comparer Ex 40.34-35.
p **6.3** Ou *les bénit*.
q **6.5** Voir 1 Rois 8.16 et la note.
r **6.9** V. 4-9 : voir 2 Sam 7.1-13 ; 1 Chron 17.1-12.

16 Eh bien, maintenant, Seigneur, Dieu
d'Israël, accomplis également ce que tu
avais promis à ton serviteur David, mon
père, lorsque tu lui as dit : “Si tes descendants veillent sur leur conduite en respectant ma loi, comme tu l'as fait
toi-même, je t'assure qu'il y aura toujours
devant moi l'un d'entre eux qui régnera
après toi sur le peuple d'Israël[s]”. 17 Ainsi
Seigneur, Dieu d'Israël, réalise maintenant cette promesse faite à ton serviteur
David !

18 « Mais Dieu pourrait-il vraiment habiter avec les hommes sur la terre ? Le
*ciel, malgré son immensité, ne peut déjà
pas le contenir ! Encore moins ce temple
que j'ai construit[t]. 19 Pourtant, Seigneur
mon Dieu, tourne-toi vers moi, entends
ma prière suppliante, oui, écoute l'appel
pressant que je t'adresse. 20 Ouvre tes
yeux ! Considère ce temple avec bienveillance jour et nuit, puisque c'est le lieu
dont tu as dit que tu y manifesterais ta
présence[u]. Écoute la prière que je
t'adresse d'ici. 21 Écoute mes appels et
l'appel qu'Israël, ton peuple, t'adresse,
tourné vers ce lieu. Écoute-nous, Seigneur, dans le ciel, là où tu habites ;
écoute-nous et pardonne-nous.

22 « Quand un homme est accusé
d'avoir fait du tort à son prochain, on
peut exiger de lui un serment lié à une
malédiction ; s'il vient alors prêter serment devant ton autel dans ton temple,
23 toi, Seigneur, dans le ciel, sois attentif,
interviens, et prononce le jugement sur
tes serviteurs, afin que le coupable soit
puni et que le juste soit reconnu innocent.

24 « Quand les Israélites seront battus
par leurs ennemis parce qu'ils t'auront
désobéi, s'ils demandent pardon, s'ils te
louent, s'ils te prient et te supplient dans
ce temple, 25 toi, Seigneur, dans le ciel,
sois attentif, pardonne leur péché et
rends-leur les terres que tu as données
autrefois à leurs ancêtres et à eux-mêmes,
puisqu'ils sont ton peuple.

26 « Ou bien, quand le ciel se fermera et
qu'il n'y aura plus de pluie parce que les
Israélites t'auront désobéi, s'ils se tournent vers ce lieu pour te prier, s'ils te
louent et si, humiliés, ils cessent de te désobéir, 27 toi, Seigneur, dans le ciel, sois
attentif et pardonne leurs péchés,
puisqu'ils sont tes serviteurs et ton peuple ; bien plus, enseigne-leur à se bien
conduire, puis fais tomber la pluie sur
cette terre qui t'appartient et que tu leur
as donnée en propriété.

28 « Quand le pays sera frappé par la famine ou la peste, quand les céréales sécheront ou pourriront sur pied, quand les
*sauterelles et les criquets arriveront en
masse, quand des ennemis opprimeront
les Israélites jusque dans leurs villes fortifiées, quand se produira n'importe
quelle catastrophe ou n'importe quelle
épidémie, 29 si les Israélites, ton peuple,
douloureusement frappés de remords,
t'adressent des prières suppliantes, s'ils
se tournent vers ce temple et lèvent les
mains pour te prier, 30 toi, Seigneur, dans
le ciel où tu habites, sois attentif, pardonne-leur et traite chacun selon sa
conduite, puisque tu connais son cœur.
En effet, toi seul, tu connais le cœur des
hommes. 31 Agis de cette manière afin
que les Israélites se conduisent comme tu
le désires et qu'ainsi ils te respectent toujours, tout le temps qu'ils vivront sur
cette terre que tu as donnée à nos ancêtres.

32 « Si un étranger, quelqu'un qui ne
fait pas partie d'Israël, ton peuple, vient
d'un pays éloigné pour te prier dans ce
temple, après avoir entendu parler de ton
nom glorieux et de la puissance avec laquelle tu agis, 33 toi, Seigneur, dans le ciel
où tu habites, sois attentif et accorde-lui
ce qu'il te demande. De cette manière,
tous les peuples de la terre te connaîtront,
ils apprendront à te respecter comme Israël, ton peuple, te respecte et ils sauront
que ce temple que j'ai construit t'est vraiment consacré.

34 « Quand, sur ton ordre, les Israélites
iront combattre leurs ennemis, s'ils se
tournent vers cette ville que tu as choisie
et vers le temple que j'ai construit pour
toi, s'ils te prient, 35 sois donc attentif

---

s **6.16** Voir 1 Rois 2.4.
t **6.18** Voir 2.5.
u **6.20** Voir Deut 12.11.

dans le ciel, écoute leur prière suppliante
et viens à leur aide.
36 « Quand les Israélites te désobéiront
– car il n'y a aucun homme qui ne déso-
béisse jamais –, tu leur montreras peut-
être ton irritation en les livrant à leurs
ennemis et en permettant à ces derniers
de les emmener en captivité dans leur
pays proche ou lointain ; 37 si alors, dans
le pays où ils sont captifs, ils réfléchissent, s'ils recommencent à te supplier
en disant : "Nous avons désobéi, nous
avons péché, nous sommes coupables !",
38 s'ils te demandent pardon de tout leur
cœur et de toute leur âme dans la contrée
où ils sont captifs, s'ils se tournent vers le
pays que tu as donné à leurs ancêtres,
vers cette ville que tu as choisie et vers le
temple que j'ai construit pour toi, s'ils te
prient, 39 toi alors, dans le ciel où tu habites, sois attentif, écoute leur prière suppliante, viens à leur aide et pardonne-leur
d'avoir péché contre toi.
40 « Mon Dieu, ouvre tes yeux ! Sois attentif à la prière que je t'adresse en cet
instant et en ce lieu.

41 Et maintenant, Seigneur Dieu,
accompagne le *coffre sacré où réside
ta puissance,
et viens en ce lieu destiné à ton repos.
Que tes prêtres, Seigneur Dieu, portent avec eux le salut
comme ils portent leurs vêtements ;
que tes fidèles laissent éclater leur joie
et leur bonheur.
42 Seigneur Dieu, ne repousse pas le roi
que tu as consacré,
souviens-toi de tous les bienfaits que
tu as accordés à ton serviteur David »[v].

Les sacrifices offerts au Seigneur

(Voir 1 Rois 8.62-66)

7 1 Lorsque Salomon eut terminé cette
prière, un feu descendit du ciel et
brûla les *sacrifices complets et les sacrifices de communion, et la glorieuse présence du Seigneur remplit le *temple[w].
2 Les prêtres ne purent pas pénétrer dans
le *sanctuaire, car cette présence glorieuse le remplissait. 3 Tous les Israélites
présents virent le feu descendre du ciel et
la *gloire du Seigneur rayonner dans le
temple ; aussitôt ils se jetèrent à genoux
sur le dallage, le visage contre terre, pour
adorer et louer le Seigneur à cause de sa
bonté et de son amour sans fin.
4 Le roi et tout le peuple offrirent ces
sacrifices en l'honneur du Seigneur. 5 Ils
offrirent vingt-deux mille bœufs et cent
vingt mille moutons et chèvres, pour
inaugurer le temple de Dieu. 6 Les prêtres étaient à leurs postes. Les *lévites
jouaient des instruments de musique sacrés que le roi David avait fait fabriquer ; ils louaient le Seigneur pour son
amour sans fin, selon le cantique que
David leur avait transmis. En face d'eux,
des prêtres sonnaient de la trompette.
Tout le peuple était debout. 7 Alors Salomon consacra tout le centre de la cour
qui s'étend devant le temple du Seigneur ; en effet *l'autel de bronze que
Salomon avait dressé ne pouvait recevoir tous les sacrifices, et le roi dut utiliser la cour pour faire brûler les sacrifices
complets, les offrandes végétales et les
parties grasses des sacrifices de communion.
8 A cette même occasion, Salomon célébra pendant sept jours la fête des Huttes en compagnie des Israélites assemblés
en très grand nombre : ils étaient venus
de tout le pays, depuis Lebo-Hamath au
nord jusqu'au torrent d'Égypte au sud[x].
9 Une assemblée solennelle eut lieu au
huitième jour de la fête. Ainsi on célébra
la consécration de l'autel pendant sept
jours, puis la fête elle-même dura sept autres jours. 10 Après quoi, le vingt-troisième jour du septième mois, le roi
renvoya les Israélites chez eux. Ils s'en allèrent tout joyeux et le cœur content
parce que le Seigneur s'était montré plein

---

v **6.42** *le roi que tu as consacré* : d'après les versions anciennes ; hébreu *les rois que tu as consacrés*. – *souviens-toi... David* : autre traduction *souviens-toi de tout ce que ton serviteur David a fait de bien*. – Les v. 41-42 n'ont pas de parallèle dans 1 Rois 8, mais on trouve un texte assez semblable dans Ps 132.8-10.

w **7.1** Comparer Lév 9.23-24.

x **7.8** *fête des Huttes* : le texte hébreu ne parle ici que de *la fête* (voir 5.3 ; 1 Rois 8.2 et la note). – *Lebo-Hamath* : voir Nomb 13.21 et la note ; *torrent d'Égypte* : voir Nomb 34.5 et la note.

de bienveillance envers David, envers
Salomon et envers Israël, son peuple.

Seconde apparition du Seigneur à Salomon

(Voir 1 Rois 9.1-9 ; voir aussi 2 Chron 1.7-12)

11 Lorsque le roi Salomon eut fini le
*temple du Seigneur et son propre palais,
lorsqu'il eut mené à bien tout ce qu'il
avait eu l'intention de faire dans ces deux
bâtiments, 12 le Seigneur lui apparut pendant la nuit et lui dit : « J'ai entendu ta
prière ; j'ai accepté de choisir ce lieu pour
qu'on m'y offre des *sacrifices. 13 Supposons qu'un jour je ferme le ciel et qu'il n'y
ait plus de pluie, ou que j'ordonne aux
*sauterelles de ravager le pays, ou encore
que j'envoie une épidémie de peste sur
mon peuple : 14 si alors mon peuple, le
peuple à qui j'ai donné mon nom, s'humilie et prie, si les Israélites me recherchent en renonçant à leur mauvaise
conduite, moi, dans le *ciel, je serai attentif, je pardonnerai leur péché et je rétablirai la prospérité de leur pays. 15 Dès
maintenant, j'ouvre mes yeux ; je serai attentif à toute prière qu'on m'adressera
dans ce temple. 16 Je l'ai choisi, je l'ai
consacré en acceptant d'y manifester
pour toujours ma présence parmi vous ;
je veillerai sur lui, toujours plein de
bonté envers vous. 17 Quant à toi, si tu te
conduis envers moi comme ton père David, si tu fais tout ce que je t'ordonne, si
tu obéis aux lois et aux règles que je t'ai
données, 18 sache que j'affermirai ton autorité de roi, conformément à *l'alliance
que j'ai conclue avec ton père David en
lui disant qu'il y aurait toujours l'un de
ses descendants qui, après lui, gouverne-
rait le peuple d'Israël[y]. 19 Mais si vous
vous détournez de moi, si vous négligez
d'obéir aux lois et aux commandements
que je vous ai donnés, si vous servez d'autres dieux et si vous vous inclinez devant
eux pour les adorer, 20 je vous arracherai
de la terre que je vous ai donnée, et je rejetterai loin de moi le temple que j'ai
consacré en mon honneur. Alors tous les
peuples ricaneront au sujet d'Israël et se
moqueront de lui. 21 Quand les gens passeront près de ce temple auparavant si
grandiose[z], ils seront stupéfaits et demanderont : "Pourquoi le Seigneur a-t-il
traité ce pays et ce temple d'une telle manière ?", 22 et on leur répondra : "C'est
parce que les Israélites ont abandonné le
Seigneur, le Dieu de leurs ancêtres, qui
les avait fait sortir d'Égypte ; le Seigneur
leur a infligé tous ces malheurs parce
qu'ils ont adoré d'autres dieux." »

Activités diverses de Salomon

(Voir 1 Rois 9.10-28)

8 1 Au bout de vingt ans, Salomon eut
fini de construire le *temple du Seigneur et son propre palais ; 2 il reconstruisit alors les villes que le roi
Hiram, de Tyr, lui avait données, et les
peupla d'Israélites.

3 Ensuite il alla attaquer Hamath-So-
ba[a] et s'en empara. 4 Il reconstruisit Tadmor, dans la région désertique[b], de même
que toutes les villes qu'il avait bâties dans
la région de Hamath pour y entreposer
ses provisions. 5 Il reconstruisit également Beth-Horon-le-Haut et Beth-Horon-le-Bas, villes fortifiées, entourées de
murailles et fermées par des portes à verrous, 6 ainsi que Baalath et toutes les villes où il faisait entreposer ses provisions,
celles où il garait ses chars de guerre et
celles où il logeait ses chevaux. Il bâtit
tout ce qu'il désira dans la ville même de
Jérusalem, sur le mont Liban et dans tout
le pays soumis à son autorité.

7 Il y avait encore dans le pays un certain nombre de Hittites, *d'Amorites, de
Perizites, de Hivites et de Jébusites, c'est-
à-dire des gens qui n'étaient pas israélites. 8 Ils avaient subsisté parce que le
peuple d'Israël ne les avait pas exterminés. C'est à eux que Salomon imposa certains travaux, et ils y sont soumis
aujourd'hui encore. 9 Mais Salomon en
dispensa les Israélites ; au contraire il les

---

y **7.18** Voir 1 Rois 2.4.

z **7.21** Voir 1 Rois 9.8 et la note.

a **8.3** D'après 2 Sam 8.3,9 ; 1 Chron 18.3, *Soba* et *Hamath* sont deux localités et royaumes distincts.

b **8.4** *Tadmor* : cette ville, située en plein désert syrien, s'appelle aujourd'hui Palmyre. – *Beth-Horon-le-Haut* et *Beth-Horon-le-Bas* (v. 5) se trouvent à 20 km environ au nord-ouest de Jérusalem ; *Baalath* (v. 6), à 50 km environ à l'ouest de Jérusalem.

enrôla[c] dans l'armée comme officiers supérieurs, conducteurs de chars ou cavaliers. 10 Les gouverneurs désignèrent deux cent cinquante contremaîtres pour surveiller la foule des travailleurs au service du roi Salomon.

11 Sur l'ordre de Salomon, sa femme, la fille du *Pharaon, quitta la *Cité de David et s'installa dans le palais construit pour elle. Le roi se disait en effet : « Même ma femme ne doit pas demeurer dans le palais de David, roi d'Israël, car des bâtiments où l'on a déposé le *coffre sacré du Seigneur sont eux-mêmes sacrés. »

12 Dès lors Salomon offrit des *sacrifices complets au Seigneur sur *l'autel qu'il avait fait construire pour lui devant le *sanctuaire. 13 Conformément aux règles fixées par Moïse pour chaque jour particulier, il offrait des sacrifices le jour du *sabbat, le premier jour du mois, et lors des trois grandes fêtes annuelles, celle des *Pains sans levain, celle de la *Pentecôte et celle des Huttes[d]. 14 Salomon, appliquant les décisions de son père David, installa dans leurs fonctions respectives les groupes de prêtres, puis les *lévites chargés d'acclamer jour après jour le Seigneur ou de seconder les prêtres dans leur service, et enfin les portiers, selon les équipes attribuées à telle ou telle porte. C'est ce que David, l'homme de Dieu, avait ordonné[e]. 15 On ne s'écarta des directives de David relatives aux prêtres et aux lévites sur aucun point, même pas en ce qui concernait les trésors.

16 Tous les projets de Salomon furent ainsi réalisés, depuis les préparatifs pour la fondation du temple jusqu'aux travaux menant à son achèvement : le temple du Seigneur était parfait.

17 Alors Salomon alla à Ession-Guéber et à Élath, ports sur la *mer des Roseaux dans le pays d'Édom. 18 Le roi Hiram lui envoya des bateaux conduits par des marins phéniciens expérimentés. Ces marins se rendirent avec ceux de Salomon dans le pays d'Ofir[f], d'où ils rapportèrent plus de treize tonnes d'or pour le roi Salomon.

La Reine de Saba rend visite à Salomon

(Voir 1 Rois 10.1-13)

9 1 La reine du pays de Saba[g] entendit parler de Salomon. Elle vint donc à Jérusalem pour éprouver sa sagesse en lui posant des questions difficiles. Elle avait emmené une suite très imposante, ainsi que des chameaux portant des parfums, de l'or en quantité et des pierres précieuses. Elle se présenta devant Salomon et aborda avec lui tous les sujets qu'elle avait préparés. 2 Salomon répondit à toutes ses questions ; il n'y en eut pas une seule à laquelle il ne pût pas répondre. 3 La reine de Saba entendit les paroles pleines de sagesse de Salomon, elle admira le palais qu'il s'était fait construire, 4 la nourriture qu'on apportait sur les tables, la façon dont les gens de son entourage étaient placés, le costume de ceux qui servaient à manger et à boire, elle vit le roi monter en procession au *temple du Seigneur : elle fut si impressionnée par tout cela qu'elle en eut le souffle coupé. 5-6 Alors elle dit au roi : « Dans mon pays, j'avais entendu parler de toi et de ta sagesse, mais avant d'être venue voir de mes propres yeux, je ne croyais pas ce qu'on me disait. Or tout cela était bien vrai, et même on ne m'avait pas révélé la moitié de ta vaste sagesse : elle dépasse tout ce que j'avais entendu dire. 7 Quel privilège pour tes serviteurs, pour tous les gens de ton palais ! Ils se trouvent toujours en ta présence et peuvent entendre tes paroles pleines de sagesse. 8 Il faut remercier le Seigneur ton Dieu, qui t'a choisi comme roi pour régner en son nom sur Israël ! C'est parce qu'il aime ce

c **8.9** *Mais Salomon...* : d'après quelques manuscrits hébreux, les versions anciennes et le texte parallèle de 1 Rois 9.22 ; texte hébreu traditionnel *Quant aux Israélites, qu'il en avait dispensés, Salomon les enrôla*.

d **8.13** Sur ces *fêtes*, voir au Vocabulaire CALENDRIER. – Voir aussi Nomb 28–29.

e **8.14** Sur l'organisation des *groupes* de *prêtres*, de *lévites* et de *portiers*, voir 1 Chron 23–26.

f **8.18** Voir 1 Rois 9.28 et la note.

g **9.1** *Saba* : région située au sud de la péninsule arabique, correspondant à peu près au Yémen actuel. – Sur la *reine de Saba*, voir Matt 12.42 ; Luc 11.31.

peuple et qu'il veut le faire subsister pour toujours, que ton Dieu t'en a fait le roi et t'a chargé d'y faire respecter le droit et la justice. »

9 Ensuite la reine de Saba donna au roi Salomon environ trois tonnes et demie d'or, une grande quantité de parfums, ainsi que des pierres précieuses. On n'avait jamais vu des parfums tels que ceux-là.

10 Les serviteurs du roi Hiram et ceux de Salomon, qui étaient allés à Ofir, en avaient rapporté de l'or, ainsi que du bois de santal[h] et des pierres précieuses. 11 Le roi Salomon avait utilisé le bois de santal pour faire des parquets dans le temple du Seigneur et dans le palais royal, ainsi que des instruments de musique, lyres et harpes, pour les chanteurs. On n'avait jamais rien vu de pareil dans le pays de Juda.

12 De son côté, le roi Salomon donna à la reine de Saba tout ce qu'elle désirait et demandait, bien plus qu'elle ne lui en avait elle-même apporté. Puis la reine et son entourage retournèrent dans leur pays.

Notes diverses sur la richesse de Salomon

(Voir 1 Rois 10.14-29)

13 En une seule année, le roi Salomon vit arriver à Jérusalem un total de vingt tonnes d'or ; 14 il faut y ajouter les taxes prélevées sur les importations et le commerce, ainsi que l'or et l'argent que les rois d'Arabie[i] et les gouverneurs du pays apportaient à Salomon.

15 Le roi Salomon fit fabriquer deux cents grands boucliers en alliage d'or – pour chacun il fallait six kilos d'alliage d'or –, 16 et trois cents petits boucliers du même alliage – pour chacun il fallait trois kilos de métal –, et il les fit déposer dans le bâtiment appelé "La Forêt du Liban"[j].

17 Le roi fit encore fabriquer un grand trône décoré d'ivoire et recouvert d'or pur. 18 Ce trône se trouvait sur une estrade à six marches, il avait un marchepied en or, qui lui était fixé, et des bras de chaque côté du siège ; deux lions sculptés étaient placés de part et d'autre du trône, 19 et douze autres lions répartis sur les marches, six à gauche et six à droite. On n'a rien fait de pareil dans aucun autre royaume.

20 Toutes les coupes du roi Salomon étaient en or, et toute la vaisselle de "La Forêt du Liban" en or fin. On ne faisait rien en argent, car à l'époque de Salomon on considérait l'argent comme sans grande valeur. 21 Le roi avait des bateaux qu'il envoyait en expédition lointaine, conduits par des marins du roi Hiram ; tous les trois ans ces bateaux revenaient chargés d'or, d'argent, d'ivoire, de singes et d'oiseaux exotiques.

22 Le roi Salomon surpassait tous les autres rois de la terre par ses richesses et par sa sagesse. 23 En effet, Dieu lui avait accordé une telle sagesse que, de partout, des rois venaient le consulter. 24 Année après année, tous ces gens lui apportaient en cadeau des objets d'argent et d'or, des vêtements, des armes, des parfums, des chevaux ou des mulets.

25 Salomon avait des écuries pouvant abriter quatre mille chevaux et chars ; il avait douze mille chevaux[k], dont il garda un certain nombre auprès de lui à Jérusalem, alors que les autres étaient répartis dans les villes aménagées à cet effet. 26 Il dominait tous les rois dont les territoires s'étendaient depuis l'Euphrate, le grand fleuve, jusqu'au pays des Philistins et même jusqu'à la frontière de l'Égypte[l]. 27 Grâce au roi, il y avait autant d'argent que de cailloux à Jérusalem[m], et les cèdres étaient aussi nombreux que les sycomores qui poussent dans le *Bas-Pays. 28 Quant aux chevaux de Salomon, on les importait d'Égypte[n] et de bien d'autres pays.

La mort de Salomon

(Voir 1 Rois 11.41-43)

29 Le reste de l'histoire de Salomon, du début à la fin, est contenu dans les livres

---

h **9.10** *Hiram* : voir 2.2 et la note. – *bois de santal* : voir 1 Rois 10.11 et la note.
i **9.14** *taxes* : voir 1 Rois 10.15 et la note.
j **9.16** *La Forêt du Liban* : voir 1 Rois 7.2.
k **9.25** Voir 1 Rois 5.6 et la note.
l **9.26** Voir Gen 15.18 ; 1 Rois 5.1.
m **9.27** Voir Deut 17.17 et la note.
n **9.28** *Égypte* : voir 1 Rois 10.28 et la note.

intitulés *Actes du *prophète Natan, Prophétie d'Ahia, de Silo* et *Vision du prophète Yé-
do*[o]. – Ce dernier livre traite de l'histoire
de Jéroboam, fils de Nebath. – 30 Salomon régna pendant quarante ans à Jérusalem sur l'ensemble du peuple d'Israël.
31 Lorsqu'il mourut, on l'enterra près de
son père, dans la *Cité de David ; ce fut
son fils Roboam qui lui succéda.

HISTOIRE DES ROIS DE JUDA 10–36

L'assemblée de Sichem

(Voir 1 Rois 12.1-15)

10 1 Roboam se rendit à Sichem[p], car
c'était là que les tribus israélites
du Nord étaient venues pour le proclamer roi. 2 Jéroboam, fils de Nebath, se
trouvait en Égypte où il s'était enfui pour
échapper au roi Salomon. Lorsqu'il entendit parler de cette assemblée de Sichem, il rentra d'Égypte. 3 On envoya des
gens le chercher, et il rejoignit les tribus
du Nord. Ils s'adressèrent à Roboam en
ces termes : 4 « Ton père nous a toujours
traités comme des esclaves. Si maintenant tu nous soulages un peu de ce fardeau qui pèse comme un *joug sur nos
épaules, nous sommes prêts à te servir. » –
5 « Revenez me trouver dans trois jours »,
leur répondit Roboam.

Ils s'en allèrent donc. 6 Le roi Roboam
demanda conseil aux *anciens qui
avaient entouré son père Salomon lorsqu'il vivait encore ; il leur posa la question suivante : « Quelle réponse me
conseillez-vous de donner à ces gens ? »
7 Les anciens lui dirent : « Si tu te montres bon envers le peuple, si tu satisfais
ses revendications, si tu réponds par des
paroles positives, ces gens seront pour
toujours à ton service. »

8 Mais le roi négligea le conseil donné
par les anciens. Il interrogea les jeunes
gens qui l'entouraient et qui avaient
grandi avec lui. 9 Il leur dit : « Ces gens
me demandent de les soulager un peu du
fardeau que mon père leur a imposé
comme un joug. Quelle réponse me
conseillez-vous de leur donner ? » 10 Les
jeunes de son âge lui dirent : « Ces gens se
plaignent donc de ce que ton père les a
traités comme des esclaves, et ils te demandent de les soulager un peu de ce fardeau. Eh bien, voici ce que tu dois leur
répondre : "Mon petit doigt est plus gros
que le bras de mon père[q]. 11 Mon père
vous a chargés d'un joug pesant, moi je
vous chargerai d'un joug encore plus pesant ; mon père vous a fait marcher à
coups de fouet, moi je vous ferai marcher
à coups de fouet redoublés." »

12 Le troisième jour, Jéroboam et tout
le peuple vinrent trouver Roboam,
comme il le leur avait dit. 13 Le roi négligea le conseil que les anciens lui avaient
donné ; il répondit au peuple avec dureté,
14 suivant le conseil de ses compagnons
de jeunesse. Il dit : « Je vous imposerai[r]
un joug pesant, et je le rendrai de plus en
plus pesant ; mon père vous a fait marcher à coups de fouet, moi je vous ferai
marcher à coups de fouet redoublés. »
15 Ainsi le roi n'accepta pas les revendications du peuple. Le Seigneur Dieu dirigea les événements de cette manière pour
réaliser la promesse qu'il avait faite à
Jéroboam, fils de Nebath, par l'intermédiaire du *prophète Ahia, de Silo[s].

Le royaume divisé. Roboam, roi de Juda

(Voir 1 Rois 12.16-25)

16 Lorsque les Israélites du Nord
comprirent que le roi n'acceptait pas
leurs revendications, ils lui déclarèrent :

« Nous n'avons rien à faire avec David,
nous n'avons rien de commun avec ce
fils de Jessé !
Gens *d'Israël, que chacun retourne
chez soi ;

---

o **9.29** Ces trois *livres* sont perdus.

p **10.1** *Sichem* : voir 1 Rois 12.1 et la note.

q **10.10** Voir 1 Rois 12.10 et la note.

r **10.14** Au lieu de *Je vous imposerai*, plusieurs manuscrits hébreux et les versions anciennes ont lu *Mon père vous a imposé* (comparer 1 Rois 12.14).

s **10.15** Voir 1 Rois 11.29-39.

et toi, descendant de David, occupe-toi
maintenant de ton royaume[t] ! »
Et ils quittèrent la place. 17 Roboam ne
fut plus reconnu comme roi que par les
habitants du territoire de Juda. 18 Pourtant il envoya Hadoram[u], le responsable
des travaux obligatoires, auprès des Israélites du Nord ; mais ceux-ci le tuèrent
à coups de pierres. Alors Roboam réussit
tout juste à monter sur son char pour fuir
à Jérusalem. 19 C'est ainsi que les tribus
israélites du Nord rejetèrent l'autorité de
la famille de David ; et telle est encore la
situation aujourd'hui.

11 1 Dès que Roboam fut arrivé à Jérusalem, il rassembla cent quatre-
vingt mille soldats d'élite, des tribus de
Juda et de Benjamin, afin d'aller combattre les Israélites du Nord et de s'imposer
à eux comme roi. 2 Mais le Seigneur
adressa la parole au *prophète Chemaya
et lui dit : 3 « Parle à Roboam, fils de Salomon et roi de Juda, ainsi qu'à tous les Israélites de Juda et de Benjamin ;
dis-leur : 4 Voici ce que déclare le Seigneur : "N'allez pas combattre contre vos
propres frères ; que chacun d'entre vous
retourne chez soi. En effet, c'est moi qui
ai décidé tout ce qui s'est passé." »
Lorsqu'ils entendirent ces paroles du
Seigneur, ils renoncèrent à marcher
contre Jéroboam.

Roboam fortifie différentes villes

5 Après s'être établi à Jérusalem, Roboam fit fortifier plusieurs villes du
royaume de Juda : 6 Bethléem, Étam, Técoa, 7 Beth-Sour, Soko, Adoullam, 8 Gath,
Marécha, Zif, 9 Adoraïm, Lakich, Azéca,
10 Sora, Ayalon et Hébron. Ces villes fortifiées font partie des territoires de Juda
et de Benjamin. 11 Roboam les entoura de
solides fortifications, y installa des gouverneurs et y entreposa des vivres, de
l'huile et du vin. 12 Dans chacune de ces
villes se trouvaient aussi des boucliers et
des lances. Grâce à ces localités très fortifiées, il maintint sa domination sur Juda
et Benjamin.

Les prêtres et les lévites se rallient à Roboam

13 Les prêtres et les *lévites vinrent de
tout le territoire *d'Israël pour se rallier à
Roboam. 14 Les lévites avaient quitté
leurs propriétés dans les alentours des
villes pour gagner Jérusalem et le
royaume de Juda, car Jéroboam et ses fils
les empêchaient d'exercer leur ministère
de prêtres du Seigneur. 15 Jéroboam en effet avait désigné lui-même des hommes
comme prêtres des faux dieux qu'on adorait dans les lieux sacrés, sous forme de
boucs ou de veaux[v]. 16 Des gens de toutes
les tribus du Nord, qui avaient à cœur
d'adorer le Seigneur, le Dieu d'Israël, gagnèrent Jérusalem à la suite des lévites
pour pouvoir y offrir des *sacrifices au
Seigneur, le Dieu de leurs ancêtres. 17 Ils
contribuèrent ainsi à la puissance du
royaume de Juda et affermirent le pouvoir de Roboam, fils de Salomon ; cela
dura trois ans, temps pendant lequel on
se conduisit comme sous les règnes de
David et de Salomon.

La famille de Roboam

18 Roboam épousa Mahalath, dont le
père, Yerimoth, était fils de David, et la
mère, Abihaïl, était fille d'Éliab et petite-fille de Jessé[w]. 19 Mahalath lui
donna trois fils, Yéouch, Chemaria et
Zaham. 20 Plus tard, Roboam épousa
Maaka, fille d'Abichalom[x] ; elle lui
donna quatre fils, Abia, Attaï, Ziza et
Chelomith. 21 Roboam préférait Maaka,
fille d'Abichalom, à toutes ses autres
épouses. Il avait en effet dix-huit épouses principales et soixante épouses de second rang ; il en eut vingt-huit fils et
soixante filles. 22 Roboam attribua à
Abia, fils de Maaka, la première place
dans la famille ; il en fit le chef de ses frères, car il désirait qu'il devienne roi. 23 Il
fut aussi assez avisé pour disperser tous
ses autres fils dans les villes fortifiées de
Juda et de Benjamin ; il leur fournit des

---

t **10.16** Voir 2 Sam 20.1.
u **10.18** Voir 1 Rois 12.18 et la note.
v **11.15** *boucs* : voir Lév 17.7 et la note ; *veaux* : voir 1 Rois 12.26-33.
w **11.18** Le texte hébreu de ce verset est peu clair et la traduction incertaine.
x **11.20** Voir 1 Rois 15.2 et la note.

vivres en abondance et leur procura une
multitude de femmes.

Chichac, roi d'Égypte, envahit Juda

(Voir 1 Rois 14.25-28)

12 1 Lorsque Roboam eut rendu son
royaume stable et affermi son
pouvoir, il cessa d'obéir à la loi du Seigneur, et tout son peuple fit de même.
2 Pendant la cinquième année du règne
de Roboam, le roi d'Égypte Chichac vint
attaquer Jérusalem : ce fut la conséquence de leur infidélité envers le Seigneur. 3 Chichac était à la tête d'une
armée qui comptait mille deux cents
chars de guerre, soixante mille cavaliers
et un nombre incalculable de soldats libyens, soukites[y] et éthiopiens. 4 Il s'empara des villes fortifiées de Juda et
s'avança jusqu'à Jérusalem. 5 Le *prophète Chemaya vint trouver Roboam et
les chefs de Juda, qui s'étaient rassemblés à Jérusalem à l'approche de Chichac,
et leur dit : « Voici ce que déclare le Seigneur : "Vous m'avez abandonné ! Eh
bien, moi aussi, je vous abandonne au
pouvoir de Chichac." »
6 Le roi et les chefs du peuple reconnurent leur faute et déclarèrent : « Le
Seigneur a raison ! » 7 Dès que le Seigneur
vit cela, il adressa de nouveau la parole à
Chemaya : « Puisqu'ils ont reconnu leur
faute, dit-il, je ne vais pas les exterminer.
Sous peu je leur accorderai une délivrance[z], car je renonce à déverser ma colère sur Jérusalem au point de laisser
Chichac détruire cette ville. 8 Toutefois
ils seront soumis à Chichac, et ils apprendront ainsi quelle différence il y a entre
se soumettre à moi et être soumis à des
rois terrestres. »
9 Chichac, le roi d'Égypte, attaqua Jérusalem. Il emporta les trésors du *temple du Seigneur et ceux du palais royal ; il
prit absolument tout, en particulier les
boucliers d'or que Salomon avait faits[a].
10 Alors, pour les remplacer, le roi Roboam fit fabriquer des boucliers en
bronze, et il les confia aux chefs des soldats qui gardaient les portes du palais
royal. 11 Ainsi, toutes les fois que le roi se
rendait au temple du Seigneur, les gardes
allaient chercher les boucliers, puis ils les
ramenaient dans le local de garde.
12 Le Seigneur ne laissa pas éclater sa
colère contre Roboam et renonça à une
extermination complète, car Roboam
avait reconnu sa faute. De plus, on trouvait encore du bon dans le royaume de
Juda.

Fin du règne de Roboam

(Voir 1 Rois 14.21-24,29-31)

13 Le roi Roboam, dont la mère était
Naama l'Ammonite, régna à Jérusalem et
affermit son pouvoir. Il avait quarante et
un ans lorsqu'il était devenu roi ; il régna
dix-sept ans à Jérusalem. C'est en effet la
ville que le Seigneur a choisie dans tout
le territoire d'Israël pour y manifester sa
présence au milieu de son peuple. 14 Roboam agit mal, il ne s'appliqua pas de
tout son cœur à connaître la volonté du
Seigneur.
15 L'histoire de Roboam, du début à la
fin, est contenue dans le livre intitulé *Actes du *prophète Chemaya et du voyant Iddo*,
où figurent les listes généalogiques[b]. Roboam fut constamment en guerre contre
Jéroboam. 16 Lorsqu'il mourut, on l'enterra dans la *Cité de David. Ce fut son
fils Abia[c] qui lui succéda.

Règne d'Abia

(Voir 1 Rois 15.1-8)

13 1 Pendant la dix-huitième année
du règne de Jéroboam, Abia de-
vint roi de Juda, 2 et il régna trois ans à Jérusalem. Sa mère s'appelait Mikaya, et
elle était fille d'Ouriel[d], de Guibéa.
Abia et Jéroboam se firent la guerre.
3 Abia engagea le combat avec une armée

---

y **12.3** *soukites* : d'un peuple inconnu.

z **12.7** *Sous peu je...* : autre traduction *Je vais leur accorder une délivrance partielle*.

a **12.9** Voir 9.15-16 ; 1 Rois 10.16-17.

b **12.15** *voyant* : voir 1 Sam 9.9-11. – *dans le livre...* : autre traduction *dans les livres intitulés Actes du prophète Chemaya* et *Actes du voyant Iddo*. Cet ouvrage ou ces ouvrages sont perdus. – *où figurent...* : texte hébreu peu clair et traduction incertaine.

c **12.16** *Abia* est nommé *Abiam* dans le texte parallèle des Rois.

d **13.2** D'après 11.20, cependant, Abia était fils de *Maaka, fille d'Abichalom* (voir aussi 1 Rois 15.2).

de quatre cent mille guerriers d'élite ; Jéroboam aligna contre lui une armée de huit cent mille vaillants soldats d'élite. 4 Abia gravit le sommet du Semaraïm[e], dans la région montagneuse d'Éfraïm, et cria à Jéroboam et aux Israélites : « Écoutez-moi donc ! 5 Ignorez-vous que le Seigneur, le Dieu d'Israël, a donné pour toujours la royauté sur Israël à David et à ses descendants ? Il en a pris l'engagement irrévocable ![f] 6 Or Jéroboam, fils de Nebath, qui était au service de Salomon, fils de David, s'est révolté contre son maître. 7 Autour de lui se sont groupés des gens peu recommandables, des vauriens. Ils l'ont emporté sur Roboam, fils de Salomon, jeune homme sans expérience qui n'a pas pu leur résister. 8 Et maintenant vous prétendez vous opposer à la royauté que le Seigneur a confiée aux descendants de David. Vous formez une armée nombreuse, et vous avez avec vous les veaux d'or que Jéroboam a fait fabriquer pour vous servir de dieux[g]. 9 Vous avez expulsé les vrais prêtres du Seigneur, les descendants d'Aaron, ainsi que les *lévites, et vous vous êtes choisi des prêtres comme ceux des autres pays : il suffisait de se présenter avec un taureau et sept béliers pour se faire désigner comme prêtre au service de dieux qui n'en sont pas. 10 Nous, au contraire, nous avons pour Dieu le Seigneur, et nous ne l'avons pas renié ; chez nous, les prêtres au service du Seigneur sont des descendants d'Aaron, et les lévites accomplissent leurs tâches. 11 Matin et soir ils font brûler pour le Seigneur des *sacrifices complets et des offrandes de parfum, les pains offerts à Dieu sont déposés sur la table pure[h], et chaque soir ils allument les lampes du porte-lampes d'or. Nous accomplissons en effet fidèlement le service du Seigneur, tandis que vous, vous avez renié le vrai Dieu. 12 Maintenant, Dieu lui-même est à notre tête ; ses prêtres sont là, prêts à sonner de la trompette pour donner le signal du cri de guerre contre vous[i]. Alors, Israélites, ne combattez pas contre le Seigneur, le Dieu de vos ancêtres, car vous ne remporteriez pas la victoire. »

13 Pendant ce temps, Jéroboam avait envoyé un détachement de soldats se placer en embuscade derrière les Judéens, de sorte que ceux-ci se trouvaient pris entre l'armée *d'Israël devant eux et l'embuscade derrière eux. 14 Les Judéens, s'étant retournés, découvrirent qu'ils devaient se battre sur deux fronts, et ils implorèrent le secours du Seigneur. Lorsque les prêtres sonnèrent de la trompette, 15 l'armée de Juda poussa le cri de guerre. Aussitôt, Dieu fit reculer Jéroboam et les Israélites devant Abia et les Judéens. 16 Les Israélites perdirent pied devant eux et Dieu les livra au pouvoir des Judéens. 17 Abia et son armée infligèrent une lourde défaite aux troupes d'Israël, tuant cinq cent mille de leurs soldats d'élite. 18 A cette occasion-là, les Israélites furent humiliés, tandis que les Judéens triomphèrent parce qu'ils s'étaient appuyés sur le Seigneur, le Dieu de leurs ancêtres. 19 Abia poursuivit Jéroboam ; il lui prit les localités de Béthel, Yechana et Éfron, avec les villages voisins.

20 Durant le règne d'Abia, Jéroboam ne retrouva jamais son ancienne puissance ; finalement le Seigneur le frappa et il mourut. 21 Par contre Abia affermit son pouvoir. Il épousa quatorze femmes et en eut vingt-deux fils et seize filles.

22 Le reste de l'histoire d'Abia est contenu dans le livre intitulé *Souvenirs du *prophète Iddo*[j] ; on y raconte ses faits et gestes. 23 Lorsqu'il mourut[k], on l'enterra dans la *Cité de David ; ce fut son fils Asa qui lui succéda.

Début du règne d'Asa

(Voir aussi 1 Rois 15.9-11)

14 Sous le règne d'Asa, le pays fut tranquille pendant dix ans. 1 Asa agit bien, faisant ce qui plaît au Seigneur son Dieu. 2 Il supprima les *autels

---

e 13.4 Ce *sommet* est situé à 30 km environ au nord de Jérusalem.

f 13.5 *engagement irrévocable* : l'hébreu exprime cette idée par l'expression *alliance de sel* ; voir à ce sujet Lév 2.13 et la note.

g 13.8 Voir 1 Rois 12.26-33.

h 13.11 Voir Lév 24.5-9.

i 13.12 Voir Nomb 10.9.

j 13.22 Ouvrage perdu.

k 13.23 Dans certaines traductions, les v. 13.23–14.14 sont numérotés 14.1-15.

et les lieux de culte païens, brisa les pierres dressées et coupa les poteaux sacrés.
3 Il ordonna aux Judéens d'adorer le Seigneur, le Dieu de leurs ancêtres, et
d'obéir à sa loi et à ses commandements.
4 Asa avait détruit dans toutes les villes
de Juda les lieux de culte païens et les
autels à parfums, de sorte que le
royaume fut tranquille pendant son règne. 5 Personne ne lui fit la guerre durant ces années-là, car le Seigneur
lui-même lui assurait la paix. Il profita
de cette période de tranquillité dans le
pays pour fortifier plusieurs villes de
Juda. 6 Il dit aux Judéens : « Fortifions
ces villes en les entourant de murailles
avec des tours et des portes à verrous,
pendant que le pays est encore à nous.
En effet, nous avons été fidèles au Seigneur notre Dieu et, à cause de notre fidélité, il nous a accordé la paix de tous
côtés[l]. » Ils se mirent alors au travail et
réussirent à fortifier ces villes.

7 Asa avait une armée de trois cent
mille Judéens, portant le grand bouclier
et la lance, et de deux cent quatre-vingt
mille Benjaminites, portant le petit bouclier et sachant manier l'arc. Ils étaient
tous de vaillants guerriers. 8 Zéra l'Éthiopien vint les attaquer avec une armée
d'un million d'hommes et trois cents
chars de guerre ; il arriva jusqu'à Marécha[m]. 9 Asa sortit à sa rencontre : ils se
mirent en ordre de bataille dans la vallée
de Sefata, près de Marécha. 10 Asa implora le secours du Seigneur son Dieu en
ces mots : « Seigneur, il n'est pas plus difficile pour toi de secourir le faible plutôt
que le fort. Viens donc à notre aide, Seigneur notre Dieu, car nous nous ap-
puyons sur toi ; c'est en ton nom que
nous nous sommes avancés contre cette
immense armée. Tu es le Seigneur notre
Dieu, ne permets pas qu'un homme l'emporte sur toi. »

11 Le Seigneur fit reculer les Éthiopiens devant Asa et l'armée judéenne ; ils
s'enfuirent 12 et furent poursuivis par Asa
et ses troupes jusqu'à Guérar[n]. Ils tombèrent en masse, et finalement aucun
d'eux n'en réchappa, car leur armée se
brisa contre le Seigneur et contre son
peuple. Les Judéens emportèrent un très
abondant butin. 13 Ils réussirent ensuite à
conquérir toutes les villes des environs
de Guérar, car leurs habitants étaient
sous l'effet de la crainte du Seigneur. Ils
pillèrent ces villes et y trouvèrent un butin considérable. 14 Ils attaquèrent même
les campements des gardiens de troupeaux et s'emparèrent d'un grand nombre de moutons et de chameaux. Après
quoi, ils regagnèrent Jérusalem.

Asa entreprend des réformes religieuses

(Voir aussi 1 Rois 15.12-15)

15 1 Azaria, fils d'Oded, fut saisi par
l'Esprit de Dieu ; 2 il s'en alla
trouver Asa pour lui dire : « Roi Asa, et
vous tous, Judéens et Benjaminites,
écoutez-moi ! Le Seigneur est avec vous
tant que vous êtes avec lui. Si vous le recherchez, il se laissera trouver par vous ;
si vous l'abandonnez, il vous abandonnera aussi. 3 Pendant longtemps les Israélites ont vécu sans le vrai Dieu, sans
prêtre pour les enseigner et sans loi[o].
4 Mais dans leur détresse, ils sont revenus au Seigneur, le Dieu d'Israël ; ils
l'ont recherché, et lui s'est laissé trouver
par eux. 5 A cette époque-là, on ne pouvait pas aller et venir en sécurité ; c'était
une période pleine de troubles pour les
habitants de tous les pays. 6 Une nation
écrasait une autre nation, une ville une
autre ville, car Dieu les secouait par toutes sortes de calamités. 7 Mais vous,
maintenant, soyez forts, ne vous laissez
pas décourager. Votre œuvre sera
récompensée. »

8 Lorsque le roi Asa entendit ce message prononcé par le *prophète Azaria,
fils d'Oded[p], il prit courage et fit dispa-

---

l **14.6** Plusieurs versions anciennes lisent *En effet, puisque nous avons été fidèles au Seigneur notre Dieu, il nous a fidèlement protégés et nous a accordé...*

m **14.8** Localité située à 40 km environ au sud-ouest de Jérusalem.

n **14.12** Localité située à 40 km environ au sud-ouest de Marécha (v. 8).

o **15.3** L'auteur évoque probablement l'époque des Juges ; comparer Jug 2.10-23.

p **15.8** *par le prophète Azaria, fils d'Oded* : d'après l'ancienne version latine ; hébreu *par le prophète Oded*.

raître de tout le territoire de Juda et de
Benjamin les idoles qui s'y trouvaient ; il
agit de même dans les villes dont il s'était
emparé dans la région montagneuse
d'Éfraïm. Ensuite il répara *l'autel du
Seigneur, qui se dressait devant le *temple. 9 De nombreux Israélites des tribus
d'Éfraïm, Manassé et Siméon s'étaient
ralliés au roi Asa et vivaient dans son
royaume depuis qu'ils avaient vu que le
Seigneur son Dieu était avec lui. Le roi
les convoqua, avec tous les habitants de
Juda et de Benjamin. 10 Ils se rassemblèrent à Jérusalem, pendant le troisième
mois de la quinzième année du règne
d'Asa. 11 Le jour de leur arrivée, ils offrirent en *sacrifices au Seigneur des bêtes qu'ils avaient prises aux ennemis :
sept cents bœufs et sept mille moutons.
12 Ils promirent solennellement de s'appliquer de tout leur cœur et de tout leur
être à connaître la volonté du Seigneur, le
Dieu de leurs ancêtres. 13 Si quelqu'un,
jeune ou âgé, homme ou femme, ne s'appliquait pas à connaître ainsi le Seigneur,
le Dieu d'Israël, il devait être mis à mort.
14 Ils accompagnèrent leur serment envers le Seigneur de grands cris, d'ovations, et de sonneries de cors et de
trompettes. 15 Le royaume de Juda fut
dans la joie à cause de cet engagement
pris de tout cœur. Tout le monde se plut à
rechercher le Seigneur, qui se laissa trouver par eux, et qui leur accorda la paix sur
toutes leurs frontières.

16 Le roi Asa retira même à sa grand-
mère Maaka[q] le titre de "Grande
Dame", parce qu'elle avait eu l'horrible
idée de faire une idole pour la déesse
*Achéra. Il ordonna de détruire cette
idole, de la réduire en miettes et de la
brûler au bord du torrent du Cédron.
17 Pourtant il ne supprima pas les lieux
sacrés d'Israël, bien qu'il eût toujours
aimé Dieu de tout son cœur. 18 Il fit aussi
apporter dans le temple de Dieu les offrandes consacrées par son père et par
lui-même, à savoir de l'argent, de l'or et
divers objets.

19 Il n'y eut plus de guerre jusqu'à la
trente-cinquième année du règne d'Asa[r].

Asa en guerre contre Bacha, roi d'Israël

(Voir 1 Rois 15.16-22)

16 1 Pendant la trente-sixième année
du règne d'Asa, Bacha, roi *d'Israël, vint un jour attaquer le pays de
Juda ; il se mit à fortifier le village de Rama[s], pour empêcher Asa et les Judéens de
circuler librement de ce côté-là. 2 Asa préleva une certaine quantité d'argent et
d'or dans le trésor du temple et dans le
trésor du palais royal, et l'envoya à Damas, au roi de Syrie Ben-Hadad, avec le
message suivant : 3 « Faisons alliance, toi
et moi, comme nos pères respectifs. Tu
vois, je t'envoie de l'argent et de l'or en
cadeau. Va donc rompre ton alliance avec
Bacha, roi d'Israël, afin qu'il retire ses
troupes de mon territoire. » 4 Ben-Hadad
accepta la proposition d'Asa et envoya les
chefs de ses forces armées attaquer les villes d'Israël. Ils prirent Yon, Dan et Abel-
Maïm[t], ainsi que toutes les villes de Neftali où l'on entreposait des réserves.
5 Quand Bacha apprit cette nouvelle, il
interrompit les travaux et cessa de fortifier Rama. 6 Le roi Asa emmena tous les
Judéens : ils emportèrent les pierres et les
poutres que Bacha avait rassemblées
pour fortifier Rama, et ils les utilisèrent
pour fortifier les localités de Guéba et
Mispa[u].

Asa emprisonne le prophète Hanani

7 A cette époque-là, le *prophète Hanani vint trouver Asa, roi de Juda, et lui
dit : « Tu n'as pas recherché l'appui du
Seigneur ton Dieu ; tu as préféré t'appuyer sur le roi de Syrie ! En agissant
ainsi tu as permis à l'armée du roi de Syrie d'échapper à ton pouvoir. 8 Les Éthiopiens et les Libyens ne formaient-ils pas
une puissante armée, comprenant un
nombre incalculable de chars et de cavaliers ? Pourtant le Seigneur les a livrés en

---

q **15.16** Voir 1 Rois 15.10 et la note.
r **15.19** Voir cependant 1 Rois 15.16.
s **16.1** Voir 1 Rois 15.17 et la note.
t **16.4** *Abel-Maïm* est la même localité qu'*Abel-Beth-Maaka* de 1 Rois 15.20.
u **16.6** Voir 1 Rois 15.22 et la note.

ton pouvoir, parce que tu t'es alors appuyé sur lui[v]. 9 En effet, le Seigneur promène ses regards sur toute la terre, afin de soutenir ceux qui l'aiment de tout leur cœur. Eh bien, cette fois-ci, tu as agi comme un insensé, et désormais tu devras affronter des guerres. » 10 Asa s'irrita contre le prophète ; il le fit jeter en prison, tant ses paroles avaient excité sa colère. A cette même époque, Asa se mit à opprimer certains citoyens.

Fin du règne d'Asa

(Voir 1 Rois 15.23-24)

11 L'histoire d'Asa, du début à la fin, est contenue dans le *livre des rois de Juda et *d'Israël*[w]. 12 Durant la trente-neuvième année de son règne, Asa fut atteint d'une très grave maladie des pieds, mais au lieu de rechercher le secours du Seigneur, il consulta des médecins. 13 Lorsque Asa mourut, durant la quarante et unième année de son règne, 14 on l'enterra dans un des tombeaux qu'il avait fait creuser dans la *Cité de David ; on déposa le corps à un endroit où l'on avait rassemblé beaucoup de parfums divers, préparés selon l'art des parfumeurs, et on en brûla une très grande quantité en son honneur.

Règne de Josaphat. Sa fidélité envers Dieu

17 1 Josaphat, fils d'Asa, succéda à son père. Il consolida sa position face au royaume *d'Israël[x]. 2 Il plaça des troupes dans toutes les villes fortifiées de Juda, et installa des gouverneurs dans son royaume, ainsi que dans les villes que son père Asa avait prises aux Éfraïmites. 3 Le Seigneur fut avec Josaphat, car celui-ci se conduisit comme son ancêtre David s'était conduit au début de son règne. Il ne consulta pas les dieux *Baals, 4 mais s'efforça de connaître la volonté du Dieu de son ancêtre et d'obéir à ses commandements, contrairement à ce que l'on faisait dans le royaume du Nord. 5 Le Seigneur affermit son pouvoir royal. Tous les Judéens offraient des cadeaux à Josaphat, de sorte que celui-ci fut couvert de richesse et de gloire. 6 Il se fit un point d'honneur de suivre la volonté du Seigneur, et supprima du royaume de Juda les lieux de culte païens et les poteaux sacrés.

7 Durant la troisième année de son règne, il envoya quelques-uns de ses hauts fonctionnaires enseigner les habitants des villes de Juda : c'étaient Ben-Haïl, Obadia, Zacharie, Netanéel et Mikaya. 8 Ils étaient accompagnés de neuf *lévites, Chemaya, Netania, Zébadia, Assaël, Chemiramoth, Yonatan, Adonia, Tobia et Tob-Adonia, ainsi que de deux prêtres, Élichama et Yoram. 9 Ils emportèrent avec eux le livre de la loi du Seigneur, et ils firent le tour des villes de Juda, pour y enseigner toute la population.

La puissance de Josaphat

10 Tous les royaumes voisins furent frappés de crainte à l'égard du Seigneur, et personne n'osa engager une guerre contre Josaphat. 11 On vit même des Philistins apporter à Josaphat des cadeaux ou des tributs en argent, et des Arabes lui amener sept mille sept cents béliers et autant de boucs.

12 La puissance de Josaphat grandissait de plus en plus. Il construisit en Juda des forteresses et des villes pour y entreposer des réserves. 13 Il disposait ainsi de provisions importantes dans les villes du royaume[y]. Les guerriers les plus vaillants de son armée étaient stationnés à Jérusalem. 14 Ces soldats étaient groupés selon leur origine familiale. De la tribu de Juda, on trouvait les commandants de régiments suivants : le commandant Adna, à la tête de trois cent mille vaillants guerriers ; 15 à ses côtés, le commandant Yohanan, à la tête de deux cent quatre-vingt mille soldats, 16 et Amassia, fils de Zikri,

---

v **16.8** Allusion au récit de 14.8-14.

w **16.11** Il s'agit probablement d'un autre ouvrage que les livres bibliques de 1 et 2 Rois.

x **17.1** *Il consolida...* : autre traduction *Il affermit son pouvoir sur son royaume* (littéralement *sur Israël*, car l'auteur des Chroniques, considérant que le royaume de Juda est le vrai peuple d'Israël, l'appelle à plusieurs reprises *Israël*).

y **17.13** Autre traduction *Il entreprit ainsi des travaux considérables dans les villes de Juda.*

engagé volontaire au service du Seigneur,
à la tête de deux cent mille vaillants guerriers. 17 De la tribu de Benjamin, on trouvait un vaillant guerrier, Éliada, à la tête
de deux cent mille hommes équipés
d'arcs et de boucliers, 18 et à ses côtés, Yozabad, à la tête de cent quatre-vingt mille
hommes aptes à combattre. 19 Tels étaient
les soldats au service du roi à Jérusalem.
Il faut y ajouter ceux qu'il avait établis
dans les villes fortifiées de tout son
royaume.

Josaphat s'allie à Achab, roi d'Israël

(Voir 1 Rois 22.1-4)

18 1 Le roi Josaphat était couvert de
richesse et de gloire. Il arrangea
un mariage entre sa famille et celle du roi
Achab, *d'Israël[z]. 2 Quelques années plus
tard, Josaphat se rendit chez Achab, à Samarie. Pour l'accueillir, lui et sa suite,
Achab fit abattre une grande quantité de
moutons et de bœufs. Puis il suggéra à
Josaphat d'aller ensemble attaquer la
ville de Ramoth, en Galaad[a] ; 3 il lui demanda : « Viendrais-tu avec moi attaquer
Ramoth de Galaad ? » Josaphat lui répondit : « Nous ne faisons qu'un, toi et moi,
ton peuple et le mien. Je pars en guerre
avec toi. »

Les prophètes de métier prédisent le succès

(Voir 1 Rois 22.5-12)

4 Pourtant Josaphat ajouta : « Consulte
d'abord le Seigneur. » 5 Le roi *d'Israël
rassembla alors ses quatre cents *prophètes[b] et leur demanda : « Devons-nous aller combattre pour reprendre Ramoth de
Galaad, ou dois-je y renoncer ? » – « Tu
peux y aller, répondirent les prophètes,
Dieu te livrera la ville. » 6 Mais Josaphat
demanda : « N'y a-t-il ici aucun autre prophète par qui nous puissions consulter le
Seigneur ? » – 7 « Il y en a bien encore un,
répondit le roi d'Israël, mais je ne l'aime
pas, car il m'annonce toujours du mal, jamais rien de bon. C'est Michée, fils
d'Imla. » Josaphat s'écria : « Ne parle pas
ainsi d'un prophète ! » 8 Alors le roi d'Israël appela un fonctionnaire du palais et
lui ordonna d'aller rapidement chercher
Michée, fils d'Imla.

9 Le roi d'Israël et le roi de Juda étaient
assis chacun sur son trône, revêtus de
leurs habits royaux, sur la place située
près de la porte de la ville de Samarie,
pendant que les prophètes proclamaient
leur message devant eux. 10 Un certain Sidequia, fils de Kenaana, s'était fabriqué
des cornes de fer, et il disait : « Voici ce
que déclare le Seigneur : "Ces cornes sont
le signe de la puissance avec laquelle tu
écraseras l'armée syrienne." » 11 Et tous
les autres prophètes confirmaient ce message en disant : « Tu peux aller attaquer
Ramoth de Galaad. Tu réussiras, le Seigneur te livrera la ville. »

Le prophète Michée prédit la défaite

(Voir 1 Rois 22.13-28)

12 Le messager qui était allé chercher
Michée lui dit : « Écoute, tous les *prophètes sont unanimes à prédire au roi le
succès ; arrange-toi donc pour parler
comme eux : prédis toi aussi le succès. »
13 Mais Michée lui répondit : « Par le Seigneur vivant, je proclamerai ce que mon
Dieu aura dit. »
14 Il vint se présenter devant le roi, qui
lui posa cette question : « Michée, devons-nous aller combattre pour reprendre Ramoth de Galaad, ou dois-je y
renoncer ? » – « Vous pouvez y aller, répondit Michée ; vous réussirez, le Seigneur vous livrera la ville. » 15 Mais le roi
reprit : « Combien de fois faudra-t-il que
je t'adjure de me dire seulement la vérité
de la part du Seigneur ? » 16 Alors Michée
déclara :

« J'ai vu tout le peuple *d'Israël
dispersé sur les montagnes
comme un troupeau sans *berger[c].
Et le Seigneur a dit :
"Ils n'ont plus de chefs.

---

z **18.1** Josaphat a marié son fils Joram à Athalie, fille d'Achab (voir 2 Rois 8.25-26 et 2 Chron 21.6). Les mariages princiers étaient souvent motivés par des raisons financières autant que politiques.

a **18.2** *Ramoth, en Galaad* : voir 1 Rois 22.3 et la note.

b **18.5** Voir 1 Rois 22.6 et la note.

c **18.16** Voir Nomb 27.17 et la note.

Que chacun retourne tranquillement
chez soi." »
17 Le roi d'Israël dit à Josaphat : « Je te
l'avais bien dit ! Il m'annonce toujours
du mal, jamais rien de bon ! » 18 Mais Michée reprit : « Écoutez plutôt ce que dit le
Seigneur. J'ai vu, en effet, le Seigneur assis sur son trône royal, avec tous ses serviteurs *célestes debout à sa droite et à sa
gauche ; 19 il a demandé : "Qui veut aller
donner à Achab, roi d'Israël, la mauvaise
idée d'attaquer Ramoth de Galaad, afin
qu'il y soit tué ?" Quelqu'un a proposé
ceci, un autre cela. 20 Alors l'Esprit qui
inspire les prophètes s'est avancé devant
le Seigneur et a dit : "Moi, j'irai lui en
donner l'idée !" – "Comment ?" a demandé le Seigneur. 21 "J'irai, a-t-il dit, et
je ferai prononcer des mensonges par
tous les prophètes du roi." Le Seigneur
lui a répondu : "C'est un excellent moyen
pour le tromper ; vas-y et fais cela !" 22 Eh
bien, ajouta Michée, maintenant c'est
fait. Le Seigneur a laissé un esprit inspirer des mensonges à tes prophètes ; mais
en réalité le Seigneur a décidé de t'envoyer le malheur. »
23 Aussitôt Sidequia, fils de Kenaana,
s'approcha de Michée et lui donna une
gifle en disant : « Est-ce que l'Esprit du
Seigneur est sorti de moi pour aller te
parler ? » 24 Michée répondit : « Oui ! Et
tu le comprendras bien toi-même le jour
où tu iras te cacher dans le recoin le plus
secret de ta maison. » 25 Alors le roi d'Israël donna l'ordre suivant à des serviteurs : « Saisissez Michée et confiez-le au
gouverneur de la ville Amon et au prince
Yoach. 26 Vous leur ordonnerez de ma
part de mettre cet individu en prison, et
de ne lui donner qu'une misérable ration
de pain et d'eau, jusqu'à ce que je revienne sain et sauf de cette expédition. »
27 Michée lui répondit : « Si tu reviens
sain et sauf, c'est que le Seigneur n'a pas
parlé par mon intermédiaire[d] ».

Le roi Achab est tué au combat

(Voir 1 Rois 22.29-40)

28 Achab, roi *d'Israël, et Josaphat, roi
de Juda, allèrent donc attaquer Ramoth
de Galaad. 29 Achab dit à Josaphat : « Je
vais me déguiser[e] pour aller au combat,
mais toi, mets tes habits royaux. » Ainsi
le roi d'Israël se déguisa, et ils partirent
au combat. 30 Or le roi de Syrie avait ordonné aux chefs de ses chars de guerre de
n'attaquer ni les simples soldats, ni les officiers, mais seulement le roi d'Israël.
31 C'est pourquoi, lorsque les chefs des
chars virent Josaphat, ils se dirent que
c'était le roi d'Israël et ils l'encerclèrent
pour l'attaquer. Mais Josaphat implora
l'aide du Seigneur Dieu, qui le secourut
en repoussant ses ennemis. 32 Quand les
chefs des chars se rendirent compte que
ce n'était pas le roi d'Israël, ils cessèrent
de le poursuivre.
33 Or un soldat syrien tira de l'arc au
hasard, et la flèche atteignit le roi d'Israël
entre les plaques protectrices de sa cuirasse. Le roi dit au conducteur de son
char : « Fais demi-tour ! Fais-moi sortir
de la bataille, car je me sens très mal. »
34 Mais ce jour-là, le combat fut si violent
que le roi d'Israël dut rester jusqu'au soir
debout sur son char, face à l'armée syrienne. Au moment où le soleil se couchait, il mourut.

Josaphat institue des juges en Juda

19 1 Josaphat, roi de Juda, rentra sain
et sauf chez lui, à Jérusalem. 2 Le
*prophète Yéhou, fils de Hanani, vint à
sa rencontre et lui dit : « Pourquoi as-tu
porté secours à un homme malfaisant ?
Peut-on aimer ceux qui haïssent le Seigneur ? A cause de ce que tu as fait, le Seigneur est en colère contre toi. 3 Pourtant
il y a encore du bon en toi, car tu as brûlé,
dans ton pays, les poteaux sacrés de la
déesse *Achéra, et tu t'es appliqué de tout
ton cœur à obéir à Dieu. »

4 Josaphat résidait à Jérusalem. Cependant il se remit à parcourir le pays, de
Berchéba à la région montagneuse
d'Éfraïm, pour inviter les Israélites à revenir au Seigneur, le Dieu de leurs ancêtres. 5 Il établit des juges dans chacune
des villes fortifiées du royaume de Juda

d **18.27** Voir 1 Rois 22.28 et la note.
e **18.29** Voir 1 Rois 22.30 et la note.

6 et leur dit : « Accomplissez scrupuleusement votre tâche. En effet, vous n'avez pas à juger au nom des hommes, mais au nom du Seigneur. Il sera lui-même avec vous quand vous prononcerez un jugement. 7 Ayez donc un grand respect pour le Seigneur et prenez garde à ce que vous faites, car le Seigneur notre Dieu ne tolère ni l'injustice, ni le favoritisme, ni la corruption par des cadeaux. »

8 A Jérusalem également, Josaphat désigna des *lévites, des prêtres et des chefs de famille israélites pour rendre la justice au nom du Seigneur et régler les querelles entre habitants de la ville[f]. 9 Il leur donna les ordres suivants : « Vous devez vous laisser inspirer par le respect du Seigneur, afin d'agir consciencieusement et avec une profonde intégrité. 10 Toutes les fois que des compatriotes, venus des villes où ils habitent, soumettront à votre jugement une affaire de meurtre ou une querelle relative à la loi, à un commandement, à des prescriptions ou à des réglementations, vous les éclairerez. Ainsi ils ne se rendront pas coupables envers le Seigneur, et le Seigneur n'aura pas à se mettre en colère contre vous et vos compatriotes. Agissez de cette manière, afin de n'être pas vous-mêmes coupables. 11 Le grand-prêtre Amaria vous supervisera dans toutes les affaires religieuses, et le ministre du royaume, Zébadia, fils d'Ismaël, dans toutes les affaires civiles. Quant aux lévites, ils exerceront les fonctions d'administrateurs à vos côtés. Mettez-vous courageusement au travail, et que le Seigneur soit avec ceux qui font le bien. »

Le royaume de Juda attaqué. Prière de Josaphat

20 1 Par la suite, les Moabites et les Ammonites, renforcés par des Méounites[g], entrèrent en guerre contre Josaphat. 2 On vint l'annoncer au roi : « Une armée nombreuse marche contre toi, lui dit-on. Elle est venue depuis l'autre côté de la mer Morte, du pays d'Édom, et se trouve maintenant à Hasson-Tamar, c'est-à-dire En-Guédi[h]. »

3 Pris de peur, Josaphat décida de consulter le Seigneur et imposa un *jeûne à tout le royaume de Juda. 4 Les Judéens vinrent de toutes les villes du pays et se rassemblèrent pour implorer l'aide du Seigneur. 5 Josaphat, entouré des habitants de Jérusalem et de tous les autres Judéens, se plaça face à la Cour Neuve du *temple, 6 et il pria ainsi : « Seigneur, Dieu de nos ancêtres, c'est toi qui règnes dans le *ciel et qui domines toutes les nations ! Tu possèdes la force et la puissance, de sorte que personne ne peut tenir devant toi. 7 N'est-ce pas toi, notre Dieu, qui as dépossédé les habitants de ce pays, lorsque Israël, ton peuple, y arrivait, et qui as donné ce territoire pour toujours aux descendants de ton ami Abraham[i] ? 8 Ils s'y sont installés et y ont construit un *sanctuaire qui t'est consacré. Puis ils ont dit : 9 "Si un malheur nous atteint, un châtiment, guerre, épidémie de peste ou famine, nous viendrons nous placer devant ce sanctuaire – c'est-à-dire devant toi, puisque tu y manifestes ta présence – et nous t'appellerons au secours du fond de notre détresse. Toi alors, tu nous écouteras et nous sauveras[j]." 10 Eh bien, maintenant, regarde : Voici les Ammonites, les Moabites et les Édomites qui nous attaquent. Quand nos ancêtres quittèrent l'Égypte, tu ne leur as pas permis de traverser les territoires de ces peuples. Nos ancêtres ont donc fait un détour[k] et ne les ont pas exterminés. 11 Mais eux nous récompensent aujourd'hui en venant nous chasser de la terre que tu nous as donnée ! 12 Seigneur notre Dieu, ne vas-tu pas leur infliger un juste châtiment ? Nous sommes sans force devant cette armée nombreuse

---

f **19.8** *entre habitants de la ville* : d'après les anciennes versions grecque et latine ; hébreu *et ils retournèrent en ville*.

g **20.1** *Méounites* : d'après l'ancienne version grecque ; hébreu *Ammonites*. Les *Méounites* étaient un peuple installé probablement au sud d'Édom.

h **20.2** *d'Édom* : d'après un manuscrit hébreu, une ancienne version latine, et les données géographiques du verset ; texte hébreu traditionnel *de Syrie*. – *En-Guédi* : la "source du Chevreau", située sur la rive ouest de la mer Morte.

i **20.7** Voir És 41.8 ; Jacq 2.23.

j **20.9** Voir 6.28-31.

k **20.10** Voir Nomb 20.14-21 ; Deut 2.4-9.

qui marche contre nous, et nous ne savons que faire. C'est pourquoi nous tournons nos visages suppliants vers toi. »
13 Tous les Judéens, y compris les femmes
et les enfants, se tenaient là, debout
devant le sanctuaire.

Le Seigneur donne la victoire aux Judéens

14 En pleine assemblée, l'Esprit du Seigneur s'empara de Yaziel, un *lévite, fils
de Zacharie et petit-fils de Benaya, lui-
même fils de Yéiel, petit-fils de Mattania
et descendant d'Assaf. 15 Yaziel s'écria :
« Écoutez attentivement, vous tous, habitants de Jérusalem, Judéens, et toi en particulier, roi Josaphat. Voici ce que vous
déclare le Seigneur : “Ne craignez rien,
n'ayez pas peur de cette armée nombreuse ! L'issue de ce combat ne dépend
pas de vous, mais de moi, votre Dieu.
16 Demain vous descendrez dans la direction de vos ennemis, qui sont en train de
monter par la côte des Fleurs. Vous les
rencontrerez à l'extrémité du ravin, en
face du désert de Yerouel[l]. 17 Vous n'aurez
pas besoin de les y combattre. Gens de Jérusalem et de Juda, contentez-vous de
vous arrêter là, de rester sur place, et de
regarder comment je vous délivrerai. Ne
craignez rien, ne vous effrayez pas ! Demain, allez à leur rencontre, et je serai
avec vous[m].” »
18 Josaphat s'inclina jusqu'à terre devant le Seigneur. Tous les habitants de Jérusalem et les Judéens se prosternèrent
aussi pour adorer le Seigneur. 19 Ensuite
les lévites des clans de Quéhath et de
Coré se relevèrent et acclamèrent à pleine
voix le Seigneur, le Dieu d'Israël.

20 Tôt le lendemain matin, ils se mirent
tous en route pour le désert de Técoa. Au
moment du départ, Josaphat leur adressa
la parole : « Écoutez-moi, gens de Jérusalem et de Juda ! Ayez confiance dans le
Seigneur votre Dieu, et vous serez fortifiés ; ayez confiance en ses *prophètes, et
vous triompherez ! »
21 D'entente avec le peuple, Josaphat
plaça, en tête de l'armée, des chanteurs
revêtus d'ornements sacrés et chargés
d'acclamer le Seigneur par le cantique :
« Louez le Seigneur, car son amour n'a
pas de fin. » 22 Au moment où ils enton-
nèrent cette joyeuse acclamation, le Seigneur jeta la confusion dans les rangs
des Ammonites, des Moabites et des
Édomites qui marchaient contre les Judéens, et ils se battirent entre eux. 23 Les
Ammonites et les Moabites commencèrent par attaquer les Édomites et ils les
massacrèrent jusqu'au dernier. Après
quoi ils s'exterminèrent les uns les autres. 24 Lorsque les Judéens arrivèrent à
l'endroit d'où l'on peut observer le désert, ils portèrent leurs regards vers l'armée ennemie, mais ne virent que des
cadavres gisant à terre : il n'y avait pas
un seul rescapé. 25 Josaphat et son peuple
se mirent à piller le champ de bataille ;
ils y trouvèrent une grande quantité de
bétail, des richesses, des vêtements[n] et
des objets précieux. Il y en avait tant
qu'ils passèrent trois jours à amasser du
butin, et ils ne purent même pas tout
emporter.
26 Le quatrième jour ils se réunirent
dans la vallée de la Beraka. – Cet endroit
porte aujourd'hui encore le nom de “vallée de la Beraka”, car c'est là qu'ils remercièrent le Seigneur[o]. – 27 Tous les
habitants de Jérusalem et les autres Judéens, avec Josaphat à leur tête, se mirent
ensuite en route pour regagner Jérusalem, le cœur en joie. Le Seigneur leur
avait en effet donné une grande joie en
les délivrant de leurs ennemis. 28 Ils entrèrent dans la ville au son des harpes,
des lyres et des trompettes, et se dirigèrent vers le *temple du Seigneur.
29 Lorsque, dans les royaumes étrangers, on apprit que le Seigneur Dieu avait

---

l **20.16** *côte des Fleurs, désert de Yerouel* : endroits non identifiés, mais situés probablement dans la région de Técoa (voir v. 20), à 25 km environ au sud de Jérusalem.

m **20.17** V. 15-17 : comparer Deut 20.1-4.

n **20.25** *de bétail* : d'après l'ancienne version grecque ; hébreu *en eux*. – *des vêtements* : d'après quelques manuscrits hébreux et l'ancienne version latine ; texte hébreu traditionnel *des cadavres*.

o **20.26** *vallée de la Beraka* : endroit situé à l'ouest de Técoa. – Le nom hébreu *Beraka* est dérivé du verbe traduit par *remercièrent*.

combattu contre les ennemis d'Israël,
tout le monde fut frappé de crainte à son
égard. 30 Ainsi le règne de Josaphat se déroula dans la tranquillité, car son Dieu
lui assurait la paix de tous côtés.

Fin du règne de Josaphat

(Voir 1 Rois 22.41-51)

31 Josaphat était devenu roi de Juda à
l'âge de trente-cinq ans, et il régna vingt-
cinq ans à Jérusalem. Sa mère s'appelait
Azouba, et elle était fille de Chili. 32 Il se
conduisit d'une manière droite et imita
son père Asa, faisant ce qui plaît au Seigneur. 33 Pourtant il ne supprima pas les
lieux sacrés, de sorte que le peuple n'était
pas attaché de tout son cœur au Dieu de
ses ancêtres. 34 Le reste de l'histoire de
Josaphat, du début à la fin, est contenu
dans les *Actes de Yéhou, fils de Hanani*[p],
ouvrage inséré dans le livre des rois
d'Israël.

35 Par ailleurs, Josaphat, roi de Juda,
s'associa avec Ahazia, roi *d'Israël, dont
la conduite était mauvaise. 36 Ensemble
ils décidèrent de construire des bateaux
pour des expéditions lointaines. La
construction eut lieu dans le port d'Ession-Guéber[q]. 37 Mais le *prophète Éliézer, fils de Dodava, de Marécha, déclara à
Josaphat : « Tu t'es associé avec Ahazia.
Eh bien, le Seigneur va détruire ce que tu
as construit. » Effectivement, les bateaux
ne purent pas partir en expédition, car ils
firent naufrage.

21 1 Lorsque Josaphat mourut, on
l'enterra dans le tombeau familial
de la *Cité de David ; ce fut son fils
Joram qui lui succéda.

Règne de Joram

(Voir 2 Rois 8.16-24)

2 Joram avait plusieurs frères, tous fils
du roi Josaphat : c'étaient Azaria, Yéhiel,
Zacharie, Azariahou, Mikaël et Chefatia.
3 Josaphat, leur père, leur avait fait des cadeaux importants en argent, en or et en
objets de valeur, et leur avait confié le
commandement de villes fortifiées en
Juda ; mais c'est Joram qu'il avait désigné
pour lui succéder, car il était l'aîné.

4 Joram accéda donc à la royauté à la
suite de son père et il affermit sa position.
Il fit alors assassiner tous ses frères, de
même que quelques ministres du
royaume. 5 Joram avait trente-deux ans
lorsqu'il devint roi, et il régna huit ans à
Jérusalem. 6 Il épousa une fille d'Achab[r].
Il se conduisit aussi mal que les rois
*d'Israël et que la famille d'Achab, fai-
sant ce qui déplaît au Seigneur. 7 Pourtant
le Seigneur ne voulut pas anéantir la dynastie de David, à cause de l'alliance
conclue avec ce roi ; en effet, il lui avait
promis que ses descendants régneraient
toujours à Jérusalem[s].

8 Ce fut pendant le règne de Joram que
le peuple d'Édom se révolta contre la domination de Juda[t] et se donna un roi. 9 Joram se mit en route avec ses officiers et
tous ses chars de guerre ; mais en pleine
nuit le roi et les commandants des chars
durent forcer la ligne des Édomites qui
les avaient encerclés. 10 Depuis ce moment-là, le peuple d'Édom est resté indépendant de Juda.

La ville de Libna[u] se révolta aussi à la
même époque et échappa à la domination
de Joram, parce que celui-ci avait cessé
d'obéir au Seigneur, le Dieu de ses ancêtres. 11 Joram avait même installé des
lieux de culte païens sur les montagnes
de Juda, incitant de cette manière les
gens de Jérusalem et de Juda à se montrer
infidèles au vrai Dieu.

12 Joram reçut un jour une lettre provenant du *prophète Élie et disant : « Voici
ce que déclare le Seigneur, le Dieu de ton
ancêtre David : Tu n'as pas suivi l'exemple de ton père Josaphat ni celui de ton
grand-père Asa, roi de Juda. 13 Au
contraire, tu as pris exemple sur les rois
*d'Israël, tu as incité les gens de Jérusa-
lem et de Juda à se tourner vers les faux
dieux, comme la famille d'Achab ; tu as
même assassiné tes propres frères, qui valaient pourtant mieux que toi. 14 C'est

---

p **20.34** Ouvrage perdu.
q **20.36** *Ession-Guéber* : voir 8.17.
r **21.6** Il s'agit d'Athalie, voir 22.2.
s **21.7** Voir 1 Rois 11.36.
t **21.8** Voir Gen 27.40.
u **21.10** Voir 2 Rois 8.22 et la note.

pourquoi le Seigneur va frapper d'un terrible fléau ton peuple, tes fils, tes femmes
et toutes tes possessions. 15 Toi-même tu
seras atteint de diverses maladies, dont
l'une empirera de jour en jour, jusqu'à ce
que tes intestins se répandent hors de ton
corps. »
16 Le Seigneur incita les Philistins, et
des Arabes voisins des Éthiopiens, à faire
la guerre à Joram. 17 Ils vinrent attaquer
le royaume de Juda et y pénétrèrent ; ils
s'emparèrent de tous les biens qui se
trouvaient dans le palais royal, et emmenèrent captifs les enfants et les épouses
du roi. Seul le plus jeune de ses fils, Ahazia, lui resta. 18 Après tout cela, le Seigneur frappa encore Joram d'une maladie
incurable des intestins. 19 Les jours passèrent ; au bout de deux ans environ, sous
l'effet de la maladie, ses intestins se répandirent hors de son corps, et il mourut
dans de cruelles souffrances. Toutefois
son peuple n'alluma pas un grand feu en
son honneur, comme on l'avait fait pour
ses ancêtres[v].
20 Joram était devenu roi à l'âge de
trente-deux ans, et il régna huit ans à Jérusalem. Lorsqu'il mourut, personne ne
le regretta. On l'enterra dans la *Cité de
David, mais pas dans les tombes royales.

Règne d'Ahazia

(Voir 2 Rois 8.25-29 ; 9.27-29)

22 1 Les habitants de Jérusalem désignèrent Ahazia, le plus jeune fils
du roi Joram, pour lui succéder. En effet,
tous les fils aînés avaient été tués par une
bande d'Arabes qui avaient pénétré dans
le camp militaire judéen[w]. C'est ainsi
qu'Ahazia, fils de Joram, devint roi de
Juda ; 2 il avait vingt ans et il régna un an
à Jérusalem. Sa mère s'appelait Athalie,
et elle était de la famille d'Omri[x]. 3 A son
tour, Ahazia se conduisit aussi mal que la
famille d'Achab, car sa mère lui donnait
de mauvais conseils ; 4 il fit ce qui déplaît
au Seigneur, tout comme les descendants
d'Achab, qui, après la mort de son père,
étaient devenus ses conseillers pour sa
perte. 5 Sur leur conseil précisément,
Ahazia partit avec Joram, fils d'Achab et
roi *d'Israël, pour aller combattre Hazaël, roi de Syrie, à Ramoth, en Galaad.
Au cours du combat, les Syriens blessèrent Joram ; 6 celui-ci retourna à Jizréel
pour soigner ses blessures. Alors Ahazia[y]
se rendit à Jizréel pour le voir, puisqu'il
était souffrant.
7 Dieu se servit de cette visite à Joram
pour provoquer la perte d'Ahazia. En effet, dès son arrivée, Ahazia partit avec Joram à la rencontre de Jéhu, fils de
Nimchi. Or le Seigneur avait accordé la
consécration royale à Jéhu pour qu'il extermine la famille d'Achab. 8 Jéhu exécuta le jugement de Dieu sur la famille
d'Achab. Ayant rencontré des chefs de
Juda et les neveux d'Ahazia, tous gens au
service du roi, il les massacra. 9 Il fit ensuite rechercher Ahazia ; on le captura à
Samarie où il se cachait, on l'amena devant Jéhu et on le mit à mort. Mais on
l'enterra quand même, car on se disait
qu'il était un descendant de Josaphat, le
roi qui avait sincèrement cherché à obéir
au Seigneur.

Dans la famille d'Ahazia, personne
n'était en état de régner.

Athalie s'empare du pouvoir

(Voir 2 Rois 11.1-3)

10 Lorsque Athalie, la mère d'Ahazia,
apprit que son fils était mort, elle décida
d'exterminer tous les descendants de la
famille royale de Juda. 11 Mais au moment du massacre, la princesse Yochéba
parvint à emmener secrètement un fils
d'Ahazia, nommé Joas, et elle le cacha
avec sa nourrice dans une chambre à coucher du *temple, de sorte qu'Athalie ne
put pas le faire mourir. – Yochéba, femme
du prêtre Yoyada, était fille du roi Joram
de Juda et donc sœur d'Ahazia. – 12 Pen-

v **21.19** Voir 16.14.

w **22.1** *avaient été tués* : comparer 21.16-17.

x **22.2** *vingt ans* : d'après l'ancienne version grecque (comparer 2 Rois 8.26, qui parle de *vingt-deux ans*) ; hébreu *quarante-deux ans* (mais d'après 21.20, parallèle de 2 Rois 8.17, son père Joram est mort à quarante ans). – D'après 21.6, Athalie était une fille d'Achab, donc une petite-fille d'Omri, ancien roi d'Israël.

y **22.6** *Ahazia* : d'après quelques manuscrits hébreux, les versions anciennes, le texte parallèle de 2 Rois 8.29 et le contexte ; texte hébreu traditionnel *Azaria*.

dant six ans, Joas resta caché avec ses protecteurs dans le temple de Dieu, tandis qu'Athalie régnait sur le pays.

Joas est consacré roi

(Voir 2 Rois 11.4-20)

23 1 Au cours de la septième année, le prêtre Yoyada prit une décision courageuse : il conclut un accord avec les capitaines Azaria, fils de Yeroam, Ismaël, fils de Yohanan, Azaria, fils d'Obed, Maasséya, fils d'Adaya, et Élichafath, fils de Zikri. 2 Ceux-ci parcoururent le royaume de Juda ; dans toutes les villes, ils convoquèrent les *lévites et les chefs de familles israélites, puis regagnèrent avec eux Jérusalem. 3 Tous ces gens, rassemblés dans le *temple de Dieu, conclurent un pacte au sujet du roi. Yoyada leur dit : « Voici Joas, le fils du roi ! C'est lui qui doit régner, conformément à ce que le Seigneur a promis au sujet des descendants de David[z]. 4 Procédez donc de la manière suivante : Lorsque les prêtres et les lévites entreront en service le jour du *sabbat, un premier groupe gardera les entrées du temple, 5 un deuxième groupe le palais royal, et le troisième groupe la porte de la Fondation[a]. Tout le peuple se tiendra dans les cours du temple. 6 Que personne ne pénètre dans le temple du Seigneur, sauf les prêtres et les lévites de service qui en ont le droit, car ils sont consacrés ; pour leur part, les laïcs doivent respecter l'interdiction qui vient du Seigneur. 7 Les autres lévites auront leur arme à la main ; ils entoureront le roi et l'accompagneront lorsqu'il se déplacera. Quiconque tentera de pénétrer dans le temple sera mis à mort. »

8 Les lévites et tous les Judéens agirent comme le prêtre Yoyada le leur avait ordonné ; chaque chef rassembla ses hommes, aussi bien ceux qui commençaient leur service le jour du sabbat que ceux qui le terminaient ce jour-là, car Yoyada n'avait accordé de congé à aucun groupe. 9 Yoyada confia aux capitaines les lances et les différentes sortes de boucliers qui avaient appartenu au roi David et qui étaient déposés dans le temple de Dieu. 10 Il plaça tous les hommes en demi-cercle, chacun avec son javelot à la main, de l'angle sud-est à l'angle nord-est du temple, devant le bâtiment et *l'autel, prêts à entourer le roi. 11 Alors on amena Joas : on lui remit l'insigne royal et le document de *l'alliance[b], puis Yoyada et ses fils le consacrèrent roi en versant de l'huile sur sa tête ; aussitôt tout le monde se mit à crier : « Vive le roi ! »

12 Lorsque Athalie entendit le bruit du peuple qui courait et acclamait le roi, elle rejoignit la foule au temple du Seigneur. 13 Elle aperçut le nouveau roi, debout près de la colonne du temple, à côté de l'entrée ; les officiers et les joueurs de trompettes se tenaient près de lui. Toute la population manifestait sa joie, tandis que les musiciens sonnaient de la trompette et que les chanteurs, avec leurs instruments de musique, dirigeaient les acclamations. Alors Athalie *déchira ses vêtements en criant : « Trahison ! Trahison ! »

14 Yoyada ne voulait pas qu'on la tue dans le temple. C'est pourquoi il fit approcher les capitaines qui commandaient les soldats de la garde et leur dit : « Faites-la sortir entre vos rangs ; si quelqu'un la suit, qu'il soit mis à mort. » 15 On l'entraîna vers le palais royal et, quand elle arriva à la porte des Chevaux[c], on l'exécuta.

16 Yoyada conclut une alliance qui engageait la population, le roi et lui-même à être le peuple du Seigneur. 17 Alors la foule se rendit au temple de *Baal et le démolit ; on brisa les autels et les idoles, et on tua Mattan, prêtre de Baal, devant les autels. 18 Ensuite Yoyada confia la surveillance du temple du Seigneur aux prêtres-lévites[d]. David les avait répartis en groupes pour offrir les *sacrifices complets dans le temple du Seigneur, selon ce qui figure dans la loi de Moïse ; il

---

z 23.3 Voir 2 Sam 7.16.

a 23.5 L'emplacement de cette *porte* est inconnu (comparer 2 Rois 11.6).

b 23.11 *document de l'alliance* : voir 2 Rois 11.12 et la note.

c 23.15 Voir 2 Rois 11.16 et la note.

d 23.18 *prêtres-lévites* : voir Deut 17.9 et la note.

leur avait prescrit d'accomplir ce service avec des chants joyeux. 19 Yoyada plaça aussi des gardiens aux portes du temple, afin qu'aucune personne en état *d'impureté n'y pénètre.

20 Yoyada rassembla encore les capitaines, les notables et les dirigeants, avec tout le peuple ; il conduisit le roi du temple au palais, en passant par la porte supérieure. Lorsqu'on installa Joas sur le trône royal, 21 tous manifestèrent leur joie.

La ville fut tranquille après qu'Athalie eut été mise à mort.

Joas fait réparer le temple

(Voir 2 Rois 12.1-17)

24 1 Joas avait sept ans lorsqu'il devint roi, et il régna quarante ans à Jérusalem. Sa mère, qui était de Berchéba[e], s'appelait Sibia. 2 Joas fit ce qui plaît au Seigneur aussi longtemps que le prêtre Yoyada vécut. 3 Celui-ci lui fit épouser deux femmes, dont il eut plusieurs fils et filles.

4 Après un certain temps, Joas décida de restaurer le *temple du Seigneur. 5 Il réunit les prêtres et les *lévites et leur dit : « Allez dans les villes de Juda et récoltez de l'argent auprès de tous les Israélites, afin que vous puissiez effectuer chaque année des réparations dans le temple de votre Dieu. Hâtez-vous de le faire. » Mais les lévites laissèrent traîner les choses. 6 Le roi convoqua alors le grand-prêtre Yoyada et lui dit : « Pourquoi n'as-tu pas exigé des lévites qu'ils perçoivent auprès des habitants de Jérusalem et de Juda l'impôt fixé par Moïse, le serviteur du Seigneur, et par l'assemblée d'Israël, en faveur du *sanctuaire où se trouve le *document de l'alliance[f] ? 7 Car les partisans de la perfide Athalie ont laissé le temple de Dieu se dégrader, et ils ont même utilisé les objets sacrés du temple pour le culte des dieux *Baals. »

8 Sur l'ordre du roi, on fabriqua un coffre et on le plaça près de l'entrée du temple, à l'extérieur. 9 Ensuite on fit proclamer à Jérusalem et dans tout le royaume que chacun devait apporter au Seigneur l'impôt exigé des Israélites par Moïse, serviteur de Dieu, lors de la traversée du désert. 10 Les chefs et le peuple tout entier vinrent déposer avec joie ce qu'ils devaient dans le coffre, au point de le remplir. 11 Quand on apporta le coffre aux lévites pour qu'ils en contrôlent le contenu au nom du roi, ils y trouvèrent beaucoup d'argent, si bien que le secrétaire du roi et l'administrateur du grand-prêtre vinrent le vider. Ensuite ils le firent remettre à sa place. Dès lors, on procéda chaque jour de cette façon-là, et on recueillit ainsi des sommes importantes. 12 Le roi et Yoyada remirent l'argent aux entrepreneurs chargés des travaux ; ceux-ci embauchèrent des tailleurs de pierre et des charpentiers, ainsi que des spécialistes du travail du fer et du bronze, pour restaurer et consolider le temple. 13 Les ouvriers se mirent à l'ouvrage ; grâce à leur savoir-faire, les réparations progressèrent et le temple retrouva son allure et sa solidité antérieures.

14 Quand les travaux furent achevés, les entrepreneurs apportèrent le reste de l'argent au roi et à Yoyada. On l'utilisa pour fabriquer des ustensiles pour le temple : objets de culte, instruments pour les *sacrifices, coupes et récipients d'or et d'argent. Durant toute la vie de Yoyada, on offrit régulièrement des sacrifices complets dans le temple du Seigneur.

Joas devient infidèle à Dieu

15 Yoyada devint très vieux, et mourut à l'âge de cent trente ans. 16 On l'enterra dans les tombes royales de la *Cité de David, car il avait toujours agi pour le bien d'Israël, et pour l'honneur de Dieu et de son *temple.

17 Après la mort de Yoyada, les chefs de Juda vinrent trouver Joas et lui rendirent hommage. Le roi prêta l'oreille à leurs suggestions, 18 et c'est ainsi que les Israélites délaissèrent le temple du Seigneur, le Dieu de leurs ancêtres, pour adorer les poteaux sacrés et autres idoles. Cette faute provoqua la colère de Dieu

e **24.1** *Berchéba* : voir 1 Rois 19.3.
f **24.6** *l'impôt...* : voir Ex 30.12-16.

contre Jérusalem et contre tout le royaume de Juda. 19 Ensuite Dieu leur envoya des *prophètes pour les persuader de revenir à lui, mais personne ne les écouta. 20 Alors l'Esprit de Dieu s'empara du prêtre Zacharie, fils de Yoyada. Zacharie se dressa face à la foule et proclama : « Écoutez ce que Dieu déclare : “Pourquoi désobéissez-vous à mes commandements ? Vous n'en tirerez aucun profit ! Vous m'avez abandonné : eh bien, je vous abandonnerai, moi aussi !” »

21 Le peuple complota contre Zacharie et, sur l'ordre du roi, se mit à lui lancer des pierres, dans la cour même du temple[g]. 22 Le roi Joas, oubliant la bonté que lui avait manifestée Yoyada, le père de Zacharie, fit mourir celui-ci. Avant d'expirer, Zacharie s'écria encore : « Que le Seigneur voie ce qui se passe et qu'il t'en punisse ! »

Fin du règne de Joas

(Voir 2 Rois 12.18-22)

23 Au printemps suivant[h], l'armée syrienne vint attaquer Joas. Elle envahit le royaume de Juda et la ville de Jérusalem, extermina les chefs du peuple et envoya tout le butin à son roi, à Damas. 24 Cette armée n'était pas considérable, mais le Seigneur livra en son pouvoir l'armée très nombreuse des Judéens, parce que ceux-ci l'avaient abandonné, lui, le Dieu de leurs ancêtres. Tel fut le châtiment infligé à Joas. 25 Puis les Syriens s'en allèrent, le laissant en proie à de cruelles souffrances. Alors les officiers de Joas complotèrent contre lui, pour venger la mort du fils[i] du prêtre Yoyada, et ils l'assassinèrent dans son lit. On l'enterra dans la *Cité de David, mais pas dans les tombes royales. – 26 Les auteurs du complot contre Joas étaient Zabad, fils d'une Ammonite nommée Chiméath, et Yozabad, fils d'une Moabite nommée Chimrith. –

27 La liste des fils de Joas, le texte des nombreux messages prophétiques prononcés contre lui et le récit de la restauration du *temple de Dieu figurent dans le livre intitulé *Commentaire du livre des Rois*[j]. Ce fut son fils Amassia qui lui succéda.

Règne d'Amassia

(Voir 2 Rois 14.1-7)

25 1 Amassia devint roi à l'âge de vingt-cinq ans, et il régna vingt-neuf ans à Jérusalem. Sa mère, qui était de Jérusalem, s'appelait Yoaddan. 2 Amassia fit ce qui plaît au Seigneur, mais sans grand enthousiasme.

3 Lorsque Amassia eut solidement établi son autorité royale, il fit mourir les officiers qui avaient assassiné son père, le roi Joas[k]. 4 Mais il épargna leurs enfants, pour respecter ce qui est écrit dans le livre de la Loi, le livre de Moïse ; en effet, le Seigneur y a donné cet ordre : « On ne doit pas mettre à mort des parents pour des péchés commis par leurs enfants, ni des enfants pour des péchés commis par leurs parents ; un être humain ne peut être mis à mort que pour ses propres péchés[l]. »

5 Amassia rassembla les hommes de son royaume, Judéens et Benjaminites, et désigna, selon les clans, des commandants de régiments et de compagnies. On dénombra les hommes de vingt ans et plus, et on en trouva trois cent mille, aptes au service et sachant manier la lance et le bouclier. 6 Pour le prix de trois tonnes d'argent environ, Amassia recruta en plus cent mille vaillants soldats du royaume *d'Israël. 7 Mais un *prophète vint lui dire : « Majesté, il ne faut pas que des soldats d'Israël partent avec toi, car le Seigneur ne soutient pas les gens du royaume du Nord. 8 S'ils t'accompagnent, tu auras beau combattre avec toute ton énergie[m], Dieu te fera lâcher pied devant

---

g **24.21** V. 20-21 : voir Matt 23.35 ; Luc 11.51.

h **24.23** Autre traduction *A l'automne suivant*.

i **24.25** *du fils* : d'après les anciennes versions grecque et latine ; hébreu *des fils*.

j **24.27** *le texte...* : autre traduction *et le montant considérable des contributions qu'il reçut pour la restauration...* (le texte hébreu de ce début de verset est peu clair). – *Commentaire du livre des Rois* : ouvrage perdu.

k **25.3** Voir 24.25-26.

l **25.4** Citation de Deut 24.16.

m **25.8** Texte hébreu peu clair. On pourrait aussi traduire d'après certaines versions anciennes *Si tu t'imagines que ton armée sera plus forte grâce à eux*.

tes ennemis. En effet, Dieu seul peut accorder la victoire ou infliger la défaite. »
9 Amassia demanda au prophète : « Et
qu'adviendra-t-il de tout l'argent que j'ai
versé à ces soldats ? » – « Le Seigneur a les
moyens de t'en redonner bien davantage ! » répondit-il. 10 Amassia renvoya
chez eux les soldats venus du royaume du
Nord. Ils s'en retournèrent, mais ils
étaient fort en colère à l'égard du
royaume de Juda.

11 Amassia, rempli de courage, partit à
la tête de son armée pour la vallée du
Sel[n], où il tua dix mille soldats édomites.
12 Les Judéens firent prisonniers dix
mille autres soldats ; ils les conduisirent
au sommet d'une falaise d'où ils les précipitèrent dans le vide, de sorte que tous
s'écrasèrent au sol.

13 Quant aux soldats israélites
qu'Amassia avait renvoyés, les empê-
chant de participer à son expédition, ils
envahirent les villes judéennes situées
entre Samarie et Beth-Horon, tuèrent
trois mille habitants et emportèrent une
grande quantité de butin[o].

Amassia battu par Joas, roi d'Israël

(Voir 2 Rois 14.8-14)

14 Lorsque Amassia revint de sa campagne victorieuse contre les Édomites, il
rapporta des statues des dieux d'Édom et
il en fit ses dieux ; il les adorait et leur offrait des *sacrifices. 15 Le Seigneur se mit
en colère contre lui ; il lui envoya un
*prophète qui lui dit : « Pourquoi te tour-
nes-tu vers des dieux qui n'ont même pas
pu délivrer leur peuple de ta main ? »
16 Mais le roi lui coupa la parole pour lui
demander : « Est-ce que je t'ai désigné
comme conseiller royal ? N'insiste pas, si
tu ne veux pas qu'on te maltraite. » Le
prophète s'interrompit, puis reprit : « Je
sais que Dieu a décidé de te faire mourir,
parce que tu as agi de la sorte et que tu as
refusé d'écouter mon avis. »

17 Amassia, roi de Juda, préféra d'autres avis et envoya des messagers auprès
du roi *d'Israël, Joas, fils de Joachaz et
petit-fils de Jéhu. Il lui faisait dire :
« Viens ! Affrontons-nous dans un
combat ! » 18 Joas adressa cette réponse à
Amassia : « Il y avait une fois sur le mont
Liban un buisson épineux ; il demanda à
un cèdre du Liban de lui donner sa fille
comme épouse pour son fils ; mais une
bête sauvage du Liban passa sur le buisson et l'écrasa »[p]. 19 Et Joas ajoutait : « Tu
te vantes d'avoir battu les Édomites. Tu
fais le fier, mais tu n'es qu'un vaniteux !
Tu ferais mieux de rester chez toi ! Pourquoi veux-tu commencer une guerre qui
finira mal pour toi, et où tu seras battu
avec toute l'armée de Juda ? »

20 Mais Amassia ne tint pas compte de
l'avertissement ; Dieu voulait en effet
causer la perte d'Amassia et de son armée, parce qu'ils s'étaient tournés vers
les dieux d'Édom. 21 Alors Joas, roi d'Israël, se mit en campagne ; son armée et
celle d'Amassia s'affrontèrent à Beth-
Chémech, au pays de Juda. 22 L'armée de
Juda fut battue par celle d'Israël, et tous
les soldats judéens s'enfuirent chez eux.
23 A Beth-Chémech, Joas, roi d'Israël, fit
prisonnier le roi de Juda Amassia, fils de
Joas et petit-fils d'Ahazia ; de là il l'emmena à Jérusalem et il démolit la muraille de la ville sur une longueur de près
de deux cents mètres, entre la porte
d'Éfraïm et la porte de l'Angle[q]. 24 Il prit
l'or, l'argent et tous les objets précieux
qui se trouvaient dans le *temple, sous la
garde d'Obed-Édom, et dans le trésor du
palais royal ; il prit également des otages
et retourna à Samarie.

Fin du règne d'Amassia

(Voir 2 Rois 14.15-20)

25 Après la mort de Joas, fils de Joachaz
et roi *d'Israël, Amassia, roi de Juda, vécut encore quinze ans. 26 Le reste de l'histoire d'Amassia, du début à la fin, est
contenu dans le livre des rois de Juda et

---

n **25.11** Voir 2 Rois 14.7 et la note.

o **25.13** Autre traduction *Beth-Horon ; mais on tua trois mille d'entre eux et on emporta...*

p **25.18** Sur cette fable, voir 2 Rois 14.9 et la note.

q **25.23** *porte de l'Angle* : d'après les versions anciennes et le texte parallèle de 2 Rois 14.13 ; hébreu *porte de celui qui fait face* (appellation unique et localisation inconnue). La partie de muraille démolie se situait probablement dans le secteur nord ou nord-est de la ville.

d'Israël[r]. 27 Dès l'époque où Amassia s'était détourné du Seigneur, des gens s'étaient mis à comploter contre lui, à Jérusalem. Un jour, il s'enfuit à Lakich[s], mais on le fit poursuivre et mettre à mort à cet endroit. 28 Ensuite on ramena son corps dans la capitale du royaume, sur un char tiré par plusieurs chevaux, et on l'enterra dans le tombeau familial.

Règne d'Ozias

(Voir 2 Rois 14.21-22 ; 15.1-3)

26 1 Ozias[t], fils d'Amassia, était âgé de seize ans lorsque le peuple de Juda le désigna comme roi pour succéder à son père. 2 C'est lui qui, après la mort de son père, reconquit la ville d'Élath[u] et la rebâtit.

3 Ozias, devenu roi à l'âge de seize ans, régna cinquante-deux ans à Jérusalem. Sa mère, qui était de Jérusalem, s'appelait Yekolia. 4 Ozias fit ce qui plaît au Seigneur, tout comme son père Amassia.

Ozias fidèle, puis infidèle à Dieu

5 Tant que vécut Zacharie, qui était capable de comprendre les visions envoyées par Dieu[v], Ozias s'efforça de connaître la volonté du Seigneur Dieu, et celui-ci lui accorda le succès.

6 Ozias partit en guerre contre les Philistins : il démolit les murailles de Gath, de Yabné et d'Asdod, puis fortifia des villes[w] aux environs d'Asdod et dans le reste du territoire philistin. 7 Dieu lui vint en aide dans ses campagnes contre les Philistins, les Arabes habitant Gour-Baal, et les Méounites[x]. 8 Même ces derniers[y] lui payèrent un tribut de guerre.

Ozias devint si puissant que sa renommée se répandit jusqu'aux frontières de l'Égypte. 9 Il construisit des tours fortifiées à Jérusalem, au-dessus de la porte de l'Angle, de la porte de la Vallée[z], et à un endroit où la muraille s'avance en saillie. 10 Il construisit aussi des tours de garde dans les régions désertiques, et il creusa de nombreuses citernes, car il avait de vastes troupeaux dans le *Bas-Pays et dans la plaine ; il avait également des laboureurs et des vignerons à son service dans les collines et les vignobles, car il aimait le travail de la terre.

11 Ozias entretenait une armée apte à combattre ; elle était répartie en troupes selon le résultat du recensement effectué par le secrétaire Yéiel et l'administrateur Maasséya, sous la direction de Hanania, l'un des officiers du roi. 12 Ces vaillants soldats, placés sous les ordres de deux mille six cents chefs de familles, 13 étaient au nombre de trois cent sept mille cinq cents ; ils étaient pleins de force et prêts à se battre contre les ennemis du roi. 14 Lors de chaque expédition, le roi leur fournissait des boucliers, des lances, des casques, des cuirasses, des arcs et des pierres de frondes. 15 A Jérusalem, Ozias fabriqua des engins inventés par un ingénieur ; ces engins, placés sur les tours et les angles des murailles, permettaient de lancer des flèches ou de grosses pierres. Ozias fut si merveilleusement aidé par Dieu[a] qu'il devint de plus en plus puissant et que sa renommée s'étendit au loin.

16 Mais sa puissance le rendit orgueilleux, ce qui causa sa perte, et il cessa d'être fidèle au Seigneur son Dieu : un jour, il pénétra à l'intérieur même du *temple pour faire brûler de *l'encens sur *l'autel du parfum. 17 Le grand-prêtre Azaria, accompagné de quatre-vingts prêtres du Seigneur, tous très courageux, y pénétra derrière lui. 18 Ils se placèrent en face du roi Ozias et lui dirent : « Sa Majesté le roi n'a pas le droit de présenter

---

r 25.26 Voir 16.11 et la note.

s 25.27 Voir 2 Rois 14.19 et la note.

t 26.1 *Ozias* est appelé *Azaria* dans le texte parallèle de 2 Rois.

u 26.2 Voir 8.17.

v 26.5 *qui était capable...* : texte hébreu peu clair ; autre traduction possible *qui l'instruisait dans le respect de Dieu*.

w 26.6 *Gath, Yabné, Asdod* : villes philistines de la région côtière, à l'ouest de Jérusalem. – *fortifia des villes* ou *construisit d'autres villes*.

x 26.7 *Gour-Baal* : localité non identifiée. – *les Méounites* : voir 20.1 et la note.

y 26.8 *ces derniers* (= *les Méounites*) d'après l'ancienne version grecque ; hébreu *les Ammonites*.

z 26.9 *porte de l'Angle* : voir 25.23 et la note ; *porte de la Vallée* : dans la muraille ouest de la ville.

a 26.15 *aidé par Dieu* ou *secondé (par des collaborateurs)*.

lui-même les offrandes de parfum au Seigneur. C'est le privilège des prêtres, les
descendants d'Aaron, qui ont été consacrés à cet effet[b]. Sors de ce *sanctuaire,
car tu es en train de commettre un acte
sacrilège, qui ne sera pas un acte de gloire
pour toi devant le Seigneur Dieu. »
19 Ozias, qui s'apprêtait à faire brûler
l'encens, se mit en colère contre les prêtres. Aussitôt la *lèpre apparut sur son
front, là, dans le temple, près de l'autel du
parfum et en présence des prêtres. 20 Le
grand-prêtre Azaria et tous les autres prêtres, qui le regardaient, virent la lèpre apparaître sur son front ; ils l'expulsèrent
immédiatement, et lui-même, se sentant
frappé par le Seigneur, se hâta de sortir
du sanctuaire.

Fin du règne d'Ozias

(Voir 2 Rois 15.5-7)

21 Le roi Ozias resta *lépreux jusqu'à sa
mort ; à cause de cette maladie, il dut résider à l'écart[c] des autres gens, sans avoir
le droit de retourner au *temple du Seigneur. Son fils Yotam, le chef du palais
royal, fut chargé de gouverner le
royaume. 22 Le reste de l'histoire d'Ozias,
du début à la fin, a été rédigé par le *prophète Ésaïe, fils d'Amots[d]. 23 Lorsqu'il
mourut[e], on l'enterra dans le cimetière
royal mais, parce qu'il était lépreux, pas
dans le tombeau familial. Ce fut son fils
Yotam qui lui succéda.

Règne de Yotam

(Voir 2 Rois 15.32-38)

27 1 Yotam devint roi à l'âge de vingt-
cinq ans, et il régna seize ans à Jérusalem. Sa mère s'appelait Yeroucha, et
elle était fille de Sadoc. 2 Yotam fit ce qui
plaît au Seigneur, agissant tout comme
son père Ozias, sans toutefois commettre
la faute de pénétrer dans le *temple du
Seigneur. Cependant le peuple n'amélio-
rait pas sa conduite[f].
3 C'est Yotam qui construisit la porte
supérieure du temple du Seigneur, et fortifia en plusieurs endroits la muraille du
quartier de l'Ofel[g]. 4 Il édifia aussi des villes dans la région montagneuse de Juda,
de même que des fortins et des tours dans
les forêts.
5 Yotam partit en guerre contre le roi
des Ammonites et remporta la victoire.
Cette année-là, les Ammonites lui payèrent un tribut de trois tonnes d'argent,
trois mille tonnes de blé et trois mille
tonnes d'orge ; les deux années suivantes,
ils lui fournirent un tribut équivalent.
6 Yotam devint de plus en plus puissant,
parce qu'il se conduisait de manière
droite devant le Seigneur son Dieu.
7 Le reste de l'histoire de Yotam est
contenu dans le livre des rois *d'Israël et
de Juda[h] ; on y raconte ses guerres et ses
actions. 8 Yotam était devenu roi à l'âge
de vingt-cinq ans, et il régna seize ans à
Jérusalem. 9 Lorsqu'il mourut, on l'enterra dans la *Cité de David ; ce fut son
fils Ahaz qui lui succéda.

Début du règne d'Ahaz

(Voir 2 Rois 16.1-6)

28 1 Ahaz devint roi à l'âge de vingt
ans, et il régna seize ans à Jérusalem. Il ne fit pas ce qui plaît au Seigneur,
contrairement à son ancêtre David. 2 Il
imita plutôt la conduite des rois *d'Israël ; il alla même jusqu'à fabriquer des
statues de métal fondu pour le culte des
dieux *Baals. 3 Il présenta des offrandes
de parfums dans la vallée de Hinnom, et
offrit ses fils en *sacrifices[i], selon l'abominable pratique des nations que le Seigneur avait chassées du pays pour faire
place au peuple d'Israël. 4 Il offrit également des sacrifices d'animaux et brûla
des parfums dans les lieux de culte
païens, sur les collines où il y avait des
arbres verts.
5 Le Seigneur son Dieu le livra au pouvoir du roi de Syrie : les Syriens le bat-

---

b **26.18** Voir Nomb 3.10 ; 17.5 ; 18.7.
c **26.21** Voir 2 Rois 15.5 et la note.
d **26.22** Cet écrit ne nous est pas parvenu.
e **26.23** Voir És 6.1.
f **27.2** Autre traduction ... *Ozias. Toutefois il ne fréquentait pas le temple du Seigneur, et le peuple...*
g **27.3** *porte supérieure* : voir 2 Rois 15.35 et la note. – *Ofel* : quartier de Jérusalem situé au sud du temple et du palais royal.
h **27.7** Voir 16.11 et la note.
i **28.3** *vallée de Hinnom* : au sud de Jérusalem. – *ses fils en sacrifices* : voir 2 Rois 16.3 et la note.

tirent et firent un grand nombre de prisonniers qui furent conduits à Damas.
Ahaz fut aussi livré au pouvoir de Péca,
fils de Remalia et roi *d'Israël[j], qui lui
infligea une lourde défaite : 6 en un seul
jour, Péca fit mourir cent vingt mille
vaillants soldats judéens ; cela arriva
parce qu'ils avaient abandonné le Seigneur, le Dieu de leurs ancêtres. 7 Quant
au guerrier éfraïmite Zikri, il tua Maasséya, un des fils du roi, Azricam, chef du
palais, et Elcana, le plus proche collaborateur du roi. 8 Enfin les soldats du
royaume du Nord firent prisonniers
deux cent mille femmes et enfants de
Juda ; ils s'emparèrent également d'un
butin considérable qu'ils emportèrent à
Samarie.

9 Il y avait à Samarie un *prophète du
Seigneur, nommé Oded ; il sortit à la rencontre de l'armée *d'Israël qui arrivait en
ville, et dit aux soldats : « Le Seigneur, le
Dieu de vos ancêtres, était en colère
contre les Judéens. C'est pourquoi il les a
livrés en votre pouvoir. Or vous en avez
massacré un certain nombre avec une
rage telle que l'écho en est monté
jusqu'au *ciel. 10 De plus, vous avez
maintenant l'intention de réduire en esclavage ces hommes et ces femmes de Jérusalem et de Juda. N'est-ce pas vous
rendre vous-mêmes coupables envers le
Seigneur votre Dieu[k] ? 11 Écoutez-moi
donc et rendez la liberté aux prisonniers
judéens que vous avez faits, car c'est
contre vous que le Seigneur est actuellement en colère. »

12 Alors quelques-uns des chefs éfraïmites prirent parti contre ceux qui revenaient de l'expédition ; c'étaient Azaria,
fils de Yohanan, Bérékia, fils de Mechillémoth, Yehizquia, fils de Challoum,
et Amassa, fils de Hadlaï. 13 Ils leur dirent : « N'amenez pas ces prisonniers ici !
Vous nous rendriez responsables d'une
faute grave envers le Seigneur. Avez-vous
l'intention d'augmenter le poids de notre
culpabilité, alors qu'elle est déjà bien
lourde et que le Seigneur est déjà très en
colère contre *Israël ? » 14 En présence
des chefs et de toute la foule, la troupe libéra aussitôt les prisonniers et renonça
même au butin. 15 Des hommes, qu'on
désigna personnellement pour cette tâche, réconfortèrent les prisonniers : ils
prirent dans le butin des vêtements et des
chaussures pour les remettre à ceux qui
en étaient dépourvus ; à tous ils donnèrent à manger et à boire, ils soignèrent
les blessés, puis chargeant les éclopés sur
des ânes, ils reconduisirent tous ces gens
auprès de leurs compatriotes à Jéricho, la
ville des Palmiers. Ensuite ils regagnèrent Samarie.

Ahaz demande l'aide de l'Assyrie

(Voir 2 Rois 16.7-20)

16 A cette époque-là, le roi Ahaz fit demander au roi d'Assyrie de venir à son
secours. 17 En effet, les Édomites étaient
de nouveau venus attaquer le royaume de
Juda et avaient fait des prisonniers. 18 De
leur côté, les Philistins avaient envahi les
villes du *Bas-Pays et la région méridionale de Juda ; ils s'étaient emparés de
Beth-Chémech, Ayalon et Guedéroth,
ainsi que de Soko, Timna, Guimzo et des
villages voisins, et ils s'y étaient installés.
19 Le Seigneur humiliait ainsi le royaume
de Juda, à cause du roi Ahaz qui avait
poussé son peuple à négliger le Seigneur
et qui lui avait été personnellement infidèle.

20 Téglath-Phalasar, roi d'Assyrie, vint
attaquer Ahaz et le mit dans une situation
désespérée, au lieu de lui venir en aide[l].
21 Ahaz prit une partie des richesses du
*temple, du palais et de ses dignitaires, et
remit le tout au roi d'Assyrie, mais il n'en
retira aucun profit. 22 Même dans une situation aussi désespérée, Ahaz ne cessa
pas d'être infidèle au Seigneur : 23 il offrit
des *sacrifices aux dieux de Damas, qui
pourtant avaient provoqué sa défaite ; il
se disait en effet : « Les rois de Syrie sont
secourus par leurs dieux ; je vais donc
leur offrir des sacrifices, afin qu'ils me se-
courent aussi. » Mais ce furent justement
ces dieux qui causèrent sa perte et celle de
tout son peuple. 24 Ahaz rassembla tous

---

j **28.5** Sur *Péca, roi d'Israël*, voir 2 Rois 15.27-31. – V. 5-6 : voir 2 Rois 16.5 ; És 7.1.

k **28.10** Ou *n'êtes-vous pas, vous aussi, fautifs envers...*

l **28.20** *au lieu de ...* : autre traduction *sans toutefois réussir à le vaincre*.

les objets sacrés du temple, les brisa, puis il
verrouilla les portes du *sanctuaire du Seigneur. Ensuite il fit dresser des *autels à
tous les carrefours de Jérusalem. 25 Dans
chaque ville de son royaume, il installa des
lieux sacrés pour y offrir des sacrifices aux
dieux étrangers, irritant ainsi le Seigneur,
le Dieu de ses ancêtres.
26 Le reste de l'histoire d'Ahaz, du début à la fin, est contenu dans le livre des
rois de Juda et *d'Israël[m] ; on y raconte
tous ses faits et gestes. 27 Lorsqu'il mourut[n], on l'enterra dans la ville de Jérusalem, mais pas dans les tombes royales ; ce
fut son fils Ézékias qui lui succéda.

Règne d'Ézékias. Purification du temple

(Voir 2 Rois 18.1-4)

29 1 Ézékias devint roi à l'âge de
vingt-cinq ans, et il régna vingt-
neuf ans à Jérusalem. Sa mère s'appelait
Abi, et elle était fille de Zacharie. 2 Ézékias fit ce qui plaît au Seigneur, tout
comme son ancêtre David.
3 La première année de son règne, durant le premier mois, il rouvrit les portes
du *temple et les répara. 4 Il convoqua les
prêtres et les *lévites, les rassembla sur la
place de l'Orient[o] 5 et leur dit : « Descendants de Lévi, écoutez-moi ! *Purifiez-
vous maintenant, puis purifiez le temple
du Seigneur, le Dieu de vos ancêtres, en
le vidant de tous les objets impurs qui s'y
trouvent. 6 Nos ancêtres ont été infidèles
envers le Seigneur notre Dieu, ils ont fait
ce qui lui déplaît, ils l'ont renié ! Ils ont
détourné leurs regards de son *sanctuaire, ils lui ont tourné le dos. 7 Ils ont
même verrouillé les portes du temple,
laissé les lampes s'éteindre, et négligé de
présenter les offrandes de parfum et les
*sacrifices d'animaux dans le sanctuaire
du Dieu d'Israël. 8 Alors le Seigneur s'est
mis en colère contre Jérusalem et Juda : il
a abandonné son peuple à l'angoisse, il en
a fait un objet d'horreur et d'épouvante,
comme vous pouvez encore le constater
de vos propres yeux. 9 C'est pourquoi les
hommes de notre peuple sont morts à la
guerre, les femmes et les enfants ont été
faits prisonniers. 10 Eh bien moi, j'ai l'intention de conclure une *alliance avec le
Seigneur, le Dieu d'Israël, afin que l'ardente colère qu'il ressent contre nous
s'apaise. 11 Quant à vous, mes amis, ne
vous montrez pas négligents, car c'est
vous que le Seigneur a choisis pour vous
tenir devant lui, prêts à célébrer le culte
et à brûler *l'encens en son honneur. »
12 Voici les lévites qui s'avancèrent :
Mahath, fils d'Amassaï, et Joël, fils
d'Azaria, du clan de Quéhath ; Quich, fils
d'Abdi, et Azaria, fils de Yehallélel, du
clan de Merari ; Yoa, fils de Zimma, et
Éden, fils de Yoa, du clan de Guerchon ;
13 Chimri et Yéiel, du clan d'Élissafan ;
Zacharie et Mattania, du clan d'Assaf ;
14 Yéhiel et Chiméi, du clan de Héman ;
Chemaya et Ouziel, du clan de Yedoutoun. 15 Ils réunirent les membres de
leurs clans respectifs et ils se purifièrent
tous. Puis, selon l'ordre du roi, conforme
à la volonté du Seigneur, ils se rendirent
au temple pour le purifier. 16 Les prêtres
pénétrèrent dans le bâtiment pour en purifier l'intérieur : ils transportèrent dans
la cour du temple tous les objets impurs
qu'ils trouvèrent dans la *grande salle ;
les lévites les ramassèrent et allèrent les
déposer hors de la ville, dans la vallée du
Cédron. 17 On avait commencé la purification le premier jour du mois ; le huitième jour, on était parvenu au vestibule
du temple. La purification du bâtiment
ayant duré huit jours également, le sei-
zième jour du mois le travail était achevé.
18 Les descendants de Lévi se rendirent ensuite chez le roi Ézékias et lui dirent : « Majesté, nous avons purifié tout
le temple du Seigneur, y compris *l'autel
des sacrifices et la table où l'on dépose les
pains offerts à Dieu, avec tous leurs accessoires. 19 Quant aux objets sacrés que
le roi Ahaz avait profanés durant son règne impie, nous les avons tous remis en
état et consacré de nouveau. Les voici
déposés devant l'autel. »

---

m **28.26** Voir 16.11 et la note.
n **28.27** Voir És 14.28.
o **29.4** Cette *place* était vraisemblablement située près d'une des portes orientales de la ville ; c'est peut-être celle mentionnée en Néh 8. Selon une autre interprétation, moins probable, il s'agirait de la *place* située devant l'entrée du temple.

Ézékias rétablit le culte et les sacrifices

20 Tôt le lendemain, le roi Ézékias réunit les dignitaires de la ville et monta au *temple du Seigneur avec eux. 21 Ils firent amener sept taureaux, sept béliers et sept agneaux, ainsi que sept boucs à offrir en *sacrifices pour obtenir le pardon de Dieu ; ces sacrifices devaient être faits en faveur de la famille royale, du *sanctuaire et du peuple de Juda. Le roi ordonna aux prêtres, descendants d'Aaron, d'offrir les sacrifices sur *l'autel du Seigneur. 22 On égorgea donc les taureaux ; les prêtres en recueillirent le sang et le répandirent sur l'autel. On égorgea ensuite les béliers, et enfin les agneaux : chaque fois les prêtres en répandirent le sang sur l'autel. 23 Quant aux boucs du sacrifice pour obtenir le pardon, on les conduisit devant le roi et l'assemblée ; le roi et les autres gens posèrent la main sur eux. 24 Les prêtres les égorgèrent et en versèrent le sang sur l'autel, pour obtenir le pardon en faveur de tout Israël. En effet, le roi avait précisé que les deux sortes de sacrifices étaient offerts en faveur de tout le peuple.

25 Le roi plaça ensuite les *lévites dans la cour du temple du Seigneur avec des cymbales, des harpes et des lyres, selon la règle fixée par David et par les *prophètes du roi, Gad et Natan ; l'ordre venait en effet du Seigneur, par l'intermédiaire de ses prophètes. 26 Les lévites prirent place avec les instruments de musique que David avait fait fabriquer, et les prêtres, de leur côté, avec des trompettes. 27 Ézékias ordonna de faire brûler les sacrifices complets sur l'autel. Au moment où commençait la cérémonie, on entonna les chants en l'honneur du Seigneur, accompagnés par les trompettes et les instruments de David, roi d'Israël. 28 Toute l'assemblée se tint profondément inclinée, tandis que les musiciens chantaient ou jouaient de la trompette jusqu'à la fin du sacrifice. 29 Quand ce fut terminé, le roi et tous ceux qui se trouvaient avec lui s'agenouillèrent et s'inclinèrent jusqu'à terre. 30 Le roi et les dignitaires dirent aux lévites d'acclamer encore le Seigneur par les chants que David et le prophète Assaf avaient composés. Les lévites chantèrent donc avec joie, puis s'inclinèrent jusqu'à terre pour adorer le Seigneur.

31 Le roi Ézékias reprit la parole et dit au peuple : « Maintenant, vous qui avez les mains pleines d'offrandes pour le Seigneur, apportez au temple vos sacrifices de communion et de louange ! » Les gens amenèrent les animaux pour ces sacrifices ; ceux qui étaient particulièrement généreux offrirent également des sacrifices complets[p]. 32 Au total, on offrit au Seigneur soixante-dix taureaux, cent béliers et deux cents agneaux en sacrifices complets, 33 ainsi que six cents bœufs et trois mille moutons et chèvres pour les autres sacrifices. 34 Les prêtres présents, trop peu nombreux, ne parvenaient pas à ôter la peau à tous les animaux des sacrifices complets ; c'est pourquoi leurs frères lévites les aidèrent à terminer la besogne, en attendant que les autres prêtres se soient *purifiés. En effet, les lévites avaient manifesté plus d'empressement que les prêtres pour se purifier. 35 De plus, à côté des nombreux sacrifices complets, accompagnés des offrandes de vin nécessaires, il fallait encore présenter sur l'autel les parties grasses des sacrifices de communion.

C'est ainsi que le culte fut rétabli dans le temple du Seigneur. 36 Ézékias et tout le peuple furent très heureux de ce que Dieu leur avait permis de réaliser, car les choses n'avaient pas traîné.

Ézékias convoque tous les Israélites pour la Pâque

30 1-5 Le roi Ézékias s'entretint avec ses dignitaires et toute l'assemblée de Jérusalem de la possibilité de célébrer la fête de la *Pâque durant le deuxième mois de l'année ; en effet, on n'avait pas pu le faire à la date habituelle[q], car les

---

p **29.31** Les *sacrifices complets* (animaux brûlés entièrement sur l'autel) dénotaient une générosité particulière. Dans d'autres sacrifices en effet, une partie de la viande revenait au donateur.

q **30.1-5** *durant le deuxième mois* : voir Nomb 9.1-13. – *date habituelle* : c'est-à-dire durant le premier mois de l'année, voir Ex 12.1-11.

prêtres ne s'étaient pas *purifiés en nombre suffisant et le peuple n'était pas réuni à
*Jérusalem. Cette idée parut judicieuse au
roi et à l'assemblée, et on décida d'inviter
tout Israël, du sud au nord du pays, à venir
à Jérusalem célébrer la Pâque, puisque si
peu de gens l'avaient fait conformément à
ce qui est prescrit. Le roi envoya donc des
messagers dans tout le territoire *d'Israël
et de Juda pour engager la population à
venir au *temple célébrer cette fête en
l'honneur du Seigneur, le Dieu d'Israël.
Ézékias avait même rédigé des lettres d'invitation pour les tribus du Nord. 6 Les
messagers parcoururent les territoires
d'Israël et de Juda, avec les lettres signées
par le roi et ses dignitaires ; selon l'ordre
du roi, ils proclamaient : « Israélites, vous
qui avez pu échapper à l'invasion assyrienne, revenez au Seigneur, le Dieu
d'Abraham, d'Isaac et de Jacob, et il reviendra à vous. 7 N'imitez pas vos pères et
vos frères, qui ont été infidèles envers le
Seigneur, le Dieu de leurs ancêtres ; Dieu
les a livrés à la ruine, ainsi que vous pouvez le constater. 8 Ne vous montrez pas
aussi rebelles que vos ancêtres : soumettez-vous au Seigneur, revenez à son *sanctuaire, qu'il a consacré pour toujours, et
soyez les serviteurs du Seigneur votre
Dieu. Alors l'ardente colère qu'il ressent
contre vous s'apaisera. 9 Si vous revenez au
Seigneur, ceux qui ont déporté vos compatriotes et les membres de vos familles useront de bienveillance à leur égard et les
laisseront revenir dans ce pays. En effet, le
Seigneur votre Dieu ne se détournera pas
de vous si vous revenez à lui, car il est
bienveillant et compatissant. »

10 Les messagers parcoururent les territoires d'Éfraïm et de Manassé, passant de
ville en ville, puis se rendirent jusque
dans la tribu de Zabulon, mais les gens se
moquaient d'eux et les tournaient en ridicule. 11 Toutefois quelques personnes
des tribus d'Asser, de Manassé et de Zabulon reconnurent leurs fautes et gagnèrent Jérusalem. 12 Dans le royaume de
Juda, le Seigneur agit sur la population
qui accepta dans son ensemble d'exécuter
l'ordre que le roi et les dignitaires transmettaient de sa part.

Ézékias célèbre la fête de la Pâque

13 Une foule de gens se réunirent à Jérusalem, durant le deuxième mois de
l'année, pour célébrer la fête des *Pains
sans levain. Ce fut une assemblée vraiment très nombreuse. 14 On commença
par enlever les *autels qui se trouvaient
dans la ville, y compris les autels à parfums, et on les jeta dans la vallée du Cédron. 15 Le quatorzième jour du même
mois, on égorgea les animaux de la *Pâque. Les prêtres et les *lévites, pris de
honte, s'étaient *purifiés pour pouvoir
apporter les *sacrifices complets au
*temple du Seigneur. 16 Ils occupaient
leurs postes habituels, conformément à
la loi de Moïse, l'homme de Dieu : les lévites remettaient aux prêtres le sang des
animaux offerts en sacrifices, et les prêtres le répandaient sur l'autel. 17 En effet,
beaucoup de personnes dans l'assemblée
ne s'étaient pas purifiées, et les lévites
s'occupèrent d'égorger les animaux à la
place de ceux qui n'étaient pas en état
d'accomplir les actes sacrés en l'honneur
du Seigneur. 18 La plupart des gens, surtout ceux des tribus d'Éfraïm, de Manassé, d'Issakar et de Zabulon, n'étaient
pas en état de pureté, mais ils mangèrent
quand même le repas de la Pâque, en
contradiction avec les prescriptions de
l'Écriture. Mais Ézékias pria pour eux :
19 « Seigneur, Dieu de nos ancêtres, dit-il,
pardonne dans ta bonté à ceux qui s'efforcent de tout leur cœur de connaître ta
volonté, même s'ils ne sont pas en état de
pureté et de consécration. » 20 Le Seigneur exauça la prière d'Ézékias et renonça à les punir.

21 Les Israélites présents à Jérusalem
célébrèrent durant sept jours la fête des
Pains sans levain, dans une grande joie.
Chaque jour, les lévites et les prêtres acclamaient le Seigneur au moyen des puissants instruments de musique réservés à
cet usage. 22 Ézékias adressa des encouragements à tous les lévites si bien disposés envers le Seigneur. Pendant toute la
semaine, les gens participèrent aux repas
de la fête, offrant les sacrifices de
communion et chantant les louanges du
Seigneur, le Dieu de leurs ancêtres.

23 L'assemblée fut ensuite d'avis de prolonger la fête durant sept autres jours.
Cette deuxième semaine se déroula dans
la joie, 24 car le roi Ézékias fournit à l'assemblée mille taureaux et sept mille
moutons, et les dignitaires mille taureaux
et dix mille moutons. De plus les prêtres
s'étaient purifiés en grand nombre.
25 Tout le monde était joyeux : les Judéens, les prêtres et les lévites, ainsi que
les ressortissants du royaume du Nord
qui étaient venus spécialement pour la
fête ou qui étaient déjà établis en Juda.
26 Cette joie était particulièrement grande
pour les habitants de Jérusalem, car depuis l'époque de Salomon, fils de David
et roi d'Israël, on n'avait plus célébré une
telle fête dans la ville. 27 A la fin, les prêtres-lévites[r] se levèrent et demandèrent à
Dieu de *bénir le peuple. Leur prière
monta jusqu'au *ciel, la demeure de
Dieu, et elle fut exaucée.

Ézékias organise le service du temple

31 1 Lorsque la fête fut terminée, tous
les Israélites présents se rendirent
dans les villes de Juda, où ils brisèrent les
pierres dressées, coupèrent les poteaux
sacrés et démolirent les lieux de culte
païens avec leurs *autels. Ils agirent ainsi
dans tout le royaume de Juda, dans les
tribus de Benjamin, d'Éfraïm et de Manassé, puis chacun rentra chez soi, dans
sa ville.
2 Ézékias rétablit les groupes de prêtres
et de *lévites, et attribua à chacun une
fonction à l'intérieur de son groupe ;
dans l'enceinte du *sanctuaire du Seigneur, prêtres et lévites devaient s'occuper soit des *sacrifices complets et des
sacrifices de communion, soit du service
liturgique, consistant à louer et acclamer
le Seigneur. 3 Le roi utilisa une part de ses
biens pour payer les sacrifices complets
offerts matin et soir, de même que ceux
offerts le jour du *sabbat, le premier jour
du mois et lors des autres fêtes, comme le
prescrit la loi du Seigneur[s].
4 Le roi ordonna à tous les habitants de
Jérusalem de donner aux prêtres et aux
lévites ce qui leur est dû, afin qu'ils puissent se consacrer entièrement aux tâches
définies dans la loi du Seigneur. 5 Dès que
cet ordre fut connu, les Israélites apportèrent en masse les premiers produits de
leurs cultures, blé, vin, huile, miel et autres denrées, ainsi que la dixième partie
de leurs récoltes[t]. 6 Les habitants des villes de Juda, Israélites du Nord ou Judéens, amenèrent eux aussi la dixième
partie de leur bétail, bœufs et moutons,
ainsi que les offrandes consacrées au Seigneur leur Dieu. On fit des tas considérables des divers produits. 7 On
commença à former des tas au troisième
mois et on ne termina qu'au septième[u].
8 Lorsque Ézékias et les dignitaires vinrent voir tout ce qui avait été apporté, ils
remercièrent le Seigneur et Israël, son
peuple.
9 Le roi interrogea les prêtres et les lévites au sujet de ces dons. 10 Le grand-
prêtre Azaria, du clan de Sadoc, lui répondit : « Depuis que les gens ont
commencé à apporter au temple ce qu'ils
prélèvent de leurs récoltes, nous avons pu
manger à satiété, et nous avons même eu
des excédents considérables, car le Seigneur a *béni son peuple. Ce qui est
entassé ici, ce sont les excédents. »
11 Le roi ordonna donc d'aménager des
entrepôts près du temple. Dès qu'ils furent prêts, 12 on put y apporter en permanence les produits prélevés sur les
récoltes et les autres offrandes réservées à
Dieu. Le lévite Konania en fut nommé
intendant, avec son frère Chiméi comme
adjoint. 13 Par décision du roi Ézékias et
du grand-prêtre Azaria, responsable du
temple, Konania et Chiméi avaient sous
leurs ordres les surveillants suivants : Yéhiel, Azazia, Nahath, Assaël, Yerimoth,
Yozabad, Éliel, Ismakia, Mahath et Benaya. 14 Le lévite Coré, fils d'Imna et gardien de la porte orientale, fut chargé de
recevoir les dons volontaires faits à Dieu.
Il devait également procéder à la répartition, tant des offrandes strictement réser-

---

r 30.27 *prêtres-lévites* : voir Deut 17.9 et la note.
s 31.3 Sur les *sacrifices*, voir Nomb 28–29 ; sur la participation du *roi*, voir Ézék 45.22-24.
t 31.5 V. 4-5 : voir Nomb 18.12-13,21.
u 31.7 *troisième mois* : en mai-juin ; *septième* : en septembre-octobre.

vées à Dieu que des autres. 15 Il avait en
permanence sous ses ordres, dans les villes sacerdotales[v], Éden, Miniamin, Yéchoua, Chemaya, Amaria et Chekania ;
ces hommes étaient responsables de la répartition de la nourriture entre leurs
compagnons, adultes ou enfants, selon
les groupes de fonction. 16 Ils accordaient
des parts non seulement à tous les hommes enregistrés, y compris les garçons
dès l'âge de trois ans, mais aussi à ceux
qui, jour après jour et selon leur groupe,
venaient accomplir leur service liturgique dans le temple. 17 Les prêtres étaient
enregistrés d'après leur famille, tandis
que les lévites, à partir de l'âge de vingt
ans, l'étaient d'après leur fonction et leur
groupe. 18 Ils étaient enregistrés avec tous
les membres de leurs familles, femmes,
fils et filles, et avec tous ceux de leur entourage qui pouvaient en tout temps
consommer des offrandes réservées à
Dieu. 19 Quant aux prêtres, descendants
d'Aaron, qui habitaient les campagnes
aux alentours des villes sacerdotales, il y
avait dans chaque ville des hommes spécialement désignés pour leur distribuer
leur part, ainsi qu'aux lévites inscrits
dans les registres.

20 En agissant ainsi dans tout son
royaume, Ézékias fit ce qui est bien et
juste, ce qu'approuve le Seigneur son
Dieu. 21 Quand il entreprit de réparer le
temple de Dieu et de faire respecter sa loi
et ses commandements, il s'efforça de
connaître la volonté de Dieu ; il agit ainsi
de tout son cœur, et Dieu lui accorda le
succès.

Sennakérib envahit le royaume de Juda

(Voir aussi 2 Rois 18.13 ; És 36.1)

32 1 Après qu'Ézékias eut ainsi montré sa fidélité envers Dieu, le roi
d'Assyrie, Sennakérib, envahit le
royaume de Juda ; il assiégea les villes
fortifiées, dans l'idée de s'en emparer.
2 Quand Ézékias vit que Sennakérib s'approchait de Jérusalem avec l'intention de
l'attaquer, 3 il proposa aux chefs et aux
soldats de sa garde personnelle de boucher les sources situées en dehors de la
ville ; ceux-ci approuvèrent son idée. 4 Ils
se rassemblèrent donc en grand nombre
et bouchèrent toutes les sources, ainsi
que l'accès à celle qui s'écoulait dans un
canal souterrain[w]. Ils se disaient en effet :
« Il ne faut pas que les Assyriens, en arrivant ici, trouvent de l'eau en abondance. »

5 Ézékias, plein de courage, fit ensuite
reconstruire la muraille de la ville là où
elle était détruite, il suréleva les tours,
puis fit construire une autre muraille à
l'extérieur ; il fortifia le Millo[x], dans la
*Cité de David, et fit fabriquer un grand
nombre de javelots et de boucliers. 6 Enfin il désigna des chefs militaires pour
commander la population de la ville.

Il rassembla tout le monde sur la place
située près de la porte de la ville et les ex-
horta en ces termes : 7 « Soyez courageux
et forts ; ne craignez rien, n'ayez pas peur
du roi d'Assyrie et des troupes nombreuses qui l'accompagnent. En effet il y
a plus de puissance de notre côté que du
sien. 8 Avec lui, il n'y a qu'une armée humaine, mais avec nous, il y a le Seigneur
notre Dieu qui nous secourra en combattant pour nous. » Ces paroles d'Ézékias,
roi de Juda, réconfortèrent toute la population de la ville.

Message de Sennakérib aux gens de Jérusalem

(Voir aussi 2 Rois 18.17-37 ; És 36.2-22)

9 Quelque temps après, le roi d'Assyrie,
Sennakérib, avec toute son armée, assiégeait la ville de Lakich[y]. De là, il envoya
quelques officiers au roi Ézékias et à tous
les Judéens qui se trouvaient avec lui à
Jérusalem. Ils leur apportaient ce message : 10 « Voici ce que déclare Sennakérib, le roi d'Assyrie : "Sur qui comptez-

---

v **31.15** *villes sacerdotales* : appelées aussi *villes lévitiques*, voir Nomb 35.1-8 ; Jos 21.1-42. – Le texte hébreu des v. 15-19 est souvent difficile à comprendre.

w **32.4** *celle qui s'écoulait...* : il s'agit de la source de Guihon dont l'eau s'écoulait dans le Cédron (voir 1 Rois 1.33 et la note). Ézékias fit obstruer cet écoulement naturel et amener l'eau dans la ville par un canal souterrain (voir v. 30, ainsi que 2 Rois 20.20 et la note).

x **32.5** *Millo* : voir 1 Rois 9.15 et la note.

y **32.9** *Lakich* : voir 2 Rois 14.19 et la note.

vous donc pour rester dans Jérusalem assiégée ? 11 Ézékias vous assure que le Seigneur votre Dieu vous arrachera à mon
pouvoir ; mais il vous trompe, et vous allez tous mourir de faim et de soif.
12 N'est-ce pas précisément Ézékias qui a
supprimé les lieux sacrés et les *autels du
Seigneur, en ordonnant aux gens de Juda
et de Jérusalem de ne rendre leur culte
que devant un seul autel et d'offrir leurs
*sacrifices uniquement là ? 13 Et ne savez-
vous pas ce que mes ancêtres et moi-
même avons fait à tous les autres peuples
de la terre ? Les dieux de ces nations ont-
ils pu m'empêcher de mettre la main sur
leur pays ? 14 Parmi tous les dieux des
pays dévastés par mes ancêtres, aucun n'a
pu sauver son peuple. Comment votre
Dieu vous arrachera-t-il à mon pouvoir ?
15 Allons ! ne laissez pas Ézékias vous
mentir et vous tromper ainsi, ne le croyez
pas ! Encore une fois, aucun dieu d'aucune nation ni d'aucun royaume n'a pu
arracher son pays au pouvoir de mes ancêtres ou au mien ; donc vos dieux[z] ne
vous sauveront pas non plus." » 16 Les
envoyés du roi d'Assyrie continuèrent de
médire du Seigneur Dieu et de son serviteur Ézékias.

Sennakérib insulte le Seigneur

(Voir aussi 2 Rois 19.14-19 ; És 37.14-20)

17 Le roi d'Assyrie avait aussi écrit une
lettre pour insulter le Seigneur, le Dieu
d'Israël. Il y disait : « Les dieux des autres
nations de la terre n'ont pas pu arracher
leurs peuples à mon pouvoir ; le Dieu
d'Ézékias ne pourra pas non plus en arracher son peuple. »

18 Les envoyés de Sennakérib s'adressaient d'une voix forte, en hébreu, aux
gens qui étaient sur la muraille de Jérusalem ; ils cherchaient à les effrayer et à les
décourager afin de pouvoir s'emparer
plus facilement de la ville. 19 Ils parlaient
du Dieu de Jérusalem comme ils le faisaient pour les dieux des autres nations,
qui ne sont que des statues fabriquées par
les hommes.

Fuite des Assyriens ; mort de Sennakérib

(Voir aussi 2 Rois 19.15,35-37 ; És 37.15,36-38)

20 Alors le roi Ézékias et le *prophète
Ésaïe, fils d'Amots, prièrent Dieu pour
lui demander son secours. 21 Le Seigneur
envoya dans le camp assyrien un *ange
qui fit mourir tous les vaillants soldats et
tous les officiers de l'armée. Le roi d'Assyrie, couvert de honte, retourna dans
son pays. Et un jour qu'il était entré dans
le temple de son dieu, il fut assassiné par
ses propres enfants.

22 C'est ainsi que le Seigneur arracha
Ézékias et la population de Jérusalem au
pouvoir de Sennakérib, roi d'Assyrie, et
de leurs autres ennemis. Il leur accorda la
paix[a] de tous côtés. 23 Beaucoup de gens
apportèrent à Jérusalem des offrandes
pour le Seigneur et des cadeaux pour
Ézékias, roi de Juda, qui dès lors fut respecté par tous les peuples voisins.

Fin du règne d'Ézékias

(Voir aussi 2 Rois 20.1-21 ; És 38.1-8 ; 39)

24 A cette époque, le roi Ézékias fut atteint d'une maladie mortelle. Il pria le
Seigneur, qui lui donna un signe l'assurant de sa guérison. 25 Mais Ézékias ne fut
pas reconnaissant pour le bienfait reçu de
Dieu ; au contraire, il se montra si orgueilleux que le Seigneur se mit en colère
contre lui, contre Jérusalem et contre le
royaume de Juda. 26 Cependant Ézékias et
les gens de Jérusalem reconnurent leurs
fautes, de sorte que le Seigneur ne laissa
pas éclater sa colère contre eux pendant
le règne d'Ézékias.

27 Ézékias possédait de très grandes richesses et jouissait d'un immense prestige. Il se fit construire des locaux pour
déposer l'argent, l'or, les pierres précieuses, les huiles parfumées, les boucliers[b] et

---

z 32.15 *vos dieux* : d'après les v. 11,14 et 17, Sennakérib sait que les Israélites ont un seul Dieu ; le pluriel peut s'expliquer ici par le fait que presque tous les peuples de l'époque adoraient plusieurs divinités (les versions anciennes ont le singulier).

a 32.22 *leur accorda la paix* : d'après les anciennes versions grecque et latine ; hébreu *les conduisit*.

b 32.27 Les *boucliers* mentionnés parmi les objets précieux étaient probablement des pièces décoratives, peut-être en or (comparer 1 Rois 10.16-17).

tous ses autres objets de valeur. 28 Il fit
construire aussi des entrepôts pour les récoltes de céréales, pour le vin et l'huile,
ainsi que des étables pour son bétail et
des enclos pour ses troupeaux[c]. 29 Il fit
même construire des villes et se procura
des troupeaux innombrables de moutons,
de chèvres et de bœufs, car Dieu lui avait
donné d'immenses richesses.

30 C'est Ézékias aussi qui détourna la
source de Guihon pour en diriger l'eau
plus bas, vers l'ouest, dans la *Cité de
David[d].

Ézékias réussissait dans tout ce qu'il
entreprenait; 31 c'est pourquoi, lorsque
les autorités babyloniennes lui envoyèrent des ambassadeurs pour s'informer
au sujet de l'événement extraordinaire
survenu dans son pays[e], Dieu le laissa
agir par lui-même, afin de le mettre à
l'épreuve et de voir ainsi son caractère.

32 Le reste de l'histoire d'Ézékias est
contenu dans le recueil intitulé *Révélation du *prophète Ésaïe, fils d'Amots*, et
dans le livre des rois de Juda et *d'Israël[f]; on y raconte combien il se montra
fidèle envers Dieu. 33 Lorsqu'il mourut,
on l'enterra dans la partie supérieure du
tombeau des descendants de David; à
cette occasion, les habitants de Jérusalem et tous les autres Judéens célébrèrent sa gloire. Ce fut son fils Manassé
qui lui succéda.

Règne de Manassé

(Voir 2 Rois 21.1-18)

33 1 Manassé avait douze ans lorsqu'il
devint roi, et il régna cinquante-
cinq ans à Jérusalem. 2 Il fit ce qui déplaît
au Seigneur[g], imitant toutes les pratiques
abominables des nations que le Seigneur
avait chassées du pays pour faire place au
peuple d'Israël. 3 Il rétablit les lieux sacrés que son père Ézékias avait détruits;
il dressa des *autels en l'honneur des
dieux *Baals, fabriqua des poteaux sacrés
et rendit un culte aux astres. 4 Il dressa
d'autres autels païens dans le *temple de
Jérusalem, au sujet duquel le Seigneur
avait déclaré: « C'est là que je manifesterai pour toujours ma présence »[h]. 5 Dans
les deux cours du temple aussi, il dressa
des autels en l'honneur des astres. 6 Il alla
même jusqu'à offrir ses fils en *sacrifices
dans la vallée de Hinnom[i], à pratiquer
diverses formes de magie et de sorcellerie, et à consulter ceux qui interrogent
les esprits des morts; il fit de plus en
plus ce qui déplaît au Seigneur et l'irrita.
7 Il fit en outre sculpter une idole et la
plaça dans le temple. Pourtant Dieu
avait déclaré à David et à son fils Salomon: « Ici, dans le temple de Jérusalem,
ville que j'ai choisie de préférence au
reste du territoire d'Israël, je manifesterai pour toujours ma présence. 8 Si le
peuple d'Israël observe tous les
commandements, les lois et les règles
que je lui ai donnés par l'intermédiaire
de Moïse, je ne l'obligerai plus à quitter
le pays que j'ai accordé à ses ancêtres »[j].
9 Mais Manassé incita les gens de Jérusalem et de Juda à se conduire encore plus
mal que les anciens habitants du pays,
que le Seigneur avait exterminés pour
faire place à son peuple.

10 Le Seigneur s'adressa au roi Manassé
et à son peuple, mais personne n'y prêta
attention. 11 Alors le Seigneur fit venir
contre eux les chefs de l'armée du roi
d'Assyrie; ils s'emparèrent de Manassé,
lui plantèrent des crochets dans la mâchoire, l'enchaînèrent solidement et
l'emmenèrent à Babylone[k]. 12 Du fond de
sa détresse, Manassé implora le Seigneur
son Dieu: il reconnut toutes ses fautes
devant le Dieu de ses ancêtres 13 et il le
supplia d'avoir pitié. Dieu se laissa fléchir: il exauça sa requête, le ramena à Jé-

---

c **32.28** *des enclos pour...*: d'après les anciennes versions grecque et latine; hébreu *des troupeaux pour les enclos*.

d **32.30** Voir 2 Rois 20.20 et la note.

e **32.31** Il s'agit probablement de l'*événement* raconté en 2 Rois 20.8-11.

f **32.32** *Révélation...*: voir És 1.1. – *et (dans le livre)*: d'après les versions anciennes; cette conjonction est absente dans le texte hébreu. – *le livre des rois...*: voir 16.11 et la note.

g **33.2** Voir Jér 15.4.

h **33.4** Voir 2 Sam 7.

i **33.6** *ses fils en sacrifices*: voir 2 Rois 16.3 et la note. – *vallée de Hinnom*: au sud de Jérusalem.

j **33.8** Voir 2 Rois 21.8 et la note.

k **33.11** A cette époque-là, *Babylone* était sous l'autorité de l'*Assyrie*.

rusalem et le rétablit dans sa royauté. Dès
lors Manassé sut que le Seigneur est le
seul vrai Dieu.
14 Après ces événements, Manassé
construisit à l'extérieur de la *Cité de David une muraille très élevée ; elle passait à
l'ouest de la source de Guihon et longeait
la vallée du Cédron jusqu'à la porte des
Poissons, après avoir contourné l'Ofel[l]. Il
installa des commandants militaires dans
toutes les villes fortifiées de Juda. 15 Il fit
retirer du temple du Seigneur les dieux
étrangers et l'idole sculptée qu'il y avait
mis ; il fit démolir tous les autels païens
qu'il avait dressés sur la colline du temple et dans Jérusalem, et en jeta les débris
hors de la ville. 16 Il rétablit l'autel du Seigneur, y offrit des *sacrifices de communion et de louange, et ordonna aux
Judéens d'adorer le Seigneur, le Dieu
d'Israël. 17 A vrai dire, les gens offraient
encore des sacrifices dans les autres lieux
sacrés du pays, mais seulement en l'honneur du Seigneur leur Dieu.
18 Le reste de l'histoire de Manassé est
contenu dans les *Actes des rois d'Israël* ; on
y trouve en particulier la prière qu'il a
faite à son Dieu[m], et les messages que les
*prophètes lui ont adressés de la part du
Seigneur, le Dieu d'Israël. 19 Sa prière et
la manière dont Dieu l'exauça, le récit de
ses fautes et de ses infidélités envers
Dieu, la liste des endroits où il aménagea
des lieux de culte païens et dressa des poteaux sacrés et des statues, avant de reconnaître ses fautes devant Dieu, tout
cela figure dans les *Actes de Hozaï*.
20 Lorsque Manassé mourut, on l'enterra
dans sa propriété ; ce fut son fils Amon
qui lui succéda.

Règne d'Amon

(Voir 2 Rois 21.19-26)

21 Amon avait vingt-deux ans lorsqu'il
devint roi ; il régna deux ans à Jérusalem.
22 Il fit ce qui déplaît au Seigneur, comme
son père Manassé : il offrit des *sacrifices
aux idoles faites par son père et il les
adora. 23 Mais il ne reconnut pas ses fautes devant le Seigneur, comme l'avait fait
Manassé ; au contraire, il commit encore
plus de péchés que lui.
24 Ses officiers complotèrent contre lui
et l'assassinèrent dans son palais. 25 Mais
les citoyens de Juda firent mourir ceux
qui avaient comploté contre le roi et désignèrent son fils Josias pour lui succéder.

Règne de Josias. Réforme religieuse

(Voir 2 Rois 22.1-2 ; 23.4-20)

34 1 Josias avait huit ans lorsqu'il devint roi, et il régna trente et un ans
à Jérusalem[n]. 2 Il fit ce qui plaît au Seigneur ; il se conduisit comme son ancêtre
David, sans jamais s'écarter de son exemple.
3 Durant la huitième année de son règne, alors qu'il était encore un jeune
homme, il entreprit de rechercher la volonté du Dieu de son ancêtre David ;
quatre ans plus tard, il se mit à débarrasser Jérusalem et le royaume de Juda des
lieux de culte païens, des poteaux sacrés
et des idoles de toutes sortes. 4 On démolit en sa présence les *autels des dieux
*Baals, on abattit du même coup les
brûle-parfums qui les surmontaient, on
coupa les poteaux sacrés et on brisa les diverses idoles[o] ; on réduisit le tout en
poussière, que l'on dispersa sur les tombes de ceux qui avaient offert des *sacrifices aux faux dieux. 5 Enfin on brûla des
ossements de prêtres païens sur les autels
qu'ils avaient utilisés[p]. C'est ainsi que Josias *purifia la ville de Jérusalem et le
royaume de Juda.
6 Puis il passa dans les villes de Manassé,
d'Éfraïm, de Siméon et même de Neftali,
où il perquisitionnait les maisons[q] : 7 il démolit les autels, réduisit en miettes les poteaux sacrés et les idoles, et abattit les
brûle-parfums dans toutes les tribus du
Nord. Ensuite il regagna Jérusalem.

---

l **33.14** *source de Guihon* : voir 1 Rois 1.33 et la note ; *porte des Poissons* : située dans la muraille, au nord du temple ; *Ofel* : voir 27.3 et la note.

m **33.18** *la prière...* : on connaît un écrit ancien, intitulé *Prière de Manassé*, mais qui ne fait pas partie des livres sacrés, ni pour les juifs, ni pour les chrétiens.

n **34.1** Voir Jér 3.6.

o **34.4** Voir 33.3-7 ; 2 Rois 21.3-7.

p **34.5** Voir 1 Rois 13.2.

q **34.6** *où il perquisitionnait les maisons* : texte hébreu très incertain. Autres traductions *ainsi que dans les ruines des alentours* ou *ainsi que dans les régions avoisinantes*.

Le grand-prêtre découvre le livre de la loi

(Voir 2 Rois 22.3-10)

8 Un jour de la dix-huitième année de son règne, alors qu'il était en train de *purifier le pays et le temple, Josias ordonna à Chafan, fils d'Assalia, à Maasséya, gouverneur de la ville, et à Yoa, fils de Joachaz et porte-parole du roi, d'aller réparer le temple du Seigneur son Dieu. 9 Ces hommes se rendirent chez le grand-prêtre Hilquia. Ils apportaient l'argent que les *lévites gardiens de l'entrée avaient reçu, comme dons pour le temple, de la part des fidèles de Manassé, d'Éfraïm et des autres tribus du Nord, ainsi que des habitants de Juda, de Benjamin et de Jérusalem. 10-11 Ils remirent cet argent aux entrepreneurs chargés de consolider et de réparer le temple, afin que ceux-ci puissent payer les charpentiers, les maçons et les ouvriers, acheter des pierres de taille et des poutres d'assemblage, et relever d'autres bâtiments que les rois de Juda avaient laissés tomber en ruine. 12 Les ouvriers accomplissaient consciencieusement leur travail sous la direction des lévites Yahath et Obadia, du clan de Merari, et Zacharie et Mechoullam, du clan de Quéhath. D'autres lévites, sachant tous jouer d'un instrument de musique[r], 13 avaient sous leur direction les porteurs et tous les ouvriers, quelle que soit leur profession. Quant aux fonctions de secrétaires, administrateurs et portiers, elles étaient également remplies par des lévites.

14 Au moment où l'on retirait du coffre l'argent qui y avait été déposé pour le temple, le grand-prêtre Hilquia découvrit le livre de la loi du Seigneur, transmise par l'intermédiaire de Moïse[s]. 15 Hilquia annonça au secrétaire Chafan qu'il avait trouvé le livre de la loi dans le temple du Seigneur, et il le lui donna. 16 Chafan apporta le livre au roi et lui fit en même temps son rapport : « Tes serviteurs sont en train d'accomplir toutes les tâches que tu leur as confiées, dit-il. 17 Les prêtres ont vidé le coffre du temple et ont remis l'argent aux entrepreneurs et aux ouvriers. » 18 Puis il ajouta : « Le grand-prêtre Hilquia m'a donné ce livre. » Et il se mit à le lire au roi.

Josias fait consulter la prophétesse Houlda

(Voir 2 Rois 22.11-20a)

19 Dès que le roi Josias eut entendu ce que contenait le livre de la loi, il fut si bouleversé qu'il *déchira ses vêtements. 20 Il convoqua Hilquia, Ahicam, fils de Chafan, Abdon, fils de Mika, le secrétaire Chafan et Assaya, l'un de ses ministres, et leur dit : 21 « Allez consulter le Seigneur pour moi, et pour ce qui reste de la population *d'Israël et de Juda, sur le contenu du livre qu'on vient de trouver. En effet, nos ancêtres n'ont pas obéi aux commandements qui y figurent et, par conséquent, la colère du Seigneur contre nous doit être très grande. »

22 Hilquia et les autres délégués du roi se rendirent donc chez la *prophétesse Houlda, qui habitait le Quartier Neuf de Jérusalem. Son mari, un certain Challoum, fils de Toquehath et petit-fils de Hasra, était le responsable des vêtements sacrés du temple[t]. Ces hommes exposèrent la situation à la prophétesse. 23 Alors Houlda les chargea de rapporter le message suivant au roi : 24 « Voici ce que déclare le Seigneur, le Dieu d'Israël : "Je vais frapper d'un malheur Jérusalem et ses habitants, en réalisant toutes les malédictions inscrites dans le livre qu'on a lu devant le roi de Juda. 25 Les gens de Jérusalem m'ont abandonné, ils ont offert des sacrifices à d'autres dieux ; tout ce qu'ils ont fait m'a irrité. C'est pourquoi ma colère contre cette ville est grande, et elle n'est pas près de s'apaiser. 26 Quant au roi lui-même, qui vous a envoyés me consulter, voici ce que je lui déclare, moi, le Seigneur, le Dieu d'Israël : Tu as entendu le message de ce livre. 27 Tu

---

r **34.12** *instrument de musique* : certains travaux pouvaient être rythmés par un accompagnement musical.

s **34.14** Dans l'esprit de l'auteur des Chroniques, le *livre de la loi* devait être notre Pentateuque actuel (Genèse – Deutéronome). Comparer 2 Rois 22.8 et la note.

t **34.22** Voir 2 Rois 22.14 et la note.

as écouté attentivement ce que j'ai dit au sujet de Jérusalem et de ses habitants. Tu t'es alors repenti, tu as reconnu tes fautes devant moi, tu as déchiré tes vêtements et versé des larmes. Eh bien, moi aussi je t'ai entendu, je te l'affirme, 28 et je te laisserai mourir en paix ; tu seras déposé dans ta tombe sans avoir vu tous les malheurs dont je vais frapper Jérusalem et ses habitants." »

Josias renouvelle l'alliance avec Dieu

(Voir 2 Rois 22.20b–23.3)

Le grand-prêtre Hilquia et ses compagnons rapportèrent ce message au roi Josias. 29 Aussitôt le roi convoqua tous les *anciens de Jérusalem et de Juda. 30 Ils se rendirent ensemble au *temple du Seigneur, accompagnés de la population de Jérusalem et de Juda, prêtres, *lévites et gens de toutes conditions. Puis le roi leur lut à tous le livre de *l'alliance découvert dans le temple. 31 Il se tint ensuite à la place qui lui était réservée et renouvela l'alliance avec le Seigneur ; chacun devait s'engager à être fidèle au Seigneur, à obéir de tout son cœur et de toute son âme à ses commandements, à ses enseignements et à ses prescriptions, et à mettre en pratique tout ce qui est écrit dans le livre de l'alliance. 32 Le roi fit prendre cet engagement à tous ceux qui se trouvaient à Jérusalem, ainsi qu'aux Benjaminites. Dès lors les habitants de Jérusalem se conformèrent à l'alliance conclue avec le Dieu de leurs ancêtres. 33 Josias mit fin aux pratiques abominables qui avaient cours dans le territoire d'Israël et obligea tous les habitants à adorer le Seigneur leur Dieu. De cette manière, tant qu'il vécut, aucun d'eux ne se détourna du Seigneur, le Dieu de leurs ancêtres.

Josias célèbre la fête de la Pâque

(Voir 2 Rois 23.21-23)

35 1 Josias célébra la fête de la *Pâque à Jérusalem, en l'honneur du Seigneur ; le quatorzième jour du premier mois de l'année, on égorgea les animaux de la fête. 2 Josias rétablit les prêtres dans leurs fonctions et les encouragea à s'occuper du *temple du Seigneur. 3 Il s'adressa ensuite aux *lévites, qui sont chargés d'enseigner le peuple et sont consacrés au service du Seigneur ; il leur dit : « Placez le *coffre sacré du Seigneur dans le temple que Salomon, fils de David et roi d'Israël, a construit ; vous n'avez plus à le transporter sur vos épaules. Maintenant soyez au service du Seigneur votre Dieu et d'Israël, son peuple. 4 Répartissez-vous selon vos clans familiaux et vos groupes de service, conformément aux instructions écrites de David, roi d'Israël, et de son fils Salomon[u]. 5 Que chaque groupe familial de lévites se tienne dans le *sanctuaire, à la disposition des autres Israélites, d'après les subdivisions de leurs clans. 6 Vous devez offrir le *sacrifice de la Pâque, *purifiez-vous donc et mettez-vous à la disposition de vos frères israélites pour que la cérémonie se déroule selon les ordres du Seigneur transmis par Moïse. »

7 Josias préleva sur ses propres troupeaux trente mille agneaux et chevreaux dont les Israélites présents avaient besoin pour le sacrifice pascal, ainsi que trois mille bœufs. 8 Ses ministres, de leur propre initiative, fournirent également des bêtes pour le peuple, pour les prêtres et pour les lévites. Hilquia, Zacharie et Yéhiel, responsables du temple, donnèrent aux prêtres deux mille six cents agneaux et chevreaux pour le sacrifice pascal, ainsi que trois cents bœufs ; 9 et les chefs des lévites, Konania, avec ses frères Chemaya et Netanéel, Hachabia, Yéiel et Yozabad fournirent aux lévites cinq mille agneaux et chevreaux et cinq cents bœufs. 10 Voici comment la cérémonie fut organisée : les prêtres se tinrent à leurs postes et les lévites dans leurs groupes, selon l'ordre du roi. 11 Les gens se mirent à égorger les agneaux et les chevreaux ; ils remettaient aux prêtres le sang de ces animaux, et les prêtres le répandaient sur *l'autel ; quant aux lévites, ils ôtaient la peau des victimes. 12 On mit de côté les animaux, en particulier les taureaux, qui devaient être offerts en sacrifices complets au Seigneur, d'après les subdivisions des clans

u 35.4 Voir 8.14 ; 1 Chron 23–26.

israélites, conformément à ce qui figure
dans le livre transmis par Moïse. 13 Selon
la coutume on fit rôtir l'agneau pascal sur
le feu[v], tandis qu'on cuisait les autres offrandes sacrées dans des marmites, des
chaudrons ou d'autres récipients. On se
hâta ensuite d'en porter à tous les Israélites. 14 Après cela les lévites apprêtèrent ce qui revenait aux prêtres et à
eux-mêmes. En effet les prêtres, descendants d'Aaron, furent occupés jusqu'au
soir à faire brûler les sacrifices complets
et les parties grasses des autres sacrifices,
et c'est pourquoi les lévites préparèrent
le repas. 15 Les chanteurs, descendants
d'Assaf, purent rester à leurs postes, selon les instructions de David et d'Assaf,
Héman et Yedoutoun, les conseillers[w] du
roi ; les portiers demeurèrent également à
leurs postes. Aucun d'eux n'eut à quitter
son service, puisque d'autres lévites pré-
paraient aussi le repas pour eux. 16 C'est
ainsi que toute la cérémonie de ce jour-là
fut organisée en l'honneur du Seigneur,
la célébration de la Pâque aussi bien que
l'offrande des sacrifices sur l'autel du Seigneur, conformément aux ordres du roi
Josias.

17 A la suite de la fête de la Pâque, les
Israélites présents célébrèrent, pendant
sept jours, la fête des *Pains sans levain[x].
18 En Israël, on n'avait plus célébré une
Pâque semblable depuis l'époque du
*prophète Samuel ; aucun roi d'Israël
n'avait organisé une cérémonie pareille à
celle préparée par Josias avec l'aide des
prêtres, des lévites, des habitants de Jérusalem, des Judéens et des autres Israélites
présents. 19 Cette Pâque fut célébrée durant la dix-huitième année du règne de
Josias[y].

Fin du règne de Josias

(Voir 2 Rois 23.28-30)

20 Un jour, après que Josias eut restauré
le *temple, le roi d'Égypte Néco conduisit son armée vers Karkémich, sur l'Euphrate, pour aller y combattre. Josias
voulut s'opposer au passage des Égyptiens, 21 mais Néco envoya des messagers
lui dire : « Roi de Juda, pourquoi veux-
tu me faire obstacle ? Ce n'est pas contre
toi que je me suis mis en campagne aujourd'hui, mais contre un autre ennemi[z], et Dieu m'a dit de me hâter. Dieu
est avec moi, cesse donc de t'opposer à
lui, sinon il va te faire mourir. » 22 Cependant Josias ne renonça pas à affronter
Néco ; il refusa d'écouter son message,
qui pourtant venait de Dieu lui-même.
Il se déguisa et se rendit dans la plaine
de Méguiddo[a] pour y combattre. 23 Au
cours de la bataille, il fut atteint par des
tireurs à l'arc et il dit à ses serviteurs :
« Emmenez-moi, car je me sens très
mal. » 24 Ses serviteurs le descendirent de
son char de combat, le transportèrent
sur son autre char et le ramenèrent à Jérusalem. Il y mourut, et lorsqu'on l'enterra dans le tombeau de ses ancêtres,
tous les habitants de Jérusalem et de
Juda le pleurèrent.

25 Le *prophète Jérémie composa une
complainte sur la mort de Josias. Depuis
lors et jusqu'à aujourd'hui, tous les chanteurs et chanteuses parlent de Josias dans
leurs complaintes, car c'est devenu une
coutume en Israël. On trouve leurs textes
dans le livre des complaintes[b].

26-27 Le reste de l'histoire de Josias, du
début à la fin, est contenu dans le livre
des rois *d'Israël et de Juda[c] ; on y raconte comment il fut fidèle à ce qui est
écrit dans la loi du Seigneur.

Règnes de Joachaz, Joaquim et Joakin

(Voir 2 Rois 23.30–24.17)

36 1 A Jérusalem, les citoyens de Juda
choisirent Joachaz, fils de Josias,
pour en faire le successeur de son père.

---

v **35.13** Voir Ex 12.8-9.

w **35.15** Ou *Yedoutoun, le conseiller*. – Voir 1 Chron 25.1.

x **35.17** Voir Ex 12.1-20.

y **35.19** Voir 34.8.

z **35.21** *Ce n'est pas...* : texte hébreu peu clair et traduction incertaine.

a **35.22** Voir 2 Rois 9.27 et la note.

b **35.25** *des complaintes* ou des *Lamentations*. Il est possible que le livre biblique des Lamentations tel que nous le connaissons aujourd'hui ait contenu autrefois un plus grand nombre de textes. Actuellement aucun ne se rapporte à la mort de *Josias*, et Jér 22.10 ne fait qu'une allusion très discrète à cet événement.

c **35.26-27** Voir 16.11 et la note.

2 Joachaz avait vingt-trois ans lorsqu'il devint roi ; il ne régna que trois mois à Jérusalem. 3 Néco, roi d'Égypte, le destitua, à Jérusalem, et exigea du pays de Juda une redevance de trois mille kilos d'argent et trente kilos d'or. 4 Ensuite il désigna Éliaquim, frère de Joachaz, comme roi de Jérusalem et de Juda, et changea son nom en Joaquim. Quant à son frère Joachaz, il l'emmena en Égypte[d].

5 Joaquim[e] avait vingt-cinq ans lorsqu'il devint roi ; il régna onze ans à Jérusalem et fit ce qui déplaît au Seigneur son Dieu. 6 Nabucodonosor, roi de Babylone, envahit son pays. Il fit enchaîner solidement Joaquim et l'emmena à Babylone[f]. 7 Il emporta également à Babylone divers objets du *temple du Seigneur et les plaça dans son palais[g].

8 Le reste de l'histoire de Joaquim est contenu dans le livre des rois *d'Israël et de Juda[h] ; on y raconte les pratiques abominables auxquelles il s'est livré et tout ce qui lui est arrivé. Ce fut son fils Joakin qui lui succéda.

9 Joakin avait huit ans[i] lorsqu'il devint roi ; il ne régna que trois mois et dix jours à Jérusalem et fit ce qui déplaît au Seigneur. 10 Au début du printemps, Nabucodonosor le fit amener à Babylone, avec des objets précieux du temple du Seigneur, et il désigna Sédécias, un proche parent de Joakin, comme roi de Jérusalem et de Juda[j].

Règne de Sédécias. Prise de Jérusalem

(Voir 2 Rois 24.18–25.21 ; Jér 39.1-10 ; 52.1-27)

11 Sédécias[k] avait vingt et un ans lorsqu'il devint roi ; il régna onze ans à Jérusalem. 12 Il fit ce qui déplaît au Seigneur son Dieu, et refusa même de reconnaître ses fautes devant le *prophète Jérémie qui lui parlait de la part du Seigneur. 13 Le roi Nabucodonosor lui avait fait prêter serment au nom du Seigneur Dieu, mais malgré cela Sédécias se révolta contre lui[l]. Il s'entêta, refusant catégoriquement de revenir au Seigneur, le Dieu d'Israël. 14 De même, les chefs des prêtres et du peuple, tous plus infidèles les uns que les autres envers Dieu, se livrèrent aux pratiques abominables des nations païennes et profanèrent le *temple que le Seigneur s'était consacré à Jérusalem. 15 Le Seigneur, le Dieu de leurs ancêtres, plein d'amour envers son peuple et son *sanctuaire, envoya à maintes reprises des messagers leur parler de sa part, 16 mais les Israélites bafouèrent les messagers, se moquèrent des prophètes et négligèrent les paroles de Dieu. Alors le Seigneur finit par laisser éclater sa colère contre eux au point qu'ils ne purent rien faire pour y échapper. 17 Il fit envahir le pays par le roi de Babylone[m] et livra tout à son pouvoir. Ce roi massacra les soldats jusque dans le sanctuaire ; il n'épargna ni les jeunes gens, ni les jeunes filles, ni les adultes, ni les vieillards. 18 Il prit tous les objets du temple, grands ou petits, ainsi que les trésors du temple, du roi et des ministres, et il emporta le tout à Babylone. 19 Les Babyloniens incendièrent le temple de Dieu, démolirent la muraille de Jérusalem, mirent le feu aux belles maisons et détruisirent tous les objets précieux de la ville[n]. 20 Leur roi déporta à Babylone ceux qui avaient survécu aux massacres : ils devinrent ses esclaves, puis ceux de ses descendants, jusqu'à l'avènement de l'empire perse. 21 Ainsi se réalisa la parole que le Seigneur avait prononcée par la bouche du prophète Jérémie : « Le pays sera abandonné pendant soixante-dix ans, jusqu'à ce que soit achevé son temps de repos,

---

d **36.4** Voir Jér 22.11-12.
e **36.5** Voir Jér 22.18-19 ; 26.1-6 ; 35.1-19.
f **36.6** Voir Jér 25.1-38 ; 36.1-32 ; 45.1-5 ; Dan 1.1-2.
g **36.7** *dans son palais* ou *dans son temple* (c'est-à-dire *dans le temple de ses dieux*).
h **36.8** Voir 16.11 et la note.
i **36.9** Certains manuscrits de l'ancienne version grecque, ainsi que le texte parallèle de 2 Rois 24.8 donnent *dix-huit ans* à Joakin.
j **36.10** *Joakin à Babylone* : voir Jér 22.24-30 ; 24.1-10 ; 29.1-2 ; Ézék 17.12. – *Sédécias* était un frère de Joaquim, donc un oncle de *Joakin* ; voir 2 Rois 24.17. Voir aussi Jér 37.1 ; Ézék 17.13.
k **36.11** Voir Jér 27–28.
l **36.13** Voir Ézék 17.15.
m **36.17** Voir Jér 21.1-10 ; 34.1-5.
n **36.19** Voir 1 Rois 9.8.

pour compenser les périodes de repos qui
n'ont pas été observées »[o].

Cyrus autorise la reconstruction du temple

22 Durant la première année[p] du règne
de Cyrus, roi de Perse, le Seigneur décida
de réaliser la parole qu'il avait prononcée
par la bouche du *prophète Jérémie. Il fit
naître dans l'esprit de Cyrus l'idée de publier dans tout son empire, de vive voix
et par écrit, le texte suivant : 23 « Voici ce
que proclame Cyrus, roi de Perse : Le
Seigneur, le Dieu du *ciel, a soumis à
mon autorité tous les royaumes de la
terre. Il m'a chargé de lui reconstruire un
*temple à Jérusalem, dans le pays de
Juda. Tous ceux d'entre vous qui appartiennent à son peuple sont invités à regagner Jérusalem. Que le Seigneur leur
Dieu soit avec eux ! »

---

o **36.21** En Israël, selon Lév 25.1-7, le sol devait être laissé en repos (non cultivé) pendant une année tous les sept ans, loi qui n'a pas été respectée scrupuleusement. La présente citation combine des éléments tirés de Lév 26.34-35 et de Jér 25.11.

p **36.22** Les deux derniers versets de 2 Chroniques se retrouvent au début du livre d'*Esdras* (1.1-3) ; voir les notes à cet endroit.

Esdras

Introduction – *Les livres d'Esdras et de Néhémie sont issus du même milieu que les deux livres des Chroniques (voir l'introduction à 1 Chroniques) et en constituent la suite. Ils sont rédigés dans le même esprit et la même perspective.*

*Le livre d'*Esdras *commence avec l'autorisation donnée aux Juifs par Cyrus, roi de Perse, d'aller reconstruire le* *temple *de Jérusalem (chap. 1). Un grand nombre d'exilés prennent alors le chemin du retour (chap. 2). Leur premier soin, à Jérusalem, est de relever* *l'autel *des sacrifices et de rétablir le culte (chap. 3). Cependant les préparatifs de reconstruction du* tem-ple *proprement dit provoquent l'opposition de certains adversaires, d'où des échanges de correspondance avec l'administration perse, qui aboutissent à la confirmation de l'autorisation et à la reconstruction effective (chap. 4–6).*

La seconde partie du livre raconte comment, au siècle suivant, le prêtre Esdras, envoyé par le roi Artaxerxès, ranima et réforma la vie religieuse à Jérusalem (chap. 7–10).

Le message du livre d'Esdras souligne la nécessité d'une foi et d'une vie pures. Il montre le courage et la détermination dont ce prêtre réformateur a dû faire preuve pour rétablir la piété d'Israël. C'est avec Esdras que s'est élaboré le judaïsme *proprement dit, au sein duquel, quelques siècles plus tard, devait naître Jésus.*

Cyrus autorise la reconstruction du temple

1 1 Durant la première année du règne
de Cyrus, roi de Perse, le Seigneur
décida de réaliser la parole qu'il avait
prononcée par la bouche du *prophète
Jérémie[a]. Il fit naître dans l'esprit de Cyrus l'idée de publier dans tout son empire, de vive voix et par écrit, le texte suivant : 2 « Voici ce que proclame Cyrus, roi
de Perse : Le Seigneur, le Dieu du *ciel, a
soumis à mon autorité tous les royaumes
de la terre. Il m'a chargé de lui reconstruire un *temple à Jérusalem, dans
le pays de Juda[b]. 3 Tous ceux d'entre vous
qui appartiennent à son peuple sont invités à regagner Jérusalem, en Juda, et à y
reconstruire le temple du Seigneur, le
Dieu d'Israël, le Dieu qu'on adore à Jérusalem. Et que leur Dieu soit avec eux
4 Partout où résident des Israélites, les
gens de l'endroit doivent leur apporter de
l'aide par des dons en argent et en or, leur
fournir d'autres biens et du bétail, et leur
remettre des offrandes volontaires pour
le temple de Dieu à Jérusalem. »

a **1.1** Les v. 1-2 et le début du v. 3 répètent mot à mot le texte final de 2 Chron 36.22-23. – *Cyrus* fut *roi de Perse* de 558 à 528 avant J.-C. En automne 539, après s'être emparé de Babylone, il inaugura un nouveau règne comme « roi de Babylone » ; c'est à la *première année* de ce règne-là (538) que fait allusion le v. 1. – *par la bouche du prophète Jérémie* : voir Jér 25.11-12 ; 29.10.

b **1.2** Voir És 44.28.

5 Les chefs de famille des tribus de
Juda et de Benjamin, les prêtres et les *lévites, et tous ceux à qui le Seigneur Dieu
avait inspiré le désir d'aller reconstruire
son temple à Jérusalem se préparèrent à
partir. 6 Leurs voisins les aidèrent en leur
donnant des ustensiles en argent et en or,
d'autres biens, toutes sortes d'objets de
valeur, et du bétail, sans compter les
offrandes volontaires pour le temple.
7 Le roi Cyrus lui-même fit rassembler
les objets précieux que Nabucodonosor
avait pris dans le temple du Seigneur à
Jérusalem[c] pour les déposer dans le temple de ses propres dieux. 8 Sur l'ordre du
roi, Mitrédath, responsable des trésors,
confia ces objets à Chèchebassar, prince
de Juda. 9 En voici la liste : 30 plats en or,
1 000 plats en argent, 29 couteaux[d], 10 30
bassines d'or, 410 bassines d'argent de second ordre et 1 000 autres objets. 11 Au total, il y avait 5 400 objets d'or et d'argent.
Chèchebassar les emporta tous lorsqu'il
quitta la Babylonie, avec les autres exilés,
et regagna Jérusalem.

Liste des Juifs qui revinrent en Palestine

2 1 Parmi les familles[e] que le roi de Babylone, Nabucodonosor, avait emmenées en exil en Babylonie, nombreux
furent ceux qui regagnèrent Jérusalem
et le pays de Juda. Chacun retourna dans
sa propre ville. 2 Ils revinrent sous la
conduite de Zorobabel, Yéchoua, Nehémia, Seraya, Rélaya, Mordokaï[f], Bilechan, Mispar, Bigvaï, Rehoum et Baana.
En voici la liste, avec le nombre des
Israélites formant chaque groupe :
3 2 172 hommes du clan de Paroch ;
4 372 hommes du clan de Chefatia ;
5 775 hommes du clan d'Ara ;
6 2 812 hommes du clan de Pahath-Moab,
descendants de Yéchoua et de Yoab ;
7 1 254 hommes du clan d'Élam ;
8 945 hommes du clan de Zattou ;
9 760 hommes du clan de Zakaï ;
10 642 hommes du clan de Bani ;
11 623 hommes du clan de Bébaï ;
12 1 222 hommes du clan d'Azgad ;
13 666 hommes du clan d'Adonicam ;
14 2 056 hommes du clan de Bigvaï ;
15 454 hommes du clan d'Adin ;
16 98 hommes du clan d'Ater, descendants de Yehizquia[g] ;
17 323 hommes du clan de Bessaï ;
18 112 hommes du clan de Yora ;
19 223 hommes du clan de Hachoum ;
20 95 hommes du clan de Guibbar ;
21 123 hommes du village de Bethléem ;
22 56 hommes du village de Netofa ;
23 128 hommes du village d'Anatoth ;
24 42 hommes du village d'Azmaveth ;
25 743 hommes des villages de Quiriath-
Yéarim, Kefira et Beéroth ;
26 621 hommes des villages de Rama et
Guéba ;
27 122 hommes du village de Mikmas ;
28 223 hommes des villages de Béthel et
Aï ;
29 52 hommes du village de Nébo ;
30 156 hommes du village de Magbich ;
31 1 254 hommes du clan d'un autre
Élam ;
32 320 hommes du clan de Harim ;
33 725 hommes des villages de Lod, Hadid et Ono ;
34 345 hommes de la ville de Jéricho ;
35 3 630 hommes de la ville de Senaa.

36 Les groupes des prêtres comprenaient :
973 hommes du clan de Yedaya, descendants de Yéchoua ;
37 1 052 hommes du clan d'Immer ;
38 1 247 hommes du clan de Pachehour ;
39 1 017 hommes du clan de Harim.

40 Le groupe des *lévites comprenait :
74 hommes des clans de Yéchoua,
Cadmiel, Binnoui[h] et Hodavia.

41 Le groupe des chanteurs du *temple
comprenait :
128 hommes du clan d'Assaf.

---

c 1.7 Voir 2 Rois 25.13-15.

d 1.9 *couteaux* : le sens du mot hébreu correspondant est très incertain.

e 2.1 Cette liste se retrouve en Néh 7.6-72, avec quelques différences.

f 2.2 Entre *Raamia* (= *Rélaya*) et *Mordokaï*, le texte de Néh 7.7 ajoute *Nahamani*, ce qui porte à douze le nombre des guides du peuple.

g 2.16 *descendants de Yehizquia* : autre traduction *qu'on appelait également Yehizquia*.

h 2.40 *Cadmiel, Binnoui et Hodavia* : texte probable ; hébreu *et Cadmiel, descendants de Hodavia*.

42 Le groupe des portiers comprenait :
139 hommes des clans de Challoum,
Ater, Talmon, Accoub, Hatita et Chobaï.

43 Le groupe des employés subalternes du
temple comprenait les descendants de
Siha, Hassoufa, Tabbaoth, 44 Quéros,
Siaha, Padon, 45 Lebana, Hagaba, Accoub, 46 Hagab, Chamlaï, Hanan, 47 Guiddel, Gahar, Réaya, 48 Ressin, Necoda,
Gazam, 49 Ouza, Passéa, Bésaï, 50 Asna,
Meounim, Nefoussim, 51 Bacbouc, Hacoufa, Harour, 52 Baslouth, Méhida, Harcha, 53 Barcos, Sisra, Téma, 54 Nessia et
Hatifa.

55 Le groupe des descendants des serviteurs de Salomon[i] comprenait les descendants de Sotaï, Soféreth, Perouda, 56 Yala,
Darcon, Guiddel, 57 Chefatia, Hattil,
Pokéreth-Hassebaïm et Ami.

58 Ensemble, les groupes des employés
subalternes du temple et des descendants
des serviteurs de Salomon comprenaient
392 hommes.

59 Les hommes qui revinrent d'exil de
Tel-Méla, Tel-Harcha, Keroub, Addan et
Immer[j], ne réussirent pas à fournir les
renseignements nécessaires sur les familles de leurs ancêtres, pour prouver
qu'ils étaient israélites : 60 ils étaient en
tout 652 et descendaient de Delaya, Tobia
et Necoda.

61 Certains prêtres se trouvèrent dans
une situation analogue : c'étaient les descendants de Hobaya, Haccos et Barzillaï.
– Ce dernier était appelé ainsi parce qu'il
avait épousé une des filles de Barzillaï, de
Galaad. – 62 Ils avaient cherché sans succès les registres où leurs ancêtres étaient
inscrits. On les considéra donc comme
*impurs et on leur interdit d'exercer un
ministère de prêtres. 63 Le gouverneur
lui-même leur ordonna de ne pas manger
des offrandes strictement réservées à
Dieu jusqu'à ce qu'un prêtre puisse prendre une décision au moyen de l'Ourim et
du Toummim[k].

64 Le nombre total des Israélites revenus d'exil s'élevait à 42 360 personnes.
65 Ils avaient avec eux 7 337 serviteurs et
servantes, 200 chanteurs et chanteuses,
66 ainsi que 736 chevaux, 245 mulets,
67 435 chameaux et 6 720 ânes.
68 Lorsqu'ils arrivèrent à Jérusalem, la
ville du temple du Seigneur, certains
chefs de famille firent des dons volontaires pour que le temple de Dieu soit reconstruit sur son emplacement primitif.
69 Ils versèrent tout ce qu'ils purent pour
financer cette construction, soit au total
61 000 pièces d'or et 2 500 kilos d'argent ;
ils donnèrent également 100 tuniques de
prêtres.

70 Les prêtres, les lévites et certains
laïcs, chanteurs, portiers et employés
subalternes du temple, s'établirent dans
les villes qui leur furent attribuées. Les
autres Israélites s'établirent dans leurs
villes d'origine[l].

Yéchoua et Zorobabel rétablissent le culte

3 1 Quand arriva le septième mois de
l'année, tous les Israélites, qui étaient
installés dans leurs villes, se rassemblèrent d'un commun accord à Jérusalem[m].
2 Le prêtre Yéchoua, fils de Yossadac, accompagné de ses frères les autres prêtres,
ainsi que Zorobabel, fils de Chéaltiel,
avec les gens de sa parenté, se mirent à reconstruire *l'autel du Dieu d'Israël, afin
de pouvoir y offrir des *sacrifices
complets, comme l'exige la loi de Moïse,
l'homme de Dieu[n]. 3 Malgré la peur que
leur inspiraient ceux qui s'étaient installés dans le pays durant l'exil, ils reconstruisirent cet autel sur ses anciennes
fondations et y offrirent au Seigneur les

i **2.55** On ne sait pas exactement ce qu'étaient les *serviteurs de Salomon* ; d'après le v. 58, ce groupe ne devait pas être très différent de celui des *employés subalternes du temple* (v. 43).

j **2.59** Localités de Babylonie, non identifiées.

k **2.63** Voir Ex 28.30 et la note.

l **2.70** Voir 1 Chron 9.2 ; Néh 11.3.

m **3.1** Le *septième mois* (septembre-octobre) comportait plusieurs fêtes juives importantes, énumérées en Lév 23.23-43. Voir en particulier 23.24 et la note.

n **3.2** Voir 2 Chron 4.1 ; comparer Ex 27.1-2.

sacrifices complets du matin et du soir[o]. 4 Ensuite les Israélites célébrèrent la fête des Huttes, comme cela est prescrit, en offrant chaque jour le nombre réglementaire de sacrifices complets[p]. 5 Depuis lors, ils offrirent régulièrement les sacrifices quotidiens, les sacrifices prescrits pour le premier jour de chaque mois et pour les fêtes consacrées au Seigneur[q], et ceux qui sont apportés spontanément au Seigneur. 6 C'est ainsi que, dès le premier jour du septième mois, ils recommencèrent à offrir des sacrifices complets au Seigneur, alors même que les fondations de son nouveau *temple n'avaient pas encore été posées.

7 Par la suite, ils payèrent des ouvriers pour tailler des pierres et des poutres ; de plus, ils fournirent des vivres, des boissons et de l'huile aux Sidoniens et aux Tyriens, afin que ceux-ci leur livrent du bois de cèdre du Liban, par mer, jusqu'à Jaffa[r]. Ils agirent ainsi avec l'autorisation de Cyrus, le roi de Perse. 8 L'année qui suivit leur retour à Jérusalem, à la ville du temple de Dieu, au cours du deuxième mois[s], Zorobabel, fils de Chéaltiel, Yéchoua, fils de Yossadac, leurs frères les autres prêtres, les *lévites et tous ceux qui étaient revenus d'exil se mirent au travail ; ils désignèrent les lévites de vingt ans et plus pour diriger la construction du temple du Seigneur. 9 Les lévites Yéchoua, avec ses fils et ses frères, et Cadmiel, avec ses fils, du clan de Hodavia, prirent en commun la direction des ouvriers travaillant au temple de Dieu. Ils furent aidés par les lévites du clan de Hénadad[t].

10 Lorsque les constructeurs posèrent les fondations du temple du Seigneur, on fit avancer les prêtres, en vêtements de cérémonie, avec des trompettes, et les lévites, descendants d'Assaf, avec des cymbales, pour acclamer le Seigneur selon les prescriptions de David, roi d'Israël[u]. 11 Ils acclamèrent et louèrent le Seigneur en chantant à tour de rôle ce refrain : « Le Seigneur est bon, et son amour pour Israël n'a pas de fin ! » Le peuple aussi faisait une ovation au Seigneur en poussant de grandes acclamations[v], parce que l'on posait les fondations de son temple.

12 Un grand nombre de prêtres, de lévites et de chefs de famille, assez âgés pour avoir connu le temple d'autrefois, pleuraient bruyamment pendant qu'on posait sous leurs yeux les fondations du nouveau temple ; mais beaucoup d'autres gens exprimaient leur joie par des ovations sonores. 13 Ainsi on ne pouvait pas distinguer entre les acclamations joyeuses des uns et les pleurs des autres, car tout le monde poussait de grands cris qu'on entendait de très loin.

Intervention des ennemis des Juifs

4 1 Les gens du pays, ennemis des Juifs de Juda et de Benjamin[w], apprirent que ceux-ci, depuis leur retour d'exil, reconstruisaient un *temple pour le Seigneur, le Dieu d'Israël. 2 Ils vinrent trouver Zorobabel et les chefs de famille, et leur dirent : « Nous désirons vous aider à construire ce temple. En effet, nous adorons le même Dieu que vous et nous lui offrons des *sacrifices, depuis que le roi d'Assyrie Assarhaddon nous a déportés ici[x]. »

---

o **3.3** *la peur* : le chap. 4 montre que les Juifs revenus d'exil avaient des raisons d'avoir *peur*. – *sacrifices complets du matin et du soir* : voir Ex 29.38-39 ; Nomb 28.3-4.

p **3.4** Voir Nomb 29.12-38.

q **3.5** Voir Nomb 28.11–29.39.

r **3.7** *Jaffa* : port sur la Méditerranée, actuellement faubourg de Tel-Aviv. – Pour ce verset, comparer 1 Rois 5.15-25.

s **3.8** Avril-mai 537 avant J.-C.

t **3.9** Texte probable ; le texte hébreu du v. 9 est obscur.

u **3.10** Voir 1 Chron 25.1.

v **3.11** Ce *refrain* liturgique se retrouve par exemple en Jér 33.11 ; 1 Chron 16.34 ; 2 Chron 5.13 et surtout au Ps 136. – Les *acclamations* sont aussi des éléments liturgiques et non des cris désordonnés.

w **4.1** Les *gens du pays* sont appelés ici *ennemis des Juifs* par anticipation, ils le sont devenus en fait seulement après que leur proposition d'aide (v. 2) a été refusée par les Juifs (v. 3). – Les tribus de *Juda* et de *Benjamin* avaient formé, jusqu'à l'exil, le royaume de Juda, voir 1 Rois 11.32 et la note.

x **4.2** Le *roi d'Assyrie Assarhaddon* (680-669 avant J.-C.) a recouru à la même politique que ses prédécesseurs en faisant déporter les populations vaincues (comparer 2 Rois 17.24-41).

3 Mais Zorobabel, Yéchoua et les autres chefs de famille israélites leur répondirent : « Il ne convient pas que vous nous aidiez à construire un temple pour notre Dieu[y]. Nous seuls devons le faire, car ce sera le temple du Seigneur, le Dieu d'Israël. Cyrus lui-même, le roi de Perse, en a décidé ainsi. »

4 Les gens du pays entreprirent alors de décourager les Juifs et de les effrayer pour qu'ils renoncent à bâtir le temple. 5 Pendant tout le règne de Cyrus, roi de Perse, et jusqu'à celui de Darius[z], ils donnèrent de l'argent à des conseillers de la cour pour qu'ils fassent échouer les projets des Juifs.

Les Juifs dénoncés au roi Artaxerxès

6 Au début du règne du roi Xerxès[a], les ennemis des Juifs lui envoyèrent une lettre formulant des accusations contre les habitants de Jérusalem et du district de Juda.

7 Sous le règne d'Artaxerxès, roi de Perse, Bichelam, Mitrédath, Tabéel et leurs collègues écrivirent aussi au roi. La lettre était écrite en caractères araméens et en langue araméenne[b].

8 Rehoum, gouverneur de la région, et Chimechaï, son adjoint, écrivirent également au roi Artaxerxès une lettre au sujet de Jérusalem. Cette lettre commençait ainsi :

9 « De la part de Rehoum, gouverneur de la région, de Chimechaï, son adjoint, de leurs collègues des régions de Din, Afarsatak, Tarpel, Afaras, Érek, Babylone, Suse, Déha et Élam[c], 10 et au nom des autres populations déportées par le grand et illustre Asnappar[d], installées dans les villes de la Samarie ou dans le reste de la province située à l'ouest de l'Euphrate, etc. »

11 Et voici le texte de leur lettre :

« Au roi Artaxerxès, de la part de ses serviteurs, les gens de la province située à l'ouest de l'Euphrate, etc.

12 « Nous informons Sa Majesté le roi que les Juifs revenus de chez lui jusque chez nous sont arrivés à Jérusalem, avec l'intention de rebâtir cette cité rebelle et mauvaise. Ils relèvent les murailles après en avoir réparé les fondations. 13 Il faut que le roi sache que, si cette ville est rebâtie et ses murailles relevées, les habitants cesseront de payer les taxes, les impôts et les droits de passage, et cela causera des dommages au trésor royal. 14 C'est pourquoi, nous qui avons le privilège d'être au service du roi[e] et qui ne pourrions pas supporter de voir qu'on le déshonore, nous lui suggérons 15 de faire des recherches dans les documents d'archives de ses prédécesseurs. Il y trouvera la confirmation que cette ville a toujours été rebelle : elle n'a jamais cessé de causer des dommages aux rois et aux gouverneurs de provinces, et depuis toujours elle est secouée par des mouvements de révolte. C'est d'ailleurs pour ces raisons que la ville a été détruite[f]. 16 Nous tenons à en avertir Sa Majesté le roi : si la ville est rebâtie et ses murailles relevées, il ne sera

---

y **4.3** Les chefs juifs refusent de collaborer avec les gens du pays, car ceux-ci rendaient certainement un culte à d'autres dieux que *le Seigneur*.

z **4.5** Il s'agit probablement de *Darius* 1er, qui régna de 522 à 486 avant J.-C. – Le problème de la chronologie des événements dans les livres d'Esdras et de Néhémie est extrêmement compliqué, en particulier du fait qu'il y a eu plusieurs rois de Perse qui ont porté les mêmes noms (trois Darius, trois Artaxerxès).

a **4.6** *Xerxès* régna de 486 à 464 avant J.-C. ; voir Est 1.1.

b **4.7** *Artaxerxès* : probablement *Artaxerxès* 1er, qui régna de 464 à 424 avant J.-C. – Le texte hébreu de la fin du verset est peu clair ; autre traduction *écrite en araméen et traduite (araméen)* : le texte original de la lettre aurait été en araméen, et la traduction faite en langue perse ; le dernier mot entre parenthèses indiquerait alors qu'à partir du verset suivant, l'auteur reproduit le texte *araméen* (le passage 4.8–6.18 est en effet en araméen).

c **4.9** Plusieurs des localités ou régions mentionnées ici sont inconnues ; certains de ces noms ont parfois été compris comme désignant des fonctions administratives : *juges, délégués, inspecteurs*, etc.

d **4.10** *Asnappar* : probablement Assourbanipal, successeur d'Assarhaddon comme roi d'Assyrie (668-630 avant J.-C.)

e **4.14** *nous qui avons le privilège d'être au service du roi* : c'est le sens probable de l'expression araméenne, qu'on pourrait traduire mot à mot *nous qui mangeons le sel du palais* ; comme le *sel* symbolise parfois l'alliance (voir Lév 2.13 et la note), on pense que la formule évoque le privilège de dépendre du roi.

f **4.15** Allusion aux événements de 587 avant J.-C. : prise et destruction partielle de Jérusalem.

plus le maître de ce côté-ci de l'Euphrate. »

Réponse du roi Artaxerxès

17 Le roi envoya la réponse suivante :
« Au gouverneur Rehoum, à son adjoint Chimechaï et à leurs collègues établis en Samarie et dans le reste de la
province située à l'ouest de l'Euphrate.
« Je vous salue, etc.
18 « La lettre que vous m'avez envoyée
m'a été lue après avoir été traduite. 19 J'ai
donné l'ordre de faire des recherches, et
l'on a effectivement trouvé que, depuis
toujours, la ville de Jérusalem se soulève
contre les rois et qu'elle est secouée par
des insurrections et des révoltes. 20 Il y a
eu autrefois dans cette ville de puissants
rois qui dominaient toute la région située
à l'ouest de l'Euphrate et y prélevaient
des taxes, des impôts et des droits de passage. 21 Mais maintenant, vous devez ordonner aux Juifs de cesser leurs travaux :
la ville ne doit pas être rebâtie, tant que je
n'en aurai pas moi-même donné l'ordre.
22 Veillez à ne rien négliger dans cette affaire, afin que le gouvernement royal ne
subisse pas des dommages encore plus
grands. »
23 Aussitôt que le contenu de la lettre
du roi Artaxerxès fut connu de Rehoum,
de son adjoint Chimechaï et de leurs collègues, ils se rendirent en toute hâte à Jérusalem et utilisèrent la force pour
obliger les Juifs à cesser la reconstruction.

Reprise des travaux de reconstruction du temple

24 A Jérusalem, les travaux de reconstruction du *temple de Dieu avaient
cessé ; l'interruption dura jusqu'à la
deuxième année du règne du roi de Perse,
5 Darius[g]. 1 Mais un jour, le *prophète
Aggée et le prophète Zacharie[h] fils
d'Iddo parlèrent aux Juifs de Jérusalem
et de Juda, de la part du Dieu d'Israël,
leur Dieu. 2 Alors Zorobabel, fils de
Chéaltiel, et Yéchoua, fils de Yossadac, se
mirent au travail pour reconstruire[i] le
temple de Dieu à Jérusalem, avec l'appui
des prophètes de Dieu.
3 Aussitôt Tattenaï, gouverneur de la
province située à l'ouest de l'Euphrate,
accompagné de Chetar-Boznaï et de leurs
collègues, vinrent les trouver et leur demandèrent : « Qui vous a donné l'ordre
de rebâtir le temple et d'en relever les
murailles[j] ? 4 Nous exigeons que vous
nous donniez les noms de ceux qui participent à cette reconstruction. »
5 Mais Dieu veillait sur les responsables juifs, de sorte qu'on ne les empê-
cha pas de continuer, en attendant qu'un
rapport parvienne à Darius et qu'on reçoive sa réponse à ce sujet.

Les Juifs dénoncés au roi Darius

6 Voici le texte de la lettre envoyée au
roi Darius par le gouverneur Tattenaï,
par Chetar-Boznaï et ses collègues les
préfets[k] de la province située à l'ouest de
l'Euphrate. 7 Elle était rédigée en ces
termes :
« Au roi Darius, tous nos vœux de
prospérité !
8 « Nous informons Sa Majesté le roi
que nous nous sommes rendus dans le
district de Juda, au temple du grand
Dieu. On est en train de reconstruire ce
*temple en pierres de taille, avec des pou-
tres de bois placées dans les murs[l]. Le
travail est fait soigneusement et progresse rapidement. 9 Nous avons interrogé les responsables ; nous leur avons
demandé qui leur avait donné l'ordre de
rebâtir le temple et d'en relever les murailles[m]. 10 Nous leur avons également de-

---

g 4.24 Voir v. 5 et la note.
h 5.1 Voir Ag 1.1 ; Zach 1.1.
i 5.2 Les travaux entrepris par Chèchebassar, chef du premier convoi de retour (voir 1.8,11), semblent n'avoir été que des préparatifs à la construction du nouveau temple (voir 5.16). – Sur *Zorobabel*, voir Ag 1.12 ; Zach 4.6-9.
j 5.3 *les murailles* : le sens du mot araméen correspondant est très incertain ; autres traductions *la charpente* ou *le sanctuaire*.
k 5.6 *préfets* : le mot araméen semble être un titre de fonctionnaire perse ; mais on l'a aussi compris comme désignant une région non identifiée *(ses collègues d'Afarsac, dans la province...)*.
l 5.8 Sur cette technique de construction, voir 1 Rois 6.36.
m 5.9 Voir v. 3 et la note.

mandé leurs noms, afin de pouvoir
communiquer au roi la liste écrite de
ceux qui dirigent les travaux. 11 Ils nous
ont répondu : “Nous sommes les serviteurs du Dieu du *ciel et de la terre ; nous
rebâtissons le temple qu'un grand roi
d'Israël[n] avait construit et achevé il y a
fort longtemps. 12 Mais nos ancêtres ont
provoqué la colère du Dieu du ciel, qui
les a alors livrés au pouvoir de Nabucodonosor, de Babylone, roi de la dynastie
chaldéenne. C'est ce roi qui a détruit le
temple et emmené le peuple en déportation à Babylone[o]. 13 Toutefois, la
première année de son règne sur la Babylonie, le roi Cyrus a donné l'ordre de rebâtir le temple de Dieu[p]. 14 Le roi
Nabucodonosor avait emporté les ustensiles d'or et d'argent qui se trouvaient
dans le temple de Dieu à Jérusalem, pour
les déposer dans le temple de Babylone.
Le roi Cyrus les a repris du temple de Babylone et les a confiés au nommé Chèchebassar[q] qu'il avait désigné comme
gouverneur de Juda. 15 Il lui a ordonné de
les emporter pour aller les remettre dans
le temple de Jérusalem, lorsque celui-ci
serait rebâti sur son ancien emplacement.
16 C'est alors que Chèchebassar est venu
ici, à Jérusalem, et y a posé les nouvelles
fondations du temple de Dieu. Depuis
lors, les travaux ont continué, mais ils ne
sont pas encore terminés.” 17 Maintenant,
si le roi le veut bien, que l'on fasse des recherches dans les archives royales de Babylone, pour savoir si le roi Cyrus a
vraiment donné l'ordre de rebâtir le temple de Dieu à Jérusalem. Et qu'on nous
communique ensuite la décision du roi à
ce sujet. »

Réponse du roi Darius

6 1 Le roi Darius ordonna de faire des
recherches à Babylone, dans les locaux où l'on déposait les archives et les
objets précieux. 2 Mais c'est à Ecbatane[r],
ville fortifiée de la province de Médie,
que l'on trouva un rouleau de parchemin
portant le texte que voici :
« Procès-verbal.
3 « Durant la première année de son règne, le roi Cyrus a publié ce décret : Le
*temple de Dieu, à Jérusalem, doit être
rebâti pour servir de lieu où l'on offre des
*sacrifices ; on utilisera ses anciennes
fondations ; il aura trente mètres de haut
et trente mètres de large. 4 On fera alter-
ner trois rangées de pierres de taille et
une rangée de poutres de bois[s]. Les dépenses seront couvertes par la trésorerie
royale. 5 Les ustensiles d'or et d'argent
provenant du temple de Dieu, à Jérusalem, et déposés à Babylone par le roi Nabucodonosor, doivent être rendus et
rapportés au temple de Jérusalem ; chacun d'eux sera remis à sa place. »
6 En conséquence, Darius écrivit la lettre suivante à Tattenaï, gouverneur de la
province située à l'ouest de l'Euphrate, à
Chetar-Boznaï et à leurs collègues, les
préfets[t] de la province :
« Cessez de vous occuper de cette affaire. 7 Laissez les Juifs libres de reconstruire le temple de Dieu : le
gouverneur et les responsables juifs doivent pouvoir le rebâtir sur son ancien
emplacement. 8 Je vous ordonne donc
d'aider les responsables juifs dans la reconstruction du temple, en veillant à ce
que les dépenses soient couvertes en tout
temps et exactement par la trésorerie
royale, alimentée par les impôts prélevés
dans la province. 9 Vous prendrez soin de
fournir jour après jour aux prêtres de Jérusalem ce dont ils ont besoin, d'après
leurs indications : les taureaux, les béliers
et les agneaux pour les sacrifices
complets offerts au Dieu du *ciel, de
même que le blé, le sel, le vin et l'huile.
10 Ils pourront ainsi présenter au Dieu du
ciel des offrandes à la fumée odorante, et
ils prieront pour la vie du roi et de ses
fils. 11 Si quelqu'un désobéit à ces déci-

---

n **5.11** Le *grand roi d'Israël* est Salomon, voir 1 Rois 6.

o **5.12** Voir 2 Rois 25.8-12 ; 2 Chron 36.17-20 ; Jér 52.12-16.

p **5.13** Voir 1.1-4.

q **5.14** Le *temple de Babylone* est certainement celui de Mardouk, le grand dieu de Babylonie. – Sur *Chèchebassar*, voir 1.8.

r **6.2** *Ecbatane*, capitale de l'ancien royaume de *Médie*, était une résidence d'été du roi (aujourd'hui Hamadan, en Iran).

s **6.4** Voir 1 Rois 6.36.

t **6.6** Voir 5.6 et la note.

sions, j'ordonne qu'on arrache une poutre de sa maison, qu'on la dresse pour
l'empaler dessus[u], et qu'on transforme
ensuite sa maison en un tas de décombres. 12 Que le Dieu qui manifeste sa
présence à Jérusalem punisse lui-même
tout roi ou toute nation qui tenterait d'y
détruire son temple, au mépris de mes
décisions. C'est moi, Darius, qui donne
ces ordres : qu'ils soient exécutés soigneusement ! »

13 Tattenaï, gouverneur de la province
située à l'ouest de l'Euphrate, Chetar-
Boznaï et leurs collègues suivirent soigneusement les ordres donnés par le roi
Darius.

Dédicace du temple rebâti

14 Les responsables juifs, encouragés
par les messages du *prophète Aggée et
du prophète Zacharie[v] fils d'Iddo, continuèrent avec succès la construction ; ils
l'achevèrent conformément à l'ordre du
Dieu d'Israël et aux décrets des rois de
Perse, Cyrus, Darius et Artaxerxès. 15 Le
*temple fut terminé le vingt-troisième
jour du mois d'Adar, durant la sixième
année du règne du roi Darius[w]. 16 Les
Juifs, prêtres, *lévites et autres gens revenus d'exil, célébrèrent dans la joie la dédicace du bâtiment. 17 A cette occasion,
on offrit en *sacrifice cent taureaux, deux
cents béliers et quatre cents agneaux,
ainsi que douze boucs, un par tribu, pour
obtenir le pardon de Dieu en faveur de
tout le peuple d'Israël. 18 On répartit aussi
les prêtres et les lévites en groupes, selon
leurs tâches respectives au service du
Dieu de Jérusalem, conformément à ce
qui figure dans le livre de Moïse.

Les Juifs célèbrent la fête de la Pâque

19 Tous ceux qui étaient revenus d'exil
célébrèrent la *Pâque le quatorzième jour
du premier mois de l'année suivante[x].
20 Les prêtres et les *lévites s'étaient *purifiés ensemble, alors que les autres membres du peuple ne l'avaient pas fait[y] ; ce
furent donc les lévites, en état de pureté,
qui égorgèrent rituellement les agneaux
de la Pâque, pour le peuple, pour leurs
frères les prêtres et pour eux-mêmes.
21 Tous les Israélites mangèrent le repas
de la Pâque, aussi bien ceux qui étaient
revenus d'exil que ceux qui avaient
rompu avec les coutumes des païens impurs du pays, et s'étaient associés à leurs
compatriotes dans le culte rendu au Seigneur, Dieu d'Israël. 22 Ils célébrèrent ensuite dans la joie les sept jours de la fête
des *Pains sans levain. Le Seigneur les
avait remplis de joie parce qu'il avait inspiré au roi[z] une attitude bienveillante envers eux ; cela les avait encouragés à
reprendre le travail pour reconstruire le
*temple du Dieu d'Israël.

Le prêtre Esdras

7 1-6 Plus tard, durant le règne d'Artaxerxès, roi de Perse, un certain Esdras arriva de Babylone. Il était fils de
Seraya, et descendait du grand-prêtre Aaron par Élazar, Pinhas, Abichoua, Bouqui, Ouzi, Zéraya, Merayoth, Azaria,
Amaria, Ahitoub, Sadoc, Challoum, Hilquia et Azaria. Esdras était un lettré,
grand connaisseur de la loi que le Seigneur, Dieu d'Israël, avait communiquée
à Moïse. Le Seigneur son Dieu lui assurait un tel prestige que l'empereur lui
avait accordé tout ce qu'il demandait[a].
7 Lorsque des Israélites, prêtres, *lévites,
chanteurs, portiers et employés subalternes du *sanctuaire revinrent à Jérusalem,
la septième année du règne d'Artaxerxès,

---

u **6.11** *pour l'empaler dessus* ou *pour l'y pendre*.

v **6.14** Voir Ag 1.1 ; Zach 1.1.

w **6.15** *vingt-troisième* : d'après l'ancienne version grecque ; hébreu *troisième*. – *Adar* : douzième mois de l'année commençant au printemps, soit février-mars. – *sixième année...* : en 515 avant J.-C.

x **6.19** Dès 6.19, le texte original est de nouveau rédigé en hébreu. – *la Pâque* : voir Ex 12.1-20. – *premier mois* : mars-avril.

y **6.20** *alors que les autres membres du peuple ne l'avaient pas fait* : d'après l'ancienne version grecque ; ces mots manquent dans le texte hébreu.

z **6.22** Le texte hébreu parle ici du *roi d'Assyrie*, titre désignant en fait le roi de Perse, dont la domination s'étendait à l'ancien royaume assyrien.

a **7.1-6** *Artaxerxès* : il est difficile de savoir s'il s'agit ici d'*Artaxerxès* 1er (464-424 avant J.-C.) ou d'*Artaxerxès* II (404-359) ; voir la note de 4.5. – Le prêtre *Esdras* semble avoir été un fonctionnaire important à la cour du roi de Perse, en même temps qu'un théologien de valeur et un ardent défenseur de la foi juive.

8 Esdras arriva avec eux, au cours du cinquième mois[b]. 9 Il avait fixé le départ de
Babylonie au premier jour du premier
mois, et il arriva à Jérusalem le premier
jour du cinquième mois, grâce à la protection bienveillante que son Dieu lui accordait. 10 En effet, Esdras s'appliquait de
tout son cœur à étudier la loi du Seigneur, à la mettre en pratique et à enseigner aux Israélites les commandements et les règles de cette loi.

Les tâches confiées à Esdras par Artaxerxès

11 Voici le texte de la lettre que le roi
Artaxerxès remit au prêtre Esdras, spécialiste des lois et commandements donnés par le Seigneur à Israël :
12 « Artaxerxès[c], le roi des rois, au prêtre Esdras, spécialiste de la loi du Dieu
du *ciel, etc.
13 « J'ordonne qu'on laisse partir avec
toi tous les Israélites de mon empire,
– laïcs, prêtres ou *lévites –, désireux de
se rendre à Jérusalem. 14 Moi-même et
mes sept conseillers, nous t'envoyons à
Jérusalem et dans le district de Juda,
pour voir comment la loi de ton Dieu,
dont tu emportes le texte avec toi, y est
respectée ; 15 par la même occasion, tu
emporteras l'argent et l'or que moi et mes
conseillers désirons offrir au Dieu d'Israël qui a son *sanctuaire à Jérusalem.
16 Tu emporteras également tous les dons
en argent et en or que tu auras recueillis
dans la province babylonienne, dons offerts généreusement par tes concitoyens,
prêtres ou laïcs, pour le temple de leur
Dieu à Jérusalem. 17 Là-bas, tu auras soin
d'acheter avec cet argent des taureaux,
des béliers, des agneaux, et tout ce qu'il
faut pour les offrandes végétales et les offrandes de vin, et tu offriras le tout en
*sacrifices sur *l'autel du temple de votre
Dieu, à Jérusalem. 18 Ensuite, toi et tes
compagnons, vous utiliserez le reste de
l'argent et de l'or comme bon vous semblera, en suivant toutefois les directives
de votre Dieu. 19 Tu déposeras dans le
temple de ton Dieu à Jérusalem les ustensiles du culte qui t'ont été remis. 20 Si tu
dois fournir d'autres choses pour ce temple, tu les feras payer par la trésorerie
royale.
21 « Moi, le roi Artaxerxès, je donne
l'ordre à tous les trésoriers de la région
située à l'ouest de l'Euphrate de faire
soigneusement tout ce que leur demandera le prêtre Esdras, spécialiste de la loi
du Dieu du ciel. 22 Ils lui remettront
jusqu'à trois mille kilos d'argent, trente
mille kilos de blé, quatre mille litres de
vin, quatre mille litres d'huile, et du sel
à volonté. 23 Tous les ordres donnés de la
part du Dieu du ciel au sujet de son temple devront être exécutés avec empressement, afin que ce Dieu ne laisse pas
éclater sa colère contre l'empire, ou
contre moi-même et mes descendants.
24 De plus, nous informons les trésoriers
qu'il n'est pas permis de prélever des
taxes, des impôts et des droits de passage
sur les prêtres, les lévites, les chanteurs,
les portiers, les employés subalternes ou
tout autre membre du personnel du
temple.
25 « Quant à toi, Esdras, conformément
aux sages instructions de la loi de Dieu,
dont tu emportes le texte avec toi, établis
des juges et des magistrats chargés de
rendre la justice à tous ceux qui, dans la
population de cette province, connaissent les lois de ton Dieu ; à ceux qui ne
les connaissent pas, vous les enseignerez.
26 Après cela, si quelqu'un refuse d'obéir à
la loi de Dieu ou à la loi du roi, qu'on ait
soin de lui infliger la condamnation qu'il
mérite, soit la mort, soit le bannissement[d], soit la confiscation de ses biens,
soit encore l'emprisonnement. »

Esdras remercie Dieu

27 « Que le Seigneur[e], le Dieu de nos
ancêtres, soit remercié ! s'écria Esdras. Il
a inspiré au roi le désir d'honorer le
*temple de Jérusalem. 28 Sous les yeux du
roi, de ses conseillers et de tous les grands
personnages de son entourage, le Seigneur m'a manifesté sa bonté. Et moi, en-

---

b **7.8** En juillet-août 458 ou 398 avant J.-C. (voir la note des v. 1-6).

c **7.12** Le texte original des v. 12-26 est en araméen.

d **7.26** *le bannissement* ou *l'exclusion de la communauté*.

e **7.27** Dès le v. 27, le texte original est de nouveau en hébreu.

couragé par sa protection, j'ai pu rassembler des chefs israélites pour revenir avec moi. »

Les compagnons d'Esdras

8 [1] Voici, d'après les registres généalogiques, la liste des chefs de famille qui revinrent de Babylonie à Jérusalem avec moi, Esdras, pendant le règne du roi Artaxerxès[f] :
[2] Guerchom, du clan de Pinhas ;
Daniel, du clan d'Itamar ;
Hattouch, du clan de David ;
[3] un des fils de Chekania ;
Zacharie, du clan de Paroch, accompagné de 150 hommes de sa famille ;
[4] Éliohénaï, fils de Zéraya, du clan de Pahath-Moab, accompagné de 200 hommes ;
[5] Chekania, fils de Yaziel, du clan de Zattou[g], accompagné de 300 hommes ;
[6] Ébed, fils de Yonatan, du clan d'Adin, accompagné de 50 hommes ;
[7] Yechaya, fils d'Atalia, du clan d'Élam, accompagné de 70 hommes ;
[8] Zébadia, fils de Mikaël, du clan de Chefatia, accompagné de 80 hommes ;
[9] Obadia, fils de Yéhiel, du clan de Yoab, accompagné de 218 hommes ;
[10] Chelomith, fils de Yossifia, du clan de Bani[h], accompagné de 160 hommes ;
[11] Zacharie, fils de Bébaï, du clan de Bébaï, accompagné de 28 hommes ;
[12] Yohanan, fils de Haccatan, du clan d'Azgad, accompagné de 110 hommes ;
[13] Éliféleth, Yéiel et Chemaya, les trois plus jeunes descendants du clan d'Adonicam, accompagnés de 60 hommes ;
[14] Outaï et Zakour[i], du clan de Bigvaï, accompagnés de 70 hommes.

Préparation du voyage vers Jérusalem

[15] J'ai rassemblé tous ces gens près du
canal qui passe par Ahava[j], et nous avons
campé là durant trois jours. Lorsque j'ai
constaté qu'il y avait parmi eux des laïcs
et des prêtres, mais aucun *lévite, [16] j'ai
chargé d'une mission les chefs Éliézer,
Ariel, Chemaya, Elnatan, Yarib, Elnatan,
Natan, Zacharie, Mechoullam, et les
deux instructeurs de la loi, Yoyarib et Elnatan ; [17] je leur ai ordonné de se rendre
chez Iddo, le chef de la localité de Kassifia. Je leur avais indiqué ce qu'ils devaient dire à Iddo et à ses collaborateurs[k],
les employés subalternes du *sanctuaire,
qui résidaient à Kassifia, afin de pouvoir
nous ramener des gens pour le service du
temple de notre Dieu. [18] Grâce à la protection que notre Dieu nous accordait, ils
ont pu ramener Chérébia, homme avisé,
du clan de Mali et descendant de Lévi,
fils de Jacob, avec ses fils et ses frères, soit
18 hommes, [19] ainsi que Hachabia, accompagné de Yechaya, du clan de Merari,
avec ses frères et leurs fils, soit 20 hommes. [20] Ils ont également ramené 220
hommes spécialement désignés parmi les
employés subalternes du sanctuaire, catégorie de gens que David et ses collaborateurs avaient mis à la disposition des
lévites.

[21] Là, au bord du canal d'Ahava, j'ai
décidé que nous devions tous *jeûner et
manifester ainsi notre humble soumission à notre Dieu, afin qu'il nous accorde un voyage paisible, à nous et à nos
familles, avec nos biens. [22] J'aurais eu
honte de demander au roi de nous fournir une escorte de soldats et de cavaliers
pour nous protéger en cours de route
contre nos ennemis ; en effet, nous lui
avions affirmé que notre Dieu étend sa
main protectrice sur tous ses fidèles,
mais que sa colère éclate avec force
contre ceux qui l'abandonnent. [23] Nous
avons donc jeûné, nous avons demandé
à notre Dieu de nous protéger, et il a
exaucé notre prière.

[24] Ensuite j'ai pris à part douze des
principaux prêtres, ainsi que Chérébia,

---

f **8.1** Voir 7.1 et la note.

g **8.5** *Zattou* : d'après l'ancienne version grecque ; ce nom manque dans le texte hébreu.

h **8.10** *Bani* : d'après l'ancienne version grecque ; ce nom manque dans le texte hébreu.

i **8.14** *Zakour* : d'après une ancienne tradition juive ; d'après une autre tradition *Zaboud*.

j **8.15** *Ahava* : nom d'une localité non identifiée de Babylonie, qui a donné son nom au *canal* d'irrigation lui-même, voir v. 21.

k **8.17** *Kassifia* : localité inconnue où habitaient, semble-t-il, un nombre important de lévites. – *à Iddo et à ses collaborateurs* : d'après l'ancienne version grecque ; hébreu *à Iddo son collaborateur*.

Hachabia et dix de leurs compagnons[l].
25 Devant eux j'ai pesé l'argent, l'or et les
objets de valeur que le roi, ses conseillers,
ses ministres et les Israélites du pays
avaient offerts pour le temple de notre
Dieu. 26 Je leur ai confié ainsi vingt tonnes d'argent, trois tonnes d'objets précieux en argent[m], trois tonnes d'or,
27 vingt bassines d'or valant mille pièces
d'or, et deux splendides vases de bronze
brillant[n], aussi précieux que des vases en
or. 28 Je leur ai dit : « De même que vous
êtes des gens consacrés au service du Seigneur, de même ces objets lui ont été
consacrés. L'argent et l'or sont des offrandes volontaires en faveur du Seigneur, le Dieu de vos ancêtres. 29 Veillez
soigneusement sur ces trésors jusqu'à
l'arrivée à Jérusalem. Là vous les pèserez
devant les principaux prêtres et lévites et
devant les chefs de famille, dans les locaux annexes du temple du Seigneur. »

30 Alors les prêtres et les lévites ont pris
en charge tout ce qui avait été pesé, l'argent, l'or et les objets de valeur, pour les
apporter à Jérusalem, au temple de notre
Dieu.

Le voyage et l'arrivée à Jérusalem

31 Le douzième jour du premier mois,
nous avons quitté le canal d'Ahava pour
Jérusalem. Tout au long du voyage, notre
Dieu a étendu sa main sur nous pour
nous protéger des ennemis ou des pillards qui nous menaçaient. 32 A notre arrivée à Jérusalem, nous nous sommes
reposés trois jours. 33 Le quatrième jour,
nous avons pesé l'argent, l'or et les objets
de valeur dans le *temple de notre Dieu,
avant de les remettre au prêtre Merémoth, fils d'Ouria, qui était accompagné
d'Élazar, fils de Pinhas, et des *lévites Yozabad, fils de Yéchoua, et Noadia, fils de
Binnoui. 34 Tout fut compté et pesé, et le
poids total fut aussitôt consigné par écrit.

35 Tous ceux qui avaient vécu en exil et
en étaient revenus ont offert des *sacrifices au Dieu d'Israël : ils lui ont présenté, au nom de tout Israël, douze
taureaux, quatre-vingt-seize béliers et
soixante-dix-sept agneaux en sacrifices
complets, ainsi que douze boucs en sacrifices pour obtenir son pardon. Tous les
animaux furent entièrement consumés
pour le Seigneur. 36 Ensuite ils ont
communiqué les décrets royaux aux représentants du roi et aux gouverneurs[o] de
la région située à l'ouest de l'Euphrate.
Ceux-ci ont alors apporté leur appui aux
Israélites en ce qui concerne le temple de
Dieu.

De nombreux Juifs ont épousé des étrangères

9 1 Après ces événements, quelques
chefs du peuple sont venus me dire :
« Ni les laïcs, ni les prêtres, ni les *lévites
ne se sont tenus à l'écart des autres habitants du pays. Ils ont imité les pratiques
abominables des Cananéens, des Hittites,
des Perizites, des Jébusites, des Ammonites, des Moabites, des Égyptiens et des
*Amorites. 2 Ils ont pris pour eux-mêmes
et pour leurs fils des épouses dans ces
peuples, de sorte que le peuple de Dieu a
été mélangé à la population du pays. Les
chefs et les notables n'ont pas été les derniers à commettre une telle infidélité. »

3 Lorsque j'ai entendu ces paroles, j'ai
*déchiré mon manteau et mes vêtements,
je me suis arraché les cheveux et la barbe
et je me suis assis complètement accablé.
4 Je suis demeuré ainsi jusqu'à l'heure où
l'on offre le *sacrifice du soir. Tous ceux
qui redoutaient le jugement du Dieu
d'Israël à l'égard de l'infidélité des Juifs
revenus d'exil se sont rassemblés autour
de moi.

Esdras prie en faveur des fautifs

5 A l'heure du *sacrifice du soir, je suis
sorti de mon abattement. Je portais encore mon manteau et mes vêtements *dé-

---

l **8.24** *ainsi que* : cette conjonction manque dans le texte hébreu, mais le contexte invite à l'ajouter (*Chérébia* et *Hachabia* sont en effet des lévites d'après les v. 18 et 19).

m **8.26** *trois tonnes d'objets précieux en argent* : texte hébreu peu clair et traduction incertaine.

n **8.27** *brillant* : le sens du mot hébreu correspondant est incertain.

o **8.36** Les *représentants du roi* (ou *satrapes*) étaient à la tête des provinces de l'empire ; les *gouverneurs*, à la tête de territoires plus petits, leur étaient subordonnés.

chirés ; je me suis jeté à genoux et, les mains tendues vers le Seigneur mon Dieu, 6 je lui ai adressé cette prière : « Mon Dieu, quelle humiliation ! Mon Dieu, j'éprouve trop de honte pour oser lever mes regards vers toi. Nos péchés sont nombreux, ils s'élèvent plus haut que nos têtes, nos fautes s'accumulent jusqu'au *ciel même. 7 Depuis l'époque où vivaient nos ancêtres jusqu'à ce jour, notre peuple a commis de grandes fautes. A cause de cela, nous, nos rois et nos prêtres avons eu à subir la domination de rois étrangers, la guerre, la déportation, le pillage et l'humiliation, comme c'est le cas aujourd'hui encore. 8 Mais maintenant, pour un peu de temps, Seigneur notre Dieu, tu nous as manifesté ta grâce en permettant que quelques survivants de notre peuple reviennent s'installer dans ton territoire sacré ; ainsi toi, notre Dieu, tu as redonné du rayonnement à nos regards, tu nous as rendu un peu de vie, au cœur de notre esclavage. 9 Oui, notre Dieu, nous étions esclaves, et toi tu ne nous as pas abandonnés dans cet état. Tu as rendu les rois de Perse bienveillants à notre égard ; ils nous ont permis de revivre, de rebâtir ton *temple en le relevant de ses ruines, et de trouver un abri sûr à Jérusalem et en Juda.

10 « Et maintenant, notre Dieu, que pourrions-nous dire, après ce qui est arrivé ? Nous avons désobéi aux commandements 11 que tu nous avais communiqués par l'intermédiaire de tes serviteurs les *prophètes ! Tu nous avais prévenus : "Le pays dans lequel vous allez entrer pour en prendre possession est *impur, parce que les nations qui l'occupent sont impures et l'ont rempli d'un bout à l'autre de leurs pratiques abominables. 12 Ne donnez donc pas vos filles en mariage aux fils de ces étrangers, et ne choisissez pas parmi eux des épouses pour vos propres fils[p]. Ne vous préoccupez jamais du bien-être ou du bonheur de ces nations païennes. C'est ainsi que vous deviendrez un peuple fort, que vous jouirez des biens de ce pays et que vous pourrez le transmettre pour toujours en héritage à vos descendants." 13 O notre Dieu, c'est à cause de nos mauvaises actions et de nos grandes fautes que tous nos malheurs nous sont arrivés ; pourtant tu ne nous as pas punis autant que nos péchés le méritaient et tu nous as permis de survivre, à nous qui sommes ici. 14 Alors comment pouvons-nous recommencer à désobéir à tes commandements, en nous alliant par des mariages avec ces nations aux pratiques abominables ? Ne vas-tu pas te mettre en colère contre nous et nous exterminer tous sans exception ? 15 Aujourd'hui, Seigneur, Dieu d'Israël, dans ta juste bonté, tu as permis à quelques-uns d'entre nous de survivre. Nous voici en effet devant toi, chargés de fautes, alors que, dans une telle situation, personne ne devrait pouvoir subsister en ta présence. »

Les Juifs renvoient les femmes étrangères

10 1 Tandis qu'Esdras, agenouillé en pleurs devant le *temple, priait et demandait pardon à Dieu, un très grand nombre d'Israélites, hommes, femmes et enfants, s'étaient rassemblés autour de lui ; et ils pleuraient tous abondamment. 2 Alors Chekania, fils de Yéhiel et descendant d'Élam, déclara à Esdras : « Nous avons commis une faute grave envers Dieu, en épousant des femmes étrangères, appartenant aux populations de ce pays. Mais malgré cela il reste un espoir pour Israël : 3 Nous allons nous engager envers Dieu à renvoyer toutes ces femmes étrangères ainsi que leurs enfants. Nous suivrons ainsi la suggestion que vous avez faite, toi et tous ceux qui accomplissent respectueusement les commandements de notre Dieu. Que sa loi soit observée ! 4 Relève-toi, et prends l'affaire en mains. Nous sommes prêts à te seconder. N'hésite donc pas à agir. »

5 Esdras se releva. Il exigea que les chefs des prêtres-lévites[q] et tous les chefs d'Israël jurent de se soumettre à la proposition de Chekania. Ils en firent tous le serment. 6 Alors Esdras quitta la cour du temple de Dieu, se rendit au domicile de

---

p **9.12** Voir Ex 34.11-16 ; Deut 7.1-5.
q **10.5** *prêtres-lévites* : voir Deut 17.9 et la note.

Yohanan, fils d'Éliachib, et s'y installa. Mais il refusa de manger ou de boire, tellement il était affligé par la faute grave de ses compatriotes.
7 On fit ensuite circuler à Jérusalem et dans le pays de Juda une proclamation ordonnant à tous les anciens exilés de se réunir à Jérusalem.
8 Quiconque ne se présenterait pas dans un délai de trois jours, selon la décision des chefs et des notables, aurait tous ses biens confisqués et serait exclu de la communauté.
9 Tous les hommes de Juda et de Benjamin vinrent donc à Jérusalem trois jours plus tard, à savoir le vingtième jour du neuvième mois, et se rassemblèrent sur la place du temple de Dieu. Tout le monde tremblait, à cause de cette affaire et parce qu'il pleuvait[r].
10 Le prêtre Esdras se leva et leur dit : « Israélites, vous avez commis une faute grave en épousant des femmes étrangères. C'est un péché que vous ajoutez à tous ceux de notre peuple.
11 Maintenant vous devez reconnaître vos torts devant le Seigneur, Dieu de vos ancêtres, et obéir à sa volonté ; renoncez à tout contact avec les populations de ce pays et séparez-vous de vos femmes d'origine étrangère. »
12 Tous les participants à l'assemblée s'écrièrent : « Tu as raison ! Nous devons faire ce que tu nous dis.
13 Pourtant nous sommes nombreux et c'est la saison des pluies ; il est impossible de rester ici en plein air. De plus, une telle question ne se réglera pas en un jour ou deux, car beaucoup d'entre nous sont impliqués dans cette affaire.
14 Nous proposons que nos chefs se tiennent à disposition de la communauté : tous les Israélites qui ont épousé des femmes étrangères viendront se présenter devant eux à la date qu'on leur indiquera, en compagnie des *anciens et des juges de leurs villes respectives. Nous mènerons à bien cette affaire, jusqu'à ce que l'ardente colère de notre Dieu envers nous soit apaisée. »

15 Yonatan, fils d'Assaël, et Yazia, fils de Ticva, appuyés par Mechoullam et le *lévite Chabbetaï, furent les seuls à s'opposer à cette résolution.
16 Les autres Israélites revenus d'exil l'acceptèrent. Le prêtre Esdras choisit dans chaque clan des chefs de famille[s], tous désignés personnellement. Ces hommes siégèrent dès le premier jour du dixième mois pour régler toute l'affaire.
17 Et le premier jour du premier mois de l'année suivante[t], ils eurent achevé d'examiner le cas de tous les hommes qui avaient épousé des femmes étrangères.

Liste des Juifs fautifs

18 Parmi les prêtres ayant épousé des femmes étrangères, il y avait :
des descendants de Yéchoua et de ses frères, fils de Yossadac : *Maasséya*, Éliézer, Yarib et Guedalia ;
19 ils s'engagèrent solennellement à renvoyer leurs femmes et à offrir un bélier en *sacrifice pour obtenir le pardon de Dieu ;
20 des descendants d'Immer : Hanani et Zébadia ;
21 des descendants de Harim : *Maasséya*, Élia, Chemaya, Yéhiel et Ouzia ;
22 des descendants de Pachehour : Éliohénaï, *Maasséya*, Ismaël, Netanéel, Yozabad et Élassa.
23 Parmi les lévites, il y avait : Yozabad, Chiméi, Quélaya (appelé aussi Quelita), Petahia, Yehouda et Éliézer.
24 Parmi les chanteurs, il y avait Éliachib.
Parmi les portiers, il y avait Challoum, Télem et Ouri.
25 Parmi les laïcs israélites, il y avait :
des descendants de Paroch : Ramia, Izia, Malkia, *Miamin*, Élazar, Malkia et Benaya ;
26 des descendants d'Élam : Mattania, Zacharie, Yéhiel, Abdi, Yerémoth et Élia ;
27 des descendants de Zattou : Éliohénaï, Éliachib, Mattania, Yerémoth, Zabad et Aziza ;
28 des descendants de Bébaï : Yohanan, Hanania, Zabbaï et Atlaï ;
29 des descendants de Bani : Mechoullam, Mallouk, Adaya, Yachoub, Chéal et Yerémoth ;

---

r **10.9** *neuvième mois* : novembre-décembre, en pleine saison des pluies.
s **10.16** *Le prêtre...* : d'après l'ancienne version grecque ; le texte hébreu est obscur.
t **10.17** Vers la mi-mars.

30 des descendants de Pahath-Moab :
Adna, Kelal, Benaya, Maasséya, Mattania, Bessalel, Binnoui et Manassé ;
31 des descendants de Harim : Éliézer,
Issia, Malkia, Chemaya, Chimon, 32 Benjamin, Mallouk et Chemaria ;
33 des descendants de Hachoum : Mattenaï, Mattatta, Zabad, Éliféleth, Yerémaï,
Manassé et Chiméi ;
34 des descendants de Bani : Maadaï, Amram, Ouel, 35 Benaya, Bédia, Kelouhou,
36 Vania, Merémoth, Éliachib, 37 Mattania, Mattenaï, Yassaï, 38 Bani, Binnoui,
Chiméi, 39 Chélémia, Natan, Adaya,
40 Maknadebaï, Chachaï, Charaï, 41 Azarel, Chélémia, Chemaria, 42 Challoum,
Amaria et Joseph ;
43 des descendants de Nébo : Yéiel, Mattitia, Zabad, Zébina, Yaddaï, Joël et
Benaya.
44 Tous ces hommes-là avaient épousé
des femmes étrangères, et certaines de ces
femmes avaient mis au monde des
enfants[u].

u **10.44** *et certaines...* : texte hébreu obscur et traduction incertaine ; une ancienne version grecque dit *ils les renvoyèrent, elles et leurs enfants.*

Néhémie

Introduction – Le livre de Néhémie *constitue la suite de celui d'Esdras, avec lequel il ne faisait d'abord qu'un. Il incorpore des documents personnels, qu'on peut considérer comme les mémoires de Néhémie lui-même.*

*Contemporain du prêtre Esdras, le laïc Néhémie, important fonctionnaire à la cour d'Artaxerxès, roi de Perse, obtient de son maître l'autorisation de se rendre à Jérusalem pour s'y occuper de la restauration politique, économique et sociale de sa patrie (1.1–2.10). Arrivé sur place, et malgré l'opposition de certains adversaires, il reçoit l'appui de nombreux compatriotes avec lesquels il rebâtit les murailles de Jérusalem (2.11–7.72). Il se tient ensuite aux côtés d'Esdras, lors d'une solennelle cérémonie religieuse ; au cour de celle-ci, Esdras donne lecture de la loi de Dieu. Les *lévites l'expliquent et probablement même la traduisent pour ceux qui ne comprenaient pas l'hébreu, et le peuple renouvelle ses engagements envers Dieu (8.1–10.40). Après avoir appliqué diverses mesures de caractère essentiellement politique (11.1–12.26), Néhémie préside la dédicace de la* muraille *réparée (12.27-43), puis procède à un certain nombre de réformes d'ordre religieux (12.44–13.31).*

Le portrait de Néhémie, qui se dégage du livre portant son nom, nous fait découvrir un homme d'action, entreprenant, honnête et courageux, dont toute l'activité est sous-tendue par un recours constant à la prière.

---

1 [1] Récit de Néhémie, fils de Hakalia.

Néhémie reçoit des nouvelles de Jérusalem

La vingtième année du règne d'Artaxerxès, au cours du mois de Kisleu, alors que moi, Néhémie, je résidais dans la ville forte de Suse[a], [2] un de mes frères, Hanani, arriva de la province de Juda, accompagné de quelques hommes. Je leur posai des questions au sujet des Juifs revenus d'exil[b], et au sujet de Jérusalem.
[3] Ils me répondirent : « Les anciens exilés[c] sont installés dans la province de Juda, mais se trouvent dans une grande misère et dans une situation humiliante. Quant à Jérusalem, ses murailles ont des brèches et ses portes ont été incendiées. »

La prière de Néhémie en faveur des Juifs

[4] Lorsque j'entendis ces nouvelles, je m'assis pour pleurer ; durant plusieurs jours je restai dans l'affliction, en *jeûnant. Je me mis à prier le Dieu du *ciel
[5] et lui dis : « Ah, Seigneur, Dieu du ciel, Dieu grand et redoutable ! Tu maintiens ton *alliance avec ceux qui obéissent à tes

---

a **1.1** *vingtième année... d'Artaxerxès* : le texte hébreu dit seulement *vingtième année*, mais Artaxerxès est mentionné en 2.1. Il s'agit probablement d'Artaxerxès 1er, donc de l'année 445 avant J.-C. (voir la note sur Esd 4.5). – *Kisleu* : neuvième mois de l'année commençant au printemps, soit novembre-décembre.

b **1.2** Autre traduction *au sujet des habitants de la province, descendants des rescapés de l'exil.*

c **1.3** Ou *Les descendants des rescapés de l'exil.*

commandements, tu restes fidèle envers ceux qui t'aiment. 6 Tourne ton regard vers moi, sois attentif, écoute maintenant la prière que je t'adresse, moi, ton serviteur. Jour et nuit je te prie pour nous, les Israélites, tes serviteurs ; je te demande de pardonner les fautes que nous avons commises. Oui, moi-même et mes ancêtres nous avons péché ; 7 nous t'avons offensé en désobéissant aux commandements, aux lois et aux règles que tu nous avais communiqués par ton serviteur Moïse. 8 Souviens-toi cependant de la parole que Moïse nous a adressée de ta part : “Si vous ne me restez pas fidèles, je vous disperserai parmi les nations étrangères[d]. 9 Mais si, par la suite, vous revenez à moi et prenez bien soin de mettre en pratique mes commandements, j'irai vous chercher et je vous ramènerai à l'endroit que j'ai choisi pour y manifester ma présence, même si vous êtes alors en exil aux extrémités de la terre[e].” 10 Seigneur, nous sommes tes serviteurs, nous sommes ton peuple ! C'est nous que tu as délivrés grâce à ta force, à ta puissance irrésistible. 11 Je t'en supplie, Seigneur, sois attentif à la prière que je t'adresse et que t'adressent aussi tes autres fidèles, qui trouvent leur joie à t'honorer. Fais réussir les démarches que je vais entreprendre et permets que le roi y réponde avec bienveillance. » J'étais à cette époque échanson du roi[f].

Néhémie autorisé à retourner à Jérusalem

2 1 La vingtième année du règne du roi Artaxerxès, un jour du mois de Nisan[g], pendant que le roi était à table, je pris du vin et lui en versai. J'étais triste, ce qui ne m'était jamais arrivé en sa présence. 2 Alors le roi m'interrogea : « Pourquoi cet air triste ? Tu n'es pourtant pas malade ? Quel est le chagrin qui te ronge ? »

Je fus saisi d'une grande frayeur. 3 Je parvins toutefois à dire au roi : « Que Sa Majesté le roi vive à jamais ! Comment pourrais-je ne pas être triste, alors que la ville où mes ancêtres sont enterrés est en ruine et que ses portes ont été incendiées[h] ? » – 4 « Que désires-tu obtenir de moi ? » me demanda le roi.

Aussitôt, j'adressai une prière au Dieu du *ciel, 5 puis je répondis au roi : « Si le roi accepte de me témoigner de la bienveillance, qu'il m'autorise à me rendre dans la province de Juda, dans la ville où mes ancêtres sont enterrés, afin que je puisse la reconstruire. » 6 Le roi, à côté duquel la reine était assise, me demanda encore : « Combien de temps durera ton voyage ? Quand seras-tu de retour ? »

Le roi acceptait donc de me laisser partir, et je lui indiquai la date de mon retour[i]. 7 J'ajoutai : « Que le roi veuille bien me faire remettre des lettres destinées aux gouverneurs de la région située à l'ouest de l'Euphrate, afin qu'ils me laissent passer en Juda. 8 Qu'on me remette aussi une lettre destinée à Assaf, le responsable des forêts royales, afin qu'il me fournisse le bois nécessaire pour les portes de la forteresse proche du *temple, pour les murailles de la ville et pour la maison que j'habiterai. »

Le roi me procura ces lettres, car mon Dieu m'accordait sa protection. 9 Je me rendis alors chez les gouverneurs de la région à l'ouest de l'Euphrate pour leur remettre les lettres du roi. J'étais escorté par des officiers et des cavaliers que le roi avait mis à mon service. 10 Lorsque Saneballath le Horonite[j] et Tobia, son adjoint ammonite, apprirent que j'arrivais, ils furent très mécontents que quelqu'un vienne s'occuper du bien-être des Israélites.

d **1.8** Voir Lév 26.33 ; Deut 4.27 ; 28.64.

e **1.9** Les v. 8b-9 ne sont pas une citation littérale d'un texte du Pentateuque ; cependant Deut 30.1-5 exprime les mêmes idées.

f **1.11** L'*échanson* (c'est-à-dire celui qui verse à boire) était un fonctionnaire important dans les cours royales.

g **2.1** *Nisan* : premier mois de l'année commençant au printemps, soit mars-avril. Quatre mois environ se sont écoulés depuis les événements racontés au chap. 1.

h **2.3** Voir 2 Rois 25.8-10 ; 2 Chron 36.19 ; Jér 52.12-13.

i **2.6** D'après 5.14, Néhémie est resté douze ans à Jérusalem.

j **2.10** *Saneballath*, de la localité de Beth-Horon, était gouverneur de Samarie.

Néhémie inspecte l'état des murailles

11 A mon arrivée à Jérusalem, je restai d'abord trois jours tranquille, 12 sans révéler à personne ce que mon Dieu m'avait inspiré d'accomplir pour la ville. Ensuite, de nuit, je me mis en route, accompagné d'un petit groupe d'hommes. Je n'emmenai pas d'autre animal que l'âne qui me servait de monture. 13 En pleine nuit, je sortis de la ville par la porte de la Vallée et je me dirigeai vers la source du Dragon et la porte du Fumier[k]. J'examinai les murailles de Jérusalem et je constatai qu'elles avaient des brèches et que les portes avaient été dévorées par le feu. 14 Je continuai en direction de la porte de la Source et de l'étang du roi[l], mais ma monture n'eut bientôt plus la place de passer. 15 Alors, toujours de nuit, je remontai le ravin du Cédron en poursuivant l'examen des murailles, puis je fis demi-tour et je rentrai par la porte de la Vallée[m].

16 Les magistrats de la ville ne savaient pas où j'étais allé, ni ce que j'avais fait, car avant ce moment-là, je n'avais rien révélé aux Juifs, pas même aux prêtres, aux notables[n], aux magistrats ou à d'autres personnes responsables des travaux. 17 Je leur parlai ainsi : « Vous voyez dans quelle misère nous nous trouvons : Jérusalem est en ruine, ses portes ont été incendiées ! Allons, rebâtissons les murailles de Jérusalem, afin de mettre un terme à cette situation humiliante. » 18 Je leur racontai comment mon Dieu m'avait accordé sa protection, et ce que le roi m'avait dit. Ils s'écrièrent aussitôt : « Au travail ! Nous allons reconstruire la ville ! » Et ils se préparèrent courageusement à réaliser cette belle œuvre.

19 Lorsque Saneballath le Horonite, Tobia, son adjoint ammonite, et Guéchem l'Arabe apprirent cette nouvelle, ils commencèrent à se moquer de nous ; ils nous demandaient avec mépris : « Qu'êtes-vous en train de faire ? Essayez-vous de vous révolter contre le roi ? » 20 Je leur fis donner cette réponse : « C'est le Dieu du *ciel lui-même qui nous accordera le succès. Nous, ses serviteurs, nous allons nous mettre au travail et reconstruire la ville. Quant à vous, vous n'avez pas le droit de posséder quoi que ce soit à Jérusalem, ni d'y exercer une autorité. Que jamais non plus on ne s'y souvienne de vous ! »

Les Juifs rebâtissent les murailles de Jérusalem

3 1 Le grand-prêtre Éliachib se mit au travail avec ses collègues les prêtres. Ils rebâtirent ensemble la porte des Brebis[o] ; après l'avoir consacrée, ils mirent en place les battants de la porte. Ils réparèrent la muraille jusqu'à la tour des Cent, et après l'avoir consacrée, ils continuèrent jusqu'à la tour de Hananéel. 2 A côté d'eux travaillaient les habitants de Jéricho, puis Zakour, fils d'Imri. 3 La porte des Poissons fut rebâtie par les habitants de Senaa ; après en avoir posé la charpente, ils mirent en place les battants de la porte, avec ses barres et ses verrous. 4 A côté d'eux travaillaient Merémoth, fils d'Ouria et petit-fils de Haccos, puis Mechoullam, fils de Bérékia et petit-fils de Mechézabel, puis Sadoc, fils de Baana. 5 Venaient ensuite les habitants de Técoa, dont les notables refusèrent cependant de travailler sous les ordres des responsables de l'ouvrage.

6 La porte de Yechana[p] fut reconstruite par Yoyada, fils de Passéa, et par Me-

---

k **2.13** La *porte de la Vallée* était située dans la muraille ouest de la ville ; la *porte du Fumier*, dans l'angle sud-ouest ; la *source du Dragon* est inconnue.

l **2.14** La *porte de la Source* était située près de l'angle sud-est de la ville ; elle conduisait probablement à la source des Blanchisseurs (voir 2 Sam 17.17 et la note). L'*étang du roi* est peut-être identique à l'étang mentionné en 3.15.

m **2.15** Néhémie a fait à peu près la moitié du tour de la muraille, d'ouest en est, par le sud, avant de rentrer en ville par le même chemin.

n **2.16** *notables, magistrats* : le sens des mots hébreux correspondants est incertain.

o **3.1** La *porte des Brebis* était située près de l'angle nord-est de la ville. – La description des travaux va se poursuivre jusqu'au v. 32, en suivant la muraille dans le sens ouest - sud - est - nord. Plusieurs noms de tours ou de portes n'apparaissant qu'ici, leur localisation précise n'est guère possible. Les notes suivantes ne donnent que quelques points de repère.

p **3.6** La *porte de Yechana*, ou *vieille porte*, était située près de l'angle nord-ouest de la ville.

choullam, fils de Bessodia ; après en avoir
posé la charpente, ils mirent en place les
battants de la porte, avec ses barres et ses
verrous. 7 A côté d'eux travaillaient Mela-
tia, de Gabaon, Yadon, de Méronoth,
ainsi que d'autres hommes de Gabaon et
de Mispa, pour le compte[q] du gouverneur de la province située à l'ouest de
l'Euphrate. 8 Plus loin il y avait l'orfèvre
Ouziel, fils de Haraya, puis le parfumeur
Hanania. Ils achevèrent leur travail à Jérusalem, lorsqu'ils arrivèrent à l'endroit
où la muraille s'élargit. 9 A côté d'eux travaillait Refaya, fils de Hour et chef de la
moitié du district de Jérusalem. 10 Un peu
plus loin Yedaya, fils de Haroumaf, s'occupait d'un secteur situé en face de sa
maison ; venait ensuite Hattouch, fils de
Hachabnéya. 11 Malkia, fils de Harim, et
Hachoub, fils de Pahath-Moab, travaillaient à un autre secteur comprenant la
tour des Fourneaux. 12 A côté d'eux,
Challoum, fils de Hallohech et chef de
l'autre moitié du district de Jérusalem,
travaillait avec l'aide de ses filles. 13 La
porte de la Vallée fut reconstruite par Hanoun et les habitants de la ville de Zanoa ; après l'avoir rebâtie, ils mirent en
place ses battants, ses barres et ses verrous ; ils réparèrent aussi cinq cents mètres de muraille, jusqu'à la porte du
Fumier[r]. 14 La porte du Fumier fut reconstruite par Malkia, fils de Rékab et
chef du district de Beth-Kérem ; après
l'avoir rebâtie, il mit en place ses battants, ses barres et ses verrous.

15 La porte de la Source fut reconstruite par Challoun[s], fils de Kol-
Hozé et chef du district de Mispa ; après
l'avoir rebâtie et recouverte d'un toit, il
mit en place ses battants, ses barres et ses
verrous ; il répara aussi la muraille à
proximité de l'étang de Siloé, entre le jardin du roi et l'escalier qui descend de la
*Cité de David. 16 Plus loin, Néhémie,
fils d'Azbouc et chef de la moitié du district de Beth-Sour, travaillait jusqu'aux
abords du cimetière de David, jusqu'à
l'étang artificiel et jusqu'à la caserne de la
garde royale. 17 Plus loin, le travail était
fait par des *lévites : par Rehoum, fils de
Bani, par Hachabia, chef de la moitié du
district de Quéila, pour son district,
18 puis par Binnoui[t], fils de Hénadad et
chef de l'autre moitié du district de
Quéila, 19 et par Ézer, fils de Yéchoua et
chef de Mispa, qui réparait un secteur situé en face de la montée à l'arsenal, à l'endroit où la muraille s'avance en saillie.
20 A côté de lui, Barouk, fils de Zabbaï,
travaillait avec ardeur au secteur suivant,
entre la saillie de la muraille et l'entrée de
la maison du grand-prêtre Éliachib.
21 Plus loin, Merémoth, fils d'Ouria et petit-fils de Haccos, travaillait au secteur situé entre l'entrée et l'extrémité de la
maison d'Éliachib.

22 Plus loin travaillaient les prêtres venus des environs de Jérusalem. 23 Benjamin et Hachoub réparaient un secteur
situé en face de leurs maisons, tandis
qu'Azaria, fils de Maasséya et petit-fils
d'Anania, travaillait à côté de sa maison.
24 Binnoui, fils de Hénadad, travaillait au
secteur suivant, entre la maison d'Azaria
et l'angle en saillie de la muraille. 25 Palal,
fils d'Ouzaï, travaillait entre la saillie et la
tour supérieure située en avant du palais
royal, près de la cour de garde. Plus loin,
Pedaya, fils de Paroch, 26 et les employés
subalternes du *temple, qui habitaient le
quartier de l'Ofel[u], travaillaient jusqu'à la
tour en saillie située à l'est de la porte des
Eaux. 27 Les habitants de Técoa travaillaient au secteur suivant, entre l'endroit
situé en face de la grande tour en saillie et
le mur de l'Ofel.

28 A partir de la porte des Chevaux, des
prêtres travaillaient chacun à un secteur
situé en face de sa maison. 29 Plus loin, le
travail fut fait par Sadoc, fils d'Immer,
également en face de sa maison, par Chemaya, fils de Chekania et gardien de la
porte de l'Est, 30 par Hanania, fils de Chélémia, et par Hanoun, le sixième fils de
Salaf, qui réparait le secteur suivant. A

---

q **3.7** *pour le compte* : texte hébreu peu clair ; autres traductions possibles *jusqu'aux abords de la résidence* ou *localités placées sous l'autorité*.

r **3.13** *porte de la Vallée, porte du Fumier* : voir 2.13 et la note.

s **3.15** *porte de la Source* : voir 2.14 et la note. – *Challoun* ou *Challoum*.

t **3.18** *Binnoui* : texte probable ; hébreu *Bavaï*.

u **3.26** Voir 2 Chron 27.3 et la note.

côté de lui, Mechoullam, fils de Bérékia, travaillait à un secteur situé en face de l'endroit où il habitait. 31 Plus loin, l'orfèvre Malkia travaillait jusqu'à la maison réservée aux employés subalternes du temple et aux marchands, en face de la porte de Mifcad, et jusqu'au poste de guet situé à l'angle de la muraille. 32 Les autres orfèvres et les marchands travaillaient au dernier secteur, situé entre le poste de guet et la porte des Brebis[v].

Les adversaires veulent arrêter les travaux

33 Lorsque Saneballath[w] apprit que nous, les Juifs, nous nous mettions à rebâtir la muraille, il laissa éclater son irritation et sa colère. Par ailleurs, il se moquait de nous, 34 en déclarant devant ses compatriotes et les soldats de Samarie : « Qu'est-ce que ces Juifs minables essaient de faire ? Vont-ils arriver au bout de leur entreprise et offrir des *sacrifices à leur Dieu ? Vont-ils achever aujourd'hui même leurs travaux de construction, en réutilisant des pierres arrachées aux tas de décombres incendiés ? » 35 Tobia l'Ammonite était à ses côtés ; il s'exclama : « Quelle construction ! Il suffirait qu'un renard grimpe sur leur mur de pierres pour le démolir ! »

36 « Seigneur notre Dieu, me suis-je alors écrié, entends comme nos ennemis se moquent de nous ! Fais retomber sur eux le mépris dont ils nous accablent, livre-les au pillage et à la déportation dans un pays étranger ! 37 Ne pardonne pas leur péché, n'efface pas leur faute : ils nous ont insultés en face parce que nous rebâtissons la muraille. »

38 C'est ainsi que nous avons travaillé à la reconstruction de la muraille ; nous l'avons réparée jusqu'à mi-hauteur sur toute sa longueur, car chacun s'y était mis de tout son cœur.

4 1 Mais quand Saneballath, Tobia, les Arabes, les Ammonites et les Asdodiens[x] apprirent que la reconstruction des murailles de Jérusalem progressait, et que les brèches étaient en voie d'être refermées, ils laissèrent éclater leur colère 2 et s'entendirent pour venir tous ensemble attaquer Jérusalem et y semer le désordre. 3 Alors nous avons prié notre Dieu, et nous avons établi une surveillance de jour et de nuit pour prévenir toute attaque de leur part. 4 Pourtant les hommes de Juda disaient :

« Les travailleurs sont à bout de force,
il y a trop de décombres.
Jamais nous ne parviendrons à rebâtir
ces murs ! »

5 Quant à nos ennemis, ils s'imaginaient que nous ne saurions ni ne verrions rien jusqu'à l'instant où ils fondraient sur nous, pour nous massacrer et mettre fin aux travaux.

Néhémie arme ceux qui travaillent

6 Les Juifs qui habitaient dans le voisinage de nos ennemis vinrent au moins dix fois nous avertir du danger. « Revenez chez nous ! » disaient-ils[y]. 7 Je repérai donc des endroits abrités en contrebas[z], derrière la muraille, et j'y installai des soldats, groupés par clans et armés d'épées, de lances et d'arcs. 8 Après avoir examiné les positions, je m'adressai aux notables, aux magistrats et à tous ceux qui étaient présents ; je leur dis : « Ne craignez pas vos ennemis ! Souvenez-vous que le Seigneur est grand et redoutable. Combattez pour vos frères, vos fils, vos filles, vos femmes et vos maisons. »

9 Nos ennemis apprirent que nous étions renseignés et que Dieu avait ainsi fait échouer leur projet. Nous avons alors tous pu retourner à la muraille pour y reprendre notre ouvrage. 10 Mais à partir de

---

v **3.32** Voir v. 1 : le tour de la ville est achevé.

w **3.33** Dans certaines traductions, les v. 33-38 sont numérotés 4.1-6.

x **4.1** Dans certaines traductions, les v. 1-17 sont numérotés 7-23. Voir 3.33 et la note. – Les *Ammonites* venaient d'un pays voisin de Juda, à l'est du Jourdain, les *Asdodiens* habitaient Asdod, ville philistine sur la côte de la Méditerranée.

y **4.6** Le texte hébreu de ce verset est peu clair. On l'a aussi traduit, avec l'aide des versions anciennes ou avec des conjectures, *vinrent nous dire : « De tous côtés, ils viennent nous attaquer »*, ou *vinrent nous avertir au moins dix fois des mauvaises intentions de nos ennemis à notre égard.*

z **4.7** *abrités en contrebas* : texte hébreu peu clair.

ce jour, la moitié seulement de mes collaborateurs participa aux travaux ; les autres
étaient équipés de lances, de boucliers,
d'arcs et de cuirasses. Les chefs veillaient
sur tous les gens de Juda 11 occupés à la reconstruction de la muraille. Les porteurs
de charge ne travaillaient que d'une main,
car de l'autre ils tenaient une arme ; 12 les
maçons avaient chacun une épée passée
dans la ceinture pendant qu'ils réparaient
la muraille. Un homme m'accompagnait,
prêt à sonner de la trompette. 13 Je dis aux
notables, aux magistrats et à tous ceux qui
étaient présents : « Il y a encore beaucoup
de travail à faire, tout le long de la muraille. Or nous sommes répartis sur une
grande distance et éloignés les uns des
autres. 14 Où que vous soyez, si vous
entendez une sonnerie de trompette,
rassemblez-vous auprès de moi. Et que
notre Dieu combatte avec nous ! »
15 Nous étions ainsi au travail de l'aube
à la nuit, la moitié d'entre nous tenant
une lance à la main. 16 Durant cette période j'ordonnai à chaque responsable de
passer la nuit, avec son équipe de collaborateurs, à l'intérieur de Jérusalem, afin
qu'ils puissent nous protéger durant la
nuit et travailler le jour. 17 Moi-même,
mes proches, mes collaborateurs et les
hommes de garde qui m'accompagnaient, nous ne retirions jamais nos vêtements, si ce n'est pour nous baigner[a].

Néhémie met fin aux injustices sociales

5 1 Un jour, des hommes et des femmes
du peuple se plaignirent amèrement
de certains compatriotes juifs. 2 Les uns
disaient : « Avec nos fils et nos filles, nous
sommes nombreux. Nous aimerions obtenir du blé, afin de pouvoir manger et
survivre. » 3 D'autres disaient : « Nous devons donner nos champs, nos vignes et
même nos maisons en garantie, lorsque
nous désirons obtenir du blé pendant
une période de famine. » 4 D'autres encore disaient : « Pour payer les taxes dues
au roi, nous sommes obligés d'emprunter
de l'argent sur nos champs et nos vignes.
5 Pourtant nous sommes tous de la même
race ! Nos enfants ne sont pas différents
de ceux de nos compatriotes ! Mais nous
sommes contraints de les livrer à l'esclavage, certaines de nos filles y sont déjà réduites ; nous ne pouvons pas faire
autrement, car nos champs et nos vignes
appartiennent déjà à nos créanciers. »
6 Lorsque j'entendis ces propos et ces
plaintes, j'en fus vivement indigné. 7 Je
pris la décision de reprocher aux notables
et aux magistrats d'imposer des charges
excessives à leurs compatriotes[b], et je les
convoquai à une assemblée solennelle.
8 Je leur déclarai : « Dans la mesure de nos
moyens, nous avons racheté nos compatriotes juifs qui s'étaient vendus comme
esclaves à des étrangers. Et maintenant,
vous-mêmes, vous vendez vos propres
compatriotes, et cela à des gens de notre
peuple ! »
Ils ne trouvèrent rien à répondre et
gardèrent le silence. 9 Je repris : « Vous
avez tort d'agir de cette façon ! Ne devriez-vous pas vivre dans la crainte de
notre Dieu pour éviter les outrages des
autres peuples, nos ennemis ? 10 Moi
aussi, j'ai prêté de l'argent et du blé, tout
comme mes proches et mes collaborateurs. Renonçons donc à récupérer ce qui
nous est dû. 11 Aujourd'hui même, rendez
à vos débiteurs leurs champs, leurs vignes, leurs oliviers et leurs maisons, et renoncez aux intérêts sur tout ce que vous
leur avez prêté, argent, blé, vin ou huile. »
– 12 « Nous allons faire ce que tu nous pro-
poses, répondirent-ils ; nous rendrons ce
que nous avons pris et nous ne leur
réclamerons plus rien. »
Alors je convoquai les prêtres, en présence desquels j'exigeai des créanciers
qu'ils jurent de tenir leur promesse.
13 Ensuite je secouai le pan de mon vêtement en déclarant : « Que Dieu secoue de
la même manière tous ceux qui ne tiendront pas leur parole ! Qu'il les prive de
leur foyer et de leurs biens, pour qu'ils se
retrouvent sans rien ! » – « *Amen ! Qu'il
en soit bien ainsi ! » s'écria l'assemblée.

---

a **4.17** *si ce n'est pour nous baigner* : phrase obscure en hébreu ; on l'a souvent traduite, en corrigeant le texte, *chacun tenait son arme à la main*.

b 5.7 Comparer Ex 22.24 ; Lév 25.35-37 ; Deut 23.20-21.

Tous acclamèrent le Seigneur, et, par la suite, ils tinrent leur promesse.

14 Depuis le jour où j'avais été désigné comme gouverneur des Juifs dans la province de Juda, soit pendant douze ans, de la vingtième à la trente-deuxième année du règne d'Artaxerxès[c], ni moi ni mes proches n'avons usé de notre droit de prélever l'impôt destiné au gouverneur. 15 Mes prédécesseurs pressuraient le peuple, exigeant nourriture et vin, en plus de quarante pièces d'argent. Même les collaborateurs des gouverneurs opprimaient le peuple. Mais moi, par crainte de Dieu, je n'ai jamais agi ainsi. 16 Au contraire, j'ai travaillé personnellement à la reconstruction de la muraille ; je n'ai pas profité de ma situation pour acheter des terrains à bon compte[d], et mes collaborateurs, qui participaient aussi aux travaux sur la muraille, ne l'ont pas fait non plus. 17 Pourtant je recevais à ma table cent cinquante magistrats juifs, à côté des hôtes qui nous venaient des nations voisines. 18 Chaque jour on préparait, à mes frais, un bœuf, six moutons de choix et de la volaille, et tous les dix jours on me livrait de grandes quantités de vin. Malgré cela je n'ai pas réclamé ce qui était normalement dû au gouverneur, car les travaux constituaient déjà une lourde charge pour le peuple.

19 « O mon Dieu, souviens-toi de tout ce que j'ai fait pour ce peuple, et accorde-moi ta faveur. »

Nouvelle intervention des adversaires

6 1 Saneballath, Tobia, Guéchem l'Arabe et nos autres ennemis apprirent que j'avais reconstruit la muraille de la ville et qu'il n'y avait plus de brèches. A ce moment-là, je n'avais pourtant pas encore mis en place les battants des portes. 2 Alors Saneballath et Guéchem envoyèrent un messager m'inviter à une entrevue avec eux à Kefirim, dans la vallée d'Ono[e]. Ils avaient l'intention de me faire du mal. 3 Mais je leur fis répondre ceci : « J'ai encore beaucoup de travail à accomplir, il m'est impossible de me rendre auprès de vous. Si je partais d'ici pour vous rencontrer, le travail cesserait. »

4 A quatre reprises ils m'envoyèrent la même invitation, et chaque fois je leur fis la même réponse. 5 La cinquième fois Saneballath m'envoya un de ses collaborateurs, porteur d'une lettre ouverte 6 qui disait : « Le bruit court parmi les non-Juifs, comme Guéchem me l'a rapporté, que toi et tes compatriotes, vous songez à vous révolter. C'est la raison pour laquelle tu rebâtis la muraille. Tu désires être leur roi, paraît-il ; 7 on dit même que tu as déjà désigné des *prophètes pour proclamer à Jérusalem que tu es devenu roi de Juda. Le roi de Perse ne va pas tarder à apprendre tout cela. Alors viens t'en entretenir avec moi. » 8 Je lui fis répondre : « Il n'y a rien d'exact dans ce que tu racontes ! Ce n'est que pure invention de ta part. » 9 En effet, ils essayaient tous de nous effrayer ; ils espéraient que, découragés, nous cesserions le travail.

« O Seigneur, fortifie-moi dans ma tâche ! »

10 Un jour, j'allai trouver Chemaya, fils de Delaya et petit-fils de Métabéel, car il n'avait pas pu venir chez moi. Il me dit : « Rencontrons-nous dans le temple de Dieu, à l'intérieur du *sanctuaire, et fermons-en bien les portes, car tes adversaires vont venir, de nuit, pour te tuer. » – 11 « Je ne suis pas homme à prendre la fuite ! répondis-je. Et d'ailleurs un homme tel que moi pourrait-il pénétrer dans le sanctuaire et rester en vie[f] ? Non, je ne m'y rendrai pas ! »

12 J'avais bien compris qu'il ne me transmettait pas un message de Dieu, mais que Tobia et Saneballath l'avaient

---

c **5.14** Voir 1.1 et la note.

d **5.16** Autre traduction *je n'étais pourtant pas propriétaire de terrains* (les propriétaires avaient plus d'intérêt que les autres gens à la sécurité du pays).

e **6.2** *Kefirim* : localité inconnue ; *Ono* : localité proche de la Méditerranée, à mi-chemin entre Lod et Jaffa.

f **6.11** Néhémie n'était pas prêtre ; il n'avait donc pas le droit de pénétrer dans le bâtiment du temple (voir Nomb 18.7). – Autre traduction *Et quel est l'homme de mon état qui pénétrerait dans le sanctuaire pour sauver sa vie ?*

payé pour qu'il me parle ainsi. 13 Pourquoi donc ? Pour que j'aie peur, que je
suive son conseil et que je commette un
péché. Alors ils auraient pu compromet-
tre ma réputation et me couvrir de
honte.

14 « O mon Dieu, souviens-toi de ce
qu'ont fait Tobia et Saneballath, comme
aussi la prophétesse Noadia et les autres
prophètes qui ont cherché à m'effrayer. »

15 La muraille fut achevée le vingt-
cinquième jour du mois d'Éloul[g], après
cinquante-deux jours de travail. 16 Lorsque, dans les nations des alentours, nos
ennemis l'apprirent, ils éprouvèrent de
la crainte et se sentirent profondément
humiliés. Ils durent reconnaître que cet
ouvrage avait été réalisé avec l'aide de
Dieu.

17 Durant toute cette période, il y eut
un important échange de correspondance
entre les notables de Juda et Tobia. 18 En
effet, bon nombre de Juifs conspiraient
avec lui, car il était le gendre d'un Juif,
Chekania fils d'Ara, et son propre fils Yohanan avait épousé la fille de Mechoullam, fils de Bérékia. 19 On faisait son
éloge devant moi, et on lui rapportait mes
propos. Tobia lui-même envoyait des lettres pour m'effrayer.

Les mesures de protection de la ville

7 1 Lorsque la muraille fut achevée et
que les battants des portes eurent été
remis en place, les portiers, les chanteurs
et les *lévites furent établis dans leurs
fonctions. 2 Je confiai l'administration de
Jérusalem à mon frère Hanani, ainsi qu'à
Hanania, commandant militaire de la
forteresse, homme de confiance, bien
plus fidèle à Dieu que beaucoup d'autres.
3 Je leur dis : « On n'ouvrira pas les portes
de la ville avant que le soleil soit haut
dans le ciel, et le soir on les fermera et on
les verrouillera avant que les portiers
quittent leur travail. On instituera un
tour de garde pour les habitants de Jérusalem, les uns occupant un poste et les
autres surveillant les abords de leur
maison. »

Liste des Juifs revenus en Palestine

4 Bien que la ville de Jérusalem s'éten-
dît sur une vaste surface, la population
était peu nombreuse ; certaines maisons
n'avaient pas encore été rebâties[h]. 5 Inspiré par mon Dieu, je rassemblai les notables, les magistrats et le reste du peuple
pour en faire le recensement. Je consultai
le livre contenant la liste de ceux qui,
tout au début, étaient revenus d'exil, et
j'y trouvai les indications suivantes[i] :
6 « Parmi les familles que le roi de Babylone, Nabucodonosor, avait emmenées
en exil, nombreux furent ceux qui regagnèrent Jérusalem et le pays de Juda.
Chacun retourna dans sa propre ville.
7 Ils revinrent sous la conduite de Zorobabel, Yéchoua, Nehémia, Azaria, Raamia, Nahamani, Mordokaï, Bilechan,
Mispéreth, Bigvaï, Nehoum et Baana. En
voici la liste, avec le nombre des Israélites
formant chaque groupe :
8 2 172 hommes du clan de Paroch ;
9 372 hommes du clan de Chefatia ;
10 652 hommes du clan d'Ara ;
11 2 818 hommes du clan de Pahath-
Moab, descendants de Yéchoua et de
Yoab ;
12 1 254 hommes du clan d'Élam ;
13 845 hommes du clan de Zattou ;
14 760 hommes du clan de Zakaï ;
15 648 hommes du clan de Binnoui ;
16 628 hommes du clan de Bébaï ;
17 2 322 hommes du clan d'Azgad ;
18 667 hommes du clan d'Adonicam ;
19 2 067 hommes du clan de Bigvaï ;
20 655 hommes du clan d'Adin ;
21 98 hommes du clan d'Ater, descendants de Hizquia[j] ;
22 328 hommes du clan de Hachoum ;
23 324 hommes du clan de Bessaï ;
24 112 hommes du clan de Harif ;
25 95 hommes du village de Gabaon ;

---

g **6.15** *Éloul* : sixième mois de l'année commençant au printemps, soit août-septembre.

h **7.4** Autre traduction *certaines familles n'avaient pas encore été reconstituées*.

i **7.5** La liste de Néh 7.6-72 se trouve déjà (avec quelques différences) en Esd 2.1-70.

j **7.21** *descendants de Hizquia* : autre traduction *qu'on appelait également Hizquia*.

[26] 188 hommes des villages de Bethléem et Netofa ;
[27] 128 hommes du village d'Anatoth ;
[28] 42 hommes du village de Beth-Azmaveth ;
[29] 743 hommes des villages de Quiriath-Yéarim, Kefira et Beéroth ;
[30] 621 hommes des villages de Rama et Guéba ;
[31] 122 hommes du village de Mikmas ;
[32] 123 hommes des villages de Béthel et Aï ;
[33] 52 hommes de l'autre village de Nébo ;
[34] 1 254 hommes du clan d'un autre Élam ;
[35] 320 hommes du clan de Harim ;
[36] 345 hommes de la ville de Jéricho ;
[37] 721 hommes des villages de Lod, Hadid et Ono ;
[38] 3 930 hommes de la ville de Senaa.

[39] Les groupes de prêtres comprenaient :
973 hommes du clan de Yedaya, descendants de Yéchoua ;
[40] 1 052 hommes du clan d'Immer ;
[41] 1 247 hommes du clan de Pachehour ;
[42] 1 017 hommes du clan de Harim.

[43] Le groupe des *lévites comprenaient :
74 hommes des clans de Yéchoua, Cadmiel, Binnoui[k] et Hodeva.

[44] Le groupe des chanteurs du temple comprenait :
148 hommes du clan d'Assaf.

[45] Le groupe des portiers comprenait :
138 hommes des clans de Challoum, Ater, Talmon, Accoub, Hatita et Chobaï.

[46] Le groupe des employés subalternes du
temple comprenait les descendants de
Siha, Hassoufa, Tabbaoth, [47] Quéros, Sia,
Padon, [48] Lebana, Hagaba, Chalmaï,
[49] Hanan, Guiddel, Gahar, [50] Réaya, Ressin,
Necoda, [51] Gazam, Ouza, Passéa,
[52] Bésaï, Meounim, Nefouchessim, [53] Bacbouc,
Hacoufa, Harour, [54] Baslith, Méhida,
Harcha, [55] Barcos, Sisra, Téma,
[56] Nessia et Hatifa.

[57] Le groupe des descendants des serviteurs
de Salomon[l] comprenait les descendants
de Sotaï, Soféreth, Perida, [58] Yala,
Darcon, Guiddel, [59] Chefatia, Hattil,
Pokéreth-Hassebaïm et Amon.

[60] Ensemble, les groupes des employés subalternes du temple et des descendants des serviteurs de Salomon comprenaient 392 hommes.

[61] « Les hommes qui revinrent d'exil de
Tel-Méla, Tel-Harcha, Keroub-Addon et
Immer[m], ne réussirent pas à fournir les
renseignements nécessaires sur les familles
de leurs ancêtres, pour prouver
qu'ils étaient Israélites : [62] ils étaient en
tout 642 et descendaient de Delaya, Tobia
et Necoda.
[63] « Certains prêtres se trouvèrent dans
une situation analogue : c'étaient les descendants
de Hobaya, Haccos et Barzillaï.
– Ce dernier était appelé ainsi parce qu'il
avait épousé une des filles de Barzillaï, de
Galaad. – [64] Ils avaient cherché sans succès
les registres où leurs ancêtres étaient
inscrits ; on les considéra donc comme
*impurs et on leur interdit d'exercer un
ministère de prêtres. [65] Le gouverneur
lui-même leur ordonna de ne pas manger
des offrandes strictement réservées à
Dieu jusqu'à ce qu'un prêtre puisse prendre
une décision au moyen de l'Ourim et
du Toummim[n].

[66] « Le nombre total des Israélites revenus
d'exil s'élevait à 42 360 personnes.
[67] Ils avaient avec eux 7 337 serviteurs et
servantes, 245 chanteurs et chanteuses,
[68] ainsi que[o] 435 chameaux et 6 720 ânes.
[69] Quelques-uns des chefs de famille firent
des dons pour la reconstruction du
temple. Le gouverneur donna 1 000 pièces
d'or, 50 bols à aspersion, 30 tuniques

---

k **7.43** *Cadmiel, Binnoui et Hodeva* : texte probable ; hébreu *et Cadmiel, descendants de Hodeva*.
l **7.57** Voir Esd 2.55 et la note.
m **7.61** Localités de Babylonie, non identifiées.
n **7.65** Voir Ex 28.30 et la note.
o **7.68** Le texte parallèle d'Esd 2.66 mentionne en plus à cet endroit *736 chevaux* et *245 mulets*. – Certaines traductions ajoutent ces informations dans le texte de Néhémie, comme verset numéroté 68 ; les actuels v. 68-72 deviennent alors v. 69-73.

de prêtres et 250 kilos d'argent[p] au profit
du sanctuaire. 70 Quant aux dons des
chefs de famille, ils s'élevèrent à 20 000
pièces d'or et 1 100 kilos d'argent. 71 Les
autres Israélites donnèrent 20 000 pièces
d'or, 1 000 kilos d'argent et 67 tuniques
de prêtres.

72 « Les prêtres, les lévites, les portiers,
les chanteurs, certains laïcs, tels que les
employés subalternes du temple, et tous
les autres Israélites s'établirent dans leurs
villes respectives. »

Esdras fait une lecture publique de la Loi

Quand arriva le septième mois de
l'année, tous les Israélites vinrent des
8 villes où ils s'étaient installés[q]. 1-2 Le
premier jour du mois, ils se rassemblèrent d'un commun accord à
Jérusalem, sur la place située devant la
porte des Eaux ; ils demandèrent à Esdras[r], le prêtre spécialiste de la loi, d'apporter le livre de la loi que le Seigneur
avait donnée aux Israélites par l'intermédiaire de Moïse. Esdras l'apporta devant l'assemblée composée des hommes,
des femmes et des enfants en âge de
comprendre. 3 De l'aube à midi, Esdras se
tint sur la place située devant la porte des
Eaux, et il leur lut à haute voix le contenu
du livre. Tous écoutaient attentivement
cette lecture.

4 Esdras était debout sur une estrade en
bois, dressée pour la circonstance ; il
avait à sa droite Mattitia, Chéma, Anaya,
Ouria, Hilquia et Maasséya, et à sa gauche Pedaya, Michaël, Malkia, Hachoum,
Hachebadana, Zacharie et Mechoullam.
5 Il était donc placé plus haut que l'assemblée ; lorsqu'il ouvrit le livre[s], tout le
monde le vit et se tint debout. 6 Esdras remercia le Seigneur, le grand Dieu, et tous
répondirent : « *Amen ! Amen ! », en élevant les mains. Puis ils s'inclinèrent
jusqu'à terre pour adorer le Seigneur. 7 Ils
se redressèrent, et les *lévites Yéchoua,
Bani, Chérébia, Yamin, Accoub, Chabbetaï, Hodia, Maasséya, Quelita, Azaria, Yozabad, Hanan et Pelaya[t] commencèrent à
leur enseigner la loi. 8 Ils lisaient dans le
livre de la loi de Dieu, de manière distincte et en donnant des explications,
afin que chacun comprenne ce qui était
lu[u].

9 Toute l'assemblée se mit à pleurer en
entendant cette lecture. C'est pourquoi
Néhémie, le gouverneur, Esdras, le prêtre spécialiste de la loi, et les lévites qui
expliquaient le texte, leur dirent : « Ce
jour est consacré au Seigneur votre
Dieu ! Ce n'est pas le moment de vous
affliger et de pleurer. » 10 Esdras ajouta :
« Rentrez chez vous, prenez un bon repas, buvez d'excellentes boissons, et partagez avec ceux qui n'ont rien de prêt,
car ce jour est consacré à notre Seigneur.
Ne soyez pas dans la tristesse ! La joie
qui vient du Seigneur vous donnera la
force. » 11 Les lévites eux aussi apaisaient
le peuple en disant : « Calmez-vous ! Ce
jour est consacré à Dieu. Ne soyez pas
dans la tristesse ! »

12 Alors tous rentrèrent chez eux pour
manger et boire ; ils partagèrent leur repas avec ceux qui n'avaient rien et se livrèrent à de grandes réjouissances. Ils
avaient en effet compris le message qu'on
leur avait communiqué.

Célébration de la fête des Huttes

13 Le jour suivant, tous les chefs de famille israélites, les prêtres et les *lévites
se rassemblèrent autour d'Esdras, le spé-

---

p **7.69** *30 tuniques... et 250 kilos d'argent* : sens le plus probable du texte hébreu, qui dit mot à mot *tuniques 30, et 500* ; on a parfois compris *530 tuniques*, ce qui est peu vraisemblable. Mieux vaut sous-entendre « (500) mines d'argent », soit *250 kilos d'argent*.

q **7.72** *septième mois* : voir Esd 3.1 et la note. – *installés* : voir 11.3 ; 1 Chron 9.2.

r **8.1-2** *la place... des Eaux* devait se trouver au sud-est du temple. – *Esdras* : voir Esd 7.6 et la note.

s **8.5** Les v. 5-8 décrivent le culte qui sera celui de la synagogue ; l'élément central n'y sera plus le sacrifice, comme au temple, mais la lecture de l'Écriture sainte, suivie de l'explication du texte.

t **8.7** *Ils se redressèrent,... Hanan et Pelaya* : d'après le contexte et l'ancienne version latine ; hébreu *Ils se redressèrent ; alors Yéchoua,... Hanan, Pelaya et les lévites*.

u **8.8** *de manière distincte* : le sens du mot hébreu correspondant est incertain ; il s'agit soit de la prononciation claire, soit d'une traduction en araméen pour l'usage de ceux qui ne savaient plus assez l'hébreu.

cialiste de la loi, pour étudier plus en détail les enseignements de la loi. 14 Dans
cette loi, que Dieu avait communiquée
par l'intermédiaire de Moïse, ils trouvèrent le passage qui ordonne aux Israélites de vivre dans des huttes pendant
la durée de la "fête des Huttes", au septième mois : 15 cette fête doit être annoncée par une proclamation publiée dans
toutes les villes, y compris Jérusalem ; la
population est invitée à se rendre dans la
montagne et à en ramener des branches
d'oliviers cultivés et sauvages, de myrtes,
de palmiers et d'arbres touffus pour s'en
faire des huttes[v], comme cela est écrit.

16 Alors les Israélites allèrent chercher
des branchages pour se faire des huttes,
les uns sur le toit en terrasse de leur maison, d'autres dans la cour de leur maison,
d'autres encore dans les cours du *temple, d'autres enfin sur la place de la porte
des Eaux et sur celle de la porte d'Éfraïm.
17 Tous ceux qui étaient rassemblés là,
ceux qui étaient revenus d'exil, se
construisirent des huttes et s'y installèrent. Ce fut l'occasion de très grandes
réjouissances, car les Israélites n'avaient
plus célébré cette fête depuis l'époque de
Josué, fils de Noun. 18 Chacun des jours
de la fête, du premier au dernier, on lut
un passage dans le livre de la loi de Dieu ;
la fête dura sept jours et se termina le
huitième jour par une assemblée solennelle, selon la règle établie.

Cérémonie publique de confession des péchés

9 1 Le vingt-quatrième jour du même
mois, les Israélites se rassemblèrent
pour un *jeûne. Ils portaient des vêtements en étoffe grossière et avaient la tête
couverte de terre[w]. 2 Ils se tinrent à l'écart
des non-Juifs et confessèrent qu'ils
avaient péché, eux et leurs ancêtres. 3 En
suite ils se relevèrent et écoutèrent debout, pendant trois heures, la lecture
faite dans le livre de la loi du Seigneur
leur Dieu ; pendant trois autres heures,
ils se tinrent inclinés devant le Seigneur
Dieu, pour lui demander pardon.

4 Sur l'estrade réservée aux *lévites,
Yéchoua, Bani, Cadmiel, Chebania,
Bounni, Chérébia, Bani et Kenani se relevèrent et demandèrent à grands cris le
secours du Seigneur leur Dieu. 5 Puis les
lévites Yéchoua, Cadmiel, Bani, Hachabnéya, Chérébia, Hodia, Chebania et Petahia s'écrièrent : « Debout ! Remerciez le
Seigneur votre Dieu, remerciez-le en tout
temps ! »

La prière solennelle

« Seigneur, que chacun loue ton nom
glorieux,
dont la grandeur dépasse tout ce que
l'on peut exprimer !
6 C'est toi qui es le Seigneur, toi seul !
Tu as fait le ciel immense et toutes les
étoiles,
la terre et tout ce qui s'y trouve,
les mers et tout ce qu'elles contiennent ;
tu donnes la vie à chaque créature.
Devant toi s'inclinent les puissances
célestes.
7 C'est toi, Seigneur Dieu, qui as choisi
Abram.
Tu lui as fait quitter Our en Chaldée,
et tu lui as donné le nom d'Abraham[x].
8 Tu as constaté sa fidélité envers toi ;
alors tu as conclu une *alliance avec
lui :
tu as promis de donner à ses descendants le pays des Cananéens, des
Hittites, des *Amorites, des Perizites, des Jébusites et des Guirgachites[y].
Tu as tenu ta promesse, car tu es fidèle
aussi.

9 Tu as vu, en Égypte, la souffrance de
nos ancêtres ;
tu les as entendus appeler à l'aide sur le
bord de la *mer des Roseaux[z].

---

v **8.15** Voir Lév 23.33-43 ; Deut 16.13-15. – Avec une légère correction du texte hébreu, on obtient le sens suivant, adopté par plusieurs traductions *Par une proclamation publiée dans toutes les villes y compris Jérusalem, on invita la population...*

w **9.1** Ce sont habituellement des gestes de deuil ; mais ils peuvent aussi exprimer, comme ici, une humiliation volontaire (comparer Esd 9.3).

x **9.7** Voir Gen 12.1 ; 17.5.

y **9.8** Voir Gen 15.18-21.

z **9.9** Voir Ex 3.7 ; 14.10-12.

10 Tu as réalisé des prodiges extraordinaires dirigés contre le roi d'Égypte,
contre les gens de son entourage et toute la population de son pays[a],
car tu connaissais l'orgueil des Égyptiens à l'égard de nos ancêtres.
Grande fut alors ta renommée, elle subsiste encore aujourd'hui.
11 Tu as fendu la mer devant les Israélites pour qu'ils la traversent à pied sec.
Tu as jeté dans *l'abîme ceux qui les poursuivaient,
ils ont coulé comme une pierre dans l'eau profonde[b].
12 Le jour tu as conduit ton peuple par une colonne de fumée,
et la nuit par une colonne de feu qui éclairait leur chemin[c].
13 Du *ciel tu es descendu pour leur parler sur le mont Sinaï :
tu leur as communiqué des règles justes, des enseignements véridiques,
des lois et des commandements parfaits.
14 Par l'intermédiaire de Moïse, ton serviteur,
tu leur as fait connaître le *sabbat, le jour qui t'est consacré,
et tu leur as enseigné les autres commandements de la loi[d].
15 Tu leur as donné le pain du ciel pour calmer leur faim,
tu as fait jaillir de l'eau d'un rocher pour apaiser leur soif.
Tu les as envoyés conquérir le pays que tu avais juré de leur donner[e].

16 Mais nos ancêtres, pleins d'orgueil, se sont montrés rebelles,
ils n'ont pas écouté tes commandements.
17 Ils ont refusé d'obéir,
ils ont oublié les merveilles que tu avais réalisées en leur faveur ;
ils se sont entêtés,
ils ont décidé de retourner à leur esclavage en Égypte.
Mais toi, tu ne les as pas abandonnés,
car tu es un Dieu qui pardonne,
un Dieu bienveillant et compatissant,
patient et d'une immense bonté[f].
18 Ils se sont fait un veau en métal fondu et se sont écriés :
"Voici notre dieu, qui nous a fait sortir d'Égypte !"[g],
leur conduite a été ignoble ;
19 même alors, toi, dans ton amour infini,
tu ne les as pas abandonnés dans le désert :
la colonne de fumée qui leur montrait la route pendant le jour ne s'est pas éloignée d'eux,
ni la colonne de feu qui éclairait leur chemin pendant la nuit.
20 Dans ta bonté, tu leur as donné ton Esprit pour les rendre intelligents.
Sans cesse tu leur as prodigué de la *manne pour les nourrir,
et de l'eau pour apaiser leur soif.
21 Durant quarante ans tu as pris soin d'eux,
dans le désert, ils n'ont manqué de rien.
Leurs vêtements ne se sont pas usés,
leurs pieds n'ont pas enflé[h].

22 Tu as livré en leur pouvoir des nations et des royaumes :
ils ont occupé des territoires voisins,
le pays de Sihon, roi de Hèchebon, et le pays d'Og, roi du *Bachan[i].
23 Tu leur as accordé des descendants aussi nombreux que les étoiles dans le ciel.
Tu les as conduits dans le pays de Canaan,
que tu avais dit à leurs ancêtres d'aller conquérir[j].
24 Ils y sont entrés, ils en ont pris possession,

---

a **9.10** Voir Ex 7.8–12.32.
b **9.11** Voir Ex 14.21-29 ; 15.4-5.
c **9.12** Voir Ex 13.21-22
d **9.14** V. 13-14 : voir Ex 19.18–23.33.
e **9.15** *le pain du ciel* : voir Ex 16.4-15 ; *l'eau d'un rocher* : voir Ex 17.1-7 ; *le pays* : voir Deut 1.21.
f **9.17** V. 16-17 : voir Nomb 14.1-4 ; Deut 1.26-33. – *ils ont décidé de* ou *ils ont nommé un chef pour*. – *en Égypte* : d'après quelques manuscrits hébreux, l'ancienne version grecque et Nomb 14.4 ; texte hébreu traditionnel *dans leur révolte*. – *un Dieu bienveillant...* : voir Ex 34.6 ; Nomb 14.18.
g **9.18** Voir Ex 32.1-4.
h **9.21** V. 19-21 : voir Deut 8.2-4.
i **9.22** Voir Nomb 21.21-35.
j **9.23** *descendants nombreux* : voir Gen 15.5 ; 22.17 ; Deut 1.10. – *pays de Canaan* : voir Deut 10.11 ; 31.7.

tu as obligé les Cananéens à céder devant eux et à se soumettre à leur pouvoir[k].
Ton peuple a pu traiter comme il voulait les rois et les nations de cette région.
25 Ils ont pris des villes fortifiées, des terres fertiles,
des maisons pleines de richesses, des puits déjà creusés,
des vignes et des oliviers, et des arbres fruitiers en quantité.
Grâce à ta grande bonté, ils ont mangé à leur faim,
ils se sont rassasiés largement, ils ont vécu dans les délices[l].

26 Pourtant ils ont été indociles,
ils se sont révoltés contre toi, ils ont tourné le dos à ta loi ;
ils ont assassiné tes *prophètes, qui les pressaient de revenir à toi ;
leur conduite a été ignoble.
27 Alors tu les as livrés au pouvoir d'ennemis qui les opprimèrent.
Au temps de la détresse, ils ont crié vers toi,
et toi, du ciel, tu les as entendus ;
dans ton amour infini, tu leur as envoyé des hommes
qui les ont arrachés à la domination de leurs ennemis.
28 Mais sitôt délivrés de l'oppression, ils recommençaient à pécher contre toi,
et tu les abandonnais de nouveau aux griffes de leurs adversaires.
Alors ils se remettaient à crier vers toi,
et toi, du ciel, tu les entendais ;
dans ton amour, tu les as sauvés à de nombreuses reprises[m].
29 Tu les as pressés de revenir à ta loi,
mais eux, pleins d'orgueil, n'ont pas écouté tes commandements ;
ils ont désobéi à tes règles,
et pourtant elles donnent la vie à ceux qui les mettent en pratique[n].
Ils se sont montrés obstinés et rebelles,
ils ont absolument refusé de t'écouter.

30 De longues années, tu les as supportés ;
tes prophètes, animés de ton Esprit, les interpellaient de ta part, mais ils n'ont pas écouté[o].
Alors tu les as livrés au pouvoir de peuples étrangers.
31 Pourtant, dans ton amour infini, tu ne les as pas exterminés ;
tu ne les as pas abandonnés, car tu es un Dieu bienveillant et compatissant.

32 Toi, notre Dieu, tu es grand, puissant et redoutable,
tu maintiens fidèlement l'alliance conclue avec nous.
Veuille tenir compte des difficultés rencontrées par ton peuple,
nos rois et nos chefs, nos prêtres et nos prophètes, nos ancêtres et nous-mêmes,
depuis l'époque des rois d'Assyrie[p] jusqu'à ce jour.
33 Dans tout ce qui nous est arrivé,
tu as agi avec justice et fidélité,
alors que nous étions infidèles.
34 Nos rois et nos chefs, nos prêtres et nos ancêtres n'ont pas respecté ta loi ;
ils ont négligé tes commandements et les avertissements que tu leur adressais.
35 Comblés de tes bienfaits dans leur propre royaume,
installés par tes soins dans un pays vaste et fertile,
ils n'ont pas renoncé à mal agir pour te servir.
36 Aujourd'hui, nous voici esclaves !
Nous le sommes dans le pays que tu as donné à nos ancêtres,
pour qu'ils jouissent de ses meilleures récoltes.
37 Ce pays produit des biens en abondance
pour les rois auxquels tu nous as soumis à cause de nos péchés.
Ils disposent de nous et de notre bétail selon leur bon plaisir.

---

k **9.24** Voir Jos 11.23.
l **9.25** Voir Deut 6.10-11.
m **9.28** V. 26-28 : voir Jug 2.11-16.
n **9.29** *elles donnent la vie...* : voir Lév 18.5.
o **9.30** Voir 2 Rois 17.13-18 ; 2 Chron 36.15-16.
p **9.32** *rois d'Assyrie* : Poul ou Téglath-Phalasar, voir 2 Rois 15.19 et la note ; 15.29 ; Salmanasar et Sargon, voir 2 Rois 17.3-6 et la note du v. 6. Voir aussi Esd 4.2,10.

Nous sommes dans une profonde détresse ! »

Le peuple s'engage à observer la loi

10 1 A cause de tout ce qui nous est arrivé, à nous, les Israélites, nous avons pris un engagement ferme que nous avons mis par écrit. Nos chefs, nos *lévites et nos prêtres ont apposé leur signature sur le document cacheté[q]. 2 Voici la liste des signataires :
- Néhémie, fils de Hakalia, gouverneur.
- Sidequia, 3 Seraya, Azaria, Irméya, 4 Pachehour, Amaria, Malkia, 5 Hattouch, Chebania, Mallouk, 6 Harim, Merémoth, Obadia, 7 Daniel, Guineton, Barouk, 8 Mechoullam, Abia, Miamin, 9 Maazia, Bilgaï et Chemaya, tous prêtres.
- 10-14 Yéchoua, fils d'Azania, Binnoui, du clan de Hénadad, Cadmiel et leurs compagnons : Chebania, Hodia, Quelita, Pelaya, Hanan, Mika, Rehob, Hachabia, Zakour, Chérébia, Chebania, Hodia, Bani et Beninou, tous lévites.
- 15-28 Paroch, Pahath-Moab, Élam, Zattou, Bani, Bounni, Azgad, Bébaï, Adonia, Bigvaï, Adin, Ater, Hizquia, Azour, Hodia, Hachoum, Bessaï, Harif, Anatoth, Nébaï, Magpiach, Mechoullam, Hézir, Mechézabel, Sadoc, Yaddoua, Pelatia, Hanan, Anania, Osée, Hanania, Hachoub, Hallohech, Pila, Chobec, Rehoum, Hachabna, Maasséya, Ahia, Hanan, Anan, Mallouk, Harim et Baana, tous chefs du peuple.

29 A eux se sont joints tous les autres citoyens, prêtres, lévites, portiers, chanteurs, employés subalternes du *temple, et nous tous qui nous sommes tenus à l'écart des gens restés dans le pays durant l'exil et qui sommes demeurés fidèles à la loi de Dieu, de même que nos femmes et tous nos enfants, garçons et filles, en âge de comprendre. 30 Avec nos éminents compatriotes, nous avons solennellement juré d'obéir à la loi que Dieu nous a transmise par l'intermédiaire de son serviteur Moïse, et d'observer attentivement tous les commandements, règles et prescriptions du Seigneur notre Dieu.

31 Nous ne donnerons pas nos filles en mariage à ceux qui sont restés dans le pays durant l'exil, et nous ne choisirons pas dans cette population des femmes pour nos fils[r]. 32 Si, le jour du *sabbat ou un jour de fête, ces gens apportent du blé ou d'autres marchandises à vendre, nous ne leur achèterons rien. Tous les sept ans, nous laisserons le sol en repos et nous renoncerons à exiger le remboursement des dettes[s]. 33 Nous nous donnons pour règle de verser chaque année une pièce d'argent de quatre grammes destinée au service du temple de notre Dieu[t] : 34 cette contribution servira à procurer les pains offerts à Dieu, les *sacrifices complets et les offrandes végétales de chaque jour, les sacrifices qu'on offre le jour du sabbat, le jour de la nouvelle lune ou les autres jours de fête, les autres offrandes consacrées à Dieu, et les sacrifices offerts par Israël pour obtenir le pardon ; elle servira enfin à assurer tous les travaux d'entretien du temple de notre Dieu. 35 Nous, les prêtres, les lévites et les laïcs, nous avons tiré au sort pour répartir entre nos familles respectives les périodes où nous aurons à fournir les offrandes de bois pour le temple de notre Dieu ; chaque année, comme le prescrit la loi, nous apporterons le bois nécessaire pour brûler les sacrifices sur *l'autel du Seigneur notre Dieu[u]. 36 Chaque année aussi, nous apporterons au temple les premiers produits du sol et les premiers fruits de nos arbres[v] ; 37 nous y présenterons nos fils premiers-nés et les premiers petits de notre bétail, comme le prescrit la loi[w]. Nous amènerons les premiers-nés de nos troupeaux de bœufs, de moutons et de chèvres au temple de notre Dieu, et nous les remettrons aux prêtres qui assurent le service

---

q **10.1** Dans certaines traductions, les v. 10.1-40 sont numérotés 9.38–10.39. – *document cacheté* : comparer Jér 32.9-15.

r **10.31** Voir Ex 34.16 ; Deut 7.3.

s **10.32** Voir Ex 23.10-11 ; Lév 25.1-7 ; Deut 15.1-2.

t **10.33** Comparer Ex 30.11-16.

u **10.35** On ne trouve nulle part dans le Pentateuque de loi qui prescrive cette offrande de *bois*.

v **10.36** Voir Ex 23.19 ; 34.26 ; Deut 26.2.

w **10.37** Voir Ex 13.1-2.

du temple. 38 Nous remettrons également à ceux-ci une part de notre meilleure farine, de même que nos offrandes de fruits, de vin nouveau et d'huile, que nous déposerons dans les locaux annexes du temple. Aux lévites reviendra la dixième partie de ce que produiront nos terres[x]. Les lévites iront personnellement prélever cette dîme dans les localités où nous travaillerons. 39 Un prêtre, un descendant d'Aaron, accompagnera les lévites au moment où ils prélèveront la dîme. Les lévites apporteront le dixième de la dîme au temple[y], dans les locaux annexes du trésor. 40 Les Israélites et les lévites apporteront leurs offrandes de blé, de vin nouveau et d'huile dans ces locaux annexes où se trouve le matériel du *sanctuaire, et où se tiennent les prêtres de service, les portiers et les chanteurs.

Ainsi nous ne délaisserons pas le temple de notre Dieu.

Liste des Juifs venus repeupler Jérusalem

11 1 Les chefs du peuple s'installèrent à Jérusalem. Dans le reste de la population, on désigna par le sort un citoyen sur dix pour qu'il aille habiter Jérusalem, la ville sainte, tandis que les neuf autres pouvaient demeurer dans les diverses localités du pays. 2 On fut particulièrement reconnaissant envers ceux qui s'offrirent spontanément pour aller habiter Jérusalem.

3 Les chefs de la province habitèrent Jérusalem, alors que les autres Israélites, prêtres, *lévites, employés subalternes du *temple et descendants des serviteurs de Salomon, demeuraient dans leurs localités[z] respectives, chacun dans sa propriété. 4 Toutefois un certain nombre de gens de Juda et de Benjamin s'installèrent à Jérusalem.

Parmi les gens de Juda, il y avait : Ataya, du clan de Pérès, descendant de Malaléel par Chefatia, Amaria, Zacharie et Ouzia, 5 ainsi que Maasséya, descendant de Chiloni par Zacharie, Yoyarib, Adaya, Hazaya, Kol-Hozé et Barouk. 6 Au total, on comptait parmi les habitants de Jérusalem 468 hommes de valeur du clan de Pérès.

7 Parmi les gens de Benjamin, il y avait : Sallou, descendant de Yechaya par Itiel, Maasséya, Colaya, Pedaya, Yoëd et Mechoullam, 8 ainsi que Gabbaï et Sallaï ; au total 928 Benjaminites. 9 Joël, fils de Zikri, était le responsable de ce groupe, et Yehouda, fils de Hassenoua, était l'adjoint du chef de la ville.

10 Parmi les prêtres, il y avait : Yedaya, fils de Yoyarib, Yakin, 11 Seraya, descendant du grand-prêtre Ahitoub par Merayoth, Sadoc, Mechoullam et Hilquia, 12 ainsi que 822 membres de leur clan, chargés des travaux dans le temple de Dieu ; Adaya, descendant de Malkia par Pachehour, Zacharie, Amsi, Pelalia et Yeroam, 13 avec 242 chefs de famille, membres de son clan ; Amachesaï, descendant d'Immer par Mechillémoth, Azaï et Azarel, 14 avec 128 soldats valeureux, membres de son clan. Le responsable de ce groupe était Zabdiel, fils de Haguedolim.

15 Parmi les lévites, il y avait : Chemaya, descendant de Bounni par Hachabia, Azricam et Hachoub, 16 ainsi que les chefs lévitiques Chabbetaï et Yozabad, chargés des travaux extérieurs du temple de Dieu ; 17 Mattania, descendant d'Assaf par Zabdi et Mika, chargé d'entonner les chants de louange à l'heure de la prière ; Bacbouquia, un des frères de Mattania, chargé de le seconder ; Abda, descendant de Yedoutoun par Galal et Chammoua. 18 Au total, on comptait 284 lévites dans la ville sainte.

19 Il y avait les portiers Accoub et Talmon, chargés avec les hommes de leur clan de la surveillance des portes ; au total 172 personnes.

20 Les autres Israélites, y compris les prêtres et les lévites, résidaient dans les autres localités de Juda, chacun dans sa propriété. 21 Les employés subalternes du temple résidaient dans le quartier de Jé-

---

x **10.38** Sur la part des *prêtres* et la dîme pour les *lévites*, voir Nomb 15.18-21 ; 18.21-24.

y **10.39** Voir Nomb 18.26

z **11.3** *employés subalternes, serviteurs de Salomon* : voir Esd 2.55 et la note. – *dans leurs localités* : voir 7.72.

rusalem appelé l'Ofel[a] ; ils étaient placés
sous l'autorité de Siha et Guichepa.
22 Le responsable des lévites de Jérusalem était Ouzi, descendant de Mika par
Mattania, Hachabia et Bani ; il était membre du clan d'Assaf, le clan responsable
des activités musicales dans le temple de
Dieu. 23 Les musiciens étaient soumis à un
règlement royal et à des dispositions
fixant leurs tâches quotidiennes.
24 Petahia, fils de Mechézabel, du clan
de Zéra fils de Juda, représentait le peuple d'Israël à la cour royale de Perse.

La population juive hors de Jérusalem

25 Certaines familles de la tribu de Juda
habitaient les localités disséminées dans
la campagne : Quiriath-Arba et les villages voisins, Dibon et les villages voisins, Yecabséel et les localités voisines,
26 Yéchoua, Molada, Beth-Péleth, 27 Hassar-Choual, Berchéba et les villages voisins, 28 Siclag, Mekona et les villages
voisins, 29 En-Rimmon, Sora, Yarmouth,
30 Zanoa, Adoullam et les localités voisines, Lakich et les environs, Azéca et les
villages voisins. Ils se trouvaient donc
installés entre Berchéba au sud, et la
vallée de Hinnom au nord.
31 Les familles de la tribu de Benjamin
habitaient Guéba, Mikmas, Aya, Béthel
et les villages voisins, 32 Anatoth, Nob,
Anania, 33 Hassor, Rama, Guittaïm, 34 Hadid, Seboïm, Neballath, 35 Lod, Ono et la
vallée des Artisans.
36 Certains groupes de *lévites émi-
grèrent de Juda en Benjamin[b].

Liste de prêtres et de lévites

12 1 Voici la liste des prêtres et des
*lévites qui revinrent d'exil avec
Zorobabel, fils de Chéaltiel, et avec Yéchoua. C'étaient Seraya, Irméya, Ezra,
2 Amaria, Mallouk, Hattouch, 3 Chekania, Rehoum, Merémoth, 4 Iddo, Guine-
toï, Abia, 5 Miamin, Maadia, Bilga,
6 Chemaya, Yoyarib, Yedaya, 7 Sallou,
Amoc, Hilquia et Yedaya. A l'époque de
Yéchoua, tous ceux-ci étaient des chefs
de familles sacerdotales et lévitiques.
8 Parmi les lévites, il y avait Yéchoua,
Binnoui, Cadmiel, Chérébia, Yehouda et
Mattania. Mattania et les hommes de
sa famille entonnaient les chants de
louange, 9 auxquels répondaient les lévites Bacbouquia et Ounni, placés en face
d'eux pour le service.

10 Yéchoua fut le père de Yoyaquim,
Yoyaquim celui d'Éliachib, Éliachib de
Yoyada, 11 Yoyada de Yonatan, et Yonatan
de Yaddoua.
12 A l'époque où Yoyaquim était grand-
prêtre, les chefs de familles sacerdotales
étaient : Meraya pour la famille de Seraya, Hanania pour celle d'Irméya, 13 Mechoullam pour celle d'Ezra, Yohanan
pour celle d'Amaria, 14 Yonatan pour celle
de Melikou, Joseph pour celle de Chebania, 15 Adna pour celle de Harim, Helcaï
pour celle de Merayoth, 16 Zacharie pour
celle d'Iddo, Mechoullam pour celle de
Guineton, 17 Zikri pour celle d'Abia, ...[c]
pour celle de Miniamin, Piltaï pour celle
de Moadia, 18 Chammoua pour celle de
Bilga, Yonatan pour celle de Chemaya,
19 Mattenaï pour celle de Yoyarib, Ouzi
pour celle de Yedaya, 20 Callaï pour celle
de Sallaï, Éber pour celle d'Amoc, 21 Hachabia pour celle de Hilquia, et Netanéel
pour celle de Yedaya.
22 A l'époque où Éliachib, puis Yoyada,
Yohanan et enfin Yaddoua étaient
grands-prêtres, on inscrivit dans des registres les noms des lévites qui étaient
chefs de famille ; on procéda de même
pour les prêtres jusqu'au règne de Darius,
roi de Perse[d].
23 Les noms des chefs de familles lévitiques figuraient aussi dans le livre relatant les événements importants, mais
cela seulement jusqu'à l'époque de Yohanan, petit-fils d'Éliachib.
24 Les chefs lévitiques Hachabia, Chérébia et Yéchoua, fils de Cadmiel, se tenaient
en face des autres lévites pour acclamer et

---

a **11.21** *employés subalternes* : voir Esd 2.55 et la note. – *Ofel* : voir 2 Chron 27.3 et la note.
b **11.36** Le texte hébreu du v. 36 est peu clair.
c **12.17** Le nom du prêtre, chef de la famille de *Miniamin*, manque dans le texte hébreu.
d **12.22** Il s'agit vraisemblablement de *Darius* III, qui régna de 336 à 331 avant J.-C. (voir la note sur Esd 4.5).

louer Dieu, lorsque c'était leur tour de service ; ils se conformaient ainsi aux instructions de David, l'homme de Dieu.
25 Les portiers Mattania, Bacbouquia,
Obadia, Mechoullam, Talmon et Accoub
avaient pour tâche de surveiller les entrepôts situés près des portes du *temple.
26 Ils accomplissaient leur service à l'époque de Yoyaquim, fils de Yéchoua et petit-fils de Yossadac, et à l'époque de
Néhémie le gouverneur, et d'Esdras, le
prêtre spécialiste de la loi.

Néhémie préside la dédicace de la muraille

27 Lorsqu'on eut fini de rebâtir la muraille de Jérusalem, on fit venir les *lévites de tous les endroits où ils habitaient
pour célébrer à Jérusalem une joyeuse fête
de dédicace, avec des chants de louange
accompagnés par des cymbales, des harpes et des lyres. 28-29 Les membres des
chorales se rassemblèrent : ils venaient
des hameaux qu'ils s'étaient construits
dans les environs de Jérusalem ou près de
Netofa, ainsi que de Beth-Guilgal, de la
région de Guéba et d'Azmaveth. 30 Les
prêtres et les lévites se *purifièrent. Ils invitèrent tout le peuple à se purifier aussi,
puis ils accomplirent la purification des
portes et des murailles de la ville.
31 Je fis monter les chefs de Juda sur la
muraille. Je formai deux grandes chorales.
La première partit vers la droite[e] et
avança sur la muraille en direction de la
porte du Fumier. 32 Derrière les choristes
marchaient Hochaya et la moitié des chefs
de Juda, 33 puis Azaria, Ezra, Mechoullam,
34 Yehouda, Benjamin, Chemaya et Irméya. 35 Ensuite venaient des prêtres porteurs de trompettes. Zacharie, descendant
d'Assaf par Zakour, Mikaya, Mattania,
Chemaya et Yonatan, 36 et ses compagnons
Chemaya, Azarel, Milalaï, Guilalaï, Maaï,
Netanéel, Yehouda et Hanani suivaient ;
ils portaient des instruments de musique
que David, l'homme de Dieu, avait fait fabriquer. Esdras, le spécialiste de la loi,
était à la tête de ce groupe. 37 Arrivés à la
porte de la Source, ils se trouvèrent devant
la montée de la *Cité de David ; ils la gra-
virent sur le mur même, d'où ils dominaient le palais de David, puis ils
continuèrent jusqu'à la porte des Eaux,
sur le côté oriental de la ville.
38 La seconde chorale partit vers la
gauche. Je la suivis, sur la muraille, accompagné de l'autre moitié de la foule.
Nous sommes passés près de la tour des
Fourneaux, puis par l'endroit où la muraille s'élargit ; 39 nous avons continué
au-dessus de la porte d'Éfraïm, de la
porte de Yechana[f] et de la porte des Poissons ; après la tour de Hananéel et la
tour des Cent, nous avons dépassé la
porte des Brebis pour atteindre la porte
de la Garde. 40 Les deux chorales s'arrêtèrent au *temple de Dieu. Je m'arrêtai
également, tout comme ceux des magistrats qui m'accompagnaient. 41 Les prêtres Éliaquim, Maasséya, Miniamin,
Mikaya, Éliohénaï, Zacharie et Hanania
jouaient de la trompette. 42 Il y avait
aussi Maasséya, Chemaya, Élazar, Ouzi,
Yohanan, Malkia, Élam et Ézer. Les
chanteurs se firent entendre, sous la
direction d'Izrahia.
43 Ce jour-là, on offrit de nombreux *sacrifices dans une ambiance de fête. Dieu
avait en effet rempli son peuple d'une
grande joie. A Jérusalem, les femmes et
les enfants étaient si heureux que le bruit
des réjouissances s'entendait au loin.

Les parts réservées aux prêtres et aux lévites

44 A cette même époque, on chargea des
hommes de veiller sur les locaux où
étaient entreposées les offrandes de premiers fruits, ainsi que la dîme ou dixième
partie des produits de la terre. Ces hommes devaient y recueillir les parts de récolte que la loi attribue aux prêtres et aux
*lévites, et qui proviennent des champs
cultivés entourant les villes. Tous les gens
de Juda étaient satisfaits du travail accompli par les prêtres et les lévites, 45 qui
s'occupaient du service de leur Dieu et
effectuaient les *purifications rituelles

---

e **12.31** *vers la droite* : c'est-à-dire vers le sud. Les *deux chorales* partent des environs de la porte de la Vallée (3.13) et font chacune à peu près la moitié du tour de la ville. Sur les noms des portes et des tours, voir le chap. 3.

f **12.39** Voir 3.6 et la note.

Les chanteurs et les portiers[g], eux aussi,
se conformaient aux instructions du roi
David et de son fils Salomon. 46 En effet,
depuis l'époque lointaine de David et du
chantre Assaf, des chefs de chorale dirigeaient les chants d'acclamation et de
louange adressés à Dieu. 47 A l'époque de
Zorobabel, comme à celle de Néhémie,
les Israélites donnaient chaque jour aux
chanteurs et aux portiers ce qui leur était
dû. Ils remettaient également les offrandes consacrées aux lévites, et les lévites
transmettaient aux prêtres, descendants
d'Aaron, la part qui leur revenait.

Diverses réformes réalisées par Néhémie

13 1 A cette même époque, au cours
de la lecture publique du livre de
Moïse, on arriva au passage où il est écrit
que les Ammonites et les Moabites ne seraient jamais admis dans l'assemblée de
ceux qui adorent Dieu[h]. 2 En effet, autrefois, ils n'ont pas accueilli les Israélites en
leur offrant à manger et à boire ; les Moabites ont même payé Balaam pour qu'il
vienne maudire Israël, mais notre Dieu a
changé la malédiction en *bénédiction[i].
3 Lorsque les Israélites entendirent la lecture de cette interdiction, ils décidèrent
d'exclure de leur communauté tous les
étrangers.

4 Quelque temps avant, le prêtre Éliachib avait été désigné pour s'occuper des
locaux annexes du *temple de notre Dieu.
Comme il était proche parent de Tobia, 5 il
mit à sa disposition une grande pièce dans
laquelle on avait entreposé jusqu'alors les
offrandes végétales, *l'encens et les ustensiles du temple, ainsi que les parts dues
aux prêtres, et la dîme du blé, du vin nouveau et de l'huile, réservée aux *lévites,
aux chanteurs et aux portiers.
6 Au moment de ces événements, je
n'étais pas à Jérusalem : je m'étais rendu
auprès d'Artaxerxès, le roi de Babylone,
pendant la trente-deuxième année de son
règne[j]. Après quelque temps, et avec l'autorisation du roi, 7 je regagnai Jérusalem.
Je me rendis compte du mal qu'Éliachib
avait fait en offrant à Tobia une pièce
donnant sur la cour du temple. 8 J'en fus
très irrité et je fis jeter hors de la pièce
tout ce qui appartenait à Tobia. 9 Puis, sur
mon ordre, on nettoya soigneusement les
chambres pour y déposer de nouveau les
ustensiles du temple, les offrandes et
l'encens.

10 J'appris aussi que les lévites ne recevaient pas ce qui leur était dû[k]. C'est pourquoi, au lieu d'accomplir leur service,
chacun d'eux s'était retiré sur ses terres.
Les chanteurs avaient fait de même. 11 Je
reprochai alors aux magistrats d'avoir permis que le temple de Dieu soit délaissé.
Puis je rassemblai les lévites et les chanteurs et je leur fis reprendre le travail.
12 Les Juifs recommencèrent à apporter la
dîme du blé, du vin nouveau et de l'huile
dans les locaux prévus à cet effet[l]. 13 Je dé-
signai, pour veiller sur ces locaux, le prêtre Chélémia, le secrétaire Sadoc et le
lévite Pedaya, secondés par Hanan, fils de
Zakour et petit-fils de Mattania ; ils
étaient tous considérés comme des hommes de confiance. Ils avaient pour tâche
de partager les offrandes entre leurs
compagnons.

14 « O mon Dieu, souviens-toi de tout
ce que j'ai fait ! N'oublie pas la fidélité
avec laquelle j'ai travaillé pour le temple
et pour le culte. »

15 A cette même époque je vis, dans le
pays de Juda, des gens qui foulaient du
raisin dans les pressoirs durant le jour du
*sabbat. D'autres transportaient du blé,
chargeaient sur des ânes du vin, du raisin, des figues et toute sorte d'autres choses, pour les introduire à Jérusalem. Je
leur donnai un avertissement, le jour[m] où

---

g **12.45** Voir 1 Chron 25.1-8 ; 26.1-12.
h **13.1** Voir Deut 23.4-6.
i **13.2** Voir Nomb 22.1-6 ; Deut 23.3-5.
j **13.6** *roi de Babylone* : les rois de Perse avaient une de leurs résidences à Babylone, d'où le titre donné ici. – *trente-deuxième année* : en 432 avant J.-C. (comparer 1.1 et la note).
k **13.10** Voir Deut 12.19.
l **13.12** Voir Mal 3.10.
m **13.15** Voir Ex 20.8-10 ; Deut 5.12-14 ; Jér 17.21-22. – *le jour* : autre traduction *au sujet du jour* (=le sabbat).

ils vendaient leur marchandise. 16 De plus, les Tyriens installés à Jérusalem faisaient venir du poisson[n] et d'autres denrées pour les vendre, le jour du sabbat, aux gens de Jérusalem et de Juda. 17 J'adressai des reproches aux notables de Juda : « Vous rendez-vous compte du mal que vous faites ? leur dis-je. Vous ne respectez pas le caractère sacré du sabbat. 18 Vos ancêtres ont agi ainsi, et c'est bien pourquoi notre Dieu nous a infligé de tels malheurs, à nous et à notre ville[o]. Et vous, par votre manque de respect à l'égard du sabbat, vous ne faites que ranimer la colère de Dieu contre Israël ! »

19 Dès lors, j'ordonnai qu'on ferme les portes de Jérusalem à la tombée de la nuit, avant le début du sabbat[p], et qu'on ne les rouvre pas avant la fin du sabbat. Je plaçai quelques-uns de mes collaborateurs à proximité, pour veiller à ce qu'aucune marchandise ne pénètre dans la ville durant le sabbat. 20 Une fois ou deux, des vendeurs de toute espèce de marchandises s'installèrent sous les murs de Jérusalem[q]. 21 Je leur donnai un avertissement en ces termes : « Pourquoi vous installez-vous devant les murs de la ville ? Si vous recommencez, je vous ferai arrêter. » A partir de ce moment, ils ne vinrent plus pendant le sabbat. 22 Alors j'ordonnai aux lévites de se *purifier et d'aller surveiller les portes de la ville, afin qu'on respecte le caractère sacré du sabbat.

« O mon Dieu, souviens-toi de moi, aussi à cause de cela. Toi qui es si bon, aie pitié de moi ! »

23 A cette époque-là encore, je constatai que des Juifs avaient épousé des femmes asdodiennes, ammonites ou moabites[r]. 24 La moitié de leurs enfants parlaient la langue d'Asdod, d'autres parlaient la langue de tel ou tel peuple étranger, mais plus aucun d'eux ne savait parler la langue des Juifs. 25 Je leur adressai des reproches et des malédictions ; je frappai même quelques hommes et leur arrachai les cheveux. Puis je leur fis jurer au nom de Dieu de ne plus donner leurs filles en mariage à des étrangers, ni de prendre des femmes étrangères pour leurs fils ou pour eux-mêmes[s]. 26 « N'est-ce pas cela qui a conduit Salomon, le roi d'Israël, à pécher ? leur demandai-je. Dans tous les peuples étrangers, il n'y a pas eu de roi comme lui ; il était aimé de Dieu, et Dieu l'avait établi roi sur tout Israël. Pourtant même lui fut entraîné dans le péché par des femmes étrangères[t]. 27 Nous ne voulons plus entendre dire que vous commettez à l'égard de notre Dieu la grave infidélité d'épouser des femmes étrangères. »

28 L'un des fils de Yoyada, un petit-fils du grand-prêtre Éliachib, était gendre de Saneballath le Horonite[u]. C'est pourquoi je l'expulsai de Jérusalem.

29 « O mon Dieu, n'oublie jamais le déshonneur qui a été infligé ainsi à la fonction de prêtre et au pacte conclu par toi avec les prêtres et les lévites. »

30 Je purifiai le peuple de tout élément étranger, et je remis en vigueur les règlements définissant la tâche particulière de chacun des prêtres et des lévites. 31 Je rétablis également les offrandes de bois à fournir aux dates fixées, et les offrandes des premiers produits de la terre.

« O mon Dieu, souviens-toi de moi et traite-moi avec bonté ! »[v]

---

n **13.16** Les *Tyriens*, peuple de marins, s'adonnaient tout naturellement au commerce du *poisson*.

o **13.18** *de tels malheurs* : la destruction de la ville et l'exil.

p **13.19** Le *sabbat* commence au coucher du soleil, c'est-à-dire le vendredi soir vers 18 h., et se termine le samedi à la même heure.

q **13.20** Ne pouvant faire du commerce dans la ville durant le sabbat, les *vendeurs* s'installent à l'extérieur des murailles pour y offrir leurs marchandises.

r **13.23** Sur les Asdodiens et les Ammonites, voir 4.1 et la note ; les Moabites habitaient le pays situé à l'est de la mer Morte.

s **13.25** V. 23-25 : voir Ex 34.11-16 ; Deut 7.1-5.

t **13.26** *aimé de Dieu* : voir 2 Sam 12.24-25. – *entraîné dans le péché* : voir 1 Rois 11.1-8.

u **13.28** Voir 2.10 ; 3.33.

v **13.31** Sur les *offrandes de bois*, voir 10.35 et la note. – *et traite-moi avec bonté* : autre traduction *à cause de tout ce que j'ai fait de bien*.

Esther

***Introduction** – Le livre d'*Esther *raconte comment une communauté juive a été délivrée de la menace d'extermination qui pesait sur elle. L'histoire se passe à l'époque où les Perses étendaient leur domination sur tout le Proche-Orient, depuis l'Inde jusqu'à l'Égypte. Un nombre important de Juifs, dont les familles avaient été exilées en Babylonie, n'étaient pas rentrés dans leur pays après la chute du pouvoir babylonien (en 539 avant J.-C.). Ces Juifs rencontraient souvent l'hostilité des peuples au milieu desquels ils se trouvaient, car ils vivaient selon leurs lois et leurs coutumes propres, différentes de celles des autres. En nous décrivant le conflit entre Haman, le premier ministre du roi Xerxès, et Mardochée, le fonctionnaire juif, le livre d'*Esther *nous en fournit une illustration dramatique. La manière dont Esther, dirigée par Mardochée, devient reine de Perse et parvient ainsi à écarter le danger qui menace son peuple, rappelle que les tentatives visant à détruire le peuple juif ont toujours été vouées à l'échec. Ici, le jour fixé pour l'extermination des Juifs devient celui de la défaite et du massacre de leurs ennemis. La date de ce jour correspond à celle d'une fête juive, la fête des Pourim, célébrée au printemps avant la fête de la Pâque. L'histoire racontée dans le livre d'*Esther *explique l'origine de cette fête.*

*Le livre d'*Esther *met en valeur le nationalisme et le désir de vengeance des Juifs à un point qui peut étonner ou troubler le lecteur. Il faut y voir une réaction de défense contre le rejet dont les Juifs étaient victimes en pays étranger. Le racisme et le rejet des autres entraînent en général des réactions de ce type et l'histoire d'Esther montre une fois de plus comment la violence produit la violence. Par ailleurs, au moment où le livre a été écrit, c'est-à-dire à une époque où les Juifs avaient perdu tout espoir d'indépendance nationale, il voulait rappeler à ceux-ci de quelles grandes délivrances ils pouvaient être l'objet.*

Le banquet du roi Xerxès

1 [1] L'histoire rapportée ici est arrivée
au temps du roi Xerxès[a], celui qui régna sur cent vingt-sept provinces, de
l'Inde jusqu'à l'Éthiopie. [2-3] Au cours de
la troisième année de son règne, le roi,
installé dans son palais royal de la citadelle de Suse, organisa un banquet
pour tous ses hauts fonctionnaires et ses
ministres ; il réunit auprès de lui les officiers de l'armée de Perse et de Médie, les
gouverneurs et les chefs des provinces[b].
Il leur montra les richesses magnifiques
et le luxe éclatant qui faisaient la gloire
de son règne. Les festivités durèrent très
longtemps, six mois au total. [5] A la fin de
cette période, le roi offrit également un
banquet aux gens de toutes conditions,
riches ou pauvres, qui se trouvaient dans

a **1.1** Il s'agit vraisemblablement de *Xerxès* Ier, qui régna sur l'empire perse de 486 à 464 avant J.-C. Ce roi est aussi connu sous le nom d'Assuérus.

b **1.2-3** La *citadelle de Suse* était distincte de la ville elle-même (voir 3.15 et 8.14,15). Le palais royal se trouvait dans la citadelle. *Suse*, située à l'est de Babylone, était la résidence d'hiver des rois perses et l'une des trois capitales de l'empire. – *l'armée de Perse et de Médie* comprenait les troupes des différents peuples composant l'empire perse.

la citadelle de Suse. Cette fête se déroula
pendant une semaine dans les jardins du
palais. 6 Des tentures de lin blanc ou violet étaient suspendues par des cordelettes
blanches et rouges à des anneaux d'argent fixés sur des colonnes de marbre.
On avait placé des divans d'or et d'argent
sur le sol recouvert d'une mosaïque de
dalles jaunes, blanches, nacrées et noires[c]. 7 Les boissons étaient servies dans
des coupes d'or, de différentes formes. Le
vin coulait à flot et était offert avec une
générosité toute royale. 8 Chacun pouvait
boire sans contrainte, car le roi avait ordonné à tous les serviteurs du palais de
satisfaire les désirs de ses hôtes. 9 De son
côté, la reine Vasti avait organisé un
banquet pour les femmes à l'intérieur du
palais de Xerxès.

Disgrâce de la reine Vasti

10 Le septième jour du banquet, le roi
Xerxès était égayé par le vin. Il appela les
sept *eunuques spécialement attachés à
son service : Mehouman, Bizta, Harbona,
Bigta, Abagta, Zétar et Karkas. 11 Il leur
ordonna de lui amener la reine Vasti portant la couronne royale. Il désirait montrer à ses hauts fonctionnaires et aux
autres gens présents combien la reine
était belle. Elle était en effet d'une beauté
remarquable. 12 Les eunuques transmirent l'ordre du roi à la reine, mais celle-ci
refusa de venir. Le roi fut saisi d'une violente colère. 13 Il consulta ses experts, car
les affaires royales étaient toujours ré-
glées avec l'aide des spécialistes du droit
et des usages. 14 Parmi ces conseillers les
plus proches du roi se trouvaient Kar-
chena, Chétar, Admata, Tarsis, Mérès,
Marsena et Memoukan, sept hauts fonctionnaires de Perse et de Médie[d] ; ils
avaient la confiance du roi et occupaient
les postes les plus élevés de l'empire. 15 Le
roi leur dit : « Moi, le roi, j'ai envoyé mes
eunuques donner un ordre à la reine
Vasti et elle n'y a pas obéi. D'après la loi,
quelle peine faut-il lui appliquer ? »

16 Memoukan déclara alors au roi et à
ses hauts fonctionnaires : « La reine Vasti
a fort mal agi non seulement à l'égard du
roi, mais aussi à l'égard de ses hauts fonctionnaires et même de tous les hommes
qui vivent dans les différentes provinces
de l'empire. 17 En effet, toutes les femmes
vont apprendre le comportement de la
reine et elles se mettront à mépriser l'autorité de leurs maris. Elles se justifieront
en disant : "Le roi avait ordonné qu'on
lui amène la reine Vasti et celle-ci a refusé
de venir !" 18 Aujourd'hui même, les
épouses des hauts fonctionnaires de
Perse et de Médie vont être au courant de
la conduite de la reine, elles se permettront de répliquer à leurs maris et le mépris des femmes suscitera la colère des
hommes. 19 Si sa Majesté le roi le juge
bon, qu'il veuille promulguer un décret
interdisant pour toujours à Vasti de se
présenter devant lui et attribuant le titre
de reine à une femme qui en sera plus digne qu'elle. Ce décret royal devra figurer
parmi les lois de Perse et de Médie qu'on
ne peut pas annuler. 20 Lorsque cette décision sera connue dans toutes les parties
de l'immense empire, chaque femme
aura des égards pour son mari, qu'il soit
important ou modeste. »

21 L'idée plut au roi et à ses hauts fonctionnaires, et le roi suivit le conseil de
Memoukan. 22 Il fit envoyer dans toutes
les provinces des lettres rédigées selon le
système d'écriture et dans la langue des
peuples qui y vivaient. Elles disaient que
tout homme doit être maître dans sa
maison et y imposer l'usage de sa langue
maternelle[e].

Esther devient reine

2 1 Quelque temps après, lorsque la colère du roi Xerxès se fut calmée, il réfléchit à ce que Vasti avait fait et à la
décision prise contre elle. 2 Les hommes
attachés à son service lui dirent : « On devrait rechercher pour sa Majesté des jeunes filles vierges et remarquables par leur
beauté. 3 Nomme donc dans toutes les

---

c 1.6 *des divans d'or et d'argent* : les convives mangeaient étendus sur des divans (voir Amos 6.4). – La signification de plusieurs des mots hébreux employés dans ce verset est incertaine.

d 1.14 *de Perse et de Médie* : voir 1.3 et la note.

e 1.22 *et y imposer l'usage de sa langue maternelle* : l'ancienne version latine porte ici *et que ceci soit divulgué dans la langue de chaque peuple*.

provinces de l'empire des fonctionnaires
chargés d'amener les jeunes filles spécialement belles au harem royal de la
citadelle de Suse[f]. Hégué, *l'eunuque
responsable du harem, en prendra soin et
leur fournira des produits de beauté. 4 La
jeune fille qui aura ta préférence deviendra reine à la place de Vasti. » La proposition plut au roi et il l'accepta.

5 Un Juif nommé Mardochée vivait
dans la citadelle de Suse. Il était fils de
Yaïr, descendant de Chiméi et de Quich[g]
et originaire de la tribu de Benjamin. 6 Il
faisait partie du groupe de déportés que
Nabucodonosor, roi de Babylone, avait
emmenés en exil de Jérusalem en même
temps que Yekonia, roi de Juda[h]. 7 Mardochée avait adopté sa cousine Hadassa,
qu'on appelait Esther[i]. La jeune fille
avait perdu ses parents et, depuis leur
mort, Mardochée l'élevait. Son corps
était splendide et sa beauté remarquable.

8 Lorsque le décret royal fut publié, de
nombreuses jeunes filles furent rassemblées à la citadelle de Suse. Esther se
trouvait parmi elles ; elle fut conduite
comme les autres au palais royal et placée
sous l'autorité de Hégué, le responsable
du harem. 9 Elle plut beaucoup à celui-ci
et gagna sa faveur. Il s'empressa de lui
fournir tout ce qui était nécessaire à ses
soins de beauté et à son entretien. Il lui
procura sept servantes choisies dans le
personnel du palais, et l'installa avec elles
dans le meilleur appartement du harem.
10 Esther n'avait pas révélé son origine
juive, car Mardochée le lui avait interdit.
11 De son côté, Mardochée se promenait
tous les jours devant la cour du harem
pour se renseigner sur la santé d'Esther
et savoir ce qui allait lui arriver.

12 Les jeunes filles du harem devaient
suivre pendant une année le traitement
de beauté prescrit aux femmes : les six
premiers mois elles étaient massées avec
de l'huile de *myrrhe et les six mois suivants avec des baumes parfumés et d'autres produits de beauté féminins. Ensuite
chaque jeune fille avait son tour pour
se rendre auprès du roi Xerxès. 13 Lorsqu'elle allait du harem au palais royal, on
lui donnait tout ce qu'elle désirait prendre avec elle. 14 Elle se présentait chez le
roi le soir, et le lendemain matin elle était
conduite dans un second harem dirigé
par Chaachgaz, l'eunuque responsable
des épouses royales de second rang. Elle
ne retournait plus chez le roi sauf si celui-ci en manifestait le désir et la faisait
nommément appeler.

15 Un jour, ce fut le tour d'Esther, fille
d'Abihaïl et fille adoptive de son cousin
Mardochée, de se rendre auprès du roi.
Elle demanda uniquement ce que Hégué,
l'eunuque responsable du harem royal lui
avait conseillé de prendre. Esther attirait
la bienveillance de tous ceux qui la rencontraient. 16 C'est pendant la septième
année du règne de Xerxès, le dixième
mois ou mois de Tébeth, qu'on la conduisit dans le palais auprès du roi. 17 Le roi
devint amoureux d'Esther, plus qu'il ne
l'avait jamais été d'une autre femme, et ce
fut elle, parmi les jeunes filles, qui gagna
sa faveur et sa tendresse. Il posa la couronne royale sur sa tête et la proclama
reine à la place de Vasti. 18 Il organisa en
l'honneur d'Esther un grand banquet auquel il invita tous ses hauts fonctionnaires et ses ministres. Il accorda une
dispense d'impôt aux habitants des provinces[j] et distribua des présents avec une
générosité toute royale.

19 On rassembla une seconde fois des
jeunes filles[k]. Mardochée occupait alors
un poste dans l'administration royale.
20 De son côté, Esther n'avait pas révélé
son origine juive, respectant en cela
l'interdiction de Mardochée ; elle lui
obéissait en effet, car elle était sous sa
protection.

---

f **2.3** *la citadelle de Suse* : voir 1.2 et la note.

g **2.5** *Quich* est le père de Saül. Mardochée est donc de la lignée de Saül, voir 3.1 et la note.

h **2.6** Cette déportation organisée par Nabucodonosor avait eu lieu en 597 avant J.-C.

i **2.7** *Hadassa* est le nom juif de la jeune fille. *Esther* est le nom d'origine babylonienne qu'elle portait habituellement.

j **2.18** *une dispense d'impôt* : le sens du terme hébreu ainsi traduit est peu clair ; l'ancienne version latine le rend par *jour férié*.

k **2.19** On ne sait pas exactement dans quelle intention était effectué ce second rassemblement de jeunes filles.

Mardochée découvre un complot

21 Un jour où Mardochée exerçait ses
fonctions au palais, Bigtan et Térech,
deux fonctionnaires chargés de garder
l'entrée des appartements royaux, complotèrent d'assassiner le roi Xerxès contre
qui ils étaient irrités. 22 Mardochée l'apprit, il en informa la reine Esther, qui
transmit le fait au roi de la part de Mardochée. 23 Il y eut une enquête et l'accusation fut reconnue exacte. Les deux
fonctionnaires furent pendus et l'affaire
fut mise par écrit, en présence du roi lui-
même, dans les Annales de l'empire[l].

Conflit entre Haman et Mardochée

3 1 Quelque temps après, le roi Xerxès
combla d'honneurs Haman, fils de
Hammedata et descendant d'Agag[m]. Il
l'éleva au poste de premier ministre.
2 Tous les fonctionnaires du palais s'age-
nouillaient et s'inclinaient jusqu'à terre
devant Haman, car le roi en avait donné
l'ordre. Seul Mardochée refusait de le
faire. 3 Les autres fonctionnaires lui demandèrent pourquoi il désobéissait à l'ordre royal. 4 Chaque jour ils renouvelaient
leur remarque sans que Mardochée en
tienne compte. Comme il leur avait dit
qu'il était juif, ils le dénoncèrent à Haman
pour voir s'il persisterait dans sa résolution[n]. 5 Haman constata que Mardochée
refusait effectivement de s'agenouiller et
de s'incliner devant lui, et il en fut rempli
de colère. 6 On lui avait appris aussi que
Mardochée était juif. Alors il jugea insuf-
fisant de se venger de Mardochée seul et
chercha un moyen d'exterminer les
compatriotes de celui-ci, tous les Juifs qui
vivaient dans l'empire de Xerxès. 7 Au début de la douzième année du règne de
Xerxès, le premier mois, ou mois de Nisan, Haman fit jeter les dés – qu'on appelait les *pourim* – pour savoir quel jour et
quel mois seraient favorables à ses plans.
Le sort tomba sur le douzième mois ou
mois de Adar.

Haman prépare l'extermination des Juifs

8 Haman dit au roi Xerxès : « Majesté,
il existe un peuple particulier, dont les
membres sont dispersés dans toutes les
provinces de ton empire. Ils vivent à part,
ils suivent des coutumes qui ne ressemblent à celles d'aucun autre peuple et ils
n'obéissent pas aux lois royales. Tu n'as
pas intérêt à laisser ces gens-là tranquilles ! 9 Si tu le juges bon, veuille donner par écrit l'ordre de les exterminer. Je
remettrai alors trois cents tonnes d'argent aux fonctionnaires chargés de l'administration de l'empire pour qu'ils les
déposent dans le trésor royal[o]. » 10 Le roi
enleva son anneau et le remit à l'adversaire des Juifs, Haman, fils de Hammedata et descendant d'Agag[p]. 11 « Garde
ton argent, lui dit-il ; quant à ce peuple, je
te l'abandonne, fais-en ce que tu voudras ! »
12 Le treizième jour du premier mois,
les secrétaires royaux furent convoqués.
Selon les indications de Haman, ils écrivirent des lettres et les adressèrent aux
représentants du roi, aux gouverneurs de
chaque province et aux chefs de chaque
peuple. Elles étaient rédigées dans tous
les systèmes d'écriture et dans toutes les
langues utilisées dans l'empire. On les signa au nom du roi Xerxès et on les cacheta avec son anneau. 13 Des messagers
furent chargés de porter ces lettres dans
chaque province de l'empire. Elles donnaient l'ordre de détruire, tuer, massacrer tous les Juifs, jeunes et vieux,
femmes et enfants, et de piller leurs
biens. Cette extermination devait être
réalisée un jour précis, le treizième jour
du douzième mois ou mois de Adar.
14 Dans chaque province, la lettre reçue

---

l **2.23** *les Annales de l'empire* : suivant la coutume du monde antique, on consignait les faits importants d'un règne dans un livre, souvent appelé les Annales royales, voir 6.1.

m **3.1** *Agag*, roi des Amalécites, avait été un ennemi de Saül, voir 1 Sam 15.

n **3.4** *pour voir s'il persisterait dans sa résolution* : autre traduction *pour voir si ses paroles étaient exactes*.

o **3.9** Cet argent est sans doute destiné à dédommager le *trésor royal* (=le fisc) de la perte dans les rentrées d'impôts due à l'extermination des Juifs.

p **3.10** L'*anneau* royal est le symbole de l'autorité et du pouvoir ; il portait le cachet du roi et permettait à celui qui en disposait d'agir au nom du roi (voir v. 12). – *descendant d'Agag* : voir 3.1 et la note.

devait avoir force de loi et être portée à la connaissance de tout le monde pour que chacun soit prêt à agir au jour fixé. 15 Sur l'ordre du roi les messagers partirent à toute vitesse, puis le décret fut publié dans la citadelle de Suse. Alors le roi et Haman s'installèrent pour boire, tandis que la ville de Suse était plongée dans la consternation[q].

Mardochée demande à Esther d'intervenir

4 1 Dès que Mardochée apprit ce qui s'était passé, il *déchira ses vêtements, se vêtit d'une étoffe de deuil et répandit de la cendre sur sa tête. Il parcourut la ville en poussant de grands cris de douleur. 2 Arrivé devant le palais royal, il s'arrêta, car personne n'avait le droit d'y pénétrer en tenue de deuil. 3 Dans chaque province de l'empire, partout où le décret royal était parvenu, les Juifs furent plongés dans un grand accablement : ils *jeûnaient, pleuraient et se lamentaient ; beaucoup d'entre eux revêtaient des étoffes de deuil et se couchaient sur de la cendre[r].

4 Les servantes et les *eunuques de la reine Esther vinrent lui raconter ce qu'ils avaient vu et elle en fut très effrayée. Elle envoya des vêtements à Mardochée pour qu'il quitte sa tenue de deuil, mais il les refusa. 5 Alors Esther fit appeler Hatak, un des eunuques que le roi avait mis à son service, et elle l'envoya demander à Mardochée ce qui se passait et pourquoi il agissait ainsi. 6 Hatak alla trouver Mardochée sur la place située devant l'entrée du palais. 7 Mardochée le mit au courant des événements ; il lui parla en particulier de la somme d'argent que Haman avait promis de verser au trésor royal si tous les Juifs étaient massacrés. 8 Il lui donna le texte du décret publié à Suse en vue de l'extermination des Juifs ; il lui demanda de renseigner Esther sur la situation en lui montrant ce texte. Hatak devait aussi la prier de se rendre auprès du roi pour implorer sa pitié et plaider la cause du peuple auquel elle appartenait. 9 Hatak remplit sa mission 10 et Esther lui ordonna de rapporter la réponse suivante à Mardochée : 11 « Tout le monde, des serviteurs du roi aux habitants des provinces de l'empire, connaît la loi s'appliquant à quiconque, homme ou femme, entre dans la cour intérieure du palais sans avoir été convoqué par le roi : cette personne doit mourir. Elle n'a la vie sauve que si le roi lui tend son sceptre d'or. En ce qui me concerne, voilà tout un mois que je n'ai pas été invitée à me rendre auprès du roi. » 12 Lorsque Mardochée reçut cette réponse d'Esther, 13 il lui fit dire : « Ne t'imagine pas que tu pourras échapper, toi seule, au sort des Juifs parce que tu vis dans le palais. 14 Si tu refuses d'intervenir dans les circonstances présentes, les Juifs recevront de l'aide d'ailleurs[s] et ils seront sauvés. Toi, par contre, tu mourras et ce sera la fin de ta famille. Mais qui sait ? Peut-être est-ce pour faire face à une telle situation que tu es devenue reine. » 15 Alors Esther envoya ce message à Mardochée : 16 « Va rassembler tous les Juifs qui se trouvent à Suse, observez un jeûne en ma faveur. Pendant trois jours et trois nuits ne prenez ni nourriture ni boisson. Mes servantes et moi, nous agirons de même de notre côté. Puis je me rendrai auprès du roi bien que ce soit contraire à la loi, et si je dois mourir, je mourrai ! » 17 Alors Mardochée partit et agit comme Esther le lui avait recommandé.

Démarche d'Esther auprès du roi

5 1 Au bout de ses trois jours de *jeûne, Esther revêtit ses habits de reine et alla se présenter dans la cour intérieure du palais, en face des appartements royaux. Le roi était dans le palais, assis sur son trône, en face de la porte d'entrée. 2 Lorsqu'il vit la reine Esther debout dans la cour, il la considéra avec bienveillance et il lui tendit le sceptre d'or qu'il tenait[t]. Esther s'approcha et en toucha l'extrémité.

---

q **3.15** A propos de *la citadelle de Suse* et de *la ville de Suse*, voir 1.2 et la note.

r **4.3** *se couchaient sur de la cendre* : voir la note sur Jon 3.6.

s **4.14** *d'ailleurs* : allusion à une intervention de Dieu.

t **5.2** Sur le sens de ce geste, voir 4.11.

3 Le roi lui demanda : « Que se passe-
t-il, reine Esther ? Que désires-tu ? Je suis
prêt à t'accorder jusqu'à la moitié de mon
empire. » – 4 « Si sa Majesté le roi le juge
bon, répondit Esther, j'aimerais qu'aujourd'hui même il vienne avec Haman au
festin que j'ai préparé pour lui. » 5 Le roi
envoya immédiatement quelqu'un chercher Haman pour exaucer le souhait d'Esther. Puis ils se rendirent tous les deux au
festin qu'elle avait préparé. 6 A la fin du
repas le roi dit à Esther : « Que désires-tu
me demander ? Je suis prêt à réaliser tes
vœux en t'accordant jusqu'à la moitié de
mon empire. » – 7 « Ce que je désire te demander ? répondit Esther. 8 Eh bien, si
j'ai obtenu la faveur de sa Majesté, si le roi
est prêt à exaucer mes vœux, j'aimerais
qu'il vienne de nouveau avec Haman au
festin que je vous offrirai demain. Alors je
te dirai de quoi il s'agit. »

Haman prépare un gibet pour Mardochée

9 Ce jour-là, Haman sortit de chez la
reine joyeux et le cœur léger. Mais, à la
porte du palais, il constata que Mardochée ne se levait pas et n'avait pas le
moindre mouvement de respect à son
égard ; il fut rempli de colère contre lui.
10 Il se domina pourtant et rentra chez lui.
Il fit venir ses amis et sa femme, Zérech.
11 Devant eux il se vanta de ses impressionnantes richesses, de ses nombreux
fils et des honneurs dont le roi l'avait
comblé en le plaçant au-dessus de tous les
hauts fonctionnaires et ministres. 12 « En
plus de cela, ajouta Haman, la reine Esther m'a invité, moi seul, à accompagner
le roi au festin qu'elle a préparé aujourd'hui. Et je suis de nouveau invité
demain avec le roi. 13 Mais tout cela ne
me donne aucun plaisir tant que je vois
Mardochée, le Juif, en fonction à l'entrée
du palais. » 14 Alors Zérech, la femme de
Haman, et tous ses amis lui firent cette
suggestion : « Fais donc préparer un gibet
de vingt-cinq mètres ; demain matin tu
demanderas au roi que Mardochée y soit
pendu[u]. Tu pourras alors te rendre gaie-
ment au festin en compagnie du roi. »
Cette proposition plut à Haman qui fit
préparer le gibet.

Haman est obligé d'honorer Mardochée

6 1 Cette nuit-là, le roi n'arrivait pas à
s'endormir. Il demanda qu'on lui apporte les Annales, le livre où étaient notés
les événements de l'empire[v], et on lui en
fit la lecture. 2 On lut en particulier le
passage qui racontait comment Bigtan et
Térech, deux des fonctionnaires chargés
de garder l'entrée des appartements
royaux, avaient voulu tuer le roi et comment Mardochée avait dénoncé leur
complot[w]. 3 Alors le roi demanda : « De
quelle manière Mardochée a-t-il été récompensé et honoré pour cela ? » – « Il n'a
reçu aucune récompense », répondirent
ses serviteurs. 4 Le roi dit alors : « Qui est
dans la cour du palais ? » Or Haman pénétrait justement dans la cour extérieure.
Il venait demander au roi de faire pendre
Mardochée au gibet préparé pour lui.
5 Les serviteurs répondirent : « C'est Haman qui s'y trouve » – « Qu'il entre », dit
le roi. 6 Haman entra et le roi lui demanda : « Comment dois-je traiter un
homme que je désire tout spécialement
honorer ? » Haman pensa : « Qui donc le
roi désirerait-il tant honorer ? Il ne peut
s'agir que de moi-même ! », et il répondit : 7 « Si sa Majesté le roi désire honorer
quelqu'un, 8 qu'il lui fasse remettre un
vêtement royal et qu'il le fasse monter
sur un cheval royal, la tête ornée d'une
couronne royale. 9 Charge l'un de tes
principaux fonctionnaires d'habiller cet
homme avec le vêtement royal, de le faire
monter sur ton cheval et de le conduire
sur la place de la ville en proclamant devant lui : "Voilà comment le roi traite un
homme qu'il veut honorer[x] !" »

10 Le roi dit à Haman : « Eh bien, va
vite prendre le vêtement et le cheval, et
agis envers Mardochée exactement
comme tu me l'as proposé ; c'est le Juif

---

u **5.14** La pendaison était le châtiment des traîtres et des conspirateurs, voir 2.23. Ici la hauteur du *gibet* le rend suprêmement déshonorant.

v **6.1** *les Annales* : voir 2.23 et la note.

w **6.2** Voir 2.21-23.

x **6.9** Porter un *vêtement* du roi et monter sur un *cheval* du roi font participer à sa dignité.

qui est en fonction à l'entrée du palais.
Ne néglige aucun détail. » 11 Haman alla
donc chercher le vêtement et le cheval. Il
mit le vêtement à Mardochée, le fit monter sur le cheval et le conduisit sur la
place de la ville en proclamant devant
lui : « Voilà comment le roi traite un
homme qu'il veut honorer ! » 12 Puis Mardochée retourna à l'entrée du palais et
Haman rentra précipitamment chez lui,
en se couvrant le visage pour cacher sa
honte. 13 Il raconta ce qui venait de lui arriver à Zérech, sa femme, et à tous ses
amis ou conseillers qui lui dirent :
« Puisque ce Mardochée devant lequel tu
as commencé à être humilié est juif, tu ne
pourras plus reprendre l'avantage, tu vas
continuer à déchoir devant lui. » 14 Ils
parlaient encore quand les envoyés du roi
arrivèrent et, sans plus tarder, ceux-ci entraînèrent Haman au festin qu'Esther
avait préparé.

Disgrâce et mort de Haman

7 1 Le roi et Haman se rendirent chez
la reine Esther pour y festoyer 2 une
seconde fois. A la fin du repas, le roi dit
de nouveau à Esther : « Que désires-tu me
demander ? Je suis prêt à réaliser tes
vœux en t'accordant jusqu'à la moitié de
mon empire. » 3 La reine Esther répondit : « Si j'ai obtenu la faveur de sa Majesté et si le roi le juge bon, qu'il veuille
accorder la vie sauve à moi-même et à
mon peuple, c'est là le vœu que je te demande d'exaucer. 4 En effet, mon peuple
et moi nous avons été vendus pour être
détruits, tués et massacrés. Si nous avions
été vendus seulement pour être réduits
en esclavage, je me serais tue, car cela
n'aurait pas valu la peine de te déranger[y]. » 5 Le roi Xerxès demanda à la reine
Esther : « Où est donc celui qui a formé
un tel projet ? Qui est-ce ? » 6 Esther répondit : « Notre adversaire, notre ennemi, c'est Haman, ce misérable ! »
Haman fut saisi de terreur devant le roi
et la reine. 7 Le roi, furieux, quitta la table
et sortit dans le jardin du palais. Haman
comprit que le roi avait décidé sa perte et
il resta pour supplier la reine Esther de
lui sauver la vie. 8 Il se laissa tomber sur
le divan où elle était installée. C'est alors
que le roi revint du jardin dans la salle du
festin. Il s'écria : « Cet individu veut-il en
plus violer la reine sous mes yeux, dans
mon palais ? » A peine le roi eut-il prononcé ces mots que les serviteurs voi-
lèrent le visage de Haman[z]. 9 L'un d'eux,
Harbona, s'adressa au roi et lui dit : « Majesté, Haman a lui-même préparé un gibet pour y pendre Mardochée, l'homme
dont le rapport t'a sauvé la vie[a]. Ce gibet
se dresse devant la maison de Haman, il
est haut de vingt-cinq mètres. » – « Qu'on
y pende Haman ! », ordonna le roi. 10 Haman fut pendu au gibet qu'il avait fait
préparer pour Mardochée. Alors la colère
du roi se calma.

8 1 Le jour même, le roi Xerxès remit à
la reine Esther tous les biens de Haman, l'adversaire des Juifs. Par ailleurs,
Esther apprit au roi que Mardochée était
son parent. Le roi le fit venir ; 2 il enleva
l'anneau royal qu'il avait repris à Haman
et le donna à Mardochée[b]. En outre,
Esther chargea celui-ci de gérer les biens
de Haman.

Décret royal en faveur des Juifs

3 Esther parla de nouveau au roi. Elle
se jeta à ses pieds et le supplia, en pleurant, de s'opposer aux plans malfaisants
que Haman, le descendant d'Agag[c], avait
élaborés contre les Juifs. 4 Le roi tendit
son sceptre d'or à Esther[d] qui se releva
5 et lui dit : « Si sa Majesté le roi le juge
bon et raisonnable, si j'ai obtenu sa faveur et son affection, qu'il fasse révoquer
par écrit les lettres que Haman, fils de
Hammedata et descendant d'Agag, a rédigées en vue du massacre des Juifs qui
vivent dans toutes les provinces de l'em-

---

y **7.4** *car cela n'aurait pas valu la peine de te déranger* : autre traduction *mais dans le cas présent notre ennemi te causera un tort irréparable*.

z **7.8** On voilait le visage des condamnés à mort. Le geste des serviteurs indique qu'ils interprètent les paroles du roi comme un arrêt de mort.

a **7.9** Voir 2.21-23.

b **8.2** Pour la signification de cet acte, voir 3.10 et la note.

c **8.3** *les plans malfaisants* : voir 3.8-15. – *le descendant d'Agag* : voir 3.1 et la note.

d **8.4** Pour la signification de ce geste, voir 4.11.

pire. 6 Comment pourrais-je supporter de voir un tel malheur s'abattre sur mon peuple, comment pourrais-je assister à l'extermination de ma propre race ? »

7 Le roi Xerxès répondit à Esther et à Mardochée, le Juif : « Écoutez, j'ai fait pendre Haman parce qu'il menaçait la vie des Juifs et je t'ai remis tous ses biens, Esther. 8 Mais il m'est impossible d'annuler un ordre signé en mon nom et cacheté avec mon anneau. Cependant vous pouvez vous-mêmes écrire des lettres présentant les mesures que vous jugez favorables aux Juifs, les signer en mon nom et les cacheter avec mon anneau. »

9 Le même jour, le vingt-troisième du troisième mois, ou mois de Sivan, les secrétaires du roi furent convoqués. Selon les indications de Mardochée, ils écrivirent des lettres et les adressèrent aux Juifs, aux représentants du roi, aux gouverneurs et hauts fonctionnaires des cent vingt-sept provinces de l'empire, qui s'étendait de l'Inde jusqu'à l'Éthiopie. Elles furent rédigées dans les langues et les systèmes d'écriture des peuples qui vivaient dans les diverses provinces, et dans la langue et le système d'écriture propres aux Juifs. 10 On signa les lettres au nom du roi Xerxès et on les cacheta avec son anneau. Des cavaliers, montés sur des chevaux provenant des écuries royales, furent chargés de les porter. 11 Il y était écrit que le roi autorisait les Juifs de toutes les villes de l'empire à se rassembler pour défendre leur vie. Il leur permettait de détruire, tuer, massacrer, dans toute province de l'empire et dans n'importe quel peuple, les gens armés qui les attaqueraient. Ils pouvaient même tuer leurs femmes et leurs enfants et piller leurs biens. 12 Cette autorisation était valable partout dans l'empire de Xerxès pour un jour précis, le treizième du douzième mois, ou mois de Adar[e]. 13 Dans chaque province la lettre reçue devait avoir force de loi et être portée à la connaissance de tout le monde, pour que les Juifs soient prêts à se venger de leurs ennemis au jour fixé. 14 Dès que le roi leur en eut donné l'ordre, les messagers, montés sur des chevaux des écuries royales, partirent à toute vitesse. Puis le décret fut publié dans la citadelle de Suse[f].

15 Mardochée sortit du palais, vêtu d'un costume royal violet et blanc, avec un manteau blanc et rouge, et portant une grande couronne d'or. La ville de Suse retentissait d'acclamations et de cris de joie. 16 Pour les Juifs ce fut une explosion de bonheur, une allégresse sans mélange, un triomphe. 17 Dans chaque province, dans chaque ville, partout où le décret royal était parvenu, les Juifs étaient transportés de joie, ils organisaient des banquets et des fêtes. Beaucoup de gens des autres peuples se firent même Juifs à cause de la terreur que les Juifs leur inspiraient.

La vengeance des Juifs

9 1 Le treizième jour du douzième mois, ou mois de Adar, arriva. C'était la date où le décret royal entrait en application et où les ennemis des Juifs avaient espéré triompher d'eux. Mais le contraire se produisit[g] et les Juifs triomphèrent de ceux qui les détestaient. 2 Partout dans l'empire du roi Xerxès, les Juifs se rassemblèrent dans les villes qu'ils habitaient et ils attaquèrent ceux qui leur voulaient du mal. Personne ne leur résista, car ils inspiraient à tous une grande terreur. 3 Les hauts fonctionnaires, les représentants du roi, les gouverneurs et le personnel de l'administration royale, prirent même le parti des Juifs tant ils avaient peur de Mardochée. 4 En effet, Mardochée occupait un poste élevé au palais royal et son influence se faisait sentir jusque dans les provinces : c'était un personnage de plus en plus puissant.

5 Les Juifs purent traiter comme il leur plut ceux qui les détestaient, ils mirent à mort leurs ennemis ; ce fut une tuerie et un massacre. 6 Dans la citadelle de Suse[h], ils tuèrent cinq cents hommes. 7-10 Ils mirent également à mort les dix fils de Haman, fils de Hammedata et adversaire des

---

e **8.12** Il s'agit de la date initialement prévue pour le massacre des Juifs, voir 3.13.

f **8.14** *dans la citadelle de Suse* : voir 1.2 et la note.

g **9.1** *le treizième jour du douzième mois... le contraire se produisit* : comparer avec 3.13.

h **9.6** *Dans la citadelle de Suse* : voir 1.2 et la note.

Juifs. Il s'agissait de Parchanedata, Dalfon, Aspata, Porata, Adalia, Aridata, Parmacheta, Arissaï, Aridaï et Vayézata. Cependant il n'y eut pas de pillage.

11 Le même jour, on fit connaître au roi le nombre des gens qui avaient été tués dans la citadelle de Suse. 12 Le roi dit alors à la reine Esther : « Rien que dans la citadelle de Suse, les Juifs ont massacré cinq cents hommes en plus des dix fils de Haman. Combien ont-ils dû en tuer dans les autres parties de l'empire ! Mais si tu désires encore me demander quelque chose, je te l'accorderai, je réaliserai tous tes vœux. » 13 Esther répondit : « Si sa Majesté le roi le juge bon, qu'il soit permis aux Juifs de Suse d'agir encore demain selon le décret qui était valable aujourd'hui, et que les corps des dix fils de Haman soient pendus à un gibet[i]. » 14 Le roi donna les ordres nécessaires : un nouveau décret fut publié à Suse et les corps des dix fils de Haman furent pendus. 15 Les Juifs de Suse se rassemblèrent encore le quatorzième jour du mois de Adar, ils tuèrent trois cents hommes dans la ville, mais ils ne pillèrent pas leurs biens.

16 Les Juifs qui vivaient dans les autres parties de l'empire se rassemblèrent également pour défendre leur vie. Ils se débarrassèrent de leurs ennemis en tuant soixante-quinze mille de ceux qui les détestaient, mais ils ne pillèrent pas leurs biens. 17 Cela se passa le treizième jour du mois de Adar. Le quatorzième jour, ils cessèrent tout massacre et, le même jour, ils festoyèrent joyeusement. 18 Par contre, les Juifs de Suse, qui s'étaient vengés de leurs ennemis les treizième et quatorzième jours de Adar, prirent du repos le quinzième et c'est ce jour-là qu'ils festoyèrent joyeusement. 19 Voilà pourquoi les Juifs qui habitent les localités de la campagne célèbrent un jour de fête le quatorzième jour du mois de Adar : ils festoient joyeusement et s'envoient des cadeaux les uns aux autres.

Institution d'une fête commémorative

20 Mardochée rédigea le récit de ces événements. Puis il envoya des lettres à tous les Juifs qui vivaient dans les provinces proches ou lointaines de l'empire de Xerxès. 21 Il leur demandait de célébrer une fête, chaque année, les quatorzième et quinzième jours du mois de Adar. 22 En effet, ces jours-là, les Juifs s'étaient débarrassés de leurs ennemis ; ce mois-là, leur détresse s'était transformée en joie et leur malheur en bonheur. Ils devaient donc commémorer ces événements en festoyant joyeusement, en s'envoyant des cadeaux les uns aux autres et en faisant des dons aux pauvres. 23 Les Juifs suivirent les instructions de Mardochée et la fête, célébrée une première fois, devint une tradition.

24 Mardochée rappelait ceci : Haman, fils de Hammedata et descendant d'Agag, l'adversaire des Juifs, avait décidé d'exterminer ceux-ci. Il avait jeté les dés, appelés *pourim*, pour fixer le jour de leur extermination totale. 25 Mais Esther alla trouver le roi, et celui-ci ordonna par écrit de faire subir à Haman le sort affreux qu'il avait prévu pour les Juifs ; c'est ainsi que Haman et ses fils furent pendus à un gibet. 26 Voilà pourquoi on appelle ces jours de fête les *Pourim*, d'après le mot *pour* qui signifie "dé".

Les Juifs tinrent compte des instructions de la lettre de Mardochée ainsi que de tout ce qu'ils avaient vu et subi eux-mêmes. 27 Ils instituèrent la tradition valable pour eux, pour leurs descendants et pour tous ceux qui se feraient Juifs, de fêter sans faute ces deux jours chaque année à la date fixée et conformément aux consignes de Mardochée. 28 Dans toutes les générations à venir, chaque famille juive de chaque province et de chaque ville de l'empire devait continuer à fêter les jours des *Pourim* ; il fallait que les Juifs et leurs descendants n'interrompent jamais cette tradition et n'oublient pas ce qui s'était passé.

---

i **9.13** Les *fils de Haman* ont déjà été tués (voir v. 7-10). Leur pendaison doit ajouter un caractère infamant à leur mort.

[29] La reine Esther, fille d'Abihaïl, et le
Juif Mardochée écrivirent une seconde
fois pour confirmer avec toute leur autorité la lettre relative aux *Pourim*.
[30] Ces
nouvelles lettres furent adressées à tous les Juifs dans les cent vingt-sept provinces de l'empire de Xerxès. Elles contenaient des vœux de paix et de sécurité.
[31] Elles recommandaient aux Juifs de fêter les *Pourim* à la date fixée selon les instructions d'Esther et de Mardochée ; la décision en était prise pour eux et leurs descendants comme celle concernant les *jeûnes et les lamentations.
[32] Ces ordres
d'Esther confirmaient l'institution de la fête des *Pourim*, et on les mit par écrit dans un livre.

Triomphe final de Mardochée

10
[1] Le roi Xerxès imposa des travaux forcés aux habitants des régions côtières de son empire comme à ceux de l'intérieur.
[2] Toutes les grandes et courageuses actions du roi, de même que la manière dont il éleva Mardochée à une haute situation, sont racontées dans le livre intitulé : *Actes des rois de Médie et de Perse*[j].
[3] En effet, Mardochée, le Juif, devint le personnage le plus puissant de l'empire, après le roi Xerxès. Il était honoré et aimé par tous ses compatriotes juifs. Il travailla pour leur bien et il intervint pour assurer la sécurité de son peuple.

j 10.2 *le livre intitulé...* : voir 2.23 et la note, 6.1. – *rois de Médie et de Perse* : voir 1.3 et la note.

Livres poétiques

Job

Introduction – *Le livre de* Job *commence par un récit (chap. 1 et 2) : Job est à la fois un homme irréprochable et comblé par la vie. Pourtant, s'il est fidèle à Dieu, n'est-ce pas par intérêt ? Or le voilà privé de tout : ses biens, ses enfants, sa santé. Au fond de sa souffrance restera-t-il fidèle à Dieu ?*

Mais qui est Dieu ? S'il est juste, pourquoi ce malheur frappe-t-il Job ? Trois hommes veulent convaincre leur ami que sa souffrance est nécessairement la punition d'une faute qu'il a dû commettre. Ainsi s'engage le grand débat qui occupe, sous la forme d'un poème, la partie centrale du livre, la plus longue (chap. 3–31). Les trois amis développent les arguments traditionnels, tandis que Job conteste violemment leur point de vue et leur oppose un fait : l'injustice de la condition humaine. Il se révolte contre l'image de Dieu que défendent ses amis, et répète qu'il est innocent.

Un nouveau personnage entre alors en scène : c'est Élihou (chap. 32–37), qui entreprend à son tour de réfuter Job. Selon lui Dieu enverrait la souffrance à l'homme pour l'avertir, et de toute façon personne ne peut lui demander de rendre des comptes.

Enfin Dieu intervient lui-même (38.1–42.6). Mais au lieu d'apporter une réponse à la question posée, c'est lui qui interroge. Job reconnaît alors son erreur : il a parlé de Dieu sans savoir vraiment qui est Dieu.

Le livre s'achève en revenant à la forme du récit (42.7-17). Dieu affirme que seul Job a correctement parlé de lui ; il rend à Job le double de ce qu'il avait perdu.

Qui est vraiment Dieu ? Cette question reste discrètement présente dans tout le livre. Question singulièrement actuelle en notre siècle qui remet en cause tant de convictions assurées ! Certes le livre de Job *semble surtout nous dire qui Dieu n'est pas. Il peut nous aider ainsi à détrôner les idoles (les fausses images) de Dieu que nous continuons à nous forger. Il nous invite à ne plus confondre Dieu lui-même avec l'idée que nous avons de lui. Finalement, en ruinant nos idées préconçues, il nous aide à faire place nette pour accueillir l'étonnante nouveauté de l'Évangile.*

Première épreuve de Job

1 1 Il y avait une fois au pays d'Ous un
homme du nom de Job[a]. Cet homme
était irréprochable, droit, fidèle à Dieu et
se tenait à l'écart du mal. 2 Il était père de
sept fils et de trois filles ; 3 il possédait
sept mille moutons, trois mille chameaux, cinq cents paires de bœufs et cinq
cents ânesses, ainsi que de nombreux domestiques. C'était le personnage le plus
considérable à l'est de la Palestine.

4 De temps en temps, ses fils se rendaient chez l'un ou l'autre d'entre eux, à
tour de rôle, pour y faire un bon repas. Ils
invitaient alors leurs trois sœurs à manger et boire avec eux. 5 Quand les festivités étaient achevées, Job faisait venir ses
enfants pour les *purifier. Il se levait tôt
le lendemain et offrait à Dieu un *sacrifice complet pour chacun d'eux, car il se
disait : « Mes fils ont peut-être commis
une faute, ils ont peut-être offensé Dieu
en pensée. » C'est ainsi que Job agissait
chaque fois.

6 Or un jour que les *anges de Dieu venaient faire leur rapport au Seigneur, le
*Satan, l'accusateur, se présenta parmi
eux, lui aussi. 7 Le Seigneur lui demanda : « D'où viens-tu donc ? » L'accusateur répondit au Seigneur : « Je viens
de faire un tour sur terre. » – 8 « Tu as sûrement remarqué mon serviteur Job, dit
le Seigneur. Il n'a pas son pareil sur terre.
C'est un homme irréprochable et droit ;
il m'est fidèle et se tient à l'écart du mal. »
– 9 « Si Job t'est fidèle, répliqua l'accusateur, est-ce gratuitement ? 10 Ne le pro-
tèges-tu pas de tous côtés, comme par une
clôture, lui, sa famille et ses biens ? Tu as
si bien favorisé ce qu'il a entrepris, que
ses troupeaux sont répandus sur tout le
pays. 11 Mais si tu oses toucher à ce qu'il
possède, il te maudira ouvertement[b] ! »
12 Le Seigneur dit à l'accusateur : « Eh
bien, tu peux disposer de tout ce qu'il
possède. Mais garde-toi de toucher à lui-
même. »

Alors l'accusateur se retira hors de la
présence du Seigneur.

13 Un jour que les enfants de Job
étaient occupés à manger et boire chez
leur frère aîné, 14 un messager arriva chez
Job et lui dit : « Les bœufs étaient en
train de labourer, et les ânesses se trouvaient au pré non loin de là, 15 quand des
Sabéens[c] se sont précipités sur eux et les
ont enlevés, passant tes domestiques au
fil de l'épée. J'ai été le seul à m'échapper
pour t'en avertir. »

16 Le premier messager n'avait pas fini
de parler qu'un autre arriva pour annoncer : « La foudre est tombée du ciel sur les
troupeaux de moutons et sur tes domestiques, et elle a tout consumé. J'ai été le
seul à pouvoir m'échapper pour t'en avertir. »

17 Il n'avait pas fini de parler qu'un autre arriva pour annoncer : « Des Chaldéens[d] ont formé trois bandes, qui se sont
jetées sur les chameaux et les ont enlevés,
passant tes domestiques au fil de l'épée.
J'ai été le seul à pouvoir m'échapper pour
t'en avertir. »

18 Il n'avait pas fini de parler qu'un autre arriva pour annoncer : « Tes enfants
étaient occupés à manger et boire chez
leur frère aîné, 19 quand un ouragan surve-
nant du désert a heurté violemment les
quatre coins de la maison ; la maison s'est
effondrée et les jeunes gens sont morts.
J'ai été le seul à m'échapper pour t'en
avertir. »

20 Alors Job se leva, il déchira son manteau, se rasa la tête[e] et se jeta à terre, le
front dans la poussière ; 21 il déclara :

« Je suis sorti tout nu du ventre de ma
mère,
je retournerai nu au ventre de la terre.
Le Seigneur a donné,
le Seigneur a repris.

---

a **1.1** Le *pays d'Ous* doit être probablement situé sur le territoire des Édomites, au sud-est de la mer Morte (voir Lam 4.21). – *Job* : ce nom pourrait être symbolique : *le persécuté*.

b **1.11** *l'accusateur* (v. 9-11) : comparer Apoc 12.10.

c **1.15** *des Sabéens* : nomades pillards, probablement originaires du sud de l'Arabie.

d **1.17** *des Chaldéens* : nomades du désert, probablement originaires du nord-est de l'Arabie.

e **1.20** *manteau déchiré, tête rasée* : sur ces marques de tristesse et de deuil voir Jér 41.5 et la note ; voir aussi au Vocabulaire DÉCHIRER SES VÊTEMENTS.

Il faut continuer de remercier le Seigneur. »

22 Dans tous ces malheurs Job ne commit ainsi aucune faute ; il ne dit rien d'inconvenant contre Dieu[f].

Seconde épreuve de Job

2 1 Un jour que les *anges de Dieu venaient faire leur rapport au Seigneur, l'accusateur se présenta parmi eux, lui aussi, pour son rapport. 2 Le Seigneur lui demanda : « D'où viens-tu donc ? » L'accusateur répondit au Seigneur : « Je viens de faire un tour sur terre. » – 3 « Tu as sûrement remarqué mon serviteur Job, dit le Seigneur. Il n'a pas son pareil sur terre. C'est un homme irréprochable et droit ; il m'est fidèle et se tient à l'écart du mal. Il est resté fermement irréprochable. C'est donc pour rien que tu m'as poussé à lui faire du tort. » – 4 « Échange de bons procédés, répliqua l'accusateur : tout ce qu'un homme possède, il le donnera pour sauver sa peau. 5 Mais si tu oses toucher à sa personne, il te maudira ouvertement ! » 6 Le Seigneur dit à l'accusateur : « Eh bien, tu peux disposer de lui, mais non pas de sa vie. »

7 Alors l'accusateur se retira hors de la présence du Seigneur. Il frappa Job d'une méchante maladie de peau, depuis la plante des pieds jusqu'au sommet du crâne. 8 Job s'assit au milieu du tas des cendres et ramassa un débris de poterie pour se gratter.

9 Sa femme lui dit : « Tu persistes à rester irréprochable. Mais tu ferais mieux de maudire Dieu et d'en mourir ! » – 10 « Tu parles comme une femme privée de bon sens, lui répondit Job. Si nous acceptons de Dieu le bonheur, pourquoi refuserions-nous de lui le malheur ? »

Dans cette nouvelle épreuve Job ne prononça aucun mot qui puisse offenser Dieu.

Arrivée des trois amis de Job

11 Trois amis de Job apprirent les malheurs qui lui étaient arrivés. C'étaient Élifaz de Téman, Bildad de Chouha et Sofar de Naama[g]. Ils vinrent de chez eux et se mirent d'accord pour lui manifester leur sympathie et le réconforter. 12 En le regardant de loin, ils le trouvèrent méconnaissable. Alors ils éclatèrent en sanglots ; ils *déchirèrent leur manteau et se répandirent de la poussière sur la tête. 13 Puis ils restèrent assis à terre avec Job pendant sept jours et sept nuits, sans rien lui dire, tant sa souffrance leur apparaissait grande.

LE DIALOGUE DE JOB ET DE SES TROIS AMIS
(3-31)

Job se plaint : A quoi bon vivre encore ?

3 1 A la fin, Job se décida à parler et maudit le jour de sa naissance[h]. 2 Voici ce qu'il dit :

3 Ah ! que disparaisse le jour de ma naissance
et la nuit qui a dit : « Un garçon est conçu » !
4 Qu'on regarde ce jour comme l'un des plus sombres !
Que Dieu, là-haut, ne s'intéresse plus à lui !
Qu'aucune lumière ne vienne l'éclairer !
5 Que l'ombre la plus noire s'empare de lui
et qu'un nuage obscur s'abatte sur ce jour,
ou une terrifiante éclipse de soleil !

---

f **1.22** Autre traduction : *En parlant ainsi Job ne commit aucune faute ; il n'attribua à Dieu aucune action indigne.*

g **2.11** *Téman* : ville édomite renommée pour la sagesse de ses habitants (voir Jér 49.7). – *Chouha* et *Naama* : localités ou régions non identifiées.

h **3.1** *maudit le jour de sa naissance* : comparer Jér 20.14-18.

[6] Quant à cette nuit-là, qu'elle soit la plus noire,
qu'on ne la compte plus dans le calendrier,
et qu'elle n'entre plus dans le calcul des mois !
[7] Oui, que cette nuit-là reste toujours stérile
et qu'aucun cri de joie n'y pénètre jamais !
[8] Qu'elle soit signalée comme portant malheur
par tous les magiciens qui maudissent les jours
et sont habiles à provoquer le grand dragon[i] !
[9] Qu'elle ne puisse voir l'étoile du matin !
Qu'elle espère le jour, mais qu'elle attende en vain
et n'aperçoive pas l'aurore qui s'éveille !
[10] Car elle n'a rien fait pour m'empêcher de naître
et de voir aujourd'hui cette dure misère.

*

[11] Pourquoi n'être pas mort dès avant ma naissance,
n'avoir pas expiré dès que j'ai vu le jour ?
[12] Pourquoi ai-je trouvé deux genoux accueillants
et deux seins maternels où je tétais la vie ?
[13] Je serais aujourd'hui tranquille dans ma tombe ;
alors je dormirais et je serais en paix
[14] avec les rois, avec les grands hommes d'État,
ceux qui reconstruisaient les monuments en ruine,
[15] ou avec les princes, qui possédaient de l'or
et des objets d'argent pour garnir leurs maisons.
[16] Ou bien tout simplement je n'existerais pas,
comme l'enfant mort-né qui n'a pas vu le jour.

[17] Dans la tombe, les méchants ne s'agitent plus,
et les gens épuisés se reposent enfin.
[18] Les prisonniers ont trouvé eux aussi la paix,
ils ont cessé d'entendre les cris du gardien,
[19] et l'esclave est ici délivré de son maître.
Grands ou petits, il n'y a plus de différence.

*

[20] Pourquoi Dieu fait-il voir le jour aux malheureux,
à ceux qui doivent vivre une existence amère ?
[21] Ils attendent la mort, mais elle ne vient pas[j] ;
ils la cherchent plus passionnément qu'un trésor.
[22] Ils seraient si heureux et tellement ravis
de trouver un tombeau !
[23] Voici donc un homme qui ne sait où il va,
que Dieu a enfermé comme derrière un mur.
[24] Comme pain à manger, je n'ai que des soupirs,
et mes cris de douleur jaillissent comme l'eau.
[25] Si j'éprouve une crainte, elle se réalise ;
ce que je redoutais, c'est cela qui m'arrive !

---

i **3.8** Allusion à des pratiques magiques, qui prétendaient rendre certains jours défavorables à toute entreprise. Le *grand dragon* : animal fabuleux décrit en 40.25–41.26 sous les traits du crocodile. On lui prêtait le pouvoir de dévorer les astres.

j **3.21** Comparer Apoc 9.6.

26 Je ne connais plus ni tranquillité, ni paix,
ni repos, mais je suis assailli de tourments.

Intervention d'Élifaz : Heureux l'homme que Dieu corrige !

4 1 Élifaz de Téman prit alors la parole et dit à Job :

2 On n'ose te parler, tant tu es déprimé[k].
Pourtant on ne peut pas se taire plus longtemps.
3 Toi qui as fait l'éducation de tant de gens
et savais fortifier les bras trop fatigués,
4 toi qui trouvais les mots pour remettre debout
ceux qui n'en pouvaient plus,
et relever ceux qui pliaient sous le fardeau,
5 te voilà abattu quand le malheur est là,
te voilà effrayé quand c'est toi qu'il atteint !
6 Puisque tu reconnais l'autorité de Dieu,
et puisque ta conduite est sans aucun reproche,
ne dois-tu pas garder confiance et bon espoir ?
7 Souviens-toi : as-tu vu déjà des innocents
ou des honnêtes gens succomber au malheur ?
8 Je l'ai bien remarqué :
Cultiver l'injustice ou semer la misère
conduit à récolter injustice et misère.
9 Dieu balaie de son souffle ceux qui s'y adonnent,
il les réduit à rien au vent de sa colère.
10 Il fait taire leurs rugissements de lions,
et il casse les dents à ces bêtes féroces.
11 Privés de toute proie, ces fauves dépérissent,
tandis que leurs petits sont dispersés au loin.

*

12 Un message m'est parvenu comme en secret,
mon oreille a perçu un très léger murmure,
13 quand en rêve, la nuit, les pensées sont confuses,
quand l'engourdissement s'abat sur les humains[l].
14 Un frisson de terreur s'est emparé de moi,
j'étais tremblant de tous mes membres.
15 Une sorte de souffle effleura mon visage
et me donna sur tout le corps la chair de poule.
16 Quelqu'un se tenait là, que je discernais mal,
une forme devant mes yeux.
Un silence d'abord, puis j'entendis sa voix :
17 « Face à son Dieu, son Créateur, disait la voix,
l'homme peut-il se dire irréprochable et *pur ?
18 Si Dieu ne se fie pas à ses *anges eux-mêmes,
s'il trouve à critiquer ses propres serviteurs,
19 à plus forte raison ne peut-il se fier
à ces pauvres humains, créatures d'argile,

---

k **4.2** Autres interprétations *Si on s'adresse à toi, le supporteras-tu ?* ou *Dès que Dieu t'éprouve, te voilà déprimé !*

l **4.13** Comparer 33.15.

dont le corps est poussière,
et qu'on peut écraser plus vite qu'une mite !
20 En moins d'une journée ils sont réduits en poudre,
disparus pour toujours sans qu'on y ait pris garde.
21 Le fil qui les tenait a été arraché[m],
et les voilà tous morts ignorant la sagesse. »

*

5

1 Lance un appel, pour voir si quelqu'un te répond.
Auquel de ses *anges pourras-tu t'adresser ?

2 Le sot en veut à tous, c'est cela qui le tue ;
l'imbécile s'emporte, et il en meurt bientôt.
3 Certes, j'ai déjà vu un sot qui prospérait,
mais sans tarder j'ai prononcé sur sa maison
cette malédiction :
4 « Que ses enfants restent privés de tout appui,
condamnés sans recours devant le tribunal !
5 Ce qu'il a moissonné, que d'autres en profitent !
Qu'ils aillent s'en saisir, malgré les haies d'épines !
Que des gens avides s'emparent de ses biens[n] ! »

6 L'injustice, en effet, ne sort pas de la terre,
la misère non plus ne germe pas du sol.
7 Mais l'homme est destiné à subir la misère,
comme les étincelles à voler en l'air[o].

*

8 Si j'étais toi, je m'adresserais donc à Dieu ;
c'est à lui-même que je soumettrais mon cas.
9 Ce qu'il fait est grandiose, il n'est pas limité.
On ne peut pas énumérer tous ses prodiges.
10 C'est lui qui fait pleuvoir pour arroser la terre,
qui envoie l'eau du ciel pour abreuver les champs.
11 Il place tout en haut ceux qui sont tout en bas ;
ceux qui portaient le deuil se dressent de bonheur.
12 Il casse les projets des gens les plus malins,
et les plans qu'ils ont faits se brisent dans leurs mains.
13 C'est qu'il prend les sages au piège de leur ruse[p] ;
leurs habiles conseils se trouvent dépassés.
14 Ils butent en plein jour contre l'obscurité,
tâtonnant dans la nuit, alors qu'il est midi.
15 Mais Dieu sauve de leur gueule l'homme abattu[q],
il arrache le pauvre à leurs puissantes griffes.
16 Il y a désormais un espoir pour les faibles,
et il ferme la bouche à tous les malfaisants.

---

m **4.21** Autre traduction *Les cordes de leur tente ont été arrachées*.

n **5.5** *Qu'ils aillent... d'épines* : le sens du texte hébreu correspondant est incertain. – Fin du verset également peu claire en hébreu.

o **5.7** *les étincelles* : d'autres comprennent *les aigles*.

p **5.13** Le début du verset est cité par l'apôtre Paul en 1 Cor 3.19.

q **5.15** *l'homme abattu* : avec les mêmes consonnes mais d'autres voyelles, le texte traditionnel propose (Dieu sauve) *de l'épée*.

17 Voici un homme heureux : celui que Dieu corrige !
Toi, Job, n'aie donc aucun mépris
pour les leçons du Dieu Très-Grand[r].

*

18 Dieu peut faire souffrir, mais il répare aussi ;
s'il fait une blessure, il la soigne lui-même[s].
19 Plus d'une fois, il te sauvera de l'angoisse,
et à la fin, le mal ne pourra plus t'atteindre.
20 En temps de famine, il t'évitera la mort ;
au plus fort du combat, il sauvera ta vie.
21 Tu seras à l'abri de la langue agressive,
tu n'auras rien à craindre au moment du désastre.
22 Le désastre, la faim, tu t'en moqueras bien,
et tu seras sans peur face aux bêtes sauvages.
23 Tu seras garanti des dégâts dans tes champs :
des pierres qu'on y jette, ou des bêtes qui passent.
24 Tu connaîtras la paix dans toute ta maison ;
quand tu l'inspecteras, il n'y manquera rien[t].
25 Tu verras encore ta famille augmenter,
tes descendants pousser comme l'herbe des champs,
26 et tu pourras mourir quand ta vie sera pleine,
quand le grand tas de gerbes sera au complet.

27 Voilà le résultat de nos longues recherches ;
il en est bien ainsi.
Laisse-toi informer, et fais-en ton profit !

Réplique de Job : Il se plaint de ses amis

6 1 Job répondit alors :

2 Ah, combien je voudrais que l'on pèse ma peine,
et que tout mon malheur soit mis sur la balance !
3 Il est certes plus lourd que le sable des mers.
Voilà pourquoi je parle à tort et à travers.
4 C'est vrai, le Dieu Très-Grand m'a percé de ses flèches,
et j'en ai absorbé le poison qu'elles portent.
Les plus vives terreurs[u] s'alignent devant moi.

5 Est-ce que l'âne sauvage se met à braire
quand il a devant lui un repas d'herbe fraîche ?
Et le bœuf mugit-il quand il a son fourrage ?
6 Faut-il manger sans sel ce qui est insipide,
et trouver quelque goût dans le blanc de l'œuf cru ?
7 Je ne veux pas toucher à ces aliments-là.
Ma souffrance est un pain qui donne la nausée[v].

*

r 5.17 Comparer Prov 3.11 ; Hébr 12.5-6.
s 5.18 Comparer Osée 6.1.
t 5.24 *tu l'inspecteras* ou *tu inspecteras ton domaine* ; d'autres comprennent *tes pâturages*.
u 6.4 *les plus vives terreurs* ou *les terreurs de Dieu* : on trouve une tournure analogue en Gen 1.2.
v 6.7 La deuxième partie du verset est peu claire en hébreu et le sens incertain.

[8] Je voudrais tant qu'on donne suite à ma demande,
et que Dieu veuille m'accorder ce que j'espère :
[9] qu'il consente enfin à m'écraser pour de bon,
qu'il laisse aller sa main et qu'il tranche le fil !
[10] Je sauterais de joie, dans ma peine sans fin,
et j'obtiendrais alors ce dernier réconfort :
ne pas avoir trahi les ordres du Dieu saint.

[11] Mais je n'ai plus la force d'espérer encore :
à quoi bon patienter, je n'ai plus d'avenir.
[12] Suis-je une pierre, moi, pour résister à tout ?
Mon corps est-il de bronze ?
[13] Je n'ai plus en moi-même une seule ressource,
je me trouve privé du plus petit secours.

*

[14] L'homme abattu a droit à un peu de bonté
de la part d'un ami,
même s'il ne reconnaît plus
l'autorité du Dieu Très-Grand[w].
[15] Mes amis m'ont déçu, comme un ruisseau sans eau,
comme un des ces torrents dont le lit devient sec.
[16] A la fin de l'hiver, ils charrient des eaux troubles,
quand la glace et la neige se mettent à fondre.
[17] Mais dès la saison chaude, les voilà taris ;
au retour de l'été, ils s'assèchent sur place.
[18] Les caravanes se détournent de leur route,
elles s'avancent au désert, et puis s'égarent.
[19] Caravaniers de Téma, convois de Saba[x]
cherchent l'eau du regard, ils sont remplis d'espoir.
[20] Mais ils regrettent bien d'avoir cru au ruisseau :
quand ils y arrivent, leur espoir est déçu.

[21] Or voilà ce que vous êtes pour votre ami[y] !
En voyant le désastre, vous avez pris peur.
[22] Vous ai-je demandé de me faire un cadeau,
de prélever pour moi une part de vos biens,
[23] afin de m'arracher aux mains d'un ennemi
et de me délivrer du pouvoir d'un tyran ?
[24] Instruisez-moi plutôt, je suis prêt à me taire ;
expliquez-moi en quoi j'ai commis une erreur.
[25] Des arguments honnêtes ne blessent personne,
mais sur quoi portent les critiques que vous faites ?
[26] Songez-vous donc à critiquer de simples mots ?
Ce sont des mots en l'air, d'un homme sans espoir.
[27] Vous oseriez tirer au sort un orphelin,
vous iriez jusqu'à vendre votre propre ami !

---

w **6.14** Le texte hébreu du v. 14 est peu clair ; les versions anciennes et modernes proposent des interprétations diverses.

x **6.19** *Téma* : oasis de l'Arabie du Nord. – *Saba* : au sud de l'Arabie ; voir 1.15 et la note.

y **6.21** Une autre tradition textuelle juive a lu *Mais vous, vous n'êtes rien*.

28 Eh bien, regardez-moi dans les yeux, voulez-vous ?
Et dites-moi si je vous joue la comédie.
29-30 Est-ce que mon langage est celui d'un tricheur ?
Croyez-vous que j'ignore le goût du malheur ?
Regardez-moi : pas de tricherie entre nous !
Regardez-moi encore :
mon innocence est évidente en cette affaire.

Réplique de Job (suite) : Il se plaint de Dieu

7

1 La vie est rude pour les hommes sur la terre :
ils ont la condition d'un travailleur de force,
2 d'un esclave au soleil, qui voudrait un peu d'ombre,
ou d'un pauvre ouvrier, qui attend qu'on le paie.
3 Tel est aussi mon sort : des mois de déception,
et des nuits de tourments ; c'est ce que j'ai gagné.
4 Dès que je suis couché, je commence à me dire :
« Quand me lèverai-je ? » Le soir n'en finit pas[z].
Je n'en peux plus de m'agiter jusqu'à l'aurore.
5 J'ai le corps recouvert de vermine et de croûtes,
et ma peau écorchée n'est que plaies purulentes.
6 Ma vie aura passé
plus vite que la navette[a] d'un tisserand,
elle touche à sa fin
quand le fil de l'espoir est arrivé au bout.

*

7 O Dieu, ne l'oublie pas, ma vie tient à un souffle,
mes yeux ne reverront plus jamais le bonheur.
8 Toi qui veillais sur moi, tu ne me verras plus ;
tu me regarderas, je ne serai plus là.
9 Comme un nuage se dissipe et disparaît,
on descend chez les morts pour n'en plus remonter.
10 Celui qui part ainsi ne revient plus chez lui,
et là où il vivait, on l'oubliera bientôt.

11 Alors je ne veux plus me taire davantage ;
j'ai l'esprit en détresse, il faut donc que je parle.
Mon cœur est trop amer, j'exprimerai ma plainte.
12 Toi, pourquoi me fais-tu surveiller de si près :
serais-je l'Océan ou le Monstre marin[b] ?
13 Quand je me mets au lit en espérant trouver
quelque soulagement ou quelque apaisement,
14 tu viens me terroriser par des cauchemars ;
ce que tu me fais voir me jette dans l'angoisse.

---

z **7.4** La partie centrale du verset est peu claire en hébreu. L'ancienne version grecque a lu *Quand donc viendra le jour ? Et dès que je me lève* (je me demande) *quand donc viendra le soir ?*

a **7.6** Pièce mobile du métier à tisser, renfermant le fil de la trame.

b **7.12** Job fait peut-être allusion ici à de vieux récits orientaux de la création, selon lesquels le dieu créateur, après avoir vaincu l'Océan et le Monstre marin les avait placés sous bonne garde pour les empêcher de nuire. Comparer És 27.1 ; Ps 74.13.

[15] Ah, si tu m'étranglais, j'aimerais mieux cela !
Je préfère mourir,
plutôt qu'être réduit à l'état de squelette[c].
[16] Je n'en peux plus, je ne durerai pas toujours.
Ma vie tient à un rien, laisse-moi donc tranquille.

*

[17] Pourquoi donner tant d'importance à un humain ?
Oui, pourquoi le prends-tu tellement au sérieux[d],
[18] et viens-tu l'inspecter matin après matin ?
Pourquoi à chaque instant le mets-tu à l'épreuve ?
[19] Quand donc cesseras-tu de t'occuper de moi ?
Quand me laisseras-tu avaler ma salive ?
[20] Si je me suis rendu coupable à ton égard,
que t'ai-je fait, dis-moi, inspecteur des humains ?
Pourquoi fais-tu de moi une cible pour toi ?
Serais-je devenu une charge pour toi[e] ?
[21] Pourquoi refuses-tu de supporter ma faute,
de pardonner mes torts ?
Me voilà maintenant couché dans la poussière ;
quand tu me chercheras, je ne serai plus là.

Intervention de Bildad : Les fautes se paient tôt ou tard

8 [1] Bildad de Chouha prit alors la parole et dit à Job :

[2] Combien de temps nous tiendras-tu de tels discours ?
Et quand s'arrêtera cet ouragan de mots ?
[3] Crois-tu vraiment que Dieu modifie la justice,
ou que le Dieu Très-Grand fasse une entorse au droit ?
[4] Tes fils ont dû commettre une faute envers lui,
et il leur en a fait payer les conséquences.

[5] Mais toi, si tu cherches la présence de Dieu,
si tu adresses ta prière au Dieu Très-Grand,
[6] si tu es innocent, si tu te montres droit,
il ne tardera pas à s'occuper de toi
et à te rendre la place que tu mérites.
[7] Ton ancienne situation te paraîtra
bien modeste en comparaison de la nouvelle.

*

[8] Informe-toi chez ceux qui nous ont précédés,
et retiens bien l'expérience de leurs ancêtres.
[9] Nous sommes nés d'hier, et nous ne savons rien ;
notre vie sur la terre est une ombre qui passe.
[10] Mais eux peuvent t'instruire et ils pourront te dire
ce qu'ils savent tirer de leur propre expérience :

---

c 7.15 La fin du v. 15 est peu claire en hébreu. Certains supposent comme texte probable *plutôt que de souffrir*.

d 7.17 Comparer Ps 8.5 ; 144.3.

e 7.20 Texte reconstitué. Les copistes juifs, en effet, ont indiqué en marge qu'ils avaient corrigé le texte, remplaçant *pour toi* par *pour moi-même*.

11 « Le jonc ne pousse pas en dehors des marais,
ni le roseau à l'écart des lieux privés d'eau.
12 Il est encore en fleurs, on ne l'a pas coupé ;
le voilà desséché avant les autres herbes ! »

*

13 Telle est la destinée de ceux qui oublient Dieu ;
ainsi finit l'espoir de tous les infidèles.
14 Leur si belle assurance a les ailes coupées[f],
et leur sécurité n'est qu'un fil d'araignée.
15 Quand ils s'appuient sur leur maison, elle vacille,
et ils ont beau s'y cramponner, elle s'écroule.

16 Ils sont comme un arbre plein de sève au soleil,
qui étend ses rameaux au-dessus du jardin.
17 Il plonge ses racines jusque dans la pierre
et s'en va explorer l'intérieur du rocher.
18 Mais s'il est arraché du lieu où il était,
celui-ci prétendra qu'il ne l'a jamais vu.
19 Tel est, vois-tu, l'heureux destin de ces gens-là !
Et à leur place, une autre plante germera.

20 Dieu ne rejette pas un homme irréprochable,
et il ne prête pas main-forte aux malfaiteurs.
21 Il finira par remplir ta bouche de rires
et par mettre sur tes lèvres des cris de joie.
22 Mais ceux qui t'en veulent seront couverts de honte ;
les gens sans foi ni loi auront quitté la place.

Réplique de Job : Dieu est trop fort pour moi

9 1 Job répondit alors :

2 Évidemment, je connais bien ce point de vue.
Avoir raison contre Dieu ? Ce n'est pas possible[g] !
3 Supposons qu'on veuille discuter avec lui,
il ne répondra pas, même une fois sur mille[h].
4 Il est certes trop fort et trop intelligent
pour qu'on lui tienne tête et qu'on en sorte intact.

5 Il déplace les montagnes, sans qu'elles sachent
qui, dans sa colère, les bouleverse ainsi.
6 Sur place il fait trembler la terre ;
les piliers qui la supportent sont ébranlés.
7 Il ordonne au soleil de ne pas se lever,
et il enferme à clé les étoiles du ciel.

---

f **8.14** *a les ailes coupées* ou *est brisée* ; selon d'autres le terme hébreu correspondant, qu'on ne trouve pas ailleurs, désignerait un fil d'araignée emporté par le vent ou *fil de la vierge*.

g **9.2** Comparer 4.17.

h **9.3** D'autres interprètent *on ne pourrait répondre à une seule de ses mille questions*.

[8] A lui seul, il déploie les espaces célestes,
et il pose ses pas sur les vagues des mers.
[9] Il a tracé les constellations : la Grande Ourse,
Orion, les Pléiades et les Chambres du Sud[i].
[10] Ce qu'il fait est grandiose, il n'est pas limité.
On ne peut pas énumérer tous ses prodiges[j].

[11] S'il passe près de moi, je ne peux pas le voir,
et s'il s'en va plus loin, je ne m'en rends pas compte.
[12] Qui lui ferait lâcher ce qu'il a pris de force ?
Qui oserait lui demander : « Que fais-tu donc ? »
[13] Quand Dieu est en colère, il ne renonce pas.
A ses pieds sont courbés les monstres de la mer,
Rahab et ses complices[k].

*

[14] Dans ces conditions, moi, puis-je lui répliquer ?
Quel argument choisir pour le lui opposer ?
[15] Même si j'ai raison, je ne peux rien répondre,
et je dois demander la grâce de mon juge !
[16] Même si je l'appelle et même s'il répond,
je ne peux être sûr qu'il voudra m'écouter.
[17] Il m'écrase pour un motif insignifiant[l],
il m'inflige pour rien blessure après blessure,
[18] il ne me permet pas de reprendre mon souffle,
mais jusqu'à la nausée me gave d'amertume.

[19] Faut-il nous affronter ? Il est trop fort pour moi !
Faut-il aller en jugement ?
Mais voudra-t-il me convoquer au tribunal[m] ?
[20] Même si j'ai raison,
ce que je pourrais dire me donnerait tort,
et me condamnerait malgré mon innocence.
[21] Suis-je innocent ? Je ne me connais pas moi-même.
Je suis dégoûté de la vie.
[22] Tout est pareil, c'est pourquoi je le dis :
Dieu supprime aussi bien innocent ou coupable.
[23] Quand une catastrophe arrive tout à coup
et tue des innocents,
Dieu n'a que moqueries pour toutes leurs détresses !
[24] Quand un pays tombe au pouvoir d'un criminel,
Dieu oblige les juges à fermer les yeux !
Car si ce n'est pas lui, qui donc ?

*

9.9 Les trois premières constellations nommées ne sont pas identifiées avec certitude. Quant à la dernière on ignore tout à fait à quoi elle correspond. – *Orion* et *les Pléiades* : voir 38.31 ; Amos 5.8.

9.10 Job reprend ici une affirmation d'Élifaz (voir 5.9).

9.13 Voir 7.12 et la note.

l **9.17** *pour un motif insignifiant* ou *pour un cheveu* : d'autres interprètent *dans un tourbillon*.

m **9.19** Autre traduction : *Qui me citera en justice ?* Ces paroles de Job ont paru si hardies que certains les attribuent à Dieu, sous-entendant *(Mais) il dira : « Qui... »* Les anciennes versions grecque et syriaque, suivies par plusieurs traductions modernes, ont lu *Mais qui osera le citer en justice ?*

25 Et mes jours ont passé plus vite qu'un coureur,
ils se sont tous enfuis sans voir aucun bonheur,
26 glissant rapidement comme un bateau de joncs,
comme un aigle qui fonce du ciel sur sa proie.

27 Si je me dis : il faut oublier mes soucis,
cesser d'être morose et me mettre à sourire,
28 je reste tourmenté par toutes mes souffrances,
et je sais que toi, Dieu, ne m'acquitteras pas.
29 Si de toute façon je ne suis qu'un coupable,
A quoi bon me donner de la peine pour rien ?
30 J'aurais beau me laver en usant du savon[n],
me nettoyer les mains avec de la potasse,
31 tu me replongerais aussitôt dans la boue[o],
au point de faire horreur à mes propres habits.

32 Car Dieu n'est pas du tout au même rang que moi,
comme un autre homme auquel je pourrais répliquer
ou donner rendez-vous devant un tribunal.
33 Au moins, s'il y avait un arbitre entre nous,
qui poserait la main sur chacun de nous deux[p] !
34 il laisserait alors le bâton qui me frappe,
et il ferait cesser la terreur qui m'accable.
35 Je pourrais lui parler sans avoir peur de lui.
Mais ce n'est pas le cas, je suis seul avec moi[q].

Réplique de Job (suite) : Dieu ne m'a fait naître que pour me détruire

10 1 Eh bien, puisque la vie me donne la nausée,
je ne retiendrai pas mes plaintes plus longtemps ;
je ne me tairai pas, tant j'ai le cœur amer.
2 Je dirai donc à Dieu : ne me condamne pas,
fais-moi plutôt savoir ce que tu me reproches.
3 Cela sert-il ton but de me faire du mal,
en méprisant ainsi ton pénible travail
et en favorisant les projets des méchants ?
4 Ne vois-tu rien de plus que ce que voient les hommes ?
Ton point de vue n'est-il qu'un point de vue terrestre ?
5 Ta vie serait-elle aussi brève que la nôtre,
se limiterait-elle à aussi peu d'années ?
6 Pourquoi donc cherches-tu à connaître mes torts,
et pourquoi t'efforcer de découvrir ma faute ?

---

n **9.30** *en usant du savon* : d'autres interprètent *avec de l'eau de neige* (fondue).

o **9.31** *dans la boue* : c'est l'interprétation des anciennes versions grecque et latine ; la tradition juive a lu *dans la fosse*.

p **9.33** *Au moins s'il y avait...* : d'après les anciennes versions grecque et syriaque, soutenues par plusieurs manuscrits hébreux ; le texte hébreu traditionnel est traduit par certains *il n'y a pas... – la main sur chacun de nous deux* : pour signifier qu'il a autorité sur chacun des deux adversaires.

q **9.35** Autres interprétations pour la fin difficile de ce verset *Mais il ne dépend pas de moi qu'il en soit bien ainsi* ou *Mais dans mon propre cas il n'en est pas ainsi.*

7 Pourtant, tu le sais bien, je ne suis pas coupable
et je n'ai aucune chance de t'échapper[r].

8 Tes propres mains m'ont fait, elles m'ont façonné,
elles m'ont entouré, et tu veux me détruire !
9 Tu m'avais modelé comme un objet d'argile,
veuille t'en souvenir
avant de me réduire à l'état de poussière.
10 Un jour, tu m'as formé dans le corps de ma mère,
comme on verse du lait et qu'on le fait cailler.
11 Tu m'as alors vêtu de muscles et de peau,
tu as fait de moi un tissu d'os et de nerfs.
12 Puis tu m'as accordé la grâce de la vie,
et tu t'es occupé de me la conserver.

*

13 Or tu as un secret, que tu veux me cacher.
Mais je n'ignore pas le fond de ta pensée :
14 me prendre sur le fait dès que je suis en faute,
et ne pas m'acquitter si je me mets en tort.
15 Alors tant pis pour moi, si je me rends coupable !
Même innocent, je dois rester la tête basse,
et je suis soûl de honte, ivre de ma misère.
16 Mais dès que je lève la tête, te voilà
qui reprends la chasse contre moi, tel un fauve,
m'écrasant à nouveau de ta toute-puissance !
17 Tu lances contre moi un assaut après l'autre,
tu laisses ta fureur redoubler envers moi,
et tu jettes sur moi des troupes toujours fraîches.

18 Pourquoi m'as-tu tiré du ventre de ma mère ?
J'aurais pu y mourir à l'abri des regards,
19 et je serais allé tout droit jusqu'à la tombe,
comme si je n'avais jamais eu d'existence.
20 Je n'ai plus maintenant que peu de temps à vivre.
Cesse donc tes attaques, laisse-moi enfin
jouir tranquillement de ce peu qui me reste.
21 Bientôt je partirai, sans espoir de retour,
au pays recouvert de l'ombre la plus sombre,
22 au pays où la nuit règne sur le désordre,
où l'aurore elle-même est d'un noir absolu.

Intervention de Sofar : Reviens à Dieu

11 1 Sofar de Naama prit alors la parole et dit à Job :

2 Ne faut-il pas répondre à ce flot de paroles ?
Savoir parler ne prouve pas qu'on ait raison !

10.7 Voir Deut 32.39 ; Ex 5.29 ; Ps 50.22.

3 Tes beaux discours vont-ils laisser les gens muets ?
Te moqueras-tu du monde sans qu'on te blâme ?
4 Tu as même affirmé : « Ce que je dis est vrai ;
oui, Dieu m'en est témoin, je suis irréprochable ».

5 Ah, combien j'aimerais que Dieu dise son mot
et qu'il consente à te parler directement !
6 Il te révélerait son secret savoir-faire
– qui est trop merveilleux pour notre intelligence –.
Tu comprendrais alors
que Dieu laisse passer une part de tes fautes.

*

7 Mais peux-tu découvrir les profondeurs de Dieu,
peux-tu saisir la perfection du Dieu Très-Grand ?
8 Elle est plus haute que le ciel ; que feras-tu ?
Elle est plus profonde que le monde des morts ;
que peux-tu en savoir ?
9 Elle est, en étendue, plus vaste que la terre,
plus large que la mer.

10 Si Dieu arrête donc un coupable en passant
et s'il l'appelle à comparaître au tribunal,
qui s'y opposera ?
11 Car Dieu reconnaît bien les gens sans consistance ;
sans effort d'attention, il voit où est le mal.
12 Mais un idiot sera enfin intelligent
quand l'âne sauvage naîtra domestique[s] !

*

13 Toi cependant, tu dois tendre ton cœur vers Dieu
et le prier en étendant les mains vers lui.
14 Si tes mains sont salies par le mal, nettoie-les,
ne laisse pas chez toi de place à l'injustice.
15 Alors tu seras sans tache, la tête haute,
rien ne t'ébranlera, rien ne te fera peur.
16 Et tu ne garderas pas plus de souvenirs
de tes malheurs présents que de l'eau écoulée.
17 La vie te deviendra plus radieuse encore
que le jour à midi ;
l'obscurité se changera en clair matin.
18 Tu reprendras espoir, tu reprendras confiance :
voyant que tout va bien[t], tu dormiras tranquille.
19 Personne ne viendra déranger ton repos,
tout le monde au contraire voudra te flatter.
20 Mais les méchants s'usent les yeux
à chercher du secours, ils n'ont aucune issue,
et leur dernier espoir est d'expirer enfin.

---

s **11.12** Le v. 12 est peu clair en hébreu et la traduction reste incertaine. – L'*âne sauvage* était réputé pour son caractère indomptable.

t **11.18** Le sens de l'hébreu est discuté ; autre traduction *(même si) tu as perdu la face*.

Réplique de Job : Dieu, un tyran implacable

12 [1] Job répondit alors :

[2] Bien sûr, vous détenez tout le savoir humain !
La sagesse mourra en même temps que vous.
[3] Mais moi aussi, je sais réfléchir tout autant,
et je ne me crois pas inférieur sur ce point.
Ce que vous avez dit, tout le monde le sait.

[4] Je fais appel à Dieu, dans l'espoir qu'il réponde,
et je suis devenu
celui que ses amis tournent en ridicule :
on tourne en ridicule
celui qui est honnête, un homme irréprochable !
[5] « Le malheureux n'a droit qu'à un complet mépris. »
Telle est la devise des gens qui sont tranquilles ;
ils l'appliquent à ceux dont le pied a glissé.
[6] Et sous leur tente les violents sont sans souci,
ceux qui provoquent Dieu sont en sécurité :
ils ne connaissent pas d'autre dieu que leur force[u].

*

[7] Questionne les bestiaux, et ils sauront t'instruire ;
les oiseaux dans le ciel, ils te renseigneront.
[8] Parle donc à la terre, elle saura t'instruire ;
les poissons dans la mer ont beaucoup à t'apprendre.
[9] Parmi tous ces êtres, lequel ignore encore
que tout ce qui existe est l'œuvre du Seigneur ?
[10] C'est lui qui tient en mains la vie de tout vivant,
le souffle qui anime le corps des humains.

[11] Ne dit-on pas, en une sorte de proverbe :
« Le rôle de l'oreille est d'apprécier les mots,
tout comme le palais doit percevoir le goût.
[12] La sagesse est le privilège du grand âge,
et le discernement appartient aux vieillards » ?
[13] Mais c'est chez Dieu qu'on trouve sagesse et pouvoir,
c'est lui qui a savoir-faire et discernement.

*

[14] On ne rebâtit pas ce que Dieu démolit,
on ne libère pas celui qu'il emprisonne.
[15] Quand il retient la pluie, la sécheresse est là ;
mais s'il lâche les eaux, la terre est dévastée.
[16] Il possède la force, il a l'habileté.
C'est à lui qu'appartiennent
et celui qui s'égare et celui qui égare.
[17] Il fait marcher pieds nus les grands hommes d'État,
et il fait perdre la raison aux dirigeants.

12.6 Autres traductions de la fin du v. 6 *ils prétendent avoir Dieu à leur disposition* ou *alors que Dieu devrait les reprendre en mains*.

18 Il dénoue de même le grand cordon des rois
et leur noue sur les reins la corde des captifs[v].
19 Il fait marcher pieds nus les prêtres, eux aussi,
et renverse d'un coup les pouvoirs établis.
20 Il ôte la parole aux meilleurs orateurs
et prive les vieillards de leur discernement.
21 Il répand le mépris sur les gens haut placés
et laisse les tyrans tout à coup sans défense.
22 Il ôte aux profondeurs leur manteau de ténèbres
et fait sortir au jour ce qui était dans l'ombre.
23 Il fait grandir des peuples, puis cause leur ruine ;
il les laisse s'étendre, et les emmène ailleurs.
24 Il ôte la raison aux maîtres du pays,
et les laisse à errer dans un désert sans routes[w],
25 avancer à tâtons dans la nuit sans lumière ;
il les fait tituber comme s'ils étaient ivres.

Réplique de Job (suite) : Il veut un libre dialogue avec Dieu

13 1 Voilà tout ce que j'ai observé de mes yeux,
entendu de mes propres oreilles et compris.
2 Tout ce que vous savez, je le sais, moi aussi,
et je ne me crois pas plus stupide que vous !
3 Mais c'est au Dieu Très-Grand que moi, je veux parler :
je veux me plaindre à lui.
4 Vous, vous cachez la vérité sous le mensonge,
vous offrez tous des remèdes de charlatan.
5 Qui saura donc vous faire taire tout à fait ?
En vous taisant vous passeriez pour des gens sages !

6 Écoutez donc plutôt quand j'exprime ma plainte
et soyez attentifs à ma protestation.
7 Pensez-vous servir Dieu en déformant les faits ?
Prendrez-vous sa défense à coups de fausses preuves ?
8 Montrerez-vous pour Dieu de la partialité ?
Prétendez-vous pouvoir plaider en sa faveur ?
9 Et s'il vous inspectait, serait-ce bon pour vous ?
On ne trompe pas Dieu comme l'on trompe un homme !
10 Si vous avez, même en secret, du parti pris,
il aura sûrement un reproche à vous faire.
11 Ne redoutez-vous pas la majesté de Dieu,
n'êtes-vous pas saisis par la peur qu'il inspire ?
12 Vos arguments ne sont que de la poudre aux yeux,
et vos raisonnements des murailles de boue.

13 Taisez-vous devant moi ! A mon tour de parler !
Et peu importe alors ce qui m'arrivera !

---

v **12.18** *le grand cordon* (pièce du vêtement royal ou insigne de la dignité royale) : sens probable ; certains interprètent *la discipline* (que les rois font peser sur leurs sujets). – *la corde des captifs* ou *une ceinture* : signe qu'c n'est plus libre de ses mouvements (voir Jean 21.18

w **12.24** Voir Ps 107.40.

14 Me voilà prêt à tout, même à risquer ma vie[x].
15 Que Dieu me tue, s'il veut, je n'espère plus rien[y] ;
mais devant lui, je veux défendre ma conduite.
16 Et si j'y réussis, ce sera ma victoire,
car Dieu n'admet personne de mauvaise foi.
17 Écoutez sérieusement ce que j'ai à dire,
ouvrez vos oreilles à mes explications.
18 Eh bien, je me prépare à aller en justice,
et j'ai la conviction que je suis dans mon droit.
19 Dès lors, qui osera contester mon bon droit ?
Je suis prêt, si j'ai tort, à me taire et mourir.

*

20 Mon Dieu, épargne-moi deux choses seulement,
et je pourrai enfin me présenter à toi :
21 D'abord, délivre-moi de ta main qui m'accable,
ne laisse plus peser l'épouvante sur moi.
22 Prends la parole ensuite, et je te répondrai,
ou bien je parlerai, et tu répliqueras.
23 Combien de torts m'attribues-tu, combien de fautes ?
Fais-moi savoir en quoi je t'ai désobéi.
24 Pourquoi détournes-tu ton visage de moi,
et me traites-tu comme un de tes ennemis[z] ?
25 Qui donc pourchasses-tu ? – Une feuille qui vole !
Qui poursuis-tu sans fin ? – Un brin de paille sèche !
26 Tu écris contre moi un rapport bien sévère,
tu me fais supporter mes fautes de jeunesse.
27 Tu entraves mes pieds[a],
tu gardes l'œil fixé sur tous mes faits et gestes,
tu vas jusqu'à noter les traces de mes pas !
28 Mais ma vie se défait comme un bois vermoulu
ou comme un vêtement dévoré par les mites.

Réplique de Job (fin) : La triste condition humaine

14 1 L'homme n'est rien d'autre que l'enfant de la femme.
Sa vie demeure brève et remplie de tourments.
2 Comme la fleur, il s'épanouit, et puis se fane ;
comme l'ombre qui fuit sans pouvoir s'arrêter[b].
3 Et c'est cela, mon Dieu, que ton regard épie !
Et c'est moi que tu traînes ainsi en justice !

4 Mais qui peut donc tirer quelque chose de *pur
de ce qui est impur ? Pas un seul être au monde[c] !

13.14 Texte lu par l'ancienne version grecque ; en hébreu le verset commence par *Pourquoi... (être prêt à tout...) ?*
13.15 Une autre tradition textuelle juive propose *j'espère en lui*.
13.24 Il y a jeu de mots en hébreu entre le terme rendu par *ennemis* et le nom même de *Job*.

a **13.27** Comparer 33.11.
b **14.2** V. 1-2 : voir 7.7 ; 8.9,12 ; comparer És 40.6-8.
c **14.4** C'est-à-dire probablement *A l'impossible nul n'est tenu*. Autres traductions *Qui peut tirer le pur de l'homme impur ? - Personne !* ou *Parmi tous les impurs y aurait-il un pur ? - Aucun !*

5 Car la durée de vie est limitée pour l'homme ;
c'est toi qui as fixé le nombre de ses mois,
il ne peut dépasser la ligne que tu traces.
6 Cesse de le guetter et laisse-le tranquille,
pour qu'il termine en paix sa journée d'ouvrier.

*

7 Or il reste toujours de l'espoir pour un arbre :
si on le coupe, il peut se mettre à repousser,
il ne manquera pas de produire un bourgeon.
8 Même si sa racine vieillit dans la terre,
et si sa souche paraît morte dans le sol,
9 l'odeur de l'eau suffit pour qu'il reprenne vie
et pousse des rameaux comme s'il était jeune.

10 Quand l'homme meurt, par contre, il est privé de force.
Que devient-il, une fois qu'il a expiré ?
11 Un jour peut-être, les fleuves seront taris,
et la mer n'aura plus la moindre goutte d'eau.
12 Mais l'homme qui est mort ne se lèvera pas ;
pas de réveil pour lui, tant que dure le ciel,
il ne sortira plus de son dernier sommeil.

*

13 Ah ! si tu me cachais dans le monde des morts,
m'y abritant jusqu'à la fin de ta colère !
Si tu me fixais un délai, après lequel
tu voudrais de nouveau te souvenir de moi !
14 – Mais l'homme qui est mort, peut-il reprendre vie ? –
Je saurais patienter, le temps de mon service,
jusqu'au moment où l'on viendrait me relever.
15 Alors, je répondrais quand tu m'appellerais,
quand tu voudrais me voir, moi que tu as créé !

16 Tandis que maintenant tu comptes tous mes pas,
tu cesserais de surveiller mes manquements,
17 dans un sac bien fermé tu cacherais mes fautes,
tu couvrirais mes torts d'une couche de plâtre.

*

18 Cependant les montagnes tombent en morceaux,
et les rochers finissent par changer de place.
19 Les eaux arrivent à user même les pierres,
et l'averse emporte la poussière du sol.
Toi aussi tu ruines l'espérance de l'homme.
20 Tu le jettes par terre, il s'en va pour toujours ;
la mort le défigure, et tu le chasses loin.
21 Si on couvre ses fils d'honneurs, il n'en sait rien ;
si on les humilie, il ne s'en rend pas compte.
22 Il est seul à souffrir de sa propre douleur,
il est seul à gémir de son propre malheur.

Intervention d'Élifaz : Le méchant n'échappera pas

15 [1] Alors Élifaz de Téman prit la parole et dit à Job :

[2] Un sage a-t-il le droit de se nourrir de vent,
fait-il des réponses aussi peu consistantes ?
[3] Les arguments dont tu te sers sont sans effet ;
dans tout ce que tu dis, il n'y a rien d'utile.
[4] Tu vas même jusqu'à ruiner la religion,
à détruire toutes les bases de la foi !

[5] Ta culpabilité inspire tes paroles,
tu choisis un discours complètement tordu.
[6] C'est ton langage, et non pas moi, qui te condamne,
tout ce que tu as dit témoigne contre toi.

*

[7] Te prends-tu pour Adam, né avant tout le monde ?
Aurais-tu vu le jour plus tôt que les collines ?
[8] Quand Dieu tenait conseil, aurais-tu écouté,
au point de détenir la sagesse à toi seul ?

[9] Que peux-tu donc savoir, que nous ne sachions pas,
et qu'aurais-tu compris, qui nous soit étranger ?
[10] Il y a parmi nous des vieux pleins d'expérience,
bien plus riches d'années que ne l'était ton père !
[11] Te crois-tu au-dessus de ces consolations
que Dieu te propose par nos douces paroles ?

*

[12] Pourquoi réagis-tu avec tant de passion ?
A quoi bon ces clins d'œil dans notre direction,
[13] quand tu tournes ta mauvaise humeur contre Dieu
et te mets à répandre des flots de paroles ?

[14] Un humain, qu'est-il donc pour se prétendre *pur
et oser affirmer qu'il a le droit pour lui[d] ?
[15] Si Dieu ne se fie pas à ses *anges eux-mêmes,
et si le ciel ne lui paraît pas assez pur,
[16] qu'en sera-t-il alors de l'homme méprisable,
cet être corrompu, qui commet l'injustice
aussi facilement qu'il boit un verre d'eau ?

*

[17] Écoute-moi, j'ai quelque chose à t'expliquer ;
je veux te raconter ce que j'ai découvert,
[18] l'enseignement complet de ceux qui sont les sages,
la tradition qu'ils ont reçue de leurs ancêtres.
[19] Dieu leur avait donné le pays à eux seuls,
et aucun étranger n'était passé chez eux :

d **15.14** Comparer 25.4-6.

20 « Le méchant est plongé tous les jours dans l'angoisse,
et le temps du tyran est strictement compté.
21 Des voix effrayantes hurlent à ses oreilles.
En pleine paix le Destructeur marche vers lui.
22 Il ne croit plus pouvoir échapper à la nuit,
et il se sent guetté par une mort violente,
23 destiné à finir sous le bec des vautours ;
il n'en peut plus douter : sa ruine est imminente[e].
24 Le sombre jour qui vient le remplit d'épouvante,
l'angoisse et le tourment se jettent contre lui,
comme l'armée d'un roi qui se lance à l'assaut. »
25 Il a levé le poing, en effet, contre Dieu,
il a bravé Celui qui est le Dieu Très-Grand.

*

26 Tête baissée, il part à l'assaut contre Dieu,
protégé par l'épaisseur de son bouclier.
27 Il a fort bonne mine et il est bien en chair.
28 Il s'était installé dans des villes détruites,
occupant des maisons où l'on n'habitait plus,
car elles menaçaient de s'écrouler bientôt.

29 Cet homme ne pourra jamais devenir riche,
ou bien sa fortune ne tiendra pas longtemps.
Il n'aura pas d'influence dans le pays[f].
30 Il n'échappera pas à la nuit de la mort.
Un arbre dont le feu a séché les rameaux :
voilà ce qu'il sera !
Et le souffle de Dieu l'emportera au loin.

*

31 Il commet une erreur en comptant sur la fraude,
car il sera payé de la même monnaie.
32 Cela s'accomplira avant même sa fin,
comme pour un rameau privé de toute sève,
33 ou la vigne qui perd ses fruits encore verts,
ou l'olivier qui voit tomber toutes ses fleurs.

34 Oui, la bande des hommes de mauvaise foi
se trouve condamnée à demeurer stérile.
Le feu dévorera
les maisons de ces gens, foyers de corruption.
35 Qui porte en lui le mal engendre le malheur ;
ce qui mûrit en lui le trompera lui-même.

Réplique de Job : J'ai un témoin dans le ciel

16 1 Job répondit alors :

2 J'ai entendu cent fois ce genre de discours.

---

e **15.23** L'ensemble du v. 23, peu clair en hébreu, est traduit d'après l'ancienne version grecque.

f **15.29** Ou *Il n'étendra plus son ombre sur le pays* ; on su[it] ici l'ancienne version grecque. Texte hébreu incertai[n]

Quels pénibles consolateurs vous êtes tous,
vous qui me demandez :
3 « Quand verra-t-on la fin de ces paroles creuses ? »
ou « Quel tourment te pousse à répliquer ainsi ? »

4 Si vous étiez à ma place et moi à la vôtre,
je pourrais moi aussi m'exprimer comme vous,
je ferais contre vous un discours très brillant,
je hocherais la tête en signe de pitié,
5 je vous rendrais courage à force de parler,
mes propos empressés mettraient fin à vos maux.

*

6 Mais quand je veux parler, ma douleur n'est pas moindre,
et si je veux me taire, elle ne s'en va pas.
7 C'est qu'en réalité Dieu a usé mes forces,
il a exterminé tous ceux qui m'entouraient.
8 Les rides qu'il m'a faites en sont les témoins,
ma maigreur m'accuse et me déclare coupable.
9 Dans sa fureur, Dieu me choisit comme sa proie,
il me poursuit, me montre des dents menaçantes ;
lui, mon ennemi, me transperce du regard.

10 Les gens ouvrent la bouche pour me menacer,
me frappent sur les joues et me couvrent d'insultes,
se forment en bande, s'attroupent contre moi.
11 Dieu m'a livré au pouvoir de jeunes voyous,
il m'a laissé aux mains de gens sans foi ni loi.

*

12 Dieu est venu troubler la paix où je vivais,
il m'a saisi la nuque, il m'a jeté à terre,
et il a fait de moi la cible de ses flèches ;
13 elles volent autour de moi de toutes parts.
Il transperce mes reins sans la moindre pitié ;
la bile de mon foie se répand sur la terre.
14 Comme un guerrier, il se précipite sur moi,
me frappe et m'inflige blessure après blessure.

15 Le vêtement de deuil ne quitte plus ma peau,
et je garde le front plongé dans la poussière.
16 A force de pleurer, j'ai les yeux tout rougis
et cernés par une ombre.
17 Pourtant, mes mains n'ont pas trempé dans la violence
et ma prière n'a pas cessé d'être pure.

*

18 Terre, je perds mon sang, ne le recouvre pas ;
que ma protestation soit partout entendue[g] !

---

g **16.18** On estimait que le sang versé lors d'un meurtre criait vers Dieu et réclamait vengeance tant qu'il n'était pas recouvert par la terre. Comparer Gen 4.10 ; Ézék 24.7-8.

[19] Car j'ai dès maintenant un témoin dans le *ciel,
oui, j'ai quelqu'un là-haut qui témoigne pour moi[h].

[20] Tandis que mes amis me traitent sans respect,
je regarde vers Dieu, les yeux remplis de larmes.
[21] Ah ! que mon témoin arbitre entre Dieu et moi,
comme on le fait sur terre entre un homme et un autre !
[22] Oui, qu'il intervienne, car mes jours sont comptés,
je pars sur un chemin d'où l'on ne revient pas.

Réplique de Job (suite) : Je n'ai plus d'espoir

17 [1] Je respire avec peine et ma vie va s'éteindre ;
ma tombe est grande ouverte.
[2] Ne voit-on pas que j'ai affaire à des moqueurs,
et que leurs agressions m'empêchent de dormir ?

[3] O Dieu, apporte-moi ta propre garantie,
car à part toi, qui voudrait s'engager pour moi ?
[4] Tu as ôté toute raison à mes amis ;
ne les laisse donc pas se croire supérieurs.
[5] Ils sont comme l'homme dont parle le proverbe :
invitant ses amis à partager son pain,
il laisse ses enfants attendre en vain leur part[i].

*

[6] Les gens ont fait de moi un sujet de chansons.
Je suis celui sur qui on crache en plein visage.
[7] Mes yeux ne brillent plus, éteints par le chagrin ;
mon corps n'est à présent que l'ombre de lui-même.

[8] Les braves gens restent sans voix devant mon mal.
Les innocents sont indignés :
ils voient en moi un homme de mauvaise foi.
[9] « Que le fidèle persévère, disent-ils ;
et que l'homme aux mains propres redouble d'efforts ! »
[10] Quant à vous, mes amis, venez, revenez tous :
je ne trouverai parmi vous aucun vrai sage !

*

[11] Ma vie est terminée ; voici réduits à rien
les projets que j'ai faits et mes plus chers désirs !
[12] Si j'en crois mes amis, ma nuit serait le jour,
et l'aube serait proche, alors que le soir tombe !

[13] Que puis-je attendre encore ?
– Une place pour moi dans le monde des morts,
un lit où me coucher dans son obscurité !
[14] Je dis à mon tombeau : « C'est toi qui es mon père »,
et à la pourriture : « Ma mère et ma sœur ! »

h **16.19** Comparer 19.25.

i **17.5** C'est dire qu'il sacrifie aux convenances ses devoirs les plus élémentaires.

[15] Où donc est mon espoir ? Qui l'aperçoit encore ?
[16] Il descend avec moi dans le monde des morts[j],
nous tombons tous les deux jusque dans la poussière.

Intervention de Bildad : Un piège pour le méchant

18 [1] Bildad de Chouha prit alors la parole :

[2] Jusqu'à quand tairez-vous ce qu'il convient de dire ?
Réfléchissez d'abord et nous saurons parler.
[3] Allez-vous laisser Job nous prendre pour des bêtes ?
Avez-vous l'impression que nous sommes stupides ?

[4] Quant à toi, Job, ta fureur te nuit à toi-même.
Crois-tu qu'elle pourrait dépeupler un pays,
déplacer un rocher ... ?

*

[5] C'est la lumière du méchant qui s'éteindra !
La flamme, à son foyer, cessera de briller.
[6] La lumière, chez lui, perdra de sa clarté,
la lampe de sa vie va s'éteindre à son tour[k].

[7] Sa démarche assurée deviendra hésitante,
et les projets qu'il fait finiront par le perdre.
[8] Ses pas le conduiront dans un filet tendu,
et il ira tout droit se prendre dans les mailles.
[9] Un piège le capturera par le talon,
un nœud coulant le retiendra solidement.

[10] Le fil qui le prendra est caché dans la terre,
et le lacet fatal l'attend sur son chemin.
[11] De partout, la terreur tombe soudain sur lui
et lui donne la chasse à chaque pas qu'il fait.

*

[12] Lui qui était si fort, le voilà affamé,
et la misère est installée à ses côtés.
[13] Elle dévorera les morceaux de sa peau
et un fléau mortel consumera ses membres.

[14] On viendra l'arracher de sa demeure sûre,
pour le conduire au roi du monde de la mort.
[15] Sa maison sera libre, on pourra l'occuper ;
sur sa propriété on répandra du soufre[l].
[16] Il sera l'arbre mort, du bas jusqu'à la cime,
racines desséchées et feuillage flétri.

---

j **17.16** *avec moi dans le monde des morts* : sens probable ; certains interprètent (vers) *les verrous du monde des morts*.

k **18.6** V. 5-6 : comparer 21.17.

l **18.15** Le sens de ce geste reste incertain ; pour les uns le *soufre* avait un rôle purificateur, pour d'autres il provoquait la stérilité des terres.

*

17 Au pays, on perdra tout souvenir de lui,
son nom ne sera plus prononcé dans la rue.
18 De la lumière, on l'expulsera dans la nuit,
et on le chassera de la terre habitée.
19 Aucun enfant n'assurera sa descendance,
aucun ne survivra, de toute sa maison.
20 A l'ouest comme à l'est on apprendra son sort,
les gens seront saisis d'effroi et de frissons :
21 « Ainsi donc, diront-ils, voilà tout ce qui reste
de cet individu et de sa maisonnée.
C'était ici un lieu où l'on ignorait Dieu. »

Réplique de Job : A la fin mon défenseur interviendra

19 1 Job répondit alors :

2 Pendant combien de temps me tourmenterez-vous
et m'écraserez-vous sous le poids des discours ?
3 Au moins dix fois déjà vous m'avez insulté.
Me torturer ainsi ne vous fait-il pas honte ?

4 Même s'il était vrai que je me sois trompé,
je suis le seul que cette erreur concernerait !
5 En fait vous m'abaissez pour vous grandir vous-mêmes,
et vous me reprochez ma grande humiliation.
6 Mais sachez que c'est Dieu qui m'a causé ce tort
et m'a entortillé dans son propre filet.

*

7 Si je dénonce la violence qui m'est faite,
on ne me répond pas. Si j'appelle au secours,
personne n'intervient pour me rendre justice.
8 Dieu barre ma route, m'empêche de passer,
me laisse dans le noir à chercher mon chemin.
9 Il est venu me dépouiller de mon honneur
et m'enlever tout mon prestige, ma couronne.

10 Il m'a ruiné à tous égards et je succombe ;
il m'a ôté l'espoir, comme on arrache un arbre.
11 Excitant contre moi le feu de sa colère,
il m'a traité comme l'un de ses ennemis.
12 Ses bandes de tueurs se rassemblent en masse,
ils s'ouvrent un chemin pour venir jusqu'à moi
et installent leur camp tout autour de ma tente.

*

13 Mes plus proches parents, Dieu les a éloignés.
Ceux qui me connaissaient font tout pour m'éviter.
14 Les gens de ma maison et mes amis intimes
se tiennent à distance. Ils m'ont tous oublié,

15 même les réfugiés que j'avais recueillis !
Mes servantes me traitent comme un étranger ;
je ne suis plus pour elles qu'un indésirable.
16 Mon serviteur ne répond plus quand je l'appelle,
même si j'insiste jusqu'à le supplier.

17 Ma femme ne peut plus supporter mon haleine,
et mes propres enfants n'ont que dégoût pour moi.
18 Me voilà méprisé par de simples gamins :
si je prends la parole, ils médisent de moi.
19 Je fais horreur à mes amis les plus intimes,
et tous ceux que j'aimais se tournent contre moi.
20 Je n'ai plus aujourd'hui que la peau sur les os,
et je sors du désastre en ayant tout perdu[m].

*

21 Pitié pour moi, pitié pour moi, vous mes amis,
car c'est la main de Dieu qui m'a porté ces coups !
22 Pourquoi vous joindre à lui et me persécuter ?
N'avez-vous pas assez de me martyriser ?

23 Ah ! combien je voudrais que ma protestation
soit mise par écrit, inscrite dans un livre !
24 Qu'on puisse la graver à la pointe de fer,
qu'on la noircisse au plomb,
qu'elle reste toujours marquée dans le rocher !

*

25 Je sais bien, moi, que j'ai un défenseur vivant,
et qu'il se dressera enfin sur cette terre.
26 Quand on aura fini de m'arracher la peau,
eh bien, même écorché[n], je contemplerai Dieu !
27 Je le verrai moi-même, de mes propres yeux.
C'est moi qui le verrai et non un étranger.
Mon cœur s'épuise en moi d'attendre ce moment.

28 Vous vous interrogez : « Comment donc le poursuivre,
quel prétexte trouver pour lui faire un procès ? »
29 Redoutez que l'épée vous atteigne vous-mêmes,
car votre acharnement mériterait la mort.
Vous devez le savoir : Dieu sera votre juge !

Intervention de Sofar : Les malheurs du méchant

20 1 Sofar de Naama prit alors la parole et dit à Job :

2 Eh bien, mes réflexions me poussent à répondre,
et aussi l'impatience que je sens en moi.

---

m **19.20** Ce verset a donné lieu à de nombreuses interprétations. *en ayant tout perdu* : c'est peut-être le sens de l'expression *avec la peau des dents*. Autre interprétation de la fin du verset *et mon visage évoque une tête de mort*.

n **19.26** *même écorché* ou *depuis ma chair* (après qu'on m'aura arraché la peau).

[3] J'entends une leçon qui m'est insupportable,
mais ma raison m'inspire la réponse à faire.

[4] Tu as l'air d'ignorer ceci : depuis toujours,
depuis que l'être humain a été mis sur terre,
[5] les méchants ne crient victoire que peu de temps,
la joie est de courte durée
chez l'homme de mauvaise foi.

*

[6] Même s'il est de taille à monter jusqu'au ciel,
même s'il a la tête au niveau des nuages,
[7] il finira comme ses propres excréments.
« Qu'est-il donc devenu ? »
demanderont alors ceux qui le connaissaient.

[8] Tel un rêve, il s'envole, et sa trace est perdue
comme s'évanouit une vision nocturne[o].
[9] On avait vu cet homme, on ne le verra plus ;
là même où il vivait, on n'apercevra rien.

[10] Lui-même en est réduit à rendre ses richesses,
et ses fils sont contraints de rembourser les pauvres.
[11] Il se sentait rempli de force et de jeunesse,
mais tout cela se couche avec lui dans la tombe.

*

[12] Dans sa bouche, le mal est doux comme un bonbon,
et il le fait glisser à l'abri de sa langue.
[13] Il l'y garde longtemps, il ne le lâche pas,
prolongeant le plaisir d'en savourer le goût.
[14] Mais ce qu'il a mangé trouble sa digestion
et devient en son ventre un venin de serpent.
[15] Il doit vomir les biens qu'il avait pris aux autres,
Dieu lui fait recracher ce qu'il a englouti.
[16] Ce qu'il suçait n'était qu'un venin de serpent,
aussi mortel qu'une morsure de vipère.

*

[17] Qu'il ne s'attende pas à voir couler pour lui
des flots de miel, des fleuves, des torrents de crème !
[18] Il rendra tous ses gains avant d'en profiter
et sans pouvoir jouir de ses gros bénéfices !

[19] Car il a maltraité et délaissé les faibles,
il a pris leur maison au lieu d'en bâtir une.
[20] Puisque son appétit était infatigable,
il ne pourra sauver aucun de ses trésors.

---

o **20.8** Voir Ps 90.5.

21 Personne n'échappait à sa voracité,
c'est pourquoi son bonheur n'aura pas de durée.

*

22 Dans la surabondance, il est saisi d'angoisse,
la main de tous les miséreux s'abat sur lui.
23 Quand il est occupé à se remplir le ventre,
Dieu lâche contre lui son ardente colère ;
elle pleuvra sur lui en guise de repas.

24 Il esquive les coups de quelque arme de fer,
mais le voilà percé d'une pointe de bronze[p].
25 Il arrache la flèche qui sort de son dos,
il retire l'arme qui traverse son foie ;
la terreur de la mort tombe aussitôt sur lui.

*

26 Son destin est caché ; c'est une nuit totale.
Un feu surnaturel[q] viendra le dévorer,
et il consumera ce qui reste chez lui !
27 Le ciel démasquera les crimes de cet homme,
la terre se dressera pour le dénoncer !
28 L'inondation emportera au loin ses biens,
le jour où Dieu fera éclater sa colère !

29 Tel est le sort que Dieu réserve aux criminels,
c'est cela le destin qu'il prépare pour eux.

Réplique de Job : Le bonheur des méchants est un fait

21 1 Job répondit alors :

2 Écoutez sérieusement ce que j'ai à dire,
je n'attends pas d'autre consolation de vous.
3 Supportez-moi, permettez-moi de m'exprimer,
et quand j'aurai parlé, on pourra se moquer.
4 Est-ce d'un homme que j'ai à me plaindre, moi ?
Non ! Pourquoi donc ne pourrais-je perdre patience ?

5 Penchez-vous sur mon cas : vous serez stupéfaits ;
la main sur la bouche, vous ne direz plus rien.
6 Quand je pense moi-même à tout ce qui m'arrive,
je suis épouvanté et pris de tremblements.

*

7 Pourquoi donc les méchants sont-ils encore en vie,
pourquoi accroissent-ils leur pouvoir avec l'âge ?
8 Ils voient leurs descendants s'installer auprès d'eux,
ils peuvent contempler tous leurs petits-enfants.

---

p **20.24** Comparer És 24.18 ; Amos 5.19.

q **20.26** *surnaturel* ou *qui n'a pas été allumé* (par une main humaine).

9 Chez eux tout va très bien, on ignore la peur,
et le bâton de Dieu ne les frappe jamais.

10 Chaque fois, leur taureau rend leur vache féconde ;
celle-ci fait son veau sans jamais avorter.
11 Ils laissent leurs gamins courir comme un troupeau
et leurs petits-enfants s'ébattre en liberté.
12 Tambourin et guitare accompagnent leurs chants ;
ils prennent du plaisir à écouter la flûte.
13 Après avoir passé leur vie dans le bonheur,
ils descendent en paix dans le monde des morts.

*

14 Or ils disaient à Dieu : « Laisse-nous donc tranquilles,
peu nous importe de savoir ce que tu veux.
15 Qu'est donc le Dieu Très-Grand, sommes-nous ses esclaves ?
A quoi nous servirait de le solliciter ? »
16 Et pourtant leur bonheur ne dépendait pas d'eux !
Que je reste étranger à ce comportement
des gens sans foi ni loi !
17 Est-ce qu'on voit souvent la lampe de leur vie
s'éteindre tout à coup, la ruine les atteindre,
ou Dieu les condamner à subir sa colère ?
18 Qu'ils soient comme la paille emportée par le vent,
comme la poussière qu'un tourbillon soulève !

*

19 On dit que Dieu réserverait la punition
aux fils de ces gens-là.
S'il les faisait plutôt payer directement,
cela leur apprendrait !
20 Il faut que les méchants voient eux-mêmes leur ruine
et qu'ils goûtent à la fureur du Dieu Très-Grand.
21 Une fois en effet que leur vie est tranchée,
le sort de leurs enfants ne les concerne plus.

22 Va-t-on apprendre à Dieu à connaître ces choses,
alors qu'il est le juge des *anges eux-mêmes ?

*

23 Certains ne sont pris par la mort qu'en plein bonheur,
ils vivent sans soucis, parfaitement tranquilles.
24 Ils portent l'embonpoint des gens trop bien nourris,
ils sont encore tout pleins de vitalité.
25 Mais d'autres n'ont connu qu'une existence amère
et n'ont jamais goûté un instant de bonheur.
26 Les uns et les autres sont couchés dans la terre,
et recouverts bientôt d'une couche de vers.

27 C'est que je connais bien vos arrière-pensées
et les idées que vous vous faites sur mon compte !

28 Vous dites en effet : « Qu'est-elle devenue,
la maison des tyrans, la tente des méchants ?
– Il n'y en a plus trace ! »

*

29 Mais n'avez-vous jamais questionné les passants
et n'acceptez-vous pas les preuves qu'ils apportent ?
30 Lorsque vient le malheur, le méchant y échappe,
la colère de Dieu le laisse sain et sauf.
31 Qui osera dès lors lui démontrer ses torts ?
Qui lui fera payer le mal qu'il a commis ?
32 Lui, quand il meurt, on le conduit au cimetière,
on veille sur sa tombe.
33 Tout le monde a suivi son cortège funèbre,
une foule immense défile devant lui.
La terre du vallon est légère à son corps !

*

34 Quelle consolation m'offrez-vous donc ? Du vent !
Et tous vos arguments ne sont qu'escroquerie.

Intervention d'Élifaz : Job est sûrement coupable

22 1 Alors Élifaz de Téman prit la parole et dit à Job :

2 A qui l'homme peut-il être utile ? Est-ce à Dieu ?
– A lui-même plutôt, s'il a quelque bon sens.
3 Et quel profit le Dieu Très-Grand retire-t-il
de ta bonne conduite ? Et que peut-il gagner
si ton comportement est sans aucun reproche[r] ?

4 Crois-tu qu'il te corrige et te fait un procès
parce que tu respectes son autorité ?
5 C'est plutôt pour punir tes innombrables torts
et les fautes que tu ne cesses de commettre.

*

6 Par exemple, tu as réclamé indûment
un gage à ton prochain ;
tu lui as pris le seul manteau qu'il possédait[s].
7 Tu as refusé un peu d'eau à l'assoiffé
ou un morceau de pain à qui mourait de faim.
8 Mais tu laissais les forts s'emparer du pays
et les favoris du pouvoir s'y installer[t].
9 Tu as laissé partir des veuves les mains vides
et privé l'orphelin de ses dernières forces.

10 C'est pourquoi te voilà cerné, pris au filet,
et soudain assailli par une peur terrible.

---

r **22.3** V. 2-3 : voir 35.6-8.
s **22.6** Comparer Ex 22.25-26 ; Deut 24.6,12-13.
t **22.8** D'autres comprennent *Toi qui es fort, tu t'es emparé du pays, et tu as eu l'aplomb d'en faire ton domaine.*

11 La nuit tombe sur toi et tu n'y vois plus rien,
tu te trouves noyé sous une énorme vague.

*

12 On sait très bien que Dieu est là-haut dans le ciel.
Vois déjà la hauteur de la plus haute étoile !
13 Alors tu as conclu : « Que peut-il bien savoir ?
Dieu peut-il nous juger à travers les nuages ?
14 Leur voile est trop épais, il ne distingue rien
quand il parcourt le tour du ciel. »

15 Tiendrais-tu à rester sur les chemins battus
qu'ont toujours parcouru les partisans du mal,
16 eux qui sont balayés avant le temps normal,
comme un mur emporté par une inondation ?

*

17 Ces gens disaient de Dieu : « Qu'il nous laisse tranquilles !
Il est le Dieu Très-Grand, mais que peut-il nous faire[u] ? »
18 Or c'est lui qui avait enrichi leurs familles !
Que je reste étranger à ce comportement
des gens sans foi ni loi[v] !

19 Les fidèles seront heureux de voir leur ruine,
les innocents n'auront pour eux que moqueries :
20 « Eh bien, voilà nos ennemis anéantis !
Le feu a dévoré tout ce qu'ils ont laissé. »

*

21 Réconcilie-toi avec Dieu, tout ira mieux,
c'est ainsi que le bonheur te sera rendu.
22 Reçois l'enseignement qu'il te donne lui-même,
prends à cœur ses paroles.

23 Reviens au Dieu Très-Grand, il te rétablira ;
éloigne de chez toi tout ce qui est injuste.
24 Jette ton or à terre
ou laisse-le parmi les pierres du torrent,
25 et c'est le Dieu Très-Grand
qui te tiendra lieu d'or, de quantité d'argent.

*

26 Alors tu te plairas auprès du Dieu Très-Grand,
tu lèveras vers lui un visage confiant.
27 Il ne manquera pas d'écouter ta prière,
et tu pourras alors t'acquitter de tes *vœux.
28 Quoi que tu décides, cela réussira,
tout sera clair pour toi sur la voie que tu suis.

---

u **22.17** *nous faire* : d'après les anciennes versions grecque et syriaque ; hébreu *leur faire*.

v **22.18** Voir 21.16.

[29] On voudra t'humilier, mais tu diras : "Debout !"
car Dieu donne son aide à celui qui est humble.
[30] Puisqu'il arrache au mal les hommes innocents,
tu seras délivré en gardant les mains propres[w].

Réplique de Job : Dieu me refuse le dialogue

23 [1] Job répondit alors :

[2] J'ai beau vouloir étouffer mes gémissements,
encore maintenant, ma plainte est la plus forte.
[3] Ah, comme j'aimerais savoir où trouver Dieu !
Je me rendrais alors jusqu'à sa résidence
[4] et je pourrais ainsi lui exposer ma cause.
Je lui présenterais mes nombreux arguments.
[5] Je connaîtrais quelle réponse il me ferait,
je comprendrais enfin ce qu'il tient à me dire.

[6] Lui faudrait-il un grand effort pour m'affronter[x] ?
Mais non : il suffirait qu'il me prête attention.
[7] Il pourrait s'expliquer avec un homme honnête,
et moi, j'échapperais pour toujours à mon juge.

*

[8] Mais si je vais à l'est, il ne s'y trouve pas.
Je me rends à l'ouest, et ne l'aperçois pas.
[9] A-t-il à faire au nord ? Non, je ne l'y vois pas.
Se cache-t-il au sud ? Je ne remarque rien.

[10] Pourtant il connaît bien le chemin que je suis :
il m'a mis à l'épreuve,
mais j'en sortirai pur, comme l'or du creuset.
[11] Je me suis fermement attaché à ses pas,
j'ai suivi son chemin et n'en ai pas dévié.
[12] Je n'ai pas refusé ce qu'il me commandait,
j'ai gardé dans mon cœur tout ce qu'il m'ordonnait[y].

*

[13] Mais il n'a qu'une idée. Qui l'en fera changer ?
Ce qu'il a désiré, il l'a réalisé.
[14] Il accomplit pour moi ce qu'il a décidé,
comme tant d'autres plans qu'il a mis en réserve.
[15] Voilà pourquoi je suis terrifié devant Dieu.
Oui, plus je réfléchis et plus j'ai peur de lui.
[16] Car c'est bien Dieu qui affaiblit tout mon courage,
c'est lui, le Dieu Très-Grand, qui vient me terrifier.

---

w **22.30** Sens incertain ; d'autres interprètent *Il délivre même celui qui est coupable. Celui-ci est délivré grâce à la pureté de tes mains*.

x **23.6** D'autres comprennent *Usera-t-il de sa force pour m'affronter ?*

y **23.12** *dans mon cœur* : d'après l'ancienne version grecque ; le sens de l'hébreu est incertain : *plus que ma part* (?).

17 Pourtant malgré la nuit, je ne me suis pas tu ;
malgré l'obscurité qu'il fait tomber sur moi[z] !

Réplique de Job (suite) : Dieu laisse faire les méchants

24 1 Pourquoi le Dieu Très-Grand n'a-t-il pas réservé
des jours où il exercerait son jugement,
où ses fidèles le verraient intervenir ?
2 Or des gens déplacent les bornes de leur champ[a],
d'autres font paître des moutons qu'ils ont volés.
3 Certains s'emparent de l'âne des orphelins
ou prennent en garantie le bœuf de la veuve.

4 Les malheureux sont bousculés hors du chemin,
les pauvres du pays n'ont plus qu'à se cacher.
5 Tels les ânes sauvages des terres désertes,
ils partent au travail et cherchent dans la steppe
quelque chose à manger pour nourrir leurs petits.

*

6 Ils doivent ramasser de l'herbe dans les champs[b],
ils doivent vendanger la vigne du méchant.
7 Mais ils n'ont pas de quoi se couvrir pour la nuit,
pas de couverture pour résister au froid.
8 Ils sont trempés par les averses des montagnes ;
faute d'abri, ils se serrent contre un rocher.

9 On arrache l'orphelin au sein de sa mère.
De celui qui n'a rien on exige des gages[c].
10 On le réduit à marcher à peine vêtu,
à porter des gerbes de blé le ventre creux,
11 à presser des olives dans l'enclos des autres
ou préparer le vin sans pouvoir y goûter.

*

12 Dans la ville, les gens font entendre leurs plaintes ;
le râle des blessés est un appel à l'aide,
et Dieu reste insensible à ces faits scandaleux !

13 Les méchants sont de ceux qui n'aiment pas le jour,
ils ne fréquentent pas les chemins qu'il éclaire,
ils ne s'y tiennent pas.
14 Le meurtrier se lève à l'approche de l'aube,
il assassine le pauvre, le malheureux,
et il se fait voleur quand la nuit est venue.

---

z **23.17** Le sens du v. 17 est discuté. Certains comprennent *Ce n'est pas la sombre nuit où me voilà plongé qui me réduit au silence* (c'est Dieu). D'autres *Je n'ai pas été anéanti avant que vienne la nuit, mais il* (Dieu) *ne m'a pas épargné l'obscurité*.

a **24.2** La loi d'Israël interdisait d'agrandir son champ en *déplaçant les bornes* qui en marquaient les limites. Voir Deut 19.14 ; Osée 5.10 ; Prov 22.28.

b **24.6** Le sens du v. 6 est incertain. D'autres comprennent *C'est dans les champs qu'ils ramassent de quoi manger ; et ils vont grapiller la vigne des méchants.*

c **24.9** Voir 22.6 et la note.

15 Le mari infidèle guette aussi le soir
en se disant : « Je passerai inaperçu ».
Alors il cache son visage sous un voile.
16 C'est dans la nuit que le voleur perce les murs ;
pendant le jour, il se tient enfermé chez lui,
la lumière est pour lui une chose étrangère.

17 Pour eux tous, le matin est un sombre moment[d],
tant ils sont familiers des horreurs de la nuit.

*

18 Mais vous, vous affirmez :
« Les méchants sont vite emportés au fil de l'eau,
leur domaine devient une terre maudite,
et ils ne prennent plus la direction des vignes[e].
19 Comme neige au soleil,
ainsi disparaissent vers le monde des morts
tous ceux qui ont péché.
20 Celle qui les a mis au monde les oublie,
ils sont un mets de choix pour les vers des cadavres ;
on cesse tout à fait de parler de ces gens.
Voilà le mal brisé comme un morceau de bois.
21 Ces gens ont maltraité la femme
qui ne pouvait avoir d'enfants,
ou bien n'ont pas montré de bonté à la veuve.
22 Mais Dieu a la force d'expulser les tyrans.
Il surgit et ceux-ci ne sont plus sûrs de vivre.
23 Il les laisse assurés de leur sécurité,
mais il garde les yeux fixés sur leur conduite.
24 Ces gens se redressent un peu, et puis plus rien ;
ils courbent la tête, comme une fleur qui meurt,
ils se fanent comme un épi qu'on a coupé. »
25 Il en est bien ainsi !
Qui oserait alors me traiter de menteur
et réduire à néant ce que j'ai affirmé ?

Intervention de Bildad : Le pouvoir universel de Dieu

25 1 Bildad de Chouha prit alors la parole et dit à Job :

2 Dieu détient un pouvoir souverain, effrayant ;
il impose la paix jusqu'au plus haut du ciel.
3 Qui pourrait compter les troupes dont il dispose ?
Et sur qui son soleil ne se lève-t-il pas ?

---

d **24.17** Autre interprétation *La journée de ces gens commence avec la nuit*.

e **24.18** *Mais vous, vous affirmez* : ces mots sont ajoutés pour la bonne compréhension. Il semble en effet qu'à partir du v. 18 Job se réfère à l'argumentation de ses amis. Selon d'autres les v. 18-24 seraient un fragment de la troisième intervention de Sofar, laquelle aurait disparu du texte actuel. Voir 27.13 et la note. – *prendre la direction des vignes* : on ignore le sens de cette expression ; certains l'interprètent comme signifiant *aller à la fête*.

4 Comment veut-on qu'un homme ait raison contre Dieu ?
Et comment un humain se prétendra-t-il *pur ?
5 Si devant Dieu même la lune est sans éclat,
et si les étoiles lui paraissent ternies,
6 qu'en sera-t-il alors de ces pauvres humains
aussi insignifiants qu'un simple vermisseau ?

Réplique de Job : Quel triste secours tu m'offres là !

26 1 Job répondit alors :

2 Ah, comme tu sais bien venir en aide au faible,
au secours de celui dont le bras est sans force !
3 Ah, comme tu sais bien conseiller l'incapable
et, sur tous les sujets, montrer ta compétence !
4 Mais pour qui ces discours ?
De qui t'inspires-tu pour parler de la sorte ?

Le pouvoir universel de Dieu[f]

5 Plus bas que l'océan et que ceux qui le peuplent,
au pays des ombres, on se met à trembler,
6 car le monde des morts est à nu devant Dieu,
aucun voile ne cache *l'abîme à ses yeux.

7 C'est Dieu qui étend le nord du ciel sur le vide
et qui suspend la terre au-dessus du néant.
8 Il enferme la pluie au-dedans des nuages
et empêche ceux-ci de crever sous le poids.
9 Il voile le visage de la pleine lune[g]
en tirant devant elle un rideau de nuages.

*

10 Il a tracé un cercle autour de l'océan,
là où la lumière met un terme à la nuit.
11 Aux menaces de Dieu, le ciel, sur ses piliers,
est pris de tremblements et reste stupéfait.

12 La puissance de Dieu a vaincu l'océan
et son intelligence le monstre Rahab[h].
13 Comme un vent, son haleine a balayé le ciel,
sa main a transpercé le serpent tortueux[i].
14 Si ce n'est là qu'un petit bout de ses actions
– et nous n'en percevons qu'un très léger écho –
qui comprendra le tonnerre de ses hauts faits ?

---

f **26.5** Les v. 5-14 traitent du même thème que 25.2-6. C'est pourquoi certains considèrent ce passage comme la suite du discours de Bildad.

g **26.9** *de la pleine lune* : d'après une interprétation juive ancienne ; certains traduisent *de* (son) *trône*.

h **26.12** Voir 7.12 et la note ; comparer 9.13.

i **26.13** Comparer És 27.1.

Réplique de Job (suite) : Un coupable ferait-il appel à Dieu ?

27 1 Job reprit son plaidoyer en disant :

2 Voici ce que je jure
par le Dieu vivant, qui me refuse justice,
par le Dieu Très-Grand qui me remplit d'amertume :
3 Tant que j'aurai en moi un petit peu de vie,
que le souffle de Dieu sera dans mes narines,
4 jamais, mes lèvres ne diront ce qui est faux,
ni ma langue ne trahira la vérité !

5 Loin de moi la pensée de vous donner raison !
Jamais, jusqu'à ma mort,
je ne renoncerai à me dire innocent.
6 Je maintiens fermement que ma conduite est juste,
je n'en démordrai pas.
En conscience, je n'ai pas honte de ma vie.

*

7 C'est à mon ennemi
que le sort des méchants doit être réservé[j] !
A ceux qui m'attaquent, le sort des criminels !
8 Que reste-t-il à l'homme de mauvaise foi,
quand Dieu coupe ou arrache le fil de sa vie ?
9 Lorsque survient pour lui le temps de la détresse,
ses appels au secours sont-ils reçus par Dieu ?
10 Trouverait-il son plaisir auprès du Dieu Très-Grand ?
Adresserait-il à Dieu sa prière en tout temps ?

11 Je dis tout haut ce que pense le Dieu Très-Grand,
je ne vous cache pas ses arrière-pensées.
12 Vous avez constaté, vous tous, ce qu'il en est.
Alors pourquoi votre discours est-il si creux ?

Un succès passager[k]

13 Voici le sort que Dieu réserve aux criminels,
la part que le Dieu Très-Grand destine aux tyrans :
14 Si leurs fils grandissent, la guerre les tuera,
leurs enfants n'auront pas assez de pain pour vivre ;
15 enfin la peste emportera les survivants,
leurs veuves ne pourront même pas les pleurer.

16 S'ils amassent l'argent comme de la poussière
et des tas de vêtements comme de la boue...,

27.7 On trouve le même genre de formule en 1 Sam 25.26 ; 2 Sam 18.32.

27.13 V. 13-23 : l'argumentation qui suit développe les thèmes habituellement proposés par les amis de Job. C'est pourquoi certains considèrent ce passage comme la troisième intervention de Sofar (voir 24.18 et la note).

17 c'est un fidèle qui mettra les vêtements,
c'est un homme honnête qui touchera l'argent.

*

18 La maison que ces gens ont bâtie est fragile[l],
une hutte branlante de gardien de vigne.
19 Ils se couchent riches, ils ne vont pas mourir[m] ;
quand ils ouvrent les yeux, il ne reste plus rien.
20 La terreur les surprend comme l'eau qui déborde,
un tourbillon les emporte pendant la nuit.
21 Le vent d'est les soulève et il s'en va plus loin,
il les arrache avec violence à leur demeure.

22 Sans avoir pitié d'eux, Dieu[n] les prend comme cibles,
si bien qu'ils doivent fuir pour éviter les coups.
23 On applaudit en les voyant dans cet état,
du lieu où ils étaient[o], on siffle de plaisir.

Le mystère de la Sagesse

28 1 Il existe des lieux où l'on extrait l'argent,
et des endroits où l'or est trié par lavage.
2 Quant au fer, c'est dans le sol qu'on va le chercher,
et le cuivre s'obtient en fondant de la roche.

3 Sous terre, les mineurs apportent la lumière ;
on y fouille jusqu'aux limites du possible
la roche sombre et noire.
4 On ouvre des tunnels hors des lieux habités.
Loin des humains, en des endroits inaccessibles,
des mineurs oscillent, suspendus à des cordes.

5 La terre, en surface, produit la nourriture,
tandis que, par-dessous,
on dirait que le feu a tout bouleversé.
6 C'est dans ses roches que l'on trouve le saphir[p]
et les pépites d'or.
7 Le vautour ignore ces chemins souterrains,
l'œil des oiseaux de proie ne les a jamais vus.
8 Aucun grand fauve n'a parcouru ces sentiers,
et le lion ne s'y est pas aventuré.

9 Mais l'homme ose attaquer la roche de granit,
il remue les montagnes jusqu'à la racine.

---

l **27.18** *fragile* ou *comme* (celle que bâtit) *la mite* ou encore *comme un nid* (d'oiseau).

m **27.19** Ou *ils ne seront pas recueillis* (ensevelis ?).

n **27.22** *Dieu* : en hébreu *il*, que certains rapportent au *vent d'est* (v. 21) et que d'autres interprètent au sens de *on*.

o **27.23** *du lieu où ils étaient* : autre interprétation *de les voir disparus*.

p **28.6** *saphir* (pierre précieuse, transparente et bleue) ou *lazulite* (pierre fine, opaque et bleue).

[10] Dans le roc, il ouvre un réseau de galeries ;
tout ce qui est précieux, il le voit de ses yeux.
[11] Il va jusqu'à tarir les sources des cours d'eau
et il amène au jour ce qui était caché.

*

[12] Mais la Sagesse[q], où peut-on bien la trouver ?
Où donc est la demeure de l'intelligence ?
[13] Les humains ignorent à quel prix l'estimer,
car elle est introuvable au pays des vivants.
[14] Le grand Océan dit : « Elle n'est pas ici »,
et la Mer, à son tour : « Elle n'est pas chez moi. »

[15] On ne peut l'échanger contre un lingot d'or fin,
on ne peut l'acquérir contre un bon poids d'argent.
[16] Elle est incomparable face à l'or d'Ofir,
à la précieuse cornaline[r] ou au saphir.
[17] Ni le verre[s] ni l'or n'atteignent sa valeur,
on ne peut l'obtenir contre un vase d'or fin,
[18] ne parlons même pas du corail, du cristal ...
La Sagesse vaut mieux qu'aller pêcher les perles !
[19] La topaze[t] éthiopienne est loin de la valoir.
Face à l'or le plus pur, elle est incomparable.

*

[20] Mais la Sagesse, d'où peut-elle provenir ?
Où donc est la demeure de l'intelligence ?
[21] Elle reste cachée au regard des vivants,
invisible à l'oiseau qui vole dans le ciel.
[22] La Mort et le Royaume de la mort déclarent :
« Oui, c'est vrai, nous avons entendu parler d'elle. »
[23] Mais Dieu a remarqué par où elle venait ;
lui seul a su le lieu où l'on peut la trouver,
[24] quand son regard allait jusqu'au bout de la terre,
et qu'il inspectait tout ce qui est sous le ciel.
[25] Quand il attribuait un certain poids au vent
et quand il mesurait le volume des eaux,

[26] quand il marquait une limite pour la pluie
et un chemin pour les roulements du tonnerre,
[27] c'est alors qu'il vit la Sagesse et l'estima ;
il en fit l'inventaire, éprouva sa valeur.
[28] Puis il dit aux humains :
« Respecter le Seigneur, c'est cela la sagesse !
Et s'écarter du mal, voilà l'intelligence[u] ! »

---

q **28.12** *la Sagesse* : au sens où ce terme est employé dans les Proverbes, c'est-à-dire l'art de vivre comme il convient. Elle est ici personnifiée (voir Prov 1.20 et la note ; 8.1).

r **28.16** *cornaline* : pierre fine, marquée de stries colorées et concentriques.

s **28.17** *le verre*, très rare à cette époque, était considéré comme d'autant plus précieux.

t **28.19** *la topaze* : pierre précieuse transparente et jaune.

u **28.28** Voir Ps 111.10 ; Prov 1.7 ; 9.10.

Dernière réplique de Job : Ah, les beaux jours d'autrefois !

29 [1] Job reprit son plaidoyer en disant :

[2] Ah, combien j'aimerais retrouver le passé,
ce temps où je vivais sous la garde de Dieu,
[3] quand sa lampe brillait au-dessus de ma tête !
Sa lumière m'aidait à traverser la nuit.

[4] Je me trouvais alors au temps de l'âge mûr,
et l'amitié de Dieu veillait sur ma maison.
[5] Lui, le Dieu Très-Grand, était encore avec moi,
et tout autour de moi se tenaient mes garçons.
[6] A cette époque, je nageais dans l'abondance,
des ruisseaux d'huile s'écoulaient de mon pressoir.

*

[7] Lorsque je sortais vers la porte de la ville
et que j'allais siéger au conseil sur la place[v],
[8] les jeunes gens, en me voyant, se retiraient,
les vieillards se levaient et ils restaient debout.
[9] Les personnalités arrêtaient leurs discours,
s'imposant le silence, la main sur la bouche.
[10] Les chefs baissaient le ton, ils devenaient muets.

*

[11] J'étais félicité par ceux qui m'entendaient ;
en me voyant, tous m'assuraient de leur estime :
[12] je sauvais le pauvre qui m'appelait à l'aide
et l'orphelin que personne ne secourait.
[13] Ceux qui mouraient me laissaient leur bénédiction,
je remettais un peu de joie au cœur des veuves.

[14] Le sens de la justice était mon vêtement,
mon respect pour le droit un manteau, un turban.
[15] Pour l'aveugle, j'étais les yeux qui lui manquaient,
pour l'infirme, les pieds qui lui faisaient défaut.
[16] Pour les malheureux, j'étais devenu un père,
je donnais tous mes soins au cas de l'étranger.
[17] Mais je cassais les dents à tous les criminels,
arrachant de leurs crocs la proie qu'ils détenaient.

*

[18] Je me disais alors : « Je mourrai dans mon nid
comme l'oiseau Phénix[w], et revivrai longtemps.
[19] Je suis comme un arbre qui a le pied dans l'eau ;
la rosée de la nuit rafraîchit mes rameaux.

---

v **29.7** Le conseil des notables siégeait sur la *place publique* ménagée devant la *porte* de la ville. Il pouvait fonctionner comme tribunal.

w **29.18** *Phénix* : oiseau fabuleux. Sa légende prétendait qu'il avait vécu plusieurs siècles. Puis, brûlé avec son nid, il avait pu renaître de ses cendres. La deuxième partie du verset est traduite par certains *mes jours seront innombrables comme les grains de sable*.

[20] Je pourrai retrouver un prestige tout neuf
et ma force d'agir comme un arc bien tendu. »

*

[21] En ce temps-là, on m'écoutait, on attendait,
on se taisait pour que je donne mon avis.
[22] Quand j'avais terminé, on ne discutait pas,
sur les gens mes propos s'écoulaient goutte à goutte.

[23] Et les gens m'attendaient, comme on attend la pluie,
comme on aspire à voir l'averse de printemps.
[24] Quand je leur souriais, ils n'osaient pas y croire,
guettant sur mon visage un signe bienveillant.
[25] Je siégeais à leur tête et leur montrais la route,
vivant avec eux comme un roi parmi ses troupes,
comme quelqu'un qui console les affligés.

Dernière réplique de Job (suite) : Mais maintenant ...

30 [1] Mais maintenant, je suis tourné en ridicule
par des petits jeunots.
Leurs pères autrefois m'auraient paru indignes
de figurer parmi les chiens de mon troupeau.
[2] Et d'ailleurs, que pouvais-je attendre de ces gens
à la force mourante ?

[3] Épuisés par la faim et par les privations,
ils cherchaient quelque chose à ronger dans la steppe[x],
sombre région de ruine et de désolation.
[4] Ils recueillaient l'herbe salée près des buissons,
ils se nourrissaient des racines du genêt.

[5] Chassés par tout le monde,
poursuivis à grands cris comme des malfaiteurs,
[6] ils cherchaient un abri sur les flancs des ravins,
dans les trous de la terre ou les creux des rochers.
[7] Ils étaient entassés à couvert sous les ronces,
on entendait leurs cris au milieu des buissons :
[8] Des espèces de fous, des êtres innommables,
qu'on chassait du pays à grands coups de bâton !

*

[9] Mais maintenant je suis un thème de chansons,
me voilà devenu sujet de racontars.
[10] Ils s'éloignent de moi pour marquer leur dégoût,
ou bien, sans se gêner, me crachent au visage.
[11] Dès lors que Dieu m'a affaibli et humilié[y],
ils n'ont plus envers moi la moindre retenue !

---

x **30.3** Autre interprétation *ils fuyaient dans la steppe*. – Après avoir dénoncé l'insolence de ceux qui le ridiculisent (v. 1a), Job décrit la vie méprisable que menaient leurs pères (v. 1b-8).

y **30.11** Une autre tradition textuelle juive a lu *C'est que chacun se sent libre de m'humilier*.

12 Pour m'accuser, une foule de gens se lèvent[z],
cherchant à me faire tomber d'un croche-pied.
Ils lancent contre moi leur assaut pour me perdre.
13 Ils m'ont coupé toute retraite,
chacun travaille à mon malheur,
aucun d'entre eux n'a besoin d'aide.
14 Ils pénètrent chez moi par une large brèche
et se glissent vers moi à travers les décombres.

*

15 Toutes sortes de terreurs me prennent pour cible,
balayant ma dignité comme un coup de vent ;
mon bonheur a été un nuage qui passe.
16 Enfermé maintenant dans ce temps de misère,
il ne me reste plus qu'à exprimer ma plainte.

17 La nuit, les douleurs me transpercent jusqu'à l'os,
elles me rongent sans m'accorder de repos[a].
18 Dieu a saisi brutalement mon vêtement[b],
il me serre le cou comme un col trop étroit,
19 me jette dans la boue ;
on dirait que je suis de poussière et de cendre.

*

20 Mon Dieu, je t'appelle, mais tu ne réponds pas ;
je me tiens devant toi, mais ton regard me perce.
21 Te voilà devenu cruel à mon égard,
tu mets toute ta force à t'acharner sur moi.

22 Tu m'emportes au grand galop avec le vent,
et la tempête me secoue dans tous les sens.
23 Je le sais bien, tu me ramènes chez la mort,
ce lieu de rendez-vous fixé à tout vivant.
24 Mais quand tout est ruiné, ne tend-on pas la main ?
Dans la détresse, n'appelle-t-on pas à l'aide[c] ?

25 N'ai-je pas pleuré sur ceux que la vie malmène ?
Le sort des malheureux m'a toujours tourmenté !
26 J'espérais du bonheur, mais j'ai eu le malheur ;
j'attendais la lumière, et la nuit est venue.

*

27 L'émotion ne cesse de bouillonner en moi
depuis que j'affronte cette vie de misère.
28 Je marche dans le deuil ; pas de soleil pour moi !
En plein public je lance des appels à l'aide.

---

z **30.12** *Pour m'accuser* ou *A ma droite* : voir Ps 109.6 ; Zach 3.1. – *une foule de gens* : le terme hébreu correspondant ne se trouve pas ailleurs ; autres traductions parfois proposées : *un nid* (de vipères ?) ou *une jeunesse insolente*.

a **30.17** *elles me rongent... repos* : autre traduction *mes nerfs ne prennent aucun repos*.

b **30.18** D'après l'ancienne version grecque ; texte hébreu traditionnel *Brutalement, mon vêtement s'est déformé*.

c **30.24** Verset obscur, sens incertain.

29 Par mes lugubres cris, me voilà devenu
compagnon des chacals et frère des hiboux.

30 Sur moi, ma peau noircit,
au plus profond de moi, la fièvre me dévore.
31 Ma guitare[d] ne joue que des airs pour le deuil,
ma flûte ne soutient que le chant des pleureurs.

Dernière réplique de Job (fin) : Je me présente à Dieu la tête haute

31

1 J'avais un pacte avec mes yeux, m'interdisant
tout regard de désir sur une jeune fille.
2 Sinon qu'aurais-je pu m'attendre à recevoir
depuis le ciel, du Dieu Très-Grand qui est là-haut ?
3 « Le malheur est pour les criminels, dites-vous,
et les graves ennuis pour les gens malfaisants. »
4 Or Dieu ne voit-il pas comment je me conduis ?
Il va jusqu'à compter tous les pas que je fais !

*

5 Eh bien, ai-je vécu guidé par le mensonge,
ai-je pressé le pas pour commettre la fraude ?
6 Que Dieu me pèse dans une balance juste !
Alors il le saura : je suis irréprochable.
7 Si mes pas ont quitté le chemin qu'il traçait,
si mon cœur a suivi les désirs de mes yeux,
si mes mains sont salies par une action mauvaise,
8 qu'un autre profite alors de ce que je sème,
ou que mes plantations soient arrachées de terre !

*

9 Si mon cœur a cédé à l'attrait d'une femme
et si je l'ai guettée à la porte voisine,
10 que ma propre femme travaille[e] pour un autre
et que tout le monde puisse disposer d'elle !

11 Car j'aurais commis là une faute honteuse,
un crime digne d'être puni par les juges.
12 Ma faute aurait été une sorte de feu,
qui m'aurait consumé jusqu'à m'anéantir
et qui aurait détruit tout ce que j'ai acquis.

*

13 Lorsque mon serviteur ou lorsque ma servante
avaient un sujet de plainte à me présenter,
ai-je tenu pour rien le droit qui est le leur ?
14 Sinon que ferai-je quand Dieu interviendra,
et que répondrai-je quand il enquêtera ?

30.31 *guitare* : l'instrument de musique dont parle Job est mal connu, bien qu'il soit mentionné plusieurs fois dans l'A.T. La traduction proposée ici est donc approximative ; voir Ps 150.3 et la note.

e **31.10** *travaille* ou *tourne la *meule du moulin*.

15 Car c'est le même Dieu qui nous a tous formés,
eux comme moi, dans le ventre de notre mère.

*

16 Ai-je jamais dit non aux demandes des faibles,
et laissé les yeux de la veuve attendre en vain ?
17 Ai-je mangé tout seul un morceau de mon pain
sans laisser l'orphelin en avoir une part ?
18 Depuis ma jeunesse, j'ai été au contraire
comme le père auprès duquel il grandissait,
et j'ai toujours été un guide pour la veuve.

19 Ai-je vu un pauvre privé de vêtements,
un malheureux qui n'avait rien pour se couvrir,
20 sans qu'ils me remercient d'avoir mis sur leur dos
un tissu chaud de la laine de mes moutons ?

21 Si j'ai menacé l'orphelin au tribunal,
en sachant que j'aurais l'appui de tous les juges,
22 que mon épaule alors s'arrache de mon dos,
et que mon bras se casse à la hauteur du coude !
23 Car je redoute trop la punition de Dieu,
je ne pourrais tenir devant sa majesté.

*

24 Est-ce que j'ai placé ma confiance dans l'or ?
Ou lui ai-je dit : « Tu es ma sécurité » ?
25 Je n'ai pas mis ma joie dans ma grande fortune,
dans les nombreux objets que j'ai pu acquérir.

26 Quand j'ai vu le soleil dans toute sa splendeur
et la lune avancer majestueusement,
27 mon cœur a-t-il été secrètement séduit,
les ai-je pris pour dieux et les ai-je adorés ?
28 En agissant ainsi,
j'aurais mérité d'être puni par mon juge,
car j'aurais été traître envers le Dieu d'en haut.

*

29 Ai-je trouvé plaisir à voir mon ennemi
plongé dans les ennuis, frappé par le malheur ?
30 Je n'osais même pas me permettre la faute
de le maudire en demandant à Dieu sa mort.
31 Qui n'ai-je pas nourri de viande à satiété ?
Tous ceux que je logeais peuvent en témoigner.
32 L'étranger ne passait jamais la nuit dehors,
puisque ma porte était ouverte au voyageur[f].

*

f **31.32** hospitalité : voir Gen 18.6-7.

[33] Comme beaucoup de gens[g], ai-je caché mes fautes,
dissimulé mes torts ?
[34] Je n'ai pas peur de me présenter en public,
d'avoir à affronter le mépris collectif,
au point de ne rien dire et de rester chez moi.

*

[35] Ah, combien j'aimerais être enfin écouté !
Je peux signer ce que j'ai dit[h].
C'est maintenant au Dieu Très-Grand de me répondre !
Quant à l'acte d'accusation
qu'a rédigé mon adversaire,
[36] je le porte glorieusement sur mes épaules,
j'en fais une couronne à mettre sur ma tête.
[37] Je rendrai compte à Dieu de chacun de mes pas,
je me présenterai à lui, fier comme un prince[i].

*

[38] Ai-je poussé les champs à se plaindre de moi,
et ai-je fait pleurer les sillons de la terre
[39] en profitant gratuitement de leurs récoltes,
sans respecter les droits de leurs propriétaires ?
[40] Si c'est le cas, eh bien, que la terre produise
des buissons épineux et des herbes puantes
au lieu d'orge et de blé !

*

Fin des paroles de Job.

INTERVENTION D'ÉLIHOU
(32-37)

32 [1] Élifaz, Bildad et Sofar renoncèrent à répondre à Job, puisque
celui-ci s'estimait innocent. [2] Cela
provoqua l'indignation d'un certain Élihou, fils de Barakel, de la tribu de Bouz[j],
du clan de Ram. Son indignation éclata
contre Job, parce que celui-ci prétendait
avoir raison contre Dieu. [3] Mais elle visait aussi ses trois amis, parce qu'ils
n'avaient pas su répondre à Job et avaient
ainsi donné tort à Dieu[k]. [4] Élihou s'était
retenu de parler à Job, car les autres
étaient plus âgés que lui. [5] Mais son indignation éclata, quand il s'aperçut que
les trois hommes n'avaient plus rien à répondre.

---

g **31.33** Autre interprétation : *Comme Adam autrefois.*

h **31.35** La *signature* évoquée ici est le *taw*, dernière lettre de l'alphabet hébreu ; dans l'ancienne écriture hébraïque elle avait la forme d'une croix. Autre interprétation *J'ai dit mon dernier mot.*

i **31.37** Certains déplacent les v. 35-37 après le v. 40a, car ils constituent la conclusion naturelle du discours de Job.

j **32.2** *Bouz* : une tribu arabe (Jér 25.23).

k **32.3** *et d'avoir ainsi donné tort à Dieu* : texte reconstitué. Les copistes juifs ont en effet noté en marge qu'ils avaient corrigé le texte en remplaçant le nom de *Dieu* par celui de *Job*. Leur texte peut être compris comme signifiant soit *tout en ayant donné tort à Job*, soit *et de ne pas avoir donné tort à Job.*

Élihou explique pourquoi il doit intervenir

6 Élihou, fils de Barakel, de la tribu de Bouz, déclara donc :
Je suis encore jeune et vous êtes âgés.
Voilà pourquoi j'étais bien trop intimidé
pour oser exposer devant vous mon savoir.
7 Je me disais : « C'est aux plus âgés de parler,
c'est aux gens d'âge mûr d'enseigner la sagesse ! »

8 En vérité, ce qui rend l'homme intelligent
c'est l'Esprit, c'est l'inspiration du Dieu Très-Grand.
9 Être un sage, reconnaître ce qui est juste
n'est pas une exclusivité des gens âgés.
10 C'est pourquoi je vous demande[l] de m'écouter :
moi aussi, je voudrais exposer mon savoir.

*

11 Eh bien, j'ai attendu ce que vous alliez dire,
j'espérais entendre vos arguments de fond,
un exposé fouillé.
12 Je vous ai écoutés avec grande attention,
mais aucun d'entre vous n'a su critiquer Job
ni fournir de réponse à ses affirmations.

13 Surtout ne pensez pas : « Voici ce qui est sage :
ce n'est pas nous mais Dieu qui le réfutera. »
14 Les arguments de Job ne me concernent pas ;
quant aux vôtres, je n'en veux pas pour lui répondre.

*

15 Vous êtes consternés, vous ne répliquez plus,
vous ne savez que dire.
16 J'ai attendu. Mais puisque vous ne parlez plus
et que vous restez là, impuissants à répondre,
17 eh bien, c'est à mon tour de prendre la parole !
je voudrais exposer, moi aussi, mon savoir.

18 Je suis par trop rempli de ce que j'ai à dire ;
l'esprit au fond de moi me presse de parler[m].
19 Cela fermente en moi comme un vin sous pression
déchirant les *outres neuves où on l'a mis.
20 Qu'on me laisse parler, je serai soulagé,
je pourrai m'exprimer et donner ma réponse.
21 Bien sûr je ne prendrai le parti de personne,
et je ne flatterai aucun de vous non plus.
22 Je ne sais pas flatter, et si je le faisais,
mon Créateur m'enlèverait sans plus tarder.

---

l **32.10** *je vous demande* : d'après deux manuscrits hébreux soutenus par plusieurs versions anciennes ; texte hébreu traditionnel *je te demande* (à toi, Job).

m **32.18** D'autres interprètent *l'Esprit de Dieu en moi* (me presse de parler).

L'argument d'Élihou : Dieu avertit l'homme

33 1 Quant à toi, Job, écoute ce que j'ai à dire
et fais bien attention à toutes mes paroles.
2 J'ai quelque chose à dire et je vais l'exprimer.
3 Je tiens à te parler en toute honnêteté,
et je ne te dirai que la vérité pure.
4 C'est par l'Esprit de Dieu que j'ai été créé,
c'est le souffle du Dieu Très-Grand qui me fait vivre.

5 Essaie de me contredire, si tu le peux,
prépare-toi à m'affronter. En position !
6 Nous sommes des égaux, toi et moi, devant Dieu,
moi aussi j'ai été façonné dans l'argile.
7 Serais-je une terreur ? Tu n'as pas à trembler
et je n'exercerai pas de pression sur toi.

*

8 J'ai encore à l'oreille le son de ta voix,
lorsque tu ne faisais que répéter ceci :
9 « Moi, je suis innocent, et non rebelle à Dieu ;
je suis pur de tout crime.
10 Mais Dieu trouve encore à me faire des reproches,
il me considère comme son ennemi.
11 Il entrave mes pas[n],
il garde l'œil fixé sur tous mes faits et gestes. »

12 Tu as tort sur ce point, Job, je dois te le dire ;
Dieu est beaucoup trop grand pour un simple être humain.
13 Pourquoi donc entres-tu en procès avec lui ?
Il n'a pas à répondre de tout ce qu'il fait.

*

14 Quand Dieu parle, il choisit tel moyen d'expression,
ou tel autre, mais on n'y fait pas attention[o].
15 Il parle par un rêve, une vision nocturne,
quand l'engourdissement s'abat sur les humains[p],
quand ils sont endormis, allongés sur un lit.

16 Il leur apporte alors une révélation
et il les avertit définitivement :
17 il veut les détourner de leurs agissements,
il veut leur éviter de tomber dans l'orgueil.
18 C'est ainsi qu'il préserve leur vie de la tombe,
qu'il les fait échapper au couloir de la mort[q].

*

n **33.11** Voir 13.27.

o **33.14** *Quand Dieu parle... autre* : autre interprétation de ce verset difficile *Dieu parle en effet une fois / il ne répète pas deux fois.*

p **33.15** Comparer 4.13.

q **33.18** *au couloir de la mort* : autre traduction *au javelot.*

19 Mais Dieu corrige aussi l'homme par la souffrance
qui le jette sur un lit :
la fièvre fait trembler ses membres sans arrêt ;
20 le voilà dégoûté de toute nourriture,
sans aucun appétit pour son plat favori.
21 Il est si amaigri qu'on ne voit plus ses chairs
et il devient bientôt un squelette vivant.
22 Il n'est pas loin d'avoir mis un pied dans la tombe,
sa vie est au pouvoir des agents de la mort.

23 Mais il suffit d'un *ange aux côtés de cet homme,
un seul de ces mille intermédiaires de Dieu,
pour lui faire savoir quel est le droit chemin.
24 L'ange a pitié de lui, et il demande à Dieu :
« Ne le laisse donc pas descendre dans la tombe,
j'ai trouvé le moyen de le faire acquitter. »

*

25 L'homme retrouve alors sa fraîcheur enfantine ;
le voilà revenu au temps de sa jeunesse.
26 Quand il s'adresse à Dieu, il est bien accueilli ;
il se présente à lui avec des cris de joie,
car Dieu lui a rendu sa condition normale.

27 Il se met à chanter, disant à tout le monde :
« J'étais fautif, je n'avais pas suivi la règle,
mais Dieu m'a épargné la peine méritée.
28 Il m'a fait échapper au couloir de la mort,
j'ai retrouvé la vie et je vois la lumière. »

*

29 Eh bien, c'est tout cela que Dieu fait pour les hommes,
recommençant deux fois, trois fois si nécessaire.
30 Il vise ainsi à les ramener de la tombe
pour que brille sur eux la lumière de vie.

31 Job, tu dois m'accorder toute ton attention ;
commence par te taire et laisse-moi parler.
32 Si tu as quelque chose à répondre, dis-le,
car j'aurais grand plaisir à te donner raison.
33 Si tu n'as rien à dire, écoute-moi plutôt,
fais silence, et je t'enseignerai la sagesse.

Élihou met Job en accusation

34 1 Élihou poursuivit :

2 Écoutez mon discours, vous qui êtes des sages,
accordez-moi votre attention, gens d'expérience.
3 Le rôle de l'oreille est d'apprécier les mots,
tout comme le palais doit percevoir le goût[r].

r **34.3** Comparer 12.11.

[4] Eh bien, cherchons à discerner ce qui est juste,
reconnaissons ensemble ce qui est correct !

*

[5] Voici Job qui déclare : « Je suis innocent,
mais Dieu ne tient aucun compte de mon bon droit.
[6] Sur mon bon droit, il ne dit pas la vérité[s] ;
sans que je sois coupable, il m'a blessé à mort. »

[7] Quel genre d'homme est Job ? Il manie l'insolence
aussi facilement qu'il boit un verre d'eau !
[8] Il fait cause commune avec les malfaiteurs,
il se met du côté des gens sans foi ni loi,
[9] car il a déclaré : « L'homme ne gagne rien
à chercher de bonnes relations avec Dieu. »

*

[10] Vous donc qui avez du bon sens, écoutez-moi :
Loin de moi la pensée que Dieu ferait le mal,
que le Dieu Très-Grand pratiquerait l'injustice !
[11] Mais il rend aux humains ce qu'ils ont mérité,
il les traite chacun d'après ce qu'il a fait[t].

[12] Il est bien évident que Dieu n'agit pas mal ;
le Dieu Très-Grand ne violera jamais le droit !
[13] Quelqu'un d'autre lui aurait-il confié la terre ?
Son pouvoir sur le monde, il le tient de lui seul.
[14] Si Dieu n'était préoccupé que de lui-même
et reprenait pour lui le souffle de la vie,
[15] tous les êtres vivants expireraient d'un coup,
l'homme retournerait à l'état de poussière.

*

[16] Si tu comprends les choses, Job, écoute donc
et fais bien attention à ce que je vais dire :
[17] Dieu pourrait-il vraiment exercer son pouvoir
s'il détestait le droit ?
Oses-tu donner tort au seul souverain juste ?
[18] Lui seul peut dire au roi[u] : « Espèce de vaurien ! »
et aux princes : « Vous n'êtes que des criminels. »
[19] Il n'a pas pour les chefs d'égards particuliers,
il ne fait pas passer le riche avant le pauvre,
car il les a créés aussi bien l'un que l'autre.
[20] Soudain la mort est là, au milieu de la nuit :
le peuple est en révolte et les maîtres périssent ;
on élimine le tyran sans grand effort.

34.6 *Il ne dit pas la vérité* : d'après l'ancienne version grecque. Le texte hébreu actuel propose *Je ne dis pas la vérité*. Mais ce pourrait être une correction de scribes, ceux-ci n'admettant pas que Job accuse Dieu de mensonge.

t **34.11** Comparer Ps 62.13.

u **34.18** *Lui seul peut dire au roi* : d'après les anciennes versions grecque, syriaque et latine ; hébreu *Peut-on dire... ?* L'insulte au roi était normalement punie de mort (voir 2 Sam 19.22).

21 Dieu surveille en effet la conduite des hommes
et remarque toutes les démarches qu'ils font.
22 Il n'y a pas d'obscurité assez profonde
pour l'empêcher d'apercevoir les malfaiteurs.

*

23 Dieu n'a aucun besoin d'une enquête spéciale
pour les mener à comparaître au tribunal.
24 Sans ouvrir une enquête, il brise les puissants
et installe bientôt quelqu'un d'autre à leur place.
25 C'est qu'il n'ignore rien de leurs agissements,
il les renverse et les écrase en une nuit.
26 Il les frappe en public, comme des criminels.

27 Ces gens-là, en effet, se détournaient de lui,
ils voulaient ignorer tous ses enseignements.
28 Ils ont ainsi poussé les faibles et les pauvres
à lancer jusqu'à lui leurs appels au secours.
Or il entend ces cris !

*

29 S'il ne réagit pas, qui lui donnera tort ?
Et s'il veut se cacher, qui le verra quand même ?
Mais il peut imposer aux nations, aux humains,
30 un homme indigne comme roi, un démagogue.

31 Supposons que quelqu'un déclare à Dieu ceci :
« J'ai purgé ma peine, je renonce à mal faire.
32 Montre-moi les fautes que je n'ai pas su voir.
Si j'ai commis le mal, je n'y reviendrai plus. »
33 Dieu doit-il le punir ?
Quel est donc ton avis, toi qui fais la critique ?
Puisque c'est toi qui décides et non pas moi,
dis ce que tu en penses.

*

34 Les hommes de bon sens sauront bien me le dire
et les sages aussi qui m'auront écouté :
35 « Non, Job parle, mais sans savoir de quoi il parle,
ses paroles révèlent qu'il n'y connaît rien.
36 Puisqu'il tient les propos des partisans du mal,
eh bien, il faut pousser l'épreuve jusqu'au bout.
37 A sa faute, il ajoute en effet la révolte ;
en multipliant ses attaques contre Dieu,
il finit par semer le doute parmi nous. »

D'après Élihou, Job n'a rien de sérieux à dire

35 1 Élihou poursuivit :

2-3 Job, quand tu dis à Dieu : « Peu importe pour toi
que je sois innocent ! Moi je n'y gagne rien »,
estimes-tu vraiment que cela est correct ?

Penses-tu être ainsi dans le vrai devant Dieu ?
4 Eh bien, c'est moi qui vais te donner la réponse,
et à tes amis avec toi !

5 Regarde bien le ciel, observe les nuages :
ils sont plus hauts que toi !
6 Quand tu commets le mal, est-ce à Dieu que tu nuis ?
Lorsque tu multiplies les désobéissances,
en quoi cela le touche-t-il ? – En rien du tout !
7 Et si tu te conduis comme il l'attend de toi,
que lui apportes-tu ? Que reçoit-il de toi ?
8 Mais le mal que tu fais, ou ta bonne conduite,
affecte seulement tes semblables, les hommes[v].

*

9 Quand l'oppression est trop lourde, les gens protestent,
ils lancent des appels contre la tyrannie.
10 Mais pas un ne demande : « Où est Dieu, qui m'a fait,
qui suscite nos chants[w] au milieu de la nuit,
11 qui fait notre instruction grâce aux bêtes sauvages,
et nous apprend la sagesse grâce aux oiseaux[x] ? »

12 Contre les orgueilleux, contre les malfaisants,
on appelle au secours, mais Dieu ne répond pas.
13 On crie, mais c'est en vain ; c'est que le Dieu Très-Grand
n'entend pas, il n'y accorde aucune attention.

*

14 Combien moins te répondra-t-il, quand tu déclares
que tu ne le vois pas, que tu l'attends toujours,
alors que ta cause lui a été soumise !
15 Mais puisqu'il ne manifeste pas sa colère,
et puisqu'il ignore cette grande révolte[y],
16 c'est que tout le discours de Job n'est que fumée ;
il multiplie les mots sans savoir ce qu'il dit.

Élihou explique comment Dieu éduque les humains

36 1 Élihou poursuivit :

2 Patiente encore un peu, Job, pour que je t'instruise :
j'ai encore à parler pour la cause de Dieu.
3 J'apporte mon savoir aux gens les plus lointains,
je veux donner raison à Dieu, mon créateur.

---

v **35.8** V. 6-8 : comparer 22.2-3.
w **35.10** *nos chants* ou *mes chants* : sens probable ; hébreu *des chants*, que certains interprètent comme une allusion au tonnerre (voir Ps 29).
x **35.11** *qui fait notre instruction... oiseaux* : certains interprètent *qui nous donne plus d'instruction que les bêtes sauvages et plus de sagesse que les oiseaux*.
y **35.15** *révolte* : d'après plusieurs versions anciennes ; le terme hébreu correspondant ne se retrouve nulle part ailleurs, son sens réel est inconnu.

4 Ce que j'ai à dire, c'est la vérité pure ;
je me présente en homme sûr de son affaire.

5 Oui, Dieu est trop puissant pour mépriser personne ;
il reste souverain, sa décision est ferme.
6 Il enlève la vie aux gens sans foi ni loi,
mais il fait droit aux pauvres.
7 Il ne retire pas son estime aux fidèles.

*

Parlons aussi des rois, qui siègent sur un trône.
Dieu les y a placés pour que leur règne dure.
Mais ils s'enorgueillissent.
8 Les voilà prisonniers, attachés par des chaînes ;
ils sont captifs d'une situation misérable.
9 Dieu leur révèle ainsi quel acte ils ont commis :
par orgueil, ils se sont révoltés contre lui.
10 Il les rend attentifs à l'avertissement,
il les appelle à renoncer à leur méfait.

11 S'ils veulent écouter et se soumettre à Dieu,
ils finiront leur vie dans le plus grand bonheur.
12 Mais s'ils n'écoutent pas,
ils devront traverser le couloir de la mort[z],
et ils expireront faute d'avoir compris.
13 Gens de mauvaise foi, ils en veulent à Dieu ;
ils ne l'appellent pas quand il les emprisonne.
14 Les voilà morts au beau milieu de leur jeunesse,
ils connaissent la fin des jeunes débauchés[a].

*

15 Mais Dieu sauve le pauvre par la pauvreté,
il se sert du malheur afin de l'avertir.
16 Autrefois, Dieu t'avait épargné la détresse[b],
t'accordant à la place une très large aisance.
Ta table était garnie de morceaux délicieux.
17 Pourtant tu as subi une condamnation,
et la sentence qui te frappe est sans appel.
18 Que la fureur ne te pousse pas aux excès !
Et ne te laisse pas séduire par l'idée
qu'à force de cadeaux tu achèterais Dieu.
19 Ni tes biens ni ton or ne sauraient y suffire,
ni tes plus grands efforts.
20 Ne compte pas non plus
sur la nuit qui verra les peuples disparaître.

---

z **36.12** Voir 33.18 et la note.

a **36.14** *jeunes débauchés* : le terme hébreu employé ici désignait habituellement les hommes pratiquant la prostitution sacrée (voir 1 Rois 14.24 ; 22.47 ; comparer la note sur Osée 1.2) ; d'où la traduction proposée parfois *parmi les jeunes débauchés*. On l'interprète ici, en parallèle avec *jeunesse*, comme une allusion au jeune âge de certaines victimes de la pédérastie.

b **36.16** Les v. 16-21 présentent de nombreuses difficultés en hébreu ce qui donne lieu à des traductions diverses.

21 Garde-toi plutôt de te tourner vers le mal,
puisque c'est pour cela que tu es dans la peine[c].

*

La souveraineté de Dieu

22 Oui, Dieu est souverain, tant il a de puissance.
Qui peut lui être comparé, pour enseigner ?
23 Qui donc lui a jamais imposé sa conduite ?
Qui a osé lui dire : « Tu as mal agi » ?

24 N'oublie donc pas de célébrer ce qu'il a fait,
ce que tous les humains glorifient par leurs chants,
25 ce que tous peuvent voir et contempler de loin.

*

26 C'est que Dieu est si grand qu'on n'en a pas idée ;
on ne peut calculer l'âge qu'il peut avoir.
27 Il attire vers lui les gouttelettes d'eau,
pulvérise la pluie pour en faire un brouillard.
28 C'est cette pluie que laissent tomber les nuages,
goutte par goutte, sur la foule des humains.

29 Qui peut saisir comment se déploient les nuages
et comment le tonnerre éclate sous le ciel[d] ?
30 Tu vois bien que c'est Dieu
qui déploie son éclair au-dessus de lui-même[e]
et qui a recouvert les profondeurs des mers.
31 Par la pluie qu'il envoie, il fait vivre[f] les peuples
en leur donnant abondamment de quoi manger.
32 Dans ses deux mains, il dissimule les éclairs,
puis leur fixe une cible.
33 Il révèle sa présence par le tonnerre,
et même les troupeaux pressentent qu'il approche.

*

37 1 Devant un tel spectacle, j'ai le cœur qui bat,
prêt à bondir hors de sa place.
2 Écoutez, écoutez la voix de Dieu qui tonne,
ces profonds grondements qu'elle fait retentir.
3 Dieu lance son éclair sous l'ensemble du ciel,
et cet éclair parvient jusqu'au bout de la terre.

4 Après lui, on entend la voix de Dieu rugir,
la voix de Dieu tonner majestueusement.
Dès cet instant, Dieu lâche à nouveau des éclairs,
et l'on entend sa voix.

36.21 *que tu es dans la peine* ou *que tu es éprouvé par la misère* : comme l'a compris l'ancienne version syriaque ; avec d'autres voyelles, le texte hébreu traditionnel interprète *puisque tu préfères cela à la peine*.

d **36.29** *sous le ciel* ou *sous sa hutte* (c'est-à-dire celle de Dieu).

e **36.30** *de lui-même* : autres traductions *des nuages* ou *de la mer*.

f **36.31** *il fait vivre* ou *il alimente* ; d'autres interprètent *il juge*.

5 Par sa puissante voix Dieu produit des merveilles,
il fait de grandes choses qu'on ne peut comprendre.

*

6 Dieu ordonne à la neige : « Tombe sur la terre » ;
il envoie les averses, les pluies torrentielles.
7 Il paralyse alors l'activité humaine,
pour que tous les humains reconnaissent son œuvre[g].
8 Même les animaux se mettent à l'abri
et ils vont se coucher au fond de leur tanière.

9 Du sud arrive l'ouragan, du nord le froid.
10 Sous le souffle de Dieu, se forme de la glace ;
la surface de l'eau durcit comme un métal.

*

11 Dieu charge aussi les nuages d'humidité
et les envoie ici et là remplis d'éclairs.
12 C'est ainsi qu'il les fait circuler en tous sens,
pour qu'ils accomplissent, selon ses intentions,
tout ce qu'il leur a commandé dans l'univers.
13 Dieu réalise alors sa volonté sur terre,
soit pour punir, soit pour montrer de la bonté[h].

*

14 Job, tu devrais être attentif à tout cela.
Debout, pour contempler les merveilles de Dieu !
15 Sais-tu bien comment Dieu commande à ces merveilles,
comment les nuages font jaillir les éclairs ?
16 Sais-tu aussi comment ils planent dans les airs ?
Pour ce miracle il faut un savoir sans défaut.

17 Tu te sens trop couvert, tu as déjà trop chaud,
dès que le vent du sud accable le pays.
18 Étais-tu avec Dieu pour étirer le ciel
aussi dur qu'un miroir coulé dans le métal ?

*

19 Fais-moi savoir ce que nous pourrions dire à Dieu.
– Rien de bien cohérent ! Nous sommes dans le noir.
20 Devra-t-on l'avertir quand je fais un discours ?
Ou va-t-on l'informer que quelqu'un a parlé ?

21 Voilà que tout à coup on n'y voit plus très clair :
le soleil est caché derrière les nuages.
Alors le vent se lève et il nettoie le ciel.
22 La lumière dorée arrive par le nord,
autour de Dieu rayonne un éclat redoutable.

g **37.7** Le texte hébreu fait difficulté. Certains comprennent *pour que tous ceux qui sont son œuvre* (le ?) *reconnaissent*.

h **37.13** Le sens de ce verset est très incertain.

23 Il est le Dieu Très-Grand, hors d'atteinte pour nous ;
il est grand par la force et grand par la justice,
parfaitement loyal. Il n'a pas à répondre[i].
24 C'est pourquoi les humains doivent le respecter ;
mais il n'a pas un seul regard
pour ceux qui se prétendent sages.

LE SEIGNEUR INTERVIENT
(38.1-42.6)

38 1 Du cœur de la tempête, le Seigneur interpella Job et lui demanda :

2 Qui es-tu pour oser rendre mes plans obscurs
à force de parler de ce que tu ignores ?
3 Tiens-toi prêt, sois un homme :
je vais t'interroger, et tu me répondras.

Dieu, maître du monde inanimé

4 Où donc te trouvais-tu quand je fondais la terre ?
Renseigne-moi, si tu connais la vérité :
5 Qui a fixé ses dimensions, le sais-tu bien ?
Et qui l'a mesurée en tirant le cordeau ?
6 Sur quel socle s'appuient les piliers qui la portent ?
Et qui encore en a placé la pierre d'angle,
7 quand les étoiles du matin chantaient en chœur,
quand les anges de Dieu lançaient des cris de joie ?

8 Qui a fermé la porte aux flots de l'océan,
quand il naissait en jaillissant des profondeurs ?
9 Moi ! Et je l'ai alors habillé de nuages,
quand je l'enveloppais dans un épais brouillard.
10 J'ai cassé son élan, marqué une limite
en plaçant devant lui une porte barrée.
11 Je lui ai déclaré :
« Tu iras jusqu'ici, n'avance pas plus loin ;
oui, tes flots orgueilleux s'arrêteront ici[j] ! »

*

12 Une fois dans ta vie, as-tu donné des ordres
au jour pour qu'il se lève ?
Et as-tu désigné à l'aurore son poste,
13 pour lui faire saisir la terre par les bords
afin d'en secouer les gens sans foi ni loi[k] ?
14 La terre prend alors une teinte rosée
comme l'argile où l'on appose les *cachets[l],
et toute la nature en paraît habillée.

37.23 *parfaitement loyal... à répondre* : autre traduction possible *mais il n'humilie pas celui qui* (lui) *est parfaitement loyal*.
38.11 V. 8-11 : comparer Jér 5.22.

k **38.13** En apportant le jour, l'aurore met fin à l'activité des méchants, comme on *secoue* la poussière d'un tapis.
l **38.14** Le sens de ce verset est discuté ; autre interprétation *(A sa lumière alors) la terre prend sa forme / comme l'argile sous l'empreinte du cachet*.

15 Mais les méchants se voient privés de leur lumière[m] ;
le bras qui se levait pour frapper est brisé.

*

16 T'es-tu déjà rendu aux sources de la mer
et as-tu exploré le fond de l'océan ?
17 Les portes de la Mort t'ont-elles été montrées,
as-tu vu cette entrée du royaume des ombres ?
18 T'es-tu fait une idée des dimensions du monde ?
Renseigne-moi, si tu connais toutes ces choses.

19 Sais-tu de quel côté habite la lumière,
à quelle adresse on peut trouver l'obscurité ?
20 Tu irais les chercher jusque dans leur domaine,
si tu comprends vraiment comment on va chez elles.
21 Tu dois bien le savoir,
toi qui as vu le jour il y a si longtemps !

*

22 Es-tu allé déjà jusqu'aux dépôts de neige,
ou encore as-tu vu les provisions de grêle ?
23 Je les ai réservés pour les temps de désastre,
pour les jours de combat, pour le temps de la guerre[n].
24 Sais-tu par quel chemin nous parvient la lumière,
et par où le vent d'est se répand sur la terre ?

25 Qui a tracé au ciel un passage à la pluie ?
Qui a ouvert la route au nuage qui tonne ?
26 Qui fait pleuvoir sur une terre inhabitée,
sur un pays désert, où il n'y a personne,
27 pour gorger d'eau un sol privé de toute vie,
pour y faire germer et pousser du gazon ?
28 La pluie a-t-elle un père ?
Les gouttes de rosée, qui les a engendrées ?
29 De quelle mère est née la glace ?
Le givre, qui l'a mis au monde ?
30 Quand il gèle, l'eau devient dure comme pierre,
la surface des flots se prend en un seul bloc.

*

31 Vois les constellations :
Peux-tu nouer le lien qui maintient les Pléiades,
dénouer les cordes qui retiennent Orion[o],
32 faire apparaître à temps les signes du zodiaque[p],
conduire la Grande Ourse avec tous ses petits ?

---

m **38.15** Les méchants ne sont à l'aise que dans la nuit. Celle-ci est pour eux l'équivalent de la *lumière* pour les gens normaux. Même genre d'ironie en 24.17.

n **38.23** Comparer Jos 10.11 ; És 28.17 ; 30.30 ; Ps 18.13.

o **38.31** Voir 9.9 et la note.

p **38.32** Autres traductions d'un terme unique en hébreu et de sens incertain *les planètes* ou *Vénus* ou la constellation de *la Couronne*.

33 Sais-tu à quelles lois le ciel doit obéir ?
Est-ce à toi de régler leur action sur la terre[q] ?

34 Suffit-il que tu cries tes ordres aux nuages
pour qu'une masse d'eau vienne te recouvrir ?
35 Est-ce toi qui envoies les éclairs quand ils partent ?
Te disent-ils alors : « Nous voici à tes ordres » ?
36 Qui a fait de l'ibis l'oiseau plein de sagesse ?
Qui a donné au coq l'art du discernement[r] ?
37 Qui est assez expert pour compter les nuages
et pour vider les cruches d'eau qui sont au ciel,
38 quand la croûte du sol se durcit comme un bloc[s],
quand les mottes de terre se collent ensemble ?

Le maître du monde animal

39 Est-ce à toi de chasser une proie pour la lionne[t] ?
Est-ce à toi d'apaiser l'appétit des lionceaux,
40 quand ils sont accroupis au fond de leur tanière
ou qu'ils se tiennent à l'affût dans les fourrés ?
41 Et qui prévoit, pour le corbeau, sa nourriture,
quand ses petits appellent Dieu à leur secours
et qu'ils sont affaiblis, faute de quoi manger ?

*

39

1 Connais-tu la saison
où naissent les petits bouquetins des rochers,
et as-tu vu les mères leur donner le jour ?
2 As-tu compté combien de mois elles les portent ?
Sais-tu à quel moment se produit la naissance ?
3 Elles se baissent en mettant bas leurs petits,
afin de déposer leur portée sur le sol.
4 Grandissant en plein air les petits prennent force ;
puis ils quittent leur mère et ne reviennent plus.

*

5 Qui a lâché l'âne sauvage en liberté ?
Qui l'a laissé partir en détachant ses liens ?
6 Je l'ai fait habiter dans les régions arides ;
le milieu où il vit, c'est la terre salée.
7 Il n'a que moqueries pour la ville bruyante
et il n'entend jamais les hurlements d'un maître.

---

q **38.33** Le texte semble faire allusion aux phénomènes atmosphériques qu'annonce la réapparition de certaines constellations. Par exemple les Pléiades, Orion, annoncent le retour de la saison pluvieuse.

r **38.36** Les mots rendus par *ibis* et *coq* ne se retrouvent pas ailleurs en hébreu biblique ; ils ont donné lieu à des traductions diverses. Dans l'ancienne Égypte *l'ibis* était censé prévoir les crues du Nil, et dans tout l'ancien Proche Orient on attribuait au *coq* la faculté d'annoncer les pluies d'automne. C'est la *sagesse et l'art du discernement* attribués à ces oiseaux.

s **38.38** Autre interprétation *lorsque la poussière fait des coulées de boue*.

t **38.39** Dans certaines éditions, le chapitre 39 commence avec ce verset. En conséquence 38.39-41 y est numéroté 39.1-3, et 39.1-30 y est numéroté 39.4-33.

8 Son pâturage est la montagne qu'il parcourt,
et tout ce qui est vert, il le cherche avec soin.

*

9 Le buffle voudra-t-il se mettre à ton service ?
Est-ce qu'il va passer la nuit dans ton étable ?
10 Pourras-tu l'atteler pour labourer ton champ ?
Te suivra-t-il dans le vallon avec la herse ?
11 Te fieras-tu à lui, à son énorme force,
pour lui abandonner ce que tu as à faire ?
12 Vas-tu compter sur lui
pour ramener ton blé et rentrer ta récolte ?

*

13 Les ailes de l'autruche ont un rythme joyeux ;
et quel gracieux duvet, quel plumage elle porte[u] !
14 Mais quand elle abandonne ses œufs sur la terre
et les laisse incuber à même la poussière,
15 elle ne pense pas qu'on peut marcher dessus,
que les bêtes des champs peuvent les écraser.

16 Pour ses petits, elle est une mère très dure,
à croire qu'ils sont tous des étrangers pour elle :
avoir peiné pour rien la laisse indifférente.
17 C'est que je ne l'ai pas dotée de la sagesse,
et elle n'a pas eu sa part d'intelligence.
18 Mais dès qu'elle se dresse et s'élance en avant,
pour elle c'est un jeu de laisser à distance
cheval et cavalier.

*

19 Est-ce toi qui donnes au cheval sa vigueur ?
et qui as habillé son cou d'une crinière ?
20 ou qui le fais bondir comme une sauterelle ?
Son fier hennissement provoque la terreur.
21 Il frappe du sabot le sol de la vallée ;
tout joyeux de sa force,
il s'élance au-devant du front de la bataille.
22 Il méprise la peur, il ne s'effraie de rien,
et ce n'est pas l'épée qui le fait reculer.
23 Quand il entend sur lui le carquois cliqueter,
quand la lance et le sabre jettent des éclairs,
24 tout vibrant d'impatience, il dévore l'espace.
Quand la trompette sonne, il ne se retient plus.
25 Il répond au signal par un hennissement.
Il reconnaît de loin l'odeur de la bataille,
le hurlement des officiers, le cri de guerre.

---

u **39.13** Le sens de ce verset a donné lieu à des traductions diverses. – *l'autruche* : sens probable d'un terme qu'on ne trouve pas ailleurs. – *elle porte* ou *elle est mère* (d'un gracieux duvet) : avec une autre consonne le texte hébreu traditionnel pourrait signifier : *Si (seulement) elle avait... !* Le terme rendu par *gracieux* est parfois traduit *la cigogne*.

*

26 As-tu conçu la migration de l'épervier,
quand il prend son envol en direction du sud ?
27 Est-ce sur ton ordre que le vautour s'envole,
ou qu'il place son nid à très grande hauteur ?
28 Il s'établit dans les rochers, et il séjourne
sur une dent rocheuse impossible à atteindre.
29 De là-haut, il guette une proie,
ses yeux l'aperçoivent de loin,
30 car ses petits sont avides de proies saignantes.
On le trouve partout où gisent les cadavres[v].

C'est à Job de répondre

40 1 Le Seigneur interpella Job et lui demanda[w] :

2 Toi qui portes plainte contre le Dieu Très-Grand,
oses-tu critiquer[x] ?
Toi qui fais la leçon, que vas-tu donc répondre ?

3 Alors Job répondit au Seigneur :

4 Je suis peu de chose. Que puis-je te répondre ?
Je me mets la main sur la bouche et je me tais.
5 J'avais osé parler, je ne dirai plus rien.
J'avais même insisté, je ne le ferai plus.

Job se prendrait-il pour Dieu ?

6 Du cœur de la tempête, le Seigneur interpella Job et lui dit[y] :

7 Tiens-toi prêt, sois un homme :
je vais t'interroger et tu me répondras.
8 Veux-tu vraiment mettre en question mon jugement ?
Veux-tu me donner tort pour te donner raison ?
9 As-tu donc les moyens d'être aussi fort que moi ?
Et ta voix, pourrait-elle égaler mon tonnerre ?

10 Eh bien ! pare-toi donc de gloire et de grandeur,
habille-toi de splendeur et de majesté[z].
11 Répands sur les humains ta terrible colère ;
d'un seul regard, abaisse tous les orgueilleux.
12 Oui, que ton seul regard les fasse plier tous !
Les gens sans foi ni loi, écrase-les sur place.
13 D'un même mouvement, fais-les rentrer sous terre,
enferme-les chacun au cachot de la mort.

---

v **39.30** Comparer Matt 24.28 ; Luc 17.37.
w **40.1** Dans certaines éditions les v. 1 à 5 sont numérotés 39.34-38.
x **40.2** *oses-tu critiquer ?* Certains comprennent *vas-tu* (enfin) *céder ?*
y **40.6** Dans certaines éditions les v. 6 à 32 sont numérotés 40.1-27.
z **40.10** *splendeur et majesté* : comparer Ps 96.6 ; 104.1 ; 111.3.

14 Alors je chanterai moi aussi tes louanges
pour la victoire due à cette belle action !

Le monstre, ou l'hippopotame

15 Regarde bien ce monstre qu'est l'hippopotame :
je suis son créateur, comme je suis le tien.
C'est un simple mangeur d'herbe, comme le bœuf.
16 Mais regarde la force qu'il a dans sa croupe,
admire la vigueur des muscles de son ventre !

17 Sa queue est puissante, comme le tronc d'un cèdre ;
ses cuisses sont nouées par des tendons puissants.
18 Ses os sont aussi forts que des tubes de bronze,
ses côtes font penser à des barres de fer.
19 De tout ce que j'ai fait, c'est bien lui mon chef-d'œuvre !
Moi seul, son créateur, je le tiens en respect[a].
20 Les hauteurs lui fournissent sa part de fourrage
sur les lieux où s'ébattent les bêtes sauvages.
21 Mais il va se coucher à l'abri des lotus,
il se cache parmi les roseaux des marais.
22 Il trouve une retraite à l'ombre des lotus,
autour des peupliers qui bordent la rivière.

23 Si le courant est fort, il ne s'en trouble pas ;
même si le torrent jaillit jusqu'à sa gueule,
il garde tout son calme.
24 Tant qu'il ouvre les yeux, qui peut le capturer ?
Va-t-on le retenir en lui perçant le nez ?

Le grand dragon ou le crocodile

25 Vas-tu pêcher le grand dragon[b] à l'hameçon,
vas-tu le prendre par la langue avec ta ligne ?
26 Pourras-tu lui passer un jonc dans les narines,
lui percer la mâchoire à l'aide d'un crochet ?

27 Crois-tu qu'il va te supplier en insistant ?
Ou bien qu'il te dira des mots affectueux ?
28 Est-ce qu'il conclura un contrat avec toi,
pour qu'indéfiniment il reste ton esclave ?
29 Joueras-tu avec lui comme avec un oiseau ?
Ou l'attacheras-tu pour amuser tes filles ?

*

30 Les pêcheurs associés le mettront-ils en vente ?
Le partagera-t-on entre divers marchands ?

---

a **40.19** La deuxième partie du v. 19 présente des difficultés. Certains la traduisent *son Créateur lui a fait don de son épée*, ce qui serait une allusion aux longues canines tranchantes de l'animal.

b **40.25** *le grand dragon* ou *le crocodile* : voir 3.8 et la note. Dans certaines éditions les v. 40.25-32 sont numérotés 40.20-27.

[31] Peux-tu percer sa peau en le criblant de coups,
lui traverser la tête à l'aide d'un harpon ?
[32] Pose la main sur lui :
en songeant au combat, tu ne le feras plus !

41

[1] On est plein d'illusions en espérant le vaincre ;
rien qu'en l'apercevant, on tombe à la renverse[c].
[2] Qui serait assez fou d'oser le provoquer
– et encore plus fou d'oser me tenir tête ?[d]
[3] A qui ai-je emprunté, pour devoir le lui rendre ?
je dispose de tout ce qui est sous le ciel !

*

[4] Pas question de passer sous silence ses membres,
la valeur de sa force et sa superbe armure.
[5] Qui donc a découvert son manteau par devant ?
Qui s'est aventuré dans sa double mâchoire ?
[6] Qui a jamais ouvert les battants de sa gueule,
dont les terribles dents garnissent le pourtour ?

[7] Plusieurs rangées de boucliers couvrent son dos[e]
en une carapace étroitement soudée.
[8] Chacun d'eux est si bien lié à son voisin
que pas un souffle d'air ne pourrait s'y glisser.
[9] Chacun d'eux est collé à celui d'à côté,
et rien ne peut défaire un pareil assemblage.

*

[10] Sitôt qu'il éternue, la lumière jaillit,
et son regard est flamboyant comme l'aurore.
[11] De sa gueule, s'échappent des langues de flammes,
des gerbes d'étincelles.

[12] On voit sortir de la vapeur de ses narines,
comme d'une marmite ou d'un chaudron bouillant.
[13] Son souffle est si brûlant qu'il rallume les braises
par les flammes qu'il projette hors de sa gueule.
[14] Il y a dans son cou une telle puissance
qu'en présence de lui on est saisi d'effroi.

*

[15] Les replis de sa peau sont tellement massifs
qu'on a beau appuyer, on ne fait rien bouger.
[16] Son poitrail est si dur qu'on dirait de la pierre,
dur comme la *meule inférieure d'un moulin.

[17] Même les chefs[f] sont pris de peur dès qu'il se dresse ;
dans leur affolement, ils perdent leurs moyens.

41.1 Dans certaines éditions le v. 1 est numéroté 40.28.
41.2 Dans certaines éditions les v. 41.2-26 sont numérotés 41.1-25.

e **41.7** *boucliers* : une image des écailles de l'animal. – *son dos* : d'après l'ancienne version grecque ; hébreu (l')*orgueil*.
f **41.17** *les chefs* : autre traduction *les dieux*.

18 C'est que les coups d'épée n'ont pas prise sur lui,
pas plus que la sagaie, ou la lance, ou les flèches.
19 Le fer n'a pas sur lui plus d'effet que la paille,
et le bronze pas plus que du bois vermoulu.
20 On ne peut pas le mettre en fuite à coups de flèches,
et les pierres qu'on tire à la fronde sur lui
font l'effet d'une paille.
21 La massue n'est pour lui qu'un simple bout de paille,
il est indifférent aux sifflements du sabre.

*

22 Son ventre est hérissé de tranchants et de pointes,
il laisse sur la boue les traces d'une herse.
23 Dès qu'il plonge dans l'eau, il la fait bouillonner,
il transforme le lac en un brûle-parfums[g].
24 Derrière lui, reste un sillage lumineux,
chevelure d'argent flottant sur l'eau profonde.

25 Sur la terre, il n'a pas son pareil[h],
il est fait insensible à la peur.
26 Il défie du regard les plus grands adversaires,
c'est lui le roi de toutes les bêtes féroces.

Job avoue son incompétence

42 1 Alors Job répondit au Seigneur :

2 Je reconnais que tout est possible pour toi,
je sais qu'aucun projet ne peut t'embarrasser.
3 Tu l'as dit : j'ai osé rendre tes plans obscurs
à force de parler de ce que j'ignorais[i].
Je l'avoue : j'ai parlé d'un sujet trop ardu,
je n'y comprenais rien et ne le savais pas !
4 « Écoute, disais-tu, et laisse-moi parler ;
je t'interrogerai et tu me répondras[j]. »
5 Je ne savais de toi que ce qu'on m'avait dit,
mais maintenant, c'est de mes yeux que je t'ai vu.
6 C'est pourquoi je retire ce que j'affirmais,
je reconnais avoir eu tort et m'humilie
en m'asseyant dans la poussière et dans la cendre.

LE SEIGNEUR RÉTABLIT JOB

7 Quand le Seigneur eut fini de parler
avec Job, il dit à Élifaz de Téman : « Tu as
provoqué mon indignation, ainsi que te
deux amis. Contrairement à mon servi
teur Job, en effet, vous n'avez pas dit l
vérité sur moi. 8 Maintenant donc, pro
curez-vous sept taureaux et sept béliers
et allez trouver mon serviteur Job. Vou
offrirez alors pour vous-mêmes ces ani
maux en *sacrifice complet, tandis qu
mon serviteur Job priera pour vous. J'ac

---

g **41.23** *un brûle-parfums* : par la vapeur et la fumée qui s'en dégagent.

h **41.25** On peut comprendre aussi *Sur terre personne n'est son maître*.

i **42.3** Voir 38.2.

j **42.4** Voir 38.3.

cueillerai sa prière avec bienveillance et je renoncerai à vous traiter selon votre folie, bien que vous n'ayez pas dit la vérité sur moi, comme il l'a fait lui-même. »
9 Élifaz de Téman, Bildad de Chouha et Sofar de Naama allèrent donc faire ce que le Seigneur leur avait dit, et celui-ci accueillit avec bienveillance la prière de Job.
10 Tandis que Job priait pour ses amis, le Seigneur le rétablit[k]. Il doubla même les biens que Job avait possédés.
11 Alors tous les frères et sœurs de Job et tous ceux qui l'avaient connu autrefois vinrent lui rendre visite. Ils vinrent manger avec lui, ils lui manifestèrent leur sympathie et le réconfortèrent de tous les malheurs que le Seigneur lui avait envoyés. Enfin, chacun d'eux lui fit cadeau d'une pièce d'argent[l] et d'un anneau d'or.
12 Le Seigneur combla Job de ses bénédictions, plus encore qu'il ne l'avait fait auparavant. C'est ainsi que Job eut quatorze mille moutons, six mille chameaux, mille paires de bœufs et mille ânesses.
13 Il eut aussi sept fils et trois filles.
14 Il nomma la première Yemima, la seconde Quessia et la troisième Quéren-Happouk[m].
15 Dans tout le pays, on ne trouvait pas de femmes aussi belles que les filles de Job. Leur père leur réserva une part d'héritage au même titre qu'à leurs frères.
16 Après cela, Job vécut encore cent quarante ans, et il put voir ses enfants, ses petits-enfants, tous ses descendants jusqu'à la quatrième génération.
17 Rassasié de la vie, il mourut à un âge avancé.

---

k **42.10** *pour ses amis* : d'après l'interprétation de plusieurs versions anciennes ; hébreu *pour son ami* (ou *son prochain*). – L'ancienne situation de Job : voir 1.1-3.

l **42.11** *une pièce d'argent* : le terme employé ici (ainsi qu'en Gen 33.19 ; Jos 24.32) indique que la valeur de cette pièce correspondait au prix d'une brebis.

m **42.14** C'est-à-dire respectivement *Colombe*, (Fleur de) *Cannelle* et *Boîte à fard*.

Psaumes

Introduction *– Le livre des* Psaumes *tire son nom français du titre que lui a donné l'ancienne version grecque de l'Ancien Testament :* Psalmoi, *poèmes destinés à être chantés avec accompagnement de musique. Le livre est un recueil de 150 prières en usage dans le culte de l'ancien Israël. La numérotation indiquée entre parenthèses est celle de l'ancienne version grecque, encore en usage dans certaines Églises.*

Actuellement divisé en cinq livres, il est composé de collections empruntées à d'anciens recueils dits de David (Ps 51–65 ; 67–71 ; etc.), de la confrérie de Coré (42–49 ; 84–88), d'Assaf (73–83), des Psaumes du Règne (93–99), des Psaumes des pèlerinages (120–134), etc.

116 psaumes sont précédés d'une suscription qui peut indiquer leur origine, leur catégorie, les instruments de musique destinés à l'accompagnement, l'utilisation du psaume dans le culte, les circonstances qui ont motivé sa composition, etc. Certains sont d'autre part interrompus par un terme dont le sens exact reste inconnu, et que l'on traduit traditionnellement par Pause.

Beaucoup de psaumes échappent à la classification. On peut cependant distinguer plusieurs catégories de psaumes :

1) Les Hymnes *(Ps 8 ; 19 ; 33 ; 100 ; 103–105 ; 111 ; 113 ; 114 ; 117 ; 135 ; 136 ; 145–149), qui célèbrent la grandeur et la bonté du Seigneur.*

2) Les chants du Règne, *caractérisés par l'affirmation « Le Seigneur est roi » : 47 ; 93 ; 96–99.*

3) Les psaumes royaux, *prières pour le roi ou prières du roi : 2 ; 18 ; 20 ; 21 ; 45 ; 72 ; 89 ; 101 ; 110 ; 144.*

4) Les psaumes de l'entrée au temple*: 15 ; 24.*

5) Les psaumes des pèlerinages, *chantés par les Israélites qui se rendaient à l'une des trois grandes fêtes annuelles (Pâque, fête des Semaines, fête des Huttes) : 84 ; 91 ; 121 ; 122.*

6) Les cantiques de Sion, *célébrant les privilèges du lieu choisi par Dieu pour le temple de Jérusalem : 46 ; 48 ; 76 ; 87 ; 132.*

7) Les psaumes avec message, *apportant aux fidèles, par la bouche d'un prêtre ou d'un prophète, les avertissements ou les recommandations de Dieu : 14 ; 50 ; 53 ; 75 ; 81 ; 95.*

8) Les psaumes pour enseigner les fidèles*: 37 ; 49 ; 73 ; 78 ; 112 ; 127 ; 133, auxquels on peut adjoindre les Ps 1 et 119.*

9) Les psaumes du peuple en détresse, *exprimant les appels que la communauté des fidèles adresse à Dieu dans le malheur : 12 ; 44 ; 58 ; 60 ; 74 ; 79 ; 80 ; 83 ; 85 ; 90 ; 94 ; 106 ; 108 ; 123 ; 126 ; 137.*

10) Toutes sortes de détresses (persécution, calomnie, maladie, exil...) peuvent conduire le fidèle à venir chercher le secours de Dieu. Ces supplications personnelles *forment la catégorie la plus nombreuse : 5–7 ; 13 ; 17 ; 22 ; 25 ; 26 ; 28 ; 31 ; 35 ; 38 ; 39 ; 41–43 ; 51 ; 54 ; 57 ; 59 ; 61 ; 63 ; 64 ; 69–71 ; 86 ; 88 ; 102 ; 109 ; 120 ; 130 ; 140–143.*

11) Dans les psaumes de reconnaissance, *le fidèle vient dire à Dieu sa gratitude pour une délivrance ou pour son pardon : 9–10 ; 30 ; 32 ; 34 ; 40.1-12 ; 92 ; 107 ; 116 ; 118.*

12) Enfin le fidèle exprime ses sentiments de joie et de paix dans les psaumes de confiance*: 3 ; 4 ; 11 ; 16 ; 23 ; 62 ; 131 ; 139.*

Jésus a chanté les Psaumes (Marc 14.26 et parallèles). Il les a souvent mentionnés, soit pour son enseignement (Marc 12.10 ; 12.36 et parallèles, citant les Ps 118 et 110) soit pour exprimer sa propre prière (Marc 15.34 et parallèles ; Luc 23.46, où il reprend quelques mots des Ps 22 et 31).

Dans les psaumes comme dans le reste de l'Ancien Testament, le Nouveau Testament retrouve une préfiguration du Christ, de ses souffrances (les Ps 22 et 69, par exemple, sont évoqués plusieurs fois en Matt 27.34-48), de sa résurrection et de sa glorification (par exemple les Ps 16, 110 et 118, cités dans les discours de Pierre rapportés en Act 2 et 4). En tout les psaumes sont cités plus de cent fois dans le Nouveau Testament.

Prières d'Israël, prières de Jésus, prières des premiers chrétiens (Act 4.24-26), les psaumes sont restés jusqu'à aujourd'hui une source à laquelle ont puisé et continuent de puiser tous ceux qui cherchent les mots de Dieu pour s'adresser à Dieu.

PREMIER LIVRE
(Psaumes 1–41)

PSAUME 1 Le vrai bonheur

1 Heureux qui ne suit pas les conseils des gens sans foi ni loi,
qui ne s'arrête pas sur le chemin de ceux qui se détournent de Dieu,
et qui ne s'assied pas avec ceux qui se moquent de tout !
2 Ce qu'il aime, au contraire,
c'est l'enseignement du Seigneur ;
il le médite jour et nuit.
3 Il est comme un arbre planté près d'un cours d'eau :
il produit ses fruits quand la saison est venue,
et son feuillage ne perd jamais sa fraîcheur[a].
Tout ce que fait cet homme est réussi.
4 Mais ce n'est pas le cas
des gens sans foi ni loi :
ils sont comme brins de paille dispersés par le vent.
5 C'est pourquoi, quand on juge, à l'entrée du temple,
ces gens-là ne sont pas admis[b] ;
dans l'assemblée des fidèles de Dieu, il n'y a pas de place pour eux.
6 Le Seigneur connaît la conduite des fidèles[c],
mais la conduite des gens sans foi ni loi
mène au désastre.

---

a **1.3** Voir Jér 17.8.

b **1.5** Comme on trouve une expression analogue en 24.3, il est probable que le v. 5 fait allusion à une sorte de jugement prononcé par les prêtres, pour permettre (ou interdire) l'entrée au temple de Jérusalem. Voir aussi 5.5-6 ; 15.1-5. Autre traduction *ces gens-là ne tiennent pas devant le jugement de Dieu.*

c **1.6** Autre traduction *Le Seigneur connaît le chemin suivi par les fidèles.*

PSAUME 2 Le roi que Dieu a consacré

1 Les nations s'agitent, mais pourquoi[d] ?
Les peuples complotent, mais c'est pour rien !
2 Les rois de la terre se préparent au combat,
les princes se concertent contre le Seigneur
et contre le roi qu'il a consacré[e].
3 « Rompons les liens qu'ils nous imposent,
disent-ils, rejetons leur domination ! »

4 Mais le Seigneur se met à rire,
celui qui siège au ciel se moque d'eux.
5 Puis il s'adresse à eux avec colère
et les terrifie par son indignation :
6 « A *Sion, la montagne qui m'est consacrée, dit-il,
j'ai consacré le roi que j'ai choisi. »

7 Laissez-moi citer le décret du Seigneur ;
il m'a déclaré : « C'est toi qui es mon fils.
A partir d'aujourd'hui, c'est moi qui suis ton père[f].
8 Si tu me demandes toutes les nations,
je te les donnerai en propriété ;
ton domaine s'étendra jusqu'au bout du monde.
9 Tu les maîtriseras avec une autorité de fer,
tu pourras les briser comme un pot d'argile[g]. »

10 Eh bien, vous les rois, montrez-vous intelligents !
Laissez-vous avertir, souverains de la terre.
11-12 Soumettez-vous avec respect au Seigneur,
reconnaissez en tremblant son autorité,
de peur qu'il se fâche et que votre projet vous perde[h],
car sa colère peut s'enflammer tout à coup.

Heureux tous ceux qui ont recours à lui !

PSAUME 3 Entouré d'ennemis

1 *Psaume appartenant au recueil de David. Il fait allusion à la fuite d[e]*
David devant son fils Absalom[i].

2 Seigneur, que mes ennemis sont nombreux !
Que de gens se dressent contre moi !
3 Que de gens disent à mon sujet :
« Aucune chance que Dieu vienne à son secours ! » *Paus[e]*

d **2.1** Les v. 1-2 sont cités en Act 4.25-26 d'après l'ancienne version grecque.

e **2.2** *le roi qu'il a consacré* ou *son *Messie*.

f **2.7** Verset cité en Act 13.33 ; Hébr 1.5 ; 5.5.

g **2.9** Apoc 2.26-27 ; 12.5 ; 19.15.

h **2.11-12** *reconnaissez son autorité* ou *embrassez-lui les pieds* : le texte hébreu est très obscur, parfois traduit *rendez hommage au fils*, et diversement compris pa[r] les versions anciennes. On propose ici un texte re[-]constitué en intégrant au v. 11 les premières conson[-]nes du v. 12, probablement réintroduites en marg[e] après avoir été omises par un scribe. – *votre projet* : l[e] projet de révolte évoqué aux v. 1-2.

i **3.1** Voir 2 Sam 15–17.

4 Mais toi, Seigneur,
tu es pour moi un bouclier protecteur,
tu me rends ma dignité et ma fierté.

5 Si j'appelle le Seigneur à mon secours,
il me répond de la montagne qui lui est consacrée[j]. *Pause*
6 Je me suis endormi pour la nuit ;
au réveil je reprends conscience
que le Seigneur est mon appui.
7 Je n'ai plus peur de ces milliers de gens
qui m'assaillent de tous côtés.

8 Interviens, Seigneur ;
ô mon Dieu, au secours !
Voilà, tu frappes à la joue mes ennemis,
tu casses les dents aux méchants.
9 Seigneur, c'est toi qui peux sauver.
Que ta bénédiction soit sur ton peuple ! *Pause*

PSAUME 4 **Défendu par Dieu contre de fausses accusations**

1 *Du répertoire du *chef de chorale. Psaume appartenant au recueil de David. Accompagnement sur instruments à cordes.*

2 Quand je t'appelle au secours,
ô Dieu qui rétablis mon droit, réponds-moi.
Déjà, quand j'étais opprimé, tu m'as rendu la liberté.
Fais-moi la grâce d'écouter ma prière.

3 Vous autres, jusqu'à quand salirez-vous mon honneur,
vous qui aimez accuser pour rien,
et qui cherchez à me calomnier ? **Pause*
4 Apprenez que le Seigneur distingue celui qui est fidèle :
il m'écoute quand je l'appelle au secours.
5 Si vous êtes fâchés, ne vous mettez pas en tort[k],
réfléchissez pendant la nuit, mais restez tranquilles. *Pause*
6 Offrez plutôt les *sacrifices convenables
et fiez-vous à la décision du Seigneur.

7 Beaucoup se plaignent :
« Ah ! que nous aimerions voir le bonheur !
Seigneur, fais-nous bon accueil[l]. »
8 Mais dans mon cœur tu mets plus de joie
que ces gens n'en trouvent à récolter tout leur blé et tout leur vin.
9 Aussitôt couché, je peux m'endormir en paix,
car toi, Seigneur, toi seul, tu me fais vivre en sécurité.

3.5 *la montagne qui lui est consacrée* : voir 2.6.
4.5 Voir Éph 4.26.
l **4.7** Ou *regarde-nous avec bienveillance*. Le texte hébreu est peu clair ; certains proposent de traduire *ta bienveillance pour nous a disparu*.

PSAUME 5

Prière d'un homme reçu chez le Seigneur

[1] *Du répertoire du *chef de chorale. Avec accompagnement de flûtes. Psaum appartenant au recueil de David.*

[2] Seigneur, écoute ce que je dis,
remarque mes soupirs.
[3] Mon Dieu, mon Roi, sois attentif à mes appels.
C'est à toi que j'adresse ma prière
[4] dès le matin, Seigneur. Entends-moi.
Dès le matin, je me prépare à être reçu chez toi, et j'attends.

[5] Tu n'es pas un dieu qui prend plaisir au mal.
Le méchant n'a pas sa place chez toi.
[6] Tu ne supportes pas d'avoir des insolents devant toi ;
tu détestes tous ceux qui font le malheur des autres.
[7] Tu élimines les menteurs, Seigneur,
tu as horreur de ceux qui pratiquent le meurtre et la fraude.

[8] Mais ta bonté pour moi est si grande que je peux entrer chez toi
pour m'incliner avec respect face à ton sanctuaire[m].
[9] Seigneur, tu es un Dieu loyal,
sois mon guide à cause de mes adversaires ;
aplanis devant moi le chemin que tu m'appelles à suivre.
[10] On ne peut se fier à ce qu'ils disent ; ils ne pensent qu'à nuire.
Leur langue leur sert à flatter,
leur bouche est une tombe ouverte[n].
[11] O Dieu, déclare-les coupables ;
que leurs intrigues les mènent à leur chute,
chasse-les pour toutes leurs fautes, puisqu'ils te sont rebelles.

[12] Quant à ceux qui ont recours à toi, qu'ils se réjouissent,
qu'ils crient leur joie pour toujours ;
qu'ils chantent victoire à cause de toi, tous ceux qui t'aiment !
Tu es un abri pour eux.
[13] Toi, Seigneur, tu fais du bien aux fidèles ;
ta bienveillance est comme un bouclier qui les protège.

PSAUME 6

Seigneur, ne me condamne pas

[1] *Du répertoire du *chef de chorale. Accompagnement à l'octave*[o]. *Psaum appartenant au recueil de David.*

[2] Seigneur, tu es irrité contre moi, mais ne me condamne pas ;
tu es indigné contre moi, mais renonce à me punir[p].

m **5.8** L'auteur du psaume distingue ici le *sanctuaire*, où n'entraient que les prêtres, et «la maison de Dieu» au sens large (*chez toi*), qui comprenait en plus les cours entourant le sanctuaire, et où pouvaient entrer les fidèles. Voir 1 Rois 6.

n **5.10** Voir Rom 3.13.

o **6.1** *à l'octave* : le sens de l'indication hébraïque correspondante est incertain ; autre traduction *sur l'instrument à huit cordes*.

p **6.2** Voir 38.2.

3 Seigneur, aie pitié de moi, je suis sans force.
Seigneur, guéris-moi, je suis profondément troublé[q].
4 Je suis en plein désarroi.
Et toi, Seigneur, jusqu'à quand m'en voudras-tu ?
5 Reviens me délivrer, Seigneur,
toi qui es si bon, sauve-moi.
6 Car dans la mort on ne peut plus penser à toi,
chez les défunts on ne peut plus te louer.

7 Je m'épuise à force de soupirer,
chaque nuit je trempe mon lit de larmes,
j'inonde ma couche de pleurs.
8 Mes yeux se voilent, tant j'ai de chagrin ;
je n'y vois plus tant j'ai d'adversaires[r].

9 Allez-vous-en, vous tous qui faites le mal[s],
car le Seigneur a entendu mes pleurs ;
10 oui, il a entendu ma supplication,
il a accueilli ma prière.
11 Honte à tous mes ennemis ;
qu'ils soient plongés dans le plus grand désarroi,
qu'ils repartent, soudain couverts de honte !

PSAUME 7 Seigneur, rends-moi justice

1 *Complainte chantée appartenant au recueil de David. Celui-ci l'adressa au Seigneur à propos de Kouch le Benjaminite*[t].

2 Seigneur mon Dieu, c'est à toi que j'ai recours.
Sauve-moi, délivre-moi de tous ceux qui me persécutent.
3 Sinon, comme des lions, ils me déchireront,
on me mettra en pièces sans que personne me délivre.

4 Seigneur mon Dieu, si j'ai fait ce qu'on dit,
si mes mains ont commis un crime,
5 si j'ai rendu le mal pour le mal[u]
ou dépouillé celui qui m'en veut sans raison,
6 alors, que l'ennemi me poursuive, qu'il me rattrape,
me piétine à terre tout vivant[v]
et traîne mon honneur dans la boue ! *Pause

7 Fâche-toi, Seigneur, et interviens ;
oppose-toi à mes adversaires furieux.
Toi qui établis le droit, veille auprès de moi.
8 Que les peuples se rassemblent autour de toi ;
et toi, domine-les du haut de ton trône[w].

---

q **6.3** *je suis profondément troublé* ou *mes os sont troublés*.
r **6.8** *je n'y vois plus* ou *(ma vue) vieillit*.
s **6.9** Voir Matt 7.23 ; Luc 13.27.
t **7.1** *Kouch le Benjaminite* : personnage inconnu par ailleurs.
u **7.5** Autre traduction *si j'ai mal agi envers mon bienfaiteur*.
v **7.6** Comparer 18.39 et la note.
w **7.8** *du haut de ton trône* ou *siège là-haut* ; certains comprennent *reviens là-haut*.

[9] Seigneur, toi qui juges les peuples,
rends justice à ma loyauté et à mon innocence.
[10] Fais cesser les méfaits des méchants, affermis les fidèles,
toi qui perces le secret des consciences[x], toi, le Dieu juste.

[11] Mon bouclier protecteur, c'est Dieu,
le sauveur des hommes au cœur droit.
[12] Dieu est un juste juge,
mais il reste chaque jour un Dieu sévère.

[13] C'est sûr, l'adversaire recommence[y] :
il aiguise son épée, il tend son arc et vise.
[14] Il se prépare des armes de mort,
il apprête des flèches incendiaires.
[15] Le voici qui conçoit ses méfaits, qui porte en lui le malheur
et qui accouche du mensonge.
[16] Il creuse un trou profond,
mais il tombe dans son propre piège.
[17] Le malheur qu'il a préparé lui revient sur la tête ;
la violence qu'il a conçue lui retombe sur le crâne.

[18] Je veux louer le Seigneur pour sa loyauté,
et célébrer par mes chants le nom du Dieu très-haut.

PSAUME 8 La gloire de Dieu et la grandeur de l'homme

[1] *Psaume appartenant au répertoire du *chef de chorale et au recueil de David. Accompagnement sur la harpe de Gath*[z].

[2] O Seigneur, notre Maître,
que ta renommée est grande sur toute la terre !

Ta majesté surpasse la majesté du ciel[a].
[3] Mais c'est la voix des petits enfants[b], des tout petits enfants,
que tu opposes à tes adversaires.
Elle est comme un rempart que tu dresses
pour réduire au silence tes ennemis les plus acharnés.

[4] Quand je vois le ciel, ton ouvrage,
la lune et les étoiles, que tu y as placées,
[5] je me demande :
L'homme a-t-il tant d'importance pour que tu penses à lui ?
Un être humain mérite-t-il vraiment que tu t'occupes de lui[c] ?

---

x **7.10** Voir Apoc 2.23.

y **7.13** Aux v. 13-14 le sujet des verbes n'est pas précisé. Certains les interprètent comme décrivant les préparatifs de Dieu ; ils traduisent alors *si l'on ne revient pas à lui* (Dieu), *il* (Dieu) *aiguise*... Dans ce cas le v. 15 doit être traduit *Voici l'adversaire qui*...

z **8.1** *Accompagnement sur la harpe de Gath* : le sens exact de l'expression hébraïque correspondante est inconnu et la traduction incertaine. Autres traductions *A chanter à la manière des gens de Gath* ou (d'après les versions anciennes) *A chanter sur l'air du chant des pressoirs* (à vin).

a **8.2** Sens probable.

b **8.3** Verset cité en Matt 21.16 d'après l'ancienne version grecque.

c **8.5** Comparer 144.3 ; Job 7.17.

[6] Or tu l'as fait presque l'égal des *anges[d],
tu le couronnes de gloire et d'honneur.
[7] Tu le fais régner sur tout ce que tu as créé :
tu as tout mis à ses pieds[e],
[8] moutons, chèvres et bœufs,
et même les bêtes sauvages,
[9] les oiseaux, les poissons,
et tout ce qui suit les pistes des mers.

[10] O Seigneur, notre Maître,
que ta renommée est grande sur toute la terre !

PSAUME 9 Le Seigneur, sauveur des pauvres et des opprimés

[1] *Du répertoire du *chef de chorale. Accompagnement à l'aigu[f]. Psaume appartenant au recueil de David.*

[2] De[g] tout mon cœur, je veux te louer, Seigneur,
et raconter toutes tes merveilles.
[3] Je veux chanter victoire à cause de toi,
et te célébrer par mes chants, Dieu très-haut.

[4] Mes ennemis ont fait demi-tour,
ils ont trébuché, ils ont succombé devant toi.
[5] Tu m'as fait droit, tu m'as rendu justice ;
sur ton trône, tu sièges en juste juge.

[6] Tu menaces ces païens, tu fais succomber ces infidèles,
tu effaces leur nom pour toujours.
[7] L'ennemi est réduit à rien, définitivement ruiné :
tu as dépeuplé ses villes, il ne reste d'elles aucun souvenir.

[8] Le Seigneur siège sur son trône éternel,
qu'il a dressé pour le jugement.
[9] C'est lui qui juge le monde avec justice,
qui arbitre impartialement entre les peuples.

[10] Le Seigneur est un refuge pour l'opprimé,
un refuge dans les temps de détresse.
[11] Qu'ils comptent sur toi, ceux qui savent qui tu es !
Car tu n'abandonnes pas ceux qui se tournent vers toi, Seigneur.

[12] Célébrez par vos chants le Seigneur qui a son trône à *Sion ;
parmi les peuples, proclamez ses exploits,

---

d **8.6** *des anges* ou *des êtres célestes* ; voir 29.1 et la note ; 82.1. Autre traduction *de Dieu*.

e **8.7** V. 5-7 : Hébr 2.6-8. – v. 7 : Gen 1.28 ; 1 Cor 15.27 ; Éph 1.22.

f **9.1** *à l'aigu* : le sens de cette indication musicale est incertain ; voir la note sur 46.1.

g **9.2** Les strophes (ou les vers) de certains psaumes commencent par une des 22 consonnes hébraïques, dans l'ordre alphabétique. D'où le nom de *psaumes alphabétiques* donné parfois aux psaumes composés selon ce principe. Autres psaumes ou poèmes alphabétiques : Ps 25 ; 34 ; 37 ; 111 ; 112 ; 119 ; 145 ; Prov 31.10-31 ; Lam 1–4 ; Nah 1.2-11. Les Ps 9 et 10 forment un ensemble alphabétique.

13 car il demande des comptes aux meurtriers,
il se souvient de leurs victimes,
il n'oublie pas les pauvres qui crient vers lui.

14 Accorde-moi ton appui, Seigneur ; considère la misère que j'endure
par la faute de ceux qui m'en veulent,
toi qui m'arraches aux griffes de la mort.
15 Alors je répéterai tous les motifs que j'ai de te louer.
Dans la communauté de Sion,
je crierai ma joie de t'avoir comme sauveur.

16 Les païens sont tombés dans la fosse qu'ils avaient creusée ;
ils se sont pris les pieds au filet qu'ils avaient tendu en cachette[h].
17 Le Seigneur a montré qui il était,
il a rendu la justice :
il prend l'infidèle à son propre piège. *Interlude*[i] *Pause

18 Que les infidèles retournent au monde des morts,
ces païens oublient tous qui est Dieu.
19 Mais Dieu n'oubliera jamais le malheureux,
l'espoir n'est jamais perdu pour les pauvres.

20 Interviens, Seigneur ; que l'homme ne soit pas le plus fort !
Traîne les barbares devant ton tribunal.
21 Seigneur, fais-leur peur.
Qu'ils le sachent, ces barbares : ils ne sont que des hommes.

PSAUME 10 (9)

1 Seigneur, pourquoi te tiens-tu éloigné,
pourquoi te caches-tu quand la détresse est là ?

2 Sans honte, le méchant exploite les pauvres ;
les voilà pris[j] grâce à ses machinations.
3 Le méchant se vante de ses ambitions ;
en empochant ses gains malhonnêtes,
il maudit le Seigneur, il se moque de lui.
4 Le front haut, le méchant se dit :
« Dieu n'exige rien[k], il en est incapable. »
Voilà toute la pensée du méchant.
5 Ses méthodes sont toujours efficaces ;
les jugements de Dieu ne l'affectent pas.
D'un souffle, il balaie ses adversaires.
6 Il pense : « Je ne cours aucun risque,
je resterai toujours à l'abri du malheur. »

7 Il n'a que malédictions à la bouche, propos menteurs et violents[l],
sa langue ne produit que malheur et misère.

---

h **9.16** Comparer 7.16-17.
i **9.17** *Interlude* : traduction incertaine ; le mot hébreu correspondant est sans doute un terme technique du langage liturgique. Autres traductions *Jeu d'instruments* ou *Sourdine*.
j **10.2** Autre traduction *qu'il soit pris... !*
k **10.4** *le méchant... incapable* : certains traduisent *le méchant ne cherche plus ; il pense : Dieu est incapable.* Voir 14.1 et la note.
l **10.7** Voir Rom 3.14 ; comparer Matt 12.34.

8 Il se tient embusqué près des villages ;
en cachette, il assassine l'innocent.
Il ne quitte pas des yeux le faible.
9 Il guette, embusqué comme un lion dans son fourré,
il guette le pauvre pour le capturer ;
il le capture en l'attirant dans son filet.
10 Sa victime est assommée, vaincue[m],
le faible est tombé en son pouvoir.
11 Et le méchant pense : « Dieu n'y prend pas garde,
il ne veut pas le savoir, il ne voit jamais rien. »

12 Seigneur, debout ! O Dieu, interviens,
n'oublie pas les pauvres.
13 Pourquoi le méchant se moquerait-il de toi
en se disant que tu le laisseras faire ?

14 Toi, tu vois la peine et le tourment du pauvre,
tu veilles à prendre en main sa cause.
C'est à toi que le faible remet son sort,
et c'est toi qui viens au secours de l'orphelin.
15 Brise le pouvoir du méchant sans foi ni loi,
si l'on cherche alors le mal qu'il a fait,
on ne trouvera plus rien !
16 Le Seigneur est roi pour toujours,
les barbares disparaîtront du pays.

17 Seigneur, tu entends les souhaits des humbles,
tu leur rends courage.
Tu écoutes avec attention,
18 pour faire droit à l'orphelin, à l'opprimé.
Ainsi personne sur terre ne pourra plus être un tyran.

PSAUME 11 (10) Quand tout semble perdu

1 *Du répertoire du *chef de chorale et du recueil de David.*

– J'ai mon refuge auprès du Seigneur.
Comment pouvez-vous me dire :
« File, comme un oiseau, dans les montagnes » ?
2 – Mais regarde bien : les méchants tendent leur arc,
ils ajustent leur flèche sur la corde
pour tirer dans l'ombre sur les hommes au cœur droit.
3 Les valeurs de la société sont en miettes ;
que peut faire alors le fidèle ?

4 – Le Seigneur est dans le *temple qui lui est consacré ;
le Seigneur a son trône dans le ciel.
Il ne perd pas de vue les humains,
il les évalue d'un coup d'œil.

---

m **10.10** Autre traduction *il* (le méchant) *s'accroupit, il se tapit.*

[5] Il sait à quoi s'en tenir sur les fidèles,
mais il en veut aux méchants, aux amateurs de violence.
[6] Qu'il fasse tomber sur les méchants une pluie de catastrophes :
soufre enflammé, vent de tempête fondant sur eux.
Voilà le sort qui les attend.
[7] Car le Seigneur est juste, il aime tout ce qui est juste
et les hommes droits le verront face à face.

PSAUME 12 (11)

La Parole du Seigneur dans un monde corrompu

[1] *Du répertoire du *chef de chorale. Accompagnement à l'octave*[n]. *Psaume appartenant au recueil de David.*

[2] Seigneur, au secours ! Les fidèles sont en voie de disparition,
il n'y a plus de gens dignes de confiance.
[3] Chacun n'a que des calomnies à raconter ;
les lèvres flattent, mais le cœur joue double jeu.
[4] Que le Seigneur supprime tous les flatteurs
et ceux qui parlent haut,
[5] ceux qui déclarent : « Nous savons bien que dire pour gagner,
nous savons parler, nous ne craignons personne. »

[6] « Mais maintenant j'interviens, dit le Seigneur,
à cause des pauvres qu'on opprime
et des malheureux qui gémissent.
Je porte secours à celui qu'on écarte d'un revers de main[o]. »

[7] Les paroles du Seigneur sont franches comme l'or[p]
qui est passé au creuset et sept fois purifié.
[8] Toi, Seigneur, tu garderas les opprimés,
tu nous préserveras toujours
de ces individus,
[9] même si ces gens sans foi ni loi rôdent tout autour,
et si l'humanité se corrompt davantage.

PSAUME 13 (12)

Seigneur, jusqu'à quand m'oublieras-tu ?

[1] *Du répertoire du *chef de chorale. Psaume appartenant au recueil de David.*

[2] Seigneur, jusqu'à quand persisteras-tu à m'oublier ?
Jusqu'à quand refuseras-tu de me voir ?
[3] Jusqu'à quand devrai-je me faire du souci
et me ronger de chagrin tout le jour ?
Jusqu'à quand mon ennemi aura-t-il l'avantage ?
[4] Seigneur mon Dieu, regarde et réponds-moi ;
rends-moi un peu de force,
sinon mes yeux se fermeront pour le sommeil de la mort ;

n **12.1** *à l'octave* : voir 6.1 et la note.
o **12.6** *qu'on écarte d'un revers de main* ou *qu'on balaie d'un souffle* ; voir 10.5.
p **12.7** L'équivalent hébreu de cette expression est *purres comme l'argent*.

5 sinon aussi mon ennemi se vantera d'avoir eu le dessus,
et mes adversaires se féliciteront de m'avoir fait céder.

6 Moi, j'ai compté sur ta bonté, je veux me féliciter de ton secours.
Seigneur, je veux chanter en ton honneur
pour tout ce que tu as fait en ma faveur.

PSAUME 14 (13) Les fidèles et leur Dieu dans un monde corrompu

(Voir Ps 53)

1 *Du répertoire du *chef de chorale et du recueil de David.*

Ils sont stupides, ceux qui se disent que Dieu est sans pouvoir[q].
Ces gens sont corrompus, ce qu'ils font est abominable,
aucun d'eux n'agit comme il faut.
2 Du haut du ciel, le Seigneur se penche pour observer les humains,
pour voir s'il y a quelqu'un d'intelligent qui se tourne vers lui.
3 Tous ont quitté le bon chemin,
tous sans exception sont corrompus.
Aucun n'agit comme il faut, pas même un seul[r].

4 « Ils ne comprennent vraiment rien, dit le Seigneur,
tous ces gens qui font le malheur des autres,
qui se nourrissent en exploitant mon peuple
et ne s'adressent jamais à moi. »

5 Les voilà qui s'affolent,
car Dieu est du côté des fidèles.
6 « Vous avez voulu vous en prendre aux pauvres gens ;
ce sera votre honte, car le Seigneur est leur refuge. »

7 Ah, que je voudrais voir le salut d'Israël, arrivant de *Sion !
Le Seigneur rétablira son peuple[s].
Quelle joie chez les descendants de Jacob,
quelle allégresse alors en Israël !

PSAUME 15 (14) Ce que Dieu demande à ses fidèles

1 *Psaume appartenant au recueil de David.*

– Seigneur, qui peut être reçu dans ton *temple
et prendre place ainsi sur la montagne qui t'est consacrée[t] ?
2 – C'est celui qui est irréprochable,
qui fait ce qui est juste et pense vraiment ce qu'il dit.
3 Il ne raconte pas du mal des autres,
il ne fait pas de tort à son prochain
et n'insulte pas son voisin.

14.1 *que Dieu est sans pouvoir* : d'autres traduisent *Il n'y a pas de Dieu* ; voir 10.4,6,11,13 ; 36.2 ; 94.7 ; Jér 5.12.

14.3 V. 1b-3 : voir Rom 3.10-12.

s **14.7** Voir 126.4.

t **15.1** *la montagne qui t'est consacrée* : la colline sur laquelle était bâti le temple de Jérusalem ; voir 2.6.

[4] Il n'a pas un regard pour ceux que Dieu désapprouve,
mais il marque son estime aux fidèles du Seigneur.
S'il a fait un serment qui lui cause du tort[u],
il ne change pas ce qu'il a dit.
[5] S'il prête son argent, c'est sans percevoir d'intérêt.
Il n'accepte aucun cadeau pour témoigner contre un innocent.

Qui agit ainsi ne faiblira jamais.

PSAUME 16 (15) Joie d'un homme que Dieu a délivré de la mort

[1] *Poème appartenant au recueil de David*[v].

O Dieu, garde-moi, c'est à toi que j'ai recours.
[2] Je dis au Seigneur[w] : « Tu es mon maître souverain ;
je n'ai pas de bonheur plus grand que toi. »

[3] Quant aux fidèles qui sont dans le pays,
c'est eux qui ont la vraie grandeur que j'apprécie.
[4] Ceux qui cherchent les faveurs d'un autre dieu
ne feront qu'augmenter leurs tourments.
Je n'offrirai pas leurs offrandes de sang.
je n'aurai pas même leur nom sur mes lèvres.

[5] Seigneur, toi qui es la chance de ma vie, la part qui me revient,
tu tiens mon destin dans tes mains.
[6] C'est un sort qui m'enchante,
un privilège qui me ravit.

[7] Je remercie le Seigneur, qui me conseille :
même la nuit, ma conscience m'en avertit.
[8] Je ne perds pas de vue le Seigneur,
et je ne risque pas de faiblir, puisqu'il est à mes côtés[x].
[9] C'est pourquoi j'ai le cœur plein de joie, j'ai l'âme en fête.
Je suis en parfaite sécurité.

[10] Non, Seigneur, tu ne m'abandonnes pas à la mort,
tu ne permets pas que moi, ton fidèle, je m'approche de la tombe[y].
[11] Tu me fais savoir quel chemin mène à la vie.
On trouve une joie pleine en ta présence,
un plaisir éternel près de toi[z].

---

u **15.4** *Il n'a pas un regard... désapprouve* : autre traduction *Il n'approuve pas celui qui a été exclu* (ou *qui s'est exclu*) *de la communauté*. – *S'il a fait un serment...* : le texte hébreu de la fin du v. 4 est peu clair ; versions anciennes *S'il a promis quelque chose à son ami...*

v **16.1** *Poème* : le sens exact du terme hébreu correspondant est incertain. Autres traductions *prière secrète* ou *à mi-voix*. Voir aussi les suscriptions des Ps 56-60.

w **16.2** *Je dis* : d'après un certain nombre de manuscrits hébreux, soutenus par les anciennes versions grecque et syriaque ; texte hébreu traditionnel *Tu dis*.

x **16.8** *à mes côtés* ou *à ma droite* : la droite était considérée comme le côté favorable (voir 110.5 et la note) ; c'est là que se plaçait le défenseur d'un accusé (voir 109.31 et la note).

y **16.10** Verset cité en Act 13.35 d'après l'ancienne version grecque.

z **16.11** *près de toi* ou *à ta droite* : la droite était aussi le côté honorifique ; voir 45.10 ; 110.1. – Les v. 8-11 sont cités en Act 2.25-28.

PSAUME 17 (16) Maintenant j'en appelle à toi

[1] *Prière appartenant au recueil de David.*

Seigneur, écoute ma juste demande, sois attentif à ma plainte,
entends bien ma prière : elle part d'un cœur sincère.
[2] C'est de toi que doit venir la sentence qui me concerne.
Discerne toi-même de quel côté est le bon droit.
[3] Pendant la nuit, tu es venu pour éprouver ma sincérité ;
tu m'as mis à l'épreuve, mais sans rien trouver à blâmer.
Je n'ai fait aucun commentaire
[4] sur les agissements des autres,
mais je me suis appliqué à faire ce que tu avais dit.
Sur le chemin difficile,
[5] je suis resté fermement[a],
mes pas n'ont pas quitté la voie que tu m'as ordonnée.

[6] Maintenant, j'en appelle à toi, car tu es un Dieu qui réponds.
Tends vers moi une oreille attentive, écoute ce que je dis.
[7] Montre-moi ta bonté merveilleuse,
toi qui sauves de leurs agresseurs
ceux qui cherchent refuge près de toi[b].
[8] Garde-moi comme la prunelle de ton œil,
cache-moi, protège-moi sous tes ailes[c],
[9] à l'abri des méchants qui me tyrannisent,
des ennemis mortels qui m'encerclent.

[10] Ils ont fermé leur cœur à tout sentiment,
leurs paroles sont pleines de prétention.
[11] Ils ont suivi mes pas, les voilà qui m'entourent.
Ils guettent le moment de m'étendre à terre,
[12] comme des lions embusqués dans un fourré,
des fauves impatients de déchirer leur proie.

[13] Interviens, Seigneur,
affronte mes adversaires et jette-les à terre ;
mets-moi à l'abri des méchants.
[14] Que ton épée les supprime ; de ta propre main, achève-les.
Que leur sort, parmi les vivants, soit d'être exclus de la vie !
Fais-leur absorber l'eau amère que tu as en réserve pour eux[d].
Que leurs enfants en boivent tout leur soûl
et laissent le reste à leurs petits-enfants !
[15] Mais moi, fort de ton approbation, que je puisse te rencontrer
et, quand je me réveillerai, jouir à loisir de ton apparition !

---

a **17.5** Les v. 3b-5a sont assez obscurs en hébreu et les traductions en usage proposent des sens assez divers.

b **17.7** *près de toi* ou *à ta droite* : voir la note sur 16.8.

c **17.8** Les *ailes* protectrices de Dieu : voir 36.8 ; 61.5 ; 63.8 ; comparer 1 Rois 6.23-29.

d **17.14** Le texte du v. 14 est passablement obscur en hébreu et la traduction incertaine. – *fais-leur absorber l'eau amère* ou *remplis leur ventre de ce...*

PSAUME 18 (17)

Un roi remercie Dieu après la victoire

(Voir 2 Sam 22.1-51)

1 *Du répertoire du *chef de chorale. Chant appartenant au recueil de David*
le serviteur du Seigneur. David adressa ces paroles au Seigneur quan
celui-ci l'eut délivré de tous ses ennemis, en particulier de Saül.

2 Je t'aime, Seigneur, tu es ma force.

3 Le Seigneur est pour moi un roc, un refuge où je suis en sûreté.
Mon Dieu est pour moi un rocher où je suis à l'abri du danger,
un bouclier qui me protège, une forteresse où je suis sauvé.
4 Qu'on acclame le Seigneur !
Dès que je l'appelle au secours, je suis délivré de mes ennemis.

5 La Mort me tenait déjà enchaînée[e],
elle m'effrayait comme un torrent destructeur ;
6 j'étais presque prisonnier du monde des ombres,
son piège se refermait sur moi.
7 Dans ma détresse, j'ai appelé le Seigneur,
j'ai crié au secours vers mon Dieu.
De son *temple, il a entendu ma voix,
il a bien voulu écouter mon cri.

8 Alors la terre fut prise de tremblements,
les montagnes vacillèrent sur leurs bases,
elles chancelèrent devant la colère du Seigneur.
9 Une fumée montait de ses narines,
un feu dévorant sortait de sa bouche,
accompagné d'étincelles brûlantes.
10 Le Seigneur inclina le ciel et descendit,
un sombre nuage sous les pieds.
11 Monté sur un *chérubin, il prit son vol,
sur les ailes du vent il se mit à planer.
12 Il se cacha au cœur d'un nuage noir,
il s'entoura d'épaisses nuées, sombres comme l'eau profonde.
13 Devant lui une vive lumière, des nuages qui passaient,
de la grêle, des étincelles de feu[f].
14 Au ciel le Seigneur fit gronder le tonnerre,
le Dieu très-haut fit retentir sa voix[g].
15 Il lança des éclairs en tous sens,
tira ses flèches dans toutes les directions[h].
16 Devant ces menaces du Seigneur,
devant la tempête de sa colère[i],

---

e **18.5** La *Mort* est ici personnifiée comme l'ennemi suprême des fidèles.

f **18.13** Le texte hébreu du v. 13 est passablement obscur et la traduction incertaine.

g **18.14** A la fin du v. 14 le texte hébreu traditionnel ajoute *de la grêle et des étincelles de feu*, mots empruntés au v. 13.

h **18.15** *en tous sens* ou *les éparpilla ; dans toutes les direc tions* ou *les dispersa*. Certains interprètent ces expres sions comme s'appliquant aux ennemis de Dieu e du roi.

i **18.16** *ces menaces du Seigneur... sa colère* : d'après l passage parallèle de 2 Sam 22.16 ; texte traditionn *tes menaces, Seigneur... ta colère*.

le fond des océans fut dévoilé,
les fondations du monde apparurent.

17 Alors du haut du ciel, il étendit la main et me saisit,
il m'arracha au danger qui me submergeait,
18 il me délivra de mes puissants ennemis,
de mes adversaires trop forts pour moi.
19 Au jour du désastre ils m'avaient assailli,
mais le Seigneur est venu me soutenir,
20 il m'a dégagé, m'a rendu la liberté.
Il m'aime, voilà pourquoi il m'a délivré.

21 Le Seigneur me traite ainsi parce que je lui reste fidèle ;
il me récompense d'avoir toujours agi honnêtement.
22 J'observe les recommandations du Seigneur,
je ne me rends pas coupable envers mon Dieu.
23 Oui, j'observe les règles qu'il a prescrites,
je ne rejette pas ce qu'il a ordonné.
24 Je veux qu'il n'ait rien à me reprocher,
je me garde d'être en faute.
25 Alors le Seigneur m'a récompensé de lui être resté fidèle
et d'avoir fait ce qu'il jugeait honnête.

26 Seigneur, tu te montres fidèle envers qui t'est fidèle[j],
irréprochable avec l'homme irréprochable.
27 Tu te montres pur avec qui est pur,
mais habile avec l'homme de mauvaise foi.
28 Tu viens toi-même au secours du peuple humilié,
mais tu fais baisser les yeux aux orgueilleux.
29 Seigneur, tu es pour moi une lampe allumée,
mon Dieu, tu éclaires la nuit où je suis.
30 Avec toi, je prends d'assaut une muraille[k],
grâce à toi, mon Dieu, je peux franchir un rempart.

31 Dieu est un guide parfait[l], les avis qu'il donne sont sûrs ;
il est comme un bouclier
pour tous ceux qui se réfugient auprès de lui.
32 Un seul est Dieu, c'est le Seigneur ;
un seul est un rocher pour nous, c'est notre Dieu !
33 C'est lui qui me donne la force d'agir,
qui fait réussir ce que j'entreprends[m],
34 qui me donne l'agilité de la gazelle,
et me maintient debout sur les hauteurs[n].

18.26 La traduction essaie de rendre ici les rapprochements de mots qu'on trouve dans le texte hébreu des v. 26-27. – *tu es fidèle* : le terme hébreu correspondant est rendu ailleurs par les idées de *bonté* et de *générosité*.
18.30 Autre traduction *je me précipite sur une troupe armée*. Le texte hébreu du v. 30 est peu clair.

l **18.31** Autres traductions *Dieu agit d'une manière irréprochable* ou *La voie que Dieu me trace est parfaite*.
m **18.33** Autre traduction *qui rend ma conduite parfaite*.
n **18.34** D'après les anciennes versions ; hébreu *sur mes hauteurs*. – Voir Hab 3.19.

[35] C'est lui qui m'entraîne au combat
et m'aide à tendre l'arc le plus puissant.

[36] Seigneur, ta main droite me soutient ;
comme un bouclier, tu me protèges et me sauves,
tu réponds à mes appels et tu me rends fort[o].
[37] Grâce à toi, je cours plus vite sans faire de faux pas.
[38] Je poursuis mes ennemis, je les rattrape
et ne fais pas demi-tour avant d'en avoir fini avec eux.
[39] Je les taille en pièces, ils ne peuvent plus se relever ;
ils sont à terre, je mets le pied sur eux[p].
[40] Tu me donnes la force de combattre,
tu fais plier mes agresseurs, les voici à mes pieds.
[41] Devant moi, tu mets en fuite mes ennemis[q],
je peux réduire à rien mes adversaires.
[42] Ils ont beau crier au secours, personne ne leur vient en aide ;
ils s'adressent au Seigneur, mais il ne leur répond pas.
[43] Je les pulvérise comme une poussière au vent,
je les piétine comme la boue des rues[r].

[44] Tu me mets à l'abri d'un peuple révolté[s],
tu me places à la tête des nations.
Des gens inconnus se soumettent à moi,
[45] au moindre mot, ils m'obéissent.
Des étrangers viennent me flatter[t],
[46] ils perdent leur assurance,
ils sortent en tremblant de leurs abris.

[47] Le Seigneur est vivant !
Merci à celui qui est mon rocher !
Dieu, mon sauveur, est grand !
[48] C'est le Dieu qui me donne ma revanche
et qui me soumet des peuples.
[49] Seigneur, tu me mets à l'abri face à mes ennemis ;
plus, tu me rends victorieux de mes agresseurs,
tu me délivres des hommes violents.
[50] Je veux donc te louer parmi les nations
et te célébrer par mes chants[u].
[51] Le Seigneur fait de grandes choses
pour secourir le roi qu'il a choisi,
il traite avec bonté celui qu'il a consacré[v],
David, et ses descendants, pour toujours.

o **18.36** Le texte hébreu de la fin du v. 36 est peu clair ; la traduction suit le texte parallèle de 2 Sam 22.36 mais reste incertaine.

p **18.39** Le geste de poser le pied sur le corps de l'ennemi jeté à terre symbolisait une victoire totale ; voir Jos 10.24 ; És 51.23.

q **18.41** Autre traduction *Tu me livres la nuque de mes ennemis*, c'est-à-dire *tu mets mes ennemis à ma merci* (voir la note sur le v. 39).

r **18.43** *je les piétine* : comme dans le texte parallèle d[e] 2 Sam 22.43 et avec plusieurs manuscrits hébreu[x] ainsi que les anciennes versions grecque, syriaque [et] araméenne ; texte hébreu traditionnel *je les vide*.

s **18.44** Hébreu obscur ; certains proposent de tr[a]duire *tu m'as sauvé d'un peuple* (ou *d'une armée*) *i[n]nombrable*.

t **18.45** Traduction incertaine d'un texte peu clair.

u **18.50** Voir Rom 15.9.

v **18.51** Voir 2.2 et la note.

PSAUME 19 (18) La gloire de Dieu dans l'univers. La loi du Seigneur

[1] *Du répertoire du *chef de chorale. Psaume appartenant au recueil de David.*

[2] Le ciel proclame la *gloire de Dieu,
la voûte étoilée révèle ce qu'il a fait.
[3] Chaque jour en parle au jour suivant,
et chaque nuit l'annonce à celle qui la suit.
[4] Ce n'est pas un discours, ce ne sont pas des mots,
l'oreille n'entend aucun son.
[5] Mais leur message parcourt la terre entière,
leur langage est perçu jusqu'au bout du monde[w].

Dieu a dressé dans le ciel une tente pour le soleil.
[6] Le matin, celui-ci paraît,
tel un jeune marié qui sort de sa chambre,
un champion tout heureux de prendre son élan.
[7] Il sort à une extrémité du ciel,
son tour le mène à l'autre extrémité,
rien n'échappe à ses rayons.

*

[8] La *loi du Seigneur est parfaite,
elle rend la force de vivre.
Les ordres du Seigneur méritent confiance,
ils aident les simples à savoir se conduire.
[9] Les exigences du Seigneur sont justes,
elles remplissent le cœur de joie.
Les commandements du Seigneur sont limpides,
ils aident à y voir clair.
[10] Le respect qu'inspire le Seigneur est pur,
il persiste à travers les siècles.
Les décisions du Seigneur sont fondées,
toutes, sans exception, sont justifiées,
[11] plus attirantes que l'or, qu'une quantité de métal précieux,
et plus agréables que le miel, que le miel le plus doux.

[12] Seigneur, moi qui suis ton serviteur, j'y trouve un avertissement ;
on a tout avantage à suivre tes avis.
[13] Tout le monde fait des erreurs sans le savoir :
pardonne-moi les fautes qui m'ont échappé.
[14] Préserve-moi encore des insolents,
fais qu'ils n'aient aucune prise sur moi.
Alors je serai sans reproche, et préservé d'une faute grave.

[15] Ce que j'ai dit et médité devant toi,
j'espère que cela te sera agréable,
Seigneur, mon Rocher, mon Défenseur.

19.5 Le début du v. 5 est cité par l'apôtre Paul en Rom 10.18 d'après l'ancienne version grecque.

PSAUME 20 (19) Prière pour le roi

1 *Du répertoire du *chef de chorale. Psaume appartenant au recueil de David.*

2 Que le Seigneur te réponde quand tu seras dans la détresse !
Que le Dieu de Jacob te protège lui-même !
3 De son *temple, qu'il vienne te secourir,
de *Sion, qu'il te soutienne !
4 Qu'il n'oublie aucune de tes offrandes,
qu'il accepte tes *sacrifices ! **Pause*
5 Qu'il te donne ce que tu désires,
et qu'il réalise tous tes projets !
6 Alors nous crierons de joie pour le secours que tu auras reçu ;
nous brandirons la bannière en l'honneur de notre Dieu[x].
Que le Seigneur réalise tout ce que tu lui demandes !

7 Maintenant je le sais : le Seigneur secourt le roi qu'il a consacré[y],
de son temple céleste, il lui répond,
sa main droite fait un exploit pour le sauver.
8 Les uns comptent sur leurs chars de guerre,
d'autres sur leurs chevaux ;
nous, nous faisons appel au Seigneur notre Dieu.
9 Les autres s'écroulent et tombent à terre ;
nous, nous restons debout.

10 Seigneur, viens au secours du roi,
et qu'il puisse nous répondre
quand nous l'appelons à l'aide !

PSAUME 21 (20) Le roi peut compter sur le Seigneur

1 *Du répertoire du *chef de chorale. Psaume appartenant au recueil de David.*

2 Seigneur, le roi se réjouit de ta puissance.
Quand tu viens à son secours, quelle joie pour lui !
3 Tu lui as donné ce qu'il désirait,
tu n'as pas refusé ce qu'il te demandait. **Pause*
4 Tu viens à lui chargé de *bénédictions ;
tu poses sur sa tête une couronne d'or.
5 Il te demandait la vie, tu la lui donnes,
et tu la prolonges, longtemps, longtemps.
6 Grâce à ton secours, sa gloire est immense ;
tu le couvres de splendeur et de majesté.
7 Tu fais de lui, pour toujours, l'homme béni par excellence[z].
Tu le rends heureux par ta présence.

---

x **20.6** Autre traduction (conjecturale) *nous acclamerons le nom de notre Dieu*.

y **20.7** *le roi qu'il a consacré* ou *son *Messie*. Ce dernier terme servit plus tard à désigner le roi sauveur que le peuple d'Israël attendait.

z **21.7** On peut comprendre aussi *une source de bénédiction* (pour son peuple) ; voir 72.16-17.

[8] Oui, le roi compte sur le Seigneur,
et grâce à la bonté du Dieu très-haut,
il ne risquera pas de faiblir.

[9] O Roi, tu sauras atteindre tes ennemis,
ta main ne manquera pas ceux qui t'en veulent.
[10] Tu en feras un grand feu dès que tu apparaîtras.
– Oui, que le Seigneur, dans sa colère,
n'en fasse qu'une bouchée,
et que le feu les dévore !
[11] Tu débarrasseras la terre de leurs descendants
et l'humanité de leur espèce.
[12] S'ils cherchent à te nuire,
s'ils intriguent contre toi, ils n'arriveront à rien.
[13] Tu tireras tes flèches contre eux,
tu les mettras en fuite.

[14] Seigneur, montre ta grande puissance.
Quant à nous, nous voulons chanter et célébrer tes exploits.

PSAUME 22 (21)

Mon Dieu, mon Dieu, pourquoi m'as-tu abandonné ?

[1] *Du répertoire du *chef de chorale. A chanter sur l'air de « Biche de l'aurore ». Psaume appartenant au recueil de David.*

[2] Mon Dieu, mon Dieu, pourquoi m'as-tu abandonné[a] ?
Pourquoi restes-tu si loin, sans me secourir, sans écouter ma plainte ?
[3] Mon Dieu, le jour je t'appelle au secours, mais tu ne réponds pas ;
et la nuit encore, sans repos.

[4] Pourtant tu sièges sur ton trône,
toi, l'unique vrai Dieu, qu'Israël ne cesse de louer.
[5] Nos ancêtres t'ont fait confiance,
et tu les as mis à l'abri ;
[6] ils t'ont appelé au secours, et tu les as délivrés ;
ils t'ont fait confiance, et tu ne les as pas déçus.

[7] Moi, on me traite comme une vermine ; je ne suis plus un homme.
Les gens m'insultent, tout le monde me méprise.
[8] Tous ceux qui me voient se moquent de moi,
ils font la moue, ils secouent la tête[b].
[9] Ils disent de moi : « Il a remis son sort au Seigneur,
eh bien, que le Seigneur le tire d'affaire !
Le Seigneur l'aime, eh bien, qu'il le sauve[c] ! »
[10] Seigneur, c'est toi qui m'as tiré du ventre de ma mère,
et m'as mis en sûreté contre sa poitrine.
[11] Dès ma naissance, j'ai été confié à toi,
dès que je suis né, tu as été mon Dieu.

---

a **22.2** Le début du v. 2 est cité par Jésus sur la croix d'après Matt 27.46 ; Marc 15.34.

b **22.8** Voir Matt 27.39 ; Marc 15.29. Comparer Ps 109.25.

c **22.9** *Il a remis son sort* : avec une autre voyelle le texte hébreu traditionnel propose *remets ton sort*. – Sur l'ensemble du verset voir Matt 27.43.

12 Ne reste donc pas loin de moi,
maintenant que le danger est proche
et que personne ne vient m'aider.

13 Mes adversaires sont autour de moi comme de nombreux taureaux ;
ils m'encerclent comme de puissantes bêtes du *Bachan.
14 On dirait des lions féroces qui rugissent
et ouvrent la gueule contre moi.
15 Ma force s'en va comme l'eau qui s'écoule,
je ne tiens plus debout.
Mon courage fond en moi comme la cire.
16 J'ai la gorge complètement sèche[d],
ma langue se colle à mon palais.
Tu m'as placé au bord de la tombe.

17 Une bande de malfaiteurs m'encercle,
ces chiens ne me laissent aucune issue ;
ils m'ont lié pieds et mains[e].
18 Je suis tellement amaigri que je pourrais compter tous mes os.
Mes adversaires me regardent fixement,
19 ils se partagent mes habits,
ils tirent au sort mes vêtements[f].

20 Mais toi, Seigneur, ne reste pas si loin ;
toi qui es ma force, viens vite à mon secours.
21 Sauve-moi d'une mort violente,
protège ma vie contre la dent de ces chiens.
22 Délivre-moi de leur gueule de lion
et de leur corne de buffle !

Ah, tu m'as répondu !
23 Je veux donc parler de toi à mes compagnons,
je veux t'acclamer parmi les fidèles assemblés[g] :
24 « Acclamez le Seigneur, vous qui reconnaissez son autorité.
Honorez-le, vous tous descendants de Jacob.
Tremblez devant lui, vous tous descendants d'Israël !
25 Car il n'a ni méprisé ni rejeté le misérable accablé ;
il ne s'est pas détourné de lui, il a entendu son appel. »

26 Seigneur, c'est grâce à toi que je peux te louer
dans la grande assemblée.
Devant tes fidèles, je tiendrai les promesses que je t'ai faites.
27 J'invite les humbles : qu'ils mangent tant qu'ils auront faim[h] !
Que ceux qui font appel au Seigneur
l'acclament et qu'ils aient longue vie !

---

d **22.16** Ou *Ma gorge est aussi sèche que la brique*. – *Ma gorge* : sens probable ; texte hébreu traditionnel *Ma force*.

e **22.17** La traduction suit ici quelques manuscrits hébreux et deux versions grecques anciennes ; texte traditionnel peu clair.

f **22.19** Voir Matt 27.35 ; Marc 15.24 ; Luc 23.34 ; Jean 19.24.

g **22.23** Verset cité en Hébr 2.12.

h **22.27** L'auteur du psaume invite les pauvres à participer au repas qu'il offre après son sacrifice de reconnaissance.

28 Que les peuples les plus lointains
se souviennent du Seigneur et reviennent à lui !
Que les familles de toutes les nations
s'inclinent jusqu'à terre devant lui !
29 Car le Seigneur est roi, c'est lui qui règne sur les nations.
30 Ceux qui sont pleins de vie mangent et s'inclinent devant lui.
Et devant lui aussi s'agenouillent
tous ceux qui descendent dans la poussière
– ceux qui ne peuvent se maintenir en vie[i].
31 Leurs descendants le serviront ;
on parlera du Seigneur à la nouvelle génération.
32 On racontera à ceux qui vont naître
ce qu'il a fait dans sa fidélité.

PSAUME 23 (22) Le Seigneur est mon berger

1 *Psaume appartenant au recueil de David.*

Le Seigneur est mon *berger,
je ne manquerai de rien.
2 Il me met au repos dans des prés d'herbe fraîche,
il me conduit au calme près de l'eau[j].
3 Il ranime mes forces,
il me guide sur la bonne voie,
parce qu'il est le berger d'Israël.
4 Même si je passe par la vallée obscure,
je ne redoute aucun mal, Seigneur, car tu m'accompagnes.
Tu me conduis, tu me défends, voilà ce qui me rassure.

5 Face à ceux qui me veulent du mal,
tu prépares un banquet pour moi.
Tu m'accueilles en versant sur ma tête un peu d'huile parfumée[k].
Tu remplis ma coupe jusqu'au bord.
6 Oui, tous les jours de ma vie,
ta bonté, ta générosité me suivront pas à pas.
Seigneur, je reviendrai[l] dans ta maison
aussi longtemps que je vivrai.

PSAUME 24 (23) Le Seigneur fait son entrée au temple

1 *Psaume appartenant au recueil de David.*

C'est au Seigneur qu'appartient
le monde avec tout ce qu'il contient,
la terre avec ceux qui l'habitent[m].
2 C'est lui qui l'a fixée au-dessus des mers,
et la maintient au-dessus des flots.

22.30 Le texte du début du v. 30 est très incertain. Dans son état actuel ce verset semble considérer les riches et les pauvres.

23.2 Voir Apoc 7.17.

k **23.5** La même coutume est évoquée par Jésus en Luc 7.46 ; comparer Ps 92.11 ; 133.2 ; Eccl 9.8.

l **23.6** Certaines versions anciennes ont compris *j'habiterai*.

m **24.1** Verset cité en 1 Cor 10.26.

[3] – Qui sera admis à gravir la montagne du Seigneur[n]
et à se tenir dans son saint *temple ?
[4] – Ceux qui ont gardé mains nettes et cœur pur,
qui ne sont pas attirés vers le mensonge[o]
et n'ont pas fait de faux serments.
[5] Ils recevront la *bénédiction du Seigneur
et l'approbation de leur Dieu, le Sauveur.
[6] Voilà les vrais fidèles du Seigneur,
ceux qui se tournent vers Dieu,
voilà le vrai Jacob[p]. *Pause

[7] Portes, relevez vos linteaux ;
haussez-vous, portails éternels,
pour que le grand Roi fasse son entrée !
[8] – Qui est ce grand Roi ?
– C'est le Seigneur, le puissant héros,
le Seigneur, le héros des combats.
[9] Portes, relevez vos linteaux ;
haussez-vous, portails éternels,
pour que le grand Roi fasse son entrée !
[10] – Qui est donc ce grand Roi ?
– C'est le Seigneur de l'univers, c'est lui le grand Roi. Pause

PSAUME 25 (24) Fais-moi connaître ta volonté et pardonne mes torts

[1] *Du recueil de David.*

Je[q] me tourne vers toi, Seigneur ;
[2] mon Dieu, je me suis fié à toi, ne me laisse pas déçu.
Ne laisse pas mes ennemis crier victoire à mon sujet.
[3] Aucun de ceux qui comptent sur toi n'aura à le regretter.
Mais honte à ceux qui te trahissent ! Qu'ils restent les mains vides

[4] Seigneur, fais-moi connaître le chemin à suivre,
enseigne-moi à vivre comme tu le veux.
[5] Que ta fidélité soit mon guide, instruis-moi,
car c'est toi le Dieu qui me sauve,
et je compte sur toi tous les jours.
[6] Souviens-toi que depuis toujours, Seigneur,
tu es un Dieu aimant et bon.
[7] Ne pense plus à mes fautes de jeunesse,
ne pense plus à mes désobéissances ;
pense à moi plutôt dans ta générosité, toi qui es si bon, Seigneur.

[8] Le Seigneur est si bon et si juste
qu'il montre aux coupables le chemin à suivre.

---

n **24.3** Voir 2.6.

o **24.4** *cœur pur* : voir Matt 5.8. – *qui ne sont pas attirés vers le mensonge* : autre traduction *qui ne sont pas attirés vers les faux dieux*.

p **24.6** Deux manuscrits hébreux et les anciennes versions grecque et syriaque proposent *qui se tourne[nt] vers le Dieu de Jacob*. *Jacob* est nommé ici pour tout l[e] peuple d'*Israël*, dont il est l'ancêtre.

q **25.1** Psaume alphabétique jusqu'au v. 21 ; voir 9.2 e[t] la note.

9 Il fait vivre les humbles en leur rendant justice,
il leur enseigne sa volonté.
10 Chacune des instructions du Seigneur
est une marque de sa fidèle bonté
pour ceux qui suivent les règles de son *alliance.
11 Seigneur, tu es Dieu,
pardonne mes torts, qui sont nombreux.
12 Quand un homme est un fidèle du Seigneur,
celui-ci lui montre la voie qu'il doit choisir.
13 Cet homme vivra dans le bonheur
et ses enfants posséderont le pays[r].
14 Le Seigneur confie son secret à ses fidèles,
il les instruit des devoirs de l'alliance.
15 J'ai les yeux constamment tournés vers le Seigneur,
car il me tirera du piège où je suis pris.

16 Fais-moi la grâce de te tourner vers moi,
Seigneur, car je suis seul et misérable.
17 Soulage mon cœur de ses angoisses
et retire-moi de la détresse.
18 Considère ma misère et ma peine,
et pardonne toutes mes fautes.
19 Constate combien mes ennemis sont nombreux
et quelle violente haine ils me portent.
20 Protège-moi et délivre-moi ;
que je n'aie pas à regretter d'avoir eu recours à toi !
21 Je compte sur toi, pour me garder
dans l'innocence et la droiture.
22 O Dieu, délivre Israël,
délivre-le de toutes ses détresses !

PSAUME 26 (25) Un innocent fait appel à Dieu

1 *Du recueil de David.*

Seigneur, rends-moi justice,
car je mène une vie sans reproche,
et j'ai en toi une confiance inébranlable.
2 Mets-moi vraiment à l'épreuve, Seigneur,
contrôle mes pensées et mes sentiments.

3 J'ai devant les yeux les marques de ta bonté
et je vis de ta fidélité.
4 Je n'ai pas fréquenté les intrigants,
et je ne vais pas avec les hypocrites.
5 Je déteste les bandes de malfaiteurs,
et je reste à l'écart des gens sans foi ni loi.

6 Je laverai mes mains en signe d'innocence
et je ferai le tour de ton *autel, Seigneur,

25.13 *posséderont le pays* : voir Matt 5.5.

7 en te disant ma reconnaissance
et en racontant toutes tes merveilles.
8 Seigneur, j'aime la maison où tu habites,
le lieu où demeure ta présence glorieuse.

9 Ne me traite pas comme les coupables,
ne m'ôte pas la vie comme aux meurtriers,
10 dont les mains ont trafiqué dans l'horreur
et sont pleines de cadeaux pour corrompre.
11 Moi, je mène une vie sans reproche ;
fais-moi la grâce de me délivrer.
12 Je me tiens sur un terrain sûr,
et dans les assemblées je dirai merci au Seigneur.

PSAUME 27 (26) Chez le Seigneur, je me sens en sécurité

1 *Du recueil de David.*

Le Seigneur est ma lumière et mon sauveur,
je n'ai rien à craindre de personne.
Le Seigneur est le protecteur de ma vie,
je n'ai rien à redouter.
2 Si des gens malfaisants s'approchent de moi
comme des bêtes féroces[s],
ce sont eux, mes ennemis acharnés, qui se retrouveront par terre.
3 Si une armée vient m'assiéger,
je n'éprouve aucune peur.
Et si la bataille s'engage contre moi,
même alors je me sens en sécurité.
4 Je ne demande qu'une chose au Seigneur,
mais je la désire vraiment :
c'est de rester toute ma vie chez lui,
pour jouir de son amitié et guetter sa réponse dans son *temple[t].
5 Alors, quand tout ira mal,
il pourra m'abriter sous son toit,
il me cachera dans sa maison[u],
il me mettra sur un roc, hors d'atteinte.
6 Du coup, je regarderai de haut les ennemis qui m'entourent.
Et dans sa maison, je l'acclamerai en lui offrant des *sacrifices,
je chanterai et célébrerai le Seigneur.

7 Quand je t'appelle au secours, Seigneur, écoute-moi,
fais-moi la grâce de me répondre.
8 Je réfléchis à ce que tu as dit : « Tournez-vous vers moi. »
Eh bien, Seigneur, je me tourne vers toi.
9 Ne te détourne pas de moi,
ne me repousse pas avec colère, toi qui m'as secouru ;
ne me rejette pas, ne m'abandonne pas, toi le Dieu qui me sauves.

---

s **27.2** *comme des bêtes féroces* ou *pour dévorer mon corps*. Certains, s'appuyant sur une expression voisine en Dan 3.8 ; 6.25 interprètent *pour m'accuser (faussement)*.

t **27.4** *chez lui... dans son temple* : comparer 5.8 et la note

u **27.5** *sa maison ou sa tente* : appellation du temple de Jérusalem rappelant l'époque où Israël vivait au désert.

10 Si mon père et ma mère m'abandonnaient,
toi, Seigneur, tu me recueillerais[v].
11 Seigneur, montre-moi la voie que tu me traces ;
à cause de mes adversaires
dirige-moi sur un chemin sans obstacle.
12 Ne me laisse pas tomber entre leurs griffes,
car de faux témoins m'accusent et cherchent à m'intimider.
13 Que deviendrais-je,
si je n'avais pas l'assurance de voir la bonté du Seigneur
sur cette terre où nous vivons ?

14 – Compte patiemment sur le Seigneur ;
ressaisis-toi, reprends courage,
oui, compte patiemment sur le Seigneur.

PSAUME 28 (27)

Prière d'un homme qui voit la mort de près

1 *Du recueil de David.*

Seigneur, je t'appelle au secours ;
toi, mon Rocher, ne sois pas sourd à mes cris.
Si tu restes insensible à mes appels, je suis un homme fini.
2 Écoute-moi quand je te supplie, quand je crie au secours,
quand je lève les mains[w] vers le *lieu très saint où tu te tiens.

3 Ne me mets pas dans le même sac
que les méchants, eux qui font le malheur des autres.
Ils n'ont que mots aimables pour leur prochain,
mais la méchanceté remplit leur cœur.
4 Traite-les d'après ce qu'ils ont fait,
d'après le mal qu'ils ont commis.
Traite-les comme ils ont traité les autres,
fais retomber sur eux leurs propres méfaits[x].
5 Ils ne prennent pas garde
aux interventions du Seigneur, à ce qu'il réalise.
Eh bien, que le Seigneur les ruine sans jamais les relever !

6 Merci au Seigneur de m'avoir entendu quand je le suppliais !
7 Le Seigneur me protège, il est mon bouclier.
Du fond du cœur, je lui ai fait confiance ;
j'ai reçu du secours, j'ai le cœur en fête.
Je veux chanter pour le louer.

8 Le Seigneur est la force de son peuple[y] ;
pour le roi qu'il a consacré il est la forteresse où se trouve le salut.
9 Seigneur, sauve ton peuple ; c'est ton bien le plus personnel,
fais-lui du bien, sois son *berger, prends-le en charge pour toujours.

---

v **27.10** Voir És 49.15.
w **28.2** *je lève les mains* : geste de la prière dans l'ancien Israël (Esd 9.5 ; Néh 8.6) ; voir Ps 63.5 ; 134.2 ; 1 Rois 8.22 ; És 1.15 ; 1 Tim 2.8.
x **28.4** Voir Apoc 22.12.
y **28.8** *son peuple* : d'après quelques manuscrits hébreux, ainsi que les anciennes versions grecque et syriaque ; texte traditionnel *une force pour eux*.

PSAUME 29 (28) La voix du Seigneur

1 *Psaume appartenant au recueil de David.*

Vous, les puissances du ciel[z], venez honorer le Seigneur,
venez proclamer sa *gloire et sa force.
2 Venez proclamer la gloire du Seigneur,
courbez-vous jusqu'à terre devant lui,
quand il manifeste qu'il est Dieu[a].

3 Le Dieu glorieux fait rouler le tonnerre,
la voix du Seigneur gronde au-dessus des eaux,
le Seigneur domine les eaux immenses.
4 La voix du Seigneur résonne avec puissance,
la voix du Seigneur résonne avec majesté.

5 La voix du Seigneur casse les cèdres,
le Seigneur brise les cèdres du Liban.
6 Il fait bondir les montagnes du Liban comme de jeunes taureaux,
et le mont Hermon comme un jeune buffle.

7 La voix du Seigneur fait jaillir les éclairs.
8 La voix du Seigneur ébranle le désert,
le Seigneur ébranle le désert de Cadès.
9 La voix du Seigneur force les biches
à mettre au monde leurs jeunes faons,
elle fait naître les petits de la chèvre sauvage[b].

Dans le palais du Seigneur,
tous proclament : « Gloire à Dieu ! »
10 Le Seigneur siège au-dessus des eaux sans fin[c],
il sera toujours le roi.

11 Que le Seigneur donne de la force à son peuple,
qu'il le *bénisse en lui donnant la paix !

PSAUME 30 (29) Seigneur, tu m'as rendu la vie

1 *Psaume. Chant pour la consécration du *temple, appartenant au recueil de David.*

2 Je veux proclamer ta grandeur, Seigneur,
car tu m'as tiré hors du gouffre,
tu n'as pas laissé mes ennemis s'amuser à mes dépens.

---

z **29.1** Il s'agit des êtres qui, selon l'AT, forment la cour céleste de Dieu (v. 9 ; 82.1 ; 89.7 ; Job 1.6). Autre traduction *Vous, les dieux* (il s'agirait alors des dieux des religions païennes invités ici à reconnaître la souveraineté du seul vrai Dieu).

a **29.2** *quand il manifeste qu'il est Dieu* : autre traduction *en vêtements sacrés*. – V. 1-2 : voir 96.7-9.

b **29.9** Le texte du début du v. 9 contient plusieurs difficultés. Autre traduction *La voix du Seigneur fait trembler les grands arbres / elle dépouille les forêts*.

c **29.10** *les eaux sans fin* : la masse des eaux « d'en haut », que Dieu a séparées des eaux « d'en bas » quand il créa le monde (Gen 1.7), appelée aussi *eaux immenses* au v. 3. Autre interprétation *Le Seigneur siégeait lors de la grande inondation* (le Déluge).

3 Seigneur mon Dieu, je t'ai appelé à l'aide et tu m'as guéri.
4 Tu m'as fait remonter du monde des morts ;
j'avais un pied dans la tombe, mais tu m'as rendu la vie, Seigneur.

5 Célébrez le Seigneur par vos chants, vous ses fidèles.
Louez-le en rappelant qu'il est Dieu.
6 Sa colère ne dure qu'un instant,
mais sa bienveillance toute la vie.
Les pleurs sont encore là le soir,
mais au matin éclate la joie.
7 Je me croyais tranquille et je disais :
« Rien ne me mettra jamais en danger. »
8 Seigneur, dans ta bienveillance,
tu m'avais assuré une forte position.
Mais tu t'es détourné de moi, et me voilà plongé dans le désarroi.
9 Seigneur, je t'appelle à mon secours ;
toi qui es mon Maître, je t'implore.
10 Que gagnerais-tu si je mourais,
si je descendais dans la tombe ?
Celui qui n'est plus que poussière peut-il te louer encore,
peut-il proclamer ta fidélité ?
11 Seigneur, écoute, accorde-moi ton appui ;
Seigneur, viens à mon secours.

12 Tu as changé ma plainte en danse de joie,
tu m'as ôté mon vêtement de deuil,
tu l'as remplacé par un habit de fête.
13 Alors, de tout mon cœur je n'en finirai pas
de célébrer ta *gloire par mes chants.
Seigneur mon Dieu, je te louerai toujours.

PSAUME 31 (30)

Seigneur, c'est toi qui es ma sécurité

1 *Du répertoire du *chef de chorale. Psaume appartenant au recueil de David.*

2 J'ai recours à toi, Seigneur ; ne me laisse pas déçu, jamais !
Au nom de ta loyauté, mets-moi en lieu sûr.
3 Tends vers moi une oreille attentive et viens vite me délivrer.
Sois pour moi un rocher fortifié,
une forteresse où je trouve le salut.
4 Oui, tu es bien mon rocher fortifié[d].
Par fidélité à toi-même, sois mon guide et mon *berger.
5 Fais-moi échapper au piège qu'on m'a tendu[e],
car c'est toi qui es ma sécurité.
6 Je me remets entre tes mains, Seigneur[f],
toi qui m'as pris en charge, Dieu fidèle.

d 31.4 V. 2-4 : voir 71.1-3.
e 31.5 Ou *au filet qu'on a dissimulé (pour me prendre)*.
f 31.6 Ou *Je remets mon esprit* (ou *mon souffle*) *entre tes mains*. Ce verset est repris par Jésus sur la croix d'après Luc 23.46.

7 Je déteste le culte qu'on rend aux faux dieux ;
moi, je me confie en toi, Seigneur.

8 Je veux crier ma joie pour ta bonté,
car tu as vu ma misère, tu as reconnu ma détresse.
9 Tu ne m'as pas laissé tomber aux mains de l'ennemi,
tu m'as remis sur pied, tu m'as rendu la liberté.

10 Accorde-moi ton appui, Seigneur,
je suis dans la détresse, corps et âme,
mes yeux se voilent, tant j'ai de chagrin.
11 Ma vie décline sous l'effet des tourments,
les années passent, je m'épuise en soupirs.
Les torts que j'ai m'ont fait perdre toute énergie[g],
mes dernières forces s'en vont.
12 Tous mes adversaires me couvrent d'insultes
et mes voisins en rajoutent.
Ceux qui me connaissent ont peur de moi ;
s'ils me rencontrent dans la rue, ils me fuient.
13 On ne me connaît plus, on m'a oublié
comme un mort, comme un objet hors d'usage.
14 J'entends ce que les gens disent contre moi,
la terreur m'entoure de toutes parts[h],
ils se concertent contre moi, ils complotent pour m'ôter la vie.

15 Mais moi, je me fie à toi, Seigneur ;
Je dis : « Mon Dieu, c'est toi ».
16 A tout moment ma vie est entre tes mains ;
arrache-moi aux griffes de mes ennemis, de mes persécuteurs.
17 Fais-moi bon accueil, à moi, ton serviteur ;
dans ta bonté, sauve-moi.
18 Seigneur, ne me laisse pas déçu d'avoir fait appel à toi.
Honte plutôt à ces gens sans foi ni loi !
Qu'ils soient réduits au silence de la mort !
19 Fais qu'ils deviennent muets,
ces menteurs pleins d'arrogance et de mépris,
ces insolents qui accablent un fidèle.
20 Mais Seigneur, quel grand bienfait tu réserves à tes fidèles !
Tout le monde peut voir que tu l'accordes
à ceux qui ont recours à toi.
21 Tu les abrites en ta présence,
hors de portée des intrigues humaines.
Tu les caches à l'abri[i],
loin des mauvaises langues.

22 Seigneur, merci de m'avoir montré ta bonté merveilleuse,
à moi qui étais comme une ville assiégée[j].

---

g **31.11** *Les torts que j'ai m'ont fait perdre...* : autre traduction (d'après les anciennes versions grecque et syriaque) *la misère m'a fait perdre...*

h **31.14** Voir Jér 6.25 ; 20.3,10 ; 46.5 ; 49.29.

i **31.21** *des intrigues humaines* : le sens du terme hébreu correspondant est incertain ; autre traductio[n] *de la calomnie des gens*. – *à l'abri* : voir 27.5.

j **31.22** *à moi... assiégée* : la fin du v. 22 est peu claire e[n] hébreu. Certains proposent de lire *en ce temps de dé[-]tresse*.

[23] J'étais troublé, au point de dire :
« Me voilà chassé loin de ton regard. »
Mais tu m'as entendu quand je te suppliais,
quand je t'appelais à mon secours.

[24] Aimez le Seigneur, vous tous ses fidèles,
car le Seigneur veille sur ceux qui croient en lui.
Quant aux arrogants, il leur rend largement
la monnaie de leur pièce.
[25] Vous tous qui comptez sur le Seigneur,
ressaisissez-vous et reprenez courage.

PSAUME 32 (31) Le bonheur d'être pardonné

[1] *Poème chanté appartenant au recueil de David*[k].

Heureux celui que Dieu décharge de sa faute,
et qui est pardonné du mal qu'il a commis !
[2] Heureux l'homme que le Seigneur ne traite pas en coupable,
et qui est exempt de toute mauvaise foi[l] !

[3] Tant que je ne reconnaissais pas ma faute,
mes dernières forces s'épuisaient en plaintes quotidiennes.
[4] Car de jour et de nuit, Seigneur,
tes coups pleuvaient sur moi, et j'étais épuisé,
comme une plante au plus chaud de l'été[m]. **Pause*
[5] Mais je t'ai avoué ma faute, je ne t'ai pas caché mes torts.
Je me suis dit : « Je suis rebelle au Seigneur,
je dois le reconnaître devant lui. »
Et toi, tu m'as déchargé de ma faute. *Pause*

[6] Voilà pourquoi tous les fidèles devraient t'adresser leur prière
quand ils découvrent leur faute.
Si le danger menace de les submerger
ils resteront hors d'atteinte.
[7] Tu es un abri pour moi, tu me préserves de la détresse.
Je crierai ma joie pour la protection dont tu m'entoures[n]. *Pause*

[8] Je vais t'enseigner et t'indiquer le chemin à suivre, dit le Seigneur.
Je vais te donner un conseil, je garde les yeux fixés sur toi :
[9] Ne sois pas aussi stupide que le cheval ou le mulet,
dont il faut maîtriser les élans avec un mors et une bride ;
alors il ne t'arrivera rien.

[10] Le méchant se prépare beaucoup d'ennuis,
mais le Seigneur entoure de bonté celui qui lui fait confiance.
[11] Que le Seigneur soit votre joie, vous les fidèles ;
émerveillez-vous, criez votre joie, vous les hommes au cœur droit.

---

k **32.1** *Poème chanté* : traduction incertaine d'un terme inexpliqué.
l **32.2** Voir Rom 4.7-8.
m **32.4** La fin du v. 4 est peu claire en hébreu.
n **32.7** La fin du v. 7 est peu claire en hébreu.

PSAUME 33 (32)

Louange au Dieu créateur et sauveur

1 Criez votre joie pour le Seigneur, vous les fidèles ;
hommes droits, le louer est votre privilège.
2 Louez le Seigneur au son de la lyre,
célébrez-le sur la harpe à dix cordes[o].
3 Chantez en son honneur un chant nouveau,
faites la plus belle musique en l'acclamant.

4 Ce que le Seigneur dit est sans détour,
et tout ce qu'il fait est solide et sûr.
5 Il aime l'ordre et le droit.
La terre est pleine de la bonté du Seigneur.
6 D'un mot le Seigneur a créé le ciel,
d'un ordre toute la troupe des étoiles.
7 Il rassemble l'eau des mers derrière une digue,
il retient prisonnier le grand océan[p].
8 Que toute la terre redoute le Seigneur,
que tous ses habitants tremblent devant lui !
9 Car il parle, et ce qu'il dit arrive ;
aussitôt dit, aussitôt fait.

10 Le Seigneur déjoue les plans des nations,
il fait obstacle aux projets des peuples.
11 Mais les plans du Seigneur sont définitifs,
ce qu'il a projeté tient de siècle en siècle.
12 Heureuse la nation qui a le Seigneur comme Dieu ;
heureux le peuple qu'il a choisi comme son bien personnel !

13 Du haut du ciel, le Seigneur plonge son regard,
il aperçoit tous les humains.
14 De l'endroit où il siège, il observe
tous les habitants de la terre.
15 Lui qui leur a créé à tous intelligence et volonté,
il prend garde à ce qu'ils font.

16 A la guerre, si le roi est sauvé,
il ne le doit pas à ses nombreuses troupes ;
et si le combattant s'en tire,
ce n'est pas grâce à sa grande vigueur.
17 Le cheval n'est qu'un secours illusoire[q],
sa grande force ne met pas pour autant le cavalier hors de danger.
18 Mais le Seigneur suit du regard ses fidèles,
ceux qui comptent sur sa bonté,
19 pour les arracher à la mort
et les garder en vie, même en temps de famine.
20 Quant à nous, nous comptons sur le Seigneur ;
notre secours et notre bouclier, c'est lui.

---

o **33.2** *lyre... harpe* : voir 150.3 et la note.
p **33.7** *il retient prisonnier* ou *il met dans des réservoirs*.
q **33.17** A l'époque biblique les chevaux n'étaient en général employés qu'à des fins militaires. Il est probable que les armées israélites en avaient fort peu. – Sur les v. 16-17 voir 18.30-34 ; 147.10.

21 A cause de lui, notre cœur est en joie,
nous nous fions au Dieu unique.
22 Que le Seigneur réponde à notre attente
et nous accorde sa bonté !

PSAUME 34 (33) Le Seigneur m'a délivré de toutes mes craintes

1 *Du recueil de David. Devant Abimélek, David s'était fait passer pour fou*[r].
Après avoir été mis à la porte par celui-ci, il prononça les paroles que voici.

2 Je[s] veux remercier le Seigneur en tout temps.
Que ma bouche ne cesse pas de le louer !
3 Le Seigneur est toute ma fierté.
Vous, les humbles, réjouissez-vous de m'entendre le louer.
4 Joignez-vous à moi pour dire la grandeur du Seigneur.
Ensemble, proclamons bien haut qui il est.

5 Je me suis adressé au Seigneur et il m'a répondu,
il m'a délivré de toutes mes craintes.

6 Ceux qui lèvent les yeux vers lui rayonnent de joie ;
la honte n'assombrit plus leur front !
7 Voilà un pauvre qui a crié au secours ; le Seigneur l'a entendu
et l'a sauvé de tout ce qui l'angoissait.
8 *L'ange du Seigneur monte la garde autour des fidèles
et les met hors de danger.
9 Éprouvez et constatez combien le Seigneur est bon[t].
Heureux l'homme qui a recours à lui !
10 Vous qui appartenez au Seigneur, reconnaissez son autorité ;
rien ne manque à ceux qui lui sont soumis.
11 Les puissants[u] ne sont pas à l'abri de la disette et de la faim,
mais ceux qui s'adressent au Seigneur ne manquent d'aucun bien.

12 Venez, mes enfants, écoutez-moi ;
je veux vous apprendre à honorer le Seigneur :
13 Si quelqu'un aime la vie et s'il désire vivre heureux,
14 il doit se garder de médire, se garder de mentir,
15 s'écarter du mal, pratiquer le bien
et rechercher la paix avec persévérance.
16 Le Seigneur garde les yeux sur les fidèles,
prêt à entendre leur appel.
17 Le Seigneur s'oppose à ceux qui font le mal[v],
afin d'éliminer leur nom du pays.
18 Dès que les fidèles appellent au secours, le Seigneur entend
et les délivre de toutes leurs angoisses.

---

r **34.1** Voir 1 Sam 21.11-16, où le prince philistin est nommé *Akich*. – *Abimélek* : nom porté par plusieurs princes philistins (Gen 20.2 ; 21.22 ; 26.1).
s **34.2** Psaume alphabétique ; voir 9.2 et la note.
t **34.9** Comparer 1 Pi 2.3.
u **34.11** Hébreu : *les lions*. Avec les versions anciennes on comprend ici cette appellation comme une tournure imagée.
v **34.17** Les v. 13-17a sont cités en 1 Pi 3.10-12.

19 Il est proche de ceux qui ont le cœur brisé,
il sauve ceux qui ont l'esprit abattu[w].
20 Le fidèle endure de nombreux maux,
mais le Seigneur le délivre de tous,
21 il veille sur tous les membres de son corps,
pour qu'on ne lui brise aucun os[x].
22 Le méchant mourra de sa méchanceté,
et ceux qui en veulent aux fidèles devront en subir la peine.
23 Le Seigneur sauve la vie de ses serviteurs ;
il n'y a pas de condamnation pour ceux qui ont recours à lui.

PSAUME 35 (34) Supplication d'un innocent traîné en justice

1 *Du recueil de David.*

Seigneur, sois l'adversaire de mes adversaires,
fais la guerre à ceux qui me font la guerre.
2 Empoigne le petit et le grand boucliers,
interviens pour me secourir.
3 Brandis la lance et la hache à double tranchant
contre ceux qui me persécutent.
J'attends que tu me dises : « C'est moi qui vais te sauver. »

4 Honte et déshonneur à ceux qui veulent ma mort !
Qu'ils reculent, déçus dans leurs espoirs,
ceux qui projettent de me faire du mal !
5 Qu'ils soient comme une paille emportée par le vent,
quand *l'ange du Seigneur les pourchassera ;
6 que leur route devienne sombre et glissante,
quand l'ange du Seigneur les poursuivra !
7 Sans qu'ils aient rien à me reprocher
ils ont préparé un piège pour moi,
ils ont creusé une fosse pour que j'y tombe.
8 Qu'un désastre imprévu les atteigne,
qu'ils soient pris à leur propre piège
et tombent dans la fosse qu'ils ont creusée[y] !

9 Mais moi, je serai plein de joie grâce au Seigneur,
je pourrai me réjouir de son secours.
10 Du plus profond de mon être je dirai :
« Seigneur, tu n'as pas ton pareil :
tu délivres le pauvre des adversaires trop forts pour lui ;
tu délivres le malheureux de ceux qui le dépouillaient. »

11 De faux témoins se présentent ;
on me questionne sur des faits que j'ignore.
12 On me rend le mal pour le bien, me voilà seul[z].

---

w **34.19** Voir És 57.15 ; Ps 51.19.
x **34.21** La fin du v. 21 est citée en Jean 19.36.
y **35.8** *dans la fosse qu'ils ont creusée* : d'après l'ancienne version syriaque ; hébreu *dans le désastre*.
z **35.12** *me voilà seul* : hébreu *je suis privé d'enfants*. Texte incertain. Certains supposent qu'on devait lire *on m'épie*.

13 Quand mes adversaires étaient malades,
je manifestais ma tristesse,
je m'humiliais en m'abstenant de manger
– mais que ma prière revienne à moi sans effet[a] !
14 J'agissais comme pour un ami ou un frère ;
j'étais sombre et je prenais le deuil,
comme si j'avais perdu ma propre mère.

15 Eux s'attroupent pour rire de ma chute, ils se liguent contre moi.
Des étrangers, des gens que je ne connais pas,
ne cessent de me calomnier[b].
16 Ils rient de plus belle en me voyant trébucher[c],
ils me montrent leurs dents menaçantes.

17 Seigneur, resteras-tu longtemps spectateur ?
Reprends ma vie à ces lions malfaisants[d].
18 Je te louerai devant ton peuple réuni ;
devant cette grande foule je t'acclamerai.
19 Qu'ils cessent de s'amuser de moi,
ces gens qui me traitent à tort en ennemi ;
que ceux qui m'en veulent sans raison[e]
cessent de se faire des clins d'œil !
20 Ils n'ont jamais un mot gentil,
mais ils inventent des calomnies contre les gens paisibles du pays.
21 Leur gueule de fauves ouverte contre moi,
ils déclarent : « Eh, eh ! nous l'avons surpris en flagrant délit. »

22 Mais toi, Seigneur, tu as vu ce qui s'est passé,
ne garde pas le silence, ne reste pas loin de moi.
23 Mon Dieu, lève-toi pour me rendre justice ;
Seigneur, réveille-toi pour défendre ma cause.
24 Tu es juste, Seigneur, rends-moi donc justice ;
mon Dieu, qu'on cesse de s'amuser de moi !
25 Ne laisse pas mes adversaires se dire :
« Ah ! nous le tenons, nous n'en avons fait qu'une bouchée. »
26 Honte et déception générale
à ceux qui se réjouissent de mon malheur !
Que ceux qui prennent un air supérieur devant moi
soient couverts de honte et d'humiliation !

27 Mais joie, joie suprême,
pour ceux qui se plaisent à me voir déclaré innocent !
Qu'ils disent et qu'ils répètent :
« Le Seigneur est grand,
il est heureux de donner satisfaction à son serviteur. »

---

a **35.13** Le sens de la fin du v. 13 est discuté. Certains interprètent *quand ma prière n'était pas exaucée*.

b **35.15** *des étrangers* : traduction hypothétique d'un terme inconnu par ailleurs.

c **35.16** Le début du v. 16 est très obscur en hébreu. La traduction s'inspire ici partiellement de l'ancienne version grecque.

d **35.17** *malfaisants* : le terme hébreu correspondant est obscur. On l'interprète ici comme l'ancienne version grecque.

e **35.19** Comparer 69.5 ; Jean 15.25.

28 Moi-même, je célébrerai ta fidélité
et te louerai tous les jours !

PSAUME 36 (35) C'est chez toi, Seigneur, qu'est la source de la vie

1 *Du répertoire du *chef de chorale et du recueil de David, le serviteur du Seigneur.*

2 Je garde à l'esprit la formule
qui exprime la révolte du méchant :
à son avis, « avoir peur de Dieu n'a pas de sens[f] ».
3 C'est qu'il a trop bonne opinion de lui-même
pour reconnaître sa faute et la détester.
4 Tout ce qu'il dit n'est que mensonge et tromperie ;
faire le bien n'a plus aucun sens pour lui.
5 Il prépare son mauvais coup pendant la nuit,
il suit une route qui n'est pas la bonne,
il ne rejette pas ce qui est mal.

6 Seigneur, ta bonté a les dimensions du ciel,
ta fidélité monte jusqu'aux nuages.
7 Ta loyauté va aussi haut que les plus hautes montagnes ;
tes décisions sont profondes comme le grand océan.
Seigneur, tu viens au secours des hommes et des bêtes.
8 Que ta bonté est précieuse, ô Dieu !
Les humains cherchent refuge sous tes ailes[g].
9 Tu les combles des richesses de ta maison,
tu les fais boire au fleuve de ta bonté.
10 C'est chez toi qu'est la source de la vie,
c'est ta lumière qui éclaire notre vie.

11 Maintiens ta bonté pour ceux qui te connaissent,
reste un Dieu loyal pour les hommes au cœur droit.
12 Que l'arrogant n'arrive pas jusqu'à moi,
que les méchants ne puissent me chasser !
13 Ici, chez toi, tombent les gens malfaisants,
ils sont renversés, sans pouvoir se relever.

PSAUME 37 (36) Ne t'irrite pas du succès des méchants

1 *Du recueil de David.*

Ne[h] t'irrite pas contre les gens malfaisants,
ne sois pas envieux de ceux qui font le mal :
2 ils se faneront vite, comme l'herbe,
comme la verdure ils se dessécheront.

3 Fais confiance au Seigneur, agis comme il faut,
et tu resteras au pays, tu y vivras en paix ;

---

f **36.2** Le début du v. 2 est peu clair en hébreu et la traduction incertaine. L'ancienne version grecque a compris *(Voici) ce que dit l'homme révolté pour faire le mal.* – La fin du verset est évoquée en Rom 3.18.

g **36.8** Voir 17.8 et la note.

h **37.1** Psaume alphabétique ; voir 9.2 et la note.

[4] Trouve auprès du Seigneur ton plaisir le plus grand,
et il te donnera ce que tu lui demandes.

[5] Remets ta vie au Seigneur,
compte sur lui, et il fera le nécessaire.
[6] Grâce à lui ta bonne foi apparaîtra comme le jour qui se lève,
et ton bon droit comme le soleil en plein midi.

[7] Reste en silence devant le Seigneur, attends-le avec patience.
Ne t'irrite pas si certains réussissent et si d'autres intriguent.

[8] Renonce à la colère, laisse tomber ta fureur.
Ne t'irrite pas, cela ne produirait que du mal[i].
[9] Car ceux qui font le mal seront éliminés,
mais ceux qui comptent sur le Seigneur posséderont le pays.
[10] D'ici peu, le méchant aura disparu ;
tu auras beau chercher, tu n'en trouveras plus trace.
[11] Mais les humbles posséderont le pays[j]
et jouiront d'un large dédommagement.

[12] Le méchant intrigue contre le fidèle,
il lui montre des dents menaçantes.
[13] Mais le Seigneur se met à rire de lui,
car il voit venir le jour de la revanche.

[14] Les méchants tirent l'épée, ils tendent leur arc
pour abattre le pauvre et le malheureux,
pour tuer ceux qui suivent le droit chemin.
[15] Mais leur propre épée leur percera le cœur
et leur arc se cassera.

[16] Le peu que possède le fidèle
vaut mieux que les richesses de tous les méchants,
[17] car le pouvoir des méchants sera brisé,
mais les fidèles ont l'appui du Seigneur.

[18] Le Seigneur s'intéresse à la vie de ceux qui sont irréprochables.
Le pays dont ils sont les héritiers leur est acquis pour toujours.
[19] Eux-mêmes garderont la tête haute quand viendra le malheur,
et dans les temps de famine ils auront plus qu'il ne faut.

[20] Oui, les méchants périront,
les ennemis du Seigneur
ne tiendront pas plus que les fleurs des prés ;
ils partiront, ils partiront en fumée.

[21] Le méchant emprunte sans rembourser,
mais le fidèle donne largement.
[22] Ceux que Dieu *bénit posséderont le pays,
ceux qu'il maudit seront éliminés.

37.8 *Ne t'irrite pas... du mal* : autre traduction *tu ferais mal de t'irriter*.

j **37.11** Voir Matt 5.5, qui reprend les termes de ce verset d'après l'ancienne version grecque.

23 Quand la conduite d'un homme lui plaît,
le Seigneur lui donne d'avancer avec assurance dans la vie.
24 Si cet homme vient à tomber, il ne reste pas à terre,
car le Seigneur le prend par la main.

25 J'ai été jeune et me voilà vieux ;
jamais je n'ai vu un fidèle abandonné,
ni ses enfants réduits à mendier leur pain.
26 Tous les jours il prête généreusement
et ses enfants en tirent encore profit[k].

27 Si tu fuis le mal et pratiques le bien,
tu resteras pour toujours au pays,
28 car le Seigneur aime qu'on respecte le droit
et il n'abandonne pas ses fidèles.

Il les garde pour toujours,
la race des méchants sera éliminée.
29 Mais les fidèles posséderont le pays,
ils y habiteront définitivement.

30 Le fidèle peut dire ce qui est sage,
c'est lui qui peut énoncer le droit,
31 car la *loi de son Dieu lui tient à cœur,
et il reste à l'abri des faux pas.

32 Le méchant épie le fidèle et cherche à le faire mourir.
33 Mais le Seigneur n'abandonne pas le fidèle entre ses griffes.
Si celui-ci passe en jugement,
le Seigneur ne le laisse pas condamner.

34 Si tu comptes patiemment sur le Seigneur,
si tu suis le chemin qu'il te trace,
il te fera l'honneur de posséder le pays,
et tu verras les méchants éliminés.

35 J'ai vu le méchant devenir tyran
et se dresser comme un arbre plein de sève.
36 En repassant par là : plus personne ;
je l'ai cherché, mais sans succès.

37 Observe celui qui est honnête,
regarde bien celui qui est simple et droit.
Tu le constateras : l'avenir d'un tel homme, c'est le bonheur.
38 Mais ceux qui font le mal sont supprimés d'un seul coup ;
il n'y a aucun avenir pour les méchants.

39 Le Seigneur sauve les fidèles,
il est leur refuge au temps de la détresse.

k 37.26 Autre traduction *et ses enfants deviennent une bénédiction*.

40 Il leur vient en aide et les met à l'abri,
oui, à l'abri des méchants, et il les sauve,
puisqu'ils ont eu recours à lui.

PSAUME 38 (37)

Prière d'un malade qui reconnaît ses fautes

1 *Psaume appartenant au recueil de David. Pour se rappeler au souvenir de Dieu*[l].

2 Seigneur, tu es fâché contre moi, mais ne me condamne pas ;
tu es indigné contre moi, mais renonce à me punir[m].
3 Je suis la cible de tes flèches, ton poing m'a jeté à terre.

4 Plus rien n'est intact en mon corps : c'est l'effet de ta sévérité.
Plus rien n'est en bon état dans mes os : c'est le résultat de ma faute.
5 Mes torts s'entassent plus haut que ma tête,
ils pèsent sur moi comme un fardeau trop lourd.

6 Mes plaies sentent mauvais et s'infectent :
c'est la conséquence de ma stupidité.
7 Je suis abattu, accablé à l'extrême,
je passe mes journées dans le deuil.

8 Je sens une brûlure dans les reins,
plus rien n'est intact en mon corps.
9 Je suis sans force, complètement fourbu,
mon cœur m'arrache des gémissements.

10 Seigneur, tu vois bien ce que je désire,
et tu n'ignores rien de mes soupirs.
11 J'ai le cœur battant, mes forces m'abandonnent,
mes yeux n'ont plus la moindre étincelle de vie.

12 Mes amis, mes compagnons habituels,
se tiennent à l'écart de mes tourments ;
mes proches restent maintenant à distance.
13 Ceux qui souhaitent ma mort me tendent des pièges ;
ceux qui désirent mon malheur parlent pour me nuire
et passent leur temps à me calomnier.

14 Mais moi, je fais le sourd, je n'écoute pas ;
comme si j'étais muet, je ne souffle mot.
15 Je suis comme un homme qui n'entend pas,
je ne réplique rien.

16 Vers toi, Seigneur, je me tourne avec espoir,
j'attends ta réponse, Seigneur mon Dieu.
17 Je te l'ai demandé, en effet :
empêche-les de s'amuser à mes dépens
et de prendre un air supérieur devant moi quand je fais un faux pas.

38.1 Ce *rappel*, appelé parfois *mémorial*, avait aussi un aspect rituel décrit en Lév 2.2,9 : on brûlait sur l'autel une partie de l'offrande végétale à laquelle on avait ajouté de l'encens.

m **38.2** Voir 6.2.

18 Je suis bien près de m'évanouir, et ma douleur est toujours là.
19 Oui, j'avoue mes torts et je reste angoissé par ma faute.

20 Mes ennemis sont bien vivants et puissants ;
ils sont nombreux à m'en vouloir sans raison.
21 Ils me rendent le mal pour le bien,
ils me reprochent de courir après le bien.

22 Seigneur, ne m'abandonne pas ; mon Dieu, ne reste pas loin de moi.
23 Viens vite à mon secours, Seigneur, mon sauveur.

PSAUME 39 (38)

Laisse-moi du répit, la vie est si courte...

1 *Du répertoire du *chef de chorale et du recueil de Yedoutoun. Psaume appartenant au recueil de David*[n].

2 J'avais dit : « Je veux surveiller mes réactions,
pour ne rien dire qui me mette en tort ;
je veux garder comme un bâillon sur la bouche,
tant que je suis en présence des méchants. »
3 Je suis donc resté muet, silencieux,
j'ai renoncé à dire quelque chose[o].
Mais ma souffrance n'a fait qu'augmenter.
4 Je bouillonnais intérieurement,
chaque soupir était comme une brûlure.
Alors j'ai fini par parler[p] :

5 Seigneur, fais-moi savoir quand finira ma vie,
oui, combien de temps j'ai à vivre ;
que je connaisse la durée de mon sursis.
6 Quelques largeurs de main, c'est toute la mesure
de ce que tu me donnes à vivre.
Devant toi, mon existence est comme rien.
Même bien vivant, l'homme n'est qu'un souffle. **Pause*
7 Il va, il vient, mais ce n'est qu'un mirage ;
il s'agite, mais ce n'est que du vent.
Il amasse des biens, mais sans savoir qui les recueillera.

8 Alors, Seigneur, à quoi puis-je m'attendre ?
Tu es le seul sur qui je puisse compter.
9 Délivre-moi de tous ceux qui me trahissent[q] ;
ne laisse pas les sots rire de moi.
10 Je reste donc muet, je ne proteste plus,
puisque c'est toi qui m'as mis dans cet état[r].
11 Mais renonce à me frapper davantage,
je n'en peux plus des coups que ta main me porte.

---

n **39.1** *Yedoutoun* : un des responsables du chant et de la musique sacrés au temps de David, d'après 1 Chron 25.1,3,6.

o **39.3** Autre traduction *j'ai renoncé à dire une bonne parole*.

p **39.4** Voir 32.3-5.

q **39.9** *de tous ceux qui me trahissent* : autre traductioı *de tous mes manquements*.

r **39.10** Voir Lam 3.25-29,37.

[12] Tu corriges l'homme en punissant ses fautes ;
comme un ver dans le fruit, tu ronges ce qu'il aime.
L'homme : du vent, rien de plus. *Pause*

[13] Seigneur, écoute ma prière, sois attentif à mon appel,
ne reste pas indifférent à mes larmes,
car je ne suis chez toi qu'un étranger,
un homme sans droit, comme tous mes ancêtres.

[14] Laisse-moi un peu de répit, pour que je retrouve le sourire
avant de m'en aller et de n'être plus rien.

PSAUME 40 (39)

Que tous sachent ce que tu as fait pour moi !

(V. 14-18 : voir 70.2-6)

[1] *Du répertoire du *chef de chorale. Psaume appartenant au recueil de David.*

[2] J'ai compté fermement sur le Seigneur,
il s'est penché vers moi, il a entendu mon appel.
[3] Il m'a retiré du puits infernal, de la boue sans fond.
Il m'a remis debout, les deux pieds sur le roc ;
il a rendu ma démarche assurée.
[4] Il a mis sur mes lèvres un chant nouveau[s],
un chant de louange pour lui, notre Dieu.
Beaucoup en seront témoins,
ils reconnaîtront l'autorité du Seigneur
et lui donneront leur confiance.
[5] Heureux l'homme qui se fie au Seigneur,
sans un regard pour ceux qui font pression sur lui[t]
et s'empêtrent dans le mensonge !

[6] Que de merveilles tu as réalisées,
Seigneur mon Dieu ! Tu n'as pas ton pareil.
Et que de projets en notre faveur !
Il y en a trop pour que je puisse tout raconter, tout dire.
[7] Ce qui te fait plaisir, ce n'est pas un *sacrifice ou une offrande
– tu me l'as bien fait comprendre[u].
Ce que tu demandes, ce n'est pas des animaux brûlés sur *l'autel
ou des sacrifices pour obtenir le pardon.
[8] Alors j'ai dit : « Je viens moi-même à toi.
Dans le livre je trouve écrit ce que je dois faire. »
[9] Mon Dieu, j'ai plaisir à t'obéir,
et je garde ta *Loi tout au fond de mon cœur.
[10] Dans la grande assemblée
j'annonce la bonne nouvelle : le Seigneur délivre.
Je ne me tairai pas, tu le sais bien, Seigneur.

---

s **40.4** Certains comprennent *Il m'a inspiré un chant nouveau* ; d'autres (Par ce qu'il a fait pour moi) *il m'a amené à entonner un chant nouveau.*

t **40.5** *ceux qui font pression sur lui* : le sens du terme hébreu correspondant est discuté ; certains comprennent *les arrogants*, d'autres *les faux dieux.*

u **40.7** *ni sacrifice ni offrande* : voir 50.8-10 ; 51.18-21 ; 69.31-32 ; Osée 6.6 ; Amos 5.22. – *tu me l'as bien fait comprendre* : l'ancienne version grecque a compris *tu m'as formé un corps* ; c'est dans cette version que les v. 7-9 sont cités en Hébr 10.5-7.

11 Je ne garde pas secrète la délivrance que tu m'as accordée,
mais je dis que tu es un vrai sauveur.
Devant la grande assemblée je ne cache pas ta fidèle bonté.
12 Toi, Seigneur, tu ne me fermeras pas ton cœur,
et ta fidèle bonté sera ma constante sauvegarde.

*

13 De partout, des malheurs m'ont assailli,
je ne peux plus les compter.
Je subis les conséquences de mes fautes,
je ne supporte plus de les voir.
J'en ai plus que de cheveux sur la tête,
je suis complètement dépassé.
14 Seigneur, veuille me délivrer ;
Seigneur, viens vite à mon aide.
15 Honte et déception tout à la fois à ceux qui veulent ma mort !
Que ceux qui prennent plaisir à mon malheur reculent déshonorés
16 Que ceux qui ricanent à mon sujet
soient sans réaction sous le poids de leur honte !

17 Mais que tous tes fidèles, grâce à toi, soient débordants de joie,
et que tous ceux qui t'aiment, toi le Sauveur,
ne cessent de proclamer : « Le Seigneur est grand ! »
18 Moi, je suis pauvre et malheureux,
mais le Seigneur me témoigne son estime[v].
Mon secours et ma sécurité, c'est toi. Mon Dieu, ne tarde pas.

PSAUME 41 (40)

Prière d'un homme persécuté

1 *Du répertoire du *chef de chorale. Psaume appartenant au recueil d David.*

2 Heureux l'homme qui prête attention aux faibles !
Le jour où tout va mal pour lui, le Seigneur le tire de danger.
3 Le Seigneur le garde en vie et le rend heureux sur la terre,
sans le laisser tomber entre les griffes de ses ennemis.
4 Le Seigneur le soutient sur son lit de souffrances,
en l'entourant de soins pendant sa maladie[w].

5 Quant à moi, je m'adresse au Seigneur :
« Fais-moi la grâce de me guérir ;
c'est vrai, je suis en faute devant toi. »
6 Mes ennemis disent méchamment de moi :
« Quand crèvera-t-il, qu'on n'entende plus parler de lui ? »
7 Si l'un d'eux vient me voir, c'est pour me calomnier ;
il fait provision de mensonges, et sitôt dehors, il va les colporter.
8 Ceux qui ne m'aiment pas se rassemblent
pour chuchoter à mon sujet et combiner mon malheur :
9 « C'est une vilaine affaire qu'il a là, disent-ils ;
il s'est mis au lit, il ne s'en relèvera pas. »

---

v **40.18** Autre traduction *mais le Seigneur pense à moi.* *w* **41.4** *en l'entourant de soins* ou *en retournant son lit.*

10 Mon meilleur ami lui-même, celui en qui j'avais confiance,
avec qui je partageais mon pain, s'est tourné contre moi[x].
11 Mais toi, Seigneur, fais-moi la grâce de me relever,
et je prendrai ma revanche sur eux.

12 Voici comment je saurai que tu es pour moi :
c'est que mon ennemi cesse de chanter victoire à mon sujet.
13 Et moi, tu me maintiendras dans l'innocence,
tu me garderas toujours en ta présence.

*

14 Merci au Seigneur, au Dieu d'Israël !
Remerciez-le en tout temps.
*Amen, oui, qu'il en soit bien ainsi[y] !

DEUXIÈME LIVRE

(Psaumes 42–72)

PSAUME 42 (41)

Comme une biche soupire...

1 *Du répertoire du *chef de chorale. Poème chanté appartenant au recueil de la confrérie de Coré*[z].

2 Comme une biche soupire après l'eau du ruisseau,
moi aussi, je soupire après toi, ô Dieu.

3 J'ai soif de Dieu, du Dieu vivant.
Quand pourrai-je enfin entrer dans son *temple,
pour me présenter devant lui ?
4 Jour et nuit, j'ai ma ration de larmes[a],
car on me dit sans cesse : « Ton Dieu, que fait-il donc ? »

5 Je veux laisser revenir les souvenirs émouvants
du temps où j'avançais en tête du cortège[b]
vers la maison de Dieu, avec la foule en fête,
criant à Dieu sa reconnaissance et sa joie.

6 A quoi bon me désoler, à quoi bon me plaindre de mon sort ?
Mieux vaut espérer en Dieu et le louer à nouveau,
lui, mon Sauveur et mon Dieu !

7 Au lieu de me désoler, je veux m'adresser à toi, ô Dieu,
de l'endroit où je suis, aux sources du Jourdain,
près du Mont-Petit dans les montagnes de l'Hermon.
8 Tu fais gronder les torrents, un flot en appelle un autre,
tu les fais tous déferler sur moi, je suis complètement submergé.

41.10 *s'est tourné contre moi* ou *a levé le talon contre moi* : le sens exact de l'expression hébraïque correspondante est incertain. Le v. 10 est partiellement cité en Marc 14.18 et Jean 13.18 ; voir aussi Matt 26.23 ; Luc 22.21.
41.14 Comparer 106.48.
42.1 *Poème chanté* : voir 32.1 et la note. – *la confrérie de Coré* : un des ensembles chargés du chant au temple de Jérusalem. D'après 1 Chron 6.22 ses membres descendaient de Coré (voir Nomb 16).
a **42.4** *j'ai ma ration de larmes* ou *je me nourris de larmes*.
b **42.5** *j'avançais en tête du cortège* : le texte hébreu correspondant est difficile et sa signification discutée.

9 Que le Seigneur me montre sa bonté, le jour,
et je passerai la nuit à chanter pour lui,
à prier le Dieu qui me fait vivre.
10 Je veux dire à Dieu, à mon Rocher :
« Pourquoi m'as-tu oublié, pourquoi dois-je vivre accablé,
pourquoi laisses-tu mes ennemis m'écraser ? »
11 Me voilà complètement brisé par leurs insultes,
quand ils me disent sans cesse : « Ton Dieu, que fait-il donc ? »

12 A quoi bon me désoler, à quoi bon me plaindre de mon sort ?
Mieux vaut espérer en Dieu et le louer à nouveau,
lui, mon Sauveur et mon Dieu !

PSAUME 43 (42)

1 Rends-moi justice, ô Dieu,
défends ma cause contre des gens sans pitié.
Délivre-moi des menteurs et des malfaiteurs.
2 Car c'est toi, Dieu, qui es mon protecteur.
Pourquoi donc m'as-tu repoussé, pourquoi dois-je vivre accablé,
pourquoi laisses-tu mes ennemis m'écraser ?
3 Fais-moi voir ta lumière et ta vérité.
Qu'elles me guident vers la montagne qui t'est consacrée[c],
qu'elles me conduisent à ta demeure !
4 Alors je m'approcherai de ton *autel,
de toi-même, Dieu ma plus grande joie.
Je prendrai ma guitare[d] pour te louer, toi qui es mon Dieu !

5 A quoi bon me désoler[e], à quoi bon me plaindre de mon sort ?
Mieux vaut espérer en Dieu et le louer à nouveau,
lui, mon Sauveur et mon Dieu.

PSAUME 44 (43)

Et pourtant tu nous as rejetés

1 *Du répertoire du *chef de chorale ; poème chanté appartenant au recueil de la confrérie de Coré*[f].

2 Nous avons entendu de nos propres oreilles,
nos parents, nos grands-parents nous ont raconté
ce que toi-même, ô Dieu, tu as réalisé
de leur vivant, il y a longtemps.
3 Tu as exproprié des nations pour établir notre nation ;
tu as mis à mal des peuples pour faire de la place à ton peuple.
4 Nos ancêtres ont conquis le pays, et ce n'est pas grâce à leur épée ;
ce ne sont pas leurs bras qui leur ont assuré le succès.
Mais c'est ton intervention en force,
et ta présence accueillante, et ton amour pour eux.

5 C'est toi, mon Roi, mon Dieu,
qui décides le succès de ton peuple[g].

---

c **43.3** Voir 2.6.
d **43.4** *ma guitare* ou *ma lyre* : voir 150.3 et la note.
e **43.5** Le même refrain (voir 42.6,12) indique que les Ps 42 et 43 forment un ensemble.
f **44.1** *poème chanté* : voir 32.1 et la note. – *confrérie de Coré* : voir 42.1 et la note.
g **44.5** On peut comprendre aussi *ô Dieu, mon Roi, décide des succès de ton peuple !*

[6] Grâce à toi nous repoussons nos ennemis,
grâce à toi nous piétinons nos adversaires[h].
[7] Je ne me fie pas à mon arc,
et mon épée ne m'est d'aucun secours,
[8] car c'est toi qui nous sauves de nos adversaires
et humilies ceux qui nous en veulent.
[9] Tous les jours nous t'acclamons, Seigneur,
et nous louons ta *gloire éternelle. *Pause

[10] Et pourtant tu nous as rejetés,
tu as provoqué notre honteuse défaite,
tu n'accompagnes plus nos armées.
[11] Tu nous laisses reculer devant l'ennemi,
l'adversaire en profite pour nous piller.
[12] Tu nous livres à lui comme des bêtes de boucherie ;
nous voilà dispersés à l'étranger.
[13] Tu te débarrasses de ton peuple à bas prix,
sans en retirer le moindre profit.
[14] Tu nous laisses insulter par nos voisins
et ridiculiser par ceux qui nous entourent.
[15] Tu laisses les nations faire de nous le sujet de leurs chansons,
et les peuples hocher la tête en se moquant[i].
[16] Tous les jours, je suis face à mon humiliation,
et la honte me monte au visage,
[17] quand j'entends l'ennemi, l'agresseur,
nous provoquer et t'insulter, Seigneur.

[18] Tout cela nous arrive, sans pourtant que nous t'ayons oublié,
et sans que nous ayons trahi nos engagements envers toi[j].
[19] Nous n'avons pas fait marche arrière,
ni dévié de la voie que tu nous traces.
[20] Mais tu nous as écrasés, nous voici dans le domaine des chacals[k] ;
tu nous as recouverts de l'ombre la plus noire.
[21] Si nous avions oublié qui est notre Dieu,
si nous avions fait appel à d'autres dieux,
[22] tu n'aurais pas manqué, toi, de le savoir,
car tu connais tous les secrets du cœur humain.
[23] Or, à cause de toi, tous les jours nous sommes exposés à la mort,
on nous traite comme des agneaux de boucherie[l].

[24] Réveille-toi, Seigneur ! pourquoi restes-tu inactif ?
Réveille-toi une bonne fois, et renonce à nous rejeter !
[25] Pourquoi refuses-tu de nous voir,
et oublies-tu nos misères, nos détresses,
[26] quand nous sommes effondrés dans la poussière,
à plat ventre sur le sol ?
[27] Interviens, secours-nous,
délivre-nous au nom de ta bonté.

h **44.6** Sur les ennemis piétinés voir la note sur 18.39.
i **44.15** Voir 22.8.
j **44.18** *nos engagements envers toi* : autre traduction *ton *alliance*.
k **44.20** Texte hébreu peu clair. La présence des *chacals* est souvent présentée comme le signe d'un pays dévasté ; voir Jér 9.10 ; 10.22 ; 49.33 ; 51.37.
l **44.23** Ce verset est cité en Rom 8.36.

PSAUME 45 (44)

Poème pour le mariage du roi

1 *Du répertoire du *chef de chorale. Accompagnement sur guitares. Poème chanté appartenant au recueil de la confrérie de Coré. Chant d'amour*[m].

2 Je me sens bouillonnant d'inspiration
pour le beau discours que j'ai à faire :
je vais réciter mon poème pour le roi.
Je voudrais le dire avec autant d'art
que le graveur quand il trace ses lettres.

3 Tu surpasses tout le monde en beauté,
tu t'exprimes avec élégance.
On voit bien que Dieu t'a *béni pour toujours.
4 Vaillant guerrier, mets ton épée au côté,
signe de ta splendeur et de ta majesté.
5 Tends ton arc, et bonne chance[n] !
En selle pour la bonne cause,
pour défendre les pauvres et le droit !
Ta main droite t'indiquera de grands exploits.
6 Tes flèches sont acérées
– on tombe sous tes coups[o],
elles frappent au cœur tes ennemis.
7 Ton trône est comme le trône de Dieu[p], établi pour toujours ;
c'est avec justice que tu gouvernes ton royaume.
8 Tu aimes le droit, tu détestes le crime.
C'est pourquoi Dieu, ton Dieu[q], t'a consacré
en versant sur ta tête l'huile de fête,
et t'a choisi plutôt que tes compagnons.
9 La *myrrhe, la cannelle et l'aloès parfument tous tes vêtements.
De tes appartements décorés d'ivoire
sort pour toi une musique joyeuse.
10 Des princesses sont là, qui portent tes bijoux,
à ta droite la reine[r] parée de l'or le plus fin.

11 Écoute, ma fille, regarde et sois bien attentive.
Ne pense plus à ton peuple ni à la famille de ton père.
12 Que le roi soit amoureux de ta beauté !
C'est lui qui est désormais ton seigneur.
Incline-toi devant lui.
13 Les gens de Tyr, les peuples les plus riches
chercheront ta faveur en t'offrant des cadeaux.

---

m 45.1 *Accompagnement sur guitares* (ou *sur instruments à six cordes*) : autre traduction *A chanter sur l'air de « Les lis... » – poème chanté* : voir 32.1 et la note. – *confrérie de Coré* : voir 42.1 et la note.

n 45.5 Le texte hébreu de la fin du v. 4 et du v. 5 est peu clair. Certains proposent de lire *Que la splendeur et la majesté de ton épée / ornent ta taille ! – Tends ton arc* : avec d'autres voyelles le texte hébreu traditionnel a compris *et ta majesté*.

o 45.6 Le texte hébreu du v. 6 est peu clair et la traduction incertaine.

p 45.7 Autre traduction *Ton trône, toi qui es de race divine, est établi...*

q 45.8 *Dieu, ton Dieu* : autre traduction *ô Dieu, ton Dieu* ; le psaume donnerait alors au roi le titre *Dieu*. – Les v. 7-8 sont cités en Hébr 1.8-9 et appliqués à Jésus-Christ.

r 45.10 *à ta droite* : voir la note sur 16.11 ; comparer 110.1.

14 La princesse, resplendissante, fait son entrée
dans sa robe brodée d'or.
15 Vêtue de broderies aux mille couleurs,
elle est conduite auprès du roi.
A sa suite, des jeunes filles, ses compagnes,
sont introduites pour toi.
16 On les conduit parmi les cris de joie,
elles entrent au palais du roi.

17 O Roi, que tes fils, un jour, occupent le trône de tes ancêtres !
Tu les feras princes du monde entier.
18 Quant à moi, je rappellerai ta renommée
à chaque nouvelle génération.
Ainsi tout le monde fera sans fin ton éloge.

PSAUME 46 (45) Le Seigneur de l'univers est avec nous

1 *Du répertoire du ⋆chef de chorale et du recueil de la confrérie de Coré. Accompagnement à l'aigu. Chant*[s].

2 Dieu est pour nous un abri sûr,
un secours toujours prêt dans la détresse.
3 C'est pourquoi nous n'avons rien à craindre,
même si la terre se met à trembler,
si les montagnes s'écroulent au fond des mers,
4 si les flots grondent, bouillonnent,
se soulèvent et secouent les montagnes. *⋆Pause*

5 Un cours d'eau répand la joie dans la cité de Dieu,
dans la plus sacrée des demeures du Très-Haut.
6 Dieu est dans la cité, elle tiendra bon ;
dès que le jour se lève, il lui apporte son secours.
7 Les nations grondent, les empires s'ébranlent,
mais Dieu donne de la voix, et la terre vacille.
8 Le Seigneur de l'univers est avec nous,
le Dieu de Jacob est notre forteresse. *Pause*

9 Venez voir ce que le Seigneur a fait,
les actes stupéfiants qu'il accomplit sur terre :
10 il met fin aux combats jusqu'au bout du monde,
il casse les arcs de guerre, il brise les lances,
il met le feu aux boucliers[t].

11 « Arrêtez, crie-t-il, et reconnaissez que je suis Dieu.
Je domine les nations, je domine la terre. »
12 Le Seigneur de l'univers est avec nous,
le Dieu de Jacob est notre forteresse. *Pause*

---

s **46.1** *la confrérie de Coré* : voir 42.1 et la note. – *à l'aigu* : voir la note sur 9.1. Autres traductions *A chanter sur l'air de « Les jeunes filles »* ou *A chanter sur l'air de « Les choses cachées »*.

t **46.10** *boucliers* : la traduction suit ici l'interprétation des versions anciennes. L'hébreu propose *chariots*, mais nulle part ailleurs le terme correspondant ne désigne des chars de guerre.

PSAUME 47 (46) Applaudissez le Seigneur, le grand Roi

1 *Du répertoire du *chef de chorale. Psaume appartenant au recueil de la confrérie de Coré*[u].

2 Vous, tous les peuples, applaudissez,
faites à Dieu une ovation avec des cris de joie,
3 car le Seigneur, le Dieu très-haut, est redoutable,
il est le grand roi de toute la terre.
4 Il nous soumet des peuples,
il met des nations à nos pieds.
5 Il a choisi pour nous notre patrie,
et nous en sommes fiers,
nous, le peuple de Jacob[v], qu'il aime. **Pause*
6 Dieu monte à *Sion[w] parmi les acclamations,
le Seigneur arrive au son du cor.
7 Célébrez Dieu par vos chants, célébrez-le,
célébrez notre roi, célébrez-le !
8 Car le roi de toute la terre, c'est Dieu.
Célébrez-le par le chant le plus beau.
9 Dieu règne sur les nations,
il siège sur son trône divin.
10 Les princes des nations se joignent au peuple du Dieu d'Abraham,
car c'est de Dieu que dépendent les rois, les protecteurs de la terre.
Il est au-dessus de tout.

PSAUME 48 (47) La cité du grand Roi

1 *Chant. Psaume appartenant au recueil de la confrérie de Coré*[x].

2 Le Seigneur est grand,
notre Dieu mérite bien qu'on le loue
dans la ville qui est la sienne.
La montagne qui lui est consacrée[y]
3 s'élève avec élégance et fait la joie de toute la terre ;
la capitale du monde, c'est le mont *Sion, la cité du grand Roi[z].
4 Dieu veille dans ses fortifications ;
on sait qu'il est sa forteresse.

5 Les rois s'étaient rassemblés,
ils s'étaient avancés ensemble contre Sion.
6 A peine ont-ils vu le Seigneur
qu'ils ont été frappés de stupeur ;
épouvantés, ils ont pris la fuite.
7 Un tremblement les a saisis sur place,
comme l'angoisse saisit une femme au moment d'accoucher,

---

u **47.1** Voir 42.1 et la note.
v **47.5** *Jacob* sert parfois à désigner le peuple d'Israël (voir 135.4).
w **47.6** Allusion probable à une cérémonie fêtant l'entrée de Dieu au temple de Jérusalem ; voir 24.7-10 ; 132.8.
x **48.1** Voir 42.1 et la note.
y **48.2** Voir 2.6.
z **48.3** *la capitale du monde* ou *l'extrême nord* ; voir Ė 14.13 et la note. – *la cité du grand Roi* : voir Matt 5.3

8 ou comme le vent d'est
quand il disloque les grands navires.

9 Ce que nous avions entendu raconter
correspond à ce que nous avons vu
dans la ville du Seigneur de l'univers,
dans la ville de notre Dieu.
Dieu la maintient toujours debout. *Pause

10 Dieu, à l'intérieur de ton *temple,
nous refaisons l'expérience de ta bonté.
11 Tu es célèbre jusqu'au bout du monde ;
jusqu'au bout du monde aussi on te louera.
Ta main droite est remplie de bienfaits.
12 Sur le mont Sion, qu'on se réjouisse,
et dans les villes de Juda, qu'on s'émerveille
des jugements que tu as prononcés !

13 Faites en cortège le tour de Sion,
comptez ses tours de défense ;
14 admirez ses murailles,
regardez bien[a] ses fortifications.
Alors vous pourrez raconter à la génération qui vient
15 que ce Dieu est notre Dieu pour l'éternité,
et qu'il nous conduit pour toujours[b].

PSAUME 49 (48) En mourant, l'homme n'emporte rien avec lui

1 *Du répertoire du *chef de chorale. Psaume appartenant au recueil de la confrérie de Coré*[c].

2 Vous tous, les humains, écoutez ceci[d] ;
vous qui peuplez le monde, soyez attentifs,
3 petites gens et grands personnages,
riches aussi bien que pauvres :
4 ce que j'ai à dire est raisonnable,
mes réflexions sont pleines de bon sens.
5 J'écoute bien l'enseignement des sages ;
aux accords de la lyre[e], je vais l'expliquer.

6 A quoi bon m'inquiéter quand tout va mal,
quand je suis entouré d'escrocs prêts à me nuire ?
7 Ils se fient à leurs gros revenus,
ils se vantent de leur grande fortune.

48.14 *regardez bien* : traduction incertaine d'un terme inconnu par ailleurs. Certains traduisent *parcourez*.

48.15 *pour toujours* : d'après l'ancienne version grecque. Les deux mots du texte hébreu traditionnel correspondant sont peu clairs et diversement compris par les versions anciennes. Certains supposent qu'ils appartiennent en réalité aux indications précédant le psaume suivant et proposent de traduire *Accompagnement à l'aigu* (voir 46.1 et la note).

c **49.1** Voir 42.1 et la note.

d **49.2** *Vous tous, les humains* : autre traduction *vous tous, les peuples*.

e **49.5** *lyre* : voir la note sur 150.3.

8 Mais aucun homme n'a les moyens
de racheter à Dieu la vie d'un autre homme
ou de lui verser le prix de sa propre vie.
9 Le prix de leur vie est trop cher à payer,
il faut y renoncer une fois pour toutes.
10 Pensent-ils vivre encore indéfiniment
et se dérober à la tombe ?
11 Mais on le voit bien : les sages meurent
comme aussi le dernier des sots,
et ils abandonnent leurs biens à d'autres.
12 Bien qu'ils aient donné leur nom à leurs terres,
la tombe[f] est leur habitation définitive,
leur demeure pour tous les temps.
13 Pourtant, au milieu de son luxe,
l'homme ne comprend pas[g] qu'il va vers sa fin,
comme un simple animal.
14 Mais voici le sort de ces gens pleins d'assurance ;
voici quel est l'avenir de ceux qui aiment tant s'entendre parler : *Pause
15 On les pousse, comme des moutons, vers le monde des ombres ;
la mort est leur *berger.
– Vers le matin les hommes droits les piétinent[h]. –
Leurs formes s'évanouissent,
le monde des ombres devient leur demeure.

16 Mais Dieu consent à me délivrer ;
oui, il m'arrache aux griffes de la mort. Pause

17 Ne t'inquiète pas si un homme s'enrichit
et s'il augmente son train de vie.
18 Quand il mourra, il n'emportera rien[i],
ses biens ne le suivront pas dans la tombe.
19 De son vivant, il a beau se dire heureux,
se féliciter que tout aille bien pour lui,
20 il lui faudra pourtant rejoindre
les générations qui l'ont devancé,
et qui ne verront plus jamais la lumière.
21 Pourtant, au milieu de son luxe,
l'homme ne comprend pas qu'il va vers sa fin,
comme un simple animal.

PSAUME 50 (49)

Dieu paraît pour prononcer son jugement

1 *Psaume appartenant au recueil d'Assaf*[j].

Dieu, Dieu le Seigneur a parlé, son appel retentit sur la terre,
du lieu où le soleil se lève jusque là-bas, où le soleil se couche.

---

f **49.12** *la tombe* : avec les voyelles lues par les anciennes versions grecque, syriaque et araméenne ; texte hébreu traditionnel *leur intérieur* ou *leur cœur*.

g **49.13** *ne comprend pas* : comme au v. 21 ; hébreu *ne passe pas la nuit*.

h **49.15** Le texte du v. 15 est très obscur et la traduction reste incertaine.

i **49.18** Voir 1 Tim 6.7.

j **50.1** Selon 1 Chron 6.16-17,24 ; 25.1 ; 2 Chro[n] 35.15, *Assaf* était l'un des responsables de la musiq[ue] et du chant sacrés au temps de David, avec *Héma[n]* (voir Ps 88.1 et la note) et *Yedoutoun* (voir Ps 39.1 [et] la note). Autres psaumes du recueil d'Assaf : 73–83

2 A *Sion, cité merveilleuse de beauté,
Dieu paraît, entouré de lumière.

3 « Qu'il vienne, notre Dieu,
et qu'il ne garde pas le silence ! »

Un feu dévorant le précède,
autour de lui, l'ouragan se déchaîne.
4 Dieu convoque le ciel, là-haut, et la terre,
pour assister au jugement de son peuple.
5 Il dit : « Qu'on rassemble pour moi mes fidèles,
ceux qui se sont engagés envers moi par un *sacrifice solennel ! »
6 Que le ciel le proclame[k] : « Le Seigneur est juste,
le Dieu qui juge, c'est lui ! » *Pause

7 – Mon peuple, écoute, j'ai à te parler ;
Israël, je t'adresse un avertissement,
moi Dieu, ton Dieu.
8 J'ai des reproches à te faire,
mais ce n'est pas pour tes sacrifices ;
tu n'as d'ailleurs jamais cessé de m'en offrir.
9 Je n'irai pas prendre un taureau chez toi,
ni des boucs dans tes enclos,
10 car j'ai à moi toutes les bêtes des forêts
et des animaux sur des milliers de montagnes.
11 Je connais tous les oiseaux des hauteurs,
et le gibier est à ma disposition.
12 Si j'avais faim, je n'aurais pas besoin de te le dire,
puisque le monde entier est à moi avec tout ce qu'il contient.
13 Vais-je manger la viande des taureaux
et boire le sang des boucs ?
14 Offre-moi plutôt ta reconnaissance, à moi ton Dieu,
et tiens les promesses que tu m'as faites, à moi, le Très-Haut.
15 Et quand tu seras dans la détresse, appelle-moi,
je te délivrerai, et tu célébreras ma *gloire.

16 Mais Dieu déclare au méchant :
– A quoi bon réciter mes commandements
et parler de l'engagement que tu as pris envers moi,
17 alors que tu n'acceptes pas les reproches
et que tu rejettes ce que je dis ?
18 Quand tu vois un voleur, tu prends son parti ;
tu te joins à ceux qui commettent l'adultère.
19 Tu te laisses aller à dire du mal des autres,
et tes discours sont un tissu de mensonges.
20 Tu prends position contre ton prochain,
tu traînes dans la boue ton propre frère !
21 Voilà ce que tu fais, et tu voudrais que je ne dise rien ?
T'imagines-tu vraiment que je suis comme toi ?
Je te tiens pour responsable, je vais te mettre le nez sur tes méfaits.

50.6 *Que le ciel le proclame* : texte que lisaient les anciennes versions grecque et syriaque ; avec d'autres voyelles le texte hébreu traditionnel propose *et le ciel proclame*.

22 Vous qui voulez m'ignorer, comprenez bien ce que j'ai dit.
Sinon je vous mettrai en pièces,
sans que personne puisse m'en empêcher.

23 Celui qui m'honore, c'est celui qui m'offre sa reconnaissance.
A celui qui veille sur sa conduite je ferai voir que je suis le Sauveur

PSAUME 51 (50)

Prière pour obtenir le pardon

1 *Psaume appartenant au répertoire du *chef de chorale et au recueil de David.* 2 *Il fait allusion à la visite que le *prophète Natan rendit à David après que celui-ci eut commis adultère avec Batchéba*[l].

3 O Dieu, toi qui es si bon, aie pitié de moi ;
toi dont le cœur est si grand, efface mes désobéissances.
4 Lave-moi complètement de mes torts,
et *purifie-moi de ma faute.

5 Je t'ai désobéi, je le reconnais ;
ma faute est toujours là, je la revois sans cesse.
6 C'est contre toi seul que j'ai mal agi,
puisque j'ai fait ce que tu désapprouves.
Ainsi tu as raison quand tu prononces ta sentence,
tu es irréprochable quand tu rends ton jugement[m].
7 Oui, je suis marqué par le péché depuis que je suis né,
plongé dans le mal depuis que ma mère m'a porté en elle.
8 Mais ce que tu aimes trouver dans un cœur humain,
c'est le respect de la vérité.
Au plus profond de ma conscience,
fais-moi connaître la sagesse[n].

9 Fais disparaître ma faute[o], et je serai pur ;
lave-moi, et je serai plus blanc que neige.
10 Annonce-moi ton pardon, il m'inondera de joie.
Que je sois en fête, moi que tu as brisé !
11 Détourne ton regard de mes fautes,
efface tous mes torts.

12 O Dieu, crée en moi un cœur pur ;
renouvelle et affermis mon esprit[p].
13 Ne me rejette pas loin de toi,
ne me prive pas de ton saint Esprit.
14 Rends-moi la joie d'être sauvé,
soutiens-moi par un esprit d'engagement.

15 A tous ceux qui te désobéissent je veux dire ce que tu attends d'eux
alors ceux qui ont rompu avec toi reviendront à toi.

---

l **51.2** Voir 2 Sam 11–12.
m **51.6** La fin du v. 6 est citée en Rom 3.4 d'après l'ancienne version grecque.
n **51.8** Autre traduction *Fais-moi connaître le secret de sagesse.*
o **51.9** Ou *Purifie-moi avec *l'hysope.*
p **51.12** Voir Ézék 36.26.

16 Dieu, mon libérateur, délivre-moi de la mort[q],
pour que je crie avec joie comment tu m'as sauvé.
17 Seigneur, ouvre mes lèvres, pour que je puisse te louer.

18 Tu ne désires pas que je t'offre un *sacrifice.
Même un sacrifice entièrement consumé ne pourrait te plaire.
19 O Dieu, le sacrifice que je t'offre[r],
c'est moi-même, avec mon orgueil brisé.
O Dieu, ne refuse pas mon cœur complètement brisé.

20 Sois bien disposé pour *Sion, fais-lui du bien ;
rebâtis les murailles de Jérusalem.
21 Alors tu aimeras qu'on t'offre des sacrifices corrects,
des sacrifices entièrement consumés ;
alors aussi on pourra présenter des taureaux sur ton *autel.

PSAUME 52 (51) Face à l'homme qui se fie à ses richesses

1 *Du répertoire du *chef de chorale. Poème chanté appartenant au recueil de David.* 2 *Il fait allusion à la démarche de Doëg l'Édomite, quand celui-ci avertit Saül que David s'était rendu chez Ahimélek*[s].

3 Toi le héros, pourquoi te vanter de ta méchanceté ?
C'est tous les jours que Dieu est bon.
4 Tu combines tes mauvais coups ;
ta langue est aussi tranchante qu'un rasoir,
tu fabriques de la calomnie.
5 Tu préfères le mal au bien,
et le mensonge à la vérité. **Pause*
6 Tu aimes tout gâcher par tes paroles,
tout ce que tu dis est truqué.

7 Eh bien, Dieu te démolira pour toujours,
il t'emportera, il t'enlèvera de chez toi
et t'arrachera de la terre où nous vivons ! *Pause*
8 Les fidèles qui en seront témoins
seront impressionnés :
9 « Regardez ce monsieur, qui se fiait à sa fortune
au lieu de prendre Dieu comme refuge,
et se sentait fort de ses mauvais coups réussis. »

10 Mais moi, je me trouve chez Dieu comme un olivier florissant ;
je me fie pour toujours à la bonté de Dieu.

11 Je te louerai sans fin pour tout ce que tu as fait.
O Dieu, c'est sur toi que je compte en présence de tes fidèles,
car tu es bon.

51.16 *de la mort* ou *du sang*, que certains interprètent au sens du *sang versé* (allusion au meurtre d'Urie ? aux sacrifices ?)
51.19 *O Dieu, le sacrifice que je t'offre* : avec d'autres voyelles, le texte hébreu traditionnel interprète *les sacrifices de Dieu*.
s **52.2** *Poème chanté* (v. 1) : voir 32.1 et la note. – *la démarche de Doëg* : 1 Sam 21.8 ; 22.9-10.

PSAUME 53 (52)

Les fidèles et leur Dieu dans un monde corrompu

(Voir Ps 14)

1 *Du répertoire du *chef de chorale. A chanter sur le mode mélancolique. Poème chanté appartenant au recueil de David*[t].

2 Ils sont stupides, ceux qui se disent que Dieu est sans pouvoir[u].
Ces gens sont corrompus, ce qu'ils font est malhonnête ;
aucun d'eux n'agit comme il faut.
3 Du haut du ciel, Dieu se penche pour observer les humains,
pour voir s'il y a quelqu'un d'intelligent qui se tourne vers lui.
4 Tous sont rebelles, tous sans exception sont corrompus.
Aucun n'agit comme il faut, pas même un seul[v].

5 « Ils ne comprennent vraiment rien, dit Dieu,
tous ces gens qui font le malheur des autres,
qui se nourrissent en exploitant mon peuple
et ne s'adressent jamais à moi. »

6 Les voilà qui s'affolent, eux qui ignoraient la peur[w],
car Dieu dispersera les ossements
de ceux qui oppriment son peuple ;
ils seront humiliés d'avoir été rejetés par Dieu.

7 Ah, que je voudrais voir le salut d'Israël, arrivant de *Sion !
Dieu rétablira son peuple[x].
Quelle joie chez les descendants de Jacob,
quelle allégresse alors en Israël !

PSAUME 54 (53)

Appel d'un persécuté

1 *Du répertoire du *chef de chorale. Accompagnement sur instruments à cordes. Poème chanté appartenant au recueil de David*[y]. 2 *Il fait allusion à la démarche des gens de Zif auprès de Saül, quand ils l'avertirent que David se cachait sur leur territoire*[z].

3 O Dieu, montre qui tu es en venant à mon secours ;
montre ta force en me rendant justice.
4 O Dieu, entends ma prière, écoute ce que je dis.

5 Des étrangers[a] se dressent contre moi,
des brutes veulent ma mort.
Ces gens-là ne tiennent aucun compte de Dieu. **Pause*

---

t 53.1 *sur le mode mélancolique* : le sens de cette indication musicale est incertain. Certaines versions anciennes ont compris *sur un air de danse*. – *Poème chanté* : voir 32.1 et la note.

u 53.2 Voir la note sur 14.1.

v 53.4 V. 2b-4 : voir Rom 3.10-12.

w 53.6 *eux qui ignoraient la peur* : autre traduction *même s'ils n'en ont pas l'air*.

x 53.7 Voir 126.4.

y 54.1 *Poème chanté* : voir 32.1 et la note.

z 54.2 Voir 1 Sam 23.19-28 ; 26.1.

a 54.5 Autre texte (nombreux manuscrits hébreux, ancienne version araméenne ; voir aussi 86.14) *des prétentieux*.

[6] Mais Dieu va me venir en aide,
le Seigneur va me soutenir.

[7] Que le malheur retombe sur mes ennemis !
Montre-moi ta fidélité en les réduisant au silence.
[8] De bon cœur je veux t'offrir un *sacrifice.
Je veux prononcer ton nom dans mes louanges,
Seigneur, car tu es bon,
[9] tu m'as délivré de toute détresse,
et je vois la défaite de mes adversaires.

PSAUME 55 (54) Prière d'un homme trahi

[1] *Du répertoire du *chef de chorale. Accompagnement sur instruments à cordes. Poème chanté[b] appartenant au recueil de David.*

[2] O Dieu, entends bien ma prière,
ne te cache pas quand je te supplie.
[3-4] Sois attentif et réponds-moi.
J'erre sans but, accablé d'inquiétude.
Je suis troublé par ce que dit l'ennemi
et par l'oppression qu'imposent les méchants.
Ils font tomber le malheur sur moi
et me poursuivent avec colère.
[5] L'angoisse me serre le cœur,
et les terreurs de la mort tombent sur moi.
[6] Je suis pris de crainte et de tremblement,
je suis submergé par l'effroi.

[7] Je me disais : « Ah ! si je pouvais avoir des ailes comme la colombe !
Je pourrais m'envoler et me poser ailleurs.
[8] Je m'enfuirais bien loin,
et j'irais séjourner au désert. **Pause*
[9] Je me dépêcherais de trouver un abri
contre le vent qui souffle en tempête. »
[10] Seigneur, embrouille les plans de mes ennemis,
fais-les se contredire[c].

Je ne vois dans la ville que violence et conflits
[11] faisant jour et nuit le tour de ses murailles.
A l'intérieur, c'est le malheur et la misère ;
[12] à l'intérieur, ce sont des crimes.
L'oppression et la fraude ne quittent pas ses places.

[13] Il n'était pas un ennemi, celui qui m'insulte aujourd'hui ;
autrement je le supporterais.
Il n'avait pas de haine pour moi, celui qui m'attaque ;
sans quoi je l'aurais évité[d].

55.1 Voir 32.1 et la note.
55.10 *fais-les se contredire* : autre traduction *divise leur langage* (voir Gen 11.1-9).

d **55.13** Autre traduction *Ce n'est pas un ennemi qui m'insulte – je le supporterais ; ce n'est pas un adversaire qui m'attaque – je l'éviterais.*

14 Mais c'est toi, quelqu'un de mon propre milieu,
mon ami et mon compagnon !
15 Ensemble nous discutions agréablement dans le *temple de Dieu
où nous marchions d'un même pas[e].

16 Que la mort surprenne mes adversaires[f] ;
qu'ils descendent tout vivants au monde des ombres,
puisque la méchanceté remplit leur cœur !

17 Moi, j'appelle Dieu au secours,
et lui, le Seigneur, me sauvera.
18 Matin, midi et soir je me plains, je soupire.
Mais il entend mon appel,
19 il paie pour me délivrer ; il s'approche de moi
quand tout le monde est contre moi[g].
20 Que Dieu m'entende, et qu'il les humilie,
lui qui est roi depuis toujours ! *Pause*

Avec ces gens-là, pas d'accord possible ;
ils n'ont aucun respect de Dieu.
21 Le traître s'en prend à ses amis,
il viole l'engagement qu'il a pris.
22 Son discours est tout sucre et tout miel,
mais il garde l'intention d'attaquer.
Ses propos sont plus onctueux que l'huile,
mais ce sont des poignards prêts à frapper.

23 Décharge-toi de ton souci[h] sur le Seigneur ; il te maintiendra debout
il ne laissera pas toujours le fidèle chanceler.

24 Et toi, Dieu, tu feras descendre ces gens au fond de la tombe.
Eux qui pratiquent le meurtre et la fraude
n'iront pas jusqu'à mi-chemin de la vie.
Moi, je me fie à toi.

PSAUME 56 (55) Un persécuté s'en remet à la décision de Dieu

1 *Du répertoire du *chef de chorale. A chanter sur l'air de « La colomb muette dans le lointain ». Poème appartenant au recueil de David. Il fait allusion à l'arrestation de David par les Philistins, à Gath*[i].

2 O Dieu, accorde-moi ton appui, car on me poursuit ;
tous les jours, on m'assaille et on me brutalise.

---

e **55.15** *d'un même pas* (ou *bien d'accord*) : le sens du terme hébreu ainsi traduit est incertain. On l'interprète ici d'après les anciennes versions grecque et syriaque et un ancien commentateur juif. Autre traduction *avec animation*.

f **55.16** Une autre tradition textuelle juive propose *que la dévastation fonde sur eux !*

g **55.19** Le texte du v. 19 est particulièrement difficil et les traductions proposées très diverses.

h **55.23** *ton souci* : le terme hébreu correspondant ne s trouve nulle part ailleurs ; il est interprété ici d'aprè l'ancienne version grecque. Autres traductions *décharge-toi de ton fardeau* ou *remets ton sort*. Voir 1 Pi 5.7

i **56.1** *Poème* : voir 16.1 et la note. – *David à Gath* voir 1 Sam 21.11-16.

3 Tous les jours, mes adversaires me poursuivent ;
en foule ils m'assaillent et me dominent.
4 Mais quand j'ai peur, je mets ma confiance en toi.

5 Je loue Dieu pour la parole qu'il a dite,
je lui fais confiance, je n'ai plus peur.
Quel mal pourrait me faire un simple mortel ?

6 Tous les jours, ils déforment ce que je dis[j] ;
leurs projets sont tous dirigés contre moi.
7 Pour me nuire ils me guettent, ils m'épient ;
ils sont constamment sur mes talons,
comme des gens qui en veulent à ma vie.
8 Après tant d'injustice, échapperaient-ils ?
Dans ta colère, ô Dieu, jette ces gens à terre !
9 Toi, tu as bien noté que j'ai dû m'enfuir ;
recueille mes larmes dans ton *outre,
tu en as sûrement fait le compte[k].
10 Le jour où je t'appellerai au secours,
mes ennemis devront faire demi-tour.
Je le sais : toi, Dieu, tu es pour moi.
11 Je loue Dieu pour la parole qu'il a dite ;
oui, je loue le Seigneur pour cette parole.
12 Je lui fais confiance, je n'ai plus peur.
Quel mal pourraient me faire les hommes ?

13 O Dieu, je te dois ce que je t'ai promis.
Pour m'en acquitter, je t'offrirai des *sacrifices de reconnaissance.
14 Tu m'as en effet arraché à la mort,
tu m'as évité de faire le pas fatal ;
ainsi j'avance sous ton regard
dans la lumière de la vie.

PSAUME 57 (56) J'en appelle au Dieu très-haut

(V. 8-12 : voir 108.2-6)

1 *Du répertoire du *chef de chorale. A chanter sur l'air de « Ne laisse pas détruire... » Poème appartenant au recueil de David. Il fait allusion à la fuite de David dans la caverne pour échapper à Saül*[l].

2 O Dieu, accorde-moi ton appui, ne tarde pas,
car c'est près de toi que je cherche refuge ;
je viens à l'abri, sous ta protection,
jusqu'à ce que l'épreuve soit passée.
3 J'en appelle au Dieu très-haut,
au Dieu qui fera tout pour moi.

56.6 *ils déforment* : traduction incertaine ; certains proposent de lire *ils discutent et se consultent*.

56.9 Par une sorte de jeu de mots l'hébreu rapproche les termes traduits ici par *j'ai dû m'enfuir* et *outre*. – *tu en as sûrement fait le compte* : autre traduction *Ne faut-il pas lire « dans ton livre »* (au lieu de « dans ton outre ») ? On aurait alors la remarque d'un copiste, étonné par l'image hardie de l'outre dans laquelle Dieu conserve les larmes de ses fidèles en souvenir de leurs épreuves.

l **57.1** *Poème* : voir 16.1 et la note. – *David dans la caverne* : voir 1 Sam 22.1-2 ; 24.1-9 ; comparer Ps 142.1.

4 Du haut du ciel qu'il m'envoie son secours,
qu'il confonde celui qui me poursuit[m], *Pause
qu'il m'envoie un signe de sa fidèle bonté !

5 Je me trouve parmi des gens aussi féroces
que des lions mangeurs d'hommes.
Leurs dents sont pointues comme la lance ou la flèche,
et leur langue affilée comme un poignard.

6 O Dieu, montre ta grandeur qui dépasse le ciel,
que ta présence glorieuse brille sur la terre entière !

7 Ils ont préparé un filet sur mon chemin,
un nœud coulant pour mon cou[n] ;
ils ont creusé un piège devant moi,
mais c'est eux qui y sont tombés. Pause

8 O Dieu, me voilà plein de résolution[o],
je veux chanter et te célébrer.
9 Réveille-toi, mon cœur,
réveillez-vous aussi, ma harpe et ma lyre[p],
car il faut que je réveille l'aurore.

10 Seigneur, je veux te louer parmi les peuples,
je veux te célébrer par mes chants devant les nations,
11 car ta grande bonté monte jusqu'au ciel,
et ta fidélité plus haut que les nuages.

12 O Dieu, montre ta grandeur qui dépasse le ciel,
que ta présence glorieuse brille sur la terre entière !

PSAUME 58 (57) Sur terre il y a un Dieu qui juge

1 *Du répertoire du *chef de chorale. A chanter sur l'air de « Ne laisse pas détruire... ». Poème appartenant au recueil de David[q].*

2 Est-il vrai que vous cachez quelque chose,
quand vous rendez la justice ?
Êtes-vous justes quand vous jugez les humains ?
3 Non, c'est volontairement
que vous pratiquez l'injustice sur terre
et que vous ouvrez la porte aux violences.

4 Les méchants sont rebelles dès leur naissance ;
à peine nés, ils se mettent hors du bon chemin,
ils profèrent des calomnies.
5 Ils ont un venin, comme la vipère ;
ils font la sourde oreille, comme un serpent

---

m 57.4 Le sens de cette partie du v. 4 est discuté.
n 57.7 *un nœud coulant pour mon cou* : autre traduction *pour me faire plier*.
o 57.8 Autre traduction *O Dieu, me voilà rassuré, vraiment rassuré*. Comparer 108.2.
p 57.9 *harpe, lyre* : voir 150.3 et la note.
q 58.1 *Poème* : voir 16.1 et la note.

6 qui n'écoute pas la musique des charmeurs,
même du plus expert d'entre eux.

7 O Dieu, casse-leur les dents,
brise leurs crocs de lions, Seigneur.
8 Qu'ils disparaissent comme l'eau qui s'écoule !
Que la flèche qu'il tire soit sans force[r] !
9 Qu'ils aient le sort de la limace
qui se dessèche à mesure qu'elle avance !
Comme l'enfant mort-né, qu'ils ne voient pas le jour !
10 Avant que leurs chardons soient montés en buisson,
qu'un tourbillon les emporte,
encore verts ou déjà secs, peu importe[s] !

11 Le fidèle se réjouira de voir la revanche de Dieu sur les méchants
et de patauger dans leur sang.
12 Et tout le monde dira : « Oui, les fidèles auront leur récompense ;
oui, sur la terre il y a un Dieu qui juge. »

PSAUME 59 (58) Mon Dieu, délivre-moi de ceux qui m'en veulent

1 *Du répertoire du *chef de chorale. A chanter sur l'air de « Ne laisse pas détruire... ». Poème appartenant au recueil de David. Il fait allusion à Saül envoyant surveiller la maison de David pour le tuer*[t].

2 Mon Dieu, délivre-moi de ceux qui m'en veulent,
protège-moi contre mes agresseurs.
3 Délivre-moi de ceux qui causent mon malheur,
sauve-moi de ces assassins.

4 Les voici, en effet, qui me guettent ;
ces gens cruels veulent m'attaquer.
Je n'ai pourtant pas commis de faute,
je n'ai pas manqué à mes devoirs, Seigneur ;
5 je n'ai rien fait de mal, mais ils accourent, ils se préparent.

Réveille-toi, viens jusqu'à moi et regarde.
6 Toi, Seigneur, Dieu de l'univers, Dieu d'Israël,
réveille-toi, interviens contre ces païens,
refuse ta faveur à tous ces traîtres. **Pause*

7 Vers le soir, ils reviennent comme une meute de chiens hurlants
et font le tour de la ville.
8 Ils ont la bouche pleine de méchancetés,
leurs paroles sont des poignards.
Qui d'autre les entendra[u] ?

---

r **58.8** Texte incertain ; hébreu peu clair.

s **58.10** Le texte hébreu du v. 10 est très obscur et la traduction incertaine. Celle-ci s'appuie partiellement sur un manuscrit hébreu isolé et sur l'ancienne version syriaque.

t **59.1** *Poème* : voir 16.1 et la note. – Le v. 1 fait allusion à la tentative de Saül de faire tuer David encore endormi ; voir 1 Sam 19.11-13.

u **59.8** Autre interprétation : *« Qui entendra ? » disent-ils.*

[9] Mais toi, Seigneur, tu te mets à rire d'eux,
tu te moques de tous ces païens.
[10] Je regarde vers toi, mon protecteur[v].
C'est toi, Dieu, qui es ma forteresse.
[11] Mon Dieu, qui est si bon, viendra jusqu'à moi[w],
il me fera voir mes adversaires battus.

[12] Ne les massacre pas tout de suite,
de peur que mon peuple oublie ta victoire.
Secoue-les avec force, fais-les tomber,
Seigneur, notre bouclier.
[13] Leur moindre parole est une offense pour toi.
Qu'ils soient pris au piège de leur orgueil,
parce qu'ils n'ont fait que maudire et mentir !
[14] Finis-en avec eux, dans ta fureur,
finis-en, et qu'on ne les voie plus !
Alors on saura jusqu'au bout du monde
qu'il y a un Dieu souverain en Israël. *Pause*

[15] Vers le soir, ils reviennent, comme une meute de chiens hurlants,
et font le tour de la ville.
[16] Ils cherchent çà et là quelque chose à manger,
et s'ils n'ont pas assez, ils se mettent à grogner[x].

[17] Moi, je célébrerai ta puissance,
dès le matin je crierai ta bonté,
car tu es une forteresse pour moi,
un refuge quand je suis dans la détresse.

[18] Mon protecteur, je veux te célébrer par mes chants,
car tu es ma forteresse, ô Dieu,
mon Dieu, toi qui es si bon.

PSAUME 60 (59)

Dieu répond aux appels de son peuple vaincu

(V. 7-14 : voir 108.7-14)

[1] *Du répertoire du *chef de chorale. Accompagnement sur la guitare. Poème commémoratif appartenant au recueil de David. Pour enseigner.* [2] *Il fait allusion à l'expédition menée par David contre les Syriens de Mésopotamie et ceux de Soba. Au retour, Joab battit l'armée d'Édom, soit douze mille hommes, dans la vallée du Sel*[y].

[3] O Dieu, tu nous as rejetés, tu as rompu nos rangs.
Malgré ta colère, rétablis-nous !
[4] Tu as secoué la terre, tu l'as fissurée ;
répare ses cassures, car elle ne tient plus.

---

v **59.10** *mon protecteur* : d'après un certain nombre de manuscrits hébreux, ainsi que les versions anciennes, et comme au v. 18 ; texte traditionnel *son protecteur*.

w **59.11** Une autre tradition textuelle juive a lu *Mon Dieu enverra jusqu'à moi sa bonté*.

x **59.16** *ils se mettent à grogner* : autre traduction *ils restent toute la nuit*.

y **60.2** *sur la guitare* (v. 1) ou *sur instrument à six cordes* voir 45.1 et la note. – *Poème commémoratif* (v. 1) : autre traduction *A chanter sur l'air de « Le lis du témoignage » ; poème*. – *Poème* : voir 16.1 et la note. – L'expédition de David (v. 2) : voir 2 Sam 8.3-14 1 Chron 18.12.

5 Tu as fait voir de dures épreuves à ton peuple,
tu nous as forcés à boire un vin qui enivre[z].
6 Tu as donné à tes fidèles le signal de la fuite
sous le tir des archers[a]. *Pause
7 Agis, viens à notre secours et réponds-nous ;
ainsi nous serons sauvés, nous tes amis.

8 Dans son saint *temple, Dieu a parlé[b] : « A moi la victoire !
Je partagerai la ville de Sichem,
je répartirai en lots la vallée de Soukoth.
9 Galaad est à moi, à moi aussi Manassé.
Mon casque, c'est Éfraïm,
et mon bâton de commandement, Juda.
10 Moab n'est que la cuvette où je me lave.
J'ai des droits sur Édom, j'y jette ma sandale.
Contre la Philistie je pousse un cri de guerre[c]. »

11 Qui me mènera jusqu'en Édom ?
Qui me livrera sa ville fortifiée,
12 si ce n'est toi, Dieu ? Or tu nous as rejetés,
tu n'accompagnes plus nos armées.
13 Viens à notre aide contre l'adversaire,
car les hommes n'offrent qu'un secours dérisoire.
14 Avec Dieu, nous serons victorieux,
car lui, il terrasse nos adversaires[d].

PSAUME 61 (60) J'aimerais vivre toujours dans ta maison

1 *Du répertoire du *chef de chorale. Accompagnement sur instruments à cordes. Du recueil de David.*

2 O Dieu, écoute ma plainte,
sois attentif à ma prière.
3 Du bout du monde, quand je n'en peux plus,
je t'appelle au secours.
Conduis-moi au rocher que je ne puis atteindre[e].

4 Tu as été pour moi un sûr protecteur,
une tour fortifiée face à l'ennemi.
5 J'aimerais vivre toujours dans ta maison
et y trouver abri sous tes ailes[f]. *Pause

6 C'est toi, Dieu, qui entends mes souhaits,
et qui as donné à tes adorateurs leur part de terre sainte[g].

---

z **60.5** Sur cette image du jugement voir 75.9 ; És 51.17,22 ; Jér 25.15-29.

a **60.6** Certains interprètent *Tu as donné à tes fidèles une bannière pour qu'ils se rassemblent au nom(?) de la vérité*.

b **60.8** Certains traduisent *Dieu a parlé* (= fait ce serment ?) *au nom de sa sainteté*.

c **60.10** *Contre la Philistie je pousse un cri de guerre* : comme dans le texte parallèle de 108.10 ; l'hébreu traditionnel est incertain.

d **60.14** *il terrasse* ou *il piétine* : voir la note sur 18.39.

e **61.3** Allusion probable au temple de Jérusalem.

f **61.5** *sous tes ailes* : voir 17.8 et la note.

g **61.6** *leur part de terre sainte* : certains proposent de lire plutôt, d'après le contexte, *qui donnes à tes adorateurs ce qu'ils désirent* (21.3).

7 Donne au roi longue vie,
fais-le subsister longtemps, longtemps.
8 O Dieu, qu'il règne sans fin en ta présence ;
que ta fidèle bonté soit sa sauvegarde !

9 Alors je te célébrerai sans cesse par mes chants,
et j'accomplirai jour après jour les promesses que je t'ai faites.

PSAUME 62 (61)

Près de Dieu je peux être tranquille

1 *Du répertoire du *chef de chorale. D'après Yedoutoun*[h]*. Psaume appartenant au recueil de David.*

2 C'est seulement près de Dieu que je peux être tranquille,
c'est de lui que me vient le salut.
3 Lui seul est le rocher, la forteresse où je peux être sauvé.
Avec lui aucun risque de faiblir !

4 – Jusqu'à quand vous unirez-vous
pour assaillir et abattre un homme,
comme on abat un mur qui penche
ou une clôture branlante ?
5 Vous ne pensez qu'à lui faire perdre sa place,
vous vous plaisez à mentir.
Des lèvres vous *bénissez,
au fond de vous-mêmes vous maudissez. **Pause*

6 C'est seulement près de Dieu
qu'il me faut chercher la tranquillité,
car c'est lui qui me donne espoir.
7 Lui seul est le rocher, la forteresse où je peux être sauvé.
Avec lui, pas de risque de faiblir.
8 Mon salut et mon honneur reposent sur Dieu.
Mon rocher protecteur, mon refuge, c'est lui.
9 – Vous qui êtes là, fiez-vous toujours à lui,
confiez-lui ce qui vous préoccupe ;
Dieu est pour nous un refuge. *Pause*

10 Les humains : du vent, rien de plus ;
les hommes : rien de plus décevant.
Sur la balance, à eux tous, ils ne pèseraient pas lourd.
11 – Ne vous fiez pas aux méthodes violentes,
n'espérez rien de ce qui est pris de force.
Si vos ressources augmentent,
n'y accordez pas d'importance.

12 Plus d'une fois j'ai entendu cette parole de Dieu :
« C'est à moi qu'appartient la puissance. »
13 – A toi aussi appartient la bonté, Seigneur,
car tu traites chaque homme selon ce qu'il a fait[i].

h **62.1** *Yedoutoun* : voir 39.1 et la note.

i **62.13** Voir Jér 17.10 ; Job 34.11 ; Matt 16.27 ; Rom 2.6 ; Apoc 2.23.

PSAUME 63 (62) Ta bonté vaut mieux que la vie

1 *Psaume appartenant au recueil de David. Il fait allusion au séjour de David dans le désert de Juda*[j].

2 O Dieu, tu es mon Dieu, je te cherche, j'ai soif de toi.
Tout mon être soupire après toi,
comme une terre aride, desséchée, sans eau[k].
3 Dans le *temple, je t'ai cherché du regard
pour voir ta puissance et ta présence glorieuse,
4 car ta bonté vaut mieux que la vie.
Je proclamerai ta louange,
5 toute ma vie je te remercierai ;
en levant les mains vers toi[l] je dirai qui tu es.
6 Je serai comblé,
comme rassasié des meilleurs morceaux.
Je laisserai exploser ma joie, je t'acclamerai.

7 Quand je suis couché, je me souviens de toi ;
je pense à toi pendant les heures de la nuit :
8 tu es venu à mon secours.
A l'abri de tes ailes je crie ma joie.
9 Je suis attaché à toi de tout mon être,
ta main droite est mon soutien.

10 Il y a des gens qui veulent ma mort.
Qu'ils aillent à un désastre soudain,
qu'ils descendent au fond du monde des morts !
11 Qu'ils soient livrés à la mort violente,
qu'ils deviennent la proie des chacals !

12 Que le roi trouve en Dieu la source de sa joie !
Quant à tous ceux qui font un serment en prenant Dieu à témoin,
qu'ils puissent se féliciter,
car les menteurs seront réduits au silence !

PSAUME 64 (63) La victoire de Dieu sur les mauvaises langues

1 *Du répertoire du *chef de chorale. Psaume appartenant au recueil de David.*

2 O Dieu, je me plains à toi, écoute-moi.
Préserve ma vie de l'ennemi que je crains,
3 fais-moi échapper au complot des malfaiteurs,
aux intrigues des gens malfaisants.

4 Leur langue est un poignard qu'ils aiguisent,
leurs mots blessants sont des flèches, qu'ils préparent

---

j **63.1** Voir 1 Sam 23.14 ; 24.2.
k **63.2** *comme une terre...* : d'après quelques manuscrits hébreux et deux anciennes versions ; hébreu *dans une terre* (ou *un pays*) *aride*. Comparer 143.6.
l **63.5** Voir 28.2 et la note.

5 pour tirer en secret sur les honnêtes gens.
Ils tirent sans prévenir, sans scrupule.
6 Ils s'encouragent l'un l'autre à ces méfaits,
ils parlent des pièges qu'ils vont tendre en cachette
et disent : « Personne n'y verra rien[m]. »
7 Ils imaginent des mauvais coups :
« Notre plan est bien au point, disent-ils :
l'homme n'est jamais à court d'idées[n]. »

8 Mais Dieu tire ses flèches sur eux ;
tout à coup les voilà touchés :
9 ils ont été pris à leurs propres paroles[o].
Et tout le monde hoche la tête en les voyant,
10 tous en sont impressionnés ; ils racontent ce que Dieu a fait,
et comprennent le sens de son action.
11 Que les fidèles trouvent auprès du Seigneur
la source de leur joie et leur recours ;
et que les hommes au cœur droit s'en félicitent !

PSAUME 65 (64) Dieu, tu mérites bien qu'on te loue

1 *Du répertoire du *chef de chorale. Psaume appartenant au recueil de David. Chant.*

2 O Dieu, dans la cité de *Sion,
tu mérites bien que chacun te loue[p]
et tienne les promesses qu'il t'a faites,
3 puisque tu accueilles les prières.
Tous les humains viennent à toi
4 chargés de leurs fautes.
Mes torts sont trop lourds pour moi,
mais toi, tu peux pardonner nos péchés.
5 Heureux ceux que tu admets à passer un moment chez toi !
Nous aimerions profiter pleinement
de ce qu'il y a de meilleur dans ta maison,
dans le *temple qui t'est consacré.
6 Dieu notre Sauveur, tu es fidèle à toi-même,
tu nous réponds par des actes impressionnants,
toi en qui espèrent les peuples du bout du monde
et des rivages les plus lointains.

7 Tu forces les montagnes à se mettre en place,
tu es armé de vigueur.
8 Tu apaises le mugissement des mers,
le mugissement de leurs vagues,
et le grondement des peuples.

---

m **64.6** Les anciennes versions grecque et syriaque ont compris *Personne ne nous verra*.

n **64.7** Le texte hébreu du v. 7 est peu clair et la traduction incertaine. – *l'homme n'est jamais à court d'idées* : littéralement *au fond de l'homme, le cœur est insondable*. Cette remarque en forme de proverbe peut être attribuée soit aux méchants soit à l'auteur du psaume.

o **64.9** Hébreu peu clair.

p **65.2** *dans la cité de Sion* : autre traduction *qui résides à Sion*.

9 Devant tes interventions marquantes,
les habitants du bout du monde ont pris peur ;
tu fais crier de joie l'Orient et l'Occident.

10 Tu t'occupes de la terre, tu l'arroses en abondance,
tu la combles de richesses.
O Dieu, ton ruisseau est plein d'eau[q],
tu prépares le blé pour les hommes, tu mets la terre en état :
11 tu irrigues ses sillons, tu aplanis ses mottes,
tu la détrempes par la pluie,
tu donnes aux graines la force de germer.
12 Tu achèves en beauté une année de bontés,
sur ton passage l'abondance ruisselle.
13 Les pâturages de la campagne ruissellent de la même richesse,
les collines s'entourent de cris de joie.
14 Les prés portent un manteau de troupeaux,
le fond des vallées se couvre de blés ;
toute la campagne te fait ovation et te chante.

PSAUME 66 (65) Louange à Dieu le libérateur

1 *Chant du répertoire du *chef de chorale. Psaume.*

Faites à Dieu une ovation, gens du monde entier.
2 Célébrez par vos chants son nom glorieux,
honorez-le par vos louanges.
3 Dites à Dieu : « Combien ce que tu fais est impressionnant !
Face à ton immense puissance, tes ennemis abandonnent toute fierté[r].
4 Que les gens du monde entier s'inclinent jusqu'à terre devant toi,
qu'ils te célèbrent par leurs chants,
oui, qu'ils te célèbrent, Seigneur ! » **Pause*

5 Venez voir ce que Dieu a fait ;
pour les humains son exploit est impressionnant.
6 Il a mis la mer à sec,
on passe le fleuve à pied[s].
Soyons en joie pour ce haut fait.
7 Il règne avec énergie pour toujours.
Des yeux il surveille les nations :
que les rebelles ne fassent pas les fiers ! *Pause*

8 Peuples, remerciez notre Dieu,
louez-le à pleine voix.
9 Il nous a fait entrer dans la vie,
il nous a préservés des faux pas.

10 O Dieu, tu nous as éprouvés,
tu nous as passés au creuset comme l'argent,

---

q **65.10** *ton ruisseau* ou *le ruisseau de Dieu* : voir 46.5 ; Ézék 47 ; Joël 4.18 ; Zach 14.8.

r **66.3** *abandonnent toute fierté* : le sens du verbe hébreu correspondant est incertain ; la traduction s'inspire de l'interprétation proposée par plusieurs versions anciennes.

s **66.6** Voir 74.15 ; 78.13 ; 106.9 ; 114.3,5 ; Ex 14.16,21-22 ; Jos 3.15-16 ; És 44.27 ; 50.2.

[11] tu nous as mis en difficulté,
tu nous as accablés de détresse[t].
[12] Tu as laissé des hommes nous passer à cheval sur la tête[u],
nous avons dû traverser le feu et l'eau.
Mais tu nous as tirés de là et soulagés.

[13] J'entre dans ton *temple pour t'apporter des *sacrifices,
pour tenir les promesses que je t'ai faites,
[14] celles-là mêmes que j'ai prononcées
quand j'étais dans la détresse.
[15] Je t'offre des bêtes grasses et des béliers,
je prépare un taureau et des boucs.
Sur *l'autel ils vont être consumés
et leur fumée montera jusqu'à toi. *Pause*

[16] Vous tous, les fidèles de Dieu, venez écouter,
je vous raconterai ce qu'il a fait pour moi :
[17] Je l'ai appelé à mon secours,
déjà prêt à proclamer sa grandeur.
[18] Si j'avais eu des intentions coupables,
le Seigneur ne m'aurait pas écouté.
[19] Mais voilà, Dieu a écouté,
il a été attentif à ma prière.
[20] Merci à Dieu ! Il n'a pas écarté ma prière,
il ne m'a pas privé de sa bonté.

PSAUME 67 (66) Que tous les peuples te louent

[1] *Du répertoire du *chef de chorale. Accompagnement sur instruments à cordes. Chant.*

[2] O Dieu, accorde-nous ton appui et *bénis-nous ;
fais-nous bon accueil. **Pause*
[3] Ainsi l'on saura sur terre, comment tu interviens ;
on saura parmi toutes les nations que tu es le Sauveur.
[4] Que les peuples te louent, Dieu,
que tous les peuples te louent !
[5] Que les nations expriment leur joie par des cris,
car tu juges les peuples équitablement,
et sur la terre tu conduis les nations. *Pause*
[6] Que les peuples te louent, Dieu,
que tous les peuples te louent !

[7] La terre a donné ses produits ;
que Dieu, notre Dieu, nous bénisse !
[8] Oui, que Dieu nous bénisse,
et que les peuples les plus lointains
reconnaissent son autorité !

t **66.11** *en difficulté* : le sens du terme hébreu correspondant est incertain ; quelques-uns traduisent *Tu nous as amenés dans un piège* (un filet). – *tu nous as accablés* ou *tu as mis sur nos reins*. – *la détresse* : le sens du terme hébreu correspondant est discuté ; autre traduction *une charge*.

u **66.12** *Tu as laissé...* : autre traduction *Tu as laissé n'importe qui chevaucher à notre tête*.

PSAUME 68 (67)

Hymne pour accueillir le Dieu victorieux

[1] *Du répertoire du *chef de chorale. Psaume appartenant au recueil de David. Chant.*

[2] Que Dieu intervienne, que ses ennemis se dispersent,
et que ses adversaires s'enfuient devant lui !
[3] Comme une fumée se dissipe, comme la cire fond au feu,
qu'ainsi les méchants disparaissent devant Dieu[v] !
[4] Mais que ses fidèles débordent de joie,
qu'ils explosent d'allégresse devant lui !

[5] Chantez en l'honneur de Dieu, célébrez son nom,
pour l'accueillir, lui qui chevauche les nuages[w] :
le Seigneur, voilà son nom. Soyez en fête devant lui.
[6] Dans la demeure qui lui est consacrée,
Dieu est un père pour l'orphelin, un justicier qui défend la veuve.
[7] C'est lui qui donne une famille aux isolés,
et aux prisonniers la joie de la liberté.
Seuls les rebelles restent sur une terre brûlée.

[8] O Dieu, quand tu es sorti devant ton peuple,
quand tu t'es avancé dans le désert, **Pause*
[9] la terre s'est mise à trembler[x] et le ciel à ruisseler devant toi,
Dieu du Sinaï, Dieu d'Israël.
[10] Tu as fait tomber une pluie abondante,
tu as revigoré ton pays épuisé.
[11] C'est là que ton peuple s'est fixé,
en ce lieu que toi, Dieu si bon,
tu avais préparé pour le malheureux.

[12] Le Seigneur prononce une parole ;
les messagères de bonne nouvelle forment une troupe nombreuse[y].
[13] « Les rois des armées ennemies s'enfuient à toutes jambes,
les femmes restées à la maison font le partage du butin.
[14] Les ailes de la colombe sont plaquées d'argent
et ses plumes ont des reflets d'or pâle[z].
– Allez-vous rester couchés au campement ? –
[15] Quand le Dieu très-grand dispersa les rois,
la neige tombait sur le mont Salmon[a]. »

[16] La montagne du *Bachan est une montagne sacrée ;
la montagne du Bachan a de nombreux sommets[b].

68.3 Autre traduction *Comme une fumée se dissipe, tu les éparpilles ; comme la cire fond au feu, les méchants disparaissent devant Dieu.*

v **68.5** *lui qui chevauche les nuages* : une expression semblable se trouve dans les textes cananéens découverts à Ougarit, voir aussi v. 34 ; Deut 33.26 ; És 19.1 ; Ps 18.10. Autre traduction *lui, le cavalier des grands espaces.*

x **68.9** Voir Ex 19.18.

y **68.12** La traduction du v. 12 est incertaine, le texte des v. 12-15 est peu clair.

z **68.14** Le v. 14 fait peut-être allusion à la valeur du butin dont on est en train de dresser l'inventaire.

a **68.15** Certains situent cette montagne dans le *Bachan, au nord-est du lac de Génésareth. La Bible ne semble pas avoir conservé d'autres souvenirs de la bataille évoquée aux v. 12-15. Voir cependant Jug 5.

b **68.16** *de nombreux sommets* : traduction incertaine d'un terme inconnu par ailleurs.

17 Mais pourquoi, montagne aux nombreux sommets,
être jalouse de la montagne où Dieu a choisi d'habiter,
où le Seigneur demeure pour toujours ?

18 Dieu a des chars par milliers, par dizaines de milliers.
Le Seigneur est venu avec eux,
le mont Sinaï est dans le *lieu saint !
19 Tu es monté vers les hauteurs, tu as fait des prisonniers,
tu as reçu des dons de la part des hommes, même des rebelles,
Seigneur Dieu, et tu as ta demeure à *Sion[c].

20 Qu'on remercie le Seigneur, jour après jour.
Il nous prend en charge, Dieu notre Sauveur. *Pause*
21 Dieu est pour nous un Dieu qui sauve :
lui, le Seigneur,
dispose des moyens de nous faire échapper à la mort.
22 Mais Dieu brisera sûrement le crâne de ses ennemis,
la tête chevelue[d] de ceux qui se rendent coupables.

23 Le Seigneur a déclaré : « J'en ramènerai du Bachan,
j'en ramènerai du fond de la mer,
24 pour que tes pieds pataugent dans le sang[e],
et que tes chiens aient leur part de festin
sur le cadavre de tes ennemis. »
25 O Dieu, on a vu ton cortège triomphal,
ton cortège dans le saint *temple, mon Dieu, mon Roi !
26 En tête les chanteurs, en queue les musiciens,
au milieu les jeunes filles avec leurs tambourins.
27 Remerciez Dieu dans les assemblées,
remerciez le Seigneur,
vous qui avez vos racines[f] en Israël.
28 En premier vient Benjamin, la plus petite des tribus ;
ensuite les chefs de Juda en habits richement brodés[g],
puis les chefs de Zabulon et ceux de Neftali.
29 Mon Dieu, donne un ordre à la mesure de ta force[h],
ta force divine, qui a tant fait pour nous !
30 De ton temple, qui domine Jérusalem,
là où les rois t'apporteront leurs dons,
31 lance tes menaces à la bête des roseaux,
au troupeau de taureaux et au peuple de veaux

---

c **68.19** *tu as reçu des dons de la part des hommes* : autre texte (anciennes versions grecque et araméenne) *tu as fait des dons aux hommes*. C'est sous cette dernière forme que le verset est cité en Éph 4.8. – *même... à Sion* : texte hébreu peu clair et traduction incertaine. Selon l'ancienne version syriaque il faudrait comprendre *mais les rebelles ne pourront pas demeurer devant Dieu*.

d **68.22** Les hommes de guerre portaient les cheveux longs lorsqu'ils participaient à la guerre sainte.

e **68.24** D'après les versions anciennes et comme en 58.11. Le Seigneur semble s'adresser ici à son peuple.

f **68.27** *vos racines* ou *votre source*.

g **68.28** *en habits richement brodés* : d'après un manuscrit hébreu et l'ancienne version latine. Le texte hébreu traditionnel propose ici un terme inconnu par ailleurs, que certains interprètent *la foule bruyante (des chefs de Juda)*.

h **68.29** L'ensemble du verset est peu clair en hébreu et la traduction incertaine. – *donne un ordre à la mesure de ta force*. En regroupant autrement les consonnes, le texte hébreu traditionnel propose *ton Dieu a ordonné ta force*.

qui se soumettent en t'offrant des pièces d'argent ;
disperse les peuples qui se plaisent à la guerre[i].

32 Des ambassadeurs arrivent d'Égypte,
les Éthiopiens accourent vers Dieu en tendant les mains[j].
33 Royaumes de la terre,
chantez en l'honneur de Dieu, célébrez le Seigneur, *Pause*
34 qui chevauche au plus haut du ciel éternel.
Le voici qui fait gronder sa forte voix[k].
35 Proclamez que la force est à Dieu,
que sa majesté domine Israël,
et que sa force a la hauteur des nuages.

36 O Dieu, tu te révèles redoutable depuis ton *sanctuaire.
C'est le Dieu d'Israël, qui donne à son peuple force et pouvoir.
Merci à Dieu !

PSAUME 69 (68) L'amour que j'ai pour ton temple

1 *Du répertoire du *chef de chorale et du recueil de David ; accompagnement sur guitares*[l].

2 Dieu, au secours, j'ai de l'eau jusqu'au cou !
3 J'enfonce tout au fond de la boue,
sans trouver un sol ferme sous les pieds.
Me voilà dans l'eau profonde, emporté par le courant.
4 Je n'en peux plus d'appeler au secours,
j'en ai la gorge brûlante.
Mon regard se fatigue à t'attendre, mon Dieu.
5 Ceux qui m'en veulent sans raison[m]
sont plus nombreux que les cheveux sur ma tête.
A tort ils me traitent en ennemi,
et ils ont le pouvoir de me détruire.
Ce que je n'ai pas pris, voilà que je devrais le rendre !

6 Mais toi, Dieu, tu sais comme j'ai été sot,
et mes fautes ne t'échappent pas.

7 Seigneur, Dieu de l'univers, je ne voudrais pas
faire honte à ceux qui comptent sur toi.
Dieu d'Israël, ne laisse pas tes fidèles
dans l'humiliation à cause de moi.

68.31 La *bête des roseaux* : sans doute le crocodile ou l'hippopotame, qui sont symboles de l'Égypte, ennemie d'Israël à cette époque. Le *troupeau de taureaux* et les *peuples de veaux* désignent peut-être d'autres peuples voisins d'Israël. – *qui se soumettent...* : hébreu obscur, traduction incertaine. – *disperse* : avec les anciennes versions grecque, syriaque et latine ; avec d'autres voyelles le texte hébreu traditionnel propose *il a dispersé*.

j **68.32** Le sens du v. 32 est incertain. Il est traduit ici d'après les anciennes versions. D'autres comprennent *De riches tissus arrivent d'Égypte / les Éthiopiens accourent vers Dieu les mains pleines*.

k **68.34** Voir 29.3.

l **69.1** Voir 45.1 et la note.

m **69.5** *sans raison* : voir 35.19. – Le début du v. 5 est cité en Jean 15.25.

8 Car c'est pour toi que je subis des insultes,
que je rougis d'humiliation,
9 et que je suis devenu un étranger pour mes frères,
un inconnu pour ma famille.
10 L'amour que j'ai pour ta maison
me consume comme un feu.
Les insultes qui te sont destinées retombent sur moi[n].
11 J'ai pleuré, j'ai *jeûné,
et cela me vaut encore des insultes.
12 Je porte un vêtement de deuil,
et du même coup on fait de moi un thème de chansons.
13 Je suis le sujet des conversations sur la place publique[o],
et des refrains que chantent les ivrognes.

14 Mais moi, je t'adresse ma prière ;
Seigneur, c'est le moment d'être favorable.
O Dieu, ta bonté est grande,
tu me sauveras sûrement, réponds-moi donc.
15 Arrache-moi à l'enlisement dans la boue ;
oui, arrache-moi aux eaux profondes,
à ceux qui m'en veulent.
16 Ne me laisse pas emporter par le courant,
ni engloutir dans le gouffre ;
ne permets pas que la tombe se referme sur moi.
17 Réponds-moi, Seigneur ; c'est ta bonté qu'il me faut.
Que ton grand amour te tourne vers moi.
18 Ne te détourne plus de moi, ton serviteur.
Je suis en détresse, réponds-moi sans tarder.
19 Approche-toi de moi pour me prendre en charge ;
à cause de mes ennemis, délivre-moi.

20 Tu sais comme on m'insulte,
tu connais ma honte et mon humiliation ;
tu vois devant moi tous mes adversaires.
21 L'insulte m'a brisé le cœur, je ne peux pas m'en remettre.
J'espère un signe de sympathie, mais rien ne vient.
Je cherche quelqu'un qui me console, mais je ne trouve personne.
22 Dans ma nourriture ils ont mis du poison,
et quand j'ai soif ils m'offrent du vinaigre[p].

23 Que leurs banquets soient un piège
pour eux et leurs convives !
24 Que leurs yeux se voilent, qu'ils perdent la vue !
Fais-leur sans cesse courber le dos[q].
25 Déverse sur eux ta fureur,
et que ta colère ardente les atteigne.

---

n **69.10** Les deux parties de ce verset sont citées respectivement en Jean 2.17 et Rom 15.3.

o **69.13** C'est l'espace libre situé devant *la porte* de la ville qui servait de *place publique*.

p **69.22** Voir Matt 27.48 ; Marc 15.36 ; Jean 19.28-29.

q **69.24** *leurs banquets* (v. 23) : ce verset ferait allusion aux repas qui suivaient certains sacrifices. – Les v. 23-24 sont évoqués en Rom 11.9-10.

26 Que leur camp soit dévasté
et leurs tentes dépeuplées[r],
27 puisqu'ils s'acharnent sur celui que tu as déjà frappé,
et qu'ils font des discours
sur les souffrances de ceux que tu as déjà atteints !
28 Enregistre toutes leurs fautes,
et qu'ils ne trouvent jamais ton approbation.
29 Efface leurs noms de la liste des vivants[s],
ne les compte pas au nombre des fidèles.

30 Moi, je suis pauvre et souffrant,
mais ton secours me protégera, ô Dieu.
31 Par mon chant je t'acclamerai,
dans mes louanges je dirai ta grandeur.
32 Voilà qui t'est plus agréable, Seigneur,
qu'un bœuf que je pourrais t'offrir,
ou qu'un taureau dans toute sa force[t].
33 Les humbles verront ma délivrance et s'en réjouiront.
« Vous qui cherchez le secours de Dieu, longue vie à vous !
34 Car le Seigneur écoute les malheureux,
il ne néglige pas ses fidèles quand ils sont en prison.
35 Et vous, ciel et terre, acclamez-le,
avec les mers et tout ce qui s'y meut !
36 Car Dieu sauvera *Sion, il rebâtira les villes de Juda,
son peuple les récupérera et les occupera de nouveau.
37 Les enfants de ses serviteurs les recevront en héritage,
et ceux qui aiment le Seigneur y auront leur demeure. »

PSAUME 70 (69)

Viens vite, Seigneur

(Voir Ps 40.14-18)

1 *Du répertoire du *chef de chorale et du recueil de David ; pour se rappeler au souvenir de Dieu[u].*

2 O Dieu, délivre-moi,
Seigneur, viens vite à mon aide.
3 Honte et déception
à ceux qui veulent ma mort !
Que ceux qui prennent plaisir à mon malheur
reculent déshonorés !
4 Que ceux qui ricanent à mon sujet
fassent demi-tour sous le poids de leur honte !
5 Mais que tous les fidèles
soient débordants de joie, à cause de toi ;
et que tous ceux qui t'aiment, toi le Sauveur,
ne cessent de proclamer : « Dieu est grand ! »

69.26 Verset cité en Act 1.20 et appliqué à Judas.
69.29 *la liste des vivants* ou *le livre de vie* : voir Phil 4.3 ; Apoc 13.8 ; 17.8 ; 20.12,15 ; 21.27 ; comparer Ex 32.32-33 ; Dan 12.1 ; Luc 10.20.
t **69.32** Voir 50.10-14 ; 51.18-19.
u **70.1** Voir 38.1 et la note.

[6] Moi, je suis pauvre et malheureux ;
ô Dieu, viens vite auprès de moi ;
mon aide et ma sécurité, c'est toi ;
Seigneur, ne tarde pas.

PSAUME 71 (70)

Ne me laisse pas, maintenant que je vieillis

[1] Seigneur, c'est à toi que j'ai recours,
ne me laisse pas déçu.

[2] Toi qui es fidèle à tes engagements,
délivre-moi et mets-moi en lieu sûr ;
tends vers moi une oreille attentive, et sauve-moi.
[3] Sois pour moi un rocher accueillant,
où je puisse venir à tout moment.
Tu as décidé de me sauver[v].
Oui, tu es bien mon rocher, ma forteresse !
[4] Mon Dieu, fais-moi échapper aux méchants,
aux imposteurs et aux violents.
[5] C'est toi, Seigneur Dieu, qui es mon espoir ;
je me fie à toi depuis ma jeunesse.
[6] Dès ma naissance je me suis appuyé sur toi ;
c'est toi qui m'as tiré du ventre de ma mère[w] ;
j'ai toujours un motif de te louer.
[7] Pour beaucoup j'étais une sorte de monstre,
mais tu as été mon sûr protecteur.
[8] Que ma bouche soit remplie de tes louanges !
Tous les jours je voudrais célébrer ta *gloire.

[9] Ne me laisse pas, maintenant que je vieillis ;
quand je perds mes forces, ne m'abandonne pas.
[10] Mes ennemis parlent de moi,
ceux qui me surveillent se consultent.
[11] Ils disent : « Dieu l'a laissé tomber ; allez-y, attrapez-le,
personne ne l'arrachera de vos mains. »
[12] O Dieu, ne reste pas loin de moi,
mon Dieu, viens vite à mon secours.
[13] Honte et catastrophe à ceux qui m'accusent !
Que ceux qui veulent mon malheur
soient couverts de déshonneur et d'humiliation !
[14] Moi, j'espère toujours,
je te louerai encore et encore.
[15] Je dirai combien tu es fidèle à toi-même,
je raconterai tous les jours comment tu es le Sauveur,
tant tes bienfaits sont innombrables.
[16] J'entrerai chez toi, Seigneur Dieu, grâce à ton intervention[x],
et je ne parlerai que de ta loyauté.

---

v **71.3** *où je puisse venir à tout moment. Tu as décidé* : le texte hébreu traditionnel est très incertain. Au lieu de ces mots l'ancienne version grecque a lu *une forteresse où je trouve le salut*.

w **71.6** *c'est toi qui m'as tiré*. Le sens du mot hébreu correspondant est douteux. Les anciennes versions grecque et latine ont compris *depuis que je suis né tu m'as protégé*.

x **71.16** Autre traduction *J'en viens à tes exploits, Seigneur Dieu*.

17 O Dieu, tu m'as instruit dès ma jeunesse,
et jusqu'à présent j'annonce tes merveilles.
18 Maintenant que j'ai les cheveux blancs,
ô Dieu, ne m'abandonne pas ;
alors je pourrai annoncer ton action efficace et vigoureuse
aux jeunes et à ceux qui viendront après eux.
19 O Dieu, ta loyauté est si haute,
et tu as fait de si grandes choses !
O Dieu, tu n'as pas ton pareil.
20 A cause de toi j'ai connu bien des angoisses et des malheurs.
Mais tu viendras me rendre la vie ;
tu viendras me faire remonter des profondeurs de la tombe[y].
21 Une nouvelle fois tu me consoleras,
tu me rendras mon honneur.
22 Et moi, je te louerai au son de ma harpe ;
mon Dieu, je chanterai ta fidélité ;
je te célébrerai aux accords de la lyre[z],
toi, l'unique vrai Dieu, le Dieu d'Israël.
23 Je te célébrerai par mes chants,
mes lèvres crieront ma joie car tu m'as libéré.
24 Tous les jours je célébrerai ta loyauté,
car les voilà honteux et humiliés,
ceux qui voulaient mon malheur.

SAUME 72 (71)

Prière pour que Dieu bénisse le roi

1 *Des écrits de Salomon.*

O Dieu, accorde au roi de prononcer les mêmes jugements que toi ;
donne à ce fils de roi ton sens de la justice.
2 Qu'il soit loyal et fidèle au droit
en jugeant les pauvres gens, ton peuple.
3 Que les montagnes leur apportent la paix,
et les collines la justice[a].
4 Que le roi fasse droit aux pauvres du peuple,
qu'il soit le sauveur des malheureux
et qu'il écrase leur oppresseur[b] !

5 Qu'il vive[c] tant que le soleil brillera,
aussi longtemps que la lune éclairera,
jusqu'à la fin des temps.
6 Qu'il soit comme la pluie qui tombe sur les prés,
comme l'averse qui arrose la terre !
7 Sous son règne, que le bon droit s'épanouisse,
qu'il y ait abondance de biens
tant que la lune existera !

71.20 Une autre tradition textuelle juive a lu *...nous avons connu... nous rendre la vie... nous faire remonter...*
71.22 *harpe, lyre* : voir 150.3 et la note.
72.3 *les montagnes... les collines* sont considérées ici comme lieux privilégiés de la présence de Dieu, c'est-à-dire comme l'origine des bienfaits attendus (voir 121.1 ; 133.3 ; etc.).
b 72.4 Voir És 11.4.
c 72.5 *Qu'il vive* ou *Qu'il dure !*

[8] Qu'il soit le maître d'une mer à l'autre[d]
et de l'Euphrate jusqu'au bout du monde !
[9] Les habitants du désert plieront le genou devant lui,
ses ennemis mordront la poussière.
[10] Les rois de Tarsis et des îles lointaines lui enverront des cadeaux :
les rois de Saba et de Séba lui livreront leur contribution[e].
[11] Tous les rois s'inclineront devant lui,
toutes les nations lui seront soumises.

[12] Il délivrera le malheureux qui appelle
et le pauvre qui n'a personne pour l'aider.
[13] Il aura pitié du faible et du malheureux,
il leur sauvera la vie.
[14] Il les libérera de l'oppression et de la violence,
car pour lui, leur vie a du prix.

[15] Vive le roi ! Qu'on lui donne en cadeau de l'or de Saba,
qu'on prie pour lui en tout temps ;
qu'on demande tous les jours à Dieu de le *bénir !
[16] Que le pays produise quantité de blé,
que ses moissons ondulent sur les hauteurs,
qu'elles soient florissantes comme les montagnes du Liban,
qu'elles s'épanouissent, depuis la ville,
comme l'herbe des champs[f] !
[17] Que la renommée du roi soit éternelle,
qu'elle se perpétue autant que le soleil !
Que les hommes prononcent son nom
quand ils se béniront l'un l'autre,
et que toutes les nations déclarent le roi bienheureux !

[18] Merci au Seigneur, au Dieu d'Israël,
le seul qui fasse des prodiges.
[19] Pour toujours merci au Dieu glorieux !
Que la terre soit remplie de sa présence glorieuse !
*Amen, oui, qu'il en soit bien ainsi !

*

[20] *Ici prennent fin les prières de David, fils de *Jessé.*

---

d **72.8** C'est-à-dire de la mer Morte à la mer Méditerranée ; voir Zach 9.10.

e **72.10** *Tarsis* : ville de la Méditerranée occidentale, très éloignée de la Palestine ; elle était peut-être située sur la côte espagnole. – *Saba* : sans doute au sud de l'Arabie. – *Séba* : peut-être au nord de l'actuel Soudan, ou au Yémen (voir És 43.3 ; 45.14). – Su[r] l'ensemble du verset, voir És 60.6.

f **72.16** *quantité* ou *abondance* : le sens du terme hé[breu] correspondant est incertain. – *qu'elles s'épa[nouissent] depuis la ville* : le texte hébreu correspon[dant] est très incertain.

TROISIÈME LIVRE
(Psaumes 73–89)

PSAUME 73 (72)

Quand tout semble réussir aux méchants

1 *Psaume appartenant au recueil d'Assaf*[g].

Dieu est vraiment bon pour Israël,
pour tous ceux qui ont le cœur pur.
2 Pourtant, j'ai bien failli faire un faux pas ;
il s'en est fallu d'un cheveu que je tombe.

3 J'ai vu en effet ceux qui ont renié Dieu,
j'ai vu que tout leur réussit, et j'ai envié ces insolents.
4 Ces gens-là n'ont jamais d'ennuis,
ils sont gros et gras,
5 ils ne connaissent pas la peine des hommes ;
les coups durs sont pour les autres, pas pour eux.
6 Ils portent l'arrogance comme une décoration,
la violence leur va comme un costume sur mesure.
7 Dans leur luxe, ils vous regardent de haut,
on voit bien tout ce qu'ils imaginent[h].
8 Ils se moquent, ils parlent méchamment,
d'un air supérieur ils ne parlent que d'opprimer.
9 Ils ouvrent la bouche pour s'attaquer au ciel,
et leur langue n'épargne rien sur terre.
10 C'est pourquoi tout le monde se tourne vers eux
et boit leurs paroles comme de l'eau[i].
11 Ils déclarent : « Dieu ne peut rien remarquer ;
comment peut-il savoir, celui qui est là-haut ? »
12 Regardez-les, ces gens sans foi ni loi :
toujours à l'abri des ennuis, ils améliorent leur situation.
13 C'est donc pour rien que je suis resté honnête,
et que j'ai lavé mes mains en signe d'innocence[j].
14 Tous les jours, j'endure toutes sortes de peines,
chaque matin, je suis au supplice.
15 Mais si je me décidais à parler comme eux,
je serais traître envers tes fils, mes compagnons.
16 J'ai voulu y réfléchir, pour comprendre ;
mais tout cela m'a paru trop difficile,
17 jusqu'au jour où, entrant dans ton *sanctuaire,
j'ai compris quel sort les attendait.

18 En fait, tu les mets sur une pente glissante,
tu les fais tomber dans un piège.
19 Ah ! comme en peu de temps ils sont réduits à rien,
finis, anéantis par une terreur soudaine !

---

g 73.1 *Assaf* : voir 50.1 et la note.
h 73.7 Le texte hébreu du v. 7 présente plusieurs difficultés et la traduction reste incertaine.
i 73.10 Le texte hébreu du v. 10 est très incertain.
j 73.13 Voir 26.6.

20 Seigneur, dès que tu entres en action, ils se réduisent à rien,
comme les images d'un rêve lorsqu'on s'éveille.

21 Quand j'étais plein d'amertume,
choqué jusqu'au plus profond de moi-même,
22 j'étais stupide, je n'y comprenais rien,
comme une vraie bête devant toi.

23 Pourtant je suis toujours avec toi.
Tu m'as saisi la main droite,
24 tu me conduis selon ton plan
et tu me recevras avec les honneurs.
25 Au ciel, qui me viendra en aide, sinon toi ?
Et ici-bas, que désirer, puisque je suis avec toi ?
26 Mon corps peut s'épuiser, mon cœur aussi,
mais mon appui, mon bien le plus personnel,
c'est toi, Dieu, pour toujours.
27 Ceux qui s'éloignent de toi succombent,
et tu réduis à rien ceux qui t'abandonnent.
28 Mais mon bonheur à moi, c'est d'être près de toi.
J'ai mis ma confiance en toi, Seigneur,
pour proclamer tout ce que tu as fait.

PSAUME 74 (73)

Appel à Dieu devant les ruines du temple

1 *Poème chanté appartenant au recueil d'Assaf*[k].

O Dieu, pourquoi nous as-tu définitivement rejetés ?
Pourquoi restes-tu furieux contre nous,
le troupeau dont tu es le *berger ?
2 Souviens-toi de ton peuple : il y a longtemps que tu l'as acquis.
Souviens-toi de ces tribus qui t'appartiennent
et que tu as prises en charge.
Souviens-toi du mont *Sion, où tu as fait ta demeure.

3 Monte jusqu'à ces ruines déjà anciennes :
l'ennemi a tout saccagé dans le *lieu saint.
4 Tes adversaires ont poussé leurs hurlements
à l'endroit même de ta présence.
Ils y ont placé leurs bannières.
5 Ils s'y sont montrés comme des bûcherons
qui brandissent leurs haches dans une forêt.
6 A coups de cognée et de pioche, tous ensemble,
ils ont fracassé les sculptures[l].
7 Ils ont mis le feu à ton *sanctuaire,
jeté à terre et souillé ta propre demeure.
8 Ils se disaient à notre sujet :
« Nous allons les mater tous ensemble. »
Ils ont incendié dans le pays
tous les lieux de rendez-vous avec Dieu.

---

k 74.1 *Poème chanté* : voir 32.1 et la note. – *Assaf* : voir 50.1 et la note.

l 74.6 Le texte hébreu des v. 5-6 est par endroits peu clair et la traduction incertaine.

9 On ne voit plus les signes de ta présence, il n'y a plus de *prophètes,
et personne parmi nous ne sait jusqu'à quand tout cela durera.
10 Oui, combien de temps encore, ô Dieu,
l'adversaire te provoquera-t-il,
l'ennemi se moquera-t-il de toi sans cesse ?
11 Pourquoi te retiens-tu d'intervenir
et restes-tu les bras croisés[m] ?
12 O Dieu, mon Roi depuis toujours,
tu es l'auteur de bien des délivrances sur la terre.
13 Tu as eu la force de fendre la mer,
de briser les têtes du grand dragon marin,
14 de fracasser le crâne de ce monstre,
et tu l'as fait dévorer par les requins[n].
15 Tu ouvres un passage aux sources et aux ruisseaux,
tu dessèches des fleuves intarissables.
16 Le jour t'appartient, la nuit aussi,
toi qui as créé la lune et le soleil.
17 Tu as fixé toutes les limites de la terre,
c'est toi qui as fait l'été et l'hiver.

18 Rappelle-toi ceci, Seigneur : l'ennemi te provoque,
ce peuple stupide se moque de toi.
19 Ne livre pas aux bêtes sauvages la vie du peuple qui t'est si cher[o],
n'oublie pas pour toujours l'existence de ces pauvres qui sont à toi.
20 Considère tes engagements,
alors que les victimes de la violence
ont rempli les cachettes du pays[p].
21 Ne laisse pas les opprimés repartir humiliés.
Mais que les pauvres et les malheureux se mettent à t'acclamer.
22 Interviens, ô Dieu, défends ta cause.
Souviens-toi des insultes
que ces gens stupides t'adressent tous les jours.
23 N'oublie pas les cris de tes ennemis,
les hurlements que tes adversaires font sans cesse monter vers toi.

PSAUME 75 (74) C'est Dieu qui est juge

1 *Du répertoire du *chef de chorale. A chanter sur l'air de « Ne laisse pas détruire... ». Psaume appartenant au recueil d'Assaf[q]. Chant.*

2 Nous te louons, ô Dieu, nous te louons,
nous proclamons qui tu es[r],
nous racontons tes merveilles.

---

m **74.11** *rester les bras croisés* ou *garder la main droite dans la poche de son vêtement.*

n **74.14** *ce monstre* ou *Léviatan* : voir És 27.1 et la note. – *par les requins* (ou *par les tortues de mer*) : en découpant les mots autrement le texte hébreu traditionnel propose *par les habitants du désert.*

o **74.19** *aux bêtes sauvages* : texte interprété d'après plusieurs versions anciennes ; hébreu *la bête de ...* – *du peuple qui t'est si cher* ou *de ta tourterelle* : autres interprétations *de ton peuple innocent* ou *de ton peuple sans défense.*

p **74.20** Le texte hébreu du v. 20 est peu clair et le sens incertain. – *tes engagements* : autre traduction *l'alliance.*

q **75.1** *A chanter...* : voir 57.1 et la note ; 58–59. – *Assaf* : voir 50.1 et la note.

r **75.2** D'après les anciennes versions grecque et syriaque ; texte hébreu traditionnel *et ton nom proche.*

3 « Au moment que j'aurai fixé, dit Dieu,
moi, je rendrai une vraie justice.
4 La terre peut trembler, avec tous ses habitants,
mais c'est moi qui la maintiens sur ses bases. » *Pause

5 Je déclare donc aux insolents : « Trêve d'insolence ! »
et aux gens sans foi ni loi : « Vos airs supérieurs, ça suffit[s] !
6 Oui, ça suffit, vos airs supérieurs ;
cessez vos discours effrontés !
7 Sachez que la grandeur
ne vient ni d'Orient ni d'Occident,
ni encore du désert,
8 car celui qui juge, c'est Dieu,
abaissant l'un, élevant l'autre. »

9 Le Seigneur tient en main une coupe
où pétille un vin épicé, le vin de sa colère.
Il en verse aux méchants de la terre. Ils devront tous en boire,
et vider la coupe jusqu'à la dernière goutte[t].

10 Et moi je ne cesserai pas
de célébrer par mes chants le Dieu de Jacob
et d'annoncer ce qu'il a dit :
11 « Je casserai l'orgueil de tous les méchants,
tandis que grandira la fierté des fidèles. »

PSAUME 76 (75) A Sion, Dieu a cassé la guerre

1 *Du répertoire du *chef de chorale. Accompagnement sur instruments à cordes. Psaume appartenant au recueil d'Assaf*[u]*. Chant.*

2 Dieu s'est fait connaître en Juda,
il est célèbre en Israël.
3 Il a sa demeure à Salem[v],
sa résidence à *Sion.
4 C'est là qu'il a brisé les armes de guerre :
les flèches[w], les boucliers, les épées. *Pause

5 O Dieu, comme tu es éclatant de lumière,
plus imposant que les montagnes éternelles[x] !
6 Les vaillants soldats se sont trouvés dépouillés,
ils ont succombé au sommeil ;
ces hommes de guerre ont perdu tous leurs moyens[y].
7 Quand tu les menaças, Dieu de Jacob,
cavaliers et chevaux furent paralysés.

---

s **75.5** Ici et aux versets suivants c'est l'auteur du psaume qui tire les conséquences de la déclaration de Dieu formulée aux v. 3-4.

t **75.9** Sur cette image du jugement voir 60.5 et la note.

u **76.1** *Assaf* : voir 50.1 et la note.

v **76.3** *Salem* : nom abrégé de Jérusalem ; voir Gen 14.18.

w **76.4** Pour désigner *les flèches* l'hébreu emploie ici une tournure poétique (*les foudres de l'arc*), que certains interprètent *les flèches incendiaires*.

x **76.5** *montagnes éternelles* : voir Gen 49.26 ; Hab 3.6.

y **76.6** Comparer 2 Rois 19.35.

8 Comme tu es redoutable !
Qui peut rester debout devant toi
quand ta colère éclate ?
9 Du haut du ciel tu prononces ta sentence ;
le monde a peur, il reste tranquille,
10 quand tu te lèves pour prononcer ta décision
de sauver tous les humbles de la terre. *Pause*
11 Même la fureur des hommes est pour toi un chant de louange,
et ceux qui restent en colère prendront la tenue de deuil[z].

12 Faites des promesses au Seigneur votre Dieu,
et accomplissez-les.
Vous tous qui formez son entourage,
apportez vos dons au Dieu terrible.
13 Il dégonfle l'orgueil des princes,
il est redoutable pour les rois de la terre.

PSAUME 77 (76) Dans la détresse j'évoque tes merveilles d'autrefois

1 *Du répertoire du *chef de chorale. D'après Yedoutoun. Psaume appartenant au recueil d'Assaf*[a].

2 Je m'adresse à Dieu pour crier ma plainte,
je m'adresse à Dieu pour qu'il me prête attention.
3 Quand je suis dans la détresse, je me tourne vers le Seigneur.
Sans relâche, la nuit, ma main se tend vers lui[b],
je refuse qu'on me console.
4 Dès que je pense à Dieu, je pousse des soupirs ;
dès que je réfléchis, je perds courage. **Pause*
5 Tu m'empêches de fermer l'œil, Seigneur,
je me trouble, je ne sais plus que dire.
6-7 J'évoque le lointain passé, je repense au temps jadis.
Je passe la nuit à réfléchir, je médite et je cherche à comprendre[c] :
8 le Seigneur nous rejettera-t-il toujours ?
Ne voudra-t-il plus jamais de nous ?
9 A-t-il cessé pour toujours d'être bon pour nous ?
N'a-t-il désormais plus rien à nous dire ?
10 Dieu a-t-il oublié d'avoir pitié de nous ?
Dans sa colère, nous a-t-il fermé son cœur ? *Pause*
11 Et je me dis : « Ce qui me fait mal,
c'est que le Dieu très-haut n'agit plus pour nous. »

12 Je me souviens de[d] ce que tu as fait, Seigneur,
oui, j'évoque tes merveilles d'autrefois.
13 Je réfléchis à tes exploits,
je médite tes actes mémorables.
14 O Dieu, ton action est unique,
aucun dieu n'est aussi grand que toi.

76.11 Texte hébreu incertain. – *prendront la tenue de deuil* ou *mettront (le pagne de deuil) autour de la taille*.
77.1 *Yedoutoun* : voir 39.1 et la note. – *Assaf* : voir 50.1 et la note.
b **77.3** Comparer 28.2 et la note.
c **77.6-7** Le texte hébreu du v. 7 est incertain.
d **77.12** Une autre tradition textuelle juive a lu *je rappelle* (ou *je rappellerai*).

15 Tu es le seul qui fasses des merveilles ;
tu as montré ton pouvoir aux autres peuples.
16 Par ta vigueur tu as délivré ton peuple,
les descendants de Jacob et de Joseph. *Pause*
17 O Dieu, quand les eaux t'ont vu,
elles ont été prises de peur,
et bouleversées jusqu'en leurs profondeurs.
18 Les nuages déversaient des torrents d'eau,
au milieu d'eux grondait le tonnerre,
et tes flèches volaient en tous sens[e].
19 Au roulement de ton tonnerre
les éclairs illuminaient le monde,
la terre tremblait de peur.
20 Tu t'es fait un chemin dans la mer,
un passage au fond de l'eau[f],
et personne ne retrouva tes traces.
21 Tu t'es servi de Moïse et *d'Aaron
comme *bergers pour ton peuple.

PSAUME 78 (77) Le passé d'Israël, une leçon à ne pas oublier

1 *Poème chanté appartenant au recueil d'Assaf*[g].

Mon peuple, écoute bien mes instructions,
tends une oreille attentive à ce que je dis.
2 Je veux m'exprimer par une *parabole,
et dégager les leçons du passé[h].
3 Ce passé nous est familier,
tant nous l'avons entendu raconter,
tant nos parents nous en ont fait le récit.
4 Nous voulons non pas le cacher à nos enfants,
mais répéter à la génération qui suit
les motifs qu'ils ont de louer le Seigneur,
sa puissance et les merveilles qu'il a faites.

5 Il a établi une règle pour son peuple,
il a institué une loi en Israël.
Elle ordonnait à nos ancêtres
d'enseigner cette Histoire à leurs enfants.
6 Ainsi la génération qui suivrait, celle des enfants à naître,
la connaîtrait à son tour et pourrait répéter à ses propres enfants
7 de mettre leur confiance en Dieu,
de ne pas oublier ce qu'il a fait
et d'observer ses commandements.
8 Alors ils n'imiteraient plus cette génération de leurs ancêtres
qui fut indocile et rebelle,
de cœur inconstant et d'esprit infidèle à Dieu.

e **77.18** Les *flèches* de Dieu : image poétique pour désigner les éclairs ; voir 18.15 ; 144.6.

f **77.20** Allusion au passage de la mer des Roseaux (Ex 14–15).

g **78.1** *Poème chanté* : voir 32.1 et la note. – *Assaf* : vo[ir] 50.1 et la note.

h **78.2** Voir Matt 13.35, qui cite ce verset d'après l'a[n]cienne version grecque.

9 Les gens de la tribu d'Éfraïm[i], armés pour le tir à l'arc,
ont tourné le dos, le jour du combat :
10 ils n'avaient pas respecté l'engagement qui les liait à Dieu,
ils avaient refusé de suivre sa *loi,
11 ils avaient oublié ses exploits
et les merveilles qu'il leur avait fait voir.

12 En Égypte, dans la région de Soan,
sous les yeux de leurs ancêtres,
il avait fait des prodiges[j] :
13 il fendit la mer pour les faire traverser,
il figea ses eaux comme une muraille[k].
14 Le jour il les guidait grâce à une colonne de fumée,
et toute la nuit à la lumière d'un feu[l].
15 Il avait fendu des rochers dans le désert
pour les faire boire aux eaux souterraines.
16 De la pierre, il avait fait jaillir des ruisseaux
et couler des torrents d'eau[m].
17 Mais ils commirent de nouvelles fautes :
dans cette terre aride, ils s'opposèrent au Dieu très-haut.
18 Ils osèrent mettre Dieu au défi
en réclamant de quoi manger.
19 Ils médirent de Dieu en posant la question :
« Dieu est-il vraiment capable
de nous servir un repas dans le désert[n] ?
20 C'est vrai, il a frappé le rocher
pour en faire couler de l'eau et ruisseler des torrents.
Mais pourrait-il aussi nous fournir du pain
ou offrir de la viande à tous ? »
21 Le Seigneur se fâcha en entendant ces mots,
sa colère éclata contre Israël,
comme un feu allumé contre son peuple.
22 Car les siens n'avaient pas cru en lui,
ils n'avaient pas compté sur son secours.
23 Il donna pourtant des ordres aux nuages,
il ouvrit les portes du ciel,
24 il fit pleuvoir sur eux de quoi manger, la *manne ;
à son peuple il donna le pain du ciel[o].
25 Il leur envoya des vivres tant qu'ils en voulurent ;
les hommes purent manger le pain des *anges.
26 Puis Dieu déchaîna le vent d'est dans le ciel,
il força le vent du sud à souffler,
27 et fit descendre sur eux de la viande
comme un nuage de poussière :

78.9 Principale tribu du royaume israélite du nord, *Éfraïm* désigne souvent par extension l'ensemble de ce royaume.

78.12 *Soan* : ancienne ville de Basse-Égypte, nommée parfois Tanis, située dans la partie orientale du delta du Nil. – *des prodiges* : Ex 7.8–12.32.

k **78.13** Ex 14.21-22.

l **78.14** Ex 13.21-22.

m **78.16** V. 15-16 : Ex 17.1-7 ; Nomb 20.2-13.

n **78.19** *pour nous servir un repas* ou *pour nous dresser une table*.

o **78.24** Voir Jean 6.31.

des oiseaux en aussi grande quantité
que le sable au bord de la mer.
28 Il les fit tomber en plein dans le camp,
tout autour des tentes d'Israël.
29 Le Seigneur ayant satisfait leurs désirs,
ils en mangèrent beaucoup, tant qu'ils voulurent.
30 Mais ils n'étaient pas encore repus,
ils avaient encore la bouche pleine,
31 que la colère de Dieu éclata contre eux.
Il massacra une partie de l'élite,
il terrassa les jeunes hommes d'Israël[p].

32 Malgré tout ils commettaient de nouvelles fautes,
ils ne croyaient pas à ses merveilles.
33 Alors, d'un souffle, il balayait leur existence,
mettait fin à leur vie par un malheur soudain.
34 Quand la mort survenait, alors ils se tournaient vers Dieu,
ils revenaient à lui et cherchaient son appui.
35 Ils se rappelaient qu'il était leur Rocher,
que le Dieu très-haut était leur défenseur.
36 Mais ils n'étaient pas sincères,
ce qu'ils lui disaient n'était pas vrai,
37 ils ne lui étaient pas fermement attachés,
ils trahissaient leur engagement envers lui.
38 Mais lui, il leur gardait son affection,
il pardonnait leurs torts, il renonçait à les exterminer.
Bien souvent, il retint sa colère et fit taire son indignation,
39 se rappelant qu'ils n'étaient que des hommes,
un souffle qui s'en va pour ne plus revenir.

40 Que de fois, au désert, ils s'opposèrent à lui
et le provoquèrent dans ces lieux arides !
41 Ils recommençaient à le mettre au défi,
ils offensaient l'unique vrai Dieu, le Dieu d'Israël.
42 Ils oubliaient ce qu'il avait fait pour eux
quand il les avait délivrés de l'adversaire.
43 Ils oubliaient les interventions marquantes
qu'il avait réalisées en Égypte,
ses prodiges dans la région de Soan :
44 l'eau des canaux changée en sang
et rendue imbuvable pour les Égyptiens[q].
45 Les mouches piquantes, qui leur suçaient le sang,
et les grenouilles qui dévastaient tout[r].
46 Leurs récoltes livrées aux criquets,
le produit de leur travail aux *sauterelles[s].
47 Leurs vignobles ravagés par la grêle
et leurs sycomores par des pluies torrentielles[t].

---

p **78.31** V. 18-31 : voir Ex 16.2-15 ; Nomb 11.4-23,31-34.
q **78.44** Ex 7.14-25.
r **78.45** *mouches piquantes* : Ex 8.16-28. – *grenouilles* Ex 7.26–8.11.
s **78.46** Ex 10.1-20.
t **78.47** *des pluies torrentielles* : autre traduction *la gelée*

[48] Leur bétail soumis à la grêle
et leurs troupeaux à la foudre[u].
[49] A la fin, Dieu lâcha contre les Égyptiens
sa colère ardente, sa fureur déchaînée,
tout un commando d'anges de malheur.
[50] Donnant libre cours à sa colère,
il ne leur envoya pas seulement la mort,
mais les soumit tout vivants au pire fléau[v] :
[51] dans les familles égyptiennes, chez les descendants de Cham,
il frappa de mort les fils aînés, le premier produit de leur vigueur[w].
[52] Puis il fit partir son peuple
comme un troupeau qui sort de la bergerie ;
il conduisit les siens au désert,
comme on conduit ses *brebis[x].
[53] Il les mena en sûreté, à l'abri de la peur,
et la mer recouvrit leurs ennemis[y].

[54] Puis il les fit venir dans sa Terre Sainte,
à la montagne qu'il avait conquise[z].
[55] Il expulsa devant eux des populations
dont il leur répartit le territoire en lots héréditaires ;
il installa les tribus d'Israël chez les Cananéens eux-mêmes[a].
[56] Mais ils mirent au défi le Dieu très-haut
en s'opposant à lui, en n'observant pas ses commandements[b].
[57] Comme leurs ancêtres, ils furent déserteurs et traîtres,
décevants comme un arc dont la corde lâche.
[58] Ils provoquèrent le Seigneur
en utilisant les lieux sacrés des païens ;
et par leurs statuettes de faux dieux,
ils soulevèrent son indignation.
[59] En constatant cela, Dieu se fâcha
et il laissa tomber le peuple d'Israël.
[60] Il délaissa la demeure de Silo,
la tente qu'il avait dressée chez les hommes[c].
[61] Et quant au *coffre sacré, signe de sa puissance et de sa *gloire,
il le laissa passer en des mains ennemies et partir pour l'exil[d].
[62] Fâché contre ceux qui lui appartenaient,
il livra son peuple au massacre.

---

u **78.48** Ex 9.13-35. – *la grêle* : un manuscrit hébreu et une version grecque ancienne ont lu *la peste* ou *la mortalité du bétail* (voir Ex 9.1-7).

v **78.50** *au pire fléau* : autre traduction *à la peste*.

w **78.51** *Cham* : un des trois fils de Noé (Gen 7.13) considéré comme l'ancêtre des populations d'Afrique et du Moyen-Orient, notamment des Égyptiens (Gen 10.6-20). – *leur vigueur* : d'après Ps 105.36 ; hébreu *la vigueur*. – Mort des premiers-nés égyptiens : Ex 12.29.

x **78.52** Ex 13.17-22.

y **78.53** Ex 14.26-28.

z **78.54** Ex 15.17. – *la montagne* : le mont *Sion, où devait être bâti plus tard le temple de Jérusalem (v. 68-69).

a **78.55** Répartition du pays exproprié : Jos 11.16-23 ; 18.10.

b **78.56** Jug 2.11-15.

c **78.60** Jos 18.1 ; Jér 7.12-14 ; 26.6. – *la demeure de Silo* : ancien sanctuaire des Israélites, en Palestine centrale ; on y avait entreposé le *coffre sacré jusqu'à l'époque du jeune Samuel (1 Sam 4.3). – *la tente* désigne ici le sanctuaire de Silo ; l'expression évoque la tente qui avait servi de sanctuaire à l'époque de l'Exode (Ex 33.7).

d **78.61** Voir 1 Sam 4.4-22.

63 Le feu consuma les jeunes gens,
on ne chanta plus pour les jeunes filles[e].
64 Les prêtres furent assassinés,
et il ne resta plus de veuves
pour faire entendre les lamentations.

65 Alors, comme un homme qui a dormi,
comme un vaillant guerrier dégrisé, le Seigneur s'éveilla.
66 Il frappa ses adversaires en fuite
et les humilia définitivement.
67 Il écarta les descendants de Joseph ;
ce ne fut pas la tribu d'Éfraïm qu'il choisit[f],
68 mais la tribu de Juda,
et c'est le mont *Sion qui eut sa préférence.
69 Il y édifia son *temple, solide comme le ciel,
et comme la terre qu'il a mise en place pour toujours.

70 Il choisit aussi David comme serviteur,
il alla le chercher dans les parcs à moutons,
71 il le fit venir de derrière son troupeau,
pour qu'il devienne le *berger d'Israël,
de son peuple, son bien le plus personnel[g].
72 David s'acquitta de sa tâche d'un cœur irréprochable,
et d'une main experte il guida le peuple du Seigneur.

PSAUME 79 (78)

Viens à notre aide, nous sommes tombés bien bas

1 *Psaume appartenant au recueil d'Assaf.*

O Dieu,
des étrangers ont envahi ton domaine,
ils ont souillé le *temple qui t'est consacré,
ils ont fait de Jérusalem un tas de ruines[h].
2 Ils ont donné en pâture aux vautours les cadavres de tes serviteurs,
aux bêtes sauvages les corps de tes fidèles.
3 Tout autour de Jérusalem, le sang de tes fidèles a coulé à flots,
sans que personne vienne les mettre en terre[i].
4 Nous voilà insultés par nos voisins
et ridiculisés par ceux qui nous entourent.

5 Jusqu'à quand, Seigneur,
garderas-tu contre nous cette colère constante,
et cet acharnement qui brûle comme un feu ?
6 Emporte-toi plutôt contre ces étrangers qui t'ignorent,
contre ces royaumes où l'on ne te rend aucun culte.

---

e **78.63** Allusion aux chants qu'on entendait lors des mariages ; voir Cant 1–8.

f **78.67** *les descendants de Joseph* : les tribus d'Éfraïm et de Manassé (Gen 48.1) ; voir v. 9 et la note.

g **78.71** V. 70-71 : voir 1 Sam 16.11-13 ; 2 Sam 7.8 ; 1 Chron 17.7.

h **79.1** *Assaf* : voir 50.1 et la note. – ruine de Jérusalem : voir 2 Rois 25.8-10 ; 2 Chron 36.17-19 ; Jé 52.12-14.

i **79.3** Être privé de sépulture était considéré comm un très grand malheur ; voir Jér 14.16 ; Eccl 6.3 comparer Jér 36.30.

7 Car ils ont pillé Israël[j],
ils ont dévasté son domaine.
8 Ne nous reproche pas les fautes de nos prédécesseurs,
mais par amour fais un pas vers nous.
Ne tarde pas, car nous sommes tombés bien bas.
9 O Dieu, notre Sauveur, viens à notre aide,
c'est ton honneur qui est en cause.
Délivre-nous et pardonne nos torts,
c'est ta renommée qui est en cause.
10 Pourquoi les étrangers demanderaient-ils :
« Que fait-il donc, leur Dieu[k] ? »
Qu'ils sachent plutôt et que nous puissions voir
comment tu venges la mort de tes serviteurs !
11 Écoute avec bienveillance la plainte des prisonniers.
Toi qui as de grands pouvoirs, garde en vie les condamnés à mort.
12 Les peuples voisins t'ont provoqué, Seigneur ;
fais-les payer sept fois pour leurs insultes.

13 Mais nous qui sommes ton peuple,
le troupeau dont tu es le *berger,
nous chanterons toujours tes louanges ;
de siècle en siècle, nous célébrerons ta *gloire.

PSAUME 80 (79)

O Berger d'Israël, écoute !

1 *Du répertoire du *chef de chorale. Accompagnement sur guitares. Psaume commémoratif appartenant au recueil d'Assaf*[l].

2 O *Berger d'Israël, écoute ;
toi qui guides ton peuple comme un troupeau,
toi qui as ton trône au-dessus des *chérubins[m],
manifeste-toi.
3 Sous le regard de tes tribus, Éfraïm, Benjamin et Manassé,
déploie ta puissance et viens nous sauver.
4 Dieu, rétablis-nous,
fais-nous bon accueil et nous serons sauvés.

5 Seigneur, Dieu de l'univers,
jusqu'à quand seras-tu fumant de colère
en réponse à la prière de ton peuple ?
6 Tu nourris les tiens de chagrin,
tu les enivres de larmes à pleines mesures.
7 Tu fais de nous l'enjeu des querelles de nos voisins,
à plaisir nos ennemis nous tournent en ridicule.
8 Dieu de l'univers, rétablis-nous,
fais-nous bon accueil et nous serons sauvés.

79.7 *ils ont pillé* : d'après de nombreux manuscrits hébreux, ainsi que les versions anciennes, et comme dans le texte parallèle de Jér 10.25 ; hébreu *il a pillé*.
79.10 Voir 42.4,11 ; Mich 7.10 ; Mal 2.17.
80.1 Voir 45.1 ; 60.1 et les notes. – *Assaf* : voir 50.1 et la note.

m **80.2** *ton peuple* ou *les tribus de Joseph*, c'est-à-dire Éfraïm et Manassé, mentionnées au v. 3. – *au-dessus des chérubins* : il s'agit ici des deux figures ailées qui, selon Ex 25.22 ; 1 Rois 6.23-28 dominaient le coffre sacré ou arche de l'alliance. Sur l'arche comme trône de Dieu voir la note sur Ps 99.5.

9 Tu as déplanté d'Égypte une vigne[n],
tu as chassé des peuples pour la replanter,
10 tu as fait place nette devant elle.
Alors elle poussa des racines, occupa tout le pays[o] :
11 elle couvrit les montagnes de son ombre ;
ses rameaux grimpèrent sur les plus grands cèdres.
12 Elle étendit ses sarments jusqu'à la mer
et ses pousses jusqu'au fleuve[p].

13 Pourquoi as-tu défoncé sa clôture ?
Tu laisses ainsi les passants la piller,
14 le sanglier des forêts la ravage,
les animaux sauvages viennent y brouter.
15 Reviens, Dieu de l'univers ;
du haut du ciel, regarde, vois ce qui arrive,
et interviens pour cette vigne.
16 Protège[q] ce que tu as toi-même planté
– ce fils que tu as fait grandir.

17 Que ceux qui l'ont brûlée et rasée
disparaissent devant tes menaces.
18 Que ta main reste posée sur le roi qui siège à ta droite[r],
sur cet homme que tu as fait grandir.
19 Alors nous ne nous écarterons plus de toi,
tu nous rendras la vie, et c'est toi que nous adorerons.
20 Seigneur, Dieu de l'univers, rétablis-nous,
fais-nous bon accueil et nous serons sauvés.

PSAUME 81 (80)

Ah, si mon peuple m'écoutait... !

1 *Du répertoire du *chef de chorale et du recueil d'Assaf. Accompagnement sur la harpe de Gath*[s].

2 Criez votre joie à Dieu, notre protecteur,
faites une ovation au Dieu de Jacob.
3 Faites donner la musique, allez-y pour les tambourins,
la lyre d'harmonie et la harpe[t].
4 Sonnez du cor à la nouvelle lune,
puis à la pleine lune, le jour de notre fête[u].
5 Car c'est un devoir pour le peuple d'Israël,
une décision du Dieu de Jacob,

---

n **80.9** Sur la *vigne* comme image du peuple de Dieu comparer És 5.1-7 ; Ézék 15.1-8 ; Jean 15.1-10.

o **80.10** Allusion imagée à l'occupation du pays de Canaan par Israël après la sortie d'Égypte.

p **80.12** *les cèdres* (v. 11) : allusion au massif du Liban (voir 29.5). – *la mer* : appellation abrégée de la Méditerranée. – *le fleuve* : appellation fréquente de l'Euphrate.

q **80.16** *Protège* : autre traduction *pour la souche* (que tu as toi-même plantée). Le sens du terme hébreu correspondant est incertain.

r **80.18** Voir 110.1.

s **81.1** *Assaf* : voir 50.1 et la note. – *Accompagnement sur la harpe de Gath* : voir 8.1 et la note.

t **81.3** *lyre... harpe* : voir 150.3 et la note.

u **81.4** *la nouvelle lune* (voir Nomb 28.11-15) marquait le début du mois dans le calendrier israélite ; c'était une fête chômée (voir Amos 8.5). Celle du septième mois, à l'automne, était fêtée plus solennellement (voir Lév 23.23-25 ; Nom 29.1-6). Quinze jours plus tard, *à la pleine lune*, commençait la fête des Huttes (Lév 23.33-43 ; Nomb 29.12-39), appelée parfois simplement *la fête* (1 Rois 12.32).

6 la règle qu'il a prescrite à la famille de Joseph,
quand il s'attaqua à l'Égypte.

– J'entends une voix inconnue me dire[v] :
7 J'ai déchargé tes épaules du fardeau,
tes mains ont laissé le lourd panier[w].
8 Quand tu étais dans la détresse,
tu m'as appelé et je t'ai délivré.
Je t'ai répondu au cœur de l'orage.
A la source de Meriba je t'ai mis à l'épreuve[x]. **Pause*
9 Mon peuple, écoute-moi, j'ai à t'avertir.
Ah, si seulement tu m'écoutais, Israël !
10 Pas de place chez toi pour un autre dieu !
Pas de culte en l'honneur d'un dieu étranger !
11 Car c'est moi, le Seigneur ton Dieu,
qui t'ai retiré d'Égypte[y].
Ouvre grand la bouche, et je la remplirai.

12 Mais mon peuple n'a pas écouté mon appel,
Israël n'a plus voulu de moi.
13 Alors je les ai laissés à ce qu'ils avaient délibérément choisi.
Qu'ils agissent donc à leur guise !
14 Ah, si mon peuple, si Israël m'écoutait,
s'il suivait la voie que je lui trace,
15 bientôt je ferais plier ses ennemis,
je dirigerais mes coups sur ses adversaires !

16 Alors les ennemis du Seigneur abandonneraient toute fierté,
et Israël aurait du bon temps pour toujours[z].
17 Le Seigneur le nourrirait du meilleur blé
et le rassasierait de miel sauvage.

PSAUME 82 (81)

Dieu, garant de la justice pour tous

1 *Psaume appartenant au recueil d'Assaf.*

Dieu est là, entouré de son conseil ;
au milieu des dieux il rend la justice[a] :

2 « Jusqu'à quand jugerez-vous avec parti pris,
en acquittant les coupables ? **Pause*
3 Faites plutôt droit au faible, à l'orphelin,
rendez justice au pauvre, au misérable.

---

v **81.6** *la famille de Joseph* désigne probablement le peuple d'Israël pendant son séjour en Égypte. – *quand il s'attaqua à l'Égypte* : allusion aux interventions de Dieu pour amener les Égyptiens à laisser partir Israël (Ex 7–12). Les anciennes versions ont compris *quand il* (Joseph) *sortit d'Égypte, il entendit une voix qu'il ne connaissait pas*. – *J'entends une voix...* : celui qui parle ici est sans doute un prêtre ou un prophète qui va transmettre le message de Dieu (v. 7-15).

w **81.7** Allusion aux travaux forcés imposés aux Israélites par les Égyptiens ; voir Ex 1.11.

x **81.8** *Meriba* : Ex 17.1-7 ; Nomb 20.1-13.

y **81.11** V. 10-11 : voir Ex 20.2-3 ; Deut 5.5-6.

z **81.16** Traduction incertaine d'un texte peu clair. On suit ici l'interprétation traditionnelle du judaïsme. L'ancienne version syriaque a compris *et vivraient pour toujours dans la terreur*.

a **82.1** *Assaf* : voir 50.1 et la note. – *au milieu des dieux* : voir 29.1 et la note.

4 Relâchez le faible et le malheureux,
arrachez-le aux griffes des méchants.

5 « Mais vous ne savez rien, vous ne comprenez rien,
vous êtes dans le noir, avançant à tâtons ;
et de ce fait, le monde menace ruine.
6 Je le dis bien : Vous êtes des dieux[b], vous tous,
vous êtes de la famille du Dieu très-haut.
7 Pourtant, comme les humains, vous devrez mourir,
comme un simple ministre, vous serez déchus. »

8 Interviens, ô Dieu, sois le juge du monde,
car tu es le maître de toutes les nations.

PSAUME 83 (82)

Prière du peuple de Dieu menacé par ses voisins

1 *Chant. Psaume appartenant au recueil d'Assaf*[c].

2 O Dieu, ne t'accorde aucun repos,
ne garde pas le silence, ne reste pas inactif.

3 Voici tes ennemis qui s'agitent ;
ceux qui t'en veulent ont relevé la tête.
4 Ils trament un complot contre ton peuple,
ils se concertent contre tes protégés.
5 « Allons, disent-ils, faisons-les disparaître en tant que nation ;
qu'on ne prononce plus le nom d'Israël ! »
6 Ils se consultent, et sont tous d'accord
pour conclure une alliance contre toi.
7 Ce sont les gens d'Édom et d'Ismaël,
ceux de Moab, d'Agar et de Guébal,
8 les Ammonites et les Amalécites,
les Philistins, et encore les gens de Tyr[d].
9 Même les Assyriens se sont joints à eux
pour prêter main forte aux descendants de Loth[e]. *Pause

10-11 O Dieu, traite-les comme Sisra et Yabin au torrent du Quichon[f] ;
ou comme les Madianites exterminés à la fontaine de Dor[g],
et laissés comme du fumier sur le sol.
12 Traite leurs princes comme Oreb et Zeb,
et tous leurs chefs comme Zéba et Salmounna,

---

b **82.6** Cette déclaration est citée par Jésus en Jean 10.34.

c **83.1** *Assaf* : voir 50.1 et la note.

d **83.8** *Édom* (v. 7) : population installée au sud de la Palestine. *Ismaël* et *Agar* (v. 7) : tribus arabes (voir Gen 21.9-21 ; 1 Chron 5.19-20). *Moab* (v. 7), *les Ammonites* (v. 8) : deux petits royaumes, à l'est du Jourdain et de la mer Morte. *Guébal* (v. 7) : population installée au sud de la mer Morte. Les *Amalécites* : peuple nomade de la région du Néguev, souvent présenté comme l'ennemi traditionnel d'Israël (Ex 17.8-16). Les *Philistins* et les *gens de Tyr* désignent ici les populations habitant la côte méditerranéenne de la Palestine.

e **83.9** Les *descendants de Loth* : Moabites et Ammonites mentionnés aux v. 7 et 8 (voir Gen 19.30-38), ennemis traditionnels d'Israël.

f **83.10-11** Allusion aux événements rapportés en Jug 4.

g **83.10-11** Les v. 11-12 font allusion à la victoire remportée par Gédéon sur les Madianites d'après Jug 7–8. *La fontaine de Dor* ou *En-Dor* est mentionnée en 1 Sam 28.7-8, mais la Bible n'y situe aucune bataille contre les Madianites. On s'attendrait plutôt à lire ici *la fontaine* – ou *la source* – *de Harod* (voir Jug 7.1).

13 ces gens qui avaient déclaré :
« Emparons-nous du domaine de Dieu ».
14 Mon Dieu, fais qu'ils aient le même sort que la graine de chardon
ou les fétus de paille, emportés par le vent.
15 Comme un feu dévore une forêt,
comme une flamme embrase les montagnes,
16 lance une tempête à leur poursuite,
terrifie-les par ton ouragan.
17 Fais-leur monter la honte au front,
pour qu'ils se tournent vers toi, Seigneur.
18 Qu'ils soient humiliés, épouvantés sans fin,
que leurs espoirs soient déçus, qu'ils dépérissent !
19 Et qu'ils sachent alors qui tu es, Seigneur,
le seul Dieu très-haut sur toute la terre !

PSAUME 84 (83)

Cantique des pèlerins arrivant à Jérusalem

1 *Du répertoire du *chef de chorale. Accompagnement sur la harpe de Gath.*
Psaume appartenant au recueil de la confrérie de Coré[h].

2 Seigneur de l'univers,
comme j'aime ta maison !
3 Je meurs d'impatience en attendant d'entrer
dans les cours de ton *temple.
Tout mon être crie sa joie au Dieu vivant.
4 Même le moineau trouve un abri
et l'hirondelle un nid où mettre ses petits
près de tes *autels, Seigneur de l'univers, mon Roi et mon Dieu !
5 Heureux ceux qui habitent chez toi
et peuvent t'acclamer sans cesse ! **Pause*
6 Heureux ceux qui trouvent chez toi un refuge
et qui ont à cœur ce pèlerinage[i] !
7 Quand ils passent par la vallée du Baumier,
ils la changent en oasis ;
et même la pluie d'automne la couvre d'étangs[j].
8 Ils gagnent des forces à mesure qu'ils avancent
pour se présenter devant Dieu à *Sion.

9 Seigneur, Dieu de l'univers, entends ma prière,
écoute, Dieu de Jacob[k]. *Pause*
10 O Dieu, regarde le roi, notre bouclier,
accueille celui que tu as consacré.

11 Oui, un seul jour dans les cours de ton temple
vaut mieux que mille autres passés ailleurs.

---

h **84.1** *harpe de Gath* : voir 8.1 et la note. – *confrérie de Coré* : voir 42.1 et la note.

i **84.6** *ce pèlerinage* : le terme hébreu correspondant *(routes)* est interprété ici comme dans l'ancienne version grecque ; il s'agit alors des routes conduisant à Jérusalem. Autre interprétation : les routes de l'obéissance à Dieu.

j **84.7** *la vallée du Baumier*, probablement très aride, permettait d'accéder à la porte ouest de Jérusalem. Le *baumier* (ou *micocoulier*) : arbre à sève abondante, mentionné en 2 Sam 5.24-25. – *la pluie d'automne* : cette indication permet de conclure que les pèlerins chantant ce psaume se rendaient à la fête des Tentes ou des Huttes, qui était célébrée en automne (voir Deut 16.13). – *la couvre d'étangs* : avec d'autres voyelles le texte hébreu traditionnel a lu *la couvre de bénédictions*.

k **84.9** Sur *Jacob*-Israël voir Gen 32.29.

Plutôt rester au seuil de ta maison, mon Dieu,
que vivre avec les gens sans foi ni loi !

12 Voici les titres du Seigneur : Soleil et Bouclier ;
ce qui distingue Dieu, c'est la bienveillance et la *gloire.
Le Seigneur donne volontiers le bonheur
à qui mène une vie sans reproche.
13 Seigneur de l'univers,
heureux celui qui a confiance en toi !

PSAUME 85 (84) Le Seigneur parle de paix

1 *Du répertoire du *chef de chorale. Psaume appartenant au recueil de la confrérie de Coré*[l].

2 Seigneur, tu as montré ta faveur au pays qui t'appartient ;
tu as rétabli les descendants de Jacob[m].
3 Tu as déchargé ton peuple de sa faute,
tu as pardonné tous ses manquements. **Pause*
4 Tu as retenu ta colère,
tu as renoncé à t'emporter contre nous.

5 O Dieu, notre Sauveur, reviens à nous,
cesse de nous en vouloir.
6 Resteras-tu toujours irrité contre nous ?
Ta colère durera-t-elle de génération en génération ?
7 Ne vas-tu pas nous ramener à la vie, nous qui sommes ton peuple,
pour que nous retrouvions en toi la joie ?
8 Seigneur, fais-nous voir ta bonté,
accorde-nous ton secours.

9 Je veux écouter ce que Dieu dit : le Seigneur parle de paix
pour son peuple, pour ses fidèles,
pour ceux qui lui font à nouveau confiance[n].
10 Oui, son aide est imminente
pour ceux qui reconnaissent son autorité.
Sa présence glorieuse habitera bientôt notre pays.

11 La bonté et la fidélité se rencontrent,
la loyauté et la paix s'embrassent.
12 La fidélité germe de la terre,
tandis que la loyauté descend du ciel.
13 Le Seigneur lui-même donne le bonheur,
et notre pays donne ses produits.
14 La loyauté marche devant le Seigneur,
et trace le chemin devant ses pas[o].

---

l 85.1 *confrérie de Coré* : voir 42.1 et la note.
m 85.2 Certains traduisent *tu as ramené d'exil les descendants de Jacob*.
n 85.9 D'après l'ancienne version grecque ; l'hébreu peut être interprété *mais qu'ils ne reviennent pas à leur sottise !*
o 85.14 Autres traductions *et ses pas tracent le chemin* ou *qui la suit pas à pas*. Certains proposent de lire *et la paix (marche) sur la trace de ses pas*.

PSAUME 86 (85) Dans ma détresse, je fais appel à toi

1 *Prière appartenant au recueil de David.*

Seigneur, tends vers moi une oreille attentive,
réponds-moi, car je suis pauvre et malheureux.
2 Je suis un de tes fidèles, protège-moi.
Je suis ton serviteur, je me fie à toi,
sauve-moi, toi qui es mon Dieu.
3 Je passe mes journées à t'appeler,
Seigneur, accorde-moi ton appui.
4 Je me tourne vers toi, Seigneur ;
je t'en prie, rends-moi la joie.
5 Toi, Seigneur, tu es bon, prêt à pardonner,
et généreux pour tous ceux qui t'appellent.
6 Écoute bien ma prière, Seigneur,
sois attentif quand je te supplie.
7 Quand je suis dans la détresse,
je t'appelle, car tu me répondras.

8 Parmi les dieux, aucun n'est comme toi, Seigneur,
aucun ne pourrait faire ce que tu as fait.
9 Tu as créé toutes les nations ;
elles viendront s'incliner devant toi
pour t'apporter leurs hommages, Seigneur[p].
10 Car tu es grand, tu fais des merveilles,
tu es le seul vrai Dieu.

11 Seigneur, montre-moi quel chemin je dois suivre,
je veux vivre en te restant fidèle ;
mets en moi cette seule préoccupation :
rester soumis à ton autorité.
12 Seigneur mon Dieu, je te louerai de tout mon cœur,
je t'apporterai mon hommage pour toujours.
13 Ta bonté pour moi est immense :
tu m'as arraché au gouffre de la mort.

14 O Dieu, des insolents se dressent contre moi ;
j'ai affaire à une bande de brutes
qui veulent ma mort.
Ils ne tiennent aucun compte de toi.
15 Mais toi, Seigneur,
Dieu compatissant et bienveillant, patient,
d'une immense et fidèle bonté[q],
16 tourne-toi vers moi, accorde-moi ton appui.
Je suis ton serviteur, donne-moi ta force ;
je t'appartiens, sauve-moi.
17 Donne-moi un signe que tout ira bien.
Honte à ceux qui m'en veulent, quand ils verront
que toi, Seigneur, tu m'as sauvé et consolé !

86.9 Verset cité en Apoc 15.4.

q **86.15** 103.8 ; 145.8.

PSAUME 87 (86) Sion, vraie patrie de tous les peuples

1 *Psaume appartenant au recueil de la confrérie de Coré. Chant*[r].

Le Seigneur a fondé Jérusalem
sur les hauteurs qui lui sont consacrées.
2 Il préfère la cité de *Sion
à tous les autres lieux habités du territoire de Jacob.

3 O cité de Dieu, ce qu'il dit de toi
est tout chargé de *gloire : **Pause*

4 « Devant ceux qui me connaissent, je mentionne
les gens d'Égypte et de *Babylone,
de Philistie, de Tyr et d'Éthiopie ;
ils sont nés dans ces pays-là.
5 Mais au sujet de Sion, on doit dire :
c'est ici qu'est la vraie patrie de chacun d'eux.
Le Dieu très-haut l'a lui-même fondée. »

6 Le Seigneur dresse la liste des peuples,
et note pour chacun d'eux : « Sa vraie patrie est à Sion. » *Pause*

7 O cité de Dieu, chanteurs et danseurs
te célèbrent tous ensemble[s].

PSAUME 88 (87) Je suis à deux doigts de la mort

1 *Chant. Psaume appartenant au recueil de la confrérie de Coré. Du répertoire du *chef de chorale. A exécuter sur le mode mélancolique. Poème chanté attribué à Héman, l'Ezrahite*[t].

2 Seigneur Dieu, mon Sauveur, le jour je crie au secours,
la nuit je me tiens devant toi[u].
3 Accueille ma prière avec bienveillance,
tends une oreille attentive à ma plainte.

4 Oui, j'en ai plus qu'assez, des malheurs,
et je suis à deux doigts de la mort.
5 Tous me considèrent comme un homme fini,
un homme pour qui on ne peut plus rien[v].

---

r **87.1** La *confrérie de Coré* : voir 42.1 et la note.

s **87.7** *te célèbrent tous ensemble* : le texte hébreu traditionnel correspondant est très incertain. Il est parfois traduit *(disent) : « Toutes mes sources (sont) en toi. »* Un regroupement différent des consonnes de l'hébreu ainsi que d'autres voyelles permettent de proposer la présente traduction, qui reste hypothétique.

t **88.1** *confrérie de Coré* : voir 42.1 et la note. – *sur le mode mélancolique* : voir 53.1 et la note. – *Poème chanté* : voir 32.1 et la note. – *Héman* : un des responsables du chant et de la musique sacrés au temps d[e] David, comme *Assaf* et *Yedoutoun* (voir 1 Chro[n] 6.18-22 ; 25.1,4 et les notes sur Ps 39.1 et 50.1). *l'Ezrahite* ou *celui qui est originaire du pays* : voir P[s] 89.1 ; 1 Rois 5.11.

u **88.2** Certains proposent de lire *Seigneur mon Die[u] j'appelle pendant le jour et la nuit mon cri s'adresse à to[i]*

v **88.5** *pour qui on ne peut plus rien* : traduction ince[r]taine ; le dernier mot du v. 5 n'apparaît nulle pa[rt] ailleurs. Autre traduction *qui a perdu ses forces*.

6 J'ai ma place[w] parmi les morts,
comme les cadavres couchés dans la tombe.
Tu ne tiens plus compte d'eux
et tu ne fais plus rien pour eux.
7 Tu m'as mis au fond du gouffre,
dans l'obscurité profonde de la mort.
8 Ta fureur s'est abattue sur moi
en vagues dont tu m'accables. *Pause
9 Tu as éloigné de moi mes familiers,
je suis pour eux un objet de dégoût.
Me voilà enfermé dans mon malheur,
impossible d'en sortir.
10 Mes yeux sont usés de chagrin.

Chaque jour, Seigneur, je t'appelle au secours,
je tends les mains vers toi[x].
11 Feras-tu un miracle pour les morts ?
Vont-ils se lever pour te louer[y] ? Pause
12 Chez les défunts, parlera-t-on de ta bonté,
ou de ta fidélité dans le monde des morts[z] ?
13 Dans la nuit totale sait-on quelque chose de tes miracles ?
Au pays de l'oubli a-t-on une idée de ta loyauté ?

14 Moi, je t'appelle au secours, Seigneur,
dès le matin, je t'expose ma demande :
15 Pourquoi, Seigneur, m'as-tu rejeté ?
Pourquoi refuses-tu de me voir ?
16 Depuis mon enfance je suis pauvre, à deux doigts de la mort ;
j'endure la terreur que tu m'imposes, j'en suis bouleversé[a].
17 Le feu de ta colère passe sur moi,
tes attaques terribles m'anéantissent.
18 Comme des eaux qui me submergent,
tous les jours, elles m'assaillent de tous côtés.
19 Et tu éloignes de moi tous mes amis.
L'obscurité seule me tient compagnie.

PSAUME 89 (88)

Où sont passées les promesses faites à David ?

1 *Poème chanté attribué à Étan l'Ezrahite*[b].

2 Je veux chanter toujours tes bontés, Seigneur,
pour toutes les générations à venir,
je veux proclamer ta fidélité.

---

w 88.6 *ma place* : le sens exact du terme hébreu correspondant est peu clair.

x 88.10 Voir 28.2 et la note.

y 88.11 Autre traduction *Pour les morts tu ne fais pas de miracle ; leurs ombres ne se lèvent pas pour te louer*.

z 88.12 *le monde des morts* dans la pensée de l'ancien Israël : voir 6.5 ; 30.10 ; 115.17 ; És 38.18 ; Ézék 32.21-30. Comparer Act 2.24-32.

a 88.16 *bouleversé* : traduction probable d'un terme inconnu par ailleurs.

b 89.1 *Poème chanté* : voir 32.1 et la note. – *Étan* : sage nommé en 1 Rois 5.11. D'après 1 Chron 6.16-29 ; 15.17-19, il était un des responsables du chant et de la musique sacrés au temple de Jérusalem à l'époque de David. – *l'Ezrahite* : voir Ps 88.1 et la note.

3 Je le déclare : Ta bonté est bâtie pour l'éternité,
ta fidélité est ancrée dans le ciel[c].

4 Tu l'as dit : « J'ai pris un engagement solennel
envers celui que j'ai choisi, mon serviteur David,
et je lui ai promis ceci :
5 J'établirai toujours un de tes descendants comme roi après toi.
Je construirai ainsi ta dynastie pour tous les siècles à venir[d]. »
*Pause

6 Que les *anges du ciel te louent
pour les miracles que tu fais, Seigneur,
et que leur assemblée loue ta fidélité !
7 Seigneur, tu n'as pas ton pareil, là-haut ;
dans le monde des dieux, personne ne t'égale.
8 Dieu, tu es terrible dans le conseil des anges,
beaucoup plus redouté que ceux qui t'entourent.
9 Seigneur, Dieu de l'univers, qui est comme toi ?
Force et fidélité t'environnent, Seigneur.
10 C'est toi qui domptes la mer orgueilleuse
et qui apaises ses vagues en colère.
11 C'est toi qui as transpercé le monstre Rahab[e], qui l'as écrasé
et qui as éparpillé tes ennemis d'une main de fer.
12 A toi le ciel, à toi aussi la terre,
le monde entier et tout ce qui s'y trouve ;
c'est toi qui en as posé les bases.
13 C'est toi qui as créé le Nord et le Sud ;
les montagnes du Tabor et de l'Hermon
crient de joie en entendant ton nom[f].
14 C'est toi qui as le bras vigoureux,
la poigne forte, la main droite haut levée[g].
15 Justice et droit : voilà les bases de ton règne.
Bonté et fidélité marchent devant toi.
16 Heureux ceux qui savent t'acclamer, Seigneur !
Ils vivent en ta présence accueillante.
17 Ils se félicitent que tu sois leur Dieu,
tous les jours, ils s'honorent de ta loyauté.
18 C'est toi qui es leur force souveraine,
grâce à toi notre défenseur prend le dessus[h].
19 Notre protecteur[i] t'est redevable, Seigneur,
notre roi te doit tout, toi l'unique vrai Dieu, Dieu d'Israël.

---

c **89.3** *est ancrée* : d'après deux versions grecques anciennes on lit ici d'autres voyelles que le texte hébreu traditionnel, qui comprend *tu ancres* ou *tu affermis*.

d **89.5** Voir 2 Sam 7.12-16 ; 1 Chron 17.11-14 ; Ps 132.11-12 ; Act 2.30.

e **89.11** *le monstre Rahab* : dans les vieux récits babyloniens de la création le monstre Rahab, personnifiant l'océan, était vaincu par le dieu créateur. Le Ps 89 revendique cette victoire pour le Seigneur.

f **89.13** Le *Tabor* et *l'Hermon* : montagnes sacrées de l[a] religion cananéenne, situées la première en Galilé[e], la seconde à l'extrême nord de la Palestine.

g **89.14** Dans la religion cananéenne le dieu *Ba[al] était souvent représenté *la main droite levée*, en sign[e] de puissance. Le Ps 89 revendique cette puissanc[e] pour le Seigneur exclusivement.

h **89.18** *notre défenseur prend le dessus* : autre inter[-]prétation *nous relevons la tête* (nous retrouvons notr[e] fierté).

i **89.19** *Notre protecteur* ou *Notre bouclier*.

[20] Un jour, tu as parlé dans une vision,
tu as dit à l'intention de tes fidèles :
« J'ai accordé mon appui à un homme vaillant,
dans le peuple j'ai distingué un jeune homme[j].
[21] J'ai trouvé David pour être mon serviteur,
je l'ai consacré de mon huile d'onction[k].
[22] Je le soutiendrai d'une main ferme,
ma vigueur fera de lui un homme fort.
[23] L'ennemi ne pourra pas le surprendre,
le rebelle ne pourra pas l'humilier.
[24] Sous ses yeux, j'écraserai ses adversaires,
je frapperai ceux qui lui en veulent.
[25] Ma fidèle bonté lui est assurée,
c'est moi qui ferai grandir son pouvoir.
[26] Je lui donnerai autorité sur la mer,
il aura la haute main sur les fleuves.
[27] Et voici comment il s'adressera à moi :
"Tu es mon Père, tu es mon Dieu,
le rocher où je trouve le salut".
[28] Bien plus, je ferai de lui mon fils aîné,
le plus grand des rois de la terre[l].
[29] Je lui conserverai ma bonté pour toujours,
et je prends ce ferme engagement envers lui :
[30] Je lui assurerai toujours un descendant,
sa dynastie durera autant que le ciel.

[31] « Si ses descendants abandonnent ma loi,
s'ils ne suivent pas mes décisions,
[32] s'ils violent mes ordres
et n'observent pas mes commandements,
[33] alors je prendrai un bâton
pour punir leur désobéissance,
et j'userai de coups pour châtier leur faute.
[34] Mais je ne leur retirerai pas ma bonté,
je ne trahirai pas ma fidélité.
[35] Je ne romprai pas mon engagement,
je ne reviendrai pas sur ce que j'ai promis.
[36] J'ai fait ce serment solennel :
aussi vrai que je suis Dieu,
jamais je ne serai déloyal à David.
[37] Sa descendance continuera toujours, j'y veillerai ;
sa dynastie se maintiendra aussi longtemps que le soleil,
[38] tant que la lune sera là,
fidèle témoin, derrière les nuages. » *Pause*

[39] Mais tu as rejeté, tu as laissé tomber le roi que tu avais consacré ;
tu t'es fâché contre lui.
[40] Tu as rompu l'engagement que tu avais pris envers ton serviteur ;
tu as souillé sa couronne en la jetant à terre.

89.20 *un jeune homme* : autre traduction *quelqu'un que j'ai choisi.*

k **89.21** Voir 1 Sam 13.14 ; Act 13.22 ; 1 Sam 16.12-13.
l **89.28** Voir Apoc 1.5.

41 Tu as enfoncé tous ses murs de défense,
tu as mis en ruine ses fortifications.
42 Tous les passants le dépouillent,
il est devenu la risée de ses voisins.
43 Tu as rendu courage à ses ennemis,
tu as fait plaisir à ses adversaires.
44 Tu as rendu ses armes inefficaces[m],
tu ne l'as pas soutenu dans la bataille.
45 Tu lui as fait perdre sa splendeur,
tu as renversé son trône à terre.
46 Tu as abrégé sa jeunesse,
tu l'as couvert d'humiliation. *Pause*

47 Seigneur, te cacheras-tu encore longtemps ?
Jusqu'à quand seras-tu flambant de colère ?
48 Souviens-toi de moi, la vie est si courte !
On dirait que tu as créé les humains pour les envoyer au néant[n] !
49 Y a-t-il un homme capable de vivre sans voir jamais sa fin,
ou d'arracher sa propre vie aux griffes de la mort ? *Pause*
50 Seigneur, où sont passées tes bontés d'autrefois,
et les promesses que, dans ta fidélité, tu avais faites à David ?
51 Seigneur, n'oublie pas le déshonneur
qui pèse sur tes serviteurs.
N'oublie pas que je porte la charge de tous ces gens[o].
52 Tes ennemis, Seigneur,
jettent le déshonneur, oui le déshonneur
sur les pas du roi que tu as consacré.

53 Merci au Seigneur, pour toujours !
*Amen, oui, qu'il en soit bien ainsi !

QUATRIÈME LIVRE
(Psaumes 90–106)

PSAUME 90 (89)

L'homme passe, Dieu reste

1 *Prière de Moïse, l'envoyé de Dieu.*

Seigneur, de génération en génération,
c'est toi qui as été notre sécurité.
2 Avant que soient nées les montagnes,
avant même que le monde ait vu le jour,
depuis toujours, c'est toi qui es Dieu, et tu le resteras toujours.

3 Tu fais revenir les humains à la poussière[p],
tu leur dis : « Retournez d'où vous êtes venus. »

---

m **89.44** Ou *Tu as retenu le tranchant de son épée*.
n **89.48** Le texte hébreu du v. 48 est peu clair et la traduction incertaine.
o **89.51** Fin du v. 51 : texte peu clair, traduction incertaine.
p **90.3** *poussière* : voir Gen 3.19.

4 Pour toi, mille ans sont aussi brefs
que la journée d'hier, déjà passée,
ou quelques heures de la nuit[q].
5 Tu mets fin à la vie humaine ;
elle passe comme le sommeil du matin.
Comme l'herbe qui pousse[r],
6 le matin, elle fleurit, elle grandit ;
le soir, elle se fane, elle est sèche.

7 Oui, ta colère nous balaie,
ton indignation nous terrifie.
8 Tu mets nos fautes au grand jour,
ta lumière éclaire tous nos secrets.
9 Sous l'effet de ta colère, notre vie décline ;
le temps d'un soupir, elle arrive à sa fin.
10 Elle peut durer soixante-dix ans,
ou quatre-vingts pour les plus vigoureux,
mais nous n'en retirons que peine et malheur.
La vie passe vite et nous volons vers la mort.
11 Qui reconnaît la force de ta colère ?
Qui te respecte assez pour en tenir compte[s] ?
12 Fais-nous comprendre que nos jours sont comptés.
Alors nous acquerrons un cœur sage.

13 Seigneur, nous en voudras-tu longtemps encore ?
Tourne-toi vers nous,
aie pitié de nous, tes serviteurs.
14 Dès le matin, comble-nous de ta bonté ;
alors toute notre vie, nous crierons de joie.
15 Pendant longtemps tu nous as humiliés.
Donne-nous maintenant autant d'années de joie
que nous en avons eu de malheur.
16 Que nous puissions te voir agir,
et que nos descendants découvrent ta grandeur !
17 Seigneur notre Dieu,
accorde-nous ton amitié,
et donne à nos travaux un résultat durable ;
oui, donne à nos travaux un résultat durable.

PSAUME 91 (90)

A l'abri chez le Dieu très-haut

1 Qui se place à l'abri auprès du Dieu très-haut
et se met sous la protection du Très-Grand,
2 celui-là dit au Seigneur[t] :
« Tu es la forteresse où je trouve refuge,
tu es mon Dieu, j'ai confiance en toi. »

q **90.4** Voir 2 Pi 3.8.

r **90.5** Hébreu obscur et traduction incertaine. Certains proposent de lire *Tu sèmes les hommes d'année en année / ils poussent comme l'herbe des champs.*

s **90.11** Hébreu obscur et traduction incertaine. Certains proposent de lire *Qui aperçoit le fond de ta fureur ?*

t **91.2** *dit* : avec d'autres voyelles le texte hébreu traditionnel propose : *je dis* ou *je dirai.*

3 – C'est le Seigneur qui te délivrera
des pièges que l'on tend devant toi
et de la peste meurtrière.
4 Il te protégera, tu trouveras chez lui un refuge,
comme un poussin sous les ailes de sa mère.
Sa fidélité est un bouclier protecteur.
5 Tu n'auras rien à redouter :
ni les dangers terrifiants de la nuit,
ni la flèche qui vole pendant le jour,
6 ni la peste qui rôde dans l'obscurité,
ni l'insolation[u] qui frappe en plein midi.
7 Oui, même si ces fléaux font mille victimes près de toi
et dix mille encore à ta droite, il ne t'arrivera rien.
8 Ouvre seulement les yeux
et tu verras comment Dieu paie les méchants.
9 – Oui, Seigneur, tu es pour moi un refuge –
Si tu as fait du Très-Haut ton abri,
10 aucun mal ne t'atteindra,
aucun malheur n'approchera de chez toi.
11 Car le Seigneur donnera l'ordre à ses *anges
de te garder où que tu ailles.
12 Ils te porteront sur leurs mains
pour éviter que ton pied ne heurte une pierre[v].
13 Tu marcheras sans risque sur le lion ou la vipère,
tu pourras piétiner le fauve ou le serpent[w].

14 « Il est attaché à moi, dit le Seigneur,
je le mettrai donc à l'abri ;
je le protégerai parce qu'il sait qui je suis.
15 S'il m'appelle au secours, je lui répondrai.
Je serai à ses côtés dans la détresse,
je le délivrerai, je lui rendrai son honneur.
16 Je lui donnerai une vie longue et pleine,
et je lui ferai voir que je suis son sauveur. »

PSAUME 92 (91)

Comme on fait bien de te louer, Seigneur !

1 *Psaume. Chant pour le jour du *sabbat.*

2 Comme on fait bien de te louer, Seigneur,
et de te célébrer en chantant, Dieu très-haut !
3 d'annoncer dès le matin ta bonté,
et pendant la nuit ta fidélité,
4 au son du luth et de la harpe,
aux accords de la lyre[x] !

5 Ce que tu as fait, Seigneur, m'a réjoui,
je crie ma joie pour ce que tu as réalisé.
6 Seigneur, que tes actions sont grandioses
et tes pensées profondes !

---

u **91.6** *insolation* : traduction incertaine d'un terme rare, désignant ailleurs un *dard*.
v **91.12** V. 11-12 : voir Matt 4.6 ; Luc 4.10-11.
w **91.13** Voir Luc 10.19.
x **92.4** Sur ces instruments de musique voir 150.3 et la note.

7 Le sot ne s'en rend pas compte,
l'idiot n'y comprend rien.
8 Les méchants poussent comme la mauvaise herbe,
les gens malfaisants sont tous florissants,
mais la ruine définitive les attend.
9 Toi, Seigneur,
tu domines pour toujours la situation.
10 Quant à tes ennemis, Seigneur,
quant à tes ennemis ils tomberont morts,
et ceux qui font le malheur des autres seront tous éparpillés.

11 Tu m'as donné la force du buffle,
tu as versé sur moi[y] un peu d'huile fraîche.
12 Je vois la défaite de mes adversaires[z],
j'entends crier mes agresseurs malfaisants.
13 Mais le fidèle pousse droit comme un palmier,
il s'étend comme un cèdre du Liban.
14 Il est un arbre planté dans la cour du *temple,
il s'épanouit chez le Seigneur notre Dieu.
15 Même en vieillissant, il porte encore des fruits,
il reste plein de sève et de vie,
16 preuve vivante que le Seigneur est juste
et sans détour, lui, mon Rocher.

PSAUME 93 (92) Le Seigneur est roi

1 Le Seigneur est roi,
drapé de majesté comme d'un vêtement,
entouré de force comme d'une ceinture.
La terre est donc ferme, elle tiendra bon.

2 Seigneur, depuis longtemps ton trône est solidement établi,
depuis toujours tu es Dieu.
3 Jadis, les océans hurlaient, ils hurlaient de fureur.
Ils peuvent bien hurler encore !
4 Car dominant le bruit des flots
et le fracas des grosses vagues,
là-haut tu en imposes à tous, Seigneur.

5 Tes commandements sont parfaitement sûrs ;
le *temple est la maison qui t'est réservée,
Seigneur, tant que le monde durera.

PSAUME 94 (93) Dieu vengeur de l'injustice

1 O Dieu vengeur, Seigneur,
Dieu vengeur, manifeste-toi.
2 Juge du monde, oppose-toi aux arrogants,
fais retomber sur eux le mal qu'ils ont commis.

---

y **92.11** *tu as versé sur moi* : d'après les anciennes versions syriaque et araméenne ; hébreu *je verse*. – Sur l'*huile* parfumée, symbole d'accueil et de fête, voir 23.5 ; 133.2.

z **92.12** *mes adversaires* : d'après toutes les versions anciennes ; hébreu obscur.

3 Seigneur, jusqu'à quand les méchants seront-ils à la fête ?
Oui, jusqu'à quand ?
4 Ils profèrent grossièretés et insolences, ils font les fanfarons,
tous ces gens qui causent le malheur des autres.
5 Ils oppriment ton peuple, Seigneur,
ils maltraitent ceux qui t'appartiennent.
6 Ils tuent froidement la veuve et l'immigré,
ils assassinent les orphelins.
7 Et ils ajoutent : « Le Seigneur ne voit rien,
le Dieu de Jacob n'y fait pas attention[a]. »

8 Attention, gens les plus bêtes du monde !
Idiots, quand vous mettrez-vous à réfléchir ?
9 Le Seigneur, qui a planté l'oreille de l'homme,
est-il incapable d'entendre ?
Lui qui a façonné l'œil, est-il incapable de voir ?
10 Lui qui corrige les nations, est-il incapable de punir ?
Lui qui apprend aux humains à comprendre,
11 lui, le Seigneur, connaît les projets des humains :
ce n'est que du vent, il le sait bien[b].

12 Seigneur, heureux celui que tu corriges
et que tu éduques par ta *loi !
13 Il peut rester calme au jour du malheur,
tandis qu'un piège se creuse pour les méchants.
14 Non, le Seigneur ne rejette pas son peuple,
il n'abandonne pas ceux qui lui appartiennent.
15 Oui, il y aura de nouveau une justice,
et tous les hommes au cœur droit l'approuveront.

16 Ah, comme j'aimerais avoir
un défenseur contre ces gens malfaisants,
un avocat contre ces fauteurs de malheur !
17 Si le Seigneur ne m'avait pas secouru,
je ne serais pas loin du pays du silence.
18 Chaque fois que j'ai dit : « Je ne tiens plus debout »,
ta bonté, Seigneur, m'a soutenu.
19 Et quand j'avais le cœur surchargé de soucis,
tu m'as consolé, tu m'as rendu la joie.
20 As-tu quelque chose de commun
avec ces juges criminels,
qui créent la misère au mépris des lois ?
21 Ils s'en prennent aux honnêtes gens,
ils condamnent l'innocent.
22 Mais le Seigneur a été ma forteresse,
mon Dieu le rocher où j'ai trouvé refuge.
23 Il a fait retomber sur eux leur crime,
il s'est servi de leur propre méchanceté pour les réduire à rien[c],
lui, le Seigneur notre Dieu.

---

a **94.7** Voir 10.4,6,11,13 ; 14.1 ; 36.2 ; Jér 5.12.
b **94.11** Verset cité en 1 Cor 3.20.
c **94.23** La plupart des manuscrits répètent les mots *pour les réduire à rien*. La traduction suit le texte d[e] quelques autres et de l'ancienne version grecque, qu[i] n'ont pas cette répétition.

PSAUME 95 (94)

Au moment de se présenter devant le Seigneur

1 Venez, crions au Seigneur notre joie,
faisons une ovation à notre Rocher, notre Sauveur.
2 Présentons-nous devant lui,
chantons notre reconnaissance,
faisons-lui une ovation en musique.
3 Car le Seigneur est le Grand Dieu,
le Grand Roi qui domine tous les dieux.
4 Il dispose des profondeurs de la terre,
et le sommet des montagnes est à lui.
5 A lui aussi la mer, puisqu'il l'a faite,
et la terre, qu'il a façonnée.
6 Entrez, inclinons-nous, courbons-nous,
mettons-nous à genoux devant le Seigneur, notre Créateur.
7 Car notre Dieu, c'est lui,
nous sommes le peuple dont il est le *berger,
le troupeau que sa main conduit.

Aujourd'hui, puissiez-vous entendre ce qu'il dit :
8 « Ne refusez pas de comprendre,
comme vos ancêtres à Meriba,
lors de l'incident de Massa, dans le désert[d].
9 Ils m'y ont défié, ils m'ont poussé à bout,
même après avoir vu ce que j'avais fait.
10 Pendant quarante ans[e], cette génération
n'a suscité en moi que du dégoût,
au point que je pensais : Ces gens ont perdu la tête,
ils n'ont pas compris ce que j'attendais d'eux.
11 Alors dans ma colère, j'ai fait ce serment :
ils n'entreront pas au pays où je leur avais préparé le repos[f]. »

PSAUME 96 (95)

Un chant nouveau pour le Seigneur qui vient

(Voir 1 Chron 16.23-33)

1 Chantez en l'honneur du Seigneur un chant nouveau ;
gens du monde entier, chantez pour le Seigneur.
2 Chantez en l'honneur du Seigneur,
remerciez-le d'être votre Dieu.
Jour après jour annoncez qu'il est le Sauveur.
3 Parlez de sa *gloire à tous les hommes,
chez tous les peuples, racontez ses merveilles.

4 Le Seigneur est grand et mérite bien qu'on l'acclame.
Il est plus redoutable que tous les dieux.

---

d **95.8** Les v. 7-8 sont cités en Hébr 3.15 ; 4.7 d'après l'ancienne version grecque. – *Massa et Meriba* : Ex 17.1-7 ; Nomb 20.1-13.

e **95.10** *quarante ans* : Nomb 14.33-34.

f **95.11** Les v. 7-11 sont cités en Hébr 3.7-11 d'après l'ancienne version grecque. – le *serment* du Seigneur : Nomb 14.21-23 ; Deut 1.34-35 ; Hébr 4.3. – *où je leur ai préparé le repos* (Deut 12.9-10) : autre traduction *où j'ai choisi de me fixer* (Ps 132.8).

5 Les dieux des nations sont tous des nullités,
tandis que le Seigneur a fait le ciel.
6 Il rayonne de grandeur et de majesté,
son *temple est rempli de puissance et de splendeur.

7 Peuples de tous pays, venez honorer le Seigneur
en proclamant sa gloire et sa puissance.
8 Venez proclamer sa gloire,
entrez dans les cours de son temple en apportant vos dons.
9 Courbez-vous jusqu'à terre devant le Seigneur,
quand il manifeste qu'il est Dieu[g],
tremblez devant lui, gens du monde entier.
10 Dites à tous les hommes : « Le Seigneur est roi,
la terre est donc ferme, elle tiendra bon.
Il juge les peuples avec justice. »

11 Que le ciel se réjouisse, que la terre s'émerveille,
que la mer mugisse, avec ce qu'elle contient !
12 Que la campagne soit en fête, avec tout ce qui la peuple !
Que tous les arbres des forêts poussent des cris de joie
13 devant le Seigneur, car il vient,
il vient pour rendre la justice sur terre.
Il sera un juste juge pour le monde,
un arbitre sûr pour les peuples.

PSAUME 97 (97)

Le Seigneur est roi ; joie sur toute la terre

1 Le Seigneur est roi,
que la terre entière s'émerveille,
que tous les peuples lointains se réjouissent !

2 Un sombre nuage l'environne.
Justice et droit : voilà les bases de son règne[h].
3 Un feu le précède,
qui consume ses ennemis de tous côtés.
4 Ses éclairs illuminent le monde,
la terre les voit et frémit.
5 Les montagnes fondent comme la cire
à l'approche du Seigneur de toute la terre.
6 Le ciel proclame sa loyauté
et tous les peuples contemplent sa glorieuse présence.

7 Honte à tous les adorateurs d'idoles,
à ceux qui sont fiers de ces nullités !
Tous les dieux rendent hommage au Seigneur.
8 On l'apprend à *Sion et on s'en réjouit ;
les villes de Juda s'émerveillent
des décisions que tu as prises, Seigneur.

---

g **96.9** V. 8-9 : voir 29.1-2 et la note sur 29.2.

h **97.2** Voir 89.15.

9 Car c'est toi, Seigneur,
qui es le Dieu très-haut sur toute la terre,
bien au-dessus des dieux.

10 Vous qui aimez le Seigneur, détestez le mal[i],
il protège la vie de ses fidèles,
il les délivre des méchants.
11 Une lumière se lève[j] pour les fidèles,
il y a de la joie pour les cœurs droits.
12 Vous, les fidèles, réjouissez-vous à cause du Seigneur,
et louez-le en rappelant qu'il est Dieu.

PSAUME 98 (97) Acclamez le Seigneur qui vient

1 *Psaume*

Chantez en l'honneur du Seigneur un chant nouveau,
car il a réalisé des merveilles,
par son savoir-faire et son pouvoir divin.
2 A la face du monde, le Seigneur a montré qu'il était le Sauveur,
il a révélé sa loyauté :
3 il n'a pas oublié d'être bon et fidèle envers le peuple d'Israël.
Jusqu'au bout du monde, on a pu voir que notre Dieu nous a sauvés.

4 Gens du monde entier, faites au Seigneur une ovation ;
dans votre enthousiasme, poussez des cris de joie,
célébrez-le par vos chants.
5 Célébrez le Seigneur avec la lyre
et aux accords de l'orchestre ;
6 célébrez-le au son des trompettes et du cor,
lancez vos ovations en l'honneur du Seigneur, le Roi.
7 Que la mer mugisse avec ce qu'elle contient,
et la terre ferme avec ses habitants !
8 Que les fleuves applaudissent,
et qu'à l'unisson les montagnes crient leur joie
9 devant le Seigneur, car il vient.
Il vient pour rendre la justice sur terre,
il sera un juste juge pour le monde,
un arbitre équitable pour les peuples.

PSAUME 99 (98) Le Seigneur est roi, il est l'unique vrai Dieu

1 Le Seigneur est roi, les peuples tremblent.
Il a son trône au-dessus des *chérubins,
la terre chancelle.
2 Le Seigneur est grand à *Sion.
– Oui, bien au-dessus de tous les peuples.
3 Qu'on te loue, Dieu présent, grand et redoutable :
– Oui, tu es l'unique vrai Dieu.

---

i 97.10 Autre texte, appuyé en partie sur quelques manuscrits hébreux et l'ancienne version syriaque *le Seigneur aime ceux qui détestent le mal*.

j 97.11 *se lève* : d'après un manuscrit hébreu et les versions anciennes (112.4) ; hébreu *est semée*.

4 Et qu'on loue ta force, roi qui aimes le droit.
C'est toi qui as fixé nos règles de vie,
c'est toi qui as déterminé le droit et l'ordre en Israël.

5 Proclamez la grandeur du Seigneur notre Dieu,
inclinez-vous devant son marchepied[k].
– Oui, le Seigneur est l'unique vrai Dieu.

6 Moïse et *Aaron, parmi ses prêtres,
et Samuel, parmi ceux qui recouraient à lui,
ceux-là faisaient appel au Seigneur, et lui leur répondait[l].
7 Dieu parlait dans la colonne de fumée[m],
eux respectaient ses ordres
et les règles de vie qu'il leur donnait.

8 Seigneur notre Dieu, tu leur répondais toi-même ;
tu as été pour eux un Dieu patient,
mais tu les as punis de leurs méfaits[n].

9 Proclamez la grandeur du Seigneur,
inclinez-vous face à la montagne qui lui appartient[o] :
– Oui, il est l'unique vrai Dieu, le Seigneur notre Dieu.

PSAUME 100 (99)

Nous sommes son peuple

1 *Psaume pour un *sacrifice de reconnaissance.*

Gens du monde entier, faites une ovation au Seigneur.
2 Offrez-lui un culte joyeux,
présentez-vous à lui avec des cris de joie.
3 Sachez-le : c'est le Seigneur qui est Dieu,
c'est lui qui nous a faits, et nous sommes à lui[p].
Nous sommes son peuple,
le troupeau dont il est le *berger.

4 En entrant dans son *temple, acclamez-le ;
dans la cour intérieure, exprimez vos louanges.
Louez le Seigneur, remerciez-le d'être votre Dieu.

5 Oui, le Seigneur est bon, et son amour n'a pas de fin[q] ;
de siècle en siècle il reste fidèle.

---

k **99.5** Le trône royal étant surélevé, le roi devait poser les pieds sur un *marchepied*. S'incliner devant le marchepied de Dieu exprimait donc l'hommage qu'on rendait à Dieu, le Roi. Les Israélites considéraient le coffre sacré ou arche de l'alliance comme le trône de Dieu ou son marchepied.

l **99.6** *Moïse* intercesseur pour Israël : Ex 17.11-13 ; 32.11-14,30-34 ; Nomb 12.13 ; 14.13-19 ; 21.7 ; Ps 106.23. – *Aaron* intercesseur : Nomb 17.11-15. – *Samuel* intercesseur : 1 Sam 7.8-9 ; 12.16-23. – *Moïse* et *Samuel* : Jér 15.1.

m **99.7** Voir Ex 13.21 ; 19.9 ; 33.9 ; Nomb 12.5.

n **99.8** Sans les avoir expressément nommés le tex semble faire allusion ici aux contemporains c Moïse et Aaron et à ceux de Samuel, plutôt qu'à c personnages eux-mêmes. Voir cependant Nom 20.12,24 ; 27.14 ; Deut 3.26-27.

o **99.9** C'est sur la colline de Sion (v. 2) qu'était bâti temple, considéré comme la demeure de Dieu ; vo 2.6.

p **100.3** *nous sommes à lui* : une autre tradition te tuelle juive a lu *ce n'est pas nous*.

q **100.5** Voir 106.1 et la note.

PSAUME 101 (100)

Le roi s'engage devant Dieu à respecter le droit

1 *Psaume appartenant au recueil de David.*

Voici ce que je veux chanter : la bonté et le respect du droit.
C'est toi, Seigneur, que je veux célébrer par mes chants.

2 Je veux m'appliquer à comprendre
quelle est la ligne de conduite parfaite.
– Quand viendras-tu jusqu'à moi ?
Parmi ceux qui m'entourent
je me conduirai d'un cœur sincère.
3 Je refuserai de m'intéresser à ce qui est malhonnête.
Je déteste qu'on renie sa foi,
je n'aurai donc rien de commun avec cela.
4 Je ne veux rien savoir de ce qui est mal,
je tiendrai donc les filous à distance.
5 Je réduirai au silence
ceux qui calomnient leur prochain à son insu.
Je ne supporterai pas
ceux qui regardent les autres de haut et qui se gonflent d'orgueil.

6 Dans le pays, je saurai voir qui est digne de confiance,
pour le faire siéger à mes côtés ;
et celui qui se conduit comme il faut, c'est lui qui sera mon assistant.

7 Parmi ceux qui m'entourent, il n'y a pas de place pour les tricheurs.
Quant aux menteurs, ils ne tiendront pas devant moi.
8 Chaque matin, je réduirai au silence tous les malfaiteurs du pays,
pour éliminer de la cité du Seigneur
tous ceux qui font le malheur des autres.

PSAUME 102 (101)

Détresse et espérance

1 *Prière d'un malheureux à bout de force, qui expose sa plainte au Seigneur.*

2 Seigneur, écoute ma prière,
accueille mon appel avec bienveillance.
3 Ne te détourne pas de moi quand je suis dans la détresse.
Tends vers moi une oreille attentive ;
le jour où je t'appelle au secours, réponds-moi sans tarder.
4 Car ma vie s'évanouit comme une fumée,
mes dernières forces se sont consumées.
5 Comme l'herbe coupée,
mes facultés ont perdu toute fraîcheur ;
j'en oublie même de manger.
6 On n'entend que mes soupirs,
je n'ai plus que la peau sur les os.
7 Je fais penser au hibou du désert,
je suis comme la chouette des ruines.
8 Je reste en éveil
comme un oiseau solitaire sur le toit.

9 Tous les jours, mes ennemis me provoquent ;
ils me raillent, ils me nomment dans leurs serments.
10 J'ai la bouche dans la poussière,
tout ce que je bois est mêlé de mes larmes.
11 Ainsi, dans ta fureur et ton indignation,
tu m'as soulevé et jeté au loin.
12 Ma vie s'étire, comme l'ombre du soir,
je suis comme l'herbe qui se dessèche.

13 Mais toi, Seigneur, tu es roi pour toujours,
de siècle en siècle, tu restes Dieu.
14 Tu interviendras, tu auras pitié de *Sion.
Il est temps que tu lui accordes ton appui,
oui, il en est grand temps.
15 Nous, tes serviteurs, nous aimons ses pierres,
nous sommes attachés même à ses décombres[r].

16 Que toutes les nations étrangères
reconnaissent l'autorité du Seigneur,
et tous les rois de la terre sa *gloire !
17 Quand le Seigneur rebâtira Sion,
quand il apparaîtra dans sa gloire,
18 loin de mépriser les exploités qui le prient,
il accueillera leur demande.
19 Qu'on note cela par écrit pour les générations à venir,
afin que son peuple recréé acclame le Seigneur[s].
20 Du haut du ciel, le Seigneur se penche pour regarder.
De son *sanctuaire, il tourne son regard vers la terre
21 pour écouter la plainte du prisonnier
et détacher les liens des condamnés à mort.
22 Alors on proclamera dans Sion la renommée du Seigneur ;
on chantera ses louanges à Jérusalem,
23 quand tous les peuples s'y rassembleront,
quand les royaumes y adoreront le Seigneur.

24 Quand je n'étais qu'à mi-chemin,
il a épuisé mes forces[t], il a abrégé ma vie.
25 C'est pourquoi je m'écrie :
« Mon Dieu,
toi qui subsistes à travers l'Histoire,
ne m'enlève pas en pleine vie. »
26 Il y a longtemps, tu as fondé la terre,
le ciel est ton ouvrage.
27 Tout cela disparaîtra, mais toi, tu restes.
Terre et ciel tomberont en lambeaux comme de vieux habits,
et tu les remplaceras comme un vêtement.
Ils céderont la place,

---

r **102.15** *à ses décombres* : autre traduction *à sa poussière*.

s **102.19** Voir 22.31-32.

t **102.24** Une autre tradition textuelle juive a lu *s… forces*.

28 mais toi, tu demeures le même,
ta vie n'a pas de fin[u].
29 Les enfants de tes serviteurs s'établiront
et leurs descendants resteront sous ton regard.

PSAUME 103 (102)

Je veux dire merci au Seigneur

1 *Du recueil de David.*

Je veux dire merci au Seigneur ;
de tout mon cœur, je veux remercier l'unique vrai Dieu.
2 Oui, je veux remercier le Seigneur
sans oublier un seul de ses bienfaits.

3 C'est lui qui pardonne toutes mes fautes,
guérit toutes mes maladies,
4 m'arrache à la tombe,
me comble de tendresse et de bonté.
5 Il remplit ma vie[v] de bonheur,
il me donne une nouvelle jeunesse ;
je suis comme l'aigle qui prend son vol.
6 Le Seigneur intervient pour redresser les torts,
il rend justice à tous ceux qu'on opprime.
7 Il a fait connaître ses plans à Moïse
et ses exploits au peuple d'Israël.
8 Le Seigneur est compatissant et bienveillant,
patient et d'une immense bonté[w].
9 Il ne fait pas constamment des reproches,
il ne garde pas éternellement rancune.
10 Il ne nous a pas punis comme nous l'aurions mérité,
il ne nous a pas fait payer le prix de nos fautes.

11 Sa bonté pour ses fidèles monte aussi haut
que le ciel au-dessus de la terre.
12 Il met entre nous et nos mauvaises actions
autant de distance qu'entre l'est et l'ouest.
13 Le Seigneur aime ses fidèles
comme un père aime ses enfants.
14 Il sait bien, lui, de quoi nous sommes faits :
d'un peu de poussière, il ne l'oublie pas.

15 La vie de l'homme fait penser à l'herbe :
comme l'herbe des champs, qui commence à fleurir
16 mais périt dès que passe le vent brûlant,
la voilà disparue sans laisser de trace.
17 Mais la bonté du Seigneur pour ses fidèles
dure depuis toujours et durera toujours.
Et sa loyauté reste acquise aux enfants de leurs enfants,
18 s'ils respectent les règles de *l'alliance
et pensent à faire ce que Dieu a commandé.

102.28 Voir És 51.6-8. Les v. 26-28 sont cités en Hébr 1.10-12.

v **103.5** *ma vie* : hébreu obscur.
w **103.8** Voir Ex 34.6 ; Ps 86.15 ; 145.8 ; Jacq 5.11.

19 Le Seigneur a dressé son trône dans le ciel.
Il règne sur tout ce qui existe.
20 Remerciez le Seigneur, vous ses *anges,
qui, de toutes vos forces, faites ce qu'il dit
et lui obéissez au premier mot.
21 Remerciez le Seigneur, vous, l'armée de ses serviteurs,
qui accomplissez tout ce qu'il désire.
22 Remerciez le Seigneur, vous tous qu'il a créés,
où que vous soyez dans son empire.

Et moi aussi, je veux dire : « Merci, Seigneur. »

PSAUME 104 (103)

Merci à Dieu le Créateur

1 Je veux dire merci au Seigneur !

Seigneur, mon Dieu, tu es infiniment grand.
Tu t'habilles de splendeur et de majesté,
2 tu t'enveloppes d'un manteau de lumière.
Tu as déployé le ciel comme une tente ;
3 tu as placé ta demeure encore plus haut.
Les nuages te servent de char,
tu te déplaces sur les ailes du vent.
4 Tu prends les vents comme messagers,
le feu est à ton service[x].

5 Tu as fixé la terre sur ses bases ;
pas de danger qu'elle en bouge désormais.
6 Tu l'avais couverte de l'océan comme d'un manteau,
les eaux montaient jusqu'au sommet des montagnes.
7 Mais tu les menaças, elles s'enfuirent ;
au bruit de ton tonnerre, elles prirent la fuite
8 grimpant sur les sommets, descendant les vallées
jusqu'à la place que tu leur avais fixée.
9 Tu leur traças une limite à ne pas franchir,
pour qu'elles ne viennent plus couvrir la terre.

10 Tu conduis l'eau des sources dans les ruisseaux,
elle se faufile entre les montagnes.
11 Tous les animaux peuvent y venir boire,
et l'âne sauvage y calme sa soif.
12 A proximité, les oiseaux ont leurs nids,
et chantent à l'abri du feuillage.

13 Du haut du ciel, tu fais pleuvoir sur les montagnes ;
tu veilles à ce que la terre ait assez d'eau[y].
14 C'est toi qui fais pousser l'herbe pour le bétail,
et les plantes que les hommes cultivent.
Ainsi la terre leur fournit de quoi vivre :

---

x **104.4** Verset cité en Hébr 1.7 d'après l'ancienne version grecque.

y **104.13** *tu veilles...* : sens approximatif d'un texte hébreu peu clair.

15 du vin pour les rendre gais,
de l'huile pour leur donner bonne mine,
du pain pour leur rendre des forces.

16 Même les plus grands arbres ont l'eau qu'il leur faut,
les cèdres du Liban, plantés par toi, Seigneur.
17 Les petits oiseaux viennent y faire leur nid,
et la cigogne s'installe sur les cyprès.
18 Les hautes montagnes sont pour les bouquetins,
et les rochers servent de refuge aux damans[z].

19 Tu as fait la lune pour fixer les dates,
et le soleil, qui sait l'heure de son coucher.
20 Tu envoies l'obscurité, voici la nuit,
l'heure où s'animent les bêtes des forêts.
21 Les jeunes lions rugissent après leur proie,
ils réclament de toi leur nourriture.
22 Quand le soleil se lève, ils se retirent
et vont se coucher dans leur tanière.
23 L'homme sort alors de chez lui
pour aller au travail et peiner jusqu'au soir.

24 Seigneur, qu'elle est vaste, ton activité !
Avec quel art tu as tout fait !
La terre est remplie de ce que tu as créé.
25 Voici la mer, immense, à perte de vue.
Tant d'êtres s'y meuvent, petits et grands,
qu'on ne peut les compter.
26 Des navires la parcourent en tous sens,
et aussi le dragon marin, le Léviatan ;
tu l'as inventé pour jouer avec lui.

27 Tous ces êtres dépendent de toi
pour recevoir leur nourriture au bon moment.
28 Si tu la leur donnes, ils la prennent ;
si tu ouvres la main, ils ont tout ce qu'il faut.
29 Mais si tu refuses, les voilà terrifiés ;
si tu leur reprends le souffle de vie,
ils expirent et redeviennent poussière.
30 Tu leurs rends le souffle et les voilà recréés,
tout devient nouveau à la surface du sol.

31 Que ta *gloire, Seigneur, dure toujours !
Réjouis-toi de ce que tu as fait !
32 Tu regardes la terre, et la voilà qui tremble ;
tu touches du doigt les montagnes,
et les voilà couvertes de fumée.

104.18 Le *daman* des rochers : petit mammifère herbivore, de la taille d'un lapin, appartenant à la même famille que les espèces africaines (daman des arbres, daman des steppes) ; il vit en colonies.

33 Je veux te chanter toute ma vie ;
mon Dieu, je te célébrerai par mes chants tant que j'existerai.
34 Que mon poème te plaise, Seigneur ;
moi, je suis si heureux de t'avoir comme Dieu !
35 Ceux qui se détournent de toi doivent disparaître de la terre.
Qu'il n'y ait plus de gens sans foi ni loi !

Oui, je veux te dire merci, Seigneur.
*Alléluia, vive le Seigneur !

PSAUME 105 (104)

Histoire de la fidélité de Dieu

(v. 1-15 : voir 1 Chron 16.8-22)

1 Louez le Seigneur, dites bien haut qui est Dieu,
annoncez aux autres peuples ses exploits.
2 Chantez pour lui, célébrez-le par vos chants,
parlez de toutes ses merveilles.
3 Soyez fiers de lui, l'unique vrai Dieu,
ayez le cœur en joie, fidèles du Seigneur.
4 Tournez-vous vers le Seigneur tout-puissant,
cherchez continuellement sa présence.
5-6 Vous qui descendez d'Abraham, son serviteur,
vous les fils de Jacob qu'il a choisis,
rappelez-vous les merveilles qu'il a faites,
rappelez-vous ses prodiges, les décisions qu'il a prononcées.

7 Notre Dieu, c'est lui, le Seigneur ;
ses décisions concernent la terre entière.
8 Il se souvient qu'il s'est engagé pour toujours,
qu'il a donné sa parole pour mille générations[a].
9 C'est la promesse qu'il a faite à Abraham,
c'est son serment en faveur d'Isaac[b],
10 c'est la décision qu'il a confirmée à Jacob,
sa promesse éternelle en faveur d'Israël[c],
11 quand il lui a dit : « Je te donne le pays de Canaan,
c'est la part qui vous est attribuée, à toi et à tes descendants[d]. »

12 Ceux-ci n'étaient alors qu'en petit nombre,
tout juste quelques émigrés dans le pays[e].
13 Ils allaient d'une nation chez une autre,
d'un royaume à un autre.
14 Mais Dieu ne laissa personne les maltraiter,
à cause d'eux, il avertit des rois :
15 « Défense de toucher à ceux que j'ai consacrés, disait-il ;
défense de faire du mal à ceux qui sont mes porte-parole[f] ! »

---

a **105.8** Deut 7.9.
b **105.9** *à Abraham* : Gen 12.7 ; 17.8. – *en faveur d'Isaac* : Gen 22.16-17 ; 26.3.
c **105.10** *Israël* : autre nom de Jacob, selon Gen 32.29 ; voir v. 23.
d **105.11** V. 10-11 : voir aussi Gen 12.3 ; 13.15 ; 15.1 17.8 ; 26.3 ; 35.12 ; 48.4 ; Deut 1.8 ; 34.4 ; Act 7.5.
e **105.12** Voir Gen 34.30 ; Deut 7.7 ; 26.5.
f **105.15** V. 14-15 : voir Gen 20.3-7.

16 Il provoqua la famine dans le pays,
et le pain vint à manquer[g].
17 Mais il envoya un homme pour précéder ses protégés :
c'était Joseph, qui fut vendu comme esclave[h].
18 On lui imposa des chaînes aux pieds,
on lui passa le cou dans un collier de fer[i],
19 jusqu'au moment où la parole qu'il reçut du Seigneur
prouva quel genre d'homme il était[j].
20 Le roi donna l'ordre de le libérer,
le maître des peuples le fit relâcher[k].
21 Il le nomma chef de son administration,
et maître de tout ce qu'il possédait[l],
22 pour éduquer les ministres à sa guise[m]
et enseigner la sagesse aux vieux conseillers.
23 Après quoi Jacob vint en Égypte,
Israël fut l'hôte du pays de Cham[n].

24 Le Seigneur rendit son peuple très prolifique
et plus puissant que ses adversaires.
25 Il changea les sentiments des Égyptiens,
qui se mirent à haïr son peuple
et cherchèrent à duper ses fidèles[o].
26 Alors il envoya son serviteur Moïse,
et Aaron, qu'il avait choisi[p].
27 Chez les Égyptiens, tous deux réalisèrent
les prodiges que Dieu leur avait ordonnés ;
au pays de Cham, ils firent des interventions marquantes.
28 Ainsi Dieu fit venir l'obscurité, et le pays fut noyé dans la nuit,
sans que personne s'oppose à sa parole[q].
29 Il changea l'eau en sang
et fit périr les poissons qui s'y trouvaient[r].
30 Le pays fut envahi de grenouilles
jusque dans les appartements royaux[s].
31 Sur l'ordre de Dieu arrivèrent des mouches piquantes
et des moustiques sur tout le territoire[t].
32 Au lieu de pluie, il envoya la grêle,
et la foudre qui mit le feu dans le pays ;

---

g **105.16** *famine* : voir Gen 41.53-57. – *et le pain vint à manquer* : l'hébreu exprime cette idée par la tournure imagée *il cassa tous les bâtons à pain* (bâtons sur lesquels on enfilait les pains pour les mettre en réserve).

h **105.17** Gen 37.28 ; 45.5.

i **105.18** Joseph emprisonné : Gen 39.20.

j **105.19** Allusion à Gen 41.16,25. La traduction du v. 19 est discutée. Certains comprennent *jusqu'au moment où ce qu'il* (Joseph) *avait prédit se réalisa* (Gen 37.6-10) *la parole du Seigneur l'éprouva*.

k **105.20** Gen 41.14.

l **105.21** Gen 41.39-41.

m **105.22** On interprète ici le début du v. 22 d'après les anciennes versions grecque, syriaque et latine ; hébreu *pour qu'il attache (?) à lui-même ses ministres*.

n **105.23** Jacob en Égypte : Gen 46.6 ; 47.11. – *Cham* : voir Ps 78.51 et la note.

o **105.25** V. 24-25 : Ex 1.7-14.

p **105.26** Ex 3.1–4.17.

q **105.28** *l'obscurité* : Ex 10.21-29. – *sans que personne s'oppose* : autre interprétation *sans qu'ils* (Moïse et Aaron) *s'opposent*... Les anciennes versions ont compris autrement ce verset difficile : *Mais ils* (les Égyptiens) *s'opposèrent à sa parole* (allusion à Ex 10.27).

r **105.29** Ex 7.14-25.

s **105.30** Ex 7.26–8.11.

t **105.31** Ex 8.12-28.

33 il détruisit vignes et figuiers,
et cassa les arbres de la région[u].
34 Sur un autre ordre de Dieu arrivèrent des *sauterelles,
des criquets pèlerins innombrables,
35 qui dévorèrent toute la végétation,
tous les produits du sol[v].
36 Enfin, dans les familles d'Égypte,
Dieu frappa de mort tous les fils aînés,
le plus précieux produit de leur vigueur[w].
37 Puis il fit sortir les siens chargés d'argent et d'or[x].
Dans leurs tribus, personne ne traînait les pieds.
38 En Égypte, on se réjouit de leur départ,
tant était forte la crainte qu'ils inspiraient[y].

39 Pour les protéger, le Seigneur déploya un rideau de fumée.
La nuit un feu les éclairait[z].
40 Mais ils réclamèrent.
Le Seigneur fit alors venir des cailles
et il les rassasia du pain du ciel[a].
41 Il ouvrit un rocher, l'eau se mit à couler[b],
traversant le désert comme un fleuve.

42 C'est qu'il se rappelait la divine promesse
qu'il avait faite à son serviteur Abraham[c].
43 Son peuple avait le cœur en fête quand il le fit sortir,
ceux qu'il avait choisis poussaient des cris de joie.
44 Puis il leur donna les terres d'autres nations,
et ils profitèrent du travail d'autres peuples[d],
45 afin qu'ils se tiennent à ses commandements
et observent ses instructions.
*Alléluia, vive le Seigneur !

PSAUME 106 (105)

Infidélité d'Israël, fidélité de Dieu

(V. 1,47-48 : voir 1 Chron 16.34-36)

1 *Alléluia, vive le Seigneur !

Louez le Seigneur, car il est bon,
et son amour n'a pas de fin[e].
2 Qui saura dire les exploits du Seigneur,
et faire entendre partout sa louange ?

3 Heureux ceux qui observent le droit établi par Dieu
et font toujours ce qui est juste !

u **105.33** V. 32-33 : Ex 9.13-35.
v **105.35** V. 34-35 : Ex 10.1-20.
w **105.36** Ex 12.29-30. – *d'Égypte* ; d'après de nombreux manuscrits ainsi que les anciennes versions araméenne et syriaque ; hébreu *dans leur pays*.
x **105.37** Ex 12.35-36.
y **105.38** Ex 12.33 ; 15.16.
z **105.39** Ex 13.21-22 ; 14.19-20.
a **105.40** Ex 16.13-18.
b **105.41** Ex 17.1-7 ; Nomb 20.2-13.
c **105.42** Gen 15.13-14 ; Ex 2.24 ; Luc 1.54-55.
d **105.44** Jos 11.16-23.
e **106.1** *Louez le Seigneur* ou *Merci au Seigneur*. Voir 100.5 ; 107.1 ; 118.1,29 ; 136.1 ; 1 Chron 16.34 ; 2 Chron 5.13 ; 7.3 ; Esd 3.11 ; Jér 33.11.

[4] Pense à nous, Seigneur, toi qui es bienveillant pour ton peuple.
Interviens pour nous[f], toi qui es le Sauveur.
[5] Alors nous ressentirons le bonheur de ceux que tu as choisis,
nous participerons à la joie qui anime ton peuple,
nous partagerons la fierté de ceux qui t'appartiennent.

[6] Nous avons commis les mêmes fautes que nos ancêtres ;
nous avons mal agi, nous nous sommes condamnés nous-mêmes.

[7] Quand nos ancêtres étaient en Égypte,
ils n'ont pas compris les merveilles du Seigneur,
ils ont oublié ses nombreuses bontés.
Ils ont été rebelles près de la *mer des Roseaux[g].
[8] Mais il les sauva par souci de son honneur,
pour montrer de quoi il était capable.
[9] Il menaça la mer des Roseaux,
elle se dessécha aussitôt ;
puis il fit marcher les siens au fond de l'abîme,
comme ils marchaient dans le désert.
[10] Il les sauva de ceux qui leur voulaient du mal,
il les arracha aux griffes de l'ennemi.
[11] Les eaux recouvrirent leurs adversaires,
aucun de ceux-ci n'en réchappa[h].
[12] Alors ils crurent à ce que Dieu avait dit
et le louèrent par leurs chants[i].

[13] Ils oublièrent vite ce qu'il avait fait,
ils n'attendirent pas qu'il achève son plan[j].
[14] Ils eurent envie de ce qu'ils n'avaient pas,
au désert, ils mirent Dieu au défi.
[15] Et Dieu leur donna la viande qu'ils réclamaient,
il les en rassasia jusqu'à l'écœurement[k].
[16] Au camp, ils furent jaloux de Moïse
et *d'Aaron, le serviteur consacré du Seigneur.
[17] Alors la terre s'entrouvrit, elle engloutit Datan,
elle recouvrit les complices d'Abiram.
[18] Un feu dévora leur bande,
une flamme consuma ces malfaisants[l].

[19] Au mont *Horeb, ils se fabriquèrent un veau,
ils offrirent leur culte à un bout de métal.
[20] Ils remplacèrent Dieu, qui était leur titre de gloire,
par la statue d'un bœuf, un vulgaire herbivore.

---

f **106.4** *à nous... pour nous* : d'après deux manuscrits hébreux et plusieurs versions anciennes ; hébreu *à moi... pour moi*.

g **106.7** Ex 14.10-12.

h **106.11** V. 9-11 : Ex 14.21-29.

i **106.12** Ex 14.31 ; 15.1-21.

j **106.13** Certains comprennent *ils n'attendirent pas ses instructions*.

k **106.15** V. 14-15 : voir Nomb 11.4-34. – *il les en rassasia jusqu'à l'écœurement* : d'après l'ancienne version grecque et Nomb 11.19-20 ; hébreu *il leur envoya le dépérissement* (voir Nomb 11.33).

l **106.18** Révolte de Datan et d'Abiram : Nomb 16.1-35.

21 Ils oublièrent Dieu, leur sauveur,
qui avait fait ces grandes choses en Égypte,
22 ces merveilles au pays de Cham[m],
ces miracles à la mer des Roseaux.
23 Dieu parlait alors de les exterminer,
mais celui qu'il avait choisi, Moïse, s'interposa
pour le retenir de tout détruire, dans sa colère[n].

24 Puis ils ne voulurent plus rien savoir du pays de leurs rêves,
ils ne croyaient plus à la promesse de Dieu.
25 Ils protestèrent sous leurs tentes,
ils n'écoutaient plus ce que disait le Seigneur.
26 Alors, levant la main, il fit le serment
de les laisser mourir dans le désert[o],
27 de disperser partout leurs descendants
et de les laisser mourir chez les païens[p].

28 A Péor, ils se livrèrent au culte du dieu *Baal,
et mangèrent des viandes offertes en *sacrifice à des dieux morts[q].
29 C'était provoquer le Seigneur.
Un fléau s'abattit alors sur eux.
30 Mais Pinhas était là, il fut le justicier,
et le fléau prit fin.
31 Le Seigneur lui donna raison pour toujours,
pour toutes les générations à venir[r].

32 Aux sources de Meriba, ils irritèrent le Seigneur,
et causèrent le malheur de Moïse :
33 exaspéré par eux, il parla sans réfléchir[s].

34 Ils n'ont pas éliminé les Cananéens,
contrairement à l'ordre du Seigneur[t].
35 Mais ils se sont mêlés aux païens,
ils ont appris leurs pratiques,
36 ils ont offert un culte à leurs divinités,
tombant dans le piège de l'idolâtrie[u].
37 Ils ont même offert leurs fils et leurs filles
en sacrifice à des faux dieux[v].
38 Ils ont répandu le sang des innocents
– le sang de leurs fils et de leurs filles,
sacrifiés aux dieux des Cananéens –
et ces meurtres ont souillé le pays[w].

---

m **106.22** *Cham* : voir 78.51 et la note.
n **106.23** V. 19.23 : voir Ex 32.1-14. – *s'interposa* ou *se tint sur la brèche* : Moïse est comparé au défenseur qui empêche les ennemis de pénétrer dans la ville par la brèche qu'ils ont ouverte dans la muraille.
o **106.26** V. 24-26 : voir Nomb 14.1-35.
p **106.27** Lév 26.33.
q **106.28** *des dieux morts* : voir Lév 26.30 ; Ps 115.4-8 ; 135.15-18. Autre traduction *des morts* (voir alors Deut 26.14).
r **106.31** V. 28.31 : voir Nomb 25.1-13.
s **106.33** V. 32-33 : voir Ex 17.1-7 ; Nomb 20.1-13.
t **106.34** Deut 7.1-6 ; 20.17-18.
u **106.36** V. 35-36 : voir Jug 2.1-3 ; 3.5-6.
v **106.37** Lév 18.21 ; Deut 12.31 ; 2 Rois 17.17 ; Jér 7.31 ; 19.5.
w **106.38** Nomb 35.33.

39 En agissant ainsi ils se sont rendus *impurs ;
c'était une prostitution[x].
40 Alors le Seigneur fit éclater son indignation contre son peuple,
il prit en horreur ceux qui étaient son bien le plus personnel.
41 Il les livra aux nations étrangères :
ils eurent comme maîtres des peuples qui les détestaient.
42 Ils subirent l'oppression et l'humiliation
de la part de leurs ennemis.
43 Bien des fois, le Seigneur les délivra,
mais ils restaient obstinément rebelles et enfoncés dans leur faute.
44 Le Seigneur entendit leurs plaintes
et constata leur détresse.
45 Il pensa à l'engagement qu'il avait pris à leur égard ;
il est si bon qu'il changea d'avis :
46 il éveilla pour eux la pitié
de tous ceux qui les retenaient prisonniers[y].

47 Seigneur, notre Dieu, sauve-nous,
arrache-nous aux nations étrangères et rassemble-nous.
Alors, en te louant, nous prononcerons ton nom unique,
nous nous réjouirons de t'acclamer.

48 Merci au Seigneur, au Dieu d'Israël !
Remerciez-le en tout temps.
Que tous ceux qui sont présents disent :
« *Amen, oui, qu'il en soit bien ainsi !
Alléluia, vive le Seigneur ! »

CINQUIÈME LIVRE
(Psaumes 107–150)

PSAUME 107 (106)

Merci au Dieu libérateur

1 Louez le Seigneur, car il est bon,
et son amour n'a pas de fin[z].
2 Voilà ce que doivent répéter
ceux que le Seigneur a pris en charge,
qu'il a retirés des griffes de l'adversaire
3 et rassemblés de tous les pays,
de l'Est et de l'Ouest, du Nord et du Midi[a].

4 Certains étaient perdus dans un affreux désert,
sans retrouver le chemin d'un lieu habité.
5 Mourant de faim et de soif,
ils étaient en train de perdre courage.

---

x **106.39** L'infidélité à Dieu assimilée à une *prostitution* : Jér 3.6-9 ; Osée 1.2 ; 2.4 ; 4.12-14.

y **106.46** 1 Rois 8.50 ; Jér 42.12 ; comparer Jug 2.14-18 ; Esd 9.9.

z **107.1** Voir 106.1 et la note. – *Louez le Seigneur* ou *Merci au Seigneur !*

a **107.3** Hébreu : *de la mer* (sans doute la mer Rouge, comme l'a compris l'ancienne version araméenne).

6 Alors dans leur détresse ils appelèrent le Seigneur à leur secours,
et lui les délivra du danger.
7 Il les mena par un chemin direct
à un lieu habité.
8 Qu'ils louent donc le Seigneur pour sa bonté,
pour ses miracles en faveur des humains !
9 Car il a donné à boire à ceux qui défaillaient de soif,
et ceux qui mouraient de faim, il les a comblés de tout le nécessaire.

10 D'autres, misérables prisonniers enchaînés,
étaient assis dans un obscur cachot.
11 Ils avaient été rebelles aux ordres de Dieu,
ils avaient méprisé les décrets du Très-Haut.
12 Il les fit plier sous le poids de la peine,
sans personne pour venir les relever.
13 Alors dans leur détresse, ils appelèrent le Seigneur à leur secours,
et lui les sauva du danger.
14 Il les retira de leur obscur cachot
et rompit leurs liens.
15 Qu'ils louent donc le Seigneur pour sa bonté,
pour ses miracles en faveur des humains !
16 Car il a fracassé les portes de bronze,
il a brisé les verrous de fer[b].

17 D'autres montraient qu'ils avaient perdu la raison
tant ils se conduisaient mal.
Par leur faute, ils étaient accablés de tourments.
18 Écœurés par toute nourriture,
ils avaient déjà un pied dans la tombe.
19 Alors dans leur détresse ils appelèrent à grands cris le Seigneur,
et lui les sauva du danger.
20 D'un mot, il les guérit
et les arracha à la mort.
21 Qu'ils louent donc le Seigneur pour sa bonté,
pour ses miracles en faveur des humains !
22 Qu'ils offrent des *sacrifices pour louer Dieu,
qu'ils crient de joie en racontant ce qu'il a fait !

23 D'autres s'étaient embarqués sur la mer,
ils exerçaient leur métier sur l'océan.
24 Ceux-là ont vu de quoi le Seigneur est capable
et les miracles qu'il fait sur la mer.
25 D'un mot, il déclencha un vent de tempête
qui souleva les vagues.
26 Leur bateau était projeté vers le ciel,
puis il dévalait dans les creux ;
eux-mêmes étaient la proie du mal de mer,
27 pris de vertige et titubant comme des gens ivres.
Tout leur savoir-faire était tenu en échec.

b **107.16** Voir És 45.2.

[28] Alors dans leur détresse ils appelèrent le Seigneur à leur secours,
et lui les tira du danger.
[29] Il changea l'ouragan en brise légère,
et les vagues s'apaisèrent.
[30] Ils purent se réjouir du calme revenu,
et le Seigneur les conduisit à bon port.
[31] Qu'ils louent donc le Seigneur pour sa bonté,
pour ses miracles en faveur des humains !
[32] Qu'ils proclament sa grandeur dans le peuple assemblé,
qu'ils l'acclament dans le conseil des *anciens !

[33] C'est lui qui change des cours d'eau en désert,
et des oasis en zones arides,
[34] ou une terre fertile en terre stérile,
si ses habitants ne respectent pas le droit.
[35] Il change aussi un désert en étendue d'eau,
une terre desséchée en oasis.
[36] Il y fait vivre des affamés.
Ceux-ci y dressent alors des habitations,
[37] ils ensemencent des champs, ils plantent des vignes
et en recueillent les produits.
[38] Le Seigneur les *bénit, il les rend très nombreux,
il ne laisse pas dépérir leur bétail.

[39] Mais d'autres voient leur nombre diminuer.
Les voilà qui se courbent
sous le poids de la captivité, du malheur et de la détresse.
[40] Le Seigneur fait tomber le mépris sur les nobles
et les laisse à errer dans un désert sans routes.
[41] Mais il sauve les pauvres de la misère,
il accroît leur famille autant que les troupeaux[c].

[42] Que les hommes droits se réjouissent en voyant tout cela,
et que toutes les mauvaises langues soient réduites au silence !
[43] Si quelqu'un est sage, il tiendra compte de ces faits
et comprendra que le Seigneur est bon.

PSAUME 108 (107)

Je veux réveiller l'aurore

(V. 2-6 : voir 57.8-12 ; v. 7-14 : voir 60.7-14)

[1] *Chant. Psaume appartenant au recueil de David.*

[2] O Dieu, me voilà plein de résolution,
je veux chanter et te célébrer de tout mon cœur[d].
[3] Réveillez-vous, ma harpe et ma lyre[e] :
car il faut que je réveille l'aurore.

[4] Seigneur, je veux te louer parmi les peuples,
et te célébrer par mes chants devant les nations,

---

c **107.41** V. 33-41 : voir 1 Sam 2.4-8 ; És 40.4 ; Amos 5.8 ; Luc 1.51-53.

d **108.2** *plein de résolution* : autre traduction *rassuré* ; voir 57.8 et la note. – *de tout mon cœur* : autre traduction *c'est là mon point d'honneur*.

e **108.3** Voir 150.3 et la note.

5 car ta grande bonté monte plus haut que le ciel,
et ta fidélité plus haut que les nuages.
6 O Dieu, montre ta grandeur qui dépasse le ciel,
que ta *gloire brille sur la terre entière !
7 Agis, viens à mon secours et réponds-moi,
pour que tes amis soient sauvés.

8 Dans le saint *temple qui lui est consacré, Dieu a parlé[f] :
« A moi la victoire !
Je partagerai la ville de Sichem,
je répartirai en lots la vallée de Soukoth.
9 Galaad est à moi, à moi aussi Manassé.
Mon casque, c'est Éfraïm,
et mon bâton de commandement, Juda.
10 Moab n'est que la cuvette où je me lave.
J'ai des droits sur Édom, j'y jette ma sandale.
Contre la Philistie je pousse un cri de guerre. »

11 Qui me mènera jusqu'en Édom ?
Qui me livrera sa ville fortifiée,
12 si ce n'est toi, Dieu ? Or tu nous as rejetés,
tu n'accompagnes plus nos armées.

13 Viens à notre aide contre l'adversaire,
car les hommes n'offrent qu'un secours dérisoire.
14 Avec Dieu nous serons victorieux,
car lui, il terrasse nos adversaires[g].

PSAUME 109 (108)

Un accusé fait appel à l'intervention de Dieu

1 *Du répertoire du *chef de chorale. Psaume appartenant au recueil de David.*

O Dieu, toi que je loue, ne garde pas le silence,
2 car des gens sans foi ni loi, des menteurs m'accusent ;
ils répandent contre moi des calomnies.
3 Leurs discours haineux m'assaillent de tous côtés,
ils s'en prennent à moi sans raison.
4 Ils répondent à mon amitié en m'accusant,
et pourtant je ne fais que prier[h] ;
5 ils me rendent le mal pour le bien,
la haine pour l'amitié.

6 Ils disent de moi : « Qu'on le charge d'un crime[i],
qu'un accusateur prenne place à sa droite !

---

f **108.8** Voir 60.8 et la note.
g **108.14** *il terrasse* ou *il piétine* : voir la note sur 18.39.
h **109.4** L'ancienne version syriaque ajoute *pour eux* (= *mes adversaires*).
i **109.6** *un crime* : avec d'autres voyelles le texte hébreu traditionnel a compris *qu'un homme sans foi ni loi intervienne contre lui !* – Les v. 6-19 citent les paroles des accusateurs. Certains interprètent cependant ces versets comme une malédiction que l'auteur du psaume prononcerait à l'encontre de ses adversaires. Voir la note sur le v. 20.

[7] A l'issue de son procès, qu'il soit reconnu criminel,
et que sa prière devienne un acte coupable !
[8] Qu'il ait peu de jours à vivre,
qu'un autre prenne ses fonctions[j] !
[9] Que ses fils deviennent orphelins
et sa femme veuve !
[10] Que ses fils deviennent vagabonds et mendiants,
qu'ils mendient loin de leur maison ruinée !
[11] Qu'un créancier mette la main sur tout ce qui est à lui,
et que des étrangers à sa famille s'emparent de ses biens !
[12] Que personne ne lui montre plus de bonté
et n'aie pitié des orphelins qu'il laissera !
[13] Que sa descendance s'éteigne,
que son nom disparaisse dès la prochaine génération !
[14] Qu'on rappelle au Seigneur
les fautes de son père et de son grand-père,
et que rien n'efface les péchés de sa mère !
[15] Que le Seigneur s'en souvienne toujours
qu'il ôte du pays le nom de ces gens-là !
[16] Car cet individu n'a eu aucun souci d'agir avec bonté,
mais il a poursuivi un homme pauvre,
malheureux, profondément abattu, afin de l'achever.
[17] Il s'est tellement plu à maudire,
que la malédiction est venue sur lui.
Il a si peu aimé *bénir,
que la bénédiction s'est éloignée de lui.
[18] Il s'est comme habillé de malédiction,
alors elle est entrée en lui comme de l'eau[k],
elle l'a imbibé comme de l'huile.
[19] Qu'elle le couvre comme son vêtement ;
qu'il l'ait toujours sur lui, comme sa ceinture ! »

[20] Voilà les agissements de ceux qui m'accusent auprès du Seigneur,
et qui me calomnient[l].
[21] Mais toi, Seigneur mon Dieu, agis envers moi
par fidélité à toi-même ;
c'est ta bonté qu'il me faut, sauve-moi.
[22] Je suis pauvre et malheureux,
au fond de moi, j'ai le cœur transpercé.
[23] Je m'en vais peu à peu, comme l'ombre qui s'étire ;
on me chasse comme un insecte nuisible[m].
[24] A force de *jeûner, je ne tiens plus debout ;
les privations m'ont amaigri.
[25] Je suis la cible de leurs moqueries :
en me voyant, ils secouent la tête[n].

109.8 Ce verset est cité en Act 1.20 par l'apôtre Pierre, qui l'applique à Judas.

109.18 *comme de l'eau* : comparer Nomb 5.17-28.

109.20 Certains traduisent *Voilà la punition que le Seigneur infligera à mes accusateurs*. Il faudrait alors supprimer les mots *ils disent de moi* introduits pour plus de clarté au v. 6. Voir la note sur le v. 6.

m **109.23** L'hébreu exprime cette idée en évoquant le geste de secouer un vêtement pour en faire tomber une *sauterelle*.

n **109.25** Voir 22.8 et la note.

26 Viens à mon aide, Seigneur mon Dieu ;
puisque tu es bon, sauve-moi.
27 Que ces gens le sachent : c'est toi qui as agi,
c'est toi, Seigneur, qui as fait cela pour moi.
28 Ils peuvent bien maudire, mais toi, tu bénis.
S'ils m'attaquent, ils se rendront ridicules,
mais moi, ton serviteur, je serai plein de joie.
29 Quant à mes accusateurs,
que l'humiliation soit pour eux comme un manteau,
que leur honte les couvre comme un vêtement !

30 Je veux louer le Seigneur à pleine voix,
et l'acclamer au milieu de la foule.
31 Car il se tient à la droite du malheureux[o]
pour le sauver de ceux qui vont le condamner.

PSAUME 110 (109)

Roi et prêtre

1 *Psaume appartenant au recueil de David.*

Déclaration du Seigneur Dieu à mon Seigneur le roi :
« Viens siéger à ma droite,
je veux contraindre tes ennemis à te servir de marchepied[p]. »
2 Depuis le *temple de *Sion,
que le Seigneur étende au loin ton pouvoir !
Et toi, maîtrise les ennemis qui t'entourent.
3 Les hommes d'élite t'accompagnent
en ce jour où tu rassembles ton armée.
Sur les montagnes de Dieu,
tes jeunes gens viennent à toi,
comme la rosée née de l'aurore[q].

4 Le Seigneur a fait ce serment, il ne s'en dédira pas :
« Tu es prêtre pour toujours, dans la tradition de Melkisédec[r]. »
5 Le Seigneur est à tes côtés[s].
Au jour de sa colère, il écrase des rois,
6 il exerce son jugement sur les nations,
tout est plein de cadavres,
il écrase les chefs sur toute l'étendue du pays.

7 En chemin, le roi va boire au ruisseau,
après quoi il relève la tête.

---

o **109.31** *il se tient à la droite* ; voir 16.8 et la note.

p **110.1** *à ma droite* : voir la note sur 16.11. – *marchepied* : voir 99.5 et la note ; 18.39 et la note. – Verset souvent cité dans le NT : Marc 12.36 ; 14.62 ; 16.19, et dans les passages parallèles de Matthieu et de Luc ; Act 2.34-35 ; Rom 8.34 ; 1 Cor 15.25 ; Éph 1.20 ; Col 3.1 ; Hébr 1.3,13 ; 8.1 ; 10.12-13 ; 12.2.

q **110.3** Le texte du v. 3 est très obscur et la traduction incertaine. *Les hommes d'élite t'accompagnent* : d'après l'ancienne version grecque. – *sur les montagnes de Dieu* : d'après de nombreux manuscrits et deux ve[rsions] anciennes. – *tes jeunes gens... née de l'aurore* : a[u]tre texte, appuyé par de nombreux manuscrits et l[es] anciennes versions grecque et syriaque *du sein [de] l'aurore je t'ai engendré (comme la rosée)* ; la fin du v[erset] représenterait alors une seconde déclaration de Di[eu] au roi de Jérusalem.

r **110.4** *Melkisédec* : voir Gen 14.18 ; Hébr 5.6,1[0] ; 6.20 ; 7.3,17,21.

s **110.5** *à tes côtés* ou *à ta droite* (côté favorable).

PSAUME 111 (110)

Pour commémorer les merveilles du Seigneur

1 *Alléluia, vive le Seigneur !

Je[t] veux louer le Seigneur de tout mon cœur
parmi les fidèles assemblés.
2 Les actions du Seigneur sont grandioses ;
ceux qui les apprécient en font tous l'expérience.
3 Splendeur et majesté distinguent ses actes.
Il est pour toujours fidèle à lui-même.
4 Il veut que l'on commémore ses merveilles.
Le Seigneur est bienveillant et compatissant,
5 il assure l'existence de ses fidèles
et se souvient toujours de sa promesse.
6 A son peuple, il a montré sa force en action
quand il lui donna le pays d'autres peuples.
7 Fidélité et droit marquent tout ce qu'il fait.
Toutes ses exigences sont dignes de confiance,
8 établies pour toujours.
Fidélité et droiture en sont les marques[u].
9 Il a envoyé la délivrance à son peuple,
qu'il a lié à lui par une promesse éternelle.
Il est le vrai Dieu, unique et redoutable.
10 Reconnaître l'autorité du Seigneur est l'a b c de la sagesse.
Tous ceux qui la pratiquent[v] montrent leur bon sens.
La *gloire du Seigneur subsiste pour toujours.

PSAUME 112 (111)

Le bonheur tranquille des fidèles

1 *Alléluia, vive le Seigneur !

Heureux l'homme[w] qui reconnaît l'autorité du Seigneur
et prend plaisir à faire ce qu'il commande !
2 Ses enfants seront influents dans le pays,
car Dieu fait du bien à l'ensemble des hommes droits.
3 Chez cet homme, c'est le bien-être et l'aisance ;
il a pour toujours l'approbation de Dieu.
4 Quand tout est obscur,
une lumière se lève pour l'homme droit.
Le fidèle est bienveillant et compatissant[x].
5 Prêter avec bienveillance, voilà qui est bien,
et gérer ses affaires en respectant le droit !
6 Jamais le fidèle ne faiblira ;
il laissera un souvenir impérissable.

---

t **111.1** Psaume alphabétique ; voir 9.2 et la note.

u **111.8** Autre traduction *Elles seront accomplies* (par les fidèles) *dans la fidélité et la droiture*.

v **111.10** *l'abc de la sagesse* : voir Job 28.28 ; Prov 1.7 ; 9.10. – *qui la pratiquent* : d'après les anciennes versions grecque, syriaque et latine ; hébreu *qui les* (les exigences ? v. 7) *pratiquent*.

w **112.1** Psaume alphabétique ; voir 9.2 et la note.

x **112.4** D'après quelques manuscrits hébreux ; texte traditionnel *il est bienveillant, compatissant et juste*. Certaines versions anciennes ont lu *Le Seigneur est bienveillant, compatissant et juste*.

7 Il n'a pas à craindre les méchantes rumeurs ;
le cœur assuré, il fait confiance au Seigneur.
8 Ferme sur ses positions, il attend sans peur
de voir la défaite de ses adversaires.
9 Il donne largement aux malheureux,
il a pour toujours l'approbation de Dieu[y].
Sa force augmente avec sa *gloire.
10 Le méchant s'en aperçoit et enrage,
il grince des dents et perd ses moyens.
Les méchants en ont l'appétit coupé[z].

PSAUME 113 (112)

Le Seigneur retourne les situations sans espoir

1 *Alléluia, vive le Seigneur[a] !

Vous qui êtes au service du Seigneur,
acclamez le Seigneur ici présent, oui, acclamez-le.
2 Qu'on remercie le Seigneur
dès maintenant et pour toujours !
3 Du lieu où le soleil se lève,
jusque là-bas où il se couche,
que tous glorifient le Seigneur !
4 Il est au-dessus de toutes les nations,
sa *gloire monte plus haut que le ciel.

5 Qui donc ressemble au Seigneur notre Dieu,
lui qui réside tout là-haut,
6 mais regarde ici-bas ?
– Personne, ni dans le ciel ni sur la terre !
7 Il remet debout le misérable qui était tombé à terre,
il relève le malheureux abandonné sur un tas d'ordures,
8 pour le mettre au premier rang[b],
avec les nobles de son peuple.
9 A la femme privée d'enfants il donne une maisonnée ;
il fait d'elle une mère heureuse.

Alléluia, vive le Seigneur !

PSAUME 114 (113 A)

Quand Israël sortit d'Égypte

1 Quand le peuple d'Israël sortit d'Égypte[c],
quand les descendants de Jacob
quittèrent ce peuple au parler étrange,
2 Juda devint le *sanctuaire du Seigneur
et Israël son domaine[d].

---

y **112.9** Verset cité en 2 Cor 9.9 d'après l'ancienne version grecque.

z **112.10** Autre traduction : *Les désirs des méchants seront réduits à rien*.

a **113.1** Les Ps 113-118 constituent le *Hallel*, ensemble de psaumes chantés lors de la célébration de la Pâque juive. Comparer Marc 14.26.

b **113.8** V. 7-8 : comparer 1 Sam 2.8 ; voir aussi Lu 1.52-53.

c **114.1** Voir Ex 12.51.

d **114.2** Opposé ici à *Juda, Israël* désigne peut-êtr l'ensemble des tribus du nord, qui formèrent l royaume du même nom après la mort de Salomor Au v. 1, en tout cas, *Israël* désigne l'ensemble d peuple de Dieu.

3 En les voyant, la mer s'enfuit,
le Jourdain retourna en arrière[e].
4 Les montagnes firent des bonds de bélier
et les collines des sauts de cabri.

5 Mer, qu'as-tu ainsi à t'enfuir,
et toi, Jourdain, à retourner en arrière,
6 vous, montagnes, à faire des bonds de bélier,
et vous, collines, des sauts de cabri ?

7 Terre, sois bouleversée devant le Seigneur,
devant le Dieu de Jacob,
8 lui qui change le roc en nappe d'eau,
et le granit en source jaillissante[f].

PSAUME 115 (113 B)

A Dieu seul la gloire !

1 Ce n'est pas à nous, Seigneur,
non, ce n'est pas à nous que revient la *gloire,
mais à toi, pour ta bonté et ta fidélité.

2 A quoi bon les païens demandent-ils :
« Leur Dieu, que fait-il donc ? »[g]
3 Notre Dieu ? Il est au ciel,
il réalise tout ce qu'il veut.
4 Mais leurs idoles d'argent ou d'or
ne sont que produits fabriqués par les hommes.
5 Elles ont bien une bouche, mais elles ne soufflent mot.
Elles ont bien des yeux, mais elles n'y voient rien ;
6 des oreilles, mais elles n'entendent rien,
un nez, mais elles ne sentent rien ;
7 des mains, mais sans pouvoir toucher ;
des pieds, mais sans pouvoir marcher.
Et leur gorge n'émet aucun son.
8 Que ceux qui les ont fabriquées deviennent comme elles,
et quiconque aussi met sa confiance en elles[h] !
9 – Vous, les tribus d'Israël,
faites confiance au Seigneur.
– C'est lui leur secours et leur bouclier[i].
10 – Vous les prêtres, descendants *d'Aaron[j],
faites confiance au Seigneur.
– C'est lui leur secours et leur bouclier.
11 – Vous les nouveaux fidèles,
faites confiance au Seigneur.
– C'est lui leur secours et leur bouclier.

---

e 114.3 *la mer* : Ex 14.21. – *le Jourdain* : Jos 3.15-16 ; 4.23.
f 114.8 Voir Ex 17.1-6 ; Nomb 20.1-11.
g 115.2 Voir 42.4,11.
h 115.8 V. 4-8 : voir 135.15-18 ; Apoc 9.20.
i 115.9 Les deux parties de chacun des v. 9,10,11 devaient être prononcées alternativement par des personnes ou des groupes différents.
j 115.10 *Aaron* et ses *descendants* ont été prêtres de l'ancien Israël (voir Ex 28.1,43).

12 – Le Seigneur pense à nous, il veut accorder ses bienfaits.
– Qu'il les accorde aux tribus d'Israël !
– Qu'il les accorde aux descendants d'Aaron !
13 – Qu'il les accorde aux nouveaux fidèles, à tous, petits et grands[k].
14 – Que le Seigneur augmente vos familles,
les vôtres et celles de vos enfants !
15 Soyez comblés de bienfaits par le Seigneur,
lui qui a créé le ciel et la terre !

16 Le ciel appartient au Seigneur, à lui seul,
mais la terre, il l'a remise aux humains.
17 Qui acclamera le Seigneur ? - Ce ne sont pas les morts,
ceux qui sont tombés dans le grand silence.
18 Mais nous, nous voulons dire merci au Seigneur,
dès maintenant et pour toujours.

*Alléluia, vive le Seigneur !

PSAUME 116 (114-115)

Prière d'un homme arraché à la mort

1 J'aime le Seigneur,
car il m'entend quand je l'appelle.
2 Il a tendu vers moi une oreille attentive.
Toute ma vie je ferai appel à lui[l].

3 La Mort me tenait déjà enchaîné,
le monde des ombres resserrait sur moi son étreinte ;
j'étais pris de détresse et d'angoisse.
4 Alors j'ai crié le nom du Seigneur :
« Ah, Seigneur, sauve-moi la vie ! »
5 Le Seigneur est bienveillant et fidèle,
notre Dieu a le cœur plein d'amour.
6 Le Seigneur garde ceux qui sont simples ;
j'étais tombé bien bas et il m'a sauvé.

7 Allons, je dois retrouver mon calme,
car le Seigneur m'a fait du bien.
8 Oui, tu m'as arraché à la mort, Seigneur,
tu as séché mes larmes, tu m'as évité de faire le pas fatal.
9 Sur cette terre destinée aux vivants,
je marcherai donc sous le regard du Seigneur.

*

10 J'ai gardé la foi, même quand je répétais[m] :
« Me voilà en bien triste état ! »
11 J'étais si bouleversé que je disais :
« On ne peut se fier à personne[n] ! »

---

k **115.13** Comparer Apoc 19.5.

l **116.2** Au lieu de *Toute ma vie je ferai appel à lui* l'ancienne version syriaque a compris *le jour où je l'appelai à mon secours* (voir 56.10 ; 102.3).

m **116.10** Pour le début du v. 10 l'ancienne version grecque a compris *J'ai cru, c'est pourquoi j'ai parlé*. C'est sous cette forme que ce verset est cité par l'apôtre Paul en 2 Cor 4.13.

n **116.11** Ou *Les hommes sont tous des menteurs* ; voir Rom 3.4.

12 Que puis-je rendre au Seigneur
pour tout le bien qu'il m'a fait ?
13 Je lèverai la coupe des délivrances[o],
et je crierai le nom du Seigneur.
14 Ce que j'ai promis au Seigneur, je le ferai
en présence de tout son peuple.

15 Le Seigneur voit avec douleur
la mort de ses fidèles.
16 Ah, Seigneur, je suis ton serviteur,
oui, ton serviteur né de ta servante !
Tu as défait mes liens.
17 Pour te louer, je t'offrirai un *sacrifice
et je proclamerai qui tu es.

18 Ce que j'ai promis au Seigneur, je le ferai
en présence de tout son peuple,
19 dans les cours de son *temple,
au milieu de toi, Jérusalem.

*Alléluia, vive le Seigneur !

PSAUME 117 (116)

Louange universelle

1 Acclamez le Seigneur, vous toutes les nations,
chantez ses louanges, vous tous les peuples[p],
2 car sa bonté pour nous est la plus forte.
La fidélité du Seigneur est éternelle.

*Alléluia, vive le Seigneur !

PSAUME 118 (117)

Vivre pour raconter ce que le Seigneur a fait

1 Louez le Seigneur, car il est bon,
et son amour n'a pas de fin[q].
2 Tribus d'Israël, à vous de répéter :
son amour n'a pas de fin.
3 Descendants *d'Aaron[r], à vous de répéter :
son amour n'a pas de fin.
4 Vous, ses nouveaux fidèles, à vous de répéter :
son amour n'a pas de fin.

5 Du fond de la détresse, j'ai appelé le Seigneur au secours,
et il m'a répondu, il m'a rendu la liberté.

---

o **116.13** Il est difficile de savoir exactement à quoi cette expression fait allusion. Selon certains la même *coupe* servait à déterminer la culpabilité ou l'innocence d'un accusé contre lequel on manquait de preuves (voir Nomb 5.11-28). Dans le premier cas cette coupe devenait symbole de condamnation (voir Ps 75.9) ; dans le second de *délivrance*. Selon d'autres la coupe men à Dieu une offrande c sance.

p **117.1** Verset cité en Ro

q **118.1** Voir 106.1 et la n

r **118.3** *Descendants d'Aar*

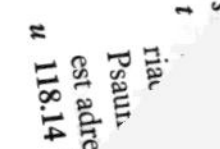

6 Le Seigneur est pour moi, je n'ai peur de rien :
Que peuvent me faire les hommes[s] ?
7 Le Seigneur est pour moi, il me porte secours ;
je vois la défaite de ceux qui m'en voulaient.
8 Mieux vaut recourir au Seigneur
que de compter sur un homme !
9 Mieux vaut recourir au Seigneur
que de compter sur des gens influents !

10 Les païens m'avaient tous encerclé ;
grâce au Seigneur, je les ai repoussés.
11 Leur cercle se refermait autour de moi,
grâce au Seigneur, je les ai repoussés.
12 Ils m'assaillaient comme un essaim d'abeilles,
mais ils se sont éteints comme un feu de paille ;
grâce au Seigneur, je les ai repoussés.

13 On m'avait bousculé[t] pour me faire tomber,
mais le Seigneur est venu à mon aide.
14 Ma grande force, c'est le Seigneur,
il est venu à mon secours[u].

15 Des cris de joie et de délivrance
remplissent les tentes des fidèles :
« La main droite du Seigneur est victorieuse,
16 la main droite du Seigneur est haut levée,
la main droite du Seigneur est victorieuse. »

17 Je ne vais donc pas mourir, mais je vivrai,
pour raconter ce que le Seigneur a fait.
18 Il est vrai que le Seigneur m'a corrigé,
mais il ne m'a pas laissé mourir[v].
19 Ouvrez-moi les portes réservées aux fidèles[w],
que j'entre pour louer le Seigneur !
20 – Voici la porte qui mène auprès du Seigneur :
que les fidèles entrent par là !
21 Je te louerai, Seigneur, car tu m'as répondu,
tu es venu à mon aide.

22 La pierre dont les maçons ne voulaient pas
est maintenant la principale, la pierre de l'angle[x].
23 Cela vient du Seigneur ;
pour nous, c'est une merveille[y].
24 Ce jour de fête est l'œuvre du Seigneur ;
crions notre joie, soyons dans l'allégresse.

118.6 Verset cité en Hébr 13.6.

8.13 D'après les anciennes versions grecque, sy-
e et latine ; hébreu *tu m'avais bousculé*, mais le
ne permet pas de préciser à qui cette phrase
ée.

Ex 15.2 ; És 12.2.

v **118.18** Voir 2 Cor 6.9.

w **118.19** Allusion aux portes du temple de Jérusalem.

x **118.22** Verset cité en Luc 20.17 ; Act 4.11 ; 1 Pi 2.7 ; comparer És 28.16.

y **118.23** Les v. 22-23 sont cités en Matt 21.42 ; Marc 12.10-11.

[25] « Ah, Seigneur, viens à notre aide[z] !
Ah, Seigneur, donne-nous la victoire ! »
[26] – Que Dieu *bénisse celui qui entre ici au nom du Seigneur[a] !
De l'intérieur de son *temple,
nous vous transmettons sa bénédiction.
[27] – Le Seigneur est le seul Dieu. Il nous a éclairés de sa lumière !
– Formez le cercle de la ronde jusqu'aux angles de *l'autel[b].

[28] Seigneur, tu es mon Dieu, je veux te louer,
mon Dieu, je veux proclamer ta grandeur :
[29] Louez le Seigneur, car il est bon
et son amour n'a pas de fin.

PSAUME 119 (118)

Mystère et merveille de la loi de Dieu

[1] Heureux[c] ceux dont la conduite est irréprochable,
qui règlent leur vie sur la *loi du Seigneur !
[2] Heureux ceux qui suivent ses ordres
et lui obéissent de tout leur cœur !
[3] Ceux-là ne commettent aucun mal,
mais ils vivent comme Dieu le demande.
[4] Toi, Seigneur, tu as révélé tes exigences,
pour qu'on les respecte avec soin.
[5] Ah, que je sache me conduire avec fermeté
en m'appliquant à faire ta volonté !
[6] Alors je n'éprouverai aucune honte
en revoyant tes commandements.
[7] Je te louerai sans arrière-pensées
en étudiant tes justes décisions.
[8] Je m'appliquerai à faire ta volonté ;
ne cesse jamais de me soutenir !

*

[9] Quand on est jeune, comment garder une conduite pure ?
– En observant ce que tu as dit, Seigneur.
[10] De tout mon cœur, je cherche à t'obéir ;
ne me laisse pas dévier de tes commandements.
[11] Dans mon cœur, je conserve tes instructions
pour ne pas être coupable envers toi.
[12] Merci, Seigneur,
de m'enseigner ta volonté.

118.25 *viens à notre aide* : les mots hébreux correspondants sont devenus plus tard un cri d'acclamation, que le grec a transcrit *Hosanna*, et qui a pris le sens de *Gloire au Seigneur !* ou *Vive le Seigneur !* Voir Matt 21.9 ; Marc 11.9 ; Jean 12.13.

118.26 Voir Matt 21.9 ; 23.39 ; Marc 11.9 ; Luc 13.35 ; 19.38 ; Jean 12.13.

118.27 *Formez le cercle de la ronde* : le sens de l'indication liturgique ainsi traduite est discuté. Autres traductions *Formez le cortège avec des rameaux* (dans la main) ou *Attachez la victime* (du sacrifice) *avec des liens*. – *les angles de l'autel* : voir Ex 27.2 ; c'était la partie de l'autel considérée comme la plus sacrée.

c **119.1** Sur les psaumes alphabétiques, voir 9.2 et la note. Dans le Ps 119 les huit versets de chaque strophe commencent tous par la mê
bet hébreu. Aux 22 lettr
bet correspondent autan
que verset (sauf v. 122)
breux termes synonymes
ments de Dieu : la *loi, ce qu*
dres), ses *exigences*, sa *volon*
(ou *ce que Dieu a dit*, ou *ce q*

13 Mes lèvres énumèrent
toutes les décisions que tu as prononcées.
14 Suivre tes ordres me réjouit
comme une immense richesse.
15 Je veux réfléchir à tes exigences,
et bien regarder la voie que tu me traces.
16 Je suis ravi de suivre tes directives,
je n'oublierai pas ta parole.

*

17 Sois bon pour moi, ton serviteur,
pour que je revive et observe ta parole.
18 Ouvre mes yeux pour que je voie bien
les merveilles de ta loi.
19 Je ne suis qu'un étranger sur terre,
ne me cache pas tes commandements.
20 Je me passionne pour les décisions
que tu as prises en toutes circonstances.
21 Tu menaces ces maudits insolents
qui s'égarent loin de tes commandements.
22 Décharge-moi du mépris et des moqueries,
car je m'applique à suivre tes ordres.
23 Même si des princes complotent contre moi,
je suis ton serviteur, je médite ta volonté.
24 Ce que tu as ordonné me ravit,
c'est là que je trouve les bons conseils.

*

25 Me voilà par terre, dans la poussière ;
rends-moi la vie, comme tu l'as promis.
26 Je t'ai raconté ma vie, tu m'as répondu ;
enseigne-moi ta volonté.
27 Fais-moi comprendre le sens de tes exigences,
pour que je réfléchisse à ces merveilles.
28 Le chagrin me fait verser des larmes,
relève-moi, comme tu l'as promis.
29 Tiens-moi loin des pratiques mensongères,
et dans ta bonté, fais-moi connaître ta loi.
30 J'ai choisi de te rester fidèle,
je me suis soumis à tes décisions.
31 Je m'attache à ce que tu m'as ordonné ;
Seigneur, ne me laisse pas dans l'humiliation.
32 Je cours sur le chemin que tu m'ordonnes,
car tu m'as ouvert l'esprit.

*

33 Montre-moi, Seigneur, la voie que je dois suivre,
et je m'y engagerai jusqu'au bout.
34 Fais-moi comprendre ta loi, et je la suivrai,
je m'y appliquerai de tout mon cœur.
35 Fais-moi suivre la voie que tu m'ordonnes,
ce sera un plaisir pour moi.

36 Mets en mon cœur plus d'attrait
pour tes ordres que pour le profit.
37 Détourne mon regard des affirmations creuses,
et fais-moi vivre à la manière qui te plaît.
38 Réalise pour moi, ton serviteur,
ce que tu as promis à tes fidèles.
39 Préserve-moi du mépris, il me fait peur,
car ce sont tes décisions qui sont bonnes.
40 Mon vrai désir, c'est de suivre tes exigences ;
puisque tu es juste, rends-moi la vie.

*

41 Que ta bonté s'étende jusqu'à moi, Seigneur ;
sauve-moi, comme tu l'as promis.
42 Que j'aie de quoi répondre à ceux qui m'insultent,
puisque je fais confiance à ce que tu as dit.
43 Ne me laisse jamais trahir la vérité,
car j'attends avec espoir tes décisions.
44 Je veux observer ta loi,
sans relâche et pour toujours.
45 Je veux avancer libre dans la vie,
car je me soucie de tes exigences.
46 Devant les rois je parlerai sans honte
de ce que tu as ordonné.
47 J'aime tes commandements,
je suis ravi d'y obéir.
48 En te priant, les mains levées[d] vers les commandements que j'aime,
je veux réfléchir à ta volonté.

*

49 Pense à ce que tu as dit à ton serviteur
et qui a éveillé ma confiance.
50 Dans ma misère, ma consolation
c'est que ton message me fait vivre.
51 Malgré les moqueries des insolents,
je ne me suis pas écarté de ta loi.
52 Je pense à tes décisions d'autrefois, Seigneur,
et j'y trouve ma consolation.
53 Je suis pris de rage en voyant les renégats,
ces gens qui ont abandonné ta loi.
54 Pour moi qui me sens comme en exil[e],
tes directives sont le thème de mes chants.
55 Pendant la nuit, je me rappelle qui tu es,
Seigneur, pour observer ta loi.
56 Ce qui m'appartient vraiment,
c'est de prendre au sérieux tes exigences.

*

57 Je le redis : la part qui me revient, Seigneur,
c'est d'appliquer ce que tu as dit.

---

d **119.48** Sur les *mains levées* comme geste de la prière voir 28.2 et la note.
e **119.54** Voir v. 19.

58 De tout mon cœur, j'ai cherché à te plaire,
accorde-moi ton appui, tu l'as promis.
59 J'ai réfléchi à ma conduite,
je veux revenir à tes ordres.
60 Sans remettre à plus tard, je me hâte
d'appliquer ce que tu as commandé.
61 Les méchants m'ont pris au piège,
mais je n'oublie pas ta loi.
62 En pleine nuit, je me lève et je te loue
pour les justes décisions que tu as prises.
63 Je suis l'ami de tous ceux qui t'honorent
et qui respectent tes exigences.
64 Seigneur, ta bonté remplit le monde.
enseigne-moi ta volonté.

*

65 Seigneur, comme tu l'avais promis,
tu m'as fait du bien, à moi ton serviteur.
66 Apprends-moi à bien apprécier
et à connaître tes commandements,
car j'ai toute confiance en eux.
67 Avant d'être humilié, j'étais égaré,
mais maintenant j'applique ce que tu as dit.
68 Tu es bon, Seigneur, et tu fais du bien,
enseigne-moi ta volonté.
69 Des insolents me salissent de mensonges,
mais moi, je prends à cœur tes exigences.
70 Ils ont l'esprit bouché,
mais moi, je suis ravi d'obéir à ta loi.
71 C'est un bien pour moi d'avoir été humilié,
pour que j'apprenne quelle est ta volonté.
72 La loi que tu as édictée vaut mieux pour moi
que des milliers de pièces d'or ou d'argent.

*

73 Tes mains m'ont formé et me maintiennent debout ;
donne-moi donc du discernement,
pour que j'assimile tes commandements.
74 Tes fidèles sont heureux de voir
que j'attends avec espoir ce que tu diras.
75 Seigneur, je le sais, tes décisions sont justes,
et tu as bien fait de m'humilier.
76 Que ta bonté vienne à présent me consoler,
comme tu me l'as dit, à moi ton serviteur.
77 Montre-moi que tu m'aimes, alors je revivrai,
car je suis ravi d'obéir à ta loi.
78 Honte aux insolents, qui m'accablent sans raison !
Moi, je me répète tes exigences.
79 Que ceux qui te respectent reviennent à moi
pour connaître ce que tu ordonnes[f] !

---

ne autre tradition textuelle juive a lu *et ceux qui connaissent ce que tu ordonnes*.

80 De tout mon cœur, je veux faire ta volonté,
ainsi je n'aurai pas honte devant toi.

*

81 Je me fatigue à chercher ton secours,
j'attends avec espoir ce que tu diras.
82 Mes yeux s'épuisent à scruter ton message,
et je demande : « Quand me consoleras-tu ? »
83 Ridé comme une *outre exposée à la fumée,
je n'oublie pourtant pas ta volonté.
84 Combien de jours de vie me donnes-tu encore ?
Quand appliqueras-tu ton jugement contre mes persécuteurs ?
85 Des insolents sans égard pour ta loi
creusent une fosse pour moi.
86 Tes commandements sont tous pleins de vérité.
On me poursuit pour de faux motifs, secours-moi.
87 J'étais à terre, j'ai vu la mort de près,
mais je n'ai pas abandonné tes exigences.
88 Selon ta bonté, rends-moi la vie
pour que j'observe tes ordres.

*

89 Seigneur, ta parole subsistera toujours,
elle a sa place éternelle dans le ciel.
90 Ta fidélité dure de siècle en siècle.
Tu as fondé la terre, elle tient bien en place ;
91 tout subsiste aujourd'hui grâce à ta décision,
car tout l'univers est à ton service.
92 Sans ta loi, qui me ravit,
la misère aurait eu raison de moi.
93 Jamais je n'oublierai tes exigences,
car c'est par elles que tu me fais vivre.
94 Je suis à toi, sauve-moi,
car je me soucie de tes exigences.
95 Des méchants guettent l'occasion de m'abattre,
mais je reste attentif à tes ordres.
96 J'ai vu que tout a une fin,
mais ton commandement est sans limites.

*

97 Ah, combien j'aime ta loi !
Elle occupe mes pensées tous les jours.
98 Ton commandement est mon bien pour toujours,
il me rend plus sage que mes ennemis.
99 Plus que mes maîtres, j'ai de l'instruction,
car je réfléchis longuement à tes ordres
100 Plus que les vieillards, j'ai du discernement
car je prends au sérieux tes exigences.
101 J'ai refusé de suivre le chemin du mal,
afin d'appliquer ce que tu as dit.
102 J'ai suivi fidèlement tes décisions,
puisque c'est toi qui me les as enseignées.

103 Quand je savoure tes instructions,
je leur trouve un goût plus doux que le miel.
104 Mon discernement vient de tes exigences,
c'est pourquoi je déteste toutes les pratiques mensongères.

*

105 Ta parole est une lampe devant mes pas,
une lumière qui éclaire ma route.
106 Je tiendrai la promesse que je t'ai faite
d'appliquer tes justes décisions.
107 J'ai été profondément humilié ;
Seigneur, rends-moi la vie, comme tu l'as promis.
108 Reçois ma prière en offrande, Seigneur[g],
et enseigne-moi ce que tu as décidé.
109 Ma vie est sans cesse exposée au danger,
mais je n'oublie pas ta loi.
110 Malgré les pièges que m'ont tendus les méchants,
je ne me suis pas écarté de tes exigences.
111 Tes ordres sont mon bien précieux pour toujours,
ils me réjouissent le cœur.
112 Je m'applique à faire ta volonté,
c'est ma récompense pour toujours.

*

113 Je déteste la duplicité,
mais j'aime ta loi.
114 Mon bouclier protecteur, c'est toi ;
j'attends donc avec espoir ce que tu diras.
115 Partez d'ici, gens malfaisants,
et je suivrai les commandements de mon Dieu.
116 Soutiens-moi pour que je vive, tu l'as promis ;
ne déçois pas mon espérance.
117 Reste mon appui, pour que je sois sauvé ;
je chercherai toujours quelle est ta volonté.
118 Tu renvoies ceux qui ne font pas ta volonté,
car leurs intrigues masquent le mensonge.
119 Tu jettes aux ordures les méchants de la terre,
c'est pourquoi j'aime ce que tu ordonnes.
120 Mon corps frémit du respect que tu inspires,
et tes décisions me plongent dans la crainte.

*

121 J'ai fait loyalement ce que tu ordonnais,
ne m'abandonne pas aux mains de mes oppresseurs.
122 Garantis-moi que tout finira bien ;
que les insolents ne m'oppriment plus !
123 Mon regard se fatigue à chercher ton secours
et le salut que tu as promis.
124 Traite-moi, je t'en prie, selon ta bonté,
et enseigne-moi ta volonté.

La prière comme offrande : voir 50.14 ; 51.19.

125 Je suis ton serviteur, ouvre-moi l'esprit
pour que je connaisse bien tes ordres.
126 Seigneur, il est temps que tu agisses :
on a violé ta loi.
127 Voilà pourquoi[h] j'aime tes commandements,
plus que l'or le plus fin.
128 Toutes tes exigences, je les trouve parfaitement justes,
je déteste toutes les pratiques mensongères.

*

129 Les ordres que tu as donnés sont merveilleux,
c'est pourquoi je m'applique à les suivre.
130 Découvrir ta parole apporte la lumière ;
elle donne du discernement aux simples.
131 Je bois avidement tes paroles,
car j'ai la passion de tes commandements.
132 Tourne-toi vers moi, accorde-moi ton appui,
comme tu l'as décidé pour ceux qui t'aiment.
133 Que ton message me rende plein d'assurance,
ne laisse aucun mal me dominer.
134 Libère-moi des hommes qui m'oppriment,
pour que je respecte tes exigences.
135 Fais-moi bon accueil ;
je t'en prie, enseigne-moi ta volonté.
136 Je pleure toutes les larmes de mon corps
en voyant qu'on n'observe pas ta loi.

*

137 Tu es loyal, Seigneur,
et juste dans tes décisions.
138 En donnant tes ordres, tu as montré
ta loyauté et ta fidélité parfaites.
139 Je suis pris de colère quand je vois
mes adversaires oublier ce que tu as dit.
140 Ta parole a vraiment fait ses preuves,
et je l'aime, moi ton serviteur.
141 Je suis un petit, un méprisé,
mais je n'ai pas oublié tes exigences.
142 Le droit que tu as établi est éternel,
et ta loi immuable.
143 Je suis atteint par la détresse et l'angoisse,
mais ce qui me ravit, c'est tes commandements.
144 Tes ordres constituent un droit éternel ;
fais-les-moi comprendre, et je revivrai.

*

145 Seigneur, de tout mon être je t'appelle,
réponds-moi, je veux suivre tes directives.
146 Je t'appelle, viens à mon secours,
je veux observer tes ordres.

119.127 *Voilà pourquoi* : le début du verset est peu clair en hébreu.

147 Dès avant le jour, je demande ton aide,
j'attends avec espoir ce que tu diras.
148 Avant la fin de la nuit, j'ouvre les yeux
pour méditer tes instructions.
149 Tu es bon, Seigneur, écoute donc mon appel
et fais-moi vivre d'après tes décisions.
150 Près de moi les gens courent après de honteux profits,
ils sont loin de ta loi.
151 Mais toi, tu es proche de moi, Seigneur,
on peut se fier à tous tes commandements.
152 Tes ordres, je sais depuis longtemps
que tu les as édictés pour toujours.

*

153 Considère ma misère et délivre-moi,
car je n'oublie pas ta loi.
154 Prends ma cause en main et charge-toi de moi,
comme tu l'as promis, rends-moi la vie.
155 Le salut reste loin des gens sans foi ni loi,
car ils n'obéissent pas à ta volonté.
156 Tu as un cœur plein d'amour, Seigneur,
fais-moi vivre en accord avec tes décisions.
157 J'ai beaucoup de persécuteurs et d'adversaires,
mais je n'ai pas manqué à tes ordres.
158 Je suis écœuré en voyant des renégats,
ces gens qui n'observent pas tes instructions.
159 Seigneur, constate que j'aime tes exigences ;
aussi vrai que tu es bon, fais-moi revivre.
160 Avant tout ta parole est vérité,
et toutes tes justes décisions sont valables pour toujours.

*

161 Des princes me persécutent sans raison,
mais seules tes paroles éveillent ma crainte.
162 Je me réjouis de ton message,
comme d'un grand trésor que j'aurais trouvé.
163 Je déteste le mensonge, j'en ai horreur,
mais ta loi, je l'aime.
164 Sept fois par jour, je te loue
pour tes justes décisions.
165 Ceux qui aiment ta loi éprouvent un grand bonheur,
ils ne risquent pas de trébucher.
166 Mon espoir, c'est que tu me sauveras, Seigneur,
je fais donc ce que tu as commandé.
167 De tout mon être, j'observe tes ordres,
tant je les aime profondément.
168 Oui, je respecte tes exigences et tes ordres ;
tout ce que je fais, tu peux le voir.

*

169 Seigneur, accueille ma plainte avec bienveillance ;
tu l'as promis, donne-moi du discernement.
170 Que ma supplication arrive jusqu'à toi ;
tu t'y es engagé, libère-moi.

171 Que mes lèvres proclament ta louange,
car tu m'enseignes ta volonté.
172 Que ma langue célèbre ta parole,
car tes commandements sont tous justes.
173 Que ta main soit là pour me venir en aide,
car j'ai choisi tes exigences.
174 Seigneur, mon grand désir c'est que tu me sauves,
et ce qui me ravit, c'est ta loi.
175 Que je puisse vivre pour te louer,
et que tes décisions me soient une aide !
176 Je suis errant, comme une *brebis égarée ;
viens me chercher, moi ton serviteur,
car je n'oublie pas tes commandements.

PSAUME 120 (119)

Prière d'un homme injustement accusé

1 *Chant des pèlerinages*

Quand j'étais dans la détresse,
j'ai appelé le Seigneur et il m'a répondu.
2 « Seigneur, délivre-moi des gens qui mentent
et font de faux serments. »

3 Quelle peine Dieu va-t-il vous infliger,
vous qui faites de faux serments[i] ?
4 – Eh bien, une volée de flèches de guerre,
aiguisées aux braises de genêt[j] !
5 Quel malheur pour moi d'avoir à vivre parmi des barbares
et d'habiter au milieu des sauvages !
6 J'ai vécu trop longtemps
parmi ceux qui détestent la paix.
7 Dès que je parle de paix,
eux, ils choisissent la guerre.

PSAUME 121 (120)

Qui pourra me secourir ?

1 *Chant pour les pèlerinages.*

Je regarde vers les montagnes :
Y a-t-il quelqu'un qui pourra me secourir ?

2 – Pour moi, le secours vient du Seigneur,
qui a fait le ciel et la terre.
3 Qu'il te préserve des faux pas,
qu'il te garde sans se relâcher !

4 Lui qui garde Israël
sans se relâcher, sans dormir,

i **120.3** Dans sa question l'auteur reprend les termes de la formule traditionnelle de serment ou d'imprécation (*Que Dieu m'inflige la plus terrible des peines, si...*) prononcée mensongèrement par ses adversaires. Sur cette formule voir 1 Sam 3.17 ; 1 Rois 2.23 ; 2 Rois 6.31 ; Ruth 1.17.

j **120.4** Une autre interprétati double image de la « langue *faux serments* : flèches mortelle Ps 57.5 ; Prov 12.18 ; 16.27 ; Ja

[5] il te gardera, il restera à tes côtés
comme une ombre protectrice.
[6] Ainsi pendant le jour, le soleil ne te nuira pas,
ni la lune pendant la nuit.
[7] Le Seigneur préservera ta vie,
il te gardera de tout mal.
[8] Oui, le Seigneur te gardera de ton départ jusqu'à ton arrivée,
dès maintenant et toujours !

PSAUME 122 (121) Vœux de paix pour Jérusalem

[1] *Chant des pèlerinages, appartenant au recueil de David.*

Quelle joie, quand on m'a dit :
« Nous allons à la maison du Seigneur ! »
[2] Nos pas s'arrêtent enfin chez toi, Jérusalem,
[3] Jérusalem, ville bien bâtie,
bien ceinturée de ses murailles[k].
[4] C'est chez toi que les tribus d'Israël, les tribus du Seigneur,
viennent en pèlerinage pour louer le Seigneur[l].
Telle est la règle en Israël.
[5] C'est chez toi aussi que se trouve le trône du descendant de David,
où il siège pour rendre la justice.
[6] Demandez la paix pour Jérusalem :
« Que ceux qui t'aiment, Jérusalem,
jouissent de la tranquillité !
[7] Que la paix règne dans tes murs,
et la tranquillité dans tes belles maisons !
[8] Pour l'amour de mes compagnons, de mes frères,
je fais pour toi des vœux de paix.
[9] Pour l'amour de la maison du Seigneur mon Dieu,
je demande pour toi le bonheur. »

PSAUME 123 (122) L'attente des humiliés

[1] *Chant des pèlerinages.*

Je tiens les yeux levés vers toi,
Seigneur, qui as ton trône dans le ciel.

[2] Comme des esclaves ont leur regard fixé sur la main de leur maître,
comme une servante ne quitte pas des yeux la main de sa maîtresse,
ainsi nous levons nos regards vers le Seigneur notre Dieu,
en attendant un signe de son appui.

[3] Accorde-nous ton appui, Seigneur, oui, accorde-nous ton appui,
car nous n'en pouvons plus d'être méprisés ;
[4] nous en avons plus qu'assez de l'ironie des insolents
et du mépris des arrogants.

---

3 *bien ceinturée de ses murailles* : hébreu peu clair ; ·ens possible *qui forme un ensemble harmonieux*.

l **122.4** *en pèlerinage* : voir Deut 16.16-17.

PSAUME 124 (123) Si le Seigneur n'avait pas été pour nous...

1 *Chant des pèlerinages, appartenant au recueil de David.*

Si le Seigneur n'avait pas été pour nous...
– qu'Israël répète :
2 « Si le Seigneur n'avait pas été pour nous » –
quand les hommes se sont dressés contre nous,
3 quand leur fureur a pris feu contre nous,
ils nous auraient engloutis tout vifs.
4 Alors le courant nous aurait emportés,
le torrent nous aurait submergés.
5 Alors les eaux bouillonnantes seraient passées sur nous.

6 Merci au Seigneur de ne pas nous avoir laissés
comme une proie entre leurs dents !
7 Nous nous en sommes tirés
comme un oiseau échappe au filet du braconnier :
le filet s'est rompu, nous étions libres.
8 Notre secours vient du Seigneur lui-même,
qui a fait le ciel et la terre.

PSAUME 125 (124) Ceux qui ont confiance dans le Seigneur

1 *Chant des pèlerinages.*

Ceux qui ont confiance dans le Seigneur
sont comme le mont *Sion,
qui sera toujours là, inébranlable.
2 Jérusalem est entourée de montagnes ;
le Seigneur entoure aussi son peuple,
c'est vrai aujourd'hui, ce le sera toujours.
3 Un gouvernement indigne
ne pourra pas se maintenir sur la patrie des fidèles ;
autrement ceux-ci seraient tentés de prendre part au mal.
4 Seigneur, montre-toi bon
pour ceux que tu trouves bons,
pour les hommes au cœur droit.

5 Quant à ceux qui suivent des voies tortueuses,
tu devrais les balayer, Seigneur,
avec ceux qui font le malheur des autres !

Que la paix soit donnée à Israël !

PSAUME 126 (125) Des pleurs changés en joie

1 *Chant des pèlerinages.*

Quand le Seigneur rétablit *Sion[m],
nous pensions rêver.

m 126.1 Certains traduisent comme l'ancienne version grecque : *ramena les captifs de Sion.*

2 Nous ne cessions de rire et de lancer des cris de joie.
Chez les autres nations on disait :
« Le Seigneur a fait beaucoup pour eux. »
3 Oui, le Seigneur a fait beaucoup pour nous,
et nous étions tout heureux.

4 Seigneur, rétablis notre situation,
comme tu ranimes les ruisseaux asséchés.

5 Celui qui pleure quand il sème
criera de joie quand il moissonnera.
6 Il part en pleurant pour jeter la semence ;
il reviendra criant de joie, chargé de ses gerbes de blé[n].

PSAUME 127 (126)

Si le Seigneur ne bâtit pas la maison

1 *Chant des pèlerinages, appartenant aux écrits de Salomon.*

Si le Seigneur ne bâtit pas la maison,
c'est en vain que les maçons se donnent du mal.
Si le Seigneur ne veille pas sur la ville,
c'est en vain que les veilleurs montent la garde.
2 C'est en vain, vous aussi, que vous vous levez tôt,
que vous vous couchez tard,
et que vous peinez à gagner votre pain.
Le Seigneur en donne autant
à ses bien-aimés pendant qu'ils dorment.

3 Des enfants, voilà les vrais biens de famille,
la récompense que donne le Seigneur !
4 Les fils qu'un homme a dans sa jeunesse
sont comme des flèches dans la main d'un guerrier.
5 Heureux l'homme qui peut en remplir son carquois !
Il ne risque pas d'être humilié
quand il plaide contre ses adversaires à la porte de la ville[o].

PSAUME 128 (127)

Le bonheur des fidèles

1 *Chant des pèlerinages.*

Heureux tous les fidèles du Seigneur,
ceux qui suivent le chemin qu'il a tracé !
2 Le résultat de ton travail, c'est toi qui en profiteras.
Heureux seras-tu, comme tout ira bien pour toi !
3 Chez toi, ta femme sera comme une vigne fertile,
et tes fils, autour de ta table, comme de jeunes oliviers.
4 Voilà comment sera *béni l'homme qui est un fidèle du Seigneur.

126.6 Pleurs changés en joie (v. 5-6) : voir 30.12 ; Jér 31.9-13 ; Jean 16.20.

o **127.5** C'est *à la porte de la ville* qu'on traitait les af faires (2 Rois 7.1) ou que se déroulaient les procè (Job 29.7-17).

5 Que le Seigneur te bénisse depuis le *temple de *Sion !
Alors, aussi longtemps que tu vivras,
tu jouiras du bonheur de Jérusalem,
6 et tu pourras voir les enfants de tes enfants.

Que la paix soit donnée à Israël !

AUME 129 (128) On m'a fait beaucoup de mal, mais...

1 *Chant des pèlerinages.*

On m'a fait beaucoup de mal depuis ma jeunesse...
– qu'Israël répète :
2 « On m'a fait beaucoup de mal depuis ma jeunesse » –,
mais on n'a pas pu en finir avec moi.
3 On a tracé de longs sillons sur mon dos,
comme si on labourait un champ.
4 Mais le Seigneur est fidèle :
il a tranché les liens que les méchants nous avaient imposés.

5 Honte à tous les ennemis de *Sion !
Qu'ils rebroussent chemin, tous !
6 Qu'ils aient le sort de l'herbe des toits,
desséchée avant qu'on l'arrache[p] !
7 Celui qui la coupe n'en saisit pas même une poignée,
celui qui la ramasse ne peut en faire une brassée.
8 Et les passants ne leur disent pas
« Que le Seigneur vous *bénisse[q] ! »

Nous vous bénissons au nom du Seigneur.

SAUME 130 (129) Au fond de la détresse

1 *Chant des pèlerinages*

Du fond de la détresse, je t'appelle au secours, Seigneur.
2 Écoute mon appel,
sois attentif quand je te supplie.
3 Si tu voulais épier nos fautes[r],
Seigneur, qui pourrait survivre ?
4 Mais c'est toi qui disposes du pardon,
c'est pourquoi tu dois être respecté.

5 De toute mon âme, je compte sur le Seigneur,
et j'attends ce qu'il va dire.
6 Je compte sur le Seigneur
plus qu'un soldat de garde n'attend le matin ;
oui, plus qu'un soldat de garde n'attend le matin.

129.6 *avant qu'on l'arrache* : d'autres traduisent *avant qu'elle ait fini de pousser*.
129.8 Bénédiction adressée aux moissonneurs (voir Ruth 2.4).
r **130.3** *épier nos fautes* : autre traduc[tion] ... *venir de nos fautes*.

[7] Peuple d'Israël, compte sur le Seigneur, car il est bon,
il a mille moyens de te délivrer.
[8] C'est lui qui te délivrera de toutes tes fautes[s].

PSAUME 131 (130) Seigneur, j'ai le cœur sans prétention

[1] *Chant des pèlerinages, appartenant au recueil de David.*

Seigneur, je suis sans prétention,
mon regard ne manifeste pas d'ambition.
Je ne vise pas la grandeur, ni ce qui est trop haut pour moi.
[2] Au contraire, je reste calme et tranquille,
comme un jeune enfant près de sa mère.
Comme cet enfant, je suis apaisé.

[3] Israël, compte sur le Seigneur, dès maintenant et toujours.

PSAUME 132 (131) Sion, résidence du Seigneur et ville de David

[1] *Chant des pèlerinages.*

Seigneur, souviens-toi de David
et de toute la peine qu'il s'est donnée.

[2] C'est David qui fit ce serment au Seigneur,
cette promesse au Dieu fort de Jacob :
[3] « Je m'interdis d'entrer chez moi,
de m'étendre sur mon lit,
[4] de laisser mes yeux se fermer
et de prendre le moindre sommeil,
[5] tant que je n'aurai pas trouvé une place pour le Seigneur,
une demeure pour le Dieu fort de Jacob ! »

[6] Nous l'avions entendu dire : le *coffre sacré est à Éfrata,
nous l'avons trouvé aux environs de Yaar[t].
[7] Entrons dans la demeure du Seigneur,
et inclinons-nous devant son marchepied[u].
[8] Seigneur, accompagne le coffre sacré où réside ta puissance,
et viens en ce lieu destiné à ton repos.
[9] Que tes prêtres portent avec eux le salut
comme ils portent leurs vêtements ;
que tes fidèles crient leur joie !
[10] Pour l'amour de ton serviteur David,
ne repousse pas le roi que tu as consacré[v].

---

s **130.8** Voir Matt 1.21 ; Tite 2.14.

t **132.6** *le coffre sacré* : voir Ex 25.10-22 ; il était considéré comme le trône royal du Seigneur ou comme son *marchepied* (v. 7) ; voir Nomb 10.33-36 ; 1 Sam 4.3-8 ; Ps 99.5. – *Éfrata* : localité située à quelque distance de Béthel, sur le territoire de la tribu d'Éfraïm, ne pas confondre avec *Éfrata-Bethléem*. – *Yaar* : probablement nom abrégé de *Quiriath-Yéarim*, à un douzaine de kilomètres à l'ouest de Jérusalem. – Sur les déplacements successifs de l'arche, voir 1 Sam 5.1–7.1 ; 2 Sam 6.1-19.

u **132.7** Voir 99.5 et la note.

v **132.10** V. 8-10 : comparer 2 Chron 6.41-42.

11 Le Seigneur a fait ce serment à David ;
il ne s'en dédira certainement pas :
« C'est un de tes fils que je choisirai
pour en faire le roi qui te succédera.
12 S'il respecte mes prescriptions pour *l'alliance
et la règle que je lui donne,
alors son propre fils, lui aussi,
siégera à son tour comme roi sur ton trône,
et ainsi pour toujours[w]. »

13 En effet le Seigneur a choisi *Sion,
il a désiré y faire sa résidence.
14 Il a déclaré : « Voilà pour toujours le lieu de mon repos ;
c'est ici que je désire habiter.
15 Oui, je ferai du bien à Sion, en lui procurant de quoi vivre,
et je donnerai à ses pauvres tout le pain dont ils ont envie.
16 J'habillerai de salut ses prêtres,
et ses fidèles crieront leur joie.
17 A Sion je ferai naître un roi puissant de la descendance de David.
Comme une lampe allumée
j'y maintiendrai le roi que j'ai consacré[x].
18 J'habillerai de honte ses ennemis,
mais sa couronne étincellera sur son front. »

PSAUME 133 (132)

Qu'il est bon, pour des frères, d'être ensemble

1 *Chant des pèlerinages, appartenant au recueil de David.*

Ah, qu'il est bon, qu'il est agréable
pour des frères d'être ensemble !
2 C'est comme le parfum de l'huile précieuse
versée sur la tête du grand prêtre *Aaron,
et qui descend jusqu'à sa barbe,
puis jusqu'au col de son vêtement[y].
3 C'est comme la rosée
qui descend du mont Hermon sur les hauteurs de *Sion.
Car c'est là, à Sion, que le Seigneur
donne sa *bénédiction, la vie, pour toujours.

PSAUME 134 (133)

Glorifiez le Seigneur, vous tous ses serviteurs

1 *Chant des pèlerinages.*

Eh bien, remerciez le Seigneur, vous tous qui êtes à son service,
qui vous tenez dans sa maison pendant les heures de la nuit !

132.12 Voir 2 Sam 7.12-16 ; 1 Chron 17.11-14 ; Ps 89.4-5 ; Act 2.30.
132.17 Voir 1 Rois 11.36.
133.2 Autre traduction, qui tient davantage compte du rythme de l'hébreu et qui invite à regrouper autrement les mots du v. 2 : *C'est (bon) comme l'huile parfumée / versée sur la tête (d'un invité), / et qui descend jusqu'à sa barbe* ; / (comme) *la bar*[illegible] *Aaron, qui descend jusqu'au col de s*[illegible] ce cas l'huile parfumée est l'huile d[illegible] 23.5 et la note) et non plus l'huile [illegible] Lév 8.10-12).

2 Élevez vos mains vers le *lieu saint
en remerciant le Seigneur[z] !

3 Depuis le *temple de *Sion, que le Seigneur vous *bénisse,
lui qui a fait le ciel et la terre !

PSAUME 135 (134)

Je le sais, le Seigneur est grand

1 *Alléluia, vive le Seigneur !

Acclamez le Seigneur,
acclamez-le, vous ses adorateurs,
2 qui vous tenez dans le *temple du Seigneur,
dans les cours de la maison de notre Dieu.
3 Acclamez le Seigneur, car il est bon ;
célébrez-le par vos chants, car il est accueillant.
4 Le Seigneur s'est choisi Jacob,
il a fait d'Israël son bien personnel.

5 Oui, je le sais : le Seigneur est grand ;
notre Maître surpasse tous les dieux.
6 Le Seigneur réalise tout ce qu'il veut,
dans le ciel et sur la terre,
sur les mers ou dans leurs profondeurs.
7 Il fait monter les nuages de l'horizon,
lance des éclairs pour déclencher la pluie,
et lâche la bride aux vents[a].

8 C'est lui aussi qui, en Égypte,
a frappé de mort les premiers-nés
tant chez les humains que parmi le bétail[b].
9 Par ses envoyés, il a fait des interventions marquantes
– en plein chez toi, Égypte ! –
contre le *Pharaon et tous ses valets[c].
10 Il a battu de nombreuses nations,
il a fait succomber des rois puissants :
11 c'étaient Sihon, roi des *Amorites,
et Og, roi du *Bachan[d],
et tous les rois de Canaan.
12 Il a donné leur pays en patrimoine,
en patrimoine à Israël, son peuple.

13 Seigneur, ta renommée est éternelle,
de siècle en siècle, tu restes Dieu.
14 Oui, le Seigneur rend justice à son peuple,
il est sensible au sort de ses adorateurs.
15 Les idoles des païens, qu'elles soient d'argent ou d'or,
ne sont qu'un produit fabriqué par les hommes.

---

z 134.2 Voir 28.2 et la note.
135.7 Ou *fait sortir le vent de ses réserves.*
135.8 Ex 12.29.
c 135.9 Ex 7.8–14.31.
d 135.11 Nomb 21.21-35.

[16] Elles ont bien une bouche, mais elles ne soufflent mot.
Elles ont bien des yeux, mais elles n'y voient rien ;
[17] des oreilles, mais elles n'entendent rien.
Et pas le moindre souffle dans leur bouche !
[18] Que ceux qui les ont fabriquées deviennent comme elles,
et quiconque aussi met sa confiance en elles[e] !

[19] Vous, les tribus d'Israël, remerciez le Seigneur.
Vous les prêtres, descendants *d'Aaron[f], remerciez le Seigneur.
[20] Vous la compagnie des *lévites, remerciez le Seigneur.
Vous les nouveaux fidèles, remerciez le Seigneur.
[21] Que de Jérusalem monte un grand merci
pour le Seigneur, qui a sa demeure sur le mont *Sion.

Alléluia, vive le Seigneur !

PSAUME 136 (135)

Merci au Sauveur d'Israël

[1] Louez le Seigneur, car il est bon,
et son amour n'a pas de fin[g].
[2] Louez le Dieu suprême,
car son amour n'a pas de fin.
[3] Louez le souverain Seigneur,
car son amour n'a pas de fin.

[4] Lui seul fait de grandes merveilles,
car son amour n'a pas de fin.
[5] Il est l'artiste qui a fait le ciel[h],
car son amour n'a pas de fin.
[6] Il a disposé la terre au-dessus des mers[i],
car son amour n'a pas de fin.
[7] Il a fait les grands astres :
car son amour n'a pas de fin,
[8] le soleil pour présider au jour,
car son amour n'a pas de fin,
[9] étoiles et lune pour présider à la nuit[j],
car son amour n'a pas de fin.

[10] Il fit mourir les fils aînés des Égyptiens[k],
car son amour n'a pas de fin.
[11] Il retira d'Égypte Israël, son peuple[l],
car son amour n'a pas de fin.
[12] Ce fut là un coup de maître,
car son amour n'a pas de fin.
[13] Il coupa en deux la *mer des Roseaux,
car son amour n'a pas de fin,

135.18 V. 15-18 : voir 115.4-8 ; Apoc 9.20.
135.19 Voir 115.10 et la note ; 118.2-4.
136.1 Voir 106.1 et la note. Le Ps 136 est le *grand Hallel*, chanté lors de la célébration de la Pâque juive. Voir la note sur 113.1.

h **136.5** Gen 1.1,6-8.
i **136.6** Gen 1.2,9-10 ; Ps 24.2.
j **136.9** V. 7-9 : voir Gen 1.14-18.
k **136.10** Ex 12.29.
l **136.11** Ex 12.51.

14 pour y faire passer le peuple d'Israël,
car son amour n'a pas de fin,
15 mais il y fit tomber l'armée du *Pharaon[m],
car son amour n'a pas de fin.
16 Il accompagna son peuple au désert,
car son amour n'a pas de fin.
17 Il abattit de grands rois,
car son amour n'a pas de fin,
18 il massacra des rois puissants,
car son amour n'a pas de fin :
19 c'était Sihon, roi des *Amorites[n],
car son amour n'a pas de fin,
20 et Og, roi du *Bachan[o],
car son amour n'a pas de fin.
21 Il donna leur pays en patrimoine,
car son amour n'a pas de fin,
22 en patrimoine à Israël, son serviteur,
car son amour n'a pas de fin.

23 Dans notre malheur il a pensé à nous,
car son amour n'a pas de fin,
24 il nous a délivrés de nos adversaires,
car son amour n'a pas de fin.
25 Il donne à manger à toutes les créatures[p],
car son amour n'a pas de fin.
26 Louez le Dieu du ciel,
car son amour n'a pas de fin !

PSAUME 137 (136)

Assis au bord des fleuves à Babylone

1 Assis au bord des fleuves à *Babylone,
nous pleurions en évoquant *Sion.
2 Nous laissions nos guitares[q]
suspendues aux arbres de la rive.
3 Et là, ceux qui nous avaient déportés
osaient nous réclamer des cantiques ;
nos persécuteurs exigeaient de nous des chants joyeux :
« Chantez-nous, disaient-ils, un des cantiques de Sion ! »
4 – Mais comment pourrions-nous
chanter un cantique du Seigneur
sur une terre étrangère ?
5 O Jérusalem, si jamais je t'oublie,
eh bien, que ma main droite se paralyse !
6 Si je cesse de penser à toi,
si je ne fais pas de toi ma suprême joie,
eh bien, que ma langue se colle à mon palais !

m **136.15** V. 12-15 : Ex 14.15-29.
n **136.19** Nomb 21.21-30.
136.20 Nomb 21.31-35.
136.25 104.27-28 ; 145.15-16.

q **137.2** *nos guitares* ou *nos lyres* : voir la note sur 150.3. L'instrument de musique désigné ici est différent de celui mentionné en 45.1 ; 60.1 ; 69.1 ; 80.1.

7 Seigneur, n'oublie pas ce qu'ont fait les Édomites
le jour où Jérusalem fut prise :
« Rasez la ville, criaient-ils, rasez-la jusqu'à ses fondations ! »
8 Et toi, Babylone, bientôt ravagée[r],
heureux ceux qui te rendront le mal que tu nous as fait !
9 Heureux ceux qui saisiront tes jeunes enfants
pour les écraser contre le rocher !

PSAUME 138 (137) Je veux te louer de tout mon cœur

1 *Du recueil de David.*

Seigneur, je veux te louer de tout mon cœur.
Devant les puissances du ciel[s]
je veux te célébrer par mes chants
2 et m'incliner face à ton *sanctuaire.
O Dieu qui es présent, je veux te louer pour ta fidèle bonté,
car tu as fait plus que tenir ta promesse,
plus que l'on attendait de toi[t].
3 Quand je t'ai appelé, tu m'as répondu ;
tu m'as rempli de courage et de force[u].

4 Seigneur, que tous les rois de la terre te louent
quand ils auront entendu ce que tu dis !
5 Qu'ils célèbrent tes actions en chantant :
« La *gloire du Seigneur est immense.
6 Le Seigneur a beau être là-haut, il voit les humbles,
de loin il reconnaît l'orgueilleux. »

7 Si je dois vivre au cœur de la détresse,
tu me maintiendras en vie malgré la colère de mes ennemis,
tu avanceras la main, ta main droite me sauvera.
8 Seigneur, tu feras cela pour moi.
Toi dont l'amour n'a pas de fin,
n'abandonne pas maintenant
ceux que tu as créés de tes propres mains.

PSAUME 139 (138) Seigneur, tu sais tout de moi

1 *Du répertoire du *chef de chorale. Psaume appartenant au recueil de David.*

Seigneur, tu regardes jusqu'au fond de mon cœur,
et tu sais tout de moi :
2 Tu sais si je m'assieds ou si je me lève ;
longtemps d'avance, tu connais mes pensées.
3 Tu remarques si je suis dehors ou chez moi,
tu es au courant de tout ce que je fais.

---

r **137.8** *bientôt ravagée* : plusieurs versions anciennes ont compris *la Ravageuse*. – représailles contre Babylone : voir Apoc 18.6.

s **138.1** *les puissances du ciel* ou *les dieux* : voir 29.1 et la note ; ancienne version grecque *les anges*.

t **138.2** Traduction probable d'un texte [illegible] même idée en Éph 3.20.

u **138.3** Traduction probable d'un t[illegible] versions anciennes proposent des s[illegible]

4 La parole n'est pas encore arrivée à mes lèvres,
que tu sais déjà tout ce que je vais dire.
5 Tu es derrière moi, devant aussi,
tu poses ta main sur moi.
6 Que tu me connaisses à ce point est trop merveilleux pour moi,
et dépasse tout ce que je peux comprendre.

7 Où pourrais-je aller loin de toi ?
Où fuir loin de ta présence ?
8 Si je monte au *ciel, tu es là ;
si je me couche parmi les morts, t'y voici.
9 Si je m'envole jusqu'au soleil levant,
ou si je vais m'établir au soleil couchant,
10 même là ta main me guide,
ta main droite ne me lâche pas.
11 Si je dis : « Que l'obscurité m'engloutisse,
qu'autour de moi le jour se fasse nuit ! »
12 pour toi, l'obscurité devient lumière,
et la nuit claire comme le jour ;
ténèbres ou lumière, pour toi c'est pareil.

13 C'est toi qui as créé ma conscience[v],
qui m'as tissé dans le ventre de ma mère.
14 Seigneur, merci d'avoir fait de mon corps
une aussi grande merveille.
Ce que tu réalises est prodigieux, j'en ai bien conscience.
15 Mon corps n'avait pas de secret pour toi,
quand tu me façonnais en cachette
et me tissais dans le ventre de ma mère.
16 Quand j'y étais encore informe, tu me voyais ;
dans ton livre, tu avais déjà noté
toutes les journées que tu prévoyais pour moi,
sans qu'aucune d'elles ait pourtant commencé.

17 Qu'il m'est difficile de te saisir par la pensée,
ô Dieu, il y a tant de points à considérer !
18 Comment pourrais-je les compter ?
Il y en a plus que de grains de sable.
Même si j'arrivais au bout de mon calcul,
je n'aurais pas fini de te comprendre[w].

19 O Dieu, tu devrais supprimer les méchants
et chasser loin de moi ces meurtriers.
20 Ils parlent de toi pour intriguer,
et prononcent ton nom pour mentir[x].
21 J'ai du dégoût pour ceux qui s'opposent à toi ;
Seigneur, je déteste ceux qui te détestent.
22 Ma haine pour eux est totale,
ils sont pour moi des ennemis personnels.

---

v **139.13** ou *mes reins*, siège de la conscience, dans la culture de l'Israël biblique.

w **139.18** *Même si... te comprendre* : autre traduction *Je m'éveille, je suis encore avec toi.*

x **139.20** Hébreu peu clair, traduction incertaine.

23 O Dieu, regarde jusqu'au fond de mon cœur,
et sache tout de moi.
Mets-moi à l'épreuve, reconnais mes préoccupations profondes.
24 Vois bien que je n'ai pas adoré de faux dieu[y],
et conduis-moi sur le chemin qui a toujours été le tien.

PSAUME 140 (139) Prière d'un homme en butte aux calomnies

1 *Psaume appartenant au répertoire du *chef de chorale et au recueil de David.*

2 Seigneur, délivre-moi des gens malveillants,
préserve-moi des hommes violents.
3 Ils ne pensent qu'à faire du mal,
chaque jour, ils provoquent des conflits.
4 Comme des serpents, ils aiguisent leur langue,
ils ont sous les lèvres un venin de vipère[z]. **Pause*
5 Garde-moi de tomber aux mains des méchants ;
Seigneur, préserve-moi des hommes violents,
qui ne pensent qu'à me faire des croche-pieds.
6 Des arrogants m'ont préparé un piège ;
pour me prendre, ils ont tendu cordes et filets
et placé leurs embûches au bord du sentier. *Pause*

7 Mais je dis au Seigneur : « Tu es mon Dieu.
Seigneur, sois attentif quand je te supplie.
8 Seigneur Dieu, toi la forteresse où je trouve le salut,
tu protèges ma tête au moment du combat.
9-10 Ne donne pas suite aux désirs des méchants,
Seigneur, ne laisse pas leurs projets réussir. » *Pause*

Ceux qui m'encerclent se montrent pleins d'audace[a] ;
ils m'ont souhaité du malheur :
que ce malheur les atteigne eux-mêmes !
11 Que des charbons enflammés leur tombent dessus ;
que Dieu les fasse dégringoler dans le feu,
dans un gouffre dont ils ne remonteront pas !
12 Que celui qui recourt à la calomnie
ne puisse pas subsister dans le pays ;
que le malheur poursuive sans répit[b]
l'homme qui use de violence !

13 Tu rends justice aux pauvres, Seigneur, je le sais,
tu fais droit aux malheureux.
14 Oui, les fidèles te loueront, Seigneur,
les hommes droits pourront rester en ta présence.

---

y **139.24** Autre traduction *Veille à ne pas me laisser prendre le chemin de la catastrophe*.

z **140.4** Voir Rom 3.13.

a **140.9-10** *se montrent pleins d'audace* ou *relèvent la tête* ; hébreu peu clair. D'après l'ancienne version grecque on devrait comprendre *Que ceux qui m'[illegible] clent ne relèvent pas la tête* (en signe [illegible]

b **140.12** *sans répit* : traduction incer[illegible] inconnu par ailleurs ; ancienne [illegible] *qu'ils soient détruits*.

PSAUME 141 (140)

Seigneur, veille sur mes paroles

1 *Psaume appartenant au recueil de David.*

Seigneur, je t'appelle, viens vite à mon aide,
entends mon appel quand je m'adresse à toi.
2 Que ma prière monte tout droit vers toi,
comme la fumée de *l'encens,
et ma demande[c] comme l'offrande du soir.

3 Seigneur, monte la garde devant ma bouche,
surveille la porte de mes lèvres.
4 Empêche-moi de me laisser aller
à dire une parole mauvaise, ou à faire un geste méchant,
imitant ceux qui causent le malheur des autres.
Préserve-moi de manger de ce pain-là.
5 J'accepte qu'un homme de bien me frappe,
ou qu'un fidèle me corrige ;
c'est un geste d'amitié que je ne veux pas refuser.
Mais les méfaits des méchants ne feront pas taire ma prière[d].

6 Je parlais sans malice : mes adversaires le comprendront
quand leurs dirigeants seront jetés contre un rocher.
7 Comme une fente s'ouvre dans la terre,
le monde des morts ouvrira sa gueule
pour happer leurs ossements dispersés[e].

8 Les yeux tournés vers toi, Seigneur mon Dieu,
j'ai recours à toi. Garde-moi en vie.
9 Préserve-moi du piège qu'on me tend
et des embûches de ces gens malfaisants.

10 Que ces méchants tombent dans leur propre piège,
tandis que moi, j'y échapperai !

PSAUME 142 (141)

Le Seigneur, dernier refuge du persécuté

1 *Poème chanté appartenant au recueil de David. Prière qu'il prononça dans la caverne*[f].

2 J'appelle à grands cris le Seigneur,
j'implore à grands cris le Seigneur.
3 Je lui expose ma plainte,
je lui fais part de ma détresse.

---

c **141.2** La *prière* comparée à *l'encens* : Apoc 5.8. – *ma demande* ou *mes mains levées* (voir Ps 28.2 et la note).

d **141.5** *un geste d'amitié* ou *c'est de l'huile sur ma tête* : voir 23.5 et la note. – Le texte hébreu du v. 5 est passablement obscur et la traduction incertaine. Au lieu de *c'est un geste d'amitié que je ne veux pas refuser*, certains comprennent, en s'appuyant partiellement sur les anciennes versions grecque et syriaque *mais non pas qu'un méchant m'honore*.

e **141.7** Le texte hébreu des v. 6-7 est obscur et son sens incertain ; la traduction du v. 7 s'appuie partiellement sur l'ancienne version grecque.

f **142.1** *Poème chanté* : voir 32.1 et la note. – *dans la caverne* : voir 57.1 et la note.

4 Quand je perds courage, toi, tu sais où je vais.
Sur la route où j'avance, on m'a tendu un piège.
5 Regarde à mes côtés, et constate-le :
personne ne prend garde à moi ;
je n'ai plus aucun lieu où me réfugier,
personne ne se soucie de moi.

6 Je fais appel à toi, Seigneur ; je te dis : C'est toi qui es mon abri,
mon bien le plus personnel sur cette terre où nous vivons.
7 Sois attentif à ma plainte, car me voilà bien bas.
Sauve-moi de mes persécuteurs, ils sont trop forts pour moi.
8 Fais-moi sortir de ma prison, pour que je puisse te louer
au milieu du cercle des fidèles, quand tu m'auras fait du bien.

PSAUME 143 (142)

Seigneur, ne me fais pas de procès

1 *Psaume appartenant au recueil de David.*

Seigneur, écoute ma prière,
sois attentif quand je te supplie.
Puisque tu es fidèle et juste, réponds-moi.
2 Je suis ton serviteur, ne me fais pas de procès,
car personne n'est sans reproche devant toi[g].

3 J'ai un ennemi qui me persécute ;
il m'a jeté à terre pour me piétiner,
il m'enfonce dans l'obscurité de la mort avec les défunts du passé.
4 J'en perds tout courage,
je n'ai plus la force de réagir.
5 Je réfléchis au passé,
je pense à tout ce que tu as fait,
je médite ce que tu as réalisé.
6 En suppliant, je tends les mains vers toi[h],
je me sens devant toi comme une terre qui meurt de soif. **Pause*

7 Seigneur, je n'en peux plus, réponds-moi sans tarder.
Ne te détourne pas de moi, sans quoi je serai un homme fini.
8 Dès le matin, annonce-moi ta bonté,
car je me fie à toi ;
fais-moi connaître quel chemin je dois suivre,
car je me tourne vers toi.
9 Seigneur, arrache-moi à mes ennemis ;
près de toi je suis à l'abri[i].
10 Apprends-moi à faire ce qui te plaît, car tu es mon Dieu.
Que ton Esprit me guide avec bienveillance
sur un terrain sans obstacle.
11 Puisque tu es le Seigneur, rends-moi la vie.
Toi qui es fidèle à tes engagements, tire-moi de la détresse.
12 Toi qui es si bon, réduis au silence mes ennemis,
pour en finir avec tous mes adversaires, car je suis ton ser

g 143.2 Voir Rom 3.20 ; Gal 2.16.
h 143.6 Comparer 28.2 et la note.

i 143.9 *je suis à l'abri* : avec d'autres v
hébreu traditionnel propose *j'ai fait u*

PSAUME 144 (143)

Prière du roi

1 *Du recueil de David.*

Merci au Seigneur, mon Rocher,
lui qui m'entraîne à la bataille et me prépare au combat.
2 Il est mon assurance et ma protection,
la forteresse où je me réfugie, le bouclier qui m'abrite.
C'est lui qui met les peuples[j] à mes pieds.

3 Pourtant, Seigneur, qu'est-ce qu'un homme,
pour que tu t'intéresses à lui ?
Qu'est-ce qu'un être humain,
pour que tu tiennes compte de lui[k] ?
4 L'homme n'est qu'un souffle,
sa vie n'est qu'une ombre qui passe.

5 Seigneur, incline ton ciel et descends ;
du bout de ton doigt, fais fumer les montagnes.
6 Lance des éclairs dans toutes les directions,
envoie tes flèches en tous sens.
7 Étends ta main du haut du ciel,
délivre-moi, arrache-moi au danger,
au flot puissant des peuples étrangers,
8 dont la bouche est menteuse
et dont la main trahit le serment qu'elle a fait.

9 O Dieu, je veux chanter pour toi un chant nouveau,
je veux te célébrer sur la harpe à dix cordes :
10 « C'est Dieu qui donne aux rois son aide,
c'est lui qui délivre son serviteur David. »
11 De l'épée cruelle[l] délivre-moi ;
arrache-moi à ces peuples étrangers
dont la bouche est menteuse
et dont la main trahit le serment qu'elle a fait.

12 Que nos fils soient comme des plantes
qui ont poussé tout droit depuis leur jeunesse !
Que nos filles soient aussi belles
que les colonnes sculptées ornant les palais !
13 Que nos greniers regorgent de provisions de toutes sortes !
Que notre petit bétail dans les campagnes
soit mille fois, dix mille fois plus nombreux !
14 Que notre gros bétail prospère !
Que nous soient épargnés l'invasion et l'exil[m],
et les cris déchirants sur les places publiques !

---

j **144.2** D'après de nombreux manuscrits, plusieurs versions anciennes et comme en 18.48 ; hébreu *mon peuple*.

k **144.3** Voir 8.5 ; comparer Job 7.17-18.

l **144.11** Dans le texte hébreu traditionnel, *de l'épée cruelle* appartient encore au v. 10. Le rythme du texte hébreu invite plutôt à rattacher ces mots à ce qui suit. La ponctuation traditionnelle conduirait à comprendre *...qui délivre son serviteur David de l'épée cruelle*.

m **144.14** Certains interprètent cette phrase comme concernant le gros bétail, et traduisent *Qu'il évite la mortalité et l'avortement !*

[15] Heureux le peuple à qui tout cela est donné,
heureux le peuple qui a pour Dieu le Seigneur !

PSAUME 145 (144)

Ton règne est un règne éternel

[1] *Chant de louange appartenant au recueil de David.*

Mon Dieu[n], toi le Roi, je veux proclamer ta grandeur,
t'exprimer ma reconnaissance éternelle.
[2] Je veux le faire tous les jours,
et t'acclamer sans fin.
[3] Le Seigneur est grand, infiniment digne d'être loué ;
sa grandeur est sans borne.
[4] Que chaque génération annonce à la suivante ce que tu as fait
et lui raconte tes exploits !
[5] Je veux parler de ta majesté, de ta *gloire, de ta splendeur,
et faire le récit de tes merveilles.
[6] Qu'on parle de ta puissance redoutable !
Moi, je veux énumérer tes hauts faits.
[7] Qu'on rappelle tes grands bienfaits,
et qu'on proclame avec joie ta fidélité !

[8] Le Seigneur est bienveillant et compatissant,
patient et d'une immense bonté[o].
[9] Le Seigneur est bon pour tous,
son amour s'étend à tous ceux qu'il a créés.
[10] Que tous ceux-là te louent, Seigneur,
que tes fidèles t'expriment leur gratitude !
[11] Qu'ils parlent de ton règne glorieux,
qu'ils disent de quoi tu es capable !
[12] Ils apprendront ainsi aux humains tes exploits
et la glorieuse majesté de ton règne.

[13] Ton règne est un règne éternel,
ton pouvoir dure à travers tous les siècles.
Le Seigneur tient fidèlement ses promesses,
tout ce qu'il fait est marqué de sa bonté[p].
[14] Le Seigneur soutient tous ceux qui sont tombés,
il remet debout tous ceux qui fléchissent.
[15] Tous ont les regards fixés sur toi, attendant
que tu leur donnes à manger au moment voulu.
[16] C'est toi qui ouvres ta main
et satisfais les besoins de tout ce qui vit[q].
[17] La fidélité du Seigneur apparaît dans tout ce qu'il entreprend,
sa bonté dans tout ce qu'il fait.
[18] Le Seigneur est proche de ceux qui l'appellent,
de tous ceux qui sont sincères en l'appelant.

---

n **145.1** Psaume alphabétique ; voir 9.2 et la note.
o **145.8** Voir 86.15 ; 103.8.
p **145.13** La deuxième partie du v. 13, absente du texte hébreu traditionnel, a été conservée par un manuscrit hébreu, par les principale[s] [...]ciennes et dans un manuscrit des psa[...] Qumrân.
q **145.16** V. 15-16 : voir 104.27-28.

19 Il répond aux demandes de ses fidèles,
il les sauve dès qu'il entend leurs appels.
20 Le Seigneur protège tous ceux qui l'aiment,
mais il élimine tous les méchants.

21 Que ma voix chante la louange du Seigneur,
que tout ce qui vit remercie pour toujours l'unique vrai Dieu.

PSAUME 146 (145) Le Seigneur, protecteur des faibles

1 *Alléluia, vive le Seigneur !

A moi d'acclamer le Seigneur !
2 Je veux l'acclamer toute ma vie,
célébrer mon Dieu par mes chants tant que j'existerai.

3 Ne comptez pas sur les gens influents :
ce ne sont que des hommes, ils sont impuissants à sauver.
4 Dès qu'ils rendent leur dernier souffle,
dès qu'ils retournent à la terre,
leurs projets sont enterrés avec eux.

5 Heureux l'homme qui a pour secours le Dieu de Jacob
et met son espoir dans le Seigneur son Dieu !

6 Le Seigneur a fait le ciel et la terre,
la mer, avec tout ce qui s'y trouve[r].
On peut compter sur lui pour toujours.
7 Il fait droit aux opprimés, il donne du pain aux affamés.
Le Seigneur libère ceux qui sont enchaînés,
8 le Seigneur rend la vue aux aveugles,
le Seigneur remet debout ceux qui fléchissent,
le Seigneur aime les fidèles.
9 Le Seigneur veille sur les réfugiés, il relève la veuve et l'orphelin,
mais il fait échouer les projets des méchants.

10 Le Seigneur est roi pour toujours.
Il est ton Dieu, *Sion, de siècle en siècle.

Alléluia, vive le Seigneur.

PSAUME 147 (146-147) Le pouvoir de Dieu dans la nature et dans l'histoire

1 *Alléluia, vive le Seigneur !

Qu'il est bien de célébrer notre Dieu par nos chants,
qu'il est bon de le louer comme il le mérite !
2 Le Seigneur rebâtit Jérusalem,
il rassemble les exilés d'Israël.

146.6 Voir Act 4.24 ; 14.15.

[3] Il guérit ceux qui ont le cœur brisé,
il panse leurs blessures.
[4] C'est lui aussi qui fait le compte des étoiles ;
à chacune d'elles, il attribue un nom.
[5] Notre Seigneur est grand, sa force est immense,
son savoir-faire sans limite.
[6] Le Seigneur aide les humbles à se relever,
mais il abaisse les méchants jusqu'à terre.

[7] Chantez votre reconnaissance au Seigneur,
célébrez notre Dieu aux accords de la lyre[s].
[8] C'est lui qui couvre le ciel de nuages ;
il prépare ainsi la pluie pour la terre.
Il fait pousser l'herbe sur les montagnes ;
[9] il assure la nourriture du bétail
et des petits du corbeau, quand ils crient de faim.
[10] La vigueur du cheval le laisse indifférent[t],
il n'a pas de goût pour les exploits du coureur,
[11] mais pour ceux qui le reconnaissent comme Dieu,
pour ceux qui comptent sur sa bonté.

*

[12] Jérusalem, célèbre le Seigneur ;
*Sion, acclame ton Dieu,
[13] car il renforce ta sécurité[u],
chez toi, il fait du bien à tous tes enfants.
[14] Dans ton territoire, il assure ton bien-être[v],
il te donne en suffisance le meilleur blé.
[15] Il envoie des ordres sur la terre,
et sa parole s'élance au plus vite[w].
[16] Il fait alors tomber la neige ; on dirait de blancs flocons de laine.
Il répand le givre comme une fine couche de cendre.
[17] Il lance la glace en grêlons ;
personne ne résiste au froid qu'il provoque.
[18] Mais dès qu'il l'ordonne, c'est le dégel ;
s'il ramène le vent, les eaux ruissellent.
[19] Il communique sa parole à son peuple,
il prescrit à Israël des règles de vie.
[20] Il n'a rien fait de tel pour aucun autre peuple,
aucun ne connaît ses commandements.

Alléluia, vive le Seigneur !

›AUME 148

Louange à Dieu dans le ciel et sur la terre

[1] *Alléluia, vive le Seigneur !

Du haut du ciel, acclamez le Seigneur,
acclamez-le, vous qui êtes là-haut.

47.7 *lyre* : voir 150.3 et la note.
47.10 *cheval* : voir 33.17 et la note.
47.13 Ou *il a renforcé les barres qui bloquent tes portes.*
v **147.14** Autre traduction *il assure la pai toire.*
w **147.15** Voir És 55.10-11.

2 Acclamez-le, tous ses anges,
acclamez-le, toutes ses troupes.
3 Acclamez-le, soleil et lune,
acclamez-le toutes, étoiles scintillantes.
4 Acclamez-le, espaces reculés du ciel,
et vous aussi, masses d'eau plus hautes encore[x].
5 Que tous acclament le Seigneur,
car il n'a eu qu'un mot à dire
et ils ont commencé d'exister.
6 Il les a mis en place pour toujours,
leur fixant une loi à ne pas enfreindre.

7 Depuis la terre, acclamez le Seigneur,
acclamez-le, océans et monstres marins ;
8 et vous aussi, feu et grêle, neige et brouillard,
vent de tempête, soumis à sa parole.
9 Acclamez-le, montagnes et collines,
arbres fruitiers, et tous les cèdres,
10 animaux sauvages ou domestiques,
oiseaux et reptiles.
11 Acclamez-le, rois de la terre,
et vous aussi, tous les peuples,
les princes, les dirigeants de la terre.
12 Garçons et filles, jeunes et vieux, acclamez-le.
13 Acclamez le Seigneur, car lui seul porte un grand nom,
sa majesté s'étend sur la terre et le ciel.
14 Il a rendu force et fierté à son peuple.
C'est un titre de *gloire pour ses fidèles,
pour tous les membres d'Israël, le peuple qui lui est proche.

Alléluia, vive le Seigneur !

PSAUME 149

L'honneur des fidèles

1 *Alléluia, vive le Seigneur !

Chantez en l'honneur du Seigneur un chant nouveau.
Qu'on loue le Seigneur dans l'assemblée des fidèles !
2 Israël, réjouis-toi : il est ton Créateur ;
peuple de *Sion, quelle joie ! Il est ton roi.
3 Qu'on loue le Seigneur par des danses,
qu'on le célèbre au rythme du tambourin
et aux accords de la lyre[y] !
4 Car le Seigneur trouve son bonheur dans son peuple,
il honore les humbles en les sauvant.

5 Que les fidèles soient en fête et rendent *gloire à Dieu !
Qu'ils crient de joie, même pendant la nuit !
6 Qu'ils aient à la bouche des louanges pour Dieu,
et à la main l'épée à deux tranchants !

x **148.4** Comparer Gen 1.6-8.

y **149.3** *lyre* : voir 150.3 et la note.

[7] Ils doivent tirer vengeance des nations,
administrer aux peuples une correction méritée.
[8] Ils enchaîneront leurs rois
et mettront aux fers leurs ministres.
[9] Ils doivent exécuter contre eux
le jugement de Dieu, tel qu'il est écrit.
C'est un honneur pour tous les fidèles.

Alléluia, vive le Seigneur !

PSAUME 150 **Acclamez le Seigneur**

[1] *Alléluia, vive le Seigneur !

Acclamez Dieu dans son *temple,
acclamez-le sous la puissante voûte de son ciel !
[2] Acclamez-le pour ses exploits,
acclamez-le pour sa grandeur infinie !

[3] Acclamez-le en sonnant du cor,
acclamez-le aux accords de la harpe et de la lyre[z].
[4] Acclamez-le en dansant au rythme des tambourins,
acclamez-le avec la guitare, avec la flûte à bec.
[5] Acclamez-le avec les cymbales sonores,
acclamez-le avec les cymbales éclatantes[a].

[6] Que tout ce qui respire acclame le Seigneur !

Alléluia, vive le Seigneur !

---

z **150.3** *en sonnant du cor* : voir 81.4. – *harpe, lyre* (v. 3), *guitare* (v. 4) : les instruments à cordes mentionnés par le texte hébreu sont mal connus. On a donc proposé ici des équivalents plus ou moins approximatifs.

a **150.5** *cymbales sonores, cymbales éclatantes* ou *petites et grandes cymbales*.

Proverbes

***Introduction** – Ce livre est une collection de plusieurs recueils de proverbes ou d'enseignements sur la sagesse, dont l'ensemble est placé sous l'autorité du roi Salomon, considéré en Israël comme le sage par excellence.*

Le livre des Proverbes *appartient à un genre littéraire florissant dans tout l'Ancien Orient, où il était important que l'expérience acquise soit transmise d'une génération à l'autre. Les recueils qui le composent proviennent d'époques diverses. Ils peuvent être regroupés en trois grandes parties :*

– La première partie constitue une longue introduction aux proverbes eux-mêmes, sous la forme d'un exposé suivi expliquant le rôle et l'importance de la sagesse (chap. 1–9). La sagesse y est plusieurs fois personnifiée et, dans un très beau poème (8.12-31), elle se présente elle-même comme la collaboratrice de Dieu.

– La deuxième partie est la partie centrale du livre et lui a donné son titre (chap. 10–29). Elle comprend des recueils de Proverbes de Salomon (10.1–22.16 et *25.1–29.27), auxquels ont été ajoutés des recueils provenant d'autres sages (22.17–24.22* et *24.23-34).*

– La troisième partie (chap. 30 – 31) est composée de quatre morceaux indépendants, dont deux nous transmettent les pensées ou les conseils de sages non israélites (30.1-14 et *31.1-9).*

Le livre des Proverbes *n'aborde pas les questions posées par l'histoire et l'avenir du peuple d'Israël comme le font d'autres livres bibliques. Son enseignement concerne avant tout les individus, et les conseils qu'il donne visent à permettre à chacun une vie équilibrée et heureuse sous la conduite de Dieu. La sagesse proposée est essentiellement tirée de l'expérience pratique et quotidienne. Elle affirme qu'il y a une correspondance entre le comportement social et moral d'une part et le bonheur d'autre part. Les méchants, les sots et un certain type de riches rencontrent l'échec et le malheur, alors que les justes, les sages et ceux qui protègent les pauvres sont récompensés. Dans la partie centrale du livre l'opposition entre justes et méchants est stéréotypée. Le juste est celui qui se conforme aux règles de la vie, de la nature et de la société dont Dieu est le garant, le méchant celui qui s'en moque.*

La lecture du livre des Proverbes *nous permet de connaître une partie précieuse de l'expérience des Israélites. Elle nous apprend comment leurs sages ont considéré des situations et des problèmes humains qui, par delà les siècles et dans le domaine de tous les jours, nous touchent souvent de très près.*

1 1 Proverbes de Salomon, fils de David
et roi d'Israël[a].

But du livre

2 Ces proverbes apprennent à l'homme
à se conduire avec sagesse et à accepter les
recommandations. Ils lui donnent à
comprendre des paroles pleines de sens.
3 Ils enseignent à vivre de façon intelligente, en ayant un comportement juste,
équitable et droit. 4 Ils donnent des exemples de bon sens aux ignorants, des
connaissances et des sujets de réflexion
aux jeunes gens. 5 Même les sages les
consulteront avec profit, même les intelligents y trouveront des directives. 6 Ils
pourront comprendre le sens caché de certains proverbes et les propos énigmatiques
de ceux qui enseignent la sagesse.
7 Reconnaître l'autorité du Seigneur
est l'a b c de la sagesse[b]. Seuls les imbéciles méprisent les enseignements et les
avertissements des sages.

Mise en garde contre les mauvais garçons

8 Mon fils, écoute les avertissements de
ton père, ne repousse pas les conseils de
ta mère. 9 Ils seront comme une parure
gracieuse sur ta tête ou un collier autour
de ton cou. 10 Mon fils, si de mauvais
garçons essaient de t'entraîner au mal,
n'accepte pas. 11 Ils pourraient te dire :
« Viens avec nous ! Allons guetter le passage des gens pour les tuer. Attaquons par
surprise même ceux qui ne nous ont rien
fait. 12 Prenons-les bien vivants pour les
détruire et les envoyer d'un seul coup
dans la tombe comme si nous étions la
mort elle-même. 13 Emparons-nous de
toutes sortes d'objets précieux pour en
remplir nos maisons. 14 Viens, tu en auras
ta part, nous ferons bourse commune ! »
15 Mon fils, ne va pas avec des gens pareils. Éloigne-toi de leur chemin. 16 Ils
courent faire le mal, ils sont pressés de
verser le sang. 17 Lorsque l'oiseau voit le
chasseur, il est inutile que celui-ci pose
un piège pour le capturer. 18 Mais eux, ils
se tendent un piège à eux-mêmes, leurs
complots se retournent contre eux. 19 En
effet, tel est le sort de ceux qui pratiquent
le vol : la vie des voleurs leur sera volée.

Appel et avertissement de la Sagesse

20 La Sagesse[c] crie dans les rues, elle
élève la voix sur les places publiques,
21 lance un appel aux carrefours les plus
fréquentés, proclame son message aux
portes de la ville[d]. 22 « Vous, les ignorants,
s'écrie-t-elle, combien de temps vous
plairez-vous dans votre ignorance ? Vous,
les insolents, combien de temps vous
moquerez-vous de moi ? Vous, les sots,
combien de temps refuserez-vous de
comprendre ? 23 Écoutez mes avertissements. Alors je répandrai sur vous mon
esprit et vous éclairerai de mes conseils.
24 Mais je vous appelle et vous refusez
mon invitation ; je vous tends la main et
personne n'y fait attention. 25 Vous rejetez tous mes conseils et vous n'acceptez
pas mes avertissements. 26 C'est pourquoi, lorsque vous serez dans le malheur,
je rirai de vous à mon tour ; je me moque-
rai lorsque la peur vous saisira. 27 Car, un
jour, vous serez pris dans le malheur
comme dans un ouragan, et dans la peur
comme dans une tempête ; l'angoisse et
la détresse vous accableront. 28 Alors vous
m'appellerez à l'aide mais je ne vous répondrai pas, vous me chercherez mais
vous ne me trouverez pas[e]. 29 Il en sera
ainsi parce que vous avez refusé les leçons de l'expérience et que vous n'avez
pas voulu reconnaître l'autorité du Seigneur, 30 parce que vous n'avez pas accepté mes conseils et que vous avez
méprisé tous mes avertissements. 31 Vous
récolterez les fruits de votre conduite,
vous serez écœurés par vos propres machinations. 32 Car le refus de la sagesse
cause la perte des ignorants et l'insou-
ciance détruit les sots. 33 Par contre, celui
qui m'écoute vivra en toute sécurité, sans
avoir à craindre le malheur. »

---

a **1.1** Sur la sagesse de *Salomon*, voir 1 Rois 5.9-14.
b **1.7** Voir 2.5 ; 9.10 ; 15.33 ; Job 28.28 ; Ps 111.10.
c **1.20** Ici, comme souvent ailleurs, *la Sagesse* est personnifiée, voir en particulier 8.1–9.6.
d **1.21** Les *portes* d'une *ville* étaient l'endroit où l'on rendait la justice et traitait des affaires p
e **1.28** Voir en particulier Jér 11.11 ; Mic
7.34.

La sagesse préserve du mal

2 [1] Mon fils, reçois favorablement ce que je t'enseigne,
retiens bien ce que je te dis de faire.
2 Écoute les leçons de la sagesse,
efforce-toi de les comprendre.
3 A l'intelligence demande son aide,
appelle la raison à ton secours.
4 Cherche-les comme de l'argent,
comme un trésor caché[f].
5 Alors tu découvriras
comment respecter l'autorité du Seigneur,
tu réussiras à connaître Dieu.
6 C'est le Seigneur qui donne la sagesse,
la connaissance et la raison viennent de lui[g].
7 Il aide les hommes droits.
Comme un bouclier il protège
ceux qui vivent dans l'intégrité.
8 Il secourt ceux qui se comportent
équitablement avec les autres.
Il garde ceux qui lui sont dévoués.
9 Si tu m'écoutes, tu découvriras
qu'un comportement juste, équitable et droit
est le chemin du bonheur.
10 La sagesse entrera dans ton cœur,
la connaissance te donnera de la joie,
11 la réflexion te gardera de l'erreur
et la raison veillera sur toi.
12 Elles t'empêcheront de mal agir,
elles te préserveront
des hommes aux paroles mensongères
13 et de ceux qui abandonnent le droit chemin
pour s'engager sur des voies obscures.
14 Ils s'amusent à mal faire,
ils prennent plaisir à la méchanceté.
15 Leur comportement est tortueux,
leur façon de faire pleine de détours.
16 De cette manière tu éviteras d'être séduit
par une femme qui n'est pas la tienne,
une étrangère aux paroles flatteuses
17 qui a abandonné son premier compagnon
et oublié *l'alliance conclue avec son Dieu[h].
18 Son comportement la fait sombrer vers la mort,
sa conduite l'entraîne chez ceux qui ne sont plus.
19 Celui qui va chez elle n'en revient pas,
il ne retrouve pas le chemin de la vie.
20 Choisis donc la conduite des bons,
imite le comportement des justes.
21 Car les gens loyaux et intègres
habiteront dans ce pays
et pourront y rester.
22 Les gens mauvais et déloyaux
devront le quitter,
ils en seront expulsés.

Sagesse et obéissance à Dieu

3 [1] Mon fils, n'oublie pas mon enseignement, garde en ton cœur mes recommandations. 2 Grâce à mes conseils
tu connaîtras le bien-être et une vie longue et heureuse. 3 Pratique toujours la
bonté et la fidélité ; conserve-les comme
une parure autour de ton cou, grave-les
dans ton cœur. 4 Alors Dieu et les hommes t'aimeront et apprécieront ton bon
sens. 5 Ne te fie pas à ta propre intelligence, mais place toute ta confiance
dans le Seigneur. 6 Appuie-toi sur lui
dans tout ce que tu entreprends et il gui-
dera tes pas. 7 Ne te fie pas à ton propre
jugement, mais soumets-toi au Seigneur
et détourne-toi du mal[i]. 8 Ce sera le remède à tous tes troubles, l'apaisement de
tes maux. 9 Honore le Seigneur en lui offrant une part de tes revenus, donne-lui
le meilleur de tes récoltes. 10 Alors tes greniers seront remplis de blé et tes tonneaux déborderont de vin. 11 Accepte,
mon fils, que le Seigneur soit ton éduca-
teur et ne dédaigne pas ses reproches.
12 Car le Seigneur réprimande celui qu'il
aime tout comme un père réprimande le
fils qu'il chérit[j].

Sagesse et bonheur

13 Heureux l'homme qui trouve la sagesse et découvre la raison. 14 Les profits

---

f **2.4** Voir 3.14-16 ; 8.11 ; 16.16 ; Job 28.12-19 ; Eccl 7.11 ; 9.16-18.
g **2.6** Voir Eccl 2.26.
h **2.17** Voir Mal 2.14-16.
i **3.7** Voir Rom 12.16.
j **3.12** Voir Job 5.17 ; 1 Cor 11.32 ; Hébr 12.5-6.

de l'argent, la richesse de l'or, n'offrent pas
autant d'avantages. 15 La sagesse a plus de
valeur que des perles précieuses. On ne
peut rien désirer de meilleur[k]. 16 Elle aide
l'homme à vivre longtemps, elle lui procure prospérité et honneur. 17 Elle le dirige
sur des chemins agréables où il avance en
toute sécurité. 18 C'est un arbre de vie pour
ceux qui la pratiquent, ceux qui s'y attachent sont heureux[l]. 19 Par sa sagesse le
Seigneur a fondé la terre, il a fixé le ciel
par son intelligence. 20 Par sa science les
eaux d'en bas ont jailli sur le sol et les
nuages ont déversé la pluie[m].

Le Seigneur protège le sage

21 Mon fils, que le discernement et la
réflexion te guident, ne t'en détourne jamais. 22 Ils te feront vivre d'une vie véritable et belle. 23 Tu pourras avancer avec
assurance, aucun obstacle ne te fera tomber. 24 Le soir tu te coucheras sans peur et
la nuit ton sommeil sera paisible. 25 Tu
n'auras à craindre ni terreurs soudaines,
ni attaques de la part des méchants. 26 Car
le Seigneur te gardera en sécurité, il écar-
tera tout piège de tes pas.

Aimer son prochain

27 Chaque fois que tu en as la possibilité, n'hésite pas à faire du bien à ceux qui
en ont besoin. 28 Ne dis pas à ton prochain de revenir le lendemain, lorsque tu
peux lui donner immédiatement ce qu'il
demande. 29 Ne projette pas de faire du
mal à ton ami alors qu'il vit près de toi
avec confiance. 30 Ne te querelle pas sans
motif avec quelqu'un qui ne t'a rien fait.
31 N'envie pas les gens violents et n'imite
pas leur conduite. 32 Car le Seigneur déteste ceux qui se détournent de lui, mais
il donne son amitié aux hommes droits.
33 Le Seigneur maudit la maison des méchants alors qu'il *bénit la demeure des
justes. 34 Il se moque de ceux qui se moquent de lui, mais il traite les humbles
avec bonté[n]. 35 La part réservée aux sages,
c'est l'honneur, celle des sots la honte.

Acquérir et garder la sagesse

4 1 Écoutez, fils, les avertissements
d'un père. Soyez attentifs et vous apprendrez à être intelligents. 2 Je vous
transmets des connaissances sûres, ne rejetez pas ce que je vous enseigne. 3 Moi
aussi, j'ai eu un père pour m'éduquer, j'ai
été tendrement aimé par ma mère. 4 Mon
père m'enseignait ainsi : « Retiens bien
mes paroles, observe les règles que je te
donne et tu vivras. 5 Acquiers la sagesse et
l'intelligence, et ne les oublie plus. Ne
néglige aucune parole de ma bouche. 6 Ne
délaisse pas la sagesse et elle t'aidera,
aime-la et elle veillera sur toi. 7 Pour devenir un sage, commence par acquérir la
sagesse ; donne tout ce que tu possèdes
pour acquérir l'intelligence. 8 Serre la sagesse contre toi, elle te rendra grand et
noble si tu l'enlaces. 9 Elle sera pour toi
comme une parure gracieuse, comme une
couronne magnifique. »

Éviter la conduite des méchants

10 Écoute-moi, mon fils. Reçois favorablement ce que je t'enseigne et tu jouiras d'une longue vie[o]. 11 Je t'apprends
comment pratiquer la sagesse, je t'indique comment te conduire avec droiture. 12 Ainsi tu pourras avancer sans
encombre dans la vie et prendre ton élan
sans risquer de chute. 13 Ne renie jamais
l'éducation que tu as reçue ; c'est la base
de ta vie : restes-y attaché. 14 N'imite pas
la conduite des méchants, ne suis pas la
route des malfaiteurs. 15 Laisse-la de côté,
ne t'y engage pas. Évite-la et va plus loin.
16 En effet ces gens-là refusent de s'endormir avant d'avoir mal agi, le sommeil les
fuit lorsqu'ils n'ont pas causé de tort.
17 Car ils se rassasient du mal et s'enivrent
de violence.

18 La conduite des justes ressemble à la
lumière de l'aurore, dont l'éclat augmente jusqu'à ce qu'il fasse plein jour.
19 Mais la conduite des méchants ressemble à la nuit noire. Ils ne peuvent pas voir
les obstacles du chemin.

---

k **3.15** Voir 2.4 et la note.
l **3.18** Voir 11.30 ; 13.12 ; 15.4 ; Gen 2.9 ; Eccl 7.12.
m **3.20** Voir Gen 1.7.
n **3.34** Ce verset est repris en Jacq 4.6 et 1 Pi 5.5 d'après l'ancienne version grecque.
o **4.10** Voir 3.18 et la note.

Avoir une conduite ferme

[20]Mon fils, sois attentif à mes paroles, prête l'oreille à mes conseils. [21]Ne les laisse pas tomber dans l'oubli, mais garde-les au plus profond de ton cœur. [22]Ils apportent la vie et la santé à tous ceux qui les acceptent. [23]Avant tout, prends garde à ce que tu penses au fond de toi-même, car ta vie en dépend. [24]Ne laisse pas ta langue être fausse, ni tes lèvres prononcer des paroles trompeuses. [25]Que tes yeux fixent les gens bien en face, regarde droit devant toi avec franchise. [26]Réfléchis au chemin que tu vas prendre, engage tes pas dans une direction sûre[p]. [27]Ne t'en écarte ni à droite ni à gauche. Tiens-toi éloigné du mal.

Mise en garde contre la femme infidèle

5 [1]Mon fils, prête une oreille attentive à mes paroles, pleines de sagesse et d'intelligence. [2]Alors tu profiteras de mes conseils et tu parleras en connaissance de cause. [3]Les sollicitations de la femme d'autrui sont sucrées comme le miel, onctueuses comme l'huile. [4]Mais à la fin celle-ci laisse le goût d'une plante amère, elle blesse comme une arme à double tranchant. [5]Sa conduite entraîne à la mort, ses pas mènent tout droit au tombeau[q]. [6]Elle ne suit pas la route de la vie, elle se trompe de chemin sans le savoir. [7]Mon fils, écoute-moi donc, ne rejette pas mes conseils. [8]Tiens-toi éloigné d'une femme de ce genre et n'approche même pas du seuil de sa maison. [9]Ne te mets pas à la merci d'un autre homme, évite qu'un mari sans pitié ne ruine ta vie. [10]Sinon, des étrangers seront nourris par tes efforts, ton travail profitera à d'autres qu'à toi. [11]Et pour finir tu seras à bout de forces, tu te lamenteras comme une bête. [12]Tu diras : « Hélas, je n'ai pas aimé les avertissements, je n'ai pas voulu accepter les reproches. [13]Je n'ai pas écouté l'avis de mes maîtres, je n'ai pas prêté l'oreille à ceux qui m'enseignaient. [14]J'ai été au bord du pire des malheurs devant l'assemblée de mon peuple. »

Aimer la femme de sa jeunesse

[15]Ta femme est comme une source d'eau pure. Bois à cette source ! [16]Ne laisse pas son eau couler dans les rues et se disperser sur les places publiques. [17]Qu'elle soit pour toi seul ! Ne la partage pas avec des étrangers. [18]Remplis-la de bonheur, trouve ta joie dans la compagne de ta jeunesse. [19]Ta femme est aimable, et gracieuse comme une gazelle. Que son corps te comble toujours de plaisir. Abandonne-toi sans cesse à son amour. [20]Mon fils, pourquoi t'abandonnerais-tu à la femme d'un autre ? Pourquoi chercherais-tu le plaisir auprès d'une étrangère ? [21]Le Seigneur voit la conduite de tout homme. Il observe chacun de ses actes. [22]Les fautes emprisonnent celui qui les commet. Elles le tiennent captif à la manière d'un piège. [23]Celui qui ne sait pas se dominer cause sa propre mort. L'excès de sa bêtise lui fait perdre la tête.

Éviter de s'engager pour les dettes d'autrui

6 [1]Mon fils, t'es-tu rendu responsable de la dette d'un ami en tapant dans la main d'un autre homme[r] ? [2]T'es-tu engagé par tes paroles et lié par tes promesses à ce sujet ? [3]Si oui, tu te trouves au pouvoir du créancier et il faut t'en libérer. Va le voir, supplie-le, insiste pour te dégager. [4]Ne t'accorde aucun repos et ne ferme pas l'œil avant d'y être parvenu. [5]Rends-toi libre ; imite la gazelle et l'oiseau qui réussissent à s'échapper du piège où ils ont été pris[s].

Éviter d'être paresseux

[6]Toi qui es paresseux, va voir la fourmi. Observe son comportement et

---

p **4.26** Voir Hébr 12.13.

q **5.5** Pour les v. 3-5, voir aussi 2.16 ; 7.6-27 ; 22.14 ; Eccl 7.26.

r **6.1** Ce geste indiquait l'engagement pris envers quelqu'un. Le cautionnement, par lequel on s'engage à répondre de l'attitude de quelqu'un ou – comme ici – à honorer ses dettes, était une vieille coutume en Israël.

s **6.5** Pour les v. 1-5, voir aussi 20.16 ; 22.26-27.

ıres-en une leçon de sagesse[t]. 7 La
ɔurmi n'a ni surveillant, ni contremaî-
:e, ni patron. 8 Pourtant elle amasse de la
ourriture pendant l'été, au temps de la
écolte elle fait des provisions. 9 Et toi,
aresseux, combien de temps resteras-tu
ɔuché ? Quand cesseras-tu de dormir ?
Tu veux prendre un peu de sommeil et
assoupir un petit moment, tu restes un
eu étendu en te croisant les bras. 11 Pen-
ant ce temps, la pauvreté te surprendra
ɔmme un rôdeur, et la misère comme un
ıllard[u].

Portrait de l'homme fourbe

12 Celui qui répand des paroles fausses
st un vaurien, un homme immoral. 13 Il
ligne de l'œil pour tromper les autres, il
ıit des appels du pied, des signes de la
ıain. 14 Il n'a de goût que pour le mal. Il
répare sans cesse de mauvaises actions,
provoque les querelles. 15 C'est pour-
uoi, il sera ruiné d'un coup, abattu en
n instant de manière irrémédiable.

Ce que le Seigneur déteste

16-19 Il y a six choses que le Seigneur dé-
:ste et ne supporte absolument pas :
le regard orgueilleux,
la bouche qui trompe,
les mains qui font couler le sang innocent,
l'esprit qui projette l'injustice,
les pieds qui courent faire le mal,
le faux témoin qui débite des mensonges.
Mais il y en a aussi une septième :
l'homme qui sème la discorde entre
frères.

Mise en garde contre l'adultère

20 Mon fils, tiens compte des re-
ɔmmandations de ton père, ne rejette
ıs l'enseignement de ta mère. 21 Fixe-les
ɔur toujours dans ton esprit ; garde-les
ɔmme une parure autour de ton cou.
Ils te guideront dans tes allées et ve-
ıes, ils te protégeront dans ton sommeil
dès ton réveil te porteront conseil.
Car les recommandations sont comme
ıe lampe, l'enseignement est comme
ıe lumière, les réprimandes et les aver-
ssements nous maintiennent sur le chemin de la vie. 24 Ils te mettront en garde
contre la femme qui se conduit mal,
contre les paroles doucereuses de l'étrangère[v]. 25 Ne désire pas une telle femme à
cause de sa beauté, ne te laisse pas séduire
par son regard ensorcelant. 26 En effet,
pour une prostituée on renonce à un peu
de pain, mais pour une femme mariée on
risque sa vie entière. 27 Peut-on porter du
feu dans une poche sans que tout le vêtement s'enflamme ? 28 Peut-on marcher
sur des braises sans se brûler les pieds ?
29 Il en va de même pour celui qui s'approche de la femme de son prochain ; celui qui la touche ne restera pas impuni.
30 On ne méprise pas un voleur quand il a
dérobé pour calmer la faim de son estomac. 31 Mais une fois découvert, il doit
rendre bien plus que ce qu'il a pris ; il
perd tout ce qu'il possède. 32 L'homme
qui rend une femme adultère a la tête
vide. En agissant ainsi, il cause sa propre
perte. 33 Il récoltera des coups, il sera déshonoré, sa honte ne le quittera plus.
34 Car la jalousie rendra le mari furieux, et
le jour venu celui-ci se vengera sans pitié.
35 Il n'acceptera aucune indemnité, il ne
fléchira pas, même si on le couvre de
cadeaux.

Une femme adultère séduit un jeune homme

7 1 Mon fils, n'oublie pas mes paroles,
retiens bien ce que je te dis de faire.
2 Fais ce que je te recommande et tu vivras. Garde mon enseignement comme la
prunelle de tes yeux. 3 Ne le laisse pas
échapper de tes mains, grave-le dans ton
esprit. 4 Considère la sagesse comme ta
propre sœur et l'intelligence comme ton
amie. 5 Elles te préserveront de la femme
d'autrui, du langage séducteur de la
femme étrangère.
6 Un jour, j'étais à la fenêtre de ma maison et je regardais au dehors. 7 Je vis des
garçons inexpérimentés et je remarquai
parmi eux un jeune homme à la tête vide.

---

t **6.6** Dans bien des cultures *la fourmi* est considérée comme un symbole de travail et de prévoyance.
u **6.11** V. 10-11 : voir aussi 24.33-34.
v **6.24** Voir 5.5 et la note.

8 Il passait dans la ruelle, près de l'endroit où vit l'une de ces femmes, et il
prit le chemin de sa maison. 9 C'était à la
tombée du jour, lorsque la nuit s'approche et que l'obscurité s'installe.
10 Voici que la femme vient à sa rencontre, vêtue comme une prostituée et la
ruse au cœur. 11 Hardie et excitée, elle ne
tient pas en place dans sa maison.
12 Dans la rue ou les lieux publics, partout elle cherche l'aventure. 13 Elle
aborde le jeune homme, l'embrasse et lui
dit d'un air effronté : 14 « J'avais promis à
Dieu des *sacrifices de reconnaissance
et aujourd'hui, je les ai offerts[w]. 15 C'est
pourquoi, je suis sortie à ta rencontre. Je
voulais faire ta connaissance et je t'ai
trouvé. 16 J'ai préparé mon lit avec des
couvertures multicolores, des tissus en
lin d'Égypte. 17 Je l'ai parfumé avec de la
*myrrhe, de l'aloès et de la cannelle.
18 Viens, enivrons-nous d'amour jusqu'au matin, jouissons ensemble du
plaisir qu'il procure. 19 Mon mari n'est
pas à la maison, il est parti en voyage au
loin. 20 Il a emporté une bourse pleine
d'argent et il ne reviendra qu'à la pleine
lune. » 21 Elle le persuade à force d'habileté, elle l'entraîne par ses paroles en-
sorcelantes. 22 Et voilà qu'il la suit
comme un bœuf va à l'abattoir. Il se livre
stupidement au châtiment, pieds et
poings liés, 23 jusqu'à ce qu'il soit blessé
en plein cœur[x]. Comme un oiseau qui se
précipite dans le piège, il ne sait pas que
sa vie est en danger.

24 Maintenant donc, fils, écoutez-moi
et tenez compte de mes paroles. 25 Que
votre cœur ne se laisse pas séduire par
une femme de ce genre, ne vous égarez
pas dans les chemins qu'elle prend. 26 Car
elle en a blessé et ruiné beaucoup, même
des hommes forts ont été ses victimes.
27 Aller chez elle, c'est s'avancer vers l
monde des morts, c'est descendre l
pente qui conduit à leur demeure.

Nouvel appel de la Sagesse

8 1 La Sagesse[y] lance un appel,
l'intelligence élève la voix.
N'entendez-vous pas ?
2 Sur les hauteurs dominant la route,
à la croisée des chemins,
la Sagesse se tient debout.
3 Aux lieux de passage de la ville,
à côté des portes d'entrée,
voici ce qu'elle proclame :
4 « C'est vous, les humains, que j'appell
Je m'adresse à tout le monde.
5 Vous, les ignorants, apprenez à avoi
du bon sens.
Vous, les sots, apprenez à avoir de l'es
prit.
6 Écoutez, j'ai à dire quelque chose d'im
portant,
c'est ouvertement que je vous parle.
7 En effet, mes lèvres annoncent la v
rité,
je déteste parler pour dire du mal.
8 Je ne prononce que des paroles justes
aucune n'est mensongère ou tron
peuse.
9 L'homme intelligent les reconna
exactes,
ceux qui sont instruits les trouvent s
res.
10 Recherchez l'éducation que je donr
plutôt que l'argent,
la connaissance de préférence à l'
pur.
11 Car moi, la Sagesse, je vaux mieux qu
les perles.
Aucun trésor n'a autant de valeur[z]. »

La Sagesse se présente

12 « Je suis la Sagesse,
le bon sens m'accompagne.
Je sais agir avec réflexion.
13 Être soumis au Seigneur, c'est détest
le mal.
Pour ma part, je déteste l'orgueil
l'arrogance,
les mauvaises actions et les parol
trompeuses.
14 Conseiller et rendre prévoyant : voi
mon rôle.

---

w **7.14** Une partie de la viande de l'animal sacrifié servait à faire un banquet. La femme invite vraisemblablement le jeune homme à participer à un repas de ce genre.

x **7.23** V. 22b-23 : sens possible d'un texte hébreu difficile ; autre traduction *Comme un fou qu'on lie pour le mener au châtiment jusqu'à ce qu'une flèche lui perce le cœur.*

y **8.1** Voir 1.20 et la note.

z **8.11** Voir 2.4 et la note.

Je suis l'intelligence elle-même.
C'est moi qui donne la puissance.
5 Grâce à mon aide les rois règnent,
les magistrats rendent la justice.
6 Grâce à moi gouvernent les souverains,
les notables et tous les chefs légitimes[a].
7 Ceux qui m'aiment,
je les aime en retour.
Ceux qui me cherchent sont sûrs de me trouver.
8 J'offre la richesse et l'honneur,
des biens stables et une prospérité méritée.
9 Mes dons sont préférables à l'or le plus fin,
leur profit est plus grand que l'argent le plus pur.
Je me trouve sur la route qui conduit à la justice,
sur les chemins où l'on respecte le droit.
Là, j'assure des biens à ceux qui m'aiment,
je remplis leurs maisons de trésors.
Le Seigneur m'a conçue[b] il y a très longtemps,
comme la première de ses œuvres, avant toutes les autres.
J'ai été établie dès le début des temps,
avant même que le monde existe.
Quand je suis née,
il n'y avait pas d'océans,
pas de sources d'où les eaux jaillissent.
Avant la formation des montagnes,
avant les collines, j'ai été enfantée.
Le Seigneur n'avait fait alors ni la terre ni les espaces[c],
ni le premier grain de poussière du monde.
J'étais déjà là quand il fixa le ciel
et traça l'horizon au-dessus de l'océan primitif.
Il plaça les nuages dans les hauteurs
et donna leur force aux sources profondes.
Il imposa à la mer une limite
que les eaux ne doivent pas franchir.
Il posa les fondations de la terre.
Pendant ce temps,
j'étais à ses côtés comme architecte[d].
Jour après jour, je faisais sa joie,
je jouais sans cesse en sa présence,
31 sur le sol du monde créé par lui.
Depuis lors, ma joie est d'être au milieu des humains. »

Heureux l'homme qui écoute la Sagesse

32 « Et maintenant, mes fils, écoutez-moi,
heureux serez-vous si vous suivez mes conseils.
33 Ne rejetez pas mes avertissements,
tenez-en compte et vous deviendrez sages.
34 Heureux ceux qui m'écoutent,
qui se tiennent chaque jour à ma porte
et veillent à l'entrée de ma maison.
35 Celui qui me trouve, trouve la vie :
le Seigneur lui donne son approbation.
36 Celui qui m'offense, se fait du tort à lui-même,
qui me déteste, aime la mort. »

L'invitation de la Sagesse

9 1 La Sagesse[e] a taillé sept colonnes et
a construit sa maison. 2 Elle a fait
abattre des bêtes, elle a préparé du vin,
puis elle a dressé la table. 3 Elle a envoyé
ses servantes lancer cette invitation à
l'endroit le plus élevé de la ville : 4 « Vous,
les ignorants, accourez donc par ici. » Elle
a fait dire à ceux qui ont la tête vide :
5 « Venez vous nourrir à ma table et boire
le vin que j'ai préparé. 6 Quittez la compagnie des ignorants et vous vivrez, prenez
donc le chemin où se tient l'intelligence. »

Le sage et l'orgueilleux

7 Qui réprimande un arrogant ne récolte que mépris, et qui blâme un méchant se fait insulter. 8 Ne critique pas
l'orgueilleux, car il te haïrait, mais critique le sage et il t'aimera. 9 Ce que tu dis

---

a **8.16** Autre traduction *les notables, tous les juges de la terre.*

b **8.22** Autre traduction *Le Seigneur m'a acquise.*

c **8.26** Autre traduction *ni la terre ni les champs.*

d **8.30** *j'étais à ses côtés comme architecte* : sens possible d'un texte hébreu difficile. Autres traductions *j'étais à ses côtés comme un petit enfant* ou *j'étais à côté de lui, l'architecte.*

e **9.1** Voir 1.20 et la note.

à un sage développe sa sagesse. Ce que tu
transmets à un homme honnête augmente son savoir. 10 Reconnaître l'autorité du Seigneur est le commencement de
la sagesse, connaître celui qui est saint
procure l'intelligence[f]. 11 Moi, la Sagesse,
j'augmenterai le nombre de tes jours, je
prolongerai la durée de ta vie[g]. 12 Si tu deviens sage, c'est toi qui en profiteras. Si
tu deviens orgueilleux, c'est toi qui en
supporteras les conséquences.

L'invitation de la Sottise

13 La Sottise[h] est comme une femme
bruyante, ignorante et niaise. 14 Elle est
assise à la porte de sa maison, sur les hauteurs de la ville. 15 De là, elle interpelle les
passants qui vont droit devant eux :
16 « Vous, les ignorants, faites un détour
par ici. » Elle déclare à ceux qui ont la tête
vide : 17 « La boisson volée est agréable et
la nourriture mangée en cachette déli-
cieuse. » 18 Ils ne savent pas qu'ils vont rejoindre ceux qui ne sont plus, que les
invités de cette femme s'enfoncent dans
le monde des morts.

Collection de proverbes sur la vie morale

10 1 Proverbes de Salomon.
Un fils sage fait la joie de ses parents, un sot fait le désespoir des siens.

2 Bien mal acquis ne profite jamais, seule une conduite juste préserve de la mort.

3 Le Seigneur ne laisse pas le juste avoir faim, mais il refuse au méchant ce qu'il convoite.

4 Des mains nonchalantes attirent la pauvreté, des mains actives procurent la richesse.

5 Qui amasse des provisions pendar l'été est un homme sensé, mais qui doı pendant la récolte mérite le mépris.

6 Les justes attirent sur eux le bonheu Les méchants cachent la violence dan leurs paroles.

7 On se souvient avec reconnaissanc d'un homme juste, mais on oubli jusqu'au nom des méchants.

8 Qui a l'esprit sage accepte de recevoi des directives. Celui qui parle à tort et travers court à sa perte.

9 Vivre dans l'intégrité, c'est vivre dan la sécurité. L'homme à la conduite to tueuse sera démasqué.

10 Qui cache la vérité aux autres les fa souffrir, qui les reprend avec franchis leur apporte la paix[i].

11 Les paroles du juste sont source d vie[j]. Les paroles des méchants cachent l violence.

12 La haine suscite des querelles, ma l'amour ne tient pas compte des offen ses[k].

13 On reconnaît la sagesse dans les pa roles de l'homme intelligent, on réserv les coups à celui qui a la tête vide.

14 Les sages amassent un trésor d'exp rience, mais les paroles des imbéciles en traînent une ruine rapide.

15 La fortune du riche lui tient lieu d place forte. La misère du pauvre l'expo à la ruine.

16 Le travail d'un homme honnête l permet de vivre. Le gain d'un homm malhonnête est voué à l'échec.

17 Qui tient compte des avertissemen avance dans la vie, qui rejette les répı mandes s'égare.

18 Il est hypocrite de cacher sa hain mais répandre une calomnie est stupid

19 Qui parle trop cause forcément d tort. Il est plus prudent de savoir tenir langue.

20 Les paroles d'un homme juste vale l'argent le plus pur. Ce que pense un m chant ne vaut pas grand-chose.

21 Les paroles d'un homme juste pr fitent à beaucoup, tandis que les imb ciles meurent parce qu'ils ont la tête vid

22 Seule la *bénédiction du Seigne donne la prospérité. Les efforts l'homme n'y ajoutent rien.

---

f **9.10** *connaître... l'intelligence* : autre traduction *l'intelligence est la science que les saints possèdent* ou *connaître ce qui est saint procure l'intelligence*. Voir 1.7 et la note.

g **9.11** Voir 3.18 et la note.

h **9.13** *La Sottise* est ici personnifiée pour faire pendant à la Sagesse, voir 9.1 à 6.

i **10.10** La traduction du v. 10b suit l'ancienne version grecque. Le texte hébreu reprend ici le v. 8b.

j **10.11** Voir 12.28 et 3.18 et la note.

k **10.12** Voir Jacq 5.20 ; 1 Pi 4.8.

23 La pratique du mal est un jeu pour le ɔt, celle de la sagesse un jeu pour homme intelligent.

24 Ce que les méchants redoutent leur rrive, ce que souhaitent les justes leur st accordé.

25 L'ouragan passe et le méchant n'est lus ! Le juste tient toujours debout.

26 Le vinaigre irrite les dents et la fuiée les yeux ; de même le paresseux est ne cause d'irritation pour son maître.

27 Reconnaître l'autorité du Seigneur ermet de vivre longtemps, mais les péheurs meurent prématurément[l].

28 L'espérance des justes leur procure joie, les espoirs des méchants n'aboussent à rien.

29 Les plans du Seigneur protègent les ens intègres comme une forteresse, mais s détruisent ceux qui font le mal.

30 Rien ne fera jamais tomber un juste, iais les méchants ne pourront pas deieurer sur terre.

31 Des paroles sages sortent de la boue du juste. Les menteurs méritent ı'on leur coupe la langue.

32 Quand le juste parle, c'est avec bieneillance, mais la malveillance sort de la ouche des méchants.

11 1 Le Seigneur déteste les balances faussées, mais il approuve l'utiliıtion de poids exacts[m].

2 A l'arrogance répond le mépris. Il est lus sage d'être modeste.

3 L'intégrité guide les hommes droits. 'amour du mal détruit les gens déloyaux.

4 Au jour du jugement la richesse est ıutile, seule la pratique de la justice réserve de la mort.

5 L'intégrité du juste le met sur le droit hemin. Le méchant se perd à cause de sa ıéchanceté.

6 La justice de l'homme droit lui prérve la vie. Les gens déloyaux sont pris ı piège de leurs propres désirs.

7 La mort du méchant anéantit tous ses poirs, en particulier ceux qu'il plaçait ı ses richesses.

8 L'homme juste échappe à l'inquiéıde ; le méchant y est livré à sa place.

9 L'homme de mauvaise foi détruit les ıtres par ses paroles, mais les justes sont réservés par leur expérience.

10 Les habitants d'une ville fêtent la réussite des justes et ils poussent des cris de joie à la mort des méchants.

11 Les hommes droits apportent la prospérité à leur ville, les méchants la ruinent par leurs paroles.

12 Qui parle des autres avec mépris a la tête vide, un homme intelligent préfère se taire.

13 Celui qui parle à tort et à travers trahit aussi les secrets. Un homme digne de confiance garde tout pour lui.

14 Un peuple périt quand il n'est pas dirigé ; un grand nombre de conseillers assure la victoire.

15 Qui s'engage à payer les dettes d'autrui s'en trouvera mal ; refuser de le faire est plus sûr.

16 Une jolie femme reçoit des hommages, un homme énergique acquiert la richesse.

17 La bonté fait du bien à celui qui l'exerce, mais la cruauté se retourne contre son auteur.

18 Le méchant réalise des profits incertains ; celui qui propage la justice est sûr d'être récompensé.

19 Qui décide d'être juste vivra, mais celui qui opte pour le mal en mourra.

20 Le Seigneur déteste les gens rusés, il approuve ceux qui se conduisent avec intégrité.

21 A coup sûr l'homme mauvais n'évitera pas la punition, mais tous les justes y échapperont.

22 Un anneau d'or au nez d'un cochon : telle est la femme belle mais stupide.

23 L'unique désir des justes est de bien agir. Les souhaits des méchants n'attirent sur eux que la colère.

24 Certains donnent largement et accroissent leur fortune. D'autres épargnent plus qu'il n'est nécessaire et s'appauvrissent.

25 Une personne généreuse sera comblée de biens en retour, celui qui donne à boire sera désaltéré.

---

l **10.27** Voir 11.31 ; 13.21 ; 14.26-27 ; 19.23, et comparer Ps 73 ; Eccl 8.12-13.

m **11.1** Voir par exemple Lév 19.36 ; Mich 6.9-12.

26 Le peuple maudit ceux qui stockent leur blé[n], mais il est reconnaissant à ceux qui le vendent.

27 On approuve celui qui cherche à bien agir, mais le malheur s'abat sur celui qui ne pense qu'à mal faire.

28 Celui qui se confie en ses richesses dépérit. Les justes prospèrent comme des arbres verdoyants.

29 Qui oriente mal sa maison l'expose au vent. L'imbécile s'expose à devenir l'esclave du sage.

30 Les actes du juste sont comme un arbre de vie[o]. Le sage gagne les cœurs.

31 Le juste est récompensé sur la terre, on peut donc être certain que le méchant et le pécheur recevront ce qu'ils méritent.

12 1 Celui qui accepte les reproches aime s'instruire. Il est stupide de détester les critiques.

2 Le Seigneur approuve l'homme de bien, il condamne le maître en intrigues.

3 Personne n'affermit sa position par la méchanceté, mais rien ne fera tomber le juste.

4 Une femme vaillante fait la fierté de son mari. Une femme indigne est comme un cancer qui ronge les os.

5 Les justes ont toujours l'intention de respecter le droit, les méchants n'ont pas d'autre projet que la fraude.

6 Les paroles des méchants sont des pièges mortels. Ce que disent les hommes droits les préserve de la mort.

7 Lorsque les méchants sont détruits, plus rien d'eux n'existe, mais la famille des justes est fermement établie.

8 On chante les louanges de l'homme sensé, mais l'homme stupide est méprisé.

9 Mieux vaut être de condition modeste avec un seul serviteur que se donner de grands airs et manquer de pain.

10 Le juste prend en considératio même les besoins de son bétail. Le mé chant ne respire que cruauté.

11 Qui cultive son champ a du pain e abondance, mais celui qui cultive de illusions manque de bon sens.

12 Les méchants désirent des gain malhonnêtes, seule la persévérance de hommes justes est profitable[p].

13 L'homme mauvais est pris au pièg de ses propos malfaisants, l'homme just se tire de toute situation périlleuse.

14 On peut obtenir le succès par ses pa roles, comme on s'assure un salaire pa son travail.

15 L'imbécile estime toujours qu' agit correctement, le sage accepte le conseils.

16 L'imbécile laisse paraître immédia tement sa colère, l'homme prudent cach son irritation.

17 Celui qui déclare la vérité favorise l justice, mais le faux témoin favoris l'erreur.

18 Qui bavarde à la légère blesse autar qu'une épée, les paroles des sages ap portent la guérison.

19 Une affirmation vraie reste toujou valable, mais les mensonges ne tienne qu'un instant.

20 Ceux qui projettent le mal ont l cœur plein de fausseté. Ceux qui consei lent le bien en retirent de la joie.

21 Aucun mal n'arrive aux hommes ju tes, mais les méchants sont accablés d malheurs.

22 Le Seigneur déteste les menteurs, approuve ceux qui pratiquent la vérité.

23 L'homme avisé ne fait pas étalage d ses connaissances, les sots exhibent leu bêtise.

24 Des mains actives procurent le po voir, mais la nonchalance mène à l'escl vage.

25 Un cœur soucieux déprime u homme, une parole aimable le r conforte.

26 Le juste guide son compagnon dar la bonne direction, la conduite des m chants les égare.

27 Le chasseur nonchalant n'a pas d gibier à rôtir. Il est précieux pour u homme d'être actif.

---

n 11.26 Il s'agit de spéculateurs qui refusent de *vendre leur blé* en temps voulu et le *stockent* pour en tirer davantage de bénéfices en période de pénurie. Voir 3.18 et la note.

o 11.30 Voir 10.27 et la note.

p 12.12 Sens possible d'un texte hébreu difficile.

28 La vie se trouve là où l'on pratique la
ustice. En suivant cette voie on ne ren-
:ontre pas la mort[q].

13 1 Un fils qui a de la sagesse tient
compte des avertissements de son
ère, mais un fils insolent n'accepte au-
:un reproche.
2 L'homme de bien récolte le fruit de
e qu'il dit. Les gens déloyaux vivent de
iolence.
3 Celui qui surveille ses paroles met sa
ie à l'abri ; celui qui dit n'importe quoi
'expose à la ruine.
4 Il ne sert à rien pour un paresseux de
onvoiter quelque chose, mais un
omme actif obtient ce qu'il désire.
5 Un homme juste déteste le mensonge,
ne personne malveillante déshonore les
utres en les couvrant de boue.
6 L'honnêteté protège celui qui se
onduit bien. Le mal entraîne la ruine de
eux qui le commettent.
7 Certains font semblant d'être riches
lors qu'ils n'ont rien. D'autres font les
auvres et possèdent une fortune.
8 Parfois un riche doit payer pour sau-
er sa vie, mais le pauvre ne risque pas
'être menacé.
9 Le juste rayonne comme une lumière
rillante, le méchant est comme une
ampe qui s'éteint.
10 L'orgueil ne sert qu'à provoquer des
uerelles. Il est plus sage d'accepter les
onseils.
11 La richesse trop vite acquise dispa-
aît vite. Celle qu'on amasse petit à petit
e cesse de grandir.
12 L'espoir qui tarde à se réaliser cha-
rine le cœur, le désir comblé est comme
n arbre de vie[r].
13 Celui qui méprise un avis risque de
 payer cher. Celui qui respecte un ordre
era récompensé.
14 L'enseignement du sage est source
e vie, il préserve des erreurs qui en-
aînent la mort.
15 Le bon sens procure du charme. Les
ens déloyaux suivent une voie sans issue.
16 Un homme avisé réfléchit avant d'agir,
ais les sots font étalage de leur bêtise.
17 Un mauvais messager est cause de
alheur[s], un envoyé fidèle rétablit les
tuations.
18 Celui qui refuse d'être éduqué sera
pauvre et méprisé, mais qui tient compte
des critiques sera honoré.
19 Il est agréable de satisfaire un désir ;
c'est pourquoi les sots détestent renoncer
au mal.
20 A fréquenter les sages, on gagne en
sagesse, mais la compagnie des sots
amène le malheur.
21 Le malheur s'acharne sur qui agit
mal, alors que le bonheur récompense les
gens honnêtes[t].
22 L'homme de bien laisse un héritage
à ses descendants, mais la fortune du pécheur reviendra au juste.
23 Les pauvres tirent une nourriture
abondante de leurs champs, mais certains dépérissent par manque d'équité[u].
24 Qui refuse de frapper son fils ne
l'aime pas. Celui qui l'aime n'hésite pas à
le punir.
25 Le juste mange à satiété, mais le ventre du méchant crie famine.

14 1 Une femme pleine de sagesse assure la solidité d'un foyer, mais
une femme sotte le détruit de ses propres
mains.
2 Qui mène une vie droite respecte le
Seigneur. Celui qui se conduit de travers
le méprise.
3 Dans la bouche de l'imbécile fleurit
l'orgueil. Les paroles des sages assurent
leur protection.
4 Là où il n'y a pas de bœufs de labour,
le grenier est vide. Un bétail vigoureux
procure des revenus importants.
5 Un témoin digne de confiance ne ment
pas, un faux témoin débite des mensonges.
6 L'insolent s'efforce-t-il d'acquérir de la
sagesse ? C'est en vain. Mais celui qui réfléchit acquiert facilement du savoir-faire.
7 Fuis la présence du sot, car tu n'apprendrais rien dans ce qu'il dit.

---

q **12.28** Voir 10.11 et la note. – *En suivant cette voie... mort* : sens possible d'un texte hébreu difficile. Autre traduction *Mais il est un chemin bien fréquenté qui mène à la mort.*

r **13.12** Voir 3.18 et la note.

s **13.17** *est cause de malheur* : autre traduction *tombe dans le malheur.*

t **13.21** Voir 10.27 et la note.

u **13.23** *certains... équité* : autre traduction *mais le manque d'équité le leur enlève.*

8 L'homme prudent surveille sa
conduite parce qu'il est sage. Les sots
s'égarent à cause de leur bêtise.
9 Les imbéciles n'estiment pas nécessaire de réparer un tort, mais la bonne
volonté règne entre les hommes droits[v].
10 Chacun est seul dans ses chagrins et
ses joies, personne d'autre ne peut les
partager.
11 La maison des méchants est destinée
à la ruine, celle des hommes droits à la
prospérité[w].
12 Il arrive qu'un homme estime sa
conduite droite[x], alors que finalement
elle le mène à la mort.
13 Le rire peut cacher la peine et la joie
céder la place à la tristesse.
14 L'homme immoral subira les conséquences de ses actes. La situation de
l'homme de bien est préférable.
15 L'ignorant croit tout ce qu'on lui dit,
l'homme prudent regarde où il met les
pieds.
16 Le sage a peur du mal et s'en détourne, mais le sot agit trop vite parce
qu'il est sûr de lui.
17 Qui se met facilement en colère fait
des bêtises, celui qui intrigue attire la
haine.
18 La part des ignorants c'est la bêtise,
l'honneur des gens avisés c'est le savoir.
19 Les hommes mauvais se sont inclinés devant les bons et les méchants attendent à la porte des justes.
20 Le pauvre est détesté même par ses
compagnons, tandis que le riche a de
nombreux amis.
21 Mépriser son prochain est un péché,
mais heureux celui qui est bon avec les
pauvres.
22 Les gens mal intentionnés font
fausse route. Les gens bien intentionnés
rencontrent la bonté et la fidélité.
23 Tout travail obtient un salaire, mais
le bavardage ne conduit qu'à la pauvreté.
24 La richesse est la récompense des
sages. Les sots ne sortent jamais de leur
bêtise.
25 Un témoin digne de foi sauve des
vies, mais celui qui débite des mensonges
conduit à l'erreur.
26 Reconnaître l'autorité du Seigneur
permet de vivre en toute sécurité, car il
protège ses enfants.
27 Reconnaître l'autorité du Seigneur
est source de vie ; cela permet d'éviter des
pièges mortels[y].
28 Un peuple nombreux fait la gloire
d'un roi. S'il manque de sujets, c'est la fin
de son pouvoir.
29 Qui reste calme fait preuve d'une
grande intelligence, qui s'emporte montre sa bêtise.
30 La paix de l'esprit favorise la santé
mais la passion est un cancer qui ronge
les os.
31 Qui opprime les indigents outrage
celui qui les a faits. Seul l'honore celui
qui leur porte secours.
32 Le mal que commet le méchant
cause sa perte, mais le juste garde
confiance même devant la mort.
33 Celui qui réfléchit possède la sagesse, mais peut-on la trouver parmi les
sots ?
34 Pratiquer la justice fait la grandeur
d'une nation, l'injustice fait la honte des
peuples.
35 Le roi apprécie des ministres compétents, mais sa colère menace les indignes.

15 1 Une réponse aimable apaise la
colère, mais une parole brutale
l'excite.
2 Quand le sage parle, il donne envie de
s'instruire, mais la bouche des sots répand la bêtise.
3 Le Seigneur dirige ses regards partout ; il observe aussi bien les bons que
les mauvais.
4 Une parole réconfortante est comme
un arbre de vie[z], une parole cruelle est
démoralisante.
5 L'imbécile méprise les avertissements de son père, qui accepte les réprimandes est avisé.
6 Le juste vit dans l'abondance. Les
profits malhonnêtes attirent le malheur.

---

v **14.9** Sens possible d'un texte hébreu difficile ; autre traduction *Les imbéciles se sentent libres de pécher, mais seuls les hommes droits éprouvent du contentement*.
w **14.11** Voir 10.27 et la note.
x **14.12** Autre traduction *Au départ la conduite de tout homme est droite*.
y **14.27** V. 26-27 : voir 10.27 et la note.
z **15.4** Voir 3.18 et la note.

7 Les paroles des sages diffusent le sa-
'oir, tandis que la tête des sots ne vaut
ien.
8 Le Seigneur déteste les *sacrifices of-
erts par les méchants, mais il reçoit favo-
ablement la prière des hommes droits.
9 Le Seigneur déteste la conduite des
néchants, mais il aime ceux qui pra-
iquent la justice.
10 Celui qui s'écarte du bien sera sé-
'èrement puni : refuser les avertisse-
nents conduit à la mort.
11 Le Seigneur sait ce qui se passe
nême au fond du monde des morts ; à
lus forte raison connaît-il toutes les pen-
ées de l'homme.
12 L'arrogant n'aime pas les critiques ;
l ne consulte jamais les sages.
13 La joie au cœur égaie le visage, la
eine provoque la mauvaise humeur.
14 Qui a l'esprit sage désire s'instruire,
nais le sot n'avale que des bêtises.
15 Le malheureux vit sans cesse dans la
eine. L'homme heureux vit dans une
ête continuelle.
16 Mieux vaut avoir peu et être soumis
u Seigneur que posséder beaucoup et vire dans l'inquiétude.
17 Mieux vaut un plat de légumes pré-
aré avec amour qu'une viande savou-
euse assaisonnée de haine.
18 Un homme coléreux provoque des
lisputes, un homme patient les apaise.
19 Le sentier du paresseux est couvert
le ronces. La route des hommes droits
st bien dégagée.
20 Un fils sage fait la joie de ses parents.
.e sot ne respecte pas les siens.
21 Celui qui a la tête vide se complaît
lans sa bêtise, mais l'homme raisonnable
a droit son chemin.
22 Quand on ne consulte personne, les
rojets échouent. Grâce à de nombreux
onseils, ils se réalisent.
23 Il est agréable de savoir bien ré-
ondre ; quel plaisir de dire la parole
ıste au moment voulu !
24 L'homme sensé suit la route qui
nonte vers la vie, il évite celle qui des-
end vers la mort.
25 Le Seigneur détruit la maison de
orgueilleux, mais il protège le terrain de
ı veuve.
26 Le Seigneur déteste les mauvaises
intentions. Seules les paroles inspirées
par la bonté sont irréprochables.
27 L'homme avide d'argent attire la
ruine sur sa famille. Celui qui ne se laisse
pas acheter jouira d'une longue vie.
28 Le juste réfléchit avant de répondre,
mais le méchant s'empresse de répandre
des calomnies.
29 Le Seigneur ne s'intéresse pas aux
méchants, mais il écoute la prière des justes.
30 Un regard bienveillant donne de la
joie et une bonne nouvelle ranime les forces.
31 Celui qui tend l'oreille à une critique
salutaire a sa place parmi les sages.
32 Qui refuse d'être éduqué néglige sa
propre vie, mais celui qui tient compte
des réprimandes acquiert du caractère.
33 Reconnaître l'autorité du Seigneur
est une école de sagesse[a]. Avant d'accéder aux honneurs, il convient d'être
humble.

Le Seigneur dans la vie quotidienne

16 1 Les hommes forment des projets,
mais c'est le Seigneur qui a le dernier mot.
2 Chacun pense agir toujours correctement, mais le Seigneur examine le fond
du cœur.
3 Expose ton activité au Seigneur et tu
réaliseras tes projets.
4 Le Seigneur a tout fait dans une intention précise, même les méchants pour
le jour de leur malheur.
5 Le Seigneur déteste les hommes
orgueilleux ; on peut être sûr qu'ils ne
seront pas impunis.
6 Par la bonté et la fidélité on peut réparer un tort. En respectant le Seigneur on
évite d'agir mal.
7 Lorsque le Seigneur approuve la
conduite de quelqu'un, il réconcilie avec
lui ses ennemis eux-mêmes.
8 Mieux vaut un maigre salaire gagné
honnêtement que de gros revenus tirés
d'affaires louches.

a **15.33** Voir 1.7 et la note.

9 L'homme élabore des plans, le Seigneur en dirige la réalisation.

A propos des rois

10 Le roi parle avec une autorité divine, il ne se trompe pas quand il prononce un jugement.

11 Le Seigneur veut que les balances soient justes, il fixe la valeur des poids.

12 Le roi déteste qu'on agisse mal[b], car seule la pratique de la justice maintient son pouvoir.

13 Le roi apprécie qu'on lui parle honnêtement, il aime ceux qui disent la vérité.

14 Un roi en colère peut envoyer quelqu'un à la mort. Un homme sage fait tout pour l'apaiser.

15 Un sourire sur le visage du roi est promesse de vie, sa bonté est comme une pluie rafraîchissante.

La vie sociale et morale

16 Mieux vaut acquérir la sagesse que de l'or, l'intelligence que de l'argent[c].

17 Les hommes droits se détournent du mal, car surveiller sa conduite, c'est veiller sur sa vie.

18 L'orgueil conduit à la faillite et l'arrogance à la ruine.

19 Mieux vaut vivre modestement avec des pauvres que partager un riche butin avec des gens orgueilleux.

20 Qui est habile en affaires s'en trouve bien[d], mais celui qui fait confiance au Seigneur connaît le bonheur.

21 Un homme à l'esprit sage est intelligent. Plus une parole est aimable, plus elle est convaincante.

22 Le bons sens procure la vie à ceux qui le possèdent. Les imbéciles sont punis par leur propre bêtise.

23 L'homme à l'esprit sage réfléchit avant de parler et rend ainsi ses paroles plus convaincantes.

24 Des paroles aimables sont pareilles au miel, qui est agréable au goût et bon pour la santé.

25 Il arrive qu'un homme estime sa conduite droite alors que finalement elle le mène à la mort[e].

26 La faim oblige le travailleur à se donner de la peine, son appétit l'y pousse.

27 Le vaurien projette le mal, sa langue est brûlante de méchanceté.

28 L'homme rusé provoque des disputes, et le calomniateur détruit l'amitié.

29 L'homme violent trompe les autres et les entraîne sur une mauvaise pente.

30 Celui qui ferme les yeux et serre les lèvres pour préparer un mauvais coup l'a déjà réalisé.

31 Les cheveux blancs sont une parure qui couronne celui qui a suivi les traces de la justice.

32 Le héros véritable est celui qui vainc sa colère. Il vaut mieux être maître de soi que maître d'une ville.

33 On jette les dés pour connaître l'avenir[f], mais c'est le Seigneur qui détermine la réponse.

17 1 Mieux vaut manger en paix un croûton de pain sec que participer à un banquet dans une maison où l'on se dispute.

2 Un serviteur compétent prendra la place du fils indigne et recevra une part de l'héritage familial.

3 L'or et l'argent sont testés par le feu et c'est le Seigneur qui éprouve la valeur des hommes.

4 L'homme malintentionné prête l'oreille aux paroles malveillantes et le menteur écoute les mauvaises langues.

5 Qui se moque des pauvres outrage celui qui les a faits. Celui qui rit du malheur d'autrui ne sera pas impuni.

6 Les gens âgés sont fiers de leurs petits-enfants, et les enfants sont fiers de leurs parents.

7 Un langage distingué ne convient pas à un homme vulgaire, encore moins le mensonge à un dirigeant.

---

b **16.12** Autre traduction *Il est intolérable qu'un roi agisse mal*.

c **16.16** Voir 2.4 et la note.

d **16.20** Autre traduction *Qui écoute la parole* (du Seigneur) *s'en trouve bien*.

e **16.25** Voir 14.12 et la note.

f **16.33** Allusion à la coutume consistant à utiliser les dés sacrés pour connaître la volonté de Dieu (voir Ex 28.30).

8 Certains pensent qu'offrir un cadeau[g]
›orte bonheur et assure la réussite de
›outes les entreprises.
9 Oublier un tort favorise l'amitié, mais
n reparler sans cesse la rend impossible.
10 Un reproche a plus d'influence sur
ın homme intelligent que cent coups de
›âton sur un sot.
11 Le méchant ne cherche qu'à nuire et
łéchaîne ainsi contre lui les forces du
nalheur.
12 Mieux vaut rencontrer une ourse pri-
ée de ses petits qu'un sot tout plein de sa
›êtise.
13 Le malheur ne quitte pas la maison
le l'homme qui rend le mal pour le bien.
14 Commencer une dispute c'est ouvrir
ıne digue. Arrête-toi avant que la que-
elle ne se déchaîne.
15 Le Seigneur déteste autant celui qui
léclare innocent un coupable que celui
ıui condamne un innocent.
16 A quoi peut servir l'argent dans la
nain d'un sot ? A se procurer la sagesse ?
Aais il n'a pas de tête !
17 Un ami montre son affection en tou-
es circonstances. Un frère est là pour
›artager les difficultés.
18 Seul un insensé se rend responsable
le la dette d'autrui en tapant dans la
nain de quelqu'un[h].
19 Qui aime la querelle aime causer du
ort. Qui fait l'important cherche sa ruine.
20 Qui a l'esprit rusé ne connaît pas le
onheur, et le malheur s'abat sur celui
ui a une mauvaise langue.
21 Qui donne naissance à un sot n'a que
u chagrin. Toute joie est refusée au père
'un homme stupide.
22 La bonne humeur favorise la guéri-
on, mais la tristesse fait perdre toute
italité.
23 Les gens malhonnêtes acceptent les
adeaux offerts pour dévier le cours de la
ıstice.
24 L'homme intelligent ne perd jamais
e vue ce qui est sage, mais les regards du
ot se portent vers des buts inaccessibles.
25 Le sot donne du chagrin à son père et
es regrets à celle qui l'a mis au monde.
26 Il n'est pas bien d'infliger une
mende à un innocent et il est injuste de
unir quelqu'un de respectable.
27 Quelqu'un d'expérimenté évite de
trop parler et quelqu'un de raisonnable
prend le temps de réfléchir.
28 Quand il se tait, même un imbécile
paraît sage. Lorsque ses lèvres sont fermées on peut le croire intelligent.

18 1 Celui qui ne cherche que son intérêt s'isole des autres, il s'irrite
quand on lui propose de l'aide.
2 Ce qui intéresse le sot n'est pas de
comprendre, mais de faire étalage de son
opinion.
3 La méchanceté amène avec elle le mépris, et la honte accompagne l'affront.
4 Les paroles de l'homme peuvent être
profondes comme l'océan, vivifiantes
comme un torrent et source de sagesse[i].
5 Il n'est pas bien de favoriser le coupable en refusant de faire justice à l'innocent.
6 Les paroles du sot entraînent des disputes, ce qu'il dit provoque la bagarre.
7 Quand le sot parle, il cause sa ruine ;
il est pris au piège de ses propres paroles.
8 Les calomnies sont comme des frian-
dises, elles s'insinuent jusqu'au fond de
soi-même.
9 Celui qui néglige sa besogne et celui
qui la gâche sont de la même famille.
10 Le Seigneur est une forteresse.
L'homme juste accourt près de lui et il
est en sécurité.
11 La fortune du riche lui tient lieu de
citadelle, dans son coffre-fort[j] elle le protège comme un rempart élevé.
12 L'orgueil de l'homme le conduit à la
faillite. Avant d'accéder aux honneurs, il
convient d'être humble.
13 Qui répond avant d'avoir écouté
montre sa bêtise et se couvre de ridicule.
14 La volonté de vivre soutient
l'homme malade, mais qui peut rétablir
une volonté défaillante ?

---

g **17.8** *offrir un cadeau* : autre traduction *recevoir un cadeau*.

h **17.18** Voir 6.1-5 et les notes.

i **18.4** Sens possible d'un texte hébreu difficile ; autre traduction *Les paroles de l'homme sont dangereuses comme de l'eau profonde, mais la sagesse est vivifiante comme un torrent qui jaillit*.

j **18.11** *dans son coffre-fort* : autre traduction *dans son imagination*.

15 Celui qui réfléchit acquiert des
connaissances, le sage cherche à entendre
des paroles instructives.
16 Offrir un cadeau ouvre bien des portes et permet de rencontrer des gens haut
placés.
17 Le premier à plaider une cause semble avoir raison jusqu'au moment où son
adversaire le contredit.
18 Jeter les dés fait cesser les querelles et
tranche le débat entre les plaideurs[k].
19 Un frère offensé est plus difficile à
aborder qu'une forteresse. Les disputes
sont aussi tenaces que les verrous d'un
château[l].
20 Un homme peut assurer sa nourriture par ses paroles ; ce qu'il dit lui permet de gagner sa vie.
21 Les paroles peuvent être source de
vie ou de mort. Qui aime parler doit en
accepter les conséquences.
22 Celui qui trouve une compagne,
trouve le bonheur. Il a obtenu l'approbation du Seigneur.
23 Le pauvre parle en suppliant, le riche
répond avec dureté.
24 Il y a des amis qui mènent au malheur[m]. Un ami véritable est plus loyal
qu'un frère.

19 1 Mieux vaut être pauvre et vivre
dans l'intégrité qu'être sot et parler pour tromper.
2 Sans expérience l'enthousiasme n'est
pas bon ; à trop se hâter on commet des
erreurs.
3 Tel homme se met bêtement dans une
mauvaise situation et tourne sa colère
contre le Seigneur !
4 Un riche a sans cesse de nouveau
amis, un indigent risque de perdre le seu
qui lui reste.
5 Le faux témoin ne reste pas impuni e
le menteur n'échappe pas à la punitio
qu'il mérite.
6 Beaucoup de gens flattent en fac
l'homme important et tout le monde s
prend d'amitié pour qui fait des cadeaux
7 Le pauvre est détesté par ses propre
frères, à plus forte raison ses amis l'aban
donnent-ils. Lorsqu'il voudrait leu
parler, ils ne sont plus là[n].
8 Apprendre à réfléchir, c'est agir pou
son propre bien ; s'appliquer à compren
dre mène au bonheur.
9 Le faux témoin ne reste pas impuni e
le menteur cause sa propre perte.
10 Il ne convient pas qu'un sot viv
dans le luxe et encore moins qu'un es
clave commande à des chefs.
11 Un homme sensé maîtrise sa colère
il met son point d'honneur à oublier le
torts subis.
12 La colère du roi est redoutabl
comme le rugissement d'un lion, mais s
bonté est bienfaisante comme la rosée su
l'herbe.
13 Le sot fait le malheur de son père. L
femme querelleuse est comme une gout
tière qui coule sans cesse.
14 On peut hériter maison et argent d
ses ancêtres, mais seul le Seigneur peu
donner une femme sensée.
15 La paresse plonge dans l'inertie et l
nonchalance ne nourrit pas son homme
16 Celui qui respecte les règles protèg
sa vie, celui qui ne surveille pas s
conduite mourra.
17 Donner aux pauvres revient à prête
au Seigneur, il récompensera cette géné
rosité.
18 Corrige tes enfants tant que tu as l'es
poir de les aider, mais ne t'emporte pas a
point de vouloir leur mort.
19 L'homme violent mérite de paye
une amende. Ne pas lui en infliger, c'es
l'inciter à recommencer[o].
20 Écoute les conseils, laisse-toi édu
quer : tu finiras par devenir un sage.
21 L'homme élabore de nombreu
plans, mais seule la décision du Seigneu
se réalise.

---

k **18.18** *Jeter les dés* : voir 16.33 et la note. – *entre les plaideurs* : autre traduction *entre les puissants*.

l **18.19** Sens possible d'un texte hébreu difficile. L'ancienne version grecque porte *Un frère défendu par son frère est comme une ville fortifiée et bâtie sur la hauteur. Il est aussi fort qu'un rempart royal*.

m **18.24** Sens possible d'un texte hébreu difficile ; autres traductions *Certains sont amis pour leur malheur mutuel* ou *Avoir des amis en grand nombre mène au malheur*.

n **19.7** Cette phrase donne un sens possible d'un texte hébreu difficile.

o **19.19** Autre traduction *L'homme violent doit subir les conséquences de ses actes. Si on l'en protège, on empire les choses* ou *on l'incite à recommencer*.

22 Ce qu'on attend d'un homme, c'est la
onté. Mieux vaut être pauvre que meneur.
23 Respecter le Seigneur conduit à la
ie, une vie dans l'abondance et à l'abri
lu malheur[p].
24 Le paresseux plonge sa main dans le
lat, mais il hésite à l'amener jusqu'à sa
ouche.
25 Lorsqu'on frappe un insolent, l'im-
écile peut devenir prudent. Lorsqu'un
omme intelligent est critiqué, il
omprend la leçon.
26 Qui est violent avec son père et
hasse sa mère est un fils indigne, dont
n rougit.
27 Mon fils, si tu cesses d'écouter les
vertissements, tu tournes le dos aux
eçons de l'expérience[q].
28 Un témoin malfaisant bafoue le
roit. Les méchants ont le goût du mal.
29 Les insolents s'exposent à être punis
t le sot s'expose à recevoir des coups.

20 1 Le vin rend insolent et les li-
queurs fortes incitent au tapage.
Qui se laisse enivrer ne peut devenir sage.
2 Un roi irrité est aussi redoutable
u'un lion rugissant. Qui excite la colère
u roi met sa vie en danger.
3 Se retirer d'une dispute est un acte
onorable. Seuls les imbéciles s'y en-
têtent.
4 Un paysan trop paresseux pour labou-
er à l'automne ne trouve rien à récolter à
époque de la moisson.
5 Les pensées de l'homme sont cachées
omme des eaux souterraines. Une per-
onne intelligente sait les faire appa-
aître.
6 Beaucoup de gens se vantent de leur
onté, mais qui trouvera quelqu'un de
raiment sûr ?
7 Le juste mène une vie intègre, heu-
eux les enfants qu'il laisse après lui !
8 Lorsque le roi siège pour rendre la
stice, il discerne le mal au premier coup
'œil.
9 Quelqu'un peut-il dire : « J'ai la
onscience tranquille, je suis pur de tout
éché » ?
10 Avoir deux poids, deux mesures,
oilà qui est détestable aux yeux du Seineur.
11 Même un enfant manifeste par ses
actes si sa conduite est claire et droite[r].
12 Des yeux pour voir, des oreilles pour
entendre sont l'œuvre du Seigneur.
13 Si tu aimes dormir, tu deviendras
pauvre. Ouvre grands les yeux et tu mangeras à ta faim.
14 « Mauvaise affaire ! » dit l'acheteur,
mais, lorsqu'il s'en va, il se félicite de son
succès.
15 L'or n'est pas rare et les perles abon-
dent. Des paroles instructives sont un
trésor bien plus précieux.
16 Si quelqu'un se porte garant auprès
de toi de la dette d'un inconnu, exige son
vêtement, s'il cautionne des étrangers,
exige des gages.
17 Au premier abord la nourriture volée
est un délice, mais ensuite c'est du gra-
vier plein la bouche.
18 Grâce à de bons conseils on réalise
ses projets. Ne pars pas en guerre sans en
avoir délibéré.
19 Celui qui parle à tort et à travers
trahit aussi les secrets. Évite donc les
gens qui bavardent trop.
20 Si quelqu'un maudit son père ou sa
mère, il verra sa vie s'éteindre comme
une lampe dans les ténèbres.
21 Celui qui commence trop rapidement à amasser une fortune n'aura pas
lieu de s'en féliciter par la suite.
22 Ne te propose pas de rendre le mal
qu'on te fait. Place ta confiance dans le
Seigneur, et il te tirera d'affaire.
23 Le Seigneur déteste les poids
inexacts, il désapprouve l'emploi d'une
balance fausse[s].
24 C'est le Seigneur qui dirige la vie
des hommes. Comment un humain
comprendrait-il où le mènent ses pas ?
25 Il est dangereux de dire à la légère :
« Ceci est pour Dieu » et de lui faire des
promesses avant d'avoir réfléchi[t].

---

p **19.23** Voir 10.27 et la note.

q **19.27** Autres traductions *Mon fils, il vaut mieux interrompre ton instruction, si tu en profites pour t'écarter des leçons de l'expérience* ou *Mon fils, si tu interromps ton instruction, tu oublieras vite ce que tu as appris.*

r **20.11** Autre traduction *Un enfant donne le change par ses actes. Sa conduite sera-t-elle claire et droite ?*

s **20.23** Voir 11.1 et la note.

t **20.25** Voir Eccl 5.3-5.

26 Un roi sage disperse ceux qui agissent mal, il fait passer sur eux la roue du
malheur.
27 La conscience est la lampe que le
Seigneur donne à l'homme : elle éclaire
les profondeurs de son être.
28 La bonté et la fidélité protègent le
roi. C'est par la bonté qu'il affermit son
pouvoir.
29 La vigueur fait la beauté de la jeunesse et les cheveux blancs la dignité de
la vieillesse.
30 Des blessures douloureuses peuvent
guérir de la méchanceté et les coups assa-
gir le fond du cœur[u].

21 1 L'esprit du roi est comme un
ruisseau que la main du Seigneur
dirige là où il veut.
2 Chacun pense agir toujours avec droiture, mais le Seigneur examine le fond du
cœur.
3 Une conduite juste et équitable a plus
de prix pour le Seigneur que des *sacrifices.
4 Le regard hautain et l'esprit orgueilleux, voilà ce qui manifeste le péché des
méchants[v].
5 Celui qui s'applique à élaborer des
plans connaîtra l'abondance, celui qui
agit précipitamment connaîtra la disette.
6 S'efforcer d'acquérir la richesse par
le mensonge, c'est obtenir de la fumée
de la part de gens qui cherchent la
mort.
7 La violence des méchants les mène à
leur perte, car ils refusent d'appliquer le
droit.
8 Les criminels suivent des voies tortueuses, mais les honnêtes gens ont une
conduite droite.
9 Mieux vaut vivre au coin d'un toit
que partager sa maison avec une femme
querelleuse.
10 De tout son être, l'homme malveillant désire faire du mal et il n'épargne
même pas son ami.
11 La punition de l'insolent est une le
çon de sagesse pour l'ignorant, tandis qu
le sage acquiert de l'expérience par l'en
seignement qu'il reçoit.
12 Le juste[w] suit de près ce qui se pass
dans la maison des méchants, et il les pré
cipite dans le malheur.
13 Qui fait la sourde oreille aux cris d
l'indigent n'obtiendra pas de répons
quand il appellera au secours.
14 Pour calmer la colère ou même l
violente fureur de quelqu'un, rien de te
qu'un cadeau discret, qu'un présen
offert sous le manteau.
15 L'application du droit fait la joie d
l'homme honnête et frappe d'épouvant
le malfaiteur.
16 Un homme qui abandonne tout bo
sens ira bientôt tenir compagnie à ceu
qui ne sont plus.
17 Celui qui aime les plaisirs connaît
le besoin ; l'amateur de vin et de bonn
chère ne deviendra jamais riche.
18 Les gens sans foi ni loi supporteron
le malheur que les hommes honnêtes e
droits n'auront pas à subir.
19 Mieux vaut vivre dans un coin déser
qu'avec une femme querelleuse et irr
table.
20 On trouve de précieuses réserves e
des produits de luxe dans la demeure d
sage, mais le sot dilapide ce qu'il a.
21 Celui qui cherche à être honnête e
bon vivra longtemps, il sera traité ave
justice et respect.
22 Le sage prend d'assaut une ville for
tement défendue et abat les fortific
tions qui donnaient confiance à se
habitants.
23 Celui qui surveille tout ce qui sort d
sa bouche s'évite bien des tourments.
24 Un homme dédaigneux et orguei
leux, voilà l'insolent, dans tout so
comportement son orgueil se déchaîne.
25 Le paresseux meurt de ne pas pou
voir réaliser ses désirs, car ses mains re
fusent de travailler. 26 Il passe son temps
convoiter, alors que l'homme juste donn
sans rien garder pour lui.
27 Les méchants rendent leurs *sa
crifices d'autant plus détestables qu'i
les offrent avec de mauvaises inten
tions.

---

u **20.30** Sens possible d'un texte hébreu difficile.
v **21.4** Sens possible d'un texte hébreu difficile.
w **21.12** Autre traduction *Le (seul) Juste* (=Dieu).

28 Le témoignage d'un menteur sera
ondamné[x], l'homme qui sait écouter
peut parler de façon décisive.
29 L'homme malfaisant prend un air
hardi. Un homme droit est sûr de sa
onduite.
30 Aucune sagesse, aucune intelligence,
ucun avis ne tient devant le Seigneur.
31 On équipe des chevaux pour le jour
lu combat, mais c'est le Seigneur qui
lonne la victoire.

22 1 Une bonne réputation vaut
mieux que de grandes richesses :
'estime des autres est préférable à l'or et
l'argent.
2 Le riche et le pauvre ont ceci de
ommun : le Seigneur a fait l'un aussi
bien que l'autre.
3 Un homme prudent voit venir le malheur et se met à l'abri. Les ignorants y
lonnent tête baissée et le paient cher.
4 L'homme humble se soumet au Seigneur, il est récompensé par la prospérité,
a considération et une longue vie.
5 Une conduite tortueuse comporte
ant d'épines et de pièges qu'il faut s'en
carter si l'on tient à sa vie.
6 Donne de bonnes habitudes à l'enfant
lès l'entrée de sa vie : il les conservera[y]
usque dans sa vieillesse.
7 Le riche a les pauvres en son pouvoir.
Ceux qui empruntent sont les esclaves de
eurs créanciers.
8 Qui sème l'injustice récolte le malheur, car son pouvoir de faire violence
era brisé.
9 L'homme bienveillant sera *béni
parce qu'il partage sa nourriture avec
'indigent.
10 Chasse les insolents, et les disputes
esseront : ce sera la fin des querelles et
les propos méprisants.
11 Celui qui aime les intentions pures
t les paroles aimables gagne l'amitié du
oi.
12 Le Seigneur protège la vraie connais-
ance et il démasque les paroles des gens
e mauvaise foi.
13 Le paresseux déclare : « Il y a un lion
lehors. Je pourrais être tué en pleine
ue ! »
14 Les paroles séductrices des femmes
nfidèles constituent un piège redoutable
où tombe celui que le Seigneur désapprouve[z].
15 Les enfants aiment ce qui est déraisonnable. Quelques bonnes corrections
les guériront de cette tendance.
16 Celui qui opprime un indigent lui
procure finalement un avantage. Celui
qui donne à un riche ne fait que s'appau-
vrir lui-même[a].

Mises en garde diverses

17 Prête l'oreille et écoute les paroles
des sages ; ouvre ton esprit à l'expérience
que je te transmets. 18 Tu seras heureux de
les garder en mémoire et d'être toujours
prêt à les citer. 19 Je désire que tu places ta
confiance dans le Seigneur, c'est pourquoi je vais te les faire connaître à toi
aussi aujourd'hui même. 20 J'ai écrit pour
toi une trentaine[b] de conseils et de réflexions. 21 Je veux te donner des informations réellement dignes de confiance[c].
Si quelqu'un t'envoie chercher la vérité,
tu pourras ainsi lui communiquer des informations sûres.
22 Ne profite pas de la faiblesse d'un indigent pour le dépouiller et n'accable pas
au tribunal un homme sans défense. 23 En
effet, le Seigneur défendra leur cause et
privera de la vie ceux qui les auront privés de tout.
24 Ne te lie pas à quelqu'un d'irritable
et fuis la compagnie de l'homme agressif.
25 Sinon, tu te mettras à imiter leur
comportement et tu seras pris dans un
engrenage fatal.
26 Ne te rends pas responsable des dettes d'autrui en tapant dans la main de

---

x **21.28** Sens possible d'un texte hébreu difficile.

y **22.6** Autre traduction *Enseigne à l'enfant ce qu'il doit faire de sa vie et il s'en souviendra*.

z **22.14** Voir 5.5 et la note.

a **22.16** Sens possible d'un texte hébreu difficile. Il faut sans doute comprendre qu'un pauvre opprimé sera traité comme un juste par Dieu ; sur le renversement des situations humaines, voir par exemple 1 Sam 2.8 ; Job 5.11 ; Luc 1.51-53. Autre traduction *Opprimer l'indigent pour augmenter son bien ou donner au riche conduisent tous les deux à la misère*.

b **22.20** *une trentaine* : autres traductions *à plusieurs reprises* ou *depuis longtemps*.

c **22.21** *Je veux te donner* : autre traduction *Ainsi tu pourras donner*.

quelqu'un[d]. 27 Si tu n'as pas de quoi payer,
on te retirera même ton propre lit.

28 Ne déplace pas les bornes que tes ancêtres ont posées pour marquer la limite
des champs.

29 Regarde l'homme qui fait bien son
métier : il pourra offrir ses services aux
rois eux-mêmes au lieu de rester un obscur ouvrier.

23 1 Quand tu es assis à la table d'un
homme important, considère bien
qui tu as devant toi[e]. 2 Réfrène ton appétit
si tu es un glouton. 3 Ne convoite pas ses
bons plats : c'est une nourriture décevante !

4 Ne te fatigue pas à courir après la richesse : cesse même d'y penser. 5 L'argent
disparaît avant qu'on ait eu le temps de
bien le voir : on dirait qu'il se fabrique
des ailes pour s'envoler au loin comme
un aigle dans le ciel.

6 Ne partage pas le repas d'un homme
malintentionné et ne convoite pas ses
bons plats. 7 Car il ne pense pas ce qu'il
dit. « Mange et bois », te dit-il, mais en
réalité il ne te veut aucun bien. 8 Par la
suite, tu vomiras ce que tu as mangé et tes
paroles flatteuses n'auront servi à rien.

9 N'essaie pas de te faire écouter d'un
sot : il ne reconnaîtra pas la valeur de tes
paroles.

10 Ne déplace pas les bornes posées autrefois, et ne cherche pas à t'emparer du
terrain des orphelins. 11 En effet, ils ont
un défenseur puissant, et c'est lui qui
soutiendra leur cause contre toi[f].

12 Ouvre ton esprit à l'éducation que tu
reçois et tes oreilles aux leçons de l'expérience.

13 N'hésite pas à punir ton enfant.
Quelques bonnes corrections ne le tueront pas. 14 En le frappant tu peux au
contraire le préserver du monde des
morts.

Conseils d'un père à son fils

15 Mon fils, si ton cœur s'attache à la sagesse, j'en aurai une grande joie. 16 Je serai profondément heureux si tu parles
avec droiture.

17 N'envie pas intérieurement les pécheurs, mais sois constamment soumis
au Seigneur. 18 Alors tu auras un avenir,
ton espérance ne sera pas déçue.

19 Toi, mon fils, écoute-moi et tu deviendras sage, tu iras droit ton chemin.
20 Ne fréquente pas les gens qui s'enivrent
de vin et s'empiffrent de viande. 21 Car les
buveurs et les gloutons seront réduits à la
misère, à force d'indolence ils n'auront
plus que des haillons à se mettre.

22 Écoute ton père, car tu lui dois la
vie ; ne méprise pas ta mère lorsqu'elle a
vieilli. 23 Apprends à être véridique, sage
discipliné et intelligent, et ne gaspille pas
ces qualités. 24 Le plus grand bonheur
d'un père est d'avoir donné la vie à un
homme juste et sage. 25 Donne cette joie à
ton père et à ta mère, ce bonheur à celle
qui t'a mis au monde.

26 Mon fils, fais-moi confiance, prends
plaisir à suivre mon exemple. 27 Sache
bien que la prostituée et la femme d'autrui sont aussi dangereuses qu'une fosse
profonde, qu'un puits étroit[g]. 28 Comme
les brigands, elles se mettent aux aguets.
On ne compte plus les hommes qu'elles
ont rendus infidèles.

Portrait de l'ivrogne

29 Pour qui s'écrie-t-on « malheur » et
« hélas » ? Qui se dispute sans cesse et se
plaint sans arrêt ? Qui reçoit des coups
sans raison ? Qui a la vue trouble ? 30 C'est
l'homme qui s'attarde à boire du vin et
essaie sans cesse de nouveaux mélanges
d'alcool. 31 Ne sois pas tenté par la belle
couleur du vin qui pétille dans la coupe.
Il coule agréablement dans le gosier,
32 mais finalement il est comme une morsure de serpent, comme le poison d'un
reptile venimeux. 33 Tes yeux auront des
visions, ton esprit et tes paroles deviendront confus. 34 Tu te croiras en pleine
mer, balancé au sommet du mât d'un na-

---

d **22.26** Voir 6.1 et la note.

e **23.1** Autre traduction *regarde bien ce qui est devant toi*.

f **23.11** V. 10-11 : la loi interdisait de déplacer *les bornes* (voir Deut 19.14). Dieu exige tout particulièrement le respect de cette règle à l'égard des gens sans défense tels que l'étranger, l'orphelin et la veuve (voir 15.25 et 22.28).

g **23.27** Voir 5.5 et la note.

ʼire. 35 Tu te diras : « J'ai dû être blessé et battu sans avoir mal et sans m'en rendre compte. Pourvu que je me réveille bientôt pour redemander à boire ! »

Le sage et le méchant

24 1 N'envie pas les gens malfaisants et ne recherche pas leur compagnie. 2 Ils ne pensent qu'à agir avec violence et ne parlent que du mal qu'ils vont faire.

3 Il faut de la sagesse pour construire une maison, de l'intelligence pour la rendre habitable. 4 Il faut du savoir-faire pour en remplir les pièces d'objets agréables et précieux.

5 La sagesse d'un homme fait sa force, l'expérience augmente son pouvoir[h]. 6 Ne pars pas en guerre sans en avoir délibéré, car un grand nombre de conseillers assure la victoire.

7 Les données de la sagesse sont inaccessibles à l'imbécile. Qu'il ferme la bouche quand on discute des affaires publiques !

8 Celui qui projette le mal a la réputation d'être maître en intrigues. 9 Les machinations d'un sot sont toujours coupables et celui qui se moque de tout se rend odieux.

10 Si tu perds courage au jour du péril, ton courage est bien faible !

11 Efforce-toi de sauver les condamnés à mort, ceux que l'on traîne injustement au supplice. 12 Si tu dis : « Je n'étais pas au courant », celui qui examine le fond du cœur[i] sait ce qu'il en est. Il t'observe, il connaît tout, il juge chacun selon ses actes.

13 Mange du miel, mon fils, car le miel fait du bien et le goût t'en sera agréable. Mais rappelle-toi que la sagesse aussi est bonne pour ta vie. Si tu arrives à la pratiquer, tu auras un avenir, ton espérance ne sera pas déçue.

15 N'essaie pas, tel un malfaiteur, de t'approprier par la ruse la maison d'un honnête homme, ne le prive pas de son domicile. 16 Un honnête homme peut tomber très souvent sous les coups du sort, il s'en relève toujours ; mais les malfaiteurs sont terrassés par l'adversité.

17 Ne te réjouis pas lorsque ton ennemi tombe, ne saute pas de joie lorsqu'il succombe sous le malheur. 18 Le Seigneur verrait cela d'un mauvais œil et il détournerait sa colère de ton ennemi.

19 Ne t'excite pas au sujet de ceux qui font le mal, et n'envie pas les méchants. 20 Ils n'ont aucun avenir, leur vie est comme une lampe qui s'éteint.

21 Mon fils, respecte le Seigneur et le roi. Ne t'associe pas à ceux qui veulent tout changer. 22 Car les novateurs peuvent être anéantis soudainement, et qui sait quel désastre le Seigneur et le roi peuvent susciter contre eux[j] ?

Autres conseils des sages

23 Voici ce que des sages ont encore dit :

Il n'est pas bien de juger avec parti pris. 24 Si un magistrat dit au coupable : « Tu es innocent », les foules et les peuples le poursuivent de leur haine. 25 Par contre, ceux qui condamnent le coupable s'en trouvent bien et sont récompensés par la reconnaissance de chacun.

26 Une réponse donnée avec franchise est une vraie preuve d'amitié.

27 N'envisage de bâtir une maison qu'après avoir terminé tes travaux au-dehors et préparé tes champs pour la récolte.

28 N'accuse pas ton voisin sans motif : voudrais-tu proférer un tel mensonge ? 29 Ne dis pas : « J'agirai avec lui comme il a agi avec moi, je lui rendrai la monnaie de sa pièce ! »

Portrait du paresseux

30 Un jour, je suis passé près du champ et de la vigne d'un homme paresseux et à la tête vide. 31 Des ronces et des mauvaises herbes poussaient partout, le mur de clôture était écroulé. 32 J'ai réfléchi à ce que j'avais vu et j'en ai tiré la leçon : 33 tu dors un peu, tu t'assoupis un petit mo-

---

h **24.5** Quelques versions anciennes ont ici : *Il vaut mieux être sage qu'être fort et l'expérience est préférable à la brutalité.*

i **24.12** Voir 16.2 et 21.2.

j **24.22** Autre traduction *Car les novateurs peuvent susciter subitement le malheur et tu ne sais pas quel désastre ils peuvent causer.*

ment, tu restes étendu en te croisant les
bras. 34 Pendant ce temps, la pauvreté arrive sur toi comme un rôdeur, la misère te
surprend comme un pillard[k].

25 1 Voici d'autres proverbes de Salomon rassemblés par des hommes
de l'entourage d'Ézékias, roi de Juda.

Proverbes divers

2 Nous honorons Dieu parce qu'il tient
certaines choses cachées. Nous honorons
les rois parce qu'ils examinent le fond des
choses.

3 Nous ne savons pas jusqu'où s'élève le
ciel ni jusqu'où va la profondeur de la
terre. Nous ne connaissons pas davantage
les pensées des rois.

4 Si l'on ôte ses impuretés à l'argent,
l'orfèvre en tirera un objet d'art. 5 Si l'on
ôte les gens malfaisants de l'entourage du
roi, celui-ci affermira son pouvoir en
pratiquant la justice.

6 Ne te mets pas en avant en présence
du roi et ne t'attribue pas la place d'un
grand personnage. 7 Il vaut mieux qu'on
te dise : « Reçois une fonction plus
haute », que si on te rabaissait en faveur
d'un notable[l].

8 Ce que tu as vu[m], ne sois pas trop
pressé de le rapporter au tribunal. Si la
personne en cause prouve que tu as tort,
que te restera-t-il à faire ?

9 Si tu as un différend avec ton voisin,
règle-le avec lui, mais ne révèle pas ce
qu'un autre a pu te confier. 10 Sinon,
quelqu'un peut t'entendre, te le reprocher et tu ne pourras plus revenir sur ton
indiscrétion.

11 Une parole bien tournée est auss
précieuse qu'un objet en or avec de
motifs d'argent.

12 Un anneau ou un collier d'or fin
telle est la réprimande d'un sage pou
celui qui l'écoute.

13 Dans la chaleur d'un jour de récolte
l'eau glacée est un réconfort. De mêm
un messager fidèle à sa mission apport
du réconfort à son maître.

14 Des nuages et du vent qui n'amènen
pas de pluie : tel est celui qui se vant
d'un cadeau qu'il n'offrira pas.

15 Avec beaucoup de patience on per
suade un juge ; des paroles douces vien
nent à bout des résistances les plu
solides.

16 Si tu trouves du miel, n'en mang
pas trop, sinon tu en seras dégoûté a
point de le vomir. 17 Ne rends pas tro
souvent visite à ton voisin, sinon il ser
lassé de toi au point de te haïr.

18 Une massue, une épée ou une flèch
pointue : tel est celui qui porte un faux té
moignage contre son prochain.

19 Faire confiance à un homme déloya
au moment du malheur, c'est comm
manger sur une dent branlante ou s'ap
puyer sur un pied chancelant.

20 Chanter des chansons à un homm
malheureux, c'est comme enlever so
manteau par un jour de froid ou mettr
du vinaigre sur une plaie[n].

21 Si ton ennemi a faim, donne-lui
manger ; s'il a soif, donne-lui à boir
22 En agissant ainsi, tu le mettras mal
l'aise, comme s'il avait des charbo
brûlants sur sa tête[o]. Et le Seigneur
récompensera.

23 Le vent du nord amène la pluie,
un langage dissimulateur entraîne
colère des autres.

24 Mieux vaut vivre au coin d'un to
que partager sa maison avec une femm
querelleuse.

25 De l'eau fraîche pour un gosier de
séché : telle est une bonne nouvelle q
vient d'un pays lointain.

26 Une source ou une fontaine do
l'eau a été polluée : tel est le juste qui
laisse influencer par un méchant.

27 Il n'est pas bon de manger trop
miel ni de rechercher trop d'honneurs[p]

---

k 24.34 V. 33-34 : voir 6.10-11.
l 25.7 V. 6-7 : voir Luc 14.8-10.
m 25.8 *ce que tu as vu* : le découpage suit ici les anciennes versions. Le texte hébreu relie ce membre de phrase au v. 7 : *(que si on te rabaissait en faveur d'un notable) que tu vois.*
n 25.20 *mettre du vinaigre sur une plaie* : d'après l'ancienne version grecque ; hébreu *ajouter du vinaigre au salpêtre.*
o 25.22 V. 21-22 : voir Rom 12.20.
p 25.27 *ni de rechercher trop d'honneurs* : d'après l'ancienne version grecque ; le sens du texte hébreu n'est pas clair.

28 Une ville sans défense devant une attaque : tel est l'homme qui ne contient
pas sa colère.

A propos des sots

26 1 Les honneurs attribués à un sot
sont aussi déplacés que la neige
en été et la pluie au moment de la
récolte.
2 Comme le moineau et l'hirondelle
qui volettent sans se poser, une malédiction non méritée n'atteint personne.
3 Le fouet est pour le cheval, la bride
pour l'âne et les coups pour le dos des
sots.
4 Ne réponds pas au sot en imitant sa
bêtise, pour ne pas devenir toi-même
semblable à lui. 5 Réponds au sot comme
le mérite sa bêtise, pour qu'il ne s'imagine pas être un sage[q].
6 Celui qui confie des messages à un sot
agit comme s'il coupait ses propres jambes, il s'expose aux pires déboires.
7 Les jambes d'un paralysé se dérobent
sous lui ; un proverbe dans la bouche des
sots n'a pas plus de force.
8 Féliciter un sot, c'est comme attacher
une pierre à une fronde.
9 Une épine brandie par un ivrogne : tel
est un proverbe dans la bouche des sots.
10 Un chef qui embauche un sot ou
n'importe quel passant fait du tort à tout
le monde[r].
11 Le chien retourne à ce qu'il a vomi[s]
et le sot renouvelle ses bêtises.
12 Si tu rencontres quelqu'un qui se
croit malin, sache qu'il y a plus à espérer
d'un sot que de lui.

Portrait du paresseux

13 Le paresseux déclare : « Il y a un lion
sur le chemin, un fauve au milieu de la
rue. »
14 La porte tourne sur ses gonds, le
paresseux se retourne dans son lit.
15 Le paresseux plonge sa main dans le
plat mais trouve trop fatigant de l'amener
jusqu'à sa bouche.
16 Le paresseux se croit plus sage que
sept hommes qui savent répondre avec
intelligence.

Autres proverbes

17 Se mêler d'une dispute qui ne vous
concerne pas, c'est vouloir attraper par
les oreilles un chien qui passe.
18 Un fou qui lance autour de lui des tisons, des flèches, des projectiles meurtriers, 19 tel est celui qui trompe autrui et
lui dit ensuite : « C'était pour rire. »
20 Quand il n'y a plus de bois, le feu
s'éteint ; quand il n'y a plus de mauvaise
langue, la querelle cesse.
21 Le charbon entretient les braises, le
bois entretient le feu et l'homme querel-
leur attise la dispute.
22 Les calomnies sont comme des frian-
dises, elles s'insinuent jusqu'au fond de
soi-même.
23 Des paroles chaleureuses qui cachent
un esprit malveillant, c'est de l'argent
impur plaqué sur de l'argile.
24 L'homme plein de haine donne le
change par ses paroles, au-dedans de lui il
prépare des tromperies. 25 Quand il parle
aimablement, ne t'y fie pas, car il a l'esprit plein de pensées détestables. 26 Il est
assez rusé pour dissimuler sa haine, mais
tout le monde finit par découvrir sa
méchanceté.
27 Qui creuse une fosse tombera dedans
et la pierre reviendra sur celui qui la roule.
28 Blesser quelqu'un par des mensonges, c'est le haïr. Prononcer des paroles
flatteuses entraîne la ruine.

27 1 Ne te vante pas de ce que sera
demain, car tu ignores ce qui se
produira aujourd'hui[t].
2 Laisse aux autres le soin de chanter
tes louanges. Qu'un étranger le fasse plutôt que toi-même !
3 Une pierre peut être lourde et du sable pesant, la rancune d'un imbécile pèse
plus lourd encore.
4 La violence est brutale, la colère est
un torrent déchaîné, mais devant la
jalousie qui pourra résister ?

---

q **26.5** Dans les v. 4-5 il est sans doute conseillé d'agir avec le sot selon les cas : tantôt en s'abstenant de discuter avec lui (v. 4), tantôt en tenant compte de sa sottise (v. 5).

r **26.10** Sens possible d'un texte hébreu difficile.

s **26.11** Voir 2 Pi 2.22.

t **27.1** Voir Jacq 4.13-16.

5 Mieux vaut une critique franche qu'une amitié qui ne se manifeste pas.

6 Les reproches d'un ami prouvent sa loyauté, les baisers d'un ennemi sont de trop[u].

7 Un homme rassasié va jusqu'à refuser du miel ; un affamé trouve doux ce qui est amer.

8 L'homme qui erre loin de son pays est comme un oiseau errant loin de son nid.

9 Les produits de beauté et les parfums mettent le cœur en fête ; la douceur de l'amitié est comme l'arôme le plus précieux[v].

10 N'abandonne pas tes amis ni les amis de ton père. Si tu es en difficulté, ne va pas chez ton frère, car un voisin proche vaut parfois mieux qu'un frère lointain.

11 Conduis-toi sagement, mon fils, j'en aurai le cœur rempli de joie et si quelqu'un me critique, je pourrai lui répondre.

12 Un homme prudent voit venir le malheur et se met à l'abri. Les ignorants y donnent tête baissée et le paient cher.

13 Si quelqu'un se porte garant auprès de toi de la dette d'un inconnu, exige son vêtement, s'il cautionne une étrangère, exige des gages.

14 Si quelqu'un salue bruyamment son voisin au point du jour, sa salutation sera considérée comme une insulte.

15 Une femme querelleuse est comme
une gouttière qui coule sans cesse par un
jour de pluie. 16 Vouloir l'arrêter, c'est
comme vouloir retenir le vent ou chercher à saisir de l'huile avec la main.

17 Le fer aiguise le fer, le contact avec autrui affine l'esprit de l'homme.

18 Celui qui soigne un figuier en mangera les fruits. Celui qui prend soin de son maître en tirera honneur.

19 On trouve dans l'eau le reflet de son propre visage, on trouve chez les autres hommes le reflet de ses propres sentiments[w].

20 Le monde des morts et ses profondeurs n'ont jamais fini d'engloutir leurs proies, et l'être humain n'arrive jamais au bout de ses désirs.

21 L'or et l'argent sont testés par le feu, l'homme est jugé d'après sa réputation.

22 Même si l'on écrasait un imbécile avec un pilon, comme des graines dans un mortier, on n'arriverait jamais à le débarrasser de sa bêtise.

23 Sois bien au courant de l'état de ton
bétail, prends grand soin de ton troupeau. 24 En effet, la richesse ne dure pas
toujours : même les couronnes ne se
transmettent pas indéfiniment. 25 Coupe
l'herbe des champs et, pendant que
l'herbe nouvelle pousse, ramasse le foin
sur les montagnes. 26 Aie des moutons
pour te confectionner des vêtements,
des boucs pour pouvoir acheter un
champ. 27 Le lait que tes chèvres donnent avec abondance, utilise-le pour te
nourrir ainsi que ta famille et tes
servantes.

28

1 Celui qui agit mal prend la fuite, même si personne ne le poursuit, mais le juste a autant d'assurance qu'un jeune lion.

2 Quand un peuple se révolte, les chefs se multiplient. Avec quelqu'un d'intelligent et d'instruit, la stabilité règne.

3 Un homme pauvre qui opprime des indigents ressemble à une pluie battante qui détruit les récoltes.

4 Ceux qui rejettent la loi félicitent les méchants, tandis que ceux qui l'observent les combattent.

5 Les gens malhonnêtes ne comprennent rien au droit, ceux qui cherchent à obéir au Seigneur comprennent tout.

6 Mieux vaut être pauvre et se conduire avec intégrité qu'être riche et avoir une conduite tortueuse.

7 Un fils intelligent obéit à la loi, celui qui a de mauvaises fréquentations fait la honte de son père.

8 Si quelqu'un s'enrichit en prêtant de l'argent à des taux excessifs, sa fortune reviendra à un homme généreux envers les indigents.

9 Si quelqu'un fait la sourde oreille aux exigences de la loi, même sa prière est désapprouvée.

---

u **27.6** *sont de trop* : autre traduction *sont trompeurs*.

v **27.9** Sens possible d'un texte hébreu difficile. L'ancienne version grecque porte *mais les malheurs bouleversent l'esprit*.

w **27.19** Autre traduction *on trouve dans le cœur de l'homme le reflet de ce qu'il est*.

10 Quiconque entraîne des hommes droits sur un mauvais chemin tombera dans ses propres pièges. Le bonheur est réservé aux gens intègres.

11 Le riche estime qu'il se conduit avec sagesse, mais un indigent peut le démasquer par son intelligence.

12 Quand des justes triomphent, l'honneur en rejaillit sur tous, mais si des méchants l'emportent, chacun se met à l'abri.

13 Rien ne réussit à celui qui cache ses fautes, mais celui qui les avoue et y renonce est pardonné.

14 Heureux l'homme qui vit dans la crainte de mal agir ; l'homme obstiné connaîtra le malheur.

15 Un lion rugissant, un ours prêt à bondir : tel est le tyran qui domine sur un peuple de petites gens.

16 Un dirigeant dénué de raison commet de nombreuses injustices. Celui qui déteste les gains malhonnêtes vivra longtemps.

17 L'homme qui a un meurtre sur la conscience se précipite vers sa propre tombe : que personne ne l'en empêche !

18 Quiconque suit une conduite droite sera en sécurité. L'hypocrite, qui mène une double vie, se perdra d'une façon ou d'une autre.

19 Celui qui cultive son champ a beaucoup de pain, celui qui cultive des illusions beaucoup de misère.

20 Un homme loyal sera comblé de bonheur, celui qui ne pense qu'à s'enrichir ne restera pas impuni.

21 Il n'est pas bien d'avoir du parti pris. Pourtant, certains commettent cette injustice en échange d'une bouchée de pain.

22 L'homme envieux se précipite sur la richesse sans se douter qu'il attire sur lui la misère.

23 Celui qui adresse des critiques reçoit finalement plus de reconnaissance que le flatteur.

24 Qui dépouille son père et sa mère en disant qu'il n'y a pas de mal à cela fait la paire avec le brigand.

25 Un homme avide provoque des querelles, mais celui qui se confie dans le Seigneur connaîtra la prospérité.

26 Il est insensé de se fier aux impulsions de son cœur, seul celui qui se conduit avec sagesse échappe au danger.

27 L'homme généreux envers les pauvres ne manquera jamais de rien, mais celui qui ferme les yeux sur leur misère sera maudit par beaucoup.

28 Quand les méchants l'emportent, chacun se met à l'abri. Lorsqu'ils sont renversés, beaucoup de justes se manifestent.

29

1 Qui refuse obstinément les critiques sera détruit soudain et de manière irrémédiable.

2 Lorsque les justes sont nombreux[x], le peuple est heureux, mais si un tyran a le pouvoir, le peuple gémit.

3 Celui qui aime la sagesse donne de la joie à son père. Qui fréquente les prostituées y laisse sa fortune.

4 Un roi assure la prospérité de son pays lorsqu'il respecte le droit, mais, s'il lève des impôts abusifs, il le ruine.

5 Qui flatte ses amis place un piège sur son propre chemin[y].

6 Les méchants sont prisonniers de leurs propres torts, alors que les justes débordent de joie.

7 Le juste sait reconnaître le droit des indigents, le méchant n'a pas cette intelligence.

8 Les frondeurs mettent une ville entière en effervescence, les sages apaisent la colère.

9 Si un sage est en procès avec un sot, qu'il choisisse de se fâcher ou de rire, il ne s'en sortira jamais.

10 Les hommes sanguinaires détestent les gens intègres, mais les hommes droits recherchent leur compagnie.

11 Le sot donne libre cours à sa mauvaise humeur, le sage retient et calme la sienne.

12 Lorsqu'un chef prête attention à des mensonges, tous ses subordonnés deviennent malhonnêtes.

---

x **29.2** *sont nombreux* : autre traduction *ont le pouvoir*.
y **29.5** *sur son propre chemin* : autre traduction *sur leur chemin*.

[13] Le pauvre et l'oppresseur ont un point commun : le Seigneur leur donne à tous deux des yeux pour voir.

[14] Un roi qui juge les petites gens avec équité consolide à jamais son pouvoir.

[15] Les punitions et les réprimandes donnent de la sagesse ; un enfant livré à lui-même fait la honte de sa mère.

[16] Plus il y a de gens malfaisants, plus il y a de crimes, mais les justes verront l'effondrement des méchants.

[17] Eduque sévèrement ton fils, tu seras sans inquiétude à son sujet et il te procurera beaucoup de satisfactions.

[18] Lorsqu'il n'y a plus de vision d'avenir, un peuple vit dans le désordre. Heureux alors est l'homme qui obéit à la loi.

[19] Ce n'est pas avec des paroles qu'on peut corriger un serviteur, car, même s'il comprend ce qu'on lui dit, il n'obéira pas.

[20] Si tu rencontres quelqu'un qui parle sans réfléchir, sache qu'il y a plus à espérer d'un sot que de lui.

[21] Celui qui est trop indulgent avec un serviteur dès son jeune âge finira par le rendre indocile.

[22] Un homme coléreux provoque des disputes, celui qui s'emporte facilement accumule les fautes.

[23] L'orgueil conduit à l'humiliation. Pour accéder aux honneurs, il faut avoir l'esprit humble.

[24] Le complice d'un voleur se fait du tort à lui-même : il connaît la malédiction qui le menace[z], mais il refuse de parler.

[25] Il est dangereux d'avoir peur des hommes, mais celui qui se confie dans le Seigneur est en sécurité.

[26] Beaucoup de gens recherchent l'approbation de leur chef, pourtant c'est le Seigneur qui juge chacun.

[27] Les justes détestent les gens malhonnêtes, les méchants détestent la conduite des hommes droits.

Paroles d'Agour

30 [1] Paroles solennelles d'Agour, fils de Yaqué. Voici ce que cet homme déclara à Itiel, Itiel et Oukal[a] :

[2] « Oui, je suis trop stupide pour un homme,
je n'ai même pas l'intelligence d'un être humain.
[3] Je n'ai jamais acquis la sagesse,
et je n'ai pas accès à la connaissance de celui qui est saint[b].
[4] Qui est monté au ciel et en est revenu ?
Qui a recueilli le vent dans le creux de ses mains ?
Qui a enveloppé les eaux dans le pli de son vêtement ?
Qui a établi les limites de la terre ?
Quel est son nom ?
Quel est le nom de son fils ?
Dis-le-moi si tu le sais.

[5] « Toutes les promesses de Dieu sont
dignes de confiance. Il est un bouclier
pour qui lui demande protection.
[6] N'ajoute rien à ses paroles. Sinon, il te
réprimandera et tu seras traité de menteur.

[7] « Mon Dieu, je te demande deux faveurs. Accorde-les-moi jusqu'à la fin de
ma vie. [8] Eloigne de moi maux et mensonges, et ne me laisse pas devenir trop
pauvre ou trop riche. Donne-moi juste ce
dont j'ai besoin pour vivre. [9] Si je possède
trop, je risque de te trahir en disant : "A
quoi le Seigneur sert-il ?" Si j'ai trop peu,
je risque de voler et de déshonorer ainsi
mon Dieu.

[10] « Ne calomnie pas un serviteur auprès de son maître. Sinon, il te maudira et tu paieras pour ta faute.

[11] « Il y a des gens qui maudissent leur père et ne disent aucun bien de leur mère.

[12] « Il y a des gens qui se croient *purs alors qu'ils ne sont pas lavés de leurs souillures.

[13] « Il y a des gens aux yeux pleins de mépris qui regardent tout le monde de haut.

[14] « Il y a des gens dont les dents sont des épées, les crocs des couteaux. Ils sont prêts à retrancher les malheureux de l

---

z **29.24** Voir Lév 5.1.
a **30.1** *à Itiel, Itiel et Oukal* : en hébreu ces noms propres peuvent aussi être compris comme des verbes. La traduction serait alors *Je suis fatigué, ô Dieu, je suis fatigué et épuisé* ou *Je me suis fatigué pour (connaître) Dieu, je me suis fatigué et je suis épuisé*.
b **30.3** *de celui qui est saint* : autres traductions *de ce qui est saint* ou *que les saints possèdent*.

erre, les pauvres du milieu des hom-
nes[c]. »

Proverbes numériques

15-16 La sangsue a deux filles qui di-
ent : « Donne, donne ! » Il y a trois cho-
es qui ne sont jamais satisfaites et ne
lisent jamais : « Cela suffit » :

le monde des morts,
la femme qui n'a pas d'enfant,
le sol assoiffé de pluie,
mais il y en a aussi une quatrième :
le feu insatiable.

17 Si quelqu'un se moque de son père et
églige l'obéissance due à sa mère, les
orbeaux du torrent lui crèveront les
eux et les aigles le dévoreront.

18-19 Il y a trois choses que je ne par-
iens pas à comprendre et qui me dé-
assent :

le chemin de l'aigle dans le ciel,
le chemin du serpent sur la pierre,
le chemin du bateau en pleine mer,
mais il y en a aussi une quatrième :
le chemin d'un homme vers une femme.

20 Voici quelle est l'attitude de la
emme adultère : « Je n'ai rien fait de
nal », dit-elle, aussi tranquillement que
elle s'essuyait la bouche après avoir
nangé.

21-23 Il y a trois choses qui mettent le
nonde sens dessus dessous et sont intolé-
ables :

un esclave qui devient roi,
un homme de rien qui s'empiffre de nourriture,
une femme odieuse qui se marie,
mais il y en a aussi une quatrième :
une servante qui supplante sa maîtresse.

24 Il existe sur la terre quatre espèces
'animaux fort petits, mais qui sont
'une sagesse étonnante :
25 les fourmis, qui n'ont pas de force,
nais amassent leur nourriture pendant
été,
26 les damans[d], qui sont faibles, mais se
fabriquent des abris sûrs au milieu des
rochers,
27 les *sauterelles, qui n'ont pas de roi,
mais se déplacent en troupes ordonnées,
28 les lézards, qui peuvent être attrapés
avec la main, mais se faufilent jusque
dans les palais des rois.

29-31 Il y a trois êtres vivants qui ont une
démarche et une allure remarquables :

le lion, le plus courageux des animaux, qui ne recule devant rien,
le coq qui se dresse sur ses ergots,
ou encore le bouc,
mais il y en a aussi un quatrième :
le roi qui s'avance à la tête de son armée[e].

32 Si tu as été assez stupide pour te vanter et qu'ensuite tu réfléchisses, retiens
désormais ta langue ! 33 En effet, battre la
crème produit du beurre, frapper sur le
nez fait jaillir du sang et provoquer la
colère suscite les disputes.

Conseils à un roi

31 1 Voici les conseils que Lemouel,
roi de Massa[f], a reçus de sa mère :
2 « Écoute, mon fils, mon propre enfant, l'objet de mes vœux. 3 Ne gâche pas
tes forces avec les femmes. Ne te laisse
pas mener par celles qui perdent les rois.
4 Le vin, Lemouel, n'est pas bon pour les
rois. Ce n'est pas à eux d'en boire, ni à
ceux qui gouvernent de boire de l'alcool.
5 S'ils s'enivrent, ils oublieront d'appliquer les lois et trahiront les droits des
pauvres gens. 6 Que l'on donne plutôt des
boissons enivrantes à ceux qui vont mourir ou qui ont une vie misérable. 7 Car, en
buvant, ils oublieront leur misère et leur

---

c **30.14** *les dents sont des épées, les crocs des couteaux* : à propos de ces images, servant à décrire la façon dont certains exploitent les pauvres, voir aussi par ex. 12.18 ; Ps 55.22 ; 59.8.

d **30.26** Le *daman* des rochers est un petit mammifère herbivore de la taille d'un lapin ; il vit en colonies.

e **30.29-31** *le coq qui se dresse sur ses ergots*, (le roi) *qui s'avance à la tête de son armée* : sens possible d'éléments pour lesquels le texte hébreu est difficile.

f **31.1** *Voici les conseils que Lemouel, roi de Massa* : autre traduction *Voici les conseils, le message que le roi Lemouel* (a reçus de sa mère).

tourment. 8 Mais toi, tu dois parler pour
défendre ceux qui n'ont pas la parole et
pour prendre le parti des laissés pour
compte. 9 Parle en leur faveur : gouverne
avec justice, défends la cause des pauvres
et des malheureux[g]. »

Portrait de la femme vaillante

10 Une femme vaillante est une véritable trouvaille ! Elle a plus de valeur que des perles.

11 Son mari place sa confiance en elle, elle ne lui gaspille pas son bien.

12 Elle ne lui cause jamais de tort, mais elle lui donne du bonheur tous les jours de sa vie.

13 Elle se procure de la laine et du lin et travaille de ses mains avec ardeur.

14 Pareille aux navires marchands, elle amène de loin sa nourriture.

15 Elle se lève avant le jour, prépare le repas de sa famille et distribue à ses servantes leur travail.

16 Après avoir bien réfléchi, elle achète un champ et plante une vigne grâce à l'argent qu'elle a gagné.

17 Elle se met au travail avec énergie et ne laisse jamais ses bras inactifs.

18 Elle constate que ses affaires vont bien, elle travaille même la nuit à la lumière de sa lampe.

19 Ses mains s'activent à filer la laine, ses doigts à tisser des vêtements.

20 Elle tend une main secourable aux malheureux, elle est généreuse envers les pauvres.

21 Elle ne craint pas le froid pour les siens, car chacun dans sa maison a double vêtement.

22 Elle se fabrique des tapis et porte des habits raffinés en lin pourpre.

23 Son mari est un notable honorablement connu, il participe aux délibérations du conseil de la ville.

24 Elle confectionne des vêtements et les vend, elle livre des ceintures au marchand qui passe.

25 La force et la dignité sont sa parure, elle sourit en pensant à l'avenir.

26 Elle s'exprime avec sagesse, elle sait donner des conseils avec bonté.

27 Elle surveille tout ce qui se passe dans sa maison et refuse de rester inactive.

28 Ses enfants viennent la féliciter. Son mari chante ses louanges.

29 « Bien des femmes se montrent vaillantes, dit-il, mais toi, tu les surpasses toutes. »

30 Le charme est trompeur, la beauté passagère, seule une femme soumise au Seigneur est digne d'éloge.

31 Que l'on récompense sa peine ! Que l'on chante ses mérites sur les places publiques !

---

g **31.9** V. 4-5,8-9 : voir 16.10,12 ; 1 Rois 3.28 ; Ps 72.1-4.

L'Ecclésiaste

***Introduction** – Dès la première phrase de son livre l'auteur se présente comme un sage. Mais, contrairement aux sages du livre des Proverbes, celui-ci nous transmet une sagesse non-traditionnelle. A travers les nombreuses expériences qu'il a pu faire dans la vie, il a découvert en effet que le bonheur est fragile et que les efforts humains pour l'obtenir sont le plus souvent inutiles. Il se demande alors si la vie vaut la peine d'être vécue. Il oblige le lecteur à se poser les mêmes questions que lui. Comme dans le livre de Job, les réponses trop faciles sont remises en cause, mais avec une différence d'accent. Alors que Job proteste contre l'absurdité de la souffrance humaine, le Sage du livre de l'*Ecclésiaste *exprime sa perplexité sur le sens du bonheur humain.*

L'exposé du Sage se présente comme une sorte d'enquête sur ce qui se passe ici-bas. L'affirmation du caractère ephémère et incertain des joies et des efforts de l'être humain (jeunesse, richesse, gloire, travail, sagesse, justice) y court comme un refrain. L'insécurité causée par la menace constante de la mort et par l'injustice régnant parmi les hommes, l'impossibilité de connaître les plans de Dieu pour le monde, rendent le destin de l'homme fragile et insaisissable. Ce bilan négatif entraîne un certain nombre de réflexions sur le type de conduite qu'il est possible d'adopter dans la vie.

Ailleurs les textes bibliques donnent d'autres réponses aux questions que le Sage aborde. Il est bon cependant de trouver parmi eux l'écho de nos propres découragements et de nos doutes. Il est bon aussi qu'un auteur biblique nous rappelle qu'il n'y a pas de vraie foi en Dieu sans un regard lucide sur la condition humaine.

L'ECCLÉSIASTE ou LES PAROLES DU SAGE

Tout part en fumée

1 [1] Voici les paroles du Sage, fils de David et roi à Jérusalem[a].
2 De la fumée, dit le Sage,
tout n'est que fumée,
tout part en fumée.
3 Les humains travaillent durement ici-bas
mais quel profit en tirent-ils ?
4 Une génération passe,
une nouvelle génération lui succède,
mais le monde demeure indéfiniment.
5 Le soleil se lève, le soleil se couche,
puis il se hâte de retourner à son point de départ.
6 Le vent souffle tantôt vers le sud, tantôt vers le nord.
Le vent souffle, le vent tourne,
puis il reprend sa première direction.

---

a **1.1** *Sage* traduit ici un terme hébreu dont la transcription française est Qohéleth. Le sens de ce nom est incertain. La traduction grecque de l'AT l'a rendu par *Ecclésiaste*, ce qui signifie membre ou orateur de l'assemblée du peuple. Le livre l'Ecclésiaste est placé sous l'autorité du *fils de David*, c'est-à-dire de Salomon, réputé pour sa sagesse, voir 1 Rois 5.9-14.

7 Tous les fleuves se jettent dans la mer,
mais la mer n'est jamais remplie.
Sans arrêt pourtant,
les fleuves se déversent à ce même endroit.
8 On ne pourra jamais assez dire
combien tout cela est lassant[b] :
l'œil n'a jamais fini de voir
ni l'oreille d'entendre.
9 Ce qui est arrivé arrivera encore.
Ce qui a été fait se fera encore.
Rien de nouveau ne se produit ici-bas.
10 S'il y a quelque chose dont nous disons :
« Voilà du neuf ! »,
en réalité cela avait déjà existé
bien longtemps avant nous.
11 Mais nous oublions
ce qui est arrivé à nos ancêtres.
Les hommes qui viendront après nous
ne laisseront pas non plus de souvenir
à ceux qui leur succéderont.

L'expérience du Sage

12 Moi, le Sage, j'ai régné sur le peuple
d'Israël à Jérusalem. 13 Je me suis appliqué à comprendre et à connaître ce qui se
passe dans le monde à l'aide de toute ma
sagesse. C'est là une préoccupation pénible que Dieu impose aux humains !
14 J'ai vu tout ce qui se fait ici-bas. Eh
bien, ce n'est que fumée, course après le
vent.

15 Ce qui est tordu
ne peut pas être redressé,
ce qui n'existe pas
ne peut pas être compté.

16 Je me suis dit : « J'ai accumulé bien
plus de sagesse que tous ceux qui ont régné à Jérusalem avant moi. » J'ai beaucoup enrichi mon expérience et ma
compréhension de la vie. 17 Je me suis appliqué à connaître ce qui est sage et ce qui
est insensé, ce qui est intelligent et ce qui
est stupide. J'ai compris que cela aussi
c'est courir après le vent.

18 Beaucoup de sagesse,
c'est beaucoup de tracas ;
qui augmente son savoir
augmente sa douleur.

2 1 Je me suis dit : « Voyons ce que valent les joies de la vie, découvrons ce
qu'est le bonheur. » Eh bien, cela aussi
part en fumée ! 2 Le rire est insensé et la
joie ne mène à rien.
3 J'ai décidé de goûter au plaisir du
vin et d'imiter la vie des gens stupides
tout en restant maître de moi-même. Je
voulais comprendre ce que les humains
ont de mieux à faire pendant le temps de
leur vie ici-bas. 4 J'ai entrepris de grands
travaux. Je me suis construit des maisons et j'ai planté des vignes. 5 Je me suis
aménagé des jardins et des vergers avec
toutes sortes d'arbres fruitiers. 6 Je me
suis creusé des réservoirs d'eau pour arroser une forêt de jeunes arbres. 7 Je me
suis procuré des esclaves, hommes et
femmes, en plus de ceux que j'avais déjà.
J'ai eu du gros et du petit bétail en plus
grand nombre que tous ceux qui ont
vécu à Jérusalem avant moi. 8 J'ai
amassé de l'argent et de l'or, trésors provenant des rois et des provinces qui
m'étaient soumis. Des chanteurs et des
chanteuses venaient me divertir, et j'ai
été comblé autant qu'un homme peut le
désirer en ayant quantité de femmes[c].
9 Je devins quelqu'un de considérable,
bien plus considérable que tous ceux
qui ont vécu avant moi à Jérusalem[d].
Mais pendant tout ce temps je restais lucide. 10 Je ne me suis rien refusé de ce
que je souhaitais. Je ne me suis privé
d'aucun plaisir. Oui, j'ai largement profité de tous mes travaux et j'ai eu ma
part des joies qu'ils pouvaient donner.
11 Alors j'ai considéré toutes mes entreprises et la peine que j'avais eue à les
réaliser. Eh bien ! tout cela n'est que fumée, course après le vent. Les humains
ne tirent aucun profit véritable de leur
vie ici-bas[e].
12 J'ai voulu comprendre quel avantage
il y a à être sage plutôt qu'insensé ou stupide. Et je me suis demandé si l'homme

---

b **1.8** Autre traduction *L'homme ne peut pas exprimer à quel point la nature est en travail.*

c **2.8** *j'ai été comblé... en ayant quantité de femmes* : autres traductions *en ayant quantité de servantes* ou *quantité de princesses* ou encore *j'ai été comblé en ayant tout le luxe qu'un homme peut désirer, coffret par coffret.*

d **2.9** Les v. 4 à 9 constituent des allusions au faste du règne de Salomon, voir 1 Rois 5.2-4 ; 10.10,14-27 ; 1 Chron 29.25 ; 2 Chron 9.22-27.

e **2.11** Voir Ps 62.10 ; Rom 8.20.

qui me succédera comme roi agira autrement que ses prédécesseurs[f]. 13 Bien sûr,
je sais que la sagesse est préférable à la
sottise tout comme la lumière est préférable à l'obscurité. 14 Car l'homme sage
voit où il va, alors que le sot avance à tâtons. Mais je sais aussi qu'un sort identique les attend finalement tous les deux.
15 Et je me suis dit : « Puisque je connaîtrai la même fin que le sot, à quoi m'aura
servi d'être tellement plus sage que lui ?
Voilà encore de la fumée qui s'évanouit ! »
16 Tout ce qui arrive est oublié dans les
jours qui suivent. Le sage meurt tout
comme le sot et les hommes ne se souviennent pas plus de l'un que de l'autre.
Pourquoi en est-il ainsi ? 17 Alors j'ai été
dégoûté de la vie. En effet, je trouve détestable ce que les humains font ici-bas,
puisque tout n'est que fumée, course
après le vent.
18 J'ai détesté toute la peine que j'avais
prise ici-bas, puisque je devrai abandonner mes réalisations à celui qui me succédera. 19 Se comportera-t-il en homme
sage ou en sot ? Qui peut le savoir ? Pourtant il disposera de tout ce que j'aurai acquis ici-bas par mon travail et ma
sagesse : encore de la fumée sans lendemain ! 20 Alors l'idée que j'avais tant travaillé ici-bas m'a conduit au bord du
désespoir. 21 Un être humain travaille
avec sagesse, compétence et succès, et
voilà qu'il doit abandonner ses réalisations à quelqu'un qui n'y a pas travaillé.
C'est de la fumée sans lendemain, une
grande injustice ! 22 Dans ces conditions,
quel intérêt les humains ont-ils à se donner de la peine pour réaliser ce qu'ils désirent faire ici-bas ? 23 Leurs occupations
ne leur apportent que soucis et tracas
quotidiens, et même la nuit leur esprit
n'a pas de repos[g]. Encore une fois, c'est
de la fumée sans lendemain !
24 Le seul bonheur des humains est de
manger, de boire et de jouir des résultats
de leur travail[h]. J'ai constaté que c'est
Dieu qui leur offre ce bonheur, 25 car personne ne peut manger ni éprouver du
plaisir si Dieu ne le lui accorde pas[i]. 26 En
effet, il donne à celui qui lui est agréable
la sagesse, la connaissance et la joie. Mais
il charge celui qui lui désobéit d'amasser
des biens pour celui qui lui est agréable[j].
Cela encore n'est que fumée, course après
le vent.

Il y a un temps pour chaque chose

3 1 Tout ce qui se produit dans le
monde arrive en son temps.

2 Il y a un temps pour naître
et un temps pour mourir ;
un temps pour planter
et un temps pour arracher les plantes ;
3 un temps pour tuer
et un temps pour soigner les blessures ;
un temps pour démolir
et un temps pour construire.
4 Il y a un temps pour pleurer
et un temps pour rire ;
un temps pour gémir
et un temps pour danser.
5 Il y a un temps pour jeter des pierres
et un temps pour les ramasser.
Il y a un temps pour donner des baisers
et un temps pour refuser d'en donner.
6 Il y a un temps pour chercher
et un temps pour perdre ;
un temps pour conserver
et un temps pour jeter ;
7 un temps pour déchirer
et un temps pour coudre.
Il y a un temps pour se taire
et un temps pour parler.
8 Il y a un temps pour aimer
et un temps pour haïr ;
un temps pour la guerre
et un temps pour la paix.

9 Quel profit celui qui travaille retire-
t-il de sa peine ? 10 J'ai considéré les occupations que Dieu a imposées aux humains. 11 Dieu a établi pour chaque
événement le moment qui convient. Il
nous a aussi donné le désir de connaître à

---

f **2.12** *si l'homme... prédécesseurs* : sens probable d'un texte hébreu difficile.

g **2.23** Voir Job 5.7 ; 7.1-4 ; 14.1.

h **2.24** Voir 3.12-13 ; 5.18 ; 8.15 ; 9.7.

i **2.25** Ce verset est traduit d'après l'ancienne version grecque ; hébreu *personne ne peut manger et éprouver du plaisir plus que moi.*

j **2.26** Voir Job. 27.16-17 ; 32.8 ; Prov 2.6 ; 13.22.

la fois le passé et l'avenir. Pourtant nous
ne parvenons pas à connaître l'œuvre de
Dieu dans sa totalité. 12 J'en ai conclu
qu'il n'y a rien de mieux pour les humains que d'éprouver du plaisir et de
vivre dans le bien-être. 13 Lorsqu'un
homme mange, boit et jouit des résultats
de son travail, c'est un don de Dieu. 14 J'ai
compris que tout ce que Dieu fait existe
pour toujours ; il n'y a rien à y ajouter ni
rien à en retrancher. Dieu agit de telle
sorte que les humains reconnaissent son
autorité[k]. 15 Ce qui arrive maintenant,
comme ce qui arrivera plus tard, s'est
déjà produit dans le passé. Dieu fait que
les événements se répètent.

Tout se termine par la mort

16 Voilà ce que j'ai aussi observé ici-
bas : la méchanceté règne là où le droit
devrait être appliqué et la justice rendue.
17 Je me suis dit alors que Dieu jugera le
méchant comme le juste, car toute chose
arrive en son temps et chacune de nos actions sera jugée[l]. 18 En ce qui concerne les
humains, je pense que Dieu les met à
l'épreuve[m] pour leur montrer qu'ils ne
valent pas mieux que les bêtes. 19 En effet,
le sort final de l'homme est le même que
celui de la bête. Un souffle de vie identique anime hommes et bêtes, et les uns
comme les autres doivent mourir. L'être
humain ne possède aucune supériorité
sur la bête puisque finalement tout part
en fumée[n]. 20 Toute vie se termine de la
même façon, tout être retourne à la terre
à partir de laquelle il a été formé[o]. 21 Personne ne peut affirmer que le souffle de
vie propre aux humains s'élève vers le
haut tandis que celui des bêtes doit disparaître dans la terre. 22 Alors, je l'ai
constaté, il n'y a rien de mieux pour l'être
humain que de jouir du produit de son
travail. C'est la part dont il doit se
contenter, car personne ne l'emmènera
voir ce qui arrivera après lui.

Injustices et anomalies dans la vie sociale

4 1 J'ai observé encore toutes les injustices qui existent ici-bas. Les opprimés crient leur détresse et personne ne
leur vient en aide. Le pouvoir est du côté
des oppresseurs, si bien que personne ne
peut leur venir en aide. 2 J'estime que
ceux qui sont déjà morts sont plus heureux que les vivants. 3 Celui qui n'est jamais né est encore plus heureux puisqu'il
ne connaîtra pas les injustices commises
ici-bas[p].

4 J'ai découvert aussi que les humains
peinent et s'appliquent dans leur travail
uniquement pour réussir mieux que leur
voisin. Cela encore n'est que fumée,
course après le vent. 5 Bien sûr, le sot qui
se croise les bras se laisse mourir de faim.
6 Mais il vaut mieux s'accorder un peu de
repos que s'éreinter à un travail qui est
une course après le vent.

7 J'ai observé ici-bas une autre situation décevante comme la fumée : 8 voici
un homme absolument seul, sans compagnon, qui n'a ni frère ni fils, et qui travaille à n'en plus finir. Il désire toujours
plus de richesses, bien qu'il se demande
pour qui il travaille et se prive de bonheur. Voilà encore de la fumée sans lendemain, une mauvaise façon d'occuper sa
vie. 9 Deux hommes associés sont plus
heureux qu'un homme solitaire. A deux
ils tirent un bon profit de leur travail
10 Si l'un d'eux tombe, l'autre le relève
Par contre celui qui est seul est bien à
plaindre, car s'il tombe il n'a personne
pour le relever. 11 Lorsqu'on peut dormir
à deux on se tient chaud, alors que celui
qui est seul n'arrive pas à se réchauffer
12 Deux personnes peuvent résister à une
attaque qui viendrait à bout d'un homme
seul. Plus une corde a de brins, plus elle
est solide !

13 Mieux vaut un jeune homme pauvre
et sage qu'un vieux roi stupide qui refuse
les conseils. 14 Et cela, même si le jeune
homme est sorti de prison pour régner ou
s'il a commencé par être un mendiant
dans son futur royaume. 15 J'ai constaté

---

k **3.14** Voir Prov 1.7 et la note.
l **3.17** *car toute chose... jugée* : autre traduction *car il y a un temps pour toute chose et contre toute action accomplie là.*
m **3.18** *met à l'épreuve* : sens probable d'un texte hébreu difficile.
n **3.19** Voir Ps 49.13,21.
o **3.20** Voir Gen 3.19 ; Ps 104.29.
p **4.3** V. 2 et 3 : voir 6.3-5 ; Job 3.11-16 ; 10.18-19.

que tout le monde ici-bas se pressait autour du jeune homme en train d'accéder
à la place du roi précédent. 16 Il se trouvait à la tête d'une foule innombrable.
Pourtant les générations suivantes n'auront plus aucun enthousiasme à son
égard. Cela encore n'est que fumée,
course après le vent.

Ne pas abuser de paroles devant Dieu

17 Ne te rends pas à la légère dans la
maison de Dieu. Vas-y avec l'intention
d'écouter. Cela vaut mieux que d'offrir
des *sacrifices à la manière des sots qui
ne comprennent pas qu'ils agissent mal[q].
5 1 Ne parle pas précipitamment et ne
décide pas trop vite de faire des promesses à Dieu ; Dieu est au ciel et toi, tu
es sur la terre. Par conséquent, mesure
tes paroles. 2 En effet, plus on parle, plus
on risque de prononcer des propos irréfléchis, de même que plus on a de soucis, plus on risque d'avoir de mauvais
rêves[r]. 3 Si tu fais une promesse à Dieu,
accomplis-la sans retard, car Dieu
n'aime pas ceux qui agissent sans réfléchir. C'est pourquoi, tiens ce que tu promets. 4 Il vaut mieux ne pas promettre
que de promettre sans tenir parole.
5 Évite les propos qui te rendraient coupable. Ne sois pas obligé de dire au prêtre : « C'est une erreur. » Autrement,
Dieu s'irritera à cause de ces paroles et
détruira ce que tu entreprends. 6 Les paroles trop abondantes sont aussi vaines
que les rêves en grand nombre[s]. C'est
pourquoi, préoccupe-toi plutôt de respecter Dieu.

Les abus du pouvoir

7 Il ne faut pas s'étonner de voir le pauvre opprimé ni de voir le droit et la justice
bafoués dans le pays. En effet, un personnage haut placé est couvert par un plus
grand que lui et tous deux sont protégés
par des gens plus haut placés encore. 8 Il
serait préférable pour le pays d'avoir un
roi qui favorise le travail des champs[t].

La richesse est inutile

9 Celui qui aime l'argent n'en a jamais
assez et celui qui aime la richesse n'en
profite pas. Encore de la fumée qui s'évanouit ! 10 Plus quelqu'un a de biens, plus
nombreux sont ceux qui vivent à ses dépens. Quel avantage en a-t-il sinon de
contempler sa propre richesse ? 11 Le travailleur dort d'un bon sommeil, qu'il ait
peu ou beaucoup à manger. Mais le riche
a tant de biens qu'il n'arrive pas à dormir.
12 J'ai observé sur la terre une situation
dramatique : celle de quelqu'un qui a mis
son argent de côté pour son propre malheur. 13 Il perd sa fortune dans une mauvaise affaire et il n'a plus rien lorsque lui
naît un fils. 14 Il devra quitter cette terre
comme il y est venu, aussi nu que
lorsqu'il est sorti du ventre de sa mère. Il
n'aura rien retiré de son travail, rien qu'il
puisse prendre avec lui. 15 C'est un grand
malheur pour lui de quitter le monde
comme il y est entré. Quel avantage a-t-il
retiré ? Il a travaillé pour du vent[u]. 16 En
outre sa vie entière a été assombrie par de
nombreux chagrins[v], l'irritation et la
souffrance. 17 Voici la conclusion que j'en
tire : le mieux pour l'être humain est de
manger, de boire et de profiter des résultats de son travail ici-bas pendant la durée de vie que Dieu lui donne. C'est la
part qui lui revient. 18 Lorsque Dieu
donne à quelqu'un d'être riche et de jouir
de sa fortune, il peut profiter de la part
qui lui revient, du produit de son travail.
C'est là un don de Dieu. 19 L'être humain
oublie alors combien sa vie est courte, car
Dieu remplit son cœur de bonheur.
6 1 J'ai observé encore un malheur ici-
bas, un grand malheur pour les humains. 2 Voici quelqu'un à qui Dieu permet de s'enrichir, d'être fortuné et bien
considéré. Cet homme a tout ce qu'il peut

---

q **4.17** Dans certaines traductions le v. 17 est numéroté 5.1 et, par conséquent, 5.1-19 devient 5.2-20.

r **5.1-2** Voir Prov 10.19 ; 13.3 ; Jacq 3.1-12.

s **5.6** Sens possible d'un texte hébreu difficile.

t **5.8** C'est-à-dire, sans doute, qui défend ceux qui sont au bas de l'échelle sociale : les paysans. Autre traduction *Mais le profit d'une terre est à tous. Le roi même est dépendant de l'agriculture*.

u **5.14-15** Voir Job 1.21 ; Ps 49.17-18 ; 1 Tim 6.7.

v **5.16** *a été assombrie par de nombreux chagrins* : d'après l'ancienne version grecque ; hébreu *il mange dans l'obscurité*.

désirer. Mais Dieu ne le laisse pas jouir de ses biens ; un autre en profite. C'est de la fumée sans lendemain et une cruelle douleur. 3 Un homme peut avoir une centaine d'enfants et vivre de nombreuses années. Que vaut tout cela s'il n'est pas heureux pendant sa longue vie et s'il n'est même pas enterré décemment ? A mon avis, la condition de l'enfant mort-né est meilleure que la sienne. 4 En effet, celui-ci est venu comme de la fumée sans lendemain, il disparaît dans l'obscurité et personne ne se souvient de lui. 5 Il n'a même pas vu le jour et il n'a rien connu de la vie. Il est plus tranquille que celui qui vit longtemps. 6 Ce n'est pas la peine de vivre, serait-ce jusqu'à deux fois mille ans, si l'on ne connaît pas le bonheur. Car toute vie aboutit à la mort.

7 L'être humain travaille uniquement pour contenter ses désirs, mais il n'est jamais satisfait. 8 Le sage ne vit pas mieux que le sot et à quoi sert-il à un homme pauvre de savoir se débrouiller dans la vie[w] ? 9 Mieux vaut ce que les yeux voient que ce à quoi le désir entraîne ; cela aussi n'est que fumée, course après le vent.

Conseils de sagesse

10 Tout ce qui existe est connu depuis longtemps et nous savons bien ce qu'est l'homme : il ne peut pas discuter avec plus fort que lui. 11 Des paroles à n'en plus finir, c'est comme de la fumée sans fin. Qu'y gagne-t-on ? 12 L'être humain traverse la vie comme une ombre. Qui sait ce qu'il a de mieux à faire chaque jour de sa fugitive existence ? Personne ne lui indique ce qui arrivera après lui ici-bas.

7 1 Une bonne réputation vaut mieux qu'un parfum coûteux[x], et le jour où un homme meurt est préférable à celui de sa naissance.

2 Mieux vaut se rendre dans la maison où l'on pleure un mort que dans celle où se tient un banquet. La mort est la fin de tout homme et il est bon que chacun s'en souvienne.

3 La douleur est préférable au rire. Elle attriste le visage, mais elle rend le cœur meilleur.

4 Là où quelqu'un souffre on rencontre
le sage ;
là où on s'amuse on rencontre le sot.

5 Mieux vaut écouter les avertissements d'un homme sensé que les louanges d'un sot. 6 Car le rire du sot est comme le crépitement des épines en feu sous une marmite : fumée qui s'évanouit !

7 Le pouvoir d'opprimer peut rendre insensé un homme sage, un cadeau peut le rendre malhonnête.

8 Il est préférable de terminer une affaire que de la commencer. Mieux vaut être patient qu'orgueilleux.

9 Il ne faut pas s'irriter trop vite ; seuls les sots s'irritent facilement.

10 Ne nous demandons pas pourquoi le passé a été meilleur que le présent ; il n'est pas sage de se poser cette question. 11 La sagesse a autant de valeur qu'un héritage et tout être humain peut en tirer profit[y]. 12 Comme l'argent elle met à l'abri des dangers. Elle prolonge la vie de ceux qui la possèdent : voilà pourquoi il est utile de la connaître[z].

13 Considérons l'œuvre de Dieu. Ce qu'il a courbé, personne ne peut le redresser.

14 Lorsque tout va bien, soyons heureux ; lorsque tout va mal, réfléchissons. Dieu envoie le bonheur ou le malheur de façon que nous ne sachions jamais ce qui va arriver[a].

15 Durant ma fugitive existence, j'ai constaté que tout peut se produire : un homme juste meurt à cause de son bon comportement et un homme mauvais continue à vivre grâce à sa méchanceté. 16 Ne soyons pas justes à l'excès, ni sages outre mesure. Pourquoi nous détruire nous-mêmes[b] ? 17 Ne nous laissons pas emporter par la méchanceté et ne nous conduisons pas de manière stupide. Pourquoi mourir avant l'heure ? 18 Il est

---

w **6.8** *de savoir se débrouiller dans la vie ?* : autre traduction *d'être honnête avec les autres ?*
x **7.1** Voir Prov 22.1.
y **7.11** Voir Job 28.12-19 ; Prov 3.13-16 ; 8.11.
z **7.12** Voir Prov 3.18 et la note.
a **7.14** *de façon que nous ne sachions jamais ce qui va arriver* : autre traduction *de façon que nous n'ayons pas de raison de récriminer contre lui.*
b **7.16** Autre traduction *Pourquoi nous rendre stupides ?*

on de suivre à la fois ces deux conseils,
ar celui qui respecte Dieu ne doit pas
omber dans l'excès.
19 La sagesse dirige mieux le sage que
ix gouverneurs une ville. 20 En effet, il
'existe sur la terre personne d'assez juste
our pratiquer le bien sans jamais se
romper[c].
21 Il ne faut pas non plus prêter atten-
ion à tout ce que les gens racontent.
inon on risquerait d'entendre son servi-
eur dire du mal de soi. 22 Nous savons
ien que souvent nous disons nous-mê-
nes du mal des autres.
23 J'ai examiné attentivement toute
hose. Je me suis dit : « Je vais me
onduire en homme sensé ». Mais je n'ai
u atteindre ce but. 24 La réalité est si
aste et tellement profonde ! Qui la
omprendra totalement ? 25 Alors je me
uis consacré à l'étude et à la recherche.
'ai voulu saisir ce qu'est la sagesse et
uelle est la raison d'être des événe-
nents. J'ai appris qu'être méchant ou sot
'est insensé. 26 Je l'ai constaté, la femme
ui est un piège donne plus d'amertume
ue la mort. Son amour est comme un fi-
et et ses bras sont comme des liens.
'homme agréable à Dieu lui échappe,
nais elle a prise sur le pécheur[d]. 27-28 J'ai
onsidéré les choses une à une pour en
écouvrir le sens[e] et j'ai cherché long-
emps sans résultat. Eh bien, dit le Sage,
'ai découvert un homme sur mille digne
e ce nom, mais sur un très grand nom-
re de femmes pas une seule ne m'a paru
igne de respect. 29 Voici la seule chose
ue j'ai comprise : Dieu a fait les êtres
umains simples et droits, mais ceux-ci
nt tout compliqué.

8 1 Personne n'est vraiment tout à fait
sage et ne connaît l'explication d'un
vénement. Pourtant la sagesse d'un être
claire son visage et adoucit ses traits[f].

Il est sage d'obéir au roi

2 Lorsque le roi parle, il faut obéir[g].
Nous lui avons prêté serment devant
Dieu, 3 ne nous hâtons donc pas de refu-
er son autorité. Ne persévérons pas dans
ne affaire qui lui déplaît. En effet, le roi
git comme il le désire. 4 Sa parole est
ouveraine et personne ne peut lui demander les raisons de ce qu'il fait. 5 Celui
qui lui obéit ne se mettra pas dans un
mauvais cas. Mais le sage a la conviction
qu'à un moment donné il y aura un jugement. 6 En effet, toute action sera jugée
un jour parce que la méchanceté des humains est grande[h]. 7 Nous ne savons pas
ce qui va arriver. Qui nous dira comment
les choses se passeront ? 8 Aucun être humain n'a le pouvoir de retenir sa vie et
personne ne peut reculer le jour de sa
mort[i]. Lorsque la guerre est là, il n'y a
pas moyen d'y échapper. La méchanceté
ne peut sauver celui qui s'en rend coupable.

Réflexions sur la condition humaine

9 J'ai examiné avec soin tout ce qui se
passe ici-bas, où l'être humain domine
son semblable et le rend malheureux.
10 J'ai vu des méchants à qui on faisait des
funérailles. Ces gens-là avaient fréquenté
le *temple. A Jérusalem on avait oublié
leur comportement[j]. Cela aussi est décevant comme la fumée ! 11 Celui qui agit
mal n'est pas puni dans l'immédiat. C'est
pourquoi les humains sont prêts à
commettre tant de mauvaises actions.
12 Quelqu'un peut être coupable d'une
centaine de méfaits et vivre très longtemps. Je sais bien qu'on affirme : « Seuls
ceux qui respectent Dieu seront heureux,
parce qu'ils reconnaissent son autorité.
13 L'homme mauvais, lui, ne sera pas heureux. Il passera comme une ombre et

---

c **7.20** Voir Ps 143.2 ; Prov 20.9.

d **7.26** Voir Prov 2.16-19 ; 6.24–7.27 ; 22.14.

e **7.27-28** Autre traduction *J'ai regardé une femme après l'autre pour me faire une opinion.*

f **8.1** Autre traduction *Personne n'est sage et ne connaît le sens de cette parole : la sagesse d'un être éclaire...*

g **8.2** Autre traduction *Je (te) dis d'observer l'ordre du roi.*

h **8.6** Autre traduction *mais le malheur pèse lourdement sur l'homme.*

i **8.8** Le terme traduit par *vie* peut signifier soit le souffle vital, soit le vent ; autre traduction *n'a le pouvoir de retenir le vent.*

j **8.10** *J'ai vu des méchants... oublié leur comportement* : sens probable d'un texte hébreu difficile ; autre traduction *J'ai vu des méchants être enterrés : on allait et venait depuis le temple. Les gens de la ville avaient oublié comment ils avaient agi.*

mourra jeune parce qu'il ne tient pas
compte de Dieu[k]. » 14 Pourtant des faits
décevants comme la fumée se produisent
sur la terre : des justes sont traités comme
le méritent les méchants, et des méchants
connaissent la réussite que méritent les
justes. Je le répète : c'est décevant comme
la fumée !

15 Pour ma part, je célèbre la joie. En
effet, le seul bonheur de l'être humain
ici-bas est de manger, de boire et
d'éprouver du plaisir. Voilà ce qui doit
accompagner son travail chaque jour
que Dieu lui donne à vivre ici-bas[l].
16-17 Je me suis appliqué à comprendre
comment on pouvait être sage et j'ai observé attentivement les occupations des
humains sur la terre. J'ai constaté que,
même en restant éveillés nuit et jour,
nous ne pouvons pas découvrir comment Dieu agit à travers tout ce qui arrive ici-bas. Les humains peuvent bien
se fatiguer à chercher, ils ne le découvrent pas. Même si le sage affirme
qu'il le sait, il n'est pas capable de le
comprendre.

9 1 Alors j'ai pris en considération tout
ce que j'ai vu. J'en ai conclu que Dieu
seul a pouvoir sur la vie des justes et des
sages comme sur leurs actions. Les hommes ne savent même pas s'ils connaîtront
l'amour ou la haine. Ils ne peuvent rien
prévoir. 2 Et c'est pareil pour tout le
monde. La condition du juste et du
méchant, du bon et du mauvais[m] est
identique. A cet égard, il n'y a pas de
différence entre celui qui accomplit les
rites religieux et celui qui ne les accomplit pas, entre celui qui offre des *sacrifices et celui qui n'en offre pas, entre
celui qui se conduit bien et celui qui se
conduit mal, entre celui qui fait des promesses à Dieu et celui qui n'ose pas e
faire. 3 La condition humaine est l
même pour tous et les conséquences qu
en résultent sont désastreuses ici-bas : le
humains se livrent au mal et ont des dé
sirs insensés, ensuite il ne leur reste plu
qu'à mourir. 4 Or seul celui qui est en vi
peut encore espérer : un chien vivan
vaut mieux qu'un lion mort[n] ! 5 En effe
les vivants savent au moins qu'ils mour
ront, mais les morts, eux, ne savent rier
du tout. Ils n'ont plus rien à attendr
puisqu'ils sont tombés dans l'oubli
6 Leurs amours, leurs haines, leurs jalou
sies sont mortes avec eux et ils ne parti
ciperont plus jamais à tout ce qui arriv
ici-bas.

7 Alors, mange ton pain avec plaisir e
bois ton vin d'un cœur joyeux, car Dieu
déjà approuvé tes actions. 8 En toute cir
constance, mets des vêtements de fête e
n'oublie jamais de parfumer ton visage
9 Jouis de la vie avec la femme que tu ai
mes, chaque jour de la fugitive existenc
que Dieu t'accorde ici-bas[o]. C'est là c
qui te revient dans la vie pour la pein
que tu prends ici-bas. 10 Utilise ta force
réaliser tout ce qui se présente à toi. Er
effet on ne peut pas agir ni juger, il n'y
ni savoir ni sagesse là où sont les mort
que tu iras rejoindre.

La sagesse n'est pas toujours efficace

11 J'ai vu encore bien des choses ici-bas
Les plus rapides ne gagnent pas toujour
la course et les plus courageux dans la ba
taille ne remportent pas forcément la vic
toire. Ce n'est pas le sage qui gagne l
plus facilement sa vie, l'homme intel
ligent ne devient pas toujours riche et le
savants ne sont pas forcément honorés
Chacun peut avoir de la malchance. 12 Er
effet, l'être humain ne sait pas quanc
viendra le malheur. Comme le poissor
capturé dans le filet fatal ou l'oiseau pris
au piège, il voit le malheur s'abattre su
lui à l'improviste.

13 J'ai fait une autre constatation, qu
j'ai jugée importante, sur le rôle de la sa
gesse ici-bas. 14 Il y avait une fois une pe
tite ville avec peu d'habitants. Un ro
puissant vint l'attaquer. Il l'assiégea e

---

k **8.12-13** Voir Prov 10.27 et la note.
l **8.15** Voir 2.24.
m **9.2** *et du mauvais* : ces mots, qui se trouvent dans certaines versions anciennes, manquent dans le texte hébreu.
n **9.4** *Seul celui... espérer* : autre traduction *Qui alors sera préféré* (par Dieu) ? *Les vivants ont la certitude qu'(un chien vivant...)*
o **9.9** Voir Prov 5.18. – *Après chaque jour de la fugitive existence* l'hébreu répète *chaque jour fugace*.

difia contre elle de gros ouvrages de
uerre[p]. 15 Un homme pauvre mais sage y
ivait. Il aurait pu sauver la ville grâce à
a sagesse. Cependant personne ne son-
ea à s'adresser à un homme pauvre
omme lui. 16 Eh bien, je l'affirme : la sa-
esse vaut mieux que la bravoure, mais
orsqu'un homme sage est pauvre, les
ens le méprisent et n'écoutent pas ses
onseils. 17 Pourtant il vaut mieux écou-
er un homme sensé qui parle calme-
nent, qu'un chef qui crie en s'adressant à
les sots. 18 La sagesse est plus efficace que
es armes, mais un seul maladroit détruit
e bien qu'elle procure.

10 1 Quelques mouches mortes infectent et abîment tout un flacon de
arfum. Ainsi un peu de sottise fait per-
re son efficacité à la sagesse[q].

2 L'esprit du sage fonctionne bien,
nais le sot comprend tout de travers.

3 L'imbécile apparaît sur la route et,
omme le bon sens lui manque totale-
nent, tout le monde constate qu'il est
tupide[r].

4 Si ton chef se met en colère, n'aban-
lonne pas ton poste : une attitude calme
vite de graves erreurs.

5 Un dirigeant peut se tromper. Ainsi
'ai observé bien des situations anormales
ci-bas. 6 Un imbécile reçoit parfois de
autes fonctions, alors que des gens de
aleur[s] sont maintenus à des postes infé-
ieurs. 7 J'ai vu des esclaves aller à cheval
t des hommes de haut rang aller à pied
omme des esclaves.

8 L'homme qui creuse une fosse risque
l'y tomber et celui qui démolit un mur
eut être mordu par un serpent[t]. 9 Celui
ui extrait des pierres peut se blesser et
elui qui fend des bûches court un
langer.

10 Si on n'aiguise pas une hache au
ranchant émoussé, il faut davantage de
orce pour l'utiliser. En effet, la sagesse
st l'instrument du succès.

11 A quoi bon savoir charmer un ser-
ent, si on commence par se laisser
nordre ?

Ne pas trop parler

12 Lorsque le sage parle, les gens l'ap-
rouvent, alors que le sot se déconsidère
dès qu'il ouvre la bouche. 13 Il commence
par dire des sottises et termine par de
dangereuses insanités. 14 L'imbécile ne
peut plus s'arrêter de parler. Pourtant
l'homme ne sait rien de l'avenir. Qui lui
indiquera ce qui arrivera après lui ? 15 Le
sot se fatigue beaucoup pour peu, lui qui
ne sait même pas trouver son chemin
pour aller à la ville.

16 Quel malheur pour un pays d'avoir
un roi trop jeune et des ministres qui passent tout leur temps à table ! 17 Heureux
le pays dont le roi est de naissance noble
et dont les ministres se mettent à table à
l'heure qui convient, pour prendre des
forces et non pour s'enivrer.

18 Le toit s'effondre sur celui qui est
trop paresseux pour le réparer, l'eau pénètre dans la maison de celui qui est né-
gligent.

19 Les grands[u] préparent un repas pour
se divertir, le vin leur rend la vie gaie et
l'argent leur permet de tout obtenir.
20 Cependant ne critique pas le roi, même
intérieurement, ne dis rien contre le
puissant, même en privé. Un oiseau
pourrait répandre tes paroles et répéter ce
que tu as dit.

Savoir prendre des risques

11 1 Engage-toi dans une affaire,
même en courant des risques, un
jour tu peux y retrouver ton compte[v].
2 Bien plus, investis ton argent dans plusieurs affaires, car tu ne sais jamais quel
malheur peut arriver sur la terre.

3 Quel que soit le côté où un arbre
tombe, il reste là où il s'est abattu. Quand

---

p **9.14** *de gros ouvrages de guerre* : d'après l'ancienne version grecque ; hébreu *des pièges*.

q **10.1** Autre traduction *Un peu de sottise peut prévaloir sur la sagesse et la gloire*.

r **10.3** Autre traduction *et il dit de chacun : « Il est stupide »*.

s **10.6** *gens de valeur* : autre traduction *riches*.

t **10.8** Voir Prov 26.27.

u **10.19** *Les grands* : en hébreu le sujet n'est pas exprimé, mais le contexte invite à mettre le v. 19 en relation avec les v. 16 et 17.

v **11.1** Littéralement : *Lance ton pain à la surface des eaux, longtemps après tu le retrouveras*.

les nuages sont gonflés d'eau, il se met à
pleuvoir.
4 Celui qui a peur que vienne le vent ou
la pluie, ne pourra jamais semer ni moissonner.
5 Tu ne sais pas comment la vie se
forme dans le ventre d'une femme enceinte. Tu peux encore moins comprendre comment Dieu agit, lui qui fait tout.
6 C'est pourquoi sème ton grain dès le
matin et jusqu'au soir n'arrête pas de travailler. Tu ne sais pas quelle partie de ton
travail réussira ou si tu tireras profit de
toute ton activité.
7 La lumière du jour est douce à voir et
il est agréable d'être vivant. 8 L'être humain doit se réjouir de chaque année qui
lui est donnée, même s'il vit longtemps.
Rappelons-nous qu'il y aura toujours
assez de jours sombres, car l'avenir est
incertain comme la fumée !

Soyons heureux avant qu'il soit trop tard

9 Toi qui es jeune, profite de ta jeunesse.
Sois heureux pendant ce temps-là. Fais
tout ce que tu désires, tout ce qui te plaît.
Mais sache bien que Dieu jugera chacune
de tes actions. 10 Évite les causes de tristesse ou de maladie, car la jeunesse et la vigueur se dissipent comme de la fumée[w].

12 1 Pendant que tu es jeune, n'oublie
pas celui qui t'a créé[x]. Souviens-
toi de lui avant que ne viennent les jours
du déclin et le moment où tu diras : « J
n'ai point de plaisir à vivre ».
2 Alors le soleil s'assombrit,
la lune et les étoiles se ternissent,
les nuages reviennent sans cesse aprè
la pluie[y].
3 Alors le gardien tremble de peur,
l'homme vigoureux se courbe,
les meunières cessent de moudre pa
manque de compagnie,
la femme renonce à paraître à sa fenêtre
4 Alors la porte se referme sur la rue,
le bruit du moulin baisse,
le chant de l'oiseau s'éteint[z],
toutes les chansons s'évanouissent.
5 On a peur de gravir une pente,
on a des frayeurs en chemin,
les cheveux blanchissent comme l'au
bépine en fleur,
l'agilité de la *sauterelle fait défaut,
les épices perdent leur saveur.
Ainsi chacun s'en va vers sa dernièr
demeure.
Et dans la rue, les pleureurs rôdent e
attendant.
6 Alors le fil d'argent de la vie se dé
tache,
le vase d'or se brise,
la cruche à la fontaine se casse,
la poulie tombe au fond du puits.
7 Le corps de l'homme s'en retourne à l
terre d'où il a été tiré
et le souffle de vie s'en retourne à Die
qui l'a donné.
8 Tout n'est que fumée, dit le Sage, tou
part en fumée.

Conclusion

9 Il faut encore ajouter que le Sage n'
pas cessé d'enseigner aux gens ce qu'il sa
vait. Il a mis en forme beaucoup de pro
verbes après avoir soigneusemen
examiné leur valeur. 10 Le Sage s'est ef
forcé de décrire honnêtement la réalité e
de trouver cependant des paroles ré
confortantes. 11 Les paroles des homme
expérimentés sont comme des aiguillon
qui stimulent l'esprit et comme des at
taches qui retiennent l'ensemble de
connaissances. Elles sont inspirées pa
Dieu, qui est le seul guide véritable[a]
12 Mon fils, prends garde de ne pas trop
ajouter. Le nombre de livres que l'o

---

w **11.10** Dans certaines traductions 11.9-10 est numéroté 12.1-2.

x **12.1** *celui qui t'a créé* : le mot hébreu employé ici peut aussi être interprété comme signifiant *ton tombeau*. – Dans certaines traductions 12.1-14 est numéroté 12.3-16 ; voir 11.10 et la note.

y **12.2** Les v. 2 à 5 évoquent la fin de la vie avec des images que l'on peut interpréter de diverses manières, mais qui se réfèrent toutes à l'affaiblissement et aux infirmités qui atteignent l'homme vieillissant.

z **12.4** *le chant de l'oiseau s'éteint* : d'après une ancienne version ; hébreu *on se lève avec le chant de l'oiseau*.

a **12.11** *Les paroles... connaissances* : autre traduction *Les paroles des sages sont comme des aiguillons* (qui stimulent l'esprit), *les auteurs des recueils sont comme des jalons bien plantés*. – *par Dieu qui est le seul guide véritable* : hébreu *par un seul *berger*. Selon certains, il serait fait allusion ici plutôt à Moïse ou à Salomon.

pourrait écrire est illimité et il est épui-
sant de consacrer beaucoup de temps à
l'étude.
13 Et voilà la conclusion de tout ce qui a
été dit : le devoir de tout homme est de
respecter Dieu en obéissant à ses ordres[b].
14 En effet, Dieu demandera des comptes
pour toutes nos actions, même cachées,
qu'elles soient bonnes ou mauvaises.

---

b **12.13** Autre traduction *respecte Dieu en répondant à ses exigences, car l'homme ne peut rien faire de plus.*

Cantique des Cantiques

Introduction *– L'amour d'un homme et d'une femme est un don de Dieu. Ce recueil d chants d'amour où les sentiments des deux amoureux s'expriment avec beaucoup de poési mais sans fausse pudeur, est comme un écho émerveillé du récit de la Création (Genès 2.23-25).*

Sa présence dans la Bible a cependant étonné et choque même encore bon nombre de lec teurs. C'est pourquoi, depuis l'Antiquité, on a proposé de comprendre le Cantique *comme u poème symbolique décrivant par exemple les relations de Dieu avec son peuple.*

On peut répartir le Cantique *en sept poèmes (1.2–2.7 ; 2.8-17 ; 3.1–5.1 ; 5.2–6.3 ; 6.4 7.11 ; 7.12–8.5a ; 8.5b-14), dialogues amoureux dont l'érotisme est discrètement caché sou des symboles champêtres. Ces dialogues d'un homme et d'une femme, qui se cherchent, se trou vent, se perdent et se remettent en quête l'un de l'autre, semblent parfois interrompus par de voix étrangères, qui ne sont pas toutes bienveillantes : les bergers (compagnons du jeun homme), la mère ou les frères de la jeune fille, voire les compagnes de celle-ci*. A des titres di vers ces personnes ou ces groupes prétendent pouvoir intervenir entre les deux partenaires. Mai cet amour ne leur appartient pas, il est le don de Dieu à ceux qui s'aiment.*

*Selon certains le roi Salomon, mentionné effectivement à plusieurs reprises dans les poèmes du *Cantique*, inte viendrait lui-même pour faire valoir ses droits sur la jeune fille.

---

1 1 Le plus beau de tous les chants. Il appartient aux écrits de Salomon[a].

Elle et lui.
Le dialogue des amoureux

(Elle)

2 Embrasse-moi,
embrasse-moi donc !
Ton amour m'enivre
plus que le vin,
3 plus que la senteur
de ton huile parfumée.
Tu es séduisant
comme un parfum raffiné ;
il n'est pas étonnant
que toutes les filles
soient amoureuses de toi !
4 prends-moi par la main,
entraîne-moi et courons.
Tu es mon roi,
conduis-moi dans ta chambre,
rends-nous follement heureux
tous les deux ;
célébrons ton amour
plus enivrant que le vin.

a **1.1** *de tous les chants* ou *de tous les cantiques* : c'est le sens de la tournure hébraïque, dont le titre traditionnel *Le Cantique des cantiques* a conservé la forme ; comparer Deut 10.17 *le Dieu des dieux* =le Dieu suprême ; *le Seigneur des seigneurs* =le plus grand ou le plus puissant des seigneurs. – *écrits de Salomon* : voir 1 Rois 5.12.

Elles ont bien raison, les filles,
d'être amoureuses de toi !

5 J'ai beau avoir le teint bronzé,
je suis jolie
comme les tentes des bédouins,
comme les tapisseries de luxe.

Filles de la capitale,
6 ne me regardez pas comme ça,
sous prétexte que je suis hâlée,
brunie par le soleil :
c'est que mes frères
se sont fâchés contre moi
et m'ont imposé
de surveiller les vignes.
Mais pour ma vigne à moi,
je ne veux pas de surveillance !

7 Toi que j'aime, dis-moi donc
où tu fais paître ton troupeau,
où tu le mets au repos, vers midi.
Ainsi je n'aurai pas l'air
de chercher l'aventure[b]
près des troupeaux de tes camarades.

*(Les *bergers)*

8 Si tu ne le sais pas, la belle,
suis donc les traces des moutons,
et conduis tes chevrettes
près des cabanes de bergers.

(Lui)

9 Ma tendre amie,
tu as aussi belle allure
que le cheval de parade
attelé au char du *Pharaon.
10 Des pendants d'oreille rehaussent
la beauté de tes joues,
et un collier de coquillages
l'élégance de ton cou.

(Les bergers)

11 Nous te ferons faire des pendants d'or
avec des incrustations d'argent.

(Elle)

12 Pendant que mon roi est à son festin,
mon parfum de *nard répand sa senteur.
13 Mon bien-aimé est pour moi
comme un sachet de *myrrhe odorante
qui repose entre mes seins,
14 comme une grappe de fleurs de henné
aux vignes d'En-Guédi[c].

(Lui)

15 Que tu es belle,
ma tendre amie,
que tu es belle !
Tes yeux ont le charme des colombes.

(Elle)

16 Toi aussi, mon amour,
tu es beau, tu es superbe.
Nous avons un lit de verdure,
17 les branches des cèdres
forment les poutres de notre maison,
les genévriers en sont les cloisons.

2 1 Et moi, je suis une fleur
de la plaine du Saron,
une anémone des vallées.

(Lui)

2 Oui, une anémone
parmi les ronces,
voilà ma tendre amie
parmi les autres filles !

(Elle)

3 Un pommier parmi les arbres du bois,
voilà mon bien-aimé
parmi les autres garçons !
A son ombre,
j'ai plaisir à m'asseoir
et je trouve à ses fruits
un goût délicieux.
4 Il m'a conduite au palais de l'ivresse,
sous l'enseigne "A l'Amour".
5 « Vite, des gâteaux de raisin
pour me rendre des forces,
et des pommes pour me réconforter,
car je suis malade d'amour. »
6 Sa main gauche soutient ma tête,
son bras droit m'enlace la taille.

(Lui)

7 Ah, filles de la capitale,
au nom des gazelles en liberté,

---

b **1.7** *chercher l'aventure* ou *être voilée*. Le sens de cette expression est interprété ici d'après d'anciennes versions grecque, syriaque, latine et araméenne ; d'autres comprennent *être une prostituée*.

c **1.14** *En-Guédi* (ou *la source du chevreau*) : oasis située sur la rive occidentale de la mer Morte.

je vous le demande instamment :
n'éveillez pas l'amour,
ne le provoquez pas
avant qu'il y consente[d] !

C'est lui qui arrive

(Elle)

8 Écoutez, c'est mon bien-aimé,
c'est lui qui arrive,
franchissant d'un bond
monts et collines.
9 On dirait une gazelle ou un jeune cerf.
Le voici qui s'arrête
derrière notre mur,
cherchant à voir à travers la fenêtre,
jetant un coup d'œil
à travers le treillage.
10 Et maintenant il me parle :
« Allons, ma tendre amie,
ma belle, viens.
11 L'hiver est passé,
la pluie a cessé, elle est loin.
12 On voit les champs fleurir ;
c'est le temps où tout chante.
Sur nos terres on entend
la tourterelle qui roucoule.
13 Les figues vertes[e]
grossissent sur les figuiers,
les vignes sont en fleur
et répandent leur parfum.
Allons, ma tendre amie,
ma belle, viens.
14 Ma colombe
nichée au creux des rochers,
cachée dans la falaise,
montre-moi ton visage ;
fais-moi entendre ta voix,
elle est si agréable,
et ton visage est si joli ! »

(La mère)

15 Attrapez-nous ces renards,
ces petites bêtes
qui mettent à mal nos vignes,
quand notre vigne est en fleur !

(Elle)

16 Mon bien-aimé est à moi
et je suis à lui.
Il trouve sa pâture
là où poussent les anémones[f].
17 A la fraîcheur du soir,
quand les ombres s'allongeront,
tu reviendras, mon amour,
leste comme une gazelle
ou comme un jeune cerf
sur les monts séparés[g].

Elle rêve qu'elle part à sa recherche

(Elle)

3 1 Sur mon lit, pendant la nuit,
je cherche celui que j'aime,
je le cherche, sans le trouver.
2 Je veux me lever,
parcourir la ville, les rues, les places,
partir
à la recherche de celui que j'aime.
Je le cherche, sans le trouver.
3 Mais je rencontre les gardes,
qui font leur ronde :
« Avez-vous vu celui que j'aime ? »
4 A peine les ai-je dépassés,
que je trouve celui que j'aime.
Je lui prends la main,
je ne le lâcherai plus
avant de l'avoir fait entrer à la maison
dans la chambre
où ma mère m'a conçue.
5 « Ah, filles de la capitale,
au nom des gazelles en liberté,
je vous le demande instamment :

---

d **2.7** En hébreu le terme rendu par *gazelles* a la même orthographe que le qualificatif attribué à Dieu dans l'expression « le Seigneur *de l'univers* ». C'est probablement pour éviter la confusion que le texte hébreu ajoute *ou des biches*. Dans les civilisations anciennes du Moyen-Orient la *gazelle* ou la *biche* était symbole de l'amour. – *n'éveillez pas...* : autre traduction *n'éveillez pas mon aimée / ne la dérangez pas / avant qu'elle y consente*.

e **2.13** *figues vertes* : celles qui ont passé l'hiver sur l'arbre.

f **2.16** *Il trouve sa pâture* : cette image s'accorde à la comparaison que la jeune fille fait de son bien-aimé avec un jeune cerf ou une gazelle (2.9,17). Pour le sens de cette comparaison voir 2.1 ; 4.5 ; 6.2-3. Certains traduisent cependant *Il mène son troupeau*.

g **2.17** Le sens du v. 17 est discuté. Les *monts séparés* ou les *monts de la séparation* : selon certains il s'agirait d'un nom de lieu (mais non identifié) ; d'autres comprennent *les montagnes ravinées* ; d'autres *les montagnes qui nous séparent* ; d'autres enfin mettent l'expression en rapport avec 4.6 et 8.14 et y voient la désignation imagée de la poitrine de la jeune fille (voir 4.5-6).

n'éveillez pas l'amour,
ne le provoquez pas
avant qu'il y consente[h] ! »

(Elle)

6 Qui donc arrive du désert[i]
comme une colonne de fumée,
comme un nuage odorant de *myrrhe,
*d'encens
et de parfums exotiques en tous genres ?

7 C'est la litière du roi Salomon,
entourée de soixante hommes d'élite,
de l'élite d'Israël.
8 Ils sont tous armés de l'épée
et entraînés au combat.
Chacun porte son arme à la hanche
pour faire face aux dangers de la nuit.
9 Salomon s'est fait construire
un siège à porteurs en bois du Liban.
10 Il a fait faire les supports en argent,
le dossier en or,
le siège en tissu de luxe[j].
Les filles de la capitale
ont arrangé l'intérieur avec amour.
11 « Ah, filles de la capitale,
venez donc voir le roi Salomon !
Il porte la couronne de mariage
que lui a remise sa mère
en ce jour où il est tout à la joie. »

(Lui)

4 1 Que tu es belle,
ma tendre amie,
que tu es belle !
Derrière ton voile
tes yeux ont le charme des colombes.
Tes cheveux évoquent
un troupeau de chèvres
dévalant du mont Galaad.
2 Tes dents me font penser
à un troupeau de brebis
fraîchement tondues,
qui remontent du point d'eau.
Chacune a sa sœur jumelle,
aucune ne manque à l'appel.
3 Un ruban rouge : ce sont tes lèvres ;
ta bouche est ravissante.
Derrière ton voile
tes pommettes ont la rougeur
d'une tranche de grenade.
4 Ton cou a l'aspect
de la Tour-de-David,
bâtie toute ronde.
Mille boucliers y sont suspendus,
les boucliers ronds de tous les héros[k].
5 Tes deux seins sont comme deux cabris,
comme les jumeaux d'une gazelle,
qui broutent parmi les anémones.
6 A la fraîcheur du soir,
quand les ombres s'allongeront,
je compte bien venir
à ta montagne de *myrrhe
et à ta colline *d'encens[l].
7 Tout en toi est beauté,
ma tendre amie,
et sans aucun défaut.

8 Viens avec moi, ma promise,
quitte les monts du Liban
et viens avec moi ;
descends des sommets de l'Amana,
du Senir et de l'Hermon[m].
Fuis ces repaires de lions,
ces montagnes pour panthères.
9 par un seul de tes regards
tu me fais battre le cœur,
petite sœur, ma promise,
par un seul mouvement
de ton cou gracieux.
10 Comme ton amour me ravit,
petite sœur, ma promise !
Je le trouve plus enivrant que le vin,
et ton huile parfumée m'enchante
plus que tous les baumes odorants.
11 Ma promise, sur tes lèvres
mon baiser recueille

---

h **3.5** Voir 2.7 et la note. Si on adopte l'autre traduction, il faut considérer que les paroles du v. 5 sont prononcées par le jeune homme.

i **3.6** On peut penser que la jeune fille cite ici (v. 6-11) un poème composé pour le mariage du roi Salomon, et qu'elle l'applique à celui qu'elle aime, comme elle l'a déjà fait pour le titre de roi en 1.4,12.

j **3.10** *le dossier* : traduction incertaine d'un terme qui n'apparaît qu'ici ; autres traductions parfois proposées *le dais* ou *la garniture*. – *tissu de luxe* ou *de pourpre* (teint de rouge ou de violet).

k **4.4** *la Tour-de-David* n'est mentionnée nulle part ailleurs. – *toute ronde* : traduction incertaine d'un terme inconnu par ailleurs ; autres traductions *en couches régulières* ou *pour les trophées*. – *Mille boucliers* : la décoration de la tour sert de comparaison pour décrire le collier garni de pièces de monnaie que la jeune fille porte autour du cou ; comparer Luc 15.8-10.

l **4.6** Comparer 2.17 et la note.

m **4.8** *Amana* : un des sommets de la chaîne de l'Anti-Liban. – *Sénir* : ancien nom du mont Hermon ou de l'une de ses parties (1 Chron 5.23).

un suc de fleurs,
et ta langue cache
un lait parfumé de miel.
Les vêtements que tu portes
ont l'odeur des bois du Liban.
12 Tu es mon jardin privé,
petite sœur, ma promise,
ma source personnelle,
ma fontaine réservée.
13 Tu as la fraîcheur[n]
d'un verger de *paradis
planté de grenadiers
aux fruits exquis.
S'y croisent les parfums
du henné et du *nard,
14 du nard et du safran,
du laurier et de la cannelle
avec ceux de tous les bois odorants ;
et aussi les senteurs
de myrrhe et d'aloès
avec celles des baumes les plus fins.
15 Le jardin a une source,
une fontaine d'eau courante
dévalant les pentes du Liban.

(Elle)

16 Réveillez-vous, venez,
vents du nord et du midi,
répandez les parfums de mon jardin,
pour qu'il exhale ses senteurs !
Et toi, mon amour, viens à ton jardin
pour en manger les fruits exquis.

(Lui)

5 1 Je viens à mon jardin,
petite sœur, ma promise,
et j'y fais ma cueillette
de *myrrhe et d'herbes parfumées ;
j'y mange mon rayon de miel,
j'y bois mon vin et mon lait.

(Amis)

Mangez, mes amis,
buvez, enivrez-vous d'amour.

**Elle lui ouvre sa porte,
mais trop tard**

(Elle)

2 J'étais endormie,
mais mon cœur restait en éveil.
J'entends quelque chose,
c'est mon bien-aimé
qui frappe à la porte :

(Lui)

« Ouvre-moi,
petite sœur, ma tendre amie,
ma colombe, mon trésor.
J'ai la tête couverte de rosée
et les cheveux trempés
des gouttes de la nuit.

(Elle)

3 J'ai retiré mes vêtements,
je ne vais pas me rhabiller !
Je viens de me laver les pieds,
je ne vais pas les resalir ! »
4 Mon bien-aimé passe la main
par le guichet de la porte,
et j'en ai le cœur battant.
5 D'un bond je suis debout
pour ouvrir à mon bien-aimé.
J'ai les mains et les doigts
couverts d'huile de *myrrhe,
quand je saisis la poignée du verrou[o].
6 J'ouvre à mon bien-aimé ;
mais il est parti, il n'est plus là.
Je sors à sa poursuite,
je le cherche, sans le trouver.
J'ai beau l'appeler, pas de réponse.
7 Mais je rencontre les gardes,
qui font leur ronde
sur les remparts de la ville.
Ils me frappent, ils me blessent,
ils m'arrachent mon châle.
8 Ah, filles de la capitale,
je vous le demande instamment :
si vous rencontrez mon bien-aimé,
que lui raconterez-vous ?
Que je suis malade d'amour !
Dites-le-lui.

(Les filles)

9 Dis-nous, la belle,
qu'a-t-il de plus qu'un autre,
ton amoureux ?
Oui, qu'a-t-il de plus qu'un autre

---

n **4.13** Le texte hébreu traditionnel a compris *tes surgeons* (sont un paradis...) ; les mêmes consonnes de l'hébreu peuvent être aussi comprises comme signifiant *ta fraîcheur*, ce qui s'accorde mieux au contexte.

o **5.5** Ou bien la poignée du verrou a été enduite d'huile de myrrhe par le jeune homme, ou bien dans sa hâte, la jeune fille en a mis une trop grande quantité sur ses mains.

pour que tu nous fasses pareille demande ?

(*Elle*)

10 Mon bien-aimé
est reconnaissable entre dix mille
à son teint resplendissant et cuivré.
11 Sa tête est dorée.
Il a les cheveux bouclés
comme les fleurs de dattier,
et d'un noir de corbeau.
12 Ses yeux ont le charme des colombes
penchées sur un ruisseau ;
leur iris semble baigner dans du lait,
comme logé dans un écrin[p].
13 Ses joues sont une plate-bande odorante,
semée[q] d'herbes parfumées.
Ses lèvres ont l'éclat de l'anémone
où perle une huile de *myrrhe.
14 Ses bras sont comme un anneau d'or
chargé de pierreries.
Son corps est une plaque d'ivoire
couverte de saphirs[r].
15 Ses jambes font penser
à des colonnes de marbre blanc,
solidement plantées
sur des socles d'or fin.
Il a fière allure,
comme les monts du Liban ;
il a la distinction des cèdres.
16 Sa bouche est douce à mon baiser,
tout en lui appelle mon désir.
Voilà mon bien-aimé,
filles de la capitale,
voilà mon ami !

(*Les filles*)

6 1 Dis-nous, la belle,
où est-il allé, ton amoureux ?
Quelle direction a-t-il prise ?
Nous voulons le chercher avec toi.

(*Elle*)

2 Mon bien-aimé descendra
à son jardin,
à ses plates-bandes odorantes,
pour y trouver sa pâture
et y cueillir les anémones[s].
3 Je suis à mon bien-aimé,
et mon bien-aimé est à moi.
Il trouve sa pâture
là où poussent les anémones.

Portrait de la bien-aimée

(*Lui*)

4 Tu es belle, ma tendre amie,
comme la cité de Tirsa-la-Jolie,
ravissante comme Jérusalem,
troublante comme un mirage[t].
5 Détourne un peu les yeux,
car ton regard me trouble.
Tes cheveux évoquent
un troupeau de chèvres
dévalant du mont Galaad.
6 Tes dents me font penser
à un troupeau de brebis
qui remontent du point d'eau.
Chacune a sa sœur jumelle,
aucune ne manque à l'appel.
7 Derrière ton voile
tes pommettes ont la rougeur
d'une tranche de grenade.

8 Le roi peut bien avoir
soixante reines,
quatre-vingts concubines
et des jeunes femmes sans nombre,

---

p **5.12** *logé dans un écrin* : le sens du terme hébreu correspondant, qu'on ne trouve nulle part ailleurs, est incertain ; autres traductions *(posé sur) une vasque*, ou *(demeurant sur) la berge*, ou encore *sur la margelle* (du puits).

q **5.13** *semée* ou *produisant* : les consonnes du terme hébreu correspondant sont interprétées ici d'après l'ancienne version grecque ; le texte hébreu traditionnel propose de comprendre *des tours*, ce que certains interprètent *des massifs de fleurs*.

r **5.14** *son corps* ou *son ventre*. – *plaque* : le sens exact du terme hébreu correspondant, qu'on ne trouve qu'ici, est discuté ; autre traduction *un chef-d'œuvre*. – Le *corps* et les *jambes*, habituellement couverts par les vêtements, sont restés blancs comme *l'ivoire* ou *le marbre blanc* (v. 15), par opposition à la *tête*, aux *bras* et aux *pieds* (v. 15), habituellement exposés au soleil et donc cuivrés (v. 10) ou dorés (v. 11,14a). – Le *saphir* (pierre précieuse de teinte bleue) est peut-être une allusion aux veines apparentes sous la peau ; d'autres pensent à des tatouages.

s **6.2** Voir 4.16–5.1. – *y trouver sa pâture* : voir 2.16 et la note.

t **6.4** *Tirsa*, dont le nom pourrait être traduit par *Plaisance*, fut pendant quelques temps la capitale du royaume d'Israël (1 Rois 15.33 ; 16.23). – *mirage* : le sens du terme hébreu correspondant est discuté ; autres traductions parfois proposées *une compagnie de soldats* ou *une constellation*.

9 pour moi il n'y a
qu'une femme au monde,
c'est ma colombe, c'est mon trésor,
seule fille de sa mère
et son enfant préférée.
Les autres femmes, en la voyant,
vantent son bonheur[u].
Reines et concubines du roi
font d'elle cet éloge :
10 « Quelle est donc cette femme,
qui a la fierté de l'aurore,
la beauté de la lune,
l'éclat du soleil,
et vous trouble
autant qu'un mirage[v] ? »

11 Je suis descendu au parc des noyers,
pour voir les jeunes pousses
dans le vallon,
pour voir si la vigne bourgeonne
et si les grenadiers sont en fleur[w].
12 Mais je n'y comprends plus rien ;
tu me fais perdre mes moyens,
fille de noble race[x].

(Les femmes et les filles)

7 1 Tourne-toi, tourne-toi, Sulamite,
tourne-toi donc
et laisse-nous te regarder.

Pourquoi regarder la Sulamite
entraînée dans la danse à deux camps[y] ?

(Lui)

2 Que tes pieds sont jolis
dans leurs sandales, princesse !
La courbe de tes hanches
fait penser à un collier
sorti des mains d'un artiste.
3 Le bas de ton ventre[z]
est une coupe ronde,
où le vin parfumé
ne devrait pas manquer.
Ton ventre est un tas de blé
entouré d'anémones.
4 Tes deux seins sont comme deux cabris,
comme les jumeaux d'une gazelle.
5 Ton cou ressemble à la Tour-d'ivoire.
Tes yeux me rappellent
les étangs de Hèchebon,
à la sortie de cette grande cité[a].
Ton nez est aussi gracieux
que la Tour-du-Liban,
qui monte la garde en face de Damas.
6 Ta tête se dresse fièrement
comme le mont Carmel.
Les mèches de tes cheveux
ont des reflets de pourpre ;
un roi est pris à leurs boucles[b].
7 Que tu es belle et gracieuse,
mon amour,
toi qui fais mes délices[c] !
8 Et quelle ligne élancée !
On dirait un palmier-dattier ;
tes seins en sont les régimes.
9 Ce qui me fait dire :
« Il faut que je monte au palmier
pour mettre la main sur ses régimes ! »
Que tes seins soient aussi pour moi
comme des grappes de raisin,
et le parfum de ton haleine
comme l'odeur des pommes !
10 Que ta bouche m'enivre
comme le bon vin ... !

(Elle)

... oui, un bon vin
réservé à mon bien-aimé
et glissant sur nos lèvres endormies.
11 Je suis à mon bien-aimé
et c'est moi qu'il désire.

---

u **6.9** Ou *la déclarent heureuse* : voir Prov 31.28 ; Luc 1.48.

v **6.10** Voir v. 4 et la note.

w **6.11** *dans le vallon* : autre traduction *du palmier*. Pour l'ensemble du verset comparer 6.2-3.

x **6.12** Le sens du texte hébreu de la fin du verset est très incertain.

y **7.1** *Sulamite* : le sens de cette appellation de la jeune fille est discuté : forme féminine de *Salomon* ? Évocation du modèle de beauté qu'était Abichag de Chounem (la Chounamite / Sulamite) ? Voir 1 Rois 1.3-4 ; 2.17,21. – *la danse en deux camps* : probablement une danse exécutée lors des mariages. – Dans certaines éditions, le v. 7.1 est numéroté 6.13. En conséquence 7.2-14 y sont numérotés 7.1-13.

z **7.3** *Le bas de ton ventre* : autre traduction *ton nombril* (comparer Ézék 16.4).

a **7.5** *la Tour-d'ivoire* : sans doute ainsi nommée pour sa couleur blanche ; on ignore où elle se trouvait. – *Hèchebon* : ancienne ville de Moab, 35 km environ à l'est de Jéricho.

b **7.6** *un roi* : dans les chansons de noces on comparaît volontiers le marié à un roi (voir 1.4,12). – *leurs boucles* : le sens du terme hébreu correspondant est incertain.

c **7.7** *toi qui fais mes délices* ou *fille de délices*.

Le bonheur d'être aimé

(Elle)

12 Viens, mon amour, sortons,
allons passer la nuit
parmi les fleurs de henné[d].
13 De bonne heure,
nous serons aux vignes,
nous verrons si elles bourgeonnent
ou même si les bourgeons s'ouvrent,
et si les grenadiers sont en fleur.
Et là je te donnerai mon amour.
14 Les pommes d'amour[e]
libèrent leur senteur.
A notre porte nous avons
toutes sortes de fruits exquis,
des nouveaux et des anciens.
Mon amour, je les ai réservés pour toi.

8 1 Ah, comme j'aimerais
que tu sois mon frère,
nourri au sein de ma mère !
Quand je te rencontrerais dehors,
je pourrais t'embrasser
sans provoquer les critiques.
2 Je te mènerais jusque chez ma mère,
et tu m'apprendrais l'amour.
Je te ferais goûter à mon vin parfumé
et à mon jus de grenade.

3 Sa main gauche soutient ma tête,
son bras droit m'enlace la taille.
4 Ah, filles de la capitale,
je vous le demande instamment :
pourquoi réveiller l'amour,
pourquoi le provoquer
avant qu'il y consente[f] ?

(Les filles)

5 Quelle est cette femme,
qui arrive du désert
appuyée au bras de son bien-aimé ?

La force de l'amour

(Elle)

Je te réveille sous le pommier,
là où ta mère t'a conçu,
là où elle t'a mis au monde.
6 Place-moi contre ton cœur,
comme ton *cachet personnel ;
garde-moi près de toi,
comme la pierre gravée à ton nom
que tu portes au bras.
C'est que l'amour
est aussi fort que la mort.
Comme la mort aussi
la passion vous tient.
Elle est une flamme ardente,
elle frappe comme la foudre[g].
7 Toute l'eau des océans
ne suffirait pas à éteindre
le feu de l'amour.
Et toute l'eau des fleuves
serait incapable de le noyer.
Imaginons quelqu'un
qui offrirait tous ses biens
pour acheter l'amour :
il ne manquerait pas
de recueillir le mépris.

(Les frères)

8 Nous avons une sœur,
mais elle est trop jeune,
elle n'a pas encore les seins formés.
Que ferons-nous pour elle,
quand il sera question de la marier ?
9 Si elle est un rempart,
pour défendre sa vertu
nous couronnerons ce rempart
de créneaux d'argent.
Si elle est une porte ouverte,
nous bloquerons cette porte
par une barre de cèdre.

(Elle)

10 Je suis un rempart, moi ;
mes seins en sont les tours.
Alors, pour lui, je suis
celle qui fait son bonheur[h].

(Lui)

11 Salomon possède une vigne
à Baal-Hamon[i],
et l'a confiée à des gardiens.
Le droit de vendange est fixé

---

d **7.12** *parmi les fleurs de henné* : autre traduction *au village*.

e **7.14** *pommes d'amour* ou *mandragores* (voir Gen 30.14-16).

f **8.4** Voir 2.7 et la note.

g **8.6** *la foudre* ou *une flamme du Seigneur*.

h **8.10** Autres traductions de la fin du verset *Alors, pour lui, je suis celle qui trouve* (ou *procure*) *la paix*. Certains comprennent *Malgré cela je suis celle qui ai capitulé devant lui*.

i **8.11** *Baal-Hamon* : localité non identifiée.

à mille pièces d'argent.
12 Salomon, tu peux garder
les mille pièces d'argent,
dont deux cents pour les gardiens ;
ma vigne à moi, je la garde moi-même.

13 Ma belle, toi qui te tiens dans le jardin
il y a ici des camarades,
qui essaient d'écouter ce que tu dis.
Mais c'est à moi que tu dois dire :
14 « pars vite d'ici, mon amour,
et leste comme une gazelle
ou un jeune cerf,
rends-toi sur les monts parfumés[j]. »

---

j **8.14** Voir 2.17 et la note.

Livres prophétiques

Ésaïe

Introduction – *En hébreu le nom d'*Ésaïe *signifie* le Seigneur sauve. *A lui seul ce nom résume le contenu du livre auquel il sert de titre. Mais le salut que Dieu apporte n'est pas celu que les hommes désirent. C'est pourquoi le message de ce livre est toujours surprenant.*

Ses 66 chapitres s'articulent en trois grandes parties qui correspondent à trois périodes dif férentes de l'histoire du peuple de Dieu.

*

La PREMIÈRE PARTIE (chap. 1–39) se réfère aux hommes et aux événements des an nées 740 à 700 environ avant J.-C. Ésaïe devient porte-parole de Dieu à Jérusalem en une pe riode de dangereuse tension internationale : l'Égypte, grande puissance du sud, est en plein décadence, tandis qu'au nord la puissance assyrienne devient chaque jour plus menaçante.

Points de repère à connaître :

vers 734, alors que Ahaz règne à Jérusalem, les royaumes de Syrie et d'Éfraïm (Israël d Nord) se liguent contre Juda pour le forcer à se joindre à eux contre la menace assyrienne : c'e la guerre syro-éfraïmite.

722-721 : fin du royaume du Nord, dont la capitale Samarie est prise par les Assyriens et population déportée.

701 : sous le règne d'Ézékias les Assyriens assiègent Jérusalem et démembrent le royaume d Juda.

Durant cette période Ésaïe apparaît comme le champion intransigeant de Dieu, dont message agit toujours à contre-courant : il présente la menace assyrienne comme l'interventic de Dieu lui-même contre son peuple infidèle. Il proteste contre les combinaisons politiqu échafaudées par les dirigeants de Jérusalem, contre les constantes violations du droit et de justice sociale, contre les pratiques religieuses derrière lesquelles s'abritent les exploiteurs d pauvres, contre les manifestations du désir de grandeur, etc. Mais quand le danger est là, message du prophète vient se dresser contre la panique et le découragement.

Dans toutes les circonstances Ésaïe appelle à croire, c'est-à-dire à garder confiance dans l promesses de Dieu et dans les règles de vie qu'il a données à son peuple. Ésaïe y insiste : la f doit toujours se traduire par des actes, aussi bien dans le domaine social et politique que da celui des relations personnelles.

Cette première partie est formée de plusieurs collections de messages, groupés plus selon l thèmes que selon l'ordre chronologique :

– chap. 1 ; 2–12 ; 28–33 : messages concernant les royaumes de Juda et d'Israël-Éfraïm ;

– chap. 13–23 : messages concernant surtout les peuples étrangers, Babylone, Philistie, Mo etc. ;

– chap. 24–27 ; 34–35 : le grand bouleversement final ;
– chap. 36–39 : récits (communs pour la plupart au livre des Rois) se rapportant au règne d'Ézékias.

*

La DEUXIÈME PARTIE (chap. 40–55) est appelée parfois LE LIVRE DE LA CONSOLATION D'ISRAËL.

Elle a en vue une situation différente : les Babyloniens, qui ont remplacé les Assyriens comme puissance dominant toute la région, ont pris Jérusalem en 587 avant J.-C. et déporté sa population.

Les déportés s'interrogent : se pourrait-il que la ruine de la ville sainte ait été une victoire des dieux babyloniens sur le Dieu d'Israël ? Loin du pays que le Seigneur leur avait donné, privés du temple où ils rencontraient Dieu, les exilés sont au fond du désespoir et persuadés que Dieu les a abandonnés, volontairement ou par impuissance.

*C'est pour ces gens découragés que le *prophète parle. Dieu va utiliser le roi perse Cyrus pour délivrer son peuple. Une nouvelle libération, rappelant la sortie d'Égypte, va permettre à ce peuple de revenir dans la Terre Promise. Puisque Dieu est le créateur du monde, il a le pouvoir d'annoncer de tels événements et de les réaliser. Les dieux des vainqueurs ne sont que des illusions.*

Insérés dans ces messages d'espoir, quatre poèmes présentent un mystérieux personnage, le « serviteur du Seigneur » (42.1-4 ; 49.1-6 ; 50.4-9 ; 52.13–53.12), dans lequel le Nouveau Testament verra comme un portrait anticipé de Jésus (voir par exemple Act 8.30-35).

*

La TROISIÈME PARTIE (chap. 56–66) se réfère à la période qui a suivi le retour d'exil. En 538 avant J.-C. en effet, le roi perse Cyrus signe un décret autorisant les déportés à rentrer chez eux et à rebâtir le temple. A leur arrivée les exilés qui ont choisi le chemin du retour ne retrouvent qu'une vie misérable et difficile : une ville en ruine, un pays accaparé par ceux qui sont restés, un peuple de fidèles réduit à presque rien, une situation matérielle précaire, une injustice sociale renaissante, un retour en force des pratiques idolâtriques, etc.

*Mais le *prophète se présente comme envoyé par l'Esprit du Seigneur « pour annoncer une bonne nouvelle aux pauvres et prendre soin des désespérés » (chap. 61). Plus tard Jésus reconnaîtra dans cette mission du prophète le programme qu'il est venu remplir lui-même (Luc 4.16-21).*

PREMIÈRE PARTIE

(1–39)

1 [1] Révélation concernant le royaume
de Juda et la ville de Jérusalem. Ésaïe,
fils d'Amots, la reçut du Seigneur à l'époque des rois Ozias, Yotam, Ahaz et Ézékias de Juda[a].

Un peuple qui ne comprend rien

2 Ciel, écoute, terre, prête attention,
c'est le Seigneur qui parle :
« J'ai élevé des enfants
pour en faire des adultes,
mais ils se sont révoltés contre moi.
3 Un bœuf connaît son propriétaire,
et un âne le maître qui lui donne à manger.
Mais Israël ne veut rien savoir,
mon peuple ne comprend rien. »

Plus rien d'intact au pays de Juda

4 Quel malheur, nation coupable,
peuple chargé de crimes,
race de malfaiteurs,
enfants vicieux que vous êtes !
Vous avez abandonné le Seigneur,
vous avez dédaigné l'unique vrai Dieu,
le Dieu d'Israël[b],
vous lui avez tourné le dos.
5 Où voulez-vous qu'il vous frappe encore,
vous qui persistez dans la révolte ?
La tête est couverte de blessures,
le cœur tout entier est malade.
6 Des pieds à la tête
plus rien n'est intact.
Tout n'est que blessures,
traces de coups et plaies ouvertes,
que personne n'a nettoyées,
ni pansées, ni soignées à l'huile.
7 Votre pays est comme un désert sinistre,
vos villes sont incendiées.
Sous vos yeux, des étrangers
dévorent les produits de votre sol ;
il n'en reste plus rien,
comme si Dieu avait infligé
ce bouleversement à des étrangers[c].
8 Seule Sion[d] subsiste
comme une hutte dans une vigne,
comme une cabane dans un champ de concombres,
comme une ville assiégée.

9 Si le Seigneur de l'univers
ne nous avait pas laissé quelques rescapés,
nous serions
comme la ville de Sodome,
dans le même état que Gomorrhe[e].

Un culte qui fait horreur à Dieu

10 Vous, dirigeants corrompus,
dignes de Sodome,
écoutez bien ce que dit le Seigneur.
Et vous, peuple perverti,
digne de Gomorrhe[f],
soyez attentifs aux instructions de notre Dieu :
11 « Je n'ai rien à faire
de vos nombreux sacrifices,
déclare le Seigneur.
J'en ai assez
des béliers consumés par le feu
et de la graisse des veaux.
Je n'éprouve aucun plaisir
au sang des taureaux,
des agneaux et des boucs[g].
12 Vous venez vous présenter devant moi,
mais vous ai-je demandé
de piétiner les cours de mon temple ?

---

a **1.1** *Ozias-Azaria* : 2 Rois 15.1-7 ; 2 Chron 26.1-23. – *Yotam* : 2 Rois 15.32-38 ; 2 Chron 27.1-9. – *Ahaz* : 2 Rois 16.1-20 ; 2 Chron 28.1-27. – *Ézékias* : 2 Rois 18.1–20.21 ; 2 Chron 29.1–32.33. – Le ministère d'Ésaïe se situe entre le milieu du 8e siècle avant J.-C. et le début du 7e.

b **1.4** *l'unique vrai Dieu, le Dieu d'Israël* : autre traduction *le Saint d'Israël*. C'est une appellation de Dieu caractéristique du livre d'Esaïe. Voir aussi Jér 50.29 ; 51.5 ; Ps 71.22 ; 78.41.

c **1.7** le *bouleversement* de Sodome : voir Gen 19.23-25.

d **1.8** *Sion* : nom poétique de Jérusalem.

e **1.9** Voir Rom 9.29.

f **1.10** Voir Gen 18.20 ; 19.4-9.

g **1.11** Voir Ps 50.7-14.

13 Cessez de m'apporter des offrandes,
c'est inutile ;
cessez de m'offrir la fumée des sacrifices,
j'en ai horreur ;
cessez vos célébrations
de nouvelles lunes, de *sabbats
ou de fêtes solennelles,
je n'admets pas un culte mêlé au crime,
14 je déteste vos fêtes de nouvelle lune,
vos cérémonies sont un fardeau pour moi,
je suis fatigué de les supporter[h].
15 Quand vous étendez les mains pour prier,
je me bouche les yeux pour ne pas voir.
Vous avez beau faire prière sur prière,
je refuse d'écouter,
car vos mains sont couvertes de sang.
16 Nettoyez-vous, *purifiez-vous,
écartez de ma vue vos mauvaises actions,
cessez de mal faire.
17 Apprenez à bien faire,
préoccupez-vous du droit des gens,
tirez d'affaire l'opprimé[i],
rendez justice à l'orphelin,
défendez la cause de la veuve. »

Si vous restez rebelles...

18 « Venez donc, dit le Seigneur,
nous allons nous expliquer.
Si vos crimes ont la teinte du sang,
peuvent-ils devenir blancs comme neige ?
S'ils sont rouge vermillon,
peuvent-ils prendre la blancheur de la laine[j] ?
19 Si vous êtes bien disposés,
si vous m'écoutez,
vous pourriez vous nourrir
des bons produits du pays.
20 Mais si vous refusez,
si vous êtes rebelles,
vous serez la proie de l'épée. »
Voilà ce que déclare le Seigneur.

La purification de Jérusalem

21 Comment la cité fidèle
a-t-elle pu dégénérer en prostituée[k] ?
Le droit y était respecté,
la justice y était chez elle ;
mais à présent,
les assassins y sont les maîtres.
22 Jérusalem, tu fais penser
à un argent dégénéré,
à un grand vin coupé d'eau.
23 Tes princes sont des agitateurs,
ils sont complices des filous,
tous amateurs de cadeaux,
coureurs de pots-de-vin,
violant les droits de l'orphelin,
sourds à la plainte de la veuve.

24 C'est pourquoi le Maître suprême,
le Seigneur de l'univers,
le Dieu fort d'Israël, affirme :
« Ah, je vais prendre ma revanche
sur mes adversaires !
Je tirerai vengeance de mes ennemis !
25 Jérusalem, tu vas avoir affaire à moi :
je vais te purifier au feu,
fondre tes scories
comme avec de la soude,
et supprimer tous tes déchets.
26 Je rendrai tes juges
comme ceux d'autrefois,
et tes conseillers
comme ceux de l'ancien temps.
Alors on pourra te nommer
"Ville de la justice" et "Cité fidèle". »

27 La délivrance viendra pour *Sion
quand elle respectera le droit,
et pour ses habitants repentis
quand ils pratiqueront la loyauté.
28 Mais ce sera la catastrophe
pour les rebelles et les coupables,
ce sera la fin
pour ceux qui abandonnent le Seigneur.

29 Oui, vous serez humiliés
d'avoir pratiqué vos rites
sous ces arbres sacrés
qui vous tiennent tant à cœur ;
vous serez déçus

---

h **1.14** V. 11-14 : voir Amos 5.21-24.

i **1.17** *l'opprimé* : d'après les principales versions anciennes ; hébreu *l'oppresseur*.

j **1.18** *peuvent-ils devenir... prendront-ils...* : autre traduction, soutenue par les versions anciennes *ils deviendront blancs... ils prendront la blancheur...*

k **1.21** Sur l'infidélité du peuple de Dieu comparée à une *prostitution* voir Jér 2.20 ; 3.1 ; 5.7 ; 13.27 ; etc. ; Osée 4.13-14.

d'avoir choisi ces jardins
pour vos pratiques païennes[l].
30 Vous serez comme ces arbres
quand ils perdent leurs feuilles,
ou comme ces jardins
quand ils sont privés d'eau.
31 L'homme fort sera l'amadou,
et ce qu'il fait ... une étincelle :
tous deux brûleront ensemble,
sans personne pour éteindre.

---

2 1 Message qu'Ésaïe, fils d'Amots, reçut du Seigneur concernant le
royaume de Juda et la ville de Jérusalem[m].

Tous les peuples à Jérusalem

(V. 2-4 : voir Michée 4.1-3)

2 Un jour viendra – et ce sera définitif –
où la montagne du temple
se dressera au-dessus des collines,
plus haut que les autres montagnes[n].
Alors toutes les nations
afflueront vers elle.
3 Beaucoup de peuples s'y rendront ;
ils diront : « En route ! Montons
à la montagne du Seigneur,
à la maison du Dieu de Jacob.
Il nous enseignera
ce qu'il attend de nous,
et nous suivrons
le chemin qu'il nous trace. »
En effet, c'est de *Sion
que vient l'enseignement du Seigneur,
c'est de Jérusalem
que nous parvient sa parole.
4 Il rendra son jugement entre les nations,
il sera un arbitre pour tous les peuples.
De leurs épées,
ils forgeront des pioches,
et de leurs lances,
ils feront des faucilles[o].
Il n'y aura plus d'agression
d'une nation contre une autre,
on ne s'exercera plus à la guerre.
5 Vous, les descendants de Jacob,
en route ! Marchons ensemble
dans la lumière du Seigneur.

Le jour du Seigneur, jour du jugement

6 Seigneur,
tu ne veux plus de ton peuple,
les descendants de Jacob.
Car les devins orientaux
pullulent chez lui ;
il y a autant d'astrologues
que chez les Philistins.
Ton peuple fait des affaires[p]
avec les païens.
7 Son pays est plein d'or, d'argent
et d'innombrables trésors.
Il regorge de chevaux
et de chars de combat.
8 Il est aussi plein de faux dieux,
et tout le monde s'incline
devant des idoles, des objets fabriqués,
façonnés par des mains humaines.
9 C'est pourquoi tous les humains
devront s'incliner
et mordre la poussière.
Et toi, Seigneur,
ne les relève surtout pas[q] !
10 Cachez-vous sous les rochers,
rentrez sous terre,
pour fuir la terreur
qu'inspire le Seigneur,
pour vous mettre à l'abri
devant sa suprême grandeur[r].
11 L'homme au regard hautain
devra baisser les yeux,
l'insolent devra s'incliner.
Ce jour-là, le Seigneur seul
sera reconnu grand.
12 Le Seigneur de l'univers
se réserve un jour
pour prononcer son jugement
contre tout ce qui prétend

---

l **1.29** Le prophète fait allusion à des rites du culte cananéen de la fécondité. Comparer 17.10 ; 65.3 ; Osée 4.13.

m **2.1** Le v. 1 constitue un sous-titre pour les chap. 2–4 ou 2–11 ; comparer 1.1.

n **2.2** V. 2-4 : voir Mich 4.1-3. – *La colline du temple* est nommée *Sion* au v. 3.

o **2.4** Comparer Joël 4.10.

p **2.6** *fait des affaires* ou *tope dans la main* : le sens exact du verbe hébreu correspondant est incertain ; d'autres interprètent *il y a beaucoup trop d'enfants étrangers*.

q **2.9** Autre traduction *ne leur pardonne pas*.

r **2.10** Voir Apoc 6.15.

être grand ou supérieur,
afin de le rabaisser :
13 contre tous les cèdres du Liban
à la taille si haute,
et les chênes du *Bachan,
14 contre toutes les hautes montagnes
et les collines dominantes,
15 contre toutes les tours hautaines
et les murailles inaccessibles,
16 contre tous les grands navires
et les bateaux de luxe.
17 L'homme hautain devra s'incliner
et l'insolent mordre la poussière.
Ce jour-là, le Seigneur seul
sera reconnu grand.
18 Tous les faux dieux disparaîtront.

19 Qu'on entre dans les cavernes,
dans les trous de la terre,
pour fuir la terreur
qu'inspire le Seigneur,
pour se mettre à l'abri
devant sa suprême grandeur,
quand il intervient
et frappe la terre d'épouvante !

20 Ce jour-là, on jettera aux rats et aux
chauves-souris les faux dieux d'argent et
d'or, qu'on a fabriqués pour s'incliner devant eux. 21 On entrera dans les creux et
les fentes des rochers pour fuir la terreur
qu'inspire le Seigneur, pour se mettre à
l'abri devant sa suprême grandeur, quand
il interviendra en frappant la terre
d'épouvante.

22 Cessez de compter sur l'homme,
sa vie ne tient qu'à un souffle.
Quelle valeur lui reconnaître ?

Anarchie au royaume de Juda

3 1 Le Maître suprême,
le Seigneur de l'univers,
va priver Jérusalem
et le royaume de Juda
de toute ressource en pain et en eau ;
il va les priver
de tout ce qui leur sert d'appui :
2 troupes d'élite et simples soldats,
juges, *prophètes, devins
et membres du conseil des *anciens,
3 officiers et dignitaires,
conseillers, techniciens[s]
et experts en sorcellerie.
4 « Comme chefs, dit le Seigneur,
je leur donnerai des gamins,
qui les gouverneront
au gré de leurs caprices. »
5 Ce sera la foire d'empoigne :
c'est à qui l'emportera sur l'autre,
les jeunes brutalisant les vieux,
et les vauriens les gens de bien.
6 Un homme empoignera son frère,
un membre de son propre clan :
« Tu as un manteau à te mettre[t]
dira-t-il, tu es donc notre chef,
prends le commandement de ces ruines. »
7 Mais ce jour-là, l'autre répondra :
« Je ne peux rien faire pour vous ;
il n'y a chez moi ni pain ni manteau.
Vous ne ferez pas de moi un chef. »
8 Jérusalem a trébuché,
Juda est à terre.
En paroles et en actes
ils s'opposent au Seigneur,
ils le bravent en face.
9 Leur partialité les accuse.
Comme les gens de Sodome[u]
ils commettent leurs crimes
au grand jour, sans même les cacher.
Hélas pour eux,
ils préparent leur propre malheur !

10 Vous pouvez le dire :
pour les fidèles tout ira bien ;
ce qu'ils ont fait leur profitera.
11 Mais quel triste sort pour les méchants !
Tout ira mal pour eux ;
on les traitera selon ce qu'ils ont fait.

12 Mon peuple, dit le Seigneur,
ceux qui dominent sur toi
sont des rapaces ;

---

s **3.3** *techniciens* : autres traductions *magiciens* ou *artisans*.

t **3.6** Le *manteau* : un des signes qui distinguaient le chef. L'homme qui possédait encore le sien pouvait donc remplir les fonctions de chef parmi ses compagnons complètement démunis.

u **3.9** *leur partialité* : autre traduction *l'expression de leur visage*. – *Sodome* : voir 1.10 et la note.

ce sont des gens avides
qui exercent le pouvoir[v].
Mon peuple, ceux qui te dirigent
ne font que t'égarer,
ils te conduisent
dans la mauvaise direction.

Le procès des dirigeants

13 Le Seigneur est prêt pour un procès,
il est en place pour juger son peuple[w].
14 Il fait passer en justice les conseillers
et les chefs de son peuple :
« C'est vous qui avez ravagé la vigne[x] ;
vous avez rempli vos maisons
de ce que vous avez pris aux pauvres.
15 De quel droit écrasez-vous mon peuple
et faites-vous violence aux pauvres,
demande le Seigneur,
le Dieu de l'univers ? »

Les belles dames de Jérusalem

16 « Les dames de Jérusalem
sont bien fières, dit le Seigneur ;
elles marchent le cou tendu,
le regard provocant ;
elles vont à petits pas
en faisant résonner
les anneaux de leurs chevilles. »
17 C'est pourquoi le Seigneur
va leur tondre le crâne
et dénuder leur front[y].

18 Ce jour-là, le Seigneur les privera de
tout ce qui leur sert de parure : les anneaux aux chevilles, les serre-tête[z] et les
bijoux en forme de croissant ; 19 les boucles d'oreille, les bracelets et les voilettes ;
20 les turbans, les chaînettes, les ceintures
tressées, les gris-gris et les porte-bon-
heur ; 21 les bagues et les anneaux pour le
nez ; 22 les vêtements de fête, les capes, les
foulards et les sacoches ; 23 les manteaux,
les chemises fines, les écharpes et les châ-
les.

24 L'odeur de pourriture
remplacera les parfums,
et une simple corde
tiendra lieu de ceinture.
Au lieu de coiffures savantes,
une tête tondue ;
au lieu d'habits de luxe,
l'étoffe de deuil autour de la taille.
Oui, pour remplacer la beauté,
l'humiliation[a].

Les veuves de Jérusalem

25 Jérusalem, tes hommes
succomberont à la guerre,
tes soldats mourront au combat.
26 Alors toute la ville
poussera des plaintes
et des lamentations,
telle une femme qui a tout perdu
et reste assise à terre.

4 1 En ce jour-là, sept femmes
agripperont le même homme
en lui disant :
« Nous ne serons à ta charge
ni pour la nourriture
ni pour l'habillement.
Enlève seulement notre déshonneur,
en nous permettant
de porter ton nom ! »

Les survivants de Jérusalem

2 Un jour, ce que le Seigneur fera ger
mer dans le pays sera la fierté et la gloir
des survivants d'Israël ; ce que le pay
produira fera leur grandeur et leur pres
tige. 3 Alors ceux qui seront restés à Jé
rusalem, ceux qui auront survécu dan
*Sion recevront le titre de "consacrés au
Seigneur" ; ce sont, à Jérusalem, tou
ceux que le Seigneur a inscrits dans so

---

v **3.12** Le texte hébreu du v. 12 présente plusieurs difficultés ; on suit ici plusieurs versions anciennes. Interprétation traditionnelle *celui qui domine sur toi est un enfant, et ce sont des femmes qui exercent le pouvoir*.

w **3.13** *son peuple* : d'après les anciennes versions grecque et syriaque ; hébreu traditionnel *les peuples*.

x **3.14** Comme souvent dans la Bible *la vigne* est prise comme symbole du peuple de Dieu ; voir 5.7.

y **3.17** *crâne tondu* : un des signes de deuil ou de consternation ; voir par exemple v. 24 ; 7.20 ; Jér 47.5 ; 48.37. C'était aussi la marque des prisonniers de guerre. – *dénuder leur front* : autre traduction *découvrir leur nudité*.

z **3.18** Autre traduction *les bijoux en forme de soleil*. Les nombreux objets énumérés aux v. 18-23 ne sont pas tous identifiés avec certitude.

a **3.24** *tête tondue* : voir la note sur 3.17. – *l'humiliation* : ce mot, absent du texte hébreu traditionnel, a été conservé dans le premier manuscrit hébreu d'Ésaïe trouvé à Qumrân ; le texte traditionnel est parfois traduit *une marque au fer rouge pour remplacer la beauté*.

livre comme vivants. 4 Le Seigneur fera
souffler un vent de justice et de purification. Quand il aura ainsi nettoyé les dames de Jérusalem de leur souillure,
quand il aura lavé Sion du sang qu'elle a
répandu chez elle, 5 alors, partout sur le
mont Sion et sur les assemblées qui s'y
tiendront, il fera paraître un nuage de
fumée pendant le jour et l'éclat d'une
flamme pendant la nuit. Au-dessus de
tout, la glorieuse présence du Seigneur
sera une protection[b] ; 6 elle sera un toit
de feuillage pour donner de l'ombre
pendant la chaleur du jour, et fournir un
abri, un refuge, contre l'orage et la
pluie.

La vigne du Seigneur

5 1 Laissez-moi chanter quelques cou-
plets au nom de mon ami ; c'est la
chanson de mon ami et de sa vigne.

Mon ami avait une vigne
sur un coteau fertile.
2 Il en avait travaillé la terre,
enlevé les pierres ;
il y avait mis un plant de choix,
bâti une tour de guet
et creusé un pressoir[c].
Il espérait que sa vigne
produirait de beaux raisins,
mais elle n'a rien donné de bon.

3 « Eh bien, dit mon ami,
vous qui habitez Jérusalem,
vous les gens de Juda,
c'est à vous de juger
entre ma vigne et moi.
4 Que faire de plus pour elle,
que je n'aie déjà fait ?
J'espérais d'elle de beaux raisins,
elle n'a rien donné de bon. Pourquoi ?

5 Maintenant, je veux vous dire
ce que je vais faire à ma vigne :
J'arracherai la haie qui l'entoure,
et les troupeaux y brouteront.
J'abattrai son mur de clôture,
et les passants la piétineront.
6 Je ferai d'elle un terrain vague :
personne pour la tailler,
personne pour l'entretenir ;
épines et ronces y pousseront,
et j'interdirai aux nuages
de laisser tomber la pluie sur elle. »

7 La vigne du Seigneur de l'univers,
c'est la nation d'Israël.
La plantation qui lui plaisait tant,
c'est le peuple de Juda.
Le Seigneur espérait d'eux
qu'ils respecteraient le droit,
mais c'est partout
injustice et passe-droit ;
il escomptait la loyauté,
mais c'est partout
cris de détresse et déloyauté[d].

Ceux qui provoquent la colère du Seigneur

(V. 8-24 : voir 10.1-4)

8 Quel malheur de voir ces gens
qui ajoutent une maison à une autre
et annexent champ après champ !
A la fin, ils ont pris toute la place,
il n'y a plus qu'eux dans le pays.
9 J'ai entendu le Seigneur de l'univers
faire ce serment : « Je le jure,
toutes ces maisons seront dévastées,
ces grandes et belles demeures
resteront vides d'habitants.
10 Trois hectares de vigne
ne produiront pas cinquante litres de vin ;
et qui sème cent kilos de blé
n'en récoltera que dix. »

11 Quel malheur de voir ceux qui,
dès le matin,
se ruent sur les boissons fortes,
et tard le soir encore,
s'échauffent avec du vin !
12 Ils s'enivrent
au son des harpes et des lyres,
des tambourins et des flûtes.

---

b 4.5 Le texte hébreu de la fin du v. 5 est peu clair ; la traduction s'inspire de l'ancienne version grecque. – *fumée le jour, feu la nuit* : voir Ex 13.21 ; 24.16-17. – *la glorieuse présence du Seigneur* : 6.3 ; 35.2 ; 40.5 ; 58.8 ; 60.1 ; 66.18-19 etc.

c 5.2 Voir Matt 21.33 ; Marc 12.1 ; Luc 20.9.

d 5.7 *passe-droit... déloyauté* : la traduction s'efforce de rendre ainsi un double jeu de mots propre à l'hébreu entre les termes traduits par *respect du droit... injustice et passe-droit*, d'une part, *loyauté... détresse et déloyauté*, d'autre part.

Mais ils ne remarquent pas
que le Seigneur agit,
ils ne regardent pas ce qu'il fait.
13 C'est pourquoi le Seigneur déclare :
« Mon peuple sera déporté,
car il n'a rien compris.
Ses élites mourront de faim,
ses masses populaires dépériront de soif. »
14 La Mort
a ouvert tout grand sa gueule,
elle l'agrandit démesurément.
Nobles et petit peuple de Jérusalem
y tomberont en pleine fête.

15 C'est pourquoi tous les hommes
devront s'incliner
et mordre la poussière.
L'homme au regard hautain
devra baisser les yeux.
16 Le Seigneur de l'univers
montrera sa grandeur
en instaurant le droit ;
l'unique vrai Dieu
montrera qu'il est Dieu
en établissant son ordre.
17 Dans les ruines de la ville,
les moutons paîtront
comme dans leur pâturage,
et les chevreaux[e] qu'on engraisse
y chercheront leur nourriture.

18 Quel malheur de voir ces gens
attelés au crime
par les cordes du mensonge !
Comme on traîne un chariot,
ils traînent derrière eux
les suites de leur faute.
19 Ils disent en effet :
« Vite, vite que se réalise
ce que le Seigneur doit faire,
nous voudrions voir ça !
Que le plan
du Dieu d'Israël, le vrai, l'unique,
arrive à échéance,
nous aimerions le connaître ! »

20 Quel malheur de voir ces gens
qui déclarent *bien* ce qui est mal,
et *mal* ce qui est bien !
Ils prétendent *clair* ce qui est sombre,
et *sombre* ce qui est clair.
De ce qui est doux
ils font quelque chose d'amer,
et de ce qui est amer
quelque chose de doux.

21 Quel malheur de voir ces gens
qui se prennent pour des sages
et qui se croient intelligents !

22 Quel malheur de voir ces gens
qui sont des champions pour boire,
des virtuoses pour préparer
des boissons corsées !

23 Ils acquittent le coupable
en échange d'un cadeau,
et ne veulent rien savoir
du bon droit de l'innocent.
24 C'est pourquoi ils auront le sort
de la paille qu'on brûle sur pied,
ou de l'herbe sèche
qui se consume dans les flammes.
Ils pourriront par la racine,
leur tige tombera en poussière,
car ils ont méprisé l'enseignement
du Seigneur de l'univers,
ils ont dédaigné la parole
de l'unique vrai Dieu, le Dieu d'Israël.

Le poing menaçant du Seigneur

(V. 25 : voir 9.7-20)

25 C'est pourquoi le Seigneur
fit éclater son indignation
contre son peuple.
Il l'a menacé du poing et l'a frappé.
Les montagnes en ont tremblé ;
les cadavres des victimes
restent sur place dans les rues
comme des ordures.
Mais la colère du Seigneur
ne cesse pas pour autant,
et son poing reste menaçant[f].

26 Le Seigneur dresse un signal
pour des nations lointaines ;
il siffle pour faire venir cette troupe
depuis le bout du monde.

---

e 5.17 *les chevreaux* : d'après l'ancienne version grecque ; hébreu peu clair à la fin du verset.

f 5.25 Cadavres laissés sans sépulture : voir Jér 8.2 et la note.

La voilà qui se hâte
et arrive au plus vite[g].
Il n'y a personne chez elle
qui se sente fatigué,
personne qui traîne les pieds,
personne qui somnole,
personne qui s'endorme ;
aucun ceinturon n'est débouclé,
aucun lacet desserré.
Ses flèches sont aiguisées,
ses arcs prêts à tirer.
Les sabots de ses chevaux
sont durs comme un silex,
et les roues de ses chars
font penser à un tourbillon.
On croit entendre
le rugissement d'une lionne,
le cri rauque d'un fauve,
qui gronde, saisit sa proie
et la met en lieu sûr,
sans que personne ose la lui arracher.

Un de ces jours cependant,
c'est contre cette nation
que le tonnerre grondera,
comme la mer en colère.
On regardera le pays,
mais on n'y verra
qu'une obscurité oppressante ;
d'épais nuages obscurciront
la lumière du jour.

Ésaïe se met au service du Seigneur

[1]C'était l'année où mourut le roi
Ozias[h]. Dans une vision, j'aperçus le
igneur assis sur un trône très élevé. Les
ans de son manteau remplissaient le
mple. [2]Des *anges flamboyants[i] se te-
aient au-dessus de lui. Ils avaient cha-
an six ailes : deux leur servaient à se
cher le visage, deux à se voiler le corps
deux à voler. [3]Ils criaient l'un à l'autre :
« Saint, saint, saint,
le Seigneur de l'univers !
La terre entière
est remplie de sa glorieuse présence[j]. »
[4]Leur voix faisait trembler les portes
r leurs pivots, et le temple se remplit de
mée[k]. [5]Je dis alors : « Hélas, me voilà
ndamné au silence[l] car mes lèvres sont
dignes de Dieu, et j'appartiens à un
uple aux lèvres tout aussi indignes de
lui. Or j'ai vu, de mes yeux, le Roi, le Seigneur de l'univers ! »
[6]Mais l'un des anges flamboyants vola
vers moi. Avec des pincettes il tenait une
braise qu'il avait prise sur *l'autel. [7]Il en
toucha ma bouche et me dit :
« Ceci a touché tes lèvres,
ton indignité est supprimée,
ton péché est effacé. »
[8]J'entendis alors le Seigneur demander :
« Qui vais-je envoyer ? Qui sera notre
porte-parole ? » – « Moi, répondis-je, tu
peux m'envoyer. »
[9]Il reprit :
« Va dire à ce peuple :
"Vous aurez beau écouter,
vous n'entendrez pas.
Vous aurez beau regarder,
vous ne verrez pas."
[10]Rends-les donc insensibles,
durs d'oreille et aveugles ;
empêche leurs yeux de voir,
leurs oreilles d'entendre
et leur intelligence de comprendre,
sinon ils reviendraient à moi
et ils seraient guéris[m]. »

[11]Je demandai alors : « Jusqu'à quand,
Seigneur ? » Il me répondit : « Jusqu'à ce
que les villes soient dévastées et dépeuplées, les maisons vidées de leurs occupants et la campagne réduite en désert.

[12]« Oui, le Seigneur éloignera
la population du pays.
Beaucoup de terres
y resteront en friche.
[13]Si même le dixième
échappe encore au désastre,
à son tour il aura le sort

---

g **5.26** Ésaïe évoque les troupes de l'Assyrie, distante d'environ 1 000 km de la Palestine et menaçant alors d'envahir celle-ci.

h **6.1** Mort du roi Ozias-Azaria (2 Rois 15.7 ; 2 Chron 26.23) : vers 740 avant J.-C.

i **6.2** Ou *séraphins*.

j **6.3** *Saint* : autre traduction *Dieu unique* ; voir Apoc 4.8.

k **6.4** Voir Apoc 15.8.

l **6.5** *me voilà condamné au silence* : autre traduction *je suis perdu*.

m **6.10** V. 9-10 : voir Matt 13.14-15 ; Marc 4.12 ; Luc 8.10 ; Jean 12.40 ; Act 28.26-27.

des rejetons qui poussent
de la souche d'un chêne
ou d'un térébinthe abattu :
on les livre au feu[n].
Mais cette souche est le gage divin
d'un nouveau commencement. »

Un message pour le roi Ahaz

7 [1] C'était l'époque où Ahaz, fils de Yotam et petit-fils d'Ozias, était roi de
Juda. Le roi Ressin de Syrie vint avec
Péca, fils de Remalia et roi *d'Israël, pour
attaquer Jérusalem. Mais leur tentative
allait échouer[o]. 2 On informa Ahaz, le
descendant de David, et sa cour que les
Syriens avaient établi leur camp sur le
territoire d'Éfraïm[p]. Le roi et son peuple
furent secoués par cette nouvelle comme
les arbres de la forêt par le vent.
3 Le Seigneur dit alors à Ésaïe :
« Prends avec toi ton fils Chéar-Yachoub
et va voir Ahaz ; il est à l'extrémité du canal du réservoir supérieur, sur le chemin
qui mène au champ des Blanchisseurs[q].
4 Tu lui diras : "Attention ! Garde ton
calme, n'aie pas peur et ne te laisse pas intimider par la brûlante colère de Ressin
le Syrien et du fils de Remalia. Ce ne sont
que deux bouts de tisons fumants. 5 Je
sais que les Syriens, ainsi que Péca et les
troupes d'Éfraïm, ont des projets agressifs contre toi. Ils ont dit : 6 'En avant
contre le royaume de Juda ! Faisons-lui
peur, forçons-le à se joindre à nous, et im-
posons-lui comme roi le fils de Tabéel[r].'
7 Mais voici ce que le Seigneur Dieu déclare :
'Cela n'a aucune chance d'arriver.
8-9 Car Damas est la capitale de la Syrie,
et Ressin n'est chef qu'à Damas ;
D'ici soixante-cinq ans
il n'y aura plus de peuple d'Éfraïm.'
Car Samarie est la capitale d'Éfraïm,
et Péca n'est chef qu'à Samarie.
Vous ne pourrez tenir bon
qu'en vous tenant au Seigneur." »

Emmanuel

10 Le Seigneur ajouta cet autre messag
pour Ahaz : 11 « Demande au Seigneu
ton Dieu un signe de son appui. Qu'il
le donne au fond du monde des morts o
là haut dans le ciel. » 12 Mais Ahaz répo
dit : « Non, je ne demanderai rien ; je n
veux pas mettre le Seigneur à l'épreuve.
13 Alors Ésaïe lui dit : « Écoutez-mo
toi et ta famille, les descendants de Da
vid. On dirait que cela ne vous suffit pa
d'épuiser la patience des hommes, e
qu'il vous faut aussi épuiser la patienc
de mon Dieu. 14 Eh bien, le Seigneu
vous donne lui-même un signe : la jeun
femme va être enceinte et mettre a
monde un fils. Elle le nommera *Emma*
nuel, "Dieu avec nous"[s]. 15 L'enfant ser
nourri de crème et de miel, jusqu'à c
qu'il soit capable de refuser ce qui e
mauvais et de choisir ce qui est bo
16 Avant même que le petit garçon soit e
âge de faire cette différence, le territoi
dont les deux rois te font si peur se
abandonné par ses habitants. 17 Ma
pour toi, pour ton peuple et pour ta dy
nastie, le Seigneur va faire venir u
temps qu'on n'avait plus connu depu
le jour où le royaume d'Israël s'est se
paré du royaume de Juda. – C'est une a
lusion à l'intervention du r
d'Assyrie. – »

Une invasion... et ses conséquences

18 Un de ces jours, le Seigneur,
d'un coup de sifflet,
fera venir les mouches
qui se trouvent là-bas,
dans le delta du Nil,
ainsi que les abeilles
qui sont en Assyrie.
19 Toutes, elles viendront se poser
dans les ravins abrupts

---

n **6.13** *au feu* : autre traduction *(aux troupeaux) pour être broutés*.

o **7.1** Guerre syro-éfraïmite : voir 2 Rois 16.5 ; 2 Chron 28.5-6 et l'introduction.

p **7.2** *Éfraïm* : principale tribu du royaume israélite du Nord ; son territoire était proche de Jérusalem.

q **7.3** *Chéar-Yachoub* : ce nom symbolique signifie *Un reste reviendra* (ou *se convertira*). – *canal du réservoir supérieur, chemin du champ des Blanchisseurs* : voir 2 Rois 18.17 et la note.

r **7.6** Syriens et Israélites du Nord voulaient entraîner le royaume de Juda dans leur lutte contre les Assyriens, dont les armées devenaient menaçantes. – *le fils de Tabéel* : personnage inconnu ; on l'a supposé d'origine syrienne. D'après une stèle assyrienne, il s'agirait d'un prince de Tyr.

s **7.14** Voir Matt 1.23.

et les fentes des rochers,
dans tous les fourrés
et à tous les points d'eau[t].

20 Un de ces jours,
le Seigneur louera un rasoir
de l'autre côté de l'Euphrate
– allusion au roi d'Assyrie –,
il marquera votre déshonneur
en vous rasant la tête
et tous les poils du corps,
sans oublier la barbe[u].

21 En ce temps-là aussi, chacun élèvera
une vache et deux chèvres,
22 qui produiront tant de lait
qu'on pourra manger de la crème.
Tous ceux qui seront restés au pays
se nourriront de crème et de miel.

23 En ce temps-là encore,
un champ de mille pieds de vigne,
valant mille pièces d'argent,
sera abandonné aux épines et aux ronces.
24 On viendra y chasser
avec un arc et des flèches.
Oui, le pays tout entier
ne sera plus qu'épines et ronces.
25 Quant aux coteaux
qu'on cultivait à la houe,
on n'osera plus s'y rendre,
par crainte des épines et des ronces[v].
On y laissera paître les bœufs
et passer les moutons.

Vite au butin, fonce au pillage !

8 1 Pour obéir à un ordre du Seigneur,
je pris une tablette à écrire de grandes
limensions, et j'y gravai en lettres usuel-
es "A celui qui s'appelle Vite-au-butin-
Fonce-au-pillage". 2 Je montrai alors la
ablette à deux témoins dignes de foi, Ou-
ia, le prêtre, et Zacharie, fils de Yebéré-
ia. 3 Puis je passai la nuit avec la
prophétesse, ma femme. Elle devint en-
einte et mit au monde un fils. Alors le
eigneur me donna cet ordre : « Donne-
ui comme nom "Vite-au-butin-Fonce-
u-pillage". 4 Car avant même que l'en-
ant sache dire "Papa" ou "Maman", on
ura apporté au roi d'Assyrie les richesses
le Damas et le butin pris à Samarie. »

L'invasion assyrienne

5 Le Seigneur me dit encore :
6 « Ce peuple dédaigne
les eaux du canal de Siloé,
qui coulent tout doucement ;
et il perd courage
face aux deux rois Ressin et Péca[w].
7 C'est pourquoi je vais faire monter jusqu'à lui
les flots abondants et violents de l'Euphrate
– le roi d'Assyrie et le poids de sa puissance –.
L'Euphrate sortira de son lit,
submergera ses rives,
8 se répandra en inondation,
débordera sur Juda
et lui montera jusqu'au cou.
Il étendra au loin ses rives
sur toute la largeur
de ton pays, Emmanuel[x]. »

Les vains projets des peuples

9 Peuples, vous avez beau faire alliance[y],
c'est la terreur qui vous attend.
Soyez attentifs,
vous les pays lointains :
Vous pouvez bien vous armer,
la terreur vous attend.
Oui, vous pouvez bien vous armer,
la terreur vous attend.
10 Faites donc des projets,
ils tomberont en miettes.

---

t **7.19** *points d'eau* : autre traduction *pâturages*.

u **7.20** *tête rasée* : voir la note sur 3.17. – *barbe coupée* : marque considérée comme déshonorante (2 Sam 10.4-5).

v **7.25** Autre traduction *on n'y craindra pas les épines et les ronces*.

w **8.6** Le *canal de Siloé* amenait jusqu'à l'intérieur de la ville les eaux de la source du Guihon. Il assurait l'alimentation de Jérusalem en eau, même pendant les sièges. – *il perd courage* : le sens du terme ainsi traduit est discuté. Selon certains il faudrait comprendre *il se réjouit*. Dans ce cas, il faudrait admettre que la population de Jérusalem, devenue hostile au roi Ahaz, descendant de David, souhaitait la victoire de Ressin et de Péca (voir 7.1,5,6).

x **8.8** Voir 7.14 ; 8.10.

y **8.9** *faire alliance* : la traduction du terme hébreu correspondant est discutée ; autres interprétations *pousser des cris de guerre* ou encore *trembler*.

Palabrez tant que vous voudrez,
vos plans ne verront pas le jour,
car il y a Emmanuel,
“Dieu avec nous”[z].

Un rocher contre lequel on bute

11 Le Seigneur me saisit et m'avertit de
ne pas imiter le comportement de ce peuple. Voici ce qu'il me déclara :

12 « N'imitez pas ces gens
quand ils parlent
de menaces contre l'ordre établi,
n'ayez pas peur
de ce qui leur fait peur,
ne le redoutez pas. »
13 C'est le Seigneur de l'univers
qu'il faut reconnaître comme Dieu ;
c'est de lui qu'il faut avoir peur,
c'est lui qu'il faut redouter[a].
14-15 Pour les deux familles d'Israël
il peut être un refuge, mais aussi
la pierre sur laquelle on bute,
le rocher qui fait tomber[b].

Beaucoup s'y heurteront
et, dans leur chute,
se casseront les reins.
Il peut être un piège où se prendront
les habitants de Jérusalem.
Beaucoup s'y empêtreront les pieds
et ne pourront se dégager.

Une période de silence et d'attente

16 Je place mon message à l'abri, je mets
sous clé[c] les instructions que j'ai à transmettre ; je ne les confie qu'à mes *disciples. 17 J'attends le Seigneur. Pour
l'instant, il se détourne des descendants
de Jacob, mais je compte patiemment sur
lui. 18 Moi-même et les enfants que le Seigneur m'a donnés, nous servons de signes et de présages en Israël au nom du
Seigneur de l'univers, qui a sa demeure
sur le mont *Sion[d].

19 Certains déclarent : « Consultez les
esprits des morts, qui chuchotent et mur-
murent en prédisant l'avenir. Il est normal, disent-ils, qu'un peuple consulte
ceux qui sont ses dieux, qu'il s'adresse
aux morts en faveur des vivants[e]. » Si l'on
vous dit cela, 20 vous répondrez : « C'est
aux instructions et aux messages du Seigneur qu'il faut revenir. » Celui qui
n'adoptera pas ce mot d'ordre ne verra
pas l'aurore[f].

Une obscurité oppressante

21 On passe dans le pays[g],
accablé, l'estomac vide.
Exaspéré par la faim,
on en vient à maudire
et son roi et son Dieu.
On se tourne vers le ciel,
22 puis on regarde la terre,
et l'on ne voit que détresse,
obscurité, sombre oppression,
nuit sans la moindre lueur[h].
23 Celui que cette nuit étreint
ne peut s'en échapper[i].

Un enfant nous est né

Dans le temps passé,
le Seigneur a déshonoré
la région de Zabulon
et celle de Neftali.
Mais dans l'avenir,
il mettra à l'honneur
la route qui longe la mer,

---

z **8.10** Voir 7.14 ; 8.8.

a **8.13** Pour l'ensemble des v. 12-13 comparer Matt 10.28 ; Luc 12.4-5 ; 1 Pi 3.14-15.

b **8.14-15** *un refuge* : pour exprimer cette idée l'hébreu emploie l'image *un sanctuaire*. – *un rocher qui fait tomber* : 1 Pi 2.8.

c **8.16** *Je place à l'abri* (ou *J'enferme dans un linge*)... *je mets sous clé* (ou *je pose les scellés sur*) : certains interprètent ces verbes comme un ordre *mets à l'abri... mets sous clé*.

d **8.18** V. 17-18 : voir Hébr 2.13.

e **8.19** Comparer Lév 19.31 et la note.

f **8.20** Voir 9.1. – Certains interprètent *Oui, c'est la seule chose à dire à celui qui ne sait pas comment conjurer le malheur*.

g **8.21** *dans le pays* : sens probable ; hébreu *en lui* / *en elle*.

h **8.22** *sans la moindre lueur* : d'après l'ancienne version grecque et comme en Amos 5.20 ; hébreu *repoussée*.

i **8.23** *Celui que cette nuit étreint... échapper* : d'autres interprètent *il n'y a (aura) pas (plus) d'obscurité pour le pays (?) qui est dans l'angoisse*, et rattachent cette phrase au passage suivant. Dans certaines éditions le verset 8.23 est numéroté 9.1. En conséquence 9.1-20 y est numéroté 9.2-21.

le pays à l'est du Jourdain
et la Galilée, district des étrangers[j].

9 [1]Le peuple qui marche dans la nuit
voit une grande lumière.
Sur ceux qui vivent
au pays des ténèbres,
une lumière se met à luire.
2 Seigneur, tu fais grandir la nation,
tu rends sa joie immense.
On se réjouit en ta présence
comme on se réjouit à la moisson,
comme on crie de joie
en partageant le butin.

3 Ainsi que tu le fis autrefois,
quand tu mis les Madianites en déroute[k],
tu brises aujourd'hui
le *joug de l'oppression
qui pèse sur ton peuple,
la barre qui écrase ses épaules,
le gourdin dont on le frappe.
4 Et toute botte ennemie martelant le sol,
tout manteau roulé taché de sang[l]
s'enflamment
et deviennent la proie du feu.
5 Car un enfant nous est né,
un fils nous est donné.
Dieu lui a confié l'autorité.
On lui donne ces titres :
Conseiller merveilleux,
Dieu fort, Père pour toujours,
Prince de la paix.
6 Il doit étendre son autorité
et assurer une paix sans fin.
Il occupera le siège royal de David
et régnera sur son empire,
pour l'affermir et le maintenir
en établissant le droit
et l'ordre de Dieu,
dès à présent et pour toujours[m].
Voilà ce que fera le Seigneur de l'univers
dans son ardent amour.

Le poing menaçant du Seigneur

(Voir 5.25)

7 Le Seigneur a lancé une parole
contre les descendants de Jacob,
elle est tombée
sur le royaume d'Israël[n].
8 Tout le monde est au courant,
tout le royaume d'Éfraïm
et la population de Samarie[o].
Le cœur gonflé d'orgueil,
ces gens disaient :
9 « Les murs de briques sont tombés,
mais nous les rebâtirons
en pierres de taille !
Les poutres en bois de sycomore
ont été abattues,
mais nous les remplacerons
par des poutres de cèdre ! »
10 Alors, contre Israël, le Seigneur
a donné l'avantage
aux ennemis de Ressin[p] ;
il a excité leurs adversaires,
11 les Syriens par-devant,
les Philistins par-derrière.
Et ceux-ci ont dévoré
Israël à belles dents.
Mais la colère du Seigneur
ne cesse pas pour autant,
et son poing reste menaçant.

12 Ainsi Dieu a frappé son peuple.
Malgré cela Israël
n'est pas revenu à son Dieu,
il ne s'est pas tourné
vers le Seigneur de l'univers.
13 Alors, en un seul jour,
le Seigneur a tranché dans le vif
du haut en bas d'Israël,
14 fauchant les conseillers,
les dignitaires – c'est le haut –
et les faux *prophètes – le bas –.

---

j 8.23 *Zabulon, Neftali* : deux tribus israélites, installées à l'ouest du lac de Génésareth et du haut Jourdain. Leur territoire avait été annexé par les Assyriens entre les années 734 et 732 avant J.-C., ainsi que *le pays à l'est du Jourdain* et *la Galilée*. – *la route qui longe la mer* reliait l'Égypte à la Syrie, le long de la côte palestinienne. – Sur les v. 8.23 et 9.1 voir Matt 4.15-16 ; Luc 1.79.

k 9.3 Allusion à la victoire de Gédéon (Jug 6–7).

l 9.4 *bottes* et *manteau roulé* faisaient partie de l'équipement du soldat assyrien.

m 9.6 *Il a mission d'étendre son autorité* : hébreu peu clair, traduction incertaine. – V. 6 : voir Luc 1.32-33.

n 9.7 *le royaume d'Israël* ou royaume du Nord était séparé du royaume de Juda depuis environ 200 ans (voir 1 Rois 12).

o 9.8 *Éfraïm* : voir 7.2 et la note. – *Samarie* : capitale du royaume d'Israël au temps d'Ésaïe.

p 9.10 C'est-à-dire aux Assyriens, d'après 2 Rois 16.8-9. – *Ressin* : voir 7.1.

15 Les dirigeants ont égaré ce peuple,
et ceux qu'ils dirigeaient
ont pris le mauvais chemin[q].
16 C'est pourquoi le Seigneur
n'épargne pas[r] leurs jeunes gens,
il reste sans pitié
pour leurs orphelins et leurs veuves.
Car ce sont tous des infidèles,
des gens qui font le mal ;
tout ce qu'ils disent est infâme.
Mais la colère du Seigneur
ne cesse pas pour autant,
et son poing reste menaçant.

17 Oui, la méchanceté flambe
comme un feu d'épines et de ronces,
qui communique l'incendie
aux fourrés de la forêt,
et fait monter vers le ciel
des tourbillons de fumée.
18 Sous l'effet de la colère
du Seigneur de l'univers,
le pays est en flammes[s] ;
on dirait que son peuple
devient la proie du feu.
Personne n'épargne son prochain :
19 on taille un morceau à droite,
sans cesser d'avoir faim ;
on en dévore un autre à gauche,
sans pouvoir se rassasier.
Chacun s'attaque à son prochain[t] :
20 la tribu de Manassé
s'en prend à celle d'Éfraïm,
celle-ci à Manassé,
et tous deux ensemble à Juda.
Mais la colère du Seigneur
ne cesse pas pour autant,
et son poing reste menaçant.

Ceux qui provoquent la colère du Seigneur

(Voir 5.8-24)

10 1 Quel malheur de voir ces gens
qui prennent des décrets injustes
et s'empressent d'enregistrer
des lois qui causent la misère !
2 Ils écartent ainsi
la revendication des faibles,
et privent de leurs droits
les pauvres de mon peuple.
Ils font des veuves leur proie
et dépouillent les orphelins.
3 Quand le Seigneur interviendra,
quand l'orage accourra de loin,
que ferez-vous alors ?
Chez qui fuirez-vous
pour chercher du secours ?
Et où irez-vous
déposer vos richesses ?
4 Vous n'aurez plus qu'à vous courber
parmi les prisonniers,
ou à tomber à terre parmi les morts.
Mais la colère du Seigneur
ne cesse pas pour autant,
et son poing reste menaçant[u].

L'Assyrie a dépassé les bornes

5 Quel malheur de voir l'Assyrie[v],
l'instrument de ma colère,
dit le Seigneur.
C'est elle qui tient le gourdin
par lequel je montre ma fureur.
6 Je l'ai envoyée
contre une nation d'infidèles.
Je lui ai donné mission
de s'attaquer au peuple
qui cause mon indignation,
de le mettre au pillage
et de ramasser du butin,
de le piétiner comme boue dans la rue.
7 Mais ce n'est pas cela
qu'imagine l'Assyrie ;
elle a une autre idée :
elle ne pense qu'à détruire
et à éliminer le plus de nations possible.
8 Elle dit : « N'est-il pas vrai
que les chefs de mes armées
valent autant de rois ?

---

q **9.15** *ont pris le mauvais chemin* : certains interprètent *ont été engloutis*.

r **9.16** *n'épargne pas* : sens probable appuyé par le principal manuscrit d'Ésaïe trouvé à Qumrân ; texte traditionnel *ne se réjouit pas*.

s **9.18** *est en flammes* : le sens exact du verbe hébreu correspondant est incertain ; il est interprété ici d'après les anciennes versions grecque et araméenne ; d'autres versions anciennes ont compris *est ébranlé* ou *est dévasté*.

t **9.19** Selon l'interprétation des anciennes versions grecque et araméenne ; hébreu *chacun dévore la chair de son bras*.

u **10.4** Voir 5.25 ; 9.11,16,20.

v **10.5** *l'Assyrie* : voir 14.24-27 ; 30.27-33 ; 37.22-35 ; Ézék 32.22-23 ; Nah 1–3 ; Soph 2.13-15.

9 N'est-il pas vrai que la ville de Kalné
a eu le sort de Karkémich ?
que j'ai traité Hamath
comme j'avais traité Arpad,
et Samarie comme Damas[w] ?
10 J'ai su mettre la main
sur des royaumes dont les dieux
surpassent les divinités
de Jérusalem ou Samarie.
11 Le traitement que j'ai infligé
à Samarie et à ses dieux,
je l'infligerai de même
à Jérusalem et à ses dieux.
N'en suis-je pas capable ? »

12 Quand le Seigneur aura terminé tout
son travail sur le mont *Sion et à Jérusalem, il interviendra[x] contre le roi d'Assyrie, contre son cœur gonflé d'orgueil et
son regard insolent. 13 Celui-ci a déclaré
en effet :
« Tout ce que j'ai fait,
je le dois à ma force
et à mon savoir-faire,
car je suis le plus malin.
J'ai fait disparaître
les frontières des peuples,
pillé leurs réserves,
et jeté les rois au bas de leur trône[y].
14 Comme on met la main sur un nid,
j'ai pris les richesses des peuples.
Comme on ramasse
des œufs abandonnés,
j'ai tout raflé sur la terre,
et il ne s'est trouvé personne
pour oser battre des ailes,
ouvrir le bec ou piper mot. »

15 Est-ce que la hache a de quoi se vanter
plutôt que celui qui s'en sert ?
Est-ce que la scie fait la fière
devant celui qui la manie ?
C'est comme si le bâton
maniait celui qui le brandit !
ou comme si le gourdin
brandissait celui qui s'en sert[z] !

16 C'est pourquoi le Maître suprême,
le Seigneur de l'univers,
fera perdre leur graisse
aux riches régions de l'Assyrie[a].
Sous leur splendeur apparente,
le feu se propagera
comme un incendie.
17 Le Seigneur, lumière d'Israël,
deviendra un feu ;
l'unique vrai Dieu
deviendra la flamme
qui allumera épines et ronces,
et les consumera en un jour,
18 anéantissant de fond en comble
forêts splendides et vergers.
On croira voir un homme
miné par la maladie.
19 Il restera si peu d'arbres
dans la forêt d'Assyrie,
qu'un gamin pourra les compter.

Les survivants d'Israël

20 Ce jour-là, les survivants d'Israël, les
rescapés du peuple de Jacob, cesseront de
chercher leur appui auprès de celui qui
les frappait. Mais ils chercheront secours
pour de bon auprès du Seigneur, l'unique
vrai Dieu, le Dieu d'Israël. 21 Un reste reviendra ; oui, un reste d'Israël se tournera
vers le Dieu fort[b]. 22 Cependant, Israël,
même si ta population était aussi nombreuse que les grains de sable au bord de
la mer, c'est un reste seulement qui reviendra au Seigneur. La destruction est
décidée, la justice suivra son cours.
23 Oui, le Seigneur, le Dieu de l'univers,
accomplira sur toute la terre la destruction qu'il a décidée[c].

N'ayez pas peur de l'Assyrie

24 C'est pourquoi voici ce que déclare le
Seigneur, Dieu de l'univers : « Mon peu-

---

w **10.9** L'ordre dans lequel ces villes sont énumérées suggère l'avance irrésistible des armées assyriennes vers Jérusalem.

x **10.12** *il interviendra* : d'après l'ancienne version grecque ; hébreu *j'interviendrai*.

y **10.13** Le sens de la fin du v. 13 est très incertain, les versions anciennes et modernes varient beaucoup dans l'interprétation.

z **10.15** *celui qui s'en sert* ou *celui qui n'est pas de bois*.

a **10.16** *aux riches régions de l'Assyrie* ou *à ses riches régions* ; de même au v. 19 : *la forêt d'Assyrie* ou *sa forêt*. Certains pensent ainsi que les v. 16-19 concernent Israël et non l'Assyrie.

b **10.21** *Un reste reviendra* : voir la note sur 7.3. – *Dieu fort* : voir 9.5.

c **10.23** Les v. 22 et 23 sont cités de manière assez libre en Rom 9.27.

ple, toi qui habites à *Sion, n'aie pas peur
de l'Assyrie, qui te frappe à coups de bâton, levant son gourdin sur toi à la manière des Égyptiens d'autrefois[d]. 25 Car,
d'ici très peu de temps, mon indignation
sera passée, ma colère complètement finie[e]. » 26 Le Seigneur de l'univers, en effet, brandira son fouet pour frapper
l'Assyrie, comme il l'a fait contre les Madianites au rocher d'Oreb ; il lèvera son
bâton, comme il le fit sur la mer contre
l'Égypte[f].

27 Ce jour-là,
il soulagera ton épaule
de la charge qui l'écrasait,
et ton cou du *joug qui pesait sur lui[g].

L'ennemi approche de Jérusalem

L'ennemi monte à Samarie[h],
28 il arrive près d'Ayath,
il passe à Migron
et laisse ses bagages à Mikmas[i].
29 Il franchit le défilé[j] :
« Campons à Guéba », dit-il.
A Rama on tremble de peur.
On prend la fuite à Guibéa,
la ville de Saül.
30 Gens de Gallim, donnez l'alarme.
Reste à l'écoute, Laïcha.
Réponds, Anatoth[k].
31 Madména se sauve,
les habitants de Guébim
se mettent à l'abri.
32 Ce même jour, l'ennemi
doit prendre position à Nob.
Il brandit le poing
pour menacer *Sion,
la colline de Jérusalem.

33 Le Maître suprême,
le Seigneur de l'univers,
fait tomber les branches à coups de serpe[l] ;
les plus hauts arbres sont abattus,
les plus élevés jetés bas.
34 Les taillis de la forêt
tombent sous les coups de hache,
les cèdres prestigieux du Liban[m]
sont à terre.

Un nouveau David

11 1 Un rameau sort du vieux tronc de Jessé[n],
un rejeton pousse de ses racines.
2 L'Esprit du Seigneur est sans cesse avec lui,
l'Esprit qui donne sagesse et discernement,
aptitude à décider et vaillance,
l'Esprit qui fait connaître le Seigneur
et enseigne à l'honorer.
3 Honorer le Seigneur sera tout son plaisir[o].
Il ne jugera pas selon les apparences,
il ne décidera rien d'après des racontars.
4 Mais il rendra justice aux défavorisés,
il sera juste pour les pauvres du pays.

---

d **10.24** Allusion aux dures conditions de vie imposées aux Israélites en Égypte ; voir Ex 1.

e **10.25** *mon indignation* (contre toi) : d'après l'ancienne version syriaque ; hébreu *l'indignation*. – *sera complètement finie* : interprétation probable du texte proposé par quelques manuscrits ; autre texte *aboutira à leur anéantissement* (les derniers mots du v. 25 concerneraient alors les Assyriens).

f **10.26** Défaite des *Madianites au rocher d'Oreb* (ou *du Corbeau*), à ne pas confondre avec le rocher mentionné en Ex 17.6 : voir Jug 7.23-25 ; comparer És 9.3 et la note. – *bâton levé sur la mer* : voir Ex 14.15-27.

g **10.27** Sur l'ensemble du verset comparer 9.3.

h **10.27** Dans le texte hébreu traditionnel la fin du v. 27 présente les plus grandes difficultés. La traduction proposée ici repose sur une hypothèse.

i **10.28** *Ayath* : à 16 km environ au nord de Jérusalem. Les localités mentionnées dans la suite sont de plus en plus proches de Jérusalem. L'itinéraire ainsi jalonné n'est pas direct, mais permet d'éviter les défenses avancées de Jérusalem. L'invasion décrite ici est vraisemblablement celle de 734 avant J.-C., à laquelle Ésaïe a déjà fait allusion, notamment en 7.1-9 ; voir la note sur 7.6.

j **10.29** *le défilé* ou *le passage* : le même que celui employé jadis par Jonatan d'après 1 Sam 14.4.

k **10.30** *Réponds* : d'après l'ancienne version syriaque ; hébreu *Malheureuse Anatoth !* – *Anatoth* : 1 Rois 2.26 ; Jér 1.1.

l **10.33** *à coups de serpe* : autre traduction *avec violence*.

m **10.34** *les cèdres prestigieux du Liban* ou *le Liban et ses (cèdres) prestigieux* : d'après l'ancienne version grecque ; hébreu *le Liban avec* (ou *par*) *un prestigieux* (ou *un puissant*). – *Le Liban* : chaîne montagneuse au nord de la Palestine, célèbre par ses forêts de cèdres ; voir 37.24.

n **11.1** *Jessé* : père de David (1 Sam 16.18-19) ; voir Apoc 5.5 ; 22.16.

o **11.3** Texte hébreu obscur, traduction incertaine.

Sa parole, comme un bâton, frappera le pays,
sa sentence fera mourir le méchant[p].
La justice et la fidélité
seront pour lui comme la ceinture
qu'on porte toujours autour des reins[q].
Alors le loup séjournera avec l'agneau,
la panthère aura son gîte avec le chevreau.
Le veau et le lionceau se nourriront[r] ensemble,
et un petit garçon les conduira.
La vache et l'ourse se lieront d'amitié[s],
leurs petits seront couchés côte à côte.
Le lion comme le bœuf mangera du fourrage.
Le nourrisson jouera
sur le nid du serpent,
et le petit garçon pourra mettre la main
dans la cachette de la vipère.
On ne commettra ni mal ni dommage
sur toute la montagne consacrée au Seigneur,
car la connaissance du Seigneur
remplira le pays aussi parfaitement
que les eaux recouvrent le fond des mers[t].
Ce jour-là, le descendant de Jessé
sera comme un signal dressé
pour les peuples du monde.
Les nations viendront le consulter[u].
Et du lieu où il s'établira
rayonnera la glorieuse présence de Dieu.

Le retour des exilés

Ce jour-là, une fois encore[v],
le Seigneur agira
pour racheter le reste de son peuple,
ceux qui auront survécu
en Assyrie, en Basse-Égypte,
en Haute-Égypte, au Soudan,
en Élam, en Babylonie,
à Hamath-en-Syrie
et dans les régions maritimes.
Il dressera un signal
pour avertir ces nations
qu'il va rassembler les exilés d'Israël
et regrouper les Judéens
dispersés aux quatre coins du monde.
Alors cessera
la jalousie d'Éfraïm à l'égard de Juda,
et il ne sera plus question
de l'hostilité de Juda envers Éfraïm[w].

14 Vers l'ouest, ils fonceront ensemble
sur les collines de Philistie,
vers l'est, ils iront piller
les tribus du désert :
ils étendront leur pouvoir
sur Édom et sur Moab,
et les Ammonites leur seront soumis[x].
15 Le Seigneur asséchera
le golfe d'Égypte.
Il menacera l'Euphrate
d'un geste de la main ;
par la puissance de son souffle,
il le réduira en sept ruisseaux
que l'on pourra passer à pied sec[y].
16 Il y aura une route
pour le reste de son peuple,
qui aura survécu en Assyrie,
comme il y en eut une jadis
pour Israël, quand il quitta l'Égypte.

Louange au Dieu sauveur

12 1 Peuple libéré, tu diras ce jour-là :
« Seigneur, je veux te louer ;
j'avais mérité ta colère,
mais tu ne m'en veux plus,
tu m'as réconforté.

2 Voici le Dieu qui m'a sauvé ;
je me sens en sécurité, je n'ai plus peur.
Ma grande force, c'est le Seigneur ;
il est mon sauveur[z]. »

---

p **11.4** Voir Ps 72.4 ; 2 Thess 2.8.
q **11.5** Voir Éph 6.14.
r **11.6** *se nourriront* : d'après l'ancienne version grecque ; hébreu *...et la bête à l'engrais seront...*
s **11.7** *se lieront d'amitié* : autre traduction *paîtront*.
t **11.9** V. 6-9 : voir 65.25. – V. 9 : voir Hab 2.14.
u **11.10** Voir Rom 15.12.
v **11.11** *une fois encore* : allusion indirecte à la « première fois », c'est-à-dire à la sortie d'Égypte.
w **11.13** Le nom d'*Éfraïm* (voir 7.2 et la note) sert souvent dans l'AT à désigner l'ensemble du royaume d'Israël ou royaume du Nord. – *de l'hostilité* : autre traduction *des ennemis*.
x **11.14** *Édom, Moab, Ammon* : ces peuples, voisins d'Israël, avaient été soumis par David (voir 2 Sam 8.12).
y **11.15** *asséchera* : d'après quatre versions anciennes ; hébreu *exterminera*. – *le golfe d'Égypte* : probablement le golfe de Suez. – *la puissance de son souffle* : ainsi ont compris les anciennes versions grecque et syriaque ; hébreu obscur ; allusion à Ex 14.21 ; 15.8. – *à pied sec* ou *chaussé de sandales* : voir Ex 14.22,29 ; Apoc 16.12.
z **12.2** *le Dieu qui me sauve, mon sauveur* (v. 2), *salut* (v. 3) : allusion possible au nom d'Ésaïe, qui signifie *le Seigneur sauve*. – *ma force* : voir Ex 15.2 ; Ps 118.14.

3 Avec joie vous puiserez
aux sources du salut.

4 Ce jour-là, vous direz :
« Louez le Seigneur,
dites bien haut qui est Dieu,
annoncez à tout le monde
quels sont ses exploits,
rappelez à tous
quel grand nom est le sien.
5 Célébrez le Seigneur par vos chants,
car il a fait de grandes choses.
Qu'on les fasse connaître
dans le monde entier ! »
6 Population de *Sion,
manifeste ta joie,
pousse des cris d'enthousiasme,
car il est grand,
celui qui est chez toi,
l'unique vrai Dieu, le Dieu d'Israël.

La fin de Babylone

13 [1] Message qu'Ésaïe, fils d'Amots
reçut du Seigneur ; il est intitulé
"*Babylone"[a] :
2 « Sur une montagne dénudée,
dressez un signal, dit le Seigneur.
Avertissez à grands cris les guerriers.
Faites-leur signe de la main,
qu'ils entrent
par les portes des volontaires[b] !
3 Je commande moi-même
aux hommes qui me sont consacrés,
j'ai convoqué mes soldats d'élite,
les joyeux champions de mon honneur,
pour manifester ma colère. »

4 Écoutez ce bruit sur les montagnes :
on dirait une foule immense.
Écoutez ce grondement de royaumes,
de nations rassemblées.
Le Seigneur de l'univers
passe en revue l'armée qui va combattre.
5 Ils arrivent d'un pays lointain,
du bout de l'horizon,
pour dévaster tout le pays :
c'est le Seigneur et ceux dont il se sert
pour manifester sa fureur.
6 Entonnez une complainte,
car le jour du Seigneur n'est pas loin
il vient comme un désastre,
envoyé par le Dieu très-grand[c].
7 C'est pourquoi
tous les bras sont inertes,
les hommes perdent courage.
8 Les voilà démoralisés,
saisis de douleurs et de crampes,
se tordant de souffrance
comme une femme au moment d'accoucher.
Ils se tournent stupéfaits l'un vers l'autre,
leur visage est brûlant d'émotion.

9 Voici venir le jour du Seigneur,
jour de colère impitoyable
et d'ardente indignation.
Il va réduire le pays
en un désert sinistre,
et en exterminer les coupables.
10 Les étoiles dans le ciel
et les constellations
cessent de scintiller.
Le soleil, dès qu'il se lève, est obscurci,
et la lune ne répand plus sa clarté[d].
11 « J'interviendrai, dit le Seigneur,
contre la méchanceté du monde,
contre les crimes des méchants.
Je mettrai fin à l'orgueil des insolent
et je rabattrai la fierté des tyrans.
12 Je rendrai les humains
plus rares que l'or fin,
plus rares que l'or d'Ofir[e]. »

13 Le ciel sera ébranlé[f],
la terre sursautera sur place,
sous l'effet de la colère
du Seigneur de l'univers,

---

a **13.1** Sur *Babylone* : voir 21.1-10 ; 47.1-15 ; Jér 50–51 ; Apoc 17–18.

b **13.2** *les portes des volontaires* : certains pensent que ces *volontaires* (comparer Jug 5.2,9) signifiaient leur engagement en franchissant une porte ou une entrée du camp désignée à cet effet.

c **13.6** Comparer Joël 1.15.

d **13.10** Comparer Ézék 32.7 ; Matt 24.29 ; Marc 13.24-25 ; Luc 21.25 ; Apoc 6.12-13 ; 8.12.

e **13.12** Voir 1 Rois 9.28 et la note.

f **13.13** *sera ébranlé* : d'après l'ancienne version grecque ; hébreu *j'ébranlerai*.

le jour où éclatera
son ardente indignation.
14 Alors on croira voir
des gazelles effarouchées
ou des moutons sans surveillance :
chacun rejoindra son peuple,
chacun regagnera son pays.
15 Le premier qu'on trouvera
sera criblé de flèches,
et quiconque sera pris
tombera sous les coups d'épée.
16 Ils verront leurs enfants écrasés,
leurs maisons pillées,
leurs femmes violées.

17 « Je vais leur susciter
des ennemis, les Mèdes,
ces gens indifférents à l'argent
et qui font fi de l'or, dit le Seigneur.
18 Leurs flèches abattent les jeunes gens ;
ils n'épargnent pas les nouveau-nés,
ils sont sans pitié pour les enfants. »

19 Babylone, joyau de l'empire,
fière parure des Babyloniens,
subira le bouleversement
que Dieu a infligé jadis
à Sodome et à Gomorrhe[g].
20 Pour toujours Babylone
restera dépeuplée,
de siècle en siècle inhabitée.
Même les nomades
n'y dresseront pas leur tente,
même les *bergers
n'y feront pas de halte.
21 Mais les chats sauvages
y auront leur gîte,
et les hiboux
hanteront ses maisons.
Les autruches y feront leur demeure
et les boucs y danseront[h].
22 Les hyènes trouveront un abri[i]
dans les châteaux de la ville,
et les chacals
dans ses palais d'agrément.
Le moment est proche, il arrive,
Babylone n'aura pas
un seul jour de sursis.

Le retour des exilés

14 1 Oui, le Seigneur montrera qu'il
aime les descendants de Jacob, il
montrera encore qu'il a choisi Israël. Il
réinstallera les siens sur leur territoire,
les immigrés se joindront à eux et s'asso-
cieront au peuple de Jacob.
2 Les peuples étrangers devront se charger de ramener Israël dans sa patrie. Et là,
sur le sol qui appartient au Seigneur, Israël
prendra possession d'eux comme esclaves,
hommes et femmes. Il gardera prisonniers
ceux qui l'avaient fait prisonnier, il sera le
maître de ceux qui le dominaient.

La fin du roi de Babylone

3 Israël, quand le Seigneur t'aura rendu
la tranquillité après tant de souffrances et
de tourments, après le dur esclavage auquel tu as été soumis, 4 tu entonneras ce
chant satirique sur le roi de *Babylone :
Comment est-ce possible ?
C'est la fin du dictateur,
la fin de l'oppression !
5 Le Seigneur a brisé
le pouvoir féroce, le bâton de tyran,
6 qui portait aux peuples
des coups furieux et incessants,
domptait rageusement les nations
et les persécutait
sans la moindre retenue.
7 La terre tout entière
a enfin trouvé le calme,
on éclate en cris de joie.
8 Les arbres aussi se réjouissent
de la fin du tyran.
Les cyprès lui disent,
avec les cèdres du Liban :
« Depuis que tu es dans la tombe,
on ne monte plus nous abattre. »

9 En bas, dans le monde des morts,
on s'agite à cause de toi, tyran,
en prévision de ta venue.
Pour toi on réveille les ombres,
tous ceux qui avaient été
de grands chefs sur la terre ;
on fait lever de leur trône
tous les rois des nations.

---

g **13.19** Voir 1.7 et la note.
h **13.21** *les chats sauvages* ou *les démons*. – *les boucs* ou *les démons du désert*. – Comparer 34.14 ; Soph 2.14 ; Apoc 18.2.
i **13.22** *trouveront un abri* : autres traductions *(se) répondront* ou *hurleront*.

10 Ils prennent tous la parole
et te disent :
« Toi aussi, te voilà sans force,
dans le même état que nous ! »
11 Ton luxe a été jeté
au fond du monde des morts,
au son de tes harpes.
Ton matelas, c'est la pourriture,
et ta couverture, la vermine.

12 Comment est-ce possible ?
Te voilà tombé du haut du ciel,
toi l'astre brillant du matin[j] !
Te voilà jeté à terre,
toi le vainqueur des nations !
13 Tu te disais :
« Je monterai jusqu'au ciel,
je hisserai mon trône
plus haut que les étoiles de Dieu,
je siégerai sur la montagne
où les dieux tiennent leur conseil,
à l'extrême nord[k].
14 Je monterai au sommet des nuages,
je serai l'égal du Dieu très-haut. »
15 Mais c'est au monde des morts,
jusqu'au fond de la fosse,
que tu as dû descendre[l].
16 Ceux qui t'y voient venir
t'observent attentivement,
ils te regardent fixement :
« Est-ce bien ça, demandent-ils,
l'homme qui faisait trembler la terre,
mettait à mal les royaumes,
17 changeait le monde en désert,
rasait les villes et refusait
de libérer ses prisonniers ? »

18 Tous les rois des nations, oui tous
ont l'honneur de reposer
chacun dans son tombeau.
19 Mais toi, tu es jeté dehors,
on t'a privé de tombe,
comme un enfant mort-né[m]
qui fait horreur,
comme un cadavre piétiné.
Tu es couvert de tués,
de gens massacrés.
Ils sont descendus jusqu'aux dalles
qui pavent le fond de la fosse,
20 mais tu ne les rejoindras pas
au cimetière,
car tu as ruiné ton pays,
tu as saigné ton peuple.
Plus jamais on ne prononcera
le nom de ta race criminelle.

21 Préparez le massacre des fils
pour les crimes de leurs pères,
de peur qu'ils ne se relèvent
pour reconquérir la terre
et la couvrir de villes.

22 « Je me dresserai contre les Babyloniens, déclare le Seigneur de l'univers, j
supprimerai le nom de Babylone, e
toute trace d'elle, toute descendance
23 Je ferai d'elle un marécage, le domain
des butors[n]. Je l'éliminerai à grand
coups de balai, déclare le Seigneur d
l'univers. »

La fin de toutes les oppressions

24 Le Seigneur de l'univers
a fait ce serment :
« Je le jure, ce que j'ai prévu,
c'est ce qui arrivera ;
ce que j'ai décidé,
voilà ce qui se produira !
25 Je briserai la puissance assyrienne
dans mon propre pays ;
sur mes montagnes je la piétinerai.
Elle imposait aux miens
le *joug de sa domination,
je la ferai disparaître[o].
Elle avait chargé leurs épaules
d'un fardeau pesant,
je les en débarrasserai. »
26 Telle est la décision
que le Seigneur a prise
pour toute la terre,
et la menace qu'il adresse[p]
à toutes les nations.

---

j **14.12** Comparer Apoc 8.10 ; 9.1.

k **14.13** *où les dieux tiennent leur conseil, à l'extrême nord* : le texte hébreu fait allusion ici à la mythologie cananéenne, selon laquelle les dieux tenaient conseil sur une montagne de l'extrême nord, pour décider du sort du monde ; comparer Ps 48.3 et la note.

l **14.15** V. 13-15 : comparer Matt 11.23 ; Luc 10.15.

m **14.19** *on t'a privé de tombe* : voir Jér 8.1-2 ; 22.19 ; 36.30. – *comme un enfant mort-né* : d'après plusieurs versions anciennes ; hébreu *comme un rejeton.*

n **14.23** *butor* : genre de héron ; autre traduction *des hérissons.*

o **14.25** Voir 10.5-34 et la note sur 10.5.

p **14.26** *la menace qu'il adresse* : voir v. 27 ; 5.25 ; 9.11,16,20 ; 10.4.

27 Quand le Seigneur de l'univers
a pris une décision,
qui pourrait la faire échouer ?
Quand il menace du poing,
qui pourrait l'en détourner ?

Avertissement aux Philistins

28 Ce message date de l'année où mou-
ut le roi Ahaz[q].
29 Vous tous, Philistins[r],
le bâton qui vous frappait
a beau être brisé,
ne vous en réjouissez pas.
Car du cadavre du serpent
naîtra un autre serpent
plus dangereux encore,
et de son œuf sortira
un dragon volant.
30 Les plus misérables seront alors
comme un troupeau au pâturage,
les malheureux auront enfin
repos et sécurité.
Mais toi, Philistie,
l'ennemi te fera dépérir[s]
jusqu'à la racine en t'affamant,
il massacrera tes survivants.
31 Vous, les villes fortifiées,
entonnez une complainte
et poussez des cris.
L'ensemble de la Philistie
a perdu tout courage :
un nuage de fumée
arrive en effet du nord[t].
Chez l'ennemi, personne
n'est absent au rassemblement.
32 Que faut-il répondre
aux envoyés des Philistins ?
– Ceci : le Seigneur lui-même
a fondé *Sion ;
c'est là que les pauvres de son peuple
trouveront un refuge sûr.

Complainte sur Moab

(Chap. 15-16 : voir Jér 48)

15 [1] Message intitulé “Moab”.
Un silence de mort plane
sur la ville d'Ar-en-Moab,
anéantie en une nuit.
Un silence de mort plane
sur Quir-en-Moab,
elle aussi anéantie en une nuit[u].

2 Les gens de la Maison et de Dibon
sont montés au lieu sacré
pour y pleurer ;
à Nébo et à Mèdeba,
Moab entonne des complaintes.
Toutes les têtes sont rasées
et toutes les barbes coupées[v].
3 Dans les rues des villes,
on porte l'habit de deuil ;
sur les terrasses des maisons
et sur les places publiques,
tous entonnent des complaintes,
tout le monde est en larmes[w].
4 A Hèchebon, à Élalé,
les gens appellent au secours,
on les entend jusqu'à Yahas.
C'est pour cela que Moab
a les reins qui fléchissent[x],
son moral est au plus bas.

5 J'appelle au secours pour Moab.
Ses fuyards courent jusqu'à Soar,
jusqu'à Églath-Selissia.
On gravit en pleurant
la montée de Louhith,

---

q **14.28** Mort du roi *Ahaz* : voir 2 Rois 16.20 ; 2 Chron 28.27. La date est discutée. Certains la fixent vers 716 avant J.-C. La seconde partie du v. 29 serait alors une sorte de tournure proverbiale suggérant que tout va de mal en pis (voir Amos 5.19). Selon d'autres Ahaz serait mort vers 727. La fin du v. 29 désignerait alors, sous une forme symbolique, les successeurs du roi assyrien Téglath Phalasar III, mort lui aussi vers cette époque.

r **14.29** Sur les *Philistins* voir Jér 47.1-7 ; Ézék 25.15-17 ; Joël 4.4-8 ; Amos 1.6-8 ; Soph 2.4-7 ; Zach 9.5-7.

s **14.30** *l'ennemi te fera dépérir* : d'après les anciennes versions grecque, araméenne et latine ; hébreu *je te ferai dépérir*.

t **14.31** *du nord* : voir Jér 1.14 et la note.

u **15.1** *Ar* et *Quir-en-Moab* : deux des principales villes moabites situées au sud de l'Arnon. La seconde est aussi nommée *Quir-Hérès* en Jér 48.31 (voir És 16.7). C'était probablement la capitale du royaume. – Sur les *Moabites* voir 25.10-12 ; Jér 48 ; Ézék 25.8-11 ; Amos 2.1-3 ; Soph 2.8-11.

v **15.2** *la Maison* : localité inconnue. Elle est peut-être mentionnée sur la stèle du roi Mécha. – *Dibon* semble avoir été la capitale religieuse de Moab. – *têtes rasées, barbes coupées* : signes de deuil ; voir Jér 48.37.

w **15.3** Voir Jér 48.38.

x **15.4** V. 4 : voir Jér 48.34. – *Hèchebon, Élalé* : villes de la frontière nord de Moab. – *Moab a les reins qui fléchissent* : avec d'autres voyelles le texte hébreu traditionnel a compris *les soldats de Moab poussent des cris de guerre*.

sur le chemin de Horonaïm,
on crie au désastre[y].
6 L'oasis de Nimrim est sinistrée[z],
les plantes sont desséchées,
l'herbe fraîche a disparu,
il n'y a plus de verdure.
7 Les quelques biens qui restaient,
ceux qu'on avait pu conserver,
on les emporte plus loin,
au-delà du torrent des Peupliers.
8 On perçoit des cris d'appel
sur tout le pourtour
du territoire de Moab.
Ses complaintes s'entendent
jusqu'à Églaïm,
jusqu'au puits d'Élim[a].

9 Le torrent qui passe à Dimon[b]
sera rouge de sang.
« J'apporte en effet à Dimon
un nouveau malheur, dit le Seigneur :
un lion qui s'attaquera
aux survivants de Moab,
aux rescapés du pays. »

Moab demande l'aide de Jérusalem

16 1 « Depuis la Roche-au-désert,
qu'on envoie le bélier
du maître du pays[c]
au roi de Juda, sur le mont *Sion ! »
2 Les femmes de Moab
se tiennent aux gués de l'Arnon[d]
comme des oiseaux errants
chassés loin de leur nid.

3 Les Moabites demandent à Jérusalem
« Donne-nous un conseil,
prends une décision.
En plein midi,
étends ta protection sur nous,
comme la nuit étend son ombre,
cache nos réfugiés,
ne trahis pas nos fugitifs.
4 Permets à nos réfugiés
de séjourner chez toi,
offre-leur un abri contre le destructeu
Quand l'oppression aura cessé,
quand la violence aura pris fin,
quand le ravageur
aura disparu du pays,
5 alors, grâce à ta bonté,
il y aura un trône solide et durable
pour le descendant de David.
Il siégera comme un juge,
préoccupé du droit
et passionné de justice. »

Jérusalem ne peut rien pour Moab

6 Nous avons entendu parler
de l'orgueil de Moab,
de son immense fierté,
de son arrogance,
de sa prétention sans mesure,
de sa vantardise sans raison.
7 Mais maintenant, les Moabites
se lamentent sur eux-mêmes,
tous entonnent une complainte
pour regretter les gâteaux de raisin
qu'on faisait à Quir-Hérès[e].
Frappés jusqu'au cœur,
ils jettent des cris plaintifs.

8 Les jardins en terrasse
sont dévastés à Hèchebon,
les vignes de Sibma dépérissent :
leurs grands vins enivraient
les maîtres des nations ;
elles s'étendaient jusqu'à Yazer
et s'égaraient dans le désert,
leurs sarments s'étiraient
jusqu'au-delà de la mer Morte[f].
9 Voilà pourquoi je pleure
avec les gens de Yazer
sur les vignes de Sibma.

---

y **15.5** *J'appelle* : voir la note sur Jér 48.31. – *jusqu'à Soar* : voir Jér 48.4 et la note ; 48.34. – *montée de Louhith, Horonaïm* : voir Jér 48.5.

z **15.6** *Nimrim* : voir Jér 48.34 et la note.

a **15.8** *Églaïm* : probablement au nord de la mer Morte. – *Élim* : à la frontière nord-est de Moab.

b **15.9** *Dimon* : localité inconnue ; certains l'identifient à *Dibon* (v. 2).

c **16.1** *la Roche-au-désert* : localité non identifiée ; peut-être au sud du territoire de Juda (voir Jug 1.36). – *le bélier du maître du pays* : probablement un cadeau symbolique adressé à Juda par le roi de Moab pour solliciter une faveur.

d **16.2** *l'Arnon* : ce torrent, qui se jette dans la mer Morte, a longtemps marqué la frontière nord de Moab.

e **16.7** *Quir-Hérès* : voir la note sur 15.1.

f **16.8** *Hèchebon* : voir 15.4 et la note. – *Sibma* : voir Jér 48.32 ; localité voisine de Hèchebon. – *Yazer* : au nord de Moab, à la frontière ammonite. – *le désert* : à l'est de Moab.

Je répands des torrents de larmes
pour vous, Hèchebon, Élalé :
un cri de guerre s'est abattu
sur vos vendanges et vos récoltes.
0 La joie bruyante
a disparu de vos vergers ;
dans vos vignes on n'entend plus
les cris de joie, les ovations.
Plus de vin dans les cuves,
plus d'ouvriers au pressoir,
plus de cris cadencés[g].
1 C'est pourquoi mon chant s'élève
avec émotion pour Moab,
comme un air de guitare.
J'ai le cœur serré pour Quir-Hérès[h].

2 On verra Moab s'essouffler
pour monter au lieu sacré,
pour se rendre à son temple
et supplier son dieu,
mais sans succès.

13 Voilà ce que le Seigneur a dit jadis au
ıjet de Moab. 14 Mais maintenant, le Sei-
ıeur déclare : « D'ici trois ans, jour pour
ur, ni l'élite de Moab ni ses masses po-
ılaires ne représenteront grand-chose.
e qui restera d'elles ne comptera guère :
ıe minorité insignifiante. »

Décadence des royaumes de Damas et d'Israël

17 1 Message intitulé "Damas"[i].
On ne comptera bientôt plus
Damas parmi les villes ;
il n'en restera qu'un tas de ruines.
Les villes qui en dépendent
seront abandonnées pour toujours[j],
livrées aux troupeaux
qui y feront halte sans être dérangés.
Le royaume d'Éfraïm[k]
sera privé de ses défenses,
et Damas de sa royauté.
Ce qui restera des Syriens
ne comptera pas plus que les Israélites.
Voilà ce que déclare
le Seigneur de l'univers.

Ce jour-là, Israël ne pèsera pas lourd,
il aura perdu son embonpoint.
On se croira à la moisson,
quand on a ramassé le blé
et recueilli des brassées d'épis.
Oui, on se croira
dans la vallée des Refaïtes[l],
quand on a récolté les épis.
6 Il ne restera d'Israël
que des bribes à recueillir,
comme lorsqu'on a fait tomber
les olives à coups de bâton :
deux ou trois fruits en haut de l'arbre
et quatre ou cinq sur ses branches.
Voilà ce que déclare
le Seigneur, le Dieu d'Israël.

7 Ce jour-là, l'homme tournera ses regards vers son Créateur, il lèvera les yeux
vers l'unique vrai Dieu, le Dieu d'Israël.
8 Il ne tournera plus les yeux vers les *autels qu'il a fabriqués, il ne regardera plus
aux idoles qu'il a façonnées de ses dix
doigts, ni aux poteaux sacrés, ni aux
brûle-parfums[m].

9 Ce jour-là, les villes fortifiées d'Israël seront abandonnées, comme furent
abandonnées jadis les villes des Hivites
et des *Amorites[n] à l'arrivée des Israélites. Il n'en restera qu'un désert sinistre.

10 Israël, tu as oublié
le Dieu qui t'avait sauvé,
tu ne te souviens pas
de ton Rocher fortifié.
La preuve : tu fais des plantations
pour le dieu charmeur[o]
et tu sèmes des graines

---

g **16.10** Voir Jér 48.33.

h **16.11** Voir Jér 48.36. – *guitare* : voir la note sur Ps 137.2. – *Quir-Hérès* : voir la note sur 15.1.

i **17.1** *Damas* : capitale du principal royaume araméen de Syrie ; voir 7.1-9. – Sur les Syriens voir Jér 49.23-27 ; Amos 1.3-5 ; Zach 9.1.

j **17.2** D'après les anciennes versions grecque et araméenne ; hébreu *les villes d'Aroër seront abandonnées* (mais comparer Jug 11.26).

k **17.3** *Éfraïm* : voir 11.13 et la note.

l **17.5** Vallée proche de Jérusalem.

m **17.8** *brûle-parfums* certains traduisent *emblèmes du soleil*.

n **17.9** *les villes des Hivites et Amorites* : d'après l'ancienne version grecque ; hébreu *les forêts et les sommets*.

o **17.10** *pour le dieu charmeur* : autre traduction *d'agrément*. Il s'agit peut-être des "jardins d'Adonis" (petites cultures en pots de plantes éphémères), pratique empruntée au culte de la fécondité.

en l'honneur de dieux étrangers.
11 Un jour,
tu fais pousser ce que tu as planté,
tu fais fleurir ce que tu as semé le matin.
Mais la récolte disparaît
quand vient le jour du malheur,
et le mal est sans remède.

Le grondement des peuples

12 Quel malheur, ce grondement
de peuples innombrables !
On croit entendre gronder
les océans furieux.
Et ce mugissement des nations !
On croit entendre mugir
les puissantes vagues en colère.
13 Le mugissement des nations
est pareil aux hurlements du grand océan[p].
Mais le Seigneur les menace
et elles s'enfuient au loin,
chassées comme des brins de paille
par le vent des montagnes,
comme des graines de chardon
emportées dans un tourbillon.
14 Vers le soir c'est la terreur,
avant même le matin
il n'en reste plus rien.
Voilà le destin
de ceux qui nous dépouillent,
voilà le sort
de ceux qui viennent nous piller.

Avertissement aux ambassadeurs éthiopiens

18 1 Ah, ce pays de barques ailées,
le long des fleuves d'Éthiopie[q] !
2 Il envoie des ambassadeurs
qui voyagent sur le Nil
dans des canots de papyrus.
Rapides messagers, repartez
chez ces gens de haute taille
à la peau luisante,
chez ce peuple qu'on redoute
d'ici jusqu'au bout du monde,
chez cette nation puissante
qui piétine ses ennemis.
Repartez dans votre pays
que partagent les fleuves.
3 Quant à vous, habitants du monde,
vous qui peuplez la terre,
regardez, quand on dressera
un signal sur les montagnes,
écoutez, quand retentira
le son saccadé du cor.
4 Car voici ce que le Seigneur m'a déclaré :
« Du haut de ma demeure,
j'observe ce qui se passe,
parfaitement immobile,
comme la chaleur
qui rayonne au grand soleil
ou les nuages de rosée[r]
au temps de la moisson. »
5 Or vers le temps de la moisson,
quand la vigne a fini de fleurir,
quand la fleur est devenue grappe
et que celle-ci mûrit,
on retranche à la serpe
les rameaux inutiles,
les gourmands et des feuilles.
6 Tout cela est abandonné
aux vautours des montagnes
et aux bêtes sauvages[s]
– les vautours en été,
les bêtes sauvages en hiver –.

7 C'est alors qu'on apportera des do
au Seigneur de l'univers, de la part de
peuple à la haute taille et à la peau lu
sante, ce peuple qu'on redoute d'
jusqu'au bout du monde, cette nati
puissante qui piétine ses ennemis,
dont les fleuves partagent le pays. On a
portera ces dons sur le mont *Sion, là
le Seigneur de l'univers réside.

Le désarroi des Égyptiens

19 1 Message intitulé "L'Égypte
Voici le Seigneur :
il arrive en Égypte,

---

p 17.13 Le prophète décrit sous forme imagée l'invasion des armées assyriennes et leur déroute en 701 avant J.-C. (voir 2 Rois 18.13–19.37).

q 18.1 *de barques ailées* (c'est-à-dire à deux voiles) : le sens de l'expression hébraïque correspondante est discuté ; certains voient ici une allusion au bruissement d'ailes produit par les insectes.

r 18.4 *nuages de rosée* : certains pensent que l'expression désigne ces nuages apparemment immobiles, qui donnent au ciel un aspect pommelé.

s 18.6 De l'image de la seconde taille de la vigne et des restes laissés sur place (comparer Jean 15.2,6), le prophète passe insensiblement à celle des champs de bataille, où resteront les cadavres éthiopiens, abandonnés aux vautours et aux chacals.

porté par un nuage rapide.
Les faux dieux de l'Égypte
s'affolent devant lui,
et les Égyptiens
voient fondre leur courage[t].
2 « Je vais les exciter les uns contre les autres,
dit le Seigneur,
au point qu'ils se battront entre eux,
individu contre individu,
ville contre ville,
royaume contre royaume[u].
3 Les Égyptiens en perdront la tête,
j'embrouillerai leur politique.
Alors ils consulteront leurs faux dieux
et ceux qui évoquent les morts,
ou interrogent les esprits.
4 Je livrerai l'Égypte
au pouvoir d'un maître dur ;
c'est un roi brutal
qui dominera sur elle. »
Voilà ce que déclare
le Maître suprême,
le Seigneur de l'univers.

5 L'eau tarit dans le Nil,
le fleuve est complètement à sec.
6 Les canaux empestent ;
dans les bras du fleuve égyptien,
le niveau des eaux baisse
jusqu'à l'assèchement.
Papyrus et roseaux se fanent,
7 comme les herbes aquatiques
à l'embouchure du Nil.
Et tous les terrains cultivés
que le fleuve fertilisait
sont secs, balayés par le vent.
Il ne reste plus rien.
8 Les pêcheurs
se plaignent et se lamentent,
ceux qui jetaient leur ligne dans le Nil
et ceux qui lançaient leurs filets
à la surface de l'eau,
tous sont dans la consternation.
9 C'est la déception aussi
pour ceux qui travaillaient le lin.
Les femmes qui le démêlaient,
les hommes qui le tissaient
sont pâles d'inquiétude[v].
10 Les tisserands sont accablés[w],
ceux qui gagnaient ainsi leur vie
sont tous découragés.
11 Les princes de la ville de Soan[x]
sont des incapables ;
les experts du *Pharaon
forment un conseil stupide.
Comment chacun de vous
peut-il dire au Pharaon :
« Je suis un fils d'expert, moi,
un descendant des rois d'autrefois » ?
12 Pharaon, où sont-ils, tes experts ?
Qu'ils te renseignent donc
et te fassent connaître
ce que le Seigneur de l'univers
a décidé contre l'Égypte !
13 Les princes de Soan
sont devenus stupides,
et ceux de Memphis[y]
se font des illusions.
Ce sont eux, les chefs des provinces,
qui égarent l'Égypte !
14 Parmi eux le Seigneur
a jeté le désarroi :
oui, ils égarent l'Égypte
dans tout ce qu'elle entreprend.
Elle est comme un ivrogne
qui titube dans ce qu'il a vomi.
15 Du haut en bas de la société, il n'y a
plus personne en Égypte pour entreprendre rien qui vaille.

L'avenir de l'Égypte

16 Un jour, les Égyptiens feront penser
à des femmelettes ; ils trembleront de
peur quand le Seigneur de l'univers les
menacera en agitant le bras. 17 Pour eux,
la terre de Juda restera un souvenir hu-

---

t **19.1** Sur les *Égyptiens* voir Jér 46.2-26 ; Ézék 29–32.

u **19.2** C'est vers l'époque de la mort du roi Ahaz (voir 14.28 et la note) que des factions rivales se disputèrent le pouvoir en Basse-Égypte, ce qui permit aux rois éthiopiens de la 25e dynastie (voir chap. 18) de s'imposer à tout le pays.

v **19.9** *pâles d'inquiétude* : d'après le principal manuscrit hébreu d'Ésaïe trouvé à Qumrân ; texte hébreu traditionnel obscur.

w **19.10** *les tisserands* : d'après deux manuscrits trouvés à Qumrân et deux versions anciennes ; l'hébreu traditionnel, peu clair, est traduit par certains *ceux qui préparent les boissons*. – *ceux qui gagnaient ainsi leur vie* (ou *les travailleurs salariés*) : autre traduction *les fabricants de bière*.

x **19.11** *Soan* ou *Tanis* : ville de l'est du delta du Nil.

y **19.13** *Memphis* : ancienne capitale de Basse-Égypte, située à une vingtaine de kilomètres au sud du Caire.

miliant. Chaque fois qu'on la rappellera devant eux, ils prendront peur à l'idée de ce que le Seigneur de l'univers pourrait décider contre eux.

18 Un jour, il y aura en Égypte cinq villes où l'on parlera l'hébreu, et où l'on aura fait serment d'appartenir au Seigneur de l'univers. Le nom de l'une d'elles sera Ville-du-Soleil[z].

19 Un jour, il y aura au centre de l'Égypte un *autel dédié au Seigneur, et une pierre dressée en son honneur à la frontière du pays. 20 Ce sera un signe attestant que le Seigneur de l'univers est présent en Égypte. Quand les Égyptiens appelleront le Seigneur au secours contre ceux qui les oppriment, il leur enverra un sauveur, qui prendra leur défense et les délivrera. 21 Alors le Seigneur se révélera aux Égyptiens, ceux-ci le connaîtront et l'adoreront par leurs sacrifices et leurs offrandes, ils lui feront des promesses et ils les tiendront. 22 Quand le Seigneur aura frappé les Égyptiens, il les guérira : eux-mêmes reviendront à lui, il accueillera leurs demandes et les guérira.

23 Un jour, une route reliera l'Égypte à l'Assyrie. Les Assyriens iront en Égypte et les Égyptiens en Assyrie. Ensemble ils rendront un culte au Seigneur.

24 Un jour, à côté de l'Égypte et de l'Assyrie, il y aura en troisième lieu Israël, exemple vivant de la bénédiction que Dieu apportera au monde. 25 Le Seigneur de l'univers bénira le monde en ces termes : « Je bénis l'Égypte, mon peuple, l'Assyrie, que j'ai créée de mes mains, et Israël, la part qui est bien à moi[a]. »

Ésaïe se promène sans vêtements ni chaussures

20 1 C'était l'année où le général en chef des troupes assyriennes vint attaquer la ville d'Asdod en Philistie, sur l'ordre du roi, Sargon d'Assyrie[b], et s'empara d'elle.

2 Trois ans plus tôt, le Seigneur avait dit à Ésaïe, fils d'Amots : « Tu vas dénouer l'étoffe de deuil que tu portes autour des reins et ôter les sandales que tu as aux pieds. » C'est ce qu'avait fait Ésaïe ; il se promenait donc sans vêtements ni chaussures.

A l'époque de la prise d'Asdod, le Seigneur parla par la bouche d'Ésaïe : 3 « Voilà trois ans, dit-il, que mon serviteur Ésaïe se promène sans vêtements ni chaussures. C'est un signe, un présage, qui concerne l'Égypte et l'Éthiopie[c]. 4 Le roi d'Assyrie emmènera les Égyptiens prisonniers, il déportera les Éthiopiens, jeunes et vieux. Ils partiront alors sans vêtements ni chaussures, eux aussi. Le derrière nu, quelle honte pour les Égyptiens ! 5 Quel découragement, quelle déception pour ceux qui espéraient quelque chose de l'Éthiopie ou qui se vantaient de l'aide égyptienne ! »

6 Ce jour-là, les populations de la côte où nous vivons[d] s'exclameront : « Voilà ce qui advient de nos espérances ! Nous comptions nous réfugier là-bas pour chercher secours et délivrance face au roi d'Assyrie... Où allons-nous maintenant trouver le salut ? »

La chute de Babylone

21 1 Message intitulé “Le désert maritime”.

Comme les tourbillons
traversant le Néguev[e],
l'ennemi arrive du désert,
d'un pays redoutable.
2 – C'est une vision cruelle
qui m'est ainsi révélée. –

---

z **19.18** *l'hébreu* ou *la langue du pays de Canaan*. – *Ville-du-Soleil* (ou Héliopolis, à l'entrée du delta du Nil) : d'après de nombreux manuscrits hébreux et plusieurs versions anciennes ; texte traditionnel *Ville de la Destruction*. – Pour l'ensemble du verset voir Jér 44.1 ; És 45.23.

a **19.25** Comparer Ps 87.4-5.

b **20.1** *Sargon II* régna sur l'Assyrie de 722 à 705 avant J.-C. En 711 il s'empara de la ville philistine d'*Asdod*, révoltée contre la domination assyrienne depuis 713. C'est l'époque où les petits états de Palestine (Juda, Philistie, etc.) espéraient une aide de l'Égypte pour s'affranchir de la domination assyrienne.

c **20.3** L'Égypte était alors dirigée par un pharaon éthiopien ; voir la note sur 19.2.

d **20.6** C'est-à-dire les Philistins, mais sans doute aussi les Judéens.

e **21.1** *le désert maritime* : expression énigmatique, à rapprocher du titre *pays de la mer*, par lequels les Assyriens désignaient la Babylonie. – *le Néguev* : région semi-désertique au sud de la Palestine.

L'ancien allié devient traître,
le destructeur est au travail.
« Élamites, à l'attaque !
Mèdes, assiégez la ville.
Je mets fin à tout son orgueil[f]
dit le Seigneur. »

3 C'est pourquoi je sens mes reins
envahis par la souffrance.
Les douleurs m'ont saisi,
comme une femme au moment d'accoucher.
Ce que j'entends me bouleverse,
ce que je vois me terrifie[g].
4 Mon courage est chancelant,
la terreur s'est jetée sur moi.
J'attendais le soir
pour trouver un peu de fraîcheur,
il s'est changé pour moi
en un soir d'épouvante.

5 On a servi le repas,
on a étendu les tapis,
on mange et on boit...
Soudain un cri retentit :
« Debout, les officiers ! Aux armes[h] ! »

6 Voici en effet
ce que le Seigneur m'a dit :
« Va placer un guetteur,
qu'il annonce ce qu'il verra !
7 S'il aperçoit un char de guerre
tiré par des chevaux,
une caravane d'ânes,
ou une caravane de chameaux,
qu'il fasse attention, très attention ! »

8 Celui qui regardait[i] a crié :
« Maître, je suis resté tout le jour
à mon poste de garde,
je me suis tenu toute la nuit
à mon observatoire.
9 Attention ! Là-bas arrive
un homme monté sur un char
tiré par des chevaux.
Il ouvre la bouche, il crie :
"*Babylone est tombée,
Babylone est tombée !
Toutes les statues de ses dieux
sont par terre, en miettes[j] !" »

10 Mon peuple,
toi qui as été battu
comme du blé sur l'aire,
voilà ce que j'ai appris
du Seigneur de l'univers,
le Dieu d'Israël.
C'est la nouvelle que je t'apporte.

Où en est la nuit ?

11 Message intitulé "Douma".
Une voix me crie de Séir[k] :
« Veilleur, où en est la nuit,
oui, où en est la nuit ? »
12 Et le veilleur répond :
« Le matin vient,
mais c'est encore la nuit[l].
Si vous voulez une réponse,
revenez une autre fois. »

Les fuyards de Dédan et de Quédar

13 Message intitulé "Dans la steppe".
Dans la brousse, dans la steppe
retirez-vous pour la nuit,
caravanes de Dédan[m].
14 Vous qui habitez à Téma,
allez à la rencontre
de ceux qui meurent de soif,
apportez-leur de l'eau ;
allez au-devant des fuyards,
apportez-leur de quoi manger.

---

f **21.2** *Élamites, Mèdes* : populations qui vivaient sur le territoire de l'actuel Iran. – *tout son orgueil* : sens probable (comparer 13.11 ; Ézék 7.24) ; autre traduction *tous ses soupirs*.

g **21.3** Certains interprètent *Je suis trop bouleversé pour entendre, trop terrifié pour voir*.

h **21.5** *Aux armes !* ou *Graissez les boucliers* (voir 2 Sam 1.21) pour que les flèches glissent à la surface.

i **21.8** *Celui qui regardait* : d'après le principal manuscrit d'Ésaïe trouvé à Qumrân ; texte hébreu traditionnel *un lion* ou *comme un lion*.

j **21.9** *Babylone est tombée* : voir Apoc 14.8 ; 18.2. – *en miettes* ou *elles sont brisées* : d'après le principal manuscrit hébreu d'Ésaïe trouvé à Qumrân ; texte traditionnel *il a brisé*.

k **21.11** *Douma* : oasis de l'Arabie du Nord, à l'est du territoire des Édomites. – *Séir* : région centrale du territoire édomite, située sur l'itinéraire de Jérusalem à Douma.

l **21.12** Autres traductions *Le matin vient, mais il fait encore nuit* ou *Le matin vient, mais aussi la nuit*. *Nuit* et *matin* sont probablement ici symboles respectivement de l'oppression et de la délivrance.

m **21.13** Dans *la steppe* : autre traduction *en Arabie*. – *Dédan* (v. 13) et *Téma* (v. 14) : oasis du nord-ouest de l'Arabie. – Sur les populations d'Arabie voir Jér 49.28-32.

15 Car ils ont fui devant l'épée,
devant l'épée que rien ne retient,
devant l'arc tendu contre eux,
devant la pression du combat.
16 Voici en effet ce que le Seigneur m'a
déclaré : « D'ici un an, jour pour jour,
c'en sera fini de toute la gloire de Quédar[n]. 17 Ce qui restera de Quédar, de ses
nombreux archers et de ses soldats
d'élite, sera insignifiant. » C'est ce que
déclare le Seigneur, le Dieu d'Israël.

Avertissement à Jérusalem

22 1 Message intitulé "La vallée de la vision[o]".
Que t'arrive-t-il, Jérusalem ?
Pourquoi toute ta population
est-elle montée sur les terrasses ?
2 Pourquoi cette ville bruyante,
ces cris qui la remplissent,
cette animation dans la cité ?
Tes morts ne sont pas des victimes de la guerre,
ils n'ont pas été tués au combat.
3 Tes officiers ont tous pris la fuite,
ils ont cédé au tir des archers[p].
Tous ceux que l'ennemi a trouvés
ont été faits prisonniers,
même ceux qui s'étaient enfuis au loin.
4 C'est pourquoi je vous dis :
« Ne vous occupez pas de moi,
laissez-moi pleurer amèrement.
Ne vous donnez pas la peine
de me consoler du désastre
que mon peuple a subi.
5 Car aujourd'hui, le Seigneur,
le Dieu de l'univers,
nous a envoyé le désarroi,
la défaite et la confusion. »
Dans la vallée de la vision,
le vacarme est intense[q],
les cris montent vers les hauteurs.
6 Les troupes élamites
portent arcs et flèches ;
il y a des hommes sur les chars,
il y a des chevaux,
les soldats de Quir
préparent leur bouclier[r].
7 Jérusalem, la plus belle de tes vallées
est remplie de chars et de chevaux ;
ils prennent position face à ta porte.
8 Juda n'a plus de protection.

Ce jour-là,
vous avez tourné vos regards
vers les armes entreposées
au bâtiment dit "de la Forêt"[s].
9 Vous avez vu toutes les brèches
dans la muraille qui entoure
la *Cité de David.
Vous avez fait des provisions d'eau
au réservoir inférieur[t].
10 Vous avez dénombré
les maisons de Jérusalem,
vous en avez démoli certaines
pour faciliter la défense des remparts.
11 Vous avez aménagé
un bassin entre les deux murailles[u]
pour les eaux du vieux réservoir.
Mais vous n'avez pas tourné vos regards
vers l'auteur de ces événements ;
il les préparait depuis longtemps,
mais vous ne l'avez pas vu.

12 En ce jour, le Seigneur,
le Dieu de l'univers,
vous appelait à pleurer
et à vous lamenter,
à vous raser la tête
et à porter l'habit de deuil.
13 Or c'est la joie débordante :
on abat des bœufs,
on égorge des moutons,
on mange de la viande,
on boit du vin...

---

n **21.16** *Quédar* : au nord du désert arabique.

o **22.1** *la vallée de la vision* : il s'agit sans doute d'une vallée toute proche de Jérusalem. Dans les v. 1-14 le prophète fait allusion à l'attaque manquée des Assyriens contre Jérusalem en 701 avant J.-C. (voir 2 Rois 18.13–19.37).

p **22.3** *ils ont cédé* : d'après l'ancienne version araméenne ; hébreu *ils ont été faits prisonniers*. – *au tir des archers* : autre interprétation *sans même que les archers aient tiré*.

q **22.5** *le vacarme est intense* : d'autres interprètent *un mur s'écroule*.

r **22.6** *troupes élamites, soldats de Quir* : combattants étrangers de l'armée assyrienne.

s **22.8** Voir 1 Rois 7.2-5 ; 10.17-21.

t **22.9** *le réservoir inférieur* : aménagé par le roi Ahaz, pour augmenter les réserves d'eau en cas de siège.

u **22.11** *entre les deux murailles* : au sud de la ville (voir Jér 39.4 ; 52.7).

« Mangeons, buvons, dites-vous,
car demain nous mourrons[v]. »
Mais le Seigneur de l'univers
m'a fait entendre ce message :
« J'en fais le serment,
cette faute ne peut être effacée
avant que vous soyez morts. »
Voilà ce qu'a déclaré
le Seigneur, le Dieu de l'univers.

L'administrateur Chebna doit perdre sa place

15 Voici ce que le Seigneur, le Dieu de
univers, m'a dit : « Va trouver ce
hebna, cet intendant qui est Chef du pa-
is royal, et dis-lui :
Quel droit de propriété
ou quel droit de parenté
possèdes-tu ici,
pour t'y faire tailler un tombeau,
le tailler très haut,
et creuser dans le rocher
ta dernière demeure ?
17 Le Seigneur va t'abattre
d'un seul coup, mon gaillard[w],
t'empaqueter soigneusement
18 et t'envoyer rouler comme une boule
dans un pays aux larges espaces.
C'est là-bas que tu mourras,
là-bas, avec tes chars de prestige,
toi qui déshonores la cour de ton maître !
19 Je te chasserai de ta place,
dit le Seigneur,
je t'arracherai de ton poste.
20 Ce jour-là, je ferai appel
à mon serviteur Éliaquim,
le fils de Hilquia.
21 Je l'habillerai de ta robe de fonction,
je le ceindrai de ton écharpe,
je lui confierai ton pouvoir.
Il sera un père
pour les gens de Jérusalem
et le royaume de Juda.
22 Je lui confierai la clé du palais de David.
Quand il ouvrira la porte,
personne ne la fermera,
et quand il la fermera,
personne ne l'ouvrira[x].
23 Je le planterai comme un piton
dans un endroit solide.
Il sera le titre de gloire de sa famille. »

24 Mais toutes les branches de sa parenté, les grosses et les petites, sont pen-
dues à lui comme des pièces de vaisselle,
des cuvettes, des cruches, accrochées à
un piton. Quel poids ! 25 « Un jour, déclare le Seigneur de l'univers, le piton
cédera. Il avait pourtant été planté dans
un endroit solide. Il cassera et tombera,
et toute la charge qui y était suspendue
se brisera. » Voilà ce que déclare le Seigneur.

La ruine de la Phénicie

23 1 Message intitulé "Tyr[y]".
« Navires de haute mer,
entonnez une complainte,
car tout est détruit,
il n'y a plus de maisons. »
C'est à leur arrivée de l'île de Chypre,
qu'ils ont appris cette nouvelle.
2 « Restez muets de stupeur,
vous qui habitez la côte,
vous les marchands de Sidon,
dont les envoyés traversent
3 la haute mer[z]. »
Ce que l'on semait le long du Nil,
c'est Sidon qui le récoltait ;
c'est à elle que revenait
le bénéfice des nations[a].
4 Honte à toi, Sidon,
forteresse de la mer !
La mer annonce en effet :
« Je refuse d'endurer les douleurs,
de mettre des enfants au monde,

---

v **22.13** L'apôtre Paul cite ces mots en 1 Cor 15.32.

w **22.17** *t'abattre d'un seul coup* : le sens du terme hébreu correspondant est discuté ; autre traduction *te lancer au loin* ou *te secouer fortement*.

x **22.22** Les *clés* de cette époque étaient de grandes dimensions. – La fin du verset est citée en Apoc 3.7.

y **23.1** *Tyr* : ville principale et port important de la côte phénicienne. – *Sidon* (v. 2) : autre port phénicien. Dans la tradition biblique *Tyr* et *Sidon* sont souvent cités ensemble. – Sur les Phéniciens voir Ézék 26–28 ; Joël 4.4-8 ; Amos 1.9-10 ; Zach 9.1-4 ; comparer Matt 11.21-22 ; Luc 10.13-14.

z **23.2** *dont les envoyés traversent la haute mer* : texte représenté par le principal manuscrit hébreu d'Ésaïe trouvé à Qumrân.

a **23.3** *ce que l'on semait... bénéfice des nations* : d'après l'ancienne version grecque ; hébreu *ce que l'on semait au bord du Nil, ce que l'on moissonnait près du Fleuve, c'est à elle que cela revenait, c'était le bénéfice* (ou *elle était le marché ?*) *des nations*.

de faire grandir des garçons
et d'élever des filles[b]. »
5 A cette nouvelle, l'Égypte
sera prise de douleurs,
comme lorsqu'elle apprendra
ce qui est arrivé à Tyr.
6 « Traversez la mer jusqu'à Tarsis[c],
entonnez une complainte,
vous qui habitez la côte.
7 Est-ce bien là votre ville
jadis si animée, d'origine si ancienne,
la ville qui était allée
coloniser des régions lointaines[d] ? »
8 Tyr distribuait des couronnes de roi,
ses marchands étaient autant de princes,
ses commerçants comptaient
parmi les gens que le monde honore.
Qui donc a décidé sa ruine ?
9 – C'est le Seigneur de l'univers,
pour rabattre l'orgueil
de tous ces amateurs de gloire,
et déconsidérer ces gens
que le monde honore.
10 « Tyr, cultive donc ta terre,
car il n'y a plus de port
pour les navires de haute mer[e]. »
11 Le Seigneur a menacé la mer,
il a fait trembler les royaumes,
il a ordonné de détruire
les forteresses de Canaan[f].
12 Il a dit : « Population de Sidon,
la fête est finie pour toi,
tu es une fille violée.
Si tu te mets en route
et traverses la mer
jusqu'à l'île de Chypre,
même là-bas il n'y aura
aucun repos pour toi.
13 Vois le pays des gens de Chypre[g] :
ce peuple n'existe plus.
L'Assyrie en avait fait une base nava
mais on y a dressé des tours pour l'at
quer,
on a détruit ses belles maisons,
on l'a réduite en tas de ruines.
14 Navires de haute mer,
entonnez une complainte,
car votre refuge a été anéanti. »

15 Alors Tyr restera oubliée penda
soixante-dix ans, durée de la vie d'un r
Au bout de ces soixante-dix ans, il ar
vera à Tyr ce que la chanson dit de
prostituée :
16 Prends ta guitare[h],
fais le tour de la ville, fille oubliée.
Joue de ton mieux,
chante et chante encore,
pour te rappeler au souvenir des gens

17 Au bout de ces soixante-dix ans,
Seigneur interviendra à Tyr. Elle r
commencera à gagner de l'argent en s
prostituant à tous les royaumes d
monde. 18 Mais ses profits et ses gains s
ront consacrés au Seigneur. On ne l
amassera pas, on ne les conservera pa
mais ils serviront à nourrir, à rassasier
à vêtir somptueusement ceux qui h
bitent en présence du Seigneur.

---

b **23.4** Certains voient ici une allusion à la mythologie cananéenne, selon laquelle la mer était l'épouse du peuple phénicien. Sous forme imagée, la mer annoncerait que ce dernier ne doit plus compter sur les richesses qu'elle lui apportait.

c **23.6** *Tarsis* : voir Ps 72.10 et la note.

d **23.7** Tyr avait établi des comptoirs commerciaux en Afrique du Nord (Carthage, près de Tunis) et en Espagne (Tarsis).

e **23.10** *Tyr, cultive ta terre* : d'après le principal manuscrit hébreu d'Ésaïe trouvé à Qumrân et l'ancienne version grecque ; texte traditionnel *traverse ton pays*. – *car, pour les navires de haute mer* (ou *de Tarsis*) : d'après l'ancienne version grecque ; hébreu *comme le Nil, population de Tarsis*.

f **23.11** Les Phéniciens étaient cananéens (voir Gen 10.15) ; d'autre part le mot désignant les Cananéens est pris parfois au sens de *commerçant*, comme au v. 8.

g **23.13** *Chypre* : texte probable ; hébreu *Babylone*. En hébreu tout le début du v. 13 est passablement obscur et le sens incertain.

h **23.16** *guitare* : voir Ps 137.2 et la note.

La terre entière dévastée

24 1 Le Seigneur va ravager la terre,
il va la dévaster,
bouleverser la face du monde
et disperser ses habitants.
2 Un même sort attend
le prêtre et le laïc,
le maître et son esclave,
la maîtresse et sa servante,
le vendeur et son client,
le prêteur et l'emprunteur,
le créancier et son débiteur.
3 La terre subira des ravages terribles,
un pillage radical.

Le Seigneur, en effet,
a décrété cela.
4 La terre est en deuil,
elle tombe en ruine.
Le monde se délabre,
il tombe en ruine.
Le ciel aussi se dégrade
en même temps que la terre[i].
5 La terre a été souillée
sous les pieds de ses habitants,
car ils ont passé par-dessus
les instructions du Seigneur,
ils ont violé les règles,
ils ont rompu l'engagement
qui les liait à Dieu pour toujours.
6 C'est pourquoi la terre se consume
sous la malédiction de Dieu,
et ses habitants
portent la peine de leur faute,
ils dépérissent, et ne restent plus
qu'en nombre insignifiant.

7 C'est le deuil pour le vin nouveau,
la vigne dépérit,
et les joyeux lurons
poussent des soupirs.
8 Le rythme gai des tambourins
s'est arrêté,
le brouhaha des gens en fête a disparu,
le son joyeux des guitares[j] s'est tu.
9 On n'entend plus de chansons à boire,
et les boissons fortes
paraissent amères aux buveurs.

10 La cité déserte est en plein désastre,
l'entrée des maisons est bloquée.
11 Dans les rues, on se plaint
qu'il n'y a plus de vin.
La joie s'est complètement éteinte,
la gaîté a disparu du pays.
12 Il ne reste de la ville
que de sinistres décombres,
sa porte est fracassée, en ruine.

13 Oui, sur la terre, parmi les peuples,
il ne restera pas grand-chose,
comme sur les oliviers
après la récolte,
ou comme après la vendange
quand on cherche les derniers raisins.

Une joie prématurée

14 Les survivants entonnent un chant,
proclamant la grandeur du Seigneur ;
ils poussent des cris d'enthousiasme
en arrivant des pays de l'ouest :
15 « Dans les régions de l'est,
célébrez la gloire du Seigneur.
Sur les côtes de la mer,
proclamez son nom :
le Seigneur, le Dieu d'Israël. »
16 Nous entendons ce chant,
qui vient du bout du monde :
« Gloire au Dieu juste ! »
Mais moi, je me dis :
« C'en est fait de moi,
oui, c'en est fait de moi.
Quel malheur ! »
Les traîtres sont à l'œuvre,
ils trahissent à qui mieux mieux.
17 Terreur folle, fosse et filet,
voilà ce qui vous attend,
vous qui vivez sur la terre[k].
18 Celui qui fuira
devant les cris de terreur folle
tombera au fond de la fosse.
S'il peut en remonter,
il se prendra au filet.
La grande inondation menace[l],
le monde tremble sur ses bases.
19 La terre se crevasse,
elle vacille, elle s'écroule,

---

i **24.4** *en même temps que la terre* : avec d'autres voyelles le texte hébreu traditionnel a lu *du peuple de la terre*.

j **24.8** *guitares* : voir Ps 137.2 et la note.

k **24.17** V. 17-18 : comparer Jér 48.43-44 ; Amos 5.19.

l **24.18** Ou *Les vannes du ciel sont ouvertes* : voir Gen 7.11 ; 8.2.

20 titubant comme un ivrogne,
branlante comme une cabane.
Sous le poids de sa faute,
elle est tombée
et ne peut pas se relever.

Fin des empires, début du règne de Dieu

21 Ce jour-là, le Seigneur interviendra
là-haut contre l'armée des astres, et ici-
bas contre les rois de la terre. 22 Tous seront rassemblés comme des prisonniers
dans une fosse, enfermés dans un cachot.
Après un long délai, ils devront comparaître en justice.

23 La lune en rougira d'humiliation,
le soleil en pâlira de honte.
C'est le Seigneur de l'univers
qui régnera à Jérusalem,
sur le mont *Sion.
Sa présence glorieuse rayonnera
en face de son conseil[m].

Le Seigneur, refuge des fidèles

25 1 Seigneur,
c'est toi qui es mon Dieu,
je veux proclamer ta grandeur
et dire qui tu es dans mes louanges.
Car tu as réalisé
des projets merveilleux.
Ils tiennent depuis longtemps,
on peut s'y fier.
2 Tu as fait de la ville un tas de pierres,
tu as réduit la cité fortifiée
en un monceau de ruines.
La forteresse des orgueilleux[n]
n'a plus rien d'une ville
et ne sera jamais rebâtie.
3 C'est pourquoi un peuple puissant
célébrera ta gloire,
les cités des nations tyranniques
reconnaîtront ton autorité.
4 Car tu as été le refuge des faibles,
oui, le refuge des malheureux,
quand ils étaient dans la détresse.
Tu as été un abri contre l'averse,
une ombre qui protège
de l'ardeur du soleil.
– C'est que la fureur des tyrans
est comme une violente averse[o],
5 ou comme l'ardeur du soleil
sur une terre desséchée. –
Tu étouffes le bruit
que font les orgueilleux[p].
Comme l'ardeur du soleil
est voilée par un nuage,
les tyrans sont réduits au silence
au moment de chanter victoire.

Un festin pour tous les peuples

6 Sur le mont *Sion,
le Seigneur de l'univers
offrira à tous les peuples
un banquet de viandes grasses
arrosé de vins fins
– des viandes tendres et grasses,
des vins fins bien clarifiés –.
7 C'est là qu'il supprimera
le voile de deuil
que portaient les peuples,
le rideau de tristesse
étendu sur toutes les nations.
8 Il supprimera la mort pour toujours.
Le Seigneur Dieu essuiera
les larmes sur tous les visages[q].
Dans l'ensemble du pays,
il enlèvera l'affront
que son peuple a subi.
Voilà ce qu'a promis le Seigneur.

Joie pour Israël, catastrophe pour Moab

9 On dira ce jour-là :
« C'est lui qui est notre Dieu.
Nous comptions patiemment sur lui
et il nous a sauvés.
Oui, c'est dans le Seigneur
que nous avons mis notre espoir.
Quelle joie, quelle allégresse
de l'avoir comme Sauveur !

---

m 24.23 *son conseil* ou *ses *anciens* : comparer Apoc 19.4.

n 25.2 *des orgueilleux* : d'après deux manuscrits hébreux, soutenus par l'ancienne version grecque ; texte traditionnel *des étrangers*.

o 25.4 *la fureur* ou *le souffle*. – *violente averse* : l'hébreu exprime ici cette idée par l'image : *une averse contre un mur*.

p 25.5 *les orgueilleux* : d'après les anciennes versions grecque et araméenne ; hébreu *les étrangers* (comparer le v. 2).

q 25.8 La *mort supprimée* : voir 1 Cor 15.54. – *larmes essuyées* : Apoc 7.17 ; 21.4.

10 La main favorable du Seigneur
repose bien sur cette montagne ! »

Mais Moab est piétiné sur place[r],
comme de la paille
qu'on foulerait aux pieds
dans une fosse à fumier.
11 Et là, il agite les bras,
on dirait un nageur.
Mais malgré ses mouvements[s]
le Seigneur rabat sa fierté.

12 Quant à tes murailles, Moab,
ces hautes fortifications,
le Seigneur les a renversées,
rabattues, jetées à terre
dans la poussière.

La ville forte et la cité inaccessible

26 1 Ce jour-là, au pays de Juda,
on chantera ce cantique :
« Nous avons une ville forte.
Pour la protéger, le Seigneur y a placé
murailles et avant-mur.
2 Ouvrez les portes,
laissez entrer le peuple fidèle
qui tient ses engagements[t].
3 Son cœur est ferme[u].
Toi, Seigneur, tu le gardes en paix,
car il te fait confiance.
4 Faites confiance pour toujours
au Seigneur, oui au Seigneur,
le Rocher de tous les temps.
5 Car il a fait dégringoler
ceux qui logeaient sur les hauteurs ;
il a précipité en bas
la cité inaccessible,
il l'a précipitée jusqu'à terre.
Il l'a jetée dans la poussière,
6 et l'a fait piétiner
par le peuple pauvre et faible. »

Prière des derniers temps

7 Seigneur, tu indiques au fidèle
un chemin qui va tout droit ;
la voie que tu lui traces
est sans aucun détour.
8 Oui, sur le chemin
que tu commandes de suivre,
nous comptons sur toi, Seigneur.
Prononcer ton nom, faire appel à toi,
voilà ce que tout cœur désire.
Pendant la nuit, moi aussi,
je désire ta présence,
du fond du cœur je te cherche[v].

Quand tu appliques aux humains
les sentences que tu as prononcées,
alors les habitants du monde
apprennent à se conduire comme il faut.
10 Mais si l'on a pitié des méchants,
ils n'apprennent pas ce qu'il faut faire,
ils tordent ce qui est droit sur terre[w],
ils ne voient pas ta grandeur, Seigneur.

11 Seigneur, ta main est menaçante,
mais ils ne la remarquent pas.
Qu'ils soient humiliés
de voir avec quelle passion
tu défends ton peuple !
Qu'ils soient dévorés par le feu
que tu destines à tes adversaires[x] !
12 Seigneur, tu nous donnes l'essentiel[y],
car c'est toi
qui as mené à bien pour nous
tout ce que nous avons entrepris.
13 Seigneur notre Dieu,
d'autres maîtres que toi
ont dominé sur nous.
Mais tu es le seul
que nous voulons célébrer.
14 Ceux-là sont morts et ne revivront pas,
ils ne sont plus que des ombres,
ils ne se relèveront pas.
C'est vrai, tu es intervenu
pour les exterminer,
tu as fait disparaître
tout ce qui pouvait rappeler leur souvenir.
15 Tu as fait grandir notre peuple,
Seigneur, c'est ton titre de gloire ;
tu as fait grandir notre peuple,

---

r **25.10** Sur *Moab* voir 15.1 et la note.

s **25.11** *mouvements* : sens incertain d'un terme qu'on ne trouve nulle part ailleurs ; autres traductions *manœuvres, efforts, pièges*...

t **26.2** Comparer Ps 118.19-20.

u **26.3** *Son cœur* : d'après le texte hébreu d'Origène ; texte traditionnel *les dispositions*.

v **26.9** *du fond du cœur* : certains supposent qu'il vaudrait mieux lire *et le matin*.

w **26.10** *ce qui est droit sur terre* : d'après plusieurs versions anciennes ; hébreu *au pays de la droiture*.

x **26.11** Comparer Hébr 10.27.

y **26.12** Certains traduisent *tu nous donnes* (ou *donneras*) *la paix*.

tu as repoussé toutes les frontières du
pays.

16 Seigneur, dans la détresse
ils ont cherché ta présence ;
ils ont murmuré des prières
sous ta correction[z].
17 Devant toi, Seigneur,
nous avons été comme une femme
qui va mettre au monde un enfant :
elle se tord de douleur et crie.
18 Nous aussi, nous devions
mettre au monde quelque chose,
nous étions dans les douleurs,
mais nous n'avons donné le jour
qu'à du vent, semble-t-il.
Nous n'avons pas su apporter
le salut à la terre,
ni de nouveaux habitants au monde.

Résurrection des morts, châtiment des crimes

19 Mon peuple,
tes morts reprendront vie
– alors les cadavres des miens
ressusciteront ! –
Ceux qui sont couchés en terre
se réveilleront et crieront de joie[a].
Le Seigneur t'enverra une rosée de lumière,
et la terre redonnera naissance
à ceux qui n'étaient plus que des ombres.

20 Mon peuple,
retire-toi à l'intérieur de ta maison,
ferme derrière toi les deux battants de
la porte.
Cache-toi un court instant
jusqu'à ce que soit passée
la colère du Seigneur.
21 Le voici qui sort de chez lui,
pour s'occuper des crimes
des habitants de la terre.
La terre va laisser paraître
le sang qu'elle recouvrait,
elle cessera de cacher
les victimes qu'elle a recueillies.

Victoire sur le dragon des mers

27 1 Ce jour-là, le Seigneur prendı
sa grande, sa terrible, sa pui
sante épée, pour intervenir contre
monstre Léviatan, le serpent tortueu
insaisissable ; et il tuera ce dragon d
mers[b].

Le Seigneur et sa vigne

2 Ce jour-là, entonnez un chant
en l'honneur de la vigne
au vin délicieux[c].
3 « C'est moi, le Seigneur,
qui suis son gardien.
Je l'arrose au bon moment,
je la garde jour et nuit
pour empêcher toute incursion.
4 Je ne lui en veux plus,
mais gare aux épines et aux ronces
que je pourrais y trouver !
Je m'y attaquerai en y mettant le feu,
5 à moins qu'on ne se place
sous ma protection,
et qu'on ne fasse la paix avec moi,
oui, la paix avec moi ! »

Le pardon d'Israël, la ville abandonnée

6 Dans les temps à venir,
le peuple de Jacob
poussera de nouvelles racines,
Israël sera florissant et s'épanouira,
couvrant le monde de ses fruits.
7 Le Seigneur a-t-il frappé les siens
comme il l'a fait
pour ceux qui les frappaient ?
Ou les a-t-il mis à mort
comme il l'a fait
pour ceux qui les mettaient à mort ?
8 Non, mais il les a condamnés
à l'exil, à la déportation.
D'un souffle terrible,
en un jour de vent d'est,
il les a chassés.

9 Maintenant voici comment
le crime d'Israël sera effacé,

---

z **26.16** Le *ils* désigne sans doute les membres du peuple de Dieu.

a **26.19** *se réveilleront et crieront* : d'après le principal manuscrit hébreu d'Ésaïe trouvé à Qumrân et plusieurs versions anciennes ; texte traditionnel *réveillez-vous, criez de joie*.

b **27.1** Comparer Job 7.12 ; Ps 74.13-14 ; 104.26.

c **27.2** Voir 3.14 et la note.

voici le résultat du pardon de sa faute :
on réduira en morceaux
toutes les pierres de *l'autel
comme des pierres à chaux,
et l'on ne verra plus se dresser
poteaux sacrés ou brûle-parfums[d].
0 Il n'y a plus personne
dans la ville fortifiée ;
elle est là, dépeuplée,
abandonnée, désertée.
Les veaux y paissent, y font leur gîte
et broutent les feuilles des buissons.
1 Quand les rameaux sont secs,
ils se cassent,
les femmes viennent en faire du feu.

Vraiment ce peuple n'a rien compris.
C'est pourquoi son Créateur
n'a plus pour lui aucune affection,
celui qui l'a formé
ne lui accorde aucun appui.

Le grand retour des exilés

12 Ce jour-là, le Seigneur
battra sa moisson d'épis,
depuis l'Euphrate
jusqu'au torrent d'Égypte[e].
Alors vous, les Israélites,
il vous moissonnera un à un.

13 Ce jour-là, retentira
le son saccadé du grand cor.
Alors arriveront tous ceux
qui étaient perdus en Assyrie
ou dispersés en Égypte ;
ils viendront s'incliner
devant le Seigneur, à Jérusalem,
sur la montagne qui lui est consacrée.

Orage destructeur sur Samarie

28 1 Quel malheur de voir Samarie,
la ville en forme de couronne,
fierté des ivrognes d'Éfraïm[f] !
Dominant la riche vallée,
sa somptueuse parure
n'est que fleurs fanées
sur la tête de ces hommes
abrutis par le vin.
Voici une grande puissance
qui vient au service du Seigneur,
telle un orage de grêle,
une tempête destructrice,
une pluie torrentielle
qui se répand en inondation.
D'un revers de la main, le Seigneur
renverse la ville à terre.
Voilà foulée aux pieds la couronne,
fierté des ivrognes d'Éfraïm ;
voilà foulées aux pieds les fleurs fanées
de sa somptueuse parure,
dominant la riche vallée.
Samarie aura le même sort
qu'une figue mûre avant l'été :
le premier à l'apercevoir
la prend dans le creux de la main
et n'en fait qu'une bouchée.
5 Un jour, le Seigneur de l'univers sera
i-même la somptueuse couronne, le
iadème et la parure des survivants de
son peuple. 6 C'est lui qui inspirera la justice à ceux qui siègent au tribunal, et
donnera la vaillance à ceux qui repoussent l'attaque ennemie devant la porte de
la ville.

Les ivrognes qui se moquent du prophète

7 En voici encore que le vin égare,
que les boissons fortes font tituber :
ce sont les prêtres et les *prophètes,
égarés par les boissons fortes,
désorientés sous l'effet du vin.
Les boissons fortes les font tituber,
ils s'égarent dans leurs visions,
ils s'embrouillent en rendant leurs sentences.
8 Leurs tables sont toutes couvertes
de ce qu'ils ont vomi,
leurs saletés sont partout.
9 Ils demandent : « A qui cet Ésaïe
veut-il faire la leçon
et expliquer ses révélations ?
A des enfants fraîchement sevrés ?
A des bambins qu'on vient d'ôter
du sein de leur mère ?

---

d **27.9** Voir 17.8 et la note.

e **27.12** Voir Nomb 34.5 et la note.

f **28.1** Voir 11.13 et la note. – La menace évoquée ici est précisée au v. 2 par une allusion imagée à l'invasion assyrienne (voir 8.4,7-8, etc.)

10 Écoutez-le :
Blablabla, blablabla,
et patati et patata[g]. »
11 Eh bien,
c'est dans un langage inintelligible,
dans une langue étrangère,
que le Seigneur va désormais
s'adresser à ce peuple !
12 Il leur avait pourtant dit :
« Ici vous trouverez du répit ;
laissez-y se reposer
ceux qui sont fatigués.
C'est un endroit tranquille. »
Mais ils n'ont rien voulu entendre[h].
13 Alors la parole du Seigneur sera pour
eux aussi dénuée de sens que « Blablabla,
blablabla, et patati et patata. » Finalement ils tomberont à la renverse, se casseront les reins, s'empêtreront les pieds
sans pouvoir se dégager.

La pierre angulaire

14 Vous les plaisantins,
qui dirigez[i] ce peuple de Jérusalem,
écoutez donc ce que dit le Seigneur :
15 « Vous prétendez avoir conclu
une alliance avec la mort,
un pacte avec le monde d'en bas.
Vous dites que la catastrophe
ne vous atteindra pas
quand elle passera,
car vous avez pris
le mensonge pour refuge,
la contrevérité pour abri. »
16 Voici donc ce que déclare
le Seigneur Dieu : « A *Sion
je vais placer une pierre de fondation
pour vous mettre à l'épreuve,
une précieuse pierre d'angle
aux assises solides.
Celui qui me fait confiance
aura la même solidité[j].
17 Mon cordeau à mesurer,
ce sera le droit,
et mon fil à plomb,
le respect de la justice. »
Mais la grêle balaiera votre refuge
trompeur,
les eaux emporteront votre abri.
18 Votre alliance avec la mort
sera annulée,
votre pacte avec le monde d'en bas
ne pourra pas tenir.
Quand la catastrophe viendra,
elle vous écrasera.

19 Chaque fois qu'elle passera, le matin, le
jour, la nuit, elle vous attrapera. Et quelle
panique quand on en entendra parler !
20 Oui, comme dit le proverbe,
le lit est trop court
pour qu'on s'y étende,
et la couverture trop étroite
pour qu'on s'y enveloppe.
21 Comme au mont Perassim
le Seigneur interviendra ;
comme à Gabaon, dans la plaine[k],
il s'irritera
pour accomplir son œuvre,
pour faire son travail.
Mais quelle œuvre étrange,
quel travail inhabituel !
22 Maintenant donc, arrêtez vos sottes
plaisanteries, sinon le nœud va se res-
serrer autour de votre cou. Car j'ai appris du Seigneur, le Dieu de l'univers,
qu'il a décidé d'en finir avec tout le
pays.

Sagesse du paysan, sagesse de Dieu

23 Écoutez-moi bien,
faites attention à ce que je vais dire :
24 Ne le savez-vous pas ?
Le paysan qui veut semer
ne passe pas tout son temps
à labourer son champ,
à y tracer des sillons
et à y passer la herse.
25 Mais après avoir égalisé
la surface du sol,

---

g **28.10** La phrase hébraïque correspondante semble donner plus d'importance à la sonorité des mots qu'à leur signification. On la traduit parfois *Ordre sur ordre, règle sur règle, un peu par-ci, un peu par-là* (ou *Petit, par ici ! Petit, par là !*). Les prêtres et les prophètes se moquent d'Ésaïe en prétendant que son message n'est qu'un bavardage sans intérêt.

h **28.12** V. 11-12 : voir 1 Cor 14.21.

i **28.14** *qui dirigez* (ce peuple) : autre traduction *les chansonniers (de ce peuple)*.

j **28.16** *une pierre* : comparer Ps 118.22-23 ; Rom 9.33 ; 10.11 ; 1 Pi 2.6.

k **28.21** *le mont Perassim* : lieu d'une victoire de David sur les Philistins (2 Sam 5.20 ; 1 Chron 14.11). – *Gabaon* : autre victoire de David sur les Philistins (1 Chron 14.16) ; voir aussi Jos 10.1-15.

il répand les graines
de nigelle, puis de cumin ;
il met en place le blé,
le millet et l'orge
aux endroits qui conviennent[l]
et le blé dur sur les bords.
26 Tel est le procédé que son Dieu
lui a donné à suivre
et qu'il lui a enseigné.

27 On n'égrène pas la nigelle
en se servant d'un traîneau[m] ;
on ne fait pas non plus passer
les roues d'un chariot sur le cumin.
Mais c'est au bâton qu'on doit battre
la nigelle et le cumin.
28 Le blé doit être passé
sous le poids du traîneau,
mais pas indéfiniment.
On manœuvre la roue du chariot
et son attelage,
mais non jusqu'à broyer le grain.
29 Ce procédé lui aussi
vient du Seigneur de l'univers,
qui montre ainsi à quel point
son plan est merveilleux
et son savoir-faire immense.

Jérusalem presque perdue et soudain délivrée

29 1 « Quel malheur, Ariel, Ariel[n],
cité de Jérusalem
que David vint assiéger !
Tu as beau maintenir
tout le cycle des fêtes
année après année,
2 je te malmènerai, dit le Seigneur.
Tu ne connaîtras plus
que tristesse et détresse[o],
et tu ne seras plus pour moi
que l'ariel de *l'autel,
où se consument les victimes.
J'établirai mon camp
tout autour de toi, moi aussi ;
je t'enfermerai
dans des retranchements,
je m'opposerai à toi
en élevant des remblais.
Tu seras tombée si bas,
que ta voix semblera venir
des profondeurs de la terre ;
elle n'arrivera qu'assourdie
à travers la poussière.
On croira entendre la voix d'un esprit,
dont le message chuchoté
doit traverser le sol.
5 La foule de tes ennemis
est comme un nuage de poussière,
la horde des brutes qui t'attaquent
comme une volée de brins de paille. »

Et voilà que, tout à coup,
6 le Seigneur de l'univers
intervient en ta faveur
dans un grondement de tonnerre,
dans un vacarme terrible,
dans un vent de tempête
et les flammes d'un feu dévorant.
7 La horde des nations
qui te faisaient la guerre, Ariel,
ceux qui t'attaquaient,
t'entouraient de retranchements
et te malmenaient
s'évanouissent tous comme un rêve,
comme une vision dans la nuit[p].

8 Un homme affamé rêve
qu'il est en train de manger ;
mais quand il se réveille,
il a encore le ventre creux.
Un homme assoiffé rêve
qu'il est en train de boire ;
mais quand il se réveille, épuisé,
il a encore la gorge sèche.
Ainsi en sera-t-il
pour la horde des nations

---

l **28.25** *nigelle, cumin* : plantes dont les graines étaient utilisées comme épices. – *aux endroits qui conviennent* : le sens du terme hébreu correspondant est incertain ; il est interprété ici d'après l'ancienne version araméenne, mais les principales versions anciennes ne l'ont pas lu. Certains pensent qu'il désigne une quatrième variété de céréale, qui n'a pas été identifiée.

m **28.27** Garni de pointes sur sa face inférieure, le *traîneau* servait à séparer les grains des épis ; il était tiré par un bœuf.

n **29.1** *Ariel* (qui signifie peut-être *Montagne de Dieu*) désigne au v. 2 comme en Ézék 43.15-16 la partie la plus haute de *l'autel. Le même nom sert à désigner ici Jérusalem.

o **29.2** *tristesse et détresse* : en hébreu les deux termes, de consonances voisines, font jeu de mots ; on peut traduire aussi *des sujets de tristesse et de plainte*.

p **29.7** Allusion probable au siège manqué de Jérusalem par l'armée assyrienne en 701 avant J.-C. Voir les chap. 36–37 ; comparer 31.4-5.

qui faisaient la guerre
contre le mont *Sion.

Aveuglement et ivresse

9 Soyez stupéfaits et restez sans voix,
soyez aveuglés et restez sans voir,
ivres, mais non de vin,
titubants, mais sans avoir bu.
10 Car le Seigneur vous a plongés
dans un profond abrutissement ;
il vous a bouché les yeux[q]
– c'est une allusion aux *prophètes –,
il a mis un voile sur vos têtes
– c'est une allusion aux voyants –.

11 La révélation de ces événements
vous est restée aussi étrangère que les
mots d'un écrit scellé par un cachet de
cire. On le présente à quelqu'un qui sait
lire, en lui disant : « Lis donc ceci » ; mais
il répond : « Impossible, l'écrit est
scellé ». 12 On le présente alors à
quelqu'un qui ne sait pas lire, en lui disant : « Lis donc cela » ; mais il répond :
« Je ne sais pas lire ».

Les surprises ne sont pas finies

13 Le Seigneur a dit de ce peuple :
« Il n'est proche de moi qu'en paroles,
c'est du bout des lèvres qu'il m'honore.
Mais de cœur il est loin de moi.
Le respect qu'il dit avoir pour moi
n'est qu'une tradition humaine,
une leçon apprise[r].
14 Je vais donc continuer
à l'étonner par mes prodiges.
La sagesse de ses sages
sera mise en échec,
la compétence de ses experts
sera prise en défaut[s]. »

Pour qui prenez-vous le Seigneur ?

15 Quel malheur de voir ces gens
qui agissent en secret,
cachent leurs plans au Seigneur
et trafiquent dans l'ombre.
« Qui peut nous voir, pensent-ils,
et savoir ce que nous faisons ? »
16 Quelle absurdité que la vôtre :
mettre sur le même plan
l'argile et le potier !
L'objet dira-t-il de l'artisan :
« Ce n'est pas lui qui m'a fait » ?
Le vase dira-t-il du potier :
« Il n'y connaît rien[t] » ?

Le grand renversement de situation

17 Ne le savez-vous pas ?
D'ici très peu de temps,
la forêt du Liban deviendra un verger,
et le verger une forêt.
18 Ce jour-là, les sourds entendront
ce qui est dit dans le livre
et, sortant de l'obscurité,
les aveugles se mettront à voir.
19 Le Seigneur sera pour les humbles
une source de joie grandissante ;
les plus pauvres des humains
exploseront de bonheur,
grâce à l'unique vrai Dieu,
le Dieu d'Israël.
20 Ce sera la fin des tyrans,
l'élimination des insolents.
On sera débarrassé
de ceux qui cherchent à nuire aux autres,
21 les accusent de crimes,
tendent des pièges aux juges
et font condamner sans raison
celui qui est dans son droit.

22 Voici donc ce que le Seigneur déclare
au peuple de Jacob,
lui le sauveur d'Abraham :
« Désormais le peuple de Jacob
ne sera plus humilié,
il n'aura plus à pâlir.
23 Quand eux ou leurs enfants
verront en effet ce que je ferai parmi eux,
ils reconnaîtront qui je suis,
moi, l'unique vrai Dieu,
le Dieu de Jacob,
ils redouteront de me déplaire,
moi, le Dieu d'Israël.

---

q **29.10** Comparer 6.10 ; Rom 11.8.
r **29.13** Le v. 13 est cité assez librement en Matt 15.8-9 ; Marc 7.6-7.
s **29.14** En 1 Cor 1.19 l'apôtre Paul cite le v. 14 d'après l'ancienne version grecque.
t **29.16** Comparer 45.9.

24 Eux qui avaient perdu tout bon sens,
ils commenceront à me comprendre ;
eux qui protestaient toujours,
ils se laisseront instruire. »

Une politique que Dieu condamne

30 1 Quel malheur, enfants rebelles,
déclare le Seigneur !
Vous élaborez des plans,
ils ne viennent pas de moi ;
vous concluez des alliances,
je ne les ai pas inspirées.
Vous accumulez ainsi
une faute après l'autre.
2 Vous faites le voyage d'Égypte,
mais sans m'avoir consulté.
C'est auprès du *Pharaon
que vous cherchez protection,
c'est à l'ombre de l'Égypte
que vous cherchez un abri !
3 Mais la protection du Pharaon
ne vous apportera que déception,
l'abri que vous cherchez en Égypte
tournera à votre humiliation,
4 même si vos ministres
sont déjà à Soan,
et si vos ambassadeurs
ont atteint Hanès[u].
5 Ils seront tous déçus par un peuple
qui n'est utile à personne.
Il ne sera pour eux
d'aucun secours, d'aucune utilité,
mais source de déception
et de déshonneur.

Ceux qui vont acheter l'aide égyptienne

6 Des bêtes de somme chargées
cheminent dans le Sud.
A travers une région
de détresse et d'angoisse,
de lions féroces et rugissants[v],
de vipères et de dragons volants,
on transporte des richesses et des trésors
à dos d'ânes et de chameaux.
On les destine à un peuple
qui n'est utile à personne.
7 On les destine à l'Égypte,
dont l'aide est illusoire.
Le nom que je lui donne
c'est "l'Assaillant inactif[w]".

Un avertissement pour l'avenir

8 Le Seigneur dit à Ésaïe :
« Maintenant, inscris cela
sur une tablette à écrire,
devant les gens de Jérusalem ;
grave-le sur un document.
Dans l'avenir cela servira
de témoignage perpétuel. »
9 Oui, c'est un peuple rebelle,
ce sont des enfants menteurs,
qui refusent d'écouter
les instructions du Seigneur.
10 Ils disent aux *prophètes :
« Inutile d'avoir des visions ! »
Ils ne veulent pas
qu'on leur annonce la vérité.
Ils préfèrent qu'on leur dise
des choses agréables,
et qu'on leur annonce
des contrevérités.
11 Ils réclament des prophètes
qu'ils s'écartent de la ligne droite
et quittent la bonne direction.
« Cessez, disent-ils, de citer devant nous
l'unique vrai Dieu, le Dieu d'Israël. »

Un effondrement irrémédiable

12 Voici donc ce que déclare
l'unique vrai Dieu, le Dieu d'Israël :
« Vous repoussez ce que je dis,
vous vous fiez plutôt
à l'oppression et aux intrigues
pour trouver des appuis.
13 Eh bien, cette faute
aura pour vous le même effet
qu'une fissure se produisant
dans une haute muraille ;
un renflement apparaît
et soudain, d'un seul coup,
survient l'effondrement.
14 La muraille est en miettes,
comme la cruche d'un potier

---

u **30.4** *vos ministres, vos ambassadeurs* : d'après l'ancienne version grecque ; hébreu *ses ministres...* – *Soan* : voir 19.11 et la note. – *Hanès* : à identifier probablement à Hérakléopolis (100 km environ au sud du Caire).

v **30.6** Le début du v. 6 est parfois compris *Message intitulé « Les bêtes de somme du Néguev »* ; comparer 21.1,13, etc. – *de féroces lions* ou *de lionnes et de lions*.

w **30.7** *l'Assaillant* ou *Rahab* (nom donné parfois à l'Égypte).

qui a reçu un coup : c'est irrémédiable.
On ne peut même plus trouver
parmi les débris
de quoi prendre un peu de braise
dans le foyer,
ou recueillir un peu d'eau
dans une flaque. »

Gardez votre calme et faites-moi confiance

15 Voici ce que déclare le Seigneur Dieu,
l'unique vrai Dieu, le Dieu d'Israël :
Vous ne serez sauvés
qu'en revenant à moi
et en restant paisibles.
Votre seule force,
c'est de garder votre calme
et de me faire confiance.
Mais vous ne le voulez pas.
16 Vous répondez : « Pas du tout !
Nous irons au galop à cheval. »
Oui, vous irez au galop à cheval,
mais pour prendre la fuite !
Vous dites :
« Nos chevaux sont rapides ».
Oui, mais vos poursuivants
seront plus rapides encore !
17 Un seul ennemi suffira
à menacer mille d'entre vous ;
sous la menace de cinq,
vous prendrez tous la fuite.
A la fin, les survivants
seront isolés comme un mât
dressé au sommet d'une montagne,
comme un signal sur la colline.

Le temps du salut

18 Cependant
le Seigneur espère toujours
vous accorder son appui,
il voudrait se lever
pour vous prendre en pitié.
Car le Seigneur est un Dieu juste.
Heureux tous ceux
qui espèrent en lui !

19 Toi, le peuple de *Sion,
toi qui vis à Jérusalem,
tu ne pleureras plus jamais.
Quand tu appelleras le Seigneur,
il sera bien disposé ;
dès qu'il t'entendra il te répondra.
20 Le Seigneur t'accordera
le pain et l'eau nécessaires[x].
Lui qui t'instruit,
il ne te sera plus caché,
tu le verras de tes propres yeux.
21 Quand tu devras aller
à droite ou à gauche,
tu entendras ces mots
prononcés derrière toi :
« Voici le chemin à prendre. »

22 Tu considéreras comme impures
tes idoles revêtues d'argent
et tes statuettes plaquées d'or,
tu les rejetteras comme ignobles :
« Saleté »[y], diras-tu.
23 Le Seigneur te donnera
la pluie pour la semence
que tu auras mise en terre,
et le sol te produira du blé
aussi abondant qu'excellent.
Ce jour-là, ton bétail paîtra
dans de vastes prairies.
24 Les bœufs et les ânes
qui labourent le sol
auront à manger du fourrage salé[z],
qu'on répandra par terre
avec la fourche à vanner.
25 Le jour du grand massacre,
quand s'écrouleront toutes les tours,
des ruisseaux arroseront
montagnes et collines.
26 Le jour où le Seigneur
pansera les plaies de son peuple,
quand il guérira ses blessures,
la lune luira comme un soleil,
et le soleil rayonnera
sept fois plus que d'habitude.

Le Seigneur vient corriger l'Assyrie

27 Voici le Seigneur en personne,
il arrive de loin,
brûlant d'une lourde colère.
Ses lèvres expriment la fureur,
sa parole est un feu dévorant,
28 son souffle est un torrent
qui emporte tout sur son passage.
Il vient secouer les nations

---

x **30.20** Autre traduction *du pain dans la détresse et de l'eau dans la pénurie*.
y **30.22** Autre traduction « *Dehors !* »
z **30.24** Fourrage particulièrement apprécié du bétail.

dans le crible du malheur,
et mettre à la mâchoire des peuples
un mors pour les conduire
où ils ne veulent pas.

29 Quant à vous, gens de Jérusalem, vous
chanterez, comme pendant la nuit où l'on
célèbre la fête[a]. Vous aurez la joie au cœur,
comme lorsqu'on marche au son de la
flûte, pour se rendre à la montagne du Seigneur, auprès de Dieu, le Rocher d'Israël.
30 Le Seigneur fera entendre
sa voix majestueuse ;
il montrera comment son bras
s'abat pour frapper.
Il manifestera sa terrible colère,
parmi les flammes d'un feu dévorant,
au milieu d'une pluie battante
et d'un orage de grêle.
31 A la voix du Seigneur
et sous les coups qui pleuvront,
l'Assyrie connaîtra la peur.

32 Chaque volée de coups que le Seigneur a décidée, il la lui administrera au
son du tambourin et de la guitare. Il menacera[b] l'Assyrie et la combattra par des
guerres.

33 Il y a longtemps déjà
que le bûcher est en place
– pour le roi, lui aussi –.
On l'a préparé
dans un espace rond, large et profond
où flambera le feu,
avec du bois en quantité.
Alors le souffle du Seigneur
y mettra le feu,
comme un torrent de *soufre enflammé.

Les Égyptiens : rien de plus que des hommes

31 1 Quel malheur de voir ces gens
qui se rendent en Égypte
y chercher du secours !
Ils comptent sur les chevaux,
ils font confiance aux chars,
parce qu'ils sont nombreux,
et à la cavalerie
parce qu'elle représente
une force appréciable.
Mais leur regard ne cherche pas
l'unique vrai Dieu, le Dieu d'Israël,
eux-mêmes ne consultent pas
celui qui est le Seigneur.
2 Lui aussi, pourtant, sait y faire :
il a amené le malheur,
il n'a pas retiré ses menaces.
Il s'est dressé
contre le parti des vauriens,
et contre ces gens malfaisants[c]
que l'on appelle à l'aide.
3 Les Égyptiens ne sont que des hommes,
ils n'ont aucun pouvoir divin ;
leurs chevaux ne sont que des chevaux,
ils n'ont aucun don surnaturel.
Il suffit au Seigneur d'étendre la main :
le sauveteur trébuche,
celui qu'il devait aider
se retrouve à terre,
et c'est la fin pour tous les deux.

Le Seigneur, défenseur de Jérusalem

4 Voici ce que le Seigneur m'a déclaré :
« Quand le lion ou le lionceau
gronde pour défendre sa proie
contre une bande de *bergers
ameutés contre lui,
il n'a pas peur de leurs cris,
il ne cède pas à leur tapage.
Il en sera de même pour moi,
le Seigneur de l'univers,
quand je descendrai sur le mont *Sion
pour y faire la guerre. »
5 Comme un oiseau qui étend ses ailes,
le Seigneur de l'univers
étendra sa protection sur Jérusalem.
Du même coup, il la sauvera
et lui épargnera la catastrophe.

6 Israélites, vous avez été jusqu'au bout
de la désertion à l'égard du Seigneur ; re-

---

a **30.29** Il s'agit probablement de la fête des Huttes, célébrée à l'automne, au cours d'une nuit (voir au Vocabulaire CALENDRIER). Certains pensent cependant à la Pâque.

b **30.32** *il menacera* : l'hébreu exprime cette idée par l'image *il agitera la main* (voir 11.15 : 19.16). Le texte du v. 32 présente de nombreuses difficultés et sa traduction reste incertaine.

c **31.2** *le parti des vauriens* : probablement le groupe des courtisans favorables à une alliance avec l'Égypte pour s'opposer à la menace assyrienne. – *ces gens malfaisants* : probablement les Égyptiens eux-mêmes.

venez donc à lui. 7 Un jour, chacun d'entre vous rejettera les idoles d'argent ou
d'or qu'il a fabriquées de ses mains coupables.

8 L'Assyrie tombera
sous les coups d'une épée
qui n'est pas celle des hommes ;
l'épée qui la détruira
n'est pas une épée humaine.
Devant cette épée,
les Assyriens s'enfuiront,
et leurs troupes d'élite
seront soumises au travail forcé.
9 Sous l'effet de la terreur,
les plus solides
deviendront déserteurs,
et les officiers, découragés,
abandonneront leur drapeau.
C'est le Seigneur qui le déclare,
lui qui a sa flamme à *Sion,
un feu allumé à Jérusalem.

Un roi bienfaisant

32 1 Il y aura un roi qui régnera
selon les principes de la justice ;
les princes exerceront le pouvoir
conformément au droit.
2 Chacun d'eux sera bienfaisant,
comme un abri contre le vent,
un refuge contre l'orage,
un ruisseau dans une terre aride
ou l'ombre d'un gros rocher
dans un pays torride.
3 Ceux qui devraient voir
n'auront plus les yeux aveuglés,
ceux qui devraient entendre
auront les oreilles grandes ouvertes[d].
4 Les gens irréfléchis
se mettront à comprendre,
les bègues s'exprimeront
vite et clairement.
5 On n'accordera plus
aux canailles un titre de noblesse,
on ne dira plus aux gredins
qu'ils sont des gens de qualité.

6 Les canailles ne parlent
que pour dire des idioties.
Ils réfléchissent au mal qu'ils vont
faire,
agissent comme des scélérats
et tiennent des propos scandaleux
contre le Seigneur.
Ils laissent l'affamé
manquer du nécessaire,
et refusent de donner à boire
à celui qui meurt de soif.
7 Quant aux gredins,
ils ont des armes cruelles.
Ils préparent leurs mauvais coups
pour nuire aux pauvres,
en affirmant ce qui est faux
alors que les malheureux
réclament seulement leur droit.
8 Mais l'homme au noble cœur
n'a que de nobles pensées,
et il n'intervient
que pour de nobles causes.

Avertissement aux femmes de Jérusalem

9 Femmes insouciantes,
debout, écoutez-moi.
Filles nonchalantes,
attention, j'ai à parler !
10 Dans un peu plus d'un an
vous, les nonchalantes,
vous vous inquiéterez,
car la vendange sera perdue,
il n'y aura pas de récolte.
11 Tremblez donc de peur, insouciantes,
inquiétez-vous, nonchalantes.
Quittez vos vêtements,
déshabillez-vous
et mettez autour des reins
l'étoffe de deuil.
12 Frappez-vous la poitrine.
pleurez sur la belle campagne
et la vigne féconde,
13 sur la terre de mon peuple,
qu'envahissent les broussailles,
sur toutes ces maisons joyeuses
et cette ville animée.
14 Le palais est abandonné,
la ville bruyante est désertée,
le quartier de l'Ofel[e]
ainsi que la tour de guet
sont devenus pour toujours des terrains vagues,
où se plaisent les ânes sauvages
et où paissent les troupeaux.

---

d 32.3 Voir 6.10.
e 32.14 *le quartier de l'Ofel* : voir 2 Chron 27.3 et la note.

Le grand renversement de situation

15 Un jour, le Seigneur
répandra sur nous son Esprit.
Alors les terres incultes
deviendront un verger
et le verger une forêt.
16 Le droit sera chez lui
dans ces terres aujourd'hui incultes,
et la justice régnera dans le verger.
17 La justice produira la paix,
elle créera pour toujours
tranquillité et sécurité.
18 Son peuple habitera une oasis de paix,
il vivra en sécurité,
au repos et sans souci.

19 La forêt s'écroulera sous la grêle,
la ville s'effondrera.
20 Mais quel bonheur pour tous,
de pouvoir semer partout près de l'eau,
et de laisser le bœuf ou l'âne
aller et venir librement !

Malheur au destructeur !

33 1 Quel malheur, toi qui détruis tout
sans avoir subi la pareille
et qui trahis les autres
sans que l'on t'ait trahi !
Quand tu auras fini de détruire,
tu seras détruit à ton tour.
Quand tu auras cessé de trahir[f],
on te trahira toi aussi.
2 Seigneur, accorde-nous ton appui,
nous comptons patiemment sur toi.
Chaque matin, sois notre force,
notre sauveur dans la détresse.

3 Au bruit de ton intervention,
les peuples prennent la fuite ;
dès que tu te dresses,
les nations se dispersent.
4 Alors c'est le pillage :
on croirait voir des criquets[g].
On se rue sur le butin
comme une nuée de *sauterelles.

5 Le Seigneur domine la situation,
il réside là-haut.
Partout dans Jérusalem,
il a instauré le droit et l'ordre.
6 Quant à toi, peuple du Seigneur,
tu pourras vivre en sécurité.
Être sage et connaître Dieu,
c'est être riche du salut ;
honorer le Seigneur,
c'est cela ton trésor !

L'intervention du Seigneur

7 Voici les gens d'Ariel[h]
qui sortent dans la rue
en poussant des cris.
Les messagers de paix reviennent
en pleurant amèrement.
8 Les routes sont désertées,
plus de passants sur les chemins.
Le tyran a rompu l'alliance,
il en a repoussé les témoins[i],
il n'a que mépris pour les hommes.
9 Le pays, en deuil, se dessèche ;
le massif du Liban,
frappé par la sécheresse, a honte,
la plaine du Saron
ressemble à un désert,
le *Bachan et le Carmel[j]
se retrouvent dépouillés.

10 « Maintenant, dit le Seigneur,
je vais intervenir,
maintenant je vais me dresser,
je vais montrer ma grandeur.
11 Les projets que vous avez conçus
ne sont que du foin,
et quand ils voient le jour,
ce n'est que de la paille.
Comme un feu,
votre propre souffle vous consumera.

---

f 33.1 *Malheur à toi* : cette menace vise probablement l'Assyrie ; comparer 10.5-19. – *tu auras cessé* : d'après le principal manuscrit hébreu d'Ésaïe trouvé à Qumrân ; texte traditionnel peu clair.

g 33.4 *le pillage : on croirait voir* : d'après plusieurs versions anciennes ; hébreu *votre butin est ramassé, les criquets ramassent...*

h 33.7 *Ariel* : appellation donnée à Jérusalem en 29.1.

i 33.8 *Le tyran* (voir v. 1) : le sujet est imprécis en hébreu ; autre traduction *On a rompu... – les témoins* : d'après le principal manuscrit hébreu d'Ésaïe trouvé à Qumrân ; texte traditionnel *les villes*.

j 33.9 *Liban* : voir 10.34 et la note. – *la plaine du Saron* : riche plaine située en bordure de la Méditerranée, au sud du mont *Carmel*.

12 Quant aux autres peuples,
le feu les réduira en chaux,
les flammes les dévoreront
comme des broussailles coupées.
13 Vous qui êtes au loin,
écoutez ce que j'ai fait.
Et vous qui êtes près,
sachez de quoi je suis capable. »
14 A *Sion les coupables prennent peur,
un tremblement saisit les infidèles.
« Qui de nous pourra rester
près de ce feu dévorant ?
demandent-ils.
Qui de nous pourra rester
près de ce brasier sans fin ? »
15 – C'est celui qui poursuit sa route
en respectant le droit
et en disant la vérité ;
c'est l'homme qui refuse
les profits acquis par la violence,
repousse ceux qui essaient
de l'acheter par des cadeaux,
ferme ses oreilles
à ceux qui lui suggèrent un meurtre,
et n'accorde au mal
aucun regard complaisant.
16 Cet homme habitera
sur les hauteurs, à l'abri ;
il aura un refuge
sur les rochers fortifiés,
son pain lui sera assuré,
l'eau ne lui manquera pas.

Jérusalem délivrée

17 Tu pourras contempler le roi
dans toute sa splendeur,
tu verras le pays
dans sa plus vaste étendue.
18 Tu penseras alors à la terreur passée,
et tu demanderas :
« Où sont-ils donc, ceux qui comptaient
et vérifiaient les impôts ?
Où sont ceux qui inspectaient
les fortifications ? »
19 Tu cesseras enfin de voir
ce peuple arrogant,
au parler incompréhensible,
au langage inintelligible,
impossible à saisir.
20 Quand tu regarderas Jérusalem,
quand tu verras *Sion,
la ville où se célèbrent nos fêtes,
elle t'apparaîtra comme un asile de calme,
une tente qu'on ne déplace plus ;
on n'arrachera plus ses piquets,
on n'enlèvera plus ses cordes.
21 C'est là que le Seigneur
nous montrera sa grandeur.
Il y aura là des rivières,
des fleuves au large cours,
où les bateaux de guerre[k]
ne passeront pas,
et où les grands navires
ne circuleront pas.

22 Le Seigneur est notre guide,
il est notre chef de file.
Le Seigneur est notre roi,
c'est lui notre Sauveur.

23 Tes cordages sont relâchés,
ils ne maintiennent plus le mât,
ils ne permettent plus
de hisser le signal.

Alors on se partagera
une quantité de butin ;
les boiteux eux-mêmes
participeront au pillage.
24 Personne à Jérusalem
ne dira plus « Je suis malade ».
Le peuple de cette ville
sera déchargé de sa faute.

Le jugement d'Édom

34 1 Nations, approchez-vous pour écouter ;
peuples, faites bien attention.
Et que la terre entende,
elle et tout ce qui s'y trouve !
Que le monde soit témoin,
lui et tout ce qu'il produit !

2 Le Seigneur est indigné
contre l'ensemble des nations,
il en veut à toute leur troupe.
Il les a destinées à l'extermination,

k 33.21 *bateaux de guerre* ou *navires à rames* : dans l'Antiquité les navires à rames servaient essentiellement à la guerre.

livrées à l'abattoir.
3 Les victimes sont jetées à terre,
les cadavres empestent,
les montagnes ruissellent de sang.
4 La troupe des étoiles
se disloque tout entière,
le ciel s'enroule sur lui-même
comme un rouleau de papyrus.
Les astres tombent tous,
comme les feuilles mortes
d'une vigne ou d'un figuier[l].

5 L'épée du Seigneur
apparaît dans le ciel.
La voilà qui s'abat sur les Édomites[m],
ce peuple que le Seigneur a condamné
à l'extermination.
6 L'épée du Seigneur est pleine de sang,
couverte de graisse
comme du sang des béliers et des
boucs,
comme de la graisse de leurs reins.
A Bosra, la capitale,
le Seigneur fait un sacrifice ;
dans le pays d'Édom,
c'est un terrible massacre.
7 En même temps, les buffles tombent,
taureaux et bœufs s'écroulent.
La terre s'enivre de sang,
le sol est gavé de graisse.
8 Pour le Seigneur, c'est en effet
le jour de la revanche ;
pour le défenseur[n] de *Sion,
c'est l'année du règlement des comptes.

9 Les torrents du pays d'Édom
deviendront des torrents de poix,
son sol se changera en *soufre.
Le pays va devenir
un champ de poix brûlante,
10 qui se consume nuit et jour,
envoyant vers le ciel une fumée sans
fin[o].
De siècle en siècle, le pays
restera dévasté,
plus jamais on n'y passera.
11 La chouette chevêche et le butor
en prendront possession.
La hulotte et le corbeau
y auront leur demeure.
On étendra sur lui
le cordeau de la destruction,
on nivellera tout, on fera le vide.
12 Plus de nobles pour élire un roi,
c'est la fin de tous les princes.
13 Les buissons épineux
poussent dans les belles maisons,
les orties et les ronces
envahissent les forteresses.
C'est le repaire des chacals,
le domaine des autruches.
14 Les chats sauvages
y rencontrent les hyènes,
c'est le rendez-vous des boucs.
C'est là que le démon Lilith[p]
prend un moment de repos :
il y trouve où se reposer.
15 C'est là encore
que le serpent a son nid,
qu'il dépose ses œufs
et surveille leur éclosion.
C'est là enfin que les vautours
se rassemblent en troupe.

16 Si vous cherchez dans le livre du Seigneur[q], vous pourrez lire ceci :
Aucun d'eux ne reste en arrière,
il n'y a pas un seul absent ;
ils sont aux ordres du Seigneur,
c'est son Esprit qui les rassemble.
17 Il a tiré au sort la part de chacun
d'eux,
il a pris son cordeau pour leur répartir
le pays.
Ils en seront propriétaires pour toujours,
de siècle en siècle, ils y auront leur demeure.

---

l **34.4** Comparer Matt 24.29 ; Marc 13.25 ; Apoc 6.13-14.

m **34.5** *L'épée du Seigneur* ou *Mon épée*. – *apparaît* : d'après le principal manuscrit hébreu d'Ésaïe trouvé à Qumrân, soutenu par l'ancienne version araméenne ; texte traditionnel *est ivre*. – Sur les *Édomites* voir 63.1-6 ; Jér 49.7-22 ; Ézék 25.12-14 ; 35 ; Amos 1.11-12 ; Abdias ; Mal 1.2-4.

n **34.8** *le défenseur* : d'après l'ancienne version syriaque ; hébreu *le procès*. Sur l'ensemble du verset voir 63.1-6 ; Joël 4.19 ; Ps 137.7 ; Lam 4.21-22.

o **34.10** Comparer Apoc 14.11 ; 19.3.

p **34.14** Voir 13.21 et la note. – *Lilith* : démon femelle de la mythologie babylonienne. En hébreu son nom évoque peut-être une apparition nocturne.

q **34.16** *le livre du Seigneur* : ouvrage inconnu aujourd'hui ; il contenait peut-être un certain nombre de messages du prophète Ésaïe. Le passage cité ici (v. 16b-17) pourrait y avoir fait suite à 13.20-22.

Le grand retour

35 1 Que le désert et la terre aride
manifestent leur joie !
Que le pays sec s'émerveille
et se couvre de fleurs,
2 aussi belles que les lis !
Oui, qu'il se couvre de fleurs,
et qu'il s'émerveille à grands cris !
Le Seigneur lui a donné
la splendeur des montagnes du Liban,
l'éclat du mont Carmel
et de la plaine du Saron[r].
On pourra voir alors
la glorieuse présence du Seigneur,
l'éclat de notre Dieu.

3 Rendez force aux bras fatigués,
affermissez les genoux chancelants[s].
4 Dites à ceux qui perdent courage :
« Ressaisissez-vous, n'ayez pas peur,
voici votre Dieu.
Il vient vous venger
et rendre à vos ennemis
le mal qu'ils vous ont fait,
il vient lui-même vous sauver. »

5 Alors les aveugles verront,
et les sourds entendront.
6 Alors les boiteux
bondiront comme les cerfs[t]
et les muets exprimeront leur joie.
Car de l'eau jaillira dans le désert,
des torrents ruisselleront dans le pays
sec.
7 Le sable brûlant se changera en étang,
et le pays de la soif en région de sour
ces.
A l'endroit même où les chacals
avaient leur repaire,
pousseront des roseaux et des joncs.

8 C'est là qu'il y aura une route
qu'on nommera "le chemin réservé".
Aucun *impur n'y pourra passer,
aucun idolâtre n'y rôdera.
Elle sera destinée au peuple du Sei
gneur
quand il se mettra en marche.
9 Sur cette route, pas de lion ;
aucune bête féroce ne pourra y accé
der,
on n'en trouvera pas.
C'est là que marcheront
ceux que le Seigneur aura libérés.
10 C'est par là que reviendront
ceux qu'il aura délivrés.
Ils arriveront à *Sion en criant de bon
heur.
Une joie éternelle illuminera leur vi
sage.
Une joie débordante les inondera,
tandis que chagrins et soupirs
se seront évanouis.

Le roi d'Assyrie menace Jérusalem

(Voir 2 Rois 18.13,17-37)

36 1 Pendant la quatorzième année du
règne d'Ézékias[u], le roi d'Assyrie,
Sennakérib, vint attaquer toutes les villes
fortifiées du royaume de Juda et s'en empara. 2 Alors qu'il se trouvait à Lakich, il
envoya son aide de camp au roi Ézékias,
Jérusalem. L'aide de camp était à la têt
d'une troupe importante. Il se plaça prè
du canal du réservoir supérieur, sur l
route qui mène au champ des Blan
chisseurs[v]. 3 Alors Éliaquim, fils de Hil
quia et chef du palais royal, sortit de l
ville à sa rencontre, accompagné du se
crétaire Chebna et de Yoa, fils d'Assaf e
porte-parole du roi[w]. 4 L'aide de camp as
syrien leur dit :
« Allez transmettre à Ézékias ce mes
sage du Grand Roi, le roi d'Assyrie
"Quelle belle confiance tu as là ! 5 Je m
suis dit que de simples paroles te tien
nent lieu de plan de bataille et de courag
pour faire la guerre. Sur qui comptes-t
pour oser te révolter contre moi ? 6 Su
l'Égypte ? Sur ce roseau cassé qui tran

---

r **35.2** Voir 33.9 et la note.
s **35.3** Verset cité en Hébr 12.12.
t **35.6** Le v. 6 est cité en Matt 11.5 ; Luc 7.22.
u **36.1** L'attaque assyrienne contre le royaume de Juda eut lieu en 701 avant J.-C.
v **36.2** *Lakich* : voir 2 Rois 14.19 et la note. – *réservoir supérieur, champ des Blanchisseurs* : voir 7.3 ; 2 Rois 18.17 et la note.
w **36.3** Le *porte-parole du roi* : autre traduction *l'archiviste*.

perce la main de quiconque s'y appuie[x] ? Voilà ce que vaut le *Pharaon,
roi d'Égypte, pour tous ceux qui
comptent sur lui ! 7 Tu vas sans doute me
répondre que vous comptez sur le Seigneur votre Dieu. Mais tu as précisément supprimé ses lieux sacrés et ses
*autels, en ordonnant aux gens de Juda
et de Jérusalem de ne rendre leur culte
que devant l'autel de cette ville !" 8 Eh
bien, fais donc un pari avec mon maître,
e roi d'Assyrie : je suis prêt à te fournir
deux mille chevaux, si tu peux trouver
des cavaliers pour les monter. 9 Mais
comment pourrais-tu mettre en fuite un
seul officier de mon maître, même
parmi les moindres ? Et tu comptes sur
'Égypte pour obtenir des chars et des
chevaux ! 10 D'ailleurs, mon maître est-il
venu attaquer ce pays et le dévaster sans
que le Seigneur l'ait voulu ? Pas du
out ! C'est le Seigneur lui-même qui lui
en a donné l'ordre[y] ! »
11 Alors Éliaquim, Chebna et Yoa demandèrent à l'aide de camp assyrien :
Parle-nous en araméen[z] s'il te plaît,
nous le comprenons. Évite de t'adresser à
nous en hébreu, à cause de tous les gens
qui sont sur la muraille en train de nous
écouter. » 12 Mais l'aide de camp répondit : « Croyez-vous que le message de
mon maître soit destiné seulement à votre maître et à vous ? Il concerne aussi
ous ces gens qui se tiennent sur la muraille, et qui, comme vous, n'auront bientôt plus que leurs excréments à manger et
eur urine à boire[a]. »
13 Puis l'aide de camp se dressa et cria
de toutes ses forces en hébreu : « Écoutez
e message du Grand Roi, le roi d'Assy-
ie : 14 "Ne vous laissez pas tromper par
Ézékias : il est incapable de vous tirer
'affaire. 15 Il prétend qu'il faut faire
confiance au Seigneur, que celui-ci vous
sauvera sûrement et m'empêchera de
prendre cette ville. N'en croyez rien.
N'écoutez pas Ézékias, écoutez plutôt
e que je vous propose, moi le roi d'Assy-
ie : cessez toute résistance et rendez-
vous à moi. Alors chacun de vous pourra
profiter de sa vigne, de son figuier et de
eau de sa citerne. 17 Plus tard, je vien-
rai pour vous emmener dans un pays
comme le vôtre, un pays riche en blé et
en vignes, en pain et en vin. 18 Ne vous
laissez donc pas égarer par Ézékias
lorsqu'il prétend que le Seigneur vous
sauvera. Les dieux des autres nations
m'ont-ils empêché de mettre la main sur
leur pays ? 19 Qu'ont-ils fait, les dieux de
Hamath et d'Arpad ? Et ceux de Sefarvaïm ? Quelqu'un m'a-t-il empêché de
prendre Samarie[b] ? 20 Parmi tous ces
dieux, aucun n'a pu m'interdire de mettre la main sur son pays. Comment le
Seigneur m'empêcherait-il alors de prendre Jérusalem ?" »
21 Tous ceux qui étaient là gardèrent le
silence ; ils ne répondirent pas un mot,
car tel était l'ordre du roi Ézékias. 22 Puis
Éliaquim, fils de Hilquia et chef du palais
royal, le secrétaire Chebna et Yoa, fils
d'Assaf et porte-parole du roi, après avoir
*déchiré leurs vêtements, revinrent au-
près d'Ézékias et lui rapportèrent ce que
l'aide de camp assyrien avait déclaré.

Ézékias consulte le prophète Ésaïe

(Voir 2 Rois 19.1-7)

37 1 Dès que le roi Ézékias eut entendu leur rapport, il *déchira lui
aussi ses vêtements, prit la tenue de deuil
et se rendit au temple du Seigneur. 2 En
même temps, il envoya le chef du palais
Éliaquim, le secrétaire Chebna et les prêtres les plus anciens chez le *prophète
Ésaïe, fils d'Amots. Ces hommes, eux
aussi en tenue de deuil, 3 devaient dire au
prophète : « Voici un message d'Ézékias :
"Ce jour est pour nous un jour d'angoisse, de punition, d'humiliation.
Comme on dit, l'enfant est à terme, mais
la mère manque de force pour le mettre
au monde. 4 Le roi d'Assyrie a envoyé son
aide de camp pour insulter le Dieu vivant. Ah, si seulement le Seigneur ton
Dieu entendait ces insultes et le punissait
d'avoir ainsi parlé ! Toi, prie le Seigneur

---

x **36.6** Comparer Ézék 29.6-7.
y **36.10** Voir 7.20 ; 10.5-6.
z **36.11** Voir 2 Rois 18.26 et la note.
a **36.12** Voir 2 Rois 18.27 et la note.
b **36.19** *Hamath, Arpad,... Samarie* : voir en 2 Rois 17.24 une liste un peu différente des villes dont Sennakérib s'est emparé.

en faveur de ce qui reste de son peuple." »
5 Quand les envoyés du roi Ézékias eurent accompli leur démarche auprès
d'Ésaïe, 6 celui-ci leur dit : « Allez rapporter à votre maître ce que déclare le Seigneur : "Tu as entendu les officiers du roi
d'Assyrie m'insulter. N'aie pas peur de ce
qu'ils ont dit. 7 Le roi va recevoir une
nouvelle ; je lui inspirerai alors de retourner dans son pays. Et là-bas, je le ferai
mourir assassiné[c]." »

Nouvelles menaces de Sennakérib

(Voir 2 Rois 19.8-13)

8 L'aide de camp assyrien apprit que
son maître avait quitté Lakich pour assiéger Libna[d] ; c'est donc là qu'il vint le
trouver. 9 Le roi d'Assyrie fut informé
que le *Pharaon Tiraca l'Éthiopien venait l'attaquer. Quand il reçut la nouvelle, il fit porter ce message à Ézékias,
10 le roi de Juda : « Tu comptes trop sur
ton Dieu en prétendant qu'il m'empêchera de prendre Jérusalem ; ne te laisse
pas tromper par lui. 11 Tu as bien appris
comment les rois d'Assyrie ont traité
tous les autres pays et les ont dévastés. Et
tu t'imagines que vous serez épargnés ?
12 Quand mes prédécesseurs ont détruit
Gozan, Haran, Ressef et la capitale des
Édénites, Télassar, les dieux de ces nations n'ont pas pu préserver ces villes.
13 Réfléchis au sort des rois de Hamath,
Arpad, Laïr, Sefarvaïm, Héna et Ava[e] ! »

Prière d'Ézékias

(Voir 2 Rois 19.14-19)

14 Ézékias prit la lettre apportée par les
messagers assyriens et la lut. Puis il
monta au temple et la présenta au Seigneur. 15 Ensuite il prononça cette prière :
16 « Seigneur de l'univers, Dieu d'Israël,
toi qui sièges au-dessus des *chérubins[f],
c'est toi qui es le seul Dieu pour tous les
royaumes du monde, c'est toi qui as fait
le ciel et la terre. 17 Seigneur, écoute bien,
regarde attentivement, remarque les insultes que les messagers de Sennakérib
ont prononcées contre toi, le Dieu vivant !
18 Seigneur, c'est vrai, les rois d'Assyrie
ont exterminé les autres nations et ravagé
leurs territoires. 19 Ils ont pu mettre au feu
et détruire les dieux de ces nations, parce
que ce n'étaient pas de vrais dieux, mais
seulement des statues de bois ou de pierre
fabriquées par les hommes. 20 Mais toi,
Seigneur notre Dieu, sauve-nous maintenant des griffes de Sennakérib. Alors,
dans tous les royaumes du monde, on
saura, Seigneur, que toi seul es Dieu. »

Ésaïe transmet la réponse du Seigneur

(Voir 2 Rois 19.20-34)

21 Alors Ésaïe, fils d'Amots, fit porter
ce message à Ézékias : « Voici ce que déclare le Seigneur, Dieu d'Israël, en réponse à la prière que tu lui as adressée au
sujet du roi d'Assyrie, Sennakérib.
22 Écoute les paroles qu'il prononce
contre Sennakérib :

La cité de *Sion te méprise,
elle te trouve ridicule.
Jérusalem la belle
rit de toi en hochant la tête.
23 Qui as-tu insulté ? Qui as-tu outragé ?
Contre qui as-tu osé parler
et jeter un regard arrogant ?
Contre moi, l'unique vrai Dieu,
le Dieu d'Israël !
24 Tu t'es servi de tes valets
pour m'insulter, moi le Seigneur.

Tu as dit : "Moi, Sennakérib,
grâce à mes nombreux chars,
j'ai gravi des sommets
jusqu'au cœur du Liban,
pour y couper ses plus beaux cèdres
et ses plus hauts cyprès.
J'atteindrai ses derniers sommets
et son parc forestier.
25 Moi, j'ai creusé des puits
et j'en ai bu l'eau.
Je mettrai à sec les bras du Nil
rien qu'en posant les pieds
sur le sol égyptien !"

26 Eh bien, Sennakérib, ne le sais-tu pas
Depuis longtemps, c'est moi

---

c **37.7** Voir le v. 38.
d **37.8** *Libna* : voir 2 Rois 8.22 et la note.
e **37.13** *Gozan, Haran* (v. 12) ...*Hamath* (v. 13)... : voir 2 Rois 17.24 ; 18.34 et les notes.
f **37.16** *au-dessus des chérubins* : voir Ex 25.22.

qui ai préparé ces événements.
Depuis un lointain passé
j'en ai formé le plan,
maintenant, je les réalise.
Je t'avais destiné
à réduire en tas de ruines
les villes fortifiées.
27 Leurs habitants, les bras ballants,
sont paralysés de peur
et se sentent humiliés.
Ils font penser à l'herbe des champs,
à la verdure des prés,
aux plantes sur les toits
grillées par le vent d'est[g].

28 Et je sais tout de toi :
quand tu te lèves[h] ou tu t'assieds,
quand tu sors ou quand tu entres,
et quand tu t'emportes contre moi.
29 Or tu t'es emporté contre moi,
j'ai entendu tes insolences.
C'est pourquoi je vais te maîtriser
par un crochet dans le nez,
par un mors dans la bouche.
Je te ramènerai chez toi
par le chemin que tu as pris pour venir.

30 Quant à toi, Ézékias, je te signale ce
ui doit arriver : cette année, on
onsommera le blé qui aura poussé tout
eul ; l'année prochaine également. Mais
'année suivante, vous pourrez semer et
noissonner votre blé, cultiver vos vines et profiter de la vendange. 31 Les
urvivants du royaume de Juda seront
e nouveau comme un arbre qui enfonce
es racines dans le sol et dont les bran-
hes se couvrent de fruits. 32 Oui, à Jéru-
alem surgira un peuple de survivants,
ur le mont *Sion se lèveront des resca-
és. »
saïe ajouta : « Voilà ce que fera le Seineur de l'univers dans son ardent amour.
Et maintenant voici ce qu'il déclare au
ujet du roi d'Assyrie : "Il n'entrera pas
ans cette ville, il ne tirera pas de flèches
ontre elle, il ne lancera pas d'attaque à
abri des boucliers, il n'élèvera pas de
emblai pour donner l'assaut. 34 Il repar-
ra par le chemin qu'il avait pris pour ve-
ir. Il n'entrera pas ici, je le déclare, moi le
eigneur. 35 Je protégerai Jérusalem et je la
auverai, parce que je suis Dieu, et par fi-
élité à David mon serviteur." »

Départ des Assyriens, mort de Sennakérib

(Voir 2 Rois 19.35-37)

36 Effectivement *l'ange du Seigneur
intervint dans le camp assyrien et y fit
mourir cent quatre-vingt-cinq mille
hommes. Le lendemain matin, les survivants, à leur réveil, découvrirent tous ces
cadavres. 37 Alors Sennakérib, le roi
d'Assyrie, fit démonter le camp et repartit pour Ninive, sa capitale, où il resta.
38 Un jour qu'il était en prière au temple
de son dieu Nisrok, deux de ses fils,
Adrammélek et Saresser, l'assassinèrent,
puis ils s'enfuirent au pays d'Ararat[i]. Un
autre de ses fils, Assarhaddon, lui succéda.

Maladie et guérison d'Ézékias

(Voir 2 Rois 20.1-11)

38 1 A cette époque, le roi Ézékias fut
atteint d'une maladie mortelle. Le
*prophète Ésaïe, fils d'Amots, vint le voir
et lui dit : « Voici ce que le Seigneur déclare : C'est le moment pour toi de régler
tes affaires, car tu ne survivras pas à ta
maladie. » 2 Alors Ézékias se tourna
contre le mur et adressa au Seigneur cette
prière : 3 « Ah ! Seigneur, souviens-toi : je
me suis conduit envers toi avec une entière loyauté, j'ai toujours agi de manière
à te plaire. » Puis il ne put retenir ses larmes.
4 Alors le Seigneur chargea Ésaïe 5 de
dire à Ézékias : « Voici ce que déclare le
Seigneur, le Dieu de ton ancêtre David :
"J'ai entendu ta prière et j'ai vu tes larmes. Eh bien, je vais prolonger ta vie de
quinze ans ! 6 Je vous arracherai, toi et Jérusalem, aux griffes du roi d'Assyrie, et je
protégerai la ville[j]." »

---

g **37.27** *grillées par le vent d'est* : d'après le principal manuscrit hébreu d'Ésaïe trouvé à Qumrân ; texte traditionnel *et de la campagne, avant d'avoir fini de pousser*.

h **37.28** *tu te lèves* : mots conservés par le principal manuscrit hébreu d'Ésaïe trouvé à Qumrân et absents du texte traditionnel.

i **37.38** Voir 2 Rois 19.37 et la note.

j **38.6** Les v. 21-22 ont été reportés après le v. 6 comme dans le passage parallèle de 2 Rois 20.1-11.

21 Puis Ésaïe donna cet ordre : « Qu'on
apporte une pâte de figues écrasées, et
qu'on l'applique sur l'endroit malade,
pour que le roi guérisse ! »
22 Alors Ézékias demanda : « Quel signe m'assurera que je pourrai me rendre
encore au temple du Seigneur ? » 7 Ésaïe
lui dit : « Le Seigneur va t'accorder un signe pour t'assurer qu'il réalisera ce qu'il a
promis : 8 sur l'escalier d'Ahaz[k] qui était
au soleil, l'ombre est descendue. Eh bien,
le Seigneur va la faire remonter de dix
marches ! » Effectivement le soleil revint
sur les dix marches d'escalier que l'ombre avait recouvertes.

Prière d'Ézékias après sa guérison

9 Voici le poème que le roi Ézékias de Juda composa après sa maladie et sa guérison :

10 Je me disais : je n'ai vécu
que la moitié de ma vie,
et je dois déjà m'en aller !
Je vais devoir passer
dans le monde des morts
les années qui me restaient à vivre.
11 Je me disais encore :
Je ne verrai plus le Seigneur
sur la terre des vivants,
ni aucun être humain
dans le monde habité.
12 L'abri où je vis est arraché,
emporté loin de moi,
comme une tente de *berger.
Ma vie est au bout du rouleau,
comme une pièce de tissu,
que le tisserand enroule
après avoir tranché les fils.
– Avant le soir, Seigneur,
tu en auras fini avec moi,
13 et d'ici le matin,
la mort m'aura fauché[l]. –
Comme un lion
le Seigneur a broyé tous mes os.
– Avant le soir, Seigneur,
tu en auras fini avec moi. –
14 Mes cris sont perçants
comme ceux de l'hirondelle,
et mes gémissements plaintifs
comme ceux de la tourterelle.
Mes yeux n'en peuvent plus
de regarder au ciel.
– Dans mon accablement, Seigneur,
fais quelque chose pour moi. –
15 Mais que dirai-je,
pour qu'il me parle,
puisque c'est lui qui agit ?
Le sommeil me fuit[m],
tant j'ai d'amertume au cœur.

16 – Seigneur, tu étais au courant
de ce qui m'arrivait,
et tu m'as ranimé,
tu m'as rendu des forces,
tu m'as gardé en vie[n].
17 Maintenant mon amertume
s'est changée en bonheur,
car tu m'as aimé assez
pour m'éviter la mort ;
tu as jeté toutes mes fautes
loin derrière toi.
18 Dans le monde des morts,
personne ne te loue ;
ce ne sont pas les cadavres
qui peuvent t'acclamer.
Quand on descend dans la tombe,
il est trop tard
pour espérer en ta fidélité.
19 Mais ce sont les vivants seuls
qui peuvent te louer,
comme moi aujourd'hui,
et comme les parents
qui feront connaître à leurs enfants
combien tu es fidèle.
20 Seigneur, tu m'as sauvé.
Nous te louerons donc en musique
tous les jours de notre vie,
dans ta maison, Seigneur[o].

Ézékias reçoit les ambassadeurs de Babylone

(Voir 2 Rois 20.12-19)

39 1 A cette époque, le roi de Baby
lone, Mérodak-Baladan, fils d
Baladan, apprit qu'Ézékias avait été ma

---

k 38.8 *Ahaz* : père d'Ézékias (2 Rois 18.1).

l 38.13 *la mort m'aura fauché* ou *je serai nivelé* : d'après le principal manuscrit hébreu d'Ésaïe trouvé à Qumrân ; texte traditionnel peu clair.

m 38.15 Le v. 15 est peu clair en hébreu. – *le sommeil m'a fui* : d'après l'ancienne version syriaque.

n 38.16 Le texte hébreu de ce verset est obscur ; la traduction reprend le sens proposé par l'ancienne version grecque.

o 38.20 Voir la note au v. 6.

lade et qu'il était rétabli. Il lui envoya des
ambassadeurs, porteurs d'une lettre et
d'un cadeau[p]. 2 Ézékias en fut très heureux. Il leur fit visiter le bâtiment où l'on
gardait les objets de valeur, argent, or, parfums et huiles aromatiques. Il leur montra
également son dépôt d'armes et tout ce
qui se trouvait dans ses réserves. Il ne leur
cacha absolument rien, ni dans son palais,
ni dans l'ensemble de son royaume.
3 Après cela, le *prophète Ésaïe vint
trouver le roi Ézékias et lui demanda :
« Que t'ont dit ces gens ? Et d'abord d'où
venaient-ils ? » – « De très loin, répondit
Ézékias ; ils sont venus me voir de Babylone. » 4 Ésaïe reprit : « Et qu'ont-ils vu
dans ton palais ? » – « Tout ce qui s'y
trouve, dit Ézékias. Je ne leur ai rien caché de mes trésors. »
5 Alors Ésaïe dit à Ézékias : « Écoute ce
qu'annonce le Seigneur de l'univers :
6 "Un jour, tout ce qui se trouve maintenant dans ton palais, tout ce que tes prédécesseurs y ont amassé, tout cela sera
emporté à Babylone. Il n'en restera rien
ici, déclare le Seigneur. 7 On emmènera
même certains de tes descendants pour
en faire des *eunuques au service du roi
dans le palais de Babylone[q]." »
8 Ézékias répondit à Ésaïe : « C'est une
bonne chose que tu m'annonces de la
part du Seigneur. » Il se disait en effet :
« Tant que je serai en vie, nous aurons la
paix et la sécurité. »

DEUXIÈME PARTIE

LA CONSOLATION D'ISRAËL
(40–55)

Réconfortez mon peuple

40 1 Réconfortez mon peuple,
c'est urgent, dit votre Dieu.
2 Retrouvez la confiance de Jérusalem,
criez-lui qu'elle en a fini
avec les travaux forcés,
et qu'elle a purgé sa peine.
Car le Seigneur lui a fait payer
le prix complet[r] de toutes ses fautes.

3 J'entends une voix crier :
« Dans le désert,
ouvrez le chemin au Seigneur ;
dans cet espace aride,
frayez une route pour notre Dieu[s].
4 Qu'on relève le niveau des vallées,
qu'on abaisse montagnes et collines !
Qu'on change les reliefs en plaine
et les hauteurs en larges vallées !
5 La glorieuse présence du Seigneur
va être dévoilée,
et tout le monde la verra.
Tel est l'ordre du Seigneur[t]. »

6 J'entends une voix qui dit :
« Fais une proclamation ».
Mais je réponds : « Laquelle ? »
La voix reprend : « Celle-ci :
Le sort des humains est précaire
comme celui de l'herbe.
Ils n'ont pas plus de vigueur
que les fleurs des champs.
7 L'herbe sèche, la fleur se fane,
quand le souffle du Seigneur
est passé par là.
– C'est bien vrai, les humains[u]
ont la fragilité de l'herbe –.
8 Oui, l'herbe sèche, la fleur se fane,
mais la Parole de notre Dieu
se réalisera pour toujours[v]. »

---

p **39.1** Voir 2 Rois 20.12 et la note.

q **39.7** Comparer Dan 1.1-7 ; 2 Rois 24.10-16 ; 2 Chron 36.10.

r **40.2** *le prix complet* ou *deux fois le prix*, c'est-à-dire la faute et le dédommagement ; voir Ex 22.3,6,8 ; Jér 6.18.

s **40.3** Passage cité en Matt 3.3 ; Marc 1.3 ; Jean 1.23 selon l'ancienne version grecque.

t **40.5** Certains interprètent *tout le monde verra que le Seigneur a parlé*. – V. 3-5 : voir Luc 3.4-6.

u **40.7** *les humains* : d'autres interprètent *le peuple* (d'Israël).

v **40.8** Voir 55.10-11. Les v. 6-8 sont cités pour l'essentiel en 1 Pi 1.24-25 selon l'ancienne version grecque ; comparer Jacq 1.10-11.

Une bonne nouvelle à proclamer

9 Peuple de Jérusalem,
monte sur une haute montagne.
Peuple de *Sion,
crie de toutes tes forces.
Tu es chargé d'une bonne nouvelle[w],
n'aie pas peur de la faire entendre.
Dis aux villes de Juda :
« Voici votre Dieu.
10 Voici le Seigneur Dieu.
Il arrive plein de force,
il a les moyens de régner.
Il ramène ce qu'il a gagné,
il rapporte le fruit de sa peine[x].
11 Il est comme un *berger
qui mène son troupeau
et le rassemble d'un geste du bras ;
il porte les agneaux contre lui
et ménage les brebis
qui allaitent des petits[y]. »

Grandeur et sagesse du maître de l'univers

12 Qui a mesuré dans le creux de sa main
le volume de la mer[z] ?
Qui a évalué de ses doigts écartés
le diamètre du ciel ?
Et la poussière de la terre,
qui en a estimé la masse
en la tassant dans un seau ?
Qui a pesé sur la balance
les montagnes et les collines ?
13 Qui a pris la mesure
de l'Esprit du Seigneur ?
Quel confident
Dieu a-t-il instruit de son plan[a] ?
14 Avec qui s'est-il entretenu
pour le mettre au courant ?
A qui a-t-il enseigné
comment il faut s'y prendre,
et ce qu'il faut savoir,
et par quel moyen
comprendre son action[b] ?
15 Devant le Seigneur,
les nations ne comptent pas plus
qu'une goutte d'eau qui tombe d'un seau,
ou qu'un grain de sable
dans le plateau d'une balance.
Les populations lointaines
ne pèsent pas plus
qu'un peu de poussière.
16 Tout le gibier du Liban
ne suffirait pas pour lui offrir
un sacrifice digne de lui,
ni les arbres de ses forêts
pour entretenir le feu.
17 Les nations toutes ensemble
ne font pas le poids devant lui,
elles comptent pour moins que rien.

Dieu incomparable

18 A qui voulez-vous comparer Dieu ?
A quelle image le confronter ?
19 Une idole ? Un fondeur l'a moulée,
puis un orfèvre l'a plaquée d'or
et ornée de chaînettes d'argent[c].
20 Celui qui est trop pauvre[d]
pour une telle dépense
choisit un morceau de bois
que les vers n'ont pas piqué.
Puis il cherche un bon artisan,
capable de faire une idole
qui tiendra solidement.

21 Ne le savez-vous pas ?
Ne l'avez-vous pas appris ?
Ne vous l'a-t-on pas annoncé depuis le début ?
N'avez-vous pas compris
la fondation du monde ?
22 Le Seigneur a son trône
au-dessus de l'horizon,
si haut qu'il voit les humains
de la taille des fourmis.

---

w **40.9** Dans l'ancienne version grecque, l'équivalent de *bonne nouvelle* a donné en français le mot *évangile*.

x **40.10** Allusion probable aux exilés juifs de Babylone. – Sur la fin du verset, voir 62.11 ; Apoc 22.12.

y **40.11** Comparer Ézék 34.15 ; Jean 10.11.

z **40.12** *le volume de la mer* ou *les eaux de la mer* : d'après le principal manuscrit hébreu d'Ésaïe trouvé à Qumrân ; texte traditionnel *de l'eau*.

a **40.13** Certains interprètent *Quel est le conseiller qui pourrait l'instruire ?* Comparer Rom 11.34 ; 1 Cor 2.16. D'autres comprennent *et lui a indiqué l'homme qui réalisera son plan ?* (voir 46.11).

b **40.14** Certains interprètent *Avec qui... pour se mettre au courant ? De qui a-t-il appris comment il faut s'y prendre... et par quel moyen on devient intelligent ?* Voir la note précédente.

c **40.19** Comparer Act 17.29.

d **40.20** Sens probable d'un terme inconnu par ailleurs.

Il a étendu le ciel
comme une grande toile,
et l'a déployé comme une tente
pour y faire sa demeure.
23 Il a réduit à rien
les dirigeants du monde,
à rien du tout
les détenteurs du pouvoir.
24 A peine sont-ils en place,
à peine sont-ils installés,
à peine ont-ils pris racine,
que le souffle du Seigneur
les balaie, les dessèche.
Et les voilà emportés
comme des brins de paille
dans un tourbillon.

25 « A qui
pourriez-vous donc me comparer ?
demande l'unique vrai Dieu.
Qui pourrait être mon égal ? »
26 Regardez le ciel, là-haut,
voyez qui a créé les étoiles,
qui les fait sortir au complet
comme une armée à la parade.
Il les embauche toutes par leur nom.
Sa force est si grande
et son pouvoir est tel,
qu'aucune ne manque à l'appel.

De nouvelles forces pour ceux qui faiblissent

27 Israël, peuple de Jacob,
pourquoi affirmes-tu :
« Le Seigneur ne s'aperçoit pas de ce qui m'arrive.
Mon bon droit échappe à mon Dieu » ?
28 Ne le sais-tu pas ?
Ne l'as-tu pas entendu dire ?
Le Seigneur est Dieu
de siècle en siècle ;
il a créé la terre
d'une extrémité à l'autre.
Jamais il ne faiblit, jamais il ne se lasse.
Son savoir-faire est sans limite.
29 Il redonne des forces à celui qui faiblit,
il remplit de vigueur
celui qui n'en peut plus.
30 Les jeunes eux-mêmes
connaissent la défaillance ;
même les champions
trébuchent parfois.
31 Mais ceux qui comptent sur le Seigneur
reçoivent des forces nouvelles ;
comme des aigles ils s'élancent.
Ils courent, mais sans se lasser,
ils avancent, mais sans faiblir.

L'homme que le Seigneur a mis en route

41 1 Vous, les populations lointaines,
taisez-vous donc pour m'écouter,
dit le Seigneur.
Vous les peuples,
armez-vous de courage,
comparaissez d'abord,
après quoi vous prendrez la parole.
Oui, approchons-nous, vous et moi
pour commencer le procès.
2 A l'est, là-bas, n'est-ce pas moi
qui ai mis en route l'homme
que la victoire vient saluer
à chacun de ses pas ?
Il fait capituler les nations devant lui[e],
il piétine les rois.
Son épée les réduit en poussière,
ses flèches les éparpillent
comme la paille au vent.
3 Il les poursuit
et traverse leurs rangs sain et sauf,
sans mettre même pied à terre !
4 Qui est l'auteur de ces événements ?
C'est celui qui annonce à l'avance
ce qui doit arriver.
C'est moi, le Seigneur.
Je suis au point de départ,
et je serai là encore
pour les derniers événements.
5 Les populations lointaines
l'ont bien vu et prennent peur ;
les gens du bout du monde
se sont approchés en tremblant.

6 Des hommes s'entraident au travail,
l'un dit à l'autre : « Vas-y[f] ! »

---

e **41.2** *vient saluer* (ou *rencontre*) *à chaque pas* : autre traduction *appelle à sa suite*. – *Il fait capituler les nations devant lui* : autre traduction *Qui lui livre les nations, qui... ?* – Le prophète semble désigner ici, mais sans le nommer encore, le roi perse Cyrus, qui conquit rapidement le Moyen-Orient et s'empara de Babylone en 539 avant J.-C. Voir 41.25 ; 44.28 ; 45.1 ; etc.

f **41.6** Les v. 6-7 reprennent le thème de 40.19-20.

7 Le fondeur encourage l'orfèvre ;
celui qui aplatit le métal
encourage à son tour
l'ouvrier qui travaille à l'enclume.
Il dit de la soudure : « Ça va ».
Puis on fait tenir l'idole
en la fixant avec des clous.

N'aie pas peur maintenant

8 Écoute, Israël, mon serviteur,
peuple de Jacob que j'ai choisi,
race de mon ami Abraham[g] ;
9 toi que j'ai été chercher
jusqu'au bout du monde,
et que j'ai appelé
des régions les plus lointaines ;
toi, à qui j'ai dit :
« Non, je ne t'ai pas rejeté,
au contraire, je t'ai choisi ;
mon serviteur, c'est toi. »
10 N'aie pas peur maintenant,
car je suis avec toi.
Ne lance pas ces regards inquiets,
car ton Dieu, c'est moi.
Je viens te rendre courage,
j'arrive à ton secours et je te protège,
ma main droite tient sa promesse.
11 Oui, honte et déshonneur
à tous ceux qui t'en veulent !
Qu'ils soient réduits à rien,
qu'ils disparaissent, tes adversaires !
12 Tu chercheras vainement
la trace de tes agresseurs.
Ils seront réduits à rien du tout,
ceux qui sont en guerre contre toi.
13 Car moi, le Seigneur, je suis ton Dieu,
je tiens fermement ta main droite,
je te répète : « N'aie pas peur,
j'arrive à ton secours. »

Je viens à ton secours

14 Israël, peuple de Jacob,
n'aie pas peur,
toi qu'on traite en vermine,
toi qu'on écrase comme un ver[h].
Je viens moi-même à ton secours,
déclare le Seigneur,
je prends ta cause en mains,
dit l'unique vrai Dieu, le Dieu d'Israël.
15 Je vais faire de toi
un traîneau à battre le blé,
tout neuf, aux dents aiguës[i].
Tu vas déchiqueter les montagnes,
tu vas les mettre en pièces,
tu traiteras les collines
comme on traite la paille :
16 tu les jetteras en l'air,
et le vent les emportera,
un tourbillon les dispersera.
Et toi tu crieras la joie
que te cause le Seigneur,
tu te féliciteras de l'unique vrai Dieu,
le Dieu d'Israël.

Le désert changé en oasis

17 Les pauvres et les malheureux
cherchent de l'eau, mais rien.
La soif leur dessèche la langue.
Mais moi, le Seigneur,
je vais leur répondre,
moi, le Dieu d'Israël,
je ne les abandonne pas.
18 Je vais faire jaillir des fleuves
sur les hauteurs dénudées,
et des sources au fond des vallées,
changeant le désert en étang
et la terre aride en oasis.
19 Je planterai au désert
cèdres et acacias, myrtes et oliviers.
Dans les régions sans eau
je mettrai des cyprès,
des pins et des buis.
20 Ainsi tout le monde verra,
tout le monde saura,
tous constateront et comprendront
que c'est l'œuvre du Seigneur,
ce qu'a créé l'unique vrai Dieu,
le Dieu d'Israël.

Les faux dieux pris en défaut

21 Vous, les dieux des nations,
venez présenter votre cause,
apportez vos preuves,
dit le Seigneur, le roi de Jacob[j].

---

g **41.8** Voir 2 Chron 20.7 ; Jacq 2.23.

h **41.14** *toi qu'on écrase comme un ver* : texte probable ; hébreu *gens* (d'Israël) ; certains interprètent *cadavres* (d'Israël).

i **41.15** Voir 28.27 et la note.

j **41.21** Ici, comme souvent dans l'AT, *Jacob* désigne l'ensemble du peuple d'Israël (voir 41.8,14) ; *le roi de Jacob* : comparer 44.6.

2 Apportez vos arguments,
expliquez-nous ce qui arrive.
Les premiers événements[k],
qu'en était-il ? Expliquez-les,
et nous y réfléchirons.
Ou bien annoncez-nous l'avenir,
et nous saurons ce qui arrivera.
3 Oui, annoncez-nous
ce qui va se produire,
et nous connaîtrons alors
si vous êtes vraiment des dieux.
Faites donc seulement
un peu de bien ou de mal,
pour que nous en soyons tous
les témoins admiratifs.
4 Mais vous êtes moins que rien,
et ce que vous faites est nul.
Qui vous choisit comme dieux
est aussi répugnant que vous.

5 Là-bas, au nord,
j'ai mis en route un homme,
et le voilà qui vient.
Et là-bas, où le soleil se lève,
il se réclame de moi.
Il piétine les gouverneurs
comme on piétine de la boue,
ou comme un potier
foule aux pieds son argile.
6 Qui a donc annoncé
cet événement à l'avance,
pour que nous le sachions ?
Qui l'a prédit,
pour que nous disions :
« Il avait raison » ?
Aucun d'entre vous, c'est sûr,
n'en a été capable ;
on ne vous a rien entendu dire.
7 Moi, le premier,
j'annonce à *Sion :
"Eh bien, les voici !"
J'envoie à Jérusalem
un porteur de la bonne nouvelle[l].

8 J'ai eu beau regarder,
je n'ai vu personne :
personne parmi ces dieux-là
pour donner son avis,
personne à consulter,
personne pour me répondre.
9 Ce sont tous des zéros[m] :
ce qu'ils font est nul.
Leurs idoles : du vent, du vide !

Le serviteur du Seigneur (premier poème)

42 1 Voici mon serviteur[n],
dit le Seigneur,
je le tiens par la main,
j'ai plaisir à l'avoir choisi.
J'ai mis mon Esprit sur lui
pour qu'il apporte aux nations
le droit que j'instaure.
2 Il ne crie pas, il n'élève pas la voix,
il ne fait pas non plus
de grands discours dans la rue.
3 Il ne casse pas le roseau déjà plié,
il n'éteint pas la lampe qui faiblit.
Mais il apporte réellement
le droit que j'instaure.
4 Il ne faiblira pas,
il ne se laissera pas abattre,
jusqu'à ce qu'il l'ait établi
sur l'ensemble du monde,
et que les peuples lointains
attendent ses instructions.

Lumière pour les nations

5 Celui qui a créé le ciel
dans toute son étendue,
qui a étalé la terre avec sa végétation,
qui a donné la vie à ses populations
et anime ses habitants[o],
Dieu, le Seigneur, déclare
à celui qu'il a choisi :
6 « Moi, le Seigneur, je t'ai appelé
par fidélité à moi-même.
Je te donne mon appui.
Je t'ai formé pour faire de toi
le garant de mon engagement
envers l'humanité[p],

k **41.22** *Approchez-vous* ou *Qu'on s'approche* : d'après les principales versions anciennes : hébreu *Qu'on apporte... ! – les événements passés* : voir 42.9 ; 43.18 ; 46.9 ; 48.3.

l **41.27** Voir 40.9 et la note.

m **41.29** *des zéros* ou *rien* d'après le principal manuscrit hébreu d'Ésaïe trouvé à Qumrân, soutenu par les anciennes versions syriaque et araméenne ; texte traditionnel *un mensonge*.

n **42.1** Le début du v. 1 est évoqué en Matt 3.17 ; 17.5 ; Marc 1.11 ; Luc 3.22 ; 9.35. – V. 1-4 : voir Matt 12.18-21.

o **42.5** Comparer Act 17.24-25.

p **42.6** *le garant de mon engagement* : certains interprètent *le médiateur de mon alliance. – envers l'humanité* : autre traduction *avec le peuple* (d'Israël) ; voir 49.8 ; Luc 2.32 ; Act 13.47 ; 26.23.

la lumière des nations.
7 Tu rendras la vue aux aveugles,
tu feras sortir les prisonniers de leur cachot,
tu retireras de leur prison
ceux qui attendent dans le noir. »

8 Je suis le Seigneur, tel est mon nom.
Je ne laisse pas à d'autres
la *gloire qui me revient,
ni aux idoles l'honneur qui m'est dû.
9 Les premiers événements[q]
se sont déjà produits ;
j'annonce à présent du nouveau,
et je vous en informe
avant qu'il se produise.

Le Seigneur intervient

10 En l'honneur du Seigneur,
chantez un chant nouveau.
Louez-le depuis le bout du monde,
vous qui parcourez la mer,
vous les êtres qui la peuplez,
et vous les populations lointaines.
11 Qu'on entonne des chants
dans les cités du désert,
dans les campements de Quédar !
Que les habitants de la Roche[r]
lancent des cris de joie !
Du sommet des montagnes,
qu'ils manifestent leur enthousiasme !
12 Que les populations lointaines
rendent hommage au Seigneur
et le louent haut et fort !
13 Comme un soldat d'élite
le Seigneur s'avance ;
comme un homme de guerre
il brûle de combattre.
Il lance un puissant cri de guerre,
un défi à ses ennemis.

Le projet du Seigneur

14 Depuis longtemps, je me suis tu,
me retenant d'intervenir,
dit le Seigneur.
Mais maintenant, je vais crier
comme une femme au moment d'accoucher,
qui s'essouffle et respire avec peine.

15 Je vais nettoyer montagnes et collines
dessécher toute leur végétation,
changer les fleuves en terre ferme
et assécher les étangs.
16 Et je vais guider les aveugles
sur un chemin, sur des sentiers
qu'ils n'avaient jamais suivis.
Pour eux, je changerai
l'obscurité en lumière
et les obstacles en terrain plat.
C'est cela mon projet,
je n'y renoncerai pas, je le réaliserai.

17 En arrière, honte à vous
qui vous fiez aux idoles
et qui dites à vos statuettes :
« Nos dieux, c'est vous » !

Un peuple aveugle et sourd

18 Vous, les sourds, écoutez bien ;
vous, les aveugles, ouvrez l'œil[s].

19 Qui se trouve être aveugle,
sinon mon serviteur ?
Et qui donc est sourd
comme le messager que j'envoie ?
– Oui, qui est aveugle
comme l'est le porte-parole de Dieu[t],
qui est aveugle
comme le serviteur du Seigneur ?

20 Il a vu beaucoup de choses,
mais il n'a rien retenu ;
il a une bonne ouïe,
mais il n'a rien entendu.
21 Alors, par fidélité à lui-même,
le Seigneur a voulu montrer
combien sa loi est grande et belle :
22 et voilà ce peuple pillé et dépouillé.
Voilà tous les siens prisonniers,
enfermés dans des cachots,
traités comme du butin,
comme une bonne prise,
sans que personne s'y oppose,
sans personne pour exiger :
« Rendez-les-moi ! »

---

q **42.9** Voir 41.22 et la note.
r **42.11** *Quédar* : tribu du désert arabique ; voir 21.16 et la note. – *la Roche* : peut-être *Pétra*, ville fortifiée du désert édomite.
s **42.18** Comparer 6.10.
t **42.19** *le porte-parole* : le texte hébreu correspondant est obscur *(le Remplaçant ?)* ; certains l'interprètent au sens de *le Réhabilité*.

23 Qui parmi vous va faire attention,
qui va écouter,
qui va entendre désormais ?

24 – Qui donc a livré Israël,
le peuple de Jacob,
à ceux qui le dépouillaient,
à ceux qui le pillaient ?
N'est-ce pas le Seigneur
envers qui nous étions coupables ?
Israël n'a pas voulu suivre
la voie que son Dieu lui traçait,
il n'a pas écouté sa loi.
25 C'est pourquoi le Seigneur
a déversé sur son peuple
son ardente colère
et la violence de la guerre.
Celle-ci l'a entouré de flammes,
mais Israël n'a rien compris ;
elle a été jusqu'à le brûler,
mais il n'y a pas réfléchi.

43 1 Peuple de Jacob,
maintenant ton Créateur,
lui qui t'a formé, Israël,
le Seigneur te déclare :
« N'aie pas peur, je t'ai libéré,
je t'ai engagé personnellement,
tu m'appartiens.
2 Quand tu traverseras l'eau,
je serai avec toi ;
quand tu franchiras les fleuves,
tu ne t'y noieras pas.
Quand tu passeras à travers le feu,
tu ne t'y brûleras pas,
les flammes ne t'atteindront pas.
3 Car moi, le Seigneur, je suis ton Dieu,
moi, l'unique vrai Dieu,
le Dieu d'Israël,
je suis ton Sauveur.

Je donne l'Égypte pour payer ta libération,
l'Éthiopie et Séba en échange de toi.
4 C'est que tu as du prix à mes yeux,
tu comptes beaucoup pour moi
et je t'aime.
Donc je donne des hommes à ta place,
des peuples en échange de toi.

5 N'aie pas peur, je suis avec toi.
De l'Est, où le soleil se lève,
je fais revenir tes enfants,
et de l'Ouest, où il se couche,
je rassemble les tiens.
6 Je dis au Nord : "Rends-les donc",
et au Sud : "Ne les retiens pas".
Ramenez mes fils de là-bas,
et mes filles du bout du monde ;
7 ramenez ceux qui portent mon nom,
tous ceux que j'ai créés,
que j'ai façonnés, que j'ai faits
pour qu'ils manifestent ma gloire. »

Mes témoins, c'est vous

8 Qu'on fasse comparaître ce peuple,
qui a des yeux mais ne voit rien,
des oreilles mais n'entend rien.
9 Que les nations se rassemblent,
que les peuples se réunissent !

Eh bien, parmi eux,
qui peut nous révéler ce qui arrive ?
Ou nous informer
de ce qui s'est déjà passé[u] ?
Qu'ils produisent leurs témoins
et montrent qu'ils ont raison !
Que ces témoins les écoutent
et qu'ils confirment : « C'est exact » !

10 Mes témoins à moi,
c'est vous mon peuple,
déclare le Seigneur ;
vous êtes mon serviteur[v],
celui que j'ai choisi.
Mon but est que vous sachiez,
que vous croyiez et compreniez
qui je suis, moi.
Avant moi il n'y a pas eu de dieu,
et après moi il n'y en aura pas.
11 Le Seigneur, c'est moi et moi seul.
A part moi, pas de sauveur.
12 C'est moi qui apporte le salut,
moi aussi qui l'annonce
et qui le fais savoir ;
ce n'est pas un dieu étranger
qu'on trouverait chez vous.
Vous êtes témoins que je suis Dieu,
dit le Seigneur,
13 et que je le resterai.
Personne ne me forcera la main,
et ce que je fais,
personne ne le changera.

---

u **43.9** Voir 41.22 et la note.

v **43.10** *vous êtes mon serviteur* : certains traduisent *et mon serviteur*, ce qui peut être une allusion au roi perse Cyrus (voir la note sur 41.2).

J'envoie quelqu'un pour vous

14 Voici ce que le Seigneur déclare,
lui qui prend votre cause en mains,
lui l'unique vrai Dieu,
le Dieu d'Israël :
« Par amour pour vous
j'envoie quelqu'un à *Babylone
pour faire tomber tous les verrous.
Alors, chez les Babyloniens,
les cris de joie se changeront
en lamentations[w].
15 Je suis le Seigneur,
votre vrai Dieu, l'unique,
le Créateur d'Israël, votre Roi. »

Un nouveau chemin dans le désert

16 Voici ce que le Seigneur déclare,
lui qui a ouvert jadis un chemin
dans la mer,
qui a tracé un passage
à travers l'eau profonde.
17 Jadis il a mis en marche
des chars et des chevaux,
des armées avec leur corps d'élite.
Celles-ci sont tombées
pour ne plus se relever,
éteintes, consumées
comme la mèche d'une lampe.
Il déclare donc maintenant :
18 « Ne pensez plus au passé[x],
ne vous préoccupez plus
de ce qui est derrière vous.
19 Car je vais faire du nouveau[y] ;
on le voit déjà paraître,
vous saurez bien le reconnaître.
Oui, dans le désert
je vais ouvrir un chemin,
dans ces lieux arides
je vais faire couler des fleuves.
20 Les animaux sauvages, les chacals
et les autruches m'honoreront
parce que j'ai fait couler
de l'eau dans le désert,
des fleuves dans ces lieux arides.
Car je veux donner à boire
au peuple que j'ai choisi.
21 Et ce peuple, que j'ai formé,
dira pourquoi il me loue. »

Le procès de Dieu et d'Israël

22 Le Seigneur déclare :
« Israël, ce n'est pas à moi
que tu as fait appel ;
tu t'es plutôt lassé de moi,
peuple de Jacob.
23 Ce n'est pas pour moi
que tu sacrifiais des agneaux,
ce n'est pas moi que tu honorais ainsi
Il n'est pas vrai non plus
que j'aie fait de toi un esclave
en exigeant des offrandes,
ou que je t'aie fatigué
en réclamant de *l'encens.
24 Ce n'est pas pour moi
que tu achetais à grand prix
du roseau aromatique,
ni moi que tu rassasiais
de la graisse de tes sacrifices.
Par tes fautes, au contraire,
tu as fait de moi ton esclave,
par tes crimes, tu m'as fatigué.
25 Mais je prends sur moi
de pardonner tes révoltes
et de ne plus garder
le souvenir de tes fautes.

26 Rappelle-moi ce que tu me reproches,
discutons tous les deux cette affaire ;
énumère les faits qui te donnent raison
27 Déjà ton premier ancêtre
s'était mis dans son tort ;
et tes derniers porte-parole[z]
se sont révoltés contre moi.
28 Alors j'ai déshonoré les chefs-sacrés[a],
j'ai livré le peuple de Jacob
à la destruction,
j'ai abandonné Israël
aux insultes de ses ennemis.

44 1 Mais maintenant, écoute bien,
peuple de Jacob, mon serviteur,
Israël, toi que j'ai choisi.
2 Voici ce que je te déclare,
moi le Seigneur qui t'ai fait,
qui t'ai formé dès avant ta naissance
et qui viens à ton aide :

---

w **43.14** *tous les verrous* : le sens est discuté ; autre traduction *pour les faire tous descendre en fuyards*. – *en lamentations* : avec d'autres voyelles la tradition juive a compris *sur les navires*.
x **43.18** Voir 41.22 et la note.
y **43.19** Voir Apoc 21.5.
z **43.27** *ton premier ancêtre* : allusion à Jacob ; voir Gen 25.26 ; 27.36 ; Osée 12.4. – *tes porte-parole* : prêtres et prophètes.
a **43.28** Les rois et peut-être aussi les prêtres.

N'aie pas peur, peuple de Jacob,
toi mon serviteur,
toi Yechouroun[b] que j'ai choisi.
3 Car je vais arroser
le pays qui meurt de soif,
et faire couler des ruisseaux
sur la terre desséchée.
Je vais répandre mon Esprit sur tes enfants
et ma bénédiction sur tes descendants.
4 Ils pousseront et grandiront
comme des roseaux dans l'eau[c],
comme des peupliers
sur le bord des ruisseaux.
5 L'un dira : "Je suis au Seigneur" ;
un autre voudra porter le nom de Jacob.
Tel autre inscrira sur sa main :
"Propriété du Seigneur"
et sera fier de porter le nom d'Israël. »

Un défi aux faux dieux

6 Le Seigneur, le roi d'Israël,
lui qui libère son peuple,
lui le Seigneur de l'univers,
te déclare, Israël :
« C'est moi qui suis au point de départ,
mais aussi à l'arrivée[d].
A part moi, pas de Dieu.
7 Qui donc comme moi
provoque les événements par sa parole ?
Qu'il me raconte tout cela
et me l'expose
depuis que j'ai établi les premiers humains !
Et qu'il annonce aux gens
ce qui est près d'arriver.

8 Vous, mon peuple,
soyez sans crainte, n'ayez pas peur.
Je vous l'ai annoncé,
je vous l'ai révélé longtemps à l'avance,
vous le savez bien,
vous m'en êtes témoins.
A part moi y a-t-il un autre Dieu ?
Non, il n'y a pas d'autre Rocher,
je n'en connais aucun. »

Les fabricants d'idoles

Les fabricants d'idoles
sont tous des nullités.
Et leurs chers objets
ne servent absolument à rien :
ce sont leurs témoins à eux,
mais des témoins qui ne voient rien,
qui ne savent rien
et les laisseront bien déçus.
10 Fabriquer un dieu, mouler une idole
qui ne servira à rien, quelle sottise !
11 Tous ceux qui s'en font les complices
se couvriront de honte.
Les artisans qui la fabriquent
ne sont que des hommes.
Qu'ils se rassemblent tous,
qu'ils se présentent :
ils prendront peur
et se couvriront tous de honte !

12 Le forgeron aiguise un ciseau[e],
il le travaille à chaud,
lui donne une forme au marteau ;
il y met toute son énergie.
Mais le travail lui donne faim,
le voilà sans force.
S'il oublie de boire un peu d'eau,
le voilà épuisé.

13 Quant au sculpteur sur bois,
il prend ses mesures au cordeau,
trace le contour à la craie,
travaille la pièce au ciseau
et arrondit le tout au rabot[f].
Il lui donne une forme humaine,
une belle figure d'homme,
qui restera dans une maison.

14 On réserve un cèdre à couper,
on choisit un chêne ou un térébinthe.
On le laisse grandir
parmi les arbres de la forêt.
Ou bien on plante un pin ;
la pluie le fera pousser.

---

b **44.2** *Yechouroun* : surnom attribué à Israël en Deut 32.15 ; 33.5,26. Il signifie peut-être *l'Honnête*, en contraste avec *Jacob (le Filou)*.

c **44.4** Sens probable ; hébreu peu clair.

d **44.6** Voir 48.12 ; comparer Apoc 1.17 ; 22.13.

e **44.12** D'après l'ancienne version grecque ; hébreu peu clair.

f **44.13** *rabot* : le terme hébreu correspondant ne se trouve qu'ici ; son sens reste incertain.

15 Ce bois servira aux hommes
pour allumer du feu.
Ils en prennent pour se chauffer
ou pour cuire leur pain.
Ou ils en font un dieu,
devant lequel on s'incline,
ils fabriquent une idole
à qui l'on adresse des prières.
16 Ils brûlent ainsi au feu
la moitié de la bûche ;
ils y font rôtir de la viande
et en mangent à leur faim.
Ou encore ils se chauffent
en s'exclamant : « Ah, je me réchauffe,
quel plaisir de voir le feu ! »
17 Avec l'autre moitié de la bûche
ils se fabriquent un dieu,
ils se font une idole,
ils s'inclinent devant elle
et lui adressent cette prière :
« Tu es mon dieu, délivre-moi ! »

18 Ces gens n'ont rien dans la tête,
ils ne comprennent rien.
Ils ont les yeux collés,
ils ne distinguent rien,
et leur esprit est trop borné
pour qu'ils saisissent quelque chose.
19 Aucun ne réfléchit,
aucun n'a le bon sens
ni l'intelligence de se dire :
« J'ai brûlé la moitié de ce bois ;
sur les braises j'ai cuit mon pain
et rôti la viande que je mange.
Ce que je fais de l'autre moitié
n'est qu'une idole abominable.
C'est devant un bout de bois
que je viens m'incliner ! »
20 Non, leurs pensées s'attachent
à ce qui n'est qu'un peu de cendre ;
leur esprit égaré les fait déraisonner.
Leur dieu ne les délivre pas,
mais eux-mêmes ne se disent pas :
« Ce que je tiens dans la main
n'est qu'un faux dieu, c'est évident. »

Tu es mon serviteur, ne l'oublie pas

21 « Israël, peuple de Jacob,
rappelle-toi bien ceci :
C'est toi qui es mon serviteur.
Je t'ai façonné
pour que tu sois à mon service.
Israël, je ne t'oublie pas[g].
22 J'ai passé l'éponge
sur tes révoltes, sur tes fautes.
Les voilà effacées, disparues,
comme un nuage qui passe.
Je t'ai libéré, reviens à moi. »

23 Oui, le Seigneur agit.
Ciel, manifeste ta joie.
Profondeurs de la terre,
faites-lui une ovation.
Arbres, forêts, montagnes,
éclatez en cris de joie.
Le Seigneur a libéré son peuple,
il manifeste sa gloire en sauvant Israë

Le Créateur du monde est maître de l'histoire

24 Israël, le Seigneur, ton libérateur,
qui t'a formé dès avant ta naissance,
te déclare : « C'est moi
l'auteur de tout ce qui existe.
Moi seul j'ai déployé le ciel,
j'ai étalé la terre
sans l'aide de personne.
25 Maintenant je réduis à rien
les prédictions des devins,
je fais perdre la raison
à ceux qui annoncent l'avenir,
je force les sages à reculer,
je démontre à quel point
leur savoir est stupide[h].
26 Mais je réalise
ce que mon serviteur a dit,
et je fais réussir les plans
que mes envoyés ont annoncés.
J'affirme de Jérusalem :
"Elle sera repeuplée,
ses ruines seront relevées".
Je dis des villes de Juda :
"Elles seront rebâties".
27 J'ordonne aux profondeurs de la mer
"Asséchez-vous, je taris votre eau".
28 Et je dis de Cyrus :
"C'est le *berger que j'ai désigné.

g **44.21** Le principal manuscrit hébreu d'Ésaïe trouvé à Qumrân propose ici un autre texte, qui est compris par les uns *tu ne me décevras pas* et par d'autres *tu ne m'oublieras pas* ; cette dernière interprétation est soutenue par les plus importantes versions anciennes.

h **44.25** Voir 1 Cor 1.20.

Il fera réussir tout ce que je veux.
Il donnera des ordres,
et Jérusalem sera rebâtie,
le temple reconstruit[i].” »

Cyrus, celui que Dieu a consacré

45 [1] Voici ce que le Seigneur déclare
à Cyrus, l'homme qu'il a consa-
ré[j] :
« Je te donne mon appui,
pour te soumettre les nations,
pour ôter aux rois leur pouvoir
et ouvrir devant toi
les portes verrouillées des villes.
2 Moi-même je marche devant toi
pour aplanir les obstacles,
fracasser les portes de bronze
et briser les verrous de fer.
3 Je te livre les trésors secrets
et les richesses bien cachées.
Ainsi tu sauras que je suis le Seigneur,
que je t'engage personnellement,
moi, le Dieu d'Israël.
4 Pour l'amour d'Israël, mon peuple,
le serviteur que j'ai choisi,
je t'ai pris à mon service.
Et je te fais cet honneur
alors que tu ne me connais pas.
5 Le Seigneur, c'est moi
et personne d'autre.
A part moi, il n'y a pas de dieu.
Tu ne me connais pas,
mais je te mets au travail.
D'un bout du monde à l'autre
on reconnaîtra ainsi
qu'en dehors de moi il n'y a rien.
Le Seigneur, c'est moi
et personne d'autre.
Je fais la lumière
et je crée l'obscurité.
Je procure le bonheur
et je crée le malheur.
Oui, c'est moi, le Seigneur,
qui réalise tout cela[k].

Que le ciel, là-haut,
laisse tomber la rosée !
Et que les nuages
fassent pleuvoir la victoire !
Que la terre s'entrouvre
pour laisser fleurir le salut
et germer la justice !
Voilà ce que je crée, moi le Seigneur. »

L'argile et le maître potier

9 Quel malheur de voir un homme,
simple pot de terre parmi les autres,
qui ose faire des reproches
à celui qui l'a façonné !
L'argile demande-t-elle à celui qui la
façonne :
« Que fais-tu là ? »
Le vase dit-il du potier :
« Quel maladroit[l] ! »
10 Quel malheur de voir un homme
qui oserait dire à un père :
« Quel genre de fils as-tu engendré
là ? »
ou à une mère :
« Qu'as-tu donc mis au monde ? »
11 Voici ce que déclare maintenant le Seigneur,
l'unique vrai Dieu,
le Dieu d'Israël,
lui qui a façonné son peuple :
« Est-ce à vous
de me poser des questions
sur l'avenir de mes enfants,
et de donner des ordres
sur ce que je dois faire ?
12 C'est moi qui ai fait la terre
et créé les humains qui la peuplent.
C'est moi qui ai déployé le ciel
et commande à l'armée des étoiles.
13 Par fidélité à moi-même
c'est moi aussi qui ai mis en route
cet homme que vous savez[m].
Je faciliterai tout ce qu'il entreprendra.
C'est lui qui rebâtira
Jérusalem, ma ville,
et laissera repartir
les déportés qui m'appartiennent.
Et cela sans exiger un sou,
dit le Seigneur de l'univers ! »

i **44.28** *Cyrus* : voir la note sur 41.2. – Reconstruction du temple : 2 Chron 36.23 ; Esd 1.2.

j **45.1** *l'homme qu'il a consacré* ou *son *Messie* : le roi perse Cyrus reçoit ici le même titre que le roi de Juda (Ps 2.2 ; 18.51 ; etc.) ; comparer 44.28 *le berger que j'ai désigné* ou *mon berger*.

k **45.7** *lumière+obscurité*, *bonheur+malheur* : ce genre de formule est fréquent dans l'A.T. pour exprimer l'idée de totalité.

l **45.9** Voir Rom 9.20.

m **45.13** Voir 41.2 et la note.

Israël, Dieu est chez toi

14 Israël, le Seigneur te déclare :
le fruit du travail des Égyptiens,
le gain des Éthiopiens
et des gens de Séba, si hauts de taille,
tout cela passera chez toi,
tout cela sera pour toi !
Ces gens te suivront, enchaînés ;
ils s'inclineront devant toi
et te diront comme une prière :
« Il n'y a de Dieu que chez toi,
et nulle part ailleurs. »

15 Dieu d'Israël, toi qui sauves,
tu es vraiment un Dieu caché !

16 Voilà les fabricants d'idoles
couverts de honte et de déshonneur.
Ils s'en vont tous la tête basse.
17 Mais le peuple d'Israël
a reçu du Seigneur
un salut éternel.
Il n'y aura jamais pour lui
ni honte ni déshonneur.

Un salut annoncé clairement

18 Voici ce que le Seigneur déclare,
lui qui a créé le ciel,
lui, le Dieu qui a fait la terre,
qui l'a façonnée et consolidée.
Il ne l'a pas créée vide,
mais il l'a faite pour être habitée.
Il déclare donc ceci :
« Le Seigneur, c'est moi ;
il n'y a pas d'autre Dieu.
19 Je n'ai pas parlé en cachette
dans quelque endroit obscur.
Et je n'ai pas recommandé
aux descendants de Jacob
de me chercher là où il n'y a rien.
Moi, le Seigneur, je parle franchement,
ce que j'annonce est clair et net. »

La conversion des nations

20 Vous, les survivants des nations,
venez et rassemblez-vous,
approchez-vous ensemble.
Ceux qui portent leur idole de bois
ou qui adressent une prière
à un dieu qui ne peut les sauver,
ceux-là n'ont rien dans la tête.

21 Faites votre déclaration
et apportez vos preuves ;
tenez même conseil ensemble.
Qui a fait savoir depuis longtemps
ce qui arrive aujourd'hui ?
Qui l'a révélé à l'avance ?
N'est-ce pas moi, le Seigneur ?
A part moi il n'y a pas de Dieu.
Un Dieu loyal, un Dieu qui sauve,
il n'y en a pas, sauf moi.
22 Gens du bout du monde,
tournez-vous vers moi
et vous serez sauvés,
car Dieu, c'est moi et personne d'autr
23 Aussi vrai que je suis Dieu,
j'en fais le serment
et ma promesse est loyale,
je n'y changerai rien :
tous les humains, à genoux,
me jureront fidélité[n].
24 Ils diront de moi :
« C'est auprès du Seigneur seul
qu'on trouve force et loyauté. »
Tous ceux qui m'auront combattu
viendront à moi, la tête basse.
25 Mais tous les descendants d'Israël
obtiendront justice auprès de moi
et s'en féliciteront.

Les faux dieux de Babylone face au vrai Dieu

46 1 Le dieu Bel a faibli,
le dieu Nébo fléchit.
Leurs statues sont confiées
à des bêtes de somme.
Ce qu'on portait en procession
n'est plus qu'un chargement[o],
un lourd fardeau
pour des animaux fatigués.
2 Les dieux faiblissent et fléchissent,
incapables de sauver leurs statues :
ils vont eux-mêmes en déportation.

3 Écoutez-moi, gens d'Israël,
survivants du peuple de Jacob,
vous dont je me suis chargé
depuis votre naissance,
vous que j'ai portés
dès que vous avez vu le jour.

---

n **45.23** Voir Rom 14.11 ; Phil 2.10-11.
o **46.1** Hébreu : *Ce que vous* (Babyloniens) *portiez en procession.*

4 Je resterai le même
jusqu'à votre vieillesse,
je vous soutiendrai
jusqu'à vos cheveux blancs.
C'est moi qui vous ai faits
c'est moi qui vous porterai.
Oui, je me chargerai de vous
et je vous sauverai.

5 A qui pouvez-vous me comparer ?
A qui allez-vous m'assimiler ?
Avec qui me mettre en balance
pour établir des ressemblances ?
6 Voici des gens qui vident leur bourse.
Ils pèsent l'argent et l'or,
ils embauchent un orfèvre
pour qu'il leur confectionne un dieu
auquel ils feront des prières
en s'inclinant devant lui.
7 Puis ils emportent leur dieu
en le chargeant sur leur épaule,
et le déposent à sa place.
Le dieu y reste, il n'en bougera pas.
Si on lui adresse un appel,
il ne répondra pas.
Il ne sauvera personne de la détresse.

La délivrance n'est pas loin

Rappelez-vous ceci, infidèles,
ressaisissez-vous[p], réfléchissez.
Rappelez-vous votre lointaine histoire :
Dieu, c'est moi et personne d'autre.
Il n'y a pas de Dieu comme moi.
Dès le début, j'ai annoncé mon but.
Longtemps à l'avance, j'ai prédit
ce qui n'a pas encore eu lieu.
Je dis : voici mon projet, il se réalisera.
Tout ce que je veux, je le fais.
De là-bas, où le soleil se lève,
je convoque un oiseau de proie ;
c'est l'homme qui accomplira mes plans[q].
Je l'appelle d'un pays éloigné.
Aussitôt dit, aussitôt fait !
Projet conçu, projet réalisé !
Écoutez-moi, gens obstinés
qui vous tenez si loin du salut.
Eh bien, cela n'est plus très loin,
c'est même tout près de se réaliser !
La délivrance ne tardera pas,
je l'apporte moi-même à *Sion.
Oui, j'apporte à Israël
quelque chose de splendide.

L'abaissement de Babylone

47 1 *Babylone[r],
reconnais ta déchéance
et assieds-toi dans la poussière,
déclare le Seigneur.
Oui, assieds-toi par terre,
car tu n'es plus la reine,
tu as perdu tes titres
de "Babylone la jolie",
"Babylone la raffinée".
2 Prends les deux *meules du moulin
et prépare la farine.
Dévoile ton visage,
relève les pans de ta robe
et découvre tes jambes
pour passer la rivière.
3 Renonce à ta pudeur
et laisse donc voir
ce que tu caches avec gêne.
Je vais prendre ma revanche
sans que personne s'y oppose[s],
4 dit celui qui prend en mains
la cause de son peuple.
Son nom : le Seigneur de l'univers,
l'unique vrai Dieu, le Dieu d'Israël.

5 Assieds-toi en silence, Babylone,
cache-toi dans l'obscurité,
car tu as perdu ton titre
de "Maîtresse des empires".
6 J'étais indigné contre mon peuple.
Alors j'ai déshonoré
ceux qui m'appartenaient
et je te les ai livrés.
Mais tu les as traités sans aucune pitié,
tu as écrasé le vieillard
sous le poids de ton *joug.
7 Tu te prétendais éternelle,
maîtresse du monde pour toujours,
mais tu n'as pas réfléchi à ce qui se passait,

---

p **46.8** *ressaisissez-vous* : traduction incertaine d'un terme unique dans l'AT ; autres traductions : *ranimez votre ardeur* ou *soyez des hommes*.

q **46.11** Nouvelle allusion à Cyrus ; voir 41.2 et la note.

r **47.1** *Babylone* : voir 13.1 et la note.

s **47.3** V. 1-3 : les tâches et les humiliations de Babylone vont être celles des esclaves.

tu n'as pas pensé à ce qui allait arriver.
8 Écoute donc maintenant,
toi, l'amie des plaisirs,
bien tranquillement assise,
toi qui te disais :
« Je suis incomparable, moi !
Je ne risque pas d'être veuve
ni de perdre mes enfants. »
9 Eh bien, soudain, en un seul jour,
ces deux malheurs te surprendront :
d'un seul coup tu perdras tes enfants
et tu deviendras veuve[t].
Et cela t'arrivera
malgré toutes les précautions
de tes sorciers et magiciens.

10 Tu mettais ta confiance
dans tes pratiques maléfiques.
« Personne ne me voit », disais-tu.
Mais ton prétendu savoir-faire
et ta prétendue science
t'ont mis la tête à l'envers
et t'ont fait dire :
« Je suis incomparable, moi ! »
11 Oui, un malheur va t'arriver,
que tu ne sauras pas détourner ;
un désastre va t'assaillir
sans que tu puisses t'en protéger :
un orage fondra soudain sur toi,
dont tu n'as pas idée.
12 Continue donc tes sorcelleries,
toutes tes pratiques magiques.
Tu les avais apprises à grand-peine,
depuis ta jeunesse,
avec l'espoir d'en tirer profit
ou d'effrayer le mauvais sort.
13 Tu t'épuises à consulter les astrologues.
Eh bien, qu'ils se présentent
et qu'ils viennent te sauver,
ces astrologues qui observent les astres,
annonçant tous les mois ce qui doit t'arriver !
14 Ils auront le sort de la paille :
le feu les consumera,
ils n'échapperont pas aux flammes.
Et ce ne sera pas un petit feu de braises
où l'on peut cuire son pain,
ni un simple foyer
où l'on vient se chauffer !
15 Tel sera le sort de tes sorciers,
que tu prenais tant de peine
à consulter depuis ta jeunesse.
Ils partiront à l'aventure,
chacun de son côté ;
aucun ne pourra te sauver.

Le Seigneur annonce des faits nouveaux

48 1 Écoutez, peuple de Jacob,
vous qui êtes si fiers
de porter le nom d'Israël,
et qui descendez de Juda.
Vous prêtez serment
en prononçant le nom du Seigneur,
vous célébrez le Dieu d'Israël,
mais sans sérieux ni loyauté.
2 Vous qui êtes fiers d'être appelés
“Ceux de la ville sainte”,
vous qui vous appuyez
sur le Dieu d'Israël,
celui qui a pour nom
“le Seigneur de l'univers”,
écoutez donc ceci :
3 Depuis longtemps, j'ai annoncé
les événements passés[u] ;
je vous les avais promis,
je vous en avais informés.
Tout à coup j'ai agi,
et ils se sont produits.
4 Mais je vous connaissais
comme un peuple récalcitrant,
un peuple qui se cabre,
un peuple à la tête de bois.
5 Je m'y suis donc pris à l'avance
pour vous avertir de ces faits.
Je vous en ai informés
avant qu'ils se produisent.
De la sorte, vous n'irez pas dire :
« C'est l'œuvre de mon idole,
c'est mon dieu de bois ou de bronze
qui en a décidé ainsi. »
6 Vous avez entendu
ce que j'avais prédit,
et vous pouvez constater
que tout s'est réalisé.

N'allez-vous pas le reconnaître ?
Eh bien, à partir d'aujourd'hui,
j'annonce des faits nouveaux
que je tenais en réserve

t **47.9** Comparer Apoc 18.7-8.
u **48.3** Voir 41.22 et la note.

et dont vous n'avez pas idée.
7 Ce n'est pas de l'histoire ancienne,
c'est maintenant que je vais les créer.
Jamais avant ce jour-ci
vous n'en aviez entendu parler.
Ainsi vous n'irez pas dire
que vous le saviez bien.
8 D'ailleurs vous n'avez pas écouté,
vous n'avez rien voulu savoir,
vous n'avez jamais fait attention.
Je vous connais comme traîtres,
depuis votre naissance
on vous appelle "infidèles".
9 Mais parce que je suis Dieu,
je retiens ma colère.
C'est par souci de mon honneur
que je vous épargne
et renonce à vous éliminer.
10 Je vous ai soumis à l'épreuve,
non pas au feu, comme pour l'argent,
mais je vous ai fait passer
au creuset de la misère.
11 Si j'agis ainsi,
c'est pour moi, oui pour moi,
car je ne peux pas supporter
que mon nom[v] soit déshonoré.
Je ne veux pas laisser à d'autres
la gloire qui me revient.

Celui qui accomplira le projet du Seigneur

12 Écoute-moi, peuple de Jacob,
Israël, toi que j'ai appelé,
dit le Seigneur.
Je suis toujours le même :
je suis au point de départ
et encore à l'arrivée[w].
13 De mes propres mains
j'ai posé les bases de la terre
et déployé le ciel.
Il suffit que je les nomme
pour qu'ils se tiennent là.
14 Rassemblez-vous, écoutez tous :
J'ai un ami[x] qui accomplira
mes projets contre Babylone
et fera sentir mon pouvoir
aux Babyloniens.
Mais qui donc parmi vous
a révélé cela ? Personne.
15 Moi, par contre, j'en ai parlé ;
mieux encore, j'ai appelé cet homme
et je l'ai fait venir.
Ce qu'il entreprend réussira.
16 Approchez-vous de moi
pour écouter ceci :
depuis le commencement
j'ai parlé ouvertement.
Et j'étais là depuis le jour
où ces événements ont commencé.

– Et maintenant,
c'est le Seigneur Dieu qui m'envoie
et me donne son Esprit –[y].

Ah, si tu m'avais écouté !

17 Voici ce que déclare le Seigneur,
ton libérateur,
l'unique vrai Dieu,
le Dieu d'Israël :
« Moi, le Seigneur, je suis ton Dieu.
C'est moi qui t'enseigne
ce qui doit t'être utile ;
c'est moi qui te conduis
sur le chemin que tu suis.
18 Ah, si tu avais bien écouté
ce que je t'ai commandé !
Un fleuve de bénédictions
aurait coulé vers toi,
le salut serait venu à toi
comme les vagues de la mer !
19 Tes descendants seraient nombreux
comme les grains de sable
sur le bord de la mer[z],
leur nom ne risquerait pas
de disparaître devant moi ! »

Partez de Babylone

20 Sortez de *Babylone[a],
vite, partez de là.
Avec des cris de joie
proclamez cette nouvelle
jusqu'au bout du monde,
annoncez-la, diffusez-la, dites :

---

v **48.11** *mon nom* : mots absents du texte hébreu et conservés par l'ancienne version grecque.

w **48.12** Voir 44.6 et la note.

x **48.14** Encore une allusion à Cyrus ; voir 41.2 et la note.

y **48.16** La phrase est sans doute incomplète en hébreu ; le texte ne précise pas si celui qui parle ici est *l'ami* (Cyrus) mentionné au v. 14 ou le prophète lui-même. Voir aussi 61.1.

z **48.19** Voir Gen 22.17.

a **48.20** Voir Apoc 18.4.

« Le Seigneur a libéré son serviteur, Israël. »
21 Il conduit les siens au désert
sans qu'ils aient à souffrir de la soif.
Pour eux,
il fait jaillir de l'eau hors du rocher :
il le fend, et l'eau s'écoule[b].

22 Mais ces bénédictions, dit le Seigneur,
ne sont pas pour les gens sans foi ni loi[c].

Le serviteur du Seigneur (deuxième poème)

49 1 Écoutez-moi,
populations lointaines,
peuples éloignés, soyez attentifs.
Dès avant ma naissance,
le Seigneur m'a appelé ;
j'étais encore au ventre de ma mère
quand il a prononcé mon nom[d].
2 Il a fait de ma parole
une épée tranchante[e]
et il me cache à l'abri de sa main.
Il a fait de mon message
une flèche pointue,
dissimulée dans son carquois.
3 Il m'a dit :
« C'est toi qui es mon serviteur,
l'Israël dont je me sers
pour manifester ma gloire. »
4 Quant à moi, je pensais
m'être donné du mal pour rien,
avoir usé mes forces
sans résultat, pour du vent.
Or le Seigneur garantit mon droit,
mon Dieu détient ma récompense.
5 Mais maintenant,
le Seigneur déclare qu'il m'a formé
quand j'étais encore au ventre de ma mère
pour que je sois son serviteur.
Il veut que je ramène à lui
les descendants de Jacob,
que je rassemble près de lui
le peuple d'Israël.
Le Seigneur reconnaît
la valeur de mon service,
mon Dieu est ma force.
6 Il m'a dit : « Cela ne suffit pas
que tu sois à mon service,
pour relever les tribus de Jacob
et ramener les survivants d'Israël.
Je fais de toi la lumière des nations,
pour que mon salut s'étende
jusqu'au bout du monde[f]. »

Le grand retour des exilés

7 Le Seigneur te parle,
lui le libérateur de son peuple,
l'unique vrai Dieu, le Dieu d'Israël.
Il te déclare, à toi que l'on méprise
et que les gens détestent,
à toi l'esclave des tyrans :
« Quand les rois te verront,
ils se lèveront de leur trône.
Quand les princes t'apercevront,
ils s'inclineront devant toi. »
Ils montreront ainsi leur respect
pour le Seigneur, qui t'a choisi,
pour l'unique vrai Dieu,
le Dieu d'Israël,
qui tient parole.
8 Voici donc ce que le Seigneur déclare
« Au moment favorable,
j'ai répondu à ton appel ;
quand est arrivé le jour du salut,
je suis venu à ton secours.
Je t'ai formé pour faire de toi
le garant de mon engagement
envers l'humanité.
Je vais relever le pays
et redistribuer les parts de la terre sainte
aujourd'hui ravagée[g].
9 Je dis aux prisonniers[h],
à ceux qui vivent dans le noir :
“Sortez, venez au jour.”
Ils seront alors comme un troupeau
qui broute le long des chemins
et trouve sa nourriture
sur toutes les collines.

---

b **48.21** Voir Ex 17.1-6.
c **48.22** Voir 57.21.
d **49.1** Voir Jér 1.5 ; Gal 1.15.
e **49.2** Comparer Hébr 4.12 ; Apoc 1.16.
f **49.6** Le v. 6 est cité en Act 13.47 ; Luc 2.32 y fait allusion. Voir aussi És 42.6 ; 51.4 ; Jean 8.12 ; Act 26.23.
g **49.8** *le jour du salut* : voir 2 Cor 6.2. – *envers l'humanité* : voir 42.6 et la note. – La fin du verset fait allusion au partage du pays de Canaan sous la direction de Josué (voir Jos 13–21).
h **49.9** *Je vais relever...* (v. 8) *Je dis* (v. 9) est parfois traduit *pour que tu relèves... et que tu dises*.

10 Ils ne souffriront plus
de la faim ou de la soif.
Ni le vent brûlant du désert
ni le soleil ne leur feront de mal.
Avec amour, je les conduirai
se rafraîchir aux sources[i].
11 Je changerai les hauteurs
en chemins praticables,
je referai les routes.
12 Les voici qui arrivent !
Ils reviennent de loin, les uns du nord,
d'autres de l'ouest, par la mer,
d'autres du sud, de l'Égypte. »

13 Ciel, manifeste ta joie ;
terre, émerveille-toi ;
montagnes, lancez des acclamations,
car le Seigneur réconforte son peuple,
il montre son amour aux humiliés.

Moi, je ne t'oublie pas

14 Jérusalem disait :
« Le Seigneur m'a abandonnée,
mon Maître m'a oubliée. »
15 Mais le Seigneur répond :
Une femme
oublie-t-elle l'enfant qu'elle allaite ?
cesse-t-elle d'aimer
l'enfant qu'elle a porté ?
A supposer qu'elle l'oublie,
moi, je ne t'oublie pas :
16 j'ai ton nom gravé[j]
sur les paumes de mes mains,
et l'image de tes murailles
ne quitte pas mes yeux.

17 Ceux qui vont te rebâtir[k]
se dépêchent d'arriver,
tandis que partent loin de toi
ceux qui t'ont démolie,
ceux qui t'ont dévastée.
18 Regarde autour de toi et constate :
tes enfants se rassemblent tous
et arrivent vers toi.
J'en fais le serment par ma vie,
dit le Seigneur,
ils seront pour toi
comme un bijou dont on se pare,
comme une ceinture de fiançailles
qu'on se met à la taille.
Tu es au milieu des ruines,
de quartiers dévastés,
ton pays est dépeuplé.
Mais il sera bientôt
trop étroit pour ses habitants,
tandis que partiront très loin
ceux qui t'avaient fait disparaître.
20 Tu te croyais privée de fils,
mais à nouveau tu les entendras dire :
« Je n'ai pas de place,
pousse-toi donc un peu,
que je puisse m'installer ».
21 Tu te demanderas alors :
« Qui m'a donné tous ces enfants ?
J'étais privée des miens
et sans espoir d'en avoir d'autres,
exilée et mise à l'écart.
Mais ceux-là, qui les a élevés ?
J'étais restée seule,
et ceux-là, où étaient-ils ? »

22 Voici ce que le Seigneur Dieu déclare :
« Je vais faire signe aux nations,
dresser un signal pour les peuples.
Et ils ramèneront tes fils
en les prenant dans leurs bras,
ils ramèneront tes filles
en les portant sur leurs épaules.
23 Tu auras, pour tes enfants,
des princesses comme nourrices,
des rois comme éducateurs.
Ils s'inclineront devant toi,
le visage contre terre,
léchant la poussière de tes pieds.
Alors tu reconnaîtras
que je suis le Seigneur,
et que ceux qui comptent sur moi
ne sont jamais déçus. »

24 Va-t-on reprendre à l'homme de guerre
le butin dont il s'est emparé ?
Va-t-on arracher à la brute[l]
celui qui est son prisonnier ?

---

i **49.10** Comparer Apoc 7.16-17.
j **49.16** *j'ai ton nom gravé* ou *j'ai ton image gravée*.
k **49.17** *Ceux qui vont te rebâtir* : d'après le principal manuscrit hébreu d'Ésaïe trouvé à Qumrân et plusieurs versions anciennes ; texte traditionnel *tes fils*.
l **49.24** *la brute* : d'après le principal manuscrit hébreu d'Ésaïe trouvé à Qumrân, soutenu par plusieurs versions anciennes, et comme au v. 25 ; c'est une allusion aux Babyloniens. Texte hébreu traditionnel *le juste*.

25 Oui, et voici ce que déclare le Seigneur :
« Je vais reprendre à l'homme de guerre
celui qu'il avait fait prisonnier,
je vais arracher à la brute
le butin dont il s'est emparé !
Jérusalem, je vais moi-même
prendre à partie tes adversaires
et délivrer tes enfants.
26 Je forcerai tes oppresseurs
à manger leur propre chair,
à s'enivrer de leur sang
comme on s'enivre de vin nouveau.
Alors tout être vivant saura
que ton sauveur, c'est moi, le Seigneur,
et que j'ai pris ta cause en mains,
moi, le Dieu fort de Jacob. »

Pas de divorce entre Dieu et son peuple

50 1 Voici ce que le Seigneur déclare :
« S'il est vrai que j'ai renvoyé
Jérusalem, votre mère,
montrez-moi le certificat
prouvant que je l'ai répudiée !
Ou encore, dites-moi à qui
je vous aurais vendus comme esclaves[m]
en paiement de mes dettes.
Si vous avez été vendus,
c'est à cause de vos crimes.
Si votre mère a été renvoyée,
c'est pour ses révoltes – les vôtres !
2 Quand je suis venu,
pourquoi n'ai-je trouvé personne ?
Quand j'ai appelé,
pourquoi ne m'a-t-on pas répondu ?
Aurais-je le bras trop court
pour pouvoir vous sauver ?
Manquerais-je de force pour délivrer ?
Allons donc ! D'une simple menace
je peux assécher la mer
ou changer les fleuves en désert.
Alors, faute d'eau,
les poissons meurent de soif
et se mettent à pourrir.
3 Je peux aussi vêtir le ciel de noir
et l'habiller de deuil. »

Le serviteur du Seigneur (troisième poème)

4 Le Seigneur Dieu m'a enseigné
ce que je dois dire,
pour que je sache avec quels mots
je soutiendrai celui qui faiblit.
Chaque matin, il me réveille,
il me réapprend à écouter,
comme doivent écouter les *disciples
5 Le Seigneur Dieu m'ouvre les oreille
et je ne lui résiste pas, je ne recule pa
6 J'offre mon dos
à ceux qui me battent,
je tends les joues
à ceux qui m'arrachent la barbe.
Je ne cache pas mon visage
aux crachats, aux insultes[n].
7 Le Seigneur Dieu me vient en aide,
c'est pourquoi je ne m'avoue pa vaincu,
je rends mon visage dur comme pierre,
je sais que je n'aurai pas le dessous.
8 Le Seigneur est à mes côtés,
il me donnera raison.
Qui osera me faire un procès ?
Qu'il vienne avec moi devant un jug
Qui veut être mon adversaire ?
Qu'il se présente en face de moi !
9 C'est le Seigneur Dieu qui me vient e aide,
qui donc pourrait me déclarer co pable[o] ?
Mes adversaires s'useront tous
comme un habit qui tombe en lam beaux,
dévoré par les mites.

Écouter le serviteur du Seigneur

10 Si quelqu'un parmi vous
reconnaît l'autorité du Seigneur,
qu'il écoute[p] son serviteur !
Si quelqu'un avance dans le noir,
sans la moindre lumière,
qu'il se fie au Seigneur
et s'appuie sur son Dieu !
11 Quant à vous tous qui allumez du fe
et vous armez de flèches enflammées

---

m 50.1 *certificat* (de divorce) : voir Deut 24.1-4 ; Matt 19.7. – *vendus comme esclaves* pour payer une dette : voir Ex 21.7 ; 2 Rois 4.1 ; Néh 5.5 ; Matt 18.25.

n 50.6 Comparer Matt 26.67 ; Marc 14.65.

o 50.9 Comparer Rom 8.33-34.

p 50.10 *qu'il écoute* : d'après les anciennes versions grecque et syriaque ; hébreu *et s'il écoute*.

voici ce qui vous attend :
les flammes de votre propre feu,
les flèches que vous avez allumées.
C'est le sort que le Seigneur vous réserve ;
vous mourrez dans les tourments.

Un salut qui n'aura pas de fin

51 [1] « Vous qui courez après le salut,
vous mes fidèles, écoutez-moi,
dit le Seigneur.
Considérez dans quel rocher
vous avez été taillés,
pensez à la carrière
d'où vous avez été tirés :
2 Considérez Abraham, votre père,
et Sara, qui vous a mis au monde.
Abraham était sans enfant
quand je l'ai appelé,
mais je l'ai béni, j'ai fait de lui
l'ancêtre d'un peuple nombreux. »

3 Le Seigneur a pitié de *Sion,
il a pitié de ses ruines.
De ce site déserté
il va faire un jardin merveilleux,
de ce terrain aride
il va faire un paradis.
Et là retentiront
les cris d'une joie débordante,
les chants de louange
et les airs de musique.

« Vous mon peuple, écoutez-moi bien,
dit le Seigneur.
Vous ma nation, soyez attentifs.
C'est moi qui énonce la loi ;
le droit que je formule
sera la lumière des peuples.
Le salut que j'apporte
est proche, imminent,
la délivrance va paraître.
Je ferai régner le droit
avec vigueur parmi les peuples.
Les populations lointaines
mettront leur espoir en moi,
elles compteront sur mon pouvoir.
Regardez là-haut, vers le ciel,
puis en bas, sur la terre :
le ciel s'évanouira
comme une fumée ;
la terre partira en lambeaux
comme un vêtement,
et ses habitants
tomberont comme des mouches.
Mais la délivrance que j'apporte
subsistera toujours,
mon salut n'aura pas de fin.

7 Écoutez-moi,
vous qui savez ce qui est juste,
peuple qui prends à cœur ma loi :
n'ayez pas peur des outrages des hommes,
ne cédez pas à leurs insultes,
8 car ils auront le sort
d'un vêtement de laine
dévoré par les mites.
Mais le salut que j'apporte
subsistera toujours,
et ma délivrance
durera de siècle en siècle. »

Réveille-toi, Seigneur

9 Réveille-toi, Seigneur,
réveille-toi vite, agis avec vigueur.
Réveille-toi comme autrefois,
dans le lointain passé.
N'est-ce pas toi alors
qui abattis le monstre Rahab[q],
qui transperças le dragon des mers ?
10 N'est-ce pas toi aussi
qui asséchas la mer,
les eaux du grand océan ?
Et toi qui traças un chemin
dans les profondeurs de la mer,
pour y faire passer
ceux que tu as libérés ?

11 Le Seigneur délivrera les siens.
Ils reviendront à Jérusalem
et ils y entreront en criant de bonheur.
Une joie éternelle illuminera leur visage,
une joie débordante les inondera,
tandis que chagrins et soupirs
se seront évanouis.

Mon peuple, qu'as-tu à craindre ?

12 C'est moi qui vous réconforte,
c'est bien moi, dit le Seigneur.

---

q **51.9** Dans les récits babyloniens de la création *le monstre Rahab*, personnifiant l'océan, était vaincu par le dieu créateur. Le prophète revendique ici cette victoire pour le Seigneur.

Mon peuple, qu'as-tu à craindre
d'un simple humain, qui mourra,
qui aura le sort de l'herbe ?
13 Tu oublies le Seigneur,
celui qui t'a créé, qui a déployé le ciel
et posé les bases de la terre.
Tous les jours tu trembles de peur
devant la fureur de l'oppresseur,
comme s'il était prêt à te détruire.
Mais que reste-t-il de sa fureur ?
14 Bientôt, le prisonnier accablé
sera remis en liberté.
Il ne mourra pas dans son cachot
et ne manquera plus de pain.
15 Moi, le Seigneur, je suis ton Dieu,
j'excite la mer, je fais mugir ses flots.
Mon nom : le Seigneur de l'univers.
16 Je remets en place le ciel,
je replace les bases de la terre,
et je dis à Jérusalem :
« C'est toi qui es mon peuple ;
je te confie mon message,
je te mets à l'abri de ma main[r]. »

Ressaisis-toi, Jérusalem

17 Ressaisis-toi, Jérusalem,
ressaisis-toi et lève-toi.
Le Seigneur t'avait tendu la coupe
remplie de sa colère,
et tu as dû la boire
jusqu'à la dernière goutte,
jusqu'à en avoir le vertige[s].
18 Parmi tous les fils
que tu avais mis au monde,
aucun ne t'a guidée.
Parmi tous les enfants que tu as élevés,
aucun ne t'a soutenue.
19 Les malheurs t'ont frappée par deux :
ruine et désastre, guerre et famine.
Mais qui voudra te plaindre,
qui te réconfortera[t] ?

20 A tous les coins de rue
tes enfants sont à terre,
ils restent là, sans réagir,
comme des antilopes prises au piège,
sous la colère du Seigneur,
sous la menace de ton Dieu.

21 Mais maintenant écoute bien,
malheureuse Jérusalem,
toi qui es ivre, mais non de vin :
22 Voici ce que déclare le Seigneur,
ton Maître, ton Dieu,
qui prend la défense de son peuple :
« Je vais reprendre de tes mains
la coupe qui donne le vertige,
la coupe de ma colère.
Tu n'auras plus à y boire.
23 Je la tends à tes bourreaux,
eux qui te disaient : "A plat ventre,
pour que nous te marchions dessus !"
Et tu avais dû offrir ton dos
comme le sol d'une rue
à ceux qui te marchaient dessus. »

Réveille-toi, Jérusalem

52 1 Réveille-toi, Jérusalem,
réveille-toi vite,
retrouve ta vigueur.
*Sion, ville de Dieu,
mets tes plus beaux habits.
Car les étrangers, les *impurs
ne mettront plus les pieds chez toi[u].
2 Tu es couverte de poussière,
secoue-toi, Jérusalem.
Debout, et reprends ta place,
Sion la prisonnière,
libère-toi des liens
qui enserrent ton cou.

3 Voici en effet ce que le Seigneur déclare à son peuple : « Vous avez été livrés
comme esclaves sans contrepartie, vous
serez libérés sans payer un sou. » 4 Et
voici ce que le Seigneur Dieu déclare
encore : « Au début de son histoire, mon
peuple alla se réfugier en Égypte. A la
fin, les Assyriens le maltraitèrent.
5 Dans la situation présente, qu'ai-je
donc à gagner ? Mon peuple a été emmené prisonnier sans dédommagement.
Ceux qui le tyrannisent sont triom-
phants. Et sans cesse mon nom est
tourné en ridicule[v]. 6 C'est pourquoi, u

---

r 51.16 *je te confie mon message* : voir 59.21. – *je te mets à l'abri de ma main* : voir 49.2.
s 51.17 Comparer Jér 25.15 ; Apoc 14.10 ; 16.19.
t 51.19 *qui te réconfortera ?* : d'après le principal manuscrit hébreu d'Ésaïe trouvé à Qumrân, soutenu par les versions anciennes ; texte traditionnel peu clair.
u 52.1 Comparer Apoc 21.2,27.
v 52.5 Verset cité en Rom 2.24 selon l'ancienne version grecque.

de ces jours, mon peuple va savoir qui je
suis ; il va le savoir, c'est moi qui dis :
J'arrive ! »

Le retour du Seigneur à Jérusalem

7 Qu'il est beau de voir venir,
franchissant les montagnes,
un porteur de bonne nouvelle[w] !
Il annonce la paix,
le bonheur et le salut.
Et il te dit, Jérusalem :
« Ton Dieu est roi ».
8 Écoute donc les hommes
que tu as placés en sentinelle :
tous ensemble ils crient de joie,
car ils voient de leurs propres yeux
le Seigneur revenir à *Sion.
9 Ruines de Jérusalem,
lancez des cris de joie :
le Seigneur réconforte son peuple,
il libère Jérusalem.
10 Aux yeux de toutes les nations
le Seigneur s'est donné les mains libres
pour réaliser son œuvre divine.
Et jusqu'au bout du monde
on pourra voir la délivrance
que nous apporte notre Dieu.

Quittez Babylone

11 Vous qui rapportez les ustensiles
réservés au culte du Seigneur,
partez, partez vite, quittez Babylone
sans rien toucher *d'impur[x].
Gardez-vous purs en sortant d'ici.
12 Pour vous, cette fois, ce n'est plus
un départ en catastrophe,
vous ne partez plus dans la panique,
car c'est le Seigneur
qui est votre avant-garde,
et c'est le Dieu d'Israël
qui sera aussi votre arrière-garde.

Le serviteur du Seigneur (quatrième poème)

13 « Mon serviteur, dit le Seigneur,
va obtenir un plein succès
et recevoir les plus grands honneurs.
14 La plupart, en le voyant,
ont été horrifiés,
tant son visage était défiguré,
tant son aspect n'avait plus rien d'humain.

15 Et maintenant, la foule des nations
est stupéfaite à son sujet,
des rois ne savent plus que dire,
car ce qu'ils voient
n'a rien de commun
avec ce qu'on a pu leur raconter,
ce qu'ils apprennent est inouï[y]. »

53 1 Qui de nous a cru la nouvelle
que nous avons apprise ?
Qui de nous a reconnu
que le Seigneur était intervenu[z] ?
2 Car, devant le Seigneur,
le serviteur avait grandi
comme une simple pousse,
comme une pauvre plante
qui sort d'un sol desséché.
Il n'avait pas l'allure
ni le genre de beauté
qui attirent les regards.
Il était trop effacé
pour se faire remarquer.
3 Il était celui qu'on dédaigne,
celui qu'on ignore, la victime,
le souffre-douleur.
Nous l'avons dédaigné,
nous l'avons compté pour rien,
comme quelqu'un qu'on n'ose pas regarder.

4 Or il supportait les maladies
qui auraient dû nous atteindre,
il subissait la souffrance
que nous méritions[a].
Mais nous pensions que c'était Dieu
qui le punissait ainsi,
qui le frappait et l'humiliait.
5 Pourtant il n'était blessé
que du fait de nos crimes,
il n'était accablé
que par l'effet de nos propres torts.
Il a subi notre punition,
et nous sommes acquittés ;

---

w **52.7** Comparer Nah 2.1 ; Éph 6.15. – Le début du v. 7 est cité en Rom 10.15.

x **52.11** Verset cité en 2 Cor 6.17 d'après l'ancienne version grecque.

y **52.15** *est stupéfaite* : le sens du verbe hébreu correspondant est incertain ; la traduction a suivi l'ancienne version grecque. – La fin du v. 15 est citée en Rom 15.21 d'après l'ancienne version grecque.

z **53.1** Verset cité en Jean 12.38 ; Rom 10.16.

a **53.4** Voir Matt 8.17.

il a reçu les coups,
et nous sommes épargnés.
6 Nous errions tous ça et là
comme un troupeau éparpillé[b],
c'était chacun pour soi.
Mais le Seigneur lui a fait subir
les conséquences de nos fautes à tous.

7 Il s'est laissé maltraiter
sans protester, sans rien dire,
comme un agneau qu'on mène à l'abattoir[c],
comme une *brebis devant ceux qui la tondent.
8 On l'a arrêté, jugé, supprimé,
mais qui se souciait de son sort ?
Or, il était éliminé
du monde des vivants,
il était frappé à mort
du fait des crimes de mon peuple[d].
9 On l'a enterré avec les criminels,
dans la mort, on l'a mis avec les riches,
bien qu'il n'ait pas commis
de violence
ni pratiqué la fraude[e].
10 Mais le Seigneur approuve
son serviteur accablé,
et il a rétabli
celui qui avait offert sa vie
à la place des autres[f].
Son serviteur aura des descendants
et il vivra longtemps encore.
C'est lui qui fera aboutir
le projet du Seigneur.

11 « Après avoir subi tant de peines,
dit le Seigneur,
mon serviteur
verra la lumière de la vie,
il en fera l'expérience parfaite.
Les masses humaines reconnaîtront
mon serviteur comme le vrai Juste[g],
lui qui s'est chargé de leurs fautes.
12 C'est pourquoi je le place
au rang des plus grands,
c'est avec les plus puissants
qu'il partagera le butin.
Car il s'est dépouillé lui-même
jusqu'à en mourir,
il s'est laissé placer
au nombre des malfaiteurs[h],
il a pris sur lui
les fautes des masses humaines,
et il est intervenu
en faveur des coupables. »

Jérusalem n'est plus abandonnée

54 1 Jérusalem,
toi qui n'avais plus d'enfants,
pousse des cris de joie.
Toi qui ne mettais plus de fils au monde,
éclate en cris de joie et d'enthousiasme.
Car le Seigneur te dit :
« Toi, la femme abandonnée,
tu as maintenant plus d'enfants
qu'une femme aimée par son mari[i]. »
2 Agrandis la tente où tu vis,
tends des toiles supplémentaires,
ne regarde pas à la dépense.
Allonge les cordes de ta tente,
consolide les piquets,
3 car tu vas t'agrandir de tous côtés ;
tes fils vont récupérer
les territoires voisins,
et tes villes désertées
vont être repeuplées.
4 Tu ne seras plus humiliée,
n'aie donc pas peur.
Tu ne seras plus déshonorée,
ne te sens plus honteuse.
Tu oublieras l'humiliation
que tu ressentais dans ta jeunesse,
tu ne penseras plus au déshonneur
que tu éprouvais quand tu étais veuve.
5 Car tu vas avoir pour époux
celui qui t'a créée,

---

b **53.6** Une partie des v. 5-6 est citée en 1 Pi 2.24-25.
c **53.7** Comparer Apoc 5.6.
d **53.8** *frappé à mort* : d'après l'ancienne version grecque ; hébreu peu clair. – *de mon peuple* : le principal manuscrit hébreu d'Ésaïe trouvé à Qumrân propose *de son peuple*. – Les v. 7-8 sont cités en Act 8.32-33 selon l'ancienne version grecque.
e **53.9** Comparer 1 Pi 2.22.
f **53.10** *il a rétabli... à la place des autres* : texte hébreu traditionnel très obscur. La traduction rend ici un texte reconstitué par hypothèse.
g **53.11** *verra la lumière de la vie* : d'après plusieurs manuscrits hébreux d'Ésaïe trouvés à Qumrân et l'ancienne version grecque ; texte traditionnel *il verra*. – *Les masses humaines... vrai Juste* : certains interprètent *Mon serviteur juste rendra justes un grand nombre d'hommes* ; comparer Rom 3.21-24.
h **53.12** Texte cité en Marc 15.28 ; Luc 22.37.
i **54.1** Verset cité en Gal 4.27.

celui qui a pour nom
“Le Seigneur de l’univers”.
C’est l’unique vrai Dieu, le Dieu d’Israël
qui te libère,
celui-là même qu’on nomme
“Le Dieu de toute la terre”.
6 Comme une femme abandonnée
tu étais plongée dans le chagrin.
Mais ton Dieu déclare :
« Comment peut-on rejeter
la femme qu’on a choisie
quand on était jeune ?
7 Pendant un court instant,
je t’avais rejetée,
mais, dans ma grande tendresse,
je te reprends avec moi.
8 Dans un accès momentané de colère,
j’ai refusé de te voir,
mais, dans mon amour sans fin,
je te garde ma tendresse.
C’est moi, le Seigneur, qui te le dis,
moi qui prends ta cause en mains.

« Je vais faire aujourd’hui
comme au temps de Noé :
j’avais promis alors
que la grande inondation
ne submergerait plus la terre[j].
Je te promets de même aujourd’hui
de ne plus m’irriter
et de ne plus te menacer.
Même si les collines
venaient à s’ébranler,
même si les montagnes
venaient à changer de place,
l’amour que j’ai pour toi
ne changera jamais,
et l’engagement que je prends
d’assurer ton bonheur
restera inébranlable.
C’est moi, le Seigneur, qui te le dis,
moi qui te garde ma tendresse. »

La Jérusalem des temps futurs

Malheureuse Jérusalem,
secouée par la tempête,
sans personne pour te réconforter !
« Eh bien moi, dit le Seigneur,
je vais te rebâtir en pierres décorées,
refaire tes fondations en saphir,
le haut de tes murailles en rubis,
tes entrées en cristal,
et tous tes remparts en pierres précieuses[k] !
13 Tes enfants
seront tous mes *disciples[l],
ils vivront en pleine prospérité.
14 Tu seras vraiment inébranlable.
A l’abri de toute oppression,
tu n’auras plus rien à craindre.
Tu seras délivrée de la terreur,
elle ne te menacera plus.
15 Si on veut t’attaquer,
cela ne viendra pas de moi.
D’ailleurs, quiconque t’attaquera
succombera devant toi.
16 C’est moi, remarque-le,
qui crée le forgeron,
l’homme qui active le feu
et produit toutes sortes d’armes.
Mais c’est moi aussi qui crée
l’homme chargé de les détruire.
17 Toute arme forgée pour te nuire
ne te fera aucun mal.
Quiconque t’accusera au tribunal,
tu le feras condamner.

Voilà la part que je réserve
à ceux qui sont mes serviteurs,
voilà les droits que je leur garantis,
déclare le Seigneur. »

Venez, même sans argent

55 1 Holà, vous tous qui avez soif,
voici de l’eau, venez.
Même sans argent, venez ;
prenez de quoi manger, c’est gratuit[m] ;
du vin ou du lait, c’est pour rien.
2 A quoi bon dépenser de l’argent
pour un pain qui ne nourrit pas,
à quoi bon vous donner du mal
pour rester sur votre faim ?
Ecoutez-moi bien,
et vous aurez à manger
quelque chose de bon,
vous vous régalerez
de ce qu’il y a de meilleur.
3 Accordez-moi votre attention

---

j **54.9** Comparer Gen 9.8-17.
k **54.12** *saphir, rubis* : pierres précieuses de couleur respectivement bleue et rouge. – V. 11-12 : comparer Apoc 21.18-21.
l **54.13** Verset cité en Jean 6.45.
m **55.1** Comparer Apoc 21.6 ; 22.17.

et venez jusqu'à moi.
Écoutez-moi, et vous revivrez.

« Je m'engage pour toujours,
dit le Seigneur,
à vous accorder les bienfaits
que j'avais assurés à David[n] :
4 Face aux peuples, j'avais fait de lui
un témoin de mon pouvoir,
je l'avais établi comme un chef
et un maître pour les nations.
5 Eh bien toi aussi, Israël,
tu lanceras un appel
à des étrangers, des inconnus,
et ces gens qui t'ignoraient
accourront vers toi.
Ils viendront à cause de moi,
le Seigneur ton Dieu,
l'unique vrai Dieu, le Dieu d'Israël,
qui t'accorde cet honneur. »

Une promesse qui n'est jamais sans effet

6 Tournez-vous vers le Seigneur,
maintenant qu'il se laisse trouver.
Faites appel à lui,
maintenant qu'il est près de vous.
7 Que l'homme sans foi ni loi
renonce à ses pratiques !
Que l'individu malveillant
renonce à ses méchantes pensées !
Qu'ils reviennent tous au Seigneur,
car il aura pitié d'eux !
Qu'ils reviennent à notre Dieu,
car il accorde un large pardon !

8 « En effet, dit le Seigneur,
ce que je pense n'a rien de commun
avec ce que vous pensez,
et vos façons d'agir
n'ont rien de commun avec les miennes.
9 Il y a autant de distance
entre ma façon d'agir et la vôtre,
entre ce que je pense et ce que vo
pensez,
qu'entre le ciel et la terre.

10 « La pluie et la neige tombent du ciel
mais elles n'y retournent pas
sans avoir arrosé la terre,
sans l'avoir rendue fertile,
sans avoir fait germer les graines.
Elles procurent ainsi
ce qu'il faut pour semer
et ce qu'il faut pour se nourrir[o].
11 Eh bien, il en est de même
pour ma parole, pour ma promesse :
elle ne revient pas à moi
sans avoir produit d'effet,
sans avoir réalisé ce que je voulais,
sans avoir atteint le but
que je lui avais fixé[p]. »

12 C'est dans la joie
que vous quitterez Babylone,
et dans la paix
que vous serez ramenés chez vous.
Devant vous, montagnes et collines
éclateront en cris de joie,
et tous les arbres des campagnes
battront des mains pour applaudir.
13 Au lieu du buisson d'épines
poussera le cyprès ;
à la place des orties, le myrte[q].
Pour le Seigneur,
ce sera un titre de gloire,
la marque indestructible
qui rappellera toujours
ce qu'il a fait pour vous.

TROISIÈME PARTIE

(56–66)

Il n'y aura plus d'exclus

56 1 Voici ce que le Seigneur déclare :
« Respectez le droit,
faites ce qui est juste,
car le salut que j'apporte
est proche, il va venir.
On verra que je tiens ma promesse.
2 Heureux sera l'homme
qui fait ce que j'ai dit,

---

n 55.3 Texte cité en Act 13.34 d'après l'ancienne v sion grecque.

o 55.10 Comparer 2 Cor 9.10.

p 55.11 Voir 40.8 et la note.

q 55.13 *myrte* : arbuste odorant, toujours vert, des gions méditerranéennes.

qui s'y tient fermement,
qui respecte avec soin le *sabbat
et s'interdit de faire
quelque mal que ce soit ! »

3 Il ne faut donc pas que l'étranger
qui s'est attaché au Seigneur
aille s'imaginer :
« Le Seigneur me met à part,
à l'écart de son peuple ».
Il ne faut pas non plus
que *l'eunuque se mette à dire :
« Je ne suis qu'un arbre sec[r] ».
4 Car voici ce que le Seigneur déclare :
« Si un eunuque respecte mes sabbats,
s'il choisit de faire
ce qui m'est agréable,
s'il se tient à l'engagement
que j'attends de mon peuple,
5 alors je lui réserverai,
sur les murs de mon temple,
un emplacement pour son nom.
Ce sera mieux pour lui
que des fils et des filles.
Je rendrai son nom éternel,
rien ne l'effacera. »
6 Quant aux étrangers
qui se sont attachés au Seigneur
pour l'honorer et pour l'aimer,
pour être ses serviteurs,
le Seigneur déclare :
« S'ils respectent avec soin le sabbat,
s'ils se tiennent à l'engagement
que j'attends de mon peuple,
7 alors je les ferai venir
sur la montagne qui m'est consacrée,
je les remplirai de joie
dans ma maison de prière,
j'accueillerai avec faveur
les divers sacrifices
qu'ils m'offriront sur *l'autel.
Car on appellera ma maison
"Maison de prière
pour tous les peuples[s]."

8 Celui qui a rassemblé
les dispersés d'Israël,
le Seigneur Dieu, ajoute :
« J'en ai déjà rassemblés,
j'en rassemblerai d'autres encore. »

Des responsables indignes

9 Vous toutes, bêtes des champs,
et vous, animaux des forêts,
venez au festin !

10 Les gardiens d'Israël
sont tous des aveugles,
ils ne remarquent rien.
Ce sont des chiens muets,
incapables d'aboyer.
Ils rêvent, allongés,
ils aiment à sommeiller.
11 Ce sont aussi des chiens voraces,
qui n'ont jamais assez.
Et dire qu'ils sont les *bergers !
Ils n'ont aucun discernement,
ils ne suivent que leurs désirs ;
chacun d'eux ne poursuit
que son propre intérêt.
12 « Venez, disent-ils,
allons chercher du vin,
boire quelque chose de fort.
Demain sera comme aujourd'hui,
il reste beaucoup à boire[t]. »
57 1 Quant aux fidèles,
ils sont mis à mort
sans que personne s'en soucie ;
les braves gens succombent
sans que personne y prenne garde.
Oui, les fidèles succombent,
victimes des méchants.
2 Mais la paix reviendra,
et ceux qui suivent le droit chemin
pourront enfin dormir tranquilles.

Reproches au peuple idolâtre

3 Approchez ici, vous autres,
enfants de sorcière,
race adultère et prostituée[u] !
4 De qui vous moquez-vous ?
A qui faites-vous des grimaces

---

r **56.3** Incapable d'avoir des descendants, *l'eunuque* se désole à l'idée que son nom disparaîtra avec lui (v. 5).

s **56.7** *la montagne qui m'est consacrée* : Sion, la hauteur sur laquelle était bâti le temple. – La fin du verset est citée par Jésus en Matt 21.13 ; Marc 11.17 ; Luc 19.46.

t **56.12** Autre traduction *un grand, un très grand jour*.

u **57.3** Voir Osée 2.4 et la note.

et tirez-vous la langue ?
N'est-il pas vrai que vous êtes
des enfants désobéissants,
une race menteuse ?
5 Vous vous excitez près des grands arbres,
sous tout ce qui porte des feuilles[v].
Vous sacrifiez des enfants
sur le bord des torrents,
à l'abri des cavernes.
6 Les pierres lisses du torrent[w],
voilà ton bien le plus sacré,
la part qui est la tienne, Israël !
C'est pour elles que tu répands
du vin en sacrifice,
et que tu présentes des offrandes !
Devrais-je m'y résigner,
demande le Seigneur ?

7 Tu te prépares un lit
sur toutes les hauteurs.
C'est là que tu montes
pour offrir des sacrifices.
8 Tu as fixé ton fétiche
derrière le montant de la porte.
En cachette de moi tu te déshabilles,
tu montes sur ton lit,
tu y fais de la place.
Tu as fait un pacte avec tes amants,
tu aimes coucher avec eux,
tu contemples la chose[x] !

9 Tu t'es enduite d'huile
pour aller trouver le grand roi[y],
tu t'es richement parfumée.
Tu as envoyé des messagers
jusque très loin d'ici,
et tu es descendue
jusqu'au séjour des morts.
10 A force de démarches,
tu as fini par te fatiguer.
Mais tu n'as pas dit :
« Inutile d'insister ».
Tu as retrouvé tes forces,
tu as surmonté ta fatigue.

11 Qui donc te faisait si peur
pour que tu me trompes à ce point,
que tu ne penses plus à moi
et me chasses de ton souvenir ?
Je ne disais rien depuis longtemps ;
c'est sans doute pour cela
que tu ne me respectes plus.
12 Mais je vais dénoncer
ta prétendue innocence
et tes agissements.
Tu n'en tireras aucun profit.
13 Quand tu appelleras au secours,
eh bien, qu'elle te tire d'affaire,
ta collection de faux dieux !
Que le vent les emporte tous,
qu'un souffle les balaye !
Mais ceux qui chercheront
un refuge auprès de moi
recevront le pays
comme leur propriété,
et ils posséderont
la montagne qui m'est consacrée[z].

La guérison du peuple de Dieu

14 Le Seigneur avait dit :
« Réparez le chemin,
dépêchez-vous, ouvrez la voie,
enlevez les obstacles
devant les pas de mon peuple. »
15 Or voici ce que déclare
celui qui est plus haut que tout,
dont la demeure est éternelle
et dont le nom est unique :
« Moi, l'unique vrai Dieu,
j'habite là-haut,
mais je suis avec les hommes
qui se trouvent accablés
et ont l'esprit d'humilité,
pour rendre la vie aux humiliés,
pour rendre la vie aux accablés[a].
16 Car ce n'est pas sans fin
que je fais des reproches
ou que je reste irrité.

---

v **57.5** Dans les v. 5-8 le prophète fait allusion aux cultes de la fécondité dénoncés aussi en És 1.29 ; Jér 2.20 ; Ézék 6.13 ; etc.

w **57.6** *pierres lisses du torrent* : peut-être emblèmes (sexuels) d'un culte de la fécondité ; voir la note précédente.

x **57.8** *Tu as fait un pacte avec tes amants* : traduction incertaine d'un texte obscur. – *la chose* (ou *la main*) : probablement un euphémisme pour désigner le sexe.

y **57.9** *le grand roi* : le maître de l'empire qui dominait alors le Moyen-Orient, sans qu'on puisse préciser davantage. Autre interprétation *le dieu Mélek* (le roi), parfois nommé *Molek* dans l'AT.

z **57.13** Voir 56.7 et la note.

a **57.15** Voir Ps 34.19 ; 51.19.

Sinon tous ceux que j'ai créés
perdraient le souffle de la vie.
17 Les torts d'Israël,
ses gains malhonnêtes m'ont irrité.
Dans ma colère je l'ai frappé,
je ne voulais plus le voir.
Mais il est resté infidèle,
il n'en a fait qu'à sa tête,
18 je connais bien sa conduite.
Or voici quelle sera ma revanche :
je le guérirai, je le guiderai,
je le réconforterai !
Quant à ceux qui portaient le deuil,
19 je mettrai sur leurs lèvres
des exclamations de joie.
Salut, salut pour tous,
aux plus lointains
comme aux plus proches[b],
dit le Seigneur.
Oui, je guérirai mon peuple. »

20 Mais les gens sans foi ni loi
sont comme la mer agitée,
incapable de se calmer,
et dont les eaux rejettent
toutes sortes de saletés.
21 « Le salut, a dit mon Dieu,
n'est pas pour les gens sans foi ni loi[c]. »

Le jeûne qui plaît à Dieu

58 1 Crie à pleine voix,
ne te retiens pas, dit le Seigneur.
Comme le son du cor,
que ta voix porte loin.
Dénonce à mon peuple sa révolte,
aux descendants de Jacob leurs fautes.

2 Jour après jour, tournés vers moi,
ils désirent connaître
ce que j'attends d'eux.
On dirait une nation
qui agit comme il faut,
et qui n'abandonne pas
le droit proclamé par son Dieu.
Ils réclament de moi
de justes jugements
et désirent ma présence.
3 Mais ils me disent :
« A quoi bon pratiquer le *jeûne,
si tu ne nous vois pas ?
A quoi bon nous priver,
si tu ne le remarques pas ? »
Alors je réponds :
Constatez-le vous-mêmes :
jeûner ne vous empêche pas
de saisir une bonne affaire,
de malmener vos employés,
4 ni de vous quereller
ou de donner des coups de poing !
Quand vous jeûnez ainsi,
votre prière ne m'atteint pas.
5 Est-ce en cela que consiste
le jeûne tel que je l'aime,
le jour où l'on se prive ?
Courber la tête comme un roseau,
revêtir l'habit de deuil,
se coucher dans la poussière,
est-ce vraiment pour cela
que vous devez proclamer un jeûne,
un jour qui me sera agréable ?
6 Le jeûne tel que je l'aime,
le voici, vous le savez bien :
c'est libérer les hommes
injustement enchaînés,
c'est les délivrer
des contraintes qui pèsent sur eux,
c'est rendre la liberté
à ceux qui sont opprimés,
bref, c'est supprimer
tout ce qui les tient esclaves.
7 C'est partager ton pain
avec celui qui a faim,
c'est ouvrir ta maison
aux pauvres et aux déracinés,
fournir un vêtement
à ceux qui n'en ont pas,
ne pas te détourner
de celui qui est ton frère[d].

8 Alors ce sera pour toi
l'aube d'un jour nouveau,
ta plaie ne tardera pas à se cicatriser.
Le salut te précédera
et la glorieuse présence du Seigneur
sera ton arrière-garde[e].
9 Quand tu appelleras,
le Seigneur te répondra ;
quand tu demanderas de l'aide,

b 57.19 On trouve une allusion à ce verset en Éph 2.17.
c 57.21 Voir 48.22.
d 58.7 Comparer Matt 25.35-36.
e 58.8 Comparer 52.12.

il te dira : « J'arrive ! »
Si tu cesses chez toi
de faire peser des contraintes,
de ridiculiser les autres
en les montrant du doigt,
ou de parler d'eux méchamment,
10 si tu partages ton pain
avec celui qui a faim,
si tu donnes à manger
à qui doit se priver,
alors la lumière chassera
l'obscurité où tu vis ;
au lieu de vivre dans la nuit,
tu seras comme en plein midi.
11 Le Seigneur restera ton guide ;
même en plein désert,
il te rassasiera et te rendra des forces.
Tu feras plaisir à voir,
comme un jardin bien arrosé,
comme une fontaine abondante
dont l'eau ne tarit pas.
12 Alors tu relèveras les anciennes ruines,
et tu rebâtiras sur les fondations
abandonnées depuis longtemps.
On te nommera ainsi :
« Le peuple qui répare
les brèches des murailles
et redonne vie aux ruelles de la ville ».

Le sabbat qui plaît à Dieu

13 « Si tu renonces à travailler
le jour du *sabbat,
ou à traiter une bonne affaire
le jour qui m'est consacré,
dit le Seigneur ;
si tu parles du sabbat
comme d'un jour de joie
consacré à mon service
et qu'il convient d'honorer ;
si tu le respectes effectivement
en renonçant à travailler,
à saisir une bonne affaire
et à marchander longuement,
14 alors je deviendrai la source de ta joie.
Moi, le Seigneur,
je t'emmènerai en triomphe
sur les plus hauts sommets,
et je te ferai profiter
du pays que Jacob, ton ancêtre,
a reçu en propriété. »
Voilà ce que promet le Seigneur.

Une barrière entre Dieu et vous

59 1 Pensez-vous que le Seigneur
n'ait pas le bras assez long
pour vous sauver ?
ou qu'il ait l'oreille trop dure
pour vous entendre ?
2 En réalité, ce sont vos torts
qui dressent une barrière
entre vous et votre Dieu ;
ce sont vos propres fautes
qui le poussent à tourner la tête
pour ne pas vous écouter.
3 Car vous avez du sang sur les mains,
vos doigts sont souillés de crimes,
et quand vous ouvrez la bouche,
c'est pour mentir ou calomnier.

4 Vous déposez au tribunal
des plaintes malhonnêtes,
vous y plaidez sans loyauté.
Vous vous appuyez sur des preuves vides,
vos arguments sont sans fondement,
vous portez en vous le désir de nuire
et n'accouchez que du malheur.
5-6 Vos projets sont aussi nocifs
que des œufs de serpent ;
quiconque y toucherait
en mourrait aussitôt :
l'œuf est à peine ouvert
qu'il en sort une vipère.
Les toiles que vous tissez
sont des toiles d'araignée ;
elles sont destinées
non pas à s'habiller,
non pas à se couvrir,
mais à causer le malheur.
Vos mains ne sont au travail
que pour fabriquer de la violence.
7 Vous courez à toutes jambes
pour faire le mal,
vous vous précipitez
pour assassiner l'innocent.
Vos projets visent seulement
à faire du mal aux autres.
Sur votre route, vous semez
la violence et le désastre.
8 Vous ne connaissez pas
le chemin de la paix,
et là où vous passez
on ne rencontre pas le droit.

Vous préférez les voies détournées,
et quiconque emprunte vos chemins
ne connaîtra jamais la paix[f].

Le peuple de Dieu reconnaît ses torts

9 Voilà pourquoi Dieu met du temps
à intervenir pour nous
et repousse à plus tard le salut promis.
Nous espérions voir la lumière,
mais c'est partout l'obscurité.
Nous attendions que le jour se lève,
mais nous marchons dans la nuit noire.
10 Nous avançons en tâtonnant
comme un aveugle près d'un mur,
nous hésitons comme un homme
qui ne voit pas où il va.
En plein midi, nous trébuchons
comme dans la nuit la plus noire.
Nous sommes en bonne santé,
mais ne valons pas mieux que des morts.
11 Nous laissons tous échapper
des grognements d'ours
ou des cris plaintifs de colombe.
Nous espérions
que Dieu interviendrait, mais rien.
Nous attendions le salut,
mais il reste loin de nous.

12 En effet, bien souvent, Seigneur,
nous t'avons désobéi.
Nos fautes nous accusent,
nos révoltes collent à nous,
nous savons bien quels sont nos torts :
13 nous t'avons désobéi,
nous t'avons trahi,
nous avons refusé de te suivre,
toi notre Dieu.
Nous ne parlons que d'opprimer
ou de nous révolter.
Ce que nous portons en nous,
ce que nous avons à l'esprit
n'est finalement que mensonge.
14 Ainsi le droit est en recul,
la justice reste inaccessible.
Sur la place du marché
la bonne foi trébuche,
l'honnêteté n'a plus cours.
15 Oui, la bonne foi a disparu,
et celui qui veut rester honnête
se fait dépouiller à tous les coups.

L'intervention du Seigneur

Le Seigneur a bien vu
tout ce qui se passait.
Il n'a pas accepté
que le droit soit foulé aux pieds.
16 Il a constaté
que personne ne réagissait ;
il est resté surpris
que personne n'intervienne.
Alors il a décidé
d'y mettre la main lui-même ;
sa loyauté lui en a donné la force[g].
17 Cette loyauté lui sert de cuirasse,
et le salut, de casque pour sa tête.
Il a passé sur lui
le vêtement de la revanche ;
le manteau dont il s'enveloppe,
c'est son ardeur à combattre[h].
18 Il va rendre aux humains
ce qu'ils ont mérité,
user de furieuses représailles
contre tous ses ennemis,
même les plus lointains.
19 Ainsi, depuis le soleil levant
jusqu'au soleil couchant,
on respectera le Seigneur
et sa présence glorieuse,
quand il arrivera
tel un torrent impétueux
poussé par la tempête.
20 Le Seigneur va venir
pour libérer Jérusalem
et ceux du peuple d'Israël
qui renoncent à leurs révoltes[i].
C'est lui qui le déclare.

21 Et le Seigneur ajoute : « Voici l'engagement que je prends envers ceux-là :
Mon Esprit reposera sur vous, je vous
confie mon message dès maintenant et
pour toujours. Je ne vous retirerai jamais
cette mission, ni à vous, ni à vos enfants,
ni aux enfants de vos enfants. C'est moi
qui le déclare. »

---

f **59.8** V. 7-8 : comparer Rom 3.15-17.
g **59.16** Comparer 63.5.
h **59.17** Comparer Éph 6.14,17 ; 1 Thess 5.8.
i **59. 20** Comparer Rom 11.26.

Lumière nouvelle sur Jérusalem

60 [1] Debout, Jérusalem,
brille de mille feux,
car la lumière se lève pour toi :
la glorieuse présence du Seigneur
t'éclaire comme le soleil levant.
2 L'obscurité couvre la terre,
la nuit enveloppe les peuples.
Mais toi, le Seigneur t'éclaire
comme le soleil qui se lève.
Au-dessus de toi apparaît
sa présence lumineuse.
3 Alors des nations marcheront
vers la lumière dont tu rayonnes,
des rois seront attirés
par l'éclat dont tu te mettras à briller.

4 Regarde bien autour de toi,
et vois tous tes enfants : ils viennent
et se rassemblent auprès de toi.
Tes fils arrivent de loin,
on ramène tes filles
en les portant dans les bras.
5 En les apercevant,
tu rayonnes de bonheur ;
tu en es tout émue,
ton cœur éclate de joie.
Car les richesses de la mer
arrivent chez toi,
les trésors des nations
affluent jusqu'à toi.
6 Ton pays se couvre
d'une foule de chameaux :
ce sont les caravanes
de Madian et d'Éfa,
arrivant toutes de Saba.
Elles apportent de l'or et de *l'encens[j]
en chantant les hauts faits du Seigneur.
7 Les troupeaux des gens de Quédar
se rassemblent devant toi,
les béliers de Nebayoth[k]
sont à ta disposition.
On les présente sur *l'autel du Seigneur,
et c'est pour lui un sacrifice agréable.
Il montre ainsi la gloire de son temple.

8 Qui sont donc tous ces gens ?
On dirait un nuage,
ou un vol de pigeons
qui rentrent au pigeonnier.
9 Des rivages lointains,
des bateaux se rassemblent[l],
les grands navires en tête.
Depuis les pays éloignés
ils ramènent tes enfants,
avec leur or et leur argent :
ils viennent glorifier le Seigneur,
ton Dieu, l'unique vrai Dieu,
le Dieu d'Israël,
qui t'accorde cet honneur.

10 Ce sont des étrangers
qui rebâtiront tes murailles ;
leurs rois seront à ton service,
dit le Seigneur.
Je t'avais frappée, en effet,
tant j'étais indigné.
Mais j'ai plaisir maintenant
à te montrer mon amour.
11 Tes portes resteront ouvertes,
elles ne seront refermées
ni la nuit ni le jour,
afin qu'on fasse entrer chez toi
les trésors des nations[m]
et leurs rois l'un après l'autre.

12 Toute nation ou tout royaume qui
refusera de te servir devra disparaître ;
ces nations-là seront complètement rui-
nées.

13 Toute la gloire des forêts du Liban,
bois de cyprès, de pin et de buis,
arrivera chez toi
pour orner mon saint temple.
Je montrerai ainsi la gloire du lieu où je me tiens.
14 Ceux qui t'ont maltraitée
s'approcheront de toi en baissant la tête,
tous ceux qui t'ont ridiculisée
se jetteront à tes pieds[n].

---

j **60.6** *Éfa* : clan appartenant à la tribu arabe de *Madian*. – *Saba* : sans doute au sud de l'Arabie ; voir Jér 6.20 ; Ps 72.15. – *or et encens* : voir Matt 2.11.

k **60.7** *Quédar* : tribu du désert arabique. – *Nebayoth* : autre population arabe.

l **60.9** *Des bateaux se rassemblent des rivages lointains* : texte probable ; la tradition juive a compris *Oui, les* (populations des) *rivages lointains espèrent en moi*.

m **60.11** Verset cité en Apoc 21.25-26.

n **60.14** *Ceux qui t'ont maltraitée* ou *Les fils de tes bourreaux*. – Sur la suite du verset comparer Apoc 3.9.

Ils te donneront ces titres :
"La cité du Seigneur",
"La *Sion de l'unique vrai Dieu,
le Dieu d'Israël".

15 Tu étais abandonnée,
personne ne t'aimait
ni ne passait te voir.
Au lieu de cela, je ferai de toi
un sujet de fierté pour toujours,
un sujet de joie de siècle en siècle.
16 Les nations et leurs rois
te serviront de nourrices.
Alors tu le sauras :
moi, le Seigneur, je suis ton sauveur,
moi, le Dieu fort de Jacob,
je suis ton libérateur.

17 J'apporterai chez toi
du fer au lieu de pierres,
du bronze au lieu de bois,
de l'argent au lieu de fer,
de l'or au lieu de bronze.
L'autorité et le pouvoir
que j'instaurerai chez toi,
c'est la paix et la justice.
18 On n'entendra plus parler
de violence dans ton pays,
ni de ruine et de désastre
à l'intérieur de tes frontières.
Mais tu pourras nommer
tes murailles "Salut",
et tes portes "Louange à Dieu".
19 Pour t'éclairer, tu n'auras plus besoin
ni du soleil pendant le jour,
ni de la lune pendant la nuit,
car moi, le Seigneur ton Dieu,
je t'éclairerai pour toujours
et je t'illuminerai de tout mon éclat.
20 La lumière du jour
ne s'en ira plus pour toi
comme au coucher du soleil,
ni la clarté de la nuit
comme au coucher de la lune,
car moi, le Seigneur,
je t'éclairerai pour toujours[o].
Ce sera la fin de ton deuil.

21 Tes habitants formeront à eux tous
un peuple de fidèles,
ils resteront toujours
les maîtres du pays.
Eux que j'ai créés de mes mains
pour qu'ils manifestent ma gloire,
ils seront comme des plantes
dans mon jardin.
22 La plus petite famille
comptera mille personnes,
la plus modeste deviendra
une nation puissante.
Voilà ce que moi, le Seigneur,
je me dépêcherai de faire
quand le moment sera venu.

L'envoyé du Seigneur, sa mission, son message

61 1 Le Seigneur Dieu
me remplit de son Esprit[p],
car il m'a consacré
et m'a donné pour mission
d'apporter aux pauvres
une bonne nouvelle,
et de prendre soin des désespérés ;
de proclamer aux déportés
qu'ils seront libres désormais
et de dire aux prisonniers
que leurs chaînes vont tomber ;
2 d'annoncer l'année où le Seigneur
montrera sa faveur à son peuple,
le jour où notre Dieu
prendra sa revanche sur ses ennemis ;
d'apporter un réconfort
à ceux qui sont en deuil[q].
3 Ils portent le deuil de *Sion,
mais j'ai mission de remplacer
les marques de leur tristesse
par autant de marques de joie :
la cendre sur leur tête
par un splendide turban,
leur mine douloureuse
par une huile parfumée,
leur air pitoyable par un habit de fête.
Alors on les comparera
à des arbres qui font honneur à Dieu,
à un jardin qui révèle
la gloire du Seigneur.
4 Ils relèveront les anciennes ruines,
ils rebâtiront
les maisons jadis abattues,
ils restaureront les villes
restées si longtemps dévastées.

---

o **60.20** V. 19-20 : comparer Apoc 21.23 ; 22.5.
p **61.1** V. 1-2 : voir Luc 4.18-19. – v. 1 : voir Matt 11.5 ; Luc 7.22.
q **61.2** Comparer Matt 5.4.

5 Des étrangers seront là
pour veiller sur vos troupeaux ;
des gens venus d'ailleurs
laboureront pour vous
et cultiveront vos vignes.
6 Vous-mêmes porterez le titre
de “Prêtres du Seigneur”.
On dira en parlant de vous :
“Les serviteurs de notre Dieu”.
Vous pourrez profiter
de la fortune des nations
et faire étalage[r] de leurs richesses.

7 « Vous avez souffert le déshonneur,
et même deux fois plutôt qu'une.
Votre lot était l'humiliation,
les gens crachaient sur vous[s],
dit le Seigneur.
C'est pourquoi, en compensation,
vous recevrez double part
dans le pays de ces gens-là,
et vous vivrez dès lors
dans une joie éternelle.
8 Moi, le Seigneur, j'aime en effet
qu'on respecte le droit,
mais je déteste, je trouve indigne
qu'on prenne quelque chose de force.
Je vous donnerai donc
un vrai dédommagement
et je m'engagerai envers vous
solennellement et pour toujours. »

9 Vos descendants seront connus
partout, chez toutes les nations.
Ceux qui les apercevront
les reconnaîtront à ceci :
ils formeront une race
que le Seigneur bénit.

Chant de reconnaissance

10 Le Seigneur est pour moi
une source de joie débordante.
Mon Dieu me remplit de bonheur,
car le secours qu'il m'accorde
est un habit dont il me vêt,
et le salut qu'il m'apporte,
un manteau dont il me couvre.
J'ai la joie du jeune marié
qui a mis son turban de fête,
ou de la fiancée parée de ses bijoux[t].
11 En effet, comme la terre
fait sortir les pousses,
ou comme un jardin
fait germer ce qu'on y a semé,
ainsi le Seigneur Dieu
fera germer salut et louange
devant l'ensemble des nations.

Le renouveau de Jérusalem

62 1 Par amour pour toi, Jérusalem,
je ne me tairai pas ;
par amour pour toi, *Sion,
je ne resterai pas inactif,
jusqu'à ce que ta juste délivrance
apparaisse comme le jour,
et que ton salut brille
comme une torche enflammée.
2 Les nations constateront
que le Seigneur t'a délivrée,
tous les rois contempleront ta gloire.
On te donnera le nom nouveau[u]
que le Seigneur aura prononcé.
3 Dans la main du Seigneur,
de ton Dieu,
tu seras comme un turban royal,
comme une couronne de fête.
4 On ne t'appellera plus
“la ville abandonnée”,
on ne nommera plus ton pays
“la terre dévastée”.
On t'appellera au contraire
“Plaisir du Seigneur”,
et l'on nommera ta terre
“la bien mariée”.
Car tu seras vraiment
le plaisir du Seigneur,
et ta terre aura un époux.
5 Oui, comme un jeune homme
épouse une jeune fille,
ainsi Celui qui te rebâtit
sera un mari pour toi[v].
De même aussi qu'une fiancée
fait la joie de son fiancé,
tu feras la joie de ton Dieu.

---

r **61.6** *faire étalage* : d'après le principal manuscrit hébreu d'Ésaïe trouvé à Qumrân ; texte traditionnel *vous vous substituerez*.

s **61.7** *les gens crachaient sur vous* : texte probable ; hébreu *ils ont crié d'enthousiasme*.

t **61.10** Comparer Apoc 21.2.

u **62.2** *nom nouveau* : voir 65.15 ; Apoc 2.17 ; 3.12.

v **62.5** *Celui qui te rebâtit sera un mari pour toi* : avec d'autres voyelles le texte hébreu traditionnel propose *tes fils t'épouseront*.

6 Sur tes murailles, Jérusalem,
j'ai placé des veilleurs.
Ils ne devront jamais se taire,
ni le jour ni la nuit.
« Vous qui rappelez au Seigneur
le souvenir de Jérusalem,
ne faites aucune pause.
7 Ne le laissez pas en repos
jusqu'à ce qu'il l'ait rétablie,
jusqu'à ce qu'il ait fait d'elle
la gloire de toute la terre. »

8 Le Seigneur a fait ce serment :
« Aussi vrai que j'ai tout pouvoir,
je le jure à mon peuple :
jamais plus je ne laisserai
tes ennemis profiter du blé
que tu as cultivé,
ni des gens venus d'ailleurs
boire le vin de l'année
pour lequel tu as pris tant de peine.
9 Ceux qui mangeront le blé
en acclamant le Seigneur
seront ceux qui l'auront moissonné ;
ceux qui boiront le vin
dans les cours de mon *sanctuaire
seront ceux qui auront fait la vendange. »
10 Gens de Jérusalem, sortez,
sortez vite de la ville.
Ouvrez la voie à ceux qui reviennent,
bouchez les trous de la chaussée,
débarrassez-la des pierres.
Et balisez la route
à l'intention des peuples.
11 Le Seigneur va donner ses ordres
d'un bout du monde à l'autre.
Dites donc à *Sion :
« Ton Sauveur arrive,
il ramène ceux qu'il a gagnés,
il rapporte le fruit de sa peine[w]. »
12 On vous appellera, vous et eux,
"le peuple consacré à Dieu",
"ceux que le Seigneur a libérés".
Et toi, Jérusalem,
on ne te nommera plus
"la ville abandonnée",
mais bien "la Désirée".

Le terrible vendangeur

63 1 Quel est ce voyageur
qui arrive d'Édom,
de Bosra, la capitale,
les vêtements tachés de rouge ?
Drapé dans son manteau,
il marche la tête haute
et conscient de sa force.

« C'est moi, dit le Seigneur,
je viens rendre la justice
et m'en prendre aux nations
pour sauver mon peuple[x]. »

2 « Mais pourquoi
ce rouge à ton manteau
et ces taches à tes vêtements ?
On dirait que tu as travaillé
à fouler du raisin au pressoir. »

3 « Oui, j'ai travaillé au pressoir, et seul,
sans personne d'aucun peuple avec moi.
Dans ma colère et ma fureur
j'ai piétiné des gens,
je les ai foulés aux pieds.
Leur sang a giclé sur mes habits,
j'ai taché tous mes vêtements[y].
4 C'est que j'avais à cœur
de prendre aujourd'hui ma revanche ;
le moment était venu
de libérer mon peuple.
5 J'ai cherché quelqu'un du regard,
mais personne pour m'aider !
Je suis resté surpris
que personne ne m'assiste.
Alors j'ai décidé
d'y mettre la main moi-même ;
ma fureur m'en a donné la force[z].

---

w **62.11** Voir 40.10 et la note ; comparer Apoc 22.12.

x **63.1** *Édom* : au sud de la mer Morte. Les Édomites furent considérés par Israël comme ses ennemis héréditaires, surtout après la ruine de Jérusalem en 587 avant J.-C. (Ps 137.7 ; Lam 4.21-22 ; Ézék 25.12 ; 35.5,12,15 ; 36.5 ; Abdias 10-15 ; voir aussi És 34.5 et la note). – En hébreu les noms d'*Édom* et de *Bosra* évoquent respectivement la couleur *rouge* et la *vendange*. – *m'en prendre aux nations* ou *quereller les nations* : d'après plusieurs versions anciennes ; avec une autre voyelle, le texte traditionnel a compris *riche* (pour sauver...)

y **63.3** *j'ai piétiné* : comparer Apoc 14.20 ; 19.15. – *habits tachés de sang* : comparer Apoc 19.13.

z **63.5** Voir 59.16.

6 Dans ma colère
j'ai écrasé des gens,
je les ai enivrés de ma fureur,
j'ai répandu leur sang à terre. »

Histoire de la bonté du Seigneur

7 Je voudrais rappeler
les bontés du Seigneur
et nos motifs de le louer :
tout ce qu'il a fait pour nous,
et sa générosité
envers la nation d'Israël,
tout ce qu'il a fait par amour,
dans son immense bonté.

8 Il a dit des gens d'Israël :
« Mon peuple, c'est eux,
ils sont pour moi des fils
qui ne me décevront pas. »
Et il a été leur sauveur.
9 Dans toutes leurs détresses
il n'a délégué personne
pour leur venir en aide,
mais il les a sauvés lui-même[a].
Dans son amour et sa pitié,
c'est lui qui les a libérés,
c'est lui qui s'est chargé d'eux
et les a portés à bout de bras
tout au long de leur histoire.
10 Mais ils ont été rebelles,
ils ont déçu son Esprit saint.
Il s'est donc fait leur ennemi
et il s'est mis à les combattre.

11 Alors son peuple s'est rappelé
l'histoire ancienne, avec Moïse[b] :
« Qu'est-il donc devenu,
celui qui a fait monter son peuple de la mer,
son troupeau avec ses *bergers ?
Qu'est-il donc devenu,
celui qui, par son Esprit,
était présent parmi les siens ?
12 A la droite de Moïse,
c'est lui qui avança
son bras majestueux.
Il fendit les eaux devant les siens
et s'est acquis ainsi
un éternel titre de gloire.
13 C'est lui qui les fit avancer
sur le fond de la mer,
comme un cheval en liberté,
sans qu'ils fassent un faux pas.
14 On aurait dit un troupeau
qui descend dans la vallée.
L'Esprit du Seigneur
les conduisait vers le repos. »

C'est donc ainsi, Seigneur,
que tu conduisais ton peuple
et que tu te faisais
un splendide titre de gloire !

Prière de supplication

15 Du haut du ciel, regarde ;
de ta splendide demeure divine,
vois ce qui nous arrive :
Que sont donc devenus
ton amour si ardent,
ta vaillance au combat
et tes sentiments de tendresse ?
Seigneur, ne t'es-tu pas retenu
de montrer ton affection à ton peuple[c] ?
16 Car c'est toi qui es notre père,
Abraham, notre ancêtre, nous ignore,
et Jacob ne nous connaît pas ;
mais toi, Seigneur, tu es notre père,
toi qu'on nomme depuis toujours
"notre Libérateur".
17 Pourquoi, Seigneur, nous as-tu laissés
nous égarer loin de ta route,
et nous obstiner à rejeter ton autorité ?
Reviens, pour l'amour de nous
qui sommes tes serviteurs,
le peuple qui est ta propriété.
18 Nous, le peuple qui t'est consacré,
n'avons pas eu bien longtemps
la propriété du pays ;
ton saint temple a été piétiné
par nos ennemis.
19 Il y a si longtemps
que nous ne sommes plus
le peuple sur lequel tu règnes,
le peuple qui porte ton nom !

---

a **63.9** *il n'a délégué... lui-même* : d'après l'ancienne version grecque ; avec d'autres voyelles, la tradition juive a compris *Dans toutes leurs détresses, qui étaient une détresse pour lui, l'ange de son visage les a sauvés*.

b **63.11** *avec Moïse* : Ex 14.15-23.

c **63.15** *de montrer à ton peuple* ou *de me montrer* (c'est le peuple d'Israël qui parle ici).

Ah ! si[d] tu déchirais le ciel,
et si tu descendais !
Devant toi les montagnes
seraient ébranlées !

64 [1] Tu serais comme un feu
embrasant des brindilles
ou mettant l'eau en ébullition.
Et tu ferais savoir ainsi
à tous tes adversaires
quel Dieu tu es.
Devant toi, les nations
seraient prises de panique,
2 quand tu accomplirais
des prodiges inattendus.
Oui, tu descendrais,
et devant toi, les montagnes
seraient ébranlées.
3 Jamais on n'a entendu dire,
jamais on n'a remarqué,
jamais un œil n'a vu
qu'un autre dieu que toi
ait agi de la sorte
pour ceux qui comptent sur lui[e].
4 Tu viens à la rencontre
de ceux qui font ta volonté,
qui la font avec joie,
et qui pensent à suivre
les chemins que tu as tracés.
Si tu t'es irrité,
c'est que nous étions coupables.
Mais c'est toujours sur ces chemins
que nous trouverons le salut[f].

5 Nous sommes tous
impropres à ton service,
comme un objet *impur ;
et toutes nos belles actions
sont aussi répugnantes
qu'un linge taché de sang.
Nos torts nous emportent tous
comme les feuilles mortes[g]
balayées par le vent.
6 Il n'y a plus personne
pour s'adresser à toi,
pour se ressaisir et s'attacher à toi.
Car tu refuses de nous voir,
et tu nous as livrés découragés
au pouvoir de nos fautes.

7 Et pourtant, Seigneur,
c'est toi qui es notre père.
Nous sommes l'argile,
et tu es le potier,
tu nous as tous façonnés[h].
8 Seigneur, ne sois pas trop irrité,
ne te rappelle pas sans cesse nos torts.
Veuille considérer
que nous sommes tous ton peuple.
9 Les villes qui te sont consacrées sont
dépeuplées,
Jérusalem n'est plus qu'un désert
et *Sion un lieu dévasté.
10 La maison qui t'était consacrée,
où nos parents t'acclamaient,
notre temple splendide
a été livré au feu.
Ce lieu que nous aimions tant
n'est plus qu'un tas de ruines.
11 Seigneur, devant ces ruines,
peux-tu rester indifférent ?
Peux-tu te taire plus longtemps,
et nous humilier encore,
au-delà de toute mesure ?

Le jugement à venir

65 [1] J'offre ma réponse,
mais on ne me demande rien.
Je suis disponible, dit le Seigneur,
mais on ne me consulte pas.
J'ai annoncé : « Me voici, j'arrive »,
mais à une nation
qui ne s'adressait pas à moi[i].
2 J'ai constamment tendu les mains
à des gens qui n'en voulaient pas,
qui suivaient un mauvais chemin
et n'en faisaient qu'à leur tête.
3 C'est un peuple qui me provoque
ouvertement et constamment :
dans leurs jardins sacrés,
ils font des sacrifices
et brûlent sur des *autels de briques
du parfum pour les faux dieux ;

---

d **63.19** Certaines éditions font commencer ici le chap. 64. Les v. 64.1,2,3, etc. y sont alors numérotés 64.2,3,4, etc.

e **64.3** On trouve une allusion à ce verset en 1 Cor 2.9.

f **64.4** Le début et la fin du v. 4 sont assez obscurs en hébreu et le sens reste incertain.

g **64.5** *comme des feuilles mortes* : d'après le principal manuscrit hébreu d'Ésaïe trouvé à Qumrân ; texte traditionnel *nous sommes détrempés comme des feuilles*.

h **64.7** Voir Gen 2.7 ; Ps 103.13-14.

i **65.1** *qui ne s'adressait pas à moi* : d'après les plus importantes versions anciennes ; la tradition juive a interprété *qui ne portait pas mon nom*. – En Rom 10.20-21 l'apôtre Paul cite les versets 1-2 d'après l'ancienne version grecque.

4 ils s'asseyent dans les tombeaux,
ils séjournent dans des caveaux[j] ;
ils mangent de la viande de porc
et mettent dans leurs plats
des nourritures *impures.
5 Ils disent à ceux qu'ils rencontrent :
« Reste à distance, ne me touche pas,
tu ne peux m'approcher sans danger. »
Quand je vois ces pratiques,
la colère me prend
et ne cesse de me brûler.
6 Mais j'ai pris note de leur conduite,
et je ne me tairai pas
sans leur avoir réglé leur compte,
et même copieusement.
7 Moi le Seigneur, je le déclare :
je compte en même temps
leurs crimes et ceux de leurs ancêtres :
ceux-ci déjà brûlaient du parfum
pour les faux dieux sur les montagnes,
ils me provoquaient sur les collines.
Ainsi je ferai bonne mesure
pour leur ancienne conduite,
bonne et copieuse mesure !

8 Quand on trouve sur une vigne
une grappe bien juteuse,
on dit : « Laissons-la intacte,
car elle promet du bon vin. »
Eh bien,
voici ce que déclare le Seigneur :
« C'est comme cela
que j'agirai pour mes fidèles,
je les garderai intacts.
9 Je donnerai des descendants
au peuple de Jacob, à la tribu de Juda.
Ils posséderont mes montagnes,
ceux que j'ai choisis
en auront la propriété,
mes fidèles y auront leur demeure.
10 Pour ceux qui se tournent vers moi,
la plaine de Saron
deviendra un pâturage,
et la vallée d'Akor
un enclos pour le bétail[k].

11 J'en viens à vous maintenant,
à vous qui m'abandonnez
et qui avez oublié
le chemin de la montagne qui m'est consacrée[l],
qui servez des repas
à Gad, le dieu de la chance,
et offrez des vins mélangés
à Méni, le dieu du destin !
12 Eh bien, je vous destine
à une mort violente.
Vous tomberez tous à genoux
pour être massacrés.
Car je vous ai appelés,
mais vous n'avez pas répondu,
je vous ai parlé,
mais vous n'avez pas écouté.
Vous faites précisément
ce que j'estime mauvais ;
ce que vous avez choisi,
c'est ce qui me déplaît !
13 Voici donc ce que je déclare,
moi le Seigneur Dieu :
Tandis que vous connaîtrez la famine,
mes fidèles auront de quoi manger.
Quand vous mourrez de soif,
mes fidèles auront de quoi boire.
Alors que vous serez dans la honte,
mes fidèles seront dans la joie :
14 ils seront si heureux,
qu'ils crieront de joie !
Mais vos cris à vous
seront des cris de douleur :
vous vous lamenterez,
le cœur découragé.
15 Votre nom, après vous,
ne servira plus à mes fidèles
qu'à formuler cette malédiction :
"Que le Seigneur Dieu te fasse mourir
comme un tel ou un tel !"
Mais pour eux, pour mes fidèles,
c'est un tout autre nom
que l'on prononcera :
16 Dans le pays, ceux qui voudront
souhaiter à d'autres d'être bénis
le feront en prononçant le nom
du Dieu sur qui l'on peut compter.

---

j **65.4** Les idolâtres séjournaient à l'intérieur des tombeaux dans l'espoir d'y communiquer avec les morts ; comparer Lév 19.31 ; Deut 18.11-12.

k **65.10** *la plaine du Saron* : riche plaine située en bordure de la mer Méditerranée. – *la vallée d'Akor* : voir Jos 7.24-26 ; 15.7 ; Osée 2.17.

l **65.11** *la montagne qui m'est consacrée* : voir 56.7 et la note.

Ceux qui voudront prêter serment
le feront en prononçant le nom
du Dieu sur qui l'on peut compter. »

Un ciel nouveau, une terre nouvelle

Oui, les malheurs du passé
tomberont dans l'oubli,
ils disparaîtront loin de mes yeux,
dit le Seigneur.
17 Car je vais créer un ciel nouveau
et une terre nouvelle,
si bien qu'on n'évoquera plus
le ciel ancien, la terre ancienne[m] ;
on n'y pensera plus.
18 Réjouissez-vous plutôt,
et ne vous arrêtez pas
de crier votre enthousiasme
pour ce que je vais créer :
une Jérusalem enthousiaste
et son peuple débordant de joie.
19 Moi aussi, je suis enthousiasmé
par cette Jérusalem,
et débordant de joie
en pensant à mon peuple.

On n'entendra plus chez lui
ni bruits de pleurs, ni cris d'appel[n].
20 On n'y trouvera plus
d'enfant mort en bas âge,
ou encore d'adulte
privé d'une longue vieillesse.
Car ce sera mourir jeune
que de mourir à cent ans,
et qui n'atteindra pas cet âge
sera regardé comme un maudit.
21 Si mon peuple bâtit des maisons,
il sera sûr d'y habiter ;
et s'il plante des vignes,
il sera sûr d'en profiter.
22 Il ne bâtira plus
pour qu'un autre en jouisse,
il ne plantera plus
pour qu'un autre en profite.
Dans mon peuple on vivra
aussi vieux que les arbres,
et mes bien-aimés jouiront
du travail qu'ils auront fait[o].
23 Ce ne sera plus pour rien
qu'ils se donneront de la peine,
et ils ne mettront plus au monde
des enfants pour les voir mourir.
Car ils forment la famille
de ceux que je bénis,
eux et leurs enfants.
24 Moi, je leur répondrai
avant même qu'ils appellent ;
ils n'auront pas fini de parler,
que je les aurai entendus.
25 Le loup et l'agneau
paîtront l'un avec l'autre.
Le lion comme le bœuf
mangera du fourrage.
Le serpent, pour se nourrir,
se contentera de poussière.
On ne commettra ni mal ni dommage
sur toute la montagne qui m'est consacrée,
dit le Seigneur[p].

Vrais et faux fidèles

66 1 Voici ce que déclare le Seigneur :
« Le ciel est mon trône
et la terre mon marchepied[q].
Quel genre de maison
pouvez-vous donc me bâtir ?
Et en quel genre de lieu
voulez-vous que je me fixe ?
2 Tout ce que vous voyez,
je l'ai fait de mes mains,
et tout cela existe[r], vous dis-je.
Mais ce qui m'intéresse,
c'est le pauvre, le malheureux,
celui qui écoute ma parole
avec crainte et tremblement.

3 Or, pour offrir un sacrifice,
on abat un bœuf,
mais on tue aussi bien un homme ;
on égorge un mouton,
mais on assomme aussi bien un chien ;
on présente une offrande de farine,
mais aussi bien du sang de porc ;
on la brûle avec de *l'encens,

---

m **65.17** *le ciel ancien, la terre ancienne* : comparer 66.22 ; 2 Pi 3.13 ; Apoc 21.1. Autre traduction de la fin du verset *on n'évoquera plus les événements passés*.

n **65.19** Comparer Apoc 21.4.

o **65.22** *jouiront du travail qu'ils auront fait* : voir 62.8-9 ; Jér 31.5 ; Amos 9.14.

p **65.25** *la montagne qui m'est consacrée* : voir 56.7 et la note. – Sur l'ensemble du verset voir 11.6-9.

q **66.1** *le ciel est mon trône* : voir Matt 5.34 ; 23.22. – *marchepied* : comparer Ps 99.5 et la note ; Matt 5.35.

r **66.2** Les v. 1-2a sont cités en Act 7.49-50.

mais on honore aussi des faux dieux[s].
Puisque ces gens-là ont choisi
de suivre cette voie,
puisqu'ils se plaisent à ces horreurs,
4 je choisis, moi, de les livrer
aux conséquences de leurs caprices ;
j'amènerai sur eux
tous les maux qu'ils redoutent.
En effet, j'ai appelé,
mais aucun d'eux n'a répondu ;
je leur ai parlé,
mais ils n'ont pas écouté.
Ils ont fait précisément
ce que je considère comme mauvais,
et ce qu'ils ont choisi,
c'est ce qui me déplaît. »

L'intervention finale du Seigneur

5 Écoutez ce que dit le Seigneur,
vous qui recevez sa parole
avec crainte et tremblement.
Vous avez des compatriotes
qui vous détestent et vous excluent
parce que vous lui êtes fidèles.
Ils vous disent en se moquant :
« Que le Seigneur montre sa glorieuse présence,
et nous vous verrons triompher ! »
Mais c'est eux qui seront humiliés.
6 Écoutez plutôt ce bruit
qui provient de la ville,
ce bruit qui vient du temple :
c'est le Seigneur qui est en train
de rendre à ses ennemis
ce qu'ils ont mérité.

7 Donner naissance à un enfant
avant que viennent les douleurs !
Mettre au monde un garçon
avant même d'être en travail !
8 A-t-on jamais entendu dire,
a-t-on jamais vu chose pareille ?
Un pays naît-il en un seul jour ?
Une nation naît-elle d'un seul coup ?
C'est pourtant le cas de *Sion :
à peine dans les douleurs,
elle mettait au monde ses enfants !

9 « Si je mène une femme
jusqu'au terme de sa grossesse,
demande le Seigneur,
vais-je empêcher l'enfant de naître ?
Si c'est moi qui prépare une naissance,
déclare ton Dieu,
ce n'est pas pour la rendre impossible ! »

10 Vous qui aimez Jérusalem,
réjouissez-vous avec elle,
enthousiasmez-vous pour elle.
Vous tous qui aviez pris le deuil
à cause de son malheur,
partagez maintenant avec elle
une joie débordante.
11 Ainsi vous vous rassasierez
des consolations qu'elle vous donne,
comme des nourrissons
allaités par leur mère,
qui tètent avec délices
son sein généreux.

12 Voici en effet
ce que déclare le Seigneur :
« Je vais diriger vers Jérusalem
un fleuve de bienfaits,
et la richesse des nations
comme un torrent qui déborde.
Et je prendrai soin de vous
comme une mère le fait
pour l'enfant qu'elle allaite,
qu'elle porte sur la hanche
et cajole sur ses genoux.
13 Oui, comme une mère
qui console son enfant,
moi aussi, je vous consolerai,
et ce sera à Jérusalem !
14 Oui, vous connaîtrez ce moment-là,
votre cœur sera dans la joie,
et vos vieux os reprendront vie
comme l'herbe au printemps. »

Le Seigneur fera éprouver
son pouvoir à ses fidèles,
mais sa colère à ses ennemis.
15 Voici en effet le Seigneur :
il arrive dans un feu,
ses chars sont comme l'ouragan.
Rempli d'indignation,
il vient exercer sa colère
et réaliser sa menace
dans un bouquet de flammes.

---

s **66.3** Parallèlement à des sacrifices et à des offrandes légitimes (voir par exemple Lév 1–2) les mêmes personnes s'adonnent à des pratiques interdites pour les sacrifices en Israël (voir par exemple Lév 11.7-8 ; 20.1-5).

6 C'est par le feu et par l'épée
que le Seigneur se fera juge
contre tous les humains.
Il y aura beaucoup de victimes :
7 je parle ici des gens
qui se *purifient spécialement
pour entrer dans certains jardins ;
ils viennent s'y placer
derrière celui qui est au centre[t],
ils mangent du porc,
ou bien du rat, choses abominables.
Ces gens-là finiront d'un seul coup,
c'est le Seigneur qui l'a dit.

Le grand rassemblement final

18 Étant donné leurs pratiques et leur
rojet, dit le Seigneur, le moment est
enu pour moi de rassembler des nations
e toutes langues, pour qu'elles contem-
lent ma glorieuse présence. 19 Je mettrai
hez elles un signe de mon autorité.
Quant à ceux qui auront survécu à mon
ugement, je les enverrai chez les peuples
e Tarsis, de Poul, de Loud – les spécia-
istes du tir à l'arc – chez les gens de Tou-
al et de Yavan[u] et dans les îles
ointaines, partout où l'on n'a jamais en-
endu parler de moi, partout où l'on n'a
amais vu ma gloire. Et mes envoyés ré-
éleront ma gloire à ces nations. 20 Alors
elles-ci ramèneront tous vos frères de
ace qui étaient chez elles : à cheval, en
har ou en chariot couvert, à dos de muet ou de chameau, jusqu'à la montagne
ui m'est consacrée[v] à Jérusalem, dit le
eigneur. Ce sera leur offrande pour moi ;
e l'accueillerai comme celle que les Is-
aélites apportent à mon temple dans des
lats *purifiés. 21 J'irai même jusqu'à
hoisir dans ces nations des prêtres et des
lévites, déclare le Seigneur.

22 Vos descendants et votre nom, dit le
Seigneur, subsisteront en ma présence
aussi longtemps que le ciel nouveau et la
terre nouvelle que je crée[w].

23 Ainsi, de mois en mois
et de *sabbat en sabbat,
tout le monde viendra
s'incliner devant moi, dit le Seigneur.
24 Alors on viendra voir
les cadavres des gens
qui m'ont été rebelles.
La vermine qui les ronge
n'est pas près de mourir,
et le feu qui les dévore
ne s'éteindra pas de sitôt[x].
Ils feront ainsi horreur
à tous les humains.

---

t **66.17** Les pratiques païennes auxquelles le prophète fait allusion sont mal connues. – *celui qui est au centre* (un prêtre ?) : d'après le texte hébreu "écrit" (les seules consonnes) ; selon le texte hébreu "à lire" on peut comprendre aussi *celle qui est au milieu*. Mais on ne sait pas s'il s'agit alors d'un poteau sacré (*achéra*, symbole d'une divinité féminine) ou d'une prêtresse du culte païen.

u **66.19** *Tarsis* : peut-être sur la côte espagnole. – *Poul* (ou *Pouth*) : région africaine voisine de l'Éthiopie, peut-être l'Érythrée ; selon d'autres, il s'agirait de la Lybie. – *Loud* : région voisine de l'Égypte, mais non identifiée. – Au lieu de *les spécialistes du tir à l'arc* l'ancienne version grecque a lu *(les peuples de) Méchek* ; voir Gen 10.2. – *Toubal* : en Asie Mineure, peut-être sur la côte de la mer Noire. – *Yavan* : la Grèce et ses îles.

v **66.20** *la montagne qui m'est consacrée* : voir 56.7 et la note.

w **66.22** *ciel nouveau, terre nouvelle* : voir 65.17 et la note.

x **66.24** Comparer Marc 9.48.

Jérémie

Introduction – *Seul – ou presque – contre tous, mais fidèle jusqu'au bout à la missio dont Dieu l'a chargé, tel apparaît le *prophète Jérémie. Il est ainsi l'homme qui, bien avan l'apôtre Paul, a vécu de cette parole de Dieu : « Ma puissance manifeste pleinement ses effet quand tu es faible » (2 Cor 12.9).*

Points de repère dans la vie de Jérémie : Jeune encore *Jérémie devient porte-parole de Dieu Jérusalem (Jér 1.4-9) – c'est vers l'année 626 avant J.-C., sous le règne de Josias (640-609) – Il le restera pendant plus de quarante ans d'une période de plus en plus troublée.*

La puissance assyrienne, qui dominait toute la région (voir les introductions à Osée, Amos Ésaïe), commence à céder sous les assauts des Babyloniens. Josias en profite pour récupérer un partie de l'ancien royaume d'Israël. Mais en 609 il est tué à Méguiddo en voulant s'opposer l'armée que l'Égypte envoyait au secours de l'Assyrie. Les Égyptiens emmènent son fils et suc cesseur Challoum (ou Joachaz) et installent à sa place Joaquim. En 597 les Babyloniens d Nabucodonosor parviennent jusqu'à Jérusalem et déportent une partie de la population ave Joakin (ou Konia), qui vient de succéder à son père Joaquim. Ils mettent sur le trône de Davi Sédécias, roi faible et influençable, qui finira par se laisser entraîner dans la révolte contre se maîtres babyloniens. La réaction est brutale : après un an de siège, les troupes de Nabucodono sor s'emparent de Jérusalem (juillet 587), capturent le roi Sédécias, incendient le temple et dé portent la population active.

Après leur départ, Guedalia, le gouverneur installé par les vainqueurs, est assassiné. Le derniers rescapés de Juda se réfugient en Égypte, y entraînant de force le prophète Jérémie C'est là-bas que celui-ci mourra.

Comme les autres prophètes, Jérémie voit dans ces événements dramatiques autant d'aver tissements que Dieu envoie à son peuple infidèle. Pour ce dernier, répète Jérémie, le seul moye d'éviter le désastre est de revenir à Dieu : cesser d'intriguer avec l'Égypte et accepter l'épreuv de la domination babylonienne. Du coup Jérémie est accusé de trahison et persécuté, ce qu'il d'autant plus de peine à supporter qu'il a pour son peuple une profonde tendresse. Il travers ainsi la vie, déchiré entre le message de mort que Dieu lui impose de transmettre et l'amou qu'il garde pour son peuple en danger. C'est pourquoi il lui arrive de se plaindre à Die (11.18–12.6 ; 15.10-21 ; 17.14-18 ; 18.18-23 ; 20.7-18).

Mais, au-delà de la mort qu'il voit approcher pour le peuple infidèle, il entrevoit une sorte d résurrection, dans le cadre d'une « nouvelle alliance » avec Dieu (chap. 31). Il témoigne alor de sa confiance en la victoire de Dieu par un surprenant geste d'espoir (chap. 32).

On trouvera au début du chapitre 25 un résumé de la prédication de Jérémie.
– Les chapitres 2–24 ont recueilli en détail les messages du prophète, parfois illustrés de geste symboliques : la ceinture pourrie (chap. 13), la visite au potier (chap. 18), la cruche brisé (chap. 19), etc.
– Dans les chapitres 26–45 des récits, dont certains sont probablement dus à Baruch, secrétair et ami de Jérémie, retracent tel ou tel épisode de la vie du prophète.

Les chapitres 46–51 regroupent les messages concernant les nations étrangères. Le chapitre
2 est un complément historique, relatant la prise et la ruine de Jérusalem. Il s'achève sur une
ote d'espoir : la grâce accordée au roi prisonnier Joakin.

C'est à Jérémie, messager fidèle et persécuté, que l'on songera plus tard à comparer Jésus
Matt 16.14). Mais surtout Jésus lui-même, à la veille de sa mort, partageant la Cène avec les
ens, déclarera réalisée la « nouvelle alliance » annoncée par Jérémie (Luc 22.20 ; 1 Cor
1.25).

---

1 [1] Ce livre rapporte ce qu'a dit et fait
Jérémie, fils de Hilkia. Jérémie était
'une famille de prêtres vivant à Anatoth,
ur le territoire de la tribu de Benjamin.
Le Seigneur lui confia sa parole dès la
eizième année du règne de Josias, fils
'Amon et roi de Juda[a]. [3] Il lui parla en-
ore à l'époque où Joaquim, un fils de Joas, était roi de Juda, et jusqu'à la fin du
ègne de Sédécias, un autre fils de Josias,
'est-à-dire jusqu'à la onzième année de
e règne, au cinquième mois, lorsque la
opulation de Jérusalem fut déportée[b].

Dieu appelle Jérémie à devenir son porte-parole

[4] Je reçus cette parole du Seigneur :

« Je te connaissais
avant même de t'avoir formé
dans le ventre de ta mère ;
je t'avais mis à part pour me servir
avant même que tu sois né[c].
Et je t'avais destiné
à être mon porte-parole
auprès des nations. »

[6] Je répondis : « Hélas ! Seigneur Dieu,
suis trop jeune pour parler en public. »
[7] Mais le Seigneur me répliqua :
« Ne dis pas que tu es trop jeune ;
tu devras aller voir
tous ceux à qui je t'enverrai,
et leur dire tout ce que je t'ordonnerai.
N'aie pas peur d'eux,
car je suis avec toi pour te délivrer. »

oilà ce que le Seigneur me déclara.
'uis il avança la main, toucha ma bou-
e et me dit :
« C'est toi
qui prononceras mes paroles.

[10] Tu vois, aujourd'hui je te charge d'une
mission,
qui concerne les nations et les royaumes :
tu auras à déraciner et à renverser,
à détruire et à démolir,
mais aussi à reconstruire et à replanter. »

La branche d'amandier et le chaudron bouillonnant

[11] Alors je reçus cette parole du Seigneur : « Qu'aperçois-tu Jérémie ? » –
« Une branche d'amandier, l'arbre vigilant », répondis-je[d]. [12] « Bien vu, me dit le
Seigneur ; je serai vigilant, en effet, pour
réaliser ce que j'annoncerai. »
[13] Une seconde fois je reçus une parole
du Seigneur : « Et maintenant qu'aperçois-tu ? » – « Un chaudron bouillonnant,
répondis-je ; il est incliné depuis le
nord. »

[14] Alors le Seigneur m'expliqua :
« C'est du nord, en effet,
que le malheur va jaillir
contre tous les habitants du pays[e].
[15] Car, je le déclare, je vais appeler
tous les clans et royaumes du nord.
Alors ils viendront
placer les trônes de leurs rois

---

a **1.2** C'est-à-dire vers l'année 626 avant J.-C. – *règne de Josias* : 2 Rois 22.1–23.30 ; 2 Chron 34–35.

b **1.3** C'est-à-dire en juillet-août 587 avant J.-C. – Règnes de *Joaquim* et de *Sédécias* : 2 Rois 23.36–25.21 ; 2 Chron 36.

c **1.5** Voir És 49.1 ; Gal 1.15.

d **1.11** En hébreu le nom de l'*amandier*, premier arbre à fleurir au printemps, évoque la *vigilance*.

e **1.14** Les envahisseurs que redoutait le royaume de Juda à cette époque ne pouvaient arriver que par le *nord* ; comparer 4.6 ; 6.1,22 ; 10.22 ; 13.20 ; etc.

devant les portes de Jérusalem.
Ils encercleront ses murailles,
ils attaqueront toutes les villes de Juda.
16 J'exécuterai ainsi la sentence
que j'ai prononcée contre les habitants du pays
à cause de tout le mal qu'ils ont fait :
ils m'ont abandonné,
ils ont offert des sacrifices à d'autres dieux,
des dieux qu'ils se sont fabriqués,
et auxquels ils rendent un culte !
17 Toi, Jérémie, prépare-toi.
Debout ! Va leur transmettre
tout ce que je t'ordonnerai de leur dire.
Ne te laisse pas intimider par eux,
sinon je te rendrai timide devant eux.
18 Dès aujourd'hui je te rends résistant
comme une ville fortifiée,
une colonne de fer, un mur de bronze,
face à toute la population du pays,
face aux rois de Juda,
aux ministres, aux prêtres
et aux citoyens du royaume.
19 Ils te combattront,
mais ne pourront rien contre toi,
car je suis avec toi pour te délivrer.
C'est moi, le Seigneur, qui le déclare. »

De la source d'eau claire aux citernes fissurées

2 1 Je reçus cette parole du Seigneur :
2 « Va faire entendre ce message à la
population de Jérusalem :
Voici ce que déclare le Seigneur :
Je garde le souvenir
de ce que tu étais autrefois.
Comme tu m'étais attachée,
lorsque tu étais jeune !
Comme tu m'aimais,
quand tu étais ma fiancée[f] !
Tu me suivais au désert,
dans cette région où rien ne pousse.
3 Israël, tu étais alors à moi seul,
comme les premiers produits d'une récolte.
Tous ceux qui touchaient à toi
avaient affaire à moi ;
il leur arrivait aussitôt malheur,
déclare le Seigneur.

4 Vous qui descendez de Jacob,
gens de tous les clans d'Israël,
écoutez cette parole du Seigneur ;
5 voici ce qu'il déclare :
Vos ancêtres ont-ils trouvé
une faute à me reprocher ?
Pourquoi ont-ils rompu avec moi ?
Et cela, pour suivre des dieux inconsistants,
et devenir eux-mêmes tout aussi inconsistants !
6 Ils ne se sont pas demandé :
"Où est le Seigneur,
lui qui nous a retirés d'Égypte
et nous a conduits à travers le désert,
cette région desséchée,
coupée de ravins,
cette région de soif et d'angoisse,
où personne ne passe,
où personne ne vit ?"
7 Or je vous ai fait venir
dans un pays fertile,
pour que vous profitiez
de ses meilleurs produits.
C'était mon pays, vous y êtes entrés,
mais vous l'avez rendu *impur ;
c'était ma propriété,
mais vous en avez fait
quelque chose d'abominable.
8 Les prêtres n'ont pas demandé :
"Où est le Seigneur ?"
Les spécialistes de la *loi
m'ont ignoré,
les dirigeants
se sont révoltés contre moi,
les *prophètes
ont parlé au nom de *Baal,
et tous se sont attachés
à des dieux incapables[g].
9 C'est pourquoi
je reste en procès contre vous,
et le serai encore avec vos descendants,
déclare le Seigneur.

10 "Allez donc vous informer
dans les îles grecques,
ou faites une enquête

f 2.2 Dans ce passage, comme aussi en 2.20-25 et souvent ailleurs, le peuple d'Israël est personnifié par une jeune fille ou une jeune femme.

g 2.8 *Prêtres*, *spécialistes de la loi*, *dirigeants*, *prophètes* : les quatre groupes influents dans l'Israël d'alors.

chez les Arabes de Quédar[h],
pour voir si l'on agit là-bas
comme on agit ici,
11 pour voir si une nation
a déjà changé ses dieux.
Et pourtant
ce ne sont même pas des dieux !
Or mon peuple avait l'honneur
de m'avoir comme Dieu,
mais il m'a échangé
contre des dieux incapables.
12 Soyez-en stupéfaits, habitants du ciel,
soyez-en paralysés d'horreur,
déclare le Seigneur.
13 Mon peuple
a commis une double faute :
il m'a abandonné,
moi la source d'eau vive,
pour se creuser des citernes ;
et ce sont des citernes fissurées,
incapables de retenir l'eau !" »

Comme il est amer d'abandonner le Seigneur !

14 « Israël est-il maintenant un domestique ?
Ou même est-il né esclave ?
Non. Alors pourquoi
est-il la proie des autres peuples ?
15 Comme des fauves ils rugissent,
ils grondent contre lui.
Ils ont ravagé son pays
de façon effrayante.
Ses villes sont devenues
des ruines inhabitées.
16 Même les gens de Memphis
et de Tapanès
viennent lui tondre le crâne[i].
17 Tout cela n'est-il pas de ta faute, Israël,
toi qui as abandonné le Seigneur ton Dieu,
alors même qu'il te conduisait sur la route ?
18 Et maintenant,
à quoi bon te rendre en Égypte
pour aller boire au Nil ?
A quoi bon prendre le chemin de l'Assyrie
pour aller boire à l'Euphrate ?
19 Sois puni par le mal que tu as fait,
sois châtié par ta propre trahison !
Ainsi tu te rendras compte
combien c'est amer et mauvais
d'abandonner le Seigneur ton Dieu,
et de ne plus reconnaître mon autorité,
déclare le Seigneur,
le Dieu de l'univers. »

Israël, femme inconstante et infidèle

20 « Israël, dit le Seigneur,
il y a longtemps
que tu te rebelles contre moi ;
tu as rompu avec moi
et tu as déclaré :
"Je veux être libre".
En effet, sur n'importe quelle colline,
sous n'importe quel arbre vert
tu t'étales comme une prostituée[j].
21 Je t'avais pourtant plantée
comme une vigne de qualité,
comme un plant parfaitement sûr.
Comment se fait-il
que tu aies dégénéré
en une infecte vigne étrangère ?
22 Même si tu te nettoyais à la lessive,
même si tu utilisais
une quantité de savon,
ta faute resterait
comme une tache devant moi,
déclare le Seigneur Dieu.
23 Comment oses-tu dire :
"Je ne me suis pas rendue *impure,
je n'ai pas suivi la religion des *Baals" ?
Regarde comment tu te conduis
dans la vallée[k] !

---

h **2.10** *les îles grecques* ou *les côtes de l'île de Chypre*. – *Quédar* : au nord du désert arabique, c'est-à-dire à l'est de la Palestine, dans la direction opposée aux *îles grecques*.

i **2.16** *Memphis, Tapanès* : villes égyptiennes situées au nord du pays. Memphis était l'ancienne capitale de Basse-Égypte, à environ 20 km au sud du Caire. – *lui tondre le crâne* : c'est le traitement infligé aux prisonniers de guerre (voir És 7.20).

j **2.20** Cette prostitution sacrée est caractéristique de la religion cananéenne ; par de telles pratiques on espérait obtenir que les familles et les troupeaux soient féconds et les champs fertiles. Les prophètes qualifient de prostitution l'infidélité d'Israël à son Dieu. Voir par exemple 3.1 ; 5.7 ; 13.27 ; Osée 4.13-14 ; voir aussi Jér 3.8 et la note.

k **2.23** Jérémie fait sans doute allusion ici à la vallée de Hinnom, au sud de Jérusalem. Sur les pratiques idolâtriques auxquelles on s'y livrait, voir 7.31-32 ; 32.35 ; 2 Rois 23.10 et la note.

Reconnais ce que tu as fait !
On dirait une jeune chamelle
qui court en tous sens.
24 Tu es comme une ânesse sauvage,
familière des espaces déserts.
Poussée par son désir
elle flaire le vent ;
elle est si ardente,
que rien ne la retient.
Les mâles qui la cherchent
n'ont pas à se fatiguer ;
ils la trouvent
dès qu'elle est en chaleur.
25 "Attention, Israël ! En courant si vite
tu vas te blesser les pieds,
tu vas te dessécher le gosier !"
Mais tu réponds : "Inutile d'insister,
j'aime les dieux étrangers,
il faut que j'aille avec eux."
26 Seulement, un de ces jours,
vous, les gens d'Israël,
peuple, rois et ministres,
prêtres et *prophètes,
serez aussi honteux
qu'un voleur quand il est surpris.

27 Vous dites à une idole de bois :
"C'est toi qui es mon père !"
et à une statue de pierre :
"C'est toi qui m'as mis au monde !"
Au lieu de regarder vers moi
vous me tournez le dos.
Et quand tout ira mal pour vous,
vous m'appellerez en disant :
"Viens nous sauver !"
28 Mais je vous répondrai :
"Où sont donc les dieux
que vous vous êtes fabriqués ?
Qu'ils viennent vous sauver,
s'ils le peuvent,
quand tout ira mal pour vous !
Car vous avez autant de dieux
que vous avez de villes, gens de Juda."

*

29 Pourquoi vous en prendre à moi ?
demande le Seigneur.
Tous, vous m'avez été infidèles.
30 Je vous ai frappés,
mais ça n'a servi à rien,
et vous n'avez pas accepté
cet avertissement.
Au contraire, comme des lions féroces
vous avez tué vos prophètes.
31 – Que les lecteurs d'aujourd'hui soient
bien attentifs à ce que dit le Seigneur ![l] –
Gens d'Israël,
suis-je devenu pour vous
effrayant comme un désert
ou comme le pays de la nuit ?
O mon peuple, pourquoi dites-vous
"Nous sommes libres,
nous ne reviendrons pas à toi" ?
32 Une jeune fille oublie-t-elle ses bijoux
ou une fiancée sa ceinture tressée[m] ?
Non, mais vous, mon peuple,
vous m'avez oublié
depuis tant de jours,
qu'on n'ose plus les compter. »

*

33 « Ah, comme tu sais y faire
pour te chercher des aventures amoureuses[n] !
Pour y parvenir,
tu t'es même habituée au crime :
34 jusque sur les pans de ton vêtement
on trouve le sang des malheureux innocents.
Tu ne les avais pourtant pas surpris
en train de forcer ta porte[o] !
Et malgré tout cela,
35 tu prétends que tu es innocente
et que j'ai tort de t'en vouloir.
Mais puisque tu déclares
n'avoir rien fait de mal,
je vais entrer en procès contre toi. »

*

36 « Avec quelle légèreté
tu changes de politique !
Mais tu seras déçue par l'Égypte,
comme tu as été déçue par l'Assyrie.

---

l 2.31 Cette parenthèse semble être un avertissement inséré à l'intention des lecteurs de cette page, comme par exemple aussi en Marc 13.14.

m 2.32 *sa ceinture tressée* : le terme ainsi traduit, qu'on retrouve en És 3.20, est de sens incertain. Autres traductions *cordelière, rubans*...

n 2.33 Dans les v. 33-35 le Seigneur s'adresse à Israël comme à une jeune fille infidèle à son fiancé ; voir 2.2,20 et les notes.

o 2.34 Sur le meurtre d'un voleur pris en flagrant délit voir Ex. 22.1. – Le texte hébreu de la fin du v. 34 est peu clair.

37 Et tu en reviendras honteuse,
cachant ton visage dans les mains,
car moi, le Seigneur, je n'admets pas
que tu cherches ce genre d'appui.
Tu n'as aucune chance
de t'en tirer comme cela. »

Une prostituée obstinée

3 1 Le Seigneur a dit :
Si un homme répudie sa femme
et qu'elle le quitte
pour devenir la femme d'un autre,
peut-il la reprendre comme épouse ?
Non ! Le pays en serait souillé.
Or toi, Israël, déclare le Seigneur,
tu t'es prostituée
avec tant de partenaires[p],
et tu voudrais que je te reprenne ?
2 Regarde un peu vers les hauteurs[q],
et vois s'il y en a une
où tu ne te sois pas déshonorée.
Comme un bédouin du désert
qui attend ses victimes,
tu attendais tes partenaires,
assise au bord du chemin.
Tu as souillé le pays
par tes prostitutions
et par ton inconduite.
3 Alors je t'ai refusé la pluie,
il n'y a pas eu d'averse au printemps.
Mais tu t'obstines à te prostituer,
tu refuses de reconnaître tes torts[r].
4 Et maintenant tu as l'audace
de t'écrier, en parlant de moi :
« Mon père, mon ami d'enfance,
5 m'en voudra-t-il toujours,
me gardera-t-il rancune ? »
Oui, c'est ce que tu dis,
mais tu ne cesses de mal faire,
et tu t'y connais !

Israël-la-volage et Juda-l'infidèle

6 A l'époque du roi Josias, le Seigneur
me dit : « As-tu remarqué ce qu'a fait *Israël-la-volage ? Elle s'est rendue sur
n'importe quelle hauteur, sous n'importe
quel arbre vert et s'y est livrée à la prostitution[s]. 7 Je me disais : Elle finira bien
par me revenir. Mais elle n'en a rien fait.
Et sa sœur Juda-l'infidèle, l'a bien vu.
J'avais remis à Israël-la-volage une attestation de divorce et je l'avais répudiée à
cause de sa conduite adultère[t]. Mais j'ai
vu que Juda-l'infidèle n'en a ressenti aucune crainte. Au contraire, elle est allée
se prostituer à son tour. 9 Elle a commis
l'adultère avec les dieux de pierre et de
bois, et par sa conduite légère elle a
souillé le pays. 10 Avec tout cela, Juda-
l'infidèle, la sœur d'Israël, n'est pas revenue à moi, du moins pas de tout son
cœur, seulement du bout des lèvres, c'est
moi, le Seigneur, qui le déclare. »

11 Le Seigneur ajouta : « Israël-la-volage
paraît loyale en comparaison de Juda-
l'infidèle. 12 Va donc lancer cet appel en
direction du nord[u] :
"Reviens, Israël-la-volage.
Je ne te ferai pas mauvaise figure,
car je suis bien disposé,
je ne garde pas sans fin rancune,
déclare le Seigneur.
13 Simplement reconnais tes torts,
reconnais que tu t'es révoltée
contre moi, le Seigneur ton Dieu :
tu t'es précipitée partout
chez les dieux étrangers
– sous n'importe quel arbre vert –
et tu ne m'as pas écouté,
déclare le Seigneur." »

Le retour des Judéens

14 « Revenez, enfants volages, déclare le
Seigneur, car c'est moi qui suis votre maî-

---

p 3.1 *si un homme...* : voir Deut 24.1-4. – Sur l'infidélité à l'égard de Dieu assimilée à une *prostitution* voir 2.20 et la note.

q 3.2 *les hauteurs* : c'est là que se pratiquait le culte de la fécondité ; voir 2.20.

r 3.3 En Palestine les *averses de printemps* sont indispensables pour que les grains grossissent dans les épis et que la récolte soit normale. – Sur l'ensemble du verset voir Amos 4.7-8.

s 3.6 *Josias* fut roi de Juda de 640 à 609 avant J.-C. ; voir la note sur 1.2. – *Israël*, opposé ici à *Juda* (v. 7), désigne l'ancien royaume du nord. – Le peuple de Dieu personnifié sous les traits d'une jeune femme : voir 2.2 et la note. – Les deux royaumes comparés à deux sœurs : voir Ézék 23. – *prostitution* : voir 2.20 et la note.

t 3.8 *une attestation de divorce* : voir Deut 24.1,3 ; És 50.1 ; le prophète fait sans doute allusion à la ruine de Samarie, survenue en 722 ou 721 avant J.-C. (voir 2 Rois 17). – Sur l'infidélité du peuple de Dieu comparée à un *adultère* voir 5.7 ; 9.1 ; 13.27 ; etc.

u 3.12 Voir la note sur 1.14.

tre ! Je prendrai l'un de vous ici, dans
telle ville, deux autres là, dans tel village,
et je vous ramènerai à *Sion. 15 Je vous
donnerai des dirigeants qui me conviennent et qui sauront vous conduire avec
compétence.

16 « En ce temps-là, déclare encore le
Seigneur, vous deviendrez nombreux et
prolifiques dans le pays. On ne parlera
plus du *coffre de l'alliance. L'idée n'en
viendra à personne, on l'aura oublié, on
ne le regrettera plus, on n'en fera pas un
autre[v]. 17 En ce temps-là, c'est Jérusalem
qu'on appellera "Trône du Seigneur".
Toutes les nations s'y rassembleront
pour m'y rencontrer, et elles renonce-
ront à leurs mauvaises intentions.
18 Alors la population de Juda rejoindra
celle *d'Israël, et toutes deux reviendront du pays du nord[w] au pays que j'ai
donné à leurs ancêtres comme propriété
personnelle. »

Le retour à Dieu du peuple volage

(le Seigneur)

19 « Je me disais : Ah, comme j'aimerais
faire de toi le premier de mes fils,
et te donner un pays de rêve,
la plus belle propriété du monde !
Je pensais :
Tu m'appelleras "Mon père",
tu ne te détourneras plus de moi.
20 Mais vous m'avez été infidèles,
gens d'Israël,
comme une femme infidèle à son mari.
C'est moi, le Seigneur, qui le déclare.

21 On entend des voix sur les hauteurs[x] :
ce sont les gens d'Israël,
qui pleurent et qui supplient,
car ils ont fait fausse route,
ils m'ont oublié,
moi le Seigneur, leur Dieu.
22 Revenez à moi, enfants volages,
je vous guérirai de votre trahison ! »

(le peuple)

« Nous voici, nous venons à toi,
car c'est toi, Seigneur, qui es notre
Dieu.
23 Oui, nous nous sommes laissés duper
par les cultes païens des collines,
par tout ce bruit
qu'on fait sur les montagnes.
Mais c'est auprès du Seigneur notre
Dieu
qu'Israël peut trouver le salut.
24 Depuis notre enfance,
le culte honteux de *Baal a dévoré
ce que nos parents avaient acquis,
leur petit et leur gros bétail,
leurs fils et leurs filles[y].
25 Couchons-nous dans notre honte,
acceptons d'être couverts de déshonneur,
car nous nous sommes rendus coupables
envers le Seigneur notre Dieu,
aussi bien nous que nos parents,
depuis notre enfance jusqu'à ce jour :
nous n'avons pas écouté
ce que nous disait le Seigneur notre
Dieu. »

(le Seigneur)

4 1 « Israël, si tu fais demi-tour,
déclare le Seigneur,
tu peux revenir à moi[z].
Si tu écartes de ma vue
tes abominables idoles,
tu n'auras plus à fuir sans cesse.
2 Si tu es sincère, droit et loyal
quand tu prêtes serment en déclarant
"Je le jure par le Seigneur vivant...",
alors les nations païennes
me demanderont de les bénir
et seront fières de moi.

3 Voici ce que déclare le Seigneur
aux gens de Juda et de Jérusalem :
Défrichez-vous un champ nouveau,
cessez de semer parmi les ronces[a].

---

v **3.16** *le coffre de l'alliance* : voir Ps 132.6-7 et la note.
w **3.18** Voir la note sur 1.14.
x **3.21** Voir v. 2 et la note.
y **3.24** *leurs fils et leurs filles* : allusions aux sacrifices d'enfants pratiqués dans la religion cananéenne ; voir 7.31 ; 19.5 ; 22.3 ; Deut 18.10 ; 2 Rois 16.3 ; 17.17 ; 21.6 ; Ps 106. 38.
z **4.1** Le même verbe en hébreu peut signifier *faire demi-tour* ou *revenir* (à Dieu).
a **4.3** Voir Osée 10.12.

4 Puisque vous êtes *circoncis,
soyez-le pour moi, le Seigneur.
Gens de Juda, habitants de Jérusalem,
consacrez-moi votre vie.
Sinon, à cause du mal
que vous avez commis,
ma colère jaillira comme un feu,
elle consumera tout
sans que personne puisse l'éteindre. »

Cri d'alarme en Juda

5 Donnez l'alarme en Juda,
alertez Jérusalem.
Sonnez du cor dans le pays,
criez à pleine voix.
Dites qu'on vienne se rassembler
dans les villes fortifiées,
6 qu'on dresse le signal d'alarme
du côté de *Sion,
qu'on se mette à l'abri,
que personne ne reste sur place.
Du nord[b] le Seigneur fait venir
un malheur, un grand désastre.
7 Le lion est sorti de son fourré,
le destructeur des nations est en route,
il a quitté son repaire
pour ravager votre pays.
Vos villes vont tomber en ruine,
elles vont être dépeuplées.
8 Prenez donc la tenue de deuil,
frappez-vous la poitrine,
entonnez une complainte,
car le Seigneur n'a pas renoncé
à nous poursuivre
de son ardente indignation.

9 « Quand cela se produira,
déclare le Seigneur,
le roi perdra courage,
les ministres aussi ;
les prêtres seront horrifiés,
les *prophètes bouleversés.
10 Ils diront[c] : "Ah, Seigneur Dieu,
tu as trompé ce peuple,
tu as trompé Jérusalem
en promettant que tout irait bien,
alors que nous avons
le couteau sur la gorge !" »

Les envahisseurs surgissent de partout

11 Alors le Seigneur dira
aux gens de Jérusalem :
« Le vent brûlant des hauteurs
arrive du désert sur mon peuple.
Ce n'est pas un vent léger
qui permet de vanner le blé[d].
12 C'est un vent puissant,
qui vient de là-bas, sur mon ordre.
Maintenant je vais prononcer
mon jugement contre eux. »

(le peuple)

13 « Voici l'ennemi : il monte
comme les nuages d'orage.
Ses chars volent comme l'ouragan,
ses chevaux foncent
plus vite que l'aigle.
Nous sommes perdus, c'est la ruine ! »

(le Seigneur)

14 « Jérusalem, si tu veux être délivrée,
nettoie ton cœur de sa méchanceté.
Jusqu'à quand resteras-tu habitée
par de mauvaises pensées ?
15 Écoute cette rumeur
qui vient de Dan,
ces nouvelles de malheur
arrivant de la montagne d'Éfraïm[e].
16 Avertissez toutes les populations,
alertez Jérusalem :
les assiégeants s'approchent,
ils viennent d'un pays lointain,
et lancent leurs cris de guerre
contre les villes de Juda.
17 Comme des gardiens autour d'un champ
ils encerclent Jérusalem.
"C'est le résultat de sa révolte
contre moi, dit le Seigneur."
18 La cause de ce qui t'arrive,
c'est ta conduite, Jérusalem,
c'est le mal que tu as fait.

---

b **4.6** Voir 1.14 et la note.

c **4.10** D'après plusieurs manuscrits de l'ancienne version grecque ; hébreu *je dis alors*.

d **4.11** Pour *vanner le blé* on projetait en l'air le mélange de grain et de bale à l'aide d'une fourche ou d'une pelle ; le vent léger emportait la bale, tandis que le grain retombait sur place.

e **4.15** *Dan* : tribu d'Israël installée près des sources du Jourdain. – *la montagne d'Éfraïm* : zone montagneuse s'étendant de Sichem à Béthel, au centre de la Palestine.

Et ce malheur qui te frappe,
tu en ressens l'amertume,
il t'atteint en plein cœur. »

Jérémie malade du désastre qu'il prévoit

19 Ah, que mon ventre me fait mal !
Je me tords de douleur,
mon cœur bat à se rompre.
Quelle agitation en moi !
Je ne peux pas me taire :
j'ai entendu la trompette
et les cris de guerre.
20 On annonce désastre après désastre,
tout le pays est ravagé.
Nos tentes sont soudain renversées,
nos abris emportés en un clin d'œil.
21 Jusqu'à quand me faudra-t-il voir
les emblèmes de guerre,
et me faudra-t-il entendre
les trompettes sonnant la charge ?

22 « Mon peuple est stupide,
il m'ignore, dit le Seigneur.
Ce sont des enfants sans cervelle,
ils ne comprennent rien.
Ils ne sont experts que pour mal faire.
Mais pour ce qui est de bien faire,
ils n'y comprennent rien. »
23 Je regarde : la terre
est comme un chaos désertique[f],
et le ciel a perdu sa lumière.
24 Je regarde : les montagnes
ne tiennent plus debout,
et les collines sont ébranlées.
25 Je regarde : il n'y a plus d'hommes,
même les oiseaux sont tous partis.
26 Je regarde : ce pays était un verger,
il n'est plus qu'un désert,
toutes ses villes sont en ruine.
C'est le fait du Seigneur,
de son ardente indignation.
27 Voici ce que déclare le Seigneur :
« Le pays tout entier
ne sera plus qu'un désert sinistre,
et pourtant je n'irai pas
jusqu'à tout détruire.
28 C'est pourquoi la terre prend le deuil,
et le ciel, là-haut, s'obscurcit.
J'ai dit ce que j'avais décidé,
je ne change pas d'avis,
je ne reviendrai pas là-dessus. »

Sion face aux tueurs

29 Un cri : « Voici les chars,
voici les tireurs à l'arc ! »
Toutes les villes prennent la fuite.
On entre dans les fourrés,
on grimpe sur les rochers.
Toutes les villes sont désertées,
il n'y reste personne.
30 Mais toi, Jérusalem[g],
qu'as-tu à t'habiller
de façon provocante,
à te parer de bijoux d'or,
à te farder les yeux de noir ?
C'est pour rien que tu te fais belle.
Ceux qui te couraient après
ne veulent plus de toi,
ils veulent ta mort.
31 Je crois entendre les plaintes
d'une femme en travail,
les cris d'une jeune mère
dont c'est le premier enfant.
C'est la voix de *Sion,
qui gémit et supplie
en étendant les mains :
« Je suis perdue, je meurs
sous les coups des tueurs ! »

Une ville complètement corrompue

(le Seigneur)

5 1 « Parcourez les rues de Jérusalem[h],
regardez bien, faites une enquête ;
cherchez sur les places
si vous pouvez trouver quelqu'un
qui agisse correctement,
qui cherche à être honnête.
Si vous en trouvez un,
je pardonnerai à Jérusalem. »

---

f **4.23** *un chaos désertique* : même expression qu'en Gen 1.2.

g **4.30** *Mais toi, Jérusalem* : après cette interpellation le texte hébreu ajoute un mot *(ravagé)*, qui ne figure pas dans le passage correspondant de l'ancienne version grecque. Au masculin, il ne peut se rapporter à Jérusalem, personnifiée ici comme souvent ailleurs sous les traits d'une femme.

h **5.1** Le texte ne précise pas à qui cet ordre est adressé ; la suite montre que le prophète l'a pris pour lui.

(Jérémie)

2 Quand ils prêtent serment en déclarant :
« Je le jure, par le Seigneur vivant... »
c'est en fait un faux serment.
3 Seigneur, ce qui t'intéresse,
n'est-ce pas une vie honnête ?
Tu les as frappés,
mais ça ne leur a rien fait.
Tu as voulu en finir avec eux,
mais ils ont refusé l'avertissement.
Ils font les fortes têtes,
ils refusent de revenir à toi.
4 Je me disais :
« C'est seulement le cas des petites gens ;
ils n'ont pas grand-chose dans la tête,
ils ignorent la volonté du Seigneur,
les exigences de leur Dieu.
5 Je vais m'adresser aux dirigeants :
eux, ils connaissent la volonté du Seigneur,
les exigences de leur Dieu. »
Mais ils sont tous pareils :
ils ont brisé toute contrainte
et rompu leurs attaches avec Dieu.

6 C'est pourquoi
le lion sort des fourrés et les attaque,
le loup des plaines les met en pièces.
La panthère s'embusque près de leurs villes
et déchire tous ceux qui en sortent,
car leurs révoltes se multiplient,
on ne compte plus leurs trahisons.

(le Seigneur)

7 « Jérusalem,
pour quelle raison te pardonnerais-je ?
Tes fils m'ont abandonné,
ils ont recours à des faux dieux
pour faire leurs serments.
Je leur avais donné tout le nécessaire,
mais ils ont commis un adultère,
ils se sont rués dans la prostitution[i].
8 De gras étalons en rut,
voilà ce qu'ils sont !
Chacun pousse des hennissements
vers la femme de son prochain.
9 Ne faut-il pas que j'intervienne
contre ces gens-là, déclare le Seigneur,
et que je tire vengeance
d'une pareille nation ?
10 Qu'on monte dans son vignoble en terrasses
et qu'on y saccage tout
– sans aller pourtant jusqu'à tout détruire ! –
Qu'on arrache les sarments,
car ils ne m'appartiennent pas[j] !
11 C'est vrai qu'ils m'ont été infidèles,
tant le royaume de Juda
que le royaume d'Israël »,
déclare le Seigneur.

Les conséquences d'un abandon

12 Les gens de Juda ont renié le Seigneur,
déclarant : « Il est sans pouvoir,
le malheur ne nous atteindra pas,
nous ne verrons ni guerre ni famine.
13 Ses *prophètes ne sont que du vent,
ils n'ont reçu aucune parole de Dieu.
Qu'il leur arrive ce qu'ils annoncent ! »

14 Voici donc ce que déclare
le Seigneur, le Dieu de l'univers :
« Puisque c'est là ce qu'ils disent,
eh bien, Jérémie,
le message que je te confie
va être un feu,
et ce peuple du bois
que ce feu va dévorer.
15 Quant à vous, gens d'Israël,
déclare le Seigneur,
je vais envoyer contre vous
une nation qui vient de loin,
une nation invincible,
une nation des plus anciennes,
dont la langue vous est inconnue
et les mots incompréhensibles.
16 Ses flèches sèment la mort,
elle n'a que des soldats d'élite.
17 Elle dévorera tout :
vos moissons et votre pain,
vos fils et vos filles,
votre gros et votre petit bétail,
vos vignes et vos figuiers ;
la guerre détruira les villes fortifiées
où vous vous croyez en sécurité.

---

i 5.7 Voir 2.20 ; 3.8 et les notes.
j 5.10 Sur la vigne comme image du peuple de Dieu voir És 5.1-7.

18 « A ce moment-là, déclare le Seigneur,
je n'irai pourtant pas jusqu'à vous exterminer. 19 Mais quand on demandera :
“Pour quelle raison le Seigneur notre
Dieu nous a-t-il infligé tous ces malheurs ?”, toi, Jérémie, tu répondras : “Vous
l'avez abandonné pour servir des dieux
étrangers dans votre propre pays. Eh bien,
vous servirez de même des étrangers dans
un pays qui n'est pas le vôtre !” »

Quand l'autorité de Dieu n'est plus reconnue

20 « Qu'on transmette ce message
aux descendants de Jacob,
qu'on le fasse entendre
aux gens de Juda, dit le Seigneur :
21 Écoutez donc ceci,
peuple trop bête pour comprendre,
vous qui avez des yeux,
mais qui ne voyez pas,
et des oreilles,
mais qui n'entendez rien[k].
22 Ne reconnaissez-vous pas
mon autorité ? demande le Seigneur.
Ne tremblez-vous pas devant moi ?
C'est moi qui ai donné le sable
pour limite à la mer,
frontière définitive
qu'elle ne saurait franchir :
elle a beau s'agiter,
elle n'y parvient pas ;
ses vagues ont beau mugir,
elles ne passent pas[l].
23 Mais vous, vous êtes un peuple
à l'esprit indocile et rebelle.
Vous faites défection, vous partez,
24 au lieu de dire :
“Nous devrions reconnaître
l'autorité du Seigneur notre Dieu.
Il nous donne la pluie quand il faut,
à l'automne et au printemps,
et nous assure chaque année
les semaines de la moisson.”
25 Vos torts ont perturbé tout cela,
vos fautes ont fait obstacle à ces biens.
26 Dans mon peuple, en effet,
il y a des gens sans foi ni loi.
On dirait des chasseurs d'oiseaux
accroupis en embuscade.
Ils ont dressé des pièges
pour capturer des hommes.
27 Comme la cage pleine d'oiseaux,
leurs maisons sont remplies
de ce qu'ils ont pris par fraude.
C'est pourquoi ils sont devenus
puissants et riches,
28 gros et gras.
Il n'y a pas de limite à leurs méfaits.
Ils ne rendent pas la justice,
ne font pas droit à l'orphelin,
sinon il aurait gain de cause[m].
Ils ne tiennent aucun compte
des droits du pauvre.
29 Ne faut-il pas que j'intervienne
contre ces gens-là, déclare le Seigneur,
et que je tire vengeance
d'une pareille nation ?

30 Il arrive dans le pays
une chose affreuse et révoltante :
31 les *prophètes parlent au nom d'un
faux dieu,
les prêtres cherchent leur seul profit[n],
et mon peuple trouve cela très bien.
Quand viendra la fin,
que ferez-vous ? »

Un grand désastre menace Jérusalem

6 1 Sortez de Jérusalem
pour vous mettre à l'abri,
gens de Benjamin.
Sonnez du cor à Técoa,
dressez un signal à Beth-Kérem,
car un malheur, un grand désastre
apparaît à l'horizon du nord[o].
2 La voilà ruinée[p],
la belle et délicate *Sion !
3 Des gens arrivent jusqu'à elle,
comme des *bergers avec leurs troupeaux.
Contre elle, tout autour,
ils dressent leur camp ;
chacun a son secteur
pour mener ses troupes.

---

k 5.21 Comparer És 6.9-10 ; Ézék 12.2 ; Marc 8.18.
l 5.22 Comparer Job 38.8-11.
m 5.28 D'autres comprennent *ils gagnent leur procès*.
n 5.31 Faux prophètes : voir 23.9-40. – *ne cherchent que leur profit* : traduction incertaine d'une expression qu'on ne trouve nulle part ailleurs ; certains comprennent *dominent avec leur appui*.
o 6.1 Voir 1.14 et la note.
p 6.2 *la voilà ruinée* : autre traduction *tu es réduite au silence* ou *je te réduis au silence*.

4 Ils s'écrient : « Debout,
qu'on appelle à la guerre sainte contre elle !
Donnons l'assaut en plein midi...
Quelle malchance ! le jour baisse,
les ombres du soir s'allongent.
5 Eh bien, donnons l'assaut de nuit,
détruisons ses belles maisons ! »

6 Voici ce que déclare
le Seigneur de l'univers :
« Abattez des arbres
pour élever un remblai
contre Jérusalem. »
La preuve en est faite : c'est la ville
envahie tout entière par la brutalité[q].
7 Elle fait jaillir sa méchanceté
comme une fontaine
fait jaillir ses eaux.
On n'y entend parler
que de violence et d'oppression.
J'ai sous les yeux un spectacle sans fin
de blessures et de souffrances.
8 « Jérusalem, prends garde à toi,
sinon je me détacherai de toi
et te réduirai en désert,
en terre inhabitée. »

Un peuple qui refuse d'écouter

9 Voici ce que déclare
le Seigneur de l'univers :
« Ramassez jusqu'au dernier
les survivants d'Israël,
comme on grappille dans une vigne ;
que votre main repasse
le long des sarments,
comme celle des vendangeurs ! »

(Jérémie)

10 A qui dois-je parler,
qui avertir pour qu'on m'écoute ?
Ils ont les oreilles bouchées,
ils ne peuvent pas être attentifs.
Ce que tu dis, Seigneur,
provoque leurs moqueries ;
ils ne veulent rien entendre.
11 Quant à moi, Seigneur,
je suis rempli de ta fureur
et je m'épuise à la retenir.

(le Seigneur)

« Répands-la tout à la fois
sur les enfants dans les rues
et sur l'ensemble des jeunes gens.
Hommes et femmes,
vieux et très vieux,
tous seront emmenés.
12 Leurs maisons passeront à d'autres,
leurs champs et leurs femmes aussi[r].
Oui, je vais intervenir
contre tous les habitants du pays,
déclare le Seigneur.
13 Car du plus petit au plus grand
tous ne cherchent que leur profit.
Du *prophète au prêtre
tous sont des tricheurs.
14 Ils traitent à la légère
le désastre de mon peuple,
en déclarant : "Tout va bien,
tout va très bien",
alors que tout va mal[s].
15 Éprouvent-ils quelque regret
des horreurs qu'ils ont commises ?
Pas le moins du monde !
Reconnaître leurs torts
est quelque chose qu'ils ignorent.
C'est pourquoi, dit le Seigneur,
ils seront au nombre des victimes,
quand j'interviendrai contre eux ;
ils se retrouveront à terre !
16 Voici ce que déclare le Seigneur :
Arrêtez-vous un instant
sur la route où vous marchez ;
regardez et informez-vous
des expériences du passé.
Cherchez le bon chemin,
suivez-le et vous vivrez tranquilles[t].
Mais ils ont répondu :
"Nous n'en ferons rien".
17 J'ai placé des sentinelles
pour les avertir : Attention,
le cor sonne l'alerte !
Mais ils ont répondu :
"Ça nous est égal".
18 Écoutez donc, vous les nations,
sachez tous[u] ce qui va leur arriver.
19 Écoutez, peuples du monde entier :
Je vais envoyer à ces gens le malheur

---

q **6.6** *la preuve en est faite : c'est la ville...* : certains traduisent *c'est la ville qui est punie*.

r **6.12** V. 12-15 : comparer 8.10-12.

s **6.14** Voir 8.11 ; Ézék 13.10.

t **6.16** *vous vivrez tranquilles* ou *vous trouverez le repos* : comparer Matt 11.29.

u **6.18** *sachez tous* ou *que (votre) assemblée sache*.

que méritent leurs intentions mauvaises.
Ils n'ont pas pris garde
à ce que je leur disais,
ils n'ont pas voulu
de mes enseignements.
20 A quoi bon importer pour moi
de *l'encens de Saba
et du roseau aromatique
d'un pays lointain ?
Les animaux qu'ils m'offrent
en les brûlant sur *l'autel
ne me causent aucun plaisir,
leurs sacrifices
ne me sont pas agréables.
21 Voici donc ce que déclare le Seigneur :
Je vais mettre devant ces gens
un obstacle ; ils y buteront
et ils en perdront tous la vie,
les pères, leurs fils,
leurs voisins, leurs amis. »

L'ennemi arrive du nord

22 Voici ce que déclare le Seigneur :
« Un peuple arrive d'un pays du nord[v] ;
une grande nation se met en route
depuis le bout du monde.
23 Ses soldats brandissent l'arc et le sabre,
ils sont sauvages et sans pitié.
Ils font autant de bruit
que la mer quand elle mugit.
Ils sont montés sur des chevaux
et rangés pour la bataille
en ordre parfait ;
et c'est contre toi, *Sion ! »

(le peuple)

24 « A cette nouvelle
les bras nous tombent,
l'angoisse nous saisit,
comme une femme au moment d'accoucher.
25 Ne sortez pas dans la campagne,
n'allez pas sur les routes,
car l'ennemi s'y trouve et tue ;
c'est la terreur de toutes parts[w]. »

(le Seigneur)

26 « Mon peuple,
mets autour de tes reins
l'étoffe de deuil,
roule-toi dans la poussière,
commence les rites de deuil
comme pour un fils unique,
chante une amère lamentation,
car l'ennemi dévastateur
arrive soudain sur toi. »

Un métal impossible à purifier

(le Seigneur)

27 « Jérémie, je fais de toi
un essayeur de métaux
pour éprouver mon peuple :
tu auras à reconnaître
et à apprécier sa conduite. »

(Jérémie)

28 Ce sont tous des rebelles endurcis,
des calomniateurs,
durs comme le bronze ou le fer,
ce sont tous des malfaiteurs.
29 Le soufflet de forge s'essouffle ;
sous l'effet du feu
le plomb devrait disparaître.
Mais c'est pour rien qu'on s'acharne
à purifier l'argent :
les impuretés ne se détachent pas.
30 "Un argent sans valeur",
c'est ce qu'on dit de ces gens,
le Seigneur n'en veut pas.

Une confiance illusoire

(Voir Jér 26.1-19)

7 1 Jérémie reçut du Seigneur cette pa
role : 2 Place-toi à l'entrée du templ
et proclames-y le message que voici
« Vous tous, gens de Juda qui passez pa
cette entrée pour participer au culte
écoutez ce que dit le Seigneur. 3 Voic
donc ce que déclare le Seigneur de l'uni
vers, le Dieu d'Israël : Conduisez-vous e
agissez comme il convient ; alors je vou
laisserai vivre dans ce pays[x]. 4 Ne croye
pas à ce slogan trompeur : "C'est ici l
temple où demeure le Seigneur, le templ

---

v **6.22** Voir 1.14 et la note ; comparer 5.15.
w **6.25** Voir 20.3,10 ; 46.5 ; 49.29 ; Ps 31.14.
x **7.3** *je vous laisserai vivre dans ce pays* : autre texte, soutenu par deux versions anciennes *je continuerai d'habiter parmi vous*.

du Seigneur, oui, le temple du Seigneur.”
5 Conduisez-vous et agissez plutôt
comme il convient : rendez une vraie justice entre deux hommes en procès, 6 renoncez à profiter de la faiblesse de
l’émigré, de l’orphelin ou de la veuve,
cessez de mettre à mort ici même des innocents, et de vous attacher, pour votre
malheur, à des dieux étrangers. 7 Alors je
vous laisserai vivre ici[y] dans ce pays que
j’ai donné à vos ancêtres depuis toujours
et pour toujours.

8 « Mais vous vous fiez à des slogans
trompeurs et sans valeur. 9 Quoi ! Vous
commettez des vols, des meurtres, des
adultères, vous faites de faux serments,
vous offrez des sacrifices à *Baal, vous
vous attachez à des dieux étrangers, avec
lesquels vous n’avez rien de commun.
10 Puis vous venez vous présenter devant
moi, dans ce temple qui m’est consacré,
et vous déclarez : “Nous voilà sauvés !” et
cela pour continuer à commettre ces horreurs ! 11 Ce temple qui m’est consacré, le
prenez-vous pour une caverne de voleurs[z] ? C’est pourtant bien ce que je vois,
déclare le Seigneur.

12 « Allez donc au lieu saint que j’avais à
Silo[a] où se trouvait autrefois ma résidence, et regardez la ruine que j’en ai
faite à cause des méfaits d’Israël, mon
peuple. 13 Eh bien, déclare le Seigneur,
vous avez agi aussi mal. Je vous l’ai dit et
j’ai cessé de vous le répéter sans que
vous écoutiez ; je vous ai appelés sans
que vous répondiez. 14 C’est pourquoi ce
temple qui m’est consacré, ce temple
dans lequel vous mettez votre confiance,
ce lieu que j’ai donné à vos ancêtres et à
vous, je vais le traiter comme j’ai traité
Silo. 15 Et je vous rejetterai loin de moi,
comme j’ai rejeté vos frères, les gens
d’Éfraïm[b]. »

Une prière que Dieu n’écoutera pas

16 « Toi, Jérémie, ne m’adresse aucune
demande en faveur de ce peuple, ne fais
monter vers moi ni prière ni supplication
pour eux. N’insiste pas auprès de moi, car
je ne t’écouterai pas. 17 Ne vois-tu pas ce
qu’ils font dans les villes de Juda et les
rues de Jérusalem ? 18 Les enfants ramassent du bois, les pères allument du
feu, les femmes préparent la pâte pour
faire des gâteaux dédiés à la Reine du
ciel[c] ; ils me blessent en présentant des
offrandes de vin à des dieux étrangers.
19 En fait, est-ce moi qu’ils blessent ? demande le Seigneur. Non, c’est eux-mêmes, pour leur propre honte. »

20 C’est pourquoi voici ce que déclare le
Seigneur Dieu : « Je vais laisser déborder
mon ardente indignation sur cette ville,
sur les hommes et sur les bêtes, sur les arbres de la campagne et les produits du
sol. Elle sera comme un feu qui ne
s’éteint pas. »

Une nation qui n’écoute pas son Dieu

21 Voici ce que déclare le Seigneur de
l’univers, le Dieu d’Israël : « Ajoutez la
viande de vos sacrifices complets à celle
de vos sacrifices ordinaires et mangez-la
vous-mêmes[d]. 22 Quand j’ai fait sortir vos
ancêtres d’Égypte, je ne leur ai rien dit et
ne leur ai donné aucun ordre au sujet de
ces deux sortes de sacrifices. 23 Par contre,
je leur ai ordonné ceci : Écoutez ce que je
vous dis, pour que je sois votre Dieu et
que vous soyez mon peuple. Suivez exactement le chemin que je vous indique, et
vous vous en trouverez bien. 24 Mais ils
n’ont pas écouté, ils n’ont pas été attentifs, ils ont suivi délibérément leurs in-

---

y **7.7** Voir la note sur le v. 3.

z **7.11** Voir Matt 21.13 ; Marc 11.17 ; Luc 19-46.

a **7.12** Voir 26.9 ; Jos 18.1 ; 1 Sam 1.3 ; 3.21 ; 4.3 ; Ps 78.60.

b **7.15** *Éfraïm* : principale tribu de l’ancien royaume israélite du nord. Par extension son nom sert souvent à désigner l’ensemble de ce royaume. Celui-ci avait disparu de la scène politique une centaine d’années avant les débuts de Jérémie.

c **7.18** *la Reine du ciel* : appellation de la déesse *Ichtar (Astarté)*, vénérée en haute Mésopotamie et identifiée à la planète Vénus. Voir 44.7-19.

d **7.21** Dans les *sacrifices complets* la victime était intégralement offerte à Dieu et donc brûlée tout entière sur l’autel. Dans les *sacrifices ordinaires* une partie de la viande était consommée lors d’un repas. Dieu indique ici, d’une manière ironique, qu’il refuse désormais tous les sacrifices que lui offrira son peuple infidèle.

tentions mauvaises. Au lieu de regarder
vers moi, ils m'ont tourné le dos. 25 Depuis que vos ancêtres sont sortis d'Égypte
jusqu'à aujourd'hui, je n'ai pas cessé de
vous envoyer jour après jour mes serviteurs les prophètes[e]. 26 Mais vous ne
m'avez pas écouté, vous n'avez pas été attentifs, vous vous êtes cabrés. Vous avez
été pires que vos ancêtres.

27 « Toi, Jérémie, tu vas leur dire tout
cela, mais ils ne t'écouteront pas ; tu vas
leur transmettre mon appel, mais ils ne
répondront pas. 28 Alors tu leur diras :
Vous êtes la nation qui n'écoute pas ce
que dit le Seigneur, son Dieu, et qui refuse ses avertissements. Chez vous la fidélité est morte, elle a disparu de vos
propos. »

La vallée du massacre

29 « Peuple de Juda, dit le Seigneur,
coupe les longs cheveux
qui marquent ta consécration[f]
et jette-les.
Sur les hauteurs dénudées
entonne une complainte.
Tu es une génération
qui a provoqué ma colère,
je ne veux plus de toi, je te rejette.

30 « En effet, dit le Seigneur, je
condamne ce qu'ont fait les gens de
Juda : ils ont placé leurs abominables
idoles dans le temple qui m'est consacré,
et ils l'ont rendu *impur. 31 Dans la vallée
de Hinnom, ils ont aménagé un lieu sacré, le Tofeth, pour y brûler en sacrifice
leurs fils et leurs filles[g]. Je n'avais pour
tant rien commandé de pareil, l'idée ne
m'en serait jamais venue.

32 « C'est pourquoi, déclare le Seigneur,
le jour vient où l'on ne dira plus "le Tofeth" ni "la vallée de Hinnom", mais "la
vallée du Massacre". C'est là qu'on enterrera les morts, par manque de place ailleurs[h]. 33 Les cadavres de ces gens
serviront de pâture aux vautours et aux
chacals que personne ne viendra déranger. 34 Dans les villes de Juda et les rues
de Jérusalem, je ferai cesser les bruits de
fête, les cris de joie et les chansons des
jeunes mariés, car le pays deviendra un
champ de ruines[i].

8 1 « Alors, déclare le Seigneur, on dé-
terrera les ossements des rois de
Juda, ceux des ministres, ceux des prêtres, ceux des *prophètes et ceux des habitants de Jérusalem. 2 On les laissera
éparpillés devant le Soleil, la Lune et
l'Armée des étoiles, que ces gens ont aimés, auxquels ils ont rendu un culte, auxquels ils se sont attachés, qu'ils ont
consultés et adorés. On ne recueillera pas
ces ossements, on ne les remettra pas
dans une tombe, mais ils resteront
comme du fumier à la surface du sol[j].
3 La mort vaudra mieux que la vie pour
ceux qui resteront de cette méchante population, partout où je l'aurai dispersée,
déclare le Seigneur de l'univers. »

Une attitude incompréhensible

4 « Dis-leur :
Voici ce que déclare le Seigneur :
Quand on fait une chute,
ne se relève-t-on pas ?
Quand on a fait fausse route,
ne revient-on pas sur ses pas ?
5 Alors pourquoi
ce peuple de Jérusalem,
qui fait fausse route,
persiste-t-il dans sa trahison ?
Ces gens tiennent à leurs faux dieux,
ils refusent de me revenir.
6 J'ai bien écouté ce qu'ils disent :
ça ne tient pas debout.
Aucun ne regrette ses mauvais choix,
ni ne se demande :
"Mais qu'ai-je donc fait ?"
Chacun reprend sa course folle[k]

---

e **7.25** Comparer 25.4 ; 26.5 ; 29.19 ; 35.15.
f **7.29** Voir Nomb 6.1-21, en particulier les v. 5-9.
g **7.31** *la vallée de Hinnom* : au sud de Jérusalem ; voir 19.2-6 ; 32.35. – sacrifices d'enfants : Lév 18.21 ; 2 Rois 23.10.
h **7.32** La présence des cadavres rendra ce lieu impur, c'est-à-dire impropre même au culte païen.
i **7.34** Comparer 16.9 ; 25.10 ; Apoc 18.23.
j **8.2** Être privé de sépulture était considéré comme un très grand malheur ; voir Eccl 6.3.
k **8.6** *reprend sa course folle* : avec d'autres voyelles on peut comprendre aussi *se détourne à sa guise*.

comme un cheval emballé
en pleine bataille.
7 Même la cigogne connaît
le moment de sa migration ;
tourterelle, hirondelle et grive
savent quand il faut revenir.
Mais mon peuple ne connaît rien
aux règles que j'ai établies. »

Les faux sages

8 Vous prétendez :
« Nous sommes des sages,
c'est nous qui avons la Loi du Seigneur. »
Mais comment osez-vous prétendre cela,
quand ceux qui transcrivent la Loi
sont des faussaires qui tordent son sens ?
9 C'est la honte pour les sages ;
ils ne savent plus où ils en sont,
les voilà pris au piège.
Puisqu'ils ne veulent pas
de la Parole du Seigneur,
leur sagesse, à quoi donc leur sert-elle[l] ?

Ceux qui prétendent que tout va bien

(Voir Jér 6.12-15)

10 « C'est pourquoi, dit le Seigneur[m],
je donne leurs femmes à d'autres
et leurs champs à ceux qui les prendront.
Car du plus petit au plus grand,
tous ne cherchent que leur profit ;
du *prophète au prêtre,
tous sont des tricheurs.
11 Ils traitent à la légère
le désastre de mon peuple,
en déclarant : "Tout va bien,
tout va très bien",
alors que tout va mal[n].
12 Éprouvent-ils quelque regret
des horreurs qu'ils ont commises ?
Pas le moins du monde !
Reconnaître leurs torts
est quelque chose qu'ils ignorent.
C'est pourquoi, dit le Seigneur,
ils seront au nombre des victimes
quand j'interviendrai contre eux ;
ils se retrouveront à terre ! »

Déception de Dieu, déception du peuple

(le Seigneur)

13 « Si je veux recueillir
quelque chose chez eux,
je ne trouve aucun raisin sur la vigne,
dit le Seigneur,
aucune figue sur le figuier ;
le feuillage est flétri.
Je les laisse donc aux passants[o]. »

(le peuple)

14 « Pourquoi restons-nous sur place ?
Rassemblons-nous plutôt,
entrons dans les villes fortifiées,
et attendons-y la mort.
Oui, le Seigneur notre Dieu
nous réduit au silence,
il nous fait boire l'eau empoisonnée,
car nous sommes en faute envers lui.
15 Nous avions l'espoir
que tout s'arrangerait,
mais il n'arrive rien de bon.
Nous attendions le moment
où nos maux seraient guéris,
mais voici la terreur.
16 Déjà l'ennemi est à Dan[p] ;
de là-bas on entend
le souffle de ses chevaux.
Au bruit de leurs hennissements
toute la terre tremble.
Ils arrivent, et tout y passe,
le pays et ce qu'il contient,
la ville et sa population. »

(le Seigneur)

17 « Je vais envoyer contre vous
des serpents venimeux.
Impossible de les charmer ;

---

l **8.9** *ils sont pris au piège* : d'autres comprennent *ils seront faits prisonniers. – leur sagesse...* : traduction probable d'un texte peu clair ; certains proposent *Et leur sagesse, de quoi est-elle faite ?*

m **8.10** V. 10-12 : comparer 6.12-15.

n **8.11** Voir Ézék 13.10.

o **8.13** Le début du v. 13 est peu clair dans le texte hébreu traditionnel, que l'on traduit souvent *j'en finirai avec eux. – aucune figue* : voir Marc 11.12-14 et par. – La fin du verset est peu claire en hébreu.

p **8.16** *Dan* : voir 4.15 et la note.

ils vous mordront»,
déclare le Seigneur.

Le chagrin de Jérémie

(Jérémie)

18 J'ai le cœur serré.
Il n'y a pas de remède
pour guérir mon chagrin[q].
19 Écoutez : c'est mon peuple
qui appelle au secours
d'un bout à l'autre du pays :
« Le Seigneur n'est-il plus à *Sion,
et Sion n'a-t-elle plus de roi ?»

(le Seigneur)

« Pourquoi m'ont-ils provoqué
en adorant leurs idoles,
ces bricoles de l'étranger ?»

(Jérémie)

20 La moisson est passée,
l'été touche à sa fin,
et nous attendons encore
d'être délivrés.
21 Le désastre de mon peuple
me brise complètement ;
je suis en deuil,
en proie à la désolation.
22 En Galaad n'y a-t-il plus
de baume calmant ou de médecin ?
Pourquoi la plaie de mon peuple
ne peut-elle se cicatriser ?
23 Ah, comme je voudrais[r]
que ma tête soit pleine d'eau
et mes yeux des fontaines de larmes !
Je passerais mes jours et mes nuits
à pleurer les morts de mon peuple !

Un peuple envahi par le mensonge

9 1 Ah, si je pouvais être au désert
dans un refuge pour voyageurs !
J'aurais laissé mon peuple
et serais parti loin de lui.
C'est une bande de déserteurs,
ils sont tous adultères
à l'égard du Seigneur[s].
2 « Leur langue
est une arme menaçante[t],
dit le Seigneur.
Ce n'est pas grâce à la vérité
mais grâce au mensonge
qu'ils règnent dans le pays.
Ils vont de méfait en méfait,
ils n'ont aucune relation avec moi,
déclare le Seigneur.
3 Que chacun se méfie des autres !
Défiez-vous même d'un frère,
c'est un nouveau Jacob[u],
il vous dupera sûrement ;
même l'ami vous calomnie.
4 Chacun trompe son prochain,
aucun ne dit la vérité ;
ils sont habitués à mentir.
Ils ont si mal agi
qu'ils sont hors d'état de revenir
moi.
5 Ils passent d'une violence à l'autre[v],
d'un mensonge à un autre mensonge.
Ils refusent toute relation avec moi»,
dit le Seigneur.
6 C'est pourquoi voici ce que déclare
le Seigneur de l'univers :
« Je vais les purifier par le feu,
les faire passer au creuset.
Comment réagir autrement
à la méchanceté[w] de mon peuple ?
7 La langue de ces gens
est une flèche meurtrière[x]
ce qu'ils disent est mensonger :
ils ont des mots aimables
pour leur prochain,
mais dans le secret de leur cœur
ils lui préparent un piège.
8 Ne faut-il pas que j'intervienne
contre ces gens-là,
déclare le Seigneur,

---

q **8.18** Texte hébreu très discuté.

r **8.23** Dans certaines éditions ce verset est numéroté 9.1 ; les versets du chap. 9 sont en conséquence numérotés 9.2-26.

s **9.1** *adultères* : voir 3.8 et la note.

t **9.2** *une arme menaçante* ou *un arc tendu*.

u **9.3** Le verbe hébreu signifiant *duper* ou *supplanter* employé ici évoque en hébreu le nom de *Jacob*, ancêtre du peuple d'Israël ; voir Gen 25.26 ; 27.36 ; Osée 12.3-4.

v **9.5** La fin du v. 4 et le début du v. 5 sont traduits d'après les anciennes versions grecque et latine. Le texte hébreu est peu clair ; certains proposent *ils s'épuisent à mal agir. 5 Tu habites au milieu de la trahison ; par trahison ils refusent...*

w **9.6** *la méchanceté* : mot manquant dans le texte hébreu et rétabli d'après les anciennes versions grecque et araméenne.

x **9.7** *meurtrière* : avec d'autres voyelles, on peut comprendre aussi *aiguisée*.

et que je tire vengeance
d'une pareille nation[y] ? »

Le temps des pleurs et des complaintes

9 Sur les montagnes je laisse éclater
mes pleurs et ma plainte ;
j'entonne une lamentation
sur les pâturages du pays.
Car tout y est brûlé,
plus personne n'y passe.
On n'y entend plus
le bêlement des troupeaux.
Oiseaux comme animaux
ont disparu, tous sont partis.
10 « Je vais faire de Jérusalem
un tas de ruines, dit le Seigneur,
un repaire de chacals,
et des villes de Juda un désert sinistre
complètement inhabité. »
11 Y a-t-il un homme assez sage
pour expliquer cela ?
Si le Seigneur lui a parlé,
qu'il fasse connaître
pourquoi le pays est en ruine,
pourquoi il n'est plus qu'un désert
où personne ne passe !

12 Le Seigneur dit encore : « C'est
arce qu'ils ont abandonné l'enseigne-
ient que je leur avais donné, ils ont re-
isé d'écouter et de suivre ce que je leur
isais. 13 Ils ont suivi leur intention de
adonner à la religion des *Baals, à la-
uelle leurs parents les avaient habitués.
Voici donc ce que moi, le Seigneur de
univers, le Dieu d'Israël, je déclare : je
ais nourrir ce peuple d'amertume, je
ais lui faire boire de l'eau empoisonnée.
Je les disperserai parmi des nations
ı'ils ne connaissaient pas, ni eux ni
urs parents, et je les ferai poursuivre
ar la guerre jusqu'à ce que j'en aie fini
vec eux. » 16 Voilà ce que déclare le Sei-
ıeur de l'univers.

(le peuple)

« Attention, convoquez les pleureuses,
qu'elles viennent !
Envoyez chercher des professionnelles,
qu'elles se dépêchent de venir
entonner leur complainte à notre sujet !
Que nous ayons
les yeux pleins de larmes,
et les paupières mouillées de pleurs ! »

(Jérémie)

18 Du côté de *Sion
on entend une complainte :
« Dans quel triste état nous sommes,
quelle honte pour nous
de quitter le pays
et de voir nos maisons abattues ! »
19 Vous, les femmes, écoutez donc
cette parole du Seigneur ;
ouvrez vos oreilles à ce qu'il dit.
Enseignez la complainte à vos filles,
que chacune apprenne à sa voisine
cette lamentation :
20 « La mort monte par nos fenêtres,
elle entre dans nos belles maisons,
elle fauche les enfants dans les rues
et les jeunes gens sur les places. »

(le Seigneur)

21 « Toi, Jérémie, ajoute
ce que je déclare, moi le Seigneur :
Les cadavres humains
sont étendus par terre
comme du fumier
à la surface des champs,
comme des épis coupés,
que personne ne ramasse
derrière les moissonneurs. »

La vraie sagesse : connaître le Seigneur

22 Voici ce que déclare le Seigneur :
« Que l'homme sage
ne se vante pas d'être sage !
Que l'homme fort
ne se vante pas d'être fort !
Que le riche
ne se vante pas d'être riche !
23 Si quelqu'un veut se vanter
qu'il se vante plutôt
d'être capable de me connaître
et de savoir que moi, le Seigneur,
je travaille pour la bonté,
le droit et l'ordre sur la terre.

y **9.8** Voir 5.9,29.

Ce sont de telles gens qui me plaisent[z] », déclare le Seigneur.

Avertissement aux soi-disant circoncis

24 « Le jour vient, déclare le Seigneur,
où j'interviendrai contre tous ceux qui
sont *circoncis pour la forme : 25 Égyptiens, Judéens, Édomites, Ammonites,
Moabites, ainsi que les populations du
désert qui se rasent les tempes. Car toutes
ces nations sont sans vraie circoncision et
Israël dans son ensemble ne s'est pas circoncis pour le Seigneur[a]. »

Le Dieu vivant face aux idoles

10 1 Gens d'Israël, écoutez le message
que le Seigneur vous adresse.
2 Voici ce qu'il déclare :

« Ne vous mettez pas
à l'école des païens ;
ne vous laissez pas troubler
par des signes inhabituels
apparaissant dans le ciel.
Laissez cela aux païens.
3 La religion des autres peuples,
c'est du vent, rien de plus.
On coupe du bois dans la forêt
et l'artisan sculpte une idole.
4 On l'embellit d'or ou d'argent.
On doit la fixer
avec un marteau et des clous
pour qu'elle tienne bien droit.
5 Comme un épouvantail à moineaux
dans un champ de concombres,
ces dieux-là ne parlent pas ;
il faut bien les porter,
car ils n'avancent pas tout seuls.
N'ayez pas peur d'eux :
ils ne font pas de mal,
pas plus qu'ils ne font de bien. »

6 Tu n'as pas ton pareil, Seigneur,
tu es grand, comme est grande
la renommée de ton pouvoir.
7 Tous devraient reconnaître
ton autorité, roi des nations ;
cela te revient de droit.
Parmi tous les sages du monde,
dans tous les royaumes,
tu es sans pareil[b].

8 Du premier au dernier
ils sont complètement stupides :
la religion des idoles
est une école de nullité.
9 Ces idoles, on les décore
de lamelles d'argent importé de Tarsis
ou d'or provenant d'Oufaz[c].
Un artisan les fabrique,
un orfèvre les travaille.
On les habille richement
de rouge ou de violet.
Toutes ces idoles
ne sont que des produits
de l'habileté humaine.
10 Mais le Seigneur est vraiment Dieu,
Dieu vivant, roi éternel.
Quand il est irrité, la terre tremble ;
les nations sont impuissantes
devant sa colère.

11 Voici ce qu'il faut leur dire : ces
dieux qui n'ont créé ni le ciel ni la terre
seront balayés de la terre, il n'y aura plus
de place pour eux sous le ciel[d].

12 Le Seigneur a montré sa force
en créant la terre ;
il a montré sa compétence
en fondant le monde,
et son intelligence
en déployant le ciel.
13 Sur un ordre de lui,
les eaux s'accumulent au ciel,
les gros nuages montent à l'horizon,
les éclairs déclenchent la pluie,
les vents sortent de ses réserves.
14 Tout le monde reste là,
stupide, sans comprendre.
Ceux qui ont moulé leurs idoles

---

z **9.23** Autre traduction *C'est cela qui me fait plaisir*. – Le début du verset est évoqué en 1 Cor 1.31 ; 2 Cor 10.17.

a **9.25** *ne s'est pas circoncis pour le Seigneur* ou *n'est pas circoncis de cœur*.

b **10.7** Comparer Apoc 15.4.

c **10.9** *Tarsis* : port ou région de la Méditerranée occidentale, situé vraisemblablement en Espagne. – *Oufaz* : région inconnue, mentionnée aussi en Dan 10.5. Plusieurs versions anciennes ont lu ici *Ofir*, région célèbre par son or (1 Rois 22.49).

d **10.11** Le v. 11 est rédigé en araméen, langue internationale de l'époque.

sont tout honteux de les avoir faites,
car leurs statuettes font illusion :
elles n'ont aucun souffle de vie.
15 C'est du vent, une œuvre ridicule.
Tout cela sera balayé,
quand le Seigneur interviendra.
16 Mais il n'est pas comme elles,
lui, le Trésor d'Israël,
le Créateur de l'univers.
C'est à lui qu'appartient
la tribu d'Israël.
Son nom : le Seigneur de l'univers.

Le désastre imminent

(Jérémie)

17 Jérusalem,
toi qui te trouves assiégée,
ramasse à terre tes bagages.
18 Voici, en effet,
ce que déclare le Seigneur :
« Cette fois-ci je vais lancer à la fronde
les habitants du pays ;
je les serrerai si bien
qu'ils atteindront leur but. »

(Jérusalem)

19 « Hélas, quel désastre pour moi,
s'écrie Jérusalem !
Ma blessure est inguérissable.
Je me disais : ce n'est pas grave,
je supporterai mon mal.
20 Mais ma tente est ravagée,
ses cordes sont toutes arrachées.
Je n'ai plus d'enfants, ils sont partis.
Je n'ai plus personne
pour redresser ma tente
et me rétablir un abri. »

(Jérémie)

21 C'est la faute des dirigeants :
ils ont été stupides,
ils n'ont pas consulté le Seigneur.
C'est pourquoi ils ont échoué,
et ceux dont ils avaient la charge
sont tous dispersés.
22 Écoutez cette rumeur ; elle approche :
c'est un grand bouleversement
qui arrive du nord ;
il va réduire les villes de Juda
en un désert sinistre,
en un repaire de chacals[e].

Jérémie prie au nom de son peuple

23 Seigneur, je le sais,
l'homme n'est pas capable
de se conduire comme il faut ;
il n'a pas les moyens
de diriger ses pas
dans la bonne direction.
24 Seigneur, corrige-moi,
mais avec mesure
et non pas avec colère,
sinon tu me réduirais à rien.
25 Emporte-toi plutôt
contre ces étrangers qui t'ignorent,
contre ces populations
qui ne te rendent aucun culte.
Car ils pillent ton peuple,
ils le pillent jusqu'au bout,
ils dévastent son domaine[f].

Un peuple qui a trahi ses engagements

11 1 Jérémie reçut du Seigneur cette
parole : 2 « Respectez l'engagement
que je vous ai fait prendre ». Il ajouta :
« Voilà ce que tu diras aux gens de Juda et
aux habitants de Jérusalem. 3 Tu leur expliqueras : Voici ce que le Seigneur, Dieu
d'Israël, déclare : Je condamne quiconque ne respecte pas l'engagement que
j'ai fait prendre à mon peuple[g], 4 et déjà à
vos ancêtres, quand je les ai fait sortir de
l'enfer égyptien. J'ai dit alors : "Écoutez
ce que je vous dis et mettez-le en pratique ; c'est un ordre que je vous donne.
Alors vous serez mon peuple, et moi je serai votre Dieu. 5 Ainsi je tiendrai la promesse que j'ai faite à vos ancêtres de leur
donner le pays regorgeant de lait et de
miel, où vous vous trouvez aujourd'hui." »

Je répondis : « Oui[h], Seigneur. »

6 Le Seigneur me dit encore :
« Proclame ce message dans les villes de
Juda et les rues de Jérusalem : "Respectez
cet engagement que je vous ai fait pren-

---

e **10.22** *du nord* : voir 1.14 et la note. – Fin du verset : voir 9.10.
f **10.25** Voir Ps 79.6-7.
g **11.3** *l'engagement* : autre traduction *l'alliance*.
h **11.5** *Oui* ou *Amen*.

dre, et mettez-le en pratique. 7 J'ai beaucoup insisté auprès de vos ancêtres depuis que je les ai retirés d'Égypte, comme
je ne cesse d'insister auprès de vous aujourd'hui, en vous adjurant d'écouter ce
que je vous dis. 8 Mais ils n'ont pas
écouté, ils n'ont pas été attentifs, ils ont
suivi leurs intentions mauvaises. Alors
j'ai appliqué les clauses de cet engagement qu'ils n'ont pas respecté malgré
mes ordres." »

9 Puis le Seigneur ajouta : « Il existe un
complot chez les gens de Juda et les habitants de Jérusalem. 10 Ils sont revenus aux
fautes de leurs ancêtres, qui refusaient
d'écouter mes paroles. Ils se sont attachés
à des dieux étrangers pour leur rendre un
culte. Les gens d'Israël et ceux de Juda
ont trahi *l'alliance que j'avais solennellement conclue avec leurs ancêtres.

11 « C'est pourquoi, voici ce que déclare
le Seigneur : "Je vais faire venir sur eux
un malheur auquel ils ne pourront pas
échapper. Quand ils m'appelleront au secours, je n'écouterai pas. 12 Alors les habitants des villes de Juda et de Jérusalem se
tourneront vers les dieux auxquels ils ont
offert des sacrifices, mais il n'y a aucune
chance que ceux-ci les sauvent quand le
malheur sera là. 13 Le peuple de Juda a
autant de dieux que de villes, et on a installé à Jérusalem autant *d'autels qu'il y a
de rues, pour offrir des sacrifices à *Baal-
la-Honte." 14 Quant à toi, Jérémie, ne
m'adresse aucune demande en faveur de
ce peuple, ne fais monter vers moi ni
prière ni supplication pour eux, car je
n'écouterai pas quand ils seront dans le
malheur et qu'ils m'appelleront à leur secours. »

Israël, l'olivier du Seigneur

15 « Le peuple que j'aime, dit le Seigneur,
agit sans sincérité.
Que vient-il faire chez moi ?
Croit-il que ce qu'il me promet
ou les sacrifices qu'il m'offre
lui épargneront le malheur
et qu'il pourra s'en sortir[i] ?
16 Je l'avais surnommé
"Olivier florissant
aux fruits magnifiques".
Mais au milieu d'un grand fracas
je mets le feu à son feuillage
et ses branches sont saccagées. »

17 C'est le Seigneur de l'univers qu
l'avait planté. Il lui annonce maintenant
un malheur, en conséquence du ma
qu'ont commis les gens *d'Israël et ceux
de Juda[j]. En effet, ils l'ont provoqué en
offrant des sacrifices à *Baal.

Jérémie menacé par sa propre famille

18 Le Seigneur m'a informé, et je sui
au courant ; il m'a fait voir leurs manœu
vres[k]. 19 Moi, j'étais comme un agnea
docile qu'on mène à l'abattoir, sans m
douter qu'ils projetaient quelque chos
contre moi. Ils disaient : « Détruison
l'arbre en pleine force, supprimons-le d
monde des vivants, et que personne ne s
souvienne qu'il a existé ! »

20 Mais toi, Seigneur de l'univers,
tu es un juge loyal.
Tu perces le secret des consciences[l].
Je pourrai voir la revanche
que tu prendras sur eux,
car c'est à toi que je confie ma cause.

21 C'est pourquoi voici ce que le Sei
gneur de l'univers déclare contre le
hommes d'Anatoth[m] qui veulent m
mort et me disent : « Cesse de faire l
*prophète au nom du Seigneur, sans quo
tu mourras de notre main. » 22 Voici don
ce que déclare le Seigneur à leur sujet
« Je vais intervenir contre eux : la guerr
tuera leurs jeunes gens, la famine fer
mourir leurs fils et leurs filles. 23 Il ne res
tera aucun survivant des gens d'Anatot

---

i 11.15 Le texte hébreu du v. 15 est passablement obscur. On l'interprète ici à l'aide de l'ancienne version grecque, qui propose un sens plus clair.

j 11.17 Voir 3.6 et la note.

k 11.18 Ici commence la première des plaintes que Jérémie adresse à Dieu (voir l'introduction au livre de Jérémie). – *il m'a fait voir* ou *tu m'as fait voir*.

l 11.20 *le secret des consciences* : 17.10 ; 20.12 ; Ps 7.10 ; Apoc 2.23.

m 11.21 *Anatoth* : village dont Jérémie était originaire ; voir 1.1 ; 32.7.

l'année où j'interviendrai contre eux en
leur envoyant le malheur ».

12 [1] Seigneur, tu es trop juste
pour que je m'en prenne à toi.
Pourtant j'aimerais discuter
de justice avec toi :
Pourquoi le chemin des méchants
les mène-t-il au succès ?
Et ceux qui te sont infidèles,
pourquoi vivent-ils tranquilles ?
2 Tu les as plantés, ils se sont enracinés,
ils poussent et produisent des fruits.
Ton nom est toujours sur leurs lèvres,
mais leur cœur est loin de toi.
3 Moi, tu me connais, Seigneur,
tu me vois, tu as vérifié
que j'ai pris parti pour toi.
Quant à eux, mets-les de côté
comme des moutons pour l'abattoir,
mets-les à part
pour le jour du massacre.

4 Jusqu'à quand le pays sera-t-il en
deuil et toute la végétation desséchée
dans les champs ? La vie animale dépérit
dans le pays, par la faute de ses habitants.
Ils disent : « Jérémie sera fini avant
nous[n]. »

5 « Si tu ne peux pas suivre
ceux qui font la course à pied,
dit le Seigneur,
comment rivaliseras-tu
avec des chevaux ?
Si tu n'es rassuré
que dans un pays normal,
comment t'y prendras-tu
dans les fourrés du Jourdain ?

6 « En effet, même les gens de ta tribu,
même ceux de ta famille te trahissent. Ils
ameutent un tas de gens[o] à ton insu. Méfie-toi d'eux quand ils te parlent gentiment. »

Dieu abandonne son temple et son peuple

7 « J'abandonne le temple
qui était ma maison ;
je me débarrasse
de ce qui m'appartenait.
Je livre aux mains de l'ennemi
ce que j'aimais de tout mon cœur.
8 Ceux qui étaient à moi
se sont montrés agressifs
comme les lions de la forêt :
ils ont rugi contre moi.
C'est pourquoi je ne les aime plus.
9 Ceux qui étaient à moi
sont-ils maintenant ce bel oiseau
assailli de tous côtés par des rapaces ?
"Qu'on sonne le rassemblement
pour toutes les bêtes sauvages !
Qu'on les amène au festin !"
10 Des *bergers en grand nombre[p]
ont ravagé ma vigne,
ils ont piétiné mon domaine.
C'était un domaine ravissant,
ils en ont fait un désert sinistre,
11 oui, sinistre, marqué par le deuil.
Devant moi tout est dévasté,
le pays est sinistré
et personne ne s'en émeut. »

12 Dans les régions inhabitées,
sur les hauteurs dénudées
apparaissent des pillards.
L'arme du Seigneur ravage tout
d'un bout à l'autre du pays,
elle n'épargne personne.
13 Vous aviez semé du blé,
vous moissonnez des ronces.
Vous vous étiez donné du mal,
vous n'en tirez aucun profit.
Honte à vous pour cette récolte !
Le Seigneur vous l'a envoyée
dans son ardente indignation.

Le Seigneur et les voisins d'Israël

14 Voici ce que déclare le Seigneur au
sujet des mauvais voisins de mon peuple :
« Ils ont touché à ce qui m'appartenait, au
territoire que j'avais donné à Israël, mon
peuple. Je vais les arracher à leur sol,
mais je vais leur arracher aussi le peuple
de Juda. 15 Après quoi je reviendrai à des
sentiments de pitié pour eux, et je ra-

n 12.4 *sera fini avant nous* ou *ne verra pas notre fin*. L'ancienne version grecque a compris : *Dieu ne voit pas ce que nous faisons*.

o 12.6 *un tas de gens* : la traduction s'inspire de l'ancienne version grecque ; hébreu peu clair.

p 12.10 Voir 6.3.

mènerai chacun d'eux à sa terre, chacun à
son pays. 16 Ils avaient enseigné à mon
peuple à prêter serment au nom de *Baal.
Mais s'ils apprennent vraiment à se
conduire comme doit le faire mon peuple, s'ils prêtent serment en déclarant "Je
le jure par le Seigneur vivant...", alors ils
retrouveront leur place dans mon peuple.
17 Cependant si une de ces nations refuse
de m'écouter, alors je la déracinerai pour
de bon et l'abandonnerai à la mort», dit
le Seigneur.

Jérémie et la ceinture de lin

13 1 Voici ce que me déclara le Seigneur : « Va t'acheter une ceinture
de lin, mets-la autour de tes reins, mais
garde-toi de la laver. » 2 J'achetai donc
une ceinture, comme le Seigneur me
l'avait dit, et je me mis à la porter autour
des reins. 3 Une seconde fois je reçus une
parole du Seigneur, celle-ci : 4 « Prends
cette ceinture et rends-toi au torrent du
Fara[q]. Tu la cacheras là-bas dans une
fente de rocher. » 5 Je me rendis donc au
Fara et j'y cachai la ceinture, comme le
Seigneur me l'avait ordonné. 6 Au bout
d'un temps assez long, le Seigneur me
dit : « Retourne au Fara et prends-y la
ceinture que je t'avais commandé de cacher. » 7 Je retournai donc au Fara, déga-
geai la ceinture et la repris à l'endroit où
je l'avais cachée. Je constatai qu'elle était
pourrie, complètement hors d'usage.

8 Alors je reçus cette parole du Seigneur : 9 « Voici ce que déclare le Seigneur : Je ferai subir le même sort à ce
qui fait la fierté de Juda, la grande fierté
de Jérusalem. 10 C'est en effet un peuple
mauvais, qui refuse d'écouter ce que je
dis. Il a suivi son intention de s'attacher à
d'autres dieux, en leur rendant un culte
et en s'inclinant devant eux. Eh bien, que
ce peuple ait le sort de cette ceinture
complètement hors d'usage ! 11 Comme
un homme qui s'attache une ceinture autour des reins, dit le Seigneur, je m'étais
attaché le royaume d'Israël et le royaume
de Juda, pour leur confier ma réputation,
pour qu'ils soient mon peuple, mon titre
de gloire, ma parure. Mais ils ne m'ont
pas écouté. »

Le vin et la colère de Dieu

12 « Va leur dire : "Voici ce que déclare
le Seigneur, le Dieu d'Israël : Une cruche est faite pour contenir du vin". S'ils
répliquent : "C'est évident, nous le savons bien", 13 tu leur répondras : "Voici
ce que déclare le Seigneur : Je vais enivrer complètement tous les habitants de
ce pays, y compris les rois qui siègent
sur le trône de David, les prêtres, les
*prophètes et la population de Jérusa-
lem[r]. 14 Je les fracasserai l'un contre l'autre, parents contre enfants, dit le
Seigneur. Je n'épargnerai personne ; aucune sorte de pitié ne m'empêchera de
les éliminer." »

Écouter avant qu'il soit trop tard

15 Écoutez, soyez attentifs,
ne vous raidissez pas,
le Seigneur vous parle.
16 Honorez le Seigneur votre Dieu
avant qu'il envoie la nuit,
et que vos pieds trébuchent
sur les montagnes
assombries par le crépuscule.
Vous attendiez le jour,
mais il le change en nuit,
il le rend sombre
comme un nuage d'orage.
17 Si vous n'écoutez pas
cet avertissement,
il ne me restera plus,
dans mon coin, qu'à pleurer
de votre orgueil si grand,
à répandre des torrents de larmes,
car le troupeau du Seigneur
part en déportation.

Message de Dieu pour la famille royale

18 Dis au roi et à la reine mère :
« Asseyez-vous par terre,
car votre superbe couronne

---

q 13.4 *Fara* : d'après une ancienne version grecque. C'est un torrent coulant vers le Jourdain, à environ une heure de marche au nord d'Anatoth. Le même nom peut désigner *l'Euphrate*.

r 13.13 Jérémie fait allusion à un thème souvent repris ailleurs : la colère de Dieu est comparée à un vin qui enivre (voir par exemple 25.15-16).

est tombée de votre tête.
19 Les villes du midi sont fermées,
personne n'ouvre plus leurs portes,
car tout le peuple de Juda
est parti en exil,
c'est la déportation générale[s]. »

Jérusalem déshonorée

20 « Jérusalem, lève les yeux, regarde :
tes ennemis arrivent du nord[t].
Que va devenir le peuple
que je t'ai confié,
le troupeau qui fait ta gloire ?
21 Et que trouveras-tu à dire,
quand ceux que tu as habitués
à être tes familiers
interviendront contre toi
pour te dominer[u] ?
Tu vas être assaillie de douleurs
comme une femme au moment d'accoucher.
22 Alors tu demanderas :
"Pourquoi cela m'arrive-t-il ?"
Eh bien, si on relève ta robe,
si on te fait violence,
c'est le prix de ta lourde faute.

23 L'Éthiopien peut-il changer
la couleur de sa peau ?
ou la panthère
les taches de son pelage ?
Non ! Eh bien, vous tous,
si habitués à mal faire,
vous ne pouvez pas davantage
vous mettre à faire le bien !
24 Je vais vous éparpiller
comme des brins de paille
emportés par le vent du désert.

25 Jérusalem, voici le sort qui t'attend,
la part que je te réserve,
dit le Seigneur,
parce que tu m'as oublié
pour te fier à des faux dieux :
26 Je vais relever moi aussi
ta robe jusqu'à ton visage,
et on te verra toute nue.
27 Ah, tes adultères, tes cris de désir,
ta honteuse prostitution[v] !
Je les ai bien vues
sur les collines des campagnes,
tes abominables idoles !
Quel malheur, Jérusalem,
tu ne veux pas te *purifier !
Jusqu'à quand cela durera-t-il ? »

A l'occasion d'une sécheresse

14 1 Parole du Seigneur que Jérémie reçut à l'occasion de la sécheresse[w].
2 « Le peuple de Juda est en deuil,
ses villes tombent en ruine,
il est sombre, assis par terre.
La plainte de Jérusalem
s'élève vers le *ciel.
3 Les maîtres envoient leurs employés
à la corvée d'eau.
Ceux-ci arrivent aux citernes,
ils les trouvent à sec
et reviennent déçus,
consternés, la tête basse :
leurs récipients sont vides.
4 Les paysans sont déçus,
ils montrent leur consternation
en voyant le sol craquelé,
tant la terre a manqué de pluie.
5 Dans la campagne,
la biche abandonne
le petit qu'elle a mis bas,
car il n'y a plus de verdure.
6 Les ânes sauvages s'arrêtent
sur les hauteurs dénudées,
ils flairent le vent comme des chacals.
Leur regard s'épuise
à chercher de l'herbe
alors qu'il n'y en a plus. »

(le peuple)

7 « Nos torts sont accablants, c'est vrai,
mais toi, Seigneur, fais quelque chose :
ton honneur est en jeu.
Nous t'avons souvent trahi,
nous sommes coupables envers toi.

---

s **13.19** *la déportation générale* : d'après les plus importantes versions anciennes ; hébreu peu clair.

t **13.20** *Jérusalem, lève les yeux, regarde* : autre texte *levez les yeux, regardez*. – *du nord* : voir 1.14 et la note.

u **13.21** *tes familiers* : traduction incertaine d'un texte peu clair. – *interviendront contre toi* : d'après l'ancienne version grecque ; hébreu *il* (Dieu ? on ?) *interviendra*. – *pour te dominer* : hébreu peu clair, traduction incertaine.

v **13.27** Voir 2.20 ; 3.8 et les notes.

w **14.1** Ce verset constitue une sorte de titre pour le passage 14.1–15.4.

Toi en qui espère Israël,
toi qui l'as sauvé
au temps de la détresse,
pourquoi te conduis-tu
comme un étranger au pays,
comme un voyageur
qui n'entre que pour la nuit ?
9 Pourquoi te conduis-tu
comme un homme sans énergie[x]
comme un héros incapable
de sauver les autres ?
Pourtant tu es parmi nous, Seigneur,
nous te sommes consacrés,
ne nous laisse pas tomber. »

*

10 Voici ce que le Seigneur déclare à
l'intention de ce peuple : « Oui, ces gens
aiment vagabonder sans retenue. » Mais
cela ne plaît pas au Seigneur, il n'oublie
pas leurs torts et punira leurs fautes.
11 Le Seigneur me dit : « Ne m'adresse
aucune demande en faveur de ce peuple.
12 Même s'ils *jeûnent, je n'écouterai
pas leurs supplications. Même s'ils
m'offrent des sacrifices et des offrandes,
je ne les accepterai pas. Mais j'en finirai
avec eux par la guerre, la famine et la
peste[y]. »
13 Je répondis : « Hélas ! Seigneur Dieu,
les prophètes leur disent : "Vous ne subirez ni la guerre ni la famine, mais Dieu
vous donnera une vraie prospérité, et cela
ici même." »
14 Le Seigneur me répliqua : « Ces prophètes prétendent parler de ma part.
C'est un mensonge, car je ne les ai pas envoyés, je ne leur ai donné aucun ordre, je
ne leur ai rien dit. Ce qu'ils vous annoncent n'est que fausses révélations,
prédictions sans valeur, inventions trompeuses ! 15 C'est pourquoi voici ce que
moi, le Seigneur, je déclare contre ce
prophètes : Je ne les ai pas envoyés, mai
ils prétendent annoncer de ma part qu'il
n'y aura ni guerre ni famine dans ce pays
Eh bien, c'est justement par la guerre e
la famine qu'ils vont finir jusqu'au der
nier ! 16 Quant au peuple auquel ils on
adressé leurs prédictions, il sera terrass
dans les rues de Jérusalem du fait de l
guerre et de la famine. Il n'y aura per
sonne pour ensevelir ces gens, leurs fem
mes, leurs fils ou leurs filles. Ainsi j
reverserai sur eux le mal qu'ils on
commis.
17 « Voici ce que tu devras leur dire :

Je voudrais que mes yeux
ruissellent de larmes,
sans répit, de jour et de nuit,
car mon pauvre peuple
a subi un grand désastre,
sa blessure
est vraiment inguérissable.
18 Si je sors dans les champs,
je ne vois que des morts,
victimes de la guerre.
Si je rentre en ville,
je ne vois que des morts,
victimes de la faim.
Les *prophètes, les prêtres
ont parcouru le pays :
ils ne comprennent pas. »

(le peuple)

19 « Seigneur, as-tu donc rejeté Juda ?
Es-tu dégoûté de *Sion ?
Pourquoi nous infliges-tu
des blessures inguérissables ?
Nous avions l'espoir
que tout s'arrangerait,
mais il n'arrive rien de bon.
Nous attendions le moment
où nos maux seraient guéris,
mais voici la terreur.
20 Seigneur, nous savons
que nous avons mal agi,
nous reconnaissons
les torts de nos parents.
Nous sommes coupables envers toi.
21 Ton honneur est en jeu ;
ne montre pas de mépris
pour ton trône glorieux[z],
ne t'en désintéresse pas.

---

x **14.9** *sans énergie* : traduction incertaine d'un terme qu'on ne trouve nulle part ailleurs. D'autres interprètent *bouleversé*. L'ancienne version grecque a lu *plongé dans un profond sommeil*.

y **14.12** *guerre, famine, peste* : voir 21.7-9 ; 24.10 ; 27.8,13 ; 29.17-18 ; 32.24,36 ; 38.2 ; 42.17 ; comparer 5.12 ; 28.8.

z **14.21** *ton trône glorieux* : sans doute le *coffre sacré. Voir la note sur Ps 99.5. Par extension l'expression peut désigner le temple de Jérusalem, voire la ville elle-même.

Pense à l'engagement
que tu as pris envers nous,
ne le romps pas.
2 Parmi les faux dieux des nations,
en existe-t-il un
qui puisse provoquer la pluie ?
Est-ce le ciel qui donne les averses,
n'est-ce pas toi, Seigneur ?
Notre Dieu, c'est en toi
que nous mettons notre espoir,
car c'est toi qui fais tout cela. »

*

15 1 Le Seigneur me dit : « Même si
Moïse et Samuel intervenaient au-
rès de moi[a], je ne me laisserais pas flé-
hir en faveur de ce peuple.
)ébarrasse-moi de sa présence, et qu'il
en aille ! 2 Si on te demande : "Où irons-
ous ?", tu répondras : "Voici ce que dé-
lare le Seigneur :

A chacun son sort :
aux uns la peste, à d'autres le massacre,
à d'autres la famine, à d'autres l'exil[b] !"

3 « J'interviendrai contre eux de ces
uatre manières, déclare le Seigneur ;
épée les massacrera, les chiens les traî-
eront plus loin, les vautours et enfin les
iacals les dévoreront et les feront dispa-
ître. 4 Ainsi tous les royaumes du
ionde seront épouvantés en les voyant.
'est la conséquence des méfaits que Ma-
assé, fils d'Ézékias et roi de Juda, a
)mmis à Jérusalem[c]. »

Le Seigneur en a assez

« Jérusalem, dit le Seigneur,
il n'y a plus personne
pour avoir pitié de toi,
personne pour te plaindre,
personne qui se dérange
pour demander de tes nouvelles.
C'est toi, dit le Seigneur,
qui n'a plus voulu de moi
et m'as tourné le dos.
Alors je suis intervenu
pour en finir avec toi,
car j'en ai assez de me laisser apitoyer.
Dans chaque ville du pays,
j'ai brandi ma fourche à vanner[d] ;
j'ai dispersé mon peuple,
je l'ai laissé dépérir
en le privant de ses enfants,
mais ils n'ont pas changé de conduite.
8 J'ai fait chez eux plus de veuves
qu'il n'y a de grains de sable
au bord de la mer.
J'ai terrassé en plein midi
la mère du jeune guerrier[e] ;
j'ai fait soudain fondre sur elle
le tremblement de l'angoisse.
9 Celle qu'on honorait
d'avoir eu sept enfants
n'est tout à coup plus rien.
Elle a perdu le souffle,
son soleil s'est couché
au beau milieu du jour.
C'est la honte pour elle,
c'est le déshonneur.
Quant à ceux qui survivront,
je les livrerai au massacre
face à leurs ennemis »,
déclare le Seigneur.

Jérémie se plaint, Dieu lui confirme sa mission

(Jérémie)

10 Quel malheur pour moi, ma mère,
que tu m'aies mis au monde !
Pour tout le pays,
je ne suis qu'un homme contesté,
un homme à qui l'on en veut.
Je n'ai pourtant ni prêté
ni emprunté de l'argent,
mais tout le monde me maudit.
11 Le Seigneur avait pourtant dit :
« J'ai promis
de te délivrer pour ton bonheur.
J'ai promis d'amener
tes adversaires à te supplier
dans la détresse ou le malheur[f].

---

a 15.1 *Moïse* intercesseur : Ex 32.11-14 ; Nomb 11.2 ; 14.13-19. – *Samuel* intercesseur : 1 Sam 7.5-9 ; Ps 99.6.

b 15.2 Comparer Apoc 13.10.

c 15.4 *Manassé* : 2 Rois 21.1-16 ; 2 Chron 33.1-20.

d 15.7 Voir la note sur 4.11.

e 15.8 *J'ai terrassé... guerrier* : hébreu peu clair, traduction incertaine.

f 15.11 *te délivrer* : le terme hébreu correspondant fait difficulté. La traduction suit ici certains commentateurs juifs anciens.

12 Le fer peut-il casser
l'acier ou le bronze[g] ? »

(le Seigneur)

13 « Juda, je livre au pillage
tes biens et tes trésors,
sans compensation pour toi.
C'est le prix de toutes les fautes
que tu as commises
sur tout ton territoire[h].
14 Je t'asservis[i] à tes ennemis
dans un pays dont tu ne sais rien ;
car ma colère a pris feu,
je suis furieux contre toi. »

(Jérémie)

15 Mais toi, Seigneur, tu sais bien
tout ce qui me concerne.
Pense à moi, interviens pour moi,
venge-moi de mes persécuteurs.
Que je n'aie pas à pâtir
de ta patience envers eux !
Reconnais-le : c'est pour toi
que je supporte les insultes.
16 Dès qu'il m'arrivait une parole de toi,
je la dévorais ;
elle causait ma joie
et me mettait le cœur en fête,
car je te suis consacré,
Seigneur, Dieu de l'univers.
17 Je n'ai pas été m'amuser
en m'asseyant parmi les rieurs.
Mais tu m'as forcé à rester à l'écart,
rempli de ton indignation.
18 Pourquoi ma souffrance
est-elle sans fin ?
Pourquoi ma blessure
est-elle inguérissable
et refuse-t-elle de se cicatriser ?
Vraiment tu m'as trompé,
comme un ruisseau irrégulier
où l'on n'est pas sûr de trouver d
l'eau !

19 Voici ce que déclara le Seigneur :
« Si tu reviens à moi,
je te reprendrai à mon service.
Si tu es prêt à exprimer
non plus des propos sans valeur
mais ce qui mérite d'être dit[j],
tu seras mon porte-parole.
C'est aux gens de Juda
de s'aligner sur toi,
et non pas à toi de t'aligner sur eux !
20 Je ferai de toi, face à eux,
un mur de bronze inébranlable.
Ils te combattront,
mais ne pourront rien contre toi,
car je suis avec toi
pour te sauver, te délivrer,
déclare le Seigneur[k].
21 Je t'arracherai
aux griffes des méchants,
je te libérerai
du pouvoir de ces brutes. »

Solitude de Jérémie

16 1 Je reçus cette parole du Se
gneur : 2 « Tu ne dois pas te marie
me dit-il, et avoir des fils ou des fill
dans ce pays. 3 Voici en effet ce que je d
clare, moi le Seigneur, au sujet des fils
des filles qui naîtront dans ce pays, ain
que de leurs pères et de leurs mères : 4 i
auront une mort cruelle, il n'y aura pe
sonne pour les pleurer ou les enterre
mais ils resteront comme du fumier à
surface du sol. La guerre et la famine a
ront raison d'eux, et leurs cadavres serv
ront de pâture aux vautours et au
chacals. »

5 Voici encore ce que le Seigneur m
déclara : « N'entre pas dans une maiso
mortuaire, n'assiste pas aux funéraille
n'apporte à personne tes condoléance
car je retire à ce peuple mon amitié, m
bonté et mon affection. 6 Dans ce pays, r
ches ou pauvres mourront sans personn
pour les enterrer, les pleurer ou exprim
de la tristesse par des entailles sur
corps ou des cheveux tondus. 7 Il n'y au
personne pour partager le pain avec la f
mille en deuil et la consoler, person

g 15.12 *l'acier* ou *le fer du nord* : certaines populations d'Asie mineure connaissaient déjà l'acier, et même l'acier trempé. Le v. 12 fait sans doute allusion à l'assurance donnée par Dieu en 1.18. Voir aussi 15.20.

h 15.13 V. 13-14 : voir 17.3-4.

i 15.14 *je t'asservis* : on suit ici quelques manuscrits hébreux soutenus par l'ancienne version grecque et confirmés par le passage parallèle de 17.4 ; texte hébreu traditionnel *je ferai passer* (tes ennemis).

j 15.19 *Si tu es prêt... d'être dit* : autre traduction *Si tu sais faire la différence entre ce qui a de la valeur et ce qui est vulgaire*.

k 15.20 Voir 1.18-19.

ıon plus pour offrir la coupe de consola-
ion à ceux qui ont perdu un père ou une
nère.

8 « N'entre pas davantage dans une
naison où l'on fait un festin ; ne t'assieds
pas pour manger et boire avec les convives. 9 Car voici ce que je déclare, moi le
Seigneur de l'univers et le Dieu d'Israël :
'Je vais mettre fin aux bruits de fête, aux
ris de joie et aux chants des jeunes ma-
iés. Et vous resterez en vie pour voir ce-
a[l] !"

10 « Quand tu auras transmis ce mes-
age à ce peuple, il est possible qu'on te
lemande : "Pour quelle raison le Seineur a-t-il décrété contre nous ce grand
nalheur ? Quel est notre tort ? Quelle
aute avons-nous commise contre le Seineur notre Dieu ?" 11 Tu répondras
lors : "C'est parce que vos parents m'ont
bandonné et qu'ils se sont attachés à des
ieux étrangers, pour leur rendre un
ulte et s'incliner devant eux, déclare le
eigneur. Ils m'ont abandonné, ils n'ont
as observé mes enseignements. 12 Quant
vous, vous agissez plus mal encore que
os parents ; chacun de vous suit son in-
ntion mauvaise au lieu d'écouter ce que
dis. 13 C'est pourquoi, je vais vous chas-
er de ce pays dans un autre qui ne re-
résente rien pour vous, pas plus que
our vos parents. Là-bas, jour et nuit,
ous rendrez un culte à ces dieux étran-
ers, parce que moi, je ne vous accorderai
ucune faveur." »

Le grand retour

14 « Le jour vient, déclare le Seigneur,
ı l'on prêtera serment non plus en dé-
arant "Je le jure par le Seigneur vivant,
ui a retiré d'Égypte les Israélites !",
mais "Je le jure par le Seigneur vivant,
ui a retiré les Israélites du pays du nord
des autres pays[m] où il les avait chas-
s !" Je les ferai revenir, en effet, sur
ur sol, celui que j'ai donné à leurs an-
tres. »

Les coupables seront tous pris

16 « Je vais envoyer de nombreux pê-
eurs, dit le Seigneur, pour les capturer,
puis de nombreux chasseurs pour les tra-
quer partout, sur les montagnes, les collines et jusque dans les fentes des
rochers. 17 Car j'ai l'œil sur leur conduite,
elle ne peut pas m'échapper, leur crime
me saute aux yeux. 18 Je vais les payer du
montant total de leur crime, la faute elle-
même et son dédommagement, parce
qu'ils ont souillé mon pays avec leurs
abominables idoles mortes, et ils ont
rempli ma propriété de leurs horribles
faux dieux. »

Le vrai Dieu enfin reconnu par tous

19 Seigneur, tu es ma forteresse,
mon protecteur, mon refuge
au temps de la détresse.
C'est à toi que viendront
les nations païennes
depuis le bout du monde.
Elles diront alors :
« Notre religion traditionnelle
n'est qu'une duperie,
c'est du vent, ça ne sert à rien.
20 On ne peut pas se faire des dieux,
ceux que l'on fait ne sont pas dieux. »
21 « Eh bien, cette fois-ci,
dit le Seigneur,
je vais leur faire connaître
mon pouvoir et ma puissance.
Ils sauront alors
que je suis le Seigneur. »

Le Seigneur dénonce la faute du peuple de Juda

17 1 « La faute des gens de Juda
est comme un texte gravé
au burin de fer
ou à la pointe de diamant.
Elle est inscrite sur leurs cœurs
et sur les angles de leurs *autels[n].
2 Comme ils pensent à leurs enfants
ils pensent à leurs autels,
à leurs poteaux sacrés,
aux arbres verts sur les collines[o].

l **16.9** Comparer 7.34 et la note.
m **16.15** Voir 1.14 et la note.
n **17.1** *les angles de l'autel* : voir Ex 27.2 ; c'é
tie de l'autel considérée comme la plus
o **17.2** *poteaux sacrés* : voir la note sur
verts, collines : voir 3.2 et la note.

3 Peuple de Juda, toi qui fréquentes
les hauteurs dans les campagnes,
je livre au pillage
tes biens et tous tes trésors,
ainsi que tes lieux sacrés.
C'est le prix des fautes
que tu as commises
sur tout ton territoire[p].
4 Tu vas devoir restituer
le pays que tu possèdes,
celui que je t'avais donné.
Je t'asservis à tes ennemis
dans un pays dont tu ne sais rien.
Car tu as allumé ma colère,
et rien ne pourra l'éteindre. »

Fausse sécurité, vraie sécurité

5 Voici ce que déclare le Seigneur :

« Je maudis celui
qui se détourne de moi,
ne met sa confiance qu'en l'homme
et cherche sa force
dans les pauvres moyens humains.
6 Il aura le même sort
qu'un buisson chétif dans la steppe.
Aucune chance pour lui
de voir venir le bonheur !
Il restera là,
parmi les pierres du désert,
sur cette terre stérile
que personne n'habite.
7 Mais je bénis celui
qui met sa confiance en moi
et cherche en moi sa sécurité.
8 Il aura le même sort
qu'un arbre planté près de l'eau,
dont les racines s'étendent
à proximité du ruisseau.
Il n'a rien à redouter[q]
quand vient la chaleur,
et son feuillage reste vert.
Même en année de sécheresse
il ne se fait aucun souci,
il ne cesse de porter des fruits.

9 « Rien n'est plus trompeur
que le cœur humain.
On ne peut pas le guérir,
on ne peut rien y comprendre.

10 « Moi, dit le Seigneur, je vois
jusqu'au fond du cœur,
je perce le secret des consciences.
Ainsi je peux traiter chacun
selon sa conduite
et le résultat de ses actes[r].
11 Une poule qui a couvé
des œufs de cane[s],
tel est celui qui s'est enrichi
en violant les lois ;
au milieu de sa vie
ses biens l'abandonnent
et sur la fin il est là comme un sot. »

Le Seigneur, seule source de vie

12 Il y a un trône glorieux
dominant le monde depuis les origines,
c'est là qu'est notre saint temple[t] !
13 Seigneur, toi en qui espère Israël,
honte à tous ceux qui t'abandonnent
Ceux qui se détournent de toi
ne sont que des noms inscrits dans la poussière.
C'est qu'ils t'ont abandonné,
Seigneur, toi la source d'eau vive[u].

Prière de Jérémie

14 Seigneur, je ne serai guéri
que si tu me guéris ;
je ne serai sauvé que si tu me sauves,
car tu m'as toujours donné
une raison de te louer.
15 Voilà que tout le monde me dit :
« Et la menace du Seigneur,
où est-elle passée ?
Qu'elle se réalise donc ! »
16 Ce n'est pas moi qui t'ai pressé
de déclencher le malheur[v], Seigneur
je n'ai pas souhaité que vienne
le jour de la catastrophe.

---

p **17.3** V. 3-4 : comparer 15.13-14.

q **17.8** *il n'a rien à redouter quand vient...* : autre texte *il ne voit pas venir...* – Sur l'ensemble du verset comparer Ps 1.3.

r **17.10** *secret des consciences* : voir 11.20 et la note. – *chacun selon sa conduite* : voir Apoc 2.23.

s **17.11** Ou *une perdrix qui a couvé des œufs qu'elle n'avait pas pondus*.

t **17.12** Voir 3.17.

u **17.13** Voir 2.13.

v **17.16** *Ce n'est pas moi qui t'ai pressé de déclencher le malheur* : d'après deux versions grecques anciennes ; avec d'autres voyelles, le texte hébreu traditionnel a compris *je n'ai pas refusé d'être berger à ton service*.

Tu le sais, tu as pu vérifier
tout ce que j'ai annoncé.
17 Ne sois donc pas pour moi
une cause de désarroi,
toi qui es mon refuge
quand le malheur est là.
18 La honte devrait être
pour mes persécuteurs,
et non pas pour moi !
Pour eux aussi la consternation,
mais non pas pour moi !
Fais venir sur eux le jour du malheur,
mets-les complètement en pièces.

Appel à respecter le jour du sabbat

19 Voici ce que le Seigneur me déclara :
Va te placer à la porte du Peuple, par laquelle passent les rois de Juda pour en-
rer ou sortir de la ville ; tu feras de même
nsuite aux autres portes de la ville. 20 Tu
iras à tous ceux qui les franchissent :
Vous, les rois, et vous tous, peuple de
uda et habitants de Jérusalem, écoutez
e que dit le Seigneur. 21 Voici ce qu'il dé-
lare : Le jour du *sabbat, gardez-vous de
orter une charge, gardez-vous d'en faire
asser par une de ces portes[w]. 22 Ce
our-là, n'emportez rien hors de vos mai-
ons, et ne faites aucun travail ; mais ré-
ervez ce jour pour moi, comme j'en ai
onné l'ordre à vos ancêtres[x]. 23 Il est vrai
ue ceux-ci ne m'ont pas écouté, ils n'ont
as été attentifs, ils se sont cabrés. Ils
'ont rien écouté, ils ont refusé mes aver-
ssements.
24 "Mais vous, écoutez-moi bien, dit le
eigneur ; le jour du sabbat, évitez de
ire passer des charges par les portes de
ville, réservez ce jour pour moi et abs-
nez-vous de tout travail. 25 Alors les rois
ui siègent sur le trône de David, qui cir-
ulent à cheval ou sur un char, leurs mi-
istres, les gens de Juda et les habitants
e Jérusalem, tous ceux-là pourront
ntinuer de franchir les portes de la
lle, et celle-ci restera toujours habitée.
Alors aussi, on viendra au temple, de-
uis les villes de Juda, les environs de Jé-
usalem et le territoire de Benjamin,
epuis le *Bas-Pays, le Haut-Pays et le
éguev ; on y viendra offrir toutes sortes
e sacrifices : sacrifices complets ou ordinaires, offrandes de blé ou *d'encens, et
sacrifices de reconnaissance. 27 Mais si
vous ne m'écoutez pas, si vous négligez
de réserver pour moi le jour du sabbat, si
vous franchissez ce jour-là les portes de
Jérusalem avec des charges sur le dos,
j'allumerai un feu dans la ville ; il consumera ses belles maisons et ne s'éteindra
pas." »

Jérémie chez le potier

18 1 Jérémie reçut du Seigneur cette
parole : 2 « Debout, Jérémie ! Descends chez le potier, c'est là que je te ferai
entendre ce que j'ai à te dire. »
3 Je descendis donc chez le potier et le
trouvai en train de travailler sur son tour.
4 Si le vase qu'il façonnait était raté, ce
qui arrive parfois avec l'argile entre les
mains du potier, il en refaisait un autre,
comme il le jugeait bon. 5 Alors je reçus
du Seigneur cette parole : 6 « Gens d'Israël, ne suis-je pas capable d'agir à votre
égard comme ce potier, demande le Seigneur ? Vous êtes dans ma main comme
l'argile dans la main du potier. 7 Parfois, à
propos d'une nation ou d'un royaume, je
parle de déraciner, de renverser et de détruire[y]. 8 Mais si cette nation renonce au
mal qui a provoqué ma menace, alors je
change d'avis au sujet du malheur que je
lui destinais. 9 Parfois, à propos d'une autre nation ou d'un autre royaume, je parle
de reconstruire et de replanter. 10 Mais si
cette nation fait ce que je désapprouve,
sans écouter mon avertissement, alors je
change d'avis au sujet du bien que j'avais
promis de lui faire.

11 « Maintenant, Jérémie, adresse-toi
aux gens de Juda et aux habitants de Jérusalem, et dis-leur : "Voici ce que déclare le Seigneur : J'ai pris une décision
contre vous, je suis en train de vous préparer un malheur. Que chacun de vous
renonce à sa conduite mauvaise ; condui-

---

w **17.21** Respect du sabbat : voir Néh 13.15-2
x **17.22** Le jour du Seigneur : Ex 20.8
5.12-14.
y **18.7** *déraciner... détruire* (v. 7), *recor*
(v. 9) : voir 1.10.

sez-vous et agissez plutôt comme il convient." »

12 Mais ils ne suivent que leurs intentions mauvaises, et ils répondent : « Inutile d'insister ! Nous ferons ce que nous avons décidé. »

Israël a oublié son Seigneur

13 Voici donc ce que déclare le Seigneur :

« Informez-vous à l'étranger :
on n'a jamais entendu
raconter rien de pareil !
Ce qu'Israël a commis
est tout à fait horrible.
14 Voit-on la neige du Liban
disparaître des rochers sauvages ?
Voit-on tarir l'eau des torrents
qui descend toute fraîche ? Non[z].
15 Pourtant mon peuple m'a oublié.
Il offre des sacrifices
à des dieux qui n'en sont pas,
qui le font trébucher sur sa route,
quitter sa voie traditionnelle,
et s'avancer sur des chemins
qui ne sont pas tracés.
16 Il a mis son pays dans un tel état
qu'on en reste horrifié.
Sans fin, les gens s'exclament,
les passants en ont le frisson,
et stupéfaits hochent la tête.
17 A l'approche de l'ennemi,
je disperserai mon peuple
comme la poussière
chassée par le vent d'est.
Le jour de leur désastre,
je leur tournerai le dos
au lieu de me tourner vers eux[a]. »

Complot contre Jérémie, prière du prophète

18 Il y eut alors des gens qui dirent
« Allons, c'est le moment de faire de
plans contre Jérémie, car nous ne man
quons ni de prêtres pour donner un en
seignement, ni de sages pour fournir u
bon conseil, ni de *prophètes pour trans
mettre la Parole de Dieu. Portons-lui u
coup fatal par une campagne de dénigre
ment et n'accordons aucune attention
ce qu'il dit[b]. »

19 Accorde-moi ton attention, Seigneur,
écoute les propos de ceux qui m'a
cusent.
20 Doit-on rendre le mal pour le bien ?
Or ils me préparent un piège.
Mais moi, ne l'oublie pas,
je me suis tenu devant toi
pour parler en leur faveur
et détourner d'eux ta colère[c].

21 C'est pourquoi livre leurs fils à la f
mine,
fais-les passer eux-mêmes au fil
l'épée.
Que leurs femmes soient privées
leurs enfants,
et qu'elles deviennent veuves !
Que les hommes meurent de la peste
que les jeunes gens périssent à
guerre !
22 Qu'on entende chez eux des cris
douleur,
quand tout à coup tu enverras
des bandes armées contre eux !
Car ils se préparent à me prendre,
ils dissimulent un piège sous mes pa

23 Toi, Seigneur, tu n'ignores rien
de tous les projets qu'ils forment
pour me faire mourir.
Ne pardonne pas leur crime,
n'efface pas leur faute.
Qu'ils s'effondrent devant toi,
qu'ils aient affaire à ta colère !

La cruche brisée

19 1 Voici ce que le Seigneur déclar
Jérémie : « Va chez le potier t'ach
ter une cruche d'argile, puis prends av

---

z **18.14** Le texte du v. 14 présente plusieurs difficultés ; la traduction proposée reste incertaine.

a **18.17** *je leur tournerai... vers eux* : ainsi lisent, avec d'autres voyelles, plusieurs versions anciennes ; texte traditionnel *je les verrai non de face mais de dos*.

b **18.18** Voir 4.9 ; 8.9. Autres traductions parfois proposées *car on trouvera toujours un enseignement* (ou *la loi*) *chez les prêtres, des conseils chez les sages et une parole* (de Dieu) *chez les prophètes*, ou encore *car la loi ne disparaîtra pas faute de prêtres, ni les conseils faute de sages, ni la parole* (de Dieu) *faute de prophètes*. – Fin du verset : les anciennes versions grecque et syriaque ont compris *Atteignons-le par ses propres paroles, écoutons soigneusement ce qu'il dit*.

18.20 Comparer 7.16.

toi quelques membres du conseil des
*anciens, laïcs et prêtres. 2 Ensuite tu sor-
tiras par la porte des Pots cassés dans la
vallée de Hinnom[d], où tu proclameras le
message que je vais t'indiquer. 3 Tu diras :
Rois de Juda et habitants de Jérusalem,
écoutez ce que dit le Seigneur. Voici ce
que déclare le Seigneur de l'univers, le
Dieu d'Israël : Je vais faire venir sur ce
lieu un malheur qui produira l'effet d'un
coup de tonnerre sur ceux qui l'apprendront. 4 En effet, les gens de Juda m'ont
abandonné, ils ont rendu ce lieu méconnaissable : ils y ont offert des sacrifices à des dieux étrangers, avec lesquels
ils n'avaient rien de commun, ni eux ni
leurs prédécesseurs, ni les rois de Juda.
Ils ont rempli ce lieu du sang d'êtres innocents. 5 Ils ont aménagé un emplacement consacré au dieu *Baal, pour y
brûler leurs fils en sacrifice. Je n'avais
pourtant rien commandé de pareil, je
n'en avais même pas parlé, l'idée ne m'en
serait jamais venue[e].

6 « C'est pourquoi, dit le Seigneur, le
jour vient où l'on nommera ce lieu non
plus "le Tofeth" ou "la vallée de Hinnom", mais "la vallée du Massacre". 7 En
cet endroit même, je réduirai à rien la politique de Jérusalem et de Juda, et je ferai
tomber ses habitants sous les coups de
leurs ennemis, des gens impitoyables. Je
laisserai leurs cadavres en pâture aux
vautours et aux chacals. 8 Je mettrai cette
ville dans un tel état qu'on s'exclamera de
stupéfaction. Les passants en auront le
frisson, ils siffleront d'horreur en voyant
les dégâts qu'elle aura subis[f]. 9 Des ennemis, des gens impitoyables, vont assiéger
la ville et la réduire à une telle détresse, à
une telle misère, que ses habitants en
viendront à manger la chair de leurs propres enfants et à se dévorer les uns les autres.

10 « Puis tu casseras la cruche en présence de ceux qui t'accompagnent 11 et tu
leur diras : Voici ce que déclare le Seigneur de l'univers : Je casserai ce peuple
et cette ville, comme on casse une cruche
d'argile ; ce sera irrémédiable.

« Quant au Tofeth, c'est là qu'on enterrera les morts, faute de place ailleurs[g].
12 Et je ferai subir à cette ville ainsi qu'à
ses habitants le même sort qu'au Tofeth,
déclare le Seigneur. 13 Je rendrai les maisons de Jérusalem et celles des rois de
Juda comme cet emplacement de Tofeth :
*impures. Oui, ce sera le sort de toutes
ces habitations, sur les terrasses desquelles on fait monter la fumée de *l'encens,
en l'honneur de l'Armée des étoiles, et on
présente des offrandes de vin à des dieux
étrangers. »

14 Quand Jérémie fut revenu du Tofeth,
où le Seigneur l'avait envoyé parler de sa
part, il vint se placer dans la cour du temple et dit à tous ceux qui étaient là :
15 « Voici ce que déclare le Seigneur de
l'univers, le Dieu d'Israël : "Je vais faire
venir sur cette ville, ainsi que sur les villages voisins, tous les malheurs que j'ai
annoncés contre elle. En effet, ses habitants se sont cabrés, ils ont refusé d'écouter ma parole." »

Jérémie attaché au pilori

20 1 Pachehour, fils d'Immer, le prêtre inspecteur chef du temple, entendit Jérémie proclamer ces paroles de
la part du Seigneur. 2 Il gifla le *prophète
et le fit attacher au pilori situé à la porte
supérieure de Benjamin, celle qui donne
accès au temple[h]. 3 Le lendemain, Pachehour libéra Jérémie du pilori. Celui-ci lui
dit : « Le Seigneur ne te nommera plus
Pachehour mais "Terreur de toutes
parts"[i]. 4 Voici en effet ce que déclare le
Seigneur : "Je vais te livrer à la terreur,
toi et tous tes amis. Ceux-ci tomberont

---

d **19.2** *la porte des Pots cassés* : au sud de Jérusalem. – *vallée de Hinnom* : voir 7.31 et la note, ainsi que la note sur 2.23.

e **19.5** Versets 5-7 : voir 7.31-33 et la note sur 7.31.

f **19.8** Voir 18.16.

g **19.11** Voir 7.32 et la note ; comparer v. 13.

h **20.2** *attaché au pilori* par les mains et les pie[illegible] condamné était exposé au public. – *la porte... ple* : ces précisions permettent de distin[illegible] porte de celle mentionnée en 37.13 et 38[illegible] dans l'enceinte de la ville.

i **20.3** Voir 6.25 et la note.

sous l'épée de leurs ennemis, et toi tu as-
sisteras à leur mort. Je livrerai tout le
peuple de Juda au roi de *Babylone, qui
le déportera dans son pays ou le fera exécuter. 5 Toutes les richesses des habitants
de cette ville, tout le fruit de leur travail,
ce qu'ils possèdent de plus précieux,
ainsi que les trésors des rois de Juda,
tout cela je le livrerai à leurs ennemis ;
ils le pilleront, s'en empareront et l'emporteront à Babylone. 6 Toi-même, Pachehour, et tous ceux qui vivent avec toi,
vous serez déportés. Après ton arrivée à
Babylone tu mourras, et c'est là-bas
qu'on t'enterrera, ainsi que tous les amis
auprès desquels tu as été un faux prophète." »

Jérémie se plaint à Dieu

7 Seigneur, tu m'as si bien séduit
que je me suis laissé prendre ;
tu m'as forcé la main,
tu as été le plus fort.
Tous les jours on rit de moi,
tous me tournent en ridicule.
8 Chaque fois que je dois parler,
il me faut ensuite appeler au secours,
crier à la violence et à l'oppression[j].
Recevoir de toi une parole
me vaut chaque jour
moqueries et insultes.
9 Si j'en viens à me dire :
« Je ne veux plus y penser,
je ne parlerai plus de la part de Dieu »,
alors au plus profond de moi
il y a comme un feu qui me brûle.
Je m'épuise à le maîtriser,
mais je n'y parviens pas.
10 J'entends beaucoup de gens
dire du mal de moi ;
ils me surnomment
"Terreur de toutes parts".
« Dénoncez-le », disent les uns ;
« Oui, dénonçons-le »,
répètent les autres.
Mes proches eux-mêmes
guettent ma moindre erreur,
ils espèrent me prendre en défaut.
« Alors, disent-ils, nous le tiendrons
et nous aurons notre revanche. »
11 Mais, Seigneur, tu es fort
et tu combats pour moi.
Ce sont mes persécuteurs
qui trébucheront ;
ils n'auront pas le dernier mot.
Humiliés d'avoir échoué,
ils seront déshonorés pour toujours,
et personne ne l'oubliera.
12 Toi, Seigneur de l'univers,
tu sais reconnaître
si un homme t'est fidèle,
tu discernes ses pensées cachées.
Je t'ai confié ma cause,
j'espère donc voir
comment tu prendras ta revanche
sur mes adversaires.

13 Chantez pour le Seigneur,
acclamez-le,
car il a arraché le malheureux
aux griffes des malfaiteurs.

*

14 Maudit soit le jour qui m'a vu naître[k]
Que personne ne déclare béni ce jour
où ma mère m'a mis au monde !
15 Maudit soit l'homme
qui a rempli mon père de joie
en lui annonçant :
« C'est un garçon ! »
16 Que cet homme-là ait le sort
des villes que Dieu a bouleversées
sans revenir sur sa décision[l] !
Le matin, qu'il entende des plaintes,
et à midi encore des cris de guerre !
17 Si seulement Dieu[m] m'avait lais[sé]
mourir
avant que je naisse !
Ma mère aurait été ma tombe,
elle m'aurait gardé en elle pour to[u-]
jours.
18 Pourquoi suis-je sorti du ventre mat[er-]
nel,
si c'est pour connaître peine et sou[f-]
france
et finir ma vie dans l'humiliation ?

j 20.8 *il me faut... oppression* : certains comprennent *je dois crier pour annoncer violence et oppression*.
k 20.14 V. 14-18 : comparer Job 3.1-19.
l 20.16 Allusion à la destruction des villes de Sodome et Gomorrhe (Gen 19.23-25).
m 20.17 *Dieu* ou *il* ; le sujet n'est pas déterminé. Certains le rapportent à *l'homme* dont il a été question au v. 16, d'autres au *jour qui a vu naître* le prophète (v. 14).

Une réponse au roi Sédécias

21 1 Jérémie reçut du Seigneur une
parole à l'intention du roi Sédécias[n]. Le roi avait délégué auprès de Jérémie Pachehour, fils de Malkia, et le prêtre
Sefania, fils de Maasséya, pour lui demander : 2 « S'il te plaît, consulte le Seigneur pour nous, car le roi
Nabucodonosor de *Babylone est en
guerre contre nous. Peut-être le Seigneur
fera-t-il un de ses miracles en notre faveur, pour détourner de nous l'attaque
des Babyloniens[o]. »
3 Jérémie répondit alors aux envoyés :
« Allez trouver Sédécias et dites-lui :
Voici ce que déclare le Seigneur, le Dieu
d'Israël : "Vous combattez l'armée du roi
de Babylone, qui vous assiège. Mais je
vais forcer les combattants qui luttent en
avant des remparts à faire demi-tour et à
se replier à l'intérieur de la ville. 5 Je vais
combattre moi-même contre vous et vous
montrer ma force et mon savoir-faire,
dans mon ardente et terrible colère. 6 Je
vais m'attaquer à tout ce qui vit dans
cette ville, hommes et bêtes ; tous mourront d'une terrible peste. 7 Après quoi,
déclare le Seigneur, le roi Sédécias de
Juda et ses ministres, ainsi que la population qui aura survécu dans la ville aux effets de la peste, de la guerre et de la
famine, seront livrés au roi de Babylone.
Oui, je les livrerai à leurs ennemis, à ceux
qui désirent leur mort. Et Nabucodonosor les fera massacrer, il sera sans pitié
pour eux, il n'épargnera personne, il ne
se laissera pas fléchir." »
8 Le Seigneur confia cet autre message
à Jérémie, à l'intention du peuple : « Voici
ce que déclare le Seigneur : Je vous place
à une croisée de chemins ; vous avez devant vous la vie ou la mort. 9 Quiconque
restera dans cette ville y mourra des effets de la guerre, de la famine ou de la
peste. Mais celui d'entre vous qui sortira de la ville pour se rendre aux assiégeants babyloniens y gagnera la vie
sauve. 10 Je vais m'occuper de cette ville,
dit le Seigneur, non pour son bonheur
mais pour son malheur ; elle tombera
aux mains du roi de Babylone, qui y
mettra le feu. »

Messages pour la famille royale

11 Déclarations sur la famille royale de
Juda[p].

« Écoutez ce que dit le Seigneur,
12 gens de la famille de David.
Voici ce qu'il déclare :
Commencez vos journées
en rendant une vraie justice.
Arrachez aux exploiteurs
ceux qu'ils sont en train de dépouiller.
Sinon ma fureur jaillira,
telle un feu qui brûlera tout,
sans que personne puisse l'éteindre.
Voilà ce que vous rapportera
le mal que vous avez commis.
13 Je prends parti contre vous
qui habitez en contrebas[q]
sur le rocher plat, déclare le Seigneur ;
oui, contre vous qui prétendez
qu'aucun ennemi ne pourra
descendre jusqu'à vous
ni pénétrer dans vos repaires.
14 Moi, j'interviendrai contre vous,
déclare le Seigneur.
Voilà ce que vous rapportera
le mal que vous avez commis.
Je mettrai le feu à votre forêt
de colonnes de cèdre[r],
il dévorera tout ce qui est autour. »

22 1 Voici ce que le Seigneur déclara à
Jérémie : « Descends au palais des
rois de Juda pour y prononcer la parole
que voici. 2 Tu diras : "Écoute ce que dit
le Seigneur, toi le roi de Juda qui sièges
sur le trône de David. Cela concerne
aussi tes ministres et ton peuple, qui
franchissent les portes de ton palais."

---

n **21.1** *Sédécias*, troisième fils de Josias et dernier roi de Juda, régna à Jérusalem de 597 à 587 avant J.-C. Voir 2 Rois 24.17–25.7.

o **21.2** Attaque babylonienne : voir 2 Rois 24.20–25.11 ; 2 Chron 36.11-21. – *un de ses miracles* : comparer 2 Rois 19.35-36.

p **21.11** Le début du v. 11 constitue un titre pour le passage 21.11–23.8, appelé parfois *Livret sur les rois*.

q **21.13** *en contrebas* : le palais royal était construit en contrebas du temple de Jérusalem ; voir 22.1 ; 26.10 ; 36.12.

r **21.14** *votre forêt de colonnes de cèdre* : le texte hébreu *(votre forêt)* fait allusion aux colonnes et boiseries de cèdre du palais royal ; voir 22.6-7 ; 1 Rois 7.2.

3 Voici ce que déclare le Seigneur : Agissez selon le droit et l'ordre que je veux,
arrachez aux exploiteurs ceux qu'ils sont
en train de dépouiller. Ne profitez pas de
la faiblesse de l'immigré, de l'orphelin ou
de la veuve, pour leur extorquer ce qu'ils
possèdent. Cessez de mettre à mort des
innocents en ce lieu. 4 Si vous vous décidez à appliquer ces recommandations,
alors il y aura encore des rois qui siégeront sur le trône de David et circuleront à
cheval ou sur un char. Ils pourront continuer de franchir les portes de ce palais,
eux, leurs ministres et le peuple. 5 Mais si
vous n'écoutez pas ce que je vous dis,
alors je le jure, moi le Seigneur, aussi vrai
que je suis Dieu, ce palais deviendra un
tas de ruines[s].

6 « Voici ce que déclare le Seigneur au
sujet du palais royal de Juda :

Bien que je te trouve aussi beau
que les forêts de Galaad
ou le sommet du Liban,
je le jure, je ferai de toi
un désert, une cité morte.
7 Je mobilise contre toi
des destructeurs bien outillés.
Ils abattront tes belles colonnes de cèdres[t]
et les jetteront au feu.

8 « Beaucoup d'étrangers viendront
alors à passer près de cette ville. Ils se demanderont l'un à l'autre : "Pour quelle
raison le Seigneur a-t-il fait subir pareil
traitement à cette grande ville ?" 9 Alors
on leur répondra : "C'est parce que ses
habitants se sont inclinés devant d'autres
dieux et leur ont rendu un culte. Ils ont
ainsi trahi l'engagement qu'ils avai
pris envers le Seigneur leur Dieu." »

Sur Challoum, successeur de Josias

10 Gens de Juda, ne pleurez pas
celui qui est mort, le roi Josias,
ne vous apitoyez pas sur lui.
Pleurez plutôt celui qui s'en va,
le roi Challoum[u],
car il ne reviendra plus,
il ne reverra plus son pays natal.

11 Voici ce que déclare le Seigneur au s
jet du roi Challoum de Juda, qui avait s
cédé à son père Josias, et qui n'est plus i
« Il ne reviendra pas. 12 Il mourra là où
l'a déporté, il ne reverra plus ce pays. »

Reproches à Joaquim

13 « Quel malheur pour toi, Joaquim ![v]
tu te fais construire un palais,
sans respecter la justice !
Tu y ajoutes des étages,
sans respecter le droit des gens !
Tu fais travailler les autres
pour rien, sans les payer !
14 "Je veux me faire bâtir
un palais grandiose, dis-tu,
avec de vastes étages."
Tu y ouvres des fenêtres,
tu en revêts les murs
avec du bois de cèdre,
tu le fais peindre au rouge vermillon
15 Veux-tu prouver que tu es roi
en choisissant le bois de cèdre
pour te distinguer ?
Ton père mangeait et buvait
comme tout le monde,
mais il agissait selon le droit
et l'ordre que je veux,
et il s'en portait bien.
16 Il faisait droit au pauvre
et au malheureux,
et on s'en trouvait bien.
Celui qui agit ainsi
montre qu'il me connaît vraiment,
moi le Seigneur.
17 Mais toi tu ne regardes
que ton propre profit,
tu ne t'intéresses
qu'à faire mourir des innocents
et à pratiquer une brutale oppression.

---

s **22.5** Comparer Matt 23.38 ; Luc 13.35.
t **22.7** *tes belles colonnes de cèdre* : voir 21.14 et la note.
u **22.10** *Josias* fut tué à Méguiddo en 609 avant J.-C. (voir 2 Rois 23.29-30). Son fils *Joachaz*, nommé aussi *Challoum* (v. 11 ; 1 Chron 3.15) règna trois mois avant d'être déporté en Égypte (2 Rois 23.30-34 ; 2 Chron 36.1-4).
v **22.13** *Joaquim*, autre fils de Josias, fut désigné comme roi par le Pharaon Néco, en remplacement de Joachaz-Challoum. Il régna de 609 à 598 avant J.-C. (voir 2 Rois 23.34–24.6 ; 2 Chron 36.5-7).

18 Voici donc ce que déclare le Seigneur
au sujet de Joaquim, fils de Josias et roi
de Juda :

« A sa mort il n'y aura pas
de lamentation funèbre ;
personne ne dira :
"Quel malheur, mon frère !"
"Quel malheur, ma sœur !"
On ne le pleurera pas en disant :
"Quel malheur, mon Maître !"
"Quel malheur, Excellence !"
19 On l'enterrera comme une bête,
on traînera son corps
pour s'en débarrasser
hors des portes de Jérusalem. »

Honte et déshonneur pour Jérusalem

20 « Monte au sommet du Liban
et pousse des cris, Jérusalem.
Sur le plateau du *Bachan
fais entendre ta voix.
Pousse des hurlements
depuis les monts Abarim[w],
car pour tes amants, c'est fini.
21 Je t'avais avertie
quand rien ne menaçait,
mais tu as répondu :
"Je ne veux pas écouter".
C'est ce que tu as toujours fait
depuis ton enfance ;
tu n'a jamais écouté ce que je te disais.
22 Le vent balaie tous tes dirigeants :
tes amants partent en exil.
Tout le mal que tu as fait
te vaut honte et humiliation.
23 Toi qui étais tranquille,
perchée sur le Liban,
qui avais ton nid dans les cèdres[x],
quels soupirs tu pousses
alors que les douleurs te surprennent
et que tu te tords
comme une femme au moment d'accoucher ! »

Sur Konia, fils de Joaquim

24 « Tu diras à Konia, fils de Joaquim et
roi de Juda[y] : "Même si tu étais pour moi
comme le *cachet personnel qu'on porte
à la main droite, déclare le Seigneur, je
t'arracherais de mon doigt. J'en fais le
serment par ma vie : 25 Je te livre au pouvoir de ceux qui veulent ta mort, ces gens
dont tu as si peur, Nabucodonosor le roi
de *Babylone et ses troupes. 26 Je vous
chasserai, toi et ta mère, dans un pays qui
n'a rien de commun avec celui où tu es
né ; c'est là-bas que vous mourrez, elle et
toi. 27 Vous aurez beau désirer ardem-
ment revenir dans votre pays, vous n'y
parviendrez pas." »

28 On demande : « Cet homme, Konia,
est-il un pot ébréché dont on ne veut
plus, un objet sans intérêt ? Pourquoi a-
t-il été expulsé avec ses enfants, chassé
dans un pays qui ne représente rien pour
lui ? »

29 O mon pays, mon pays ! Écoute ce
que dit le Seigneur. 30 Voici ce qu'il déclare : « Qu'on inscrive cet homme
comme étant sans enfants ! Ce garçon a
raté sa vie. Aucun de ses descendants ne
réussira à siéger comme roi sur le trône
de David, aucun ne pourra exercer le
pouvoir en Juda. »

Les mauvais dirigeants et le roi sauveur

23 1 « Quel malheur ! dit le Seigneur.
Les dirigeants de mon peuple sont
de mauvais *bergers, qui laissent mon
troupeau dépérir et s'égarer. » 2 Voici
donc ce que déclare le Seigneur, le Dieu
d'Israël, au sujet de ces bergers : « Vous
avez laissé mon troupeau s'égarer et se
disperser. Vous ne vous êtes pas occupés
de lui. Eh bien, moi, je vais m'occuper de
vous et de vos agissements, dit le Seigneur !

---

w 22.20 *Monte... Jérusalem* : ici comme souvent ailleurs Jérusalem est personnifiée sous les traits d'une jeune femme. – *les monts Abarim* : massif montagneux comportant le mont Nébo (comparer Nomb 27.12 ; Deut 32.49), situé au nord du territoire de Moab.

x 22.23 La présence de colonnes et de boiseries de cèdre au palais royal de Jérusalem (voir 21.14 ; 22.6-7) suggère au prophète une analogie avec le massif du Liban.

y 22.24 *Konia*, forme abrégée de *Yekonia* (24.1) : autre nom du roi *Joakin*. Il régnait depuis trois mois quand eut lieu la première déportation, en 597 avant J.-C. ; voir 2 Rois 24.8-16 ; 2 Chron 36.8-10.

3 « Je vais rassembler moi-même les survivants de mon troupeau, dans tous les
pays où je les ai dispersés. Je les ramènerai à leur pâturage, où ils pourront prospérer et se multiplier. 4 Je mettrai à leur
tête de vrais bergers, grâce auxquels ils
n'auront plus ni peur ni frayeur. Aucun
d'eux ne manquera plus à l'appel[z], dit le
Seigneur. »

5 « Le jour vient, dit le Seigneur,
où je ferai naître
un vrai descendant de David[a].
Il sera un roi compétent,
il agira dans le pays
selon le droit et l'ordre que je veux.
6 Quand il régnera, Juda sera libéré,
Israël vivra tranquille.
Voici le nom qu'on lui donnera :
"Le Seigneur est notre salut"[b].

7 « Oui, le jour vient, dit le Seigneur, où
l'on prêtera serment, non plus en déclarant "Je le jure par le Seigneur vivant, qui
a retiré d'Égypte les Israélites...", 8 mais
"Je le jure par le Seigneur vivant, qui a retiré la race d'Israël des pays du nord, et
de toutes les régions où il l'avait dispersée, pour qu'elle vive à nouveau dans sa
patrie[c] !" »

Des prophètes indignes

9 Déclarations sur les *prophètes[d].

L'émotion m'a brisé,
je tremble de tout mon corps.
je suis comme un homme ivre,
étourdi par le vin.
C'est à cause du Seigneur,
de l'unique vrai Dieu,
et de ce qu'il m'a dit :
10 « Le pays est rempli
de gens qui commettent l'adultère[e].
Ils se précipitent vers le mal,
ils sont pleins de courage
pour des pratiques inadmissibles.
Par une malédiction la terre est en
deuil,
tout est sec dans les pâturages du pays.
11 Prophètes aussi bien que prêtres,
tous sont des crapules.
On trouve jusque dans mon temple
les traces de leurs méfaits,
déclare le Seigneur.
12 C'est pourquoi leur chemin
va devenir glissant.
Ils se cogneront dans le noir,
ils se retrouveront par terre,
quand je leur enverrai le malheur,
quand j'interviendrai contre eux »,
déclare le Seigneur.

Des prophètes pires qu'à Samarie

13 « Ce que j'avais constaté
chez les *prophètes de Samarie[f]
m'avait profondément choqué,
dit le Seigneur.
Ils parlaient au nom du dieu *Baal,
ils égaraient Israël, mon peuple.
14 Mais ce que je constate
à Jérusalem chez les prophètes
est abominable :
ils pratiquent l'adultère,
ils vivent dans le mensonge,
ils encouragent les malfaiteurs.
Ils empêchent ainsi chacun
de renoncer à mal agir.
Ils m'apparaissent tous
comme les gens de Sodome,
et les habitants de Jérusalem
ne valent pas mieux
que ceux de Gomorrhe[g]. »
15 Voici donc ce que déclare
le Seigneur de l'univers
au sujet des prophètes :
« Je vais les nourrir d'amertume,
les forcer à boire
de l'eau empoisonnée :

---

z **23.4** En hébreu, le jeu de mots amorcé au v. 2 *(vous ne vous êtes pas occupés de... je vais m'occuper de...)* se prolonge au v. 4 avec le verbe rendu ici par *manquer à l'appel*.

a **23.5** Comparer 33.14-16. Voir aussi 2 Sam 7.11b-16.

b **23.6** En hébreu l'expression évoque le nom du roi *Sédécias* : elle est appliquée à Jérusalem en 33.16.

c **23.8** V. 7-8 : voir 16.14-15.

d **23.9** Le début du v. 9 constitue un titre pour le passage 23.9-40, appelé parfois *Livret sur les prophètes*.

e **23.10** *adultère* : voir v. 14 ; 29.23, ainsi que les notes sur 2.20 et 3.8.

f **23.13** *Samarie*, capitale de l'ancien royaume d'Israël, avait été conquise par les Assyriens environ un siècle avant Jérémie.

g **23.14** *adultère* : voir v. 10 ; 29.23 et les notes sur 2.20 et 3.8. – *Sodome* et *Gomorrhe* : voir Gen 18.20-21 ; 19.1-9. Comparer És 1.10 ; Ézék 16.49.

les prophètes de Jérusalem
sont en effet une source polluée
qui contamine tout le pays. »

Des prophètes menteurs

16 Voici ce que déclare le Seigneur de l'univers :

« N'écoutez pas
ce que vous disent les *prophètes ;
ils vous bercent d'illusions.
Les révélations qu'ils vous annoncent
sortent de leur propre esprit,
cela ne vient pas de moi.
17 A ceux qui se moquent de moi
ils osent annoncer :
“Le Seigneur a dit :
Tout ira bien pour vous”.
A ceux-là mêmes qui ne suivent
que leurs propres intentions,
ils déclarent
“Le malheur ne vous atteindra pas”.
18 Mais lequel était présent
à mon conseil ?
Lequel a vu et entendu
ce que j'y disais, moi le Seigneur ?
Lequel a saisi ma parole
et l'a comprise ? »

(Jérémie)

19 Voici venir un ouragan :
c'est la colère du Seigneur.
Un cyclone s'abat
sur la tête des coupables.
20 Et l'indignation du Seigneur
ne cessera pas
avant qu'il ait réalisé
tout ce qu'il a décidé.
Un jour, vous comprendrez cela[h].

(le Seigneur)

21 « Je n'ai pas envoyé ces prophètes,
et pourtant ils courent, dit le Seigneur.
Je ne leur ai rien dit,
pourtant ils font des déclarations.
22 S'ils avaient été présents à mon conseil,
ils pourraient transmettre à mon peuple
tout ce que j'ai dit ;
ils l'amèneraient à renoncer
à sa mauvaise conduite,
au mal qu'il fait. »

Le Seigneur présent dans tout l'univers

23 « Serais-je un Dieu à la vue courte ?
demande le Seigneur.
Non, je reste un Dieu qui voit de loin.
24 Si quelqu'un se cache,
suis-je incapable de le voir ?
demande le Seigneur.
Ma présence remplit le ciel et la terre ;
ne le savez-vous pas ? »
demande le Seigneur.

Ne pas confondre la paille avec le grain

25 « Moi, le Seigneur, j'ai entendu ce
que disent les *prophètes. Ils prétendent
parler de ma part, mais c'est faux. Ils annoncent : “J'ai eu un rêve, une vision !”
26 Jusqu'à quand en sera-t-il ainsi ? Qu'y
a-t-il dans l'esprit de ces prophètes,
quand ils proclament ce qui est faux, ce
qui n'est qu'invention trompeuse ?
27 Avec leurs visions, qu'ils se racontent
l'un à l'autre, ils ne visent qu'à faire oublier à mon peuple qui je suis, comme ses
ancêtres, qui m'avaient oublié au profit
du dieu *Baal. 28 Si un prophète a un
rêve, eh bien, qu'il raconte son rêve !
Mais s'il a un message de moi, eh bien,
qu'il le proclame fidèlement !

Il ne faut pas confondre
la paille avec le grain,
déclare le Seigneur.
29 Ma parole est comme un feu,
comme un puissant marteau
qui brise le rocher.

30 « C'est pourquoi, déclare le Seigneur, je
vais m'attaquer aux prophètes, qui se volent mes paroles l'un à l'autre. 31 Oui, déclare le Seigneur, je vais m'attaquer à ces
soi-disant prophètes, qui confondent leur
parole avec la mienne. 32 Je vais m'attaquer à ceux qui font état de prétendues
visions prophétiques. En les racontant ils
égarent mon peuple par leurs mensonges
prétentieux. Moi, je ne leur ai confié aucune mission, je ne leur ai donné aucun

---

h **23.20** V. 19-20 : voir 30.23-24.

ordre. Ils n’apportent donc aucune aide à
mon peuple, déclare le Seigneur. »

La parole du Seigneur est-elle un fardeau ?

33 Le Seigneur dit à Jérémie : « Si un
*prophète, ou un prêtre, ou n’importe
qui te demande : “Quel est le message
du Seigneur, quel fardeau nous impose-
t-il ?”, tu répondras : “C’est vous qui
êtes un fardeau[i], dit le Seigneur. C’est
pourquoi je me débarrasserai de vous.”
34 Si un prophète, un prêtre, ou n’importe qui parle d’un *fardeau imposé par le
Seigneur*, j’interviendrai contre lui et
contre sa famille. 35 Ce que vous devez
vous demander l’un à l’autre, c’est :
“Qu’a répondu le Seigneur ?” ou “Qu’a
dit le Seigneur ?” – 36 Quant à l’expression *fardeau imposé par le Seigneur*, on ne
doit plus la mentionner. La parole du
Seigneur est-elle un fardeau pour
l’homme[j] ? Non, bien sûr ! Mais en parlant ainsi on falsifie la parole du Dieu
vivant, le Seigneur de l’univers, le Dieu
d’Israël. – 37 Oui, ce qu’il faut demander
à un prophète, c’est : “Que t’a répondu
le Seigneur, que t’a-t-il dit ?” 38 Si vous
continuez à parler d’un *fardeau imposé
par le Seigneur* malgré mon interdiction,
eh bien, voici ce que je vous déclare :
39 je vais vous charger sur mes épaules
comme un fardeau[k] et je me débarrasserai de vous, ainsi que de cette ville, que
j’avais donnée à vos ancêtres et à vous ;
40 je vous livrerai à une honte et à un
déshonneur qu’on n’oubliera pas de s
tôt. »

Les deux paniers de figues

24 1 Le Seigneur me fit remarque
deux paniers de figues, qu
quelqu’un avait placés devant le temple
Cela se passait après que le roi Nabuco
donosor de *Babylone eut déporté Yeko
nia[l], fils de Joaquim et roi de Juda, ains
que les ministres du royaume, les artisan
et les serruriers de Jérusalem pour le
amener à Babylone. 2 Les figues du pre
mier panier étaient fort belles, comm
celles du début de saison. Les figues d
second panier étaient infectes, imman
geables.
3 Le Seigneur me demanda : « Qu’aper
çois-tu, Jérémie ? » Je répondis : « Des fi
gues : les unes sont fort belles, les autre
infectes, immangeables. »
4 Alors je reçus du Seigneur cette pa
role : 5 « Voici ce que je déclare, moi l
Seigneur, Dieu d’Israël : On a plaisir
considérer ces belles figues. De même
c’est avec sympathie que je considère le
Judéens déportés, que j’ai chassés d’ic
jusqu’en Babylonie. 6 Oui, je les regard
avec tant de sympathie que je les ramène
rai dans ce pays. Je ne veux plus les dé
molir mais les rétablir[m], ni les déracine
mais les replanter. 7 Je les rendrai ca
pables de reconnaître que je suis le Sei
gneur. Ils reviendront à moi de tout leu
cœur. Alors ils seront mon peuple, et j
serai leur Dieu.

8 « Mais voici ce que je déclare au suje
du roi Sédécias de Juda, de ses mi
nistres, de la population restée à Jérusa
lem, de tous ceux qui n’ont pas quitté l
pays, et aussi de ceux qui se sont instal
lés en Égypte : je les traiterai comme o
traite ces figues trop mauvaises pou
être mangeables. 9 Ainsi tous les royau
mes du monde seront épouvantés en le
voyant. Partout où je les disperserai, o
les citera comme exemple quand o
voudra lancer une insulte ou une m
querie, composer une chanson cruell
ou prononcer une malédiction. 10 Je f
rai passer sur eux la guerre, la famine
la peste jusqu’à ce qu’ils aient dispar

---

i 23.33 *C’est vous qui êtes un fardeau* : d’après les anciennes versions grecque et latine ; hébreu *ce qui est un fardeau*. Le prophète joue sur les deux sens possibles du mot hébreu *massa*, qui peut signifier *message* ou *fardeau, charge*.

j 23.36 *on ne doit plus la mentionner* : d’après l’ancienne version grecque ; texte hébreu traditionnel (avec d’autres voyelles) *on ne s’en souviendra plus*. – *La parole du Seigneur est-elle un fardeau pour l’homme ?* Autre traduction parfois proposée *Le fardeau sera pour chacun sa propre parole*.

k 23.39 *je vais vous charger sur mes épaules comme un fardeau* : d’après quelques manuscrits hébreux soutenus par plusieurs versions anciennes ; texte hébreu traditionnel *je vais vous oublier tout à fait*.

l 24.1 *Yekonia* : voir 22.24 et la note.

m 24.6 *rétablir* ou *reconstruire* : voir 1.10.

du sol que je leur avais donné, à leurs
ancêtres et à eux. »

Vingt-trois années de prédication

25 1 Jérémie reçut du Seigneur une
parole concernant tout le peuple
de Juda. C'était la quatrième année du règne de Joaquim, fils de Josias et roi de Juda[n], et la première du règne de
Nabucodonosor, roi de *Babylone. 2 Jérémie dit aux gens de Juda et aux habitants
le Jérusalem : 3 « Depuis la treizième an-
iée du règne de Josias, fils d'Amon et roi
le Juda, jusqu'à aujourd'hui, il y a vingt-
rois ans que je vous annonce et ne cesse
le vous répéter la parole que je reçois du
eigneur ; mais vous ne l'écoutez pas.
Le Seigneur n'a pas cessé de vous en-
oyer l'un après l'autre ses serviteurs les
prophètes[o]. Mais vous n'avez pas
couté, vous n'avez pas voulu faire atten-
ion. 5 Il vous a dit : "Que chacun de vous
enonce à sa mauvaise conduite, au mal
u'il fait ! Alors vous pourrez vivre dans
pays que, depuis toujours et pour tou-
ours, j'ai donné à vos ancêtres et à vous.
Si vous ne vous attachez pas à des dieux
trangers pour leur rendre un culte et
ous incliner devant eux, si vous ne me
rovoquez pas en vous fabriquant des
doles, je ne vous ferai aucun mal. 7 Mais
ous ne m'avez pas écouté, déclare le Seineur. Au contraire, vous m'avez provo-
ué en fabriquant des idoles, pour votre
alheur."

8 « Voici donc ce que déclare le Seineur de l'univers : Puisque vous n'avez
s écouté ce que je dis, 9 je vais envoyer
hercher tous les peuples du nord[p] et ap-
ler mon serviteur Nabucodonosor, le
i de Babylone. Je les ferai venir contre
pays et sa population – contre toutes
s nations voisines également –, je vous
terminerai, elles et vous, et je trans-
rmerai pour toujours ce pays en un
amp de ruines, devant lequel on s'ex-
amera et sifflera d'horreur. C'est moi,
Seigneur qui le déclare. 10 Je ferai dis-
raître de chez vous les bruits de fête,
cris de joie et les chansons des jeunes
ariés, le bruissement des *meules du
oulin et la lumière de la lampe[q].
11 Tout ce pays deviendra un champ de
ruines, et pendant soixante-dix ans[r] toutes ces nations seront soumises au roi de
Babylone.

12 « Quand ces soixante-dix ans seront
achevés, je m'occuperai des crimes du roi
de Babylone et de son peuple, déclare le
Seigneur ; j'interviendrai contre leur
pays, et j'en ferai un désert sinistre pour
toujours. 13 Je ferai venir sur ce pays-là
tous les malheurs dont j'ai parlé. Ils sont
notés dans ce livre ; c'est ce que le prophète Jérémie a annoncé de ma part au
sujet de toutes les nations. 14 A leur tour,
les Babyloniens devront être soumis à de
grandes nations et à de puissants rois. Je
leur rendrai ainsi tout le mal qu'ils ont
fait. »

La coupe du jugement

15 Voici ce que me déclara le Seigneur,
le Dieu d'Israël : « Je te tends cette coupe
à vin, qui est remplie de ma colère.
Prends-la et fais-y boire toutes les nations auprès desquelles je t'envoie.
16 Qu'elles y boivent, qu'elles en aient le
vertige et qu'elles perdent la tête à la vue
du massacre que je vais provoquer parmi
elles ! »

17 Je pris donc la coupe que le Seigneur
me tendait, et j'y fis boire toutes les nations auprès desquelles le Seigneur
m'avait envoyé. 18 Je commençai par Jérusalem et les villes de Juda, avec les rois
et les ministres, pour les réduire en un
champ de ruines, qui provoquera des exclamations et des sifflements d'horreur,
et qui servira d'exemple quand on voudra
prononcer une malédiction.

19 Puis ce fut le tour des autres nations :
- le *Pharaon, roi d'Égypte, avec ses officiers, ses ministres, tout son peuple,

---

n 25.1 *règne de Joaquim* : voir 22.13 et la note. – *quatrième année* : en 605 avant J.-C. ; comparer Dan 1.1-2.

o 25.4 Voir 7.25 et la note.

p 25.9 Voir 1.14 et la note.

q 25.10 Voir 7.34 et la note.

r 25.11 Voir 29.10 ; Dan 9.2 ; 2 Chron 36.21.

20 et les diverses peuplades qui vivent en
Égypte ;
- les rois du pays d'Ous[s] ;
- les rois des Philistins : ceux d'Ascalon, de Gaza, d'Écron et de ce qui reste
d'Asdod ;
21 - les Édomites, les Moabites et les Ammonites ;
22 - l'ensemble des rois de Tyr, de Sidon et
de la côte au-delà de la mer ;
23 - les populations de Dédan, Téma, Bouz
et celles qui se rasent les tempes[t] ;
24 - les rois d'Arabie et les diverses peuplades qui vivent au désert ;
25 - l'ensemble des rois de Zimri[u], d'Élam
et des Mèdes ;
26 - l'ensemble des rois du nord, proches
ou lointains.
Bref, tous les royaumes du monde répartis sur la surface de la terre durent
boire à la coupe l'un après l'autre, et,
pour finir, le roi de Chéchak[v].

27 Le Seigneur me chargea de leur
dire : « Voici ce que déclare le Seigneur de
l'univers, le Dieu d'Israël : Buvez jusqu'à
vous enivrer et à vomir, jusqu'à tomber
par terre sans pouvoir vous relever, à la
vue du massacre que je vais provoquer
parmi vous. » 28 Il ajouta : « Si certains refusent de prendre la coupe que tu leur
tends et d'y boire, tu leur diras : Vous y
boirez de toute façon ; c'est le Seigneur
de l'univers qui le déclare. 29 Je n'épargne
pas la ville qui m'est consacrée, et vous,
vous voudriez être traités en innocents ?
Non, je ne vous traiterai pas en innocents. Au contraire, je vais faire appel à
l'épée contre tous les habitants du
monde. C'est moi, le Seigneur de l'univers, qui le déclare. »

30 Le Seigneur me dit encore : « An
nonce-leur de ma part tout ce que je vien
de dire ; tu ajouteras :

De là-haut le Seigneur rugit ;
de la demeure qui lui est consacrée
il donne de la voix,
il rugit contre son domaine.
Il pousse des exclamations
comme ceux qui écrasent le raisin.
31 Le bruit qu'il fait parvient
à tous les habitants de la terre,
jusqu'au bout du monde.
Le Seigneur est en procès
contre les nations,
il appelle à son tribunal
tous les humains.
Quant aux coupables,
il les livre au massacre.
Voilà le message du Seigneur. »

32 Voici ce que déclare le Seigneur d
l'univers :

« Le malheur s'étend
d'une nation à l'autre,
un ouragan se lève
à l'extrémité de la terre. »

33 Quand ces événements se produ
ront, il n'y aura personne, d'un bout d
monde à l'autre, pour pleurer les victim
du Seigneur, personne pour les recueill
ni pour les enterrer. Ils resteront comm
du fumier sur le sol.

34 Entonnez une complainte
et poussez des cris,
vous les dirigeants ;
roulez-vous par terre,
vous les maîtres du troupeau,
car votre tour est venu
de passer à l'abattoir !
Votre chute sera irrémédiable,
comme celle d'un vase précieux[w].

35 Pour les dirigeants,
aucun moyen d'échapper !
Pour les maîtres du troupeau,
pas de retraite possible !
36 J'entends déjà leurs cris,
leurs plaintes de douleur :

---

s 25.20 Au sud de la mer Morte, sur le territoire d'Édom.

t 25.23 *Dédan, Téma, Bouz* : oasis d'Arabie. – *qui se rasent les tempes* : voir 9.25.

u 25.25 *Zimri* : pays inconnu. Certains pensent qu'il s'agit du pays des *Cimmériens* ou *Arménie*.

v 25.26 *Chéchak* est probablement une manière déguisée d'écrire le nom hébreu de Babylone.

w 25.34 L'ancienne version grecque traduit *Vous serez abattus comme les meilleurs béliers*.

le Seigneur, en effet,
dévaste leur pâturage.
7 Son ardente indignation
plonge les plaisantes prairies
dans un silence de mort.
8 On dirait que le lion
a quitté son fourré.
Leur pays n'est plus qu'un désert,
du fait des horreurs de la guerre
et de son ardente indignation[x].

Jérémie est menacé de mort

26 1 Peu après que Joaquim, fils de Josias, fut devenu roi de Juda[y], Jéré-
ıie reçut du Seigneur cette parole :
« Voici ce que moi, le Seigneur, je dé-
lare : va te placer dans la cour du temple,
: adresse-toi à tous ceux qui viennent
es villes de Juda pour participer au
ulte. Répète-leur tout ce que je t'aurai
rdonné de leur dire, n'en supprime pas
n mot. 3 J'espère qu'ils écouteront et que
nacun abandonnera sa mauvaise ma-
ière de vivre. J'ai l'intention de leur en-
oyer le malheur à cause du mal qu'ils
nt ; mais s'ils écoutent, j'y renoncerai.
Tu leur diras donc : Voici ce que déclare
Seigneur : "Écoutez-moi, suivez les en-
ignements que je vous ai donnés 5 et
renez au sérieux le message de mes ser-
iteurs les *prophètes. Je n'ai jamais
essé de vous en envoyer[z], mais vous ne
s avez pas écoutés. 6 Si vous n'écoutez
as, je détruirai ce temple comme j'ai dé-
uit celui de Silo[a], et chez toutes les na-
ons de la terre je ferai de Jérusalem
exemple qu'on citera pour prononcer
ne malédiction." »
7 Les prêtres, les prophètes et tous ceux
ui étaient là entendirent Jérémie pro-
oncer ces paroles dans la cour du tem-
e. 8 Quand Jérémie eut achevé
annoncer à tous ces gens ce que le Sei-
eur lui avait ordonné, ils se saisirent de
i en disant : « Tu mérites la mort !
Comment oses-tu annoncer de la part
ı Seigneur que ce temple sera détruit
mme celui de Silo, et que cette ville
ra dévastée et vidée de ses habitants ? »
Alors tous ceux qui se trouvaient au
mple s'attroupèrent contre Jérémie.
Quand les ministres de Juda apprirent
qui se passait, ils montèrent du palais
royal au temple et vinrent siéger devant la
porte Neuve du temple. 11 Les prêtres et
les prophètes leur dirent alors, ainsi qu'à
toute la foule : « Cet homme mérite la
mort, car il a parlé contre Jérusalem, vous
l'avez entendu de vos propres oreilles. »
12 Mais Jérémie dit à tous les ministres
et à la foule : « C'est le Seigneur qui m'a
envoyé annoncer contre ce temple et
contre cette ville tout ce que vous venez
d'entendre. 13 Maintenant conduisez-
vous et agissez comme il convient ; écoutez ce que dit le Seigneur votre Dieu.
Alors il renoncera à vous envoyer le malheur qu'il vous avait annoncé. 14 Quant à
moi, je suis en votre pouvoir ; faites de
moi ce qui vous semblera juste. 15 Seulement, si vous me mettez à mort, sachez
bien que vous aurez tué un innocent et
que vous devrez en supporter les conséquences, vous et tous les habitants de
cette ville. Car le Seigneur m'a vraiment
envoyé pour vous faire entendre toutes
ces paroles. »
16 Alors les ministres et les gens de la
foule dirent aux prêtres et aux prophètes :
« Cet homme ne mérite pas la mort, car il
nous a réellement parlé de la part du Seigneur notre Dieu. »
17 Il y eut même quelques membres du
conseil des *Anciens qui s'avancèrent
pour dire à toute l'assemblée : 18 « A l'époque du roi Ézékias de Juda, il y avait un
prophète nommé Michée, de Morécheth.
Il déclara à tout le peuple de Juda : Voici
ce que déclare le Seigneur de l'univers :
"*Sion deviendra un champ labouré,
Jérusalem un tas de ruines,
et la montagne du temple
se couvrira de broussailles[b]."
19 Eh bien, le roi Ézékias et les gens de
Juda ont-ils fait mourir le prophète Michée ? – Non, mais ils ont reconnu l'autorité du Seigneur et ils ont cherché à
l'apaiser. Alors le Seigneur a renoncé à

x **25.38** Le texte hébreu de la fin du v. 38 est peu clair et son sens incertain. La traduction est en partie inspirée par l'ancienne version grecque.
y **26.1** Voir 22.13 et la note.
z **26.5** Voir 7.25 et la note.
a **26.6** Voir Jos 18.1 ; Jér 7.1-15 ; Ps 78.60.
b **26.18** Voir Mich 3.12.

faire venir sur eux le malheur qu'il avait
annoncé. Mais si nous condamnons
maintenant cet homme, nous nous ferons
le plus grand tort. »

Joaquim fait exécuter le prophète Ouria

20 A cette époque, il y avait un autre
prophète qui parlait de la part de Dieu.
C'était Ouria, fils de Chemaya. Il était de
Quiriath-Yéarim. Comme Jérémie, il
parla de la part de Dieu contre la ville de
Jérusalem et le pays de Juda. 21 Le roi Joaquim, tous ses gardes et ses ministres apprirent ce qu'avait dit Ouria. Alors le roi
chercha à le faire mourir. Mais Ouria
l'apprit, il eut peur et s'enfuit en Égypte.
22 Le roi Joaquim envoya donc en Égypte
Elnatan, fils d'Akbor, avec quelques
hommes. 23 Ils ramenèrent Ouria
d'Égypte et le conduisirent au roi. Celui-ci fit exécuter Ouria et jeter son cadavre dans la fosse commune.
24 Mais Jérémie était protégé par Ahicam, fils de Chafan ; c'est grâce à lui que
Jérémie ne tomba pas aux mains du peuple et put échapper à la mort.

Jérémie porte un joug sur les épaules

27 1 Peu après que Joaquim, fils de Josias, fut devenu roi de Juda, Jérémie reçut du Seigneur cette parole[c] :
2 « C'est moi le Seigneur, qui le déclare :
fabrique-toi des courroies et des *jougs ;
mets-les sur tes épaules. 3 Puis tu les feras
parvenir au roi d'Édom, au roi de Moab,
au roi des Ammonites, au roi de Tyr et au
roi de Sidon. A cet effet, tu remettras ces
jougs aux ambassadeurs venus à Jérusalem auprès de Sédécias, roi de Juda, 4 et
tu chargeras ceux-ci de transmettre fidèlement à leurs maîtres ce que je leur
déclare, moi le Seigneur de l'univer
Dieu d'Israël :
5 « J'ai montré ma force et mon savoi
faire en créant la terre, ainsi que les hon
mes et les bêtes qui y vivent. Et ce que j'
créé, je le donne à qui je veux. 6 Eh bie
j'ai décidé de livrer tous vos pays à m
serviteur Nabucodonosor, roi de *Bab
lone, et de lui soumettre même les bêt
sauvages. 7 Toutes les nations lui sero
asservies, et, après lui à son fils et à s
petit-fils, jusqu'au moment où son prop
pays devra être soumis à des nations pl
puissantes et à de plus grands rois.
8 « Si une nation ou un royaume refu
de se soumettre à Nabucodonosor, dit
Seigneur, oui, si une nation refuse de po
ter le joug que lui impose le roi de Bab
lone, j'interviendrai contre elle par
guerre, la famine et la peste ; je me ser
rai de lui pour en finir avec cette nation
9 « Vous donc, n'écoutez pas vos *pr
phètes ni ceux qui vous prédisent l'aven
en tirant au sort, en interprétant les rêv
ou la forme des nuages, ou encore en p
tiquant la magie. Tous ceux-là prétende
que vous n'aurez plus à vous soumettre
roi de Babylone. 10 Mais ce qu'ils vous p
disent est faux ; si vous les écoutez, vo
serez emmenés loin de votre territoire,
vous en chasserai et vous succomberez.
11 « Au contraire, si une nation accep
de porter le joug que lui impose le roi
Babylone et se soumet à lui, alors je
laisserai sur son territoire, et elle pou
le cultiver et l'habiter, déclare le S
gneur. »

12 Jérémie transmit à peu près le mê
message à Sédécias, le roi de Juda ; il
dit : « Toi et ton peuple, vous devez acce
ter de porter le joug que vous impose
roi de Babylone ; soumettez-vous à lui
à son peuple ; alors vous aurez la
sauve. 13 Pourquoi faudrait-il que toi
ton peuple vous mouriez par la guerre,
famine ou la peste ? C'est pourtant ce
arrivera à toute nation qui refusera de
soumettre au roi de Babylone, comme
Seigneur l'a dit. 14 Il y a des prophètes
prétendent que vous n'aurez plus à vo
soumettre au roi de Babylone. Ce qu
vous prédisent est faux, ne les écou

---

c **27.1** L'ancienne version grecque ne connaissait pas ce verset. Il a sans doute été ajouté par un copiste juif qui a reproduit ce qu'on lit en 26.1. Mais les v. 3 et 12 montrent que Jérémie parle ici au temps de Sédécias et non de Joaquim. – Règne de Sédécias : voir 2 Rois 24.18–25.7 ; 2 Chron 36.11-13.

d **27.8** *pour en finir avec cette nation* : l'ancienne version grecque a compris *jusqu'à ce qu'elle ait disparu* ; syriaque et araméen *jusqu'à ce que je la lui ai livrée*.

ionc pas. 15 Le Seigneur affirme : “Je ne
es ai pas envoyés. Ils prétendent parler
.e ma part, mais ils mentent. Si vous les
coutez, je vous chasserai d’ici et vous
uccomberez, vous et les prophètes qui
ous font ces prédictions.” »

16 Jérémie s’adressa enfin aux prêtres et
tous les gens qui étaient là, et il leur dit :
Voici ce que déclare le Seigneur :
N’écoutez pas les prophètes qui vous
rédisent que les ustensiles du temple se-
ont bientôt ramenés de Babylone[e] ; ce
u’ils vous prédisent est faux. 17 Ne les
coutez pas ; soumettez-vous plutôt au
oi de Babylone, et ainsi vous aurez la vie
uve. Pourquoi faudrait-il que cette ville
evienne un tas de ruines ?” »
18 Jérémie ajouta : « Si ces gens sont
aiment des prophètes, s’ils sont vrai-
ient chargés d’un message de la part du
eigneur, eh bien, qu’ils supplient plutôt
Seigneur de l’univers de ne pas laisser
artir à Babylone les objets précieux qui
stent encore dans le temple, dans le pa-
is du roi de Juda ou dans la ville. 19 En
fet, le Seigneur a quelque chose à décla-
r au sujet des colonnes[f], de la grande
ive, des bassins roulants et de tous les
itres objets qui restent encore à Jérusa-
m. 20 – Nabucodonosor, roi de Baby-
ne, ne les avait pas emportés de
rusalem à Babylone quand il avait em-
ené Yekonia[g], fils de Joaquim et roi de
da, avec tous les nobles de Jérusalem et
Juda. – 21 Voici donc ce que déclare le
igneur de l’univers, Dieu d’Israël, au
jet des objets précieux qui restent dans
temple, dans le palais du roi de Juda ou
Jérusalem : 22 “Tous ces objets seront
nmenés à Babylone, et ils y resteront
squ’au jour où j’interviendrai pour les
mener ici même.” »
Voilà ce que le Seigneur a déclaré.

Jérémie et le prophète Hanania

28 1 La même année, c’est-à-dire la
quatrième année du règne de Sé-
cias, roi de Juda, un jour du cinquième
ois[h], le *prophète Hanania, fils
Azour, de Gabaon, se trouvait au tem-
e. Il s’adressa à Jérémie, en présence
des prêtres et de tous les gens qui étaient
là, et lui dit : 2 « Voici ce que déclare le
Seigneur de l’univers, Dieu d’Israël : “Je
brise la domination que le roi de *Babylone vous impose comme un *joug. 3 En
effet, avant deux ans jour pour jour, je ramènerai ici tous les ustensiles du temple,
tous les objets que le roi Nabucodonosor
y a pris pour les emporter à Babylone. 4 Je
ramènerai aussi Yekonia[i], fils de Joaquim, roi de Juda, avec tous les gens de
Juda qui ont été déportés à Babylone, déclare le Seigneur. Oui, je vais briser la domination que le roi de Babylone vous
impose comme un joug.” »

5 Le prophète Jérémie répondit au prophète Hanania en présence des prêtres et
de tous les gens qui se trouvaient au temple : 6 « Oui, je souhaite que le Seigneur
agisse comme tu l’as dit, qu’il réalise ce
que tu as prédit et qu’il ramène de Babylone jusqu’ici tous les ustensiles du temple avec tous les déportés. 7 Seulement,
écoute bien ce que je vais vous faire entendre, à toi et à tous ceux qui sont là : 8 Il
y a eu des prophètes longtemps avant toi
et avant moi. Ces prophètes ont adressé
leurs messages à de grands pays et à d’importants royaumes, et ils ont annoncé en
général la guerre, le malheur[j] et la peste.
9 Mais quand un prophète annonce du
bonheur, comment savoir si ce prophète
est vraiment envoyé par le Seigneur ? Eh
bien, on le saura quand ce qu’il a annoncé
se réalisera. »

10 Alors le prophète Hanania prit le
joug que le prophète Jérémie portait sur
les épaules, et le brisa. 11 Puis il dit en pré-

---

e **27.16** Voir 2 Rois 24.13 ; 2 Chron 36.10.
f **27.19** Voir 1 Rois 7.13-39 ; 2 Rois 25.13-17.
g **27.20** *Yekonia* : voir la note sur 22.24.
h **28.1** *La même année* : l’hébreu ajoute *peu après que Sédécias fut devenu roi* ; ces derniers mots ne figurent pas dans l’ancienne version grecque et sont probablement repris de 26.1 (et 27.1). – *cinquième mois de la quatrième année* : en juillet-août 594 avant J.-C. ; voir au Vocabulaire CALENDRIER. – Sur le règne de Sédécias voir 27.1 et la note.
i **28.4** *Yekonia* : voir la note sur 22.24.
j **28.8** *le malheur* : autre texte *la famine* (comme en 14.12).

sence de tous ceux qui étaient là : « Voici
ce que déclare le Seigneur : “Avant deux
ans jour pour jour, je briserai de la même
manière la domination que Nabucodonosor, roi de Babylone, impose comme un
joug à toutes les nations.” »
Alors le prophète Jérémie s'en alla de
son côté.

12 Mais après que le prophète Hanania
eut brisé le joug que Jérémie portait sur
les épaules, Jérémie reçut cette parole du
Seigneur : 13 « Va dire à Hanania : Voici ce
que déclare le Seigneur : “Puisque tu as
brisé un joug de bois, tu devras le remplacer par un joug de fer.” » 14 Et Jérémie
ajouta : « Voici en effet ce que déclare le
Seigneur de l'univers, Dieu d'Israël : “Je
place un joug de fer sur les épaules de
toutes les nations de cette région ; elles
devront être soumises à Nabucodonosor,
roi de Babylone. Je lui soumettrai même
les bêtes sauvages.” »
15 Puis Jérémie dit encore au prophète
Hanania : « Écoute bien, Hanania : le Seigneur ne t'a pas envoyé ; tu as poussé ce
peuple à croire à des mensonges. 16 Voici
ce que le Seigneur déclare donc : il va débarrasser la terre de ta personne ; avant la
fin de cette année tu seras mort, car tu as
poussé le peuple à s'opposer au Seigneur. »
17 Le prophète Hanania mourut effectivement au cours du septième mois de
cette même année[k].

Jérémie adresse une lettre aux déportés

29 1 De Jérusalem, le *prophète Jérémie adressa une lettre à tous les
conseillers, les prêtres, les prophètes et à
l'ensemble des gens que Nabucodonosor
avait déportés de Jérusalem à *Babylone.
2 – Cette lettre fut envoyée après que l
roi Yekonia[l], la reine mère, les haut
fonctionnaires, les chefs de Juda et de Jé
rusalem, ainsi que les artisans et les ser
ruriers eurent dû quitter eux-même
Jérusalem. – 3 Or le roi Sédécias de Jud
envoyait Élassa, fils de Chafan, et Gue
maria, fils de Hilquia, à Babylone, auprè
du roi Nabucodonosor. Jérémie leu
confia sa lettre. Elle était ainsi rédigée
4 « Voici ce que déclare le Seigneur d
l'univers, Dieu d'Israël, pour tous ceu
qu'il a fait déporter de Jérusalem à Baby
lone : 5 “Construisez des maisons pou
vous y installer ; plantez des jardin
pour vous nourrir de ce qu'ils produ
ront. 6 Mariez-vous, ayez des fils et de
filles ; mariez vos fils et vos filles, et qu'
leur tour ils aient des enfants. Devene
ainsi nombreux là-bas, ne diminuez su
tout pas ! 7 Cherchez à rendre prospère l
ville où le Seigneur vous a fait déporte
et priez-le pour elle, car plus elle se
prospère, plus vous le serez vous-mê
mes.”

8 « Voici ce que le Seigneur de l'univer
Dieu d'Israël, déclare : “Ne vous laisse
pas tromper par les prophètes qui vive
parmi vous, ni par les gens qui prédise
l'avenir. Ne prenez pas au sérieux ceu
qui vous expliquent vos rêves[m]. 9 Car i
prétendent vous parler de ma part, ma
ce n'est pas vrai ; je ne les ai pas envoyés
dit le Seigneur.

10 « Et maintenant, voici encore ce qu
le Seigneur déclare : “Quand le royaum
de Babylone aura duré soixante-dix ans
alors j'interviendrai pour vous et je ré
liserai le bien que je vous ai promis :
vous ferai revenir ici, à Jérusalem. 11 Ca
moi, le Seigneur, je sais bien quels proje
je forme pour vous ; et je vous l'affirme
ce ne sont pas des projets de malhe
mais des projets de bonheur. Je veux vo
donner un avenir à espérer[o]. 12 Si vous v
nez alors m'appeler et me prier, je vo
écouterai ; 13-14 si vous vous tournez ve
moi, vous me retrouverez. Moi, le Se
gneur, je vous le déclare : si vous me r
cherchez de tout votre cœur, je m
laisserai trouver par vous. Je vous rétab

---

k **28.17** *septième mois* : en septembre-octobre ; voir au Vocabulaire CALENDRIER.

l **29.2** *Yekonia* : voir la note sur 22.24.

m **29.8** A l'époque de Jérémie de nombreux spécialistes prétendaient découvrir la volonté de Dieu en interprétant les rêves ; voir 27.9.

n **29.10** Voir 25.11 et la note.

o **29.11** Autre traduction *l'avenir que vous espérez*, c'est-à-dire le retour en Terre Promise.

ıi[p], je vous ferai sortir de chez toutes les
ations et de tous les endroits où je vous
. dispersés. Je vous rassemblerai et je
ous ferai revenir en ce lieu d'où je vous
fait déporter", déclare le Seigneur.

15 « Le Seigneur vous dit tout cela parce
ıe vous prétendez qu'il vous a donné
es prophètes à Babylone.
16 « Et maintenant voici ce que le Sei-
ıeur déclare au sujet du roi qui a hérité
ı royaume de David[q], et au sujet de tout
peuple qui vit encore à Jérusalem – je
ırle de vos frères, qui n'ont pas été dé-
ortés avec vous –. 17 C'est ce que déclare
Seigneur de l'univers : "Je vais envoyer
ntre eux la guerre, la famine et la peste.
les mettrai dans un tel état qu'ils feront
enser à des figues pourries, trop mau-
ıises pour qu'on les mange. 18 Je les
oursuivrai par la guerre, la famine et la
este, de sorte que tous les royaumes du
onde seront épouvantés en les voyant.
ıez toutes les nations où je les disperse-
i, on les citera comme exemple quand
voudra prononcer une malédiction ou
entionner quelque chose d'horrible,
effrayant ou de honteux. 19 En effet, ils
ont pas écouté ce que je leur disais, dé-
ıre le Seigneur. Pourtant je n'ai pas
ssé de leur envoyer l'un après l'autre
es serviteurs les prophètes ; mais ils ne
ont pas écoutés[r]."
20 « Vous tous du moins, les déportés
ıe le Seigneur a envoyés de Jérusalem à
ıbylone, écoutez ce que vous dit le Sei-
ıeur !
21 « Voici maintenant ce que déclare le
igneur de l'univers, Dieu d'Israël,
ncernant Ahab, fils de Colaya, et Side-
ıia, fils de Maasséya ; tous deux sont
s faux prophètes, bien qu'ils préten-
nt parler de la part de Dieu : "Je vais
livrer à Nabucodonosor, roi de Baby-
ıe, qui les fera exécuter devant vous.
Tous les gens de Juda qui ont été dépor-
à Babylone utiliseront désormais le
m de ces deux hommes pour pronon-
r des formules de malédiction comme
lle-ci : 'Que le Seigneur te traite
mme Sidequia et Ahab, que le roi de
ıbylone a fait rôtir au feu !' 23 Cela leur
ivera parce qu'ils ont fait quelque
chose d'inadmissible en Israël. En effet,
ils ont commis l'adultère et ils ont prétendu parler de ma part alors que je ne
leur avais rien commandé. Mais moi, je
sais tout cela, déclare le Seigneur, et j'en
ai été témoin." »

La lettre de Chemaya

24-25 Le Seigneur de l'univers, le Dieu
d'Israël, chargea le *prophète Jérémie
d'une déclaration concernant Chemaya
de Néhélam. En effet, Chemaya s'était
permis d'envoyer une lettre au prêtre Sefania, fils de Maasséya, ainsi qu'aux autres prêtres et à tous ceux qui étaient
encore à Jérusalem ; il avait écrit à Sefania : 26 « Puisque le Seigneur t'a établi
prêtre pour succéder à Yoyada, tu dois
surveiller dans le temple les exaltés qui se
disent prophètes, pour les faire attacher
avec des chaînes et un collier de fer.
27 Pourquoi donc n'as-tu pas réagi contre
Jérémie d'Anatoth, qui joue au prophète
devant vous ? 28 C'est de ta faute s'il a pu
nous envoyer une lettre ici, à Babylone,
pour nous annoncer que nous resterions
longtemps déportés. Il nous a même écrit
de construire des maisons pour nous y
installer et de planter des jardins pour vivre de ce qu'ils produiront. »
29 Mais le prêtre Sefania lut cette lettre
à Jérémie. 30 Alors Jérémie reçut cette parole du Seigneur : 31 « Envoie le message
suivant aux déportés : "Voici ce que le
Seigneur déclare au sujet de Chemaya de
Néhélam : Chemaya prétend être un prophète, mais je ne l'ai chargé d'aucun message pour vous. Puisqu'il vous a poussés à
croire à des mensonges, 32 voici ce que
moi, le Seigneur, je déclare : je vais intervenir contre Chemaya et ses descendants ; plus personne de sa famille ne
restera parmi vous pour voir le bien que

---

p **29.13-14** *si vous vous tournez vers moi, vous me retrouverez* : comparer Deut 4.29. – *Je vous rétablirai* : autre traduction *je ramènerai vos prisonniers*. Voir aussi 30.3,18 ; 31.23 ; 32.44 ; 33.7,11 ; 48.47 ; 49.6,39 ; Osée 6.11 ; Amos 9.14 ; Ps 14.7=53.7 ; 85.2 ; 126.4 ; Job 42.10 ; Lam 2.14.

q **29.16** *le roi qui a hérité du trône de David* ou *qui occupe le trône de David* : c'est le roi Sédécias.

r **29.19** *je n'ai pas cessé...* : voir 7.25 et la note. – *ils ne les ont pas écoutés* ou *vous ne les avez pas écoutés*.

je vais faire à mon peuple. Car il a poussé
mon peuple à s'opposer à moi, dit le Seigneur." »

Promesses de Dieu pour le royaume d'Israël

30 1 Jérémie reçut du Seigneur cette
parole : 2 « Voici ce que déclare le
Seigneur Dieu d'Israël. Note bien par
écrit tous les messages que je t'ai communiqués. 3 Je te le déclare en effet : le jour
vient où je rétablirai Israël, mon peuple
– et aussi Juda[s] –. Je les ramènerai au
pays que j'avais donné à leurs ancêtres, et
ils le posséderont de nouveau, dit encore
le Seigneur. »
4-5 Voici donc les messages que le Seigneur transmit à Jérémie pour Israël – et
aussi pour Juda – : « Voici ce que déclare
le Seigneur :

On entend un cri de terreur ;
c'est une frayeur que rien n'apaise.
6 Informez-vous et voyez
si un homme a déjà accouché.
Pourquoi donc vois-je tous les hommes
les mains sur les reins
comme une femme en travail,
pâles comme la mort
et la mine défaite ?
7 Quel malheur ! C'est un jour terrible,
un jour sans pareil ;
c'est un temps de détresse
pour les descendants de Jacob !
Et pourtant
ils en sortiront sains et saufs. »

*

8 « Quand le moment sera venu, déclar
le Seigneur de l'univers, je briserai l
*joug qui pèse sur leur nuque et je tran
cherai leurs liens. Alors ils ne seront plu
esclaves des étrangers, 9 mais ils me servi
ront, moi le Seigneur leur Dieu. Pour eu
je rétablirai David, et ils le serviron
comme leur roi. »

*

10 « Toi, Israël mon serviteur[t],
n'aie donc pas peur,
déclare le Seigneur ;
ne perds pas courage,
toi qui descends de Jacob,
car je viens te sauver
de ces régions lointaines ;
je viens sauver tes enfants
du pays où ils sont exilés.
Israël, tu retrouveras
tranquillité et sécurité ;
on ne vous inquiétera plus.
11 Je suis avec toi pour te sauver,
déclare le Seigneur ;
je veux en finir avec toutes les nation
chez lesquelles je t'ai dispersé,
mais non pas avec toi,
bien que j'aie dû
te corriger comme il fallait.
Je ne pouvais tout de même pas
te traiter en innocent ! »

*

12 Voici ce que déclare le Seigneur[u] :
« Ton mal est grave,
ta blessure inguérissable.
13 Personne ne prend soin de ton cas.
D'habitude on guérit les blessures,
mais pour toi il n'y a pas de remède[v]
14 Aucun de tes amants ne se souvient d
toi,
aucun ne se soucie plus de toi ;
car je t'ai frappée,
comme si j'étais ton ennemi,
je t'ai sévèrement corrigée[w].
15 Pourquoi te plains-tu de ton mal,
de ta douleur que rien n'apaise ?
Si je t'ai traitée de la sorte,
c'est que ta faute était grave
et tes torts nombreux.
16 Mais tous ceux qui te dévorent

---

s **30.3** *Israël et Juda* : voir la note sur 3.6. Le royaume d'Israël avait été conquis par les Assyriens environ un siècle avant l'époque de Jérémie (voir 2 Rois 17.1-6). Le royaume de Juda sera conquis par les Babyloniens avant même la fin du ministère de Jérémie (voir 39.1-10 ; 52). – *je rétablirai* : voir 29.14 et la note.

t **30.10** V. 10-11 : voir 46.27-28.

u **30.12** Dans les v. 12-17 le Seigneur s'adresse à la population de Jérusalem personnifiée par une femme blessée.

v **30.13** Le texte du v. 13 est peu clair et la traduction incertaine.

w **30.14** Le texte hébreu et certaines versions anciennes ajoutent les mots suivants, empruntés au v. 15 : *parce que ta faute était grave et tes torts nombreux*.

seront à leur tour dévorés ;
tous ceux qui te détestent
seront à leur tour déportés ;
tous ceux qui te dépouillent
seront à leur tour dépouillés,
et ceux qui pillent tes biens
seront à leur tour pillés.
17 Puisqu'ils te nomment "la bonne à rien",
"cette *Sion dont personne ne se soucie",
eh bien, je guérirai tes blessures,
je ferai cicatriser tes plaies »,
déclare le Seigneur.

*

18 Voici ce que déclare le Seigneur :
« Je vais vous rétablir,
familles d'Israël[x],
j'aurai pitié de vos foyers.
Les villes seront rebâties
sur leurs ruines,
et les belles maisons
à leur ancienne place.
19 Du dehors, on entendra des cantiques
et des cris de joie.
Vous ne diminuerez plus,
descendants de Jacob,
car je vous rendrai nombreux.
Vous ne serez plus méprisés,
car je vous couvrirai d'honneurs.
20 Vous serez comme autrefois,
descendants de Jacob :
de nouveau
vous tiendrez vos assemblées devant moi
et j'interviendrai contre tous vos oppresseurs.
21 C'est l'un de vous qui sera votre chef ;
oui, c'est l'un des vôtres qui vous dirigera.
Je lui permettrai de s'approcher de moi,
car personne d'autre n'oserait risquer sa vie
pour s'approcher de moi sans que je l'invite,
dit le Seigneur.
22 Alors vous serez de nouveau mon peuple
et je serai votre Dieu. »

*

23 Voici venir un ouragan :
c'est la colère du Seigneur.
Un cyclone[y] s'abat
sur la tête des coupables ;
24 et l'ardente indignation du Seigneur
ne cessera pas
avant qu'il ait réalisé
tout ce qu'il a décidé.
Un jour, vous comprendrez cela.

*

31 1 « Un jour viendra, déclare le Seigneur, où je serai le Dieu de tous les clans d'Israël, et ils formeront mon peuple. »

Le retour des survivants d'Israël

2 Voici ce que déclare le Seigneur :

« Dans le désert j'ai montré ma faveur
au peuple qui avait échappé au massacre.
Israël va donc pouvoir vivre tranquille.
3 Il disait :
"De loin le Seigneur est venu
se montrer à moi."
Et je lui ai dit à mon tour[z] :
"Je t'aime depuis toujours,
c'est pourquoi je te reste profondément attaché.
4 Je te rétablirai, chère Israël ;
de nouveau, tu prendras ton joli tambourin
pour te joindre aux danseurs joyeux.
5 De nouveau, tu planteras des vignes
sur les collines de Samarie,
et les vignerons pourront enfin
profiter de leurs plantations.
6 De nouveau, un jour viendra
où, sur les collines d'Éfraïm[a],
ceux qui veillent s'écrieront :

---

x **30.18** *vous rétablir* : voir 29.14 et la note.

y **30.23** *Un cyclone* ou *Un ouragan tourbillonnant* : on traduit ici comme en 23.19, où le même texte paraît être mieux conservé.

z **31.3** Dans les v. 3b à 6 le Seigneur s'adresse à Israël comme à une jeune femme aimée.

a **31.6** *Éfraïm*, fils de Joseph (Gen 41.52) et ancêtre de la principale tribu du royaume israélite du nord, personnifie l'ensemble de ce royaume.

Allons, montons à *Sion
auprès du Seigneur notre Dieu ! " »

*

7 Poussez des cris de joie pour Israël,
défiez les nations par vos acclamations[b],
faites entendre vos *alléluias et dites :
« Seigneur, sauve ton peuple,
sauve les survivants d'Israël ! »
Voici en effet ce que déclare le Seigneur :
8 « Je vais les ramener du pays du Nord[c]
et les rassembler des plus lointaines contrées.
Tout le monde est là,
les aveugles, les boiteux,
même les femmes enceintes
et les accouchées.
Mon peuple revient
au grand complet.
9 Ils arrivent en pleurant et en suppliant,
et je les accompagne.
Je vais les conduire
à des ruisseaux pleins d'eau
par un chemin facile,
sans obstacle qui les fasse trébucher.
Car je suis comme un père pour Israël,
et c'est Éfraïm[d] qui est mon fils aîné. »

*

10 Vous, les nations étrangères,
écoutez ce que dit le Seigneur,
et faites-le savoir
jusque dans les îles lointaines.
Dites :
« Le Seigneur avait dispersé Israël,
mais maintenant il le rassemble
et veille sur lui
comme un *berger sur son troupeau. »
11 Car le Seigneur a libéré
les gens d'Israël,
il les a délivrés
d'un ennemi plus puissant.
12 Ils arriveront en criant de joie
sur la colline de *Sion ;
leurs visages rayonneront
devant tout ce qu'ils recevront du Seigneur :
du blé, du vin nouveau,
de l'huile fraîche,
des moutons, des chèvres et des bœufs.
Ils seront comme un jardin bien arrosé ;
ils ne risqueront plus de dépérir.
13 Alors les jeunes filles
danseront de joie,
de même que les jeunes gens
et les vieillards.
En effet, déclare le Seigneur[e],
je changerai leur tristesse en gaîté ;
je les consolerai de leurs chagrins,
je les remplirai de joie.
14 Je régalerai les prêtres
de victimes grasses[f],
je comblerai mon peuple
de ce qu'il y a de meilleur.

*

15 Voici ce que déclare le Seigneur :
« Écoutez :
on entend une plainte à Rama,
des pleurs amers.
C'est Rachel[g] qui pleure ses enfants ;
elle ne veut pas être consolée
de les avoir perdus. »
16 Mais le Seigneur lui adresse ce message :
« Retiens tes sanglots, sèche tes larmes
car je récompenserai ta peine.
C'est moi, le Seigneur, qui le dis.
Tes enfants reviendront
de chez leurs ennemis.
17 Il y a donc de l'espoir
pour tes descendants,
déclare le Seigneur :
tes enfants reviendront
dans leur patrie.
18 J'ai parfaitement entendu
les gens d'Éfraïm se plaindre et dire :

---

b **31.7** *défiez les nations par vos acclamations* : autre traduction *acclamez le Seigneur en tête des nations*.

c **31.8** *du nord* : voir 1.14 et la note.

d **31.9** *Éfraïm* : voir le v. 6 et la note.

e **31.13** Dans le texte hébreu les mots *déclare le Seigneur* figurent à la fin du v. 14.

f **31.14** *victimes grasses* : la graisse était considérée comme la meilleure partie des animaux offerts en sacrifice.

g **31.15** *Rama* :village situé à une dizaine de kilomètres au nord de Jérusalem. A une époque ancienne (voir 1 Sam 10.2) on y situait déjà le tombeau de *Rachel*, la mère de Joseph et de Benjamin (voir Gen 35.16-19). Joseph étant l'ancêtre des tribus d'Éfraïm et de Manassé, Rachel personnifie ici le royaume d'Israël tout entier (voir 30.3 et la note ; 31.6 et la note). Ce verset est cité en Matt 2.18.

"Seigneur,
tu nous as sévèrement corrigés,
comme on corrige un jeune taureau mal dressé.
Mais ramène-nous à toi
pour que nous revenions vraiment à toi[h],
car c'est toi, Seigneur,
qui es notre Dieu.
19 Oui, nous nous étions détournés de toi,
mais maintenant nous le regrettons.
Tu nous as fait comprendre notre faute,
et maintenant
nous nous frappons la poitrine,
nous avons honte,
nous nous sentons humiliés
de ce que nous avons fait
quand nous étions plus jeunes."
20 Éfraïm est mon fils le plus cher,
dit le Seigneur,
c'est mon enfant préféré.
Chaque fois que je dois le condamner,
je continue malgré tout à penser à lui,
tellement j'éprouve de tendresse pour lui.
Je ne peux pas m'empêcher d'avoir pitié de lui. »[i]

*

21 Dresse des bornes le long de ta route[j],
plante des jalons ; réfléchis
à l'itinéraire que tu as parcouru,
au chemin que tu as suivi,
et reviens, chère Israël, reviens
dans ces villes qui t'appartiennent.
22 Combien de temps encore
vas-tu retarder le moment de te décider,
fille rebelle ?
Car le Seigneur a inventé
quelque chose de nouveau sur la terre :
c'est la femme
qui va faire la cour à l'homme[k].

*

Reconstruction et nouvelle alliance

23 Voici ce que déclare le Seigneur de
univers, Dieu d'Israël : « Quand je réta-
lirai le pays et les villes de Juda[l], on pro-
oncera de nouveau ces mots :

"Que le Seigneur te bénisse,
sainte colline de *Sion,
demeure du salut !"

24 « Alors les gens de la campagne et des
villes de Juda occuperont ensemble le
pays, aussi bien les paysans que ceux qui
voyagent avec leurs troupeaux. 25 Car je
réconforterai ceux qui sont épuisés, et je
donnerai tout le nécessaire à ceux qui dépérissent. 26 – C'est pourquoi on dit :
"Quand je me suis réveillé, j'ai vu que
mon sommeil m'avait fait du bien[m]." –
27 « Bientôt, déclare le Seigneur, dans les
royaumes d'Israël et de Juda je répandrai
partout des hommes et du bétail comme
on répand de la semence dans un champ.
28 Jusqu'à présent je m'étais tourné contre
eux et je m'étais appliqué à déraciner et à
renverser, à démolir, à détruire et à faire
du mal. Mais désormais, je vais me tourner vers eux et m'appliquer de la même
manière à reconstruire et à replanter[n], déclare le Seigneur. 29 Alors plus personne
ne répétera ce proverbe :

"les parents ont mangé des raisins verts,
mais ce sont les enfants qui ont mal aux dents[o]."

30 En effet, si quelqu'un mange des raisins
verts, c'est lui qui aura mal aux dents ;
chacun ne mourra que pour ses propres
fautes.
31 « Bientôt, déclare le Seigneur, je
conclurai une *alliance nouvelle avec le
peuple d'Israël et le peuple de Juda[p].

---

h **31.18** *Éfraïm* : voir le v. 6 et la note. – *que nous revenions* : voir 4.1 et la note.

i **31.20** Voir Osée 11.8.

j **31.21** Dans les v. 21-22 le prophète s'adresse au royaume d'Israël comme à une jeune femme (voir 30.12-17 ; 31.2-6).

k **31.22** Comme fiancée du Seigneur (voir És 54.5-6 ; Osée 1.2) Israël devrait être attirée irrésistiblement par son Dieu et revenir à lui.

l **31.23** *je rétablirai* : voir 29.14 et la note.

m **31.26** L'expression s'applique ici au prophète, qui a reçu pendant son sommeil l'heureux message de Dieu.

n **31.28** *déraciner, renverser... replanter* : voir 1.10 ; 24.6 ; 42.10 ; 45.4.

o **31.29** Comparer Ézék 18.2.

p **31.31** *Israël* et *Juda* : voir 30.3 et la note. – Sur l'*alliance nouvelle* voir Luc 22.20 ; 1 Cor 11.25 ; 2 Cor 3.6.

32 Elle ne sera pas comme celle que j'avais
conclue avec leurs ancêtres, quand je les
ai pris par la main pour les faire sortir
d'Égypte. Celle-là, ils l'ont rompue, et
pourtant c'est moi qui étais leur maître,
dit le Seigneur. 33 Mais voici en quoi
consistera l'alliance que je conclurai avec
le peuple d'Israël, déclare le Seigneur :
j'inscrirai mes instructions non plus sur
des tablettes de pierre, mais dans leur
conscience ; je les graverai dans leur
cœur ; je serai leur Dieu et ils seront mon
peuple. 34 Aucun d'eux n'aura plus besoin
de s'adresser à ses compagnons, à ses frères, pour leur enseigner à me connaître,
car tous me connaîtront, déclare le Seigneur, tous, du plus petit jusqu'au plus
grand. En effet, je pardonnerai leurs
torts, je ne me souviendrai plus de leurs
fautes[q]. »

*

35 Qui met le soleil en place
pour faire de la lumière
dans la journée ?
Qui prescrit à la lune et aux étoiles
de répandre une clarté
pendant la nuit ?
Qui excite la mer
pour faire mugir les flots ?
C'est le Seigneur de l'univers ;
voilà son nom.
36 Eh bien, voici ce qu'il déclare :
« Si j'admets un jour que ces lois de la
nature
sont devenues périmées,
dit le Seigneur,
alors j'admettrai aussi que les Israélites
cessent pour toujours de former une
nation !
37 Voici ce que déclare le Seigneur :
Si quelqu'un parvient à mesurer
la hauteur du ciel
ou s'il réussit à explorer
les profondeurs de la terre,
alors je rejetterai l'ensemble des Israélites
à cause du mal qu'ils ont commis. »

*

38 « Bientôt, déclare le Seigneur, on rebâtira les murs de Jérusalem en mon
honneur, depuis la tour de Hananéel
jusqu'à la porte de l'Angle[r]. 39 On tracera
les nouvelles limites de la ville d'abord en
direction de l'ouest, vers la colline de Gareb, et de là, elles tourneront vers Goa[s].
40 Toute la vallée des cadavres et des cendres grasses, tous les espaces libres qui
s'étendent jusqu'au torrent du Cédron,
puis jusqu'à l'angle de la porte des Chevaux[t] à l'est, tous ces terrains me seront
consacrés. Rien n'y sera jamais plus arraché ou démoli. »

Jérémie achète un champ

32 1 Jérémie reçut du Seigneur une
parole dans les circonstances que
voici : on était dans la dixième année du
règne de Sédécias[u] roi de Juda, ce qui
correspond à la dix-huitième année du
règne de Nabucodonosor, roi de *Babylone. 2 L'armée de Babylone assiégeait
alors Jérusalem. Quant au prophète Jérémie, il était détenu au palais du roi de
Juda, dans la cour de garde. 3 Sédécias l'
avait fait enfermer, car il reprochait au
prophète d'avoir proclamé cette déclaration du Seigneur : « Je vais livrer Jérusalem au roi de Babylone, qui s'en
emparera. 4 Même le roi Sédécias de Juda
n'échappera pas aux Babyloniens, car j'ai
décidé de le livrer au roi de Babylone. Il
devra comparaître devant Nabucodonosor face à face et lui répondre personnellement. 5 Puis Sédécias sera emmené à
Babylone, et il y restera jusqu'à ce que je
m'occupe de lui, déclare le Seigneur.
Même si vous continuez la guerre contre
les Babyloniens, vous ne la gagnerez jamais. »

---

q **31.34** Les v. 31-34 sont cités en Hébr 8.8-12 ; les v. 31-34 sont cités partiellement en Hébr 10.16-17.

r **31.38** *tour de Hananéel* (voir Néh 3.1) : probablement à l'extrémité nord de Jérusalem. – *porte de l'Angle* (voir 2 Rois 14.13) : probablement sur la face ouest de la ville.

s **31.39** *colline de Gareb, Goa* : emplacements non identifiés.

t **31.40** *vallée des cadavres et des cendres grasses* : probablement la vallée de Hinnom, où l'on avait pratiqué des sacrifices d'enfants (voir 7.31 ; 19.2-6 ; 32.35). Les *cendres grasses* sont les cendres des sacrifices. – *la porte des Chevaux* : dans la muraille est de Jérusalem.

u **32.1** *règne de Sédécias* : voir la note sur 27.1.

6 Or voici ce que Jérémie raconte : Je eçus cette parole du Seigneur : 7 « Ton ousin Hanaméel, fils de Challoum, va enir te voir au sujet du champ qu'il posède à Anatoth. Il va te proposer d'acheer ce champ, car tu es son plus proche arent ; c'est donc toi qui as la priorité our le racheter[v]. »

8 Comme le Seigneur me l'avait anoncé, mon cousin Hanaméel vint me rouver dans la cour de garde et me dit : Tu devrais acheter le champ que je posède à Anatoth, sur le territoire de Benjanin, car tu es mon plus proche parent ; u as donc la priorité pour le racheter et avoir ainsi à toi. »

Je fus alors certain que c'était bien le eigneur qui m'avait parlé.

9 J'ai donc acheté à Hanaméel le champ itué à Anatoth et payé le prix : dix-sept ièces d'argent. 10 J'ai rédigé l'acte de ente en double exemplaire. Devant ténoins, j'ai fermé l'un des exemplaires vec mon *cachet personnel[w] et vérifié le oids de l'argent sur une balance. 11 Puis ai pris l'exemplaire cacheté de l'acte de ente, comme la loi l'exige, ainsi que l'aue resté ouvert, 12 et les ai confiés tous les eux à Baruc, fils de Néria et petit-fils de aasséya[x]. Mon cousin Hanaméel et les émoins qui avaient contresigné l'acte de ente étaient présents, de même que tous s Judéens qui se trouvaient dans la cour e garde. 13 J'ai dit alors à Baruc, en préence de tous : 14 « Voici ce que déclare le eigneur de l'univers, Dieu d'Israël : Prends l'acte de vente cacheté, ainsi que autre, qui est resté ouvert, et mets-les ans un vase d'argile, de façon qu'ils uissent être conservés longtemps."

15 « Voici en effet ce que déclare le Seineur de l'univers, Dieu d'Israël : "Un ur, dans ce pays, on achètera de nouau des maisons, des champs et des vines." »

La prière de Jérémie

16 Après avoir remis l'acte de vente à aruc, j'ai adressé au Seigneur cette rière : 17 « Ah, Seigneur Dieu, tu as moné ta force et ton savoir-faire en créant le el et la terre. Rien n'est trop difficile pour toi. 18 Tu montres ta bonté jusqu'à mille générations humaines ; mais si des parents ont commis une faute, tu en fais supporter les conséquences à leurs enfants[y]. Tu es le Dieu grand et fort ; tu te nommes le Seigneur de l'univers. 19 Tu as de grands projets, tu es souverain pour les réaliser. Tu regardes attentivement ce que font les humains, pour traiter chacun d'eux selon sa conduite et ses actes.

20 « Tu as montré qui tu es par des prodiges marquants, lorsque nos ancêtres étaient en Égypte, et aujourd'hui encore, non seulement dans le peuple d'Israël mais aussi dans le reste de l'humanité, comme on le voit aujourd'hui. 21 Tu as montré ta force et ton savoir-faire par des prodiges marquants et des plus impressionnants, pour faire sortir d'Égypte Israël, ton peuple. 22 Tu avais juré à nos ancêtres de leur donner le pays où nous sommes aujourd'hui, ce pays qui regorge de lait et de miel, et tu le leur as donné. 23 Ils sont venus en prendre possession. Seulement ils n'ont pas écouté ce que tu disais, ils n'ont pas suivi tes instructions, ils n'ont pas fait ce que tu commandais. Alors tu as envoyé tous ces malheurs qui arrivent aujourd'hui.

24 « Voilà en effet les Babyloniens qui avancent leurs travaux de siège de plus en plus près de la ville ; ils vont la prendre ; elle leur est déjà livrée, pour ainsi dire ; ils cherchent à la vaincre par les armes, la famine et la peste. Ce que tu avais prédit est arrivé, tu le vois bien. 25 Oui, la ville est presque aux mains des Babyloniens. Seigneur Dieu, pourquoi donc m'as-tu ordonné d'acheter ce champ et de le payer comptant devant témoins ? »

Le Seigneur répond à Jérémie

26 Alors Jérémie reçut cette parole du Seigneur : 27 « Je suis le Dieu de tout ce

---

v **32.7** Ce droit et ce devoir du plus proche parent sont définis en Lév 25.25.

w **32.10** Apposer son *cachet personnel* sur un document équivalait à le signer et permettait en même temps de le fermer grâce à la goutte de cire sur laquelle on marquait l'empreinte.

x **32.12** *Baruc*, secrétaire et ami de Jérémie : voir 36.4.

y **32.18** Voir Ex 34.6-7 ; Nomb 14.18 ; Deut 5.9-10 ; 7.9-10.

qui vit, moi le Seigneur. Rien n'est trop
difficile pour moi. 28 C'est pourquoi,
voici ce que je déclare : je vais livrer
cette ville au roi Nabucodonosor de Babylone et à ses troupes ; il s'en emparera[z]. 29 Les Babyloniens, qui sont en train
de l'attaquer, y entreront et la détruiront
en y mettant le feu. En particulier, ils in-
cendieront ces maisons où l'on m'avait
provoqué en brûlant sur leurs terrasses
du parfum pour *Baal et en y présentant
des offrandes de vin à des dieux étrangers.
30 « En effet, continua le Seigneur, depuis le début de leur histoire, les gens
d'Israël et de Juda n'ont fait que ce qui
me déplaît. Oui, tout ce que les gens
d'Israël ont fait n'a réussi qu'à me provoquer. 31 Et cette ville de Jérusalem a
été la cause de mon indignation et de ma
colère, depuis qu'on l'a bâtie jusqu'à aujourd'hui, de sorte que je ne veux plus la
voir devant moi. 32 Je suis blessé par tout
le mal que les gens d'Israël et de Juda
ont commis, aussi bien leurs rois, leurs
chefs, leurs prêtres et leurs *prophètes
que la population de Juda et les habitants de Jérusalem. 33 Au lieu de se tourner vers moi, ils m'ont tourné le dos.
Pourtant je n'ai jamais cessé de les avertir, mais personne n'a accepté ni même
écouté mes avertissements. 34 Bien plus,
ils ont placé leurs abominables idoles
dans le temple qui m'est consacré, et ils
l'ont rendu *impur[a]. 35 Ils ont aménagé
dans la vallée de Hinnom[b] des lieux sacrés pour le dieu Baal, afin d'y offrir en
sacrifice leurs fils et leurs filles au dieu
Molek. Je ne le leur avais pourtant jamais commandé ; je n'en avais même pas
eu l'idée. En commettant des actes aussi
horribles ils ont poussé le peuple de
Juda à se rendre coupable.

36 « Eh bien, malgré cela, voici ce que je
déclare, moi le Seigneur, Dieu d'Israël, au
sujet de cette ville dont tu dis, avec d'autres : "La guerre, la famine et la peste
l'ont livrée au pouvoir du roi de Babylone." 37 J'étais fâché, indigné, terrible-
ment en colère contre les habitants de
cette ville ; je les ai donc dispersés dans
toutes sortes de pays. Mais je vais les rassembler, je vais les ramener ici et les faire
vivre en sécurité. 38 Ils seront de nouveau
mon peuple et je serai leur Dieu. 39 Je les
rendrai unanimes pour me rester toujours
fidèles, afin qu'ils soient heureux, eux et
leurs descendants. 40 Je m'engage à ne plus
me détourner d'eux mais à leur faire du
bien. Pour cela, je conclurai une *alliance
éternelle avec eux ; je les amènerai à me
respecter assez pour ne plus se détacher de
moi. 41 Je serai heureux de leur faire du
bien et je mettrai tout mon cœur à les im-
planter définitivement dans ce pays.
42 « Voici ce que je déclare encore, dit le
Seigneur : c'est moi qui ai fait venir ce
grand malheur qui frappe le peuple de
Juda. Mais c'est moi aussi qui ferai venir
pour lui tout le bonheur que je lui ai annoncé. 43 Tu dis avec d'autres que ce pays
a été livré aux Babyloniens, et qu'il est
maintenant un désert sinistre sans hommes et sans animaux. Pourtant c'est dans
ce pays-là qu'on recommencera à acheter
des champs. 44 Oui, dans le territoire de
Benjamin, dans le district de Jérusalem,
dans les villes de Juda, dans celles du
Haut-Pays, du *Bas-Pays et du Néguev,
on achètera encore des champs, on rédi-
gera des actes de vente, on apposera des
*cachets, on convoquera des témoins.
Car je rétablirai leurs habitants[d] », dit le
Seigneur.

Nouvelles promesses pour Jérusalem

33 1 Jérémie était encore détenu dans
la cour de garde quand il reçut
pour la seconde fois une parole du Seigneur. 2 « Voici ce que déclare celui qui
fait l'événement, qui le prépare et le met
en place, celui qui se nomme le Seigneur : 3 Appelle-moi, et je te répondrai,
je t'apprendrai de grands secrets que tu
ne connais pas. 4-5 Moi le Seigneur, Dieu

---

z 32.28 Siège et prise de Jérusalem : voir 2 Rois 25.1-11 ; 2 Chron 36.17-21.

a 32.34 Le temple souillé par les idoles : voir 7.30.

b 32.35 *vallée de Hinnom* : voir 7.31 ; 31.40 et les notes.

c 32.36 Voir 14.12 et la note.

d 32.44 Le *Haut-Pays* : région centrale de la Palestine. – Le *Néguev* : zone plus ou moins désertique située à l'extrême sud du pays. – *je rétablirai* : voir 29.14 et la note.

l'Israël, je déclare ceci au sujet des mai-
ons de cette ville et des habitations des
ois de Juda. Elles sont en ruine. S'oppo-
er aux travaux de siège et combattre les
Babyloniens est inutile ; cela ne servira
u'à remplir la ville[e] des cadavres des
ommes qui seront victimes de ma fu-
ieuse indignation. Les gens de Jérusa-
em ont commis tant de mal que je me
uis désintéressé de leur ville.
6 « Mais je m'occuperai d'elle comme
n soigne un blessé ; je la guérirai et ren-
rai à ses maisons la santé ; et je ferai
onnaître à ses habitants[f] la paix et la sé-
urité. 7 Je rétablirai le peuple de Juda et
 peuple d'Israël[g], et je les rétablirai dans
eur ancienne situation. 8 Je les déclarerai
urs de toutes les fautes qu'ils ont
ommises contre moi, et je leur par-
onnerai de s'être rebellés contre moi.
Alors j'aurai du plaisir à prononcer le
om de Jérusalem ; c'est elle qui me fera
onneur et qui sera ma parure devant
outes les nations de la terre. Quand elles
pprendront tout le bien que je vais lui
ire, elles trembleront de crainte et se-
ont troublées devant tant de bonheur et
e prospérité. »

*

10 Voici ce que déclare le Seigneur[h] :
Vous, les gens de Juda, vous répétez que
otre pays est dévasté, et qu'on n'y trouve
lus ni homme ni bête. C'est vrai, les vil-
s de Juda et les rues de Jérusalem sont
ésertes aujourd'hui, sans âme qui vive,
i homme ni bête. Eh bien, dans ce
ays-là on entendra de nouveau 11 des
ruits de fête et des cris de joie. On en-
ndra de nouveau les chansons des jeu-
es mariés ; on entendra de nouveau des
ens chanter ce cantique :
Louez le Seigneur de l'univers
car il est bon,
et son amour n'a pas de fin.
n entendra de nouveau le chant de ceux
ui apportent leur sacrifice au temple. En
fet, je rétablirai ce pays[i] », déclare le Seineur.

*

12 Voici ce que le Seigneur de l'univers
éclare encore : « Dans ce pays dévasté,
où l'on ne trouve ni homme ni bête, et
dans toutes ses villes il y aura de nouveau
de la place pour les *bergers qui surveillent leurs chèvres et leurs moutons
pendant la nuit. 13 Dans les villes du
Haut-Pays, dans celles du *Bas-Pays et
celles du Néguev[j], dans le territoire de
Benjamin, le district de Jérusalem et les
villes de Juda, les chèvres et les moutons
passeront de nouveau sous la main du
berger qui les compte », déclare le Seigneur.

Dieu ne reprendra pas ce qu'il a promis

14 « Bientôt, déclare le Seigneur, je réaliserai les promesses que j'ai faites au
peuple d'Israël et au peuple de Juda.
15 Quand ce moment sera venu, je ferai
naître un vrai descendant de David. Il
agira dans le pays selon le droit et l'ordre
que je veux. 16 Alors le royaume de Juda
sera libéré, et les gens de Jérusalem vivront enfin tranquilles. Et voici comment on appellera Jérusalem : "Le Seigneur est notre salut[k]." »

*

17 Voici ce que déclare le Seigneur :
« Le roi David[l] ne manquera jamais d'un
descendant qui règne sur Israël. 18 De
même pour les prêtres qui descendent de

---

e **33.4-5** *S'opposer aux travaux... remplir la ville* : le texte hébreu correspondant est peu clair et la traduction incertaine.

f **33.6** Après *ses habitants* l'hébreu intercale un terme inconnu, et qu'on ne rencontre nulle part ailleurs ; les versions anciennes le traduisent de façons très diverses. Il ne semble pas déterminant pour la compréhension de la phrase.

g **33.7** *Je rétablirai* : voir 29.14 et la note.

h **33.10** Comme souvent dans les livres prophétiques, le texte glisse insensiblement du message que Dieu confie au prophète au message que celui-ci doit transmettre à ses auditeurs.

i **33.11** *Louez le Seigneur...* : voir Ps 106.1 et la note. – *je rétablirai* : voir 29.14 et la note.

j **33.13** *Haut-Pays, Néguev* : voir 32.44 et la note.

k **33.16** V. 14-16 : comparer 23.5-6.

l **33.17** A l'époque de Jérémie le roi *David* était mort depuis presque quatre siècles. Sur la promesse évoquée ici voir 2 Sam 7.12-16 ; 1 Rois 2.4 ; 1 Chron 17.11-14.

Lévi[m] : il y en aura toujours pour se tenir
devant moi et présenter les *sacrifices
complets, faire monter vers moi la fumée
des offrandes et offrir les sacrifices de
communion. »

*

19 Jérémie reçut cette parole du Seigneur : 20 « C'est moi le Seigneur qui le
déclare : Pouvez-vous rompre l'obligation que j'ai imposée au jour et à la nuit,
et les empêcher ainsi de se succéder normalement ? – Non. 21 Eh bien, l'engagement que j'ai pris envers mon serviteur
David ne peut pas davantage être
rompu. Personne ne pourra empêcher
qu'il y ait toujours à Jérusalem un de ses
descendants comme roi, ni que les descendants de Lévi continuent de me servir comme prêtres. 22 Je multiplierai les
descendants de mon serviteur David et
les descendants de Lévi qui me servent
comme prêtres ; ils seront aussi nombreux que les étoiles qu'on ne peut
compter dans le ciel, ou que les grains
de sable innombrables au bord de la
mer. »

*

23 Jérémie reçut cette parole du Seigneur : 24 « N'as-tu pas remarqué ce que
les gens disent ? Ils prétendent que j'ai
rejeté *Israël et Juda, les deux familles
que j'avais choisies ! Ceux qui parlent
ainsi ne considèrent plus mon peuple
comme une nation ; ils le méprisent.
25 Mais voici ce que je déclare : J'ai fait un
pacte avec le jour et la nuit ; j'ai imposé
mes lois au ciel et à la terre. 26 Alors
peut-on croire que je rejette les descendants de Jacob et ceux de mon serviteur
David ? Ou que je renonce à prendr
parmi eux les chefs qui gouverneront l
race d'Abraham, d'Isaac et de Jacob ?
« Mais non ! Je suis plein d'amour pou
eux et je vais les rétablir[n]. »

Un message pour Sédécias

34 1 Nabucodonosor, roi de *Baby
lone, était en guerre contre Jérusa
lem et les autres villes de Juda[o]. Il avai
avec lui toute son armée, et les soldats d
tous les royaumes de la terre, de tous le
peuples qui lui étaient soumis. Jérémi
reçut alors du Seigneur cette parole
2 « Voici ce que je déclare, moi le Sei
gneur, Dieu d'Israël : Va trouver Sédé
cias, roi de Juda, et dis-lui : Voici ce qu
déclare le Seigneur : Je vais livrer cett
ville au roi de Babylone pour qu'il la dé
truise par le feu. 3 Et toi, tu ne pourras pa
lui échapper, tu seras capturé, tu lui sera
livré. Tu devras comparaître devant lu
face à face et lui répondre personnelle
ment, avant de partir à Babylone.
4 « Pourtant, Sédécias, roi de Juda, s
tu obéis à ce que je te dis, tu éviteras l
mort violente. C'est moi, le Seigneu
qui te le déclare. 5 Au contraire, tu aura
une mort paisible. Et à tes obsèques o
fera pour toi comme pour tes ancêtre
les rois qui t'ont précédé : on brûler
pour toi des plantes parfumées, et o
chantera en ton honneur cette lamenta
tion funèbre : “Quel malheur ! le roi es
mort !” C'est moi, le Seigneur, qui te l'af
firme. »
6 Tel fut le message que le prophète Jé
rémie transmit au roi Sédécias de Juda
cela se passait à Jérusalem. 7 Pendant c
temps, l'armée du roi de Babylone atta
quait Jérusalem et les seules autres ville
fortifiées de Juda qui résistaient encor
Lakich et Azéca.

Les esclaves libérés, puis repris par leurs maîtres

8 Jérémie reçut du Seigneur une parol
dans les circonstances que voici : le r
Sédécias avait conclu un accord solenn
avec la population de Jérusalem, pou
proclamer que les esclaves étaient libéré
9 Chacun devait renvoyer libres ses e
claves hébreux[p], hommes ou femme

m **33.18** *Lévi* : troisième fils de Jacob (Gen 29.34) et ancêtre d'Aaron (Ex 4.14). Ce dernier est lui-même l'ancêtre des prêtres israélites d'après Nomb 18.7. Sur les autres descendants de Lévi et leurs fonctions, voir Nomb 3.5-10.

n **33.26** *les rétablir* : voir 29.14 et la note.

o **34.1** Voir 2 Rois 25.1-11 ; 2 Chron 36.17-21 ; comparer Jér 21.2.

p **34.9** *ses esclaves hébreux* : il s'agit probablement des judéens qui avaient dû se vendre eux-mêmes comme esclaves pour payer leurs dettes (voir v. 14).

personne ne devait plus faire travailler un Judéen, un frère, comme esclave. 10 Toutes les autorités et la population de Jérusalem avaient participé à cet accord solennel, et avaient accepté de ne plus faire travailler les hommes et les femmes qu'ils avaient eus comme esclaves mais de les renvoyer libres. Chacun avait obéi à cet accord et avait laissé partir ses esclaves. 11 Mais ensuite ils changèrent d'avis, ils reprirent les hommes et les femmes qu'ils avaient libérés et les forcèrent à redevenir esclaves.

12 Alors Jérémie reçut cette parole du Seigneur : 13 « Voici ce que déclare le Seigneur, Dieu d'Israël : Moi aussi, j'avais conclu un accord ; c'était avec vos ancêtres, quand je les ai fait sortir d'Égypte où ils étaient esclaves. 14 Après une période de sept ans, leur avais-je dit alors, chacun de vous devra laisser partir le frère hébreu qui a dû se vendre à lui comme esclave et qui l'aura servi pendant six ans. Vous devrez le laisser partir libre[q]. Mais vos ancêtres ne m'ont pas écouté, ils n'ont pas fait attention à ce que je disais. 15 Vous au contraire, vous veniez de prendre l'attitude inverse, et je trouvais que chacun de vous avait bien fait en proclamant que son prochain était libéré. Vous aviez même conclu un accord solennel devant moi, dans ce temple qui m'est consacré. 16 Seulement vous avez changé d'avis et vous m'avez ainsi traité avec mépris : après avoir laissé vos esclaves, hommes et femmes, libres d'aller où ils voulaient, chacun de vous, en effet, les a repris et les a forcés à redevenir esclaves. »

17 Jérémie ajouta : « Voici donc ce que déclare le Seigneur : Chacun de vous devait proclamer la libération de son esclave, qui est son frère, son prochain ; mais vous ne m'avez pas obéi. C'est pourquoi moi, le Seigneur, je proclame que je vais libérer contre vous la guerre, la peste et la famine, de sorte que tous les royaumes du monde soient épouvantés en vous voyant.

18-19 « Les autorités de Juda et de Jérusalem, les hauts fonctionnaires, les prêtres et tous les hommes libres avaient conclu un accord solennel avec moi, en partageant le veau du sacrifice et en passant entre les deux moitiés de l'animal[r]. Mais ces gens ont violé l'accord qu'ils avaient conclu devant moi, ils n'ont pas tenu leurs promesses. Je les traiterai donc comme le veau qu'ils ont partagé. 20 Je les livrerai à ceux qui désirent leur mort ; et leurs cadavres serviront de nourriture aux vautours et aux chacals. 21 De même je livrerai le roi Sédécias de Juda et ses ministres à ceux qui désirent leur mort ; je les livrerai à l'armée du roi de Babylone. Car, même si cette armée se retire actuellement[s] loin de vous, 22 j'ordonnerai qu'elle revienne contre cette ville et qu'elle l'attaque, qu'elle la prenne et la détruise par le feu. Et je ferai des villes de Juda un désert sinistre », déclare le Seigneur.

Jérémie et le clan des Rékabites

35 1 A l'époque de Joaquim, fils de Josias et roi de Juda[t], Jérémie reçut du Seigneur cette parole : 2 « Va trouver le clan des Rékabites[u] et persuade ces gens de venir dans l'une des salles annexes du temple. Et là tu leur offriras à boire du vin. »

3 Jérémie alla donc chercher Yazania, fils d'Irméya et petit-fils de Habassinia, avec les frères et les fils de Yazania, bref tout le clan des Rékabites. 4 Il les fit entrer au temple, dans la salle attribuée aux disciples de Hanan, un saint homme, fils d'Igdalia. Cette salle était proche de celle des chefs et située au-dessus de celle de Maasséya, fils de Challoum, le prêtre chargé de surveiller l'entrée du Temple. 5 Jérémie plaça devant les membres du clan des Rékabites des cruches remplies de vin et des gobelets. Puis il leur dit : « Prenez donc un peu de vin. »

---

q **34.14** Voir Ex 21.2-3 ; Deut 15.12-15.

r **34.18-19** Sur ce genre de sacrifice destiné à sceller une alliance, voir Gen 15.9-18 et la note.

s **34.21** Sur la retraite momentanée de l'armée babylonienne, voir 37.5-11.

t **35.1** Voir 22.13 et la note.

u **35.2** Les *Rékabites* : voir 2 Rois 10.15-16 ; 1 Chron 2.55.

6 Mais ils répondirent : « Nous ne buvons pas de vin, car notre ancêtre Yonadab, fils de Rékab, nous a ordonné ceci :

“Vous ne boirez jamais de vin,
ni vous, ni vos enfants.
7 Vous ne construirez pas de maisons,
vous ne cultiverez pas la terre,
vous ne planterez pas de vigne
et vous n’en posséderez pas.
Mais vous logerez sous des tentes
durant toute votre vie ;
c’est ainsi que vous pourrez
vivre longtemps dans ce pays
qui n’est pas votre patrie[v].”

8 « Nous avons donc obéi à tout ce que notre ancêtre Yonadab nous avait ordonné. Ainsi nous ne buvons jamais de vin, ni nos femmes, ni nos fils ni nos filles. 9 Nous ne construisons pas de maisons pour y loger, nous ne possédons ni vigne ni champ cultivé, 10 mais nous logeons sous des tentes. Ainsi nous respectons tous les ordres que nous avons reçus de notre ancêtre Yonadab. 11 Mais quand Nabucodonosor, roi de Babylone, a envahi le pays, nous avons décidé d’entrer à Jérusalem pour échapper aux armées babylonienne et syrienne. En ce moment, nous sommes donc installés à Jérusalem. »

12 Le Seigneur dit alors à Jérémie : 13 « Adresse-toi maintenant aux gens de Juda et aux habitants de Jérusalem, et dis-leur : Voici ce que déclare le Seigneur de l’univers, Dieu d’Israël : Ne devriez-vous pas accepter mes avertissements en écoutant ce que je vous dis ? déclare le Seigneur. 14 Yonadab, fils de Rékab, avait ordonné à ses enfants de ne pas boire de vin ; les Rékabites ont pris au sérieux ses paroles : ils se sont abstenus de vin jusqu’à aujourd’hui, car ils ont obéi à l’ordre de leur ancêtre. Or moi, le Seigneur, je n’ai pas cessé de vous averti
mais vous ne m’avez pas écouté. 15 Je n’a
pas cessé de vous envoyer, l’un après l’au
tre, mes serviteurs les *prophètes[w], pou
vous dire : “Que chacun de vous renonc
à sa mauvaise manière de vivre ; agisse
enfin comme il convient ; cessez de vou
attacher à des dieux étrangers pour leu
rendre un culte. Alors vous pourrez habi
ter la patrie que je vous ai donnée, à vo
ancêtres et à vous-mêmes.” Seulemen
vous n’avez pas fait attention, vous n
m’avez pas écouté. 16 Les Rékabites, eux
ont suivi l’ordre qu’ils avaient reçu d
leur ancêtre Yonadab ; mais vous, le
gens de Juda, vous ne m’avez pa
écouté. »

17 Jérémie ajouta : « C’est pourquoi
voici ce que le Seigneur, Dieu de l’uni
vers et Dieu d’Israël, déclare : Je vai
faire venir sur vous, peuple de Juda e
habitants de Jérusalem, tous les mal
heurs que je vous ai prédits. Car je vou
ai parlé, mais vous n’avez pas écouté ; j
vous ai appelés, mais vous n’avez pas ré
pondu. »

18 Puis Jérémie dit au clan des Réka
bites : « Voici ce que déclare le Seigneu
de l’univers, Dieu d’Israël : Vous ave
obéi à l’ordre que vous avez reçu de votr
ancêtre Yonadab, vous avez fidèlemen
exécuté tout ce qu’il vous avait re
commandé ; 19 c’est pourquoi dans la fa
mille de Yonadab, fils de Rékab, il y aur
toujours quelqu’un qui aura le privilèg
de se tenir en ma présence.

« Voilà ce que déclare le Seigneur d
l’univers, Dieu d’Israël. »

Joaquim brûle le rouleau écrit par Baruc

36 1 La quatrième année du règne d
Joaquim, fils de Josias et roi de Ju
da[x], Jérémie reçut du Seigneur cette pa
role : 2 « Procure-toi un rouleau de cuir[y]
Tu y inscriras tous les messages que je t’a
déjà communiqués au sujet du royaum
*d’Israël, du royaume de Juda et des na
tions étrangères, depuis l’époque de Jo
sias, quand j’ai commencé à te parle
jusqu’à aujourd’hui. 3 Peut-être les gen
de Juda comprendront-ils enfin que j’a
l’intention de leur envoyer le malheur, e

---

v **35.7** Ou *dans ce pays où vous séjournez* (en étrangers).

w **35.15** Voir 7.25 et la note.

x **36.1** *quatrième année du règne de Joaquim* : voir 22.13 ; 25.1 et les notes.

y **36.2** Plusieurs morceaux de cuir cousus bout à bout formaient une longue bande sur laquelle on écrivait en colonnes et qu’on enroulait autour d’un bâton.

enonceront-ils chacun à leur mauvaise
anière de vivre ; alors je pardonnerai
urs fautes et leurs péchés. »
[4] Jérémie fit donc appel à Baruc, fils de
éria ; il lui dicta tous les messages qu'il
vait reçus du Seigneur, et Baruc les ins-
rivit sur un rouleau.
[5] Puis Jérémie donna cet ordre à Ba-
uc : « On m'interdit d'entrer au temple ;
ne puis donc y aller moi-même. [6] Mais
i, tu t'y rendras le jour du *jeûne, et tu
liras à haute voix les messages du Seineur que je t'ai dictés. Tu les feras enten-
re aux gens qui seront au temple, ainsi
u'à tous ceux qui seront venus des villes
e Juda. [7] Alors ils se mettront peut-être à
upplier le Seigneur de les épargner et ils
enonceront enfin à leur mauvaise ma-
ière de vivre. Car le Seigneur a bien dit
u'il était particulièrement indigné et fâ-
hé contre ce peuple. »
[8] Baruc suivit toutes les instructions
u'il avait reçues du prophète Jérémie. Il
rendit au temple pour y lire à haute
oix les messages du Seigneur inscrits sur
rouleau. [9] Cela se passait la cinquième
nnée du règne de Joaquim, fils de Josias
roi de Juda, au neuvième mois de cette
nnée[z]. On avait convoqué toute la popu-
ation de Jérusalem et tous les gens des
illes de Juda pour une cérémonie de
eûne en présence du Seigneur. [10] Au tem-
le, devant tous ceux qui étaient là, Baruc
ut donc à haute voix les messages de Jéré-
nie inscrits sur le rouleau. Il s'était placé
ans la salle attribuée à Guemaria, fils de
hafan, l'ancien secrétaire d'État. Cette
alle était située dans la cour supérieure
u temple, près de la porte Neuve.
[11] Quand Mika, fils de Guemaria et pe-
t-fils de Chafan, eut entendu tous les
essages du Seigneur que Baruc avait lus
ur le rouleau, [12] il descendit au palais
oyal jusqu'au bureau du secrétaire. Tous
s ministres y étaient en séance ; il y
vait là le secrétaire d'État Élichama, De-
aya, fils de Chemaya, Elnatan, fils d'Ak-
or, Guemaria, fils de Chafan, Sidequia,
ls de Hanania, et tous les autres mi-
istres. [13] Mika leur raconta tout ce qu'il
vait entendu quand Baruc avait lu à
aute voix devant tout le monde les mes-
ages inscrits sur le rouleau.
[14] Alors les ministres envoyèrent Yehoudi, fils de Netania, petit-fils de Chélémia et arrière-petit-fils de Kouchi, pour
dire à Baruc de venir avec le rouleau qu'il
avait lu en public. Baruc prit donc le rouleau et vint les rejoindre. [15] Ils lui dirent :
« Assieds-toi et lis-nous ce rouleau. »
Baruc leur en fit donc la lecture. [16] Quand
les ministres eurent tout entendu, ils se
regardèrent les uns et les autres avec
frayeur et dirent à Baruc : « Il faut que
nous racontions tout cela au roi. »
[17] Puis ils demandèrent à Baruc :
« Veux-tu nous expliquer comment tu as
écrit tout cela[a] ? » [18] Baruc leur répondit :
« C'est Jérémie qui m'a dicté tous ces
messages, et moi, au fur et à mesure, je les
notais à l'encre sur le rouleau. »
[19] Les ministres dirent alors à Baruc :
« Allez vous cacher tous les deux, Jérémie
et toi ; et que personne ne sache où vous
êtes ! »
[20] Puis ils laissèrent le rouleau dans le
bureau d'Élichama, le secrétaire d'État et
se rendirent dans la cour du palais pour
raconter au roi tout ce qui venait d'arriver.
[21] Alors le roi envoya Yehoudi chercher
le rouleau dans le bureau d'Élichama. Yehoudi le rapporta et se mit à le lire à
haute voix devant le roi et tous les ministres qui se tenaient près de lui.
[22] Comme on était au neuvième mois de
l'année, le roi occupait son logement
d'hiver et se tenait devant un brasero allumé. [23] Au fur et à mesure que Yehoudi
avait lu trois ou quatre colonnes, le roi les
découpait avec un canif et les jetait au
feu. Il continua ainsi jusqu'à ce que le
rouleau soit complètement consumé.
[24] Le roi et tous ses officiers avaient bien
compris les messages notés sur le rouleau, mais ils n'avaient montré ni crainte
ni signe de tristesse[b]. [25] Pourtant Elnatan,

---

z **36.9** A l'époque de Joaquim on comptait les mois de l'année à partir du printemps. Le *neuvième mois* correspond à nos mois de novembre ou décembre, période froide en Palestine (voir v. 22 ; voir aussi au Vocabulaire CALENDRIER).

a **36.17** L'hébreu ajoute *sous sa dictée*, mais ce complément ne figure pas dans l'ancienne version grecque.

b **36.24** *ni signe de tristesse* ou *et n'avaient pas *déchiré leurs vêtements*.

Delaya et Guemaria avaient insisté pour
que le roi ne brûle pas le rouleau, mais le
roi ne les avait pas écoutés. 26 Au
contraire même, il ordonna à l'officier de
police[c] Yeraméel, ainsi qu'à Seraya, fils
d'Azriel, et à Chélémia, fils d'Abdéel,
d'arrêter le secrétaire Baruc et le *prophète Jérémie. Mais le Seigneur mit Baruc et Jérémie à l'abri.
27 Après que le roi eut brûlé le rouleau
contenant tous les messages que Jérémie
avait dictés à Baruc, Jérémie reçut une
parole du Seigneur : 28 « Procure-toi un
autre rouleau et inscris-y à nouveau tous
les messages qui se trouvaient sur le premier rouleau, celui que Joaquim a brûlé.
29 Puis tu diras ceci au sujet de Joaquim,
roi de Juda :

"Voici ce que déclare le Seigneur : Jérémie a écrit que le roi de *Babylone viendrait sûrement détruire ce pays et en
exterminer hommes et bêtes. Mais Joaquim le lui a reproché et a brûlé le rouleau. 30 C'est pourquoi voici ce que
déclare le Seigneur : Joaquim n'aura aucun descendant qui règne après lui sur le
royaume de David. Son cadavre restera
exposé dehors à la chaleur du jour et au
froid de la nuit[d]. 31 J'interviendrai contre
lui, contre ses descendants et contre ses
officiers, et je leur ferai payer leurs fautes.
Je ferai venir sur eux, sur les habitants de
Jérusalem et sur la population de Juda
tous les malheurs que je leur ai annoncés
et qu'ils n'ont pas voulu prendre au sérieux." »
32 Jérémie se procura donc un autre
rouleau ; il le donna au secrétaire Baruc.
Celui-ci y inscrivit ce que lui dictait Jérémie : tous les messages qui figuraient sur
le livre brûlé par le roi Joaquim, et beaucoup d'autres du même genre.

Le roi Sédécias fait consulter Jérémie

37 1 Nabucodonosor, roi de Babylon
avait installé Sédécias, un fils d
Josias, comme roi dans le pays de Juda. Sé
décias avait donc remplacé Konia[e], fils d
Joaquim. 2 Mais ni lui, ni ses officiers, n
les citoyens de Juda n'écoutèrent les aver
tissements que le Seigneur leur adressai
par l'intermédiaire du prophète Jérémie.
3 Cependant le roi Sédécias envoy
Youkal, fils de Chélémia, et le prêtre Sefa
nia, fils de Maasséya, auprès du prophèt
Jérémie pour lui dire : « Nous venons t
demander de prier le Seigneur notr
Dieu pour nous tous. »
4 A cette époque, on n'avait pas encor
mis Jérémie en prison ; il pouvait donc al
ler et venir librement. 5 D'autre part, l'ar
mée du *Pharaon était sortie d'Égypte
Les Babyloniens, qui étaient en train d'as
siéger la ville de Jérusalem, avaient appri
cette nouvelle et s'étaient retirés à quelqu
distance de Jérusalem. 6 Alors le prophèt
Jérémie reçut cette parole du Seigneur
7 « Voici ce que déclare le Seigneur, Die
d'Israël : "Allez dire au roi de Juda, qu
vous a envoyés pour me consulter : l'ar
mée du Pharaon, qui était sortie pour vou
secourir, a fait demi-tour et rentre che
elle, en Égypte. 8 Les Babyloniens von
donc revenir attaquer cette ville, ils l
prendront et la détruiront par le feu
9 Moi, le Seigneur, je le déclare : ne vou
faites pas d'illusions en pensant que le
Babyloniens sont vraiment partis. Ils n
partiront pas ! 10 Supposez que vous puis
siez battre toute l'armée babylonienne qu
est en guerre contre vous, supposez qu'
n'en reste que des hommes blessés, e
bien, chacun d'eux se remettrait debou
dans sa tente, et ils viendraient tous dé
truire cette ville par le feu." »

Jérémie est mis en prison

11 Pendant que l'armée babylonienn
s'était retirée à distance de Jérusalen
pour éviter l'armée du *Pharaon, 12 Jéré
mie voulut sortir de la ville pour alle
dans le territoire de Benjamin et y pren
dre part, avec les gens de son village,
une répartition de terrains communaux

---

c **36.26** *officier de police* : autres traductions *fils du roi* ou *prince*. Voir 38.6 ; 1 Rois 22.26-27 ; 2 Chron 28.7.
d **36.30** *restera exposé dehors* : c'est-à-dire sans être solennellement enterré ; voir la note sur 8.2.
e **37.1** *Konia* : voir 22.24 et la note.
f **37.12** *une répartition des terrains communaux* : des passages comme És 34.17 ; Ps 16.5-6 et surtout Mich 2.5 permettent de penser que cette répartition avait lieu périodiquement. Autre traduction *pour partager un héritage dans sa famille* ; voir 1.1.

Il passait par la porte de Benjamin[g]
uand il tomba sur le chef des gardes,
ommé Iria, fils de Chélémia et petit-fils
e Hanania. Iria retint le prophète et lui
it : « Tu es en train de passer aux Babylo-
iens ! » – 14 « Ce n'est pas vrai, répondit
érémie ; je ne passe pas du tout aux Ba-
yloniens. »
Mais Iria n'admit pas ces explications,
l'arrêta et le conduisit à ses chefs ;
ceux-ci se mirent en colère contre Jéré-
nie et le frappèrent ; puis ils l'enfermè-
ent dans la maison du secrétaire d'État
onatan, dont on avait fait une prison.
Jérémie fut mis dans un cachot voûté.
Il y était depuis longtemps, 17 quand le
oi Sédécias envoya quelqu'un le cher-
her, pour pouvoir l'interroger en secret
ans son palais. « As-tu un message du
eigneur pour moi ? lui demanda-t-il. » –
Oui, répondit Jérémie ; le voici : "Tu se-
as livré au roi de Babylone." » 18 Puis Jé-
émie demanda au roi Sédécias : « Quelle
aute ai-je commise contre toi, ou contre
es officiers, ou contre la population de
ette ville pour que vous m'ayez fait met-
re en prison ? 19 Et que sont devenus vos
prophètes, qui vous prédisaient que le
oi de Babylone ne viendrait pas s'atta-
uer à vous ni à ce pays ? »
20 Enfin Jérémie ajouta : « Et mainte-
ant, Monseigneur le Roi, je te prie
'écouter la supplication que je te pré-
ente : Ne me renvoie pas chez le secré-
aire d'État Yonatan, sinon j'y mourrai. »
21 Alors le roi Sédécias ordonna qu'on
nette Jérémie dans la cour de garde et
u'on lui donne chaque jour un pain
ond de la rue des Boulangers, tant qu'il y
urait du pain dans la ville. C'est ainsi
ue Jérémie resta dans la cour de garde.

Jérémie est jeté dans une citerne

38 1 Chefatia, fils de Mattan, ainsi
que Guedalia, fils de Pachehour,
oukal, fils de Chélémia, et Pachehour,
ils de Malkia, apprirent que Jérémie di-
ait à tous ceux qui passaient par là :
« Voici ce que déclare le Seigneur : "Qui-
onque restera dans cette ville mourra
es suites de la guerre, de la famine ou de
a peste. Mais quiconque sortira pour se
rendre aux Babyloniens y gagnera la vie
sauve[h]." »
3 Jérémie disait aussi : « Voici ce que le
Seigneur déclare : il est décidé à livrer
cette ville à l'armée du roi de *Babylone,
et celui-ci s'en emparera. »
4 Après l'avoir entendu, ces officiers
dirent au roi Sédécias : « Nous récla-
mons la peine de mort contre ce Jérémie, car ce qu'il dit démoralise
complètement les soldats et la population qui restent dans la ville. Au lieu de
chercher à améliorer la situation du
peuple, cet individu cherche plutôt à
l'aggraver. »
5 Alors le roi Sédécias leur répondit :
« Eh bien, faites de lui ce que vous voudrez, car j'ai beau être le roi, je n'ai pas le
pouvoir de vous en empêcher. »
6 Ces quatre officiers firent donc prendre Jérémie pour le mettre dans la citerne
de Malkia, l'officier de police[i] ; celle-ci
était située dans la cour de garde. On y
descendit Jérémie au moyen de cordes. Il
n'y avait pas d'eau dans cette citerne,
mais seulement de la vase, dans laquelle
Jérémie s'enfonça.
7 Or un Éthiopien, nommé Ébed-Mélek, qui était homme de confiance au palais royal, apprit qu'on avait mis
Jérémie dans la citerne. Comme le roi se
tenait à la porte de Benjamin[j], 8 Ébed-
Mélek sortit du palais royal et vint lui
parler. Il lui dit : 9 « Majesté, ces hommes ont commis une mauvaise action en
traitant ainsi le *prophète Jérémie ; ils
l'ont jeté dans une citerne ! Il y mourra
de faim, car il n'y a plus de pain dans la
ville. »
10 Alors le roi donna cet ordre à Ébed-
Mélek, l'Éthiopien : « Emmène avec toi
trente hommes d'ici, et fais sortir Jérémie
de la citerne avant qu'il meure. »
11 Ébed-Mélek emmena donc les trente
hommes et se rendit au palais royal, dans
la chambre aux réserves ; il y prit de

---

g 37.13 *la porte de Benjamin* : une des sorties nord de Jérusalem.
h 38.2 Voir 21.9.
i 38.6 *officier de police* : voir 36.26 et la note.
j 38.7 *homme de confiance* : autre traduction **eunuque*. – *porte de Benjamin* : voir 37.13 et la note.

arrivé. 4 Eh bien, je détache aujourd'hui
les chaînes qui tenaient tes mains. Si tu
as envie de venir avec moi à Babylone,
viens, je veillerai sur toi. Mais si tu n'en
as pas envie, ne viens pas. Considère que
tu peux aller partout dans le pays, et va
où tu jugeras bon d'aller. »
5 Mais comme Jérémie ne partait pas[s],
Nebouzaradan ajouta : « Tu peux retourner auprès de Guedalia, fils d'Ahicam et
petit-fils de Chafan. Le roi de Babylone
l'a chargé en effet de gouverner les villes
de Juda. Installe-toi avec lui au milieu de
la population ; ou bien va partout où tu
jugeras bon d'aller. »
Le chef des gardes donna à Jérémie des
vivres pour le voyage et lui fit un cadeau,
puis il le laissa partir. 6 Finalement Jérémie se rendit à Mispa, auprès de Guedalia, et s'installa avec lui au milieu de la
population restée dans le pays.

Les Judéens se regroupent autour de Guedalia

(Voir 2 Rois 25.23-24)

7 Or, dans la campagne, il y avait encore des bandes armées. Les chefs de ces
bandes et leurs hommes apprirent que le
roi de Babylone avait chargé Guedalia,
fils d'Ahicam, de gouverner le pays et lui
avait confié les pauvres, hommes, femmes et enfants qui n'avaient pas été déportés à Babylone. 8 Ces chefs de bandes,
avec leurs hommes, vinrent donc rejoindre Guedalia à Mispa ; c'étaient Ismaël, fils de Netania, Yohanan et
Yonatan, tous deux fils de Caréa, Seraya,
fils de Tanehoumeth, les fils d'Éfaï de
Netofa et Yazania de Maaka. 9 Guedalia
leur dit à tous : « N'ayez pas peur d'accepter l'autorité des Babyloniens ; installez-
vous dans le pays et soyez soumis au roi
de Babylone. Je vous promets solennellement que vous y trouverez votre avantage. 10 Moi, je siège ici, à Mispa, pour
vous représenter devant les Babyloniens
qui viennent chez nous. Mais vous, faites
la récolte de vin, de fruits et d'huile, mettez-la en réserve et installez-vous dans les
villes que vous devez réoccuper. »

11 De même les Judéens qui se trou
vaient chez les Moabites, les Ammonites
les Édomites ou dans quelque autre pay
apprirent tous que le roi de Babylon
avait laissé une partie de la population a
royaume de Juda et qu'il les avait confié
à Guedalia. 12 Alors tous ces Judéens re
vinrent des divers lieux où ils avaient ét
chassés, et ils arrivèrent auprès de Gue
dalia, à Mispa, dans le pays de Juda. Il
récoltèrent une grande quantité de vin e
de fruits.

L'assassinat de Guedalia

(Voir 2 Rois 25.25-26)

13 Un jour, Yohanan, fils de Caréa, et le
autres chefs de bandes qui se trouvaien
encore dans la campagne vinrent trouve
Guedalia à Mispa. 14 Ils lui demandèrent
« Sais-tu bien que Baalis, le roi des Am
monites, a chargé Ismaël, fils de Netania
de t'assassiner ? »
Mais Guedalia ne voulut pas les croire
15 Pourtant Yohanan était venu trouve
Guedalia en cachette, à Mispa, et lui avai
dit : « Veux-tu que j'aille supprimer Is
maël ? Personne n'en saura rien. Pour
quoi te laisser assassiner ? S'il te tue, le
Judéens qui se sont rassemblés autour d
toi seront à nouveau dispersés, et ce qu
reste encore du royaume de Juda dispa
raîtra. »
16 Mais Guedalia avait répondu à Yoha
nan : « Non, tu te trompes au sujet d'Is
maël ; ne fais donc pas une chos
pareille. »

41 1 Or, au septième mois de l'anné
Ismaël, fils de Netania et petit
fils d'Élichama, vint à Mispa auprès d
Guedalia. Ismaël était de famille royal
et avait fait partie de la cour du roi.
avait dix hommes avec lui. Pendan
qu'ils étaient à table chez Guedalia, 2 Is
maël se leva en même temps que les di
hommes qui l'accompagnaient, ils frap
pèrent Guedalia à coups d'épée et le tuè
rent, lui que le roi de Babylone avai
chargé de gouverner le pays. 3 Puis Is
maël assassina aussi tous les Judéens qu
se trouvaient à Mispa avec Guedali
ainsi que les soldats babyloniens qu
étaient là.

s 40.5 Le texte hébreu du début du v. 5 est peu clair et la traduction incertaine.

Ismaël assassine quatre-vingts pèlerins

4 Deux jours après l'assassinat de Gue-
lia, personne n'était encore au courant
ce meurtre. 5 C'est alors qu'arrivèrent
Sichem, de Silo et de Samarie quatre-
ngts hommes. Ils avaient la barbe rasée,
s vêtements déchirés et le corps couvert
entailles[t]. Ils portaient des offrandes de
é et *d'encens pour aller les offrir à
ieu dans le temple de Jérusalem. 6 Is-
aël sortit de Mispa et marcha à leur
ncontre en pleurant. Quand il fut ar-
vé jusqu'à eux, il leur dit : « Venez donc
ez Guedalia. »

7 Mais dès qu'ils furent parvenus à l'in-
rieur de la ville, Ismaël et ses hommes
s massacrèrent et jetèrent les corps dans
ne citerne. 8 Une dizaine d'entre eux cendant avaient dit à Ismaël : « Ne nous
e pas, car nous avons des provisions ca-
ées dans la campagne, du blé, de l'orge,
l'huile et du miel. »
Ismaël renonça donc à les tuer comme
urs compagnons. 9 La citerne dans la-
elle Ismaël avait fait jeter les cadavres
ces hommes assassinés était la grande
terne que le roi Asa avait ordonné de
euser quand il était en guerre contre le
i d'Israël Bacha[u]. Ismaël la remplit de
davres.

10 Après cela il emmena prisonniers
us ceux qui restaient à Mispa, ainsi que
s filles du roi, bref tous ceux que Ne-
uzaradan, le chef des gardes, avait
nfiés à Guedalia. Puis Ismaël partit
ec ses prisonniers pour passer chez les
mmonites.

Les prisonniers d'Ismaël sont délivrés

11 Yohanan, fils de Caréa, et les chefs de
ndes qui étaient avec lui apprirent tout
mal qu'Ismaël avait fait. 12 Ils emme-
èrent leurs hommes pour aller attaquer
maël. Ils rattrapèrent celui-ci au grand
ang de Gabaon. 13 Quand les prisonniers
Ismaël aperçurent Yohanan et les chefs
bandes qui l'accompagnaient, ils se ré-
uirent. 14 Alors tous les gens qu'Ismaël
ait emmenés de Mispa firent demi-tour
rejoignirent Yohanan. 15 Mais Ismaël
s'enfuit avec huit hommes devant Yohanan et se rendit chez les Ammonites.

16 Après cela Yohanan et les chefs de
bandes qui l'accompagnaient prirent
avec eux les survivants qu'Ismaël avait
emmenés de Mispa après l'assassinat de
Guedalia : les hommes – c'est-à-dire les
soldats –, les femmes, les enfants, les *eunuques, bref, tous ceux qu'ils avaient ramenés de Gabaon. 17 Ils allèrent faire
halte à l'auberge de Kimeham, près de
Bethléem. Ils avaient l'intention d'aller
jusqu'en Égypte, 18 car ils avaient peur
des Babyloniens, depuis qu'Ismaël avait
assassiné Guedalia, celui que le roi de Babylone avait chargé de gouverner le pays.

Les rescapés consultent Jérémie

42 1 Alors tous les chefs de bandes armées, en particulier Yohanan, fils
de Caréa, et Yezania[v] fils de Hochaya, et
tous les gens qui étaient là se présentèrent au grand complet 2 devant le *prophète Jérémie.

« Accueille favorablement notre demande, lui dirent-ils : prie le Seigneur
ton Dieu pour tous les rescapés que nous
sommes, car nous restons bien peu nombreux, comme tu peux le voir. 3 Demande
au Seigneur ton Dieu qu'il nous fasse
connaître où nous devons aller et ce que
nous avons à faire. »

4 Le prophète Jérémie leur dit : « C'est
entendu ! Je vais prier le Seigneur notre
Dieu comme vous me le demandez ; puis
je vous ferai connaître la réponse du Seigneur ; je ne vous en cacherai rien. »

5 Ils répondirent à Jérémie : « Nous
nous engageons à faire exactement ce que
le Seigneur ton Dieu t'aura chargé de
nous dire. Qu'il soit le témoin incontesté
de notre serment ! 6 Nous t'avons chargé

t **41.5** On se faisait des *entailles* soit comme marque de deuil (48.37) soit pour provoquer la pitié d'une divinité (1 Rois 18.28). *barbe rasée* et *vêtements déchirés* étaient aussi des marques de deuil ou de tristesse (Job 1.20 ; Esd 9.3).

u **41.9** *la grande citerne* : d'après l'ancienne version grecque ; hébreu *aux côtés de Guedalia*. – *Asa, Bacha* : voir 1 Rois 15.9-24.

v **42.1** Il est possible que le texte ait comporté, à l'origine, *Yezania fils de Hanania et Azaria fils de Hochaya*.

de consulter le Seigneur notre Dieu. Nous
obéirons donc à ce qu'il nous comman-
dera, que cela nous plaise ou non. Ainsi
tout ira bien pour nous puisque nous aurons obéi au Seigneur notre Dieu. »
7 Au bout d'une dizaine de jours, Jérémie reçut une parole du Seigneur. 8 Celui-ci convoqua Yohanan, fils de Caréa, et
les autres chefs de bandes qui l'accompagnaient, ainsi que tous les gens qui
étaient là, sans exception. 9 Puis il leur
dit : « Vous m'aviez chargé de présenter
votre demande au Seigneur, Dieu d'Israël ; voici ce qu'il déclare :

10 "Si vous revenez au pays,
je reconstruirai votre peuple
au lieu de le démolir ;
je vous replanterai[w]
au lieu de vous déraciner.
Je regretterai alors
de vous avoir envoyé le malheur.
11 Maintenant cessez d'avoir peur du roi
de *Babylone.
Moi, le Seigneur, je vous répète :
N'ayez pas peur de lui,
car je suis avec vous
pour vous sauver
et l'empêcher de vous nuire.
12 J'agirai en votre faveur,
il aura pitié de vous
et vous laissera
revenir dans votre patrie." »

13 Jérémie continua : « Supposons que
vous refusiez d'obéir aux ordres du Seigneur votre Dieu, et que vous déclariez :
Non, nous n'irons pas vivre dans ce pays,
14 nous irons plutôt en Égypte, pour ne
plus voir la guerre, ne plus entendre le
son de la corne d'alarme et ne plus souffrir de la faim ; c'est là-bas que nous irons
vivre ! 15 Alors, poursuivit Jérémie, vous,
les derniers représentants du royaume de
Juda, écoutez bien ce que le Seigneur annonce. Voici ce que déclare le Seigneur de
l'univers, Dieu d'Israël :

"Si vous décidez vraiment
de vous rendre en Égypte,
si vous allez vous y réfugier,
16 alors la guerre, qui vous fait si peur,
vous rejoindra là-bas, en Égypte ;
la faim, qui vous cause tant de soucis
vous poursuivra jusque-là,
et vous y mourrez.
17 Tous ceux qui auront décidé
d'aller se réfugier en Égypte
mourront par la guerre,
la famine ou la peste.
Aucun d'eux ne pourra échapper
au malheur que je ferai venir s
eux." »

18 Jérémie dit encore : « Voici ce que d
clare le Seigneur de l'univers, Dieu d'I
raël : "J'avais laissé déborder m
ardente indignation contre les habitan
de Jérusalem. Eh bien, de la même faç
je la laisserai déborder contre vous,
vous allez en Égypte. Alors on vous cite
comme exemple quand on voudra pr
noncer une malédiction, ou mentionn
quelque chose d'horrible, de maudit
de honteux ; et vous ne reverrez jama
plus ce pays." »
19 Jérémie ajouta : « C'est le Seigne
qui vous dit de ne pas aller en Égyp
vous les derniers représentants de Jud
Comprenez-le bien, je vous l'affirme s
lennellement aujourd'hui. 20 Quand vo
m'avez chargé de consulter le Seigne
votre Dieu, et que vous m'avez deman
de le prier pour vous, vous avez di
"Fais-nous connaître exactement tout
que le Seigneur notre Dieu dira, et no
le ferons." A ce moment-là, vous vo
êtes engagés à la légère[x]. 21 Aujourd'hu
en effet, je vous apporte la réponse c
Seigneur notre Dieu, mais vous n'éco
tez rien de ce qu'il m'a chargé de vous r
pondre. 22 Eh bien, sachez que vo
mourrez par la guerre, la famine ou
peste, là même où vous aurez désiré all
vous réfugier ! »

Jérémie est emmené de force en Égypte

43 1 Quand Jérémie eut fini de dire
tous ceux qui étaient là ce que
Seigneur leur Dieu l'avait chargé d'a

---

w **42.10** *démolir... replanterai* : voir 1.10 ; 24.6 ; 31.28 ; 45.4.

x **42.20** *Quand vous m'avez chargé... à la légère* : autre traduction *Vous commettez une erreur fatale, car vous m'avez chargé de consulter...*

oncer, c'est-à-dire tout ce qu'on vient de
:e, 2 Azaria, fils de Hochaya, Yohanan,
s de Caréa, et tous les autres eurent
udace de répondre à Jérémie : « Men-
ur ! le Seigneur notre Dieu ne t'a pas
argé de nous dissuader d'aller en
gypte pour nous y réfugier. 3 C'est plu-
t Baruc, fils de Néria, qui t'excite
ntre nous. Il voudrait bien, en effet,
ous voir livrés aux Babyloniens, pour
ie ceux-ci nous fassent mourir ou nous
portent à Babylone. »
4 Ainsi Yohanan, fils de Caréa, les au-
es chefs de bandes et les gens qui
aient avec eux refusèrent d'écouter ce
ie le Seigneur leur disait et de s'instal-
r au pays de Juda. 5 Alors Yohanan, et
s autres chefs de bandes emmenèrent
s derniers représentants de Juda, tous
ux qui avaient été d'abord chassés chez
s nations voisines et qui étaient ensuite
venus vivre au pays de Juda : 6 hommes,
mmes, enfants, les filles du roi, toutes
s personnes que Nebouzaradan, le chef
:s gardes, avait laissées avec Guedalia,
s d'Ahicam et petit-fils de Chafan. Ils
nmenèrent également le prophète Jéré-
ie et Baruc, fils de Néria. 7 Contraire-
ent aux ordres du Seigneur, ils se
ndirent en Égypte et arrivèrent à Tapa-
:s[y].

Jérémie annonce l'invasion de l'Égypte

8 A Tapanès, Jérémie reçut cette parole
ı Seigneur : 9 « Prends quelques grandes
erres et enterre-les dans le sol de la ter-
sse[z] qui se trouve à l'entrée du palais
lministratif de la ville. Fais cela en pré-
nce des hommes de Juda. 10 Puis tu
ur diras : "Voici ce que déclare le Sei-
ieur de l'univers, Dieu d'Israël : Je vais
ıvoyer chercher mon serviteur, le roi
abucodonosor de Babylone, et j'ins-
llerai son trône au-dessus des pierres
ii ont été enterrées ici. C'est à cet en-
:oit qu'il dressera sa tente royale.
Quand il arrivera, il écrasera l'Égypte.
: ce sera pour les uns la mort, pour
autres la déportation, pour d'autres
:xécution. 12 Il mettra le feu[a] aux tem-
es des dieux égyptiens ; il brûlera les
eux égyptiens eux-mêmes ou les emportera chez lui. Il pillera l'Égypte aussi
soigneusement qu'un *berger élimine
les poux de son vêtement. Puis il s'en ira
tranquillement. 13 A Héliopolis[b], il brisera aussi les colonnes de pierre et détruira par le feu les temples des dieux
égyptiens." »

Un message pour les Judéens réfugiés en Égypte

44 1 Jérémie reçut une parole de Dieu
pour tous les Judéens qui s'étaient
installés en Égypte dans les villes de Migdol, Tapanès, Memphis et dans la région
de Patros[c]. Jérémie leur dit donc :
2 « Voici ce que déclare le Seigneur de
l'univers, Dieu d'Israël : "Vous avez vu
tous les malheurs que j'ai fait venir sur
Jérusalem et sur les autres villes de Juda.
Elles sont aujourd'hui en ruine et
complètement dépeuplées. 3 C'est parce
que leurs habitants m'ont provoqué par
le mal qu'ils ont commis. En effet, ils
sont allés offrir leurs sacrifices et leur
culte à des dieux étrangers. Pourtant ils
n'avaient rien de commun avec ces
dieux-là, pas plus que vous-mêmes ou vos
ancêtres. 4 Et moi, je n'ai jamais cessé de
vous envoyer l'un après l'autre mes serviteurs, les *prophètes, pour vous faire
abandonner ces pratiques scandaleuses
que je déteste. 5 Mais vous n'avez pas
écouté, vous n'avez pas fait attention,
vous n'avez pas renoncé à vous mal
conduire, ni à offrir des sacrifices à des
dieux étrangers. 6 Alors j'ai laissé déborder ma colère et mon indignation ; elles
ont consumé les villes de Juda et les rues

---

y **43.7** *Tapanès* : voir 2.16 et la note. – Fuite en Égypte : voir 2 Rois 25.26.

z **43.9** *dans le sol de la terrasse* : le sens de l'expression hébraïque correspondante est incertain. Les versions anciennes ne proposent pas de sens satisfaisant.

a **43.12** *Il mettra le feu* : d'après les anciennes versions grecque, syriaque et latine ; hébreu *Je mettrai le feu*. Le Seigneur agit ici par l'intermédiaire du roi de Babylone.

b **43.13** *Héliopolis* ou *Beth-Chémech* : ville située au sud du delta du Nil.

c **44.1** *Migdol* : ville frontière à l'est du delta du Nil. – *Tapanès, Memphis* : voir 2.16 et la note ; 43.7. – *la région de Patros* : partie de la vallée du Nil située au sud de Memphis.

de Jérusalem ; il n'en reste plus que des
ruines, des ruines sinistres, comme on
peut le constater aujourd'hui." »
7 Jérémie continua : « Et maintenant,
voici ce que le Seigneur, Dieu de l'univers et Dieu d'Israël, déclare : "Pourquoi
vous faites-vous tant de mal à vous-mêmes ? Désirez-vous vraiment priver le
peuple de Juda de ses hommes, de ses
femmes, de sa jeunesse et de ses petits enfants ? Voulez-vous qu'il ne reste rien de
vous ? 8 Cherchez-vous à me provoquer
par vos actions, en offrant des sacrifices à
des dieux étrangers, dans ce pays
d'Égypte où vous êtes venus vous réfugier ? Voulez-vous vraiment vous faire
exterminer et devenir un exemple de malédiction et de honte pour toutes les nations du monde ? 9 Avez-vous oublié tout
le mal qui a été commis dans le pays de
Juda et les rues de Jérusalem par vos parents, par les rois de Juda, par les femmes
de Salomon[d], par vous-mêmes et par vos
femmes ? 10 Jusqu'à présent, personne
n'en a été accablé, personne n'a reconnu
mon autorité, personne n'a suivi l'enseignement et les commandements que je
vous avais donnés comme à vos ancêtres." »
11 Enfin Jérémie ajouta : « C'est pourquoi voici ce que déclare le Seigneur de
l'univers, Dieu d'Israël : "J'ai l'intention
de vous envoyer le malheur et de supprimer l'ensemble du peuple de Juda. 12 Je
prendrai les derniers représentants de
Juda qui ont décidé de venir se réfugier en
Égypte, et ils mourront tous. C'est dans ce
pays qu'ils tomberont morts ; ils seront
achevés par la guerre ou la famine, tous
sans exception ; oui, ils périront de cette
façon et on les citera en exemple pour prononcer une malédiction ou mentionner
une chose horrible, maudite ou honteuse.
13 J'interviendrai contre ceux qui se sont
installés en Égypte, comme je suis intervenu contre les gens de Jérusalem : par la
guerre, la famine ou la peste. 14 Parmi les
derniers représentants de Juda qui sont
venus se réfugier ici, en Égypte, aucun
pourra s'enfuir, aucun n'échappera, auc
ne reviendra au pays de Juda, où ils
sirent pourtant revenir s'installer un jou
aucun, sauf quelques rescapés[e]." »

Les sacrifices offerts à la Reine du ciel

15 Tous les hommes, qui savaient bi
que leurs femmes offraient des sacrifice
des dieux étrangers, et toutes les femm
qui formaient là une grande assembl
bref tous ceux qui s'étaient installés
Égypte, à Patros[f], répondirent à Jérém
16 « Tu prétends que tu nous parles de
part du Seigneur, mais nous refusons
t'écouter. 17 Nous ferons plutôt ce que no
avons promis : nous présenterons des
frandes de parfum et de vin à la déesse A
tarté, la Reine du ciel, comme nous l'avo
fait jusqu'ici, ainsi que nos parents, n
rois et nos ministres, dans les villes
Juda et les rues de Jérusalem. Alors no
avions suffisamment à manger, tout all
bien pour nous et nous ne connaissio
pas le malheur. 18 Mais depuis que no
avons cessé de présenter ces offrandes
parfum et de vin à la Reine du ciel, no
manquons de tout et nous sommes épuis
par la guerre et la famine. »
19 Et les femmes ajoutèrent : « Lorsq
nous offrons des sacrifices à la Reine
ciel, nos maris ne sont-ils pas d'acco
avec nous ? Ils savent bien que nous fa
sons pour elle des gâteaux qui la
présentent et que nous lui apportons d
offrandes de vin. »
20 Jérémie dit alors à tous ces ger
hommes et femmes, qui venaient de
répondre ainsi : 21 « Dans les villes
Juda et dans les rues de Jérusalem, vo
offriez déjà ces sacrifices, vous-mêm
vos parents, vos rois, vos ministres et v
concitoyens. N'est-ce pas vrai ? Croye
vous que le Seigneur ne l'ait pas rema
qué ou qu'il l'ait oublié ? 22 Non, le Se
gneur ne pouvait plus supporter v
agissements, vos pratiques scandaleuse
c'est pourquoi votre pays a été ruiné,
froyablement dévasté, vidé de ses hal
tants, et on le cite comme exemple po
prononcer une malédiction, tout
monde peut le constater. 23 Ce malhe

---

d **44.9** *les femmes de Salomon* : hébreu *ses femmes*. L'ancienne version grecque a lu *les ministres de Juda*.
e **44.14** Sur ces *quelques rescapés* voir v. 28.
f **44.15** *Patros* : voir v. 1 et la note.

ui vous frappe aujourd'hui vous est ar-
vé parce que vous avez offert des sacri-
ces à des dieux étrangers et que vous
ous êtes rendus coupables envers le Seineur: vous n'avez pas écouté ce qu'il
ous disait et vous n'avez pas suivi son en-
ignement, ses commandements et ses
vertissements. »
24 Jérémie dit encore à tous ces gens,
ommes et femmes: « Écoutez ce que dé-
lare le Seigneur vous tous, gens de Juda
ui êtes en Égypte. 25 Voici en effet ce que
éclare le Seigneur de l'univers, Dieu
'Israël: "Vous-mêmes et vos femmes
vez annoncé que de toute façon vous
endriez vos promesses à l'égard de la
eine du ciel, et que vous lui présenteriez
onc des offrandes de parfum et de vin;
vous l'avez fait. Eh bien, tenez ces en-
agements, faites ce que vous avez pro-
is! 26 Mais alors, vous tous, écoutez
ien ce que je vous annonce; c'est moi, le
eigneur, qui vous le dis; je le jure par
non grand nom: dans toute l'Égypte au-
un homme de Juda ne prononcera ja-
nais plus mon nom pour prêter serment
n disant: 'Par le Seigneur, le Dieu vi-
ant...' 27 Je m'appliquerai à vous envoyer
on pas du bonheur mais du malheur.
ous les gens de Juda qui sont en Égypte
ourront jusqu'au dernier par la guerre
u la famine. 28 Quelques-uns seulement
ourront échapper à la guerre et revenir
'Égypte au pays de Juda. Alors les survi-
ants de ces gens de Juda qui étaient ve-
us se réfugier en Égypte reconnaîtront
c'est ma parole ou si c'est la vôtre qui se
éalise. 29 J'interviendrai ici même contre
ous, déclare le Seigneur; je vais vous en
onner un signe. Ainsi vous reconnaîtrez
ue je réaliserai sûrement le malheur que
vous ai annoncé. Ce signe, le voici:
Je vais livrer le roi d'Égypte, le *Pha-
aon Hofra, à ceux qui veulent sa mort,
omme j'ai livré le roi Sédécias de Juda à
on mortel ennemi, Nabucodonosor, le
oi de *Babylone[g]. C'est moi, le Seigneur,
ui le déclare." »

Un message pour Baruc

45 1 Lorsque Baruc, fils de Néria, fixa
par écrit les messages que le pro-
hète Jérémie lui dictait, il y avait quatre
ans que Joaquim, fils de Josias, était roi
de Juda[h]. C'est alors que Jérémie dit à Baruc: 2 « Voici ce que le Seigneur, Dieu
d'Israël, déclare à ton sujet, Baruc. 3 Tu
dis: "Ah! que tout va mal pour moi!
J'avais déjà bien des soucis, et le Seigneur
y ajoute de nouveaux ennuis. Je suis fatigué de soupirer, et je ne trouve aucun répit!" 4 Eh bien, voici ce que le Seigneur
m'a chargé de déclarer:

"Je suis en train de démolir ce que
j'avais bâti
et de déraciner ce que j'avais planté;
je bouleverse le pays tout entier.
5 Et toi, tu oses réclamer un avantage
personnel?
Ne réclame rien,
car le malheur que je vais envoyer
atteindra tout ce qui vit,
déclare le Seigneur.
Pourtant je te ferai gagner ceci:
Tu auras la vie sauve
partout où tu voudras aller." »

46 1 Parole du Seigneur que le prophète Jérémie reçut concernant
les nations[i].

Défaite des Égyptiens à Karkémich

2 Au sujet de l'Égypte et de l'armée du
roi d'Égypte, le *Pharaon Néco. Celui-ci
se trouvait à Karkémich, au bord de l'Euphrate, lorsque le roi Nabucodonosor de
*Babylone lui infligea une défaite. C'était
la quatrième année du règne de Joaquim,
fils de Josias et roi de Juda[j].

3 Les officiers hurlent:
« Préparez les boucliers,

---

g **44.30** *comme... Sédécias*: voir 39.5-7; 52.8-11; 2 Rois 25.5-7.

h **45.1** *Jérémie lui dictait*: voir chap. 36. – *quatrième année du règne de Joaquim*: en 605 avant J.-C. Voir 22.13; 25.1 et les notes.

i **46.1** Le v. 1 constitue un titre pour les chap. 46–51.

j **46.2** Le début du v. 2 constitue un sous-titre pour les v. 2-28. – *Néco*: voir 2 Rois 23.29-35 et la note sur Jér 22.13. – *Karkémich*: ville du nord de la Mésopotamie, située près de la frontière actuelle de la Syrie et de la Turquie. – *la quatrième année du règne de Joaquim*: voir 22.13; 25.1 et les notes. – Sur *l'Égypte*: voir És 19.1 et la note.

Les parents en oublient leurs enfants,
ils se tiennent là, les bras ballants.
4 C'est que le jour de la dévastation
est venu pour tous les Philistins,
si bien qu'il ne reste personne
pour aider Tyr et Sidon.
Le Seigneur ravage tout
chez les Philistins,
ces survivants de l'île de Kaftor[w].
5 A Gaza, les têtes sont tondues,
c'est le deuil.
A Ascalon, c'est un silence de mort.
Vous, les survivants des géants,
jusqu'à quand vous entaillerez-vous le corps[x] ?
6 Vous dites : "Hélas, épée du Seigneur,
ne prendras-tu jamais du repos ?
Rentre dans ton fourreau,
reste tranquille, arrête."
7 – Mais comment prendrait-elle du repos ?
Le Seigneur lui a donné des ordres,
et lui a confié comme objectif
Ascalon et le bord de la mer. »

Moab

48 1 Au sujet de Moab. Voici ce que déclare le Seigneur de l'univers, le Dieu d'Israël :

« Quel malheur pour les gens de Nébo
leur ville est dévastée !
Consternation pour Quiriataïm[y] :
la voilà conquise !
Consternation pour cette citadelle :
elle ne réagit plus !
2 La gloire de Moab, c'est fini.
On a fait de méchants projets
contre la ville de Hèchebon[z] :
"Allons, rayons-la
du nombre des nations !"
Toi aussi tu es ruinée, Madmen,
la guerre te poursuit.
3 On entend des appels au secours
provenant de Horonaïm :
Quel grand et terrible désastre !
4 C'est fini pour Moab,
on entend ses cris jusqu'à Soar[a].
5 Les survivants sont en larmes,
en suivant la montée de Louhith.
A la descente de Horonaïm,
on entend crier au désastre[b] :
6 "Fuyez d'ici, sauve-qui-peut !
Restez dans le désert,
comme l'âne sauvage[c]."
7 Moab, tu te fiais
à tes réalisations, à tes réserves.
Mais te voilà pris, toi aussi !
Ton dieu Kemoch part en exil
avec tes prêtres et avec tes princes.
8 Le destructeur passe de ville en ville,
aucune n'est épargnée.
Tout a péri dans la vallée,
et le plateau est ravagé. »
C'est ce qu'a dit le Seigneur.
9 Qu'on donne des ailes à Moab,
qu'il parte à tire d'aile[d] !
Ses villes seront sinistrées,
privées de tous leurs habitants.
10 Que le Seigneur maudisse tous ceux
qui font son travail avec mollesse
et privent son épée de sang !

*

11 « Depuis sa jeunesse
Moab vivait sans souci :
il n'avait jamais été déporté.
Il restait tranquille,
comme un vin qui a le temps
de laisser déposer sa lie.
On ne l'avait jamais transvasé,
il avait conservé son goût
et tout son arôme.

---

w 47.4 *Tyr et Sidon* : villes de la côte phénicienne. – *Kaftor* : pays d'origine des Philistins (Amos 9.7) ; c'était peut-être l'île de Crète.

x 47.5 *têtes tondues et entailles sur le corps* : voir 16.6. – *géants* ou *Anaquites* (Jos 11.22) : d'après l'ancienne version grecque ; hébreu *de leur vallée*.

y 48.1 Sur *Moab*, voir És 15.1 et la note. – *Nébo, Quiriataïm* (v. 1), *Hèchebon, Madmen* (v. 2), etc. : localités et villes de Moab.

z 48.2 Il y a en hébreu assonance entre le nom de *Hèchebon* et l'expression traduite par *on a fait des projets*.

a 48.4 *jusqu'à Soar* : d'après l'ancienne version grecque et comme en És 15.5 ; hébreu *les cris de ses petits*. – *Soar* : ville de Moab mentionnée au v. 34 ; voir Gen 13.10 ; on la situe au sud de la mer Morte.

b 48.5 *on entend crier au désastre* : d'après les anciennes versions grecque et araméenne, et comme dans le texte parallèle d'És 15.5 ; hébreu peu clair.

c 48.6 *comme l'âne sauvage* : d'après l'ancienne version grecque ; hébreu *comme Aroër* (ville de Moab) ou *comme un genévrier*.

d 48.9 Le texte hébreu difficile semble jouer sur les mots traduits ici par *partir* et *à tire d'aile*. Il suggère sans doute un départ pour l'exil.

12 « C'est pourquoi, déclare le Seigneur,
un de ces jours je vais lui envoyer des
gens pour le transvaser. Ils videront les
jarres qui le contiennent et les mettront
en pièces. 13 Moab sera déçu par son dieu
Kemoch, comme le royaume *d'Israël a
été déçu par le dieu de Béthel, en qui il
avait mis toute sa confiance.

14 « Gens de Moab,
comment pouvez-vous dire :
"Nous sommes des soldats d'élite,
des hommes faits pour la guerre" ?
15 Moab est dévasté,
on monte à l'assaut de ses villes
et on fait descendre à l'abattoir
les meilleurs de ses jeunes gens. »

Voilà ce que déclare le grand Roi, qui a
pour nom le Seigneur de l'univers :

16 Pour Moab la ruine approche,
le malheur vient en toute hâte.
17 Vous tous, les peuples voisins
qui le connaissez bien,
présentez-lui vos condoléances.
Dites : « Comment est-il possible
que soit brisée une telle puissance,
un pouvoir aussi glorieux ? »

*

18 Population de Dibon,
descends du haut de ta gloire,
assieds-toi dans les ordures[e],
car le destructeur de Moab
monte à l'assaut contre toi,
il démolit tes fortifications.
19 Population d'Aroër,
tiens-toi sur le chemin et fais le guet.
Demande aux fuyards, aux rescapés
ce qui est arrivé.
20 « C'est la honte et l'abattement
pour Moab », répondront-ils.
Poussez des cris, des hurlements ;
annoncez sur les bords de l'Arnon[f]
que Moab est dévasté.

21 C'est le jugement du Seigneur qui
frappe la région du plateau et les villes de
Holon, Yahas, Méfaath, 22 Dibon, Nébo,
Beth-Diblataïm, 23 Quiriataïm, Beth-Ga-
moul, Beth-Méon, 24 Querioth et Bosra. Il
atteint toutes les villes du pays de Moab,
proches ou lointaines.

25 « La force de Moab est cassée,
son pouvoir est brisé »,
déclare le Seigneur.

26 Moab s'est cru supérieur au Seigneur. Qu'on l'enivre donc jusqu'à ce
qu'il vomisse son vin[g] et qu'à son tour il
fasse rire tout le monde de lui. 27 Moab,
rappelle-toi comment tu te moquais d'Israël. Tu semblais le prendre pour un voleur, car tu ne parlais jamais de lui sans
hocher la tête d'un air moqueur.

28 Quittez les villes, gens de Moab,
installez-vous sur les rochers.
Imitez la colombe, qui fait son nid
de l'autre côté du précipice.

*

29 Nous avons entendu parler
de l'orgueil de Moab,
de sa fierté démesurée,
de sa prétention hautaine,
de son arrogance,
de son esprit de supériorité[h].

30 « Moi aussi je le sais, déclare le Seigneur : il exagère, il se vante ; mais ce
qu'il fait est sans valeur. »

31 C'est pourquoi,
quand je pense à Moab,
j'entonne une complainte,
j'appelle au secours
pour tout ce peuple,
je jette des cris plaintifs
à propos des gens de Quir-Hérès[i].

---

e **48.18** *dans les ordures* : d'après l'ancienne version syriaque ; hébreu *dans la soif*.

f **48.20** *l'Arnon* : cours d'eau se jetant dans la mer Morte après avoir traversé le territoire de Moab.

g **48.26** Sur l'ivresse comme symbole du jugement de Dieu voir 25.15-29. – *qu'il vomisse son vin* : certains traduisent *qu'il se débatte dans ses vomissures*.

h **48.29** V. 29-33 : voir És 16.6-10.

i **48.31** Celui qui parle ici n'est probablement plus le Seigneur (v. 30), mais peut-être le prophète, qui s'identifie momentanément aux Moabites. – *Quir-Hérès* : peut-être la capitale de Moab ; le nom signifie *ville des Pots cassés*.

32 Je pleure sur toi, vigne de Sibma,
plus que sur les gens de Yazer.
Tu avais allongé tes pousses
au-delà de la mer Morte,
elles atteignaient Yazer[j].
Mais le destructeur s'est jeté
sur tes fruits, sur ta vendange.
33 La joie bruyante a disparu
des vergers de Moab.
Il n'y a plus de vin dans les cuves[k],
plus d'hommes pour fouler le raisin ;
on n'entend plus leurs cris cadencés.

34 Les gens de Hèchebon appellent au
secours. On les entend jusqu'à Élalé ; on
perçoit leur voix jusqu'à Yahas, et de Soar
jusqu'à Horonaïm et Églath-Selissia. Car
même l'oasis de Nimrim[l] est sinistrée.

35 « J'éliminerai de Moab ceux qui vont
au lieu sacré offrir des sacrifices à leurs
dieux », déclare le Seigneur.

36 C'est pourquoi mon chant s'élève sur
Moab et sur les gens de Quir-Hérès,
plaintif comme un air de flûte : tout ce
qu'ils avaient gagné est perdu. 37 Les
hommes ont tous tondu leurs cheveux et
coupé leur barbe, ils se sont entaillé les
mains et portent la tenue de deuil. 38 Sur
toutes les terrasses des maisons de Moab
et sur les places on n'entend plus que des
lamentations. « J'ai cassé Moab comme
un pot dont on ne veut plus », déclare le
Seigneur. 39 Entonnez une complainte :
« Comme le voilà abattu ! Et quelle honte
pour lui d'avoir tourné le dos ! » Pour
tous ses voisins Moab sera désormais un
sujet d'horreur et de désarroi.

*

40 Voici ce que déclare le Seigneur :
« On dirait qu'un vautour, ailes déployées, plane au-dessus de Moab. »

41 Les villes sont prises,
les forteresses conquises.

Alors les meilleurs soldats de Moab ressentent la même angoisse qu'une femme au moment d'accoucher.

42 Moab est supprimé,
il n'existe plus comme peuple :
il s'est cru supérieur au Seigneur.
43 « Terreur, fosse et filet :
tout cela est pour vous,
habitants de Moab,
déclare le Seigneur.
44 Celui qui fuit la terreur
tombera au fond de la fosse.
S'il peut en remonter,
il se prendra au filet.
Je fais venir sur Moab
l'année où il devra rendre compte,
déclare le Seigneur.
45 Les fuyards, à bout de forces,
cherchent un abri dans Hèchebon.
Mais un feu jaillit de la ville ;
du palais du roi Sihon[m]
une flamme part dévorer
le pays de ces gens si bruyants,
des frontières jusqu'au centre.
46 Quel malheur pour toi, Moab !
Tu péris, peuple du dieu Kemoch.
Tes fils et tes filles
sont emmenés prisonniers.

47 Mais un jour, déclare le Seigneur,
je rétablirai Moab[n]. »

Ici prend fin la sentence que le Seigneur a prononcée sur Moab.

Les Ammonites

49 1 Au sujet des Ammonites. Voici ce que déclare le Seigneur :

« Pourquoi le dieu Milkom
a-t-il annexé le territoire de Gad[o] ?
Pourquoi les Ammonites
occupent-ils des villes israélites ?

j 48.32 *Yazer* : avec l'ancienne version grecque et comme dans le texte parallèle d'És 16.8 ; texte traditionnel *la mer de Yazer*.

k 48.33 *Il n'y a plus de* ou *je fais tarir le*.

l 48.34 *Nimrim* : probablement à l'extrême sud du pays.

m 48.45 *Sihon* : roi du lointain passé, qui avait régné à Hèchebon d'après Deut 2.26 ; comparer Nomb 21.28.

n 48.47 Voir 29.14 et la note.

o 49.1 *Les Ammonites* : voir Ézék 21.33-37 ; 25.1-7 ; Amos 1.13-15 ; Soph 2.8-11. – *Milkom* : d'après plusieurs versions anciennes. Pour éviter qu'on ait à prononcer le nom de cette divinité païenne, le texte hébreu l'a orthographié *Malkam*, qui peut être traduit *leur roi*. De même au v. 3. – *Gad* : tribu israélite dont le territoire s'étendait à l'est du Jourdain, entre le Yabboc et l'Arnon ; voir Jos 13.24-28.

Israël n'a-t-il pas de fils
qui puissent en être les héritiers ? »
2 C'est pourquoi le Seigneur déclare :
« Je vais faire entendre les cris de guerre
dans Rabba, la capitale ammonite.
Elle ne sera bientôt plus
qu'une butte déserte et sinistre,
tandis que les villages voisins
seront dévorés par le feu.
Alors Israël reprendra
ce qui lui appartenait. »
Voilà ce que dit le Seigneur.
3 Gens de Hèchebon,
entonnez une complainte :
« La ville d'Aï est dévastée. »
Lancez des appels au secours,
villages voisins de Rabba.
Mettez la tenue de deuil,
entonnez une complainte,
errez çà et là dans les enclos :
le dieu Milkom part en exil
avec ses prêtres et avec ses princes[p].
4 Ah, Rabba, fille rebelle !
tu te vantais de ta vallée,
de ta luxuriante vallée ;
tu te fiais à tes réserves.
« Qui oserait m'attaquer ? »,
demandais-tu.
5 « Eh bien, déclare le Seigneur,
le Dieu de l'univers,
j'introduis chez toi la panique ;
elle vient de tous les environs.
Vous serez tous chassés
droit devant vous,
et il n'y aura personne
pour regrouper les fuyards.

6 Mais après cela
je rétablirai les Ammonites[q]. »
Voilà ce que déclare le Seigneur.

Édom

7 Au sujet d'Édom. Voici ce que déclare
le Seigneur de l'univers :

« N'y a-t-il plus de sages à Téman[r] ?
Ses philosophes ont-ils perdu la raison ?
Leur sagesse est-elle rouillée ?
Demi-tour, fuyez, gens de Dédan,
installez-vous au fond des cavernes,
car je vous apporte la ruine,
descendants d'Ésaü[s] ;
j'interviens contre vous,
c'est le moment.
9 Quand les vendangeurs viendront chez vous,
ils ne laisseront pas une grappe.
La nuit où les voleurs entreront,
ils feront des dégâts
jusqu'à ce qu'ils en aient assez.
10 C'est moi qui vais vous dépouiller,
descendants d'Ésaü,
qui vais découvrir vos cachettes :
vous ne pourrez plus vous dissimuler.
C'est la catastrophe pour votre race.
Pas un voisin ne pourra dire[t] :
11 Quand vous ne serez plus là,
je ferai vivre vos orphelins,
et vos veuves pourront compter sur moi. »

12 Voici ce que déclare le Seigneur :
« Écoutez bien : ceux que je n'avais pas
condamnés à boire la coupe[u] ont dû la
boire quand même. Et toi, Édom, tu voudrais
être traité en innocent ? Il n'en est
pas question. Cette coupe, tu la boiras !
13 J'en fais le serment : Aussi vrai que je
suis Dieu, ta capitale Bosra deviendra un
sujet d'horreur et d'effroi, un champ de
ruines que l'on citera comme exemple
pour prononcer une malédiction. Et les
villes voisines ne seront plus que des ruines
éternelles. » Voilà ce que déclare le
Seigneur.

14 Le Seigneur m'a fait entendre ce message
qu'un envoyé apporte aux nations :

---

p 49.3 *Hèchebon* : ville du nord-est de Moab (voir 48.2) ; elle était probablement aux mains des Ammonites à l'époque de cette déclaration. – *Aï (la Ruine)* : ville ammonite, à ne pas confondre avec la localité que mentionne Jos 7.2. – *le dieu Milkom* : voir v. 1 et la note.

q 49.6 Voir 29.14 et la note.

r 49.7 Sur les *Édomites* voir És 34.5 et la note. – *Téman* : ville édomite réputée pour ses sages (voir Abd 8-9).

s 49.8 *Dédan* : ville du nord-ouest de l'Arabie. – *Ésaü* : ancêtre des Édomites d'après Gen 36.9.

t 49.10 *dire* : d'après l'ancienne version grecque et la tradition juive ; hébreu peu clair.

u 49.12 *la coupe* : sur ce symbole du jugement de Dieu voir 25.15-29.

« Rassemblement !
En marche contre Édom !
En avant ! A l'attaque ! »
15 « Édom, je vais faire de toi
la dernière des nations,
celle que tout le monde méprise.
16 Tu effarouchais tout le monde,
tu te croyais supérieur,
mais tu te faisais des illusions.
Toi qui habites les trous de rocher,
qui t'accroches sur les hauteurs,
même si tu as hissé ton nid
aussi haut que celui de l'aigle,
je t'en ferai redescendre. »
Voilà ce que déclare le Seigneur.

17 « Édom deviendra un champ de ruines ; tous les passants en auront le frisson
et siffleront d'horreur en voyant les dégâts qu'il aura subis. 18 Ce sera comme le
bouleversement de Sodome, de Gomor-
rhe et des villes voisines, dit le Seigneur[v].
Personne n'habitera plus chez toi, aucun
humain n'y séjournera plus. »

19 « Je serai comme un lion
qui sort des fourrés du Jourdain
vers une oasis, dit le Seigneur :
en un clin d'œil
j'en ferai déguerpir tout le monde[w].
Alors j'établirai sur Édom
le chef que j'aurai choisi.
Qui, en effet, peut m'être comparé ?
Qui oserait me demander des comptes ?
Et quel est le dirigeant
qui pourrait me résister ? »

20 Écoutez donc quel projet
le Seigneur a fait contre Édom,
quels plans il a préparés
contre les habitants de Téman :
Soyez-en sûrs, on les emmènera
comme du bétail, jusqu'au dernier.
Soyez-en sûrs, leur propre domaine
les rejettera avec horreur.
21 Au bruit de leur chute
la terre tremble ;
leurs appels au secours s'entendent
jusqu'à la *mer des Roseaux.

22 On dirait qu'un vautour, ailes déployées, s'élève et plane au-dessus de
Bosra. Ce jour-là, les meilleurs soldats
d'Édom ressentiront la même angoisse
qu'une femme au moment d'accoucher[x].

Damas

23 Au sujet de Damas.
« C'est la consternation
dans les villes de Hamath et d'Arpad.
Elles ont appris la mauvaise nouvelle
et sont saisies d'inquiétude.
La mer est troublée,
impossible à calmer[y].
24 Les gens de Damas ont perdu courage
ils ont fait demi-tour pour s'enfuir,
ils sont pris de panique,
saisis d'angoisse et de douleurs
comme une femme au moment d'accoucher.
25 Non, comment est-il possible
qu'elle soit abandonnée,
cette ville célèbre, cette cité joyeuse[z] ?

26 Ainsi ses jeunes gens tomberont sur les
places, tous ses soldats perdront la vie ce
jour-là, annonce le Seigneur de l'univers.
27 Je mettrai le feu à la ville de Damas ; il
dévorera le palais de Ben-Hadad[a]. »

Les tribus arabes

28 Au sujet des Arabes de Quédar et des
royaumes de Hassor, qui furent vaincus
par le roi Nabucodonosor de *Babylone.
Voici ce que déclare le Seigneur :

« Allons, à l'assaut contre Quédar[b] !
Dévastez tout chez les gens du désert
29 Qu'on prenne
leurs tentes et leurs troupeaux,
leurs abris et tous leurs bagages !
Qu'on emmène leurs chameaux,
et que l'on crie à leur sujet :

v **49.18** Voir Gen 18.20–19.29.
w **49.19** V. 19-21 : voir 50.44-46.
x **49.22** V. 22 : voir 48.40-41.
y **49.23** *Damas* : ville principale des royaumes syriens. – *Hamath* et *Arpad* : autres villes syriennes. – Sur les Syriens de *Damas*, voir És 17.1 et la note.
z **49.25** *la cité joyeuse* : d'après presque toutes les versions anciennes ; hébreu *la cité qui fait ma joie*.
a **49.27** *Ben-Hadad* : nom porté par plusieurs anciens rois de Damas.
b **49.28** Sur les populations arabes, voir És 21.13 et la note.

19 Mais je reconduirai Israël
jusqu'à son pâturage.
Il trouvera sa nourriture
au mont Carmel et au *Bachan ;
à la montagne d'Éfraïm
et au pays de Galaad
il ne manquera de rien.
20 Je le déclare, moi le Seigneur :
on aura beau chercher alors
quels sont les torts d'Israël,
ils auront disparu,
et quelle est la faute de Juda,
on ne trouvera rien.
Car je donnerai mon pardon
à ceux que je laisserai en vie.

21 Tous au pays de l'eau saumâtre !
A l'attaque contre lui
et contre les gens de Pécod[m] !
Qu'on les massacre,
qu'on les extermine jusqu'au dernier,
déclare le Seigneur !
Qu'on fasse tout ce que j'ai ordonné !
22 Dans le pays, quel bruit de bataille,
quel grand désastre !
23 Comment est-ce possible ?
Babylone était un marteau
fracassant toute la terre ;
or la voilà cassée, en miettes.
Parmi les nations elle n'est plus
qu'un désert sinistre.
Comment est-ce possible ?
24 Je t'ai préparé un piège,
Babylone, et tu t'y es fait prendre,
sans même t'en rendre compte ;
tu te retrouves prisonnière,
car c'est à moi, le Seigneur,
que tu t'es attaquée. »

25 Le Seigneur ouvre sa réserve ;
avec les armes qu'il en tire
il va montrer sa fureur.
Au pays de Babylone
on va voir le travail du Seigneur,
le Dieu de l'univers.
26 Qu'on vienne de partout jusqu'à elle,
qu'on éventre ses greniers,
qu'on mette en tas le butin
et qu'on détruise la ville !
Qu'il n'en reste rien !
27 Qu'on tue tous ses meilleurs soldats,
qu'ils descendent à l'abattoir !
Quel malheur pour eux !
car le jour est venu
où le Seigneur intervient contre eux.
28 Écoutez : ce sont les fuyards,
les rescapés de Babylonie,
qui apportent la nouvelle à *Sion :
« Le Seigneur notre Dieu t'a vengée,
il a vengé son saint temple. »
29 Convoquez tous les tireurs à l'arc,
envoyez-les contre Babylone.
Qu'ils dressent leur camp autour d'elle
et lui coupent toute retraite !
Qu'on lui rende le mal qu'elle a fait,
qu'on lui fasse subir
ce qu'elle a infligé aux autres[n] !
Car elle s'est montrée
insolente envers le Seigneur,
l'unique vrai Dieu, le Dieu d'Israël.

30 « Ainsi ses jeunes gens tomberont
sur les places, tous ses soldats périront ce
jour-là », annonce le Seigneur.

31 « Je m'en prends à toi,
orgueilleuse Babylone,
déclare le Seigneur,
le Dieu de l'univers.
Ton tour est venu,
c'est le moment pour moi
d'intervenir contre toi.
32 L'orgueilleuse trébuche et tombe ;
personne pour la relever.
Je mets le feu à ses villes,
il dévorera tout ce qui est autour. »

33 Voici ce que déclare le Seigneur de
l'univers :

« Les gens d'Israël
sont victimes de l'oppression,
et ceux de Juda tout autant.
Ceux qui les ont déportés
les retiennent de force,
refusant de les relâcher.
34 Moi, leur défenseur, je suis fort,
je suis le Seigneur de l'univers.

---

m **50.21** Le pays *de l'eau saumâtre* ou *pays de Marratim* (texte probable) désigne la région de l'embouchure de l'Euphrate ; le texte hébreu traditionnel interprète *le pays de la double rébellion*. – *Pécod* : une partie de la région de Marratim ; voir Ézék 23.23.

n **50.29** Comparer Apoc 18.6.

Je prends en mains leur cause,
pour apporter la paix à la terre,
et le trouble aux gens de Babylone. »

Le projet du Seigneur contre Babylone

35 « Guerre aux Babyloniens,
aux habitants de la capitale,
à ses princes et à ses experts,
déclare le Seigneur !
36 Guerre à ses faiseurs d'oracles[o] ;
qu'ils en perdent la raison !
Guerre à ses soldats ;
qu'ils en perdent le moral !
37 Guerre à ses chevaux, à ses chars,
aux diverses peuplades
qui combattent pour elle ;
qu'ils deviennent des femmelettes !
Guerre à ses trésors ;
qu'ils soient livrés au pillage !
38 Guerre à ses cours d'eau[p] ;
qu'ils soient asséchés !
Car c'est le pays des idoles,
ces horreurs qui font perdre la tête
à tous leurs adorateurs.
39 C'est pourquoi
chats sauvages et hyènes
viendront hanter la ville,
les autruches s'y établiront.
Pour toujours Babylone
restera dépeuplée,
de siècle en siècle inhabitée[q].
40 Je la bouleverserai
comme je l'ai fait pour Sodome,
pour Gomorrhe et les villes voisines,
déclare le Seigneur[r].
Personne n'y habitera plus,
aucun humain n'y séjournera.
41 Un peuple arrive du nord[s],
une grande nation ;
de puissants rois sont en route
depuis le bout du monde.
42 Leurs soldats brandissent
l'arc et le sabre,
ils sont sauvages et sans pitié.
Ils font autant de bruit
que la mer quand elle mugit.
Ils sont montés sur des chevaux
et rangés pour la bataille,
en ordre parfait,
et c'est contre toi, Babylone !
43 Le roi de Babylone
apprend la nouvelle,
les bras lui en tombent,
l'angoisse le saisit
comme une femme au moment d'accoucher.
44 Je serai comme un lion[t]
qui sort des fourrés du Jourdain
vers une oasis, dit le Seigneur :
en un clin d'œil
j'en ferai déguerpir tout le monde.
Alors j'établirai à Babylone
le chef que j'aurai choisi.
Qui, en effet, peut m'être comparé ?
Qui oserait me demander des comptes ?
Et quel est le dirigeant
qui pourrait me résister ? »

45 Écoutez donc quel projet
le Seigneur fait contre Babylone,
quels plans il a préparés
contre les habitants du pays.
Soyez-en sûrs, on les emmènera
comme du bétail jusqu'au dernier.
Soyez-en sûrs, leur propre domaine
les rejette avec horreur.
46 A cette nouvelle :
« Babylone est prise »,
la terre tremble,
une grande clameur s'élève
dans toutes les nations.

51

1 Voici ce que déclare le Seigneur
« Je vais faire souffler
un vent destructeur
sur *Babylone et sur ses habitants[u].
2 Je vais lâcher contre elle

---

o **50.36** *à ses faiseurs d'oracles* : avec plusieurs versions anciennes ; hébreu *aux faiseurs d'oracles* ; d'autres comprennent *aux bavards* ou *aux vantards*.

p **50.38** *Guerre à...* : avec d'autres voyelles le texte hébreu traditionnel a compris *sécheresse à...*

q **50.39** Comparer Apoc 18.2.

r **50.40** *Sodome, Gomorrhe* : voir 49.18 ; Gen 18.20–19.29.

s **50.41** V. 41-43 : voir 6.22-24. – *du nord* : voir v. 3 et la note.

t **50.44** V. 44-46 : voir 49.19-21.

u **51.1** *sur ses habitants* ou *sur les habitants de la Chaldée* (autre nom de la Babylonie) : le texte hébreu a volontairement déguisé le nom de la Chaldée selon le procédé déjà utilisé en 25.26 (voir la note) ; on pourrait aussi traduire *les habitants du cœur de mes adversaires*.

des gens qui l'éparpilleront
comme la paille au vent,
et qui ravageront son pays.
En ce jour de malheur
ils la cerneront de partout. »

3 Que les archers tirent
sur les archers adverses !
Et que ceux-ci ne se vantent pas
de leur cuirasse[v] !
N'épargnez pas ses jeunes soldats,
exterminez son armée !
4 Les blessés resteront étendus
sur la terre de Babylone,
les victimes du combat
joncheront les rues.
5 Car leur pays est plein de fautes
contre l'unique vrai Dieu,
le Dieu d'Israël.
– Mais *Israël et Juda
n'ont pas perdu leur Dieu,
le Seigneur de l'univers. –

6 Fuyez hors de Babylone,
que chacun se sauve !
Ne payez pas de votre vie
le crime qu'elle a commis[w].
Pour le Seigneur, c'est en effet
le moment de la revanche ;
il lui rend ce qu'elle mérite.
7 Babylone était une coupe d'or
dans la main du Seigneur.
Elle enivrait le monde entier,
les nations buvaient de son vin
à en perdre la tête[x].
8 Elle est soudain tombée,
et la voilà en miettes.
« Entonnez la complainte sur elle,
procurez-vous du baume
pour calmer ses maux.
Peut-être guérira-t-elle ? »
9 – « Nous avons soigné Babylone,
mais elle ne guérit pas.
Abandonnons-la donc
et rentrons chacun chez soi.
Car la condamnation qui la frappe
est quelque chose de colossal,
aux dimensions de l'univers[y].
10 Le Seigneur a jugé
en notre faveur.
Allons à *Sion raconter
ce qu'a fait le Seigneur notre Dieu. »

11 Le Seigneur a un projet : détruire
Babylone. Il encourage les rois de Médie
à le réaliser. C'est sa revanche, il venge
ainsi le temple qui lui est consacré.

Aiguisez bien vos flèches,
remplissez-en les carquois[z].
12 Dressez le signal de l'attaque
contre les murs de Babylone.
Renforcez les postes de garde,
postez des sentinelles,
disposez des guetteurs.
C'est ainsi que le Seigneur
accomplit ce qu'il a décidé,
ce qu'il a déclaré
sur les gens de Babylone.
13 Babylone, toi qui habites
sur les bords du grand fleuve,
toi qui possèdes tant de trésors,
pour toi c'est la fin,
la mesure est comble[a].
14 Le Seigneur de l'univers
en a fait le serment :
« Aussi vrai que je suis Dieu,
je te fais envahir
par une nuée d'hommes,
comme une nuée de *sauterelles ;
ils pousseront contre toi
le cri des combattants. »

15 Le Seigneur a montré sa force[b]
en créant la terre ;
il a montré sa compétence
en fondant le monde,
et son intelligence
en déployant le ciel.

---

v **51.3** Le texte de la première partie du v. 3 est transmis de plusieurs manières différentes par les manuscrits hébreux et les versions anciennes. D'autres interprètent *Que l'archer ne tende pas son arc ! Qu'il ne revête pas sa cuirasse !* Ces paroles s'adresseraient alors aux Babyloniens pour les dissuader de résister.

w **51.6** Voir Apoc 18.4.

x **51.7** Comparer Apoc 17.2-4 ; 18.3.

y **51.9** Comparer Apoc 18.5.

z **51.11** *les carquois* : le sens du terme hébreu ainsi traduit n'est pas certain ; on l'interprète ici avec la tradition juive et comme les anciennes versions grecque et latine. Autre traduction *préparez les boucliers*.

a **51.13** Le *grand fleuve* : l'Euphrate ; comparer Apoc 17.1. – *la mesure est comble* ou *le fil de ta vie est coupé*. D'autres interprètent *tu as fait trop de gains malhonnêtes*.

b **51.15** V. 15-19 : voir 10.12-16.

Sur un ordre de lui[c],
les eaux s'accumulent au ciel,
les gros nuages montent à l'horizon,
les éclairs déclenchent la pluie,
les vents sortent de ses réserves.
17 Tout le monde reste là,
stupide, sans comprendre.
Ceux qui ont moulé leurs idoles
sont tout honteux de les avoir faites,
car leurs statuettes font illusion :
elles n'ont aucun souffle de vie.
18 C'est du vent, une œuvre ridicule.
Tout cela sera balayé,
quand le Seigneur interviendra.
19 Il n'est pas comme elles,
lui, le Trésor d'Israël,
le Créateur de l'univers.
C'est à lui qu'appartient
la tribu d'Israël[c].
Son nom : le Seigneur de l'univers.

La fin de Babylone

20 « Babylone, dit le Seigneur,
tu étais pour moi une massue,
une arme de guerre.
Je me suis servi de toi
pour mettre en pièces des nations
et détruire des empires.
21 Je me suis servi de toi
pour mettre en pièces
des chevaux et leurs cavaliers,
des chars et leurs conducteurs.
22 Je me suis servi de toi
pour mettre en pièces
des hommes et des femmes,
des jeunes et des vieux,
des garçons et des filles.
23 Je me suis servi de toi
pour mettre en pièces
des *bergers et leurs troupeaux,
des laboureurs et leurs attelages,
des gouverneurs et des préfets.

24 Mais, déclare le Seigneur,
vous allez voir maintenant
comment je rends à Babylone
et à ses habitants
tout le mal qu'ils ont fait à *Sion.
25 Oui, je m'en prends à toi, Babylone,
monstre destructeur,
toi qui détruis tout sur la terre,
déclare le Seigneur.
Je tends mon poing contre toi,
je te précipite du haut des rochers.
Et je fais de toi un feu si monstrueux,
26 qu'on ne pourra même plus
prendre chez toi une pierre
pour l'angle d'une maison
ou pour ses fondations.
Tu ne seras pour toujours
qu'un désert sinistre »,
déclare le Seigneur.

27 Dressez un signal dans le pays,
sonnez du cor chez les nations ;
mobilisez tout le monde
contre Babylone,
convoquez les royaumes
d'Ararat, de Minni et d'Achekénaz.
Établissez des sergents recruteurs,
envoyez des chevaux à l'attaque,
comme un nuage de sauterelles[d].
28 Mobilisez tout le monde contre elle,
en particulier les rois de Médie,
avec leurs gouverneurs
et leurs préfets
et tout le pays qu'ils administrent.

29 La terre se met à trembler,
elle frissonne de peur
quand les projets du Seigneur
se réalisent contre Babylone.
Il fait du pays babylonien
un territoire sinistre,
complètement dépeuplé.

30 Les meilleurs soldats de Babylone
renoncent à combattre
et se terrent dans les abris.
Leur courage est à sec,
on dirait des femmelettes.
Les portes de la ville ont cédé,
ses maisons sont en feu.
31 Les messagers se relaient,
ils courent à toutes jambes
jusqu'au roi de Babylone,
lui annoncer la nouvelle :
la ville est prise d'un bout à l'autre,

---

c 51.19 *Israël* : le mot est sous-entendu dans le texte hébreu traditionnel ; voir 10.16.

d 51.27 *Minni* : région du lac de Van. Les trois royaumes mentionnés s'étendent au nord de la Mésopotamie. – *comme un nuage* : traduction incertaine d'un terme qu'on ne retrouve nulle part ailleurs. Certains proposent : *comme des sauterelles hérissées*.

[32] les passages sont occupés,
les forts incendiés,
les soldats démoralisés.

[33] Voici en effet ce que déclare le Seigneur de l'univers, le Dieu d'Israël :

« La malheureuse Babylone
est piétinée comme un terrain
que l'on prépare pour battre le blé.
D'ici peu viendra pour elle
le temps de la moisson. »

Dieu se charge de venger son peuple

(Jérusalem)

[34] « Nabucodonosor,
le roi de Babylone,
m'a dévorée, pressurée,
et laissée là comme un plat vide.
Tel un monstre, il m'a engloutie,
il s'est rempli le ventre
de ce que j'avais de meilleur,
avant de me rejeter.
[35] Que Babylone subisse la peine
de la violence qu'elle m'a faite,
dit la population de *Sion !
Que les Babyloniens paient le crime
d'avoir versé mon sang,
dit Jérusalem ! »

*

[36] Voici donc ce que déclare le Seigneur pour Jérusalem :

« Je prends ta cause en mains,
je me charge de te venger :
je vais assécher son fleuve
et tarir sa source.
[37] Je vais faire de Babylone
un tas de ruines,
un repaire de chacals,
une ville dépeuplée,
qui provoquera la stupeur et l'horreur.
[38] Pour l'instant les gens de Babylone
sont tous comme des lions rugissants,
ils grondent comme des fauves.
[39] Tandis que leur désir s'échauffe,
je leur prépare un festin :
je vais les enivrer jusqu'au délire[e] ;
ils s'endormiront pour toujours,
pour ne jamais se réveiller,
je le déclare, moi le Seigneur.
[40] Je les emmène à l'abattoir,
comme des moutons,
des béliers ou des boucs. »

Complainte sur Babylone

[41] Comment est-ce possible ?
La ville de Chéchak[f],
mondialement célèbre,
est prise et occupée !
Comment est-ce possible ?
Babylone n'est plus
qu'un désert sinistre
parmi les nations !
[42] La mer est montée jusqu'à elle,
dans un grand fracas
les eaux l'ont recouverte.
[43] Ses villes sont sinistrées,
son pays est réduit
en steppe désertique,
sans plus un seul habitant,
sans plus un seul passant.
[44] Le Seigneur annonce :
« J'interviens contre Bel,
le dieu de Babylone ;
je lui ferai recracher
ce qu'il est en train d'avaler.
Les nations cesseront d'affluer vers lui.

La muraille de Babylone s'est écroulée.
[45] Vous, mon peuple, quittez la ville ;
que chacun se sauve
pour éviter les effets
de mon ardente indignation !

[46] « Gardez-vous de perdre courage et de prendre peur aux nouvelles que l'on colporte dans le pays. Tantôt c'est une rumeur, tantôt une autre, selon les années : violence sur la terre, coup d'état d'un dictateur qui en chasse un autre...

[47] Un de ces jours, j'interviendrai
contre les idoles de Babylone.
Dans tout le pays,
ce sera la consternation.
Dans la ville, les tués
resteront étendus à terre.

---

e **51.39** Sur l'ivresse comme image du jugement de Dieu, voir 25.15-29.

f **51.41** *Chéchak* : voir 25.26 et la note.

48 Dans le ciel et sur la terre,
on entendra alors une grande clameur
au sujet de Babylone,
quand arriveront du nord[g]
ceux qui doivent la détruire. »
Voilà ce que déclare le Seigneur.

(le prophète)

49 Dans le monde entier, des victimes
sont tombées pour Babylone ;
c'est à son tour de tomber
pour les Israélites ses victimes[h].
50 Vous qui avez échappé à ses coups,
partez, ne restez pas sur place.
De là-bas, pensez au Seigneur,
souvenez-vous de Jérusalem.

(le peuple de Dieu)

51 « Quelle humiliation pour nous,
quand nous entendions les insultes !
La honte nous montait au front,
quand des étrangers ont pénétré
dans le *sanctuaire du Seigneur. »

(le Seigneur)

52 « C'est pourquoi, déclare le Seigneur,
un de ces jours j'interviendrai
contre les idoles de Babylone.
On entendra dans tout son pays
le gémissement des blessés.
53 Même si Babylone
pouvait grimper au ciel
et rendre là-haut sa retraite inaccessible,
sur mon ordre les destructeurs
parviendraient jusqu'à elle »,
déclare le Seigneur.

(le prophète)

54 Écoutez :
on entend des appels
venant de Babylone ;
le bruit d'un grand désastre
arrive de son pays.
55 C'est le Seigneur qui est en train
de la détruire ;
il va faire taire ses grands cris.
L'ennemi pousse des clameurs,
comme les flots de la mer
dans un bruit de tonnerre ;
56 le destructeur s'approche d'elle,
il va l'attaquer,
faire prisonniers ses héros
et casser leurs arcs de guerre.
Car le Seigneur est un Dieu
qui sait rendre la pareille
et user de représailles.

57 « Je vais enivrer ses ministres et ses experts, ses gouverneurs, ses préfets et ses
troupes d'élite. Ils s'endormiront pour
toujours, pour ne jamais se réveiller, déclare le grand Roi, qui a pour nom le Seigneur de l'univers[i]. » 58 Et voici ce qu'il
déclare encore :

« Les larges murailles de Babylone
sont complètement démolies,
ses hautes portes sont incendiées :
les peuples se donnent du mal pour rien,
c'est pour du feu que les nations peinent ! »

Le message jeté dans l'Euphrate

59-60 Seraya, fils de Néria et petit-fils de
Maasséya, était l'aide de camp du roi Sédécias de Juda. La quatrième année du
règne de Sédécias, il accompagna le roi à
Babylone[j]. De son côté, Jérémie avait
noté sur un rouleau tous les malheurs qui
devaient frapper Babylone, toutes les déclarations rapportées ci-dessus à ce sujet.
Jérémie donna cet ordre à Seraya :
61 « Quand tu seras arrivé à Babylone, tu
prendras soin de lire à haute voix toutes
ces paroles. 62 Puis tu diras : “Seigneur, tu
as toi-même annoncé que cette ville serait détruite, qu'il n'y resterait ni homme
ni bête, qu'elle deviendrait un désert sinistre pour toujours.” 63 Après avoir
achevé la lecture de ce rouleau, tu y attacheras une pierre, tu le jetteras dans
l'Euphrate, 64 et tu prononceras ces pa

---

g **51.48** *une grande clameur* : voir Apoc 18.20. – *du nord* : voir 50.3 et la note.

h **51.49** *pour les Israélites, ses victimes* : texte hébreu peu clair. Comparer Apoc 18.24.

i **51.57** Voir v. 39 et la note.

j **51.59-60** Par comparaison avec 32.12 on peut présumer que *Seraya* était un frère de Baruc, l'ami et le secrétaire de Jérémie. – *La quatrième année* : en 594 avant J.-C., c'est-à-dire plus de cinquante ans avant la prise de Babylone. – *il accompagna le roi* : l'ancienne version grecque a compris *le roi l'envoya en mission*.

›les : “De la même manière Babylone
isparaîtra et ne se relèvera plus du mal-
eur que le Seigneur lui envoie.” »

« Les nations peinent » : fin des paroles
e Jérémie[k].

Nabucodonosor capture Sédécias

(Voir 39.4-7 ; 2 Rois 24.18-25.7)

52 1 Sédécias avait vingt et un ans
quand il devint roi de Juda ; il ré-
na onze ans à Jérusalem. Sa mère s’appe-
it Hamoutal ; elle était fille d’Irméya,
e Libna[l]. 2 Sédécias fit ce qui déplaît au
eigneur, tout comme Joaquim. 3 Ce qui
: passa alors à Jérusalem et dans le
yaume de Juda provoqua la colère du
eigneur, qui finit par rejeter son peuple
in de lui.
Sédécias se révolta contre le roi Nabu-
donosor de Babylone. 4 Celui-ci vint
ors à Jérusalem avec toute son armée.
es troupes installèrent leur camp devant
ville et entourèrent Jérusalem de tran-
iées. C’était la neuvième année du rène de Sédécias, le dixième jour du
ixième mois[m]. 5 Le siège dura jusqu’à la
nzième année de son règne[n].
6 La famine était devenue terrible dans
ville ; il n’y avait plus de quoi nourrir
population. Le neuvième jour du qua-
ième mois[o], 7 les Babyloniens ouvrirent
ne brèche dans la muraille de la ville.
la nuit tombée, les combattants de
ida s’enfuirent. Malgré les Babylo-
iens qui encerclaient la ville, ils quit-
rent Jérusalem par la porte située
itre les deux murailles[p] près du jardin
ı Roi. Puis ils prirent le chemin qui
ène à la vallée du Jourdain. 8 Mais les
oupes babyloniennes se lancèrent à la
ursuite du roi Sédécias et le rattra-
èrent dans la plaine de Jéricho ; toute
n armée l’avait abandonné. 9 Les Ba-
loniens le firent prisonnier et le
nduisirent au roi de Babylone, qui se
ouvait à Ribla, au pays de Hamath[q].
’est là que Nabucodonosor rendit son
gement contre Sédécias. 10 C’est là éga-
ment qu’il fit exécuter les fils de Sédé-
as en présence de leur père, ainsi que
us les hauts fonctionnaires de Juda.
Après quoi, le roi de Babylone fit crever les yeux de Sédécias et l’envoya solidement enchaîné à Babylone pour
l’y jeter en prison ; Sédécias y resta
jusqu’au jour de sa mort[r].

Nebouzaradan achève la ruine de Jérusalem

(Voir 39.8-10 ; 2 Rois 25.8-21)

12 La dix-neuvième année du règne de
Nabucodonosor, le dixième jour du cinquième mois[s], Nebouzaradan fit son entrée à Jérusalem ; c’était le chef des
gardes, un haut personnage de la cour du
roi de Babylone. 13 Il incendia le temple[t],
le palais royal et les maisons de la ville,
en particulier toutes celles des personnes
de haut rang. 14 Les troupes babyloniennes, qui accompagnaient le chef des gardes, démolirent les murailles qui
entouraient Jérusalem.
15 Ensuite Nebouzaradan déporta la
population qui était restée dans la ville,
dont quelques familles pauvres, et ceux
qui s’étaient rendus au roi de Babylone,
ainsi que les derniers artisans[u]. 16 Mais il
laissa une partie de la population pauvre
pour cultiver les vignes et les champs.
17 Les Babyloniens mirent en pièces les
colonnes de bronze qui se trouvaient à
l’entrée du temple, ainsi que les chariots
et la grande cuve de bronze placés dans la
cour[v]. Ils emportèrent tout ce bronze à

---

k **51.64** *Babylone ne se relèvera plus* : comparer Apoc 18.21. – *les nations peinent* : voir v. 58.

l **52.1** *Libna* : voir 2 Rois 8.22.

m **52.4** C’est-à-dire vers la fin décembre de l’année 589 avant J.-C. Voir au Vocabulaire CALENDRIER. Comparer Ézék 24.1.

n **52.5** C’est-à-dire au début de l’été 587 avant J.-C.

o **52.6** Fin juin 587 avant J.-C.

p **52.7** *les combattants de Juda s’enfuirent* : comme l’indique la suite (v. 8) et le passage parallèle de 39.4, les soldats en fuite accompagnaient le roi Sédécias. – *la porte située entre les deux murailles* : au sud de la ville. – Chute de Jérusalem : voir Ézék 33.21.

q **52.9** Voir 39.5 et la note.

r **52.11** Traitement infligé à Sédécias : voir Ézék 12.13.

s **52.12** C’est-à-dire en août 587 avant J.-C.

t **52.13** Ruine du temple : comparer 1 Rois 9.8.

u **52.15** Voir 39.9 et la note.

v **52.17** *colonnes de bronze* : voir 1 Rois 7.15-22. – *chariots* : voir 1 Rois 7.27-37. – *grande cuve* : voir 1 Rois 7.23-26.

Babylone. 18 Ils prirent aussi tous les objets de bronze qui servaient pour le culte :
récipients à cendres, pelles, mouchettes,
bols à aspersion et coupes. 19 Le chef des
gardes prit encore tous les objets d'or et
d'argent : bassines, cassolettes, bols à aspersion, récipients à cendres, chande-
liers, coupes et vases[w].
20 Il fut impossible de peser le métal représenté par tous les objets de bronze que
le roi Salomon avait fait confectionner
pour le temple du Seigneur : les deux colonnes, la grande cuve avec les douze taureaux qui la supportaient, et les chariots.
21 Par exemple, les colonnes avaient chacune neuf mètres de haut et six mètres de
tour ; elles étaient creuses, avec une
épaisseur de métal de quatre doigts. 22 Elles étaient surmontées chacune d'un chapiteau de bronze, haut de deux mètres et
demi et décoré tout autour d'une sorte de
filet de bronze et de fruits de grenadier
également en bronze. Les deux colonnes
étaient identiques, ainsi que leurs décorations : 23 quatre-vingt-seize fruits de gre
nadier sur les côtés, soit un total de cen
fruits tout autour du filet[x].
24 Le chef des gardes fit arrêter l
grand-prêtre Seraya, son adjoint Sefani
et les trois prêtres gardiens de l'entrée d
temple. 25 Il fit arrêter également un fonc
tionnaire responsable du personnel mil
taire, puis sept personnes de la cour d
roi, enfin le secrétaire du chef de l'armé
chargé du recrutement, et soixante c
toyens de Juda ; tous ces gens se trou
vaient alors à Jérusalem. 26 Nebouzarada
les conduisit auprès du roi de Babylone,
Ribla. 27 Celui-ci les fit exécuter sur plac
au pays de Hamath.
C'est ainsi que le peuple de Juda fut de
porté loin de son territoire.
28 Voici le compte des gens que Nabu
codonosor fit déporter :
la septième année[y] : 3 023 Judéens ;
29 la dix-huitième année de son règne[z]
832 personnes de Jérusalem ;
30 la vingt-troisième année[a] Nebouzar
dan, le chef des gardes, fit encore dépo
ter 745 Judéens. Au total 4 600 pe
sonnes.

Le roi de Babylone gracie Joakin

(Voir 2 Rois 25.27-30)

31 Trente-sept ans après la déportatio
du roi Joakin de Juda, Évil-Mérodak de
vint roi de Babylone. Le vingt-cinquièm
jour du douzième mois[b] de cette an
née-là, il accorda sa grâce à Joakin et le f
sortir de prison. 32 Il lui parla avec bon
et lui attribua un rang supérieur à cel
des rois qui se trouvaient avec lui à Bab
lone. 33 Joakin fut autorisé à ne plus po
ter la tenue des prisonniers, et désorma
il prit toujours ses repas à la table du r
de Babylone. 34 C'est ainsi que chaqu
jour jusqu'à sa mort, Joakin reçut du r
de Babylone ce qui était nécessaire à so
entretien.

---

w **52.19** Objets de bronze, d'argent ou d'or servant au culte : voir 1 Rois 7.45-50.

x **52.23** *sur les côtés* : hébreu obscur et traduction incertaine ; autres traductions possibles *exposés à la vue* ou *en relief*. – On peut comprendre que la décoration des chapiteaux était répartie à raison de 24 fruits par côté (soit 24x4=96), plus un à chacun des quatre coins. La description donnée par 1 Rois 7.17-21,41-42 mentionne 200 grenades pour chaque colonne.

y **52.28** *la septième année* : il faut sans doute sous-entendre *du règne de Nabucodonosor*, c'est-à-dire en 598 ou 597 avant J.-C. ; allusion aux événements rapportés en 2 Rois 24.10-17.

z **52.29** C'est-à-dire en 587 ou 586 avant J.-C.

a **52.30** C'est-à-dire en 582 ou 581 avant J.-C. Dans la Bible c'est la seule mention de cette troisième déportation.

b **52.31** Sur la déportation du roi *Joakin*, voir 22.24-27 ; 2 Rois 24.10-17. – *trente-sept ans après la déportation du roi Joakin* : en 562 ou 561 avant J.-C. – *le vingt-cinquième jour du douzième mois* : vers la mi-mars ; voir au Vocabulaire CALENDRIER.

Lamentations

Introduction *– Les cinq poèmes de ce petit livre (que la tradition a attribué à Jérémie) ’ont qu’un sujet : la ruine de Jérusalem, survenue sous le choc de l’armée babylonienne en 587 vant J.-C. Cette catastrophe a marqué la fin du royaume de Juda en tant qu’État indépen- ant. Elle semblait en même temps démentir la promesse faite jadis à David : « Un de tes des- ndants régnera toujours après toi, car le pouvoir royal de ta famille sera inébranlable » Sam 7.16).*

Ceux qui ont survécu à ce drame se remémorent les événements tragiques qu’ils ont traversés s’efforcent de les comprendre : Qui est responsable de toutes ces horreurs ? Le Seigneur ne est-il pas comporté en véritable ennemi de son peuple ? Pourtant les vaincus reconnaissent urs propres torts ; ils se rappellent aussi que « les bontés du Seigneur ne sont pas épuisées » et e « sa fidélité est grande » (Lam 3.22-23). Là reste la source de leur espoir malgré les éviden- s du désastre.

Jérusalem,
comme une veuve abandonnée

1 [1] Hélas[a] ! la voilà toute seule
la cité autrefois si fréquentée !
Elle, si renommée parmi les nations,
la voilà comme veuve.
Hier princesse
dominant les provinces,
la voilà réduite
au travail des esclaves.
[2] Elle passe la nuit à pleurer,
ses joues ruissellent de larmes.
Parmi tous ses amis,
plus personne pour la réconforter.
Tous ses amis l’ont abandonnée,
ils sont maintenant des ennemis
pour elle.
[3] Accablée de misère
et du pire esclavage,
la tribu de Juda part en déportation.
Elle vit chez les païens,
mais sans trouver où se fixer.
Ceux qui la poursuivaient
l’ont rejointe
en la coinçant dans une impasse.

4 Les chemins qui vont à *Sion
sont dans le deuil,
délaissés
par ceux qui venaient à la fête.
Ses places publiques sont désertées,
ses prêtres soupirent de découragement.
Ses jeunes filles sont désespérées.
Que tout cela est amer pour Sion !
5 Ses ennemis ont eu le dessus,
ses adversaires sont tranquilles.
C’est le Seigneur qui l’afflige
pour ses nombreuses désobéissances.
Ses jeunes enfants,
poussés par les vainqueurs,
partent vers la captivité.

a **1.1** Les quatre premiers chapitres du livre des Lamentations sont des poèmes alphabétiques : les premières lettres de chaque verset (Lam 1 ; 2 ; 4) ou de chaque strophe (Lam 3) correspondent successivement aux 22 lettres de l’alphabet hébreu ; voir Ps 9.2 et la note. – *Hélas* : autre traduction *Comment !* Le mot hébreu correspondant est caractéristique du genre des Lamentations (voir És 1.21 ; Jér 48.17).

6 Sion voit s'en aller
tout ce qui faisait sa gloire.
Ses ministres font penser à des cerfs
qui n'ont rien trouvé à brouter,
et s'enfuient à bout de forces
devant le chasseur.
7 En ces jours où elle est errante
et humiliée,
Jérusalem se rappelle
tout ce qu'elle avait de précieux
depuis si longtemps.
Quand son peuple est tombé
aux mains de l'ennemi,
sans personne
pour lui porter secours,
ses vainqueurs ont trouvé amusant
de la voir ainsi réduite à rien.
8 Jérusalem a commis des fautes graves,
c'est pourquoi elle provoque le dégoût[b].
Ceux qui la respectaient la méprisent,
maintenant qu'ils la voient toute nue.
Elle n'a plus qu'à se retirer
en poussant des soupirs.
9 Sa robe porte les traces de sa souillure.
Elle n'avait pas prévu
ce qui arriverait,
et la voilà surprise d'être ainsi déchue,
sans personne pour la réconforter.
« Seigneur, dit-elle, vois ma misère,
vois comme mon ennemi
est triomphant. »
10 Les vainqueurs ont fait main basse
sur tous ses trésors.
Elle a même vu les païens
pénétrer dans son *sanctuaire.
Tu avais pourtant interdit, Seigneur,
qu'ils prennent place
dans ton assemblée.
11 Son peuple soupire, découragé,
cherchant quelque chose à manger.
Il a donné
ce qu'il avait de plus précieux
pour du pain,
pour refaire ses forces.
« Seigneur, prie-t-elle, regarde et vois
à quel point je suis méprisée. »

*

12 Vous tous qui passez par ici,
ce malheur ne vous a pas touchés ;
regardez et constatez :
il n'y a pas de souffrance comparable
à celle que je subis,
à celle que le Seigneur m'a infligée,
le jour où sa colère a éclaté.
13 De là-haut, il a envoyé un feu
et l'a fait pénétrer en moi[c].
Il a tendu un piège sous mes pas
et m'a renversée en arrière.
Il m'a complètement isolée,
j'en suis malade tous les jours.
14 Il a l'œil sur mes fautes[d], elles former
comme un nœud dans sa main,
elles montent jusqu'à mon cou.
Le Seigneur a paralysé mes forces,
il m'a livrée aux mains d'adversaires
contre lesquels je ne peux rien.
15 Le Seigneur a rejeté dans le mépris
tous les vaillants soldats
que j'avais chez moi.
Il a mobilisé une armée contre moi,
pour écraser mes jeunes gens.
Il m'a écrasée, moi Sion de Juda,
comme du raisin au pressoir.
16 C'est sur ce malheur que je pleure
toutes les larmes de mon corps.
Il est loin,
celui qui peut me réconforter
et me rendre la force de vivre.
Mes enfants sont perdus pour moi,
l'ennemi était trop fort.

*

17 Sion a beau tendre les mains
en suppliant,
personne pour la réconforter.
Sur l'ordre du Seigneur,
les voisins d'Israël
sont devenus ses adversaires.
Parmi eux, Jérusalem
ne provoque plus que du dégoût.

*

18 Le Seigneur a eu raison d'agir ainsi,
car je m'étais opposée à ses ordres.

---

b **1.8** *le dégoût* : autre traduction *la moquerie*.

c **1.13** *et l'a fait pénétrer en moi* ou *et l'a fait descendre dans mes os* : comme l'a compris l'ancienne version grecque ; avec d'autres voyelles le texte hébreu traditionnel a compris *il a envoyé du feu dans mes os, il en est le maître*.

d **1.14** Comme l'a compris l'ancienne version grecque. Le texte hébreu traditionnel est traduit par certains *le *joug de mes désobéissances est lié* (mais le verbe hébreu employé ici n'a jamais ailleurs le sens de *lier*).

Vous tous qui êtes ici, écoutez bien,
et regardez ma souffrance :
mes jeunes filles et mes jeunes gens
partent vers la captivité.
9 J'ai appelé ceux qui m'aimaient,
pourtant ils m'ont laissée tomber.
Mes prêtres et mes conseillers
ont expiré dans la ville,
alors qu'ils cherchaient quelque chose
à manger pour refaire leurs forces.
0 Seigneur,
vois dans quelle détresse je suis,
et quelle émotion me brûle.
J'ai le cœur tout retourné
de t'avoir été rebelle à ce point.
Dans la rue,
l'épée m'a privée de mes enfants,
à la maison,
on se croirait chez les morts.
On m'entend soupirer :
personne pour me réconforter.
Mes ennemis
ont tous appris mon malheur,
ils sont ravis
de ce que tu m'as infligé.
Tu as fait lever le jour annoncé[e].
Qu'ils aient le même sort que moi !
Regarde bien leur méchanceté
et traite-les
comme tu m'as traitée
pour toutes mes désobéissances.
Tu vois, je ne fais que soupirer,
j'en ai le cœur malade.

Le Seigneur s'est conduit en ennemi de Jérusalem

2 [1] Hélas, dans sa colère,
le Seigneur maintient
de bien sombres nuages
sur Jérusalem !
Du haut du ciel, il a jeté jusqu'à terre
ce qui était la *gloire d'Israël.
Quand sa colère a éclaté
contre *Sion,
il a oublié
qu'elle était son marchepied[f].
Sans pitié
le Seigneur n'a fait qu'une bouchée
du domaine de son peuple.
Dans son emportement, il a démoli
les villes fortifiées de Juda,
Il a jeté à terre et déshonoré
le royaume et ses dirigeants.

3 Dans sa colère ardente, il a cassé
tout ce qui faisait la fierté d'Israël.
Il s'est retenu d'intervenir
quand l'ennemi est arrivé.
Chez son peuple
il a allumé un incendie
qui a tout dévoré autour de lui.
4 Comme un ennemi il a tendu son arc,
gardant sa main droite
en position de tir.
Il s'est montré notre adversaire,
en massacrant
ce que nous avions plaisir à voir.
Il a déversé sa fureur comme un feu
sur le *temple de Sion.
5 Le Seigneur s'est conduit
comme notre ennemi,
il n'a fait qu'une bouchée d'Israël
et de toutes ses belles maisons ;
il a démoli ses fortifications,
répandant partout dans le peuple de Juda
plaintes et complaintes.
6 Il a forcé la haie de son jardin[g],
il a détruit le lieu
où il nous rencontrait.
A Sion, le Seigneur a fait oublier
les jours de fête et de *sabbat.
En déchaînant sa colère, il a déshonoré
aussi bien le roi que les prêtres.
7 Le Seigneur ne veut plus de son *autel,
il a abandonné son lieu saint,
il a laissé tomber
aux mains de l'ennemi
les belles maisons de Sion.
Dans le temple,
le vacarme était aussi fort
que lors d'un jour de fête !
8 Le Seigneur avait décidé de détruire
les murailles de Sion.
Il a étendu le cordeau à niveler,
il n'a pas hésité à démolir.
Il a mis en deuil
l'avant-mur et le rempart,
qui se délabrent l'un et l'autre.

---

e **1.21** *le jour annoncé* : voir Amos 5.18 ; És 2.12 ; 13.6 ; Joël 1.15 ; 2.1-2.

f **2.1** Le chap. 2 est un poème alphabétique ; voir 1.1 et la note. – *Hélas* : voir 1.1 et la note. – *son marchepied* : comparer Ps 99.5 ; Matt 5.35.

g **2.6** Images du temple et de son enclos.

9 Les portes de la ville se sont écroulées,
il a réduit en miettes ses fermetures.
Roi et ministres
sont aux mains des païens.
Personne pour dire
ce que Dieu veut ;
même les *prophètes ne reçoivent plus
de message venant du Seigneur.
10 Les conseillers de Sion
sont assis à terre et gardent le silence,
ils ont jeté de la poussière sur leur tête,
ils ont revêtu la tenue de deuil.
Et les jeunes filles de Jérusalem
baissent la tête vers la terre.

*

11 Mes yeux s'épuisent à pleurer,
l'émotion me brûle,
je ne puis retenir mon désespoir[h]
devant le désastre
qui atteint mon peuple,
alors que les nourrissons meurent de soif
sur les places de la cité.
12 Les enfants demandent à leur mère :
« Où y a-t-il quelque chose à manger ? »,
tandis qu'ils défaillent,
comme les blessés
sur les places de la ville,
et qu'ils expirent
dans les bras de leur mère.

*

13 Jérusalem, je ne sais plus que te dire ;
ta situation ne ressemble à aucune autre !
Quel autre cas te citer,
pour te consoler, pauvre Sion ?
Ton désastre est immense,
comme la mer ;
personne ne pourrait t'en guérir.

14 Tes prophètes n'ont eu pour toi
que des messages mensongers
et creux.
Ils n'ont pas démasqué ta faute,
ce qui aurait conduit
à ton rétablissement.
Leur message pour toi
n'était que mensonge
et poudre aux yeux.
15 Tous ceux qui passent par ici
applaudissent à ta ruine.
Ils sifflent et hochent la tête[i]
pour se moquer de toi, Jérusalem :
« Est-ce bien la ville qu'on appelait
Beauté parfaite
et Joie de toute la terre ? »
16 Tous ceux qui t'en veulent
ouvrent la bouche
pour te provoquer.
Ils sifflent,
te montrent des dents menaçantes.
Ils disent :
« Nous n'en avons fait qu'une bouchée.
Le voilà venu,
le jour que nous attendions :
nous y sommes,
nous le voyons enfin ! »
17 Le Seigneur a fait ce qu'il avait résolu
il a réalisé ce qu'il avait dit,
ce qu'il avait décidé depuis longtemps :
il a démoli sans pitié.
Par ton malheur il a réjoui l'ennemi,
il a renforcé l'orgueil de ton adversaire[j].

*

18 D'un seul cœur Jérusalem
a fait monter son cri
vers le Seigneur.
Muraille de Sion, jour et nuit,
laisse couler tes larmes à torrents.
Ne t'accorde aucun répit,
que tes pleurs ne cessent pas !
19 Ne te retiens pas : d'heure en heure,
remplis la nuit de tes lamentations
Vide ton cœur
en présence du Seigneur.
Tends vers lui tes mains suppliantes[k]
pour la vie de tes jeunes enfants
en train de mourir de faim
à tous les coins de rue.

---

h **2.11** ou *mon foie se répand à terre*.
i **2.15** Sur ces gestes de moquerie voir Ps 22.8 ; 109.25.
j **2.17** *l'orgueil* : autre traduction *la force*.
k **2.19** *d'heure en heure* ou *au début de chaque veille* : les Hébreux partageaient la nuit en trois veilles. – *tends vers lui les mains* : geste de la prière ; voir Ps 28.2 et la note.

*

Seigneur, regarde et vois
 qui tu traites ainsi.
Des femmes peuvent-elles aller
 jusqu'à manger
les enfants qu'elles ont mis au monde
 et choyés ?
Peut-on assassiner
prêtres et *prophètes
 jusque dans ton *sanctuaire ?
Jeunes et vieux gisent pêle-mêle
 par terre au coin des rues.
Mes filles et mes garçons sont tombés
 sous les coups de l'épée.
Le jour de ta colère, tu les as tués,
 massacrés sans pitié.
Comme pour un jour de fête,
 tu as invité mes redoutables voisins.
Le jour où ta colère a éclaté, Seigneur,
 il n'y a eu ni rescapé ni survivant.
Les enfants que j'avais élevés et choyés,
 l'ennemi les a exterminés.

En pleine détresse une vraie raison d'espérer

3 1 Je[l] suis l'homme qui a connu la misère
 sous les coups furieux du Seigneur.
Il m'a poussé devant lui,
 il m'a fait marcher
non dans la lumière
 mais dans le noir.
C'est sur moi seul qu'il continue
 à porter la main tous les jours.

Il m'a fait dépérir de la tête aux pieds,
 il m'a brisé les os.
Il a dressé autour de moi comme un mur
 d'amertume et de peine.
Il m'a relégué dans l'obscurité
 comme les morts du passé.

Il m'a emmuré
pour m'empêcher d'en sortir,
 il m'a chargé de chaînes.
J'ai beau crier au secours,
 il fait obstacle à ma prière.
Il m'a barré la route
avec des blocs de pierre
 et m'a engagé sur une fausse voie.

10 Il a été pour moi un ours en embuscade,
 un lion tapi dans le fourré.
11 Il m'a rendu la vie impossible,
 il m'a paralysé et laissé sans voix.
12 Il a tendu son arc
 et m'a pris comme cible,

13 il m'a transpercé les reins
 de toutes ses flèches.
14 Tout le monde[m] rit de moi,
 tous les jours on me ridiculise.
15 Il m'a fait boire tout mon soûl d'amertume
 et m'a enivré de mélancolie.

16 Il m'a obligé à croquer des cailloux
 et m'a piétiné dans la poussière.
17 J'ai été privé[n] d'une vie paisible,
 j'ai oublié ce qu'est le bonheur.
18 Je le dis : je n'ai plus d'avenir,
 je n'attends plus rien du Seigneur.

*

19 Je suis errant et humilié ;
 y penser est un amer poison pour moi.
20 Je n'en peux rien oublier
 et je reste accablé.
21 Mais voici ce que je veux me rappeler,
 voici ma raison d'espérer :

22 Les bontés du Seigneur
ne sont pas épuisées,
 il n'est pas au bout de son amour.
23 Sa bonté se renouvelle chaque matin.
 Que ta fidélité est grande, Seigneur !
24 Je le dis : le Seigneur est mon trésor,
 voilà pourquoi j'espère en lui.

25 Le Seigneur est bon
 pour qui compte sur lui,
 pour qui se tourne vers lui.
26 Il est bon d'espérer en silence
 la délivrance que le Seigneur enverra.

---

l **3.1** Chap. 3 : poème alphabétique ; voir 1.1 et la note.

m **3.14** *Tout le monde* : le texte semble hésiter entre deux sens : *Tout le monde* ou *Tout mon peuple*.

n **3.17** On peut comprendre aussi, comme un reproche adressé à Dieu : *Tu m'as privé (d'une vie paisible)*.

27 Il est bon pour l'homme
d'avoir dû se plier à des contraintes[o]
dès sa jeunesse.

28 Qu'il s'isole en silence
quand le Seigneur lui impose une épreuve !
29 Qu'il s'incline,
la bouche dans la poussière,
dans l'espoir
que le Seigneur intervienne !
30 Qu'il tende la joue à celui qui le frappe[p],
et qu'il se laisse abreuver d'insultes !

31 Car le Seigneur n'est pas de ceux
qui rejettent pour toujours.
32 Même s'il fait souffrir,
il reste plein d'amour,
tant sa bonté est grande.
33 Ce n'est pas de bon cœur qu'il humilie
et qu'il fait souffrir les humains.

*

34 Quand on foule aux pieds
tous les prisonniers d'un pays,
35 quand on défie le Dieu très-haut
en violant les droits de l'homme,
36 quand on tord la justice
dans un procès,
le Seigneur ne le voit-il pas ?

37 Qui peut, d'un seul mot,
provoquer l'événement[q] ?
N'est-ce pas le Seigneur qui décide ?
38 N'est-ce pas la parole du Dieu très-haut
qui suscite tout, malheur ou bonheur ?
39 Alors de quoi l'homme peut-il se plaindre,
s'il est encore en vie,
malgré ses fautes ?

40 Examinons de près notre conduite
et revenons au Seigneur.

41 Prions de tout notre cœur,
en levant les mains[r]
vers Dieu qui est dans les cieux.
42 Nous avons été des rebelles endurcis,
et toi, Seigneur,
tu ne nous l'as pas pardonné.

43 Enfermé dans ta colère,
tu nous as poursuivis,
massacrés sans pitié.
44 Tu t'es retiré derrière un nuage
pour être inaccessible à notre prière
45 Tu as fait de nous des balayures,
des ordures
parmi les autres peuples.

46 Tous nos ennemis ouvrent la bouche
pour nous provoquer.
47 Notre sort, c'est l'effroi, le vertige[s],
la dévastation, le désastre.
48 Mes yeux laissent couler
des torrents de larmes
à cause du désastre de mon peuple.

49 Ils sont une source intarissable,
car nous n'avons aucun répit.
50 J'attends que le Seigneur se penche
de là-haut
pour regarder, et qu'il voie :
51 Ce qui arrive aux filles de ma ville
est un spectacle trop douloureux
pour moi.

*

52 Ceux qui m'en veulent sans raison
m'ont pourchassé comme un oiseau
53 Ils m'ont enfermé tout vivant
dans une fosse,
ils ont placé une pierre
au-dessus de moi[t].
54 L'eau montait plus haut que ma tête ;
je me suis dit que j'étais perdu.

55 Au fond du gouffre, Seigneur,
j'ai fait appel à toi.
56 Tu m'as entendu te crier :
« Ne bouche pas tes oreilles
à mes soupirs et à mes cris. »
57 Quand je t'ai appelé, tu t'es approché
et tu m'as dit : « N'aie pas peur. »

58 Seigneur, tu as plaidé pour moi,
tu m'as sauvé la vie.

---

o **3.27** *se plier à des contraintes* ou *porter le *joug*.
p **3.30** Comparer Matt 5.39.
q **3.37** Voir Ps 33.9.
r **3.41** Voir 2.19 et la note.
s **3.47** *le vertige* ou *le gouffre*.
t **3.53** Autre traduction *ils ont jeté des pierres sur moi*.

Seigneur, tu as vu quel tort on m'a fait,
rends-moi donc justice.
Tu as vu
comment on s'est vengé de moi,
tu as vu
les projets qu'on formait contre moi.

Seigneur, tu as entendu ces insultes,
tout ce qu'on projetait contre moi.
Les discours
et les pensées de mes adversaires
sont tournés contre moi tous les jours.
Regarde tout ce qu'ils font :
je suis le sujet de leurs chansons.

Seigneur, tu les traiteras en retour
comme ils m'ont traité.
Tu rendras leur esprit aveugle[u],
ce sera ta malédiction sur eux.
Tu les poursuivras de ta colère,
tu les élimineras de la terre.

Les horreurs du siège de Jérusalem

1 Comment l'or si brillant,
le métal si beau, a-t-il pu se ternir ?
Comment les pierres qui t'étaient consacrées
ont-elles pu s'éparpiller
à tous les coins de rue[v] ?
Comment les enfants de *Sion,
eux qui valaient leur pesant d'or,
peuvent-ils être estimés
au prix d'un simple pot de terre ?
Même les chacals
ont l'instinct maternel
et allaitent leurs petits.
Mais mon peuple
est une mère inhumaine,
comme l'autruche dans le désert[w].
De soif, les nourrissons
ont la langue collée à leur palais.
Les jeunes enfants réclament du pain ;
personne pour leur en offrir une bouchée.
Ceux qui se nourrissaient de bons morceaux
tombent d'épuisement dans les rues.
Ceux qu'on avait élevés dans le luxe
fouillent à pleines mains les tas d'ordures.

6 Les torts de mon peuple sont plus grands
que les fautes des gens de Sodome,
qui fut bouleversée en un clin d'œil
sans qu'on ait eu le temps de réagir[x].
7 Les princes avaient plus d'éclat que la neige,
leur teint était plus blanc que le lait
et leur corps plus rose que le corail.
Leurs veines évoquaient le bleu du saphir[y].
8 Ils paraissent maintenant
plus noirs que la suie,
on ne les reconnaît plus dans la rue.
Ils n'ont plus que la peau sur les os,
une peau sèche comme du bois sec.
9 Mieux valait succomber
victime de l'épée
que mourir victime de la faim
et dépérir
affaibli par la disette.
10 Des mères, pourtant pleines d'amour,
ont fait cuire elles-mêmes leurs enfants
pour s'en nourrir,
dans le désastre qui atteint mon peuple[z].

*

11 Le Seigneur est allé
au bout de sa fureur,
il a déversé son ardente colère.
A *Sion, il a allumé un incendie
qui en a dévoré les fondations.

---

u **3.65** *aveugle* : sens probable d'un terme inconnu par ailleurs.

v **4.1** Chap. 4 : poème alphabétique ; voir 1.1 et la note. – *Comment* : voir la note sur 1.1. – *les pierres qui t'étaient consacrées* : certains pensent qu'il s'agit des pierres précieuses qui avaient fait partie du trésor du temple. L'*or* et les *pierres qui t'étaient consacrées* sont en tout cas ici les symboles de la gloire perdue de Jérusalem (voir 2.1).

w **4.3** *l'autruche* avait la réputation d'être mauvaise mère, parce qu'elle laisse ses œufs incuber au soleil ; comparer Job 39.14-16.

x **4.6** La ruine de *Sodome* : voir Gen 19.24-25 ; Es 1.7,10 ; Jér 23.14. – *sans qu'on ait eu le temps de réagir* ou *sans que des mains se soient tordues* (de peur). D'autres comprennent *sans l'intervention de mains humaines.*

y **4.7** *leurs veines* : signification probable d'un terme rare.

z **4.10** Voir Lam 2.20 ; Deut 28.57 ; Ézék 5.10.

12 Les rois de la terre
ni personne au monde
n'auraient pu croire
que l'ennemi vainqueur
entrerait un jour
par les portes de Jérusalem.
13 Ce désastre est dû aux fautes des *prophètes
et aux crimes des prêtres,
qui ont répandu dans la ville
le sang des vrais fidèles.
14 Comme des aveugles dans les rues
ils avancent hésitants,
souillés de sang.
Il est interdit de toucher
même à leurs vêtements[a].
15 Quand ils arrivent on crie :
« Écartez-vous, ils sont *impurs !
Écartez-vous, n'approchez pas[b] ! »
Tandis qu'ils s'enfuient
sans savoir où aller,
les peuples étrangers déclarent :
« Pas question qu'ils restent
plus longtemps chez nous ! »
16 Le Seigneur en personne les a dispersés,
il ne veut plus les voir.
On n'a pas eu d'égards pour les prêtres,
ni de respect pour les vieillards.

*

17 Nos yeux continuaient à se fatiguer,
à épier un secours qui ne venait pas.
Nous avons attendu sans répit
l'arrivée d'une nation
qui n'est pas venue nous sauver[c].
18 On surveille nos pas :
impossible de nous rendre sur nos places.
Nous avons fait notre temps,
notre fin est proche, elle est là.
19 Nos poursuivants sont rapides,
plus que l'aigle dans le ciel.
Ils nous pourchassent
sur les montagnes,
ils nous guettent
dans les lieux inhabités.
20 Celui dont notre vie dépendait,
le roi que le Seigneur avait consacr
lui dont nous disions : « Sous sa gard
nous aurons notre place parmi le nations »,
le voilà captif
dans une fosse ennemie[d] !

*

21 Tu peux être ravie, populatio d'Édom,
toi qui habites le pays d'Ous !
Mais la coupe du jugement
te parviendra[e] à toi aussi !
Tu t'y enivreras,
tu te mettras toute nue !
22 Ta punition est complète, pauvre Sior
On ne t'emmènera plus
en déportation.
Quant à toi, Édom,
le Seigneur punira tes fautes,
il démasquera tes crimes.

Fais-nous revenir à toi, Seigneur

5 1 Seigneur, n'oublie pas
ce qui nous est arrivé,
regarde et constate
comme on nous insulte.

2 Notre bien le plus sacré est passé d'autres
et nos maisons à des étrangers.
3 Nos pères ne sont plus là,
nous voilà orphelins
et nos mères veuves.
4 Nous ne buvons l'eau de nos puits
qu'à prix d'argent,
et nous devons payer
pour rentrer notre bois.
5 Nous avons nos persécuteurs sur dos ;
épuisés, nous n'avons pas de répit.
6 Nous tendons la main vers l'Égypte
et vers l'Assyrie,
pour manger à notre faim.

---

a 4.14 *interdit de toucher à leurs vêtements* : pour respecter les règles concernant le pur et l'impur (voir ces mots au VOCABULAIRE : voir aussi le v. 15 et Nomb 35.33).

b 4.15 Voir Lév 13.45.

c 4.17 Voir Jér 37.7.

d 4.20 Sur la fuite et la capture de Sédécias, dernier *roi* de Jérusalem, voir 2 Rois 25.1-6 ; Jér 39.4-5 ; 52.7-9.

e 4.21 Au moment de la chute de Jérusalem, en 587 avant J.-C., les Édomites avaient participé au pillage ; voir Ézék 25.12-14 ; 35 ; Joël 4.19 ; Abd 10-15 ; Ps 137.7. Comme pour Jérusalem la population édomite est ici personnifiée sous les traits d'une jeune femme. – *Ous* (Job 1.1) : oasis non localisée, située sans doute au nord-ouest de la péninsule arabique. – *la coupe du jugement* : voir Jér 25.15-21 : Ps 75.9.

[7] Nos parents ont fait le mal,
ils ne sont plus là,
mais c'est nous qui portons
le poids de leurs crimes.
[8] Des esclaves sont nos maîtres,
et personne n'est là
pour nous délivrer d'eux.
[9] Pour avoir à manger
nous risquons notre vie
contre les bandes armées
des lieux déserts.
[10] Comme si nous étions dans un four
notre peau nous brûle,
tant la faim nous tenaille.
[11] On fait violence aux femmes
dans *Sion,
et aux jeunes filles
dans les villes de Juda.
[12] On a pris les ministres
et on les a pendus,
on n'a eu aucun respect pour les vieillards.
[13] Des jeunes gens portent la *meule du moulin,
les garçons trébuchent sous la charge de bois.
[14] Les vieux ont cessé de siéger au conseil
et les jeunes de pincer leur guitare.
[15] Notre cœur a cessé d'être heureux,
notre danse de joie
s'est changée en deuil.
[16] C'en est fini de notre dignité[f] !
Quel malheur pour nous
d'avoir trahi le Seigneur !
[17] Si nous sommes atteints jusqu'au cœur,
si nos yeux se voilent de larmes,
[18] c'est que le mont Sion
est changé en désert,
il est devenu
le domaine des renards.

[19] Mais toi, Seigneur,
tu es roi pour toujours,
tu règnes de siècle en siècle.
[20] Pourquoi nous oublierais-tu sans fin,
nous abandonnerais-tu pour toute la vie ?
[21] Ramène-nous à toi, Seigneur,
pour que nous revenions vraiment à toi ;
renouvelle notre vie
comme autrefois.
[22] Nous rejetterais-tu tout à fait ?
Nous en voudrais-tu à ce point ?

---

f **5.16** Ou *La couronne est tombée de notre tête.*

Ézékiel

Introduction – *Ézékiel, un prêtre du *temple de Jérusalem, fait partie des Israélites d*
portés à Babylone en 597 avant J.-C., après la première prise de Jérusalem par Nabucodon
*sor. Environ quatre ans plus tard, Dieu l'appelle à devenir son *prophète. De la terre d'ex*
Ézékiel adresse alors des paroles d'avertissement à la fois aux Juifs déportés en Babylonie et
ceux qui sont restés à Jérusalem. Après la chute de Jérusalem et la destruction du temple e
587 avant J.-C., il y ajoute des paroles de consolation et d'espérance.

*Le livre d'*Ézékiel *comprend quatre grandes parties :*
– La première est constituée de reproches et de menaces adressés aux Israélites avant le secon
siège de Jérusalem (chap. 1–24).
– La deuxième annonce que le jugement de Dieu s'exercera également sur les peuples étrange
qui ont trompé et opprimé Israël (chap. 25–32).
– La troisième partie, composée de paroles prononcées après la chute de Jérusalem en 58
avant J.-C., comporte essentiellement un message de réconfort pour le peuple d'Israël (cha
33–39).
– La quatrième partie décrit le temple futur dont le prophète a eu la vision (chap. 40–48).

Ézékiel est inspiré par de nombreuses visions et il illustre fréquemment sa prédication en a
complissant des actes qui ont valeur symbolique. En tant que prêtre il accorde une très gran
importance au temple, mais il affirme que la présence de Dieu, loin d'être liée au sanctuaire
Jérusalem, peut être active même en Babylonie (11.16 par exemple). En déclarant que chaq
individu est responsable de ses propres actes (chap. 18), il rompt avec la tradition israélite att
chée à l'idée de responsabilité collective. Il insiste donc sur le renouvellement de la vie pe
sonnelle, mais il annonce aussi que le peuple de Dieu, restauré par une sorte de résurrecti
(chap. 37), sera ramené dans son pays (11.14-20 ; 36.1-38).

Le Seigneur se manifeste à Ézékiel

1 [1] Le cinquième jour du quatrième
mois de ma trentième année, je me
trouvai parmi les déportés sur les rives du
Kébar[a] ; je vis le *ciel s'ouvrir et Die
m'envoya des visions. [2] C'était la ci
quième année depuis que le roi Joaki
avait été déporté[b]. [3] C'est ainsi qu
dans le pays des Babyloniens, sur les r
ves du Kébar, le Seigneur m'adressa
parole, à moi, Ézékiel, fils du prêt
Bouzi ; là, la puissance du Seigneur n
saisit.

[4] Voici ce que je vis : une rafale de ve
arrivait du nord, amenant un gros nua
d'où jaillissaient des flammes. Le nua
était entouré de clarté. Son centre en
brasé scintillait comme un métal brillan

a **1.1** *de ma trentième année* : le texte hébreu a simplement *dans la trentième année* ; à défaut de toute indication, il semble possible de voir là une référence à l'âge d'Ézékiel. – *Le Kébar* est probablement un canal relié à l'Euphrate, le grand fleuve qui passe à Babylone.

b **1.2** C'est-à-dire en 593-592 avant J.-C., voir 2 Rois 24.8-17 et 2 Chron 36.9-10.

On y distinguait les formes de quatre
tres vivants qui présentaient une ap-
arence humaine. 6 Chacun d'eux avait
uatre visages et quatre ailes. 7 Leurs
ımbes étaient droites ; leurs pieds res-
emblaient aux sabots d'un veau et bril-
ıient comme du bronze poli. 8 Sous
hacune de leurs quatre ailes, il y avait
ne main d'homme. Ces mains étaient
ournées dans les quatre directions
omme leurs visages et leurs ailes. 9 Les
xtrémités de leurs ailes se touchaient
une l'autre. Ils avançaient droit devant
ıx sans tourner leur corps. 10 Leurs vi-
ıges étaient comme des faces humaines,
chacun d'eux avait une face de lion à
roite, une face de taureau à gauche et
ne face d'aigle. 11 Deux de leurs ailes[c],
éployées vers le haut, se rejoignaient
ntre elles, et deux leur couvraient le
orps. 12 Ils avançaient chacun droit de-
ant soi. Ils allaient là où ils voulaient[d]
ans avoir à tourner leur corps. 13 Entre
s êtres vivants[e] on apercevait comme
es braises enflammées, on voyait bou-
er des sortes de torches. Le feu était
louissant et des éclairs en jaillissaient.
Les êtres vivants allaient et venaient à
ute allure ; ils semblaient aussi rapides
ıe la foudre.
15 En les observant, je vis à côté de cha-
ın d'eux[f] une roue qui touchait terre.
Les roues offraient l'aspect scintillant
une pierre précieuse. Elles étaient tou-
s semblables et paraissaient construites
telle manière qu'elles s'imbriquaient
s unes dans les autres. 17 Elles pouvaient
déplacer dans les quatre directions
ns avoir à pivoter. 18 Elles étaient d'une
uteur effrayante et couvertes de reflets
illants sur tout leur pourtour. 19 Lors-
ıe les êtres vivants avançaient, les roues
ançaient à côté d'eux, et lorsqu'ils s'éle-
ient de terre, elles s'élevaient égale-
ent. 20 Ils allaient là où ils voulaient et
s roues se déplaçaient en même temps
'eux, car la volonté des êtres vivants
nimait les roues. 21 Ainsi, chaque fois
'ils avançaient, qu'ils s'arrêtaient ou
'ils s'élevaient de terre, les roues fai-
ient le même mouvement en même
mps, puisqu'elles étaient animées par la
lonté des êtres.
22 Une sorte de voûte s'étendait au-
dessus des têtes des êtres vivants, aussi resplendissante de clarté que le cristal. 23 Sous
cette voûte, chacun des êtres avait deux ailes tendues bien droit l'une vers l'autre,
tandis que les deux autres lui couvraient le
corps. 24 J'entendis le bruit que faisaient
leurs ailes quand ils se déplaçaient. C'était
un bruit pareil au grondement de la mer,
au roulement du tonnerre[g] ou au tumulte
d'une immense armée. Quand ils s'arrêtaient, ils repliaient leurs ailes. 25 Au-dessus de la voûte qui dominait leurs têtes, il y
avait aussi du bruit 26 et l'on y distinguait
comme une pierre de saphir qui avait les
contours d'un trône. Sur cette sorte de
trône, tout en haut, se tenait une forme qui
avait une apparence humaine. 27 Je vis que
cette forme scintillait comme du métal
brillant et qu'elle paraissait entourée de
feu. Au-dessus et au-dessous de ce qui
semblait être sa taille, je voyais comme du
feu l'inondant de clarté. 28 La lumière environnante ressemblait à celle de l'arc-en-
ciel qui resplendit en un jour de pluie.
C'était le reflet de la glorieuse présence du
Seigneur. A cette vue, je tombai la face
contre terre. Alors j'entendis quelqu'un
me parler[h].

Dieu envoie Ézékiel auprès des Israélites

2 1 Il me dit : « Toi, l'homme[i], mets-toi
debout ; j'ai à te parler. » 2 Pendant
qu'il disait cela, l'Esprit de Dieu me pé-

c **1.11** *leurs ailes* : d'après d'anciennes versions ; hébreu *leurs faces, leurs ailes*.

d **1.12** *là où ils voulaient* : autre traduction *là où l'esprit les poussait*.

e **1.13** *Entre les êtres vivants* : d'après d'anciennes versions ; hébreu *Et la forme des êtres vivants (comme des braises)*.

f **1.15** *à côté de chacun d'eux* : d'après d'anciennes versions ; hébreu *à côté de chacune de leurs faces*.

g **1.24** *au roulement du tonnerre* traduit l'expression hébraïque *à la voix du *Tout-Puissant* qui est une manière de désigner le tonnerre.

h **1.28** Comparer cette manifestation du Seigneur à Ézékiel (1.1-28) à 10.1-22 et à Apoc 4.1-11.

i **2.1** *Toi, l'homme* traduit l'hébreu *fils d'homme*. L'expression est fréquente dans le livre d'Ézékiel et y souligne la distance entre Dieu et son *prophète qui n'est qu'un homme mortel. La même expression est traduite parfois par *toi qui n'es qu'un homme* (voir v. 3) ou, tout simplement, par *l'homme* (voir 3.4).

nétra et me fit tenir debout. J'écoutai
donc celui qui me parlait. 3 « Toi qui n'es
qu'un homme, dit-il, je t'envoie auprès
des Israélites, cette bande de rebelles qui
se sont révoltés contre moi. Tout comme
leurs ancêtres, ils n'ont jamais cessé de
rejeter mon autorité. 4 C'est vers ces gens
à la tête dure et au caractère obstiné que
je t'envoie. Tu t'adresseras à eux en disant : “Voici ce que déclare le Seigneur
Dieu”. 5 Alors, qu'ils t'écoutent ou qu'ils
refusent de le faire parce qu'ils sont un
peuple récalcitrant, ils sauront qu'il y a
un *prophète parmi eux.

6 « Quant à toi, l'homme, n'aie pas peur
d'eux ni de leurs paroles. Ils te contredi-
ront : ce sera comme si tu étais entouré de
ronces et assis sur des scorpions. Cependant ne sois pas effrayé par les paroles ou
par l'attitude de ce peuple récalcitrant.
7 Tu leur répéteras ce que je te dirai, qu'ils
t'écoutent ou refusent de le faire à cause
de leur entêtement.

8 « Quant à toi, l'homme, ne te montre
pas aussi récalcitrant qu'eux, écoute ce
que j'ai à te dire. Ouvre la bouche et
mange ce que je vais te donner. »

9 Je vis alors une main tendue vers
moi ; elle tenait un livre en forme de rouleau[j]. 10 Elle le déroula devant moi : il
était écrit des deux côtés[k] ; le texte était
composé de plaintes, de gémissements et
de cris de détresse.

3 1 Celui qui me parlait dit : « Toi,
l'homme[l], mange ce rouleau qui t'est
présenté, puis va parler aux Israélites. »
2 J'ouvris la bouche et il me fit manger le
rouleau. 3 Il ajouta : « Toi, l'homme, remplis ton ventre et nourris ton corps avec
ce rouleau que je te donne. » Je le mangeai donc et, dans ma bouche, il eut un
goût aussi doux que le miel.

4 Alors il reprit : « En route, l'homme,
va auprès des Israélites et transmets-leur
mes paroles. 5 Je ne t'envoie pas auprès
d'un peuple qui parle une langue étrangère difficile à comprendre, mais auprè
du peuple d'Israël. 6 Si je t'envoyais auprès des nombreux peuples qui parlen
une langue étrangère difficile et mêm
incompréhensible pour toi, ils t'écoute-
raient. 7 Mais les Israélites, eux, ne voudront pas t'écouter, car ils ne veulent pa
m'écouter. En effet, ils ont tous une fort
tête et un caractère endurci. 8 Cependan
je vais te rendre aussi obstiné qu'eux, t
auras la tête aussi dure que la leur ! 9 Je t
rendrai résistant comme le diamant, plu
solide que le roc. Par conséquent n'ai
pas peur d'eux et ne sois pas effrayé pa
l'attitude de ce peuple récalcitrant. » 10 I
continua : « Toi, l'homme, ouvre to
cœur et tes oreilles à mes paroles et re
tiens-les bien. 11 Ensuite va auprès de
membres de ton peuple qui sont déporté
ici. Adresse-toi à eux en disant : “Voici c
que déclare le Seigneur Dieu”. Parle-leu
qu'ils t'écoutent ou qu'ils refusent de l
faire. »

12 Alors l'Esprit de Dieu me souleva d
terre et j'entendis derrière moi une grand
clameur : « Que le Seigneur soit loué là o
il manifeste sa glorieuse présence. » 13 J'en
tendis aussi le bruit que faisaient les aile
des êtres vivants en se heurtant l'une
l'autre, ainsi que le bruit des roues à cô
d'eux. Ce fut un grand vacarme. 14 L'E
prit qui m'avait soulevé de terre, m'en
porta. La puissance du Seigneur m'ava
saisi de façon irrésistible et je m'en allai
cœur triste et agité. 15 J'arrivai à Tel-Abi
auprès des déportés installés sur les riv
du Kébar. Je restai sept jours parmi eu
dans la plus complète stupeur.

Ézékiel sera un guetteur pour le peuple d'Israël

(Voir 33.1-9)

16 Au bout des sept jours, le Seigne
m'adressa la parole : 17 « Tu n'es qu'u
homme, mais je fais de toi un guette
pour alerter le peuple d'Israël. Tu écou-
ras mes paroles et tu transmettras m
avertissements aux Israélites. 18 Supp
sons que j'aie à prévenir un méchant qu
va vers une mort certaine : si tu ne l'ave
tis pas d'avoir à changer sa mauvai
conduite afin qu'il puisse vivre, ce m

j **2.9** *un livre en forme de rouleau* : voir Jér 36.2 et la note. – V. 9-10 : voir Zach 5.1-4 ; Apoc 5.1.

k **2.10** On n'écrivait souvent que sur un seul côté mais, ici, les paroles que le prophète aura à transmettre sont si nombreuses qu'il a fallu écrire *des deux côtés*.

l **3.1** Voir 2.1 et la note. – V. 1-3 : voir Apoc 10.9-10.

ıant mourra à cause de ses fautes, mais
est toi que je tiendrai pour responsable
: sa mort. 19 Par contre, si tu l'avertis et
ı'il ne renonce pas à sa méchanceté et à
mauvaise conduite, il mourra à cause
: ses fautes mais toi, tu auras préservé ta
e. 20 Supposons qu'un homme juste se
étourne du bien et se mette à mal agir :
n ferai la cause de son malheur et il
ourra. Si tu ne l'avertis pas du danger, il
ourra à cause de ses mauvaises actions.
:s bonnes actions passées ne seront pas
ises en compte, mais c'est toi que je
endrai pour responsable de sa mort.
Par contre, si tu avertis ce juste de ne
ıs mal agir et qu'il renonce à le faire, il
vra grâce à tes avertissements et toi-
ême, tu auras préservé ta vie. »

Dieu impose un temps de silence à Ézékiel

22 La puissance du Seigneur me saisit
ıcore. Il me dit : « Debout, va dans la
llée, je veux t'y parler. » 23 Je me mis
nc en route pour aller dans la vallée.
ı glorieuse présence du Seigneur s'y
anifestait telle que je l'avais déjà vue
r les rives du Kébar. Je tombai la face
ntre terre. 24 Alors l'Esprit de Dieu me
nétra et me remit debout. Il me dit :
Va t'enfermer dans ta maison. 25 Là on
mettra des cordes, à toi, l'homme, on te
otera de telle manière que tu ne pour-
s plus sortir en public. 26 J'immobilise-
ta langue contre ton palais et tu
viendras muet, incapable de répriman-
r ce peuple récalcitrant. 27 Mais lorsque
urai quelque chose à dire par ton inter-
édiaire, je te rendrai la faculté de parler.
ors tu t'adresseras à eux en disant :
oici ce que déclare le Seigneur Dieu."
rtains seront disposés à écouter mais
ıutres refuseront de le faire, car c'est un
uple récalcitrant. »

Ézékiel et le siège de Jérusalem

1 « Quant à toi, l'homme[m], prends
une brique d'argile et pose-la devant
. Dessine dessus une ville qui repré-
nte Jérusalem. 2 Puis montre qu'elle est
siégée : creuse des tranchées, élève des
nblais, place des lignes d'attaque et des
ıchines de guerre tout autour d'elle.
3 Prends ensuite une plaque de fer et dis-
pose-la comme un mur entre toi et la
ville. Fixe ton regard sur la ville : elle est
assiégée, c'est toi qui l'assièges, et c'est là
un signe d'avertissement pour le peuple
d'Israël.

4 « Couche-toi alors sur le côté gauche
et places-y le poids des fautes du royaume
d'Israël. Aussi longtemps que tu seras
couché dans cette position, tu en supporteras le fardeau. 5 Je t'impose cela
pour un nombre de jours équivalent au
nombre d'années où le royaume d'Israël a
été en faute. Ainsi pendant trois cent
quatre-vingt-dix jours[n], tu porteras le
poids de ses fautes. 6 A la fin de cette période, tourne-toi sur le côté droit, et porte
le poids des fautes du royaume de Juda
pendant quarante jours[o]. Je t'impose un
jour pour chacune des années où il a été
en faute. 7 Ensuite dirige ton regard vers
Jérusalem assiégée, étends vers elle ton
bras nu et prononce de ma part des menaces contre la ville. 8 Quant à moi, je
t'attacherai avec des cordes pour que tu
ne puisses pas te tourner d'un côté sur
l'autre pendant tout le temps où tu seras
immobilisé par ce siège.

9 « Prends du blé, de l'orge, des fèves,
des lentilles, du millet et du blé dur. Mélange le tout dans un récipient pour en
faire du pain. Ce sera ta nourriture pendant les trois cent quatre-vingt-dix jours
où tu seras couché sur le côté. 10 Tu mangeras une ration d'une demi-livre par
jour : cela devra te suffire jusqu'au jour
suivant. 11 Tu boiras de l'eau en quantité
mesurée, ta ration sera d'un litre par jour.
12 Ta nourriture aura la forme de galettes
d'orge. Tu la feras cuire sur un tas d'excréments humains[p] devant les yeux de

---

m **4.1** Voir 2.1 et la note.

n **4.5** *trois cent quatre-vingt-dix jours* : ce chiffre renvoie peut-être, en l'arrondissant, au nombre d'années écoulées entre la division du royaume de Salomon (1 Rois 12.19) et la prise de Jérusalem (autour de 587 avant J.-C.).

o **4.6** Le chiffre *quarante* symbolise souvent des temps d'épreuve, comme par exemple les quarante jours du déluge ou les quarante ans de la traversée du désert.

p **4.12** *sur un tas d'excréments humains* : ce combustible, étant considéré comme *impur, rend impurs les aliments qu'il sert à cuire, voir v. 13.

tout le monde. » 13 Le Seigneur ajouta : « C'est ainsi que les Israélites auront à manger des aliments *impurs dans les pays étrangers où je vais les chasser. » 14 Je m'écriai : « Ah, Seigneur Dieu, je ne me suis jamais rendu impur ! Depuis mon enfance, je n'ai jamais mangé d'une bête crevée ou qui a été tuée par un animal sauvage[q] ; aucune viande considérée comme impure n'est passée entre mes lèvres. » – 15 « Eh bien, me répondit-il, je t'accorde de remplacer les excréments humains par de la bouse de vache pour faire cuire ta nourriture. » 16 Il ajouta : « Vois-tu, l'homme, je vais détruire les réserves de pain de Jérusalem. Les gens devront sévèrement rationner leur nourriture et leur boisson ; ils en seront très angoissés. 17 Ils manqueront de pain et d'eau, chacun en sera accablé, et ils dépériront à cause de leurs fautes. »

Dieu va intervenir contre Jérusalem

5 1 « Quant à toi, l'homme, prends une épée tranchante et utilise-la comme rasoir. Rase-toi les cheveux et la barbe, puis pèse ce que tu auras coupé et divise-le en plusieurs parts[r]. 2 Lorsque le temps du siège sera terminé[s], tu en brûleras un tiers dans un feu allumé au centre de la ville. Tu prendras le second tiers et tu le frapperas avec ton épée tout autour de la ville. Tu disperseras le dernier tiers au vent et moi je le poursuivrai de mon épée. 3 Cependant, tu garderas une petite partie des poils et tu les mettras à l'abri dans la poche de ton vêtement. 4 Tu en prélèveras quelques-uns pour les jeter au feu et les brûler ; et le feu atteindra tout le peuple d'Israël.

5 « Je le déclare, moi, le Seigneur Dieu, tel sera le sort de Jérusalem, la ville que j'ai placée au centre des nations, que j'ai entourée de pays étrangers. 6 Ses habitants ont rejeté les lois que je leur ai données. Ils ont refusé de se conduire selon mes règles. Ils ont ainsi dépassé en méchanceté les peuples étrangers et les pays d'alentour. 7 Eh bien moi, le Seigneur Dieu, je leur déclare : Vous avez causé bien plus de désordre que les peuples qui vous entourent. Vous ne vous êtes pas conduits selon mes règles, vous n'avez pas appliqué mes lois et vous n'avez même pas suivi celles des peuples voisins. 8 C'est pourquoi je déclare qu'à mon tour je vais agir contre vous, habitants de Jérusalem. Je vais exécuter ma sentence en pleine ville de façon que les autres peuples le voient. 9 J'interviendrai contre vous comme je ne l'ai jamais fait et comme je ne le ferai jamais plus, tellement vos actes ont été abominables. 10 Dans la ville, les parents en viendront à manger leurs enfants et les enfants à manger leurs parents[t]. J'exécuterai ma sentence contre vous et je disperserai aux quatre vents tous les survivants.

11 « Par ma vie, je l'affirme, moi, le Seigneur Dieu, vous avez souillé mon *temple par vos idoles abominables et vos pratiques révoltantes[u]. Eh bien moi, je passerai le rasoir ; je n'aurai pas un regard de pitié, je ne vous épargnerai pas. 12 Un tiers d'entre vous mourra de la peste ou de la famine à l'intérieur de la ville, un tiers sera tué par l'épée aux alentours ; je disperserai le dernier tiers aux quatre vents et je les poursuivrai de mon épée. 13 Je donnerai libre cours à ma colère, j'irai jusqu'au bout de ma fureur et j'exercerai ma vengeance contre vous. Alors vous serez convaincus que c'est moi, le Seigneur, qui vous ai parlé parce que je ne supporte pas votre infidélité. 14 Les habitants des pays qui vous entourent et tous ceux qui passeront par là verront que j'ai fait de Jérusalem une ville ruinée et déshonorée. 15 J'exécuterai ma sentence contre elle avec une grande colère et en l'accablant de violents r

---

q 4.14 *une bête crevée ou qui a été tuée par un animal sauvage* : manger une bête non saignée était interdit par la loi, voir Lév 17.15 ; Deut 14.21.

r 5.1 *l'homme* : voir 2.1 et la note. – *Rase-toi les cheveux et la barbe* : on rasait les prisonniers (voir És 7.20). Ce geste indique que les habitants de Jérusalem vont être emmenés en captivité.

s 5.2 Voir 4.1ss.

t 5.10 On peut prendre cette expression au sens propre : la famine sera telle qu'on en viendra à manger de la chair humaine ; certains préfèrent voir ici une image frappante des conflits qui déchireront même les plus proches parents (voir Mich 7.6 ; Matt 10.35-36 et par.).

u 5.11 Voir les chap. 6 et 8.

roches. Les peuples d'alentour feront
lors de cette ville un sujet de moquerie
t d'insulte, mais elle sera aussi pour eux
n avertissement et une cause de frayeur.
'est moi, le Seigneur, qui vous parle.
16 « J'enverrai contre vous, pour vous
xterminer, les flèches funestes de la fa-
ıine. Je détruirai vos réserves de pain et
: vous laisserai mourir de faim. 17 La fa-
ıine que je vous enverrai et les bêtes fé-
ɔces que je lâcherai contre vous tueront
os enfants ; la peste, la violence et la
uerre vous détruiront. C'est moi, le Seineur, qui vous parle. »

Contre les adorateurs d'idoles

6 1 Le Seigneur m'adressa la parole :
2 « Toi, l'homme, tourne ton regard
ers les montagnes d'Israël[v] et prononce
es menaces contre elles. 3 Tu diras :
Iontagnes d'Israël, écoutez les paroles
ue le Seigneur Dieu adresse à vos habi-
ınts et à ceux des collines, des ravins et
es vallées : Me voici, je vais faire venir la
ıerre contre vous pour détruire vos
eux sacrés. 4 Vos *autels seront démolis,
ɔs brûle-parfums[w] brisés et beaucoup
'entre vous tomberont morts devant vos
les idoles. 5 J'étendrai ainsi les cadavres
es Israélites devant leurs idoles et j'épar-
illerai leurs ossements autour de leurs
ıtels[x]. 6 Partout où vous habitez, les vil-
s seront dépeuplées et les lieux sacrés
ɔandonnés. Vos autels seront en ruine et
eviendront inutiles[y], vos idoles seront
risées, supprimées, et vos brûle-parfums
étruits ; tout ce que vous avez fabriqué
ra anéanti. 7 Beaucoup tomberont
ıorts parmi vous. Alors vous serez
ɔnvaincus que je suis le Seigneur. 8 Ce-
endant je laisserai certains d'entre vous
ırvivre à la guerre, et ces rescapés seront
ispersés dans des pays étrangers. 9 Ils
enseront à moi au milieu des popula-
ɔns où ils auront été déportés. Ils se rap-
elleront comment j'ai brisé leurs cœurs
ıfidèles[z] qui se sont détournés de moi et
étruit leurs yeux qui se sont fixés sur les
loles. Alors ils seront pris d'un grand
égoût d'eux-mêmes à cause des actions
ɔminables qu'ils ont commises. 10 Ils
ront convaincus que moi, le Seigneur,
n'ai pas parlé en l'air quand je les ai
menacés des malheurs qui leur arrivent ! »
11 Voici ce que le Seigneur Dieu me déclara : « Frappe des mains, tape des pieds
et dis : "Nous y voilà[a] !", à propos de toutes les pratiques abominables et monstrueuses des Israélites. Ils vont être
exterminés par la guerre, la famine et la
peste. 12 Ceux qui sont éloignés mourront
de la peste, ceux qui sont à proximité seront tués au combat et les survivants des
assiégés mourront de faim. Je donnerai
libre cours à ma colère contre eux.
13 Leurs cadavres joncheront le sol parmi
leurs idoles et autour de leurs autels, sur
les sommets des montagnes et des collines, parmi les arbres verdoyants et touffus, et à tous les autres endroits où ils
offrent des *sacrifices à leurs idoles[b].
Alors chacun sera convaincu que je
suis le Seigneur. 14 Je manifesterai ma
puissance contre eux. Je dévasterai leur
pays et je dépeuplerai tous les endroits
où ils vivent, depuis le désert au sud jusqu'à la ville de Ribla au nord. Tout le
monde sera convaincu alors que je suis
le Seigneur. »

Le Seigneur annonce le désastre final

7 1 Le Seigneur m'adressa la parole :
2 « Quant à toi, l'homme[c], écoute ce
que le Seigneur Dieu déclare aux habitants de la terre d'Israël : C'est la fin, le

v **6.2** *Toi, l'homme* : voir 2.1 et la note. – *vers les montagnes d'Israël* : les sanctuaires des cultes païens se trouvaient généralement sur les montagnes.

w **6.4** Les *brûle-parfums* étaient des vases de forme spéciale, destinés à faire brûler de l'encens et des parfums, et utilisés en particulier dans les cultes païens.

x **6.5** *j'éparpillerai leurs ossements autour de leurs autels* : à la fois pour souiller les lieux de culte païens et pour punir leurs utilisateurs en les privant de sépulture, voir 2 Rois 23.14-16 ; Jér 36.30.

y **6.6** *deviendront inutiles* : d'après d'anciennes versions ; hébreu *deviendront coupables*.

z **6.9** *j'ai brisé leurs cœurs infidèles* : autre traduction *j'ai été brisé par leurs cœurs infidèles*.

a **6.11** Ces gestes peuvent exprimer soit le désespoir, soit la moquerie ou encore la joie (en effet, ce qui va arriver marquera la fin de toutes les pratiques abominables en Israël).

b **6.13** Voir Deut 12.2 ; Jér 3.6 ; Osée 4.13.

c **7.2** Voir 2.1 et la note.

désastre final s'étend aux quatre coins du
pays. 3 Maintenant c'en est fini de vous :
ma colère va se déchaîner contre vous. Je
vais juger votre conduite et vous faire
payer vos actions abominables. 4 Je n'aurai pas un regard de pitié et je ne vous
épargnerai pas. Je vous ferai payer votre
conduite ; vos actions abominables deviendront manifestes. Ainsi vous serez
convaincus que je suis le Seigneur.

5 « Voici ce que le Seigneur Dieu déclare : Le malheur arrive, un malheur
sans pareil ! 6 C'en est fini : le désastre final vient, il va fondre sur vous, il est là !
7 Habitants du pays, votre ruine se prépare, le dénouement arrive, le jour du jugement approche[d]. La panique va
remplacer les cris de joie sur les montagnes. 8 Maintenant c'est sans tarder que
je vais déverser ma colère sur vous et
donner libre cours à ma fureur. Je vais juger votre conduite et vous faire payer vos
actions abominables. 9 Je n'aurai pas un
regard de pitié, je ne vous épargnerai pas.
Je vous ferai payer votre conduite ; vos
actions abominables deviendront manifestes. Vous serez convaincus alors que
c'est moi, le Seigneur, qui vous frappe.

10 « Voici le jour du jugement, la ruine
se prépare. La brutalité prospère, l'orgueil s'épanouit[e]. 11 La violence est
comme un bâton dressé pour commettre
le mal. Il ne va rien rester de vous, rien de
votre nombre, de votre animation ou de
votre grandeur[f]. 12 Le dénouement est
venu, le jour du jugement est là. Il n'est
plus temps pour les acheteurs de se réjouir ni pour les vendeurs de se désoler,
car ma colère est dirigée contre le peupl
tout entier. 13 Le vendeur ne retourner
pas prendre sa marchandise, même s'
reste en vie. En effet, la vision annonçar
la ruine de tout le peuple ne sera pas d
tournée de vous. Chacun d'eux vit dar
le désordre, aussi personne ne pourra-t-
se rétablir. 14 On aura beau sonner d
la trompette et tout préparer, pas u
homme ne se rendra au combat, car m
colère est dirigée contre le peuple er
tier. »

Personne n'échappera au châtiment

15 « La guerre sévira dans les rues,
peste et la famine à l'intérieur des ma
sons. Dans les campagnes les homm
mourront au combat, dans la ville ils su
comberont à la faim et à la maladie. 16 L
survivants s'enfuiront dans les mont
gnes et, comme des colombes plaintive
ils gémiront chacun à cause de sa faute[g]

17 Leurs mains pendront sans force,
leurs genoux s'entrechoqueront.
18 Ils se revêtiront d'étoffes de deuil,
un frisson les parcourra.
La honte se lira sur leurs visages,
tous les crânes seront rasés[h].
19 Ils jetteront leur argent dans les rues,
ils traiteront leur or comme des o
dures ;
car ni l'argent ni l'or ne pourront l
sauver
au jour de la colère du Seigneur.
Ils n'auront plus de quoi se rassasier
ni de quoi satisfaire leurs désirs,
car l'argent et l'or sont à l'origine
leurs fautes.
20 Ils ont tiré orgueil de leur précieuse r
chesse
et en ont fabriqué des idoles abom
nables, monstrueuses.
C'est pourquoi, dit le Seigneur,
je la transforme pour eux en ordure.
21 Je laisserai des étrangers la piller
et des vauriens l'emporter comme b
tin,
après avoir tout profané.
22 Je n'interviendrai pas,
lorsque mon trésor[i] sera profané :
des brigands s'y rendront et le souill
ront.

---

d **7.7** *votre ruine se prépare* : sens possible d'un texte hébreu difficile. – *le jour du jugement* : hébreu *le jour*, voir par ex. És 2.12 ; Amos 5.18.

e **7.10** *Voici le jour du jugement, la ruine se prépare* : voir v. 7 et la note. – *La brutalité prospère* : l'hébreu rend cette idée par l'expression imagée "le bâton fleurit", voir v. 11.

f **7.11** La traduction de la deuxième partie du verset donne le sens probable d'un texte hébreu difficile.

g **7.16** *comme des colombes plaintives, ils gémiront* : sens possible d'un texte hébreu difficile.

h **7.18** *se raser le crâne* était signe de deuil, voir par ex. És 15.2-3 ; Amos 8.10.

i **7.22** *mon trésor* : c'est-à-dire le *temple ou la ville de Jérusalem, ou encore le pays d'Israël.

3 Fabrique une chaîne[j],
car le pays est rempli de meurtriers,
et la ville pleine de violence.
4 Je ferai venir les peuples les plus cruels
pour s'emparer de leurs maisons.
Je mettrai fin à l'assurance des plus
puissants
et leurs lieux sacrés[k] seront souillés.
5 L'angoisse survient :
c'est en vain que l'on cherchera un lieu
de paix.
6 Le malheur succédera au malheur
et les mauvaises nouvelles s'accumule-
ront.
On suppliera en vain le *prophète
d'avoir une vision,
le prêtre n'aura plus rien à enseigner
et les *anciens ne donneront plus de
conseils.
7 Le roi prendra le deuil,
le prince sera au désespoir,
et tout le monde dans le pays tremblera de crainte.
Je vais les traiter en fonction de leur
conduite,
et les juger comme ils le méritent.
Ainsi ils seront convaincus que je suis
le Seigneur. »

L'idolâtrie dans le temple de Dieu

8 1 La sixième année après la déportation, le cinquième jour du sixième
ois, j'étais assis chez moi, et les *an-
ens de Juda étaient assis devant moi[l].
'est là que la puissance du Seigneur
ieu me saisit soudain. 2 Je vis une forme
ii avait l'apparence d'un homme[m]. Au-
essous de ce qui paraissait être sa taille,
n corps semblait de feu ; au-dessus, il
ésentait l'éclat et le scintillement d'un
étal brillant. 3 Il étendit une sorte de
ain et me saisit par les cheveux. Alors,
ans cette vision envoyée par Dieu, l'Es-
it me souleva dans les airs et me trans-
rta à Jérusalem. Je me retrouvai du
té intérieur de la porte nord de la ville,
l'endroit où l'on a placé une statue qui
t un affront insupportable à Dieu[n].
a glorieuse présence du Dieu d'Israël
'apparut là, telle que je l'avais déjà vue
ns la vallée[o]. 5 Dieu me dit : « Toi,
homme[p], regarde en direction du
nord. » C'est ce que je fis. Au nord de la
porte de *l'autel, il y avait la statue insupportable à Dieu, à l'entrée. 6 Il ajouta :
« Toi, l'homme, vois-tu bien ce qui se
passe ? Les gens d'Israël s'adonnent à des
pratiques vraiment abominables pour
m'éloigner de mon *sanctuaire. Mais tu
vas voir encore d'autres pratiques tout
aussi abominables. »
7 Il me transporta à la porte de la cour
extérieure du *temple et je vis qu'il y
avait un trou dans le mur. 8 Dieu me dit :
« Toi, l'homme, perce donc le mur. » Je
perçai le mur et j'y fis une ouverture. 9 Il
reprit : « Entre et regarde les actions abominables et révoltantes que ces gens
commettent ici. » 10 J'entrai et voici ce
que je vis : autour de moi les murs étaient
couverts de dessins représentant des reptiles et d'autres bêtes répugnantes ; toutes
les idoles des Israélites y étaient figurées.
11 Soixante-dix anciens du peuple d'Israël
étaient debout devant ces images ; parmi
eux se trouvait Yazania, fils de Chafan.
Chacun d'eux tenait un brûle-parfums à
la main et la fumée *d'encens s'élevait
dans l'air[q]. 12 Dieu me demanda : « Toi,
l'homme, vois-tu bien ce que les anciens
du peuple font en cachette, chacun à
l'emplacement consacré à son idole ? Ils
se justifient en disant : “Le Seigneur ne
nous voit pas, il a abandonné le pays.” »
13 Il ajouta : « Tu vas voir qu'ils se livrent
encore à d'autres pratiques tout aussi
abominables. »

---

j 7.23 *Fabrique une chaîne* : cet ordre est peut-être donné en vue de la future déportation, car les prisonniers étaient habituellement enchaînés.

k 7.24 *leurs lieux sacrés* : d'après l'ancienne version grecque ; hébreu *ceux qui les sanctifient*.

l 8.1 *La sixième année* : c'est-à-dire en 592-591 avant J.-C., voir 2.1 et la note. – *les anciens de Juda* : les anciens qui se trouvent parmi les déportés venant du royaume de Juda. – S'asseoir devant quelqu'un était l'attitude adoptée pour le consulter, voir 14.1 et 20.1.

m 8.2 *l'apparence d'un homme* : d'après l'ancienne version grecque ; hébreu *l'apparence d'un feu*.

n 8.3 On ne sait pas quelle divinité étrangère représente cette statue, peut-être Tammouz, voir v. 14.

o 8.4 Voir 3.22-23.

p 8.5 Voir 2.1 et la note.

q 8.11 Les anciens commettent une double infidélité : ils adorent des images (voir Deut 4.16-18) et, en portant l'encens, ils remplissent une fonction réservée aux prêtres (voir Nomb 16).

14 Il me transporta vers la porte nord de
son temple. Des femmes y étaient assises
et pleuraient sur la mort de Tammouz[r].
15 Il me demanda : « Vois-tu bien cela,
l'homme ? Tu vas voir des pratiques plus
abominables encore. »
16 Il me transporta alors vers la cour intérieure du temple. A l'entrée du sanctuaire, entre le vestibule et l'autel, il y
avait environ vingt-cinq hommes. Ils
tournaient le dos au sanctuaire et, face à
l'orient, ils se prosternaient pour adorer
le soleil. 17 Dieu me demanda : « Vois-tu
bien cela, l'homme ? Pourtant ces gens de
Juda ne se contentent pas des actions
abominables qu'ils commettent ici. Ils
répandent en outre la violence dans le
pays et ils font tout pour m'irriter. Les
voilà maintenant qui approchent un rameau de leur nez[s]. 18 Eh bien, je les paierai de retour dans ma terrible colère. Je
n'aurai pas un regard de pitié et je ne les
épargnerai pas. Ils auront beau m'appeler
au secours d'une voix forte, je ne les écouterai pas. »

Dieu intervient contre Jérusalem

9 1 Ensuite, j'entendis le Seigneur appeler à voix forte : « Venez, vous qui
êtes chargés d'intervenir contre la ville !
Que chacun apporte son arme de destruction. » 2 Alors je vis six hommes déboucher de la porte supérieure nord du
*temple avec, chacun, son arme de des-
truction. Au milieu d'eux se trouvait un
homme habillé de lin[t], qui portait à la
ceinture du matériel pour écrire. Ils s'approchèrent tous et s'arrêtèrent près de
*l'autel de bronze. 3 La glorieuse pré-
sence du Dieu d'Israël, qui se manifestait
au-dessus des *chérubins, s'éleva de là
pour se diriger vers le seuil du temple. I
Seigneur appela l'homme habillé de li
qui portait du matériel pour écrire, 4
lui dit : « Parcours toute la ville de Jérus
lem ; tu traceras une marque sur le fro
de tous ceux qui se lamentent et s'a
fligent à propos des actions abominabl
qu'on y commet. » 5 Puis je l'entendis o
donner au reste du groupe : « Suivez c
homme à travers la ville et tuez les hab
tants. N'ayez pas un regard de pitié et n
les épargnez pas. 6 Exterminez aussi bie
les vieillards que les jeunes gens et l
jeunes filles, les enfants que les femme
Mais ne touchez à aucun de ceux q
portent une marque sur le front[u]. Con
mencez ici, par mon *sanctuaire. » I
commencèrent donc par tuer les *ancie
qui étaient devant le temple. 7 Le Se
gneur ordonna alors : « Souillez le ten
ple, remplissez ses cours de cadavres
puis allez plus loin. » Et ils partire
continuer le massacre dans la ville.
8 Resté seul pendant cette tuerie, je n
jetai la face contre terre et m'écria
« Oh, Seigneur Dieu, en déversant ain
ta colère sur Jérusalem, désires-tu e
terminer tous les Israélites qui restent
9 Il me répondit : « Les fautes commis
dans les royaumes *d'Israël et de Ju
sont vraiment énormes : la violence r
gne partout dans le pays et l'injusti
remplit cette ville. Les gens se disen
“Le Seigneur a abandonné le pays et
ne nous voit pas.” 10 Eh bien, moi,
n'aurai pas un regard de pitié, je ne l
épargnerai pas, mais je leur ferai suppo
ter les conséquences de leur conduite
11 A ce moment, l'homme habillé de l
vint faire son rapport : « J'ai exécuté t
ordres », dit-il à Dieu.

Dieu se manifeste de nouveau à Ézékiel

(Voir 1.1-28)

10 1 Je remarquai alors la voûte qui
trouvait au-dessus de la tête d
*chérubins. On y voyait une sorte
pierre de saphir ; sa forme était semblab
à celle d'un trône[w]. 2 Dieu dit à l'homn
habillé de lin : « Pénètre dans le tourb
lon sous les chérubins. Remplis tes mai
de braises que tu prendras entre les ch

---

r **8.14** *Tammouz* : dieu mésopotamien dont on célébrait le deuil chaque été.

s **8.17** Il y a là, sans doute, une allusion à une pratique païenne que l'on ne peut pas définir avec certitude.

t **9.2** Les vêtements de *lin* sont les vêtements des prêtres (voir Lév 6.3 ; 16.4) et des anges destructeurs d'Apoc 15.6.

u **9.6** Voir Apoc 7.3-4 ; 9.4.

v **9.7** Le contact de *cadavres* rend *impur, c'est-à-dire inapte à participer au culte.

w **10.1** Voir 1.26.

ıbins, puis va les répandre sur la ville[x]. »
e vis l'homme y aller.
[3] Pendant qu'il s'y rendait, les chéru-
ins se trouvaient dans la partie droite
u *temple et un nuage de fumée rem-
lissait la cour intérieure. [4] La glorieuse
résence du Seigneur s'éleva au-dessus
es chérubins pour se diriger vers le
euil du temple. Le nuage vint alors rem-
lir le temple tandis que la cour était
out illuminée par la glorieuse présence
u Seigneur. [5] Le bruit produit par les aies des chérubins s'entendait jusque dans
ı cour extérieure. On aurait dit que le
ieu *tout-puissant faisait gronder le
nnerre[y]. [6] L'homme habillé de lin se
enait près d'une roue ; il était allé se pla-
er là lorsque Dieu lui avait donné l'or-
re de prendre du feu dans le tourbillon,
ı milieu des chérubins. [7] L'un des ché-
ıbins étendit la main vers le feu proche
e lui. Il en retira des braises et en rem-
lit les mains de l'homme qui les em-
orta.
[8] Des sortes de mains humaines appa-
ıissaient sous les ailes des chérubins. [9] Je
marquai aussi quatre roues, une à côté
e chacun des chérubins. Ces roues of-
aient l'aspect scintillant d'une pierre
récieuse. [10] Elles avaient toutes une ap-
ırence semblable et paraissaient s'im-
riquer les unes dans les autres. [11] Elles
ouvaient se déplacer dans les quatre di-
ections sans avoir à pivoter. Elles se diri-
eaient là où était tournée la tête des
érubins et avançaient sans pivoter.
Tout le corps, le dos, les mains et les ai-
s des chérubins étaient couverts de re-
ets brillants, ainsi que les quatre roues.
J'entendis qu'on donnait le nom de
ourbillon" à ces roues. [14] Chaque chéru-
n avait quatre faces : la première était
lle d'un chérubin, la seconde celle d'un
omme, la troisième celle d'un lion et la
ıatrième celle d'un aigle. [15] Les chéru-
ns s'élevèrent dans l'espace : c'étaient
s mêmes êtres que j'avais vus sur les ri-
s du Kébar[z]. [16] Quand ils se dépla-
ient, les roues se déplaçaient avec eux ;
ıand ils déployaient leurs ailes pour
lever de terre, les roues ne s'écartaient
s d'eux. [17] S'ils s'arrêtaient, elles s'arrê-
ient ; s'ils s'élevaient dans l'espace, elles
s'élevaient également, car la volonté des
êtres vivants animait les roues.

Le Seigneur quitte le temple

[18] La glorieuse présence du Seigneur
s'éleva du seuil du *temple et alla se poser au-dessus des *chérubins. [19] Ceux-ci
déployèrent leurs ailes pour partir et je
les vis s'élever de terre, eux et les roues en
même temps qu'eux. Ils s'arrêtèrent près
de la porte orientale du temple et la glorieuse présence du Dieu d'Israël brillait
au-dessus d'eux. [20] Sur les rives du Kébar,
j'avais vu les mêmes êtres se tenir au-
dessous du Dieu d'Israël, et je compris
que c'étaient des chérubins. [21] Chacun
avait quatre faces, quatre ailes et des sortes de mains humaines sous leurs ailes.
[22] Leurs faces étaient tout à fait semblables à celles des êtres que j'avais vus
sur les rives du Kébar. Les chérubins
avançaient chacun droit devant soi.

Jérusalem va être jugée pour ses crimes

11 [1] L'Esprit du Seigneur me souleva
de terre et me transporta à la porte
orientale du *temple. Près de l'entrée, je
vis vingt-cinq hommes et je reconnus
parmi eux deux des chefs du peuple, Yazania, fils d'Azour, et Pelatia, fils de Benaya. [2] L'Esprit me dit : « Toi, l'homme[a],
voilà ceux qui projettent des actions malfaisantes et répandent des conseils désas-
treux dans Jérusalem. [3] Ils affirment :
"Pendant un certain temps, on ne
construira plus ici de maisons ! La ville
est comme une marmite et nous sommes
la viande conservée à l'intérieur[b]." [4] Eh

---

x **10.2** *dans le tourbillon* : voir v. 13.– *de braises* : voir 1.13. – *va les répandre sur la ville* : de cette manière le texte affirme que l'incendie de Jérusalem par les Babyloniens (2 Rois 25.8-9) a été voulu par Dieu.

y **10.5** Voir 1.24 et la note.

z **10.15** Voir 1.4-28.

a **11.2** *Toi, l'homme* : voir 2.1 et la note.

b **11.3** *Pendant un certain temps... maisons !* : autre traduction *Ne serait-ce pas bientôt le moment de bâtir des maisons ? – La ville... à l'intérieur* : cette phrase est sans doute un dicton dont le sens exact nous est inconnu. Dans ce contexte il semble affirmer qu'il vaut mieux être à l'abri dans Jérusalem que déporté (l'image est reprise en 24.3-5).

bien, toi, l'homme, dénonce-les en parlant comme *prophète. »
5 L'Esprit du Seigneur s'empara alors
de moi et m'ordonna de parler ainsi :
« Voici ce que déclare le Seigneur : Je sais
ce que vous dites, gens d'Israël, et je
connais les pensées qui vous viennent à
l'esprit ! 6 Vous avez commis tant de
meurtres dans cette ville que les rues
sont jonchées de cadavres. 7 C'est pourquoi, moi, le Seigneur Dieu, je vous le
déclare : La ville est bien comme une
marmite, mais la viande c'est ceux que
vous y avez tués. Quant à vous, je vous
en chasserai. 8 Vous avez peur de la
guerre ? Eh bien, je vous enverrai la
guerre, je l'affirme, moi, le Seigneur
Dieu. 9 Je vous chasserai de la ville et
vous livrerai à un pouvoir étranger,
j'exécuterai ma sentence contre vous.
10 J'exercerai ma justice à l'intérieur
même des frontières d'Israël en vous faisant mourir à la guerre. Vous serez
convaincus ainsi que je suis le Seigneur.
11 Cette ville ne sera pas pour vous
comme une marmite et vous ne serez pas
la viande qu'elle conserve, mais vous subirez ma justice à l'intérieur même des
frontières d'Israël. 12 Vous serez convaincus alors que je suis le Seigneur, celui
dont vous n'avez pas observé les règles
ni appliqué les lois, parce que vous avez
suivi les coutumes des peuples qui vous
entourent. »
13 Pendant que je transmettais ce message de la part de Dieu, Pelatia[c], fils de
Benaya, mourut. Je tombai la face contre
terre et m'écriai d'une voix forte : « Oh,
Seigneur Dieu, vas-tu faire mourir tous
les Israélites qui restent ? »

Dieu rassemblera le peuple dispersé

14 Le Seigneur me dit : 15 « Je m'adress
à toi, l'homme, au sujet de tes compa
triotes, tes propres frères, tous les Is
raélites déportés. Les habitants d
Jérusalem leur donnent ce conseil : "Res
tez donc loin de la présence du Seigneu
car c'est à nous qu'il a accordé la posses
sion de ce pays." 16 Eh bien, transmets
tes compagnons de déportation ce que j
déclare, moi, le Seigneur Dieu : "Je vou
ai envoyés dans des pays lointains, parm
des peuples étrangers, mais, même là, j
suis présent parmi vous, comme dans u
*sanctuaire[d]". 17 Transmets-leur donc c
que je déclare encore, moi, le Seigneu
Dieu : "Je vous rassemblerai hors de
peuples et des pays dans lesquels je vou
ai dispersés et je vous donnerai à nouvea
le pays d'Israël. 18 Quand vous y arriv
rez, vous supprimerez toutes les pr
tiques idolâtriques et révoltantes qui
existent. 19 Je vous donnerai à tous u
même cœur, je vous animerai d'un espr
nouveau ; j'enlèverai votre cœur inse
sible comme une pierre et je le remplac
rai par un cœur réceptif. 20 Ainsi vo
suivrez les règles que je vous ai donnée
vous serez attentifs à mes lois et vous l
appliquerez ; vous serez mon peuple et
serai votre Dieu[e]. 21 Quant à ceux qu
adorent des idoles et agissent de maniè
révoltante en suivant les penchants c
leur cœur, je leur ferai subir les cons
quences de leur conduite." Je l'affirm
moi, le Seigneur Dieu. »

Le Seigneur quitte Jérusalem

22 Les *chérubins déployèrent alo
leurs ailes et les roues se mirent en mo
vement en même temps qu'eux ; la gl
rieuse présence du Dieu d'Israël brilla
au-dessus d'eux. 23 Ensuite la glorieu
présence du Seigneur s'éleva au-dess
du centre de la ville et alla s'arrêter sur
montagne située à l'est de Jérusale
24 Dans la même vision, je sentis l'Esp
de Dieu me soulever de terre et me ram
ner auprès des déportés en Babylon
Alors la vision que j'avais eue cessa, 25
je racontai aux déportés tout ce que
Seigneur m'avait fait voir.

---

c **11.13** La mort de *Pelatia*, dont le nom signifie "rescapé de Dieu", constitue un présage de malheur pour tous les Israélites qui ont échappé à la déportation.

d **11.16** *comme dans un sanctuaire* : on croyait que la présence de Dieu était liée à un sanctuaire, en particulier au temple de Jérusalem. Le livre du prophète Ézékiel affirme que ce n'est pas le cas, voir 1.26-28 ; 10.18-19 ; 11.22-25.

e **11.20** V. 19-20 : voir 36.26-28.

f **11.21** *Quant à ceux qui* : sens probable d'un texte hébreu difficile.

Ézékiel donne un présage de l'exil

12 1 Le Seigneur m'adressa la parole : 2 « Toi, l'homme, tu vis
armi un peuple récalcitrant ! Ils ont des
eux, mais ils refusent de voir, ils ont des
reilles, mais ils refusent d'entendre,
ellement ils sont récalcitrants[g] ! 3 Eh
ien, rassemble les affaires nécessaires à
n déporté et prépare ton départ en
lein jour, sous les yeux de tous. Quitte
endroit où tu habites pour t'exiler dans
n autre lieu. Fais-le sous le regard de
out le monde : ils comprendront peut-
tre ainsi à quel point ils sont récalci-
rants. 4 Pendant la journée et en leur
résence, tu sortiras tes affaires de chez
oi et puis, le soir, tu partiras sous leurs
eux comme part un déporté. 5 Toujours
ous leur regard, tu pratiqueras une ou-
erture dans le mur de la ville et feras
asser tes affaires par là. 6 Qu'ils te
oient les placer sur ton épaule et les em-
orter dans l'obscurité. Tu te couvriras
visage de façon à ne pas voir où tu vas.
n effet je fais de toi un signe d'aver-
ssement pour les Israélites. » 7 Je fis ce
ue le Seigneur m'avait ordonné : pen-
ant la journée je sortis de chez moi les
ffaires nécessaires à un déporté et, le
oir, je pratiquai une ouverture dans le
ur avec la main. Les gens me virent
artir dans l'obscurité avec mon balu-
hon sur l'épaule.
8 Le lendemain matin, le Seigneur
'adressa la parole : 9 « Toi, l'homme,
'as-tu pas entendu les Israélites, ce peu-
le récalcitrant, te demander ce que tu
isais là ? 10 Réponds-leur donc : "Le Seineur Dieu vous déclare que ceci est un
essage pour le prince qui règne à Jéru-
lem et pour tous les Israélites qui y ha-
tent." 11 Dis-leur que tu as agi ainsi en
gne d'avertissement, car ils iront en dé-
ortation, en exil. 12 Le prince qui les
ouverne chargera ses affaires sur son
aule dans l'obscurité et quittera la ville.
n pratiquera une ouverture dans le mur
our lui permettre de sortir. Il se couvrira
visage pour ne pas voir où il va. 13 Et
oi, le Seigneur, je vais lui tendre un
ège et le capturer. Je l'emmènerai dans
pays des Babyloniens qu'il ne pourra
pas voir mais où il mourra[h]. 14 Je disperserai aux quatre vents tous les membres
de son entourage, toute sa garde et son armée, puis je les poursuivrai de mon épée.
15 Quand je les disperserai parmi des peuples et dans des pays étrangers, ils seront
convaincus que je suis le Seigneur. 16 Cependant je laisserai quelques hommes
échapper à la guerre, à la famine et à la
peste : ils pourront raconter aux populations parmi lesquelles ils se trouveront
combien leur conduite a été abominable,
et elles seront convaincues, elles aussi,
que je suis le Seigneur. »
17 Le Seigneur m'adressa la parole :
18 « Toi, l'homme, mange ton pain en
tremblant et bois ton eau avec crainte et
appréhension. 19 Puis tu transmettras ce
message à toute la nation : Le Seigneur
Dieu le déclare, les habitants de Jérusalem qui sont restés sur le territoire d'Israël mangeront et boiront dans l'angoisse
et l'accablement. En effet, leur pays sera
dévasté parce que ceux qui y vivent l'ont
rempli de violence. 20 Les villes seront vidées de leurs habitants et la campagne
deviendra un désert. Ainsi vous serez
convaincus que je suis le Seigneur. »

La parole du Seigneur va se réaliser

21 Le Seigneur m'adressa la parole :
22 « Toi, l'homme, dis-moi, pourquoi entend-on parmi vous répéter ce proverbe
au sujet du pays d'Israël : "Le temps
passe et aucune vision ne se réalise" ?
23 Eh bien, dis-le aux Israélites, je déclare,
moi, le Seigneur Dieu, que je ne laisserai
plus citer ce proverbe, on ne le répétera
plus en Israël. Dis-leur par contre : "Le
temps où toutes les visions vont se réaliser est proche." 24 On ne présentera plus
de visions imaginaires ni de prédictions
trompeuses aux Israélites. 25 En effet,
c'est moi, le Seigneur, qui parle et ce que
j'annonce se produira sans tarder. Oui,
c'est de votre vivant, peuple récalcitrant,

---

g **12.2** *Toi, l'homme* : voir 2.1 et la note. – Pour ce verset, voir És 6.9-10 ; Jér 5.21 ; Marc 8.18.

h **12.13** Dans les v. 12 et 13 il y a peut-être une allusion au roi Sédécias, voir 2 Rois 25.4-7 ; Jér 39.4-7 ; 52.7-11.

que je réaliserai mes menaces, je l'affirme, moi, le Seigneur Dieu. »
26 Il m'adressa encore la parole : 27 « Toi,
l'homme, les Israélites affirment que tes
visions actuelles ne se réaliseront pas
avant longtemps et que ce que tu dis de
ma part concerne une époque éloignée.
28 Eh bien, dis-leur que je le déclare, moi,
le Seigneur Dieu, je réaliserai sans tarder
toutes mes menaces. C'est moi qui l'affirme. »

Contre les faux-prophètes

13 1 Le Seigneur m'adressa la parole : 2 « Toi, l'homme[i], dénonce
de ma part ceux qui se prétendent *prophètes en Israël et prophétisent de leur
propre initiative. Dis-leur d'écouter mes
paroles. 3 Je le déclare, moi, le Seigneur
Dieu, le malheur va s'abattre sur ces
prophètes insensés ! Ils suivent leur propre inspiration et inventent leurs visions. 4 Israélites, vos prophètes sont
comme les chacals qui rôdent dans les
ruines ! 5 Ils ne sont pas allés réparer les
brèches de la muraille et ils n'ont pas
construit de mur pour vous protéger de
la guerre au jour du Seigneur[j]. 6 Ils ont
des visions imaginaires et leurs prédictions sont mensongères. Ils disent :
“Voici ce que le Seigneur affirme”, alors
que moi, le Seigneur, je ne les ai pas envoyés. Ils espèrent pourtant que je
confirmerai leurs paroles ! 7 Or je leur
dis : “Vos visions ne sont-elles pas imaginaires et vos prédictions mensongères ? Vous prétendez transmettre ce que
le Seigneur affirme, alors que je ne vous
ai même pas parlé ! 8 Eh bien, je vous le
déclare, moi, le Seigneur Dieu : puisque
vous avez répandu des illusions et annoncé des mensonges, je vais intervenir
contre vous.” Voilà ce que j'affirme,
moi, le Seigneur Dieu !
9 « Je manifesterai ma puissance contr
les prophètes qui ont des visions imagi
naires et font des prédictions mensor
gères. Ils n'auront pas de place dan
l'assemblée de mon peuple, ils ne seron
pas inscrits sur la liste des membres d
peuple d'Israël[k] et ils ne retourneront pa
dans leur pays. Ainsi ils seront convain
cus que je suis le Seigneur Dieu.
10 « Les prophètes trompent mon peu
ple en affirmant que tout va bien quan
tout va mal. Les gens de mon peupl
construisent un mur et eux se contenter
de le recouvrir de badigeon. 11 Eh bier
dis à ces badigeonneurs : Le mu
s'écroulera ! Une averse va survenir, de
grêlons tomberont, une tempête éclater
12 Quand le mur s'écroulera, on vous de
mandera à quoi a servi le badigeon dor
vous l'aviez recouvert. 13 C'est bien là c
que je vous déclare, moi, le Seigneu
Dieu : Ma colère va déchaîner une tem
pête, et ma fureur des pluies torrer
tielles. Dans mon indignation j'enverr
des grêlons destructeurs. 14 Je démolir
le mur que vous avez badigeonné, j
l'abattrai à ras de terre, ses fondatior
apparaîtront. Il s'écroulera, vous sere
écrasés dessous, et vous serez convaincu
alors que je suis le Seigneur. 15 Je donn
rai libre cours à ma colère contre le mu
et contre ceux qui l'ont recouvert de b
digeon. On vous dira : “Le mur est d
truit ! C'en est fini de ceux qui
badigeonnaient, 16 fini des prophètes i
raélites qui prédisaient l'avenir de Jér
salem et avaient des visions optimist
alors que tout allait mal[l] !” Je l'affirm
moi, le Seigneur Dieu. »

Contre les magiciennes

17 « Quant à toi, l'homme, adresse-t
aux femmes d'Israël qui *prophétisent
leur propre initiative, et dénonce leur in
posture. 18 Transmets-leur ce que je d
clare, moi, le Seigneur Dieu : Le malhe
va s'abattre sur vous ! Vous cousez des r
bans sur tous les poignets et vous confe
tionnez des foulards pour les gens de to
âges afin d'obtenir un pouvoir sur le
vie[m]. Vous voulez vous approprier la v
des membres de mon peuple tout en sa
vegardant la vôtre. 19 Vous me déshon

---

i **13.2** Voir 2.1 et la note.
j **13.5** *au jour du Seigneur* : voir 7.7-14,19 ; 22.21-22 ; 30.2-3 et Joël 1.15 et la note.
k **13.9** Voir Esd 2 ; Néh 7.5-67.
l **13.16** V. 10-16 : voir 22.28 ; Jér 6.12-15 ; 8.10-12.
m **13.18** *Vous cousez des rubans... et vous confectionnez des foulards* : allusion à des pratiques magiques peu connues.

ez[n] devant mon peuple pour quelques
oignées d'orge ou quelques bouchées de
ain. En mentant à mon peuple trop cré-
lule, vous apportez la mort à ceux qui ne
a méritent pas et vous faites vivre ceux
ui en sont indignes. 20 C'est pourquoi je
ous le déclare, moi, le Seigneur Dieu, je
ais agir contre vos rubans avec lesquels
ous emprisonnez la vie des autres. Je les
échirerai en les arrachant de vos bras et
: délivrerai ceux que vous avez capturés[o].
Je déchirerai vos foulards et je libérerai
ıon peuple de votre pouvoir. Vous ne
ourrez plus en faire votre proie et vous
erez convaincues alors que je suis le Seineur. 22 Par vos mensonges, vous avez dé-
ouragé des justes, auxquels je ne voulais
as de mal, et vous avez encouragé des
échants à persister dans leur mauvaise
onduite au péril de leur vie. 23 Eh bien,
'en est fini de vos visions imaginaires et
: vos prédictions. Je vais libérer mon
euple de votre pouvoir. Ainsi vous serez
onvaincues que je suis le Seigneur. »

Israël doit rejeter les idoles

14 1 Un jour quelques *anciens d'Israël vinrent s'asseoir devant moi
our me consulter[p]. 2 Alors le Seigneur
e dit : 3 « Je m'adresse à toi, l'homme[q],
arce que ces gens-là ont le cœur dominé
ar leurs sales idoles ; ils ne quittent pas
es yeux ce qui est à l'origine de leurs
utes. Pensent-ils que je vais me laisser
nsulter par eux ? 4 Transmets-leur donc
: que je leur déclare, moi, le Seigneur
ieu : Si un Israélite se laisse dominer
ar ses idoles et ne quitte pas des yeux
origine même de sa faute, et qu'il vienne
suite consulter le *prophète, moi, le
eigneur, je serai amené à lui répondre
oi-même. Je le ferai en fonction des
ombreuses idoles qu'il adore. 5 Ma ré-
nse bouleversera les Israélites qui
'ont abandonné par amour pour leurs
les idoles. 6 C'est pourquoi, dis aux Is-
élites : "Le Seigneur Dieu vous le de-
ande, changez d'attitude, abandonnez
s idoles et renoncez à toutes vos pra-
ques abominables."
7 « Si un Israélite ou un étranger ins-
llé en Israël[r] m'abandonne, s'il se laisse
miner par ses idoles, s'il ne quitte pas
des yeux l'origine même de sa faute, et
qu'il vienne ensuite consulter le prophète
pour connaître ma volonté, moi, le Seigneur, je serai amené à lui répondre moi-
même. 8 J'interviendrai contre cet
homme, j'en ferai un exemple qui deviendra proverbial, je le retrancherai de
mon peuple et vous serez convaincus
ainsi que je suis le Seigneur.
9 « Si un prophète se laisse égarer au
point de répondre lui-même, c'est que
moi, le Seigneur, je l'aurai amené à s'égarer. Je manifesterai ma puissance contre
lui et je l'excluerai d'Israël, mon peuple.
10 Un tel prophète et celui qui le consulte
sont tous les deux responsables de la
même faute et ils en subiront les conséquences. 11 De cette façon, les Israélites
n'iront plus se perdre loin de moi, ils ne
se rendront plus *impurs par leurs nombreuses désobéissances, mais ils seront
mon peuple et je serai leur Dieu. Je l'affirme, moi, le Seigneur Dieu. »

Rien n'arrêtera le jugement de Dieu

12 Le Seigneur m'adressa la parole :
13 « Toi, l'homme, suppose que la population d'un pays se rende coupable envers
moi en m'étant infidèle. Eh bien, je manifesterai ma puissance contre elle. Je détruirai ses réserves de pain, je lui
infligerai la famine et ferai disparaître
ainsi hommes et bêtes du pays. 14 Même
si trois hommes tels que Noé, Danel et
Job[s] se trouvaient parmi les habitants,

---

n 13.19 *vous me déshonorez* : la magie était considérée comme une manifestation de mépris vis-à-vis de Dieu et elle était punie de mort, voir Lév 19.26-31 ; 20.27 ; Deut 18.10-12.

o 13.20 *vous emprisonnez la vie des autres* est suivi dans le texte hébreu par un mot dont le sens n'est pas clair. Le même mot est répété à la fin du verset.

p 14.1 Voir 8.1 et la note.

q 14.3 Voir 2.1 et la note.

r 14.7 L'*étranger installé en Israël* est astreint aux mêmes obligations que le citoyen israélite et protégé par les mêmes lois, à condition qu'il soit *circoncis, voir Lév 19.33-34.

s 14.14 *Noé, Danel et Job* : trois justes célèbres dans la tradition du Proche-Orient. *Danel* ou *Daniel* : ce personnage n'est connu que par les textes mythologiques phéniciens et ne doit pas être confondu avec le héros du livre de Daniel.

leur fidélité ne servirait à préserver que
leur propre vie. Je l'affirme, moi, le Seigneur Dieu.
15 « Ou bien je lâcherai des bêtes féroces
contre cette population. Le pays deviendra un désert car les bêtes tueront tous ses
habitants et personne ne s'y hasardera
plus par peur d'elles. 16 Si les trois hommes déjà nommés s'y trouvaient, ils seraient les seuls à survivre. Par ma vie, je
l'affirme, moi, le Seigneur Dieu, ils ne
pourraient même pas sauver leurs propres
enfants et le pays deviendrait un désert.
17 « Ou bien je ferai subir la guerre à
cette population, j'ordonnerai à une armée de ravager le pays et d'en exterminer
les hommes et les bêtes. 18 Si les trois
hommes déjà nommés y habitaient, ils
seraient les seuls à survivre. Par ma vie, je
l'affirme, moi, le Seigneur Dieu, ils ne
pourraient même pas sauver leurs propres enfants.
19 « Ou bien encore j'enverrai une épidémie de peste à cette population ; je manifesterai ma colère contre elle par ce
fléau mortel qui exterminera hommes et
bêtes du pays. 20 Même si Noé, Danel et
Job se trouvaient parmi les habitants,
leur fidélité servirait uniquement à préserver leur vie. Par ma vie, je l'affirme,
moi, le Seigneur Dieu : ils ne pourraient
même pas sauver leurs propres enfants. »
21 Ensuite le Seigneur Dieu me déclara : « J'ai infligé à Jérusalem les quatre
grands fléaux que sont la guerre, la famine, les bêtes féroces et la peste, de façon à exterminer les hommes et les bêtes.
22 Il reste cependant quelques survivant
des hommes et des femmes. On les a fa
sortir de la ville, ils vous rejoindront e
exil. Quand vous verrez leur conduite e
leurs actes, vous changerez d'avis devan
les grands malheurs que j'ai déchaîné
sur Jérusalem. 23 Vous changerez d'avi
car vous comprendrez, après les avo
vus, que j'ai eu raison d'agir comme je l'
fait contre cette ville. Je l'affirme, moi,
Seigneur Dieu. »

La vigne livrée au feu

15 1 Le Seigneur m'adressa la parole
2 « Toi, l'homme, penses-tu que
bois de la vigne a plus de valeur qu
n'importe quel autre bois provenant d
arbres de la forêt[t] ? 3 Peut-on en tirer c
quoi façonner un objet, peut-on en fai
une cheville pour y suspendre un uste
sile ? 4 Il est juste bon pour alimenter
feu. Lorsque le feu en a brûlé les deu
bouts et que le centre lui-même est e
flammes[u], peut-il encore servir à quelq
chose ? 5 Déjà, quand il était intact, on n
savait qu'en faire. A plus forte raison, u
fois attaqué et brûlé par le feu, le voilà t
talement inutilisable.
6 « Eh bien, voilà ce que je déclare, mo
le Seigneur Dieu : On jette au feu le bo
de la vigne avec le bois des autres arbre
De même, ce sont les habitants de Jérus
lem que je vais punir, 7 c'est contre e
que j'interviens. Ils croient avoir échap
au feu, mais le feu les détruira[v]. Vous s
rez convaincus que je suis le Seigne
lorsque j'interviendrai contre eux. 8
rendrai leur pays désertique parce qu'
ont trahi la fidélité qu'ils me doivent.
l'affirme, moi, le Seigneur Dieu. »

Jérusalem était une enfant abandonnée

16 1 Le Seigneur m'adressa la parol
2 « Toi, l'homme[w], montre à Jé
salem combien sa conduite a été abom
nable. 3 Transmets-lui ce que je décla
moi, le Seigneur Dieu : Canaan est
pays de tes ancêtres, la terre où tu es n
Ton père était un *Amorite et ta mè
une Hittite[x]. 4 Au moment de ta na
sance, personne n'a coupé ton cordon,
ne t'a pas plongée dans l'eau pour te lav

---

t 15.2 *Toi, l'homme* : voir 2.1 et la note. – Dans la Bible *la vigne* représente souvent symboliquement Israël, le peuple de Dieu, voir 17.6-8 ; 19.10-14 ; És 5.1-7 ; Osée 10.1 ; Marc 12.1-11.

u 15.4 Image de la situation de Jérusalem, déjà éprouvée par une première déportation, voir v. 6 et 7.

v 15.7 *Ils croient avoir échappé...* : les rescapés des premières razzias (avant 587) se croient en sécurité (voir 11.3,15 ; 33.24), alors qu'ils n'échapperont pas à la destruction.

w 16.2 Voir 2.1 et la note.

x 16.3 *Canaan* : avant d'être conquise puis choisie par David comme capitale, Jérusalem était une cité cananéenne, habitée par les Jébusites, voir Jos 15.63. – *Amorite... Hittite* : voir Gen 10.15-17. Ézékiel insiste sur les origines non israélites de Jérusalem.

n ne t'a pas frottée avec du sel[y] et on ne
'a pas emmaillotée dans des langes. 5 Per-
onne n'a eu un regard de pitié pour toi
i assez de compassion pour te prodiguer
n seul de ces soins. Au contraire, on
'avait que du dégoût pour toi et tu as été
etée sur le sol nu à ta naissance. 6 Je suis
assé près de toi et j'ai vu que tu baignais
ans le sang. Je t'ai dit de vivre malgré le
ang dont tu étais couverte, j'ai insisté
our que tu vives. 7 Je t'ai fait croître
omme une plante des champs. Tu as
randi, tu t'es développée et tu es deve-
ue très belle : tes seins se sont formés et
s poils ont poussé. Mais tu étais
omplètement nue. 8 De nouveau, je suis
assé près de toi et j'ai vu que tu avais at-
int l'âge de l'amour. Alors j'ai étendu
on manteau sur toi pour en couvrir ta
udité. Je t'ai promis fidélité et j'ai
onclu une *alliance avec toi[z]. C'est ainsi
ue tu fus à moi, je l'affirme, moi, le Seineur Dieu.
9 « J'ai pris de l'eau pour laver le sang
ui était sur toi, puis je t'ai frictionnée
vec de l'huile parfumée. 10 Je t'ai donné
s vêtements brodés et des sandales de
ir fin, une ceinture de lin et un man-
au de soie. 11 Je t'ai couverte de bijoux ;
i mis des bracelets à tes poignets et un
llier à ton cou ; 12 j'ai placé un anneau à
n nez, des boucles à tes oreilles et une
agnifique couronne sur ta tête. 13 Tes bi-
ux étaient d'or et d'argent, tes vête-
ents de lin, de soie et d'étoffes brodées.
our te nourrir, tu prenais la farine la
us fine, du miel et de l'huile d'olive.
lors tu es devenue extrêmement belle et
gne d'être reine[a]. 14 Ta renommée se ré-
ndit dans le monde entier à cause de ta
auté, qui était parfaite, car je t'avais
mptueusement parée. Je l'affirme, moi,
Seigneur Dieu. »

Jérusalem s'est prostituée

15 « Mais tu t'es fiée à ta beauté, tu as
ofité de ta renommée pour te prostituer
t'adonner à la débauche en t'offrant à
importe quel passant[b]. 16 Tu as choisi
rtains de tes vêtements aux riches cou-
urs pour orner tes lieux sacrés et tu t'es
ostituée dessus – ce n'était jamais ar-
vé et cela n'arrivera jamais plus[c] –. 17 Tu
as pris les bijoux d'or et d'argent que je
t'avais donnés, tu t'en es servie pour fabriquer des idoles masculines et tu t'es livrée à la débauche avec elles. 18 Tu les as
recouvertes de tes vêtements brodés et tu
leur as présenté l'huile et les parfums que
tu avais reçus de moi[d]. 19 Tu leur as offert
en *sacrifice, pour leur être agréable, tous
les aliments que je te donnais, la farine la
plus fine, l'huile et le miel dont je te
nourrissais. Je l'affirme, moi, le Seigneur
Dieu. 20 Tu leur as offert en sacrifice les
fils et les filles que tu m'avais donnés, tu
les leur as donnés en pâture[e]. La débauche ne te suffisait donc pas ? 21 Il a
fallu que tu égorges mes enfants pour les
livrer à tes idoles ! 22 Pendant cette ré-
pugnante vie de débauche, tu ne t'es pas
souvenue de ta jeunesse, de la période où
tu étais complètement nue et où tu baignais dans le sang.
23 « Malheureuse, c'est pour ton malheur que tu avais déjà fait tant de mal, je
l'affirme, moi, le Seigneur Dieu. 24 Pourtant, tu as continué en t'aménageant des
estrades, des endroits bien en vue sur
chaque place. 25 A l'entrée de chaque rue
tu t'es construit une estrade et là, tu as
souillé ta beauté, tu t'es offerte à tous les

---

y **16.4** On *frottait* les nouveau-nés *avec du sel* pour les fortifier.

z **16.8** *j'ai étendu mon manteau sur toi* : dans la culture biblique ce geste exprimait non seulement une protection mais aussi un engagement de mariage. – *L'alliance* désigne ici également le mariage. Depuis le prophète Osée, l'image du mariage est souvent utilisée pour décrire les relations entre Dieu et Israël, voir par ex. És 54.4-8 ; Jér 2.2.

a **16.13** Jérusalem a été la ville royale par excellence, voir 1 Rois 11.36 ; 15.4.

b **16.15** *en t'offrant à n'importe quel passant* : d'après les anciennes versions grecque et syriaque ; l'hébreu a ici deux mots dont le sens est obscur.

c **16.16** *tu t'es prostituée dessus* : l'AT emploie souvent l'image de la prostitution pour désigner l'adoration des idoles, voir par ex. Ex 34.15 ; Osée 2.4. – *ce n'était jamais arrivé... jamais plus* : sens possible d'un texte hébreu difficile.

d **16.18** Les *idoles* étaient généralement en bois plaqué d'or et d'argent, voir És 40.19-20 ; 44.9-20, et parfois habillées, voir Jér 10.9.

e **16.20** Même en Israël il est arrivé qu'on offre des enfants *en sacrifice* en les faisant brûler selon un rite cananéen (voir 20.31) malgré l'interdiction de la loi, voir Lév 18.21.

passants et t'es prostituée de plus en plus.
26 Tu t'es prostituée aux Égyptiens[f], tes
voisins aux corps magnifiques, et tu m'as
irrité par tes innombrables actes de débauche. 27 Alors, j'ai manifesté ma puissance contre toi : je t'ai coupé les vivres et
je t'ai livrée à tes ennemies, les villes philistines[g], qui s'indignaient de ta conduite
immorale. 28 Mais tes désirs n'étaient pas
assouvis et tu t'es prostituée aux Assyriens[h]. Malgré cela tu n'as pas été satis-
faite. 29 Tu as commis d'innombrables
actes de débauche dans le pays des Babyloniens, ces marchands, sans réussir davantage à satisfaire tes désirs. 30 Ah,
comme tu es lâche[i] ! Je l'affirme, moi, le
Seigneur Dieu. Pourtant, tu t'es conduite
comme une prostituée pleine d'audace.
31 Tu t'es construit une estrade à l'entrée
de chaque rue et tu t'es aménagé un endroit bien en vue sur toutes les places,
mais tu n'as même pas demandé un salaire comme une prostituée ordinaire !
32 Tu as été semblable à une femme adultère qui recherche des étrangers au lieu
d'aimer son mari. 33 Toutes les prostituées
reçoivent un salaire, mais toi, tu as offert
des cadeaux à tes amants, tu les as payés[j]
pour que, de partout, ils viennent coucher avec toi. 34 Dans ta débauche, tu as
agi à l'opposé des autres prostituées. On
ne te recherchait pas et on ne te donnait
pas de salaire, mais c'est toi qui payais.
Ainsi tu as inversé les rôles.

35 « Eh bien, Jérusalem, la prostitué
écoute la parole du Seigneur. 36 Voici
que je te déclare, moi, le Seigneur Dieu
Tu t'es montrée complètement nue, tu
exhibé toutes les parties de ton corps e
te livrant à la débauche avec tes aman
tes idoles abominables ; tu as même ver
le sang de tes enfants en les offrant à t
idoles. 37 C'est pourquoi, je vais rassembl
contre toi tous les amants auxquels tu
plu, ceux que tu as aimés et ceux que tu
détestés. Quand je les aurai amenés de pa
tout, je te dévêtirai devant eux et tu ser
livrée entièrement nue à leurs regards
38 Je t'infligerai la peine réservée aux fem
mes adultères et aux criminelles. Je
mettrai en sang par ma colère et ma ve
geance[l]. 39 Je te livrerai au pouvoir de t
amants. Ils démoliront toutes les estrad
que tu t'étais aménagées. Ils te déshabil
ront, ils te dépouilleront de tes bijoux
ils t'abandonneront complètement nu
40 Puis ils ameuteront la foule contre t
ils te lanceront des pierres, ils te mettro
en pièces avec leurs épées, 41 ils brûlero
tes maisons. Ils exécuteront ainsi la se
tence à laquelle tu es condamnée, sous l
yeux d'une foule de femmes. Je mettrai f
à ta vie de prostituée et tu ne te paier
plus aucun amant. 42 J'assouvirai ma f
reur contre toi puis, lorsque je n'aurai pl
de raison d'être jaloux, je retrouverai m
calme et je ne m'irriterai plus. 43 Tu ne t'
pas souvenue de ce que j'ai été pour
dans ta jeunesse et tu as provoqué ma c
lère par tes actes. Eh bien, je te ferai su
porter les conséquences de ta conduite !
l'affirme, moi, le Seigneur Dieu. N'as-
pas mêlé l'inconduite la plus honteuse
ton idolâtrie ? »

Jérusalem est pire que les autres villes

44 « Jérusalem, les faiseurs de proverb
diront à propos de toi : "Telle mère, te
fille". 45 En effet, tu es bien la fille de
mère, cette femme qui a détesté son ma
et ses enfants. Tu es pareille à tes sœu
qui ont détesté leurs maris et leurs e
fants. Votre mère était hittite et vot
père *amorite. 46 Ta sœur aînée, c'est S
marie, dans le nord, avec les localités v
sines. Ta jeune sœur, c'est Sodome, da

f **16.26** L'alliance politique avec *l'Égypte* est comparée ici à une prostitution. Les prophètes ont toujours condamné de telles alliances, voir És 30.1 ; Osée 7.11 ; 12.2.

g **16.27** La politique de certains rois de Juda avait eu pour résultat l'annexion d'une partie de leur territoire par les *Philistins*, voir 25.15-17 ; 2 Chron 28.18.

h **16.28** Plusieurs rois de Juda et d'Israël avaient recherché une alliance avec *l'Assyrie*, voir 2 Rois 15.19 ; 16.7-9 ; Osée 5.13 ; 8.9.

i **16.30** *comme tu es lâche !* : sens possible d'un texte hébreu difficile.

j **16.33** *tu les as payés* : pour obtenir une alliance, il fallait souvent verser un très lourd tribut, voir 2 Rois 15.19 ; 16.8.

k **16.37** *entièrement nue* : la nudité est ici symbole de honte et de faiblesse. Les alliés de Jérusalem (ses amants) vont venir l'assiéger ou entendront parler de sa ruine.

l **16.38** *Je te mettrai en sang par ma colère et ma vengeance* : sens probable d'un texte hébreu peu clair.

e sud, avec les localités voisines. 47 Tu ne
'es pas contentée d'imiter leur conduite
t leurs actions abominables, c'était trop
eu ! En tout ton comportement a été
ien pire que le leur ! 48 Par ma vie, je
'affirme, moi, le Seigneur Dieu, ta sœur
odome et les localités voisines n'ont ja-
nais fait autant de mal que toi et les lo-
alités voisines. 49 Voici quelles furent
eurs fautes : elles ont vécu dans l'or-
ueil, le rassasiement et une tranquille
nsouciance ; elles n'ont pas secouru les
auvres et les défavorisés. 50 Elles sont
levenues hautaines et ont commis des
ctes qui me sont insupportables. Alors
 les ai fait disparaître de la terre,
omme tu le sais. 51 Quant à Samarie, elle
'en a pas fait la moitié autant que toi !
u as agi de façon bien plus abominable
u'elle. Sodome et Samarie, tes sœurs,
emblent innocentes en comparaison de
oi ! 52 Eh bien maintenant, tu dois sup-
orter ton humiliation ! Tu as blanchi
s sœurs : puisque tu as commis des
utes bien plus abominables qu'elles,
lles apparaissent plus justes que toi. A
n tour donc de subir la honte et l'hu-
iliation, toi qui leur as donné une ap-
arence d'innocence ! 53 Je restaurerai
s villes : je rétablirai la situation de So-
ome et des localités voisines ainsi que
elle de Samarie et des localités voisines,
 je finirai par rétablir ta situation
omme la leur. 54 De cette façon tu seras
umiliée d'avoir été à l'origine de leur
estauration. 55 Sodome, Samarie et les
calités voisines retrouveront leur an-
enne situation. Il en sera de même
our toi et les localités voisines. 56 Au
mps où tu étais fière de toi, tu parlais
ec mépris de Sodome. 57 C'était avant
ue ta propre indignité ne soit rendue
anifeste. A ton tour maintenant de su-
r les moqueries des villes édomites et
s villes voisines, les insultes des villes
ilistines[m] qui, de tous côtés, manifes-
nt leur mépris. 58 Tu supportes ainsi les
nséquences de tes actions honteuses et
ominables, je l'affirme, moi, le Sei-
eur Dieu.
59 « Voici ce que je déclare, moi, le Sei-
eur Dieu : Tu n'as pas tenu compte de
n serment mais tu as rompu notre *alliance, si bien que je te traiterai comme
tu le mérites. 60 Seulement, moi, je serai
fidèle à l'alliance que j'ai conclue avec toi
au temps de ta jeunesse et je la transformerai en une alliance éternelle. 61 Tu
réfléchiras à ta conduite et tu en seras
honteuse lorsque tu retrouveras tes sœurs
aînées et tes sœurs plus jeunes. Je te les
soumettrai comme si c'étaient tes filles,
bien que cela ne fasse pas partie de mes
engagements à ton égard[n]. 62 Je renouvel-
lerai mon alliance avec toi et tu seras
convaincue que je suis le Seigneur.
63 Alors tu te souviendras du passé, tu en
rougiras de honte et tu n'oseras plus
prendre la parole, mais moi, je te pardonnerai tout le mal que tu as fait. Je l'affirme, moi, le Seigneur Dieu. »

Les deux aigles et la vigne

17 1 Le Seigneur m'adressa la parole :
2 « Toi, l'homme[o], propose une
énigme aux Israélites, raconte-leur une
*parabole. 3 Dis-leur que c'est moi, le Sei-
gneur Dieu, qui la leur adresse. La voici :
"Il y avait un aigle gigantesque[p], aux ailes immenses, aux longues plumes, abondantes et de couleurs variées. Il vola
jusqu'aux montagnes du Liban. Il y brisa
la cime d'un cèdre, 4 il arracha la plus élevée de ses branches. Il l'emporta dans un
pays de commerçants et la déposa dans
une ville de marchands[q]. 5 Il prit ensuite
une autre plante du pays d'Israël[r] et la
plaça dans une pépinière. Il la mit en

---

m **16.57** *A ton tour maintenant* : d'après l'ancienne version grecque ; le sens du texte hébreu est peu clair. *édomites* : d'après certains manuscrits hébreux et l'ancienne version syriaque ; texte hébreu traditionnel *syriennes*. – Les Philistins installés sur la côte sont, depuis l'époque des Juges, les ennemis d'Israël, voir Jug 15–16.

n **16.61** *bien que cela... égard* : autre traduction *sans qu'elles participent à ton alliance*.

o **17.2** Voir 2.1 et la note.

p **17.3** L'*aigle gigantesque* représente Nabucodonosor, le roi de Babylone, vainqueur de Jérusalem, voir v. 12.

q **17.4** Ce verset fait allusion à la déportation de Joakin, roi de Juda, et des grands du royaume, voir v. 12.

r **17.5** L'*autre plante d'Israël* désigne Sédécias, oncle de Joakin, que Nabucodonosor plaça sur le trône de Juda, voir 2 Rois 24.17.

terre au bord d'un abondant cours d'eau, comme si c'était un saule. 6 Cette plante poussa et devint une vigne florissante, d'une espèce rampante. Ses branches se développaient en direction de l'aigle et ses racines s'étendaient sous lui. Elle devint une vigne qui produisit des rameaux et fit pousser des sarments. 7 Mais un second aigle[s], gigantesque lui aussi, survint ; ses ailes étaient immenses et son plumage abondant. Alors la vigne dirigea ses racines vers lui et tourna ses branches dans sa direction. Elle espérait ainsi recevoir encore plus d'eau que dans le terrain où elle était. 8 Elle avait pourtant été plantée dans un champ fertile, au bord d'un cours d'eau abondant, de façon à produire des rameaux, à porter des fruits et à devenir une vigne magnifique."

9 « Transmets ce que je déclare, moi, le Seigneur Dieu : "Cette vigne pourra-t-elle se développer ? Le premier aigle ne va-t-il pas arracher ses racines, détruire ses fruits, faire en sorte que ses pousses nouvelles se dessèchent[t] ? Il n'aura pas besoin d'une grande force ni d'une troupe nombreuse pour la déraciner. 10 La vigne a bien été plantée, mais pourra-t-elle prospérer ? Dès que le vent d'est soufflera sur elle, ne va-t-elle pas se dessécher complètement ? Elle séchera sur pied à l'endroit où elle devait pousser !" »

Explication de la parabole

11 Le Seigneur m'adressa la parole : 12 « Demande à ces gens récalcitrants s'ils ne comprennent pas ce que signifie cette histoire. Rappelle-leur comment le souverain de Babylone est entré à Jérusalem, a capturé le roi et les chefs et les a emmenés dans son pays. 13 Il a ensuite pris un membre de la famille royale, a conclu un traité avec lui et lui a fait prêter un serment de fidélité. Il a éloigné du pays tous les notables 14 pour que le royaume reste modeste, perde toute ambition et respecte fidèlement le traité. 15 Mais le nouveau roi s'est révolté contre le vainqueur : il a envoyé des messagers en Égypte pour demander des chevaux et un nombre important de soldats. Va-t-il réussir et sauver la situation après avoir agi ainsi ? Il ne peut sûrement pas se tirer d'affaire alors qu'il a rompu le traité conclu !

16 « Par ma vie, je l'affirme, moi, le Seigneur Dieu, ce roi mourra dans le pays du souverain qui l'a placé sur le trône. En effet, il n'a pas tenu compte du serment prêté, il a rompu le traité conclu. C'est à Babylone qu'il mourra. 17 Même avec une nombreuse et puissante armée, le *Pharaon d'Égypte ne pourra pas l'aider à se défendre lorsque les Babyloniens élèveront des remblais et creuseront des tranchées en vue de massacrer une foule de gens. 18 En rompant le traité, ce roi s'est moqué des engagements pris. Puisqu'il a agi ainsi, après avoir donné sa parole, il ne s'en tirera pas !

19 « Voici ce que je déclare, moi, le Seigneur Dieu : Par ma vie, le roi a rompu le traité qu'il avait juré d'observer devant moi, et je lui en ferai subir les conséquences. 20 Je vais lui tendre un piège et le capturer. Je l'emmènerai à Babylone où je le condamnerai pour l'infidélité qu'il a commise envers moi. 21 Ses meilleurs soldats seront tués au combat et les survivants seront dispersés aux quatre vents. Vous serez convaincus ainsi que c'est moi, le Seigneur, qui vous ai parlé. »

Promesses du Seigneur

22 « Voici ce que je déclare, moi, le Seigneur Dieu : Je prendrai moi-même un jeune rameau à la cime du cèdre, je le cueillerai à l'extrémité de ses branches et je le planterai sur une très haute montagne[u]. 23 Sur une montagne élevée d'Israël je le planterai. Il développera des branches, produira des graines et deviendra un cèdre magnifique. Des oiseaux de toute espèce nicheront dans ses branches

---

s 17.7 Le *second aigle* désigne le *Pharaon, roi d'Égypte, dont Sédécias a essayé de se rapprocher, voir v. 15.

t 17.9 *Le premier aigle* explicite l'hébreu *On*. – Pour la manière dont Nabucodonosor a puni l'alliance de Sédécias avec l'Égypte voir v. 16 ; 2 Rois 24.20–25.7 ; 2 Chron 36.13,17-20.

u 17.22 *un jeune rameau* : cette image désigne le futur roi d'Israël, espoir de la dynastie de David (voir 34.23 ; 2 Sam 7.12-16). – *sur une très haute montagne* : voir 20.40 et la note ; 40.2.

t trouveront un abri à leur ombre.
4 Alors tous les arbres de la campagne
auront que je suis le Seigneur. J'abats les
rbres trop élevés et je fais pousser les
lus petits. Je dessèche les arbres ver-
loyants et je redonne de la sève aux ar-
res desséchés. C'est moi, le Seigneur,
ui parle, et je fais ce que je dis. »

Dieu juge chacun selon sa conduite

18 1 Le Seigneur m'adressa la parole :
2 « Pourquoi entend-on répéter ce
roverbe dans le pays d'Israël :

"Les parents ont mangé des raisins verts,
mais ce sont les enfants qui ont mal aux dents ?"

Par ma vie, je l'affirme, moi, le Seigneur
)ieu, vous n'aurez plus à répéter ce pro-
erbe en Israël. 4 En effet, la vie de cha-
un m'appartient, celle des parents
omme celle des enfants, et c'est le cou-
able qui doit mourir[v].
5 « Prenons le cas d'un homme qui pra-
ique le bien en agissant de manière juste
t honnête. 6 Il ne participe pas à des re-
as sacrés sur les montagnes, il ne rend
as de culte aux sales idoles des Israélites.
ne déshonore jamais la femme d'un au-
e et il n'a pas de relations avec une
mme pendant ses règles[w]. 7 Il n'exploite
i ne vole personne, il restitue le gage
ourni par son débiteur, il donne du pain
qui a faim et des habits à qui en man-
ue. 8 Il ne prête pas son argent pour en
etirer un intérêt ou un profit[x]. Il ne se
end pas complice de l'injustice mais pro-
once des jugements impartiaux. 9 Il
béit aux règles et aux lois que j'ai éta-
lies, en agissant loyalement. Eh bien,
oi, le Seigneur Dieu, je l'affirme, un tel
omme pratique vraiment le bien et il
ivra.
10 « Supposons que cet homme ait un
ls qui pille, tue et commette toutes sor-
s d'actions de ce genre[y]. 11 Contraire-
ent à son père, il participe aux repas
crés sur les montagnes, il déshonore la
mme des autres, 12 exploite les pauvres
les défavorisés, vole les gens, ne resti-
e pas les gages fournis par ses débi-
urs. Il s'adonne au culte des idoles et
commet à cette occasion des actions abominables. 13 Il prête son argent pour en
retirer un intérêt et du profit. Un tel
homme doit-il vivre ? Sûrement pas ! Il a
commis tous ces actes détestables ; il
mourra donc et sera lui-même responsable de sa mort.
14 « Supposons qu'il ait à son tour un
fils. Ce fils a vu toutes les mauvaises actions commises par son père, mais il ne
suit pas son exemple. 15 Il ne participe pas
à des repas sacrés sur les montagnes, il ne
rend pas de culte aux sales idoles des Israélites. Il ne déshonore jamais la femme
d'un autre. 16 Il n'exploite ni ne vole personne et il n'exige pas de gage de ses débiteurs. Il donne du pain à qui a faim et
des habits à qui en manque. 17 Il ne se
rend pas complice de l'injustice[z], il ne
prête pas son argent pour en retirer un
intérêt ou du profit. Il obéit ainsi aux règles et aux lois que j'ai établies. Cet
homme n'a pas à mourir pour les fautes
de son père : il conservera assurément la
vie. 18 C'est son père qui a opprimé, volé[a]
et maltraité les gens autour de lui ; c'est
donc lui qui mourra pour ses fautes.
19 « Vous demandez pourquoi le fils ne
supporte pas les conséquences des fautes
de son père ? Eh bien, c'est parce qu'il a
agi conformément au droit et à la justice
et qu'il a obéi à toutes mes règles. Il vivra
donc. 20 C'est la personne coupable qui
doit mourir. Les enfants n'auront pas à
payer pour les fautes de leurs parents ni
les parents pour les fautes de leurs enfants. L'homme de bien sera récompensé
d'agir avec justice et le méchant sera puni
pour le mal qu'il fait[b]. »

---

v **18.4** V. 4-20 : voir par ex. 14.12-20 ; Deut 7.10 ; 24.16 ; Jér 31.29-30.

w **18.6** *sur les montagnes* : voir 6.2 et la note. – *pendant ses règles* une femme était considérée comme *impure, voir Lév 18.19.

x **18.8** *un intérêt ou un profit* : voir Lév 25.36-37.

y **18.10** *toutes sortes d'actions de ce genre* : d'après d'anciennes versions. Le texte hébreu est peu clair.

z **18.17** *de l'injustice* : d'après l'ancienne version grecque ; hébreu *du pauvre*.

a **18.18** *volé* : d'après des versions anciennes ; hébreu : *volé un frère*.

b **18.20** Voir la note sur le v. 4.

Exhortation à pratiquer le bien

21 « Si un méchant renonce à ses mauvaises actions, s'il se met à obéir à mes règles et à agir conformément au droit et à
la justice, il n'aura pas à mourir, assurément il vivra. 22 Tous ses torts seront oubliés et il vivra grâce au bien qu'il
pratique. 23 Pensez-vous que j'aime voir
mourir les méchants ? Je vous le déclare,
moi, le Seigneur Dieu, tout ce que je désire, c'est qu'ils changent de conduite et
qu'ils vivent. 24 Par contre, si un homme
juste renonce à se conduire bien, s'il se
met à agir de manière aussi abominable
que les méchants, pensez-vous qu'il
pourra vivre ? Sûrement pas ! Toutes ses
bonnes actions seront oubliées. Il mourra
à cause de son infidélité et du mal qu'il
commet. 25 Vous dites : “Le Seigneur va
trop loin !” Écoutez-moi bien, vous, les
Israélites : Est-ce moi qui vais trop loin ?
N'est-ce pas plutôt vous qui passez les
bornes ? 26 Si un homme juste renonce à
se conduire bien, agit mal et meurt, il
meurt à cause du mal qu'il fait. 27 Si au
contraire un méchant renonce à sa mauvaise conduite et se met à agir de manière
juste et honnête, il sauve sa vie. 28 Il peut
continuer à vivre, puisqu'il s'est rendu
compte de ses mauvaises actions et y a renoncé ; il n'y a plus de raison qu'il meure.
29 Mais vous, les Israélites, vous dites :
“Le Seigneur va trop loin !” Eh bien non,
ce n'est pas moi qui vais trop loin, c'est
vous qui passez les bornes ! 30 Pour ma
part, je jugerai chacun de vous selon sa
propre conduite, je vous l'affirme, moi, le
Seigneur Dieu. Changez donc de vie, dé-
tournez-vous de tout le mal que vous faites, ne laissez plus aucune faute causer
votre perte. 31 Renoncez aux mauvaises
actions que vous commettez, transformez
vos cœurs et vos esprits. Pourquoi vou-
driez-vous mourir, Israélites ? 32 Vraiment je l'affirme, moi, le Seigneur Dieu,
je ne veux la mort de personne. Détour-
nez-vous du mal et vivez ! »

La complainte des lions

19 1 Le Seigneur me dit de chanter
cette complainte sur les princes
qui règnent en Israël :

2 « Votre mère était une lionne remarquable[c]
dans la race des lions !
Étendue parmi les jeunes lions,
elle nourrissait ses petits.
3 Elle dressa spécialement l'un d'eux.
Devenu un jeune lion,
il apprit à déchirer une proie
et il dévora des hommes.
4 Des étrangers en entendirent parler.
Ils le firent tomber dans une fosse
et l'emmenèrent avec des crochets au
pays d'Égypte[d].
5 La lionne constata qu'elle attendait en
vain
et qu'il n'y avait plus d'espoir.
Elle choisit alors un autre de ses petits,
elle en fit un lionceau vigoureux
6 élevé en compagnie des lions.
Devenu un jeune lion,
lui aussi apprit à déchirer une proie
et il dévora des hommes.
7 Il démolit leurs citadelles[e],
détruisit leurs villes.
Les habitants du pays étaient épouvantés,
en l'entendant rugir.
8 Des étrangers venant de partout
se postèrent contre lui.
Ils le prirent au piège,
le firent tomber dans une fosse.
9 Au moyen de crochets, ils l'entraînèrent dans une cage
et l'emmenèrent au roi de Babylone[f].
On le mit en prison pour ne plus l'entendre
rugir sur les montagnes d'Israël. »

La complainte de la vigne

10 « Votre mère ressemblait à une vigne[g]
plantée au bord de l'eau.

---

c **19.2** La *lionne* représente ici soit la ville de Jérusalem, soit la tribu de Juda (voir Gen 49.9).

d **19.4** Dans les v. 3 et 4 il s'agit sans doute du roi Joachaz (voir 2 Rois 23.31-34). – *avec des crochets* : voir 2 Rois 19.28 et la note.

e **19.7** *Il démolit leurs citadelles* : d'après l'ancienne version araméenne. Le texte hébreu est peu clair.

f **19.9** D'après cette indication le second lion doit être le roi Joakin, voir 2 Rois 24.15.

g **19.10** *ressemblait à une vigne* : d'après l'ancienne version araméenne. Le texte hébreu est obscur. Pour le symbole de la *vigne*, voir 15.2 et la note.

Elle était chargée de fruits et de feuilles,
grâce à toute l'eau qu'elle recevait.
1 Elle eut des branches vigoureuses
qui devinrent des bâtons de commandement.
Elle s'éleva au-dessus des arbres.
On admirait sa haute taille
et le nombre de ses rameaux.
2 Mais elle a été arrachée avec colère
et jetée au sol.
Le vent d'est a desséché ses fruits,
qui sont tombés.
Ses branches magnifiques ont séché
puis elles ont été brûlées.
3 Maintenant la vigne est plantée dans le désert,
dans un pays aride et sans eau.
4 Un feu a jailli de son tronc,
il a détruit ses rameaux et ses fruits.
Elle n'a plus de branche vigoureuse
qui puisse devenir un bâton de chef. »

Ce poème doit être chanté comme une complainte.

Dieu a conduit Israël malgré ses révoltes

20 1 La septième année après la déportation, le dixième jour du cin-
uième mois[h], quelques *anciens d'Israël
inrent s'asseoir devant moi pour me
onsulter sur la volonté du Seigneur.
Alors le Seigneur m'adressa la parole :
« Toi, l'homme[i], transmets aux anciens
'Israël ce que je leur déclare, moi, le Seineur Dieu : C'est pour connaître ma vo-
nté que vous êtes venus, n'est-ce pas ?
h bien, par ma vie, je ne me laisserai pas
onsulter par vous, je l'affirme, moi, le
eigneur Dieu !
4 « Toi qui n'es qu'un homme, prépare-
i à les juger, n'hésite pas à le faire.
appelle-leur les actions abominables de
urs ancêtres. 5 Rapporte-leur ce que je
éclare, moi, le Seigneur Dieu : Lorsque
ai choisi Israël, je me suis engagé par
rment envers tous les membres de ce
euple. Je me suis révélé à eux en Égypte,
leur ai solennellement promis d'être
ur Seigneur et leur Dieu. 6 A ce
oment-là, je leur ai juré de les faire sor-
r d'Égypte pour les conduire dans une
erveille de pays, un pays qui regorge de
lait et de miel, et que j'avais spécialement
préparé pour eux[j]. 7 Je leur ai donné cet
ordre : "Que chacun de vous renonce aux
dieux abominables qui vous attirent, ne
vous rendez plus *impurs en adorant les
idoles égyptiennes. C'est moi qui suis le
Seigneur, votre Dieu."
8 « Mais ils se sont révoltés contre moi et
n'ont pas voulu m'obéir. Personne n'a renoncé aux dieux abominables qui l'attiraient, aucun d'eux n'a abandonné les
idoles égyptiennes. J'envisageai alors de ne
plus contenir ma colère mais de la déverser sur eux, en Égypte même. 9 Cependant
j'ai agi par égard pour moi, pour ne pas
m'exposer au mépris des populations
parmi lesquelles ils vivaient. En effet,
celles-ci avaient été témoins de ma promesse de faire sortir Israël d'Égypte. 10 Je
les emmenai donc hors d'Égypte et les
conduisis dans le désert. 11 Je leur en-
seignai les règles et les lois que j'ai établies
pour que tous ceux qui les pratiquent puissent vivre. 12 J'instituai le jour du *sabbat
pour manifester la relation qui les unit à
moi et leur rappeler que moi, le Seigneur,
je les consacre à mon service. 13 Mais les Israélites se sont révoltés contre moi dans le
désert. Ils ont négligé mes règles et méprisé mes lois, qui permettent de vivre à
ceux qui les pratiquent. Ils ont gravement
violé le jour du sabbat. De nouveau, j'envisageai de déverser ma colère sur eux dans
le désert et de les y détruire. 14 Cependant
j'ai agi par égard pour moi, pour ne pas
m'exposer au mépris des populations qui
m'avaient vu emmener les Israélites hors
d'Égypte. 15 Par contre, dans le désert, je
leur jurai de ne pas les conduire dans le
pays de merveille que je leur donne, un
pays qui regorge de lait et de miel. 16 J'en
fis le serment parce qu'ils avaient refusé
d'observer mes lois et mes règles et de respecter le jour du sabbat, tellement ils
étaient attachés à leurs idoles. 17 Mais j'eus
trop pitié d'eux pour les détruire et je ne
les exterminai pas dans le désert[k]. »

h **20.1** C'est-à-dire en juillet-août, la septième année du règne de Sédécias, donc en 591-590 avant J.-C.
i **20.3** Voir 2.1 et la note.
j **20.6** V. 5-6 : voir Ex 6.2-8.
k **20.17** V. 13-17 : voir par ex. Nomb 14.1-4 et 20-30.

Israël n'a pas cessé de désobéir à Dieu

18 « J'ai donné ces recommandations à
leurs enfants dans le désert : "Ne vous
conduisez pas selon les règles et les lois
que vos pères se sont fabriquées, ne vous
rendez pas *impurs en adorant leurs sales
idoles. 19 C'est moi qui suis le Seigneur
votre Dieu ! Conduisez-vous selon mes
règles et acceptez d'obéir à mes lois.
20 Consacrez-moi le jour du *sabbat pour
manifester la relation qui vous unit à moi
et vous rappeler que je suis le Seigneur,
votre Dieu." 21 Mais eux aussi se sont révoltés contre moi. Ils n'ont pas observé
mes règles et ils ont refusé de se conformer à mes lois, qui permettent de vivre à
ceux qui les pratiquent. Ils ont violé le
jour du sabbat. J'envisageai alors de ne
plus contenir ma colère mais de la déverser sur eux dans le désert. 22 J'y renonçai
par égard pour moi, pour ne pas m'exposer au mépris des populations qui
m'avaient vu les emmener hors d'Égypte.
23 Par contre, dans le désert, je leur jurai
de les disperser parmi d'autres peuples
dans des pays étrangers. 24 J'en fis le serment parce qu'ils n'avaient pas observé
mes règles et mes lois ni respecté le jour
du sabbat, mais qu'ils s'étaient laissés attirer par les sales idoles de leurs pères.
25 Je leur ai même donné des règles qui ne
leur ont pas fait de bien[l] et des lois qui ne
leur ont pas permis de vivre. 26 Je les ai
laissés se rendre impurs par des offrandes
qui consistaient à tuer leurs premiers-
nés[m]. Ils en ont été eux-mêmes frappés
d'horreur et ainsi ils ont reconnu que je
suis le Seigneur. »

Dieu mettra un terme à l'idolâtrie des Israélites

27 « C'est pourquoi, l'homme, trans
mets aux Israélites ce que je leur déclar
moi, le Seigneur Dieu : Vos ancêtre
m'ont aussi offensé en trahissant la fid
lité qu'ils me devaient. 28 Je les
conduits dans le pays que j'avais juré d
leur donner. Là ils remarquèrent les som
mets des collines aux arbres touffus et il
se mirent à y offrir leurs *sacrifices. I
ont provoqué ma colère par les dons, l
offrandes à l'odeur apaisante et les o
frandes de vin qu'ils y présentaient. 29 J
leur demandai alors : "Qu'est-ce que ce
lieux sacrés où vous vous rendez ?" D
puis lors, on appelle ces endroits d
lieux sacrés. 30 Transmets donc aux I
raélites ce que je déclare, moi, le Seigneu
Dieu : Comment ! vous suivez l'exemp
de vos ancêtres, vous vous rendez *im
purs et vous vous prostituez en adorant
leurs idoles abominables ! 31 Maintenant
encore, vous vous rendez impurs en ap
portant vos dons et en offrant vos enfan
en sacrifice à vos idoles. Dans ces cond
tions, est-ce que je vais me laisser consu
ter par vous, les Israélites ? Par ma vie,
l'affirme, moi le Seigneur Dieu, je ne m
laisserai pas consulter par vous ! 32 Vo
vous imaginez que vous pourrez êt
comme les peuples des autres pays e
adorant des arbres et des pierres, ma
cela n'arrivera pas. 33 Par ma vie, je l'a
firme, moi, le Seigneur Dieu, c'est av
puissance que j'agirai, je laisserai expl
ser ma colère et c'est ainsi que je régner
sur vous. 34 Je vous retirerai du milieu d
peuples et des pays où vous avez été di
persés et je vous rassemblerai en vous fa
sant sentir toute ma puissance et les effe
de ma colère. 35 Je vous amènerai au d
sert, à l'écart des autres peuples[n], et
vous ferai comparaître devant moi. 36
vous condamnerai tout comme j'
condamné vos ancêtres dans le dése
proche de l'Égypte, je l'affirme, moi,
Seigneur Dieu. 37 Je vous ferai passer so
mon bâton de *berger et je vous compt
rai à l'entrée[o]. 38 J'exclurai de votre nom
bre ceux qui se sont révoltés et m'o
désobéi. Je les retirerai des pays où ils s

---

l **20.25** Ézékiel fait allusion ici à la loi de l'offrande des premiers-nés (voir v. 26 et Ex 13.1), que certains interprétaient sans tenir compte de la loi du rachat, voir Ex 13.12-13.

m **20.26** Voir 16.20 et la note.

n **20.35** *au désert, à l'écart des autres peuples* : hébreu *au désert des peuples*. Il ne s'agit pas d'un lieu géographique, mais de l'endroit symbolique où Dieu peut parler à son peuple seul, en dehors de l'influence des autres nations, comparer Osée 2.16.

o **20.37** *je vous compterai à l'entrée* : d'après l'ancienne version grecque ; hébreu *je vous introduirai dans le lien de l'alliance*.

ɔurnent, mais ils ne retourneront point
ur le sol d'Israël. Alors vous serez
onvaincus que je suis le Seigneur.
' Voici ce que moi, le Seigneur Dieu, je
ous déclare : Israélites, chacun de vous
eut bien adorer ses sales idoles ! Mais
nsuite, vous serez obligés de m'obéir,
ous cesserez de déshonorer le nom que
: porte en offrant des dons à vos idoles.
' En effet, tous les Israélites du pays me
endront un culte sur la montagne qui
ı'est consacrée, la grande montagne
'Israël[p]. Là, je vous recevrai favorable-
ıent et je vous demanderai de m'appor-
:r tout ce que vous me consacrez, vos
ons et l'offrande de ce que vous avez de
ıeilleur. 41 Après vous avoir retirés du
ıilieu des peuples et des pays où vous
vez été dispersés et vous avoir rassem-
lés, j'accueillerai vos offrandes à
odeur apaisante. Ainsi, par mes ac-
ons à votre égard, je montrerai aux au-
·es peuples que je suis le vrai Dieu.
De votre côté, vous serez convaincus
ue je suis le Seigneur lorsque je vous
onduirai dans le pays d'Israël, que
avais solennellement promis de don-
er à vos ancêtres. 43 Là, vous réflé-
ıirez à votre conduite passée et aux
:tions qui vous ont rendus impurs.
ous serez pris d'un grand dégoût de
ous-mêmes à cause de tout le mal que
ous avez commis. 44 Je ne vous traiterai
as, vous les Israélites, en fonction de
otre conduite mauvaise et de vos ac-
ons immorales, mais j'agirai avec vous
: façon à faire respecter ce que je suis.
ous serez convaincus alors que je suis
Seigneur, je l'affirme, moi, le Sei-
ıeur Dieu. »

Une mauvaise nouvelle pour Israël

21 1 Le Seigneur m'adressa la parole[q] : 2 « Toi, l'homme, tourne ton
:gard vers le sud du pays, déverse de ma
art des menaces contre les habitants de
forêt du sud[r]. 3 Tu leur diras d'écouter
:s paroles que moi, le Seigneur Dieu, je
ronónce contre la forêt du sud : Je vais
lumer un incendie qui consumera tous
s arbres, qu'ils soient verdoyants ou
:sséchés. Rien ne pourra éteindre ses
flammes, il se répandra du sud au nord et
tout le monde subira ses brûlures. 4 Chacun verra que c'est moi, le Seigneur, qui
l'ai allumé, et rien ne pourra l'éteindre. »
5 Je répondis : « Ah, Seigneur Dieu, on se
plaint déjà de moi en disant : "Il ne parle
que par énigmes." »

6 Le Seigneur m'adressa encore la parole[s] : 7 « Toi, l'homme, tourne ton regard
vers la ville de Jérusalem, déverse tes menaces contre les *sanctuaires, parle de ma
part contre le pays d'Israël. 8 Révèle aux
Israélites que moi, le Seigneur, je leur déclare ceci : "Je vais intervenir contre
vous, je vais tirer mon épée de son fourreau et vous tuer tous, les justes comme
les méchants. 9 C'est pour vous supprimer tous que je brandirai mon épée
contre chacun de vous, depuis le sud
jusqu'au nord. 10 Tout le monde saura que
moi, le Seigneur, j'ai retiré mon épée de
son fourreau. Je ne l'y remettrai plus."
11 Quant à toi, l'homme, courbe-toi sous
le poids du désespoir et gémis aux yeux
de tous. 12 On te demandera pourquoi tu
gémis et tu répondras : "J'ai appris une
mauvaise nouvelle, elle va se réaliser. Les
cœurs seront brisés, les mains pendront
sans force, les courages faibliront, les genoux s'entrechoqueront. Nous y voilà !
Cela se réalise maintenant, déclare le Seigneur Dieu." »

Oracle de l'épée

13 Le Seigneur m'adressa de nouveau la
parole : 14 « Toi, l'homme, sois *prophète.
Révèle aux gens ce que je leur déclare,
moi, le Seigneur :
Voici une épée,
une épée aiguisée et polie.
15 C'est pour un massacre
qu'elle a été aiguisée,

---

p **20.40** *la montagne consacrée* à Dieu désigne l'ensemble de collines sur lesquelles est construite Jérusalem, c'est-à-dire Jérusalem elle-même.

q **21.1** Dans certaines traductions 21.1-5 est numéroté 20.45-49.

r **21.2** *Toi, l'homme* : voir 2.1 et la note. – *forêt du sud* ou *forêt du Néguev*, au sud de Juda, mais ici l'expression désigne probablement tout le pays de Juda.

s **21.6** Dans certaines traductions 21.6-37 est numéroté 21.1-32 ; voir la note sur 21.1.

elle a été polie
au point de lancer des éclairs[t].
16 Je l'ai donnée à fourbir
pour qu'elle puisse être brandie,
elle est affûtée et nettoyée
pour être remise au tueur.
17 Pousse des cris de détresse, l'homme !
Cette épée est dirigée contre mon peuple,
et contre tous les princes qui règnent en Israël
et qui seront massacrés en même temps que lui.
Frappe-toi la poitrine de désespoir.
18 C'est une dure épreuve[u],
je l'affirme, moi, le Seigneur Dieu.
19 Quant à toi, l'homme, sois prophète.
Frappe dans tes mains,
une fois, deux fois, trois fois,
car c'est l'épée de la mort,
l'épée de la grande tuerie qui menac
de partout.
20 Elle brise le courage de chacun,
fait chanceler tout le monde.
Devant chaque porte, j'ai placé l'épé
du massacre,
étincelante comme l'éclair, prête à tue
21 Frappe à droite, frappe à gauche,
épée tranchante,
Tourne ta pointe dans toutes les direc
tions[v] !

22 A mon tour, je vais frapper du poing
donner libre cours à ma colère. C'est mo
le Seigneur, qui vous parle. »

L'assaut contre Jérusalem

23 Le Seigneur m'adressa la parole
24 « Quant à toi, l'homme, trace deux ro
tes par lesquelles le roi de Babylon
pourra venir avec son épée. Fais-les part
toutes les deux du même pays. Au dépa
de chacune d'elles, indique par un sign
la ville à laquelle elle mène. 25 Une d
routes conduira l'armée de Babylone à
ville ammonite de Rabba[w] et l'autre à
ville fortifiée de Jérusalem, en Juda. 26 L
roi de Babylone s'arrête au point de dépa
des deux routes, à la bifurcation, po
consulter le sort. Il lance les flèches e
l'air, interroge les idoles et examine d
foies d'animaux[x]. 27 A sa droite est tomb
la flèche qui désigne Jérusalem. Il pou
sera des cris de guerre et lancera le sign
d'attaque. Il placera des machines d
guerre contre les portes de la ville, il él
vera des remblais et creusera des tra
chées[y]. 28 Les gens de Jérusalem estime
que cette décision du sort est sans cons
quence puisqu'ils sont protégés par u
serment. Mais le roi de Babylone leur ra
pelle leur infidélité et les avertit qu'ils s
ront emmenés en captivité[z]. 29 C'e
pourquoi, je leur déclare ceci, moi, le Se
gneur Dieu : Vous me remettez sans ces
vos fautes en mémoire par votre désobéi
sance manifeste, dans toutes vos actio
vous vous montrez coupables. Eh bie
puisque vous ne vous êtes pas fait oublie
vous tomberez au pouvoir de l'ennemi !

30 « Quant à toi, prince qui règnes en I
raël, tu n'es qu'un criminel infâme. I
moment vient où ta conduite fauti
prendra fin[a]. 31 Voici ce que je déclar

---

t **21.15** A la fin du v. 15 la traduction a laissé de côté un membre de phrase incompréhensible, littéralement *ou bien nous nous réjouirons, le sceptre de mon fils méprise tout arbre*.

u **21.18** Après le mot *épreuve*, la traduction a laissé de côté un membre de phrase incompréhensible, littéralement *qu'arriverait-il s'il n'y avait aussi un sceptre méprisant ?*, qui semble faire allusion à la fin – également incompréhensible – du v. 15 (voir la note concernant ce verset).

v **21.21** Sens probable d'un texte hébreu difficile.

w **21.25** *Rabba* était la capitale des Ammonites, située à l'est du Jourdain. C'est aujourd'hui la ville d'Amman.

x **21.26** Ézékiel énumère ici trois manières de pratiquer la divination. On secouait un étui contenant deux *flèches* portant chacune une indication : celle qui retombait la première donnait la réponse demandée. On pouvait aussi *consulter les idoles* ou examiner, selon des règles bien définies, le *foie* d'animaux sacrifiés.

y **21.27** *des cris de guerre* : d'après l'ancienne version grecque ; hébreu *pour la tuerie*. – *Il placera des machines de guerre* : dans le texte hébreu ce membre de phrase se trouve déjà une première fois après *Jérusalem*.

z **21.28** *puisqu'ils... serment* : les Israélites se croient protégés par l'Égypte qui aurait dû se porter à leur secours (voir 17.7 et 17). Mais on peut aussi traduire *eux qui ont fait des serments* : dans ce cas le texte rappelle que Sédécias a été installé par l'autorité babylonienne (voir 17.16 et 19.21). La deuxième partie du verset se réfère à ce fait.

a **21.30** Le *prince* en question est Sédécias. Pour ce qui lui est arrivé, voir 2 Rois 25.4-7. – *Le moment... fin* : autre traduction *Le moment de ta punition définitive viendra*.

noi, le Seigneur Dieu : Tu seras privé de
on insigne royal, on ôtera ta couronne.
.a situation a tourné ! Les humbles oc-
:uperont une place élevée, les puissants
eront abaissés. 32 Des ruines, rien que
les ruines ! Je transformerai Jérusalem
n ruines. La ville sera entièrement dé-
ruite, mais pas avant la venue de celui
uquel j'aurai remis le pouvoir d'inter-
enir contre elle[b]. »

L'assaut contre les Ammonites

33 « Quant à toi, l'homme, sois *pro-
hète ; transmets aux Ammonites[c] ce que
: déclare, moi, le Seigneur Dieu, à leur
ujet et au sujet de leur attitude insul-
ante à l'égard d'Israël. Dis-leur : Une
pée est là, une épée prête à vous tuer.
Ille a été fourbie pour un massacre, elle a
té polie au point de lancer des éclairs.
Pendant que vous vous reposez sur des
isions imaginaires et des prédictions
ausses, elle est prête à trancher le cou des
riminels infâmes. En effet, le moment
ient où leur conduite fautive prendra
n[d]. 35 Maintenant remettez vos épées
ans leur fourreau. C'est à l'endroit où
ous avez été créés, dans le pays de votre
aissance, que j'interviendrai contre
ous. 36 Je déverserai sur vous ma colère,
: vous ferai subir le feu de mon indigna-
on et je vous livrerai au pouvoir d'hom-
ies brutaux, acharnés à détruire. 37 Vous
erez la proie des flammes et votre sang
oulera dans tout le pays. Après quoi per-
onne ne se souviendra plus de vous.
'est moi, le Seigneur Dieu, qui vous
arle[e]. »

Les actions abominables de Jérusalem

22 1 Le Seigneur m'adressa la parole : 2 « Quant à toi, l'homme[f],
répare-toi à juger la ville criminelle de
érusalem, n'hésite pas ! Fais-lui pren-
re conscience de ses actions abomi-
ables. 3 Transmets-lui ce que je déclare,
ioi, le Seigneur Dieu : Tu es une ville
ont les habitants commettent des
ieurtres et préparent ainsi le moment
e ta ruine ; ils se fabriquent de sales
loles et souillent ton sol. 4 Tu es coupable de tous ces meurtres et tu es souillée par la fabrication de ces idoles ! Tu
fais toi-même approcher le moment de
ta destruction, tes jours sont comptés !
C'est pourquoi je te livre aux moqueries
des peuples étrangers, tu deviendras la
risée de toutes les nations. 5 Ta réputation est ternie, tu es un lieu de désordres, et les pays éloignés comme les
pays voisins riront de toi.

6 « Chez toi, chaque dirigeant d'Israël
abuse de son pouvoir et commet des
meurtres[g]. 7 Chez toi, on méprise son
père et sa mère, on exploite les étrangers, on opprime les orphelins et les
veuves[h]. 8 On n'a aucun respect pour les
lieux qui me sont consacrés, on viole le
jour du *sabbat. 9 Chez toi, des gens se
livrent à la calomnie dans un but criminel. Tes habitants participent aux repas
sacrés sur les montagnes[i]. Ils s'adonnent à la débauche. 10 Certains couchent
avec la femme de leur père, ou abusent
des femmes pendant leurs règles[j]. 11 Les
uns commettent des actes abominables
avec les femmes de leur prochain, d'autres séduisent et forcent à la débauche
leur belle-fille ou leur demi-sœur.
12 Chez toi, on accepte d'être payé pour
tuer, on prête son argent pour en retirer
un intérêt, on exploite ses compatriotes
pour s'enrichir. Et moi, on m'oublie to-

---

b **21.32** *La ville sera entièrement détruite* : sens possible d'un texte hébreu difficile. – *pas avant la venue...* : il s'agit de Nabucodonosor, instrument de Dieu contre Israël, voir 23.23-24 ; autre traduction *jusqu'à ce que vienne celui à qui appartient le pouvoir* : il s'agit alors d'un futur roi d'Israël.

c **21.33** Les *Ammonites* s'étaient alliés avec les Édomites, les Moabites, les Phéniciens de Tyr et Sidon, ainsi qu'avec Juda, pour tenter de se révolter contre Babylone avec l'aide de l'Égypte, voir Jér 27.2-6.

d **21.34** *elle est prête à trancher le cou* : sens possible d'un texte hébreu difficile. – *le moment vient... fin* : voir le v. 30 et la note.

e **21.37** V. 33-37 : voir la note sur Jér 49.1.

f **22.2** Voir la note sur 2.1.

g **22.6** On en trouve des exemples en 1 Rois 21.8 ; 2 Rois 21.16 ; 24.4.

h **22.7** Comparer avec les exigences de la loi, par ex. en Ex 20.12 ; 22.20-23.

i **22.9** Voir 18.6,11 et 15.

j **22.10** Voir 18.6 et la note. Pour ce verset et le suivant, voir aussi Lév 18.7-20.

talement, je l'affirme, moi, le Seigneur Dieu.

13 « Mais je vais frapper du poing, population de Jérusalem, à cause de tes bénéfices malhonnêtes et des meurtres que tu as commis. 14 Aurez-vous assez de force et de courage pour tenir le coup, lorsque j'interviendrai contre vous ? C'est moi, le Seigneur, qui parle, et je fais ce que je dis. 15 Je vous disperserai parmi d'autres peuples dans des pays étrangers et je mettrai fin à toutes vos actions *impures. 16 Vous serez rabaissés aux yeux des autres nations, mais vous serez convaincus alors que je suis le Seigneur. »

17 Le Seigneur m'adressa la parole : 18 « Vois-tu, l'homme, pour moi les Israélites sont devenus semblables à des métaux impurs. Ils sont comme l'argent, le cuivre, l'étain, le fer ou le plomb mélangés dans le creuset[k]. 19 C'est pourquoi je déclare ceci, moi, le Seigneur Dieu : Vous êtes tous devenus des métaux impurs, je vais donc vous entasser dans la ville de Jérusalem. 20 On entasse l'argent, le cuivre, le fer, le plomb ou l'étain dans le creuset, puis on attise le feu par-dessous pour obtenir leur fusion. Eh bien, de même, dans ma terrible colère, je vous rassemblerai et vous entasserai pour vous faire fondre par le feu ! 21 Dans Jérusalem même, je vous rassemblerai et je vous soumettrai au feu de ma colère, qui vous fera fondre comme du métal. 22 Vous serez semblables à l'argent en fusion dans le creuset. Vous serez convaincus alors que c'est moi, le Seigneur, qui ai déversé ma fureur sur vous. »

23 Le Seigneur m'adressa la parole :
24 « Toi, l'homme, dis aux Israélites que
leur pays ressemble à une terre qui ne reçoit pas de pluie[l], il dépérira sous l'effet
de ma colère comme un sol sans eau.
25 Tels des lions rugissants qui s'acharnent sur leur proie, leurs dirigeants[m]
commettent des meurtres, s'emparent de
l'argent et des biens d'autrui et réduisent
de nombreuses femmes au veuvage.
26 Leurs prêtres violent mes lois et ne respectent pas les lieux qui me sont consacrés. Ils confondent sacré et profane. Il
n'enseignent pas aux gens la distinction
entre *pur et impur et ils ignorent volontairement le jour du sabbat. Au milieu
d'eux je suis exposé au mépris. 27 Les
chefs du peuple sont sanguinaires
comme des loups qui s'acharnent sur leur
proie, ils détruisent des vies pour s'enrichir. 28 Leurs *prophètes masquent tout
cela sous une couche de badigeon[n]. Ils racontent des visions imaginaires et prédisent des mensonges. Ils prétendent
transmettre un message de ma part alors
que moi, le Seigneur, je ne leur ai pas
parlé. 29 Partout dans le pays, on pratique
l'oppression, on commet des vols, on
maltraite les pauvres et les défavorisés,
on exploite les étrangers contre leurs
droits[o]. 30 J'ai cherché quelqu'un qui serait prêt à construire un mur d'enceinte
ou prêt à se tenir sur la brèche des murailles pour défendre le pays et m'empêcher de le détruire, mais je n'ai trouvé
personne. 31 Alors j'ai déversé ma fureur
sur eux, je les détruis dans le feu de ma
colère, et je leur fais supporter les conséquences de leur conduite. Je l'affirme,
moi, le Seigneur Dieu. »

Samarie s'est prostituée

23 1 Le Seigneur m'adressa la parole :
2 « Toi, l'homme, écoute l'histoire
de deux sœurs, nées de la même mère[p].
3 Lorsqu'elles étaient jeunes, elles devinrent des prostituées en Égypte où elles vivaient. C'est là qu'on mit la main sur leur
poitrine, là qu'on tripota leurs seins de
jeune fille. 4 L'aînée s'appelait Ohola et la
cadette Oholiba[q]. La première représent
Samarie et la seconde Jérusalem. Je les
épousai toutes deux et elles me don

---

k 22.18 La même comparaison est utilisée dans d'autres textes prophétiques, voir par ex. Jér 6.28-29 ; Mal 3.2-3.

l 22.24 *qui ne reçoit pas de pluie* : d'après l'ancienne version grecque ; hébreu *qui n'a pas été purifiée*.

m 22.25 *leurs dirigeants* : d'après l'ancienne version grecque ; hébreu *la conspiration de leurs prophètes*.

n 22.28 Comparer 13.10-16.

o 22.29 Sur les droits de l'étranger, voir par ex. Lév 19.33-34 ; Deut 14.29 ; 24.14-15.

p 23.2 *Toi, l'homme* : voir 2.1 et la note. – *nées de la même mère* : voir 16.3,44-46.

q 23.4 *Ohola et Oholiba* : ces noms avaient probablement une signification symbolique qui nous échappe aujourd'hui.

èrent des fils et des filles. 5 Mais Ohola
: prostitua, bien qu'elle fût à moi. Elle
prouva du désir pour ses voisins, les As-
yriens, et prit parmi eux ses amants. 6 Ils
ortaient des costumes de couleur pour-
re en tant que gouverneurs ou magis-
:ats. C'étaient des hommes jeunes,
éduisants et d'habiles cavaliers. 7 Ohola
ccorda ses faveurs à ces hauts fonction-
aires assyriens et, chaque fois qu'elle
prouvait du désir pour l'un d'eux, elle se
ouillait en adorant leurs sales idoles.
Elle continua la vie de prostituée qu'elle
vait menée en Égypte. Là, déjà, quand
lle était jeune, des hommes couchaient
vec elle, tripotaient ses seins de jeune
lle et l'entraînaient dans la débauche.
Alors, je l'ai abandonnée entre les mains
e ses amants, les Assyriens, qu'elle dési-
iit. 10 Ils l'ont entièrement déshabillée[r]
: l'ont assassinée, après avoir emmené
:s fils et ses filles. Elle a subi ainsi un
hâtiment qui fut un exemple pour les
utres femmes. »

Jérusalem s'est prostituée

11 « Sa sœur Oholiba en fut témoin.
ourtant, dans ses passions, elle fut en-
ore plus corrompue qu'Ohola, elle se
rostitua de façon bien pire. 12 Elle aussi
prouva du désir pour les gouverneurs et
:s magistrats assyriens, ses voisins ma-
nifiquement vêtus, qui étaient d'habiles
avaliers et des hommes jeunes et sédui-
ants. 13 Elle aussi s'enfonça dans l'immo-
alité. Je le constatai : les deux sœurs
vaient vraiment la même conduite !
Cependant Oholiba alla encore plus
oin dans la débauche. Un jour, elle vit
es hommes dessinés et peints en rouge
ır un mur. Ils représentaient des Baby-
oniens. 15 Des ceintures serraient leurs
ailles, des turbans entouraient leurs tê-
:s. Ils avaient l'allure de fiers guerriers.
'était un portrait fidèle des Babyloniens
els qu'ils vivent dans leur pays. 16 Oho-
ba éprouva du désir pour eux dès le pre-
nier regard et elle envoya des messagers
ans leur pays[s]. 17 Alors les Babyloniens
inrent coucher avec elle. Ils la souil-
:rent par leurs débauches. Quand elle se
ıt suffisamment avilie avec eux, elle
prouva du dégoût pour eux. 18 Elle s'était
publiquement conduite comme une
prostituée, elle avait livré sa nudité aux
regards, si bien que j'éprouvai pour elle
le même dégoût que j'avais eu pour sa
sœur. 19 Mais elle se prostitua de plus en
plus et se conduisit de façon aussi immorale que dans sa jeunesse en Égypte.
20 Là, elle avait éprouvé du désir pour
des débauchés, à la sexualité bestiale et
effrénée comme celle des ânes ou des
étalons. »

Le châtiment de Jérusalem

21 « Oholiba, tu as recommencé à agir
avec la même immoralité que dans ta jeunesse, lorsque tu laissais les Égyptiens
mettre la main sur ta poitrine et tripoter
tes jeunes seins[t]. 22 C'est pourquoi, voici
ce que je te déclare, moi, le Seigneur
Dieu : Je vais dresser contre toi tous tes
amants. Maintenant que tu éprouves du
dégoût pour eux, je vais les faire venir de
partout contre toi. 23 Je vais ameuter les
Babyloniens, tous les Chaldéens, les
habitants de Pecod, Choa et Coa[u], et
les Assyriens se joindront à eux. Je
rassemblerai ces hommes jeunes et séduisants, gouverneurs et magistrats, guerriers et hauts dignitaires, tous habiles
cavaliers. 24 Ils viendront du nord, avec
des chars, toutes sortes de véhicules et
une immense armée. Protégés par leurs
boucliers et leurs casques, ils t'encercleront. J'exposerai ton cas devant eux et ils
te jugeront selon leurs lois[v]. 25 A cause de
ma colère contre toi, je les laisserai te
traiter avec violence. Ils te couperont le

r **23.10** *Ils l'ont entièrement déshabillée* : allusion au pillage de Samarie en 722-721 avant J.-C. et à l'exil de ses habitants, voir 16.37 ; 2 Rois 17.6 ; Osée 2.5.

s **23.16** *elle envoya des messagers* : il y a peut-être là une allusion aux relations entre Ézékias et Mérodak-Baladan, voir 2 Rois 20.12-19 ; És 39.

t **23.21** *et tripoter tes jeunes seins* : texte probable d'après les v. 3 et 8 ; hébreu *à cause de tes jeunes seins*.

u **23.23** *Pecod* est une tribu araméenne de l'est de la Babylonie (voir Jér 50.21). *Choa et Coa* peuvent être deux autres tribus de la même région.

v **23.24** *du nord* : d'après l'ancienne version grecque ; le mot hébreu est incompréhensible. – *selon leurs lois* : Jérusalem et Samarie ne seront plus protégées par leurs lois, alors que, normalement, un coupable était jugé selon le droit de son propre pays.

nez et les oreilles et ils t'achèveront avec
leurs épées. Ils prendront tes fils et tes filles et les survivants seront dévorés par le
feu. 26 Ils te dépouilleront de tes vêtements et de tes bijoux. 27 Je mettrai un
terme à la vie de débauche et de prostitution que tu as commencée en Égypte. Tu
ne désireras plus personne et tu ne penseras plus aux Égyptiens.

28 « Moi, le Seigneur, je le déclare, je
vais t'abandonner entre les mains de
ceux que tu détestes, de ceux pour qui tu
as du dégoût. 29 Ils te traiteront odieuse-
ment. Ils prendront le produit de ton
travail. Ils te laisseront entièrement nue,
exposée aux regards comme une prostituée. C'est ton immoralité et tes débauches 30 qui t'auront valu cela. Tu t'es
prostituée aux hommes de pays étrangers et tu t'es souillée en adorant leurs
sales idoles. 31 Tu as suivi l'exemple de ta
sœur, c'est pourquoi je te ferai boire
comme elle à la coupe de ma colère[w].
32 Voici ce que je déclare, moi, le Seigneur Dieu :

Tu boiras la même coupe que ta sœur,
une coupe large et profonde.
On rira et on se moquera de toi,
car la coupe est bien remplie !
33 Elle te rendra ivre de douleur,
cette coupe de peur et de souffrance,
que ta sœur Samarie a déjà vidée.
34 Tu la boiras jusqu'au bout,
tu la casseras de tes dents,
tu blesseras ta poitrine à ses débris.
Oui, c'est moi, le Seigneur Dieu, qui te
parle, et c'est ce que j'affirme.

35 En effet, voici ce que je déclare, moi, le
Seigneur Dieu : Puisque tu m'as oublié,
que tu t'es débarrassée de moi, tu subiras
toi aussi les conséquences de ta débauch
et de tes prostitutions. »

Dieu condamne Samarie et Jérusalem

36 Le Seigneur me dit : « Toi, l'homm
prépare-toi à juger Ohola et Oholiba. D
nonce leurs actions abominables. 37 C
sont des femmes adultères et criminelle
Elles ont commis des adultères en ad
rant de sales idoles[x], et des meurtres e
leur offrant en pâture les fils qu'ell
m'avaient donnés. 38 Et ce n'est pas to
ce que je leur reproche ! Le même jou
elles ont souillé mon *sanctuaire et vio
le *sabbat qui m'est consacré. 39 En effe
le jour même où elles ont tué leurs fils e
*sacrifice à leurs idoles, elles sont entré
dans mon sanctuaire, ma propre maiso
et, ainsi, elles l'ont souillé. 40 En outr
elles ont envoyé un messager inviter d
hommes de contrées lointaines. Sitôt
message reçu, ils sont accourus aupr
d'elles[y]. Pour eux elles s'étaient baigné
elles avaient fardé leurs yeux et mis leu
bijoux. 41 Puis elles s'étaient installées s
de somptueux divans ; elles avaie
dressé devant elles une table où étaie
placés *l'encens et l'huile parfum
qu'elles avaient reçus de moi[z]. 42 U
grand nombre de gens sont venus ch
elles, on y entendait la rumeur d'u
foule insouciante. Il y avait en particuli
des hommes accourus de tous les poin
du désert[a]. Ils ont mis des bracelets a
poignets des deux sœurs et ont posé d
magnifiques couronnes sur leurs têt
43 Alors je me suis dit : "Même celle q
est la plus usée par les adultères se liv
encore à la prostitution[b] ! 44 Les homm
viennent à elle ! Ils usent d'Ohola
d'Oholiba, ces débauchées, comme o
use de prostituées !" 45 Mais des homm
justes condamneront ces femmes po
adultère et meurtre, car elles ont comm
l'adultère et elles ont du sang sur l
mains !

46 « Voici ce que je déclare, moi, le Se
gneur Dieu : Ameutez la foule cont
elles, qu'on les abandonne à l'angois
et qu'on les dépouille de leurs bien
47 Lancez-leur des pierres, mettez-les e
pièces avec vos épées, tuez leurs fils

---

w **23.31** *la coupe de ma colère* : voir És 51.17,22 ; Jér 25.15-17,28 ; 49.12.

x **23.37** L'adultère et la prostitution sont des images fréquentes de l'idolâtrie, voir v. 2-10 ; 16.17 ; Osée 3.1-5.

y **23.40** Ce passage fait sans doute allusion à des événements connus des contemporains d'Ézékiel mais dont nous ne savons plus rien maintenant.

z **23.41** *qu'elles avaient reçus de moi* ou *qui m'étaient destinés*.

a **23.42** *accourus de tous les points du désert* : sens possible d'un texte hébreu difficile.

b **23.43** Sens possible d'un texte hébreu difficile.

:urs filles et brûlez leurs maisons ! 48 Je
nettrai un terme à l'immoralité répandue
ans ce pays, toutes les femmes en seront
verties et elles n'imiteront plus la dé-
auche des deux sœurs. 49 Celles-ci paie-
ont leur immoralité et supporteront les
onséquences de leur idolâtrie. Ainsi vous
erez convaincus que je suis le Seigneur. »

Jérusalem comparée à une marmite rouillée

24 1 La neuvième année après la déportation, le dixième jour du
ixième mois[c], le Seigneur m'adressa la
arole : 2 « Toi, l'homme[d], note par écrit
 date d'aujourd'hui, car c'est au-
ourd'hui même que le roi de Babylone
ommence le siège de Jérusalem. 3 Pré-
ente à mon peuple récalcitrant cette *pa-
abole, en lui disant que c'est moi, le
eigneur Dieu, qui la lui adresse :

"Prépare une marmite[e].
Verse de l'eau dedans.
Places-y des morceaux de viande,
tous les morceaux de choix,
gigot et épaule.
Remplis-la avec les meilleurs os.
Prends la viande des plus beaux moutons,
entasse les os au fond de la marmite,
fais bouillir le tout à gros bouillons,
car même les os doivent cuire.
Oui, je le déclare, moi, le Seigneur
Dieu :
Quel malheur pour la ville meurtrière !
Elle ressemble à une marmite rouillée,
qu'on ne peut pas nettoyer.
Vide la marmite,
morceau par morceau,
aucun ne sera préservé par une décision du sort.
Le sang versé est encore dans la ville,
il a été répandu sur la pierre nue,
la terre ne l'a pas absorbé
et personne ne l'a recouvert de poussière[f].
Et moi, je laisse le sang sur la pierre
nue,
là où il ne peut pas être caché,
pour qu'il suscite ma colère
et réclame ma vengeance.
Oui, je le déclare, moi, le Seigneur
Dieu :
Quel malheur pour la ville meurtrière,
car je vais construire un grand bûcher !
10 Empile des morceaux de bois,
attise le feu,
termine la cuisson de la viande,
ajoute des épices
et laisse les os griller complètement.
11 Place ensuite la marmite vide sur les
braises,
afin qu'elle chauffe,
que le métal rougisse.
Alors l'impureté qui est dedans disparaîtra,
la rouille sera détruite."

12 Mais tous les efforts sont inutiles[g] !
Tant de rouille ne disparaîtra pas par le
feu. 13 Jérusalem, tu es souillée par toutes
tes actions immorales. J'ai voulu te *purifier mais tu ne t'es pas laissé faire. Eh
bien, tu ne pourras pas devenir pure
jusqu'à ce que tu aies subi toute ma fureur. 14 C'est moi, le Seigneur, qui parle et
cela arrivera. Je vais agir sans hésiter,
sans pitié ni regret. Tu seras jugée sur ta
conduite et tes actes. Je l'affirme, moi, le
Seigneur Dieu. »

Le deuil d'Ézékiel

15 Le Seigneur m'adressa la parole :
16 « Je vais t'enlever brutalement celle qui
fait la joie de tes yeux, mais toi, l'homme,
tu ne te plaindras pas ; tu ne gémiras pas
et tu ne laisseras pas couler tes larmes.
17 Garde ta peine pour toi et n'observe pas
le deuil. Au contraire, noue ton turban et
mets tes sandales comme d'habitude. Ne
te couvre pas le bas du visage et ne mange
pas de pain préparé pour les funérailles[h]. »

---

c **24.1** C'est-à-dire décembre 589-janvier 588 avant J.-C. (voir 2 Rois 25.1).

d **24.2** Voir 2.1 et la note.

e **24.3** Sur l'image de la *marmite*, voir 11.3-7 et la note sur 11.3.

f **24.7** On estimait que le *sang répandu* criait vers Dieu et appelait sa vengeance tant qu'il n'était pas *absorbé par la terre* ou *recouvert de poussière* (voir Gen 4.10 ; Job 16.18).

g **24.12** *tous les efforts sont inutiles* : sens possible d'un texte hébreu difficile.

h **24.17** En cas de deuil on se lamentait bruyamment, on allait nu-tête et nu-pieds (voir 2 Sam 15.30), le visage partiellement voilé (voir 2 Sam 19.5).

18 Je m'adressai au peuple dans la matinée et, le soir même, ma femme mourut. Le matin suivant, j'agis comme le
Seigneur me l'avait ordonné. 19 Les gens
me demandèrent de leur expliquer la signification de mon comportement. 20 Je
leur répondis : « Le Seigneur m'a chargé
du message suivant 21 pour vous, les Israélites : "Je le déclare, moi, le Seigneur
Dieu, je vais laisser souiller mon *sanctuaire, l'objet de votre grande fierté, la
joie de vos yeux et l'espoir de votre vie.
Vos fils et vos filles restés à Jérusalem
seront tués[i]. 22 Vous agirez alors comme
Ézékiel. Vous ne vous couvrirez pas le
bas du visage et vous ne mangerez pas le
pain des funérailles. 23 Vous garderez
vos turbans sur la tête et vos sandales
aux pieds, vous ne vous plaindrez pas et
vous ne pleurerez pas. Cependant vous
vous mettrez à dépérir à cause de vos
fautes et chacun gémira sur le sort de
son voisin. 24 Ézékiel est pour vous un
signe d'avertissement. Vous agirez en
tout comme lui, et, quand les événements annoncés arriveront, vous serez
convaincus que je suis le Seigneur
Dieu."

25 « Quant à toi, l'homme, écoute : un
jour je vais les priver du sanctuaire qui
est leur refuge, la joie de leurs yeux, le
lieu où ils placent leur fierté et leur espérance. Je les priverai aussi de leurs fils et
de leurs filles. 26 Ce jour-là, un survivant
du désastre viendra t'en apporter la nouvelle. 27 Le jour même, tu cesseras d'être
muet[j], tu retrouveras la parole et tu t'en-
tretiendras avec le survivant. Tu seras u
signe d'avertissement pour les membre
de mon peuple et ils seront convaincu
alors que je suis le Seigneur. »

Menaces contre les Ammonites

25 1 Le Seigneur m'adressa la parole : 2 « Toi, l'homme, tourne to
regard vers les Ammonites et prononc
de ma part des menaces contre eux
3 Dis-leur d'écouter ces paroles que j
leur adresse, moi, le Seigneur Dieu
Vous avez ricané lorsque mon *sanctuaire a été souillé, lorsque le pays d'Israël a été dévasté et que les habitants d
Juda sont partis en déportation. 4 E
bien, je vais laisser les nomades de l'es
conquérir votre pays : ils établiront leu
campements sur votre sol, ils y planteront leurs tentes. Ce sont eux qui mangeront les fruits et boiront le lait qu
vous appartiennent. 5 Je transformera
Rabba, votre capitale, en pâturage à chameaux et tout le pays d'Ammon en par
à moutons. Ainsi vous serez convaincu
que je suis le Seigneur.

6 « Voici ce que je déclare, moi, le Seigneur Dieu : Vous avez applaudi et saut
de joie aux malheurs d'Israël. Vous ave
montré ainsi votre profond mépris
l'égard de mon peuple. 7 Eh bien, je manifesterai ma puissance contre vous et j
vous livrerai à des peuples étrangers qu
vous dépouilleront de tout. Vous disparaîtrez en tant que peuple, vous n'aure
plus de pays, je vous détruirai complètement. Vous serez convaincus alors que j
suis le Seigneur. »

Menaces contre les Moabites

8 « Voici ce que je déclare, moi, le Seigneur Dieu : Les Moabites[m] ont affirm
que Juda est un peuple comme les autre
9 Eh bien, je ferai attaquer les villes q
défendent l'accès de Moab, elles seron
démolies les unes après les autres, mêm
les plus belles comme Beth-Yechimoth
Baal-Méon et Quiriataïm[n]. 10 Je laisser
les nomades de l'est conquérir Moab
comme ils ont conquis Ammon, si bie
que dans l'avenir, personne ne se so

i **24.21** *restés à Jérusalem* : lors de la première déportation en 597 avant J.-C., seule une partie de la population avait dû quitter la Judée.

j **24.27** Sur ce mutisme d'Ézékiel, voir 3.26.

k **25.2** *Toi, l'homme* : voir 2.1 et la note. – *transmets aux Ammonites* : voir 21.33-37 et les notes.

l **25.4** *les nomades de l'est* sont les tribus de Bédouins qui s'installèrent à l'est du Jourdain sur les territoires ammonites et moabites (voir v. 10).

m **25.8** *Les Moabites* : d'après d'anciennes versions ; hébreu *Moab et Séir* (c'est-à-dire Édom). – V. 8-11 : voir la note sur És 15.1.

n **25.9** *Beth-Yechimoth, Baal-Méon et Quiriataïm* avaient appartenu à la tribu de Ruben (voir Jos 13.17-20), puis étaient devenues moabites. La première se trouvait au bord de la mer Morte au nord, les deux autres sur le plateau qui la domine à l'est.

endra plus de Moab[o]. 11 Les Moabites
ıbiront ma justice et ils seront convain-
ıs alors que je suis le Seigneur. »

Menaces contre les Édomites

12 « Voici ce que je déclare, moi, le Sei-
ıeur Dieu : Les Édomites ont exercé
ur vengeance contre le peuple de Juda
c'est en cela qu'ils sont coupables[p].
Eh bien, je le déclare, moi, le Seigneur
ieu, je manifesterai ma puissance
ntre Édom, j'exterminerai les hom-
es et les bêtes de ce pays, je le trans-
rmerai en désert, de la ville de Téman
squ'à celle de Dédan[q], ses habitants sent tués à la guerre. 14 Je confierai à Is-
ël, mon peuple, le soin de me venger
:s Édomites. Les Israélites les traitent comme ma terrible colère l'exige,
ur leur apprendre ce qu'il en coûte de
'offenser. Je l'affirme, moi, le Seigneur
ieu. »

Menaces contre les Philistins

15 « Voici ce que je déclare, moi, le Sei-
ıeur Dieu : Les Philistins ont agi par
prit de vengeance. Pleins de mépris, ils
ıt exercé leur vengeance sur ceux qu'ils
ıïssent depuis toujours[r] et ils les ont ex-
rminés. 16 Eh bien, je le déclare, moi, le
:igneur Dieu, je vais manifester ma
ıissance contre eux. Je les exterminerai,
us ces gens venus de Kaftor qui se sont
ablis sur le littoral. 17 Ma vengeance et
on châtiment seront terribles et, quand
; les subiront, ils seront convaincus que
suis le Seigneur. »

Menaces contre Tyr

26 1 La onzième année après la déportation, le premier jour du
ois[s], le Seigneur me dit : 2 « Je
'adresse à toi, l'homme, parce que les
ıbitants de Tyr se moquent de Jérusa-
m en disant : "Ah ! Ah ! Elle est anéan-
:, la ville par où tout le monde passait !
notre tour de nous enrichir, elle est en
ıine ![t]" 3 Eh bien, je le déclare, moi, le
:igneur Dieu, je vais intervenir contre
i, ville de Tyr. Je te ferai attaquer par
:s peuples nombreux, ils déferleront sur
i comme les vagues de la mer. 4 Ils dé-
uiront tes remparts et démoliront tes
tours. Je balaierai tous les débris et ne
laisserai que le rocher dénudé. 5 Il ne restera au milieu de la mer qu'un emplacement où les pêcheurs mettront leurs filets
à sécher. Oui, c'est moi, le Seigneur Dieu,
qui parle, et c'est ce que j'affirme. Des
peuples étrangers viendront piller la ville
6 et décimeront les localités voisines sur
la côte. Alors on sera convaincu que je
suis le Seigneur.
7 « Oui, je le déclare, moi, le Seigneur
Dieu : Contre toi, ville de Tyr, je vais faire
venir du nord le plus puissant des rois, le
roi Nabucodonosor de Babylone. Il viendra t'attaquer avec des chevaux, des
chars, des cavaliers et une armée innombrable. 8 Il décimera les localités voisines,
sur la côte. Ensuite les soldats ennemis
creuseront des tranchées et élèveront des
remblais contre toi, ils t'opposeront un
mur de boucliers. 9 Ils martèleront tes
murailles avec leurs machines de guerre,
ils démoliront tes tours à coups de pioches. 10 Tu seras couverte de la poussière
soulevée par leurs nombreux chevaux, tes
murs trembleront sous le vacarme de
leurs cavaliers et le roulement de leurs

---

o **25.10** *les nomades de l'est* : voir la note sur le v. 4 – *de Moab* : texte probable ; hébreu *Ammon*.

p **25.12** *Les Édomites* profitant de la ruine de *Juda* empiètèrent largement sur son territoire et avancèrent jusqu'à Hébron ; la région prit alors le nom d'Idumée (voir Marc 3.8). – V. 12-14 : voir 35.1-15 et la note sur És 34.5.

q **25.13** *Téman* : ville ou région méridionale d'Édom. L'expression *de la ville de Téman jusqu'à celle de Dédan* semble représenter ici l'ensemble du pays édomite, sans allusion à des localités précises.

r **25.15** *ceux qu'ils haïssent depuis toujours* : les Philistins, installés sur la côte méditerranéenne (le *littoral* du v. 16), sont les ennemis d'Israël depuis l'époque des Juges (voir Juges 15 et 16). *Kaftor* (v. 16), dont ils étaient originaires, était peut-être l'île de Crète. – V. 15.17 : voir la note sur És 14.29.

s **26.1** *La onzième année*... : en 587 avant J.-C. L'hébreu ne précise pas le *mois* dont il s'agit.

t **26.2** *Toi, l'homme* : voir 2.1 et la note. – *Tyr* était une ville phénicienne construite sur une île et l'une des plus puissantes cités commerciales de l'époque, voir 27.3. Elle fut d'abord l'alliée de Jérusalem contre les Babyloniens (voir la note sur 21.33) puis l'abandonna. Une importante partie du trafic en direction de Tyr passait par Jérusalem, dont la ruine représentera donc un profit important. – Pour 26.2 à 28.9 voir la note sur És 23.1.

chars. En effet, ils entreront par tes portes tout comme on s'engouffre dans une ville par une brèche. [11] Ils fouleront toutes tes rues du sabot de leurs chevaux, ils passeront tes habitants par l'épée et ils jetteront à terre tes colonnes imposantes[u]. [12] Ils voleront tes richesses et pilleront tes stocks de marchandises. Ils démoliront tes murs et raseront tes demeures luxueuses ; ils en prendront les pierres, le bois et les gravats et les jetteront au fond de la mer. [13] Je mettrai fin à tes chants, on n'entendra plus le son de tes harpes. [14] Je ne laisserai subsister de toi qu'un rocher dénudé, où les pêcheurs mettront leurs filets à sécher, et la ville ne sera jamais rebâtie. Oui, c'est moi, le Seigneur Dieu, qui parle, et c'est ce que j'affirme.

[15] « Voici ce que je déclare, moi, le Seigneur Dieu, à la ville de Tyr : Les habitants des rivages lointains se mettront à trembler lorsque tu seras détruite et qu'on entendra gémir les blessés dans le massacre qui aura lieu chez toi. [16] Les princes qui règnent sur les peuples de la côte descendront de leurs trônes, ils se dépouilleront de leurs manteaux et de leurs vêtements brodés[v]. Revêtus d'épouvante et assis par terre, ils ne cesseront pas de trembler, tellement ils seront terrifiés par ton destin. [17] Ils chanteront sur toi cette complainte :

"Elle est détruite, la ville célèbre,
elle a disparu des mers[w] !
Ses habitants étendaient leur pui
sance sur les mers,
où ils étaient redoutés de tous.
[18] Maintenant les peuples de la cô
tremblent
à cause de son anéantissement,
ceux des rivages lointains sont terrifi
par sa disparition."

[19] « Oui, je le déclare, moi, le Seigne Dieu, je te rendrai pareille aux villes ruine, où plus personne n'habite. Je fer monter du fond de la mer des mass d'eau qui te recouvriront. [20] Je t'enverr rejoindre dans les profondeurs les mor de tous les âges. Tu resteras dans monde souterrain, semblable aux ruin antiques, en compagnie des morts q t'ont précédée. Tu ne pourras plus en r monter et tu n'auras plus de place[x] sur terre des vivants. [21] Tout le monde se épouvanté par ton sort, car tu ser complètement détruite. On recherche tes vestiges, mais personne ne te trouve plus jamais, je l'affirme, moi, le Seigne Dieu. »

Complainte sur la ruine de Tyr

27 [1] Le Seigneur m'adressa la parol [2] « Quant à toi, l'homme, chan une complainte sur la ville de Tyr[y], [3] q est installée à l'entrée de la mer et fait commerce avec de nombreux peupl maritimes. Transmets-lui ce que je d clare, moi, le Seigneur Dieu :

O Tyr ! tu dis : "Je suis un navire d'u
parfaite beauté[z] !"
[4] Ton domaine s'étend jusqu'en plei
mer.
Tu as été splendidement bâtie.
[5] Tes constructeurs ont pris des cypr
de Senir[a]
pour fabriquer toutes les parties de
coque ;
Ils ont utilisé un cèdre du Liban
pour t'en faire un mât.
[6] Ils ont taillé tes rames
dans des chênes du *Bachan.
Ils ont construit ton pont
avec des cèdres des îles grecques,
incrustés d'ivoire.
[7] Tes voiles en lin brodé d'Égypte
permettaient de te reconnaître de loi

u **26.11** Il s'agit peut-être des deux *colonnes* qui encadraient l'entrée du temple du dieu Melkart, la divinité principale de Tyr.

v **26.16** Ces actes sont accomplis en signe de deuil, voir Jon 3.6 ; Mich 1.8.

w **26.17** *elle a disparu des mers* : d'après certaines versions anciennes ; hébreu *peuple (de gens venus) de la mer*.

x **26.20** *Tu ne pourras plus en remonter* : autre traduction *Tu ne seras plus habitée*. – *tu n'auras plus de place* : d'après l'ancienne version grecque ; hébreu *je rendrai sa splendeur* (à la terre des vivants).

y **27.2** *toi, l'homme* : voir 2.1 et la note. – *Tyr* : voir la note sur 26.2.

z **27.3** *un navire* : texte possible en ajoutant une lettre ; hébreu *je suis d'une parfaite beauté*.

a **27.5** *Senir* : nom de l'Hermon (voir Deut 3.9) ou, plus généralement, de la chaîne de l'Anti-Liban dont l'Hermon est le sommet.

Des étoffes teintes en violet et en
rouge,
provenant de l'île de Chypre,
protégeaient tes marchandises.
Tu employais comme rameurs
des hommes de Sidon et d'Arvad[b],
et les Tyriens les plus habiles
manœuvraient le navire.
Des artisans de Byblos,
expérimentés et adroits,
étaient chargés de réparer tes avaries.
Tous les navires voguant sur la mer
s'arrêtaient chez toi,
et leurs équipages achetaient tes marchandises.
Des soldats de Perse, de Loud et de
Pouth[c]
servaient dans ton armée,
ils suspendaient leurs boucliers et
leurs casques dans tes casernes.
Ils contribuaient à ton prestige.
Des hommes d'Arvad montaient la
rde sur tes murailles en compagnie de
s propres soldats, et des hommes de
ammad veillaient sur tes tours. Ils sus-
endaient leurs boucliers aux murs qui
ntourent[d]. Ils portaient ta beauté à sa
rfection. »

Tyr,
capitale du commerce

12 « Les gens de Tarsis[e] faisaient
mmerce avec toi de toutes sortes de ri-
esses. Contre tes marchandises ils four-
ssaient de l'argent, du fer, de l'étain et
plomb. 13 Les peuples de la Grèce, de
ubal et de Méchek[f] faisaient du
mmerce avec toi et te fournissaient des
claves et des objets de bronze en
hange de tes produits. 14 De Beth-
garma[g] on te fournissait des chevaux
trait, des chevaux de cavalerie et des
ulets. 15 Les gens de Dédan faisaient
ssi du commerce avec toi. Tes marchés
tendaient à de nombreuses îles et tu te
isais payer en défenses d'ivoire et en
is d'ébène[h]. 16 Les Édomites[i] t'ache-
ient un grand nombre de produits et te
urnissaient en échange des émeraudes,
s étoffes teintes en violet, des tissus
odés et des tissus de lin, du corail et des
bis. 17 Les peuples de Juda et *d'Israël
isaient du commerce avec toi et te pro-
curaient du blé de Minnith[j], du millet,
du miel, de l'huile et de la résine odorante. 18 Les habitants de Damas étaient
preneurs d'un grand nombre de tes produits et richesses variés. Ils te payaient
avec du vin de Helbon et de la laine de
Sahar[k]. 19 Depuis la ville d'Ouzal, les tribus de Dan et de Yavan[l] s'acquittaient de
leur dû en te fournissant du fer forgé, de
la cannelle et du roseau aromatique.
20 Les gens de Dédan faisaient commerce
avec toi de couvertures de cheval.
21 L'Arabie et les dirigeants du pays de
Quédar étaient tes clients[m]. Ils te
payaient avec des agneaux, des moutons
et des chèvres. 22 Les marchands de Saba
et de Ragma[n] faisaient des affaires avec
toi ; ils fournissaient contre tes marchandises des parfums de première qualité,
toutes sortes de pierres précieuses et de
l'or. 23 Les villes de Haran, Kanné et
Éden faisaient du commerce avec toi, de
même que les marchands de Saba et les
villes d'Assour et de Kilmad[o]. 24 Ils fai-

---

b **27.8** *Sidon et Arvad* : deux villes de la côte phénicienne, proches de Tyr.

c **27.10** *Loud et Pouth* : voir la note sur És 66.19.

d **27.11** *Gammad* : ville ou région inconnue. – On suspendait les boucliers aux remparts pour couronner ceux-ci (voir Cant 4.4).

e **27.12** *Tarsis* : lieu géographique mal déterminé, voir Ps 72.10 ; Jon 1.3.

f **27.13** *Toubal et Méchek* : régions d'Asie Mineure, voir également 38.2.

g **27.14** *Beth-Togarma* : probablement l'Arménie, voir 38.6.

h **27.15** *Dédan* : voir 25.13 et la note. – *Tes marchés s'étendaient à de nombreuses îles* : sens possible d'un texte hébreu difficile.

i **27.16** *Les Édomites* : d'après plusieurs manuscrits hébreux et l'ancienne version syriaque ; texte hébreu traditionnel *Les Syriens*.

j **27.17** *Minnith* : ville du pays des Ammonites qui a donné son nom à une variété de céréales.

k **27.18** *Damas* : capitale du pays des Syriens (v. 16). – *Helbon*, région située au nord de Damas, était réputée pour son vin jusqu'en Assyrie. – *Sahar*, inconnue par ailleurs, doit être une ville voisine.

l **27.19** *Dan et Yavan* : ici, sans doute des tribus arabes dont *Ouzal* était le centre caravanier.

m **27.21** *Quédar* : région d'Arabie, voir És 21.13-17.

n **27.22** *Saba et Ragma* : régions probablement situées au sud de l'Arabie, voir Gen 10.7 ; 1 Rois 10.1.

o **27.23** *Haran, Kanné et Éden* sont des villes de la vallée de l'Euphrate. *Kilmad* pourrait être une ville voisine d'Assour sur le Tigre.

saient avec toi un trafic de vêtements de
luxe et amenaient sur tes marchés des vêtements teints en violet, des vêtements
brodés, des tapis multicolores et des cordes solidement tressées. 25 Une flotte de
navires imposants assurait le transport de
tes produits. »

Suite de la complainte sur Tyr

« Tu étais remplie de marchandises,
pesamment chargée, en pleine mer[p].
26 Tes rameurs t'ont conduite sur les eaux profondes,
et, en haute mer, le vent d'est t'a brisée.
27 Tes denrées, tes produits, tous tes biens,
les matelots de ton équipage,
les artisans qui réparaient tes avaries,
les marchands qui assuraient ton commerce,
les soldats à ton service,
la foule de ceux qui se trouvaient à ton bord,
tout a sombré dans la mer, au moment de ton naufrage.
28 Aux cris de tes matelots,
les habitants des côtes tremblent.
29 Alors tous ceux qui manient la rame
quittent leurs navires.
Les équipages descendent à terre.
30 Ils se lamentent sur ton sort,
avec des plaintes amères.
Ils couvrent leur tête de poussière
et se roulent dans la cendre.
31 A cause de toi, ils se rasent le crâne
et se revêtent d'étoffes de deuil[q].
La tristesse au cœur,
ils pleurent sur toi
et se lamentent amèrement.
32 Dans leur douleur,
ils chantent une complainte sur toi,
ils entonnent ce chant funèbre :
"Qui était semblable à Tyr,
maintenant réduite au silence en pleine mer[r] ?"
33 Quand on débarquait les produits d
ton commerce,
de nombreux peuples étaient approv
sionnés.
Tes ressources abondantes et tes ma
chandises
faisaient la richesse des rois de la terr
34 Maintenant, te voilà brisée par l
flots,
ensevelie dans les eaux profondes.
Ta cargaison et tout ton équipage
ont sombré avec toi dans la mer.
35 Tous les habitants des rivages lointai
en sont frappés de stupeur.
Leurs rois sont épouvantés,
la terreur se lit sur leurs visages.
36 Les commerçants des peuples étra
gers sifflent de stupéfaction,
car tu es devenue un objet d'épo
vante,
tu as disparu pour toujours ! »

Menaces contre le roi de Tyr

28 1 Le Seigneur m'adressa la p
role : 2 « Toi, l'homme[s], transme
au souverain de Tyr ce que je lui déclar
moi, le Seigneur Dieu : Le cœur gon
d'orgueil, tu as dit : "Je suis un die
J'occupe un emplacement digne d
dieux au milieu des mers." Tu préten
être l'égal d'un dieu, mais tu n'es qu'
homme et tu n'as rien de divin ! 3 Tu
crois plus sage que Danel[t] et capable
comprendre les choses les plus myst
rieuses. 4 Tu t'es constitué une fortu
grâce à ton savoir-faire et à ton int
ligence. Tu as amassé des trésors d'or
d'argent. 5 Tu as accumulé des bénéfic
grâce à ta grande habileté commercia
et toute cette richesse t'a gonflé d'o
gueil.
6 « Eh bien, voici ce que je te décla
moi, le Seigneur Dieu : Tu t'es cru l'ég
d'un dieu. 7 A cause de cela, je vais e
voyer contre toi les peuples étrangers l
plus redoutables. Ils mettront en pièc
les réalisations de ta belle sagesse et tr
neront ta splendeur dans la boue. 8 Ils
feront descendre dans la tombe, tu mou
ras de mort violente en pleine m
9 Quand on viendra te tuer, oseras-tu e
core prétendre que tu es un dieu ? Pauv

---

p **27.25** Comparer la suite de la complainte sur Tyr avec Apoc 18.11-19.
q **27.31** Voir 7.18 et la note.
r **27.32** *maintenant réduite au silence en pleine mer* : autre traduction *une forteresse en pleine mer*.
s **28.2** Voir 2.1 et la note.
t **28.3** *Danel* : voir 14.14 et la note.

omme, tu n'auras rien de divin entre les
ıains de tes meurtriers! 10 Tu mourras
: la mort infamante des *incirconcis,
›us les coups d'étrangers. Oui c'est moi,
Seigneur Dieu, qui parle, et c'est ce que
ıffirme.»
11 Le Seigneur m'adressa de nouveau la
ırole: 12 «Toi, l'homme, chante une
›mplainte sur le roi de Tyr. Dis-lui que
est moi, le Seigneur Dieu, qui la lui
lresse. La voici: "Tu as été un modèle
: perfection avec ta grande sagesse et
n incomparable beauté. 13 Tu vivais en
den, le jardin de Dieu, et tu étais cou-
:rt de toutes sortes de pierres pré-
euses: rubis, topaze et diamant,
ırysolithe, cornaline et jaspe, saphir,
enat et émeraude. Tu portais des bijoux
des joyaux en or ouvragé, préparés le
ur même où tu fus créé[u]. 14 J'avais mis
:ès de toi un *chérubin protecteur de
ille impressionnante. Tu vivais sur la
ontagne qui m'est consacrée et tu mar-
ıais parmi des pierres étincelantes[v].
Tu as eu une conduite irréprochable de-
ıis le jour où tu as été créé, jusqu'à ce
ıe le mal apparaisse en toi. 16 Le déve-
ppement de ton commerce t'a entraîné
l'oppression. Tu as fait le mal. Aussi je
réduis au rang du commun des mortels
te chassant de ma montagne. Le ché-
bin protecteur t'expulse[w] loin des pier-
s étincelantes. 17 Ton prestige t'a gonflé
orgueil et l'éclat de ta réussite t'a fait
:rdre la tête. Aussi je te jette à terre et te
›nne en spectacle aux autres rois. 18 Tu
fait beaucoup de torts; tu as été mal-
›nnête dans le trafic de tes marchan-
ses et tu as souillé ainsi tes lieux de
ılte. Aussi j'allume dans ta ville un feu
ıi te détruira. Tous ceux qui regardent ne verront plus que les cendres aux-
ıelles je te réduis. 19 Ton destin remplira
stupeur tous les peuples qui te
›nnaissent, car tu deviendras un sujet
épouvante, tu auras disparu pour tou-
ırs."»

Menaces contre Sidon

20 Le Seigneur m'adressa la parole:
« Toi, l'homme, tourne ton regard vers
ville de Sidon[x] et prononce de ma part
:s menaces contre sa population.
22 Transmets-lui ce que je lui déclare,
moi, le Seigneur Dieu: Je vais intervenir
contre toi, Sidon! Je manifesterai ma
puissance glorieuse dans mes actions à
ton égard. Tous seront convaincus que je
suis le Seigneur lorsque j'exécuterai ma
sentence contre toi et montrerai ainsi qui
je suis. 23 J'enverrai une épidémie de
peste contre toi et le sang coulera dans tes
rues. On t'attaquera de tous côtés et beaucoup de tes habitants seront tués à l'intérieur de la ville. Alors tous seront
convaincus que je suis le Seigneur.»

Israël vivra en sécurité

24 «Aucune des nations voisines ne
continuera à mépriser le peuple d'Israël.
Elles cesseront de le harceler comme des
ronces qui piquent et qui griffent. Alors
on sera convaincu que je suis le Seigneur.
25 «Je le déclare, moi, le Seigneur Dieu,
je rassemblerai les Israélites hors des
peuples où je les ai dispersés, et je montrerai ainsi aux autres peuples qui je suis.
Ils habiteront dans leur propre pays, celui que j'ai donné à mon serviteur Jacob.
26 Ils vivront là en sécurité, ils bâtiront
des maisons et planteront des vignes. Ils
vivront en sécurité, car j'infligerai un
châtiment à tous les voisins qui les auront traités avec mépris. Alors ils seront
convaincus que je suis le Seigneur.»

Menaces contre l'Égypte

29 1 La dixième année après la déportation, le douzième jour du
dixième mois[y], le Seigneur m'adressa la
parole: 2 «Toi, l'homme, tourne ton re-

---

u **28.13** *en Éden*: voir Gen 2.8-15. – L'identification des *pierres précieuses* est incertaine. – *Tu portais des bijoux et des joyaux...*: sens possible d'un texte hébreu difficile; autre traduction *tes tambourins et tes flûtes étaient en or ouvragé.*

v **28.14** *J'avais mis près de toi un chérubin*: d'après l'ancienne version grecque; hébreu: *Tu étais un chérubin... je t'avais établi.* – *un chérubin protecteur*: voir Gen 3.24. – *la montagne consacrée* à Dieu représente le domaine sacré du roi de Tyr.

w **28.16** *Le chérubin protecteur t'expulse*: d'après l'ancienne version grecque, voir le v. 14 et la note.

x **28.21** *Sidon*: ville phénicienne proche de Tyr et souvent associée à elle, voir És 23.1 et la note.

y **29.1** Décembre 588-janvier 587 avant J.-C.

gard vers le *Pharaon, roi d'Égypte, et prononce de ma part des menaces contre lui et contre tout le pays d'Égypte[z]. 3 Transmets-lui ces paroles que je lui adresse, moi, le Seigneur Dieu : Je vais intervenir contre toi, Pharaon, roi d'Égypte. Tu es comme un crocodile monstrueux, tapi dans les bras du Nil. Tu affirmes que ce fleuve t'appartient parce qu'il est ton œuvre[a]. 4 Eh bien, je vais fixer des crochets dans tes mâchoires et faire adhérer à tes écailles les poissons de ton fleuve. Je te sortirai du Nil, avec tous ces poissons accrochés à tes écailles. 5 Je vous jetterai dans le désert, toi et tous ces poissons. Tu tomberas mort à la surface du sol, sans que personne ne ramasse ni n'enterre tes restes[b]. Je les donnerai en pâture aux oiseaux et aux bêtes sauvages. 6 Alors tous les habitants d'Égypte seront convaincus que je suis le Seigneur.

« L'appui que tu as accordé aux Israélites a été aussi fragile que celui d'un roseau. 7 Ils se sont cramponnés à toi, mais tu as cassé dans leurs mains, tu les as blessés à l'épaule et tu as paralysé leur courage[c]. 8 Eh bien, voici ce que je déclare, moi, le Seigneur Dieu : J'enverrai contre toi des troupes armées et j'exterminerai les hommes et les bêtes de ton pays. 9 L'Égypte deviendra aussi dépeuplée qu'un désert, et l'on sera convaincu que je suis le Seigneur.

« Tu as dit que le Nil t'appartenait e qu'il était ton œuvre. 10 A cause de cela j'interviendrai contre toi et ton fleuve Je dévasterai l'Égypte, j'en ferai un dé sert depuis la ville de Migdol au nor jusqu'à la ville d'Assouan et la frontièr éthiopienne au sud. 11 Ni homme ni bêt ne s'y aventureront plus ; pendant qua rante ans[d] on n'y rencontrera aucun créature vivante. 12 Je ferai de l'Égypte l plus désertique de tous les déserts, se villes seront réduites en ruine comm aucune ville ne l'a jamais été. Cela du rera quarante ans, pendant lesquel j'obligerai les Égyptiens à se disperse parmi d'autres peuples dans des pay étrangers.

13 « Oui, je le déclare, moi, le Seigneu Dieu : Au bout de quarante ans, je ras semblerai les Égyptiens hors des peuple où ils étaient dispersés. 14 Je changera leur sort et leur permettrai de revenir e Haute-Égypte, leur pays d'origine. Ils établiront un modeste royaume, 15 le plu faible de tous les royaumes, et ils ne s'élè veront plus au-dessus des autres peuple Je diminuerai leur nombre à tel poin qu'ils ne domineront plus sur eux. 16 I ne représenteront plus aucune sécurit pour les Israélites. Ceux-ci ne reprodu ront donc plus la faute de les appeler l'aide[e]. Alors on sera convaincu que suis le Seigneur. »

Le roi Nabucodonosor va conquérir l'Égypte

17 La vingt-septième année après la d portation, le premier jour du premi mois[f], le Seigneur m'adressa la parole 18 « Vois-tu, l'homme, le roi Nabucodon sor de Babylone a imposé à son armée d efforts considérables contre la ville Tyr. Ses soldats en ont tous la tête chau et les épaules meurtries. Cependant ni roi ni ses hommes n'ont tiré profit leur opération contre Tyr[g]. 19 Eh bie voici ce que je déclare, moi, le Seigne Dieu : Je vais livrer l'Égypte à Nabucod nosor, roi de Babylone. Il pillera et sacc gera le pays, il en emportera toutes l richesses et les accordera comme salaire ses soldats. 20 Je lui donne le pa d'Égypte en paiement de ses services, c

---

z **29.2** *Toi, l'homme* : voir 2.1 et la note. – Pour 29.2 à 32.32, voir la note sur És 19.1.

a **29.3** *parce qu'il est ton œuvre* : d'après les anciennes versions grecque et syriaque ; hébreu *parce que tu t'es fait toi-même*.

b **29.5** La privation de sépulture était considérée comme une punition extrêmement grave, voir 2 Rois 9.37 ; Jér 8.2 ; 22.19.

c **29.7** *tu as paralysé* : d'après l'ancienne version syriaque ; hébreu *tu as affermi*.

d **29.11** *quarante* : voir 4.6 et la note.

e **29.16** Ézékiel fait allusion aux alliances avec l'Égypte, voir 17.15 ; 29.6, déjà condamnées par d'autres prophètes (voir És 30.2 ; Jér 2.18 ; Osée 7.11).

f **29.17** En mars-avril 571 avant J.-C.

g **29.18** *des efforts considérables* : le siège de Tyr a duré treize ans. – *la tête chauve et les épaules meurtries* : à cause des charges transportées. – *(ils) n'ont (pas) tiré profit...* : Nabucodonosor a fini par soumettre la ville, mais il n'a pas pu la piller.

est pour moi que son armée a travaillé,
l'affirme, moi, le Seigneur Dieu.
21 « Quand cela arrivera, je renouvelle-
i la vigueur des Israélites. Quant à toi,
zékiel, je te donnerai le pouvoir de leur
ırler[h]. Alors ils seront convaincus que
suis le Seigneur. »

Le Seigneur manifestera sa colère contre l'Égypte

30 1 Le Seigneur m'adressa de nouveau la parole : 2 « Toi, l'homme[i],
is *prophète, transmets ce que je dé-
are, moi, le Seigneur Dieu : Lamen-
z-vous sur les temps qui viennent !
Car il arrive, il est tout proche, le jour
ı Seigneur. Ce sera un jour chargé de
ıages menaçants. Ce sera le temps des
glements de comptes entre nations.
La guerre sévira en Égypte et on en
emblera de frayeur jusqu'en Éthiopie.
es Égyptiens seront massacrés, leurs
chesses pillées et leur pays réduit en
ine. 5 Des hommes d'Éthiopie, de
outh et de Loud, d'Arabie et de Libye,
même de mon propre peuple tombent au combat[j]. 6 Je le déclare, moi, le
eigneur, de Migdol au nord jusqu'à As-
uan au sud, les défenseurs de l'Égypte
ront tués dans la bataille et l'orgueil-
use puissance égyptienne s'effondrera.
l'affirme, moi, le Seigneur Dieu. 7 Le
ıys deviendra la plus désertique des
rres, ses villes ne seront plus que des
s de ruines. 8 Lorsque je mettrai
Égypte à feu et à sang et que j'ex-
rminerai tous ses défenseurs, on sera
nvaincu que je suis le Seigneur. 9 Le
ur où je détruirai l'Égypte, des messa-
ers partiront en bateau pour aller de
a part tirer les Éthiopiens de leur
usse sécurité, et ceux-ci se mettront à
embler de frayeur. Ce jour-là appro-
e !
10 « Voici ce que je déclare, moi, le Sei-
ıeur Dieu : Je me servirai du roi Nabu-
donosor de Babylone pour exterminer
nombreuse population de l'Égypte.
Il viendra saccager ce pays avec les
mmes de son peuple, le plus brutal de
us. Ils tireront leurs épées contre les
gyptiens et rempliront le pays de ca-
ıvres. 12 J'assécherai les bras du Nil et
je livrerai l'Égypte à des hommes barbares. Je chargerai des étrangers de la
dévaster et de la vider de toutes ses ressources. C'est moi, le Seigneur, qui
parle.
13 « Voici ce que je déclare encore, moi,
le Seigneur Dieu : Je détruirai totalement
les idoles et les faux dieux de Memphis[k].
Il n'y aura plus personne pour gouverner
l'Égypte et je ferai régner la crainte dans
tout le pays. 14 Je dévasterai la Haute-
Égypte, je mettrai le feu à la ville de Soan
et j'exécuterai ma sentence contre la ville
de No[l]. 15 Je déverserai ma fureur sur
Sin[m] la forteresse qui garde l'Égypte, et je
détruirai la nombreuse population de
No. 16 Je mettrai l'Égypte à feu et à sang.
Les habitants de Sin seront pris de panique. Une brèche sera pratiquée dans les
murs de No et la ville sera inondée[n].
17 Les jeunes gens d'On et de Pi-Besseth[o]
seront tués au combat et les autres habitants emmenés en captivité. 18 Le jour
ne se lèvera pas sur Tapanès[p], lorsque je
briserai la puissance de l'Égypte et ferai
cesser l'orgueil qu'elle en tirait. Un nuage
sombre recouvrira la ville et la population de la région ira en captivité. 19 J'exécuterai ma sentence contre l'Égypte,
et l'on sera convaincu que je suis le
Seigneur. »

Le roi de Babylone, instrument de Dieu

20 La onzième année après la déportation, le septième jour du premier mois[q],

---

h **29.21** Voir 3.26 et 24.27.
i **30.2** Voir 2.1 et la note.
j **30.5** *Pouth et Loud* : voir la note sur És 66.19. – *de Libye* : d'après l'ancienne version grecque ; hébreu *de Koub*, pays inconnu. – *de mon propre peuple* : déjà à cette époque, il y avait des groupements israélites en Égypte, voir Jér 43 et 44.
k **30.13** *Memphis* : ville située au sud du delta du Nil.
l **30.14** *Soan* : ville du nord-est de l'Égypte. – *No* : ville de Haute-Égypte.
m **30.15** *Sin* : ville du nord-est de l'Égypte, peut-être la Péluse actuelle.
n **30.16** *Une brèche... inondée* : autre traduction *No sera assiégée et Memphis attaquée en plein jour*.
o **30.17** *On* ou Héliopolis et *Pi-Besseth* ou Boubaste : deux villes du delta du Nil.
p **30.18** *Tapanès* : ville frontière à l'est du delta du Nil.
q **30.20** En mars-avril 587 avant J.-C.

le Seigneur m'adressa la parole :
21 « Vois-tu, l'homme, j'ai brisé le bras[r] du
*Pharaon, roi d'Égypte. Personne ne lui a
procuré de pansement ou de remède, personne ne lui a mis de bandage pour qu'il
retrouve la force de manier l'épée. 22 Eh
bien, je le déclare, moi, le Seigneur Dieu,
je vais intervenir contre le Pharaon, roi
d'Égypte. C'est les deux bras que je lui
briserai, non seulement celui qui est déjà
cassé mais encore celui qui est resté valide : son épée tombera de sa main !
23 Alors je disperserai les Égyptiens parmi
d'autres peuples dans des pays étrangers.
24 J'augmenterai la puissance du roi de
Babylone et je mettrai ma propre épée
dans ses mains. Le Pharaon, dont j'aurai
brisé le bras, mourra en gémissant devant
son ennemi. 25 Oui, les bras du Pharaon
pendront sans force alors que je donnerai
une vigueur accrue à ceux du roi de Babylone. Je mettrai ma propre épée dans
ses mains, il la brandira contre l'Égypte,
et tout le monde sera convaincu que je
suis le Seigneur. 26 Je disperserai les
Égyptiens parmi d'autres peuples dans
des pays étrangers, et l'on sera convaincu
que je suis le Seigneur. »

Le roi d'Égypte est comparé à un cèdre

31 1 La onzième année après la déportation, le premier jour du troisième mois[s], le Seigneur m'adressa la
parole : 2 « Toi, l'homme[t], voici ce que tu
vas dire au *Pharaon, roi d'Égypte, et à la
nombreuse population qu'il gouverne :

"A quoi pourrais-je te comparer,
toi dont la puissance est si grande ?
3 Tu ressembles[u] au cèdre du Liban
dont les branches magnifiques
produisaient une ombre bienfaisante,
un cèdre si élevé
que sa cime atteignait les nuages.
4 La pluie l'avait fait grandir.
Une rivière souterraine l'avait fait cro
tre.
L'eau s'amassait autour de ses racine
puis ruisselait vers tous les arbres de
campagne.
5 Grâce à toute l'eau dont il profitait,
il avait poussé plus haut que les autr
arbres.
Ses branches étaient abondantes
étendues :
6 des oiseaux de toute espèce y n
chaient,
sous elles les bêtes sauvages venaie
mettre bas,
et des gens de tout peuple vivaient
son ombre.
7 C'était un arbre magnifique,
à la taille élevée,
aux branches étendues,
car ses racines s'enfonçaient
dans un sol gorgé d'eau.
8 Dans le jardin de Dieu[v],
aucun cèdre ne lui était comparable,
aucun cyprès n'avait d'aussi bell
branches,
aucun platane un feuillage aus
fourni,
aucun arbre n'égalait sa beauté.
9 Je lui avais donné des branches supe
bes,
si bien qu'en Éden, le jardin de Dieu
tous les arbres en étaient jaloux." »

Comme le cèdre, le roi d'Égypte sera brisé

10 « Eh bien, voici ce que je déclar
moi, le Seigneur Dieu : Le cèdre
grandi, il s'est élevé jusqu'aux nuages et
est devenu de plus en plus orgueilleu
11 C'est pourquoi je l'ai rejeté et je le liv
au pouvoir du plus puissant roi de
terre[w], qui le traitera comme son i
dignité le mérite. 12 Des étrangers, l
plus brutaux de tous, l'ont abattu et aba
donné sur place. Ses branches et ses r
meaux brisés sont tombés, ils jonche
les montagnes et les vallées du pays. To
les gens du pays qui vivaient à son omb
ont dû la quitter et s'enfuir. 13 Toute e
pèce d'oiseaux se posent sur son tro
mutilé, toutes les bêtes sauvages gîte
parmi ses branches : 14 il en a été ain

r 30.21 Dans la Bible *le bras* est souvent le symbole de la force, voir par ex. Luc 1.51.

s 31.1 En mai-juin 587 avant J.-C.

t 31.2 Voir 2.1 et la note.

u 31.3 Tu *ressembles* : texte probable ; hébreu *l'Assyrie ressemble*.

v 31.8 *le jardin de Dieu* est l'Éden, voir v. 9,18 et Gen 2.8-9.

w 31.11 Il s'agit de Nabucodonosor, roi de Babylone.

in qu'aucun arbre bien arrosé, saturé
eau, ne puisse plus s'élever jusqu'aux
ages et tirer fierté de sa hauteur. En ef-
t, les arbres comme les hommes sont
stinés à mourir, condamnés à dispa-
ître sous la terre et à y rejoindre ceux
i y sont couchés.
15 « Voici ce que je déclare, moi, le Sei-
eur Dieu : Le jour où le cèdre est allé
ns le monde des morts, j'ai mis la na-
re en deuil. J'ai retenu la rivière souter-
ine, j'ai arrêté son ruissellement et
mobilisé ses multiples cours. A cause
lui, j'ai étendu l'obscurité sur les mon-
gnes du Liban et fait dépérir tous les
bres de la campagne. 16 Lorsque j'ai
ovoqué la chute de cet arbre pour qu'il
joigne ceux qui sont dans le monde des
orts, les peuples l'ont entendu tomber
se sont mis à trembler de frayeur. Dans
monde d'en bas, tous les arbres
Éden, les arbres les plus magnifiques et
mieux arrosés du Liban, en ont eu du
aisir. 17 Eux aussi ont disparu sous la
rre, avec les victimes de la guerre, eux
i lui fournissaient leur soutien et vi-
ient à l'ombre de sa puissance au mi-
u des nations.
18 « Aucun arbre d'Éden n'égalait ta
lendeur et ta stature. Pourtant tu seras
écipité avec eux sous la terre, tu y seras
uché avec des *incirconcis et des vic-
nes de la guerre. Voilà quel sera le sort
*Pharaon et de toute la population
Égypte. Je l'affirme, moi, le Seigneur
ieu. »

Complainte sur l'Égypte et son roi

32 1 La douzième année après la déportation, le premier jour du dou-
me mois[x], le Seigneur m'adressa la
role : 2 « Toi, l'homme, chante cette
mplainte sur le *Pharaon, roi
Égypte :
"Tu es parmi les peuples comme un
jeune lion.
Mais tu agis aussi comme un crocodile :
tu t'ébroues dans les bras de ton fleuve,
tu le salis avec tes pattes
et tu le troubles en agitant ses courants[y].

3 Écoute ce que déclare le Seigneur
Dieu : Lorsque beaucoup de peuples seront rassemblés, je déploierai sur toi
mon filet et on te ramènera sur le rivage
dans ses mailles. 4 Je te jetterai sur le sol,
je te lancerai en plein champ, pour que
tous les oiseaux s'abattent sur toi et que
toutes les bêtes sauvages viennent se
nourrir de ta chair. 5 Je répandrai tes restes décomposés sur les montagnes et j'en
remplirai les vallées. 6 J'abreuverai la
terre de ton sang, il couvrira les montagnes et remplira les ravins. 7 Lorsque
tu cesseras de vivre, j'assombrirai le ciel,
je voilerai la clarté des étoiles, je couvrirai le soleil de nuages et la lune n'aura
plus d'éclat. 8 A cause de toi, j'éteindrai
toutes les lumières du ciel et je plongerai
ton pays dans l'obscurité. Je l'affirme,
moi, le Seigneur Dieu. 9 Beaucoup de
peuples seront consternés lorsque je leur
ferai parvenir la nouvelle de ta fin[z] jusque dans des pays que tu ne connais pas.
10 Ils seront stupéfaits du sort que je te
ferai subir. Leurs rois frémiront d'horreur, lorsque je brandirai mon épée au-
dessus de leurs têtes. Le jour où tu t'ef-
fondreras, ils trembleront sans arrêt,
chacun craignant pour sa propre vie.
11 "Voici ce que déclare le Seigneur
Dieu : L'armée du roi de Babylone va
fondre sur toi. 12 J'enverrai les guerriers
les plus brutaux de tous tuer tes innombrables sujets. Ils ravageront l'orgueilleuse Égypte et extermineront la
population entière. 13 Je détruirai tout le
bétail que tu possèdes au bord du Nil.
L'eau ne sera plus troublée par les pieds
de l'homme ou les sabots des bêtes. 14 Je
la laisserai reposer ; elle s'écoulera aussi
calmement que de l'huile. Je l'affirme,
moi, le Seigneur Dieu. 15 Je réduirai le
pays d'Égypte à l'état désertique, je le vi-
derai de toutes ses ressources, j'exterminerai ses habitants. Alors on sera
convaincu que je suis le Seigneur."

---

x **32.1** En février-mars 585 avant J.-C.

y **32.2** *Toi, l'homme* : voir 2.1 et la note. – Pour le *Pharaon* comparé à un *crocodile*, voir 29.3-4.

z **32.9** *lorsque je leur ferai parvenir la nouvelle de ta fin* : autre traduction, d'après l'ancienne version grecque, *lorsque j'amènerai tes prisonniers*.

16 « Telle est la complainte que les femmes
de tous les peuples chanteront au sujet de
l'Égypte et de sa nombreuse population.
Je l'affirme, moi, le Seigneur Dieu. »

Lamentation sur les peuples vaincus

17 La douzième année après la déportation, le quinzième jour du douzième
mois[a] le Seigneur m'adressa la parole :
18 « Toi, l'homme, lamente-toi sur la population d'Égypte. Que ta complainte la
précipite avec les autres grandes nations
dans le lieu souterrain où descendent les
morts. 19 Dis-leur : Pensez-vous mériter
une faveur spéciale ? Descendez vous
coucher parmi les autres *incirconcis
tués à la guerre. 20 En effet, les Égyptiens
tomberont sur le champ de bataille. Les
épées sont dégainées : qu'elles envoient à
la mort toute l'armée d'Égypte[b] ! 21 Dans
le monde des morts, les plus vaillants
guerriers et les anciens alliés des Égyptiens s'écrieront : "Ils descendent se coucher parmi nous, ces incirconcis qui sont
tombés au combat !"

22 « Le roi d'Assyrie[c] est là avec son armée ; il est entouré par les tombeaux de
ses soldats, tous tués au combat. 23 Leurs
tombes se trouvent dans la partie la plus
profonde du monde des morts, autour
de celle du roi. Ils ont tous été victimes
de la guerre, eux qui auparavant semaient la terreur dans le monde des vivants.

24 « Le roi d'Élam[d] est là avec son a
mée, sa tombe est entourée de celles
ses soldats, tous tués au combat. Ces i
circoncis, qui semaient la terreur dans
monde des vivants, sont descendus so
terre. Ils sont couverts de honte en part
geant le sort de n'importe quels mor
25 Oui, le roi d'Élam est couché avec so
armée parmi les victimes de la guerre ;
est entouré par les tombeaux de ses so
dats. Tous ces incirconcis sont tomb
sur le champ de bataille. Ils semaient
terreur dans le monde des vivants et l
voilà, gisant dans le déshonneur, avec l
autres morts abattus au combat.

26 « Les rois de Méchek et de Touba
sont là avec leur armée ; ils sont entour
par les tombeaux de leurs soldats. To
ces incirconcis sont tombés au comba
eux qui semaient la terreur dans
monde des vivants ! 27 On ne les a pas e
terrés avec les vaillants guerriers des a
ciens temps, qui inspiraient de la terre
à tous les vivants et descendaient dans
monde des morts avec leur équipeme
de guerre, l'épée placée sous la tête et
bouclier posé sur le corps[f]. 28 A vot
tour, vous, les Égyptiens, vous mourrez
serez enterrés parmi des incirconcis tu
au combat.

29 « Les Édomites[g], leurs rois et leu
princes sont là aussi. Malgré leur br
voure, ils ont été traités comme les autr
victimes de la guerre ; on les a couch
sous terre avec tous les incirconcis qui
sont descendus.

30 « Tous les dirigeants des peuples
nord sont là également, ainsi que les h
bitants de Sidon[h], descendus rejoind
les morts. Ils étaient si vaillants qu'
inspiraient la terreur, mais maintenan
ces incirconcis sont couchés, couverts
honte, avec les autres victimes de
guerre. Ils partagent le déshonneur
tous ceux qui sont descendus sous terre

31 « En voyant là tous ces guerriers,
*Pharaon sera moins accablé par le so
de son armée, lui qui aura été tué
combat avec ses soldats, je l'affirme, m
le Seigneur Dieu. 32 J'ai laissé le Phara
semer la terreur dans le monde des v
vants, mais maintenant lui-même, aus
bien que ses soldats, va être enterré par

---

a 32.17 *douzième* : ce mot n'apparaît pas dans le texte hébreu, qui ne précise pas de quel mois il s'agit. On peut supposer que c'est le même qu'au v. 1.

b 32.20 La traduction de ce verset donne un sens possible d'un texte hébreu difficile.

c 32.22 L'*Assyrie* fut le premier royaume conquis par les Babyloniens, voir 2 Rois 23.29. – V. 22 et 23 : voir la note sur És 10.5.

d 32.24 *Élam* : pays qui se trouvait à l'est de la Babylonie. – V. 24-25 : voir Jér 49.34-39.

e 32.26 *Méchek et Toubal* : voir 27.13 et la note.

f 32.27 *des anciens temps* : d'après l'ancienne version grecque ; hébreu *parmi les incirconcis*. – *et le bouclier posé sur le corps* : autre traduction *mais on a posé leurs fautes sur leurs ossements*.

g 32.29 *Les Édomites* : voir la note sur 25.12.

h 32.30 *Sidon* : ville phénicienne située au nord de Tyr. Souvent *les habitants de Sidon* représentent l'ensemble des Phéniciens.

es incirconcis, victimes de la guerre. Je
'affirme, moi, le Seigneur Dieu. »

Dieu établit Ézékiel comme guetteur

(Voir 3.16-21)

33 1 Le Seigneur m'adressa la parole :
2 « Toi, l'homme[i], rappelle aux Is-
aélites ce qui arrive lorsque je suscite la
uerre contre un pays. Les habitants de
e pays choisissent parmi eux un homme
our être leur guetteur. 3 Dès que le guet-
eur voit venir l'armée ennemie, il sonne
alarme pour avertir ses compatriotes.
Si quelqu'un entend l'alarme, n'en tient
as compte et se laisse surprendre et tuer
ar l'ennemi, il est seul responsable de sa
ort. 5 Il meurt par sa faute puisqu'il a
égligé l'avertissement entendu. S'il en
vait tenu compte il aurait préservé sa
ie. 6 Par contre, supposons que le guet-
eur voie venir l'armée ennemie et ne
onne pas l'alarme : ses compatriotes ne
ont pas avertis, et si quelqu'un se laisse
urprendre et tuer par l'ennemi, c'est la
aute du guetteur, c'est lui que je tiendrai
our responsable de cette mort.
7 « Quant à toi, l'homme, c'est toi que
ai placé comme guetteur pour alerter le
euple d'Israël. Tu écouteras mes paroles
t tu transmettras mes avertissements
ux Israélites. 8 Supposons que j'aie à pré-
enir un méchant qu'il s'expose à une
ort certaine : si tu ne l'avertis pas
'avoir à changer sa conduite, ce mé-
hant mourra pour ses fautes, mais c'est
oi que je tiendrai pour responsable de sa
ort. 9 Par contre, si tu l'avertis d'avoir à
hanger sa conduite et qu'il ne le fasse
as, il mourra pour ses fautes, mais toi, tu
uras préservé ta vie. »

Le méchant qui revient à Dieu vivra

10 « Quant à toi, l'homme, parle aux Is-
aélites qui affirment : "Nous sommes
rasés par nos désobéissances et nos
auvaises actions de toutes sortes au
oint de dépérir sous ce poids. Comment
ourrions-nous survivre ?" 11 Dis-leur de
a part : Par ma vie, je l'affirme, moi, le
eigneur Dieu, je n'aime pas voir mourir
s méchants ; tout ce que je désire, c'est
u'ils changent de conduite et qu'ils vivent. Je vous en prie, vous, les Israélites,
cessez de mal agir. Pourquoi voudriez-
vous mourir ?
12 « Toi, l'homme, dis encore ceci à tes
compatriotes : "Lorsqu'un homme juste
se met à mal agir, le bien qu'il a fait auparavant ne le préserve pas du sort qui l'attend. Lorsqu'un méchant abandonne sa
mauvaise conduite, le mal qu'il a fait auparavant ne cause pas sa perte. Quand un
homme juste se met à mal agir, sa vie ne
sera pas épargnée à cause de son obéissance précédente. 13 Supposons que j'aie
promis la vie à un homme juste : s'il croit
que son obéissance passée suffit et qu'il se
mette à mal agir, toutes ses bonnes actions seront oubliées et il mourra pour le
mal commis. 14 Supposons par contre que
j'aie averti un méchant qu'il mérite la
mort : s'il renonce à sa mauvaise
conduite et se met à agir conformément
au droit et à la justice, il ne mourra pas.
15 S'il restitue le gage exigé pour un prêt
ou rend ce qu'il a volé, s'il ne commet
plus le mal mais obéit aux lois qui donnent la vie, il ne mourra pas, assurément
il vivra. 16 Toutes ses mauvaise actions seront oubliées et il vivra parce qu'il aura
pratiqué le droit et la justice."
17 « Tes compatriotes disent que moi, le
Seigneur, je vais trop loin ; mais n'est-ce
pas eux qui passent les bornes ? 18 Si un
homme juste renonce à se conduire bien et
se met à mal agir, il mourra à cause de cela.
19 Par contre, si un méchant abandonne sa
mauvaise conduite pour une conduite
juste et honnête, il vivra grâce à cela.
20 « "Vous, les Israélites, vous dites que
je vais trop loin : eh bien, sachez que je
jugerai chacun de vous selon sa propre
conduite !" »

Le pays d'Israël sera dévasté

21 La douzième année après notre déportation, le cinquième jour du dixième
mois[j], un homme qui avait survécu à la

---

i 33.2 Voir 2.1 et la note.

j 33.21 En décembre 587-janvier 586 avant J.-C. – *La douzième année* : certains manuscrits hébreux et l'ancienne version grecque portent *la onzième année* (voir 2 Rois 25.8-9 ; Jér 39.2).

prise de Jérusalem vint m'annoncer : « La ville est tombée ! » 22 Le soir avant son arrivée, le Seigneur m'avait fait sentir sa puissance en me rendant la parole. Lorsque le rescapé se présenta à moi le lendemain matin, je n'étais plus muet[k], je pouvais parler. 23 Le Seigneur me dit : 24 « Je m'adresse à toi, l'homme, parce que les gens restés dans les villes en ruine du pays d'Israël disent : "Abraham était seul et pourtant il a possédé tout ce pays. A plus forte raison la possession du pays nous est acquise à nous qui sommes nombreux". 25 Eh bien, transmets-leur ce que je leur déclare, moi, le Seigneur Dieu : Vous mangez la viande avec le sang[l], vous adorez des idoles, vous commettez des meurtres, comment osez-vous prétendre que le pays vous appartient ? 26 Vous ne vous fiez qu'à vos armes, vous accomplissez des actions abominables, vous commettez l'adultère, comment osez-vous prétendre que le pays vous appartient ?

27 « Dis-leur que moi, le Seigneur Dieu, je leur déclare ceci : "Par ma vie, je vous préviens que ceux qui sont restés dans les villes en ruine seront tués, ceux qui se trouvent dans la campagne seront dévorés par les bêtes sauvages, et ceux qui se cachent sur les montagnes et dans les cavernes mourront de la peste. 28 Je dévasterai le pays, je le transformerai en désert, il perdra la puissance qui faisait l'orgueil de ses habitants, les montagnes d'Israël seront à l'état d'abandon, personne ne s'y hasardera plus." 29 Lorsque j'aurai complètement transformé le pays en désert pour punir les Israélites de leurs actions abominables, ils seront convaincus que je suis le Seigneur.

30 « Quant à toi, l'homme, tes compagnons d'exil bavardent le long des murs de la ville ou aux portes de leurs maisons. Ils parlent de toi les uns avec les autres et se disent : "Allons donc écouter le message qui provient du Seigneur". 31 Alors les gens de mon peuple se rassemblent et s'asseoient devant toi pour t'entendre. Ils t'écoutent, mais ils ne font pas ce que tu leur dis. Ils agissent selon leur bon plaisir et ils ne suivent que leur intérêt. 32 Au fond, tu es pour eux comme un chanteur de charme doué d'une belle voix et accompagné d'une musique agréable. Ils entendent tes recommandations mais ne les mettent pas en pratique. 33 Pourtant, lorsque les événements que tu annonces arriveront – et ils sont sur le point d'arriver – ils seront convaincus qu'il y avait un *prophète parmi eux. »

Contre les dirigeants d'Israël

34 1 Le Seigneur m'adressa la parole : 2 « Toi, l'homme, prononce des menaces contre les dirigeants du peuple d'Israël, révèle-leur ce que je déclare, moi, le Seigneur Dieu : Le malheur est sur vous, *bergers d'Israël[m] ! Vous ne prenez soin que de vous-mêmes. N'est-ce pas du troupeau que les bergers doivent prendre soin ? 3 Or vous en prenez le lait[n] pour vous nourrir, la laine pour vous habiller et vous abattez les bêtes les plus grasses. Vous n'agissez pas en bergers. 4 Vous n'avez pas rendu des forces aux bêtes affaiblies ni soigné celles qui étaient malades, vous n'avez pas pansé celles qui étaient blessées, vous n'avez pas ramené celles qui s'étaient écartées du troupeau ni recherché celles qui étaient perdues ; mais vous avez exercé votre pouvoir avec violence et dureté. 5 Alors ces bêtes qui n'avaient pas de bergers se sont dispersées et sont devenues la proie des animaux sauvages. 6 Oui, les bêtes de mon troupeau sont allées se perdre sur les montagnes et les collines, puis ont été dispersées sur toute la surface de la terre[o], sans que personne se soucie d'elles ou aille les cherche

---

k 33.22 *je n'étais plus muet* : voir 3.26 ; 24.27.

l 33.25 *la viande avec le sang* : voir la note sur 4.14 et Lév 17.12.

m 34.2 *Toi, l'homme* : voir 2.1 et la note. – Dans le langage du Proche-Orient ancien, les rois étaient appelés *bergers* de leur peuple (voir 34.23). Ce terme pouvait aussi être appliqué à des chefs moins importants (voir És 56.11 ; Zach 11.4-17).

n 34.3 *le lait* : d'après les anciennes versions grecque et latine ; hébreu *la graisse*.

o 34.6 *sont allées se perdre sur les montagnes et les collines* : allusion vraisemblable aux pratiques idolâtriques auxquelles le peuple d'Israël s'est parfois livré (voir par ex. 6.2-3 et la note sur 6.2 ; 20.28). – *puis ont été dispersées* : allusion à la déportation.

Vous donc, les bergers d'Israël, écoutez
e que je vous dis : 8 Par ma vie, je l'af-
irme, moi, le Seigneur Dieu, j'en ai assez
le voir mon troupeau livré à des ravis-
eurs ; privé de bergers, il est devenu la
roie des animaux sauvages. En effet,
nes bergers ne se sont pas souciés de lui ;
u lieu d'en prendre soin, ils ont pris soin
l'eux-mêmes. 9 Eh bien, écoutez ce que je
is, bergers d'Israël : 10 Moi, le Seigneur
Dieu, je vous déclare que je me retourne
ontre vous et vous retire la charge de
non troupeau. Ceux qui prennent soin
niquement d'eux-mêmes ne pourront
lus diriger le troupeau. Je vous arrache-
ai de la bouche les bêtes de mon trou-
eau, elles ne serviront plus à vous
ourrir.
11 « Oui, je le déclare, moi, le Seigneur
Dieu, à partir de maintenant, je vais
n'occuper de mon troupeau et en pren-
re soin moi-même. 12 Je prendrai soin de
regrouper comme le fait un berger lors-
ue son troupeau est complètement épar-
illé. J'irai rechercher mes bêtes partout
ù elles ont été dispersées un jour de
rand orage[p]. 13 Je les retirerai du milieu
es peuples et des pays étrangers où elles
trouvent, je les rassemblerai et les ra-
nènerai dans leur pays ; je les conduirai
ır les montagnes d'Israël, au creux des
allées et dans tous les endroits habi-
bles du pays. 14 Je les mènerai dans un
on pâturage. Elles auront leurs prairies
ır les montagnes du pays d'Israël. Oui,
les auront là de belles prairies pour y
ire halte et de gras pâturages pour y paî-
e. 15 Je serai le berger de mon troupeau,
le mettrai à l'abri, c'est moi, le Seineur Dieu, qui l'affirme. 16 J'irai cher-
her la bête qui s'est perdue, je ramènerai
elle qui s'est écartée, je panserai celle qui
est blessée, je rendrai des forces à celle
ui est malade. Mais j'éliminerai celle
ui est trop grasse ou vigoureuse. Je di-
gerai mon troupeau selon les règles de
justice. »

Dieu vient au secours de son peuple

17 « Quant à mon troupeau, voici ce que
lui déclare, moi, le Seigneur Dieu : Je
ais être juge entre les bêtes du troupeau,
entre les béliers et les boucs. 18 Pourquoi
certains d'entre vous ne se contentent-ils
pas de paître dans le meilleur pâturage ?
Pourquoi piétinent-ils encore l'herbe qui
reste ? Ne vous suffit-il pas d'avoir une
eau claire à boire ? Pourquoi troublez-
vous avec vos pattes ce que vous n'avez
pas bu ? 19 Le reste de mon troupeau est
obligé de manger l'herbe que vous avez
piétinée et de boire l'eau que vous avez
troublée. 20 C'est pourquoi je vous le déclare, moi, le Seigneur Dieu, je vais moi-
même être juge entre les bêtes maigres et
les bêtes grasses de mon troupeau. 21 Vous
avez bousculé de l'épaule et du flanc les
bêtes affaiblies, vous les avez repoussées à
coups de cornes jusqu'à ce que vous les
ayez chassées du troupeau. 22 Je viens
donc à leur secours, pour qu'elles ne
soient plus livrées à des ravisseurs, et je
vais être juge entre elles et vous. 23 Je mettrai à la tête de mon troupeau un unique
*berger qui saura en prendre soin. Ce
sera mon serviteur David. Lui, il prendra
soin des bêtes du troupeau et il sera un
vrai berger pour elles. 24 Moi, le Seigneur,
je serai leur Dieu et mon serviteur David
sera leur prince[q]. C'est moi, le Seigneur,
qui parle.
25 « Je m'engagerai à assurer la paix de
mon troupeau : je ferai disparaître du
pays tous les animaux sauvages ; alors
mes bêtes pourront demeurer en sécurité
dans les pâturages et dormir dans les
bois. 26 Je leur permettrai de vivre aux
alentours de la montagne qui m'est
consacrée[r]. Je ferai tomber la pluie à la
saison qui convient et ce sera une source
de bienfaits. 27 Les arbres porteront des
fruits, la terre fournira ses produits et
chacun vivra en sécurité dans le pays. Je

---

p **34.12** *un jour de grand orage* : allusion au châtiment de Dieu (ici la ruine de Jérusalem et la déportation).

q **34.24** Le roi *David* a parfois été considéré comme le modèle et comme l'ancêtre du roi à venir promis par Dieu (voir Jér 23.5). Ézékiel cependant ne lui donne pas le titre de roi, mais celui de *prince*, accompagné des qualifications de *berger* (v. 23) et de *serviteur*.

r **34.26** *Je leur permettrai de vivre aux alentours de la montagne qui m'est consacrée* : d'après l'ancienne version grecque ; hébreu *Je ferai de ce pays et des alentours de ma montagne une bénédiction*. – Pour *la montagne consacrée* à Dieu, voir 20.40 et la note.

briserai les chaînes qui asservissent les
membres de mon peuple, je les délivrerai
de ceux qui les ont rendus esclaves et ils
seront alors convaincus que je suis le Seigneur. 28 Des ravisseurs étrangers n'en feront plus leur proie, des animaux
sauvages ne les dévoreront plus. Ils vivront à l'abri du danger et personne ne
leur causera plus d'effroi. 29 Je leur donnerai des champs réputés pour leur fertilité, ils ne souffriront plus de la faim dans
leur pays. Les autres peuples cesseront de
les accabler de mépris. 30 Tout le monde
sera convaincu que moi, le Seigneur leur
Dieu, je prends leur parti et que le peuple
d'Israël est vraiment mon peuple. Je l'affirme, moi, le Seigneur Dieu.
31 « Oui, vous les membres de mon
troupeau, vous êtes des hommes dont je
prends soin, car je suis votre Dieu. Je l'affirme, moi, le Seigneur Dieu. »

Menaces contre les Édomites

35 1 Le Seigneur m'adressa la parole :
2 « Toi, l'homme, tourne ton regard vers la région montagneuse
d'Édom[s] et prononce de ma part des menaces contre ses habitants. 3 Transmets-
leur ce que je déclare, moi, le Seigneur
Dieu : Je vais intervenir contre vous ! Je
manifesterai ma puissance contre toi,
Édom, je te dévasterai et te transformerai
en désert. 4 Je réduirai tes villes en ruine,
ton pays sera complètement ravagé et tu
seras convaincu que je suis le Seigneur.
5 Tu n'as jamais cessé de haïr les Israélites[t]. Au moment de leur défaite,
lorsqu'un terme a été mis à leur conduite
criminelle, tu les as livrés aux ravages de
la guerre. 6 Eh bien ! par ma vie, je l'affirme, moi, le Seigneur Dieu, je te mettrai à feu et à sang, car le sang que tu a
versé réclame vengeance. Puisque tu n'a
pas hésité à verser le sang, du sang il y e
aura pour toi. 7 Je dévasterai ton pays
Édom, je le transformerai en désert e
j'exterminerai quiconque y passera. 8 Te
montagnes, je les couvrirai de cadavres
les victimes de la guerre tomberont su
tes collines, dans tes vallées et tes ravins
9 C'est pour toujours que je réduirai to
pays en désert, personne n'habitera plu
jamais dans tes villes. Alors tu sera
convaincu que je suis le Seigneur.
10 « Tu as affirmé : "Je vais m'empare
des deux royaumes *d'Israël et de Jud
ces pays où demeure le Seigneur." 11 E
bien ! par ma vie, je l'affirme, moi,
Seigneur Dieu, je te traiterai en fonctio
de la violence, de la jalousie et de
haine que tu as manifestées contre les I
raélites. Je leur montrerai qui je suis e
prononçant mon jugement contre to
12 Tu sauras alors que moi, le Seigneu
j'ai entendu tes paroles outrageant
lorsque tu as dit : "A nous, les mo
tagnes d'Israël ! Elles sont dévastées
nous pouvons en faire notre proie !
13 Tu m'as bravé, mais moi je n'ai pas o
blié les paroles que tu as prononcé
contre moi.
14 « Voici ce que je déclare, moi, le Se
gneur Dieu : Pour la joie de tous les pay
voisins, je te détruirai entièrement. 15 T
t'es réjoui de voir la ruine d'Israël, le pe
ple qui m'appartient. Eh bien, je t'inflig
rai le même sort : tes montagnes, tout to
pays[u] seront dévastés. Alors tout
monde sera convaincu que je suis le Se
gneur. »

Les Israélites reprendront possession de leur pays

36 1 « Quant à toi, l'homme[v], so
*prophète au sujet des montagn
d'Israël. Dis-leur d'écouter les parol
que je leur adresse, 2 moi, le Seigne
Dieu, à propos de leurs ennemis. Ceux-
ont ricané en s'écriant : "Maintenant l
antiques montagnes d'Israël sont en n
tre possession !" 3 Eh bien, sois prophèt
Révèle aux Israélites ce que je leur d
clare, moi, le Seigneur Dieu. Voici : J'
constaté que, de tous côtés, on s'e

---

s 35.2 *Toi, l'homme* : voir 2.1 et la note. – *la région montagneuse d'Édom* : hébreu *la montagne de Séir* ; Séir est le nom du plateau montagneux situé au sud de la mer Morte et il est employé très souvent comme synonyme d'Édom (voir par ex. Gen 32.4 ; Nomb 24.18). Pour les v. 2-15, voir 25.12-14 et la note sur És 34.5.

t 35.5 L'hostilité d'Édom remonte à l'époque de la conquête de la terre d'Israël, voir Nomb 20.20.

u 35.15 *tes montagnes, tout ton pays* : hébreu *la montagne de Séir et tout Édom*, voir la note sur le v. 2.

v 36.1 Voir 2.1 et la note.

charné sur les montagnes d'Israël ; on
s a convoitées, elles sont tombées au
ouvoir des nations étrangères, qui en
nt fait un sujet de moqueries et d'in-
ıltes. 4 C'est pourquoi, montagnes d'Is-
aël, écoutez les paroles que moi, le
eigneur Dieu, je prononce au sujet des
ontagnes et des collines, des torrents et
es vallées, des lieux transformés en rui-
es et des villes dépeuplées, pillées et in-
ıltées par les peuples voisins. 5 Oui, je le
éclare, moi, le Seigneur Dieu, dans l'ar-
eur de ma colère, j'adresse des menaces
ıx nations voisines et en particulier à
dom. Avec une joie triomphante et sans
ıcun scrupule, ces nations se sont empa-
es de mon pays pour piller ses pâtu-
ges. 6 Sois donc prophète au sujet du
ays d'Israël. Transmets aux montagnes
aux collines, aux torrents et aux vallées
que moi, le Seigneur Dieu, je déclare.
oici : Je vais laisser s'exprimer ma ter-
ble colère. Vous avez été insultés et hu-
iliés par les nations étrangères. 7 Eh
en, je le déclare, moi, le Seigneur Dieu,
s nations qui vous environnent seront
ımiliées à leur tour. 8 A ce moment-là,
r les montagnes d'Israël, les arbres se
uvriront de feuilles et porteront des
uits pour vous, Israélites, mon peuple,
r vous retournerez bientôt dans votre
trie. 9 Oui, je vais intervenir en votre
veur, je veillerai à ce que votre sol soit
nouveau labouré et ensemencé.
Dans tout le pays d'Israël, je vais faire
oître votre population. Les villes seront
nouveau habitées, car ce qui a été dé-
uit sera rebâti. 11 Partout les hommes et
s bêtes se multiplieront. Vous devien-
ez très nombreux et vous aurez beau-
up de descendants. Le pays sera aussi
uplé que dans le passé et je vous don-
rai plus de prospérité qu'auparavant.
lors vous serez convaincus que je suis le
igneur. 12 Je vous ferai marcher partout
ns le pays, vous, les membres de mon
uple. Vous en prendrez possession, il
us appartiendra et il ne vous privera
us jamais de vos enfants. 13 Voici ce que
déclare, moi, le Seigneur Dieu : On dit
e le pays d'Israël est comme un ogre
i dévore ses propres enfants. 14 Eh
en, dès maintenant, le pays ne dévorera
plus ses habitants, il ne privera plus le
peuple de ses enfants. Je l'affirme, moi, le
Seigneur Dieu. 15 Vous n'aurez plus à entendre et à supporter les moqueries et les
insultes des autres nations. En effet, votre pays ne fera plus mourir vos enfants.
Je l'affirme, moi, le Seigneur Dieu. »

Le Seigneur va rassembler les Israélites

16 Le Seigneur me dit : 17 « Je m'adresse
à toi, l'homme, parce que les Israélites ont
rendu leur pays *impur. En effet, quand
ils y habitaient encore, ils se sont très mal
conduits. Pour moi leur conduite a été
aussi impure que le sang perdu par une
femme pendant ses règles[w]. 18 Ils ont
souillé le pays par les meurtres qu'ils ont
commis et par leurs sales idoles. C'est
pourquoi j'ai déversé sur eux ma colère.
19 Je les ai dispersés parmi d'autres peuples
dans des pays étrangers. Tel fut l'effet de
mon jugement sur leur conduite et leurs
actions. 20 Or, dans toutes les nations où ils
sont allés, le nom que je porte a été déshonoré par leur faute. On disait d'eux, en effet : "C'était le peuple du Seigneur ; ils ont
dû quitter son pays." 21 Alors j'ai souffert
de ce que les nations étrangères méprisent
le nom que je porte, par la faute des Israélites qui arrivaient chez elles. 22 C'est
pourquoi, transmets-leur ce que je déclare, moi, le Seigneur Dieu : Ce que je
vais entreprendre, gens d'Israël, je ne le ferai pas par égard pour vous, mais pour
faire respecter le nom que je porte, que
vous avez déshonoré chez les nations où
vous êtes allés. 23 C'est vous qui m'avez
déshonoré devant elles, et, malgré cela, je
vais leur montrer que je suis vraiment
Dieu. C'est de vous que je me servirai
pour le leur montrer. Alors elles seront
convaincues que je suis le Seigneur, je l'affirme, moi, le Seigneur Dieu.

24 « En effet, après vous avoir retirés du
milieu des peuples et des pays où vous
vous trouvez, je vous rassemblerai et vous
ramènerai dans votre patrie. 25 Je verserai
sur vous l'eau pure qui vous purifiera ;

w **36.17** Sur l'impureté de la *femme pendant ses règles*, voir Lév 15.19-22.

oui, je vous purifierai de toutes vos souillures et de toute votre idolâtrie. 26 Je vous
donnerai un cœur nouveau, je mettrai en
vous un esprit nouveau. J'enlèverai votre
cœur insensible comme une pierre et je le
remplacerai par un cœur réceptif. 27 Je
mettrai en vous mon Esprit, je vous rendrai ainsi capables d'obéir à mes lois,
d'observer et de pratiquer les règles que
je vous ai prescrites. 28 Alors vous pourrez
habiter dans le pays que j'ai donné à vos
ancêtres ; vous serez mon peuple et je serai votre Dieu. 29 Je vous délivrerai de
toutes vos souillures. Je ne vous enverrai
plus de famine, mais je ferai pousser le
blé et je vous donnerai des récoltes abondantes. 30 Je ferai produire largement les
arbres fruitiers et les champs, pour que
vous n'ayez plus à supporter devant les
autres nations la honte d'avoir faim.
31 Alors vous vous souviendrez de votre
mauvaise conduite et de vos actions indignes ; vous serez écœurés des fautes et
des actes abominables que vous avez
commis. 32 Sachez-le bien, ce n'est pas par
égard pour vous que j'agirai, je l'affirme,
moi, le Seigneur Dieu. Vous feriez mieux
d'avoir vraiment honte de votre
conduite, gens d'Israël !

33 « Voici ce que je déclare, moi, le Seigneur Dieu : Lorsque je vous purifierai
de toutes vos fautes, je repeuplerai les villes et tout ce qui a été détruit sera rebâti.
34 Les champs en friche seront de nouveau cultivés, les passants ne verront plus
de terres abandonnées. 35 On dira : "Ce
pays qui était dévasté est devenu comme
le jardin d'Éden[x]. Les villes qui avaient
été démolies et abandonnées à l'état de
ruine, ont été reconstruites et repeuplées." 36 Alors les nations qui subsistent
encore autour de vous seront convaincues que je suis le Seigneur, celui qui reconstruit les villes en ruine et replante les
champs en friche. C'est moi, le Seigneur,
qui parle, et je fais ce que je dis.

37 « Voici ce que je déclare, moi, le Seigneur Dieu : Je laisserai de nouveau les
Israélites m'appeler à l'aide et je leur répondrai en les rendant aussi nombreux
que les bêtes d'un troupeau. 38 Lors de
fêtes solennelles, Jérusalem était rempli
des bêtes destinées aux *sacrifices, on le
y amenait par troupeaux entiers. Eh bien
les hommes qui repeupleront vos ville
actuellement en ruine seront aussi nom
breux. Alors tout le monde ser
convaincu que je suis le Seigneur. »

La vision des ossements desséchés

37 1 La puissance du Seigneur me sai
sit ; son Esprit m'emmena et m
déposa dans une large vallée couvert
d'ossements. 2 Le Seigneur me fit circule
tout autour d'eux, dans cette vallée : il
étaient très nombreux et complètemen
desséchés. 3 Alors le Seigneur me de
manda : « Toi, l'homme, dis-moi, ces os
sements peuvent-ils reprendre vie ? » J
répondis : « Seigneur Dieu, c'est toi seu
qui le sais. » 4 Il reprit : « Parle en tant qu
*prophète à ces ossements, dis-leur : Os
sements desséchés, écoutez ! 5 Voici c
que le Seigneur Dieu vous déclare : J
vais vous réanimer, et vous reprendre
vie. 6 Je vais mettre sur vous des nerf
faire croître de la chair et vous recouvri
de peau ; puis je vous rendrai le souffl
pour que vous repreniez vie. Vous sere
convaincus alors que je suis le Seigneur.
7 Je parlai en tant que prophète aux oss
ments comme le Seigneur m'en ava
donné l'ordre. Tandis que je parlais, j'en
tendis le bruit d'un grand remue-mé
nage : les os se rapprochaient les uns de
autres, chacun de celui qui lui correspon
dait. 8 Je vis que des nerfs et de la chair s
formaient sur eux et se recouvraient d
peau. Mais ils étaient encore inanimé
9 Le Seigneur me dit alors : « Toi qui n'e
qu'un homme, parle en prophète au sou
fle de vie, oui, parle-lui de ma part, et di
lui : "Souffle de vie, le Seigneur te donr
l'ordre de venir de tous les points de l'h
rizon et de souffler sur ces cadavres af
qu'ils reprennent vie[y]." » 10 Je parlai e
tant que prophète comme le Seigneur n
l'avait ordonné. Le souffle de vie ent
dans les cadavres qui reprirent vie. Ils
dressèrent sur leurs pieds. Ils formaie

---

x 36.35 *Éden* : voir la note sur 31.8.
y 37.9 *Toi qui n'es qu'un homme* : voir 2.1 et la note. – Le mot traduit par *souffle de vie* peut signifier aussi *esprit* et il est rendu de cette manière au v. 14.

ıne nombreuse, une très nombreuse ar-
née.
11 Le Seigneur reprit : « Vois-tu, l'hom-
ne, ces ossements sont l'image du peuple
'Israël. Les Israélites disent en effet :
Nous sommes comme des ossements
esséchés, notre espoir est mort, il n'y a
lus rien à faire.” 12 C'est pourquoi, parle
n prophète, révèle-leur ce que je leur dé-
lare, moi, le Seigneur Dieu : Je vais ou-
rir vos tombes et vous en faire remonter,
ous mon peuple, et je vous ramènerai en
sraël, votre patrie. 13 Vous serez convain-
ıs que je suis le Seigneur quand j'ouvri-
ıi vos tombes et vous en ferai remonter,
quand je vous ferai reprendre vie par
ıon Esprit[z], quand je vous réinstallerai
ans votre patrie. Oui, vous serez
onvaincus que moi, le Seigneur, je parle
je fais ce que je dis. Je l'affirme, moi, le
eigneur Dieu. »

Le Seigneur va rétablir l'unité du peuple

15 Le Seigneur m'adressa la parole :
« Quant à toi, l'homme, prends un mor-
eau de bois et écris dessus ces mots :
uda et les Israélites de ce royaume”.
uis prends un autre morceau de bois et
ris dessus : “Joseph (ou Éfraïm) et les
raélites de ce royaume”[a]. 17 Place ces
eux morceaux bout à bout de façon
ı'ils n'en forment plus qu'un dans ta
ain. 18 Tes compatriotes te demandent alors de leur expliquer ce que cela si-
ıifie. 19 Tu leur répondras que je leur
éclare ceci, moi, le Seigneur Dieu : Je
ıis prendre le morceau qui représente
seph et les Israélites de ce royaume,
our le joindre à celui qui représente le
yaume de Juda. Réunis dans ma main,
s formeront un seul morceau.
20 « Tu garderas dans ta main les mor-
aux de bois sur lesquels tu as écrit, de
çon que tous les voient. 21 Puis tu leur
ansmettras ce que je déclare, moi, le
eigneur Dieu : Israélites, je vous retire-
i du milieu des peuples où vous êtes al-
s, je vous rassemblerai et vous
mènerai dans votre patrie. 22 Là, je vous
unirai et vous formerez un seul peuple
r les montagnes d'Israël. Un seul roi ré-
era sur vous tous. La division en deux
peuples et en deux royaumes n'existera
plus. 23 Vous ne vous souillerez plus en
adorant de sales idoles, en commettant
des actions abominables et en me désobéissant de toutes les manières. Je vous
délivrerai de toutes les infidélités dont
vous vous êtes rendus coupables envers
moi[b]. Je vous *purifierai ; vous serez
mon peuple et je serai votre Dieu. 24 Mon
serviteur David sera votre roi, il sera
pour vous le seul *berger. Vous obéirez à
mes lois, vous observerez et pratiquerez
les règles que je vous ai prescrites. 25 Vous
vivrez dans le pays que j'ai donné à mon
serviteur Jacob, et où vos ancêtres ont
vécu. Vous y demeurerez pour toujours,
vous, vos enfants et tous vos descendants. Mon serviteur David sera le
prince qui régnera sur vous pour toujours[c]. 26 Je m'engagerai à vous assurer
une paix définitive. Je vous installerai là
et je ferai croître votre population. Je placerai mon *temple au milieu de vous
pour toujours. 27 Je demeurerai avec
vous. Je serai votre Dieu et vous serez
mon peuple. 28 Les autres nations seront
convaincues que je suis le Seigneur et
que j'ai consacré Israël à mon service,
lorsque mon temple sera établi pour toujours au milieu de vous. »

Menaces contre Gog

38 1 Le Seigneur m'adressa la parole :
2 « Toi, l'homme, dirige ton regard
vers Gog, chef suprême des peuples de
Toubal et de Méchek, au pays de Magog[d].

z **37.14** Voir la note sur le v. 9.
a **37.16** *Juda* personnifie le royaume du Sud (voir 1 Rois 12 et 13). – *Joseph* (père d'*Éfraïm*) personnifie les tribus du royaume du Nord, disparu depuis la prise de Samarie et la déportation de ses habitants en 721 avant J.-C.
b **37.23** *les infidélités...envers moi* : d'après quelques manuscrits hébreux et une version ancienne ; texte hébreu traditionnel *les lieux où vous habitez et où vous avez péché*.
c **37.25** Voir la note sur 34.24.
d **38.2** *Toi, l'homme* : voir 2.1 et la note. – *Méchek et Toubal* : voir 27.13 et la note. – Les noms de *Gog* et du *pays de Magog*, qui apparaissent ici, au chap. 39, en Gen 10.2-3 et en Apoc 20.8 sont mystérieux. Ils sont sans doute la personnification symbolique de l'ennemi et il ne faut pas chercher à les situer géographiquement.

Prononce de ma part des menaces contre lui. 3 Transmets-lui ce que je déclare, moi, le Seigneur Dieu : Je vais intervenir contre toi, Gog, chef suprême des peuples de Méchek et de Toubal. 4 Je vais fixer des crochets dans tes mâchoires pour te déplacer de force. Je te forcerai à sortir de ton pays, toi et toute ton armée, chevaux et cavaliers magnifiquement vêtus, troupes nombreuses de soldats armés de boucliers et d'épées. 5 Les soldats de Perse, d'Éthiopie, de Pouth[e], s'équiperont tous de boucliers et de casques et iront avec toi. 6 Les soldats du pays de Gomer, ceux de Beth-Togarma[f], à l'extrême nord, iront avec toi par bataillons entiers, ainsi que des hommes de nombreux autres peuples. 7 Fais les préparatifs nécessaires et tiens-toi prêt, toi et toute la foule mobilisée sous ton commandement[g]. 8 Bien plus tard, après de nombreuses années, je te chargerai d'envahir le pays d'Israël. Ses habitants, après avoir survécu à la guerre, auront quitté les pays divers où ils se trouvaient, et se seront rassemblés sur les montagnes d'Israël restées très longtemps à l'état d'abandon. Depuis leur séparation d'avec les autres peuples, ils auront vécu en sécurité. 9 Toi, ton armée et tes nombreux alliés, vous les attaquerez, vous fondrez sur eux comme une tempête, vous envahirez leur pays comme un amoncellement de nuages.

10 « Je le déclare, moi, le Seigneur Dieu, quand ce moment arrivera, de nombreuses idées te viendront à l'esprit et tu élaboreras un projet malfaisant. 11 Tu décideras d'attaquer ces gens paisibles, qui vivent en sécurité dans un pays dont les villes ne sont pas entourées de murailles ni fermées par des portes à verrous. 12 Tu viendras piller et saccager, tu t'attaqueras à des gens qui ont repeuplé des villes autrefois en ruine. Ils se sont rassemblés en sortant des nations étrangères, ils ont acquis des troupeaux et des richesses et ils vivent au centre du monde[h]. 13 Les habitants de Saba et de Dédan, les commerçants de Tarsis et des localités voisines[i] te demanderont : "Est-ce pour piller et pour saccager que tu as mobilisé ton armée ? Viens-tu prendre de l'argent et de l'or, des troupeaux et des richesses pour te constituer un énorme butin ?"

14 « Eh bien, toi, l'homme, sois *prophète. Révèle à Gog ce que je déclare, moi, le Seigneur Dieu : A l'époque où Israël, mon peuple, vivra en sécurité, tu te mettras en marche[j]. 15 Tu viendras de ton pays, de l'extrême nord, à la tête de troupes de toutes nationalités : tous montés sur des chevaux, vous formerez une puissante armée. 16 Tu viendras attaquer Israël, mon peuple, et tu envahiras son pays comme un nuage qui recouvre la terre. Cela arrivera dans très longtemps. Je t'enverrai toi, Gog, envahir mon pays de façon à convaincre les peuples étrangers que je suis Dieu. C'est ce que je leur montrerai en agissant par ton intermédiaire.

17 « Voici ce que je te déclare, moi, le Seigneur Dieu : Tu es celui dont j'ai parlé, il y a fort longtemps, lorsque j'ai ordonné à mes serviteurs, les prophètes d'Israël, d'annoncer pendant des années et des années, que j'enverrai quelqu'un attaquer leur peuple. 18 Mais le jour où tu envahiras effectivement Israël, Gog, ma colère se déchaînera, je l'affirme, moi, le Seigneur Dieu. 19 Dans l'ardeur de ma colère, je jure que ce jour-là, un terrible tremblement de terre secouera le pays d'Israël. 20 Les poissons dans la mer, les oiseaux dans le ciel, les bêtes sauvages, les serpents qui rampent sur le sol et les êtres humains sur la terre, trembleront tous de peur devant moi. Les montagnes s'affaisseront, les falaises s'effondreront, tout

---

e **38.5** *Pouth* : voir 27.10 et la note.

f **38.6** *Gomer* et *Beth-Togarma* représentent des peuplades d'Arménie.

g **38.7** *sous ton commandement* : autre traduction, d'après l'ancienne version grecque, *sois à ma disposition*.

h **38.12** *au centre du monde* : sans doute Jérusalem, comparer 5.5.

i **38.13** *Saba* : royaume arabe, voir 1 Rois 10.1 ; Ps 72.10. – *Dédan* : voir la note sur 25.13. – *Tarsis* : voir la note sur 27.12. – *et des localités voisines* : d'après l'ancienne version grecque ; hébreu *et ses lionceaux* (terme qui pourrait désigner les rois, voir 19.2-3).

j **38.14** *tu te mettras en marche* : d'après l'ancienne version grecque ; hébreu *tu l'apprendras*.

:s les murailles s'écrouleront à terre[k].
J'enverrai la guerre contre toi pour pro-
:ger mes montagnes, je l'affirme, moi,
: Seigneur Dieu. Tes soldats s'entre-
ıeront. 22 Je te condamnerai à subir des
pidémies de peste et des massacres. Je fe-
ıi pleuvoir sur toi, sur ton armée et sur
:s nombreux alliés des torrents de pluie
: de grêle, accompagnés de soufre en-
ammé. 23 Ainsi je montrerai à toutes les
ations que je suis vraiment Dieu et elles
:ront convaincues que je suis le Sei-
ıeur. »

Nouvelles menaces contre Gog

39 1 « Quant à toi, l'homme, prononce
de ma part des menaces contre
og. Révèle-lui ce que je déclare, moi, le
:igneur Dieu : Je vais intervenir contre
ı, Gog, chef suprême des peuples de
léchek et de Toubal[l]. 2 Je te ferai sortir
: ton pays, je te forcerai à quitter l'ex-
ême nord pour aller attaquer les mon-
gnes d'Israël. 3 Puis je te frapperai : ton
c se brisera dans ta main gauche et tes
èches tomberont de ta main droite.
Alors toi, toute ton armée et tes nom-
eux alliés, vous trouverez la mort sur
s montagnes d'Israël. Je laisserai les oi-
aux de proie et les bêtes sauvages se
ourrir de vos cadavres[m]. 5 Tu tomberas
ort à la surface du sol, car c'est moi qui
ırle, je l'affirme, moi, le Seigneur Dieu.
'allumerai un incendie dans le pays de
agog et sur les rivages lointains où les
ns pensent être en sécurité. Alors tout
monde sera convaincu que je suis le
igneur. 7 Je ferai en sorte qu'Israël, mon
uple, reconnaisse que je suis vraiment
ieu, je ne le laisserai plus me mépriser
les autres nations seront convaincues
e je suis le Seigneur, le vrai Dieu d'Is-
ël. 8 Oui, ces événements vont arriver,
commencent à se réaliser, voilà que
ent le jour du jugement[n] que j'ai an-
ncé. Je l'affirme, moi, le Seigneur
ieu. 9 Les Israélites sortiront de leurs
lles. Ils allumeront un feu et y brûlent les armes de leurs ennemis. Les bou-
ers de toutes tailles, les arcs et les
ches, les lances et les javelots alimente-
nt ce feu pendant sept ans. 10 Les gens
auront plus besoin d'aller ramasser du
is dans la campagne ni d'abattre des arbres dans la forêt, car ils feront du feu
avec ces armes. Ils voleront et pilleront à
leur tour les pillards qui les ont dépouillés. Je l'affirme, moi, le Seigneur Dieu.
11 « Lorsque tout cela sera arrivé, je donnerai à Gog un lieu de sépulture, là, en Israël. Ce sera dans la vallée des Passants, à
l'est de la mer Morte, et cette sépulture
barrera la route aux passants[o]. On y enterrera Gog et toute son armée, et on appe-
lera l'endroit "Vallée de la Multitude de
Gog". 12 Les Israélites passeront sept mois
à enterrer tout ce monde et à nettoyer le
pays[p]. 13 Tous les habitants de la région
participeront à cette tâche et ce sera pour
eux un sujet de fierté, le jour où je manifesterai ma présence glorieuse. Je l'affirme, moi, le Seigneur Dieu. 14 Au bout
des sept mois, on désignera des hommes
chargés de parcourir sans arrêt le pays,
pour le nettoyer en recherchant et en enterrant les cadavres[q] qui gisent encore sur
le sol. 15 Ils parcourront le pays en tous
sens. Lorsque l'un deux trouvera des ossements humains, il placera un tas de pierres comme repère à côté d'eux pour que
les fossoyeurs viennent les prendre et les
enterrer dans la Vallée de la Multitude de
Gog. 16 Il y aura même une ville dont le
nom sera Hamona, c'est-à-dire "Multitude". Finalement le pays sera nettoyé. »
17 Le Seigneur Dieu me déclara encore : « Quant à toi, l'homme, appelle les
oiseaux et les bêtes sauvages, dis-leur de
ma part : Venez de partout, rassemblez-
vous pour prendre part au *sacrifice que
je vous destine. Ce sera un grand sacrifice

---

k **38.20** Ce sont là les signes caractéristiques du jour du jugement de Dieu, voir És 2.10 ; Jér 4.24 ; Joël 4.16.

l **39.1** *Toi, l'homme* : voir 2.1 et la note. – *Gog, Méchek et Toubal* : voir la note sur 38.2.

m **39.4** Voir la note sur 29.5.

n **39.8** *le jour du jugement* : hébreu *le jour*, voir la note sur 7.7.

o **39.11** *et cette sépulture barrera la route aux passants* ou *vallée qui coupe la route aux passants*.

p **39.12** On refusait généralement toute sépulture aux ennemis (voir 2 Rois 9.37 ; Jér 8.1-3), mais la présence des cadavres de Gog et de ses hommes aurait souillé le pays d'Israël (voir Nomb 19.11).

q **39.14** *les cadavres* : d'après d'anciennes versions ; hébreu *les passants*.

sur les montagnes d'Israël. Vous pourrez y
manger de la chair et y boire du sang.
18 Vous allez manger les corps de vaillants
soldats et boire le sang des dirigeants du
monde, offerts en sacrifice au lieu des béliers, des agneaux, des boucs et des veaux
gras du *Bachan. 19 C'est à ce sacrifice que
je vous convie, vous y mangerez de la
graisse jusqu'à satiété et vous boirez du
sang jusqu'à l'ivresse. 20 A mon festin vous
vous repaîtrez de chevaux et de cavaliers,
de soldats et de toutes sortes de guerriers.
Je l'affirme, moi, le Seigneur Dieu.
21 « Je manifesterai ma présence glorieuse aux autres nations. Elles verront
toutes comment j'utilise mon pouvoir
pour exécuter mes sentences à leur égard.
22 A partir de ce jour-là, les Israélites seront convaincus que je suis le Seigneur,
leur Dieu. »

Résumé de la prédication d'Ézékiel

23 « Les autres nations comprendront
que les Israélites ont été en déportation à
cause des fautes qu'ils ont commises à
mon égard, dit le Seigneur. En effet, je
me suis détourné d'eux, je les ai abandonnés au pouvoir de leurs ennemis pou
qu'ils soient tous tués à la guerre. 24 E
me détournant d'eux, je les ai traité
comme le méritaient leurs actions *im
pures et coupables.
25 « Mais voici ce que je déclare, moi, l
Seigneur Dieu : Désormais je vais avoir pi
tié des Israélites, les descendants de Jacob
je changerai leur sort et j'exigerai de tou
le respect qui est dû au nom que je porte
26 Alors ils oublieront le déshonneur dan
lequel les fautes qu'ils ont commises
mon égard les ont entraînés. Ils vivront d
nouveau à l'abri du danger dans leur pay
et personne ne leur causera plus d'effro
27 Je les ramènerai chez eux, après les avoi
fait sortir des pays où habitent leurs enne
mis. Je me servirai d'eux pour montre
aux nombreuses nations d'alentour que j
suis vraiment Dieu. 28 Eux-mêmes seron
convaincus que je suis le Seigneur, leu
Dieu, lorsque je les rassemblerai sur leu
sol, sans laisser aucun d'eux en arrière
dans les pays étrangers où je les avai
exilés. 29 J'animerai les Israélites de mo
Esprit et, par conséquent, je ne me dé
tournerai plus jamais d'eux. Je l'affirme
moi, le Seigneur Dieu. »

VISION DU TEMPLE FUTUR

Introduction

40 1 Au début de la vingt-cinquième
année après notre déportation, le
dixième jour du mois, quatorze ans jour
pour jour après la chute de Jérusalem[r], la
puissance du Seigneur me saisit pour
m'emmener là-bas : 2 au cours d'une vision, Dieu me transporta dans le pays
d'Israël. Il me déposa au sommet d'un
très haute montagne ; sur son versant su
il y avait des constructions qui ressem
blaient à une ville. 3 Il m'y emmena. U
homme se trouvait là. Son apparenc
était celle du bronze. Il avait à la main u
cordeau de lin et un roseau servant à me
surer. Il se tenait debout près d'un
porte[s]. 4 Il me dit : « Toi, l'homme[t], ouvr
tes yeux et ouvre tes oreilles. Sois très a
tentif à tout ce que je vais te montrer, c
c'est pour le contempler que tu as é
amené ici. Ensuite tu raconteras aux I
raélites tout ce que tu auras vu. »

La cour et les portes extérieures

5 Voici ce que je vis : un mur extérie
entourait le *temple. L'homme tena
son roseau long de six mesures – chaq
mesure ayant une largeur de main
plus que la mesure actuelle[u] –. Il mesu

---

r **40.1** En 573 avant J.-C.
s **40.3** V. 2-3 : comparer Apoc 21.10 et 15.
t **40.4** *Toi, l'homme* : voir 2.1 et la note.
u **40.5** *mesure* traduit l'hébreu *coudée*. Ézékiel signale qu'il emploie l'ancienne mesure ou coudée utilisée pour le temple de Salomon : elle valait une *mesure actuelle*, c'est-à-dire une coudée en usage au temps d'Ézékiel, soit 45 cm, plus *une largeur de main* (hébreu *palme*), soit 7 cm environ. La mesure employée dans les chap. 40 à 48 vaut donc un peu plus de 50 cm. La traduction n'a pas opéré ici de conversion en mètres, car les chiffres donnés ont vraisemblablement un sens symbolique.

'épaisseur et la hauteur du mur et
rouva une longueur de roseau dans les
leux cas. 6 Il se rendit au porche de l'en-
rée est. Il en gravit les marches et me-
ura le seuil dont la profondeur était
l'un roseau à mesurer[v]. 7 Chacun des lo-
aux de garde le long du passage central
vait une longueur et une largeur d'un
oseau. Les murs qui les séparaient
vaient une épaisseur de cinq mesures.
'entrée, de la longueur du roseau à meurer, précédait le vestibule situé en face
u temple. 8-9 L'homme mesura égale-
nent ce vestibule. Il avait huit mesures
le profondeur et ses murs extérieurs
vaient deux mesures d'épaisseur. A l'in-
érieur du porche, le vestibule se trou-
ait à côté du temple. 10 Les six locaux de
arde du porche oriental avaient tous les
nêmes dimensions. Il y en avait trois de
haque côté du passage central. Les
nurs qui les séparaient étaient tous de la
nême épaisseur. 11 L'homme prit la di-
nension de l'ouverture du porche : il
rouva dix mesures. La largeur totale[w]
u passage central était de treize meures. 12 Devant les locaux de garde, qui
taient des carrés de six mesures sur six,
t de part et d'autre du passage central,
e trouvait une barrière haute d'une meure. 13 L'homme mesura la distance en-
re le fond d'un de ces locaux et le fond
u local placé en face : il trouva vingt-
inq mesures. 14 Il prit aussi les dimen-
ions du vestibule. Celui-ci avait vingt
nesures de largeur. La cour du temple
ntourait le vestibule de toutes parts[x].
Depuis la première entrée dans le mur
xtérieur du porche jusqu'au mur de fa-
ade du vestibule à l'autre bout, il y avait
inquante mesures. 16 Des fenêtres gril-
gées se trouvaient tout autour du por-
he d'entrée[y], du côté intérieur. Il y en
vait sur les murs des locaux, sur les
urs de séparation, de même que sur les
urs du vestibule. Les murs du porche
'entrée étaient décorés de palmes.
17 L'homme me conduisit dans la cour
xtérieure du temple. Cette cour dallée
ait entourée de trente salles. 18 Le dal-
ge recouvrait le sol autour des porches
entrée. Son niveau était plus bas que
lui de la cour intérieure. 19 L'homme
mesura la distance entre la façade sur
cour du premier porche et le mur de la
cour intérieure : il trouva cent mesures.
Voilà pour le côté est. Passant au nord,
20 il mesura la longueur et la largeur du
porche menant à la cour extérieure. 21 Il
comportait six locaux de garde : trois
d'un côté du passage central et trois de
l'autre. Les murs et le vestibule avaient
les mêmes dimensions que ceux du porche est. La longueur totale du porche
était de cinquante mesures et sa largeur
de vingt-cinq. 22 Le vestibule, les fenêtres
et les décorations de palmes avaient les
mêmes dimensions que ceux de l'autre
porche. On accédait au porche nord par
sept marches en face desquelles était le
vestibule. 23 En face du porche nord, il y
avait un porche menant à la cour intérieure, comme c'était le cas du côté de
l'est. L'homme mesura la distance entre
les deux porches et trouva cent mesures.
24 Il me conduisit ensuite du côté sud où
je vis aussi un porche orienté vers le sud.
Il mesura les locaux de garde, les murs et
le vestibule, et trouva les mêmes dimensions que pour les autres. 25 Là aussi, il y
avait des fenêtres tout autour du porche
et du vestibule. Elles étaient pareilles à
celles de l'est et du nord. La longueur totale du porche était de cinquante mesures
et sa largeur de vingt-cinq. 26 On y accédait par sept marches en face desquelles
se trouvait le vestibule. Les murs intérieurs étaient décorés de palmes des deux
côtés du passage. 27 En face de ce porche il
y en avait un autre menant à la cour intérieure. L'homme mesura la distance qui
les séparait et trouva cent mesures.

---

v **40.6** Les porches d'entrée du temple, comme les portes fortifiées de la même époque, comportaient un seuil ouvrant sur un *passage central* (voir v. 7 et 10), avec de part et d'autre des *locaux* (v. 7,10 et 21), séparés par des *murs* (v. 9). – A la fin du verset, l'hébreu répète *(le) seuil (qui avait) un roseau à mesurer*.

w **40.11** *la largeur totale* : autre traduction *la hauteur*.

x **40.14** Ce verset est traduit d'après l'ancienne version grecque. Le texte hébreu est obscur.

y **40.16** Ces *fenêtres grillagées* disposées tout autour du porche permettaient une étroite surveillance : il fallait pouvoir empêcher les étrangers ou les gens religieusement *impurs d'entrer dans le temple (voir 44.7,9).

La cour et les portes intérieures

28 L'homme me conduisit alors par le porche sud dans la cour intérieure. Il mesura ce porche qui avait les mêmes dimensions que les porches du mur extérieur[z]. 29 Les locaux de garde, les murs de séparation, le vestibule avaient les mêmes dimensions que ceux des autres porches. Il y avait des fenêtres tout autour du vestibule. La longueur totale du porche était de cinquante mesures et sa largeur de vingt-cinq. 30 Des vestibules se trouvaient autour, leur longueur était de vingt-cinq mesures et leur largeur de cinq mesures[a]. 31 Le vestibule donnait sur la cour extérieure. Les murs intérieurs étaient décorés de palmes. On y accédait par huit marches. 32 L'homme me fit ensuite traverser le porche oriental pour entrer dans la cour intérieure. Il mesura le porche : il avait les mêmes dimensions que les autres. 33 Les locaux de garde, les murs de séparation et le vestibule avaient les mêmes dimensions que ceux des autres porches. Il y avait des fenêtres tout autour du porche et du vestibule. La longueur totale du porche était de cinquante mesures et sa largeur de vingt-cinq. 34 Le vestibule donnait sur la cour extérieure. Les murs intérieurs étaient décorés de palmes des deux côtés du passage. On y accédait par huit marches.

35 L'homme me conduisit ensuite au porche nord et le mesura. Il avait les mêmes dimensions que les précédents. 36 Lui aussi comprenait des locaux de garde, des murs de séparation, un vestibule et des fenêtres disposées sur tout son pourtour. Sa longueur totale était de cinquante mesures et sa largeur de vingt-cinq. 37 Le vestibule[b] donnait sur la cour extérieure. Les murs intérieurs étaient décorés de palmes des deux côtés du passage. On y accédait par huit marches.

38 Une salle ouvrait sur le vestibule du porche nord : c'est là qu'on lavait les animaux tués pour être offerts en *sacrifices complets. 39 A chaque extrémité il y avait deux tables. Sur ces tables on égorgeait les animaux offerts en sacrifice : sacrifices complets et divers sacrifices pour obtenir le pardon. 40 A l'extérieur du vestibule il y avait également quatre tables. Lorsqu'on montait vers l'entrée du porche nord, on pouvait en voir deux de chaque côté. 41 On utilisait donc huit tables en tout pour égorger les animaux destinés aux sacrifices, quatre d'un côté du porche et quatre de l'autre. 42 Les quatre tables réservées à la préparation des sacrifices complets étaient en pierres de taille. Elles avaient une mesure et demie de côté et une mesure de hauteur. On y déposait les instruments nécessaires pour préparer les animaux offerts en sacrifice. 43 Des rigoles de la largeur d'une main étaient aménagées sur le pourtour des tables. On plaçait sur ces tables les viandes des sacrifices. 44 L'homme m'emmena dans la cour intérieure. Au-delà du porche intérieur, il y avait les salles[c] des chanteurs, l'une à côté du porche nord avec la façade au sud, l'autre à côté du porche sud avec la façade au nord. 45 L'homme me dit : « Cette salle dont la façade est orientée au sud est réservée aux prêtres qui assurent le service du *temple, 46 tandis que la salle dont la façade est orientée au nord est réservée aux prêtres qui assurent le service de *l'autel. Parmi les membres de la tribu de Lévi, seuls les descendants de Sadoc[d] peuvent se présenter devant le Seigneur pour le servir. »

Description du temple

47 L'homme prit les dimensions de la cour intérieure : elle était carrée et avait cent mesures de côté[e]. *L'autel se trou

z **40.28** Les *porches* de *la cour intérieure* sont identiques à ceux de la cour extérieure et leur sont symétriques, les vestibules des unes et des autres s'ouvrant sur la cour extérieure.

a **40.30** Quelques manuscrits hébreux et l'ancienne version grecque omettent le v. 30, qui semble résulter d'une répétition partielle du v. 29.

b **40.37** *Le vestibule* : d'après l'ancienne version grecque ; hébreu *Les murs intérieurs*.

c **40.44** Sens possible d'un texte hébreu difficile.

d **40.46** *Sadoc* était le prêtre choisi par Salomon (voir 1 Rois 2.35). Il appartenait à la tribu de Lévi (voir 1 Chron 5.27-34) et seuls ses descendants étaient considérés comme les prêtres légitimes.

e **40.47** Pour la valeur des mesures voir la note sur 40.5.

ait devant le *temple. 48 Il me fit entrer
ans le vestibule du temple. Il prit les di-
ıensions du passage qui y menait : les
ıurs avaient chacun cinq mesures
'épaisseur et l'entrée avait quatorze me-
ıres de largeur. Les parois latérales[f]
vaient trois mesures d'épaisseur. 49 Le
estibule d'entrée avait vingt mesures de
ongueur et douze de largeur. On y accé-
ait par dix marches. Deux colonnes en-
ıdraient l'entrée[g].

41 1 L'homme me conduisit alors
dans la *grande salle du temple,
ont il prit les dimensions. Les murs du
ıssage qui y menait avaient six mesures
e largeur[h] de chaque côté, 2 l'entrée avait
x mesures de largeur et ses parois laté-
les avaient chacune cinq mesures
épaisseur. La salle elle-même avait quante mesures de longueur et vingt de
rgeur. 3 Il pénétra ensuite dans la salle
ı fond. Il prit les dimensions de l'en-
ée : elle avait deux mesures de profon-
ur et six de largeur, avec des parois
térales[i] de sept mesures d'épaisseur. 4 Il
it les dimensions de la salle elle-même :
le avait vingt mesures de longueur et
ngt mesures de largeur. Puis il me dit
ıe c'était là le "*lieu très saint".

Les bâtiments annexes

5 L'homme prit les dimensions du mur
térieur du *temple : il avait six mesures
épaisseur. Des annexes de deux me-
ıres de largeur étaient construites tout
ıtour[j]. 6 Ces annexes s'élevaient sur
ois étages, qui comportaient chacun
ente salles. Chaque salle s'encastrait
ıns le mur extérieur mais ne s'encastrait
ıs dans le mur du temple lui-même. 7 A
ıaque étage, la surface des salles aug-
entait au détriment de l'épaisseur du
ur, et cela tout autour du temple. C'est
ourquoi, au fur et à mesure qu'on mon-
it, il y avait plus de place à l'intérieur.
epuis l'étage du bas, on montait à celui
ı milieu puis à celui du haut[k]. 8 Je re-
arquai que tout autour du temple, les
ınexes avaient un soubassement de six
esures. 9 Le mur extérieur des annexes
ait cinq mesures d'épaisseur. L'espace
issé libre entre les salles adossées au
mple 10 et les autres salles[l] avait vingt
mesures de largeur, tout autour du temple. 11 Les annexes ouvraient sur l'espace
libre par deux portes : une au nord et une
au sud. L'épaisseur du mur qui fermait
cet espace était de cinq mesures sur tout
le pourtour[m]. 12 A l'ouest du temple un
bâtiment faisait face à l'espace libre. Il
avait quatre-vingt-dix mesures de longueur et soixante-dix de largeur. Ses
murs avaient cinq mesures d'épaisseur.
13 L'homme prit les dimensions du temple et lui trouva une longueur de cent
mesures. La longueur de la surface occupée par l'espace libre, le bâtiment situé
à l'ouest et ses murs, était également de
cent mesures. 14 La façade du temple
orientée à l'est et les espaces laissés libres
de chaque côté occupaient une largeur de
cent mesures. 15 L'homme prit aussi les
dimensions du bâtiment situé derrière le
temple. Avec les passages qui existaient
d'un côté et de l'autre, il avait une longueur de cent mesures.

L'intérieur du temple

Le vestibule d'entrée, la *grande salle
et la salle du fond 16 étaient lambrissés, de
même que les cadres des fenêtres et les
galeries disposées tout autour sur trois
étages. Tout était en bois, depuis le sol
jusqu'aux fenêtres. Les fenêtres elles-mêmes étaient recouvertes de lattes de bois.
17 A l'extérieur du *temple et à l'intérieur,
depuis la porte d'entrée jusqu'à la salle du

---

f **40.48** *l'entrée avait quatorze mesures de largeur. Les parois latérales* : d'après l'ancienne version grecque ; ces mots manquent en hébreu.

g **40.49** *dix marches* : d'après l'ancienne version grecque ; l'hébreu a ici un terme dont le sens est obscur. – Les *deux colonnes* sont probablement semblables à celles du temple de Salomon (voir 1 Rois 7.15-22 ; 2 Chron 3.15-17).

h **41.1** L'hébreu ajoute ici deux mots, *largeur de la tente*, qui ne se rattachent à rien dans ce contexte. L'ancienne version grecque les omet.

i **41.3** *parois latérales* : d'après l'ancienne version grecque ; hébreu *une entrée*.

j **41.5** Pour la valeur des *mesures*, voir la note sur 40.5.

k **41.7** La traduction de ce verset donne un sens possible d'un texte hébreu difficile.

l **41.10** Il s'agit des *salles* du pourtour de la cour intérieure.

m **41.11** *L'épaisseur du mur...* : sens possible d'un texte hébreu difficile.

fond, on avait ménagé un espace[n] 18 pour
y représenter des *chérubins et des palmes. Les palmes alternaient avec les chérubins. Chaque chérubin avait deux
faces : 19 une face d'homme tournée vers
une palme d'un côté, une face de lion
tournée vers une palme de l'autre. Ces
motifs étaient répétés sur tout le pourtour du temple. 20 Les chérubins et les
palmes étaient sculptés sur les murs depuis le sol jusqu'au-dessus des portes.
21 La porte de la *grande salle avait des
montants carrés.

Devant le “lieu très saint”, on voyait
quelque chose qui ressemblait à 22 un
*autel en bois de trois mesures de hau-
teur et de deux mesures de largeur. Il
avait des angles, un socle et des côtés en
bois[o]. L'homme me dit : « C'est la table
qui est placée devant le Seigneur. »

23 Une double porte permettait d'accéder à la grande salle et une autre au “lieu
très saint”. 24 Ces portes avaient chacune
deux battants mobiles. 25 Sur les portes de
la grande salle, on avait sculpté les mêmes chérubins et les mêmes palmes que
sur les murs. A l'extérieur, un auvent[p] de
bois se trouvait sur la façade du vestibule
d'entrée. 26 Sur les parois latérales de ce
vestibule, il y avait des fenêtres grillagée
et des motifs représentant des palmes[q].

Les dépendances du temple

42 1 L'homme me fit sortir dans l
cour extérieure et me fit entre
dans des salles situées au nord, face à l'es
pace libre et au bâtiment situés derrièr
le *temple. 2 Cette construction, au norc
avait cent mesures de longueur et cin
quante de largeur[r]. 3 D'un côté elle faisai
face à l'espace qui entourait le temple su
vingt mesures de largeur ; de l'autre el
donnait sur le dallage de la cour ex
térieure. Elle comportait des galeries su
perposées sur trois étages[s]. 4 Devant le
salles, du côté de la cour intérieure, il
avait une allée de dix mesures de largeu
sur une longueur de cent mesures[t]. O
entrait dans cette construction par l
nord. 5 Les salles supérieures étaient plu
étroites que celles du dessous, car les ga
leries empiétaient davantage sur elles qu
sur celles du milieu et du bas. 6 Les gale
ries étaient superposées sur trois étage
sans être soutenues par des colonne
comme les autres bâtiments de la cou
Au fur et à mesure qu'on montait, en a
lant des salles du bas à celles du milie
puis du haut, les salles devenaient plu
étroites. 7 Du côté de la cour extérieure, l
mur parallèle aux salles avait cinquan
mesures de longueur, 8 car la longueu
des salles elles-mêmes était de cinquan
mesures. Par contre, les salles donnai
sur le temple avaient cent mesures d
longueur. 9 Au-dessous de ces salles, d
côté est de la construction, il y avait un
entrée pour ceux qui venaient de la cou
extérieure. 10 Cette entrée se trouvait l
où le mur de la cour commençait.

Du côté sud[u], il y avait également de
salles faisant face à la cour et au bâtimen
placés derrière le temple. 11 Une allée s
trouvait devant elles. Elles étaient iden
tiques aux salles situées au nord par leu
dimensions, leur disposition, leurs en
trées et leurs sorties. 12 Il en était d
même des portes de cette constructio
sud. Au début de l'allée, il y avait une en
trée faisant face au mur qui protégeait l
*sanctuaire[v]. On y accédait par l'es
13 L'homme me dit : « Les salles du nor

---

n **41.17** La traduction des v. 16 et 17 donne un sens possible d'un texte hébreu difficile.

o **41.22** Pour la valeur des mesures, voir la note sur 40.5. – *un socle* : d'après l'ancienne version grecque ; le sens du mot hébreu employé ici est obscur.

p **41.25** *auvent* : voir la note sur 1 Rois 7.6.

q **41.26** A la fin de ce verset le texte hébreu a trois mots dont le sens est obscur, et que certains traduisent *(ainsi que) sur les annexes du temple et sur les auvents.*

r **42.2** Pour la valeur des mesures, voir la note sur 40.5.

s **42.3** La traduction des v. 2 et 3 donne un sens possible d'un texte hébreu peu clair. Le texte de tout le passage (v. 1-14) est difficile.

t **42.4** *sur une longueur de cent mesures* : d'après les anciennes versions grecque et syriaque ; hébreu *et un passage de cent mesures.*

u **42.10** (Cette entrée se trouvait) *là où le mur de la cour commençait* : d'après l'ancienne version grecque. L'hébreu porte *sur la largeur du mur de la cour* et relie ce membre de phrase à la suite du v. 10. – *Du côté sud* : d'après l'ancienne version grecque et en concordance avec le v. 12 ; hébreu *du côté est.*

v **42.12** *au mur qui protégeait le sanctuaire* ou *la cour intérieure* : sens possible d'un texte hébreu difficile.

t du sud qui donnent sur la cour sont
les salles consacrées à Dieu. Les prêtres
qui peuvent se présenter devant le Seigneur mangent les offrandes spécialement sacrées dans ces salles. En effet,
lles sont consacrées à Dieu et on y dépose donc les offrandes spécialement sa-
rées : les dons et les victimes des divers
sacrifices offerts pour obtenir le pardon.
4 Les prêtres qui sont entrés dans le
anctuaire ne peuvent pas sortir directe-
nent dans la cour extérieure. Ils doivent
aisser dans ces salles les vêtements sacrés
ortés pour servir le Seigneur, et y revêtir
'autres habits avant de rejoindre l'en-
roit où le peuple se rassemble. »

Les mesures du mur extérieur

15 Lorsque l'homme eut terminé de
nesurer les bâtiments intérieurs du
temple, il me fit sortir par le porche est.
l se mit alors à mesurer l'espace qui en-
ourait le temple. 16 Avec le roseau à meurer[w], il trouva que le côté est avait cinq
ents mesures de longueur. 17-19 Il renou-
ela l'opération pour les côtés nord, sud
t ouest et trouva partout la même lon-
ueur, soit cinq cents mesures. 20 C'est
insi qu'il mesura le mur qui entourait le
emple sur ses quatre côtés. Le mur for-
nait un carré de cinq cents mesures de
ôté et il servait à séparer l'espace réservé
Dieu de l'espace profane[x].

Dieu revient dans le temple

43 1 L'homme me ramena au porche
oriental. 2 Je vis alors la glorieuse
résence du Dieu d'Israël venir de l'est[y].
lle était accompagnée d'un bruit
omparable au grondement de la mer et
lle illuminait la terre de sa clarté. 3 Cette
ision était semblable à celles que j'avais
ues lorsque Dieu était venu détruire Jé-
usalem et lorsque je me trouvais sur les
ves du Kébar[z]. Je tombai la face contre
rre. 4 La glorieuse présence du Seigneur
ntra dans le *temple en passant par le
orche oriental. 5 L'Esprit de Dieu me
ouleva de terre et me transporta dans la
our intérieure. Je vis que la glorieuse
résence du Seigneur remplissait le tem-
le. 6 J'entendis quelqu'un me parler de-
uis l'intérieur du temple, alors que
l'homme qui m'avait conduit était toujours à mes côtés. 7 Le Seigneur me dit :
« Toi qui n'es qu'un homme, regarde ce
lieu : là est mon trône, c'est là que je pose
les pieds. Je vais y demeurer au milieu
des Israélites pour toujours. Ni le peuple
d'Israël ni ses rois ne déshonoreront plus
le nom que je porte en vivant dans la débauche, et en enterrant ici les corps de
leurs rois défunts[a]. 8 Les rois ont placé les
seuils et les montants de porte de leur palais juste à côté des seuils et des montants
de porte de mon temple ; il n'y a qu'un
mur entre ma maison et la leur. Ils ont
déshonoré le nom que je porte en
commettant des actions abominables.
C'est pourquoi, dans ma colère, je les ai
exterminés. 9 Maintenant les Israélites
vont cesser de vivre dans la débauche
sous mes yeux et ils éloigneront de ma
présence les cadavres de leurs rois[b]. Alors
je demeurerai au milieu d'eux pour toujours.
10 « Quant à toi, l'homme, décris le
temple aux Israélites. Qu'ils aient honte
de toutes leurs fautes et qu'ils examinent
le plan de cette construction. 11 S'ils sont
vraiment honteux des actions qu'ils ont
commises, présente-leur un croquis du
temple, avec la répartition des bâtiments,
des entrées et des sorties, tout le plan
d'ensemble. Indique par écrit et mets
sous leurs yeux les lois et réglementations qui doivent y être appliquées, afin
qu'ils puissent s'y conformer et les mettre
en pratique. 12 Voici la règle principale
concernant le temple : tout l'espace qui

---

w **42.16** Voir 40.3.

x **42.20** Pour 40.5 et 42.20, comparer 1 Rois 6.1-38 ; 2 Chron 3.1-9.

y **43.2** *la glorieuse présence du Dieu d'Israël* qu'Ézékiel avait vue s'éloigner vers l'est (voir 10.19 ; 11.23), fait le chemin inverse (voir v. 4).

z **43.3** *sur les rives du Kébar* : voir 1.1-3.

a **43.7** *Toi qui n'es qu'un homme* : voir 2.1 et la note. – *en enterrant ici les corps de leurs rois défunts* : le cimetière royal de Jérusalem se trouvait à l'intérieur de la cité (voir 1 Rois 2.10 ; 11.43), dans les dépendances du palais royal qui était attenant au temple (voir v. 8 et 1 Rois 7.12) ; autre traduction *en élevant ici des monuments à leurs rois défunts*.

b **43.9** *les cadavres de leurs rois* : autre traduction *les monuments élevés à leurs rois*, voir la note précédente.

l'entoure au sommet de la montagne doit
être considéré comme spécialement réservé à Dieu. »

L'autel et les sacrifices

13 Voici les dimensions de *l'autel exprimées en mesures anciennes – de la valeur d'une mesure actuelle plus une
largeur de main[c] –. Le fossé qui l'entourait avait une mesure de profondeur et
une mesure de largeur, avec, du côté extérieur, un rebord d'une moitié de mesure de hauteur. En ce qui concerne la
hauteur de l'autel, 14 on comptait deux
mesures depuis la base au niveau du sol
jusqu'à la plate-forme inférieure, décalée
d'une mesure par rapport à la base ; de
cette plate-forme jusqu'à la suivante, également décalée d'une mesure, on
comptait quatre mesures. 15 La partie supérieure de l'autel, où se trouvait le foyer,
avait quatre mesures de hauteur et les
quatre angles en étaient relevés. 16 Le
foyer était un carré de douze mesures de
côté. 17 La seconde plate-forme était également un carré : elle avait quatorze mesures de côté. Elle comportait, du côté
extérieur, un rebord d'une moitié de mesure de hauteur et, tout autour, une rai-
nure d'une mesure. On y accédait par des
marches situées du côté est.
18 L'homme me dit : « Toi, l'homme,
écoute ce que déclare le Seigneur Dieu :
Voici les règles à suivre lorsque l'autel
aura été construit, qu'on y brûlera des
*sacrifices et qu'on y répandra le sang des
victimes. 19 Tu remettras un taureau aux
prêtres-lévites, descendants de Sadoc[d],
les seuls autorisés à se présenter devant
moi pour me servir, je l'affirme, moi, le
Seigneur Dieu. On l'offrira en sacrifice
pour obtenir le pardon. 20 Tu prendras de
son sang et tu en mettras sur les quatre
angles relevés de l'autel, sur les quatre
coins de la seconde plate-forme et sur
tout le pourtour de l'autel. Tu *purifieras
ainsi l'autel et tu le consacreras. 21 Puis tu
feras emporter le taureau offert en sacrifice et on le brûlera à un endroit réservé à
cet usage, en dehors du *sanctuaire. 22 Le
jour suivant, tu prendras un bouc sans
défaut et tu l'offriras également en sacrifice pour obtenir le pardon. Tu procéde-
ras à la purification de l'autel comme tu
l'as fait avec le taureau. 23 Quand tu auras
terminé ce sacrifice, tu prendras un taureau et un bélier sans défaut 24 et tu me le
amèneras à moi, le Seigneur. Les prêtres
jetteront du sel sur eux[e] et me les offriront en sacrifice complet. 25 Chaque jour
pendant une semaine, tu offriras en sacrifice un bouc pour obtenir le pardon, puis
un taureau et un bélier sans défaut.
26 Ainsi sept jours durant, on procédera à
la purification et à la consécration de
l'autel pour pouvoir l'inaugurer. 27 Une
fois la semaine écoulée, dès le huitième
jour, les prêtres pourront présenter sur
l'autel les sacrifices complets et les sacrifices de communion que vous offrirez.
Alors je serai bien disposé à votre égard.
Je l'affirme, moi, le Seigneur Dieu. »

La porte orientale réservée au prince

44 1 L'homme me ramena au porche
extérieur situé à l'est du *sanctuaire. Il était fermé. 2 Le Seigneur me
dit : « Ce porche restera fermé, on ne devra jamais l'ouvrir. Personne n'y passera,
car moi, le Seigneur, le Dieu d'Israël, je
suis entré par là. Qu'il reste donc fermé.
3 Cependant le prince régnant pourra, en
tant que prince, y prendre le repas sacré
en ma présence. Il devra entrer et sortir
en traversant la salle attenante au porche[f]. »

Les étrangers ne seront pas admis dans le temple

4 L'homme me conduisit ensuite par le
porche nord devant la façade du *temple

---

c **43.13** Voir 40.5 et la note.
d **43.19** Voir la note sur 40.46.
e **43.24** Le *sel* purifie (voir Ex 30.35 ; 2 Rois 2.20), et il est parfois symbole d'alliance (voir Lév 2.13 ; Nomb 18.19).
f **44.3** *le prince régnant* : Ézékiel espère une royauté d'un type nouveau : il donne au futur souverain le titre de *prince* et non de roi. Ce prince aura un statut spécial avec des droits limités par ceux de Dieu et par ceux du peuple, voir 34.23-24 et la note ; 45.1-8 ; 46.2-18 ; 48.21-22. – *y prendre le repas sacré* : sans doute dans un des locaux du porche (voir la note sur 40.6). Le *repas* en question est celui qui suit certains *sacrifices (voir par ex. Lév 6.11-12). – *la salle attenante au porche* : voir 40.7-9.

e vis que la glorieuse présence du Seineur remplissait son temple. Je tombai
ı face contre terre. 5 Le Seigneur me dit :
Toi, l'homme[g], sois attentif, ouvre tes
eux et ouvre tes oreilles. Écoute quelles
ont les lois et les réglementations que je
ɔrmule au sujet de mon temple. Tu feras
pécialement attention à celles qui
oncernent le droit d'entrer dans le
sanctuaire ou d'en sortir.
6 « Tu transmettras aux Israélites, ces
ommes récalcitrants, ce que je déclare,
ıoi, le Seigneur Dieu : J'en ai assez des
ctions abominables que vous avez
ommises, vous, les Israélites. 7 Au mo-
ıent même où vous m'offriez ma part
e nourriture, la graisse et le sang des
sacrifices, vous introduisiez dans mon
ınctuaire des étrangers[h] qui sont *in-
ırconcis et qui ne m'obéissent pas.
ous avez ainsi souillé mon temple. Par
ɔutes vos actions abominables vous
vez violé *l'alliance qui vous lie à moi.
Vous ne vous êtes pas occupés vous-
ıêmes de me servir dans mon sanc-
ıaire, mais vous avez chargé ces étran-
ers de le faire à votre place. 9 Je le
éclare, moi, le Seigneur Dieu, aucun
ranger qui est incirconcis et qui ne
'obéit pas, n'entrera plus dans mon
ınctuaire, même s'il habite au milieu
es Israélites. »

Règles pour les lévites

10 « Quant aux *lévites qui m'ont aban-
onné et se sont détournés de moi, en
ıême temps que le reste du peuple d'Is-
ıël, pour adorer leurs sales idoles, ils
ıpporteront les conséquences de leurs
utes[i]. 11 Ils seront au service du *sanc-
ıaire en gardant les porches du temple
en accomplissant diverses tâches dans
temple. Ils pourront égorger les ani-
ıaux destinés aux sacrifices complets et
ıx autres *sacrifices. Ils seront à la dis-
ɔsition du peuple. 12 Mais puisqu'ils lui
ıt servi d'intermédiaires auprès des ido-
s et qu'ils ont même été à l'origine de la
ute des Israélites, voici ce que j'affirme,
oi, le Seigneur Dieu : Je vais intervenir
ɔntre eux, et ils supporteront les consé-
ıences de leurs fautes. 13 Ils ne devront
ıs se présenter devant moi pour exercer
des fonctions de prêtres ; ils ne devront
pas s'approcher des objets qui me sont réservés ni du "*lieu très saint". Ils supporteront ainsi les conséquences des
actions honteuses et abominables qu'ils
ont commises. 14 Je les chargerai d'assurer seulement les tâches nécessaires au
fonctionnement et aux activités du temple. »

Règles pour les prêtres

15 « Les prêtres-lévites, descendants de
Sadoc[j], ont, pour leur part, appliqué fidèlement les règles du *sanctuaire alors
même que les Israélites se détournaient
de moi, le Seigneur. Eux seuls pourront
se présenter devant moi pour me servir et
pour m'offrir la graisse et le sang des *sacrifices, je l'affirme, moi, le Seigneur
Dieu. 16 Eux seuls entreront dans mon
sanctuaire et s'approcheront de la table
réservée à mon service[k]. Ils observeront
fidèlement les règles que j'ai données à ce
sujet. 17 Pour franchir les portes de la cour
intérieure, ils devront mettre des vêtements de lin. Ils ne porteront pas d'habits en laine[l] pendant qu'ils assureront
leur service dans la cour intérieure et
dans le temple. 18 Ils auront des turbans
de lin sur la tête et une étoffe de lin autour de la taille. Ils ne porteront rien qui
puisse provoquer la transpiration. 19 Pour
regagner la cour extérieure, où se tient le
peuple, ils enlèveront les vêtements portés dans l'exercice de leurs fonctions, ils
les déposeront dans les salles du sanctuaire et mettront d'autres habits. Ainsi

---

g **44.5** Voir 2.1 et la note.

h **44.7** *des étrangers* : des non-Israélites étaient parfois employés dans le temple à des fonctions subalternes.

i **44.10** La faute des lévites est de s'être laissés entraîner à l'idolâtrie (v. 12) dans les petits sanctuaires locaux dont ils étaient les prêtres. Dans le temple futur ils ne seront chargés que des tâches secondaires (voir v. 13-14).

j **44.15** *Sadoc* : voir la note sur 40.46.

k **44.16** *table réservée à mon service* : il s'agit soit de l'autel, soit de la table sur laquelle on dépose les pains offerts à Dieu (voir Lév 24.5-9).

l **44.17** L'interdiction faite aux prêtres de porter de la *laine*, connue également chez les Cananéens et les Égyptiens, est sans doute due à un souci de propreté (voir v. 18).

ils n'exposeront pas le peuple à entrer en
contact avec leurs vêtements sacrés[m].
20 « Les prêtres ne se raseront pas
complètement la tête, mais ils couperont
leurs cheveux avant qu'ils deviennent
trop longs. 21 Aucun d'eux ne boira du
vin avant d'entrer dans la cour intérieure.
22 Un prêtre ne se mariera pas avec une
femme veuve ou divorcée. Il épousera
une jeune fille israélite ou, éventuellement, la veuve d'un autre prêtre.
23 « Les prêtres enseigneront à mon
peuple la distinction entre sacré et profane ainsi qu'entre *pur et impur. 24 Ils
seront juges dans les procès et ils rendront la justice en respectant mes lois. Ils
célèbreront les fêtes religieuses selon les
règles et les prescriptions que j'ai données, ils veilleront à ce que le jour du
*sabbat me soit consacré.
25 « Un prêtre ne devra pas se rendre
impur en s'approchant du cadavre de
quelqu'un, sauf s'il s'agit de son père ou
de sa mère, d'un de ses enfants, d'un de
ses frères ou d'une sœur non mariée.
26 Dans un tel cas, après s'être purifié, il
attendra sept jours pour reprendre son
service. 27 Le jour où il retournera dans
la cour intérieure du sanctuaire, il offrira un sacrifice pour obtenir le pardon, je l'ordonne, moi, le Seigneur Dieu.
28 Les prêtres auront le privilège de me
servir. On ne leur donnera aucune propriété en Israël, car c'est moi qui serai
leur part. 29 Ils se nourriront des offrandes et des animaux offerts en sacrifice pour obtenir le pardon des péchés.
Tout ce qui, en Israël, est mis à part pou
moi de manière irrévocable[n] leur revien
dra. 30 Les prêtres recevront la premièr
partie des récoltes et tout ce qui est pr
levé pour moi sur les richesses des Is
raélites. Les gens leur donneront leu
plus belle farine pour que je *béniss
leurs maisons. 31 Mais les prêtres n'au
ront pas le droit de manger les oiseaux
les bêtes crevées ou qui ont été tuées pa
un animal sauvage[o]. »

Les territoires réservés

45 1 « Lorsque le pays sera réparti en
tre les tribus israélites, on mett
de côté pour le Seigneur une partie q
lui sera réservée : ce sera un territoire d
vingt-cinq mille mesures de longueur
de vingt mille de largeur[p]. Il sera sac
dans sa totalité. 2 A l'intérieur de ce terr
toire, on gardera pour le *temple un te
rain carré de cinq cents mesures de côt
entouré par un espace libre d'une largeu
de cinquante mesures. 3 On délimite
dans ce territoire un secteur de ving
cinq mille mesures de longueur sur di
mille de largeur. C'est là que s'élèvera
*sanctuaire, le "lieu très saint". 4 Cet
partie du pays sera sacrée, mise à pa
pour les prêtres qui assurent le service d
sanctuaire et qui se présentent devant
Seigneur. Ils auront là des emplacemen
pour leurs maisons et un terrain sacré r
servé au sanctuaire. 5 Un autre secteur d
vingt-cinq mille mesures de longueur s
dix mille de largeur sera attribué aux *l
vites qui assurent le service du temple. I
y posséderont des villes où ils habit
ront[q]. 6 Le long de ce territoire réservé a
Seigneur, on délimitera encore un se
teur de vingt-cinq mille mesures de lo
gueur sur cinq mille de largeur pour
ville où chaque Israélite pourra habite
7 Au prince régnant[r] on attribuera u
domaine situé de part et d'autre du te
ritoire réservé au sanctuaire et
l'emplacement de la ville. Ce domai
s'étendra à l'ouest jusqu'à la mer M
diterranée et à l'est jusqu'à la frontiè
orientale d'Israël. Il aura la même lo
gueur que le territoire de chaque trib
8 Ainsi les princes auront leur propre d
maine en Israël. Ils n'opprimeront plus

m **44.19** Selon les conceptions anciennes, le sacré était comme une force, qui se transmettait de la divinité aux objets du culte, vêtements liturgiques, etc., et à ceux qui les touchaient (voir Ex 30.29). Cette force redoutable pouvait anéantir ceux qui n'avaient pas la préparation rituelle nécessaire (voir 2 Sam 6.6-7).

n **44.29** Sur la coutume de mettre à part pour Dieu une part du butin pris à la guerre ou, en temps de paix, une part de ses richesses, voir par ex. Nomb 18.14 ; Deut 2.34.

o **44.31** Voir 4.14 et la note.

p **45.1** *vingt mille* : d'après l'ancienne version grecque ; hébreu *dix mille*. Pour la valeur d'une mesure, voir la note sur 40.5.

q **45.5** *des villes où ils habiteront* : d'après l'ancienne version grecque ; hébreu *vingt salles*.

r **45.7** Voir la note sur 44.3.

euple du Seigneur, ils laisseront le reste
u pays aux tribus d'Israël. »

Les droits et devoirs du prince

9 Voici ce que déclare le Seigneur
)ieu : « Princes qui régnez sur Israël,
ous avez vraiment exagéré ! Renoncez
onc à la violence et à la tyrannie, confor-
ıez-vous au droit et à la justice, cessez de
ous emparer des biens de mon peuple.
: l'ordonne, moi, le Seigneur Dieu !
10 « Que chacun se serve de balances et
e mesures justes. 11 L'*éfa* pour les grains
: le *bat* pour les liquides doivent avoir la
ıême capacité, soit le dixième d'un *ho-
er*, qui sera la mesure de base[s]. 12 La
ièce d'argent d'un *sicle* vaudra vingt *gué-
s* et il faudra soixante de ces pièces pour
ire une *mine*[t].
13 « Vous prélèverez vos offrandes de la
ıanière suivante : vous donnerez un
ixantième de vos récoltes de blé ou
'orge, 14 et un centième de votre pro-
uction d'huile. Vous mesurerez l'huile
ec un *bat*, qui est le dixième d'un *ho-
er*, et également le dixième d'un *kor*.
Enfin dans les pâturages d'Israël, sur
eux cents moutons ou chèvres, vous
rélèverez une bête. Ce que vous aurez
rélevé sera présenté en offrande végé-
ıle, en *sacrifice complet ou en sacrifice
: communion, en vue d'obtenir le par-
on de vos péchés. Je l'ordonne, moi, le
eigneur Dieu.
16 « Cette contribution sera exigée de
ous les gens du pays, ils l'apporteront au
rince régnant sur Israël[u]. 17 En effet,
est lui qui sera chargé de fournir le né-
ssaire pour les sacrifices complets et les
frandes de farine et de vin effectués
endant les fêtes, en particulier celle de la
ouvelle lune, les jours de *sabbat et au-
es occasions où le peuple d'Israël se ras-
mble. Le prince aura la charge des
crifices pour les fautes, des offrandes,
s sacrifices complets et des sacrifices de
mmunion afin d'obtenir le pardon des
échés du peuple d'Israël. »
18 Voici ce que déclare encore le Sei-
ıeur Dieu : « Le premier jour du pre-
ier mois[v], on sacrifiera un taureau sans
éfaut pour *purifier le *sanctuaire. 19 Le
prêtre prendra du sang de l'animal offert
et en mettra sur les montants de porte du
*temple, sur les quatre coins de la plate-
forme de *l'autel et sur les montants des
portes de la cour intérieure. 20 Le septième jour du mois, on refera la même
chose pour ceux qui ont commis des péchés sans le vouloir ou sans le savoir. De
cette manière on purifiera le temple.
21 « Le quatorzième jour du mois, vous
commencerez à célébrer la fête de la *Pâque. Celle-ci durera sept jours au cours
desquels on mangera des *pains sans levain. 22 Le premier jour de la fête, le
prince offrira un taureau en sacrifice afin
d'obtenir le pardon pour lui-même et
pour tout le peuple. 23 En outre chacun
des sept jours de la fête, il m'offrira sept
taureaux et sept béliers sans défaut en sacrifice complet. Chaque jour il offrira
également un bouc en sacrifice pour obtenir le pardon. 24 Enfin il fera une offrande de trente kilos de blé auquel il
ajoutera six litres d'huile, par taureau et
bélier sacrifiés.
25 « Pour la fête qui commence au quinzième jour du septième mois[w], le prince
agira comme pour la fête de la Pâque :
chacun des sept jours de la fête, il offrira
les mêmes sacrifices pour obtenir le pardon, les mêmes sacrifices complets et les
mêmes offrandes en blé et en huile. »

Règles particulières concernant le prince

46 1 Voici ce que déclare le Seigneur
Dieu : « Le porche de la cour intérieure située à l'est devra rester fermé
pendant les six jours où l'on travaille,
mais il sera ouvert le jour du *sabbat et à

---

s 45.11 Le *homer* était une grande mesure pour les céréales, correspondant à 450 litres, soit autour de 300 kilos. L'*éfa* représente donc environ trente kilos et *le bat* correspond à 45 litres.

t 45.12 Le *guéra* valait un peu plus de 0,55 grammes. Le *sicle* mentionné ici vaut donc environ 11,5 grammes et la *mine* environ 680 grammes.

u 45.16 Voir la note sur 44.3.

v 45.18 Le *premier mois* de l'année israélite correspond à mars-avril dans notre calendrier.

w 45.25 La *fête* en question est celle des Huttes (voir Lév 23.34-36,39-43). – *Le septième mois* correspond à septembre-octobre dans notre calendrier.

la fête de la nouvelle lune. 2 Le prince[x]
viendra de la cour extérieure et traversera
le vestibule proche de l'entrée. Il se tiendra près du montant de la porte pendant
que les prêtres offriront ses *sacrifices
complets et ses sacrifices de communion.
Il s'inclinera profondément sur le seuil
puis il repartira. Le porche ne devra pas
être refermé avant le soir. 3 En effet, les
jours de sabbat et de nouvelle lune, la population viendra à ce porche pour m'adorer moi, le Seigneur[y].
4 « Le jour du sabbat, le prince me présentera six agneaux et un bélier sans défaut pour qu'ils soient offerts en sacrifice
complet. 5 Il apportera en outre une offrande de trente kilos de blé par bélier et,
avec les agneaux, la quantité de blé qu'il
jugera bonne. Il y ajoutera six litres
d'huile pour trente kilos de blé. 6 Les jours
de nouvelle lune, il offrira un taureau, six
agneaux et un bélier, tous sans défaut. 7 Il
y joindra une offrande de trente kilos de
blé par taureau et par bélier et, avec les
agneaux, la quantité de blé qu'il jugera
bonne. Il y ajoutera six litres d'huile pour
trente kilos de blé. 8 Le prince entrera et
sortira par le même chemin, en traversant
le vestibule proche de l'entrée. 9 Par
contre, lorsque la population viendra
m'adorer, moi, le Seigneur, dans les occasions solennelles, ceux qui seront entrés
par le porche nord repartiront par le porche sud, et ceux qui seront entrés par le
porche sud repartiront par le porche nord.
Personne ne ressortira par où il est entré,
mais chacun passera par le porche opposé.
10 Le prince devra entrer et repartir en
même temps que la population. »

Règles concernant les divers sacrifices

11 « Les jours de fête et dans les occasions solennelles, on fera une offrande de
trente kilos de blé par taureau ou pa
bélier *sacrifié et, pour les agneaux, l
quantité qui sera jugée bonne. On ajou
tera six litres d'huile pour trente kilos d
blé.
12 « Si le prince désire faire une of
frande volontaire au Seigneur, qu'i
s'agisse d'un sacrifice complet ou d'u
sacrifice de communion, on devra lui ou
vrir le porche oriental. Il offrira ses sacri
fices de la même manière que le jour d
*sabbat et, dès son départ, on refermer
le porche.
13 « Chaque jour on fera au Seigneur l
sacrifice complet d'un agneau d'un a
sans défaut. Cette offrande aura lieu l
matin. 14 Chaque matin également, on of
frira au Seigneur cinq kilos de farine mé
langée avec deux litres d'huile. Les règle
de cette offrande quotidienne sont va
lables pour toujours. 15 L'agneau, la fa
rine et l'huile devront être offerts a
Seigneur chaque matin sans faute, et cel
pour toujours. »

L'héritage des fils du prince

16 Voici ce que déclare le Seigneu
Dieu : « Si le prince donne une partie d
son domaine à l'un de ses fils, ce don pas
sera dans l'héritage du fils et sera trans
mis aux enfants de celui-ci. 17 Mais si l
prince donne une partie de son domain
à l'un de ses sujets, ce don appartiendra
celui-ci jusqu'à l'année de la libération[z]
puis sera restitué au prince. En effet, c'es
aux enfants du prince que doivent reve
nir ses possessions personnelles. 18 Pa
contre, le prince ne devra pas s'empare
de ce qui appartient à un membre d
peuple, en le dépouillant de sa propriét
Il constituera les parts qui reviennent
ses fils en prenant sur son propre do
maine, afin que personne dans mon peu
ple ne soit chassé de sa propriété. »

Les cuisines du temple

19 Après cela, par l'entrée située sur l
côté du porche, l'homme me conduis
dans les salles du *sanctuaire orientée
au nord et réservées aux prêtres. Il m'
montra un emplacement, dans le fon
du côté ouest, 20 et me dit : « Voilà l'en

---

x **46.2** Voir la note sur 44.3.

y **46.3** C'est ici le seul cas où les membres du peuple sont admis au porche oriental (comparer avec 44.1-3 ; 46.12).

z **46.17** *l'année de la libération* : tous les cinquante ans, les Israélites devaient rendre la liberté à leurs compatriotes tombés dans l'esclavage pour dettes. Ils devaient également rendre à son premier propriétaire, ou à ses héritiers, toute terre familiale vendue pour cause de dettes (voir Lév 25.8-55).

:oit où les prêtres feront bouillir la chair
:s animaux *sacrifiés pour obtenir le
ırdon ; ils y feront également cuire les
'frandes. Ainsi rien n'en sera porté dans
cour extérieure et l'on ne mettra pas le
:uple en contact avec le sacré[a]. »
21 Puis il me conduisit dans la cour ex-
rieure et me fit passer devant ses quatre
)ins : à chaque coin il y avait une cour.
Ces quatre cours étaient petites et tou-
s de la même dimension, soit quarante
.esures de longueur et trente mesures de
rgeur[b]. 23 Chacune était entourée d'un
.ur de pierre le long duquel des four-
:aux étaient construits. 24 L'homme me
.t : « Ce sont les cuisines où les hommes
ıargés du service du *temple feront
)uillir la chair des animaux offerts en
.crifice par le peuple. »

La source du temple

47 1 L'homme me ramena à l'entrée
du *temple. Je vis alors que de
:au jaillissait de dessous l'entrée vers
:st ; la façade du temple était en effet
:ientée à l'est. L'eau s'écoulait du côté
ıd du temple, puis passait au sud de
'autel. 2 L'homme me fit sortir du tem-
.e par le porche nord et m'en fit
)ntourner l'extérieur jusqu'au porche
:iental. L'eau s'écoulait au sud de ce
)rche. 3 Il s'avança vers l'est ; il tenait un
ırdeau à la main avec lequel il compta
ille mesures[c] dans cette direction. Puis
me fit traverser l'eau : elle m'arrivait
ıx chevilles. 4 Il compta encore mille
.esures et me fit traverser l'eau : elle
'arrivait aux genoux. Au bout des mille
.esures suivantes, il me fit de nouveau
averser l'eau : cette fois-ci, elle m'arri-
ıit à la taille. 5 Il compta une dernière
ıis mille mesures, mais je ne pouvais
.us traverser, car l'eau était montée à un
iveau où il faut nager. C'était devenu un
ırrent infranchissable. 6 Il me dit :
As-tu bien regardé, toi, l'homme ? » Il
'emmena un moment à l'écart puis me
ımena au bord du torrent. 7 Je constatai
ors qu'il y avait de très nombreux ar-
:es sur chaque rive. 8 L'homme me dit :
Ce torrent se dirige vers l'est du pays, il
:scend la vallée du Jourdain et dé-
)uche dans la mer Morte. Lorsqu'il parvient à la mer, il en renouvelle l'eau, qui
devient saine[d]. 9 Des êtres de toute espèce
se mettront à grouiller et les poissons se
multiplieront partout où le torrent arrivera. Il assainira la mer et là où il se déversera, il apportera avec lui la vie.
10 Alors, depuis En-Guédi jusqu'à En-
Églaïm, il y aura des pêcheurs qui mettront leurs filets à sécher sur les bords de
la mer. On y trouvera autant d'espèces de
poissons que dans la mer Méditerranée.
11 Cependant les marais et les lagunes de
son littoral ne seront pas assainis, on les
gardera comme réserves de sel. 12 Sur chaque rive du torrent, des arbres fruitiers de
toutes sortes pousseront. Leur feuillage
ne se flétrira jamais et ils produiront sans
cesse des fruits. Ils donneront chaque
mois une nouvelle récolte, car ils sont arrosés par l'eau provenant du *sanctuaire.
Leurs fruits serviront de nourriture et
leurs feuilles de remèdes. »

Le Seigneur fixe les frontières d'Israël

13 Voici ce que déclare le Seigneur
Dieu : « Je vais vous indiquer les frontières du pays que les douze tribus d'Israël se partageront. La tribu de Joseph
recevra deux parts[e]. 14 Vous vous répartirez équitablement le territoire. En effet,
je me suis engagé par serment à donner le
pays d'Israël à vos ancêtres et il vous revient donc en héritage. 15 La frontière
nord partira de la mer Méditerranée, suivra la route qui passe par Hetlon, Lebo-
Hamath, Sedad, 16 puis par les villes de
Berota et Sibraïm situées entre le territoire du royaume de Damas et celui de

a **46.20** Voir la note sur 44.19.

b **46.22** *étaient petites* : d'après l'ancienne version grecque. Le sens du verbe hébreu employé ici est difficile à déterminer. – Pour la valeur des mesures voir la note sur 40.5.

c **47.3** Voir la note sur 40.5

d **47.8** La *mer Morte* est si salée qu'aucun être vivant ne peut y survivre, à moins que son eau ne soit assainie, voir Ex 15.23-25 ; 2 Rois 2.21-22.

e **47.13** Joseph reçoit *deux parts*, car il est le père d'Éfraïm et de Manassé, qui ont été adoptés par Jacob (voir Gen 48) et sont désormais comptés parmi les douze tribus d'Israël (v. 21) avec les autres fils de Jacob.

Hamath, et celle de Hasser-Tikon proche
de la frontière de Hauran. 17 Ainsi cette
frontière s'étendra de la mer Méditerranée jusqu'à la localité d'Hassar-Énan à
l'est. Elle sera bordée au nord par les
royaumes de Damas et de Hamath. Voilà
pour le nord. 18 La frontière orientale
partira d'un endroit situé entre Damas et
Hauran, elle suivra la vallée du Jourdain
entre la région de Galaad et le pays d'Israël, et elle ira jusqu'à Tamar[f] sur la mer
Morte. Voilà pour l'est. 19 Au sud, la frontière s'étendra de Tamar à l'oasis de Meriba de Cadès ; elle longera le torrent
d'Égypte[g] jusqu'à la mer Méditerranée.
Voilà pour le sud. 20 A l'ouest, la mer Méditerranée servira de frontière depuis le
sud jusqu'à Lebo-Hamath au nord. Voilà
pour l'ouest.
21 « Vous partagerez le pays entre les tribus de votre peuple. 22 Vous le répartirez
par tirage au sort entre vous et entre les
étrangers installés au milieu de vous et
qui auront eu des enfants dans le pays.
Ceux-ci devront être traités comme les
Israélites, comme des membres du peuple, et recevoir leur part de territoire
dans les tribus d'Israël. 23 Chacun d'eux
recevra sa part dans la tribu où il se sera
installé. Je l'ordonne, moi, le Seigneur
Dieu. »

Les parts des tribus du nord

48 1 « Voici les noms des tribus avec
leurs parts. La part de Dan sera située tout au nord, en bordure de la route
qui passe par Hetlon, Lebo-Hamath e
Hassar-Énan, près des royaumes de Da
mas et de Hamath ; elle s'étendra de l
frontière orientale jusqu'à la mer Mé
diterranée à l'ouest. 2 Le long de la par
de Dan, de l'est à l'ouest, se trouvera l
part d'Asser, 3 le long de celle d'Asse
celle de Neftali, 4 le long de celle de Ne
tali, celle de Manassé, 5 le long de celle d
Manassé, celle d'Éfraïm, 6 le long de cell
d'Éfraïm, celle de Ruben, 7 et le long d
celle de Ruben, toujours de l'est à l'oues
celle de Juda[h]. »

La part du Seigneur

8 « Le long de la part de Juda, de l
frontière orientale à la mer Méditerrané
à l'ouest, on réservera un territoire qu
aura la même longueur que la part d
chaque tribu, sur une largeur de vingt
cinq mille mesures[i]. Au centre s'élèver
le *sanctuaire. 9 Le secteur réservé au Se
gneur aura vingt-cinq mille mesures d
longueur et vingt mille[j] de largeur. 10 L
partie de ce territoire attribuée aux prê
tres s'étendra sur vingt-cinq mille me
sures de l'est à l'ouest, et dix mille d
nord au sud. Au centre s'élèvera le sanc
tuaire du Seigneur. 11 Cette région revien
dra aux prêtres consacrés, descendants d
Sadoc[k]. Ils ont accompli fidèlement l
service du Seigneur et, contrairemen
aux *lévites, ils n'ont pas abandonn
Dieu lorsque les Israélites se détour
naient de lui. 12 C'est pourquoi ils rece
vront une part spécialement sacrée dan
le territoire réservé au Seigneur ; elle ser
voisine de celle des lévites. 13 La part de
lévites sera semblable à celle des prêtre
Toutes deux auront vingt-cinq mille me
sures de longueur sur dix mille de lar
geur. 14 On ne pourra ni échanger, n
vendre ni céder du terrain dans cette par
tie du pays, qui est la plus importante d
toutes, car elle est consacrée au Se
gneur. »

Les parts de la ville et du prince

15 « Sur ce territoire réservé, il rester
un terrain de cinq mille mesures de lar
geur sur vingt-cinq mille de longueur
Ce sera un terrain profane, destiné à l
ville, à ses habitations et à ses dépen

---

f **47.18** *entre la région de Galaad et le pays d'Israël* : certains territoires de Transjordanie avaient été donnés à des tribus israélites ; cependant ils ne font pas partie de l'héritage promis par Dieu (voir Nomb 34.12 ; Jos 22.19,25). – *Tamar* : d'après les anciennes versions grecque, syriaque et le v. 19 ; hébreu *vous mesurerez*.

g **47.19** *le torrent d'Égypte* : voir Nomb 34.5 et la note.

h **48.7** Les parts de territoires données à chaque tribu sont des bandes parallèles, occupant chacune toute la largeur du pays ; il y en a sept au nord de la part réservée au Seigneur et des domaines de la ville et du prince (v. 8-22) et cinq au sud.

i **48.8** Voir la note sur 40.5.

j **48.9** *vingt mille* : voir 45.1 et la note.

k **48.11** *Sadoc* : voir 40.46 et la note.

l **48.15** Sur la valeur de ces mesures, voir la note sur 40.5.

ances. Au centre se trouvera la ville.
Les dimensions de ses côtés seront de
uatre mille cinq cents mesures au nord,
ı sud, à l'est et à l'ouest. 17 Sur les quatre
ités de la ville, il y aura un espace libre
e deux cent cinquante mesures de lar-
eur. 18 Le long de la partie consacrée au
eigneur, il restera encore un terrain long
e dix mille mesures à l'est de la ville, et
'autant à l'ouest. On en tirera la nourri-
ıre nécessaire aux employés de la ville.
Le personnel de la ville qui le cultivera
endra de toutes les tribus d'Israël.
L'ensemble du territoire réservé au Sei-
ıeur formera un carré de vingt-cinq
ille mesures de côté, dont un quart sera
ris pour l'emplacement de la ville. 21 Le
ste sera pour le prince[m]. Son domaine
ra situé de part et d'autre du territoire
servé au Seigneur et à la ville. Il s'éten-
a, le long des autres parts, sur vingt-
nq mille mesures, vers l'est jusqu'à la
ontière orientale et vers l'ouest jusqu'à
mer Méditerranée. Le territoire consa-
é au Seigneur et le *sanctuaire se trou-
eront ainsi au centre de la partie du pays
ise à part. 22 Le territoire des *lévites et
mplacement de la ville couperont en
eux le domaine du prince, qui sera
ompris entre la part de Juda au nord et
lle de Benjamin au sud. »

La part des tribus du sud

23 « Les autres tribus, avec leurs parts,
nt les suivantes : la part de Benjamin
a de la frontière orientale jusqu'à la mer
éditerranée à l'ouest. 24 Le long de la
ırt de Benjamin, de l'est à l'ouest, se
ouvera la part de Siméon, 25 le long de
lle de Siméon, celle d'Issakar, 26 le long
e celle d'Issakar, celle de Zabulon, 27 le
long de celle de Zabulon, toujours de l'est
à l'ouest, celle de Gad. 28 La frontière sud
de Gad sera la frontière du pays. Elle
s'étendra de Tamar, à l'est, à l'oasis de
Meriba de Cadès, puis elle longera le torrent d'Égypte[n] jusqu'à la mer Méditerranée. 29 C'est ainsi que vous répartirez le
pays entre les tribus d'Israël et que vous
fixerez leurs territoires respectifs. Je l'ordonne, moi, le Seigneur Dieu. »

Les douze portes de Jérusalem

30-31 « Voici quelles seront les entrées de
la ville, dont chacune portera le nom
d'une tribu d'Israël. Au nord le mur, long
de quatre mille cinq cents mesures,
comptera trois portes : la porte de Ruben,
celle de Juda et celle de Lévi[o]. 32 A l'est se
trouvera aussi un mur de quatre mille
cinq cent mesures avec trois portes : la
porte de Joseph, celle de Benjamin et
celle de Dan. 33 Au sud il y aura un mur
de même longueur avec trois portes : la
porte de Siméon, celle d'Issakar et celle
de Zabulon. 34 A l'ouest enfin, il y aura un
mur de même longueur avec également
trois portes : la porte de Gad, celle d'Asser et celle de Neftali. 35 La longueur totale des murs qui entoureront la ville sera
de dix-huit mille mesures.

« Dès lors, on appellera la ville : "Le Seigneur-est-là[p]" ».

---

m **48.21** Voir la note sur 44.3.

n **48.28** *elle longera le torrent d'Égypte* : voir Nomb 34.5 et la note.

o **48.30-31** V. 30-34 : comparer Apoc 21.12-13. – Pour la valeur des mesures, voir la note sur 40.5.

p **48.35** Ce nom peut être rapproché de celui d'Emmanuel, voir És 7.14 et la note.

Daniel

Introduction – Le livre de Daniel *raconte d'abord comment quatre jeunes Juifs, emm nés parmi d'autres en exil par Nabucodonosor, demeurèrent inébranlablement fidèles à le Dieu. La première partie (chap. 1–6) contient six récits assez indépendants les uns des autr montrant à quels types de pressions, de menaces ou de châtiments les Juifs pouvaient être so mis par leurs persécuteurs. C'est ici, par exemple, qu'on retrouvera le fameux récit de Dan dans la fosse aux lions (chap. 6).*

La seconde partie (chap. 7–12) raconte quatre visions accordées par Dieu à Daniel. Ces sions dévoilent l'histoire du peuple juif, placé sous la domination de plusieurs nations étra gères, jusqu'à ce que Dieu le rétablisse et instaure son royaume.

Par son genre et son style ce livre ressemble beaucoup au livre de l'Apocalypse, à la fin Nouveau Testament. L'un et l'autre visent essentiellement à encourager les croyants de tous temps à persévérer dans la foi, quelles que soient les épreuves et les persécutions à affronter. sont des écrits de résistance.

Daniel et ses compagnons à Babylone

1 [1] Pendant la troisième année du règne
de Joaquim, roi de Juda[a], le roi de Babylone, Nabucodonosor, vint assiéger Jérusalem. [2] Le Seigneur livra Joaquim en
son pouvoir, et le laissa s'emparer d'une
partie des ustensiles sacrés du *temple de
Dieu. Nabucodonosor emmena des prisonniers en Babylonie et déposa le butin
dans le temple de ses dieux, dans la salle
du trésor[b].

[3] Nabucodonosor ordonna au chef
son personnel, Achepénaz, de chois
parmi les Israélites quelques garçons
la famille royale ou de familles nobl
[4] Ces jeunes gens ne devaient présent
aucun défaut physique ; ils devaient av
bonne apparence et être remplis de s
gesse, de connaissance et de discern
ment, afin de pouvoir entrer au servi
du roi, dans son palais. On leur enseign
rait la langue et l'écriture des Baby
niens[c]. [5] Le roi prescrivit qu'on le
fournisse chaque jour la nourriture et
vin de la table royale, et qu'on les in
truise durant trois ans. A la fin de cet
période, ils entreraient à son service.
[6] Parmi ceux de la tribu de Juda qui f
rent choisis se trouvaient Daniel, Han
nia, Michaël et Azaria. [7] Le chef
personnel royal leur donna de nouvea
noms : Daniel reçut le nom de Beltass
Hanania celui de Chadrac, Michaël cel
de Méchak, et Azaria celui d'Abe

---

a **1.1** Cette indication situe l'événement en 606 avant J.-C. (voir 2 Rois 24.1 ; 2 Chron 36.5-7).

b **1.2** Le texte hébreu de la fin du verset est peu clair ; on pourrait aussi traduire *Nabucodonosor les emporta en Babylonie, au temple de ses dieux, et les déposa dans la salle du trésor*.

c **1.4** V. 2-4 : voir 2 Rois 20.17-18 ; 24.10-16 ; 2 Chron 36.10 ; És 39.6-7.

Iégo[d]. 8 Daniel prit la ferme résolution
le ne pas se rendre *impur en consom-
nant la nourriture et le vin de la table
oyale. Il demanda donc au chef du per-
onnel de ne pas l'obliger à se rendre im-
ur par de tels aliments. 9 Dieu permit
ue sa requête soit accueillie avec faveur
t bienveillance par le chef du personnel.
) Toutefois celui-ci répondit à Daniel:
C'est Sa Majesté le roi lui-même qui a
rescrit ce que vous devez manger et
oire. J'ai peur qu'il ne vous trouve pas
ussi bonne mine qu'aux autres jeunes
ens de votre âge ; ainsi, à cause de vous,
e roi pourrait me faire couper la tête. »
11 Alors Daniel dit à l'homme chargé
ar le chef du personnel de s'occuper de
Ianania, de Michaël, d'Azaria et de lui-
nême : 12 « Je t'en prie, fais un essai avec
ous pendant dix jours : qu'on nous
onne seulement des légumes à manger et
e l'eau à boire. 13 Ensuite tu compareras
otre mine à celle des jeunes gens qui
onsomment la nourriture de la table
oyale. A ce moment-là, tu agiras envers
ous d'après ce que tu auras vu. »
L'homme accepta cette proposition et
t un essai de dix jours avec Daniel et ses
ompagnons. 15 A la fin de cette période,
n put constater qu'ils avaient meilleure
nine et avaient pris plus de poids que les
eunes gens nourris des mets de la table
oyale. 16 C'est pourquoi l'homme respon-
able d'eux continua d'écarter la nourri-
ure et le vin qu'on leur fournissait ; il leur
onnait seulement des légumes. 17 Dieu
ccorda aux quatre jeunes gens du discer-
ement et de vastes connaissances dans
s domaines de la langue et de la sagesse.
Daniel était capable en outre de compren-
re le sens des visions et des rêves.
18 Au terme du délai fixé par le roi Na-
ucodonosor pour qu'on lui présente les
eunes gens choisis, le chef du personnel
s lui amena. 19 Le roi s'entretint avec
ux : Daniel, Hanania, Michaël et Azaria
e révélèrent plus compétents que tous les
utres. C'est pourquoi ils entrèrent à son
ervice. 20 Lorsque le roi les interrogeait
ur n'importe quel sujet exigeant de la sa-
esse et de l'intelligence, il les trouvait
ix fois supérieurs à tous les devins et
nagiciens de son royaume.
21 Daniel resta au service du roi jusqu'au moment où Cyrus devint roi[e].

Le premier rêve de Nabucodonosor

2 1 Pendant la deuxième année de son
règne, Nabucodonosor fit un rêve. Il
en fut si troublé qu'il en perdit le sommeil. 2 Il ordonna de convoquer les devins, magiciens, sorciers et enchanteurs,
afin qu'on lui révèle ce qu'il avait rêvé.
Lorsqu'ils arrivèrent et se présentèrent
devant lui, 3 il leur déclara : « J'ai fait un
rêve qui m'a beaucoup troublé. J'aimerais
que vous me disiez ce que j'ai rêvé. » 4 Les
enchanteurs répondirent au roi, en langue araméenne[f] : « Longue vie au roi !
Qu'il nous communique ce qu'il a rêvé, et
nous lui en donnerons la signification. »
5 Le roi répondit : « Ma décision est fermement prise : si vous ne me révélez pas
le contenu et la signification de mon rêve,
vous serez coupés en morceaux et vos
maisons seront transformées en tas de décombres. 6 Si au contraire vous me les révélez, vous recevrez de moi de riches
cadeaux et de grands honneurs. Alors,
dites-moi le contenu et la signification de
ce rêve. »
7 Pour la seconde fois, les enchanteurs
dirent au roi : « Que le roi nous communique ce qu'il a rêvé, et nous pourrons lui
en donner la signification. » 8 Le roi
s'écria : « Je vois bien que vous essayez de
gagner du temps, parce que vous constatez que ma décision est fermement prise.
9 Mais si vous ne me révélez pas ce que j'ai
rêvé, la sentence sera la même pour tous.
Vous vous êtes concertés pour ne prononcer devant moi que des propos mensongers et trompeurs, en attendant que la
situation ait changé. Eh bien, non ; dites-
moi ce que j'ai rêvé, et je saurai ainsi que

d 1.7 *Daniel* signifie en hébreu « Dieu est mon juge ». Le nom nouveau reçu par les jeunes gens marque l'autorité que le roi a désormais sur eux (comparer Gen 17.5 ; 32.29 ; Luc 6.14).

e 1.21 Voir Esd 1.1 et la note.

f 2.4 *en langue araméenne* : à partir de cet endroit et jusqu'en 7.28, le texte est en araméen, langue internationale du Proche-Orient depuis le 8e siècle avant J.-C.

vous êtes capables de m'en donner la signification. » 10 Les enchanteurs reprirent : « Majesté, aucun être humain au
monde ne peut faire ce que tu exiges.
D'ailleurs, aucun roi, même grand ou
puissant, n'a jamais demandé une chose
pareille à un devin, à un magicien ou à un
enchanteur. 11 Ce que tu exiges est excessif : personne ne peut te donner la réponse, sinon les dieux, mais ils n'habitent
pas dans le monde des hommes. » 12 Alors
le roi entra dans une très violente colère
et ordonna de mettre à mort tous les sages[g] de Babylone. 13 Cette décision fut publiée, et les sages allaient être exécutés.
On chercha donc aussi Daniel et ses
compagnons pour les faire mourir.

Dieu révèle à Daniel le rêve du roi

14 Daniel s'adressa avec prudence et sagesse au capitaine Ariok, chef des gardes
du roi, qui s'était mis en route pour aller
mettre à mort les sages de Babylone. 15 Il
lui demanda pourquoi le roi avait prononcé une sentence si dure. Ariok lui ex-
posa l'affaire. 16 Aussitôt Daniel se rendit
chez le roi pour le prier de lui accorder un
délai, afin qu'il puisse lui communiquer
la signification de son rêve.

17 De retour chez lui, Daniel raconta
toute l'affaire à ses compagnons Hanania,
Michaël et Azaria ; 18 il les invita à implorer la bienveillance du Dieu du *ciel au
sujet de ce rêve mystérieux, afin de ne pas
être exécutés avec les autres sages de Babylone. 19 Et le mystère fut révélé à Daniel
pendant la nuit, au cours d'une vision.
Alors Daniel se mit à louer le Dieu du ciel
20 en ces termes :

« Remercions Dieu en tout temps,
car la sagesse et la puissance lui appartiennent.
21 Il est le maître du temps et de l'histoire,
il renverse les rois ou les établit.
C'est lui qui accorde la sagesse aux sages,
qui donne le discernement aux intelligents,
22 et qui révèle les secrets les plus myst[érieux].
Il sait ce qui se cache dans les ténèbre[s]
car la lumière brille à ses côtés.

23 Vers toi, Dieu de mes ancêtres,
montent ma reconnaissance et m[es] louanges :
tu m'as rempli de sagesse et de force.
Tu m'as fait connaître ce que no[us] t'avons demandé,
en nous révélant ce qui préoccupe [le] roi. »

24 Là-dessus, Daniel se rendit ch[ez]
Ariok, à qui le roi avait ordonné de tu[er]
les sages de Babylone. Sitôt arrivé, il l[ui]
dit : « Ne fais pas mourir les sages de B[a]-
bylone ! Introduis-moi auprès du roi et
lui indiquerai la signification de s[on]
rêve. » 25 Sans tarder, Ariok amena Dani[el]
chez le roi et dit à celui-ci : « Majest[é],
parmi les déportés de Juda, j'ai trouvé u[n]
homme capable de t'indiquer la signific[a]-
tion de ton rêve. »

La statue aux pieds fragiles

26 Le roi s'adressa à Daniel, appelé aus[si]
Beltassar, et lui demanda : « Es-tu vra[i]-
ment capable de me révéler ce que j'[ai]
rêvé et de m'en donner la signification ?
27 Daniel lui répondit : « Aucun sage, a[u]-
cun magicien, aucun devin, aucun astr[o]-
logue n'est en mesure de révéler au roi
mystère dont il parle. 28 Mais il y a dans
*ciel un Dieu qui révèle les mystère[s].
C'est lui qui fait connaître au roi Nabuc[o]-
donosor ce qui arrivera dans l'avenir. E[h]
bien, voici la vision que tu as eue dura[nt]
ton sommeil : 29 Lorsque tu t'es couch[é],
tu t'es mis à penser à l'avenir. Alors cel[ui]
qui révèle les mystères t'a montré ce q[ui]
arrivera. 30 Pour ma part, ce mystère m[']a
été révélé, non pas parce que je serais pl[us]
sage que n'importe qui d'autre, mais po[ur]
que quelqu'un puisse te communiquer
signification de ton rêve et te fai[re]
connaître ce qui inquiète ton espri[t].
31 Voici donc ce que tu as vu : Devant t[oi]
se dressait une grande, très grande statu[e]
d'une splendeur éblouissante et d'un a[s]-
pect terrifiant. 32 La tête de la statue éta[it]
en or pur, sa poitrine et ses bras en argen[t]

g 2.12 *sages* : ce terme désigne tous les spécialistes de la divination énumérés au v. 2.

ɔn ventre et ses cuisses en bronze, 33 ses
ımbes en fer, et ses pieds moitié en fer et
ıoitié en terre cuite. 34 Tu as contemplé
ɛtte statue jusqu'au moment où une
ierre s'est détachée de la montagne[h] sans
ıtervention humaine ; elle est venue
'apper les pieds en fer et en terre cuite de
. statue, et les a fracassés. 35 Alors, d'un
ɛul coup, le fer et la terre cuite, ainsi que
: bronze, l'argent et l'or, furent réduits
ı poussière que le vent emporta, comme
es brins de paille lorsqu'on vanne les cé-
ʼales en été[i]. Aucune trace n'en subsista.
ʮuant à la pierre qui avait frappé la sta-
ıe, elle devint une grande montagne
ɛmplissant toute la terre.
36 « Tel fut le rêve du roi. Maintenant en
ɔici la signification : 37 Tu es le plus
'and de tous les rois. Le Dieu du ciel t'a
ɔnné la royauté, la puissance, la force et
ıonneur ; 38 il a placé sous ton autorité
s êtres humains, les animaux et les oi-
ɛaux : tu en es le maître, partout où ils de-
ıeurent. Eh bien, la tête en or, c'est toi !
Un autre royaume, moins puissant que
tien, s'élèvera après toi. Ensuite un troi-
ème royaume, représenté par le bronze,
ɛtendra à toute la terre. 40 Un quatrième
ɔyaume, dur comme le fer, lui succédera.
ɔmme le fer écrase, pulvérise et broie
ıut, ce royaume écrasera et broiera les
ɔyaumes précédents[j]. 41 Enfin, ainsi que
l'as constaté, les pieds et les orteils de la
atue étaient faits en partie de terre cuite
en partie de fer : cela signifie que ce
ɔyaume manquera d'unité. Il y aura en
i quelque chose de la solidité du fer,
ıisque tu as vu le fer mêlé à la terre cuite.
Mais les orteils où le fer et la terre cuite
aient mélangés montrent qu'une partie
: ce royaume sera forte et une autre par-
ɛ fragile ; 43 ils indiquent aussi que des
is s'allieront par des mariages, mais ces
liances ne seront pas solides, pas plus
ıe l'alliage du fer et de la terre cuite[k].
A l'époque de ces rois-là, le Dieu du ciel
ablira un royaume qui ne sera jamais dé-
ıit et dont la souveraineté ne passera ja-
ais à une autre nation. Ce royaume
rasera tous les royaumes précédents et
ettra fin à leur existence, puis il subsis-
ra éternellement ; 45 c'est ce qu'annonce
pierre que tu as vue se détacher de la
montagne sans intervention humaine,
pour venir broyer le fer, le bronze, la terre
cuite, l'argent et l'or de la statue[l]. Le
grand Dieu t'a fait connaître ainsi ce qui
arrivera par la suite. Ton rêve est une authentique révélation, et son interprétation
est digne de confiance. »

46 Alors le roi Nabucodonosor se jeta le
visage contre terre, rendit hommage à Daniel et ordonna qu'on lui présente des *sacrifices et des offrandes de parfums. 47 Puis
il dit à Daniel : « Votre Dieu est vraiment
le plus grand de tous les dieux, et le maître
des rois. Lui seul révèle les mystères,
puisque tu as été capable de me dévoiler ce
mystère-ci. » 48 Ensuite le roi accorda à Daniel de grands honneurs et lui remit de
nombreux et importants cadeaux. Il le
nomma gouverneur de la province de Babylone et chef suprême des sages de Babylone. 49 Sur une demande de Daniel, le roi
confia à Chadrac, Méchak et Abed-Négo
des postes dans l'administration de la province de Babylone. Quant à Daniel, il
devint conseiller à la cour royale.

L'ordre d'adorer la statue d'or

3 1 Le roi Nabucodonosor fit construire
une statue d'or, de trente mètres de
haut et de trois mètres de large, et il ordonna qu'on la dresse sur la plaine de
Doura, dans la province de Babylone.
2 Ensuite il envoya des messagers convoquer les satrapes, les préfets, les gouverneurs, les conseillers, les trésoriers, les
juges, les magistrats[m] et tous les autres

---

h **2.34** *de la montagne* : d'après l'ancienne version grecque et le v. 45 ; l'expression ne se trouve pas dans le texte original araméen du v. 34.

i **2.35** Voir Jér 4.11 et la note.

j **2.40** Les différents métaux de valeur décroissante qui composent la statue symbolisent la succession des royaumes babylonien, mède, perse et grec, ou, selon une autre interprétation, des royaumes babylonien, médo-perse, grec et romain.

k **2.43** Comparer 11.6,17.

l **2.45** Cette *pierre* annonce l'avènement d'un nouveau royaume fondé par Dieu lui-même. Voir Matt 21.42-44 et par.

m **3.2** *satrapes* : voir 6.2 et la note. – L'identification précise des titres de cette liste de fonctionnaires n'est pas absolument assurée. Il en va de même pour les noms d'instruments de musique du v. 5.

fonctionnaires des provinces. Ils devaient
venir pour l'inauguration de la statue que
le roi avait fait dresser. [3]Tous ces hauts
fonctionnaires se rassemblèrent donc et
prirent place devant la statue, pour la
cérémonie d'inauguration.
[4]Le maître de cérémonie cria d'une
voix puissante : « Gens de tous peuples, de
toutes nations et de toutes langues, écoutez l'ordre que voici : [5]"Dès que vous entendrez jouer de la trompette, de la flûte,
de la cithare, de la sambuque, du psaltérion, de la cornemuse et de tous les genres
d'instruments de musique, vous vous inclinerez jusqu'à terre pour adorer la statue
d'or que le roi Nabucodonosor a fait dresser. [6]Si quelqu'un refuse de s'incliner et
de l'adorer, on le jettera immédiatement
dans la fournaise où brûle un feu intense." »
[7]Ainsi donc, dès que les gens de tous
peuples, nations et langues entendirent
jouer de la trompette, de la flûte, de la cithare, de la sambuque, du psaltérion et de
tous les genres d'instruments de musique,
ils s'inclinèrent jusqu'à terre et adorèrent
la statue d'or que le roi Nabucodonosor
avait fait dresser.

Les amis de Daniel restent fidèles à Dieu

[8]Aussitôt après, quelques Babyloniens
vinrent accuser les Juifs. [9]Ils s'adressèrent au roi Nabucodonosor et lui dirent : « Longue vie au roi ! [10]Sa Majesté
le roi lui-même a donné l'ordre suivant :
"Tout homme devra s'incliner jusqu'à
terre pour adorer la statue d'or, dès qu'il
entendra jouer de la trompette, de la
flûte, de la cithare, de la sambuque, du
psaltérion, de la cornemuse et de tous les
genres d'instruments de musique. [11]Si
quelqu'un refuse de s'incliner et d'adorer
la statue, on le jettera dans la fournaise
où brûle un feu intense." [12]Eh bien, Majesté, les Juifs Chadrac, Méchak et Abec
Négo, à qui tu as confié des postes dan
l'administration de la province de Baby
lone, n'ont pas tenu compte de ton o
dre : ils refusent de servir tes dieux[n] e
d'adorer la statue d'or que tu as fa
dresser. »
[13]Très en colère, Nabucodonosor o
donna qu'on lui amène Chadrac, Mé
chak et Abed-Négo. Lorsqu'ils furer
présents, [14]le roi leur demanda : « Est-
vrai, Chadrac, Méchak et Abed-Nég
que vous refusez de servir mes dieux
d'adorer la statue d'or que j'ai fait dre
ser ? [15]Vous allez entendre de nouvea
jouer de la trompette, de la flûte, de la c
thare, de la sambuque, du psaltérion, d
la cornemuse et de tous les genres d'in
truments de musique. Êtes-vous prê
maintenant à vous incliner jusqu'à ter
pour adorer la statue que j'ai faite ? S
vous refusez, vous serez jetés imm
diatement dans la fournaise où brûle u
feu intense. Quel dieu pourrait alo
vous arracher à mon pouvoir ? » [16]Ch
drac, Méchak et Abed-Négo répondire
au roi : « Majesté, nous ne voulons p
essayer de nous justifier. [17]Sache tout
fois que notre Dieu, le Dieu que no
servons, est capable de nous sauver ; ou
il nous arrachera à la fournaise et à to
pouvoir. [18]Et à supposer qu'il ne le fas
pas[o], sache bien que nous refuseron
quand même de servir tes dieux
d'adorer la statue d'or que tu as fa
dresser. »
[19]Nabucodonosor devint furieux ;
pâlit de rage face à Chadrac, Méchak
Abed-Négo. Il exigea qu'on chauffe
fournaise sept fois plus que d'habitu
[20]et il ordonna à quelques vigoureux so
dats de son armée de ligoter Chadrac, M
chak et Abed-Négo pour les jeter dans
fournaise. [21]Aussitôt on ligota ces tro
hommes, vêtus de leur costume d'appar
pantalons, tuniques et bonnets[p], et on l
jeta dans la fournaise. [22]Conformément
l'ordre catégorique du roi, on avait su
chauffé la fournaise. Ainsi, lorsque l
soldats allèrent jeter Chadrac, Méchak
Abed-Négo dans le feu, ils furent eu
mêmes tués par les flammes. [23]Quant
Chadrac, Méchak et Abed-Négo, ils tor

---

n **3.12** *tes dieux* ou *ton dieu* ; de même au v. 18.

o **3.18** Autre traduction des v. 17-18 : *Si notre Dieu, le Dieu que nous servons, est capable de nous sauver, il nous arrachera à la fournaise et à ton pouvoir. 18 Et même s'il n'en est pas capable.*

p **3.21** L'identification précise des pièces d'habillement n'est pas assurée.

èrent tous les trois, ligotés, au cœur de la
urnaise[q].

Les trois amis sauvés de la fournaise

24 Soudain[r], le roi Nabucodonosor se
va stupéfait et demanda à ses ministres :
N'avons-nous pas jeté trois hommes li-
otés dans le feu ? » – « C'est exact, Ma-
sté ! » répondirent-ils. 25 « Et pourtant,
prit le roi, je vois quatre hommes, non
gotés, qui se déplacent en plein milieu
u feu. Ils ne portent aucune trace de
lessures. Et le quatrième ressemble tout
fait à un être divin. » 26 Nabucodonosor
approcha de l'ouverture de la fournaise
cria : « Chadrac, Méchak et Abed-Négo,
rviteurs du Dieu très-haut, sortez de là
venez ! » Aussitôt, ils sortirent tous
ois du milieu du feu. 27 Les satrapes, les
éfets, les gouverneurs et les ministres
u roi s'attroupèrent pour les examiner :
urs corps n'avaient pas subi l'atteinte du
u, leurs cheveux n'étaient pas roussis,
urs vêtements n'étaient pas endomma-
s, ils ne portaient même aucune odeur
brûlé. 28 Le roi s'écria : « Merci au Dieu
Chadrac, de Méchak et d'Abed-Négo !
a envoyé son *ange délivrer ses servi-
urs qui, pleins de confiance en lui, ont
ésobéi à mon ordre royal. Ils ont préféré
exposer aux tortures plutôt que de servir
d'adorer d'autres dieux que le leur.
C'est pourquoi je décrète ce qui suit :
i une personne, quel que soit son peu-
e, sa nation ou sa langue d'origine, parle
ec légèreté[s] du Dieu de Chadrac, de
échak et d'Abed-Négo, cette personne
ra coupée en morceaux et sa maison
ra transformée en un tas de décombres.
n effet, aucun autre dieu n'est capable
accomplir une telle délivrance." »
Ensuite le roi confia à Chadrac, à Mé-
ak et à Abed-Négo des postes plus im-
ortants que précédemment[t], dans la
ovince de Babylone.

Le second rêve du roi : le grand arbre

31 Le roi[u] Nabucodonosor adressa le
essage suivant aux gens de tous peuples,
toutes nations et de toutes langues,
abitant la terre entière :
« Je vous souhaite une paix parfaite !
32 « Il m'a paru bon de faire connaître
les prodiges et les miracles que le Dieu
très-haut a accomplis en ma faveur :
33 Ses prodiges sont si grands !
Ses miracles sont si puissants !
Ce Dieu régnera éternellement,
sa souveraineté n'aura pas de fin !

4

1 « Moi, Nabucodonosor[v], je passais
des jours tranquilles et heureux dans
ma résidence royale. 2 Une nuit, couché
sur mon lit, je fis un rêve qui me tour-
menta : en effet, ce que j'avais vu était effrayant. 3 J'ordonnai de rassembler auprès
de moi tous les sages[w] de Babylone, afin
qu'on m'indique la signification de ce
rêve. 4 Dès que les devins, les magiciens,
les enchanteurs et les astrologues furent
arrivés, je leur racontai mon rêve, mais ils
furent incapables de m'en donner la signification. 5 Le dernier à se présenter devant moi fut Daniel. Cet homme, qui
porte aussi le nom de Beltassar, dérivé du
nom de mon dieu, est animé de l'esprit
des dieux saints[x]. Je lui racontai mon
rêve : 6 "Beltassar, chef des devins, lui
dis-je, je sais que tu es animé de l'esprit
des dieux saints, de sorte qu'aucun mystère ne t'embarrasse. Indique-moi donc la
signification de ce que j'ai vu en rêve.
7 Pendant que j'étais couché sur mon lit,
voici ce que j'ai vu :
Au milieu de la terre se dressait un
arbre immense.
8 Cet arbre devenait toujours plus grand
et plus puissant ;
son sommet atteignait le ciel.

---

q **3.23** L'ancienne version grecque ajoute ici la *Prière d'Azaria* (v. 24-45) et le *Cantique des trois amis de Daniel* (v. 46-90).

r **3.24** Dans certaines traductions, les v. 24-33 sont numérotés 91-100 (voir la note précédente).

s **3.29** *légèreté* ou *insolence*.

t **3.30** Autre traduction *Ensuite le roi rétablit Chadrac, Méchak et Abed-Négo à leur poste respectif*.

u **3.31** Dans certaines traductions, les v. 3.31-33 sont numérotés 4.1-3.

v **4.1** Dans certaines traductions, les v. 1-34 sont numérotés 4-37. Voir 3.31 et la note.

w **4.3** *sages* : voir 2.12 et la note.

x **4.5** *mon dieu* : il s'agit de Bel, la divinité principale des Babyloniens. – *des dieux saints* ou *du Dieu saint*. De même au v. 6.

Il était visible jusqu'aux extrémités du
monde.
9 Son feuillage était magnifique ;
il portait des fruits si abondants
que tout être y trouvait de quoi se nourrir.
Les bêtes des champs s'abritaient sous
son ombre,
les oiseaux faisaient leurs nids dans ses
branches.
Toute créature tirait de lui sa subsistance.

10 "Couché sur mon lit, je vis ensuite un
*ange de Dieu, un être toujours vigilant,
descendre du *ciel. 11 Il cria d'une voix
puissante :
Abattez cet arbre, coupez ses branches,
dépouillez-le de ses feuilles et dispersez
ses fruits !
Que les bêtes s'enfuient loin de lui
et que les oiseaux abandonnent ses
branches !
12 Mais laissez en terre la souche avec les
racines,
au milieu de l'herbe des champs,
entourez-la d'une chaîne de fer et de
bronze.
Qu'elle soit trempée par la rosée,
qu'elle se nourrisse d'herbe, comme les
animaux ;
13 que sa raison cesse d'être celle d'un
homme
et soit remplacée par l'instinct d'une
bête.
Qu'elle demeure dans cet état pendant
sept ans !
14 "Cette décision est transmise par les
anges de Dieu, les êtres toujours vigilants,
afin que tous les vivants reconnaissent
que le Dieu très-haut est le maître de
toute royauté humaine : il la donne à qui
il veut, il peut même y élever le plus
humble des hommes.

15 "Tel est le rêve que j'ai fait, moi, le roi
Nabucodonosor. A toi, Beltassar, de m'en
indiquer la signification. Aucun des sages
de mon royaume n'a pu me la communiquer, mais toi tu en es capable, car tu
animé de l'esprit des dieux saints[y]." »

Daniel explique le rêve du roi

16 Durant un moment Daniel, appe
aussi Beltassar, fut épouvanté, terrif
même par ses pensées. Le roi lui di
« Beltassar, ne te laisse pas effrayer par
rêve et sa signification ! » – « Majesté, r
pondit Beltassar, si seulement ce rêve et
signification s'appliquaient à tes enn
mis ! 17 Tu as vu un arbre, grand et pui
sant, dont le sommet atteignait le ciel
qui était visible du monde entier. 18 C
arbre au feuillage magnifique portait d
fruits si abondants que tout être y tro
vait de quoi se nourrir ; les bêtes d
champs venaient se mettre à l'abri so
lui et les oiseaux faisaient leurs nids da
ses branches. 19 Eh bien, cet arbre, c'e
toi ! Tu es devenu grand et puissant, t
aussi ; ta grandeur a atteint le ciel et
souveraineté s'est étendue jusqu'aux e
trémités du monde. 20 Tu as vu ensuite
*ange de Dieu, un être toujours vigilar
descendre du *ciel et donner l'ordre su
vant : "Abattez l'arbre et détruisez-l
Mais laissez en terre la souche avec les r
cines, au milieu de l'herbe des champs,
entourez-la d'une chaîne de fer et
bronze. Qu'elle soit trempée par la ros
et partage le sort des animaux durant se
ans."
21 « Majesté, voici ce que cela signifi
conformément à la décision prise par
Dieu très-haut à ton égard : 22 Tu vas ê
chassé d'entre les humains ! Tu vivr
parmi les animaux sauvages, tu te nour
ras d'herbe comme les bœufs, tu ser
trempé par la rosée ! Tu demeureras da
cet état pendant sept ans, jusqu'à ce q
tu reconnaisses que le Dieu très-haut e
le maître de toute royauté humaine
qu'il la donne à qui il veut. 23 Enfin, l'o
dre de laisser subsister la souche de l'a
bre avec ses racines signifie ceci :
royauté te sera rendue dès que tu auras r
connu que le Dieu du ciel est le maît
24 Alors, que sa Majesté le roi daigne a
cueillir favorablement mon conseil : qu
renonce à ses péchés et à ses fautes, qu
pratique la justice[z] et soit bon envers

---

y **4.15** *des dieux saints* ou *du Dieu saint*.
z **4.24** *la justice* ou *l'aumône*.

auvres ; peut-être qu'ainsi le temps de sa
rospérité se prolongera. »

Le rêve se réalise

25 Tous les événements prédits au roi
iabucodonosor s'accomplirent. 26 En ef-
:t, un an plus tard, le roi se promenait sur
: terrasse du palais royal de Babylone.
Il s'écria : « Voilà Babylone, la grande
.lle que j'ai bâtie comme résidence
yale. Elle montre combien ma puis-
ınce est grande, combien mon pouvoir
;t glorieux ! » 28 A l'instant même où le
i prononçait ces mots, une voix venant
ı *ciel déclara : « Roi Nabucodonosor,
:oute cette proclamation : Le pouvoir
yal t'est retiré ! 29 Tu vas être chassé
'entre les humains ! Tu vivras parmi les
nimaux sauvages et tu te nourriras
'herbe comme les bœufs ! Tu demeureras
ans cet état pendant sept ans, jusqu'à ce
ie tu reconnaisses que le Dieu très-haut
;t le maître de toute royauté humaine et
ı'il la donne à qui il veut. » 30 Aussitôt
:tte parole se réalisa : Nabucodonosor fut
ıassé d'entre les humains, il se mit à
ıanger de l'herbe comme les bœufs, et
n corps fut trempé par la rosée. Sa che-
:lure devint aussi longue que des plumes
aigles, et ses ongles aussi grands que des
·iffes d'oiseaux.

La guérison de Nabucodonosor

31 « A la fin des sept années, déclara Na-
ıcodonosor, je levai les yeux vers le *ciel
ma raison humaine me fut rendue. Je
merciai le Dieu très-haut qui vit éter-
:llement, je me mis à le louer et à procla-
.er sa *gloire : Sa souveraineté n'a pas de
n, sa royauté dure à jamais. 32 Les habi-
nts de la terre, aussi nombreux soient-
;, ne comptent pour rien devant lui ; il
aite comme il lui plaît tant les êtres cé-
stes que les humains. Personne ne peut
pposer à son pouvoir ou lui reprocher
qu'il fait. 33 La raison humaine me fut
nc rendue à ce moment-là. Pour la
oire de mon règne, la dignité et la splen-
:ur royales me furent rendues égale-
ent. Mes ministres et mes hauts
nctionnaires s'empressèrent de venir
e chercher. Je fus rétabli dans ma
yauté et je reçus plus d'honneur encore
qu'auparavant. 34 C'est pourquoi maintenant moi, Nabucodonosor, je loue,
j'exalte, je glorifie le Roi du ciel ! Tout ce
qu'il entreprend est droit, toutes ses actions sont justes. Il a même le pouvoir
d'humilier ceux qui se conduisent avec
orgueil. »

Le banquet du roi Baltazar

5 1 Un jour, le roi Baltazar offrit un
grand banquet à ses hauts fonctionnaires, au nombre de mille, et il se mit à
boire du vin en leur présence. 2 Sous l'influence de l'alcool, il ordonna qu'on apporte les coupes d'or et d'argent que son
père Nabucodonosor avait prises au
*temple de Jérusalem[a]. Il voulait s'en ser-
vir pour boire en compagnie de ses hauts
fonctionnaires, de ses femmes et de ses
épouses de second rang. 3 On apporta
donc les coupes d'or qui provenaient du
temple de Jérusalem, la maison de Dieu,
et le roi les utilisa pour boire en compagnie de tous ses invités. 4 Après avoir bien
bu, ils se mirent à chanter les louanges
des dieux d'or et d'argent, de bronze et de
fer, de bois et de pierre.
5 A ce moment précis, une main humaine apparut, à proximité du porte-
lampes. Elle écrivit quelque chose sur la
paroi blanchie à la chaux du palais royal.
Lorsque le roi vit cette main qui écrivait,
6 il devint tout pâle et fut terrifié par ses
pensées ; il perdit sa belle assurance et ses
genoux s'entrechoquèrent. 7 Il ordonna à
grands cris de faire venir les sages de Babylone, magiciens, enchanteurs ou astrologues, et il leur dit : « Celui qui déchif-
frera cette inscription et m'en donnera la
signification sera revêtu d'habits d'apparat, on passera un collier d'or autour de
son cou, et il sera un des principaux ministres du royaume[b]. » 8 Tous les sages au
service du roi s'avancèrent, mais aucun
d'eux ne put déchiffrer l'inscription pour
en donner la signification au roi. 9 Baltazar en fut terrifié et devint encore plus
pâle ; ses hauts fonctionnaires eux-mêmes
étaient bouleversés.

---

a 5.2 Voir 2 Rois 25.14-15.
b 5.7 *il sera...* : autre traduction *il aura la troisième place dans le gouvernement du royaume*.

Daniel interprète l'inscription mystérieuse

10 La reine mère entendit les cris poussés par le roi et par ses hauts fonctionnaires. Elle entra dans la salle du banquet
et déclara : « Longue vie au roi ! Il ne faut
pas te laisser terrifier par tes pensées et
en perdre toute couleur. 11 Dans ton
royaume, il y a un homme qui est animé
de l'esprit des dieux saints. A l'époque de
ton père, on a découvert en lui une clairvoyance, une intelligence et une sagesse
pareilles à la sagesse des dieux[c]. C'est
pourquoi ton père, le roi Nabucodonosor,
l'avait nommé chef des devins, magiciens, enchanteurs et astrologues. 12 Il
possède un esprit exceptionnel, du discernement, de l'intelligence, et la capacité d'expliquer les rêves, de déchiffrer
les énigmes et de résoudre les problèmes.
Eh bien, qu'on fasse venir cet homme, ce
Daniel à qui le roi avait donné le nom de
Beltassar : il révélera la signification de
cette inscription. »

13 On conduisit donc Daniel devant le
roi, qui lui demanda : « Es-tu bien Daniel,
ce déporté judéen, que le roi mon père a
ramené du pays de Juda ? 14 J'ai entendu
dire que tu es animé de l'esprit des dieux[d]
et que tu possèdes de la clairvoyance, de
l'intelligence et une sagesse exceptionnelle. 15 On vient de m'amener les sages et
les magiciens pour qu'ils déchiffrent
l'inscription que voici et m'en donnent la
signification, mais ils n'en ont pas été capables. 16 Or j'ai appris que toi, tu es capable d'expliquer les énigmes et de
résoudre les problèmes. Si tu parviens à
déchiffrer cette inscription et à m'en donner la signification, tu seras revêtu d'habits d'apparat, on passera un collier d'or
autour de ton cou, et tu seras l'un des
principaux ministres du royaume[e]. »

17 Daniel répondit au roi : « Tu peu
garder pour toi tes cadeaux et tes pr
sents, ou les donner à d'autres. Pourtar
je déchiffrerai l'inscription et je t'en e
pliquerai la signification. 18 Majesté,
Dieu très-haut avait fait de ton père N
bucodonosor un grand roi, couvert
gloire et de dignité. 19 A cause de cet
grandeur reçue de Dieu, les populatio
de tous pays, de toutes nations et de to
tes langues tremblaient de peur deva
lui. Il condamnait à mort qui il voulait,
laissait vivre qui il voulait ; il honorait
humiliait qui il voulait. 20 Mais il devi
orgueilleux et plein d'arrogance ; alors
fut renversé de son trône royal et privé
sa gloire. 21 Il fut chassé d'entre les h
mains et réduit à vivre comme les bête
il eut sa demeure parmi les ânes sauvag
se nourrit d'herbe comme les bœufs,
son corps fut trempé par la rosée. Ce
dura jusqu'au jour où il reconnut que
Dieu très-haut est le maître de tou
royauté humaine et qu'il y élève qui
veut. 22 Toi Baltazar, son fils, tu savais fo
bien tout cela, et pourtant tu n'as p
adopté une attitude plus humble. 23 Tu
défié le Dieu du *ciel lorsque tu as fait a
porter les coupes sacrées venant de s
*temple, et que vous vous en êtes serv
pour boire du vin, toi, tes hauts fonctio
naires, tes femmes et tes épouses de s
cond rang. De plus tu as chanté l
louanges des dieux d'argent et d'or,
bronze et de fer, de bois et de pierre, d
dieux qui ne voient rien, n'entendent ri
et ne savent rien ; et tu as refusé de rend
gloire au Dieu qui tient dans sa main
vie présente et ta destinée. 24 Alors Dieu
envoyé une main tracer cette inscriptio
25 Voici ce qui est écrit : MENÉ, MEN
TEKEL et PARSIN. 26 Et en voici
sens : MENÉ signifie *compté* : Dieu a f
les comptes au sujet de ton règne, et i
met fin ; 27 TEKEL signifie *pesé* : tu as é
pesé sur une balance, et l'on a jugé que
ne fais pas le poids ; 28 PERÈS signifie
visé : ton royaume a été divisé pour ê
donné aux Mèdes et aux Perses[f]. »

29 Aussitôt, Baltazar ordonna à ses se
viteurs de revêtir Daniel d'habits d'app
rat et de lui passer un collier d'or auto
du cou. Il fit aussi proclamer que Dan

---

c **5.11** *des dieux saints* ou *du Dieu saint ; des dieux* ou *de Dieu*.

d **5.14** *des dieux* ou *de Dieu*.

e **5.16** Voir v. 7 et la note.

f **5.28** PERÈS et PARSIN (v. 25) sont le singulier et le pluriel du même mot araméen. L'auteur joue non seulement sur son sens (*divisé*), mais aussi sur la ressemblance avec le mot *Perses*.

levenait un des principaux ministres du
oyaume[g].

30 Au cours de la nuit suivante, Balta-
6 zar, roi de Babylone, fut tué 1 et Darius, le Mède[h], accéda à la royauté, à
'âge de soixante-deux ans.

Les ennemis de Daniel lui tendent un piège

2 Darius décida de créer cent vingt
postes de satrapes afin de placer dans
out l'empire des hommes qui représen-
ent son autorité[i]. 3 Il nomma à leur tête
rois surintendants à qui les satrapes de-
raient rendre compte de leur adminis-
ration, de telle manière que personne
e puisse nuire aux intérêts du roi. Da-
iel était l'un des surintendants ; 4 il sur-
assait les deux autres et tous les
atrapes par ses capacités exceptionnel-
es, si bien que le roi avait l'intention de
ui confier une responsabilité relative à
'empire tout entier. 5 Alors les autres su-
intendants et les satrapes se mirent à
hercher si Daniel avait commis des er-
eurs au préjudice de l'empire, mais ils
e purent trouver aucune faute ni aucun
nanquement, car il était parfaitement
onnête : il n'y avait vraiment rien à lui
eprocher. 6 Ces hommes se dirent donc :
Nous n'aurons aucun motif pour ac-
user Daniel, à moins de trouver quel-
ue chose en relation avec la loi de son
Dieu. »
7 Sans tarder, les deux surintendants et
s satrapes se rendirent chez le roi et lui
irent : « Longue vie au roi Darius ! 8 Les
urintendants de l'empire, les préfets, les
atrapes, les ministres et les gouverneurs
nt tenu conseil et proposent au roi de
romulguer et publier un décret impérial
e la teneur suivante : "Durant une pé-
iode de trente jours, quiconque adres-
era une prière à un dieu ou à un être
umain autre que le roi lui-même devra
tre jeté dans la fosse aux lions." 9 Que le
oi promulgue donc ce décret et le signe,
e telle sorte qu'il ne puisse pas être mo-
ifié, conformément à la loi des Mèdes et
es Perses, qui est irrévocable. » 10 Là-
essus, le roi Darius signa le document
u décret.

Daniel est jeté dans la fosse aux lions

11 Lorsque Daniel apprit qu'un tel décret avait été signé, il regagna sa maison. A
l'étage supérieur, il ouvrit les fenêtres
orientées vers Jérusalem. C'est là que, trois
fois par jour, il se mettait à genoux pour
prier et louer son Dieu. Il le fit comme
d'habitude. 12 Ses adversaires arrivèrent en
hâte et le trouvèrent en train de prier et
d'implorer son Dieu. 13 Ils se rendirent
donc chez le roi et lui dirent : « Le roi n'a-
t-il pas signé un décret prévoyant que, durant une période de trente jours, quiconque adresserait une prière à un dieu ou
à un être humain autre que le roi lui-
même, devrait être jeté dans la fosse aux
lions ? » – « C'est effectivement la décision
qui a été prise, répondit le roi, conformément à la loi des Mèdes et des Perses, qui
est irrévocable. » – 14 « Eh bien, Majesté,
reprirent ces hommes, Daniel, l'un des déportés du pays de Juda, n'a de respect ni
pour toi ni pour le décret que tu as signé :
trois fois par jour il prie son Dieu. »
15 Lorsque le roi entendit ces paroles, il
en fut profondément chagriné et se mit
en tête d'épargner Daniel. Jusqu'au coucher du soleil, il chercha un moyen de le
sauver. 16 Mais les adversaires de Daniel
ne tardèrent pas à revenir et dirent au roi :
« Le roi sait bien que, selon la loi des Mèdes et des Perses, un décret ou un règlement promulgué par lui ne peut pas être
modifié. » 17 Alors, sur un ordre du roi, on
amena Daniel et on le jeta dans la fosse
aux lions. Le roi lui dit : « Seul ton Dieu,
que tu sers avec tant de persévérance,
pourra te sauver[j]. »
18 On apporta une pierre qu'on plaça
sur l'ouverture de la fosse. Le roi y appliqua son *cachet personnel, de même que
le cachet de ses hauts fonctionnaires, afin
que personne ne puisse modifier la situa-

---

g **5.29** Autre traduction *que Daniel occuperait la troisième place dans le gouvernement du royaume*.

h **6.1** Ce *Darius le Mède* n'est pas mentionné ailleurs dans l'histoire ancienne. – Dans certaines traductions, les v. 6.1-29 sont numérotés 5.31–6.28.

i **6.2** Les *satrapes* sont les gouverneurs des provinces (satrapies) de l'empire.

j **6.17** Ou *J'espère que ton Dieu..., te sauvera*.

tion de Daniel. 19 Le roi regagna ensuite son palais pour la nuit. Il refusa toute nourriture et, bien qu'il n'arrivât pas à dormir, il refusa aussi tout divertissement[k].

Daniel sort sain et sauf de la fosse aux lions

20 Dès les premières lueurs de l'aube, le roi se leva et se rendit en hâte à la fosse aux lions. 21 Tandis qu'il en approchait, il appela Daniel d'une voix affligée : « Daniel, serviteur du Dieu vivant, est-ce que ton Dieu, que tu sers avec tant de persévérance, a pu t'arracher aux griffes des lions ? » 22 Daniel lui répondit : « Longue vie au roi ! 23 Oui, mon Dieu a envoyé son *ange fermer la gueule des lions, et ils ne m'ont fait aucun mal. En effet, je n'étais pas coupable envers Dieu, et je n'avais commis aucune faute non plus à l'égard du roi ! » 24 Rempli de joie, le roi donna l'ordre de remonter Daniel de la fosse. Dès qu'il en fut sorti, on constata qu'il ne portait aucune blessure, parce qu'il avait eu confiance en son Dieu. 25 Le roi ordonna ensuite d'arrêter les hommes qui avaient dénoncé Daniel, et on les jeta dans la fosse aux lions, avec leurs femmes et leurs enfants. Les lions les attaquèrent et leur broyèrent les os avant même qu'ils aient atteint le fond de la fosse.

26 Ensuite le roi Darius adressa le message suivant aux gens de tous peuples, de toutes nations et de toutes langues, habitant la terre entière :

« Je vous souhaite une paix parfaite !

27 « Je décrète ce qui suit : Dans tout l'empire placé sous mon autorité, chacun doit manifester un respect absolu envers le Dieu de Daniel.

Il est le Dieu vivant,
celui qui subsistera toujours.
Son règne ne cessera jamais,
sa souveraineté durera éternellement.
28 Il délivre et il sauve,
il accomplit des prodiges et de
miracles
dans le ciel et sur la terre.
C'est lui en effet qui a arraché Daniel
aux griffes des lions. »

29 Par la suite, Daniel occupa un post important sous le règne de Darius, pui sous le règne de Cyrus, roi de Perse[l].

Première vision de Daniel : les quatre bêtes

7 1 Pendant la première année du règn de Baltazar à Babylone, Daniel fit u rêve et son esprit fut assailli par des v sions, alors qu'il était couché sur son li Plus tard, il mit par écrit son rêve. Voic en substance, 2 ce qu'il a raconté :

« Durant la nuit, j'ai vu, en vision, vent se déchaîner des quatre coins d l'horizon sur la mer immense. 3 Quat bêtes énormes sortaient de la mer[m] ; ch cune était différente des autres. 4 La pr mière ressemblait à un lion, mais el avait des ailes d'aigle ; tandis que je rega dais, ses ailes lui furent arrachées, elle f soulevée de terre, dressée sur ses deu pattes de derrière, comme un être h main, et elle reçut une intelligence h maine. 5 La deuxième bête, semblable un ours, était à demi levée et tenait tro côtes dans sa gueule, entre ses dents ; el reçut l'ordre de se lever tout à fait et d'a ler dévorer beaucoup de chair. 6 Je cont nuai de regarder et je vis une autre bê qui ressemblait à un léopard ; elle ava quatre ailes d'oiseau sur le dos, ainsi q quatre têtes, et elle reçut un pouvoir domination[n]. 7 Je continuai de regard les visions qui m'apparaissaient penda la nuit : la quatrième bête que je vis éta effrayante, terrifiante, d'une puissance e traordinaire ; elle avait d'énormes den de fer pour manger et déchiqueter ses vi times, et elle piétinait ce qu'elle ne ma geait pas. Elle était absolument différen des trois bêtes précédentes, et avait d cornes[o]. 8 Tandis que j'examinais ces co nes, une nouvelle corne, plus petite, mit à pousser parmi les autres et déraci trois d'entre elles. La nouvelle corne ava des yeux, comme un être humain, et u

---

k **6.19** *tout divertissement* : le sens du mot araméen correspondant est incertain.
l **6.29** Voir Esd 1.1 et la note.
m **7.3** Voir Apoc 13.1 ; 17.8.
n **7.6** V. 4-6 : voir Apoc 13.2.
o **7.7** Voir Apoc 12.3 ; 13.1.

ouche qui prononçait des paroles or-
ueilleuses[p]. »

Le jugement de Dieu

9 « Je continuai de regarder : des trô-
es furent installés, et un vieillard vint
'asseoir. Il avait des habits blancs
omme la neige, et sa chevelure était
omme de la laine pure[q]. Son trône
amboyant avait des roues qui brillaient
omme un feu ardent. 10 Un fleuve de feu
écoulait de devant lui. Des millions,
es dizaines de millions de personnages
tenaient devant lui pour le servir.
lors le tribunal prit place, et des livres
irent ouverts[r].
11 « Je continuai de regarder, à cause des
aroles orgueilleuses et bruyantes que la
etite corne prononçait. Et tandis que je
egardais, la quatrième bête fut tuée ; on
étruisit son corps en le jetant dans un
u intense. 12 Les autres bêtes furent pri-
ées de leur souveraineté, mais on leur ac-
orda une prolongation de vie pour un
mps déterminé.
13 « Je continuai de regarder les visions
ui m'apparaissaient pendant la nuit : un
re semblable à un homme arrivait
armi les nuages du ciel[s]. Il s'avança en
irection du vieillard, devant lequel on le
onduisit. 14 La souveraineté, la gloire et
royauté lui furent données, afin que les
opulations de tous pays, de toutes na-
ons et de toutes langues le servent. Sa
uveraineté durera éternellement, elle
'aura pas de fin, et son royaume ne sera
mais détruit[t]. »

L'interprétation de la première vision

15 « L'angoisse me saisit, moi, Daniel,
squ'au plus profond de mon être[u], tant
s visions étaient terrifiantes. 16 Je m'ap-
rochai d'un des personnages présents et
lui demandai le sens véritable de ce que
vais vu. Il m'en fit alors connaître la si-
ification : 17 "Ces quatre bêtes énormes
présentent quatre royaumes d'origine
rrestre[v]. 18 Après eux, le peuple qui ap-
rtient en propre au Dieu très-haut rece-
a la royauté et il la conservera à tout
mais[w]." 19 Ensuite je désirai être au clair
sujet de la quatrième bête, celle qui
était absolument différente des trois autres ; elle était effrayante au plus haut
point, avec ses dents de fer et ses griffes de
bronze, elle mangeait et déchiquetait ses
victimes, et elle piétinait ce qu'elle ne
mangeait pas. 20 Je me renseignai également à propos des dix cornes que la bête
avait sur la tête, et à propos de la corne
qui s'était mise à pousser et avait fait tomber trois d'entre elles ; cette corne-là avait
des yeux, et une bouche prononçant des
paroles orgueilleuses, et elle paraissait
plus grande que les autres. 21 Tandis que je
regardais, elle faisait la guerre au peuple
de Dieu et était en train de triompher[x] ;
22 mais le vieillard s'avança et rendit justice au peuple qui appartient en propre au
Dieu très-haut[y]. Lorsque le temps fut
venu, le peuple de Dieu entra en possession de la royauté.
23 « L'explication suivante me fut donnée : "La quatrième bête représente un
quatrième royaume terrestre, différent de
tous les autres. Ce royaume dévorera
toute la terre, la piétinera et la déchiquet-
tera. 24 Les dix cornes représentent dix
rois qui se succéderont à la tête de ce
royaume[z]. Un onzième roi, différent des
précédents, prendra le pouvoir après en
avoir écarté trois autres. 25 Il prononcera
des paroles insolentes à l'égard du Dieu

p **7.8** Voir Apoc 13.5-6.

q **7.9** L'expression traduite ici par *vieillard* désigne Dieu lui-même, dont l'existence n'a ni commencement ni fin. Son grand âge symbolise en fait sa sagesse. – Voir Apoc 1.14 ; 20.4.

r **7.10** Voir Apoc 5.11 ; 20.12.

s **7.13** Voir Matt 24.30 ; 26.64 ; Marc 13.26 ; 14.62 ; Luc 21.27 ; Apoc 1.7,13 ; 14.14. – *un être semblable à un homme* : l'expression araméenne signifie mot à mot *un fils d'homme*, tournure qui est à l'origine de l'expression *Fils de l'homme dans le Nouveau Testament.

t **7.14** Voir Apoc 11.15.

u **7.15** *jusqu'au plus profond de mon être* : texte araméen peu clair et traduction incertaine.

v **7.17** Sur ces *quatre royaumes*, voir la note en 2.40.

w **7.18** Voir Apoc 22.5.

x **7.21** Voir Apoc 13.7.

y **7.22** *et rendit...* : autre traduction *et donna au peuple qui appartient en propre au Dieu très-haut le pouvoir de juger*. Voir Apoc 20.4.

z **7.24** Voir Apoc 17.12. Ces *dix rois* pourraient être les dix premiers souverains du royaume séleucide.

très-haut et opprimera le peuple qui lui appartient en propre ; il formera le projet de modifier le calendrier et les lois religieuses du peuple de Dieu, et celui-ci sera livré à son pouvoir pendant trois ans et demi[a]. 26 Ensuite le tribunal *céleste siégera et le privera de sa souveraineté ; cette souveraineté sera anéantie, définitivement détruite[b]. 27 La royauté, la souveraineté et la grandeur de tous les royaumes terrestres seront attribuées au peuple qui appartient au Dieu très-haut. La royauté de ce peuple durera éternellement, et toutes les puissances du monde lui obéiront et le serviront[c]."

28 « Ici se termine le récit. Quant à moi, Daniel, je fus absolument terrifié par mes pensées, j'en devins tout pâle et je ne cessais pas d'y réfléchir. »

Deuxième vision : le Bélier et le Bouc

8 1 « Durant la troisième année du règne de Baltazar[d], moi, Daniel, j'eus une nouvelle vision, après celle que j'avais eue précédemment. 2 Voici ce que je vi alors : Je me voyais à Suse, ville forte de l province d'Élam, au bord de la rivièr nommée Oulaï[e]. 3 Tandis que je regardais je vis un bélier qui se tenait sur le bord d la rivière. Il avait deux cornes de grand taille ; toutefois celle qui avait poussé e dernier était plus grande que l'autre[f]. 4 J vis le bélier donner des coups de corne en direction de l'ouest, du nord et du sud Aucune autre bête n'était capable de lu résister, et on ne pouvait arracher per sonne à son pouvoir. Il agissait comm bon lui semblait et sa puissance ne cessai pas de grandir.

5 « Pendant que je réfléchissais à tou cela, je vis un bouc arriver de l'occident il parcourait toute la terre sans même tou cher le sol. Ce bouc avait une corne im pressionnante entre les yeux[g]. 6 Il arriv près du bélier à deux cornes que j'avais v sur le bord de la rivière, et il se précipit sur lui de toutes ses forces. 7 Je le vis at teindre le bélier, s'acharner à le frapper e lui briser les deux cornes. Il jeta à terre l bélier, qui était incapable de lui résister, e il le foula aux pieds ; personne ne put l'a racher à son pouvoir. 8 La force du bou grandit énormément. Mais lorsqu'il fu au sommet de sa puissance, la grand corne se brisa ; à sa place, quatre autre cornes impressionnantes poussèren orientées vers les quatre coins de l'hori zon[h].

9 « De l'une d'elles, la plus petite, sort une nouvelle corne, qui étendit sa puis sance démesurée vers le sud, l'est et l plus beau des pays[i]. 10 Elle se dressa égale ment contre les êtres *célestes, elle jeta terre plusieurs d'entre eux, ainsi que plu sieurs astres[j], et elle les foula aux pied 11 Elle s'attaqua même au chef des êtr célestes, supprima le *sacrifice qu'on l offrait chaque jour[k] et profana l'emplac ment de son *sanctuaire. 12 Les êtres c lestes furent livrés avec perversité en so pouvoir, en même temps que le sacrific de chaque jour. La corne jeta à terre culte fidèle. Elle réussit dans tout qu'elle entreprit[l].

13 « J'entendis alors un *ange qui pa lait. Un autre ange lui demand "Combien de temps dureront les évén

---

a **7.25** Voir 12.7 ; Apoc 12.14 ; 13.5-6. Le *onzième roi* (v. 24) pourrait être Antiochus Épiphane (175-164 avant J.-C.), qui persécuta atrocement les Juifs, allant jusqu'à leur interdire de célébrer le *sabbat et les fêtes du *calendrier*. – *trois ans et demi* : l'araméen exprime cette durée en disant de manière voilée *un temps, des temps et la moitié d'un temps*.

b **7.26** *cette souveraineté...* : autre traduction *lui-même sera complètement et définitivement détruit*.

c **7.27** Voir Apoc 20.4 ; 22.5.

d **8.1** A partir de 8.1, le texte original est de nouveau en hébreu (voir la note sur 2.4).

e **8.2** La *province d'Élam*, située au nord du golfe Persique, avait pour capitale *Suse*, près de laquelle passait la *rivière Oulaï*.

f **8.3** Les *deux cornes* du *bélier* symbolisent les empires mède et perse, voir v. 20, et la note sur 2.40.

g **8.5** Le *bouc* symbolise le royaume grec d'Alexandre le Grand (=la *corne*), voir v. 21.

h **8.8** A la mort d'Alexandre, inattendue à l'âge de 33 ans, quatre de ses généraux se partagèrent son royaume.

i **8.9** *De l'une d'elles, ...corne,* : autre traduction *De l'une d'elles sortit une nouvelle corne, d'abord petite, mais*. Sur cette *nouvelle corne*, voir 7.25 et la note. – Le *plus beau des pays* désigne le pays d'Israël.

j **8.10** Voir Apoc 12.4. – Ici les *êtres célestes* sont soit les étoiles, soit les *anges, soit encore les Juifs eux-mêmes.

k **8.11** Sur ce *sacrifice*, voir Ex 29.38-42 ; Nomb 28.3-6.

l **8.12** Le texte hébreu du v. 12 est peu clair et la traduction incertaine.

nents annoncés par la vision ? Pendant
combien de temps le sacrifice quotidien
sera-t-il supprimé, la perversité dévasta-
rice régnera-t-elle, le sanctuaire et les
êtres célestes seront-ils foulés aux pieds ?”
4 Le premier ange lui répondit : “Il faut
que s'écoulent 2300 soirs et matins. En-
uite le sanctuaire sera consacré de nou-
eau[m].” »

L'interprétation de la deuxième vision

15 « Tandis que moi, Daniel, je contem-
lais cette vision et que j'essayais d'en
omprendre la signification, un être qui
essemblait à un homme vint se placer en
ace de moi[n]. 16 Et j'entendis une voix, ve-
ant de la rivière Oulaï, lui crier : “Ga-
riel, explique à cet homme la vision qu'il
eue.” 17 Gabriel s'approcha de l'endroit
ù je me tenais. Terrifié, je me jetai le vi-
age contre terre, mais il me dit : “Toi qui
'es qu'un homme, sache pourtant que
ette vision concerne la fin des temps.”
8 Pendant qu'il me parlait, j'avais tou-
ours le visage contre terre et je perdis
onnaissance. Il me toucha et me remit
ebout, 19 puis il me dit : “Je vais te révé-
er ce qui arrivera au moment, déjà fixé,
ù la colère de Dieu prendra fin. 20 Le bé-
er à deux cornes que tu as vu représente
s empires mède et perse. 21 Le bouc,
'est le royaume grec ; la grande corne
lacée entre ses yeux représente le pre-
nier roi[o]. 22 Lorsque la corne fut brisée[p],
uatre autres cornes poussèrent à sa
lace : ce sont quatre royaumes qui pren-
ront la place du précédent, mais qui
'auront pas sa puissance. 23 Quand ces
oyaumes toucheront à leur fin et que les
écheurs auront mis le comble à leur pé-
né, un roi arrogant et expert en trompe-
es surgira[q]. 24 Sa puissance grandira,
ans pourtant que cela vienne de lui-
nême. Il causera des ravages extraordi-
aires ; il réussira dans tout ce qu'il entre-
rendra, allant jusqu'à exterminer des
ns puissants et même le peuple qui ap-
artient en propre à Dieu. 25 Plein d'habité, il parviendra à tromper les autres.
ans son orgueil, il exterminera beau-
oup de gens qui se croient en sécurité, et
se dressera contre le Prince des princes.
C'est alors qu'il sera brisé, sans intervention humaine[r]. 26 Voilà l'explication
digne de foi de ce que tu as vu au sujet des
soirs et des matins[s]. Mais garde cette vision secrète, car elle concerne une époque
encore lointaine.” 27 A ce moment-là,
moi, Daniel, je m'effondrai et je fus ensuite malade pendant quelques jours.
Lorsque je fus rétabli, je repris mon service auprès du roi. J'étais encore bouleversé par cette vision, car je ne la
comprenais pas[t]. »

Prière de Daniel

9 1-2 « Durant la première année où Darius, fils de Xerxès, de la dynastie
mède, régna sur le royaume babylonien,
moi, Daniel, je consultai les livres sacrés
afin de comprendre la signification de ce
que le Seigneur avait communiqué au
*prophète Jérémie, concernant les
soixante-dix années pendant lesquelles
Jérusalem devait être en ruine[u]. 3 Je me
mis à *jeûner et, vêtu d'habits en étoffe

---

m **8.14** *lui répondit* : d'après les anciennes versions grecque et syriaque ; hébreu *me répondit*. – L'expression *2 300 soirs et matins* pourrait signifier « 2 300 jours », mais il est plus probable qu'elle désigne en fait « 2 300 sacrifices offerts le soir et le matin », c'est-à-dire une période de 1 150 jours (avec deux sacrifices quotidiens). Une telle période de 1 150 jours correspond approximativement aux trois ans et quelques mois que dura la persécution d'Antiochus Épiphane. Comparer 7.24-25 *(trois ans et demi)* et les notes.

n **8.15** Il s'agit de *l'ange Gabriel, voir v. 16 ; 9.21 ; Luc 1.19,26.

o **8.21** Le *premier roi* est Alexandre le Grand, qui conquit tout le Moyen-Orient (voir v. 5 et la note).

p **8.22** Sur la mort d'Alexandre, en 323 avant J.-C., voir v. 8 et la note.

q **8.23** *les pécheurs* : on ignore de qui l'auteur veut parler ; il pourrait s'agir des rois dont la domination prend fin, ou des Juifs dont les péchés expliqueraient l'intervention du *roi arrogant*, qui est Antiochus Épiphane (voir 7.25 et la note).

r **8.25** *il exterminera beaucoup de gens* : allusion aux persécutions infligées aux Juifs. – *le Prince des princes* : Dieu. – *sans intervention humaine* : comparer 2.34,45.

s **8.26** Voir v. 14.

t **8.27** *car je ne la comprenais pas* : autres traductions *et personne ne la comprenait* ou *et personne ne le comprenait*.

u **9.2** *Darius* : voir 6.1 et la note. – *soixante-dix années* : voir Jér 25.11-12 ; 29.10.

grossière, la tête couverte de cendres[v], je
me tournai vers le Seigneur Dieu pour le
prier et lui adresser des supplications. 4 Je
présentai au Seigneur mon Dieu cette
prière de confession des péchés :
« Ah, Seigneur, Dieu grand et redoutable, tu maintiens ton *alliance avec
ceux qui obéissent à tes commandements,
et tu restes fidèle envers ceux qui t'aiment. 5 Nous avons désobéi, nous avons
péché, nous sommes coupables ; nous
nous sommes révoltés contre toi, nous
nous sommes détournés de tes commandements et de tes règles. 6 Nous n'avons
pas écouté tes serviteurs les prophètes qui
ont parlé de ta part à nos rois, à nos chefs,
à nos ancêtres et au peuple tout entier.
7 Toi, Seigneur, tu es sans faute ! Nous,
nous ne pouvons que nous humilier,
comme en ce jour, nous, habitants de Jérusalem, gens de Juda, et tous les autres
Israélites, proches ou lointains, dispersés
dans les pays où tu les as chassés à cause
de leur infidélité à ton égard. 8 Oui, Seigneur, honte à nous, à nos rois, nos chefs
et nos ancêtres, car nous t'avons désobéi !
9 Mais toi, Seigneur notre Dieu, dans ta
bienveillance, tu nous pardonnes, bien
que nous nous soyons révoltés contre toi.
10 Nous ne t'avons pas écouté, lorsque tu
nous ordonnais d'obéir aux lois que tu
nous communiquais par tes serviteurs les
prophètes. 11 Le peuple d'Israël en entier
a violé ta loi et s'est détourné pour ne pas
écouter tes instructions. Alors, à cause de
nos désobéissances, la malédiction promise dans la loi de Moïse[w], ton serviteur,
s'est déversée sur nous. 12 Tu as réalisé ce
que tu avais annoncé au sujet de nous-
mêmes et des chefs qui nous gouvernent :
tu as fait venir sur nous, à Jérusalem, des
malheurs tels qu'on n'en a jamais vu ailleurs dans le monde. 13 Conformément à
ce qui est écrit dans la loi de Moïse, tous
ces malheurs nous sont arrivés ; et nous
Seigneur notre Dieu, nous ne t'avons
pas supplié de t'apaiser, nous ne nous
sommes pas détournés de nos péchés
nous n'avons pas tenu compte de t
ferme résolution. 14 C'est pourquoi tu
n'as pas manqué de faire venir sur nou
ces malheurs. En effet, Seigneur notre
Dieu, tu es juste dans tout ce que tu fais
mais nous n'avons pas écouté tes ins
tructions.
15 « Seigneur notre Dieu, lorsque tu a
fait sortir ton peuple d'Égypte grâce à t
force irrésistible, tu as acquis une renom
mée qui subsiste encore aujourd'hui
mais nous, nous avons désobéi et nou
sommes coupables. 16 Seigneur, renou
velle tes bienfaits, détourne ton ardent
colère de Jérusalem, ta ville, ta montagn
sacrée. A cause de nos fautes et des péché
de nos ancêtres, les nations qui nous en
tourent couvrent d'insultes Jérusalem e
ton peuple. 17 Écoute donc, Seigneur no
tre Dieu, la prière et les supplications qu
je t'adresse. Par égard pour toi-même, re
garde avec bonté ton *sanctuaire dévaste
18 Mon Dieu, écoute bien, regarde atten
tivement ; vois l'état de dévastation d
notre ville, cette ville qui t'est consacrée
En te présentant nos supplications, nou
ne comptons pas sur nos mérites, mai
sur ton amour infini. 19 Seigneur, écoute
nous ! Seigneur, pardonne-nous ! Se
gneur, sois attentif ! Par égard pour to
mon Dieu, interviens sans tarder en fa
veur de cette ville et de ce peuple qui t
sont consacrés. »

La prophétie des soixante-dix périodes

20 « Je continuai de prier, de confesse
mes fautes et celles d'Israël mon peupl
et d'adresser mes supplications au Se
gneur mon Dieu au sujet de sa montagn
sacrée[x]. 21 Or, tandis que je priais ains
*l'ange Gabriel, que j'avais vu dans ma v
sion précédente, s'approcha de moi d'u
vol rapide, à l'heure où l'on offre le *sacr
fice de l'après-midi[y]. 22 Il m'instruisit e
me disant : "Daniel, je suis venu maint
nant pour éclairer ton intelligence. 23 D
que tu as commencé de supplier Dieu, u

---

v **9.3** *cendres* : voir Néh 9.1 et la note ; voir aussi au Vocabulaire DÉCHIRER SES VÊTEMENTS.

w **9.11** Voir par exemple Lév 26.14-39 ; Deut 28.15-68.

x **9.20** *sa montagne sacrée* : la colline du temple de Jérusalem, et par extension la ville elle-même.

y **9.21** *Gabriel* : voir 8.16 ; Luc 1.19,26. – *d'un vol rapide* : texte hébreu peu clair et traduction incertaine. – *sacrifice de l'après-midi* : offert probablement vers le milieu de l'après-midi (comparer 1 Rois 18.29,36).

message a été prononcé de sa part, et je
suis venu te le communiquer, car Dieu
t'aime. Efforce-toi donc de comprendre
ce message et de discerner le sens de la vision. 24 Une période de soixante-dix fois
sept ans a été fixée pour ton peuple et
pour la ville où tu demeures ; c'est nécessaire pour que la désobéissance prenne
fin, que les fautes cessent et que les péchés
soient pardonnés, pour que la justice éternelle se manifeste, que la vision et la prophétie s'accomplissent et que le *temple
de Dieu soit consacré de nouveau. 25 Voici
donc ce que tu dois savoir et comprendre : depuis l'instant où a été prononcé le
message concernant le retour d'exil et la
reconstruction de Jérusalem, jusqu'à l'apparition du chef consacré, il y a sept périodes de sept ans[z]. Ensuite, pendant
soixante-deux périodes de sept ans, la
ville et ses fortifications seront reconstruites, mais les temps seront difficiles. 26 A la fin de ces soixante-deux
périodes, un homme consacré sera tué
sans que personne le défende. Puis un
chef viendra avec son armée et détruira la
ville et le sanctuaire. Toutefois ce chef finira sous le déferlement de la colère divine. Mais jusqu'à sa mort il mènera une
guerre dévastatrice, comme cela a été décidé[a]. 27 Pendant la dernière période de
sept ans, il imposera de dures obligations
à un grand nombre de gens. Au bout de
trois ans et demi, il fera même cesser les
sacrifices et les offrandes. Ce dévastateur
accomplira ses œuvres abominables avec
rapidité, jusqu'à ce que la fin qui a été
décidée s'abatte sur lui[b]." »

Troisième vision : l'homme vêtu de lin

10 1 Durant la troisième année du règne de Cyrus, roi de Perse, un message de Dieu fut révélé à Daniel, appelé
aussi Beltassar. Ce message, digne de foi,
annonçait de grandes difficultés[c]. Daniel
le réfléchit attentivement et en découvrit
le sens grâce à la vision.
2 « A cette époque, moi, Daniel, j'obser-
vai les rites de deuil pendant trois semaines complètes : 3 Je ne mangeai aucun
mets délicat, je ne consommai ni viande
ni vin, et je renonçai à me parfumer la
tête, jusqu'à ce que ces trois semaines
soient passées. 4 Le vingt-quatrième jour
du premier mois, je me trouvais au bord
du Tigre, le grand fleuve. 5 Tandis que je
regardais, j'aperçus un personnage, vêtu
d'habits de lin, avec une ceinture en or
pur autour de la taille. 6 Son corps ressemblait à une pierre précieuse, son visage
brillait comme un éclair, ses yeux étaient
pareils à des torches enflammées, ses bras
et ses jambes luisaient comme du bronze
poli. Quand il parlait, on croyait entendre
le bruit d'une foule[d]. 7 Moi, Daniel, je fus
le seul à voir cette apparition. Les gens
qui m'entouraient ne virent rien, et pourtant, saisis de terreur, ils coururent se cacher. 8 Je demeurai donc tout seul à
contempler cette apparition impressionnante. Cependant mes forces me quittèrent, mon visage changea de couleur, il
devint livide, et je me retrouvai sans aucune énergie. 9 J'entendis le personnage
prononcer des paroles ; au bruit de sa
voix, je perdis connaissance et m'écroulai
le visage contre terre. 10 Alors une main
me toucha et me fit tenir, tout tremblant,
sur mes genoux et mes mains. 11 Le personnage me dit : "Daniel, toi que Dieu
aime, efforce-toi de comprendre le sens
des paroles que je t'adresse. Tiens-toi de-

---

z **9.25** *le message...* : celui de Jérémie, voir Jér 25.11-12 ; 29.10. – *chef consacré* : on a pensé à Cyrus, voir És 45.1 et la note, ou au grand-prêtre Yéchoua, voir Ag 1.1 ; certains y voient plutôt une allusion à Jésus-Christ lui-même.

a **9.26** *un homme consacré* : il pourrait s'agir du grand-prêtre Onias III, assassiné en 171 avant J.-C. ; voir 11.22. – *sans que personne le défende* traduit deux mots hébreux peu clairs ; on a parfois pensé qu'un troisième mot avait disparu du texte original et on a traduit par exemple *sans avoir commis de faute* ou *sans avoir de successeur*. – *un chef* : Antiochus Épiphane, voir 7.25 et la note, ou, selon une autre interprétation, Titus, qui détruisit Jérusalem en 70 après J.-C.

b **9.27** *dures obligations* : obligations faites aux Juifs de renoncer à leurs pratiques religieuses traditionnelles. – *il fera même cesser les sacrifices et les offrandes* : de 167 à 164 avant J.-C., s'il s'agit d'Antiochus Épiphane, ou à partir de la destruction du temple en 70 après J.-C., s'il s'agit de Titus. – Le texte hébreu du v. 27 est peu clair, et la traduction incertaine.

c **10.1** *Cyrus* : voir 1.21 ; Esd 1.1 et la note. – *annonçait de grandes difficultés* : texte hébreu peu clair et traduction incertaine.

d **10.6** V. 5-6 : voir Apoc 1.13-15 ; 2.18 ; 19.12.

bout, car c'est auprès de toi que j'ai été
envoyé en cet instant." A ces mots, je me
mis debout en tremblant encore. 12 Il
ajouta : "N'aie pas peur, Daniel ! Dès le
premier jour où tu as manifesté ton
humble soumission envers ton Dieu, en
ayant à cœur de comprendre ce qui se
passait, ta prière a été entendue et je me
suis mis en route pour t'apporter la réponse. 13 Mais *l'ange protecteur de
l'empire perse s'est opposé à moi pendant vingt et un jours, jusqu'au moment
où Michel[e], l'un des principaux anges,
est venu à mon aide. J'ai donc été retenu
auprès des rois de Perse. 14 Et maintenant je viens pour te faire comprendre
ce qui arrivera à ton peuple dans l'avenir, car voici encore une vision qui
concerne ce temps-là."

15 « Tandis qu'il m'adressait ces paroles,
j'avais le regard fixé au sol et j'étais incapable de prononcer un mot. 16 Mais un
autre être[f], qui avait une apparence humaine, vint toucher mes lèvres, et je pus
de nouveau ouvrir la bouche et parler. Je
dis au personnage qui se tenait en face de
moi : "Mon seigneur, à cause de cette vision, l'angoisse m'a saisi et je me retrouve
sans force. 17 Comment pourrais-je, moi,
un homme insignifiant, m'entretenir
avec mon seigneur, alors qu'il ne me reste
ni force ni souffle ?" 18 Aussitôt celui qui
avait une apparence humaine me toucha
de nouveau pour me redonner des forces.
19 et l'autre personnage me dit[g] : "Homme
que Dieu aime, n'aie pas peur ! Tout va
bien pour toi ! Reprends courage, retrouve tes forces !" Au fur et à mesure qu'il me
parlait, mes forces revenaient. Je lui dis
alors : "Mon seigneur, tu peux me parler
car tu m'as redonné des forces." 20-21 Il reprit : "Sais-tu pourquoi je suis venu vers
toi ? C'est pour t'annoncer ce qui est écrit
dans le livre de vérité. Pourtant j'ai encore à combattre l'ange protecteur de la
Perse, et juste au moment où je vais y aller, l'ange protecteur de la Grèce arrive
Et personne ne m'aide à combattre ces
adversaires, si ce n'est Michel, l'ange pro-
11 tecteur d'Israël, 1 que j'ai moi-
même aidé et soutenu pendant la
première année du règne de Darius le
Mède[h]. 2 Et maintenant, voici le message
digne de foi que j'ai à te transmettre :

La guerre entre les rois du Nord et du Sud[i]

"Trois rois vont se succéder au gouvernement de la Perse, suivis d'un quatrième qui accumulera des richesses plus
grandes encore que ses prédécesseurs
Lorsque ses richesses lui auront donn
suffisamment de puissance, il mettr
tout en œuvre contre le royaume d
Grèce. 3 Mais un guerrier deviendra ro
de Grèce[j]. A la tête d'un empire étendu
il agira comme bon lui semblera. 4 Toutefois, quand il sera bien établi, son pouvoir royal sera brisé et son royaume ser
disloqué aux quatre coins de l'horizon
Ce ne sont pas ses descendants qui lu
succéderont : le pouvoir royal sera réparti entre d'autres gens[k], mais ceux-c
n'atteindront pas la puissance qu'i
avait.

5 "Celui qui régnera sur le royaume d
Sud[l] sera puissant, mais l'un de ses généraux deviendra plus puissant que lui e
exercera un pouvoir plus étendu que l
sien. 6 Au bout de quelques années, il
concluront un pacte : la fille du roi d
Sud épousera le roi du Nord pour rétabli
l'entente. Mais elle ne conservera pas so
pouvoir. Son mari lui-même ne rester
pas en vie, et leur enfant non plus. El
aussi perdra la vie en ce temps-là, to

---

e 10.13 *Michel* est l'ange protecteur d'Israël ; voir v. 21 ; Jude 9 ; Apoc 12.7.

f 10.16 *un autre être* : on pourrait aussi comprendre qu'il s'agit du même personnage qu'au v. 15 et traduire *cet être*.

g 10.19 Ou *et me dit* (comparer la note précédente).

h 11.1 *Darius le Mède* : voir 6.1 et la note.

i 11.2 Le chap. 11 résume une période de l'histoire du Moyen-Orient, dans laquelle le pays d'Israël est impliqué. V. 2-4 : la domination perse et la conquête du pouvoir par le Grec Alexandre le Grand (environ 500 à 323 avant J.-C.). V. 5-20 : les luttes d'influence, les alliances et les guerres, entre les deux principales dynasties héritières du royaume d'Alexandre, les Ptolémées en Égypte et les Séleucides en Syrie-Babylonie (323 à 175 avant J.-C.). V. 21-45 : le règne d'Antiochus Épiphane, roi vaniteux et sanguinaire, grand persécuteur des Juifs (175 à 164 avant J.-C.).

j 11.3 Voir 8.21 et la note.

k 11.4 Voir 8.8,22 et les notes.

l 11.5 L'Égypte.

omme son entourage, son père et son
ıari[m]. 7 Un membre de sa famille pren-
ra la place de son père et viendra mena-
er l'armée du roi du Nord dans ses
ropres forteresses. Il attaquera cette ar-
ıée et la vaincra[n]. 8 Il emmènera comme
utin en Égypte les statues des dieux du
ays, ainsi que les précieux ustensiles d'or
t d'argent qui leur étaient consacrés.
uis, durant quelques années, il se tien-
ra à distance du roi du Nord. 9 Ensuite,
elui-ci se rendra dans le royaume du
ud, puis regagnera son pays.
10 "Les fils du roi du Nord se prépare-
ont à la guerre en rassemblant des trou-
es extrêmement nombreuses. L'un
'eux se mettra en campagne et, avec ses
ldats, franchira la frontière comme un
rrent qui déborde. En regagnant en-
iite son pays, il attaquera une ville forti-
ée de l'ennemi[o]. 11 Exaspéré, le roi du
ıd lancera une offensive contre le roi du
ord; celui-ci mettra sur pied des trou-
es nombreuses, mais elles tomberont au
ouvoir de l'adversaire. 12 Le roi du Sud
rera orgueil de cette grande victoire;
utefois, malgré les milliers de soldats
ı'il fera mourir, il ne triomphera pas.
Le roi du Nord mettra sur pied de nou-
elles troupes, plus nombreuses que les
écédentes. Au bout de quelques années,
reviendra avec cette grande armée équi-
e d'un matériel imposant. 14 A cette
oque-là, beaucoup de gens prendront
osition contre le roi du Sud; même des
ns de ton peuple, Daniel, des partisans
la violence, se soulèveront contre lui,
in que se réalise une certaine vision.
ais ils échoueront. 15 Le roi du Nord
endra donc, élèvera un remblai contre
ıe ville fortifiée et s'en emparera[p]. L'ar-
ée du Sud, malgré ses troupes d'élite, ne
ourra lui résister, elle n'en aura pas la
rce. 16 L'envahisseur agira comme bon
i semblera, puisque rien ne lui résistera.
s'installera dans le plus beau des pays[q],
rès y avoir semé la destruction. 17 Puis il
cidera d'intervenir avec toute la puis-
nce de son royaume et fera semblant
agir avec droiture : il donnera sa fille en
ariage au roi du Sud, avec l'intention
entraîner le pays de son ennemi dans la
ine, mais cette ruse ne réussira pas du
tout. 18 Ensuite il dirigera ses regards vers
les régions côtières et s'emparera de plusieurs territoires, jusqu'à ce qu'un chef
étranger mette fin à son arrogance et en
fasse retomber les conséquences sur lui[r].
19 Il tournera alors ses regards sur les cités
fortifiées de son propre pays, mais sans
pouvoir en tirer profit; au contraire, il
mourra sans laisser de traces. 20 Son successeur enverra un homme piller le plus
glorieux édifice du royaume; peu de
temps après, ce roi sera brisé, mais non
pas publiquement, ni au cours d'une
guerre[s].
21 "Son successeur sera un personnage
méprisable à qui l'on n'aura pas confié la
dignité royale[t]. En pleine paix, cet
homme viendra s'emparer de la royauté
par des intrigues. 22 Aucune armée d'invasion ne pourra tenir devant lui; il les
écrasera toutes, et il tuera un chef du peuple de *l'alliance[u]. 23 Il profitera des traités conclus avec lui pour user de
tromperie, et sa puissance sera de plus en
plus grande, malgré le petit nombre de
ses partisans. 24 En pleine paix, il se rendra dans les régions les plus prospères de
la province pour faire ce que ses ancêtres
n'avaient jamais osé faire : il pillera le

---

m 11.6 *le roi du Nord* : Antiochus II, roi de Syrie-Babylonie, épousa Bérénice, fille de Ptolémée II, roi d'Égypte. – *leur enfant* : d'après une ancienne version grecque; hébreu *son pouvoir*. – Le texte hébreu du v. 6 est obscur et la traduction incertaine.

n 11.7 Expédition de Ptolémée III contre Séleucus II, fils d'Antiochus II, pour venger la mort de sa sœur Bérénice.

o 11.10 *Les fils* : Séleucus III, puis son frère Antiochus III, fils de Séleucus II. – *L'un d'eux* : Antiochus III. – *une ville fortifiée* : ce pourrait être Gaza, prise en 201 avant J.-C.

p 11.15 *une ville fortifiée* : probablement Sidon, prise en 198 avant J.-C. par Antiochus III.

q 11.16 *le plus beau des pays* : le pays d'Israël.

r 11.18 Le texte hébreu des v. 17-18 est peu clair et la traduction incertaine. – *un chef étranger* : probablement le consul romain Lucius Scipion qui vainquit Antiochus III en 190 avant J.-C.

s 11.20 *le plus glorieux édifice du royaume* : le temple de Jérusalem. – *non pas publiquement* : autre traduction *non par une intervention de la colère divine*.

t 11.21 Antiochus Épiphane, voir la note du v. 2.

u 11.22 *un chef...* : probablement le grand-prêtre Onias III (voir 9.26 et la note).

pays et distribuera le butin et les richesses
à ses partisans. Il projettera même d'attaquer des forteresses. Mais tout cela ne
durera qu'un certain temps.
25 “Convaincu de sa force et de son courage, il partira avec une grande armée
contre le roi du Sud. Ce dernier se préparera à combattre avec une armée très
grande et extrêmement puissante, mais il
ne parviendra pas à lui résister, car il sera
victime de manœuvres sournoises. 26 En
effet, des gens de son propre entourage le
trahiront, tandis que son armée sera en
campagne, et un grand nombre de soldats
mourront. 27 Les deux rois se retrouveront à la même table, mais comme ils auront le cœur rempli de méchanceté, ils
n'échangeront que des paroles mensongères. Leur discussion ne servira à rien,
car l'affaire ne s'achèvera qu'au temps
fixé. 28 Le roi du Nord partira pour son
pays en emportant de grandes richesses.
Au passage il interviendra, comme il
l'aura projeté, contre le peuple avec qui
Dieu a fait alliance[v], puis il rentrera chez
lui.
29 “Le moment venu, le roi du Nord se
rendra de nouveau dans le royaume du
Sud, mais cette fois les choses ne se dé-
rouleront pas comme la fois précédente.
30 Des gens de l'ouest, arrivant par bateaux, viendront s'opposer à lui[w]. Découragé, il rebroussera chemin ; il tournera
de nouveau sa rage contre le peuple ave
qui Dieu a fait alliance, tout en se concer
tant avec ceux qui seront infidèles à l'al
liance. 31 Des soldats envoyés par lu
prendront position devant le *sanctuai
fortifié et le profaneront. Ils interdiront l
*sacrifice qu'on offre chaque jour à Die
et dresseront sur *l'autel ‘l'Horreur abc
minable'[x]. 32 Le roi lui-même, par se
flatteries, amènera des gens à rejete
l'alliance. Mais tous ceux qui sont fidèle
à Dieu resteront fermes dans leur faço
d'agir. 33 Les plus intelligents parm
ceux-ci en instruiront beaucoup d'autres
pendant quelque temps, on assassiner
certains d'entre eux, on en brûlera d'au
tres, on en jettera d'autres encore en pr
son, après les avoir dépouillés de leur
biens. 34 Au cours de ces persécutions, i
ne recevront que peu d'aide, car beaucou
de ceux qui se joindront à eux le feron
par hypocrisie. 35 Parmi les gens intell
gents, plusieurs succomberont, et leu
mort servira à *purifier le peuple, à l'aff
ner, à le blanchir, pour le moment o
viendra la fin. – En effet, ce ne sera pa
encore le temps de la fin. –
36 “Le roi agira comme bon lui sem
blera. Plein d'orgueil, et se croyant sup
rieur aux dieux, il s'exprimera de maniè
intolérable contre le Dieu des dieux.
connaîtra le succès, jusqu'à ce que la c
lère divine se manifeste. Alors Dieu a
complira ce qu'il a décidé[y]. 37 Le roi n
respectera pas les dieux que ses ancêtr
ont adorés, ni celui que les femmes ch
rissent particulièrement ; en effet, il
considérera comme supérieur à toutes l
divinités[z] et n'en respectera aucune. 38 A
lieu de cela, il rendra un culte au dieu d
forteresses, divinité que ses ancêtres
connaissaient pas[a] ; il lui offrira de l'or, c
l'argent, des pierres précieuses et d'autr
objets de valeur. 39 Il interviendra cont
les villes fortifiées avec l'aide de ce di
étranger. Il couvrira d'honneur tous ce
qui accepteront ce dieu[b], il les désigne
comme chefs d'un grand nombre de ger
et leur attribuera des terres en récor
pense.
40 “A l'époque de la fin, le roi du Sud r
prendra les hostilités, mais le roi du No
foncera sur lui avec ses chars, sa cavaler

---

v **11.28** *contre le peuple avec qui Dieu a fait alliance* ou *contre la religion du peuple de Dieu* ; de même au v. 30.

w **11.30** En 168 avant J.-C., Popilius Laenas, à la tête de la flotte romaine, ordonne à Antiochus Épiphane de regagner la Syrie.

x **11.31** *le sanctuaire fortifié* : le temple de Jérusalem. – *le sacrifice qu'on offre chaque jour à Dieu* : voir Ex 29.38-42 ; Nomb 28.3-6. Comparer Dan 8.11. – *l'Horreur abominable* : une statue ou un symbole de Zeus Olympien, dressé là sur l'ordre d'Antiochus ; voir 12.11 ; Matt 24.15 ; Marc 13.14.

y **11.36** Comparer 2 Thess 2.3-4 ; Apoc 13.5-6.

z **11.37** *celui que les femmes chérissent particulièrement* : probablement le dieu Tammouz, voir Ézék 8.14 et la note. – *il se considérera...* : le roi Antiochus, dont il est question ici (voir la note du v. 2), s'était attribué le titre « Épiphane », qui signifie « dieu manifesté ».

a **11.38** *dieu des forteresses* : probablement Zeus Olympien.

b **11.39** Autre traduction *tous ceux qui l'accepteront comme roi.*

:t une flotte nombreuse ; il pénétrera
ıvec son armée dans divers pays, en fran-
:hissant les frontières comme un torrent
ıui déborde. 41 Il envahira le plus beau
les pays, où beaucoup de gens suc-
:omberont. Par contre, les Édomites, les
Aoabites et l'élite des Ammonites
chapperont à ses coups[c]. 42 Il étendra sa
lomination sur d'autres pays, et même
'Égypte ne lui échappera pas. 43 Il s'em-
•arera des trésors de l'Égypte, or, argent
t objets précieux. Les Libyens et les
:thiopiens se soumettront à lui. 44 Mais
les nouvelles en provenance de l'est et
lu nord le terrifieront : il se mettra en
ampagne, plein de fureur, pour extermi-
ıer un grand nombre de gens. 45 Il dres-
era ses tentes royales entre la mer et la
nontagne sacrée du plus beau des pays.
:t c'est là que la mort le surprendra, sans
ue personne lui vienne en aide." »

Le temps d'angoisse et le retour à la vie

12 1 « *L'ange me dit encore : "En ce
temps-là paraîtra Michel, le chef
es anges, le protecteur de ton peuple. Ce
:ra un temps d'angoisse, comme il n'y en
ura jamais eu depuis qu'une nation
xiste et jusqu'à ce moment-là. Alors se-
ɔnt sauvés tous ceux de ton peuple dont
: nom sera inscrit dans le livre de vie[d].
Beaucoup de gens qui dorment au fond
e la tombe se réveilleront, les uns pour la
ie éternelle, les autres pour la honte,
our l'horreur éternelle[e]. 3 Les gens intel-
gents rayonneront de splendeur comme
ı voûte céleste ; après avoir montré aux
ıtres comment être fidèles, ils brilleront
our toujours comme des étoiles.
4 "Toi, Daniel, garde secret ce message,
e révèle pas le contenu de ce livre avant
temps de la fin. Alors beaucoup de gens
consulteront et leur connaissance en
ra augmentée[f]." »

Le moment de la fin reste un secret

5 « Tandis que moi, Daniel, je contem-
ıais cette vision, deux autres person-
ıages apparurent, debout de part et
d'autre du fleuve. 6 L'un d'eux s'adressa
au personnage vêtu d'habits de lin[g], qui se
tenait au-dessus de l'eau du fleuve, et lui
demanda : "Quand ces événements extraordinaires prendront-ils fin ?" 7 Le personnage aux habits de lin leva les deux
mains vers le ciel, et je l'entendis déclarer : "Je le jure, au nom du Dieu qui vit
pour toujours, ces événements dureront
trois ans et demi[h]. Ils prendront fin
quand la puissance du peuple de Dieu
sera entièrement brisée."
8 « Moi, Daniel, j'entendis ces paroles,
mais sans comprendre. C'est pourquoi je
demandai : "Mon seigneur, comment
tout cela se terminera-t-il ?" – 9 "Va en
paix, Daniel, me répondit-il. Ce message
doit rester soigneusement caché jusqu'au
moment de la fin. 10 Beaucoup de gens
seront *purifiés, blanchis, affinés par
les épreuves. Les gens mauvais, incapables de comprendre, continueront de
commettre leurs crimes[i]. Mais les gens
intelligents comprendront ce qui se passe.
11 Depuis le moment où l'on ne pourra
plus offrir à Dieu le *sacrifice de chaque
jour, et où 'l'Horreur abominable' sera
dressée sur *l'autel[j], il s'écoulera 1290
jours. 12 Heureux ceux qui demeureront
fermes dans leur attente pendant 1335
jours. 13 Quant à toi, Daniel, tiens bon
jusqu'au bout. Alors tu auras droit au repos, puis tu te relèveras pour recevoir ta
récompense à la fin des temps." »

---

c **11.41** *le plus beau des pays* : le pays d'Israël. – *Édomites, Moabites, Ammonites* : peuples voisins d'Israël, et ses ennemis traditionnels.

d **12.1** *Michel* : voir 10.13 et la note. – *temps d'angoisse...* : voir Matt 24.21 ; Marc 13.19. – *livre de vie* : voir Ex 32.32 ; Ps 69.29 et les notes.

e **12.2** Voir Matt 25.46 ; Jean 5.29.

f **12.4** Comparer Apoc 22.10. – Le texte hébreu de la fin du verset est peu clair, et la traduction est incertaine.

g **12.6** Voir 10.5-6.

h **12.7** Voir Apoc 10.5-6. – *trois ans et demi* : voir 7.25 ; Apoc 12.14 ; 13.5-6.

i **12.10** *purifiés, blanchis, affinés* : voir 11.35. – *Les gens mauvais...* : comparer Apoc 22.11.

j **12.11** Voir 11.31 et la note.

Osée

Introduction *– Osée devient porte-parole de Dieu dans le royaume d'Israël (royaume du Nord) une dizaine d'années après Amos, c'est-à-dire vers 750 avant J.-C. Il le restera environ vingt-cinq ans, soit presque jusqu'à la prise de Samarie par les Assyriens et à la disparition du royaume d'Israël en 722-721.*

Pendant cette période (voir 2 Rois 14.23–17.23), l'État est en pleine décomposition : après le règne de Jéroboam II (voir les notes sur 1.1 et 1.4), la puissance assyrienne se fait menaçante. Les coups d'État se succèdent à Samarie, amenant au pouvoir des hommes qui mènent des politiques contradictoires. Les inégalités sociales, déjà dénoncées par Amos, s'aggravent. Mais surtout la foi du peuple de Dieu subit une crise grave : la religion cananéenne (voir la note sur 1.2) exerce sur beaucoup un attrait grandissant.

C'est à travers un drame conjugal qu'Osée va vivre cette situation et ses conséquences. Son amour blessé répond à la souffrance que Dieu éprouve du fait de l'infidélité de son peuple (une sorte de prostitution), mais appelle aussi l'espérance de la guérison et d'un amour retrouvé et enfin partagé (14.2-10). Par sa façon de placer l'amour au centre de la relation entre Dieu et les hommes, Osée *est déjà dans la ligne de l'Évangile (Matt 9.13 ; 12.7).*

*Le livre d'*Osée *a classé les interventions du *prophète plus par thèmes que selon l'ordre chronologique :*
– chap. 1–3 : l'expérience conjugale d'Osée et son message ;
– 4.1–9.9 : la situation d'Israël et sa signification spirituelle ;
– 9.10–14.1 : les racines lointaines de l'infidélité du peuple de Dieu ;
– 14.2-10 : l'amour de Dieu restera le plus fort.

1 [1] Paroles que le Seigneur a communiquées à Osée, fils de Beéri, alors que
éroboam, fils de Joas, était roi *d'Israël.
C'était aussi l'époque des rois de Juda
)zias, Yotam, Ahaz et Ézékias[a].

La famille du prophète, premier message de Dieu

2 Voici comment le Seigneur commen-
a de parler à son peuple par l'inter-
nédiaire d'Osée. Il dit à celui-ci :

« Va, épouse une femme
qui pratique la prostitution sacrée ;
les enfants que tu auras d'elle
seront des enfants de prostituée.
En effet, le peuple du pays
se livre à une vraie prostitution
en se détournant de moi,
le Seigneur[b]. »

3 Alors Osée alla épouser Gomer, fille
e Diblaïm. Elle lui donna un fils, 4 et le
eigneur dit à Osée :

« Tu l'appelleras *Jizréel*,
car j'interviendrai d'ici peu
contre les descendants de Jéhu
pour le crime commis à Jizréel[c].
Je mettrai fin à la royauté
dans la nation *d'Israël.
5 Un de ces jours, je briserai
la force militaire d'Israël
dans la plaine de Jizréel. »

6 Gomer, de nouveau enceinte, mit au
monde une fille. Et le Seigneur dit à
)sée :

« Tu l'appelleras *Mal-Aimée*,
car je cesse d'aimer les gens d'Israël.
Je leur retire tout mon amour[d].

« Mais je continue d'aimer les gens de
uda. Au contraire, moi le Seigneur leur
)ieu, je les sauverai, et cela sans recourir
i à l'arc ou à l'épée, ni aux combats, ni
ux chevaux ou aux cavaliers. »

8 Après avoir sevré Mal-Aimée, Gomer
ut encore enceinte et mit au monde un
ls. 9 Et le Seigneur dit à Osée :

« Tu l'appelleras *Étranger*
car vous, les gens d'Israël,
vous n'êtes pas mon peuple,
et moi je ne suis rien pour vous[e]. »

Le grand jour de Jizréel

2 [1] Mais un jour les gens d'Israël
seront devenus trop nombreux
pour être recensés,
tels les grains de sable
impossibles à compter
sur le bord de la mer.
Et là même où Dieu leur disait :
"Vous n'êtes pas mon peuple",
il les nommera au contraire :
"Fils du Dieu vivant"[f].
2 Alors Juda et *Israël
retrouveront leur unité,
ils se donneront un chef unique
et seront maîtres du pays.
Voilà le grand jour de Jizréel[g] !
3 Dites de la part du Seigneur
à vos frères et à vos sœurs[h] :
"Mon peuple" et "Bien-Aimée".

---

a **1.1** *Israël*, opposé ici à *Juda*, désigne le royaume israélite du Nord, fondé par Jéroboam Ier après la mort de Salomon (voir 1 Rois 12.16-20). Le roi *Jéroboam* nommé ici est le deuxième du nom ; il régna sur Israël de 787 à 747 avant J.-C. (voir 2 Rois 14.23-29). – *Ozias* voir la note sur Amos 1.1. – *Yotam* : 2 Rois 15.32-38 ; 2 Chron 27.1-3,7-9. – *Ahaz* : 2 Rois 16. 1-20 ; 2 Chron 28.1-27. – *Ézékias* : 2 Rois 18–20 ; 2 Chron 29-32.

b **1.2** Le dieu *Baal et la déesse *Astarté, adorés par les Cananéens et par beaucoup d'Israélites contemporains d'Osée, étaient censés favoriser la fertilité de la terre et la fécondité des troupeaux ou des familles humaines (voir 2.7). Le culte qu'on célébrait en leur honneur s'accompagnait de *prostitution sacrée* (voir 4.12-14). – *enfants de prostituée* : c'est-à-dire sans aucun droit ; voir Jug 11.1-2.

c **1.4** Allusion à l'extermination de la famille d'Achab par *Jéhu* d'après 2 Rois 9–10. Jéroboam II (voir 1.1 et la note) était un descendant de Jéhu.

d **1.6** *Je leur retire tout mon amour* : autres traductions *en leur pardonnant davantage* ou *en les supportant plus longtemps*.

e **1.9** *Étranger* ou *N'est pas mon peuple*. La tournure rappelle ici la formule de répudiation qu'on trouve en 2.4.

f **2.1** Dans certaines éditions 2.1 et 2.2 sont numérotés 1.10 et 1.11 ; de même 2.3-25 est numéroté 2.1-23. – La fin du verset est citée en Rom 9.26.

g **2.2** Voir la note sur 1.4. – *seront maîtres du pays* ou *monteront du pays* ; certains interprètent *s'étendront hors du pays*. – *Jizréel* retrouve ici son sens positif *Dieu sème* ; comparer 1.4.

h **2.3** *vos frères et vos sœurs* : non seulement les Israélites du Nord (v. 1), mais aussi les Judéens (v. 2).

Israël, épouse infidèle

4 « Accusez Israël, votre mère,
ne vous en privez pas, dit le Seigneur,
car elle n'est plus ma femme
et je ne suis plus son mari.

« Qu'elle ôte de son visage
les marques de sa prostitution !
Qu'elle enlève d'entre ses seins
les signes de son adultère[i] !
5 Sinon je la mettrai toute nue,
dans l'état où elle était
au jour de sa naissance !
Je changerai son territoire
en désert, en terre aride ;
je la ferai mourir de soif.

6 « Je n'aime pas ses enfants :
ce sont des enfants de prostituée[j],
7 car leur mère s'est prostituée,
celle qui les a mis au monde
s'est conduite honteusement.
Elle se disait en effet :
"Je veux courir après mes amants,
eux qui me donnent
mon pain et mon eau,
ma laine et mon lin,
mon huile et mon vin."

8 « Mais moi, le Seigneur,
je vais lui barrer la route
par une haie d'épines ;
je vais l'entourer d'un mur
pour l'empêcher désormais
de trouver son chemin.
9 C'est en vain qu'elle essaiera
de rejoindre ses amants ;
elle cherchera à les atteindre,
mais sans le moindre succès.
Alors elle se dira :
"Il faut que je revienne
à mon premier mari,
car j'étais heureuse alors,
bien plus qu'aujourd'hui !"

10 « Elle ne se rendait pas compte que
c'est moi qui lui donnais
le blé, le vin et l'huile fraîche ;
c'est moi qui l'enrichissais
de l'argent et de l'or
dont elle s'est servie pour *Baal.
11 C'est pourquoi, je vais lui reprendre
mon blé au temps de la moisson
et mon vin au temps des vendanges.
Je vais lui arracher
ma laine et mon lin,
qui lui servaient à se couvrir.
12 Oui, je la déshabillerai, pour sa honte,
sous le regard de ses amants.
Personne ne m'en empêchera.
13 Je mettrai fin à ses réjouissances,
à ses pèlerinages,
à ses fêtes de nouvelle lune,
à ses *sabbats et autres cérémonies.
14 Je détruirai ses vignes et ses figuiers,
dont elle disait : "C'est le salaire
que m'ont versé mes amants."
J'en ferai un terrain broussailleux
où les animaux des champs
viendront prendre leur nourriture.
15 Je lui ferai payer ainsi
le temps qu'elle consacrait
à Baal et aux dieux de cette espèce.
Elle leur offrait des *sacrifices,
se parait d'anneaux et de colliers,
elle courait après ses amants,
et moi, elle m'oubliait,
déclare le Seigneur.
16 Je vais donc la reconquérir
et la reconduire au désert,
et je retrouverai sa confiance.
17 De là, je lui rendrai ses vignes ;
la sinistre vallée d'Akor[k]
deviendra pour elle une porte
ouvrant sur l'espérance.
Elle m'y suivra volontiers,
comme lorsque elle était jeune,
comme au temps de la sortie
d'Égypte. »

Le jour de la réconciliation

18 « En ce jour-là, dit le Seigneur,
elle m'appellera "mon mari"
et non plus "mon *Baal, mon Maître"
19 J'écarterai de son langage
le nom même de Baal
et des dieux de cette espèce,
on ne le prononcera plus.

---

i **2.4** L'idolâtrie d'Israël est comparée à une *prostitution* et son infidélité à un *adultère*. Voir 1.2 et la note, et comparer Jér 2.20 ; 3.1 ; 5.7 ; 13.27.
j **2.6** Voir 1.2 et la note.
k **2.17** *Akor* (dont le nom évoque *le malheur*) : voir Jos 7.24 et la note ; 15.7.

20 Alors je conclurai pour mon peuple
un pacte solennel
avec les bêtes dans les champs,
les oiseaux dans les airs
et les bestioles sur le sol.
Je casserai et jetterai hors du pays
les arcs, les épées, toutes les armes,
et je permettrai à mon peuple
de dormir enfin tranquille.
21 Israël, c'est pour toujours
que je t'obtiendrai en mariage.
Pour t'obtenir je paierai le prix :
la loyauté et la justice,
l'amour et la tendresse.
22 Oui, je t'obtiendrai par la fidélité.
Alors tu me reconnaîtras
comme le Seigneur.
23 En ce jour-là, dit le Seigneur,
je serai un Dieu qui répond :
je répondrai aux besoins du ciel,
qui répondra aux besoins de la terre[l],
24 laquelle répondra aux besoins du blé,
du vin nouveau et de l'huile fraîche ;
et tout cela répondra
aux besoins de Jizréel[m].
25 J'implanterai Jizréel dans le pays,
j'aimerai Mal-Aimée,
je dirai à Étranger[n] :
"Mon peuple, c'est toi",
et lui me répondra : "Mon Dieu". »

Mise à l'épreuve

3 [1] Le Seigneur me dit : « Eh bien ! une
fois encore aime cette femme qui a un
mant et vit dans l'adultère. Aime-la
omme moi, le Seigneur, j'aime les gens
'Israël, bien qu'ils se tournent vers d'au-
res dieux et raffolent des gâteaux de rai-
in[o]. » [2] Je récupérai donc ma femme au
rix de quinze pièces d'argent et de six
ectolitres d'orge. [3] Et je lui dis : « Pen-
ant longtemps tu resteras chez moi, et
ı renonceras à pratiquer la prostitution.
u devras renoncer à tout rapport amou-
eux, et moi, j'y renoncerai de même à
on égard. »

[4] En effet, les gens d'Israël resteront
ongtemps privés de roi et de chefs, de
sacrifices et de pierres sacrées, privés
ussi de ce qui sert à consulter Dieu[p].
Plus tard, ils reviendront au Seigneur,
s se tourneront vers leur Dieu et vers le
descendant de David, leur roi. Dans
l'avenir, ils chercheront respectueusement la présence du Seigneur et les biens
qu'il donne.

Le procès de Dieu contre son peuple

4 [1] Le Seigneur est en procès
contre les habitants du pays.
Gens d'Israël, écoutez donc
ce qu'il déclare :
« Il n'y a plus ici ni fidélité ni bonté.
On ne me reconnaît plus comme
Dieu.
2 On maudit son prochain,
on lui ment, on l'assassine,
on commet vols et adultères.
Le pays en est envahi[q],
les meurtres succèdent aux meurtres.
3 C'est pourquoi, dans le pays,
la sécheresse va sévir,
tous ses habitants vont dépérir,
avec les bêtes dans les champs,
et les oiseaux dans les airs.
Même les poissons dans la mer
sont condamnés à disparaître. »

La trahison des prêtres

4 « Non, ce n'est pas n'importe qui
que l'on doit accuser
ou couvrir de reproches.
Mais c'est avec toi, le grand-prêtre,
que je suis en procès[r], dit le Seigneur.

---

l **2.23** Pour envoyer la pluie sur *la terre, le ciel* a besoin de la recevoir de Dieu.

m **2.24** Osée joue ici sur le sens du nom *Jizréel : Dieu sème* (ou *implante*, v. 25) ; voir aussi 1.4.

n **2.25** *Mal-Aimée, Étranger* : voir 1.6,9. – Verset cité en Rom 9.25 ; comparer 1 Pi 2.10.

o **3.1** *cette femme* : autre traduction *une femme*. Il faudrait alors comprendre, au v. 2, *j'achetai donc une femme* au lieu de *je récupérai ma femme*. Il est cependant peu probable qu'il s'agisse ici d'un second mariage d'Osée. – *gâteaux de raisin* : utilisés dans les cultes païens ; voir És 16.7 et comparer Jér 7.18 ; 44.19.

p **3.4** *ce qui sert à consulter Dieu* : les objets (mal connus) appelés en hébreu *éfod* et *terafim*.

q **4.2** *Le pays en est envahi* : d'après l'ancienne version grecque ; hébreu *ils font une brèche* c'est-à-dire *ils cambriolent*.

r **4.4** *Mais c'est avec toi...* : avec d'autres voyelles le texte hébreu traditionnel propose *ton peuple est comme ceux qui sont en procès avec le prêtre*.

5 Tu vas trébucher en plein jour,
et ton compère, le *prophète,
trébuchera lui aussi dans la nuit.
Je réduirai ta mère au silence éternel.
6 Oui, mon peuple est réduit au silence
faute de me reconnaître.
Mais toi-même déjà,
tu n'as pas voulu me reconnaître.
C'est pourquoi je ne veux plus de toi,
tu ne seras plus mon prêtre.
Puisque tu as oublié
l'enseignement de ton Dieu[s],
moi, j'oublierai tes enfants.

7 « Tous les prêtres sans exception
ont d'ailleurs dévié de la ligne
que je leur avais tracée.
Leur fonction est honorée,
je vais la rendre déshonorante.
8 Ils vivent des *sacrifices
offerts par mon peuple coupable.
Ils n'ont donc qu'un désir :
que mon peuple se rende coupable[t].
9 Mais il arrivera aux prêtres
ce qui arrivera au peuple :
je m'occuperai de leur conduite,
je retournerai leurs actes contre eux.
10 Ils auront beau manger,
ils ne se rassasieront pas ;
ils auront beau se prostituer,
ils n'auront pas d'enfants.
Oui, ils m'ont abandonné,
moi, le Seigneur,
pour pratiquer la prostitution[u].

11 « Le désir d'une bonne vendange
fait perdre la tête à mon peuple.
12 Il demande des réponses
à une idole de bois ;
c'est un bout de bâton
qui lui fait des révélations[v] !
Un vent de prostitution
a soufflé sur eux et les a égarés.
Ils se sont prostitués
en se séparant de leur Dieu.
13 Ils font des repas sacrés
sur le sommet des montagnes.
Sur les collines, ils font monter
la fumée de leurs sacrifices.
Ils se tiennent sous les chênes,
les peupliers, les térébinthes,
dont l'ombre est si favorable.
C'est pour toutes ces raisons
que leurs filles et leurs belles-filles
se prostituent
et vivent dans l'adultère.
14 Mais je ne punirai pas vos filles
de s'être prostituées,
ni vos belles-filles
de vivre dans l'adultère.
Car ce sont eux – les prêtres –
qui emmènent des filles à l'écart,
et partagent les repas sacrés
avec les prostituées de vos temples.
Comme dit le proverbe :
“Un peuple sans discernement
est un peuple perdu.”

15 « Ainsi donc, Israël,
tu pratiques la prostitution.
Mais que Juda, au moins,
ne commette pas la même faute !
N'allez pas au lieu saint du Guilgal,
ne montez pas à Béthel-l'enfer,
ne jurez pas en disant :
“Par le Seigneur vivant ...[w] !” »

16 Israël s'est montré aussi récalcitran[t]
qu'une vache refusant d'avancer. Pour
quoi donc le Seigneur devrait-il le traite[r]
comme des agneaux qu'on mène dans d[e]
vastes pâturages ? 17 Les gens d'Éfraïm
se sont compromis avec les idoles. Lais
sez-les 18 finir leurs orgies, se vautre[r]
dans la prostitution, et préférer le dés
honneur des gens débauchés[y]. 19 U[n]
tourbillon de vent les emporte. Ils auron[t]
honte de leurs sacrifices.

---

s 4.6 Les prêtres avaient aussi la tâche de conserver et de transmettre *l'enseignement* (ou *la loi*) *de Dieu* (voir Deut 33.10).

t 4.8 Voir Lév 6.19-22.

u 4.10 *se prostituer* : voir 1.2 et la note. – *la prostitution* : dans le texte hébreu ce mot appartient au v. 11.

v 4.12 *un bout de bâton* : le prophète fait ironiquement allusion à un poteau sacré (voir Jug 6.25 et la note) ou aux bâtonnets dont on se servait pour deviner l'avenir.

w 4.15 *Guilgal, Béthel-l'enfer* : voir Amos 5.5 et les notes sur Amos 3.14 et 4.4. – Sur la fin du verset voir Amos 8.14.

x 4.17 *Éfraïm*, nom de la principale tribu israélite du nord, désigne ici l'ensemble du royaume d'Israël.

y 4.18 Autre traduction *...laissez-les. 18 Une fois leurs orgies terminées, ils se vautrent... – préférer le déshonneur des débauchés* : d'autres interprètent *leurs chefs aiment l'ignominie*.

Les mauvais éducateurs d'Israël

5 [1] « Vous les prêtres, écoutez bien ceci,
vous aussi, dirigeants d'Israël,
et vous de même, gens de la cour du roi :
Vous deviez faire respecter le droit.
Cependant à Mispa vous avez été
comme un piège pour mon peuple,
sur le mont Tabor un filet tendu[z],
2 et à Chittim une fosse profonde[a].
Mais moi, dit le Seigneur,
je vous donnerai à tous
une bonne leçon.

3 « Moi, je connais la tribu d'Éfraïm,
et le cas d'Israël
ne m'échappe nullement.
Vous avez poussé Éfraïm
à la prostitution[b],
et maintenant tout Israël
se trouve contaminé. »

4 Ce que les gens d'Israël ont fait
ne leur permet pas
de revenir à leur Dieu.
Un vent de prostitution
souffle en effet parmi eux,
ils ne reconnaissent pas le Seigneur.
5 L'orgueil du peuple d'Éfraïm
témoigne contre lui.
Éfraïm et Israël
trébuchent sur leur propre crime.
Même Juda trébuche avec eux.
6 Avec leurs bœufs et leurs moutons,
qu'ils vont offrir en *sacrifice,
ils viennent consulter le Seigneur,
mais ils ne le trouveront pas,
car il s'est retiré loin d'eux.
Ils ont trahi le Seigneur
en donnant le jour
à des enfants bâtards.
Maintenant, en moins d'un mois,
leur patrie sera ruinée[c].

La guerre entre Éfraïm et Juda

« Sonnez du cor à Guibéa,
de la trompette à Rama.
Lancez l'alarme à Béthel-l'enfer[d].
Attention derrière toi,
tribu de Benjamin !
Au jour de la punition,
la tribu d'Éfraïm[e]
va être réduite en désert.
Ce que j'annonce ainsi
parmi les tribus d'Israël
est tout à fait certain.
10 Les chefs de Juda se comportent
comme des gens qui déplacent
les bornes de leur champ[f].
Mais je déverserai sur eux
le flot de ma colère.

11 « Éfraïm est maltraité,
ses droits sont piétinés,
car il s'est mis en tête
de courir après des mirages[g].
12 Moi, je suis maintenant pour lui
comme un abcès purulent,
et pour les gens de Juda
comme un ulcère infectieux.
13 Éfraïm a reconnu son mal
et Juda la gravité de son cas.
Alors Éfraïm s'est adressé à l'Assyrie,

---

z 5.1 *Mispa* : plusieurs localités portent ce nom. Il s'agit peut-être ici du bourg situé à 13 km au nord de Jérusalem (Jos 18.26 ; 1 Sam 7.5-6). Les fouilles archéologiques y ont révélé l'importance du culte offert à la déesse cananéenne de la fécondité, *Astarté, à l'époque d'Osée. C'était un lieu saint de la religion cananéenne. – *le mont Tabor*, dominant la vallée de Jizréel, au nord de la Palestine, était un autre lieu saint de la religion cananéenne. – Le *piège* auquel Osée fait allusion semble être celui de la religion cananéenne (voir Osée 1.2 et la note).

a 5.2 Texte hébreu très incertain ; *Chittim* : voir Nomb 25 ; comparer Osée 9.10.

b 5.3 La *tribu d'Éfraïm* semble distinguée ici du royaume d'Israël. – *prostitution* : voir 1.2 ; 2.4 et les notes.

c 5.7 *enfants bâtards* ou *étrangers* : comparer 1.2 et la note. – Le sens de la fin du verset est incertain ; l'ancienne version grecque a compris *les *sauterelles dévoreront leurs propriétés*.

d 5.8 *Guibéa, Rama, Béthel* : ces localités jalonnent un itinéraire qui s'éloigne de Jérusalem vers le nord et correspond sans doute à la progression des troupes de Juda contre le royaume d'Israël en 733 avant J.-C. – Sur *Béthel-l'enfer* voir 4.15 et la note sur Amos 5.5.

e 5.9 *Éfraïm* : voir 4.17 et la note.

f 5.10 Voir Deut 19.14 ; 27.17. Les dirigeants de Juda profitent des pressions assyriennes sur le royaume d'Israël pour déplacer leurs propres frontières vers le nord.

g 5.11 Allusion probable à l'alliance militaire du royaume d'Israël avec la Syrie, pour résister à la menace assyrienne. – *mirages* : le terme hébreu correspondant ne se trouve nulle part ailleurs. D'autres interprètent : *de suivre sa* (propre) *loi*.

il a envoyé une mission
auprès du Grand Roi[h].
Mais celui-ci est incapable
de remédier à votre mal
et de vous guérir, gens d'Éfraïm.
14 Car c'est moi, le Seigneur,
qui vous attaque, tel un lion,
et qui assaille Juda, tel une bête féroce.
Quand je saisis ma proie
et m'en vais en l'emportant,
personne n'est capable de me l'arracher. »

Un retour à Dieu ?

15 « Eh bien, je vais rentrer chez moi,
annonce le Seigneur,
jusqu'à ce qu'ils reconnaissent leurs fautes,
et qu'ils se tournent vers moi.
Quand ils seront dans la détresse,
ils rechercheront ma présence. »

6 1 Alors vous dites :
« Allons, revenons au Seigneur.
C'est lui qui a fait la blessure,
mais il nous guérira.
C'est lui qui nous a frappés,
mais il bandera nos plaies
2 et nous rendra la vie.
En deux jours, en trois jours
il nous relèvera,
et nous revivrons en sa présence.
3 Alors reconnaissons-le comme Dieu.
Oui, tâchons vraiment
de reconnaître le Seigneur.
Son intervention est certaine
comme la venue de l'aurore.
Il viendra jusqu'à nous
comme la pluie d'hiver
ou la pluie du printemps,
qui rafraîchit la terre. »
4 Mais le Seigneur vous répond :
« Que faire pour toi, Éfraïm ?
et pour toi, Juda ?
L'affection que vous me portez
est comme un nuage matinal
ou comme la rosée :
elle est si vite dissipée !
5 C'est pourquoi je vous combats
par le message des *prophètes,
et je vous annonce
que vous allez au massacre.
Ma sentence va jaillir
claire comme le jour[i].
6 Qu'on agisse avec bonté :
voilà ce que je désire
plutôt que des *sacrifices[j] ;
et qu'on me reconnaisse comme Dieu
plutôt que de consumer
des animaux sur *l'autel. »

Des choses horribles en Israël

7 « Mais vous, à Adam-la-Ville[k],
vous avez violé vos engagements ;
c'est là que vous m'avez trahi.
8 Galaad est une cité de malfaiteurs
laissant derrière eux des traces sanglantes[l].
9 Comme des brigands en embuscade,
une bande de prêtres
assassine les gens
sur le chemin de Sichem[m].
C'est une chose horrible !
10 Dans la nation d'Israël
j'ai vu des horreurs :
la prostitution d'Éfraïm[n]
contamine tout Israël.

11 « Pour toi aussi, Juda,
on prépare la moisson[o]. »

Désordre général et catastrophe prochaine

« Au moment où je désire
rétablir mon peuple,
7 1 dit le Seigneur,
quand je veux guérir Israël,
les crimes des gens d'Éfraïm[p],
les méfaits de ceux de Samarie
m'apparaissent à nouveau.

---

h **5.13** Voir 2 Rois 15.29-30 ; 17.3.

i **6.5** Texte lu par plusieurs versions anciennes ; la tradition juive a compris *tes sentences* (sont) *une lumière qui jaillit*.

j **6.6** Verset cité par Jésus en Matt 9.13 ; 12.7.

k **6.7** *Adam-la-Ville* : voir Jos 3.16.

l **6.8** *Galaad* : ville de Transjordanie (voir 2 Rois 15.25).

m **6.9** *Sichem* : ancien centre religieux des douze tribus israélites (voir Jos 24.1) et ville de refuge (Jos 20.1-7).

n **6.10** Voir 1.2 ; 2.4 ; 4.17 et les notes.

o **6.11** *la moisson* : image du jugement ; comparer Jér 51.33.

p **7.1** Voir 4.17 et la note.

Ils pratiquent l'escroquerie,
les voleurs entrent dans les maisons,
les brigands sévissent dans les rues.
2 Et personne ne se dit
que je suis conscient du mal qu'ils font.
Maintenant les voilà prisonniers
de leurs propres méfaits.
J'ai tout cela sous les yeux.
3 Ils cachent leurs méchants complots
en amusant roi et ministres[q].
4 Tous ils pratiquent l'adultère[r].
Ils sont comme un four surchauffé
que le boulanger ne surveille plus
depuis qu'il a pétri la pâte
et jusqu'à ce qu'elle ait levé.
5 Le jour où on fête notre roi,
les ministres se rendent malades
par la brûlure du vin ;
le roi tend la main aux moqueurs,
6 quand ils s'approchent.
Dans leur ruse
ils sont comme un four :
toute la nuit leur colère sommeille ;
le matin elle s'enflamme
comme un grand incendie[s].
7 Tous échauffés comme un four
ils éliminent leurs dirigeants.
Leurs rois tombent
les uns après les autres,
sans que personne fasse appel à moi.

8 « Éfraïm est contaminé
par les autres peuples.
On dirait une galette
qui n'a pas été retournée.
9 Des étrangers sucent ses forces,
et lui ne s'en aperçoit pas.
Il a déjà des cheveux blancs
mais ne s'en rend pas compte.
10 L'orgueil du peuple d'Israël
témoigne contre lui.
Israël n'est pas revenu
vers moi, le Seigneur son Dieu.
Dans tous ces événements
on ne m'a pas consulté.
11 Éfraïm est un pigeon
aussi naïf qu'irréfléchi :
il fait appel à l'Égypte,
puis il se rend en Assyrie.
12 Mais pendant qu'il y va,
je lance mon filet sur lui,
je le fais tomber comme un oiseau,
et je le corrige comme je l'ai annoncé
à son assemblée[t].

13 « Malheureusement pour eux,
les gens d'Éfraïm me fuient.
C'est la catastrophe pour eux,
car ils sont révoltés contre moi.
Et moi, je devrais les libérer,
alors qu'ils mentent
dès qu'ils me parlent !
14 Ils ne sont pas sincères
quand ils m'appellent à leur secours.
Mais ils se couchent en gémissant,
ils s'entaillent le corps[u],
dans l'espoir d'obtenir
de meilleures moissons,
de meilleures vendanges.
Ils se détournent ainsi de moi.
15 Et cependant c'est moi
qui leur avais donné des forces[v] !
Mais ils n'ont eu envers moi
que de mauvaises pensées.
16 S'ils reviennent à quelqu'un,
ce n'est pas à moi[w].
Ils sont décevants
comme un arc faussé.
Leurs chefs tomberont à la guerre
pour leurs paroles insolentes,
et l'on en rira bien en Égypte ! »

Qui sème le vent récoltera la tempête

8 1 Sonnez du cor, donnez l'alarme :
comme un vautour
le malheur s'abat sur le pays du Seigneur.
« C'est que les gens d'Israël
ont violé les engagements
qui les liaient à moi,
dit le Seigneur ;

---

q **7.3** Voir par exemple 1 Rois 16.9-10.

r **7.4** Osée emploie ici l'image de *l'adultère* non plus au sens religieux (voir 2.4 et la note) mais au sens politique.

s **7.6** Le texte hébreu des v. 5-6 est en mauvais état, et la traduction reste incertaine. – *le jour où...* : sans doute l'anniversaire de l'avènement du roi.

t **7.12** *je le corrige...* : d'autres interprètent *je les capture dès que j'apprends qu'ils sont rassemblés*.

u **7.14** Voir Jér 41.5 et la note.

v **7.15** Ou *qui avait entraîné et fortifié leur bras*.

w **7.16** Le texte hébreu correspondant est obscur.

ils se sont opposés
à mon enseignement.
2 Ils ont beau me crier :
“Mon Dieu, nous sommes Israël,
nous te reconnaissons, nous !”
3 Ils ont rejeté ce qui est bien.
Alors l'ennemi les met en fuite.
4 Ils établissent des rois,
mais sans demander mon avis.
Ils nomment des ministres,
mais sans me mettre au courant.
Ils prennent leur argent, leur or,
pour se faire des idoles.
Bon moyen de le perdre !
5 Gens de Samarie,
votre veau est répugnant[x].
Vous avez provoqué mon indignation.
Jusqu'à quand resterez-vous impunis ?
6 Votre veau ne provient que d'Israël,
c'est un artisan qui l'a fait,
il n'a rien d'un dieu.
Oui, le veau de Samarie
volera en éclats.
7 Puisque vous semez le vent,
vous récolterez la tempête.
Comme dit le proverbe :
“A blé sans épi, point de farine”.
Et s'il en donne tout de même,
ce sont des étrangers
qui la consommeront.

8 « Israël s'est fait dévorer.
Le voici parmi les peuples
comme un pot dont on ne veut plus.
9 Il a pris l'initiative
de se rendre en Assyrie.
Un âne sauvage
garde son indépendance,
mais les gens d'Éfraïm
s'achètent des amants[y] !
10 Malgré tous les cadeaux
qu'ils font aux autres peuples,
le moment est venu
où je vais les rassembler.
Et d'ici peu ils souffriront
sous la charge que le roi des princes[z]
fera peser sur eux.
11 Éfraïm a dressé
d'innombrables *autels,
et ceux-ci n'ont servi
qu'à les rendre plus coupables.
– Des autels pour se rendre coupable ! –
12 J'aurais beau rédiger pour lui
mes instructions par milliers,
il n'en tiendrait aucun compte.
13 Ils aiment offrir des *sacrifices
parce qu'ils veulent manger de la viande[a].
Mais je n'y trouve aucun plaisir,
moi, le Seigneur ;
je n'oublie pas leurs crimes,
je passe en revue leurs fautes.
Ils retourneront en Égypte.

14 « Israël s'est construit des palais,
oubliant ainsi son Créateur.
Juda, de son côté,
a fortifié quantité de villes.
Mais je mettrai le feu à ses villes,
le feu dévorera leurs belles maisons. »

Le peuple de Dieu va tout perdre

9 1 Israël, ce n'est pas la peine
de faire la fête jusqu'au délire
comme les autres peuples.
Car tu t'es éloigné de ton Dieu
en pratiquant la prostitution ;
tu aimes en recevoir le salaire
partout où l'on bat le blé[b].
2 Mais le blé qu'on bat sur l'aire
et l'huile qu'on recueille au pressoir
ne seront pas pour toi.

---

x **8.5** *Samarie* : capitale du royaume israélite du Nord. – *votre veau* : appellation ironique du petit taureau d'or que Jéroboam Ier avait installé au sanctuaire de Béthel selon 1 Rois 12.28-29 ; voir Osée 10.5 ; voir aussi Ex 32.4 et la note.

y **8.9** Allusion à la politique de soumission que le dernier roi d'Israël, Osée fils d'Éla, pratiqua à l'égard de l'Assyrie (2 Rois 17.3) contrairement à son prédécesseur Péca (2 Rois 15.27-31). – *Éfraïm* : voir 4.17 et la note ; en hébreu le nom d'Éfraïm fait assonance avec le terme désignant *l'âne sauvage*.

z **8.10** *le roi des princes* : autre appellation du roi d'Assyrie.

a **8.13** *Ils aiment offrir des sacrifices* : sens probable, d'après l'ancienne version grecque ; l'hébreu est peu clair. – A l'époque d'Osée la plupart des sacrifices étaient suivis d'un repas.

b **9.1** *prostitution* : soit que le prophète fasse allusion au culte de la fertilité (voir 2.4 et la note), soit qu'il évoque plus particulièrement la prostitution sacrée qui caractérisait ce culte (voir 1.2 et la note), il décrit ici la récolte de *blé* comme le *salaire* que le dieu Baal verse en récompense de cette prostitution.

Le vin nouveau que tu attends
te passera sous le nez.
3 Éfraïm[c] ne pourra pas rester
dans le pays du Seigneur,
il devra retourner en Égypte
ou aller en Assyrie
vivre de nourritures *impures.
4 Alors les gens d'Éfraïm
ne pourront plus répandre
des offrandes de vin
en l'honneur du Seigneur,
ou offrir des *sacrifices
pour lui être agréables.
Pour eux la nourriture
sera comme le pain de deuil :
quiconque en mange se rend impur.
Leur pain satisfera leur faim,
mais on ne pourra l'introduire
dans la maison du Seigneur.

5 Que ferez-vous pour préparer
le jour du Rendez-vous,
la fête du Seigneur[d] ?
6 Quand vous quitterez
votre pays dévasté,
l'Égypte vous recueillera,
mais la ville de Memphis
sera votre tombeau.
Ici les orties envahiront
vos trésors en argent,
et les ronces vos habitations.
7 Le moment est venu
où le Seigneur interviendra.
Oui, le moment est venu
pour le règlement des comptes[e].
Israël doit le savoir.
« Le *prophète est fou, dites-vous,
l'homme inspiré divague. »
Eh bien oui, mais c'est l'effet
de vos innombrables crimes
et de la violente hostilité
que vous lui manifestez.
Celui qui veille pour Éfraïm
est avec mon Dieu – c'est le prophète. –
Or on lui tend des pièges partout où il va.
Dans la maison de son Dieu
il ne rencontre qu'hostilité.
Vous êtes allés jusqu'au fond du mal
comme jadis à Guibéa[f].
Mais le Seigneur n'oublie pas vos crimes,
il punira vos fautes.

La déception du Seigneur

10 « Autrefois, dit le Seigneur,
Israël m'était apparu
comme des raisins
qu'on trouverait en plein désert.
J'avais découvert vos ancêtres
comme la toute première figue
qu'on aperçoit sur un figuier.
Mais à peine arrivés à Beth-Péor[g],
ils se consacraient à *Baal-la-Honte
et devenaient du même coup
aussi détestables eux-mêmes
que leur nouvel amant.
11 La *gloire des gens d'Éfraïm
va s'envoler maintenant
comme une volée de moineaux :
il n'y aura plus de naissances,
plus d'enfants attendus,
plus même d'enfants conçus !
12 Et même s'ils arrivent
à en élever quelques-uns,
je les en priverai
pour qu'il ne reste personne[h].
Quand je leur tournerai le dos,
eh bien, tant pis pour eux !
13 Éfraïm, tel que je le vois,
fait de ses enfants
un gibier pour la chasse :
il les laisse partir au-devant du tueur[i]. »

14 Seigneur, s'il faut une sanction,
laquelle choisir ?
Rends leurs femmes incapables
d'avoir des enfants et d'allaiter !

15 « Toute leur déloyauté,
dit encore le Seigneur,

---

c **9.3** *Éfraïm* : voir 4.17 et la note.

d **9.5** Probablement la fête d'automne, appelée fête des Huttes ; voir au Vocabulaire CALENDRIER.

e **9.7** Voir Luc 21.22.

f **9.9** Voir Jug 19–21.

g **9.10** *Beth-Péor* ou *Baal-Péor* : voir Nomb 25.

h **9.12** *pour qu'il ne reste personne* : autre traduction *avant qu'ils soient adultes*.

i **9.13** *fait de ses enfants... chasse* : d'après l'ancienne version grecque ; l'hébreu est très obscur. – *au-devant du tueur* : allusion aux pertes sévères subies par les Israélites du Nord au cours des guerres qui marquèrent les dernières années du royaume (734-722 avant J.-C.).

s'est montrée au Guilgal[j].
C'est là que j'ai commencé
à les détester.
Je les chasserai donc de chez moi
pour le mal qu'ils ont commis ;
je cesserai de les aimer.
Leurs chefs sont tous des rebelles.
16 Éfraïm est bien atteint :
ses racines sont desséchées,
il ne portera plus aucun fruit.
Et même si les femmes
ont encore des enfants,
j'enverrai à la mort
leurs précieux rejetons. »

17 Mon Dieu ne veut plus d'eux,
car ils ne l'ont pas écouté.
Ils deviendront errants
parmi les autres nations.

Fin de la religion et de la royauté

10 1 Une vigne prospère,
qui produisait beaucoup :
voilà ce qu'était Israël.
Mais plus il était florissant,
plus il multipliait les *autels ;
plus son pays prospérait,
plus il dressait
de somptueuses pierres sacrées[k].
2 Ces gens sont faux jusqu'au cœur.
Ils vont maintenant
porter le poids de leur faute.
Le Seigneur va casser leurs autels
et détruire leurs pierres sacrées.
3 Oui, ils vont dire maintenant :
« Si nous n'avons plus de roi,
c'est que nous n'avons pas reconnu
l'autorité du Seigneur.
Mais au point où nous en sommes,
à quoi nous servirait un roi ? »
4 Ils tiennent des palabres,
ils font de faux serments,
ils concluent des alliances,
mais le droit n'est plus pour eux
qu'une herbe vénéneuse
poussant dans un champ labouré.

5 Les habitants de Samarie
honorent une sorte de veau
qui se trouve à Béthel-l'enfer.
Son peuple et ses prétendus prêtres
mènent grand deuil devant lui[l].
Ils peuvent bien acclamer sa gloire :
elle est perdue pour lui !
6 Car lui aussi on l'emmènera
jusqu'en Assyrie
en cadeau pour le Grand Roi.
Éfraïm[m] en sera humilié,
Israël se mordra les doigts
d'avoir choisi cette politique.
7 Pour Samarie tout est fini,
son roi s'en va à la dérive
comme un bout de bois au fil de l'eau
8 Les lieux sacrés sont dévastés
– ils étaient le crime,
la faute d'Israël –.
Les broussailles et les épines
envahissent les autels.
C'est le moment de dire :
« Montagnes, recouvrez-nous »,
« Collines, tombez sur nous[n] ».

Israël récoltera ce qu'il a semé

9 « Depuis l'affaire de Guibéa[o]
Israël manque à son devoir ;
il n'a pas changé.
N'est-il pas normal
que la guerre atteigne ces criminels
à Guibéa précisément ?
10 Je désire les corriger,
dit le Seigneur :
des peuples vont s'unir contre eux
pour punir leur crime répété.

11 « Une génisse bien dressée,
qui aimait travailler à battre le blé :
voilà ce qu'était Éfraïm[p].

---

j **9.15** *au Guilgal* : voir en particulier 1 Sam 11.15 ; 15.12,21 ; voir aussi Osée 4.15 ; Amos 4.4 ; 5.5 et les notes.

k **10.1** Avec les autels et les poteaux sacrés, les *pierres dressées* faisaient partie du matériel cultuel de la religion cananéenne ; voir Deut 16.22 ; 2 Rois 17.10-11 ; 23.14.

l **10.5** *Samarie* : voir 8.5 et la note. – *des sortes de veaux* ou *des génisses*. Sur le veau d'or installé à Béthel voir 8.5 et la note. – *Béthel-l'enfer* : voir 4.15 ; 5.8, et la note sur Amos 5.5. – *mènent grand deuil* : le culte de Baal comportait des cérémonies mortuaires. Comme la nature, le dieu Baal était censé mourir (et ressusciter) au rythme des saisons. Pour Osée ces rites funèbres ne font qu'anticiper le deuil qu'on mènera quand le veau d'or sera emporté en Assyrie.

m **10.6** *Éfraïm* : voir 4.17 et la note.

n **10.8** Jésus fait allusion à ce verset en Luc 23.30 ; voir aussi Apoc 6.16.

o **10.9** *l'affaire de Guibéa* : voir 9.9 et la note.

p **10.11** *Éfraïm* : voir 4.17 et la note.

Et moi, quand j'ai découvert
son cou si bien musclé,
j'ai voulu l'atteler :
ainsi Juda ferait le labour
et Israël tirerait la herse.
Semez ce qui est juste,
vous récolterez la bonté ;
défrichez-vous un champ nouveau[q] :
le moment est venu pour vous
de vous tourner vers moi, le Seigneur,
jusqu'à ce que je vienne
répandre sur vous le salut.
Mais vous avez cultivé le mal,
vous avez donc récolté le crime,
et vous avez eu à goûter
le fruit de la trahison.

« Israël,
tu t'es fié à tes propres méthodes
et au nombre de tes soldats.
C'est pourquoi le fracas des combats
retentira chez ton peuple,
et tes villes fortifiées
seront toutes rasées.
Elles auront le sort de Beth-Arbel,
dévastée par le roi Chalman,
qui écrasa les mères
en même temps que leurs enfants[r].
Voilà ce qu'a produit pour vous
ce que vous faites à Béthel[s] ;
c'est l'effet de votre extrême méchanceté.
Dès le lever du jour,
au début du combat,
ce sera la fin pour le roi d'Israël. »

L'amour de Dieu déçu et victorieux

11 1 « Quand Israël était jeune,
je me suis mis à l'aimer,
dit le Seigneur,
et je l'ai appelé, lui mon fils,
à sortir d'Égypte[t]. »
– Mais ensuite, plus on les appelait,
plus ils s'éloignaient[u].
Mon peuple offre des *sacrifices
à *Baal et aux dieux de cette espèce,
il brûle des offrandes
en l'honneur des idoles.
« C'est pourtant moi qui avais guidé
les premiers pas d'Éfraïm[v]
et l'avais porté dans mes bras.
Mais il n'a pas reconnu
que je prenais soin de lui.
4 Je le dirigeais avec ménagement,
lié à lui par l'amour.
J'étais pour lui comme une mère
qui soulève son petit enfant
tout contre sa joue.
Je me penchais vers lui
pour le faire manger.

5 « Le peuple d'Israël
ne reviendra pas en Égypte,
mais ce sera l'Assyrie
qui dominera sur lui.
Car il a refusé de revenir à moi.
6 C'est pourquoi la guerre
fait rage dans ses villes
et détruit ses défenses,
elle engloutit tout.
Tel est le résultat
de la politique d'Israël.
7 Mon peuple s'accroche à sa trahison ;
on l'appelle à se relever,
mais sans le moindre succès[w].

8 « Pourtant comment peut-on imaginer
que je t'abandonne, Éfraïm,
que je te trahisse, Israël ?
Comment pourrais-je en venir
à te traiter comme les villes
d'Adma et de Seboïm ?
Une telle décision me bouleverserait,
l'émotion serait trop forte[x].

---

q **10.12** Comparer Jér 4.3.

r **10.14** *Beth-Arbel* : ville de Transjordanie. – *Chalman* : peut-être un roi moabite, mentionné par les documents du roi d'Assyrie Téglath-Phalasar III (747-727 avant J.-C.). – Fin du verset : sur ces traitements infligés aux vaincus voir Ps 137.9 ; 2 Rois 8.12 ; És 13.16. Autre traduction *qui écrasa la cité mère avec les villages voisins*.

s **10.15** Osée fait allusion au culte indigne qu'on pratiquait à Béthel ; voir 1 Rois 12.26-32 ; Osée 4.15 ; 10.5 ; 13.2.

t **11.1** *Quand Israël était jeune...* : voir Jér 2.2-3. – *l'aimer* Jér 31.3. – *j'ai appelé mon fils à sortir d'Égypte* : voir Ex 4.22 ; Matt 2.15.

u **11.2** Le v. 2 représente une réflexion du prophète.

v **11.3** *Éfraïm* : voir 4.17 et la note.

w **11.7** Le texte hébreu du v. 7 est peu clair et la traduction incertaine. Certains supposent qu'il faudrait lire *il fait appel à Baal, mais celui-ci ne fait rien pour le relever*.

x **11.8** *Adma* et *Seboïm* : deux villes voisines de Sodome et Gomorrhe (Deut 29.22) et détruites en même temps qu'elles. – *Tendresse pour Éfraïm* : voir Jér 31.20.

9 Ce n'est pas mon indignation
qui aura le dernier mot,
et je ne reviendrai pas
à l'idée de détruire Éfraïm.
Car je ne suis pas homme,
je suis Dieu, moi.
Chez toi, Éfraïm,
je suis le Dieu unique,
et je ne viens pas
pour montrer ma fureur. »
10 Les exilés avancent
en suivant le Seigneur,
qui rugit comme un lion.
A ses rugissements
ses fils arrivent tout excités
d'au-delà de la mer.
11 Ils arrivent aussi d'Égypte
comme une volée de moineaux,
et de l'Assyrie,
comme un vol de colombes.
« Je les ramène dans leur patrie »,
dit le Seigneur.

Un peuple décevant depuis les origines

12 1 Le peuple d'Éfraïm
m'entoure de déloyauté ;
la nation d'Israël
forme tout autour de moi
un cercle de trahison.
Et Juda est encore indécis envers Die
il reste fidèle aux dieux païens[y].
2 Éfraïm livre de l'huile aux Égyptiens
Il cultive ainsi des amis
qui ne sont que du vent[z].
Et c'est un vent desséchant
qu'il poursuit tous les jours
en concluant un pacte
avec les Assyriens !
Il multiplie les mensonges
et les actes de violence.

3 Le Seigneur est en procès
avec les gens de Juda[a].
Il va intervenir
contre le peuple de Jacob
pour sa mauvaise conduite,
il fera revenir sur ce peuple
le mal qu'il a commis.
4 Jacob n'était pas né
qu'il se jouait déjà de son frère.
Une fois devenu homme,
il combattit contre Dieu[b],
5 il combattit contre un *ange,
celui-ci fut vainqueur.
Jacob pleura et demanda grâce.
Dieu lui donna rendez-vous à Béthel
c'est là qu'il nous parlerait[c].
6 C'est là qu'il dit,
lui, le Dieu de l'univers,
lui qu'on nomme "le Seigneur" :
7 « Tu dois revenir à moi, ton Dieu.
Pratique la bonté et respecte le droit
Ne cesse jamais
de compter sur moi, ton Dieu. »

8 « Comme les commerçants cananéen
Éfraïm, tu tiens à la main
une balance faussée.
Tu aimes frauder,
9 et tu dis : "Certes je me suis enrichi,
j'ai gagné une fortune.
Mais il n'y a pas de mal
à faire des bénéfices,
ce n'est pas une faute !"
10 Eh bien, moi le Seigneur,
moi qui suis ton Dieu
depuis que tu étais en Égypte,
je vais te ramener
à la vie des nomades,
comme au temps de notre rencontre
11 Je confiais alors
ma parole aux *prophètes

---

y **12.1** *Éfraïm* : voir 4.17 et la note. – *Et Juda...* : la fin du verset est obscure en hébreu. Certains comprennent *Mais Juda marche encore avec Dieu et reste fidèle au Dieu saint*. Mais un tel sens s'accorde mal au v. 3. – Dans certaines éditions, 12.1 est numéroté 11.12 ; en conséquence 12.2-15 y est numéroté 12.1-14.

z **12.2** Certains interprètent *il se nourrit de vent*. Comparer 8.7.

a **12.3** Certains supposent qu'il faudrait lire ici *Israël* au lieu de *Juda*.

b **12.4** *il se jouait de* : l'hébreu fait jeu de mots entre le nom de *Jacob* et le verbe traduit ici par *se jouer de*. Le prophète fait allusion aux faits rapportés en Gen 27 (voir en particulier les v. 26,36 et la note). – *il combattit contre Dieu* : voir Gen 32.23-33.

c **12.5** *il combattit... vainqueur* : voir note précédente. Certains interprètent *et il* (Jacob) *fut vainqueur*. – *à Béthel* : rendez-vous donné jadis par Dieu à Jacob selon Gen 35.1. Aux v. 6-7, Osée cite sans doute l'oracle traditionnel qui était délivré à Béthel en souvenir de Jacob.

d **12.10** Voir Lév 23.42-43. Certains interprètent *je vais te faire habiter de nouveau sous des tentes, comme au jour de la fête* (des Huttes).

et je leur envoyais
toutes sortes de visions.
D'ailleurs, c'est par les prophètes
que j'annonce encore mes projets[e].
12 Les gens de Galaad
ont été de vrais malfaiteurs ;
il ne reste rien d'eux.
Au sanctuaire du Guilgal[f]
ils offraient en *sacrifice
taureau après taureau.
Mais leurs *autels ne sont plus
que tas de pierres dans les champs. »

13 Jacob s'était enfui
en Haute-Mésopotamie.
Il s'y mit au service d'un autre
pour le prix d'une femme[g].
Oui, c'est pour le prix d'une femme
qu'il se fit gardien de troupeau.
14 Mais c'est grâce à un prophète
que le Seigneur retira
Israël de l'Égypte.
Et c'est un prophète qu'il chargea
d'être le *berger de son peuple[h].
15 Les gens d'Éfraïm
ont causé au Seigneur
une blessure amère.
Mais leur Maître rejette sur eux
les conséquences de leurs crimes.
Il leur fait payer leurs affronts.

Mort d'un peuple révolté contre Dieu

13 1 Quand Éfraïm parlait,
tout le monde avait peur.
Il dominait en Israël[i].
Mais il s'est rendu coupable
d'adorer le dieu *Baal,
ce qui lui a été fatal.
2 Et maintenant voilà ces gens
qui s'obstinent dans leur faute :
avec leur argent
ils se moulent des statuettes,
des idoles de leur invention.
Ce n'est là qu'œuvres d'artisan,
et c'est à leur sujet qu'ils disent :
« On doit leur offrir des *sacrifices ! »
Des hommes adorent des veaux[j] !
3 C'est pourquoi,
comme un nuage matinal,
ces gens disparaîtront,
rosée vite dissipée,
brins de paille envolés
loin de l'aire où l'on bat le blé,
ou fumée qui s'échappe
par l'ouverture du toit.

4 « Israël, depuis ta sortie d'Égypte,
je suis le Seigneur ton Dieu.
Un autre Dieu que moi,
tu n'en connais pas,
et il n'existe pas
d'autre sauveur que moi.
5 C'est moi qui étais ton intime[k]
quand tu étais au désert,
au pays de la sécheresse.
6 A peine au pâturage,
tu as pu calmer ta faim ;
mais une fois rassasié,
tu t'es gonflé d'orgueil[l].
C'est pourquoi tu m'as oublié.
7 Alors je suis devenu
comme un lion pour vous tous,
comme une panthère
embusquée sur le chemin.
8 Je vous attaque comme une ourse
à qui l'on a pris son petit,
je vous déchire la poitrine.
Comme une lionne je vous dévore,
et les bêtes sauvages
mettront en pièces vos cadavres.

9 « Israël, ce qui te perd,
c'est que tu es contre moi,
contre celui qui t'apporte du secours.
10 Ton roi, qu'est-il devenu,
où est celui qui devait te sauver ?
Dans toutes tes villes,
où sont ceux qui devaient te diriger ?

---

e **12.11** *j'annonce mes projets* : d'autres interprètent *je parle en paraboles*.

f **12.12** *Galaad* : voir 6.8 et la note. – *le Guilgal* : voir 4.15 et la note.

g **12.13** Fuite de Jacob : voir Gen 28.2-5. – *pour le prix d'une femme* : voir Gen 29.15-30.

h **12.14** Moïse *prophète* : voir Deut 18.18.

i **13.1** *Éfraïm* : voir 4.17 et la note. – *il dominait* : avec d'autres voyelles, le texte hébreu traditionnel propose *il portait* (la terreur ?).

j **13.2** *On doit leur offrir des sacrifices* : d'après deux versions anciennes ; hébreu peu clair. – *des hommes adorent des veaux* : allusion au veau d'or (voir 8.5 et la note).

k **13.5** *j'étais ton intime* ou *je t'ai connu*.

l **13.6** V. 5-6 : voir Deut 8.11-18.

C'est toi qui m'avais demandé :
"Donne-moi un roi et des chefs[m]."
11 Je t'ai donc donné des rois,
mais par colère contre toi ;
et je te les ai repris,
tant j'étais indigné[n].

12 « Les torts du peuple d'Éfraïm
sont bien enregistrés ;
les preuves de sa faute
ont été mises en lieu sûr.
13 Pour lui les douleurs surviennent
comme lors d'une naissance.
Mais c'est un enfant stupide :
quand le moment est venu,
il refuse de sortir du ventre maternel.
14 Et moi, le Seigneur,
je devrais arracher ces gens
aux griffes de la mort,
les délivrer du monde des morts ?
Mort, où sont tes armes ?
Mort, montre ton pouvoir mortel[o] !
Mon œil se ferme à la pitié.
15 Tandis qu'Éfraïm
prospère parmi ses frères,
le vent desséchant se lève,
il arrive du désert[p].
C'est le Seigneur qui l'envoie.
Alors la source tarit,
la fontaine est à sec.
On emporte le trésor,
tout ce qui est précieux.
14 1 Les habitants de Samarie[q]
devront bien supporter
les conséquences de leur faute,
car ils sont en révolte contre leur Dieu.
Ils tomberont morts à la guerre,
leurs enfants seront écrasés,
leurs femmes enceintes éventrées. »

La guérison du peuple infidèle

2 Reviens, Israël,
reviens au Seigneur, à ton Dieu[r],
car si tu es tombé,
c'est l'effet de ta faute.
3 Revenez au Seigneur
en lui apportant ces paroles :
« Pardonne tout notre crime.
Reçois favorablement,
plutôt que des taureaux,
ce que nous déclarons :
4 Ce n'est pas l'Assyrie
qui pourra nous sauver.
Nous ne monterons plus
sur des chevaux de guerre.
Nos idoles sont seulement
des objets fabriqués ;
nous ne leur dirons plus
qu'elles sont notre Dieu,
car toi seul sais montrer
de la bonté à l'orphelin. »

5 « Je guérirai Israël de son infidélité,
dit le Seigneur.
Je n'aurai pas à me forcer
pour lui montrer mon amour,
car je ne lui en veux plus.
6 Je serai pour lui
comme une rosée bienfaisante.
Alors il fleurira comme un lis,
il s'enracinera
comme les arbres du Liban.
7 Il deviendra florissant,
beau comme un olivier,
et répandra le parfum
des forêts du Liban.
8 Ils reviendront,
ceux qui habitaient sous son ombre.
Ils cultiveront le blé,
ils prospéreront comme la vigne,
ils auront la réputation
des grands vins du Liban.
9 Éfraïm,
qu'ai-je de commun avec les idoles ?
Moi, je réponds à ta prière
et je veille sur toi.
Moi, je suis comme un cyprès,
un arbre toujours vert[s].
C'est moi qui te fournis tes récoltes. »

---

m **13.10** *Donne-moi un roi* : 1 Sam 8.5-6.

n **13.11** Voir 1 Sam 10.17-24 ; 15.26 ; voir aussi Osée 10.15 ; 1 Rois 16.12,18-19 ; 22.37-38 ; 2 Rois 9.24-26.

o **13.14** L'apôtre Paul cite librement ces paroles en 1 Cor 15.55 et les réinterprète comme un défi lancé à la mort.

p **13.15** *parmi ses frères* : soit les autres tribus d'Israël, soit les royaumes voisins. – *le vent desséchant* : image de la menace assyrienne.

q **14.1** *Samarie* : voir 8.5 et la note. – Dans certaines éditions le v. 14.1 est numéroté 13.16 ; en conséquence les v. 14.2-10 sont numérotés 14.1-9.

r **14.2** Voir la note sur Jér 4.1.

s **14.9** *comme un cyprès, un arbre toujours vert* : seul passage de l'AT où Dieu se compare à un arbre sacré de la religion cananéenne, symbole de fertilité.

Si quelqu'un est intelligent,
il comprendra les paroles d'Osée[t] ;
s'il y a quelqu'un d'avisé,
il en connaîtra le sens.
Le Seigneur, en effet,
trace des chemins sans détour.
Les fidèles peuvent y marcher,
mais les rebelles y perdent l'équilibre.

t **14.10** *les paroles d'Osée* ou *cela* : ce verset en forme de conclusion se réfère sans doute à l'ensemble du livre.

Joël

Introduction – *Le message du *prophète Joël a conservé à travers les siècles une force ex-*
ıordinaire, et cela bien que nous ne sachions pas qui était le prophète ni à quelle époque il a
:cu. Le thème central du livre de Joël *est l'annonce et la description du jour où le Seigneur*
anifeste sa puissance et juge les peuples, le peuple d'Israël en fonction de son attitude vis-à-
s de son Dieu, les peuples étrangers en fonction de leur attitude vis-à-vis d'Israël. La venue
jour du jugement est précédée par des phénomènes dévastateurs qui entraînent la privation
le vide. Une invasion d'insectes, la sécheresse, un incendie, une invasion militaire servent à
ustrer la force destructrice de ce jour (1.2-12,15-18 ; 2.1-11). Rien ne nous indique si le pro-
ıète se réfère à des événements réels contemporains de sa vie ou si ces images se sont imposées
lui pour donner corps à ce qu'il annonce.

Quoi qu'il en soit, le but de sa prédication est clair : le peuple d'Israël, dépouillé de tout, y
*mpris de la possibilité d'assurer le service du *temple, est invité ainsi à se tourner vers Dieu*
ur le supplier (1.13-14,19-20 ; 2.12-17). Le dépouillement du peuple est finalement la
ndition de son salut. L'abondance promise (2.18-27 ; 3.1-5 ; 4.17,18-21) s'oppose à la pri-
ıtion et au vide entraînés tout d'abord par la colère de Dieu. Les peuples étrangers seront dé-
uits par le jugement (4.1-16), mais le peuple d'Israël sera amené à comprendre ce que signifie
présence de Dieu au milieu de lui. Le livre de Joël *annonce qu'un jour cette présence sera*
nnée à tous, car c'est sur tous les hommes que Dieu répandra son Esprit (3.1-2). Les premiers
*rétiens ont vécu la réalisation de cette promesse le jour de la *Pentecôte (Act 2.16-21).*

1 [1] Paroles que le Seigneur a communiquées à Joël, fils de Petouel.

Invasion d'insectes et sécheresse

Écoutez, vous les *anciens,
ouvrez tous vos oreilles,
habitants de Juda[a] !
Semblable chose s'est-elle produite pendant votre vie ou du temps de vos ancêtres ?
3 Faites-en le récit à vos enfants ;
ils le répéteront à leurs propres enfants,
pour qu'ils le transmettent à la génération suivante.

a **1.2** *habitants de Juda* : hébreu *du pays* ; d'après la suite de Joël, ce pays est le royaume de Juda (voir en particulier 4.1,6-8,20).

[4] Ce que les chenilles laissent de la récolte
est dévoré par les *sauterelles ;
ce que laissent les sauterelles
est dévoré par les hannetons ;
ce que laissent les hannetons
est dévoré par les criquets[b].
[5] Réveillez-vous, les ivrognes, et pleurez !
Lamentez-vous tous, les buveurs de vin :
faute de raisins, vous serez privés de vin nouveau.
[6] Une armée d'insectes envahit notre pays.
Ils sont acharnés, innombrables,
dévastateurs comme les dents du lion
ou les crocs de la lionne.
[7] Ils ravagent nos vignes,
détruisent complètement nos figuiers.
Ils les rongent, les dépouillent de leur écorce
et ne laissent que des rameaux blanchis.
[8] Lamentez-vous comme une jeune femme en deuil
pleurant le mari qu'elle vient d'épouser.
[9] On n'apporte plus au *temple
ni offrandes de blé, ni offrandes de vin.
C'est pourquoi les prêtres sont en deuil,
eux qui sont chargés de servir le Seigneur.
[10] Les champs sont dévastés,
la terre est plongée dans la tristesse.
Plus de blé, plus de jus de raisin,
plus une goutte d'huile fraîche.
[11] Les cultivateurs sont consternés,
les vignerons crient leur désespoir.
Le froment comme l'orge sont perdus,
toutes les récoltes anéanties.
[12] La vigne est desséchée,
les figuiers sont flétris.
Grenadiers, dattiers ou pommiers,
les arbres fruitiers sont rabougris.
Toute joie s'est éteinte
parmi les humains.

Appel à jeûner et à supplier le Seigneur

[13] Prenez vos habits de deuil
et lamentez-vous,
prêtres chargés du service de *l'autel.
Passez la nuit dans la tristesse,
vous, les serviteurs de notre Dieu,
car on n'apporte plus au *temple
ni offrandes de blé, ni offrandes de vin.
[14] Ordonnez un temps de *jeûne,
convoquez une assemblée solennelle,
réunissez les *anciens et toute la population
dans le temple du Seigneur, notre Dieu,
adressez-lui vos supplications.

Le jour du Seigneur

[15] Hélas, un jour terrible approche,
le jour du Seigneur[c] !
Avec lui vient la destruction
décidée par le Dieu *tout-puissant.
[16] Là, sous nos yeux,
disparaît notre nourriture
et, loin du *temple de notre Dieu,
s'en vont la gaieté et la joie.
[17] Sous les mottes de terre
les graines sont desséchées.
Il n'y a plus de blé !
Les greniers sont vides, les granges en ruine.
[18] Écoutez comme les bêtes gémissent !
Les troupeaux errent dans tous les sens,
car ils n'ont plus de pâturages.
Même les moutons dépérissent.

Prière du prophète

[19] Vers toi, Seigneur, je crie !
Le feu dévore l'herbe de la steppe,
les flammes consument tous les arbres des champs.
[20] Les bêtes sauvages elles-mêmes
tournent la tête dans ta direction,
car les cours d'eau sont à sec.
Le feu ravage l'herbe de la steppe.

Le jour du Seigneur est proche

2 [1] Sonnez de la trompette,
donnez l'alarme,
à *Sion, la montagne consacrée à Dieu.
Tremblez, vous les habitants du pays

---

b **1.4** *chenilles, sauterelles, hannetons, criquets* rendent quatre termes qui peuvent désigner diverses espèces d'insectes parasites, ou le même insecte en cours de métamorphose, ou encore différentes sortes de sauterelles.

c **1.15** *le jour du Seigneur* : voir 2.1-2,11 ; 3.4 ; 4.14 ; És 13.6-9 ; Ézék 30.2-3 ; Amos 5.18.

car il arrive, il est tout proche,
le jour du Seigneur[d].
2 C'est un jour d'obscurité profonde,
envahi de nuages et de brouillard.
Voici qu'arrive l'armée des insectes,
masse nombreuse et redoutable,
semblable à la nuit qui se répand sur les montagnes[e].
On n'a jamais rien vu de pareil
et on ne le verra plus jamais.
3 Comme un incendie destructeur,
ils ravagent tout devant eux
et laissent le vide derrière eux.
Avant leur passage
la terre était un jardin d'Éden[f],
et après c'est un désert sinistre :
rien n'a pu leur échapper !
4 On dirait une armée de chevaux,
des cavaliers qui s'élancent.
5 Ils bondissent d'une montagne à l'autre,
on croirait entendre des chars de combat,
ou le crépitement de flammes
en train de brûler l'herbe sèche.
Ils viennent comme une troupe puissante
rangée en ordre de bataille.
A leur approche tout le monde est terrifié,
la peur pâlit les visages.
Comme des soldats ils vont à l'assaut,
comme des guerriers ils escaladent les murailles.
Chacun s'avance droit devant soi,
sans s'écarter de son chemin.
Aucun d'eux ne gêne les autres,
car chacun suit sa propre route.
Ils se ruent à travers les obstacles,
rien ne peut les arrêter.
Ils se répandent dans la ville,
courent sur les murailles,
s'introduisent dans les maisons,
par les fenêtres, comme des voleurs.
A leur approche la terre tremble,
le ciel semble chavirer,
le soleil et la lune ne brillent plus,
les étoiles perdent leur éclat.
Le Seigneur fait tonner sa voix
à l'avant de son armée.
Les troupes qui exécutent ses ordres
sont nombreuses et redoutables.
Oui, il est terrible, le jour du Seigneur,
si effrayant que personne ne survivra.

C'est le moment de revenir au Seigneur

12 « Il est encore temps, maintenant,
de revenir à moi, affirme le Seigneur.
Faites-le de tout votre cœur :
*jeûnez, pleurez et suppliez-moi.
13 Il ne suffit pas de *déchirer vos vêtements,
c'est votre cœur qu'il faut changer. »
Oui, revenez au Seigneur, votre Dieu :
Il est bienveillant et compatissant,
patient et d'une immense bonté,
toujours prêt à renoncer à ses menaces.
14 Il changera peut-être d'avis,
et vous comblera de bienfaits.
Vous pourrez alors lui apporter
des offrandes de blé et de vin.

Le moment de jeûner et de supplier Dieu

15 Sonnez de la trompette à *Sion,
ordonnez un temps de *jeûne,
convoquez une assemblée.
16 Groupez la population
pour une réunion solennelle.
Rassemblez les vieillards, les jeunes gens
et même les tout petits enfants ;
Que les nouveaux mariés eux-mêmes
quittent la chambre de leurs noces.
17 Que les prêtres qui servent le Seigneur
pleurent dans le *temple,
entre le vestibule d'entrée et *l'autel,
et qu'ils supplient Dieu ainsi :
« Seigneur, aie pitié de nous, ton peuple,
ne livre pas les tiens à la honte,
ne permets pas que des peuples étrangers
se moquent de nous en disant :
“Que fait donc leur Dieu ?” »

Le Seigneur répond à son peuple

18 Le Seigneur aime son pays,
il a pitié de son peuple

---

d **2.1** *la montagne consacrée à Dieu* : voir Ézék 20.40 et la note. – *les habitants du pays* : voir 1.2 et la note. – *le jour du Seigneur* : voir 1.15 et la note.

e **2.2** *l'armée des insectes* : l'hébreu ne précise pas de quelle armée il s'agit, mais on peut le déduire de 1.4,6 et 2.25. – *semblable à la nuit* : autre traduction *semblable à l'aurore*.

f **2.3** *jardin d'Éden* : voir Gen 2.8-9 ; Ézék 36.35.

19 et répond ainsi à ses prières :
«Je vais vous donner de nouveau
du blé, du vin et de l'huile.
Vous en serez comblés !
Plus jamais je ne vous livrerai
aux moqueries des autres peuples.
20 Je chasserai vos ennemis venus du
nord,
je les repousserai au loin
vers des terres désertes et desséchées,
je jetterai leur avant-garde dans la mer
Morte,
et leur arrière-garde dans la Méditerranée.
Leurs cadavres répandront une odeur
atroce
qui infectera l'air.
Ainsi disparaîtront
ceux qui vous ont fait tant de mal.
21 Toi, la terre, n'aie plus de crainte !
Que ta joie éclate,
car le Seigneur accomplit de grandes
œuvres.
22 Vous, les animaux,
n'ayez plus de crainte !
L'herbe de la steppe reverdit,
les arbres portent des fruits,
les figuiers et les vignes en sont couverts.
23 Et vous, les habitants de *Sion,
rayonnez de joie,
à cause du Seigneur, votre Dieu.
A l'automne il vous envoie
la pluie qui vous est nécessaire,
comme autrefois il fait tomber
les averses d'automne et de printemps.
24 Les granges sont remplies de blé,
les cuves débordent de vin et d'huile.
25 Oui, dit le Seigneur, je vous dédom-
mage,
pour les récoltes dévorées par les chenilles,
les *sauterelles, les hannetons et l
criquets,
cette grande armée d'insectes
que j'ai envoyés contre vous[g].
26 Vous mangerez à votre faim,
vous m'acclamerez, moi, le Seigne
votre Dieu,
qui accomplis pour vous des merveill
Et jamais plus mon peuple
ne sera livré à la honte.
27 Alors vous comprendrez que je su
présent
au milieu de vous, Israélites,
que le Seigneur votre Dieu,
c'est moi et personne d'autre.
Non, jamais plus mon peuple
ne sera livré à la honte. »

Le Seigneur répandra son Esprit sur tous

3 1 « Par la suite, dit le Seigneur[h],
je répandrai mon Esprit
sur tout être humain.
Vos fils et vos filles deviendront *p
phètes,
je parlerai par des rêves à vos vieillar
et par des visions à vos jeunes gens.
2 Même sur les serviteurs et les se
vantes,
je répandrai mon Esprit en c
jours-là.
3 Je susciterai des phénomènes ext
ordinaires
dans le ciel et sur la terre.
Il y aura du sang, du feu
et des nuages de fumée.
4 Le soleil deviendra obscur
et la lune rouge comme du sang,
avant que vienne le jour du Seigneu
ce jour grand et redoutable. »
5 Alors quiconque fera appel au S
gneur
sera sauvé[j].
A Jérusalem, sur le mont *Sion,
certains échapperont au désastre,
comme le Seigneur l'a promis.
Ce seront ceux qu'il appelle à la vie.

Le procès de Dieu contre les peuples étrangers

4 1 « En ce temps-là, dit le Seigneur,
je rétablirai Juda et Jérusalem
dans leur ancienne situation[k].

g **2.25** Voir 1.4,6.

h **3.1** Dans certaines traductions les v. 1-5 sont numérotés 2.28-32.

i **3.4** *le jour du Seigneur* : voir 1.15 et la note.

j **3.5** Le texte de Joël 3.1-5 est cité en Actes 2.16-21, dans le discours de l'apôtre Pierre le jour de la Pentecôte.

k **4.1** Dans certaines traductions le chap. 4 porte le numéro 3, voir 3.1 et la note. – *je rétablirai... dans leur ancienne situation* : autre traduction *je ramènerai les captifs de Juda et de Jérusalem*.

2 Je rassemblerai les peuples étrangers,
je les ferai tous descendre
dans la vallée nommée “le Seigneur juge”[l].
Là, je les appellerai en jugement
pour tout ce qu'ils ont fait à Israël,
le peuple qui m'appartient :
ils l'ont dispersé parmi des nations étrangères
et se sont partagé mon pays.
3 Ils se sont répartis des gens de mon peuple
par tirage au sort ;
ils ont vendu des garçons
pour pouvoir se payer des prostituées,
et ils ont vendu des filles
pour se payer du vin.
4 Vous, en particulier,
villes de Tyr et de Sidon,
et vous tous, les territoires philistins[m],
que me voulez-vous ?
Voulez-vous prendre une revanche sur moi ?
Si telle est votre intention,
je ne tarderai pas à vous rendre coup pour coup.
5 Vous avez pris mon argent et mon or,
mes trésors les plus précieux,
pour les emporter dans vos temples.
6 Quant aux habitants de Juda et de Jérusalem,
vous les avez vendus à des Grecs
pour les éloigner de leur pays.
7 Mais moi, je les ramènerai
de l'endroit où vous les avez vendus,
et je retournerai contre vous
le mal que vous avez commis.
Je vendrai vos fils et vos filles
aux habitants de Juda.
Ils les revendront aux Sabéens[n],
qui vivent dans un pays éloigné.
Voilà ce que j'affirme, moi, le Seigneur. »

Combat final et jugement

Que l'on crie aux nations étrangères :
« Préparez le combat,
mobilisez vos guerriers.
Que tous les soldats se mettent en marche.
Transformez vos socs de charrue en épées
et vos faucilles en lances.
Que même les plus craintifs
se persuadent qu'ils sont des héros.
11 Dépêchez-vous de venir[o],
vous tous, les peuples d'alentour,
rassemblez-vous dans la même vallée. »
Et toi, Seigneur, envoie tes guerriers contre eux.
12 « Que les nations se mettent en marche,
dit le Seigneur,
qu'elles viennent à la vallée
nommée “le Seigneur juge”[p].
C'est là que je vais siéger
pour juger tous les peuples d'alentour.
13 Prenez la faucille pour les faucher
comme une moisson mûre.
Venez les écraser comme le raisin
qui remplit le pressoir ;
les cuves sont trop pleines,
leur méchanceté déborde. »
14 Alors arrivent des foules innombrables
dans la vallée du Jugement[q],
car proche est le jour
où le Seigneur s'y manifestera.
15 Le soleil et la lune ne brillent plus,
les étoiles perdent leur éclat.
16 Le Seigneur rugit du mont *Sion,
de Jérusalem il fait tonner sa voix.
Le ciel et la terre tremblent !
Mais le Seigneur protège son peuple,
il est un refuge pour les Israélites.
17 « Vous saurez alors, leur dit-il,
que je suis le Seigneur, votre Dieu,
moi qui habite à Sion, la montagne qui m'est consacrée[r].
Jérusalem m'appartiendra de nouveau tout à fait,
les étrangers n'y entreront plus jamais. »

---

l **4.2** Il ne faut pas chercher à situer géographiquement cette *vallée* dont le nom a une valeur symbolique.

m **4.4** *Tyr et Sidon* : voir la note sur És 23.1. – *les territoires philistins* : voir la note sur És 14.29.

n **4.8** Les *Sabéens* sont une peuplade de l'Arabie du sud (voir És 60.6).

o **4.11** *Dépêchez-vous de venir* : sens possible d'un terme hébreu peu clair.

p **4.12** Voir 4.2 et la note.

q **4.14** *la vallée du Jugement* : sans doute, sous un nom un peu différent, la même vallée qu'aux v. 2 et 12.

r **4.17** Pour la *montagne* de Dieu, voir Ézék 20.40 et la note.

Nouvelle prospérité pour le peuple de Dieu

18 « Un temps vient où les coteaux
produiront du raisin en abondance,
et où les troupeaux sur les collines
donneront du lait à profusion.
L'eau coulera dans les ruisseaux
Juda,
un torrent jaillira du *temple du S
gneur
et arrosera la vallée des Acacias[s].
19 L'Égypte sera dépeuplée,
le pays d'Édom réduit en désert,
car ils ont usé de violence
envers le pays de Juda
en y tuant des gens innocents.
20-21 Oui, je les déclare innocents[t] !
Alors Juda et Jérusalem
seront peuplés pour toujours
et moi, le Seigneur,
je demeurerai à *Sion. »

---

s **4.18** *un torrent jaillira...* : comparer Ézék 47.1-12. – *la vallée des Acacias*, dont la localisation est discutée, était peut-être située près de la mer Morte.

t **4.20-21** *je les déclare innocents* : autre traduction, d'après les anciennes versions grecque et syriaque, *je vengerai leur mort, je ne la laisserai pas impunie.*

Amos

Introduction – *Vers 760 avant J.-C., Amos arrive de son village de Técoa (royaume Juda) à Béthel, principal sanctuaire du royaume d'Israël (voir 1.1 et la note). C'est aussitôt coup de tonnerre dans le ciel bleu.*

Alors que le royaume d'Israël, sous le règne de Jéroboam II (787-747), profite du répit q lui laisse son voisin assyrien et jouit d'une prospérité toute neuve, Amos annonce brutaleme la fin du peuple élu. Dans le royaume, la religion se porte pourtant bien. Pourquoi donc ce fausse note ?

Chacun, homme ou peuple, devrait pouvoir vivre parmi les autres. Pour cela Dieu a instit un droit. Or ce droit est constamment piétiné par les plus forts. Dieu apparaît alors comme défenseur intraitable du droit des faibles.

Amos raconte pourquoi il a dû se faire porteur d'un message aussi radical (voir les visio des chapitres 7 à 9). Celui-ci lui vaut d'ailleurs d'être rapidement expulsé d'Israël (7.10-1

– On trouvera aux chapitres 1–2 les reproches que Dieu adresse au royaume d'Israël et à voisins.

– Les messages des chapitres 3–6 définissent le conflit qui oppose le Dieu juste à son peup

– Enfin les chapitres 7–9 permettent de découvrir les sources du message d'Amos : cinq sions, qui sont autant de symboles de la prochaine intervention de Dieu.

*Le livre d'*Amos *fait réfléchir à tout ce que le message de Dieu a de subversif dans no monde. Ainsi le *prophète expulsé fait déjà penser au sort qui sera réservé à Jésus, messager aussi d'une subversion, non violente il est vrai, mais combien plus radicale que celle annon par Amos !*

1 [1]Ce livre rapporte les paroles
d'Amos, un des éleveurs de bétail du
village de Técoa. Le Seigneur lui révéla
son message par des visions, au sujet du
royaume d'Israël, deux ans avant le tremblement de terre, à l'époque où régnaient
Ozias en Juda et Jéroboam, fils de Joas,
en Israël[a]. 2 Amos disait :

« De Jérusalem le Seigneur rugit,
de *Sion il fait entendre sa voix.
Alors c'est la désolation
dans tous les pâturages,
c'est la sécheresse
au sommet du mont Carmel[b]. »

Les reproches du Seigneur à Israël et ses voisins

(Les Syriens)

3 Voici ce que déclare le Seigneur :
« J'ai plus d'un crime à reprocher
aux Syriens de Damas,
et en particulier celui-ci :
ils ont écrasé sous des herses de fer
les habitants de Galaad[c].
C'est pourquoi,
je ne reviendrai pas sur ma décision :
4 Je mettrai le feu
au palais du roi Hazaël,
au château du roi Ben-Hadad[d].
5 Je ferai sauter les verrous de Damas,
et j'éliminerai celui qui siège
sur cette vallée du crime,
le roi qui règne
dans cette cité du plaisir.
Quant au peuple syrien,
il sera déporté à Quir[e] »,
dit le Seigneur.

(Les Philistins)

6 Voici ce que déclare le Seigneur :
« J'ai plus d'un crime à reprocher
aux Philistins de Gaza[f],
et en particulier celui-ci :
ils ont déporté les populations
de villages entiers
pour les livrer aux Édomites.
C'est pourquoi,
je ne reviendrai pas sur ma décision :
Je mettrai le feu aux murailles de Gaza ;
le feu dévorera ses belles maisons.
J'exterminerai les habitants d'Asdod
et le roi qui règne à Ascalon.
Je m'acharnerai sur les gens d'Écron[g].
Les Philistins n'auront pas de survivants »,
dit le Seigneur Dieu.

(Les Phéniciens)

9 Voici ce que déclare le Seigneur :
« J'ai plus d'un crime à reprocher
aux Phéniciens de Tyr,
et en particulier celui-ci :
ils n'ont pas honoré le pacte fraternel
qui les liait à Israël[h] ;
ils ont emmené les populations
de villages entiers
pour les livrer aux Édomites.
C'est pourquoi,
je ne reviendrai pas sur ma décision :
10 Je mettrai le feu à la ville de Tyr ;
le feu dévorera ses belles maisons. »

(Les Édomites)

11 Voici ce que déclare le Seigneur :
« J'ai plus d'un crime à reprocher
aux gens d'Édom[i],
et en particulier celui-ci :
Ils se sont lancés, l'épée à la main,
à la poursuite de leurs frères d'Israël.

---

a **1.1** *Técoa* : à une quinzaine de kilomètres au sud de Jérusalem, dans le territoire de Juda. – *Israël* désigne ici le royaume israélite du nord, séparé du royaume de Juda depuis la mort de Salomon. – *le tremblement de terre* : probablement vers 760 avant J.-C. ; voir Zach 14.5. – *Ozias* ou *Azaria*, roi de Juda : voir 2 Rois 15.1-7 ; 2 Chron 26.1-23. – *Jéroboam* (II) *fils de Joas*, roi d'Israël : voir 2 Rois 14.23-29.

b **1.2** *Le Seigneur rugit* : comparer Joël 4.16. – Le *mont Carmel* (dont le nom hébreu signifie *verger*) domine la mer Méditerranée au sud de l'actuelle Haïfa.

c **1.3** Sur les *Syriens de Damas* voir És 17.1 et la note. – *Galaad* : territoire israélite à l'est du Jourdain.

d **1.4** *Hazaël* : voir 2 Rois 8.7-15,28. – *Ben-Hadad* : voir 2 Rois 13.3-4.

e **1.5** *cette vallée du crime* et *cette cité du plaisir* : tel paraît être le sens des expressions que certains considèrent comme des noms propres : *Bicath-Aven* et *Beth-Éden*. – *Quir* (voir 2 Rois 16.9) : région d'où les Syriens étaient originaires d'après Amos 9.7.

f **1.6** Sur les *Philistins* voir És 14.29 et la note.

g **1.8** *Gaza* (v. 7), *Asdod, Ascalon, Écron* : principales villes de Philistie.

h **1.9** Sur les *Phéniciens* voir És 23.1 et la note. – *pacte fraternel* : voir 1 Rois 5.26.

i **1.11** *Édom* (voir déjà le v. 9) : peuple établi au sud de la mer Morte et présenté comme descendant d'Ésaü en Gen 36 ; sur les Édomites voir És 34.5 et la note.

Ils ont étouffé toute pitié,
ils ont gardé sans fin la rage de déchirer
et conservé une rancune sans limite.
C'est pourquoi,
je ne reviendrai pas sur ma décision :
12 Je mettrai le feu à leur ville de Téman ;
le feu dévorera les belles maisons
qui se trouvent à Bosra[j]. »

(Les Ammonites)

13 Voici ce que déclare le Seigneur :
« J'ai plus d'un crime à reprocher
aux Ammonites[k],
et en particulier celui-ci :
ils ont éventré les femmes enceintes
en voulant agrandir leur territoire
au pays de Galaad.
C'est pourquoi,
je ne reviendrai pas sur ma décision :
14 je mettrai le feu à leur ville de Rabba ;
le feu dévorera ses belles maisons,
au jour de la bataille,
parmi les cris de guerre,
dans l'ouragan d'un jour de tempête.
15 Leur roi partira en déportation,
et ses princes avec lui »,
dit le Seigneur.

(Les Moabites)

2 1 Voici ce que déclare le Seigneur :
« J'ai plus d'un crime à reprocher
aux gens de Moab,
et en particulier celui-ci :
ils ont brûlé les ossements du ro
d'Édom,
ils en ont fait de la chaux[l].
C'est pourquoi,
je ne reviendrai pas sur ma décision :
2 je mettrai le feu au pays de Moab ;
le feu dévorera les belles maisons
qui se trouvent à Quérioth[m].
Moab succombera
au milieu du tumulte,
des cris de guerre
et des sonneries de cor.
3 J'éliminerai son premier magistrat[n],
et je massacrerai tous ses princes ave
lui »,
dit le Seigneur.

(Juda)

4 Voici ce que déclare le Seigneur :
« J'ai plus d'un crime à reprocher
aux gens de Juda,
et en particulier celui-ci :
ils ont méprisé mes enseignements,
ils n'ont pas observé mes command
ments.
Ils se sont laissé égarer par les fau
dieux
qui attiraient déjà leurs ancêtres.
C'est pourquoi,
je ne reviendrai pas sur ma décision :
5 Je mettrai le feu au pays de Juda ;
le feu dévorera les belles maisons
qui se trouvent à Jérusalem. »

(Israël)

6 Voici ce que déclare le Seigneur :
« J'ai plus d'un crime à reprocher
aux gens d'Israël.
C'est pourquoi,
je ne reviendrai pas sur ma décision.
Je leur reproche en particulier ceci :
ils vendent l'innocent comme esclav
pour de l'argent qu'il n'a pu rembou
ser ;
ils vendent le malheureux
pour une paire de sandales.
7 Ils n'ont qu'un désir :
voir les faibles humiliés ;
au tribunal ils font rejeter
la requête du pauvre.
Le père et le fils se succèdent
dans le lit de la même fille,

j **1.12** *Téman, Bosra* : résidence traditionnelle des chefs édomites.

k **1.13** *Ammonites* : population d'un petit royaume situé à l'est du Jourdain. Sa capitale *Rabba* (v. 14) était à l'emplacement de l'actuelle *Amman*. Sur les Ammonites voir Jér 49.1 et la note.

l **2.1** *Moab* : autre royaume voisin d'Israël, situé à l'est de la mer Morte. Sur les Moabites voir És 15.1 et la note. – *ils ont brûlé les ossements* : les ossements représentaient les derniers restes de la personne. On pensait pouvoir nuire définitivement à un ennemi en les détruisant par le feu. Voir aussi Jér 8.2 et la note.

m **2.2** *Quérioth* : ville moabite non encore localisée, mentionnée aussi en Jér 48.24.

n **2.3** C'est-à-dire le roi.

o **2.6** *Israël* : voir la note sur 1.1. – *vendent comme esclaves* : voir Lév 25.39-43 ; 2 Rois 4.1 ; És 50.1 ; Néh 5.1-5 ; Matt 18.25.

ce qui est une insulte à mon honneur[p].
8 Dans tous les lieux de culte
ils s'étendent sur les vêtements
que les pauvres leur ont remis en gage[q].
Dans le temple de leur dieu
ils boivent le vin qu'ils ont confisqué.
9 Moi, pourtant, j'avais détruit pour vous
les populations *amorites ;
ces gens aussi grands que les cèdres,
aussi robustes que les chênes,
je les avais détruits des pieds à la tête[r].
0 Avant cela, c'est moi déjà
qui vous avais ramenés d'Égypte,
et vous avais accompagnés
pendant quarante ans au désert,
jusqu'à ce que vous vous empariez
du pays des Amorites.
1 Plus tard, parmi vos fils,
j'ai suscité des *prophètes ;
j'ai appelé tels de vos jeunes hommes
à se consacrer à moi par un *vœu[s].
N'est-ce pas vrai, gens d'Israël ?
demande le Seigneur.
2 Or vous avez fait boire du vin
à ceux qui ne devaient pas en boire,
puisqu'ils s'étaient consacrés à moi,
et vous avez interdit aux prophètes
de parler de ma part.

3 « Eh bien, sous vos propres pas
je vais ébranler la terre[t],
comme sous les roues d'un chariot
surchargé d'épis de blé.
Il sera impossible aux plus lestes
de gagner un refuge,
impossible aux plus forts
de déployer leur vigueur,
impossible aux soldats d'élite
de sauver leur propre vie !
Le tireur à l'arc ne résistera pas,
le meilleur coureur ne pourra échapper,
le cavalier lui-même ne s'en tirera pas.
Ce jour-là, le plus courageux
parmi les soldats d'élite
jettera ses armes et s'enfuira »,
dit le Seigneur.

Le peuple de Dieu devra rendre des comptes

3 [1] Gens d'Israël, vous la famille que le
Seigneur a ramenée d'Égypte, écou-
z ce qu'il déclare contre vous :

2 « Parmi toutes les familles de la terre
c'est à vous seuls que je me suis intéressé.
C'est pourquoi je vous demanderai compte
de tous les crimes que vous avez commis. »

Dieu parle, le prophète ne peut se taire

3 Deux hommes
font-ils route ensemble
sans s'être d'abord rencontrés ?
4 Le lion rugit-il dans les bois
s'il n'a pas trouvé une proie ?
Et gronde-t-il dans sa tanière
s'il n'a rien attrapé ?
5 L'oiseau tombe-t-il dans un piège
sans un appât qui l'y attire ?
Un filet se referme-t-il
sans avoir fait de prise ?
6 Sonne-t-on du cor d'alarme dans une ville
sans inquiéter tout le monde ?
Arrive-t-il un malheur dans une ville
sans que le Seigneur en soit l'auteur ?

7 A vrai dire, le Seigneur Dieu ne fait
rien sans révéler ses intentions à ses serviteurs, les *prophètes.

8 Quand le lion a rugi,
qui peut s'empêcher d'avoir peur ?
Quand le Seigneur Dieu a parlé
qui ose alors
ne pas transmettre son message ?

Le jugement de Samarie

9 Sur les toits
des belles maisons d'Asdod
et des belles maisons d'Égypte,

---

p **2.7** Comparer Deut 22.28-29 ; Lév 18.15. Certains voient ici une allusion à la prostitution sacrée (voir Deut 23.18 ; Osée 4.14).

q **2.8** Voir Ex 22.25-26 ; Deut 24.10-13.

r **2.9** Élimination des *populations amorites* : comparer Deut 3.8-11.

s **2.11** *se consacrer à moi par un vœu* ou *devenir naziréens* : Nomb 6.1-21.

t **2.13** *ébranler* : le sens exact du verbe hébreu correspondant est incertain ; d'autres interprètent *fendre* ou *écraser*.

qu'on lance cet appel :
« Rassemblez-vous sur les hauteurs
autour de Samarie[u] ,
pour constater les nombreux désordres
et l'oppression qui y sévissent. »
10 Le Seigneur dit en effet :
« Les gens de Samarie ne savent pas
ce qu'est une action honnête.
Ils entassent dans leurs belles maisons
tout ce que leur rapportent
la violence et le pillage. »
11 C'est pourquoi, Samarie,
voici ce que le Seigneur Dieu déclare :
« L'ennemi encerclera le pays,
il abattra tes fortifications,
il pillera tes belles maisons. »

Triste « salut »

12 Voici ce que déclare le Seigneur :
« Quand le lion a pris un mouton,
le *berger lui en arrache
deux pattes ou un bout d'oreille.
Ainsi en sera-t-il pour les Israélites
qui vivent à Samarie,
au creux d'un divan
ou sur les coussins d'un lit :
on n'en sauvera que des débris[v]. »

Avertissements

13 « Écoutez, dit le Seigneur Dieu,
le Dieu de l'univers,
et transmettez cet avertissement
aux descendants de Jacob :
14 Le jour où j'interviendrai
pour punir les crimes d'Israël,
j'interviendrai contre les *autels
qui se trouvent à Béthel.
Leurs angles seront cassés
et tomberont à terre[w].
15 J'abattrai les maisons d'hiver
aussi bien que les maisons d'été[x].
Finies, les résidences décorées d'ivoire !
En ruine, ces vastes logements ! »
dit le Seigneur.

4 1 Vous, les dames de Samarie,
florissantes comme les vaches du *Bachan,
écoutez ce que j'ai à dire :
vous violez le droit des faibles,
vous maltraitez les pauvres,
et vous dites à vos maris :
« Apporte donc à boire, et buvons. »
2 Eh bien, le Seigneur Dieu l'a juré
« Aussi vrai que je suis l'unique vrai Dieu,
voici venir le jour
où l'on vous traînera,
jusqu'aux dernières,
comme des poissons pris à l'hameçon
3 Vous devrez quitter la ville
par les brèches de la muraille,
chacune droit devant soi,
et vous serez jetées vers le nord[y] »,
dit le Seigneur.

Une religion illusoire

4 « Gens d'Israël,
fréquentez le temple de Béthel
tout en vous révoltant contre moi,
ou celui du Guilgal[z]
tout en multipliant vos révoltes.
Le lendemain de votre arrivée
présentez vos *sacrifices,
et le surlendemain
offrez vos dons en nature.
5 Faites brûler sur *l'autel du pain levé
pour vos sacrifices de louange[a].
Annoncez à grands cris
les dons volontaires que vous m'offrez,
puisque c'est cela que vous aimez,
gens d'Israël », dit le Seigneur Dieu.

---

u **3.9** *Asdod* : voir 1.8 et la note ; l'ancienne version grecque a lu *Assyrie*. – *Samarie* : capitale du royaume israélite du nord.

v **3.12** *deux pattes ou un bout d'oreille* : voir Ex 22.12 ; comparer Gen 31.39. – quelques débris sauvés : voir 5.15.

w **3.14** *Béthel* : à une quinzaine de kilomètres au nord de Jérusalem. Le roi Jéroboam Ier d'Israël y avait installé un lieu de culte concurrent du temple de Jérusalem (voir 1 Rois 12.26-29). – *leurs angles* : voir Jér 17.1 et la note. – *autels* de Béthel démolis : 2 Rois 23.15.

x **3.15** *maisons d'hiver, maisons d'été* : à l'imitation des rois, beaucoup de riches se faisaient construire deux résidences différentes pour les saisons froide et chaude.

y **4.3** *vers le nord* : hébreu obscur. Certains lisent *le (mont) Hermon* ; d'autres *les monts d'Arménie*.

z **4.4** *Béthel* : voir 3.14 et la note. – *du Guilgal* : sanctuaire de la vallée du Jourdain, caractérisé par douze pierres dressées (voir Jos 4.20).

a **4.5** Voir Lév 7.13.

Des avertissements inutiles

6 « Moi, dans toutes vos villes,
je vous ai laissés le ventre creux ;
dans toutes vos localités
j'ai fait manquer le pain,
mais vous n'êtes pas revenus à moi,
dit le Seigneur.

7 « Je vous ai privés de pluie
jusqu'à trois mois de la moisson.
J'ai fait tomber la pluie
sur telle ville et non sur telle autre.
Tel champ a reçu l'averse,
et tel autre s'est desséché,
faute de recevoir de l'eau.
8 De deux ou trois villes
on se traînait vers une autre
pour obtenir de l'eau à boire,
sans pourtant en trouver assez.
Mais vous n'êtes pas revenus à moi,
dit le Seigneur.

9 « J'ai frappé de maladie vos céréales,
les faisant sécher ou pourrir sur pied.
Les *sauterelles ont dévoré
tous vos jardins et vos vignes ;
ainsi que vos figuiers et vos oliviers,
mais vous n'êtes pas revenus à moi,
dit le Seigneur.
10 J'ai envoyé contre vous
la peste du bétail
comme jadis en Égypte[b].
J'ai laissé l'ennemi
massacrer vos jeunes gens
et capturer vos chevaux.
Dans vos camps
la puanteur des cadavres
est montée jusqu'à vos narines,
mais vous n'êtes pas revenus à moi,
dit le Seigneur.

11 « J'ai tout bouleversé chez vous,
comme jadis à Sodome et Gomorrhe[c].
Vous l'avez échappé belle
comme un tison tiré du feu,
mais vous n'êtes pas revenus à moi,
dit le Seigneur.

12 « C'est pourquoi, Israël,
tu vas voir comment je te traite[d].
Tiens-toi donc prêt
à comparaître devant moi, ton Dieu. »

13 Oui, c'est lui qui a fait les montagnes,
il a créé le vent,
il révèle aux humains ses projets.
Il change la nuit en aurore.
Il marche sur les plus hauts sommets.
Son nom : le Seigneur,
Dieu de l'univers[e].

Un chant de deuil pour Israël

5 1 Gens d'Israël, écoutez ce que j'ai à
dire : c'est un chant de deuil, que
j'entonne à votre sujet.
2 Comme une jeune fille morte
Israël est à terre,
elle ne se relèvera plus.
La voilà abandonnée
sur son propre sol :
personne pour la relever !

3 Car voici ce que le Seigneur Dieu déclare
au sujet de la nation d'Israël :
« Sur mille hommes d'une ville
qui partent pour la guerre,
il n'en restera que cent.
Sur cent hommes d'un village,
il n'en restera que dix. »

Appel avant qu'il soit trop tard

4 Voici ce que déclare le Seigneur
à la nation d'Israël :
« Si vous voulez rester en vie,
c'est moi que vous devez consulter.
5 Mais ne me consultez pas
au temple de Béthel,
n'entrez pas non plus
au sanctuaire du Guilgal,
ne faites pas de pèlerinage
au lieu saint de Berchéba.
Car je dis du Guilgal :
"Qu'il galope vers l'exil !"

---

b **4.10** Voir Ex 9.3.

c **4.11** Voir Gen 19.24-25.

d **4.12** Le prophète renonce à préciser ce qui menace Israël. Même retenue en 1 Sam 3.17 ; 14.44 ; 20.13 ; 25.22 ; 2 Sam 3.9 ; etc.

e **4.13** Voir aussi 5.8-9 ; 9.5-6.

et de Béthel, la maison de Dieu,
“Qu'elle devienne un enfer[f] !” »

6 Si vous voulez rester en vie,
c'est le Seigneur qu'il vous faut consulter.
Sinon, descendants de Joseph[g],
il jaillira comme un feu,
qui consumera tout à Béthel,
sans que personne puisse l'éteindre.
7 Hélas, on donne au droit un goût amer,
on jette la justice à terre !

8 Il a fait les constellations,
les Pléiades et Orion[h].
Il change l'obscurité
en lumière du matin ;
il obscurcit le jour
pour faire venir la nuit.
Il convoque les eaux de la mer
et les répand sur la terre.
Son nom : le Seigneur.
9 Il fait luire sur l'homme fort
l'éclair de la destruction,
et la ruine survient
dans la ville fortifiée.

10 Au tribunal on est plein de haine
pour celui qui rappelle le droit,
et on a en horreur
le témoin qui dit la vérité.

11 « Vous exploitez le faible,
vous prélevez du blé sur sa récolte.
C'est pourquoi vous ne profiterez pas
des belles maisons que vous avez bâties,
et vous ne goûterez pas le vin
des vignes de choix que vous ave
plantées.
12 Mais je n'ignore rien de tous vos cr
mes,
je connais la gravité de vos fautes :
vous êtes l'ennemi de l'innocent,
vous vous laissez acheter.
Au tribunal vous empêchez
qu'on fasse justice aux pauvres. »

13 Ce temps est un temps de malheur,
c'est pourquoi l'homme averti
préfère garder le silence.
14 Cherchez donc ce qui est bien
et non pas ce qui est mal.
Ainsi vous resterez en vie,
et le Seigneur, le Dieu de l'univers,
sera vraiment avec vous,
comme vous le prétendez.
15 Détestez ce qui est mal,
aimez ce qui est bien.
Au tribunal rétablissez le droit.
Alors le Seigneur, le Dieu de l'univer
se montrera peut-être bienveillant
pour les derniers descendants d
Joseph[i].

16 Voici donc ce que déclare le Seigneur
le Dieu souverain de l'univers :
« Sur toutes les places publiques
on entendra des lamentations.
Dans toutes les rues
les gens s'écrieront :
“Quel malheur ! Quel malheur !”
On convoquera pour le deuil
les ouvriers de la ferme,
et pour les chants mortuaires
les pleureurs professionnels.
17 Dans toutes les vignes
il y aura des lamentations
quand je passerai parmi vous »,
dit le Seigneur.

Le jour où le Seigneur interviendra

18 Quel malheur de voir ceux qui atte
dent
le jour où le Seigneur interviendra !
Que vous apportera-t-il,
ce jour du Seigneur[j] ?
Un bonheur lumineux ?
– Non, ce sera un jour noir,
19 comme pour un homme

---

f 5.5 *Béthel* : voir 3.14 et la note. – *du Guilgal* : voir 4.4 et la note. – *Berchéba* : autre sanctuaire, au sud du territoire de Juda. – *du Guilgal qu'il galopera... maison de Dieu, enfer* : la traduction essaie de rendre ici les jeux de mots qu'Amos introduit sur les noms de *Guilgal* et de *Béthel* pour suggérer que la catastrophe est inévitable.

g 5.6 *descendants de Joseph* : au sens strict l'expression désigne les tribus d'Éfraïm et de Manassé, dont les ancêtres étaient fils de Joseph (voir Gen 48.1). Par extension elle sert à désigner l'ensemble du royaume israélite du nord, dont Éfraïm et Manassé étaient les tribus principales.

h 5.8 *les Pléiades et Orion* : Job 9.9 ; 38.31.

i 5.15 Voir 5.6 et la note.

j 5.18 *le jour du Seigneur* : voir És 13.6-9 ; Ézék 30.2-3 ; Joël 1.15 ; 2.1-2, 11 ; 3.4 ; 4.14 ; Abd 15 ; So 1.7, 14-15 ; Zach 14.1 ; Mal 3.2-5, 19-21.

qui fuit devant un lion
et tombe sur un ours.
Il entre à la maison,
appuie la main au mur,
et se fait mordre par un serpent !
20 – Lumineux, le jour du Seigneur ?
– Non, ce sera un jour noir,
un jour d'obscurité,
sans la moindre lumière !

Un culte détestable

21 « Je déteste vos pèlerinages,
je ne veux plus les voir,
dit le Seigneur.
Je ne peux plus sentir
vos cérémonies religieuses,
22 ni les *sacrifices complets
que vous venez me présenter.
Je n'éprouve aucun plaisir
à vos offrandes de grains.
Je ne regarde même pas
les veaux gras que vous m'offrez
en sacrifice de communion[k].
23 Cessez de brailler
vos cantiques à mes oreilles ;
je ne veux plus entendre
le son de vos harpes.
24 Laissez plutôt libre cours au droit.
Que la justice puisse couler
comme un torrent intarissable !

25 « Pendant les quarante ans que vous
vez passés au désert, m'avez-vous pré-
nté des sacrifices et des offrandes, gens
Israël ? 26 Et portiez-vous alors, comme
ous le faites aujourd'hui, les symboles de
otre dieu-roi Sakouth et de votre dieu-
oile Kéwan[l], ces objets que vous vous
es fabriqués ? Vous savez bien que non !
C'est pourquoi je vous déporterai
bien au-delà de Damas »,
déclare le Seigneur.
Son nom : Dieu de l'univers.

Fausse sécurité

1 Hélas pour vous
qui vivez tranquilles à *Sion,
et pour vous qui habitez sans soucis
sur la colline de Samarie[m] !
Vous êtes, paraît-il, l'élite
de la première des nations.
Et dire que les Israélites
se tournent vers des gens comme vous !

2 Rendez-vous plutôt à Kalné
pour voir ce qui s'est passé.
Ensuite allez de là
jusqu'à Hamath, la grande ville.
Puis descendez à Gath
chez les Philistins.
Vous le constaterez :
vous ne valez pas mieux
que ces royaumes-là,
même si leur territoire
est plus petit que le vôtre[n].
3 Vous cherchez à reculer
le jour du malheur.
En réalité vous rapprochez
le règne de la violence.
4 Vous êtes allongés
sur des lits décorés d'ivoire,
étendus sur vos divans
pour déguster de l'agneau
et manger du veau gras.
5 Vous chantez à tue-tête
au son de la harpe.
Pour imiter David, vous créez
de nouveaux instruments de musique.
6 Vous buvez le vin dans de larges coupes,
et vous vous parfumez
aux huiles les plus fines.
Mais vous ne vous affligez pas
du désastre qui menace
les tribus de Joseph[o].

7 C'est pourquoi j'annonce maintenant
que vous serez au premier rang
de ceux que l'on déportera.
Finie, la fête pour les fainéants[p] !

---

k **5.22** V. 21-22 : comparer És 1.11-14.
l **5.26** *Et portiez-vous alors* : certains comprennent *Eh bien, vous emporterez alors* (en exil). – *Sakouth* et *Kéwan* : divinités assyriennes ; les copistes hébreux ont volontairement déformé la prononciation de ces deux noms en leur donnant les voyelles du mot *chiqqous* (horreur) ; d'où la transcription habituelle *Sikouth* et *Kiyoun*. – Les v. 25-27 sont cités en Act 7.42-43 d'après l'ancienne version grecque.
m **6.1** *Samarie* : voir 3.9 et la note.
n **6.2** *Kalné, Hamath* : deux villes araméennes passées sous la domination assyrienne en 738 avant J.-C. – *Gath* : une des cinq villes principales de Philistie, passée sous le protectorat assyrien en 734 avant J.-C. Certains comprennent ainsi la deuxième partie du verset *Ces royaumes sont-ils en meilleur état que les vôtres* (Israël et Juda) *et leurs territoires plus grands que le vôtre ?*
o **6.6** *de Joseph* : voir 5.6 et la note.
p **6.7** Certains comprennent *La bande des fainéants devra quitter (le pays).*

La destruction de Samarie

8 Le Seigneur, le Dieu de l'univers,
a fait le serment que voici :
« Aussi vrai que je suis Dieu, dis-je,
l'orgueil du royaume d'Israël
me répugne profondément.
Je déteste ses belles maisons.
Je livrerai à ses ennemis
tout ce qu'il y a dans Samarie. »

9 S'il reste dix hommes dans une famille, ils mourront. 10 Alors un proche
parent des morts emportera les cadavres
hors de la maison. S'il se trouve un survivant dans la dernière pièce de la maison,
cet homme lui demandera : « Y a-t-il encore quelqu'un avec toi ? » – « Non, personne », répondra l'autre, qui ajoutera :
« Chut ! Ce n'est pas le moment de prononcer le nom du Seigneur[q]. »

11 Prenez garde, en effet :
le Seigneur n'a qu'un ordre à donner,
la grande maison tombe en ruine,
et la petite se fissure.

Deux victoires pour rien

12 Est-ce que les chevaux courent sur les
rochers ?
Est-ce qu'on y laboure avec des bœufs ?
Pourquoi donc avez-vous changé
le droit en poison
et une conduite juste
en quelque chose d'amer ?

13 Vous fêtez votre victoire de Lo-
Dabar, la Dérisoire ; vous dites : « Nous
sommes assez forts pour avoir repris Carnaïm, la Double Corne[r]. » 14 Mais moi, d
le Seigneur, le Dieu de l'univers, je va
dresser contre vous, royaume d'Israë
une nation qui vous fera sentir son po
voir de Lebo-Hamath, au nord, jusqu'a
torrent de la Araba, au sud[s].

Première vision d'Amos : les sauterelles

7 1 Voici ce que le Seigneur Dieu n
montra dans une vision : il produ
sait un nuage de *sauterelles, au mome
même où l'herbe commençait à repou
ser, après la première coupe, celle qui e
réservée au roi. 2 Quand les sauterell
eurent dévoré presque toute la végétatio
du pays, je dis : « Je t'en prie, Seigne
Dieu, pardonne à ton peuple. Sinon com
ment pourra-t-il subsister, lui qui est
petit ? » 3 Et le Seigneur changea d'avis
« Cela n'arrivera pas », dit-il.

Deuxième vision : le feu

4 Le Seigneur Dieu me montra aut
chose : il faisait appel au feu pour exerc
son jugement ; la chaleur tarissait les eau
souterraines et consumait le territoi
d'Israël. 5 Je dis alors : « Seigneur Dieu, a
rête, je t'en prie. Sinon comment ton pe
ple pourra-t-il subsister, lui qui est
petit ? » 6 Et le Seigneur changea d'avi
« Cela n'arrivera pas non plus », dit-il.

Troisième vision : le fil à plomb

7 Le Seigneur me fit voir encore ceci :
était lui-même debout près d'une m
raille verticale[t] et tenait à la main un fil
plomb. 8 Il me posa cette question : « Q
vois-tu, Amos ? » – « Un fil à plomb », r
pondis-je. Le Seigneur reprit : « Eh bie
je vérifie si Israël, mon peuple, e
d'aplomb, car je ne l'épargnerai plus.
9 Je dévasterai les lieux sacrés
des descendants d'Isaac.
Je ruinerai les *sanctuaires d'Israël,
et je m'attaquerai par la guerre
à la dynastie de Jéroboam[u]. »

Amos est expulsé de Béthel

10 Amassia, le prêtre de Béthel, fit pa
venir ce message à Jéroboam, roi *d'I
raël : « Amos cherche à renverser t

---

q 6.10 *Chut ! Ce n'est pas le moment...* : les survivants ont sans doute peur d'attirer l'attention du Seigneur.

r 6.13 *Lo-Dabar, Carnaïm* : deux villes de Transjordanie. La *corne* était symbole de force.

s 6.14 *Lebo-Hamath* est la limite septentrionale traditionnelle du royaume d'Israël (voir Jos 13.5). – *le torrent de la Araba* : limite méridionale du royaume d'Israël, à l'est du Jourdain, près de la mer Morte.

t 7.7 Hébreu : *une muraille de fil à plomb*. Certains comprennent *une muraille* (couverte ?) *d'étain*, le Seigneur tenant alors de l'étain dans sa main. Au v. 8 il faudrait alors traduire *je place de l'étain dans mon peuple*.

u 7.9 *Jéroboam* : voir 1.1 et la note.

ouvoir dans le royaume d'Israël. Le
ays ne peut tolérer davantage ses dis-
ours. 11 Voici en effet ce que déclare
Amos :
"Jéroboam mourra de mort violente,
et la population d'Israël
sera déportée loin de sa patrie." »
12 Amassia dit alors à Amos : « Vision-
aire, décampe d'ici et rentre au pays de
uda. Là-bas tu pourras gagner ton pain
n faisant le *prophète[v]. 13 Mais cesse de
ouer au prophète ici, à Béthel, car c'est
n *sanctuaire royal, un temple officiel. »
4 Amos répondit à Amassia : « Je ne suis
i prophète de métier ni membre d'une
onfrérie prophétique. Je gagne habituel-
ement ma vie en élevant du bétail et en
ncisant les fruits du sycomore[w]. 15 Seulement le Seigneur m'a pris derrière mon
roupeau, et il m'a dit d'aller parler de sa
art à Israël, son peuple. 16 Or toi, Amas-
ia, tu m'interdis d'apporter le message
e Dieu au sujet d'Israël, de débiter mes
iscours, comme tu dis, contre les des-
endants d'Isaac. Eh bien, écoute donc ce
essage du Seigneur : 17 Voici ce qu'il dé-
lare :
"Ta femme sera réduite
à se prostituer dans la ville,
tes fils et tes filles seront massacrés.
Ta propriété sera partagée au cordeau.
Toi-même tu mourras en pays païen,
et la population d'Israël
sera déportée loin de sa patrie." »

Quatrième vision : la corbeille de fruits

8 1 Le Seigneur Dieu me fit voir encore
une corbeille de fruits mûrs. 2 Il me
osa cette question : « Que vois-tu,
mos ? » – « Une corbeille de fruits
ûrs », répondis-je. Alors le Seigneur me
éclara :
« Mon peuple d'Israël est mûr pour sa
fin.
Je ne l'épargnerai plus.
Je le dis, moi le Seigneur Dieu :
ce jour-là,
les chants du palais royal
deviendront des complaintes.
Il y aura des tas de cadavres,
on en jettera partout.
Chut ! »

L'avidité des trafiquants appelle la catastrophe

4 Écoutez donc ceci,
vous qui piétinez les malheureux,
vous qui éliminez les humbles du
pays :
5 Vous dites : « Vivement que finissent
les fêtes de nouvelle lune,
pour que nous puissions
nous remettre à vendre notre blé !
Vivement la fin du *sabbat,
pour rouvrir nos greniers ! »
Vous diminuez la mesure,
vous falsifiez les poids,
vous faussez la balance.
6 Vous vendez à vos clients
jusqu'aux déchets de votre blé.
Vous récupérez comme esclaves
des malheureux pour un peu d'argent
qu'ils n'ont pu rembourser,
des pauvres pour une paire de sandales[x].

7 Le Seigneur a fait ce serment :
« Par le pays dont Israël est si fier,
jamais je n'oublierai vos façons d'agir ! »
8 C'est pourquoi le pays tremblera,
tous les habitants prendront le deuil.
Il se soulèvera tout entier,
puis il s'affaissera comme le Nil en crue.

9 « Ce jour-là, dit le Seigneur Dieu,
je ferai coucher le soleil en plein midi ;
en plein jour le pays sera plongé dans
l'ombre.
10 Je changerai vos fêtes en deuil
et tous vos chants en lamentations.
Tout le monde portera
l'étoffe de deuil autour des reins,
toutes les têtes seront rasées[y],
comme à la mort d'un fils unique.
Et tout cela finira
comme un jour plein d'amertume.

---

v **7.12** Prophètes de métier : voir Mich 3.5.
w **7.14** *sycomore* : cet arbre ne pousse en Palestine qu'à basse altitude ; ses fruits servaient à l'alimentation du bétail. On les incisait pour en hâter la maturation.
x **8.6** Voir 2.6.
y **8.10** Sur ces signes de deuil ou de grande tristesse voir Jér 48.37, et, au Vocabulaire, l'article DÉCHIRER SES VÊTEMENTS.

11 Le jour vient, dit le Seigneur,
où j'enverrai la faim dans le pays.
Les gens auront faim, mais non de pain ;
ils auront soif, mais non pas d'eau.
Ils auront faim et soif
d'entendre ce que je dis.
12 Ils erreront en vagabonds
du sud du pays vers l'ouest,
puis du nord vers l'est,
pour chercher à entendre
la parole du Seigneur,
mais ils ne la trouveront pas.

13 « Ce jour-là la soif fera défaillir
les jolies filles et les garçons.
14 Et tous ceux qui prêtent serment
par le faux dieu de Samarie,
ceux qui jurent en disant :
"Par ton dieu vivant, Dan ... !"
ou "Par le chemin sacré
qui mène à Berchéba[z] ... !"
tous ceux-là tomberont
pour ne plus se relever. »

Cinquième vision

9 1 Je vis le Seigneur debout sur *l'autel. Il disait : « Qu'on abatte le chapiteau des colonnes, et que les pivots des colonnes en soient ébranlés !
Qu'on les brise sur leur tête à tous,
et s'il en reste encore,
je les ferai massacrer.
Personne ne pourra s'enfuir,
il n'y aura pas de rescapé.
2 S'ils parviennent au monde des morts,
j'irai jusque-là pour m'emparer d'eux.
S'ils vont se réfugier au *ciel,
je les en ferai redescendre.
3 S'ils vont se cacher en haut du mont Carmel,
je les découvrirai et les y saisirai.
S'ils pensent échapper à ma vue
en plongeant au fond des mers,
j'ordonnerai au serpent marin
d'y aller pour les mordre.
4 S'ils partent chez leurs ennemis
comme prisonniers de guerre,
j'ordonnerai qu'on les y massacre.
J'aurai l'œil sur eux,
non pour leur faire du bien,
mais pour leur faire du mal. »

5 Le Seigneur, le Dieu de l'univers,
met le doigt sur la terre,
et la voilà qui tremble,
tous ses habitants prennent le deuil.
Elle se soulève tout entière,
puis elle s'affaisse,
comme le Nil en crue[a].
6 Il construit sa haute résidence au ciel,
dont la voûte s'appuie sur la terre.
Il convoque les eaux de la mer
et les répand sur la terre.
Son nom : le Seigneur.

Le jugement des coupables

7 « Gens d'Israël, dit le Seigneur,
avez-vous plus de prix pour moi
que les gens d'Éthiopie ?
Je vous ai fait partir d'Égypte,
mais j'ai fait partir aussi
les Philistins de Kaftor
et les Syriens de Quir[b] !
Ne le savez-vous pas ? »

8 Le Seigneur Dieu a l'œil fixé
sur la dynastie coupable des rois d'Israël.
« Je vais la supprimer, dit-il,
de la surface du sol.
Mais il n'est pas certain
que je supprimerai aussi
les descendants de Jacob.
9 Pour l'instant, je donne l'ordre
qu'on secoue la nation d'Israël
parmi les autres nations,
comme on secoue un crible
sans qu'une pierre tombe à terre[c].
10 La mort violente atteindra
tous les coupables de mon peuple,
tous ceux qui disent au *prophète :
"Non, tu ne provoqueras pas
le malheur dont tu nous menaces !"

---

z **8.14** *Dan* : sanctuaire installé au nord du pays par Jéroboam Ier (voir 1 Rois 12.29-30). – *Berchéba* : voir Amos 5.5 et la note.

a **9.5** Voir 8.8.

b **9.7** *Kaftor* : peut-être la Crète. – *Quir* : voir 1.5 et la note.

c **9.9** Une fois le blé débarrassé de la bale (voir Jér 4.11 et la note) on le séparait des pierres qui y étaient mêlées, à l'aide d'un *crible* qui ne laissait passer que le grain.

Après la catastrophe

11 « Une hutte effondrée :
c'est la cité de David[d].
Un jour, dit le Seigneur,
je la remettrai en état,
je réparerai ses brèches,
je redresserai ses ruines.
Je la reconstruirai
comme elle était autrefois.
12 Alors le peuple d'Israël
pourra reconquérir
les anciens territoires
d'Édom et des autres nations,
ceux qui m'ont appartenu.
C'est moi, le Seigneur, qui le dis
et qui le réaliserai. »

13 « Le jour vient, dit encore le Seigneur,
où l'on pourra labourer
peu après avoir moissonné,
et où l'on foulera les raisins
peu après avoir semé le blé[e].
Alors le vin nouveau
ruissellera sur les coteaux,
et toutes les collines
en seront inondées.
14 Je rétablirai mon peuple, Israël :
ils reconstruiront les villes dévastées
et les repeupleront.
Ils planteront des vignes,
dont ils boiront le vin.
Ils cultiveront des jardins
dont ils mangeront les produits.
15 Je replanterai mon peuple
sur le sol qui est le sien.
Ils ne seront plus chassés
du sol que je leur aurai rendu.
Voilà ce que j'annonce,
moi, le Seigneur votre Dieu. »

---

d **9.11** *c'est la cité de David* : d'autres interprètent *c'est la famille de David* et renvoient à 2 Sam 7.16. – Les v. 11-12 sont cités en Act 15.16-18 d'après l'ancienne version grecque.

e **9.13** Normalement les labours se faisaient en Palestine vers la fin du mois d'octobre, soit presque six mois après la moisson. La préparation du vin, immédiatement après la vendange, avait lieu en septembre, et les semailles en novembre ou décembre. Le rapprochement de ces travaux agricoles est une première image de la fertilité miraculeuse qui caractérisera les temps nouveaux annoncés par le prophète.

Abdias

Introduction – *Ce petit livre contient le message d'un *prophète dont nous ne connaissons ue le nom. Il dénonce l'attitude du peuple d'Édom (les descendants d'Ésaü) vis-à-vis du peu-le d'Israël (les descendants de Jacob, frère d'Ésaü). Les Édomites, établis au sud-est de la mer Iorte, ont manifesté de tout temps leur hostilité à l'égard des Israélites, mais au moment de la ıute du royaume de Juda et de la prise de Jérusalem, ils ont poussé cette attitude à l'extrême. n effet, non seulement ils ne sont pas venus au secours de leurs voisins, mais encore ils ont tiré ɔantage de la situation en empiétant sur le territoire de ceux-ci et en participant au pillage de érusalem.*

*Rédigé probablement peu après la prise de Jérusalem par les Babyloniens en 587 avant -C., le livre d'*Abdias *annonce au peuple d'Édom qu'il sera détruit en même temps que les ıtres ennemis d'Israël, et, par là-même, il apporte un message de réconfort aux Israélites. ieu aura le dernier mot et viendra juger tous les peuples !*

[1] Voici ce que le Seigneur Dieu a révélé à Abdias, ce qu'il lui a déclaré contre le peuple d'Édom[a].

Le Seigneur annonce la ruine d'Édom

Le Seigneur nous a fait entendre ce message,
qu'un envoyé apporte aux nations :
« Debout, allons à l'attaque d'Édom ! »
2 « Édom, dit le Seigneur,
je vais faire de toi le plus faible des peuples.
Tout le monde te méprisera.
3 Ton immense orgueil t'égare !
Tu es installé dans les trous de rochers,
aux endroits les plus élevés[b],
et tu te dis : "Qui pourrait m'en déloger ?"
4 Même si tu te perchais aussi haut que l'aigle
et plaçais ton nid parmi les étoiles,
je t'en ferais descendre.
C'est moi, le Seigneur, qui l'affirme.
5 Si des voleurs ou des pillards
viennent chez toi pendant la nuit,
ils prendront tout ce qu'ils peuvent emporter
et tu seras complètement ruiné[c] !
Si des vendangeurs pénètrent dans ta vigne,
ils laisseront seulement quelques grappes.
6 Ainsi, chez vous, descendants d'Ésaü[d],
tout est mis à sac,
même vos richesses cachées sont découvertes.
7 On vous chasse de votre territoire,
tous vos alliés vous trahissent :
ceux qui étaient vos amis
vous réduisent en leur pouvoir,
vos anciens compagnons de table
mettent des pièges sous vos pas.
"Ils n'ont plus de bon sens !"
dit-on de vous.
8 En effet, je l'affirme, moi, le Seigneur,
au jour de ma colère,
j'exterminerai les sages du pays d'Édom,
je ne laisserai sur ses montagnes
aucun homme intelligent.
9 Tes guerriers seront pris d'une telle panique, ville de Téman[e],
que tous les habitants du pays seront tués. »

Les Édomites ont profité du malheur d'Israël

10 « Vous avez dépouillé et tué vos frères
les descendants de Jacob[f].
Eh bien, vous serez couverts de honte
et exterminés pour toujours !
11 Vous vous teniez à l'écart
quand des ennemis mettaient leur armée hors de combat
et pénétraient dans leur ville.
Et lorsque ces étrangers ont tiré au sort
les richesses de Jérusalem,
vous aussi, vous avez agi comme eux.
12 Édom, tu n'aurais pas dû
regarder avec plaisir tes frères de Juda
au moment de leur malheur ;
il ne fallait pas te réjouir
au moment de leur ruine,
ni avoir l'insulte à la bouche
au moment de la détresse.
13 Tu n'aurais pas dû pénétrer
dans la ville de mon peuple
au moment de son pillage.
Il ne fallait pas contempler sa ruine,
ni t'emparer de sa richesse
au moment du pillage.
14 Tu n'aurais pas dû te poster aux carrefours
pour tuer les rescapés qui s'enfuyaient,
ou les livrer à l'ennemi,
en ce temps de malheur.

---

a **v. 1** *Édom* : voir la note sur Amos 1.11. – Pour les v. 1-14, voir És 34.5 et la note.

b **v. 3** Édom avait pour capitale Pétra qui signifie « rocher ». La région habitée par les Édomites était particulièrement rocheuse et difficile d'accès.

c **v. 5** *et tu seras complètement ruiné !* : autre traduction *resteras-tu tranquille ?*

d **v. 6** Les Édomites sont les *descendants d'Ésaü*, voir Gen 25.30.

e **v. 9** *Téman* : ville située dans la partie nord du territoire édomite.

f **v. 10** *vous avez dépouillé et tué* : voir Ézék 25.12 et la note, Ézék 35.5,12 et la note sur 35.5. – *vos frères* : Ésaü, ancêtre des Édomites, était le frère de Jacob, voir Gen 25.26 ; 36. – *les descendants de Jacob* désignent ici les habitants du royaume de Juda.

[15] Car il est proche, le jour
où le Seigneur jugera tous les peuples.
Alors on te traitera
comme tu as traité les autres.
Le mal que tu as commis
se retournera contre toi. »

Israël
prendra sa revanche sur Édom

[16] « Vous, les Israélites, vous avez déjà bu
la coupe de ma colère sur la montagne
qui m'est consacrée[g].
Eh bien, les autres peuples
n'en finiront pas de la boire,
ils la boiront jusqu'à l'ivresse,
puis ils disparaîtront complètement.
[17] Alors sur le mont *Sion,
qui m'appartiendra de nouveau tout à
fait,
des rescapés trouveront asile.
Les descendants de Jacob reprendront
leur pays
à ceux qui le leur avaient pris[h].
[18] Les descendants de Jacob et de Joseph
seront comme du feu,
et les descendants d'Ésaü[i]
comme de la paille,
qu'ils détruiront complètement,
sans laisser de survivant.
C'est moi, le Seigneur, qui l'affirme. »
[19] Les gens de Juda s'empareront des
montagnes d'Édom, au sud ; ils occuperont également le *Bas-Pays, contrée
des Philistins, et la Samarie, territoire
des descendants d'Éfraïm. Les descendants de Benjamin s'empareront de Galaad[j].
[20] Les exilés d'Israël du Nord, une véritable armée, conquerront la Phénicie
jusqu'à Sarepta. Les exilés de Jérusalem,
qui se trouvent à Sefarad, occuperont les
villes du sud[k]. [21] Victorieux, ils graviront
le mont Sion, et de là, ils établiront leur
domination sur Édom[l].
Le Seigneur sera roi !

---

g v. 16 *vous avez déjà bu la coupe de ma colère* : hébreu *vous avez bu*. Dans l'AT *boire* ou *boire la coupe* sont des expressions qui évoquent le châtiment de Dieu, voir Jér 25.15-29 ; Ézék 23.31-35 et la note sur le v. 31. – *la montagne qui m'est consacrée* : voir Ézék 20.40 et la note.

h v. 17 *les descendants de Jacob* : voir la note sur le v. 10. – *reprendront... pris* : d'après l'ancienne version grecque qui modifie une voyelle de l'hébreu ; hébreu *rentreront en possession de leur territoire*.

i v. 18 *Les descendants de Joseph* : voir la note sur Amos 5.6. – *les descendants d'Ésaü* : voir la note sur le v. 6.

j v. 19 *Les gens de Juda... Éfraïm* : autre traduction *Les gens du sud de Juda occuperont Édom et ceux du Bas-Pays la contrée des Philistins ; ils occuperont les territoires d'Éfraïm et de Samarie*. – *Galaad* : voir la note sur Amos 1.3.

k v. 20 *la Phénicie* : hébreu *les Cananéens* ; avant l'arrivée des Israélites, les Cananéens étaient installés du sud de la Phénicie au sud du pays de Juda. – *Sarepta* : ville de la côte phénicienne, voir 1 Rois 17.9. – *Sefarad* : ville que l'on a localisée en Afrique du Nord ou en Asie Mineure.

l v. 21 *Victorieux... Édom* : autre traduction *Après avoir libéré Jérusalem, ils iront attaquer Édom pour y établir leur domination*.

Jonas

***Introduction** – Le livre de* Jonas *raconte les mésaventures d'un *prophète qui essaie mais en vain, de ne pas obéir à un ordre de Dieu. Les diverses scènes de ce récit très vivant il lustrent des enseignements que le livre a pour but de donner. Par là, il appartient d'une certain manière au trésor de la sagesse d'Israël.*

L'histoire de Jonas exprime ainsi quelques réalités essentielles : Dieu ne réserve pas so amour aux Israélites seuls, mais il le manifeste aussi aux étrangers qui le prennent au sérieux il est toujours prêt à renoncer à ses menaces lorsque les hommes écoutent ses avertissements e changent réellement de comportement ; enfin il est le maître absolu de la création, en particulie de la vie et de la mort, et le prophète n'a pas à s'indigner lorsque Dieu accorde son pardon au coupables. Le livre de Jonas *montre en outre avec beaucoup d'humour et de tendresse les diffi cultés, les tentations et les doutes qui peuvent apparaître dans la vie d'un être humain charg d'une mission par Dieu. Il nous enseigne que Dieu n'abandonne pas son porte-parole au dé sarroi et à la solitude, pas plus qu'il ne le laisse fuir loin de lui, car Dieu est prêt à redire et à ex pliquer inlassablement que son amour n'exclut personne.*

Jésus s'est appuyé sur l'aventure de Jonas pour annoncer sa mort et sa résurrection, pou donner en exemple à ses contemporains la conversion des gens de Ninive (Matt 12.38-42 ; Lu 11.19-35).

Jonas essaie de fuir loin du Seigneur

1 1 Un jour, le Seigneur donna cet ordre
à Jonas, fils d'Amittaï[a] : 2 « Debout,
pars pour Ninive[b], la grande ville. Prononce des menaces contre elle, car j'en ai
assez de voir la méchanceté de ses habitants. »

a **1.1** Un *prophète *Jonas, fils d'Amittaï*, est mentionné en 2 Rois 14.25.

b **1.2** *Ninive* : capitale de l'empire assyrien, voir par ex. 2 Rois 19.36, Nah 1.1.

c **1.3** *Tarsis* : ville du bassin méditerranéen, qu'on n'a pas pu localiser exactement. Elle se trouvait en tout cas dans la direction opposée à celle de Ninive. – *Jaffa*, en grec Joppé (voir Act 10.5), servait de port maritime à Jérusalem. C'est aujourd'hui un faubourg de Tel-Aviv.

3 Mais Jonas décida de fuir à Tarsis
loin du Seigneur. Il se rendit à Jaffa[c], o
il trouva un navire prêt à partir pou
Tarsis. Il paya sa place et embarqua ave
l'équipage pour aller à Tarsis, loin d
Seigneur.
4 Le Seigneur déchaîna un vent violen
sur la mer. Il y eut une telle tempête qu
le navire semblait prêt à se briser. 5 Le
marins eurent très peur, chacun appel
son propre dieu à grands cris. Puis ils je
tèrent le chargement à la mer pour allé
ger le navire. Jonas, lui, était descendu a
fond du bateau, il s'était couché et do
mait profondément. 6 Le capitaine du na
vire s'approcha de lui et l'interpell
ainsi : « Que fais-tu là ? tu dors ? Lève-t
donc, appelle ton dieu au secours ! Il s
souciera peut-être de nous, lui, et ne nou
laissera pas mourir. » 7 Les marins se d

:nt entre eux: « Tirons au sort pour
›nnaître le responsable du malheur qui
ous arrive. » Ils tirèrent au sort et le
›rt tomba sur Jonas. 8 Ils lui dirent
.ors : « Tu es responsable de notre mal-
eur. Explique-nous donc ce que tu fais
i. D'où es-tu ? de quel pays ? de quel
euple ? » 9 Jonas leur répondit : « Je suis
ébreu et j'adore le Seigneur, le Dieu qui
st au *ciel et qui a créé les mers et les
ontinents. » 10 Puis il leur raconta son
istoire. Les marins furent saisis d'une
rande crainte en apprenant qu'il s'en-
ıyait loin du Seigneur. « Pourquoi as-tu
şi ainsi ? lui demandèrent-ils. 11 Que
evons-nous faire de toi pour que la mer
apaise autour de nous ? » La mer était
ı effet de plus en plus démontée. 12 Il
ur répondit : « Prenez-moi, jetez-moi
ar-dessus bord et la mer s'apaisera. Je le
:connais, c'est par ma faute que vous
ıbissez cette grande tempête. » 13 Les
ıarins se mirent à ramer pour essayer
: gagner la terre ferme ; mais ils ne
ussirent pas, car la mer se déchaînait
ıcore plus. 14 Alors ils appelèrent le Sei-
ıeur au secours : « Ah, Seigneur, ne
ous laisse pas perdre la vie à cause de
:t homme. Ne nous rends pas non plus
:sponsables de la mort de quelqu'un
ıi ne nous a rien fait. Car c'est toi, Sei-
ıeur, qui as agi comme tu l'as voulu. »
Puis ils prirent Jonas, le jetèrent par-
essus bord, et la tempête cessa de faire
ıge. 16 Alors ils furent remplis de
ainte à l'égard du Seigneur ; ils lui of-
irent un *sacrifice et lui firent des pro-
.esses solennelles.

La prière de Jonas

1 Le Seigneur envoya un grand poisson qui avala Jonas. Durant trois
urs et trois nuits, Jonas demeura dans
ventre du poisson[d]. 2 De là, il adressa
:tte prière au Seigneur, son Dieu :

Quand j'étais dans la détresse
j'ai crié vers toi, Seigneur,
et tu m'as répondu ;
du gouffre de la mort
j'ai appelé au secours
et tu m'as entendu.
Tu m'avais jeté dans la mer,
au plus profond de l'eau.
Les flots m'encerclaient,
tu faisais déferler sur moi
vagues après vagues.
5 Déjà, je me disais :
« Me voilà chassé loin de toi, Seigneur,
pourtant j'aimerais revoir ton saint
*temple. »
6 L'eau m'arrivait à la gorge.
La mer me submergeait,
des algues s'enroulaient autour de ma
tête.
7 J'étais descendu à la base des montagnes,
le monde des morts fermait pour toujours
ses verrous sur moi,
mais toi, Seigneur mon Dieu,
tu m'as fait remonter vivant du gouffre.
8 Au moment où la vie me quittait,
j'ai pensé à toi, Seigneur,
et ma prière est parvenue jusqu'à toi,
à ton saint temple.
9 Ceux qui rendent un culte aux faux
dieux
perdent toute chance de salut[e].
10 Mais moi, je chanterai ma reconnaissance,
je t'offrirai un *sacrifice,
je tiendrai les promesses que je t'ai faites.
Oui, c'est toi, Seigneur, qui me sauves !
11 Sur un ordre du Seigneur, le poisson
rejeta Jonas sur la terre ferme.

Jonas prêche à Ninive

3 1 Une deuxième fois, le Seigneur
donna cet ordre à Jonas : 2 « Debout,
pars pour Ninive, la grande ville, et fais-y
entendre le message dont je te charge. »
3 Cette fois-ci, Jonas obéit à l'ordre du
Seigneur et se mit en route pour Ninive.
C'était une ville prodigieusement grande,
il fallait trois jours pour la traverser. 4 Jo-

---

d **2.1** Ce verset est repris en Matt 12.40. – Dans certaines traductions 2.1 est numéroté 1.17 : 2.1-11 deviennent par conséquent 2.1-10.

e **2.9** *perdent toute chance de salut* : autres traductions *doivent renoncer à leur attachement pour eux* ou *abandonnent celui qui peut les sauver*.

nas y fit une première journée de marche en proclamant : « Dans quarante
jours, Ninive sera détruite. » 5 Les habitants de la ville prirent au sérieux la parole de Dieu[f]. Ils décidèrent de *jeûner
et chacun, du plus riche au plus pauvre,
revêtit des étoffes de deuil. 6 Quand le
roi de Ninive fut informé de ce qui se
passait, il descendit de son trône, ôta son
habit royal, se couvrit d'une étoffe de
deuil et s'assit sur de la cendre[g]. 7 Puis il
fit proclamer dans la ville ce décret :
« Par ordre du roi et de ses ministres, il
est interdit aux hommes et au gros et petit bétail de manger quoi que ce soit et
de boire. 8 Hommes et bêtes doivent être
couverts d'étoffes de deuil. Que chacun
appelle Dieu au secours de toutes ses
forces, que chacun renonce à ses mauvaises actions et à la violence qui colle à
ses mains. 9 Peut-être qu'ainsi Dieu reviendra sur sa décision, renoncera à sa
grande colère et ne nous fera pas mourir. »

10 Dieu vit comment les Ninivites réa-
gissaient : il constata qu'ils renonçaient à
leurs mauvaises actions. Il revint alors
sur sa décision et n'accomplit pas le malheur dont il les avait menacés.

Jonas apprend pourquoi Dieu a pitié de Ninive

4 1 Jonas prit fort mal la chose et se mi
en colère. 2 Il adressa cette prière a
Seigneur : « Ah, Seigneur, voilà bien c
que je craignais lorsque j'étais encore dan
mon pays et c'est pourquoi je me suis dé
pêché de fuir vers Tarsis. Je savais que t
es un Dieu bienveillant et compatissan
patient et d'une immense bonté, toujour
prêt à revenir sur tes menaces. 3 Eh bier
Seigneur, laisse-moi mourir, car je préfè
la mort à la vie. » – 4 « As-tu raison d'êtr
en colère ? » lui demanda le Seigneur. 5 Jo
nas sortit de la ville et s'arrêta à l'est de Ni
nive. Là, il se fit une cabane à l'abri d
laquelle il s'assit. Il attendait de voir ce qu
allait se passer dans la ville. 6 Le Seigneu
Dieu fit pousser une plante, plus haut
que Jonas, pour lui donner de l'ombre et l
guérir de sa mauvaise humeur. Jonas e
éprouva une grande joie. 7 Mais le lend
main, au lever du jour, Dieu envoya un ve
s'attaquer à la plante et elle sécha. 8 Pui
quand le soleil parut, Dieu fit souffler d
l'est[h] un vent brûlant. Le soleil tapa sur l
tête de Jonas qui faillit s'évanouir. Il sou
haita la mort en disant : « Je préfère l
mort à la vie. » 9 Dieu lui demanda
« As-tu raison d'être en colère au sujet d
cette plante ? » Jonas répondit : « Oui, j'a
de bonnes raisons d'être en colère au poin
de désirer la mort. » 10 Alors le Seigneu
reprit : « Écoute, cette plante ne t'a donn
aucun travail, ce n'est pas toi qui l'as fa
pousser. Elle a grandi en une nuit et a dis
paru la nuit suivante. Pourtant tu en as p
tié. 11 Et tu voudrais que moi, je n'aie pa
pitié de Ninive, la grande ville, où il y
plus de cent vingt mille êtres humains qu
ignorent ce qui est bon pour eux[i], ains
qu'un grand nombre d'animaux ? »

---

f **3.5** Voir Matt 12.41 ; Luc 11.30,32.
g **3.6** *s'assit sur de la cendre* : signe de deuil ou de grande tristesse, voir Ézék 27.30.
h **4.8** *de l'est* : c'est-à-dire du désert, ce qui explique que le *vent* soit *brûlant*.
i **4.11** *qui ignorent ce qui est bon pour eux* traduit l'hébreu *qui ne savent pas distinguer entre leur droite et leur gauche*. Cette expression peut vouloir dire "qui ne savent pas choisir entre la conduite qui mène au bonheur (droite) et celle qui mène au malheur (gauche)". C'est l'interprétation choisie ici. Pour une autre interprétation l'expression décrit ceux qui n'ont pas atteint l'âge de raison, c'est-à-dire les enfants.

Michée

***Introduction** – Le *prophète Michée, un contemporain du prophète Ésaïe, exerce son mi-*
nistère vraisemblablement de 740 à 700 avant Jésus-Christ. Comme Ésaïe, il s'adresse aux ha-
bitants du royaume de Juda, à un moment où ceux-ci vivent sous la menace des armées
assyriennes.

Michée avertit ses auditeurs que leur territoire, et en particulier Jérusalem, leur capitale, va
*subir le même sort que Samarie, la capitale du royaume *d'Israël tombée en 722-721 avant*
J.-C. Il les prévient que la catastrophe à venir est une conséquence de leurs péchés, notamment
de l'injustice sociale régnant parmi eux. Le prophète demande des comptes de la part de Dieu
et cela le conduit à affronter les grands et les responsables officiels du peuple : gros propriétaires,
dirigeants, magistrats, prêtres. Il polémique aussi contre les prophètes qui trompent le peuple
par des paroles rassurantes et suppriment par là-même toute possibilité de le faire changer d'at-
titude. Par ses avertissements Michée veut amener ses auditeurs à réfléchir et à faire un choix :
obéir tout simplement à la volonté de Dieu en respectant et en aimant les autres (6.8). Ces
avertissements sont accompagnés d'une annonce des nouveaux actes de salut que Dieu réali-
sera dans l'avenir pour son peuple.

Le livre de Michée *est bâti sur la succession de deux types de messages qui s'entrecroisent :*
Dieu annonce qu'il va juger et corriger son peuple (chap. 1–3 ; 6.1–7.7), mais il lui promet
aussi de le sauver (chap. 4–5 ; 7.8-20), en le rétablissant et en le plaçant sous la conduite d'un
chef qui descendra de David (5.1-4a).

1 1 Paroles que le Seigneur a communiquées à Michée de Moréchet, à
l'époque des rois Yotam, Ahaz et Ézékias
de Juda. Voici ce qu'il lui révéla au sujet
des villes de Samarie et de Jérusalem[a].

Le Seigneur accuse son peuple

2 Vous, tous les peuples, écoutez.
Que la terre et ceux qui y vivent
prêtent attention !
Le Seigneur Dieu va venir vous accuser
depuis sa demeure sainte.
3 Oui, le Seigneur sort
du lieu où il habite,
il descend et marche
sur les sommets de la terre.
4 Sous ses pas, les montagnes s'affaissent
et les vallées se disloquent,
comme la cire fond au feu
et comme l'eau dévale une pente.
5 La révolte des descendants de Jacob,
les infidélités du royaume d'Israël
en sont la cause.
Qui entraîne *Israël dans la révolte ?
N'est-ce pas Samarie ?

a **1.1** *Moréchet* : localité située à 35 km au sud-ouest de Jérusalem, dans le *Bas-Pays de Juda. – *des rois Yotam, Ahaz et Ézékias* : voir És 1.1 et la note. – *Samarie* : capitale du royaume d'Israël ; elle fut conquise par les Assyriens en 722 ou 721 avant J.-C. *Jérusalem* : capitale du royaume de Juda. Ces deux villes représentent ici les deux royaumes.

Qui entraîne Juda dans l'idolâtrie ?
N'est-ce pas Jérusalem ?[b]
6 « A cause de cela, dit le Seigneur[c],
je transformerai Samarie
en champ de décombres,
en terrain où l'on plantera de la vigne ;
j'enverrai rouler ses pierres
au fond de la vallée,
je ferai apparaître ses fondations.
7 Toutes ses idoles seront brisées,
et les cadeaux qu'elle a reçus
seront jetés aux flammes ;
je ferai mettre en pièces
les statues de ses dieux,
car elle a rassemblé tous ces objets
avec le salaire de ses prostitutions,
et ils serviront à leur tour
à payer d'autres prostitutions[d]. »

Le malheur atteint Jérusalem

8 Moi, Michée, je vais me lamenter et gémir,
je marcherai pieds nus
et à peine vêtu.
Comme les chacals,
je pousserai des cris.
Comme les autruches[e],
je laisserai échapper ma plainte.
9 Les coups portés à Samarie sont mortels.
Ils atteignent même le pays de Juda
et les portes de Jérusalem,
où habite mon peuple.
10 Dans la ville de Gath,
n'annoncez pas cette nouvelle,
retenez vos larmes[f].
A Beth-Léafra,
roulez-vous dans la poussière
en signe de deuil.
11 Habitants de Chafir,
prenez la route de l'exil,
honteux et nus.
La population de Saanan
n'ose pas sortir de la ville.
On se lamente dans la ville de Beth-Essel,
on ne sait plus où se tenir.
12 Les habitants de Maroth
tremblent pour leur bien-être.
En effet le malheur que le Seigneur envoie
atteint les portes de Jérusalem.
13 Habitants de Lakich,
attelez vos chevaux.
Vous avez imité
les infidélités *d'Israël
et entraîné ainsi
Jérusalem dans la révolte.
14 C'est pourquoi vous devrez vous séparer
des habitants de Morécheth-Gath.
Quant à la ville d'Akzib,
elle ne sera qu'un espoir trompeur
pour les rois du peuple d'Israël.
15 Habitants de Marécha,
le Seigneur vous livrera, vous aussi,
à un conquérant.
Les glorieux chefs d'Israël iront
se réfugier dans la caverne d'Adoullam.
16 Arrachez-vous les cheveux,
rasez-vous le crâne,
habitants de Jérusalem,
que votre tête devienne chauve
comme celle du vautour[g],
pleurez vos enfants bien-aimés :
on va les emmener en exil loin de vous.

Ceux qui abusent de leur pouvoir

2 1 Malheureux ceux qui, pendant la nuit,
projettent et préparent des mauvais coups,

---

b 1.5 Les *descendants de Jacob* désignent ici les membres du royaume d'Israël ou royaume du Nord. – Pour *Samarie* et *Jérusalem* voir la note sur le v. 1.

c 1.6 *dit le Seigneur* : la traduction explicite le fait que le Seigneur est le sujet des paroles rapportées ici, ce que le texte hébreu laisse implicite.

d 1.7 Les *cadeaux* et *le salaire* donnés aux prostituées sacrées (voir Osée 1.2 et la note) devaient servir à embellir les temples de *Baal, notamment avec de nouvelles idoles.

e 1.8 *Moi, Michée* : la traduction explicite le fait que c'est Michée qui se lamente ici, ce que le texte hébreu laisse implicite. – *Comme les autruches* : voir Lév 11.16 et la note.

f 1.10 Le texte hébreu des v. 10-16 est difficile, ce qui explique les divergences entre les traductions. Dans les v. 10-15 en particulier il y a une série de jeux de mots – le plus souvent difficiles à interpréter et à traduire – sur le nom des villes mentionnées. Toutes ces villes sont situées en Juda et menacées par l'invasion assyrienne.

g 1.16 *rasez-vous le crâne* : voir la note sur Ézék 7.18. Le cou et le crâne déplumés du *vautour* évoquent les crânes rasés pour un deuil. – *habitants de Jérusalem* : les impératifs du verset sont à la 2e pers. du fém. sing. qui renvoie le plus vraisemblablement à la ville de Jérusalem représentant l'ensemble de sa population.

et, dès l'aurore, les réalisent,
quand ils en ont les moyens.
2 S'ils veulent des champs,
ils les prennent ;
s'ils convoitent des maisons,
ils s'en emparent ;
ils oppriment des hommes et leurs familles,
en s'appropriant les biens
qui leur appartiennent.
3 C'est pourquoi le Seigneur déclare :
« Je prépare un malheur
contre les gens de votre sorte ;
vous ne pourrez pas y échapper,
vous ne marcherez plus la tête haute,
car le temps qui vient
est un temps de malheur. »
4 A ce moment-là on dira ce couplet,
on chantera cette complainte
à cause de vous :
« Nous voilà complètement ruinés,
notre peuple est privé de ses terres,
et celles-ci seront partagées
entre nos adversaires.
Pourquoi nous dépouille-t-on[h] ? »
5 Eh bien, aucun de vous
ne recevra une part des terres
que le peuple du Seigneur redistribuera[i].

Ceux qui contestent le message du prophète

6 Certains me tiennent ce discours :
« Cesse de débiter de tels discours,
il est insensé d'affirmer
que le déshonneur est inévitable.
7 Le peuple d'Israël est-il maudit[j] ?
Le Seigneur a-t-il perdu patience ?
A-t-il l'habitude d'agir ainsi ? »
Quant à moi, j'ai des paroles agréables
pour ceux qui agissent avec droiture.
8 Mais à vous, il est dit :
« Vous vous dressez en ennemis de mon peuple.
Vous arrachez le vêtement de dessus
aux hommes qui reviennent du combat
et avancent avec confiance[k].
9 Les femmes de mon peuple, vous les expulsez
des maisons qu'elles aiment,
vous enlevez pour toujours à leurs enfants
l'honneur que je leur ai donné.
10 Debout ! Partez !
Finie votre tranquillité !
A cause de vos infidélités,
de cruelles souffrances vous attendent. »
11 Et il faudrait venir à vous
en tenant des propos en l'air
et en débitant ce mensonge :
« Du vin et des boissons enivrantes,
vous en aurez ! »

Mais il y en a qui tiennent au peuple
ces propos insensés[l] :
12 « Je vais vous rassembler tous,
descendants de Jacob,
je vais vous réunir,
survivants d'Israël,
dit le Seigneur.
Je vous regrouperai
comme des moutons dans leur enclos[m],
comme un troupeau dans son pâturage.
Vous formerez une foule animée.
13 A votre tête marche
celui qui ouvre le chemin ;
vous êtes libérés,
vous forcez un passage
et vous sortez.

---

h **2.4** Sens probable d'un verset dont le texte hébreu est difficile.

i **2.5** Allusion à une répartition périodique des terres entre les familles d'un village.

j **2.7** *Le peuple d'Israël est-il maudit ?* : traduction possible en modifiant une seule consonne du verbe ; sans modification on peut traduire : *Peut-on parler ainsi, peuple d'Israël ?*

k **2.8** *Vous vous dressez... peuple* : d'après des versions anciennes ; le texte hébreu de l'ensemble du verset est difficile.

l **2.11** Les *propos insensés* sont rapportés dans les v. 12 et 13 qui sont des promesses de salut prononcées dans une situation qui ne leur convient pas. Certains rattachent 11c à 11a et b et comprennent *alors on serait le(s) débiteur(s) de discours insensés de ce peuple-là.* Dans ce cas un nouveau paragraphe commence au v. 12 et les v. 12 et 13 sont des promesses de salut qui s'opposent au reste du chap. 2.

m **2.12** *descendants de Jacob, survivants d'Israël* : ici il s'agit de tout le peuple d'Israël. – *dit le Seigneur* : voir 1.6 et la note. – *comme des moutons dans leur enclos* : d'après certaines versions anciennes. On peut comprendre aussi *comme les moutons de Bosra.*

C'est le Seigneur, votre roi, qui passe
devant vous
et vous conduit. »

Avertissement aux dirigeants

3 1 Or moi je dis :
« Écoutez donc,
dirigeants des descendants de Jacob[n],
magistrats du peuple d'Israël.
Votre rôle n'est-il pas
de vous préoccuper du droit ?
2 Mais vous détestez ce qui est bien
et vous aimez ce qui est mal,
vous arrachez aux gens
jusqu'à la peau et à la chair
qui recouvrent leurs os. »
3 Oui, ils se nourrissent
de la chair de mon peuple.
Ils lui enlèvent la peau,
ils lui brisent les os,
ils le découpent en morceaux,
comme si c'était de la viande
qu'on place dans la marmite[o].
4 C'est pourquoi, lorsqu'ils supplieront
le Seigneur
de venir à leur secours,
le Seigneur ne leur répondra pas,
mais il détournera d'eux son regard
à cause du mal qu'ils ont commis.

Avertissement aux prophètes qui trompent le peuple

5 Voici ce que déclare le Seigneur au sujet des *prophètes qui trompent mon
peuple :
« Si on leur met quelque chose sous la
dent,
ils disent que tout va bien,
mais ils partent en guerre
contre ceux qui ne leur mettent rien
dans la bouche.
6 Eh bien, finies les visions !
la nuit tombera sur vous, prophètes.
Finies les prédictions !
l'obscurité vous entourera,
comme après le coucher du soleil,
et vous serez dans le noir ! »
7 Tous ceux qui prédisent l'avenir
vont se couvrir le visage
pour cacher leur honte,
car Dieu ne leur répond plus.

8 Par contre, moi, je suis plein de force,
le Seigneur me donne son Esprit ;
armé de justice et de courage,
je dénonce au peuple d'Israël,
aux descendants de Jacob,
leur révolte et leur infidélité.

Michée annonce la ruine de Jérusalem

9 Écoutez donc,
dirigeants des descendants de Jacob,
magistrats du peuple d'Israël.
Vous détestez la justice
et violez le droit.
10 Vous bâtissez la prospérité de Jérusalem,
la ville de Dieu,
sur le meurtre et l'oppression.
11 Les magistrats y rendent la justice
contre des cadeaux ;
les prêtres se font payer
pour enseigner la loi ;
les *prophètes prédisent l'avenir
contre de l'argent.
Et cependant ils osent
se réclamer du Seigneur :
« Le Seigneur est avec nous, disent-ils
le malheur ne nous atteindra pas. »
12 Eh bien, à cause de vous,
*Sion deviendra un champ labouré,
Jérusalem un tas de ruines,
et la montagne du *temple
se couvrira de broussailles[p].

Jérusalem, capitale de la paix

4 1 « Mais un jour viendra où la montagne du *temple[q],
définitivement la plus haute,
se dressera au-dessus des collines.
Alors des peuples afflueront vers elle.
2 Beaucoup de nations s'y rendront ;
"En route ! diront-elles,
montons à la montagne du Seigneur,
à la maison du Dieu de Jacob.
Il nous enseignera
ce qu'il attend de nous,
et nous suivrons

n 3.1 Voir la note sur 2.12.
o 3.3 Pour les v. 2 et 3, voir Prov 30.14 et la note.
p 3.12 Ce verset est cité en Jér 26.18.
q 4.1 Pour les v. 1 à 3, voir És 2.2-4. – *La montagne du temple* est appelée *Sion* à la fin du v. 2.

le chemin qu'il nous trace."
En effet, c'est de *Sion
que vient l'enseignement du Seigneur,
c'est de Jérusalem
que nous parvient sa parole.
3 Il rendra son jugement
entre de nombreux peuples,
il sera un arbitre
pour de puissantes nations,
même lointaines.
De leurs épées
elles forgeront des pioches,
et de leurs lances
elles feront des faucilles.
Il n'y aura plus d'agression
d'une nation contre une autre,
on ne s'exercera plus à la guerre.
4 Chacun cultivera en paix
sa vigne et ses figuiers
sans que personne lui cause de l'effroi. »
C'est le Seigneur de l'univers lui-même qui parle.

5 Chacun des autres peuples
agit pour plaire à ses dieux,
alors que nous, nous voulons plaire au Seigneur,
notre Dieu pour toujours.

Le Seigneur, roi à Jérusalem

« Un jour viendra, affirme le Seigneur,
où je recueillerai
ceux qui sont blessés,
où je ramènerai
ceux qui sont en exil,
et que j'ai durement traités.
Je ferai des blessés un reste qui survivra,
de ceux qui sont en exil une nation puissante.
Moi, le Seigneur, je régnerai sur eux
depuis le mont *Sion,
à partir de ce moment-là
et pour toujours.
Et toi, colline de Jérusalem,
qui veilles sur le peuple
comme une tour de garde,
tu vas bientôt retrouver
ton autorité d'autrefois.
Jérusalem sera de nouveau
la capitale du royaume. »

Épreuves et délivrance de Jérusalem

9 Pourquoi poussez-vous ces cris maintenant,
peuple de Jérusalem[r] ?
Pourquoi vous tordez-vous de douleur
comme une femme qui accouche ?
N'avez-vous plus de roi ?
Vos conseillers sont-ils morts ?

10 Tordez-vous de douleur,
criez comme une femme qui accouche !
Vous allez devoir quitter la ville,
camper dans les champs
et aller jusqu'à Babylone.
Là vous serez délivrés,
le Seigneur vous y arrachera
au pouvoir de vos ennemis.
11 Maintenant déjà de nombreuses nations
s'assemblent contre vous.
« Que leur ville soit déshonorée,
disent-elles,
contemplons la ruine de Jérusalem ! »
12 Ces gens ne savent pas
ce que le Seigneur a décidé ;
ils ne comprennent pas son intention :
il veut les rassembler
comme des gerbes de blé
à l'endroit où elles doivent être battues.
13 « Debout ! Battez le blé,
habitants de Jérusalem !
Je vous rendrai aussi forts
qu'un bœuf aux cornes de fer
et aux sabots de bronze.
Vous écraserez des peuples nombreux.
Et le riche butin que vous leur prendrez,
vous me le réserverez[s],
à moi, le Seigneur,
le maître de la terre entière. »
14 Mais, pour l'instant,
faites-vous des entailles
en signe de deuil,
gens de Jérusalem,
vous qui rassemblez vos troupes.
On est en train de nous assiéger

r **4.9** Voir 1.16 et la note.
s **4.13** *vous me le réserverez* : d'après les anciennes versions grecque, syriaque et latine ; hébreu *j'ai réservé*.

et l'on frappe au visage,
à coups de bâton,
le chef du peuple d'Israël[t].

Bethléem, patrie du roi sauveur

5 1 « Et toi, Bethléem Éfrata,
dit le Seigneur,
tu es une localité peu importante
parmi celles des familles de Juda.
Mais de toi je veux faire sortir
celui qui doit gouverner en mon nom
le peuple d'Israël[u],
et dont l'origine remonte
aux temps les plus anciens. »
2 Le Seigneur va abandonner son peuple
en attendant le moment
où la femme qui doit être mère aura un fils.
Ceux qui auront survécu à l'exil
viendront rejoindre alors
les autres Israélites.
3 Et lui, le chef promis,
conduira fermement le peuple
en manifestant la puissance
et la présence glorieuse
du Seigneur, son Dieu.
Les gens de son peuple vivront en sécurité,
car on reconnaîtra sa grandeur
jusqu'aux extrémités de la terre.
4 C'est lui qui amènera la paix.

« Si les Assyriens viennent
envahir notre pays
et pénètrent dans nos palais,
nous enverrons contre eux
un grand nombre de chefs.
5 Grâce à leurs armes,
ils imposeront leur pouvoir
à la terre d'Assyrie, pays de Nemrod[v]. »
« C'est le chef promis
qui nous délivrera des Assyriens,
s'ils franchissent notre frontière
et envahissent notre pays. »

Les survivants d'Israël parmi les nations

6 Les survivants d'Israël,
au milieu de peuples nombreux,
seront comme la rosée bienfaisante
que le Seigneur envoie,
comme la pluie qui tombe sur l'herbe
sans rien demander aux hommes
et sans dépendre d'eux.
7 Les survivants du peuple d'Israël,
au milieu de nations en grand nombre
seront forts comme un lion
parmi les bêtes de la forêt,
ou dans un troupeau de moutons.
Partout où il passe,
il saisit et déchire sa proie,
et personne ne la lui arrache.

8 « Oui, attaque tes ennemis
et mets-les tous en pièces[w] ! »

Le Seigneur supprimera tous les faux appuis

9 « Voilà qu'un jour vient, affirme le Seigneur,
où j'anéantirai vos chevaux[x]
et ferai disparaître vos chars.
10 Je détruirai les villes de votre pays,
je démolirai toutes vos fortifications.
11 Je supprimerai vos actes de magie,
on ne trouvera plus chez vous
aucun astrologue.
12 J'abattrai vos idoles
et vos pierres dressées,
vous n'adorerez plus des objets
que vous avez fabriqués vous-mêmes.
13 J'arracherai vos poteaux sacrés[y]
et je détruirai vos villes.
14 Puis ma fureur se déchaînera,
j'exercerai ma vengeance
contre les nations qui ne m'ont pas obéi. »

Le Seigneur accuse son peuple

6 1 Écoutez ce que déclare le Seigneur
il m'ordonne de défendre sa cause,
d'aller l'exposer à voix haute
devant les montagnes et les collines.

---

t **4.14** Dans certaines traductions 4.14 est numéroté 5.1, et 5.1-14 devient alors 5.2-15.
u **5.1** Voir Matt 2.6. – *dit le Seigneur* : voir 1.6 et la note.
v **5.5** Selon Gen 10.8-11, *Nemrod* est l'ancêtre des peuples habitant la Mésopotamie.
w **5.8** Le sujet des verbes *attaque* et *mets-les* n'étant pas exprimé en hébreu, certains pensent qu'il s'agit d'Israël et d'autres de Dieu.
x **5.9** Voir Osée 1.7 ; Ps 33.17 et la note.
y **5.13** Voir la note sur Jug 3.7.

Écoutez, vous, les montagnes,
et vous, les bases inébranlables
sur lesquelles la terre repose :
le Seigneur accuse son peuple,
il demande des comptes aux Israélites.
« Mon peuple, leur dit-il,
quel mal vous ai-je fait ?
En quoi vous ai-je fatigués ?
Répondez-moi !
Me reprochez-vous
de vous avoir fait sortir d'Égypte,
de vous avoir délivrés de l'esclavage
et d'avoir envoyé, pour vous guider,
Moïse, Aaron et Miriam[z] ?
Mon peuple, rappelez-vous !
Quand Balac, roi de Moab,
projetait de vous faire du mal,
rappelez-vous ce que lui a répondu
Balaam, fils de Béor.
Ensuite je vous ai fait passer
de Chittim jusqu'au Guilgal[a].
Vous avez pu voir ainsi les bienfaits
dont je vous comble, moi, le Seigneur. »

Ce que le Seigneur exige des hommes

« Quelle offrande devons-nous apporter
lorsque nous venons adorer le Seigneur,
le Dieu très-haut ?
Faut-il lui offrir des veaux d'un an
en *sacrifices complets ?
Le Seigneur désire-t-il
des béliers innombrables,
des flots intarissables d'huile ?
Devons-nous lui donner
nos enfants premiers-nés
pour qu'il pardonne nos révoltes
et nos infidélités ? »

On vous a enseigné la conduite juste
que le Seigneur exige des hommes :
il vous demande seulement
de respecter les droits des autres,
d'aimer agir avec bonté
et de suivre avec soin[b] le chemin
que lui, votre Dieu, vous indique.

Le Seigneur punira la fraude et la violence

Le Seigneur s'adresse
aux habitants de la ville,
et il sauvera ceux
qui respectent son autorité.
« Écoutez, hommes de la tribu de Juda,
vous tous qui êtes assemblés dans la ville[c] !
10 Puis-je supporter que les méchants
entassent dans leurs maisons
des biens acquis par la fraude,
et se servent – ce qui est détestable –
de mesures faussées ?
11 Puis-je tenir pour innocents
ceux qui utilisent des balances fausses
et mettent dans leur sac des poids truqués ?
12 Les riches de cette ville
recourent à la fraude,
ses habitants mentent comme ils respirent
pour tromper les autres.
13 Eh bien, j'ai commencé à vous porter des coups[d]
qui entraîneront votre ruine,
à cause de vos péchés.
14 Vous mangerez
sans pouvoir vous rassasier,
chez vous on criera famine !
Ce que vous mettrez de côté
ne pourra pas être conservé,
et si vous conservez quelque chose,
je le ferai détruire par la guerre.
15 Vous sèmerez
sans pouvoir récolter.
Vous presserez des olives,
mais vous n'en utiliserez pas l'huile.
Vous foulerez du raisin,
mais vous ne boirez pas le vin.

---

z **6.4** Voir Ex 15.20-21.

a **6.5** *Balac* et *Balaam* : voir Nomb 22–24. – *de Chittim jusqu'au Guilgal* : allusion à la traversée du Jourdain qui a permis d'entrer dans le pays promis (voir Jos 3.1–4.24), en parallèle à la traversée de la mer Rouge qui a permis la sortie d'Égypte (v. 4).

b **6.8** *avec soin* : autre traduction *humblement*.

c **6.9** Le texte hébreu des v. 9-16 est difficile. Dans certains cas la traduction a suivi soit l'ancienne version grecque (v. 9b et 9d), soit d'autres versions anciennes (v. 11a et 13a). Dans d'autres cas elle fournit un sens rendu possible par une légère correction du texte (v. 10a et 14c). – *la ville* : sans doute Jérusalem.

d **6.13** *j'ai commencé à...* : d'après plusieurs versions anciennes ; hébreu *je vous ai rendus malades, je vous ai porté des coups...*

16 Vous suivez le mauvais exemple
donné par le roi Omri
et par son fils Achab ainsi que par sa famille[e].
Vous êtes fidèles à leurs habitudes !
C'est pourquoi je provoquerai
la ruine de votre ville,
et je ferai de vous, ses habitants,
un sujet de moquerie.
Vous supporterez la honte
qui atteint tout mon peuple. »

Lamentation du prophète

7 1 Hélas ! je suis comme un homme
qui va cueillir des fruits
au moment de la récolte,
qui va chercher des grappes
après la vendange :
il ne trouve rien à manger,
aucun raisin, aucune figue tendre
dont il avait envie.
2 Dans le pays, il ne reste plus
de gens fidèles à Dieu,
plus personne n'y est honnête.
Tous ne pensent qu'au meurtre,
ils se guettent les uns les autres.
3 Ils sont maîtres
dans l'art de faire le mal.
Les chefs et les juges
exigent des cadeaux,
les hommes influents
disent bien haut leurs désirs,
et tous intriguent ensemble[f].
4 On ne trouve pas plus de bonté en eux
que dans un tas d'orties,
pas plus d'honnêteté
que dans un amas de ronces.

Voici qu'arrive le jour de votre châtiment,
annoncé par vos sentinelles, les *prophètes.
Déjà, vous vivez dans l'angoisse !
5 Ne croyez pas vos proches,
ne vous fiez pas à vos amis.
Gardez-vous d'ouvrir la bouche,
même devant votre propre femme.
6 Car le fils insulte le père,
la fille s'oppose à sa mère,
la belle-fille à sa belle-mère,
chacun a pour ennemis
les membres de sa propre famille[g].

7 Mais moi, je me tourne vers le Seigneur,
je compte sur le Dieu qui me sauve,
mon Dieu entendra mon appel.

Espérance et prière du peuple

8 O vous, nos ennemis[h],
ne riez pas de notre sort !
Même si nous sommes tombés,
nous nous relèverons !
Même si nous sommes dans l'obscurité,
le Seigneur est notre lumière !
9 Nous devons supporter
la colère du Seigneur,
car nous avons péché contre lui.
Mais le moment viendra
où il défendra notre cause
et rétablira nos droits.
Il nous ramènera à la lumière,
et nous comblera de ses bienfaits.
10 En voyant cela,
nos ennemis seront couverts de honte,
eux qui nous demandaient :
« Que fait donc le Seigneur, votre Dieu ? »
Ils seront foulés aux pieds
comme de la boue dans les rues,
et nous verrons ce spectacle !
11 Le jour vient où l'on rebâtira
les murs de votre capitale.
Ce jour-là, on portera plus loin
les limites de votre territoire.
12 Alors vos compatriotes
reviendront chez vous,
d'Assyrie et d'Égypte,
des bords du Nil et de l'Euphrate,
du rivage des mers,
et des régions de montagnes.
13 Le reste du monde
sera transformé en désert

---

e **6.16** *Omri* : un des rois du royaume d'Israël (1 Rois 16.23-28). Son fils *Achab* est tristement célèbre pour avoir favorisé le culte de *Baal (1 Rois 18.16-40).

f **7.3** Le texte hébreu de ce verset est difficile en plusieurs endroits. La traduction donne un des sens possibles.

g **7.6** Comparer Matt 10.35-36 et Luc 12.53.

h **7.8** Le prophète parle ici au nom du peuple d'Israël, alors que dans les v. 11 à 13 il s'adresse à ce même peuple. – *nos ennemis* : il s'agit peut-être d'Édom (voir Abd 12) ou des ennemis en général.

à cause de la méchanceté
de ceux qui y habitent.
14 Conduis avec ton bâton de *berger
le peuple qui t'appartient, Seigneur.
Il se tient à l'écart
sur une terre inculte entourée de vergers.
Conduis-le, comme autrefois,
dans les pâturages du *Bachan
et du pays de Galaad[i].
15 Comme à l'époque
où tu nous fis sortir d'Égypte,
réalise pour nous des prodiges[j].
16 Les nations les verront,
et seront couvertes de honte
malgré toute leur puissance.
Dans leur étonnement,
elles ne diront plus un mot
et feront la sourde oreille.
17 Comme les serpents et tous les reptiles,
elles mordront la poussière.
Elles sortiront de leurs forteresses
pour venir en tremblant
vers toi, le Seigneur, notre Dieu ;
elles redouteront ta puissance.
18 Aucun dieu n'est semblable à toi, Seigneur,
tu effaces la faute,
tu pardonnes la révolte
du reste de ton peuple qui a survécu.
Ta colère ne dure pas toujours,
car tu prends plaisir
à nous manifester ta bonté.
19 Une fois encore tu auras pitié de nous,
tu ne tiendras pas compte de nos fautes,
tu jetteras nos péchés au fond de la mer.
20 Tu manifesteras ton amour fidèle
aux descendants d'Abraham et de Jacob,
comme tu l'as promis autrefois à nos ancêtres.

---

i 7.14 Dans les v. 14-20 le *prophète se fait de nouveau le porte-parole du peuple, voir les v. 8-10 et la note sur le v. 8. – A propos *du pays de Galaad*, voir la note sur Amos 1.3.

j 7.15 *réalise pour nous des prodiges* : traduction probable ; hébreu *je lui montrerai des prodiges*.

Nahoum

***Introduction** – Le livre de* Nahoum *évoque par avance la chute de Ninive, capitale d l'empire assyrien auquel les Israélites sont assujettis. Il a été écrit entre la prise de Thèbes pa les Assyriens en 663 avant J.-C. et la destruction de Ninive par les Babyloniens en 612 avan J.-C.*

Ce livre comporte trois parties :
– La première sert d'introduction générale et affirme la puissance de Dieu qui domine sur l création entière et juge le monde (1.2-8).
– La deuxième précise la manière dont cette puissance va se manifester dans le contexte poli tique de l'époque de Nahoum : par la destruction de la ville de Ninive et, en conséquence, la li bération des habitants de Juda (1.9–2.3).
– La troisième partie décrit et célèbre la ruine de Ninive et du pouvoir qu'elle représen (2.4–3.19).

*Le message du *prophète va bien au-delà de l'annonce de la destruction de Ninive. En effe Nahoum présente cette destruction comme la conséquence d'un jugement de Dieu. Ville o gueilleuse, criminelle et débauchée, Ninive est le symbole d'un pouvoir humain construit s des bases que Dieu n'accepte pas. L'actualité du livre de* Nahoum *réside dans la proclamatio que tout pouvoir de ce genre est destiné à disparaître.*

1 1 Message intitulé Ninive, récit de ce que Dieu a révélé à Nahoum d'Elcoch[a].

Le Seigneur, un Dieu redoutable et bon

2 Le Seigneur est un Dieu exigeant,
il prend sa revanche sur ceux qui s'opposent à lui ;
sa colère est terrible,
il prend sa revanche sur ses ennemis,
il leur garde rancune.
3 Le Seigneur est patient,
sa puissance est immense,
mais il ne tient pas le coupable pour innocent.
Une violente tempête surgit
lorsqu'il se déplace.
Les nuages sont la poussière
que soulèvent ses pas.
4 Il menace la mer et la voici à sec,
il vide les fleuves de leur eau.
Alors les pâturages du *Bachan
et les pentes du Carmel jaunissent,
les fleurs du Liban se flétrissent[b].
5 Il intervient et les montagnes chancellent,
les collines s'effondrent.

---

a **1.1** *Ninive* : capitale de l'empire assyrien, qu'elle symbolise et personnifie tout entier. – *d'Elcoch*, village non identifié, traduit un adjectif qui peut signifier aussi *celui qui est comme la pluie d'arrière-saison*. – Pour 1.1 à 3.19, voir És 10.5-34 ; 14.24-27 ; Soph 2.13-15.

b **1.4** *le Carmel* : voir Amos 1.2 et la note. – *le Liban* : voir la note sur És 10.34. L'AT mentionne souvent les régions du Bachan, du Carmel et du Liban pour leur richesse.

En sa présence, la terre tremble,
la terre entière avec ceux qui l'habitent.
6 Qui donc pourrait résister à sa fureur
et survivre au feu de sa colère ?
Sa colère se propage comme un incendie,
même les rochers éclatent devant lui.
7 Le Seigneur est bon,
il est un abri au jour de la détresse.
Il prend soin de ceux dont il est le refuge,
8 lorsque passe le flot du malheur.
Mais il détruit ses ennemis[c],
il les pourchasse jusque dans les ténèbres de la mort.

Messages successifs pour Juda et pour Ninive

9 Pour qui prenez-vous le Seigneur ?
Il réduit vos adversaires au néant,
vous ne subirez plus leur oppression !
10 Ils sont pareils
à des ronces qui s'enchevêtrent,
eux qui boivent jusqu'à en être ivres.
Ils brûleront entièrement
comme de l'herbe sèche[d].

11 De toi, Ninive, est sorti
un homme aux projets diaboliques,
qui complote contre le Seigneur[e].

12 Le Seigneur déclare aux gens de Juda[f] :
« Même si vos ennemis sont nombreux et forts,
ils disparaîtront, il n'en restera rien.
Je vous ai courbés sous la souffrance,
mais je ne recommencerai pas.
13 Maintenant je vous libère
du *joug ennemi,
je brise vos chaînes. »

14 Contre vous, habitants de Ninive[g],
le Seigneur décide ceci :
« Vous n'aurez plus de descendants
qui porteront votre nom.
Dans le temple de vos dieux,
j'abattrai vos idoles de bois ou de métal.
Je prépare votre tombeau,
car à mes yeux, vous ne valez plus rien. »

2 1 Gens de Juda, voici venir par-dessus les montagnes
un porteur de bonne nouvelle :
il annonce la paix !
Célébrez vos fêtes religieuses,
apportez à Dieu
ce que vous lui avez promis.
L'homme diabolique n'envahira plus votre pays ;
son pouvoir a été anéanti[h].

2 On monte à l'assaut contre toi, Ninive.
Soldats, gardez les fortifications,
surveillez les routes,
préparez-vous au combat,
rassemblez toutes vos forces.
3 Voici que le Seigneur restaure
la grandeur des descendants de Jacob,
tout comme celle d'Israël,
vigne que des pillards
avaient ravagée et saccagée.

Ninive prise d'assaut et pillée

4 Les soldats de l'armée ennemie
ont des boucliers peints en rouge
et portent des costumes écarlates.
Lorsqu'ils sont prêts à l'attaque,
les chars flamboient comme du feu,
les lances s'agitent.
5 Les chars se lancent à l'assaut
à travers rues et places
comme des bêtes en furie.
On dirait des torches enflammées,
ils sont aussi rapides que l'éclair.

---

c **1.8** *Mais il détruit ses ennemis* : d'après certaines versions anciennes ; hébreu *il détruit son emplacement*c : il s'agirait déjà de la ville de Ninive.

d **1.10** *Ils* (sont pareils) : les ennemis de Juda, c'est-à-dire les Assyriens. – Le texte hébreu de tout ce verset est difficile ; la traduction en donne un sens possible.

e **1.11** Il s'agit vraisemblablement du roi d'Assyrie, voir aussi 2.1.

f **1.12** *aux gens de Juda* : la traduction explicite ici à qui le Seigneur s'adresse.

g **1.14** *vous, habitants de Ninive* : comme au v. 12 la traduction explicite à qui le Seigneur s'adresse. On peut comprendre également qu'il s'adresse plus particulièrement au roi de Ninive.

h **2.1** Dans certaines traductions 2.1 est numéroté 1.15. En conséquence 2.2-14 est numéroté 2.1-13. – *Gens de Juda* : voir note sur 1.12. – *L'homme diabolique* : sans doute le roi d'Assyrie évoqué déjà en 1.11.

6 Le roi de Ninive fait appel à ses généraux,
mais ils s'avancent en trébuchant.
Les assaillants se précipitent vers les remparts,
ils se placent derrière un abri[i].
7 Soudain, les portes qui donnent sur les fleuves
sont enfoncées,
au palais royal c'est la débandade[j] !
8 On saisit la statue de la déesse,
on l'emporte[k].
Les femmes qui en prenaient soin
gémissent comme des colombes plaintives ;
dans leur tristesse, elles se frappent la poitrine.
9 Ninive est comme un réservoir
dont toute l'eau s'échappe[l].
« Arrêtez-vous, arrêtez-vous »,
crie-t-on,
mais aucun fuyard ne se retourne.
10 Qu'on rafle l'or et l'argent !
Les richesses de la ville sont inépuisables,
elle regorge d'objets précieux.
11 Pillage, saccage et ravage !
Tous perdent courage ;
les jambes fléchissent,
les corps tremblent
et les visages pâlissent.

Ninive est comme un lion vaincu

12 Qu'est devenu le repaire du lion[m] ?
Les lionceaux y recevaient leur nourriture.
Quand le lion partait en chasse,
personne n'inquiétait ses petits.
13 Le lion tuait et déchirait ses proies
pour la lionne et les lionceaux.
Il remplissait ses tanières
de la chair déchiquetée de ses victimes.
14 Le Seigneur de l'univers déclare :
« Je vais intervenir contre toi, Ninive,
je ferai partir en fumée tes chars d
guerre,
tes lionceaux seront tués au combat.
Je mettrai un terme à tes pillages sur l
terre,
on n'entendra plus les ordres de tes en
voyés. »

La ville criminelle livrée au carnage

3 1 Quel malheur pour la ville crimi
nelle,
qui règne par la fraude,
s'enrichit par la violence
et sans cesse recourt au pillage !
2 Voici qu'on y entend
le claquement des fouets,
le fracas des roues,
le galop des chevaux,
et le roulement des chars de guerre.
3 La cavalerie charge,
les armes flamboient,
les piques lancent des éclairs.
Partout il y a des morts,
les cadavres s'entassent,
on ne peut les compter,
on trébuche sur les corps !

Ninive couverte de honte

4 Ninive, prostituée aux mille débau
ches, attirait par sa grâce
et ensorcelait par sa beauté.
Ses débauches et sorcelleries
mettaient peuples et nations
sur le marché des esclaves.
5 Voilà pourquoi je vais interveni
contre toi,
lui affirme le Seigneur de l'univers.
Je relèverai ta robe jusqu'à ton visage
je te montrerai nue aux peuples étran
gers :
ils verront tous ton humiliation.
6 Je vais te traîner dans la boue,
te couvrir de honte.
Je ferai de toi un exemple :
7 tous ceux qui te verront prendront l
fuite.
« Ninive est en ruine, s'écrieront-ils,
qui aurait pitié d'elle ?
Où pourrait-on lui trouver du re
confort ? »

---

i **2.6** *derrière un abri* : il s'agit d'une sorte de bouclier collectif qui protège les assaillants au pied du rempart.

j **2.7** Ninive était construite en bordure de deux *fleuves*, le Tigre et son affluent le Koser. Le palais royal était protégé par une boucle du Koser.

k **2.8** *la statue de la déesse* : d'après l'ancienne version grecque ; le sens du texte hébreu est peu clair. Il s'agit de la déesse assyrienne Ichtar.

l **2.9** Sens possible d'un texte hébreu difficile.

m **2.12** Le *lion* était l'emblème de Ninive.

Ninive va subir le même sort que Thèbes

8 Ninive, vaux-tu mieux que Thèbes,
la ville installée sur les canaux du Nil,
entourée d'eau, protégée par le rempart
d'un fleuve grand comme une mer[n] ?
9 L'Éthiopie et l'Égypte lui fournissaient
des ressources inépuisables.
Les gens de Pouth et de Libye
étaient ses alliés[o].
10 Pourtant ses habitants, eux aussi,
ont été emmenés en exil.
Ses jeunes enfants eux-mêmes ont été écrasés
à tous les coins de rues.
Tous ses chefs ont été chargés de chaînes,
ses notables ont été répartis entre les vainqueurs
par tirage au sort.
11 A ton tour, Ninive,
tu seras ivre de douleur,
tu en seras submergée[p].
A ton tour, tu chercheras un refuge
pour échapper à tes ennemis.

Ninive incapable de résister

12 Tes fortifications sont toutes comme des figues déjà mûres :
dès qu'on secoue le figuier,
elles tombent dans la bouche de qui veut les manger.
13 Il n'y a plus chez toi que des femmelettes,
les portes fortifiées du pays
s'ouvrent d'elles-mêmes devant l'ennemi :
leurs verrous ont été détruits par le feu[q].
Puisez de l'eau, Ninivites,
en vue du siège que vous allez subir,
renforcez les murs de défense,
pétrissez la terre argileuse
et préparez les moules à briques[r].
Mais vous mourrez,
brûlés dans l'incendie de votre ville,
ou tués au combat.
Vous serez détruits comme des feuilles
dévorées par les hannetons[s].

Toute une population disparaît

Votre population grouillait
comme des essaims de *sauterelles.
16 Vos marchands étaient plus nombreux
que les étoiles dans le ciel,
comme des hannetons qui dévorent et puis s'envolent,
ils ont maintenant disparu.
17 Vos inspecteurs pullulaient comme des sauterelles
et vos fonctionnaires comme des grappes d'insectes
qui se posent sur les buissons par temps froid.
Lorsque le soleil se met à briller,
ils disparaissent on ne sait où.
Où donc sont-ils passés ?

Un désastre irréparable

18 Roi d'Assyrie,
tes gouverneurs se sont endormis pour toujours,
tes généraux ne bougent plus.
Ton peuple est dispersé sur les montagnes
et personne ne le rassemble[t].
19 Tu as subi un désastre irréparable,
tes blessures sont mortelles.
Tous ceux qui apprennent ton sort
applaudissent à ton malheur,
car qui n'a pas été victime
de ta cruauté incessante ?

---

n **3.8** *Thèbes* : voir Jér 46.25 et la note. En 663 avant J.-C. la ville avait été prise et pillée par le roi assyrien Assourbanipal. – *protégée... comme une mer* : sens possible d'un texte hébreu difficile.

o **3.9** *Pouth* : voir És 66.19 et la note.

p **3.11** *tu en seras submergée* : autre traduction *tu te cacheras*.

q **3.13** *leurs verrous ont été détruits* : le système de fermeture des portes était en bois. Le terme désignant les *verrous* servait aussi, au sens figuré, à désigner l'ensemble des forteresses qui défendaient l'approche de la ville.

r **3.14** *les moules à briques* : il faut fabriquer des briques pour pouvoir réparer les remparts.

s **3.15** *Vous serez détruits... hannetons* : sens possible d'un texte hébreu difficile.

t **3.18** *dispersé sur les montagnes* : en 609 avant J.-C. les dernières troupes assyriennes, poursuivies par les Babyloniens, se dispersèrent dans les montagnes d'Arménie.

Habacuc

*Introduction – Le livre d'*Habacuc *nous montre le visage d'un *prophète dans un temp de crise : c'est un homme qui souffre du malheur des autres, dénonce le mal, en appelle à Die et se réjouit lorsqu'il reçoit sa réponse. Ce livre a vraisemblablement été écrit vers la fin d 7e siècle et au début du 6e siècle avant J.-C., au moment où les Babyloniens imposent leur do mination sur le Proche-Orient et où la communauté israélite s'interroge anxieusement sur so avenir et sur ses rapports avec Dieu.*

Dieu répond à son prophète en lui transmettant un message pour ses contemporains et le hommes de tous les temps : être fidèle à Dieu, voilà ce qui permet à l'homme de vivre (2.4) d'attendre avec confiance que Dieu intervienne (chap. 3).

*Dans les temps difficiles, on a souvent fait appel au livre d'*Habacuc *pour retrouver cett certitude. Dans la prédication que l'apôtre Paul adresse aux premières communautés chré tiennes, la fidélité de l'homme envers Dieu prend la forme de la foi dans le Dieu de Jésu Christ (Rom 1.17 ; Gal 3.11 ; voir aussi Hébr 10.38).*

1 1 Message que Dieu a révélé au *prophète Habacuc.

Le prophète appelle Dieu au secours

2 Jusqu'à quand, Seigneur,
vais-je t'appeler au secours
sans que tu m'écoutes,
et vais-je crier à la violence
sans que tu nous en délivres ?
3 Pourquoi me fais-tu voir tant d'injustice ?
Comment peux-tu accepter
d'être spectateur du malheur ?
Autour de moi je ne vois qu'oppression et violence,
partout éclatent des procès et des que relles[a].
4 La loi n'est pas appliquée,
la justice n'est pas correctement rendu
le méchant l'emporte sur le juste
et les jugements sont faussés.

La réponse de Dieu : invasion des Babyloniens

5 « Fixez vos yeux sur les nations, dit Seigneur.
Soyez saisis d'étonnement.
De votre vivant une œuvre va être a complie,
une œuvre telle que vous n'y croirie pas
si quelqu'un vous la racontait[b].
6 Je fais venir les Babyloniens[c],
ce peuple cruel et déchaîné ;
ils parcourent le vaste monde
pour s'emparer des terres d'autrui.
7 Ils sont terrifiants et redoutables,
dans leur orgueil ils décident seuls leurs droits.

---

a **1.3** Autre traduction *lorsqu'il y a procès, les querelles sont les plus fortes*.

b **1.5** Ce verset est repris en Act 13.41 sous la forme qu'il a dans l'ancienne version grecque.

c **1.6** L'empire néo-babylonien dura de 626 à 539 avant J.-C. et s'étendit à tout le Proche-Orient, notamment sous le règne de Nabucodonosor.

8 Leurs chevaux sont plus rapides que
les léopards,
plus agiles que les loups qui chassent le
soir.
Arrivant de loin, leurs cavaliers bondissent,
ils volent comme l'aigle qui fond sur sa
proie.
9 Ils viennent tous semer la violence,
ils regardent avidement devant eux[d],
ils rassemblent des prisonniers
innombrables comme les grains de sable.
10 Ils traitent les rois avec mépris,
ils se moquent de ceux qui gouvernent.
Les forteresses ne les impressionnent
pas :
ils élèvent des remblais de terre
et s'emparent de chacune d'elles.
11 Ils passent comme un ouragan,
ils se précipitent ailleurs[e],
eux qui font un dieu de leur propre
force. »

Nouvel appel du prophète à Dieu

12 Depuis toujours, c'est toi qui es le Seigneur,
tu es mon Dieu, le vrai Dieu qui ne
meurt pas[f].
Seigneur, mon rocher protecteur,
tu as choisi et affermi ce peuple ennemi,
pour qu'il exécute ton jugement sur
nous.
Mais tes yeux sont trop purs
pour supporter la vue du mal,
tu ne peux pas accepter
d'être spectateur du malheur.
Alors pourquoi regardes-tu sans rien
dire
ce que font ces gens perfides ?
Pourquoi gardes-tu le silence
quand les méchants détruisent
ceux qui sont plus justes qu'eux ?
Pourquoi traites-tu les hommes
comme les poissons et les bestioles
qui n'ont personne pour les diriger ?
Les Babyloniens capturent les gens
comme le poisson pris à l'hameçon,
ils les ramènent dans leurs filets.
Ils en ont une joie immense ;
ils offrent des *sacrifices à leurs filets,
ils brûlent du parfum en leur honneur,
car c'est grâce à eux qu'ils peuvent
manger
une nourriture abondante et savou-
reuse.
17 Ne cesseront-ils jamais de tirer leurs
épées[g]
pour massacrer sans pitié les autres nations ?

2 1 Moi, je vais rester à mon poste de
garde,
j'attendrai comme un guetteur sur le
rempart,
pour savoir ce que Dieu me dira
et comment il répondra à mes plaintes[h].

La réponse de Dieu : le juste et l'oppresseur

2 Le Seigneur me répondit ainsi :
« Écris ce que je te révèle,
grave-le sur des tablettes
de telle sorte qu'on puisse le lire clairement.
3 Le moment n'est pas encore venu
pour que cette révélation se réalise,
mais elle se vérifiera en temps voulu[i].
Attends avec confiance
même si cela paraît long :
ce que j'annonce arrivera
à coup sûr et à son heure.
4 Écris : l'homme aux intentions mauvaises dépérit,
mais le juste vit par sa fidélité[j].

---

d **1.9** Autre traduction *leurs visages sont ardents comme le vent d'est*.

e **1.11** Sens possible d'un texte hébreu difficile ; autres traductions *Bien que l'esprit ait changé, ils continuent de commettre des crimes* ou *Alors leur ardeur se renouvelle et ils poursuivent leur route*.

f **1.12** *qui ne meurt pas* : d'après une ancienne tradition juive ; texte hébreu *nous ne mourrons pas*.

g **1.17** *leurs épées* : d'après un manuscrit hébreu d'Habacuc trouvé à Qumrân ; texte hébreu traditionnel *leur filet*.

h **2.1** *comment il répondra* : sens probable ; hébreu *ce que je répondrai*.

i **2.3** Autre traduction *elle concerne la fin et elle se vérifiera*.

j **2.4** *L'homme... dépérit* : traduction rendue possible en intervertissant deux consonnes du verbe hébreu ; autres traductions *celui qui se gonfle d'orgueil n'est pas sur le droit chemin* ou *le méchant est gonflé d'orgueil*. – Pour la deuxième partie du verset voir Rom 1.17 ; Gal 3.11 et Hébr 10.38.

5 Oui, la puissance est dangereuse[k] :
les hommes orgueilleux ne sont jamais
en repos,
ils sont gloutons comme le monde des
morts,
comme la mort ils en veulent toujours
plus,
ils conquièrent une nation après l'autre,
ils les placent sous leur domination.
6 Les peuples conquis se mettront tous
à prononcer contre eux
des paroles ironiques et à double
sens. »

Déclarations de malheur

« Voici ce qu'ils diront[l] :
Malheureux !
Vous accumulez des richesses
en volant les autres.
Mais ce ne sera pas pour longtemps !
Vous accumulez ainsi les dettes.
7 Vous serez soudain pris à la gorge,
vos créanciers surgiront à vos trousses
et vous déchireront,
ils vous pilleront à leur tour.
8 Vous dépouillez de nombreux peuples :
eh bien, le reste du monde vous dé-
pouillera
à cause du sang que vous répandez
et de la violence avec laquelle vous
traitez
les pays, les villes et leurs habitants !

9 Malheureux !
Vous empochez des gains malhonnêtes
en faveur de vos proches,
et vous pensez être assez haut placés
pour échapper aux coups du malheur.

10 Vos plans ne serviront qu'à humili
vos proches :
en détruisant de nombreux peuples,
c'est votre vie que vous mettez en da
ger.
11 Même les pierres des murs
crieront pour vous accuser,
et les poutres des charpentes
leur feront écho.

12 « Malheureux !
Vous fondez la prospérité des villes
sur le meurtre et l'oppression.
13 C'est pourquoi le travail des peuples
nit au feu,
les nations se donnent du mal po
rien[m].
Tout cela, n'est-ce pas l'œuvre
du Seigneur de l'univers ?
14 Oui, on connaîtra la glorieuse présen
du Seigneur !
Le pays en sera rempli
tout comme les eaux recouvrent
fond des mers[n].

15 « Malheureux !
Vous versez à vos semblables
une boisson dangereuse comme
poison,
pour qu'ils deviennent ivres et se mo
trent nus en public.
16 C'est vous qui vous couvrez de honte
non de gloire :
buvez à votre tour et montrez-vo
tout nus !
Le Seigneur va vous forcer
à vider la coupe de sa colère[o] :
votre honneur se changera en désho
neur.
17 Les ravages commis au Liban
se retourneront contre vous ;
vous avez massacré des animaux,
eh bien, des animaux vous terrifi
ront !
Tout cela arrivera
à cause du sang que vous répandez
et de la violence avec laquelle vo
traitez
les pays, les villes et leurs habitants.
18 A quoi sert-il de fabriquer des idoles
Ce ne sont que des objets de métal
qui laissent croire à des mensonges.
Pourquoi l'homme ferait-il confianc

---

k 2.5 *la puissance* ou *la richesse* : d'après un ancien manuscrit hébreu ; texte hébreu traditionnel *le vin*.

l 2.6 *ils diront* : d'après un manuscrit hébreu trouvé à Qumrân ; texte hébreu traditionnel *il dit*.

m 2.13 Citation approximative de Jér 51.58.

n 2.14 Citation approximative d'És 11.9.

o 2.16 *montrez-vous tout nus !* : hébreu *montrez votre prépuce !* A la honte de la nudité s'ajoute la honte de ne pas être circoncis. – *la coupe de sa colère* : hébreu *la coupe*, voir Ézék 23.31 ; Abd 16 et les notes.

à ces divinités qui ne peuvent pas parler
et qu'il a lui-même façonnées ?

19 « Malheureux !
Vous dites "Réveille-toi !" à un morceau de bois
et "Debout !" à un bloc de pierre muet,
alors qu'ils ne peuvent rien vous révéler.
Même s'ils sont recouverts d'or et d'argent,
il n'y a aucune vie en eux !
20 Mais le Seigneur se tient dans son saint *temple.
Que chacun sur la terre fasse silence devant lui ! »

Prière d'Habacuc : l'intervention de Dieu

3 1 Prière en forme de complainte prononcée par le *prophète Habacuc :
2 Seigneur, Seigneur,
j'ai entendu parler de tes exploits[p]
et j'en suis rempli de respect.
Accomplis au cours de notre vie
des œuvres semblables,
fais-les connaître de notre vivant.
Même si tu as des raisons d'être en colère,
manifeste-nous encore ta bonté.

3 Dieu arrive de Téman,
le vrai Dieu vient des monts de Paran[q].
Pause
Sa splendeur illumine le ciel
et la terre est pleine de sa louange.
4 Il vient, éclatant de lumière,
des rayons brillants jaillissent de sa main,
où se cache sa puissance.
5 Il envoie des épidémies devant lui,
des maladies se déclarent là où il passe.
6 Lorsqu'il s'arrête, il fait trembler la terre[r],
il regarde les nations et elles tressaillent de peur.
Les montagnes éternelles sont ébranlées,
les collines antiques s'affaissent,
elles qui furent autrefois la route où il passait.
7 Je vois les tentes des gens de Kouchan
et les abris des Madianites[s] :
ils sont secoués par la menace.
8 Est-ce les fleuves, Seigneur,
est-ce les fleuves qui te mettent en colère ?
Est-ce contre la mer que ta fureur se déchaîne ?
Tu montes sur les nuages comme sur un char
dont les chevaux te conduisent à la victoire.
9 Tu prépares ton arc,
tes flèches sont les serments
que tu as prononcés. *Pause*
La terre s'ouvre et les fleuves jaillissent.
10 Quand les montagnes te voient, elles tremblent,
des pluies torrentielles inondent la terre,
le grand océan mugit
et lance ses lames jusqu'au ciel.
11 A la lumière de tes flèches qui volent,
devant les éclairs éblouissants de ta lance,
le soleil et la lune interrompent leur course.
12 Avec colère tu parcours la terre,
avec fureur tu écrases les nations.
13 Tu t'avances au secours de ton peuple,
au secours du roi que tu as consacré ;
tu abats le chef du clan des méchants,
tu fais table rase de ses partisans[t].
Pause
14 Tu perces la tête des chefs ennemis
avec leurs propres épieux.
Semblables à un ouragan,
ils se précipitaient pour nous disperser
en poussant des cris de joie,
prêts à massacrer en secret leurs victimes[u].

---

p 3.2 *j'ai entendu parler de tes exploits* : autre traduction *j'ai entendu ce que tu as annoncé*.

q 3.3 *Téman* : province du royaume d'Édom, au sud-est de Juda. – Les *monts de Paran* se trouvent dans le désert situé au sud de la Palestine (voir Deut 33.2).

r 3.6 *il fait trembler la terre* : d'après l'ancienne version grecque qui modifie deux consonnes du verbe hébreu.

s 3.7 *Kouchan* désigne sans doute une peuplade nomade du désert du Sinaï, comme *Madian*.

t 3.13 *tu fais table rase de ses partisans* : sens probable d'un texte hébreu peu clair.

u 3.14 Sens possible d'un texte hébreu difficile.

15 Tu parcours la mer avec tes chevaux
dans un bouillonnement de grosses vagues.

16 J'entends tout ce tumulte
et je suis profondément bouleversé :
mes lèvres frémissent de crainte,
mon corps est paralysé,
mes jambes se dérobent sous moi.
En silence j'attends le jour de la détresse,
pour aller attaquer le peuple qui nous opprime[v].

17 Les figuiers ne portent plus de fruits,
les vignes ne donnent pas de raisins,
les oliviers ne produisent rien,
les champs ne fournissent aucune récolte ;
il n'y a plus de moutons dans les enclos,
plus de bœufs dans les étables.

18 Mais moi, je trouve ma joie dans le Seigneur,
je suis heureux à cause du Dieu qui me sauve.

19 Le Seigneur Dieu est ma force :
il me rend aussi agile que les biches,
il me fait marcher sur les hauteurs.

*Du répertoire du *chef de chorale. Accompagnement sur instruments à cordes*[w].

v **3.16** *mes jambes se dérobent sous moi* : texte probable ; hébreu *je suis bouleversé car... – le jour... opprime* : autre traduction *le jour de la détresse qui va venir sur le peuple de nos oppresseurs*.

w **3.19** Ces formules figurent en tête de certains Psaumes (voir par ex. Ps 4 ; 6 ; 54 ; 67 ; 76).

Sophonie

***Introduction** – La prédication du *prophète Sophonie date de la fin du 7e siècle avant J.-C. et a sans doute précédé celle d'Habacuc. Au moment où elle a été prononcée, le roi Josias n'a vraisemblablement pas encore mis en place sa réforme religieuse (voir 2 Rois 23.1-28), et le royaume de Juda vit un moment dramatique de son histoire. Le prophète répond à ceux qui se demandent si Dieu s'intéresse vraiment aux hommes et s'il mène l'histoire. Il annonce l'intervention de Dieu sous plusieurs formes : Dieu viendra juger les habitants de Juda et de Jérusalem (1.1–2.3), il détruira les peuples voisins de Juda (2.4-15), puis il restaurera Jérusalem après en avoir extirpé le mal et y avoir laissé une population humble et pauvre dans le but de transformer l'humanité entière (3.1-20).*

Sophonie souligne que le peuple de Dieu ne peut retrouver une relation vraie avec son Dieu sans une élimination radicale de ceux qui font passer leur propre profit avant les exigences du Seigneur. Mais il témoigne d'une tendresse particulière pour les « humbles du pays » (2.3 ; 3.12).

1 [1] Paroles que le Seigneur a communiquées à Sophonie à l'époque où Josias, fils d'Amon, était roi de Juda.
Sophonie était fils de Kouchi, lui-même
fils de Guedalia, petit-fils d'Amaria et arrière-petit-fils d'Ézékias[a].

Dieu va intervenir contre la terre entière

2 Le Seigneur affirme :
« Je vais exterminer
tout ce qui vit sur la terre.
3 Je détruirai les hommes et les bêtes,
les oiseaux comme les poissons,
je détruirai les méchants
et leurs œuvres scandaleuses.
Je ne laisserai aucun homme sur la terre. »

Dieu va intervenir contre Juda et Jérusalem

4 « Je vais intervenir
contre les habitants de Jérusalem
et toute la population de Juda.
Je ferai disparaître de cet endroit
tout ce qui reste du culte de *Baal
et même le souvenir des prêtres de ce dieu.
5 Je détruirai ceux qui montent sur les toits en terrasse
pour adorer les astres,
ceux qui célèbrent leur culte
et prêtent serment
tantôt en mon nom, tantôt au nom du dieu Milkom[b].
6 Je détruirai ceux qui se détournent de moi, le Seigneur,
et ne veulent ni avoir recours à moi
ni me demander conseil. »

7 Faites silence devant Dieu, le Seigneur,
car le jour où il interviendra est proche !
Le Seigneur a préparé un *sacrifice,
il a déjà *purifié ses invités[c].

8 « Au jour de ce sacrifice, dit le Seigneur,
je punirai les chefs, les fils du roi
et tous ceux qui suivent une mode étrangère[d].
9 Ce jour-là, je punirai
tous ceux qui sautent, comme des païens,
par-dessus le seuil du *temple,
tous ceux qui remplissent la maison de leur maître[e]
de richesses acquises par la fraude et la violence.
10 Ce jour-là, à Jérusalem,
affirme le Seigneur,
on entendra de grands cris à la porte des Poissons,
des lamentations dans le Quartier Neuf[f]
et un énorme fracas sur les collines.
11 Poussez des hurlements,
habitants de la ville basse[g],
car tous les marchands vont mourir,
tous les commerçants vont être exterminés.
12 A ce moment-là, je prendrai une lampe
et je fouillerai la ville de Jérusalem ;
je sévirai contre les hommes
qui vivent tranquilles
comme le vin laissant déposer sa lie ;
ils disent : "Le Seigneur ne peut rien faire,
ni en bien ni en mal !"

---

a **1.1** *à l'époque où Josias... Juda* : c'est-à-dire entre les années 640 et 609 avant J.-C. *Sophonie* était donc contemporain du prophète Jérémie (voir Jér 1.2). – On ignore si *Ézékias*, l'ancêtre de Sophonie, est le roi du même nom contemporain du prophète Ésaïe.

b **1.5** Le culte des astres était pratiqué dans les religions mésopotamiennes. Les rois Manassé et Amon de Juda (v. 1) l'avaient favorisé (voir 2 Rois 21.3-5,21-22). – *au (dieu) Milkom* : d'après des versions anciennes ; hébreu *à leur (dieu) Mélek* ou *à leur roi*. Milkom était la principale divinité des Ammonites (voir 1 Rois 11.33).

c **1.7** *le jour où il interviendra* : voir Joël 1.15 et la note. – *Le Seigneur a préparé... invités* : l'exécution du jugement de Dieu contre Jérusalem est comparée ici à un *sacrifice*. Pour le repas qui suivait normalement un sacrifice, celui qui l'offrait et ses invités devaient se soumettre à certaines règles de purification. Il n'est guère possible de préciser ici quels sont les *invités* du Seigneur.

d **1.8** Adopter la *mode* vestimentaire des peuples étrangers était souvent le signe qu'on adoptait aussi leur culture et leur religion.

e **1.9** *qui sautent par-dessus le seuil du temple* : coutume religieuse païenne (voir 1 Sam 5.5). Autre traduction *tous ceux qui montent sur l'estrade* (où se trouve l'autel de la divinité). – *la maison de leur maître* : autre traduction *le temple de leur dieu*.

f **1.10** *la porte des Poissons* donnait accès à l'ancienne Jérusalem par le nord-ouest. – Le *Quartier Neuf* s'était développé au nord-ouest de la ville ancienne.

g **1.11** *de la ville basse* : autre traduction *du quartier du Mortier*.

13 Eh bien, leurs richesses seront pillées
et leurs maisons détruites ;
ils construisent des maisons
mais ils ne les habiteront pas,
ils plantent des vignes
mais ils n'en boiront pas le vin. »

Le jour du Seigneur

14 Le grand jour du Seigneur[h] approche,
il arrive en toute hâte,
sa venue provoquera des cris de désespoir,
même les plus courageux appelleront au secours !
15 Ce sera un jour de fureur,
un jour de détresse et d'angoisse,
de ruine et de désolation.
Ce sera un jour d'obscurité profonde,
envahi de nuages et de brouillard.
16 Ce jour-là, on entendra les soldats
sonner de la trompette
et pousser des cris de guerre
contre les villes fortifiées et leurs hautes tours.

17 « Je plongerai les hommes dans le malheur,
dit le Seigneur,
ils tâtonneront comme des aveugles
parce qu'ils ont péché contre moi.
Leur sang sera répandu partout,
comme de la poussière,
et leurs cadavres pourriront
comme des ordures. »

18 Ni leur argent ni leur or
ne pourront les sauver
au jour de la fureur du Seigneur.
La terre entière sera détruite
par le feu de son courroux.
Oui, ce sera terrible :
il va exterminer
tous les habitants de la terre.

Appel aux humbles

2 1 Prenez la peine de réfléchir,
ressaisissez-vous,
gens dépourvus de honte,
2 avant que vous ne deveniez[i]
comme les brins de paille dispersés en un jour,
avant que l'ardente colère du Seigneur
ne vous atteigne,
avant que ne vienne le jour
où elle se déchaînera.
3 Tournez-vous vers le Seigneur,
vous, tous les humbles du pays,
qui obéissez à ses commandements.
Pratiquez la justice,
restez humbles devant Dieu.
Vous serez peut-être épargnés
au jour de la colère du Seigneur.

Menaces contre les peuples de l'ouest

4 Gaza va être désertée,
Ascalon détruite,
les habitants d'Asdod
seront expulsés en plein jour,
et ceux d'Écron seront chassés de leur ville[j].
5 Quel malheur pour vous, gens venus de Kaftor[k],
qui vivez au bord de la mer !
Le Seigneur prononce ce jugement contre vous :
« Canaan, pays des Philistins,
je vais te dévaster,
te priver de tes habitants.
6 Ton territoire, au bord de la mer,
sera transformé en pâturages,
en terrains parcourus par les *bergers
avec des enclos pour les moutons. »
7 Les survivants du peuple de Juda
occuperont la région ;
ils y feront paître leurs troupeaux,
et le soir ils iront se coucher
dans les maisons d'Ascalon.
En effet, le Seigneur, leur Dieu,
interviendra en leur faveur
et changera leur sort.

Menaces contre les peuples de l'est

8 « J'ai entendu les gens de Moab et d'Ammon[l]

---

h **1.14** Voir Joël 1.15 et la note.
i **2.2** *avant que vous ne deveniez* : d'après l'ancienne version grecque ; hébreu *avant que la sentence ne naisse*.
j **2.4** *Gaza, Ascalon, Asdod et Écron* : principales villes de Philistie.
k **2.5** *Kaftor* : voir Jér 47.4 et la note.
l **2.8** *Moab, Ammon* : peuples installés à l'est du Jourdain et de la mer Morte.

rire de mon peuple et en parler avec mépris.
Ils l'ont couvert d'injures
et ils ont agrandi leur territoire
aux dépens du sien.
9 Eh bien, aussi vrai que je suis vivant,
je l'affirme, moi, le Seigneur de l'univers,
le Dieu d'Israël :
Moab et Ammon seront détruits
comme les villes de Sodome et de Gomorrhe[m] ;
sur leur territoire à tout jamais désert,
il n'y aura plus que plantes épineuses et mines de sel.
Les survivants de mon peuple viendront les piller
et s'emparer de leur pays. »
10 Voilà la punition qu'ils devront subir
à cause de leur arrogance :
en effet, ils ont couvert d'injures
le peuple du Seigneur de l'univers
et se sont agrandis à ses dépens.
11 Le Seigneur sera redoutable pour eux,
il réduira à rien tous les dieux des humains.
Alors, même les nations les plus lointaines
lui rendront un culte,
chacune sur son propre sol.

Menaces contre les peuples du sud et du nord

12 « Vous aussi, les Éthiopiens,
je vous ferai mourir à la guerre. »

13 Le Seigneur interviendra également
contre la région du nord
et il détruira l'Assyrie ;
il provoquera la ruine de Ninive[n]
qui deviendra un désert aride.
14 A l'endroit où la ville s'étendait,
des troupeaux viendront s'installer
ainsi que des animaux de toute espèce :
la chouette chevêche et le butor
logeront dans ses chapiteaux.
On entendra les cris des oiseaux
aux fenêtres des maisons ;
dès le seuil on ne verra que des ruines,
les boiseries de cèdre seront arrachées[o].
15 Voilà ce que deviendra cette ville si fière,
dont les habitants se croyaient à l'abri,
et pensaient n'avoir pas d'égal.
Eh bien, elle tombe en ruine,
elle sert de repaire aux bêtes !
Tous ceux qui passent près d'elle
sifflent et font des gestes de mépris.

Jérusalem n'a pas écouté l'appel de Dieu

3 1 Quel malheur pour la ville rebelle,
corrompue et tyrannique[p] !
2 Elle n'a pas écouté les paroles du Seigneur
ni tenu compte de ses avertissements !
Elle n'a pas mis sa confiance en lui,
elle n'a pas eu recours à son Dieu.
3 Ses chefs sont comme des lions rugissants,
ses juges comme des loups qui chassent le soir[q]
et ne gardent rien à ronger pour le matin.
4 Ses *prophètes sont des irresponsables
qui trahissent leur mission.
Ses prêtres ne respectent pas
ce qui est consacré à Dieu ;
ils violent sa loi.
5 Pourtant le Seigneur est présent dans la ville
pour y faire régner la justice et non le mal ;
chaque matin sans faute, il rend ses jugements.
Malgré cela, les méchants
agissent sans aucune honte !

6 « J'ai supprimé des nations entières,
dit le Seigneur,
j'ai détruit les tours de leurs fortifications,
j'ai rendu désertes les rues de leurs villes,

---

m **2.9** Voir Gen 19.24-25.
n **2.13** Voir Nah 1.1 et la note.
o **2.14** *les boiseries... arrachées* : sens probable d'un texte hébreu difficile.
p **3.1** Dans tout ce passage Jérusalem n'est pas nommée explicitement. Elle est réduite à l'anonymat.
q **3.3** Voir Hab 1.8.

j'ai saccagé les villes elles-mêmes :
plus personne n'y passe, plus personne
n'y habite.
7 Puis je me suis dit :
la ville va me respecter
et tenir compte de mes avertissements.
Je n'aurai donc pas besoin de la dévaster
en réalisant mes menaces contre elle.
Mais ses habitants n'ont d'empressement
que pour commettre de mauvaises actions[r].
8 Eh bien, voici ce que le Seigneur affirme :
attendez-vous à mon intervention,
attendez le jour où je viendrai vous accuser.
J'ai décidé de rassembler
les nations et les royaumes
pour les soumettre au feu de ma colère.
Toute la terre sera consumée
par mon ardent courroux. »

Dieu transformera les peuples

9 « Alors je transformerai les peuples,
je *purifierai leurs lèvres[s] :
ils me prieront, moi, le Seigneur,
et me rendront un culte d'un même élan.
10 Même de plus loin que les fleuves d'Éthiopie,
mes fidèles partout dispersés,
viendront m'apporter leurs offrandes. »

Le reste d'Israël

11 « Ce jour-là, mon peuple,
tu n'auras plus à rougir
de toutes tes mauvaises actions,
des péchés commis contre moi ;
j'enlèverai en effet du milieu de toi
tous ceux qui débordent d'orgueil,
et tu cesseras de faire le fier
sur la montagne qui m'est consacrée[t].
12 De toi, je garderai les gens humbles et pauvres
qui me demanderont de les protéger.
13 Les survivants du peuple d'Israël
ne commettront plus d'injustice
et ne diront plus de mensonges,
ils n'utiliseront plus leur langue pour tromper.
Ils pourront manger et dormir
sans que personne leur cause de l'effroi. »

La restauration de Jérusalem

14 Éclate de joie, ville de *Sion !
Criez de bonheur, gens d'Israël !
Réjouis-toi de tout ton cœur,
Jérusalem !
15 Le Seigneur a retiré
les condamnations qui pesaient sur vous,
il a fait fuir vos ennemis.
Le Seigneur, roi d'Israël, est avec vous
vous n'aurez plus à craindre le malheur.
16 Le jour vient où l'on dira à Jérusalem
« N'aie pas peur, ville de Sion,
ne te décourage pas !
17 Le Seigneur ton Dieu est avec toi :
il est fort et t'assure la victoire,
il rayonne de bonheur à cause de toi,
son amour te donne une vie nouvelle[u]
il pousse des cris joyeux à ton sujet,
18 comme en un jour de fête. »

« Je supprimerai le malheur, dit le Seigneur,
j'enlèverai la honte qui pèse sur vous[v]
19 Voici le moment où je vais punir
tous ceux qui vous ont opprimés.
Je soignerai vos blessés,
je ramènerai les exilés,
je changerai en gloire et renommée
le mépris que l'on vous témoignait partout.
20 A ce moment-là je vous ramènerai
et vous rassemblerai.
Vous le verrez, je changerai votre sort
je vous donnerai gloire et renommée
parmi tous les peuples de la terre. »
C'est le Seigneur qui a parlé.

---

r 3.7 Sens possible d'un verset dont le texte hébreu présente plusieurs difficultés.
s 3.9 *Les lèvres* des peuples païens sont impures parce qu'elles ont prononcé le nom des faux dieux.
t 3.11 *la montagne qui m'est consacrée* : voir Ézék 20.40 et la note.
u 3.17 *te donne une vie nouvelle* : d'après l'ancienne version grecque ; hébreu *reste silencieux*.
v 3.18 Sens possible d'un texte hébreu difficile.

Aggée

Introduction *– Ce livre rapporte l'action du *prophète Aggée en faveur de la reconstruction du *temple de Jérusalem après que les Juifs ont pu rentrer de Babylonie, où ils avaient été exilés au début du 6e siècle. Il nous transmet plusieurs petits discours prononcés de la part de Dieu au cours de l'année 520 avant J.-C.*

*Les premiers Juifs revenus d'exil à partir de 538 avant J.-C. devaient reconstruire le temple détruit par les Babyloniens en 587, mais ils se découragèrent rapidement. C'est pourquoi le prophète exhorte les responsables du peuple à reprendre les travaux. Cette reprise eut lieu en l'année 520. Aggée réveille le zèle de ses auditeurs en leur affirmant que la pauvreté du peuple et la maigreur des récoltes viennent de l'état de ruine où se trouve le temple (1.1-14) ; il leur annonce que le nouveau temple surpassera en gloire celui qui a été détruit (2.1-9) et que sa construction entraînera la fin de l'état *d'impureté et de pauvreté dans lequel se trouve le peuple de Dieu (2.10-20). Le gouverneur Zorobabel, descendant de David, se voit promettre par Dieu un grand avenir (2.20-23).*

L'attente d'un temple plus glorieux que le premier et d'une intervention de Dieu par l'intermédiaire d'un serviteur qu'il aura choisi vont caractériser la nouvelle communauté israélite après l'exil. Par ses exhortations, Aggée a incité ses contemporains à sortir de leur résignation et à se mettre au travail en vue de la nouvelle situation que Dieu prépare.

Le moment de rebâtir le temple

1 1 La deuxième année du règne de Darius, le premier jour du sixième mois,
le Seigneur s'adressa au *prophète Aggée. Il lui ordonna de transmettre un
message au gouverneur de Juda, Zorobabel, fils de Chéaltiel[a], et au grand-prêtre
Yéchoua, fils de Yossadac. 2-3 Aggée annonça donc de la part du Seigneur :
« Voici ce que déclare le Seigneur de
l'univers : “Les gens de ce peuple affirment que ce n'est pas le moment de rebâtir mon *temple[b]. 4 Eh bien, est-il normal
que vous habitiez des maisons richement
décorées alors que mon temple est en
ruine ? 5 Je vous le demande, moi, le Seigneur de l'univers, réfléchissez à ce qui
vous arrive. 6 Vous avez beaucoup semé,
mais votre récolte est très faible ; vous
n'avez pas suffisamment à manger pour
bien vous nourrir et pas suffisamment à
boire pour vous rendre gais ; vous n'avez
pas assez de vêtements pour vous tenir
chaud et le salaire du travailleur s'épuise
aussi vite qu'une bourse percée ! 7 Je vous

---

a **1.1** *Darius* était le roi des Perses. – *la deuxième année... le sixième mois* : c'est-à-dire vers la fin d'août 520 avant J.-C. – *Zorobabel, fils de Chéaltiel*, était d'après 1 Chron 3.17-19, petit-fils du roi Yekonia, nommé ailleurs Joakin. Il était donc descendant de David. Le roi de Perse l'avait nommé gouverneur de Juda.

b **1.2-3** Le *temple* de Jérusalem avait été pillé et incendié en 587 avant J.-C. par les Babyloniens (Jér 52.12-23). Les premiers déportés revenus d'exil, parmi lesquels *Zorobabel* et *Yéchoua* (Esd 3.1-9), avaient commencé à rebâtir le temple. Mais l'opposition des Samaritains les avait obligés à interrompre les travaux.

le répète, moi, le Seigneur de l'univers,
réfléchissez à ce qui vous arrive. 8 Montez sur les collines pour y chercher du
bois et rebâtissez mon temple. Alors je
serai heureux d'y recevoir l'honneur qui
m'est dû, je le déclare, moi, le Seigneur.
9 Vous avez espéré de grosses récoltes et
voyez le peu que vous avez obtenu. Ce
que vous avez ramené chez vous, je l'ai
dispersé de mon souffle. Pourquoi cela ?
je vous le demande, moi, le Seigneur de
l'univers. Eh bien, c'est parce que mon
temple est en ruine alors que chacun de
vous s'occupe activement de sa maison.
10 Voilà pourquoi aucune pluie n'est
tombée et rien n'a pu pousser. 11 J'ai provoqué la sécheresse dans le pays : sur les
collines, dans les champs de blé, les vignes, les plantations d'oliviers et les autres cultures ; les hommes et les bêtes en
ont souffert et tout votre travail a été
compromis." »

12 Zorobabel, fils de Chéaltiel, le grand-
prêtre Yéchoua, fils de Yossadac, et tous
ceux qui étaient revenus d'exil[c] prirent
au sérieux les paroles du Seigneur leur
Dieu, transmises par le prophète Aggée.
Aggée remplit ainsi la mission que le Seigneur lui avait confiée et les membres du
peuple reconnurent l'autorité du Seigneur. 13 Puis Aggée, l'envoyé du Seigneur, leur délivra ce message : « Je serai
avec vous, je vous le promets, moi, le Seigneur. » 14 Le Seigneur réveilla le zèle de
Zorobabel, le gouverneur de Juda, de Yéchoua, le grand-prêtre, et de tous ceux
qui étaient revenus d'exil. Ils se mirent
au travail pour reconstruire le temple de
leur Dieu, le Seigneur de l'univers, 15 le
vingt-quatrième jour du sixième mois de
la même année[d].

La splendeur du nouveau temple

2 1 La deuxième année du règne de Darius, le vingt et unième jour du septième mois[e], le Seigneur ordonna de
nouveau au *prophète Aggée de transmettre un message. 2 Il lui demanda de parler
ainsi au gouverneur de Juda, Zorobabel,
fils de Chéaltiel, au grand-prêtre Yéchoua,
fils de Yossadac et à tous ceux qui étaient
revenus d'exil[f] : 3 « Y a-t-il encore parmi
vous quelqu'un qui se rappelle combien le
*temple était splendide autrefois ? Or que
constatez-vous maintenant ? Ne voyez-
vous pas que sa splendeur a été réduite à
néant ? 4 C'est pourquoi, moi, le Seigneur,
je vous dis : Reprends courage, Zorobabel ! courage, Yéchoua, fils de Yossadac,
toi qui es grand-prêtre ! courage, vous,
tous les gens du pays ! Mettez-vous au travail, je serai avec vous, je vous le promets,
moi, le Seigneur de l'univers. 5 J'ai pris cet
engagement lorsque vous êtes sortis du
pays d'Égypte. Mon Esprit sera présent au
milieu de vous. Vous n'avez rien à craindre ! 6 Oui, moi le Seigneur de l'univers, je
le déclare, dans peu de temps je vais
ébranler le ciel et la terre, les mers et les
continents[g]. 7 Je mettrai toutes les nations
étrangères sens dessus dessous. Leurs richesses afflueront ici et je redonnerai au
temple une grande splendeur, je vous le
déclare. 8 En effet, l'or et l'argent du
monde entier m'appartiennent. 9 Ainsi la
splendeur du nouveau temple surpassera
celle du premier. Et en ce lieu je vous accorderai la paix, c'est moi, le Seigneur de
l'univers, qui le promets. »

Le peuple en état d'impureté

10 La deuxième année du règne de Darius, le vingt-quatrième jour du neuvième mois[h], le Seigneur de l'univers
s'adressa de nouveau au *prophète Aggée : 11 « Demande aux prêtres, lui dit-il,
de trancher la question suivante[i] : 12 Supposons que quelqu'un ait un morceau de
viande provenant d'un *sacrifice dans
une partie de son vêtement. Si son vêtement touche ensuite du pain, des légumes, du vin, de l'huile ou tout autre
aliment, cet aliment doit-il être mis à part
pour Dieu ? » – « Non », répondirent les

c **1.12** *tous ceux qui étaient revenus d'exil* : hébreu *tout ce qui restait du peuple*, voir Esd 1.4 ; 9.8,14 ; Zach 8.6,11.

d **1.15** *de la même année* : voir 1.1.

e **2.1** C'est-à-dire vers la mi-octobre 520 avant J.-C.

f **2.2** Voir 1.12 et la note.

g **2.6** Ce verset est cité en Hébr 12.26-27.

h **2.10** Vers la mi-décembre 520 avant J.-C.

i **2.11** C'était aux prêtres qu'il appartenait de trancher les questions difficiles soulevées par l'application de la loi de Moïse, voir Lév 10.10-11.

·êtres à cette question d'Aggée. 13 Aggée
ur demanda encore : « Maintenant, sup-
›sons que quelqu'un soit *impur pour
'oir touché un cadavre[j]. S'il touche en-
ıite un aliment, cet aliment deviendra-
il impur ? » – « Oui », répondirent les
'êtres. 14 Aggée reprit alors : « Eh bien,
›ici ce que le Seigneur affirme : "Ainsi
ı est-il des habitants de ce pays et de ce
ı'ils produisent par leur travail ; à mes
ıux, tout ce qu'ils m'offrent sur *l'autel
t impur[k]." »

Soyez attentifs dès aujourd'hui

15 « Le Seigneur dit encore : "Et main-
nant observez attentivement ce qui va
passer à partir d'aujourd'hui. Avant
ıe vous ayez commencé à assembler des
erres pour reconstruire mon *temple,
que vous arrivait-il[l] ? Lorsque
ıelqu'un allait chercher vingt mesures
· blé au grenier, il n'en trouvait que dix ;
rsque quelqu'un allait puiser cinquante
res de vin à la cuve, il n'en trouvait que
ngt. 17 J'ai détruit tout le produit de vo-
: travail : j'ai fait sécher ou pourrir sur
ed les céréales, j'ai fait tomber la grêle,
vous n'êtes pas revenus à moi, le Sei-
ıeur. 18 Observez attentivement ce qui
se passer à partir d'aujourd'hui. Ce
ır-ci, où l'on a posé les fondations du
mple, est le vingt-quatrième du neu-
ème mois, retenez-le bien. 19 Il ne reste
plus de blé dans les greniers, n'est-ce
pas ? Les vignes, les figuiers, les grenadiers et les oliviers n'ont rien produit. Eh
bien, à partir d'aujourd'hui, je vais répandre sur vous mes bienfaits." »

Promesses à Zorobabel, que le Seigneur a choisi

20 Le même jour, le vingt-quatre du
mois, le Seigneur adressa un second message à Aggée. 21 Il lui demanda de parler
ainsi au gouverneur de Juda, Zorobabel,
fils de Chéaltiel : « Moi, le Seigneur de
l'univers, je vais ébranler le ciel et la
terre. 22 Je vais renverser les rois et mettre
fin à la puissance des royaumes de la
terre ; je ferai culbuter les chars et leurs
conducteurs, les chevaux mourront et les
cavaliers s'entre-tueront. 23 Mais ce
jour-là, je te confierai une mission, Zorobabel, toi qui es mon serviteur. Tu seras
pour moi aussi précieux qu'un *cachet
personnel, car c'est toi que j'ai choisi
pour me servir. Voilà ce que j'affirme,
moi, le Seigneur de l'univers. »

---

j **2.13** Sur *l'impureté* que transmet un cadavre, voir Lév 22.4.

k **2.14** Par cette image empruntée au droit religieux d'Israël, le prophète explique que Dieu refuse d'agréer les sacrifices qui lui sont offerts tant que le peuple néglige la reconstruction du temple.

l **2.16** *que vous arrivait-il ?* : d'après l'ancienne version grecque.

Zacharie

Introduction – Le livre de Zacharie *pourrait être appelé le livre de l'espérance. Il no montre en particulier comment l'espérance de la communauté israélite s'est précisée dans temps.*

En effet ce livre présente deux parties distinctes.
*– La première partie (chap. 1–8) contient des messages datés des années 520 à 518 avant J.- et prononcés par conséquent par un contemporain du *prophète Aggée. Zacharie s'y expri sous la forme de récits de visions. Celles-ci font comprendre que la reconstruction du *temp ainsi que le rétablissement de Jérusalem dans son rôle central marquent l'entrée dans un tem nouveau. Pour inaugurer ce temps, Dieu choisit le gouverneur Zorobabel et le grand-prê Yéchoua.*
– De plus en plus, l'espérance d'Israël va se concentrer sur l'attente du moment où Dieu gnera sur la terre entière. En même temps, elle est liée à la mission d'un homme choisi p Dieu.
*La deuxième partie du livre de Zacharie (chap. 9–14), écrite plus tard que la première, insis sur ces deux aspects. Elle donne des traits particuliers à celui qui instaurera le règne de Die en le présentant tour à tour comme un roi humble et victorieux, comme un *berger ou comr l'envoyé mis à mort. Les évangélistes ont repris ces traits pour présenter la personne et la m sion de Jésus, en particulier dans les récits concernant sa mort (voir Matt 21.4-5 ; Matt 26.3 Marc 14.27 ; Jean 19.37).*

LES VISIONS DE ZACHARIE

Un appel du Seigneur aux Israélites

1 [1] La deuxième année du règne de Darius, au cours du huitième mois, le
Seigneur s'adressa au *prophète Zacharie, fils de Bérékia et petit-fils d'Iddo[a].
[2-3] Il lui ordonna de dire aux Israélites :
« Moi, le Seigneur de l'univers, je me suis
violemment irrité contre vos ancêtres.
Mais revenez à moi, le Seigneur, et je reviendrai à vous, je vous le prome
[4] N'imitez pas vos ancêtres. Autrefois l
prophètes les ont exhortés de ma part
renoncer à leur mauvaise conduite et
leurs actions indignes, mais ils n'ont p
voulu écouter et ils ne m'ont pas ob
[5] Vos ancêtres ne sont plus là et les pr
phètes n'ont pas vécu indéfiniment, vo
le savez bien. [6] Cependant les paroles
les ordres que j'avais transmis à mes se
viteurs les prophètes ont finaleme
convaincu vos ancêtres ; ils ont chan
d'attitude, ils ont reconnu que je les ava
traités comme je l'avais décidé et comi
le méritaient leur conduite et leu
actes. »

a **1.1** *la deuxième année, au cours du huitième mois* : c'est-à-dire en octobre-novembre 520 avant J.-C. – *Darius* a été empereur de Perse de 522 à 486 avant J.-C. – *Zacharie* (dont le nom signifie *le Seigneur se souvient*) était aussi prêtre d'après Néh 12.16.

Première vision :
les chevaux

7 La deuxième année du règne de Da-
ius, le vingt-quatrième jour du onzième
nois, ou mois de Chebath[b], le Seigneur
ommuniqua un message au *prophète
Zacharie, fils de Bérékia et petit-fils
l'Iddo.
Voici le récit de Zacharie : 8 J'ai eu,
ette nuit, une vision. J'ai vu un cavalier
nonté sur un cheval roux. Il se trouvait
armi des myrtes[c] situés au fond d'une
allée. Derrière lui, il y avait d'autres
hevaux, des roux, des gris et des blancs.
Je lui demandai : « Mon seigneur, que
eprésentent ces chevaux ? » *L'ange
hargé de me parler répondit : « Je vais te
expliquer. » 10 Et, du milieu des myrtes
ù il se trouvait, il ajouta : « Le Seigneur
es a envoyés parcourir la terre. » 11 Les
avaliers firent alors leur rapport à l'ange
u Seigneur : « Nous avons parcouru
oute la terre, lui dirent-ils, et nous n'y
vons trouvé aucun signe d'agitation :
ut est calme. » 12 L'ange s'exclama :
Seigneur de l'univers, voilà soixante-
ix ans[d] que tu es irrité contre Jérusalem
t les autres villes de Juda. Combien de
emps encore refuseras-tu d'avoir pitié
'elles ? » 13 Alors le Seigneur adressa à
ange des paroles rassurantes et récon-
ortantes.

Le Seigneur
va de nouveau choisir Jérusalem

14 *L'ange qui parlait avec moi m'or-
onna de proclamer ce message de la part
u Seigneur de l'univers :
« J'ai un amour ardent
pour Jérusalem et la colline de *Sion,
mais j'éprouve une violente irritation
contre les nations trop sûres d'elles.
En effet, lorsque ma colère contre Israël
était encore faible,
elles ont contribué à sa ruine.
C'est pourquoi, je le déclare,
moi, le Seigneur de l'univers,
je vais revenir à Jérusalem
pour y manifester ma bonté.
Mon *temple y sera rebâti,
et l'on reconstruira la ville. »

17 Puis l'ange me demanda de proclamer cet autre message :
« Mes villes vont retrouver leur bien-
être,
déclare le Seigneur de l'univers,
je choisirai de nouveau Jérusalem,
je viendrai au secours de Sion. »

Deuxième vision :
cornes et forgerons

2 1 Dans une autre vision, je vis quatre
cornes[e]. 2 Je demandai à *l'ange
chargé de me parler : « Que représentent
ces cornes ? » Il me répondit : « Elles représentent les puissantes nations qui ont
dispersé les habitants de Juda, *d'Israël
et de Jérusalem. »
3 Puis le Seigneur me montra quatre
forgerons. 4 Je demandai : « Que viennent-ils faire ? » Il me répondit : « Ils sont
venus terrifier et abattre les puissantes
nations qui se sont dressées contre le
pays de Juda et qui en ont dispersé les habitants, si bien que personne n'a pu leur
résister. »

Troisième vision :
le cordeau à mesurer

5 Dans une autre vision, je vis un
homme qui tenait un cordeau à mesurer[f].
6 Je lui demandai : « Où vas-tu ? » – « A Jérusalem, me répondit-il, pour en mesurer
la longueur et la largeur. »
7 *L'ange chargé de me parler s'avança
alors vers un autre ange qui venait à sa
rencontre. 8 Il ordonna à celui-ci : « Cours
dire au jeune homme qui tient le cordeau : Jérusalem ne sera pas entourée de
murailles, car les gens et les bêtes qui y
vivront seront très nombreux. 9 Le Seigneur affirme à ce sujet : "Moi-même je
serai là, comme une muraille de feu autour de la ville, et j'y manifesterai ma présence glorieuse." »

---

b **1.7** C'est-à-dire vers la mi-février 519 avant J.-C.
c **1.8** Les *myrtes* sont des arbustes toujours verts qui poussent dans les régions méditerranéennes.
d **1.12** *soixante-dix ans* : voir Jér 25.11 ; 29.10.
e **2.1** Dans certaines traductions les v. 1 à 4 du chap. 2 sont numérotés 1.18 à 21.
f **2.5** Dans certaines traductions les v. 5-17 du chap. 2 sont numérotés 2.1-13.

Le Seigneur rappelle les exilés

10 Voici ce que le Seigneur vous annonce :
« Holà ! vous que j'ai dispersés
à tous les points de l'horizon,
enfuyez-vous maintenant,
quittez les terres du nord[g] !
11 Holà ! gens de Jérusalem
exilés à Babylone,
dépêchez-vous de vous échapper. »
12 Le Seigneur de l'univers, qui m'a
chargé d'une mission importante, déclare
à propos des nations qui vous ont pillés :
« Quiconque vous attaque,
s'attaque à ce que j'ai de plus précieux.
13 Oui, je vais intervenir
contre les nations :
elles seront pillées à leur tour
par ceux qu'elles ont asservis. »
Quand cela arrivera, vous saurez que c'est
bien le Seigneur de l'univers qui m'a envoyé.
14 Le Seigneur annonce encore :
« Faites éclater votre joie,
gens de Jérusalem,
je viens habiter au milieu de vous.
15 Dès ce moment-là, de nombreuses nations
se rallieront à moi, le Seigneur,
et elles deviendront mon peuple.
Cependant c'est au milieu de vous
que j'habiterai. »
Quand cela arrivera, vous saurez que c'est
bien le Seigneur de l'univers qui m'a envoyé vers vous.

16 Juda sera de nouveau
la propriété personnelle du Seigneur,
dans le pays qui lui est consacré,
et Jérusalem redeviendra
la ville qu'il s'est choisie.
17 Que chacun fasse silence
en présence du Seigneur,
car soudain il va sortir
de sa sainte demeure !

Quatrième vision : le grand-prêtre Yéchoua

3 1 Le Seigneur me fit voir le granc
prêtre Yéchoua debout devar
*l'ange du Seigneur. *Satan se tenait à l
droite de Yéchoua pour l'accuser. 2 L'ang
dit à Satan, l'accusateur : « Que le Se
gneur te réduise au silence, Satan, ou
qu'il te réduise au silence, lui qui a choi
Jérusalem ! Yéchoua n'est-il pas en eff
comme un tison arraché au feu[h] ? »
3 Yéchoua, debout devant l'ange, éta
vêtu d'habits sales. 4 L'ange ordonna
ceux qui l'accompagnaient de les lui e
lever. Puis il dit à Yéchoua : « Je t'ai d
barrassé de ta faute et je vais te revêt
d'habits de fête. »
5 Il donna également l'ordre de mett
un turban propre sur la tête de Yéchou
On mit donc à celui-ci un turban et d
habits propres en présence de l'ange
6 L'ange fit ensuite cette déclaration à Y
choua : 7 Voici une promesse du Seigne
de l'univers :
« Si tu obéis à mes lois,
si tu te conformes à mes règles,
tu seras responsable
de mon *temple et de ses cours,
et je te ferai accéder au rang
de ceux qui sont ici à mon service. »

Dieu va faire venir son serviteur

8 « Écoute donc, Yéchoua,
toi qui es grand-prêtre,
écoutez également,
vous, les prêtres, ses compagnons,
vous tous qui êtes un signe
du salut à venir.
Je vais faire apparaître mon serviteur
celui qui s'appelle "Germe"[j].
9 Devant Yéchoua je pose une pierre,
une seule pierre, avec sept points bri-
lants[k].

---

g **2.10** *les terres du nord* : cette expression désigne l'empire babylonien. En effet le chemin qui conduit de là en Palestine passe par le nord.

h **3.2** *L'ange* : d'après l'ancienne version syriaque ; hébreu *Le Seigneur*. – *un tison arraché au feu* : manière imagée de rappeler que Yéchoua est revenu d'exil avec les premiers groupes de rapatriés (Esd 2.36).

i **3.5** *Il donna l'ordre de mettre* : d'après des versions anciennes ; hébreu *Je dis : mettez-leur*. – Le *turban* et les *habits propres* sont ceux que les prêtres portaient en service (voir Ex 28.39-43).

j **3.8** Ce terme désigne sans doute le successeur légitime au trône royal, qui est susceptible d'être le *messie attendu, voir Jér 23.5 ; 33.15.

k **3.9** Selon certains cette *pierre* symboliserait le temple et les *sept points brillants* la présence protectrice de Dieu.

Je vais y graver moi-même une inscription,
et, en un seul jour,
j'enlèverai les fautes
qui souillent ce pays.
Oui, je l'affirme,
moi, le Seigneur de l'univers.
10 Quand ce jour arrivera,
vous vous inviterez les uns les autres
à jouir de la paix
dans vos vignes et sous vos figuiers. »

Cinquième vision : le porte-lampes et les oliviers

4 1 *L'ange chargé de me parler vint
éveiller mon attention comme on tire
ın homme du sommeil. 2 « Que vois-tu ? »
ne demanda-t-il. Je répondis[l] : « Je vois
ın porte-lampes tout en or, avec un réser-
'oir pour l'huile à sa partie supérieure. Il
orte sept lampes munies chacune de
ept mèches. 3 Deux oliviers se trouvent à
ôté du réservoir, l'un à droite et l'autre à
auche. » 4 J'interrogeai alors l'ange
hargé de me parler : « Mon seigneur, que
eprésente tout cela ? » – 5 « Ne le sais-tu
as ? » me demanda-t-il. Je lui répondis
ue non. 6a Alors il me donna cette expli-
ation[m] :
)b « Les sept lampes représentent les
eux du Seigneur qui inspectent tout ce
ui se passe sur la terre. » 11 Je lui deman-
ai encore : « Que représentent les deux
liviers situés à droite et à gauche du
orte-lampes ? » 12 Et j'ajoutai cette autre
uestion : « Que représentent les deux
ranches d'olivier placées à côté des
eux conduits en or d'où sort l'huile do-
ée ? » – 13 « Ne le sais-tu pas ? » me dit-il.
e lui répondis que non. 14 Alors il m'ex-
liqua : « Ils représentent les deux hom-
ıes consacrés avec de l'huile pour être
u service du Seigneur de toute la
erre[n]. »

Promesses concernant Zorobabel

6b *L'ange me dit de transmettre cette
arole à Zorobabel[o] : voici ce que déclare
: Seigneur de l'univers :
« Ce n'est pas par la violence
ni par tes propres forces
que tu accompliras ta tâche,
mais c'est grâce à mon Esprit. »
7 Il ajouta :
« Cette grande montagne est-elle un
obstacle ?
Zorobabel l'aplanira[p].
Il en extraira la pierre de fondation.
"Qu'elle est belle, qu'elle est belle !"
s'écriera-t-on. »
8 Le Seigneur me transmit cet autre
message :
9 « Zorobabel a posé les fondations du
*temple
et il en achèvera la construction. »
Quand cela arrivera, vous saurez que
c'est bien le Seigneur de l'univers qui m'a
envoyé vers vous.
10a Il ne faut pas mépriser
la petitesse des premiers travaux.
Qu'on se réjouisse plutôt de voir
Zorobabel l'outil à la main[q].

Sixième vision : le livre de la malédiction

5 1 J'eus encore une vision et je vis un
livre en forme de rouleau[r] voler à travers les airs.
2 « Que vois-tu ? » me demanda *l'ange.
Je répondis : « Je vois un rouleau qui vole
à travers les airs : il a dix mètres de long
et cinq mètres de large. » 3 Alors il me
dit : « C'est le texte de la malédiction qui

---

l **4.2** *Je répondis* : selon une tradition juive ; selon une autre tradition *Il répondit*.

m **4.6a** Les v. 6b à 10a, concernant *Zorobabel*, interrompent la réponse annoncée au v. 6a. Ils ont été reportés après le v. 14.

n **4.14** *les deux hommes consacrés...* sont sans doute le grand-prêtre *Yéchoua* et la gouverneur *Zorobabel* (voir 6b et la note).

o **4.6b** *Zorobabel* était un lointain descendant de David (voir la note sur Ag 1.1). A ce titre il est donc susceptible d'être le *messie attendu (voir la note sur 3.8 et És 9.6 ; 11.1,2 ; Ézék 34.23,24 ; 37.24).

p **4.7** Le prophète semble évoquer ici la *montagne* de décombres accumulés sur l'emplacement du *temple depuis la destruction de celui-ci. Zorobabel a organisé le déblaiement de ces décombres pour dégager les fondations du temple et permettre la reconstruction sur les anciennes bases de l'édifice.

q **4.10a** *l'outil à la main* : hébreu *la pierre de plomb dans la main*. Le sens exact de l'expression "la pierre de plomb" n'est pas connu.

r **5.1** *un livre en forme de rouleau* : voir Jér 36.2 et la note.

va atteindre le pays tout entier : sur un
côté du rouleau, il est écrit que tous les
voleurs seront expulsés du pays et, sur
l'autre, que tous ceux qui prononcent de
faux serments le seront également. 4 Le
Seigneur de l'univers affirme qu'il envoie
lui-même cette malédiction : elle va pénétrer dans la maison de chaque voleur et
de chaque personne qui prononce de faux
serments en se servant de mon nom ; elle
y restera et détruira tout, même les poutres et les pierres. »

Septième vision : la femme qui représente la Méchanceté

5 *L'ange chargé de me parler vint me
dire : « Regarde ! Que vois-tu apparaître
là-bas ? » – 6 « Qu'est-ce que c'est ? » lui
demandai-je. Il répondit : « C'est une corbeille qui contient les fautes de tout le
pays[s]. »
7 A ce moment-là, le couvercle de
plomb qui était sur la corbeille se souleva
et je vis une femme assise à l'intérieur.
8 L'ange me dit : « Elle représente la Méchanceté. »
Puis il la repoussa à l'intérieur de la
corbeille et remit le couvercle. 9 Levant
les yeux, je vis apparaître deux femmes
qui volaient, poussées par le vent : elles
avaient en effet des ailes semblables à celles d'une cigogne. Elles prirent la corbeille et l'emportèrent dans les airs. 10 Je
demandai à l'ange où elles l'emmenaient
11 Il me répondit : « En Mésopotamie, oi
elles lui construiront un temple ; elle
dresseront un socle sur lequel elles l'ins
talleront. »

Huitième vision : les quatre chars

6 1 J'eus encore une vision et je vi
quatre chars déboucher entre deu
montagnes de bronze. 2 Des chevau
roux étaient attelés au premier char, de
chevaux noirs au deuxième, 3 des che
vaux blancs au troisième et des chevau
tachetés de brun au quatrième. 4 Je de
mandai à *l'ange chargé de me parler
« Mon seigneur, que représentent ces at
telages ? » 5 Il me répondit : « Ce sont le
quatre vents. Ils se tenaient auprès d
Seigneur de toute la terre et ils le quit
tent maintenant. » 6 Le char tiré par le
chevaux noirs partit vers la région d
nord, les chevaux blancs partirent ver
l'ouest[t] et les chevaux tachetés partiren
vers la région du sud. 7 Les chevau
bruns[u] s'avancèrent et demandèrent
aller parcourir la terre. Le Seigneur leu
dit : « Allez parcourir la terre. » C'est c
qu'ils firent. 8 Alors le Seigneur m'ap
pela et me déclara : « Regarde, ceux qu
partent en direction du nord vont fair
descendre mon Esprit[v] sur cette ré
gion. »

Couronnement prophétique de Yéchoua

9 Le Seigneur me donna l'ordre sui
vant : 10 « Accepte les dons apportés pa
Heldaï, Tobia et Yedaya de la part des ex
lés[w]. Tu vas te rendre aujourd'hui mêm
dans la maison de Yosia, fils de Sefani
où ces hommes sont allés à leur retour d
Babylone. 11 Tu prendras de l'argent et d
l'or pour en fabriquer une couronne
que tu poseras sur la tête du grand-prêtı
Yéchoua, fils de Yossadac, 12 en lui d
sant : "Voici ce que déclare le Seigneur d
l'univers :

Il y a ici un homme,
dont le nom est 'Germe'[y],
sous ses pas germera la vie,
et c'est lui qui reconstruira mon *ten
ple.

---

s **5.6** *les fautes* : d'après les anciennes versions grecque et syriaque ; autre traduction – d'après l'hébreu qui porte *leur œil – ils n'ont d'yeux que pour cela dans tout le pays*.

t **6.6** *la région du nord* : voir 2.10 et la note. Il est probable que cette expression fait allusion aux Israélites exilés à Babylone, en Mésopotamie (voir v. 8 et la note). – *(les chevaux blancs) partirent vers l'ouest* : autre traduction *prirent la même direction*.

u **6.7** On peut penser que ces *chevaux bruns* remplacent les chevaux roux du v. 2.

v **6.8** Le terme traduit par *Esprit* peut aussi signifier *colère* : on peut comprendre soit que Dieu va inciter par son *Esprit* les exilés à envoyer des dons ou à revenir pour reconstruire le *temple (v. 10,15), soit que Dieu va manifester sa colère contre les Babyloniens.

w **6.10** *les dons... de la part des exilés* : voir Esd 1.4,9-11 ; 2.68,69.

x **6.11** *une couronne* : d'après des versions anciennes ; hébreu *des couronnes*.

y **6.12** Voir 3.8 et la note.

13 Oui, c'est lui qui le reconstruira.
Il portera les insignes royaux
et, de son trône royal,
il gouvernera le peuple.
Près de lui se trouvera un prêtre :
entre les deux hommes existera
une entente parfaite.
14 "La couronne restera dans le temple
pour rappeler le souvenir de Heldaï, Tobia, Yedaya et de la générosité du fils de
Sefania[z]." »

15 Des gens viendront de loin aider à
reconstruire le temple du Seigneur. Alors
vous saurez que c'est bien le Seigneur de
l'univers qui m'a envoyé vers vous. Tout
cela arrivera si vous obéissez fidèlement
au Seigneur votre Dieu.

Le jeûne commémorant la ruine de Jérusalem

7 1 La quatrième année du règne de
Darius, le quatrième jour du neuvième mois, ou mois de Kisleu[a], le Seigneur me communiqua un message.
2 Les habitants de Béthel avaient envoyé Saresser et Réguem-Mélek avec
une délégation pour implorer la faveur
du Seigneur[b]. 3 Ils devaient poser la
question suivante aux prêtres qui officient au *temple du Seigneur de l'univers, et aux *prophètes : « Devons-nous
continuer à pleurer et à *jeûner pendant le cinquième mois de l'année[c],
comme nous le faisons depuis si longtemps ? » 4 Alors le Seigneur de l'univers
me donna l'ordre 5 de transmettre sa réponse aux prêtres et à tous les habitants
du pays :
« Depuis soixante-dix ans,
vous jeûnez et vous vous lamentez
pendant les cinquième et septième
mois[d],
mais ce n'est pas pour me plaire
que vous observez ces jeûnes !
6 Et lorsque vous mangez et buvez,
c'est pour votre propre plaisir
que vous le faites ! »
7 Autrefois déjà, les prophètes ont proclamé des avertissements semblables de
la part du Seigneur ; c'était l'époque où
les habitants de Jérusalem et des villes
d'alentour vivaient dans la tranquillité, et
où la région méridionale et le *Bas-Pays
étaient peuplés.
8-9 Le Seigneur de l'univers me demanda de rappeler ce qu'il avait déjà déclaré :
« Rendez des jugements équitables,
conduisez-vous les uns envers les autres avec amour et bonté.
10 N'opprimez ni les veuves,
ni les orphelins,
ni les étrangers, ni les pauvres.
Ne projetez aucun mal
les uns à l'égard des autres. »
11 Mais les gens ont refusé d'écouter :
ils ont tourné le dos et se sont bouché les
oreilles pour ne pas entendre. 12 Ils ont
rendu leur cœur aussi dur que le diamant ; ils ne voulaient pas recevoir les
enseignements du Seigneur de l'univers,
que son esprit leur communiquait par
l'intermédiaire des prophètes d'autrefois. Alors le Seigneur de l'univers s'est
mis dans une violente colère 13 et il a déclaré :
« Puisqu'ils n'ont pas voulu entendre
quand je les appelais à l'obéissance,
j'ai refusé de leur répondre
lorsqu'ils appelaient au secours.
14 Je les ai éparpillés
parmi toutes sortes de peuples
qu'ils ne connaissaient pas.
Derrière eux, ils ont laissé un pays
vide,

---

z 6.14 *Heldaï* : d'après le v. 9 ; hébreu *Hélem*. – *et de la générosité du fils de Sefania* : le mot traduit par *générosité* peut aussi être compris comme un nom propre ; autre traduction *et de Hen, fils de Sefania*.

a 7.1 C'est-à-dire en novembre 518 avant J.-C.

b 7.2 *Les habitants... Réguem-Mélek* : le sens du texte hébreu de ce début de phrase est peu clair ; autre traduction *Béthel-Saresser, grand officier du roi, et ses gens avaient envoyé une délégation*.

c 7.3 La délégation qui arrive à Jérusalem doit consulter les prêtres sur le jeûne (v. 5) pratiqué chaque année lors du *cinquième mois*, c'est-à-dire à l'anniversaire de la destruction du temple (2 Rois 25.8-9). Les travaux de reconstruction du temple ayant déjà commencé (Ag 2.18 ; Zach 4.7,9), on se demandait s'il était nécessaire de maintenir l'usage de cette commémoration (voir la note sur Ag 2.11).

d 7.5 *pendant le septième mois* : c'est-à-dire à l'anniversaire de l'assassinat de Guedalia (2 Rois 25.25 ; Jér 41.1-3).

où plus personne n'allait et venait.
Leur pays où il faisait bon vivre,
ils l'ont transformé en désert. »

Promesses de paix et d'abondance

8 1 Le Seigneur de l'univers me communiqua ce message :
2 « Moi, le Seigneur, j'ai un amour ardent pour Jérusalem,
j'éprouve une vraie passion pour elle.
3 C'est pourquoi, je le déclare,
je reviens à Jérusalem,
j'habite de nouveau à *Sion.
On appellera Jérusalem “Ville fidèle”,
et Sion, la colline qui m'appartient,
aura pour nom “Colline sainte”.
4 Oui, je le déclare,
les vieillards, hommes et femmes,
qui s'appuient sur un bâton
à cause de leur grand âge,
reviendront s'asseoir
sur les places de Jérusalem.
5 Les garçons et les filles
viendront de nouveau en grand nombre
jouer dans les rues de la ville.
6 Cet avenir semble irréalisable
aux survivants du peuple d'Israël,
mais je peux réaliser ce miracle,
moi, le Seigneur de l'univers.
7 Je vous le promets,
je vais sauver mon peuple
exilé dans les régions de l'est et de l'ouest.
8 Je les ferai venir de là-bas
pour habiter à Jérusalem.
Ils seront mon peuple
et je serai leur Dieu.
Je régnerai sur eux
avec loyauté et justice. »

9 Voici ce que déclare le Seigneur de l'univers :
« Reprenez courage !
Vous entendez maintenant les promesses
que les *prophètes ont déjà annoncées de ma part
au moment où on a posé les fondations
pour reconstruire mon *temple.
10 Auparavant personne ne payait
le travail des hommes ni celui des bêtes.
On ne pouvait pas aller et venir
à l'abri des ennemis,
car j'avais lâché tous les hommes
les uns contre les autres.
11 Mais maintenant, je l'affirme,
je ne traiterai plus comme autrefois
les survivants de ce peuple.
12 Je répandrai la paix sur la terre :
les vignes donneront du raisin,
le sol produira des récoltes,
du ciel tomberont
des pluies abondantes.
J'accorderai tous ces bienfaits
aux survivants de mon peuple.
13 Royaumes de Juda et d'Israël,
vous avez été, parmi les nations,
l'exemple d'un peuple maudit.
Eh bien, maintenant, je vous sauve,
vous serez l'exemple d'un peuple *béni.
N'ayez plus peur ! Reprenez courage ! »

14 Voici ce que déclare le Seigneur de l'univers :
« Lorsque j'avais résolu
de vous plonger dans le malheur
parce que vos ancêtres m'avaient irrité
je ne suis pas revenu sur ma décision.
15 Maintenant j'ai décidé, au contraire,
de vous combler de bienfaits,
habitants de Jérusalem
et de tout le pays de Juda.
N'ayez donc plus peur.
16 Voici comment vous devez agir :
Que chacun dise la vérité à son prochain.
Que vos tribunaux rendent une justice équitable
et rétablissent la paix !
17 Ne projetez aucun mal
les uns à l'égard des autres,
refusez de prononcer de faux serments
car je déteste les actes de ce genre,
je l'affirme, moi, le Seigneur. »

Les jours de jeûne deviendront jours de fête

18 Le Seigneur de l'univers me
communiqua ce message : 19 « Je vous le
déclare, les *jeûnes que vous observez
pendant les quatrième, cinquième, sep

ème et dixième mois de l'année[e] de-
endront désormais, pour le peuple de
da, de grandes fêtes pleines de gaieté et
joie.
« Mais désirez par-dessus tout la vérité
la paix ! »
20 Voici ce que déclare le Seigneur de
nivers :
« Des nations étrangères,
les habitants de nombreuses villes
viendront de nouveau à Jérusalem.
Les habitants d'une ville
proposeront à ceux d'une autre :
“Venez, nous partons prier
le Seigneur de l'univers
et rechercher sa présence.”
“Nous venons avec vous”, répondront-
ils.
22 Oui, de nombreux peuples et de puissantes nations
viendront à Jérusalem
rechercher ma présence
et m'implorer par leurs prières.
23 A ce moment-là, je le déclare,
dix étrangers, parlant chacun une langue différente,
saisiront un Juif par le pan de son manteau,
et lui diront :
“Nous voulons aller avec vous,
car nous avons appris que Dieu est avec vous.” »

ISRAËL ET LES AUTRES NATIONS

Jugement et salut des peuples voisins d'Israël

9 1 Message du Seigneur.
Sa parole atteint la région de Hadrak,
elle s'arrête sur la ville de Damas.
En effet, le Seigneur pose son regard
non seulement sur les tribus d'Israël,
mais aussi sur tous les êtres humains[f].
Il s'adresse également
à Hamath, près de Damas,
et aux villes de Tyr et de Sidon[g],
dont l'habileté est grande.
Tyr s'est construit une forteresse,
elle a entassé autant d'argent
qu'il y a de terre sur les chemins,
et accumulé autant d'or
qu'il y a de poussière dans les rues.
Mais le Seigneur la dépossédera,
il fera tomber ses remparts dans la mer
et un incendie détruira la ville.
A ce spectacle,
la ville d'Ascalon prendra peur,
Gaza tremblera de crainte,
Écron aussi, car elle aura perdu
l'appui qu'elle espérait[h].
Il n'y aura plus de roi à Gaza,
Ascalon sera privée de ses habitants.
Une population mélangée
s'installera à Asdod.
« C'est ainsi, dit le Seigneur,
que je détruirai l'orgueil des Philistins.
J'arracherai de leur bouche
la viande non saignée ou consacrée aux idoles.
Leurs survivants m'auront pour Dieu
au même titre qu'un clan de Juda,
Écron entrera dans mon peuple
comme les Jébusites l'ont fait[i].
8 Je monterai la garde autour de mon pays
pour le défendre contre les armées qui passent,
personne ne viendra plus opprimer mon peuple,

---

e **8.19** Le *jeûne* observé *pendant le quatrième mois* commémorait la première brèche faite par les Babyloniens dans les remparts de Jérusalem (Jér 52.6-7) ; pour les *jeûnes* observés *pendant les cinquième et septième mois*, voir 7.3,5 et les notes ; le *jeûne* observé *pendant le dixième mois* commémorait le début du siège de Jérusalem (2 Rois 25.1).

f **9.1** *Hadrak* : ville située en Syrie du nord. – *Damas* : capitale de la Syrie. – *le Seigneur pose son regard* (non seulement... d'Israël mais aussi) *sur tous les êtres humains* : le sens du texte hébreu est peu clair ; autre traduction (car) *les villes syriennes appartiennent au Seigneur* (comme les tribus d'Israël).

g **9.2** *Tyr et Sidon* : voir la note sur És 23.1.

h **9.5** *Ascalon, Gaza, Écron et Asdod* (v. 6) : principales villes de Philistie. – *L'appui* qui va manquer à ces villes est celui de Tyr (v. 3), dont l'activité économique dominait toute la région côtière. – Pour les v. 5 à 7, voir la note sur És 14.29.

i **9.7** Après que David eut pris Jérusalem, qui s'appelait alors Jébus (2 Sam 5.6-9), les *Jébusites* vécurent en paix parmi les Israélites (voir Jos 15.63).

car maintenant j'ai posé mon regard
sur lui. »

Le roi qui établira la paix

9 Éclate de joie, Jérusalem !
Crie de bonheur, ville de *Sion !
Regarde, ton roi vient à toi,
juste et victorieux,
humble et monté sur un âne,
sur un ânon, le petit d'une ânesse[j].
10 A Éfraïm, il supprimera les chars de
combat
et les chevaux, à Jérusalem ;
il brisera les arcs de guerre.
Il établira la paix parmi les nations ;
il sera le maître d'une mer à l'autre[k],
de l'Euphrate jusqu'au bout du monde.

La libération des prisonniers

11 Le Seigneur dit :
« A cause de mon *alliance avec vous,
confirmée par le sang des *sacrifices,
je vais libérer ceux de vous
qui sont au fond d'une prison
comme dans une citerne sans eau.
12 Prisonniers qui vivez d'espérance,
retournez dans votre ville
dont les murs sont relevés.
Je vous l'annonce maintenant :
je vous dédommagerai de vos souffrances
par le double de bienfaits.
13 J'utiliserai Juda comme un arc de
guerre,
Éfraïm[l] en sera la flèche.
*Sion, j'enverrai tes hommes
attaquer ceux de la Grèce ;
je me servirai d'eux
comme de l'épée d'un guerrier. »
14 Le Seigneur va surgir
au-dessus de son peuple.
Sa flèche partira comme l'éclair.
Le Seigneur Dieu sonnera de la trompette,
il arrivera avec les orages du sud.
15 Le Seigneur de l'univers protégera son
peuple,
il lancera des grêlons
pour détruire et écraser toute opposition :
ils feront couler le sang des ennemis
comme si c'était du vin,
ou comme le sang des sacrifices
qui remplit les bols à aspersion
et recouvre les angles de *l'autel[m].
16 En ce temps-là,
le Seigneur Dieu sauvera son peuple
comme un *berger sauve son troupeau.
Semblables aux pierres précieuses
d'une couronne,
ils resplendiront dans le pays.
17 Comme ils seront heureux !
Comme ils seront beaux !
Blé et vin nouveau donneront de la vigueur
aux jeunes gens et aux jeunes filles.

Demander au Seigneur et non aux idoles

10 1 Demandez au Seigneur
de vous envoyer la pluie du printemps :
c'est lui qui produit les orages ;
il vous donnera une pluie abondante
et fera verdir les champs de chacun.
2 Les idoles que vous consultez
vous répondent par des mensonges ;
les devins font de fausses révélations ;
les rêves qu'ils racontent sont sans valeur,
la consolation qu'ils apportent
trompeuse.
C'est pourquoi le peuple a dû partir,
malheureux comme un troupeau privé
de *berger.

Promesses de délivrance

3 « Je me suis mis en colère
contre les *bergers étrangers
qui prétendent diriger mon peuple,
je vais intervenir contre eux.
Oui, moi, le Seigneur de l'univers,
je vais m'occuper de mon troupeau,
le peuple de Juda.

---

j **9.9** Ce verset est cité en partie en Matt 21.5 et Jean 12.15.

k **9.10** *il supprimera* : d'après l'ancienne version grecque ; hébreu *je supprimerai*. – *Éfraïm* désigne ici l'ensemble du royaume d'Israël ou royaume du Nord. – *d'une mer à l'autre* : c'est-à-dire de la mer Morte à la Méditerranée.

l **9.13** *Éfraïm* : voir 9.10 et la note.

m **9.15** *ils feront couler le sang... vin* : d'après l'ancienne version grecque ; le texte hébreu de tout ce verset est peu clair. – *les bols à aspersion* : voir 1 Rois 7.45. – *les angles de l'autel* : voir Ex 27.2 et 29.12.

Je l'emmènerai au combat
comme un glorieux cheval.
4 De lui proviendront
des chefs de toutes sortes,
solides comme une pierre angulaire,
fermes comme un piquet de tente,
forts comme un arc de guerre.
5 Ils se conduiront en vaillants guerriers,
piétinant ceux qui les combattent,
comme la poussière des rues.
Ils combattront ainsi
parce que moi, le Seigneur, je suis avec eux.
Et les cavaliers ennemis
seront couverts de honte.
6 Je fortifierai le peuple de Juda,
je délivrerai le peuple d'Israël.
Je les ramènerai chez eux
et je leur montrerai mon amour
comme si je ne les avais jamais rejetés.
Je suis le Seigneur, leur Dieu,
et je répondrai à leurs prières.
7 Les hommes d'Éfraïm[n] se montreront
forts comme des guerriers,
joyeux comme s'ils avaient bu du vin.
A ce spectacle,
leurs enfants seront heureux,
grâce au Seigneur,
leur cœur sera rempli de joie.
8 J'appellerai mon peuple
et je le rassemblerai,
car j'ai décidé de le libérer.
Ils seront aussi nombreux qu'autrefois.
Je les ai répandus parmi les peuples
comme on répand de la semence,
mais, dans les pays lointains,
ils se souviendront de moi.
Ils pourront y vivre avec leurs enfants,
puis ils reviendront.
Je les retirerai d'Égypte et d'Assyrie,
je les ramènerai chez eux,
je les conduirai aussi
dans le pays de Galaad et au Liban[o],
mais même là, ils manqueront de place.
Ils franchiront la mer de détresse[p],
moi, le Seigneur, j'abattrai les vagues,
même le fond du Nil sera à sec.
L'orgueilleuse Assyrie tombera de haut,
l'Égypte perdra tout pouvoir.
12 Je fortifierai mon peuple,
il agira toujours de façon à me plaire.
C'est moi, le Seigneur, qui l'affirme. »

Les grandes puissances sont abattues

11 1 Liban, ouvre tes portes
et qu'un incendie ravage tes cèdres[q].
2 Gémissez, cyprès,
les cèdres ont été abattus,
ces arbres magnifiques ont été détruits.
Gémissez, chênes du *Bachan,
votre forêt impénétrable a été rasée.
3 On entend gémir les *bergers des peuples,
leur temps de gloire est passé.
On entend rugir les lions,
le long du Jourdain leurs magnifiques fourrés sont dévastés.

Les deux bergers

4 Un jour, le Seigneur mon Dieu me
donna cet ordre : « Deviens le *berger des
moutons destinés à l'abattoir. 5 Ceux qui
les achètent les égorgent sans se croire
coupables, et ceux qui les vendent s'exclament : "Remercions le Seigneur, nous
voilà riches !" Leurs propres bergers n'en
ont même pas pitié. 6 Moi, le Seigneur, je
l'affirme, je n'aurai pas non plus pitié des
habitants de la terre. Je vais livrer chaque
homme au pouvoir de son voisin et de
son roi. Les rois dévasteront la terre et je
ne délivrerai personne de leurs mains. »
7 Je devins donc le berger du troupeau
que les trafiquants de moutons[r] destinaient à l'abattoir. Je me procurai deux
bâtons de berger. J'appelai l'un "Amitié"
et l'autre "Unité", et j'allai prendre soin
des moutons. 8 En un seul mois je ren-

---

n **10.7** Voir 9.10 et la note.

o **10.10** Le *pays de Galaad* s'étend à l'est du Jourdain, le *Liban* est la chaîne montagneuse située au nord de la Palestine.

p **10.11** *la mer de détresse* : l'ancienne version grecque porte ici *la mer d'Égypte* ; il s'agit de la *mer des Roseaux et ce début de verset fait allusion à la sortie d'Égypte, voir Ex 14.21-22 ; És 51.10 ; Ps 106.9.

q **11.1** *cèdres du Liban* : voir Ézék 31.3-9.

r **11.7** *trafiquants (de moutons)* : d'après l'ancienne version grecque.

voyai leurs trois bergers. Puis je perdis
patience avec les moutons[s] et, de leur
côté, ils en eurent assez de moi. 9 Alors je
leur dis : « Je ne prendrai pas soin de vous
plus longtemps. Ceux qui doivent mourir
n'ont qu'à mourir ! Ceux qui doivent être
abattus n'ont qu'à se laisser massacrer !
Et ceux qui survivront après cela n'auront qu'à s'entre-dévorer ! »
10 Je pris le bâton de l'amitié et je le cas-
sai pour rompre le pacte d'amitié que le
Seigneur avait fait conclure à tous les
peuples[t]. 11 Le pacte fut donc rompu à ce
moment même. Les trafiquants de moutons[u], qui m'observaient, comprirent que
le Seigneur parlait à travers mes actions.
12 Je leur déclarai : « Si vous le jugez bon,
donnez-moi mon salaire ; sinon tant
pis ! » Ils comptèrent alors trente pièces
d'argent[v], qu'ils me donnèrent comme
salaire. 13 Le Seigneur me dit : « Ils estiment que je ne vaux pas plus que cela !
Porte cette somme grandiose au fondeur ! » Je pris donc les trente pièces d'argent et je les portai au fondeur dans le
*temple du Seigneur[w]. 14 Ensuite je cas-
sai le second bâton, celui de l'unité, pour
rompre la fraternité entre les gens de
Juda et d'Israël[x].
15 Le Seigneur me dit encore : « Joue
maintenant le rôle d'un berger insensé.
16 En effet, je vais envoyer dans le pays un
nouveau berger : il ne s'occupera pas des
moutons qui risquent d'être abattus, il r
cherchera pas les égarés, il ne soigne
pas les blessés et il ne nourrira pas ceu
qui sont encore bien portants. Au lieu d
cela, il mangera la viande des plus gras
il leur brisera les sabots. »

17 Malheur au berger insensé
qui abandonne son troupeau !
Que la guerre détruise
la vigueur de ses bras
et la vivacité de ses yeux :
que son bras soit paralysé,
que son œil droit perde la vue !

Siège et délivrance de Jérusalem

12 1 Message du Seigneur au suj
d'Israël.
Voici ce qu'affirme le Seigneur,
lui qui a déployé l'étendue du ciel,
posé les bases de la terre
et donné la vie à l'homme :
2 « Je vais faire de Jérusalem une cou
remplie du vin de ma colère : elle do
nera le vertige à tous les peuples d'ale
tour. Le vertige atteindra tout Jud
lorsque Jérusalem sera assiégée[y]. 3 En
temps-là, je ferai de Jérusalem un bloc
pierre que les peuples voudront soulev
Ceux qui essaieront se blesseront. Alo
toutes les nations de la terre s'uniro
contre la ville. 4 En ce temps-là, je l'a
firme, je rendrai leurs chevaux ivres
crainte et leurs cavaliers fous de terre
Je veillerai sur Juda, mais je rendrai ave
gles les chevaux des autres peuples. 5 L
chefs de Juda se diront en eux-même
“C'est en Dieu, le Seigneur de l'unive
que les habitants de Jérusalem trouve
leur force.” 6 En ce temps-là, je rend
les chefs de Juda semblables à un foy
d'incendie dans une forêt ou à une torc
enflammée sous des gerbes de blé ;
tous côtés, ils détruiront les peuples q
les entourent. Cependant les habitants
Jérusalem continueront à vivre dans le
ville. »
7 Le Seigneur viendra d'abord au s
cours des familles de Juda, pour que l
descendants de David et les habitants
Jérusalem ne se croient pas supérieurs
reste de la population de Juda. 8 En
temps-là, le Seigneur protégera les hab

---

s 11.8 *leurs trois bergers* : le prophète fait allusion à trois responsables connus de ses lecteurs, et qui ont été éliminés successivement. Peut-être s'agit-il de trois grands-prêtres. – *avec les moutons* : hébreu *avec eux* ; certains comprennent qu'il s'agit des trois bergers.

t 11.10 Voir Osée 2.20.

u 11.11 Voir la note sur 11.7.

v 11.12 *trente pièces d'argent* représentaient le prix d'un esclave d'après Ex 21.32. C'est aussi la somme que reçut Judas pour payer sa trahison, voir Matt 26.15.

w 11.13 Au *temple* de Jérusalem un *fondeur* réduisait en lingots les pièces de métal offertes par les fidèles.

x 11.14 Le prophète fait peut-être allusion à la rupture survenue vers 328 entre les Juifs de Jérusalem (Juda) et les *Samaritains (Israël).

y 12.2 *une coupe* : dans l'Ancien Testament *la coupe* évoque le châtiment de Dieu, voir par ex. Jér 25.15ss ; Ézék 23.31ss ; Abd 16. – *Le vertige... assiégée* : autre traduction *Cette déclaration concerne aussi Juda, et cela arrivera pendant le siège de Jérusalem.*

nts de Jérusalem : les plus faibles d'en-
e eux deviendront forts comme David,
les descendants de David seront pour
ıx comme Dieu, comme *l'ange du Sei-
ıeur marchant devant eux.

Deuil dans tout le pays

9 « En ce temps-là, dit le Seigneur, j'in-
rviendrai pour détruire toutes les na-
ons qui viendront attaquer Jérusalem.
J'animerai les descendants de David et
s habitants de Jérusalem d'un esprit de
onne volonté et de prière. Ils regardent à moi, à cause de celui qu'ils ont
anspercé[z]. Ils pleureront sur lui comme
ı pleure à la mort d'un fils unique, ils se
menteront amèrement comme lors-
ı'on perd un fils premier-né. 11 En ce
mps-là, il y aura à Jérusalem une céré-
onie de deuil aussi imposante que celle
ı'on célèbre pour Hadad-Rimmon dans
vallée de Méguiddo[a]. 12 Chaque clan
ı pays célébrera le deuil de son côté : le
an des descendants de David, hommes
femmes séparément, celui des descen-
ınts de Natan, hommes et femmes sépa-
ment, 13 celui des descendants de Lévi,
ommes et femmes séparément, celui
:s descendants de Chiméi, hommes et
mmes séparément. 14 De même, tous les
ıtres clans célébreront le deuil chacun
: son côté, hommes et femmes séparé-
ent.

13 1 « En ce temps-là, une source jaillira pour laver les péchés et les
mpuretés des descendants de David et
:s habitants de Jérusalem. »

Dieu éliminera les idoles et les faux prophètes

2 « En ce temps-là, affirme le Seigneur
: l'univers, j'ôterai les idoles du pays et
ersonne ne mentionnera plus leurs
oms. Je ferai disparaître également ceux
ıi se disent *prophètes et je détruirai
ıtre goût pour l'idolâtrie. 3 Si quelqu'un
met encore à faire le prophète, son pro-
e père et sa propre mère lui diront : "Tu
ois mourir, car tu prétends parler de la
ırt de Dieu mais, en réalité, tu débites
:s mensonges." Et ses propres parents le
ıpperont à mort pendant qu'il prophé-
ısera. 4 En ce temps-là, les prophètes auront honte de prophétiser et de raconter
leurs visions, ils n'oseront plus tromper
les gens en mettant le manteau de poil
des prophètes. 5 Chacun d'eux dira : "Je
ne suis pas un prophète, moi, je suis un
cultivateur, je possède des terres depuis
ma jeunesse[b] !" 6 Et si quelqu'un lui demande : "Que signifient ces blessures sur
ta poitrine ?", il répondra : "Je les ai reçues chez des amis[c] !" »

Le Seigneur reconnu comme Dieu

7 Voici ce que le Seigneur de l'univers
affirme :
« Épée, attaque le *berger,
dont j'ai fait mon associé,
tue le berger,
alors les moutons partiront de tous côtés[d],
et j'attaquerai les petits du troupeau. »
8 Il affirme encore : « Les deux tiers des
habitants du pays mourront, un tiers
d'entre eux seulement survivra. 9 Je purifierai et j'éprouverai les survivants
comme de l'or et de l'argent qu'on fait
passer par le feu. Alors ils m'adresseront
leurs prières et je les exaucerai. Je leur dirai : "Mon peuple" et ils affirmeront :
"Le Seigneur est notre Dieu[e]". »

---

z **12.10** *à moi, à cause de celui qu'ils ont transpercé* ou *à moi qu'ils ont transpercé* ; le Seigneur se déclare ici atteint lui-même par la mort infligée à un de ses envoyés. Cette phrase est appliquée à la mort du Christ en Jean 19.37 et Apoc 1.7.

a **12.11** *Hadad-Rimmon* : divinité phénicienne de la végétation, qui était censée mourir à la fin des récoltes pour renaître à la période des pluies. Il est probable que le culte de Hadad-Rimmon était particulièrement développé dans *la vallée de Méguiddo*.

b **13.5** *je possède des terres depuis ma jeunesse* : traduction probable d'un texte hébreu dont le sens est peu clair.

c **13.6** *chez des amis* : hébreu *chez ceux qui m'aiment* ; autre traduction possible *chez mes amants*, c'est-à-dire les faux dieux en l'honneur desquels les faux prophètes se seraient fait des *blessures sur la poitrine* (voir par ex. 1 Rois 18.28).

d **13.7** *le berger dont j'ai fait mon associé* : voir 11.4-17. – *tue le berger... côtés* : cette phrase est citée en Matt 26.31 et Marc 14.27.

e **13.9** Voir par ex. 8.3 ; Ex 6.7 ; Deut 29.12 ; Jér 7.23 ; Ézék 11.20 ; Osée 2.25.

La bataille finale et l'arrivée du Seigneur

14 [1] Le jour du Seigneur[f] approche.
Sous vos yeux,
habitants de Jérusalem,
on se partagera vos biens.
2 En effet, le Seigneur rassemblera les nations
pour qu'elles attaquent Jérusalem :
la ville sera prise,
les maisons seront pillées
et les femmes violées,
la moitié des habitants partira en exil,
mais le reste de la population
pourra rester dans la ville.
3 Puis le Seigneur se mettra en campagne
contre ces nations,
il combattra comme il l'a toujours fait
dans les temps de guerre.
4 En ce temps-là, il se tiendra
sur le mont des Oliviers,
près de Jérusalem, à l'est de la ville.
Le mont des Oliviers se fendra en deux
et une grande vallée apparaîtra,
orientée d'est en ouest.
Une moitié du mont s'éloignera vers le nord,
et l'autre moitié vers le sud.
5 Vous vous enfuirez par cette vallée
creusée entre les montagnes,
car elle s'étendra jusqu'à Assal[g].
Vous fuirez comme vos ancêtres l'ont fait
à l'époque d'Ozias, roi de Juda,
à cause du tremblement de terre.
Alors le Seigneur mon Dieu arrivera
avec les *anges qui sont à son service.
6 En ce temps-là,
la lumière ne sera plus nécessaire,
il n'y aura plus ni froid ni gel[h].
7 A une époque que seul le Seigne
connaît,
il fera continuellement jour,
on ne distinguera plus
entre le jour et la nuit,
même le soir, il fera clair.
8 En ce temps-là,
une source jaillira de Jérusalem ;
la moitié de son eau coulera vers la m
Morte
et l'autre moitié vers la Méditerrané
pendant toute l'année,
à la saison sèche comme à la saison d
pluies.
9 En ce temps-là,
le Seigneur régnera sur la terre entièr
lui seul sera adoré comme Dieu,
son nom seul sera reconnu par tous l
hommes.
10 Toute la région autour de Jérusalem
sera transformée en plaine,
de Guéba au nord jusqu'à Rimmon a
sud.
Jérusalem dominera les alentours,
et la ville s'étendra
de la porte de Benjamin
jusqu'à la porte de l'Angle,
à l'emplacement de l'ancienne porte,
et de la tour de Hananéel
jusqu'aux pressoirs du Roi[i].
11 On pourra s'installer dans la ville,
elle ne sera plus menacée de destru
tion
et on y vivra en sécurité.
12 Quant aux peuples partis en guerre
contre Jérusalem,
voici quels maux le Seigneur leur fe
subir :
leur chair se décomposera
alors qu'ils seront encore vivants,
leurs yeux pourriront dans leurs o
bites,
de même que leur langue dans le
bouche.
13 En ce temps-là,
le Seigneur les remplira
d'une panique épouvantable ;
ils se tourneront les uns contre les a
tres
et chacun attaquera son voisin.
14 Les hommes de Juda combattront
pour défendre Jérusalem,
ils prendront aux nations voisines

---

f **14.1** *Le jour du Seigneur* : voir Joël 1.15 et la note.

g **14.5** *Assal* : localité non identifiée, sans doute à l'est ou au sud-est de Jérusalem.

h **14.6** Sens possible d'un texte hébreu difficile.

i **14.10** *la porte de Benjamin* : dans la partie nord de la muraille. – *la porte de l'Angle* : dans la muraille ouest de la ville. – *la tour de Hananéel* : au nord-est de la ville. – *les pressoirs du Roi* : probablement dans le « jardin du roi » (2 Rois 25.4), au sud-est de la ville.

toutes leurs richesses :
ils amasseront ainsi de l'or, de l'argent
et des habits en grande quantité.
15 Tous les animaux des camps ennemis,
chevaux et mulets, chameaux et ânes,
subiront des maux semblables
à ceux qui ont frappé les hommes[j].
16 En ce temps-là,
les survivants des nations
qui ont attaqué Jérusalem
se rendront chaque année dans cette ville,
pour adorer le Seigneur,
le roi de l'univers,
et pour célébrer la fête des Huttes[k].
17 Si l'un des peuples de la terre
ne se rend pas à Jérusalem,
pour adorer le Seigneur,
le roi de l'univers,
la pluie ne tombera pas sur son pays.
18 Si les Égyptiens refusent
de se rendre à Jérusalem,
pour célébrer la fête des Huttes,
ils seront frappés d'un malheur
comme les autres nations
qui n'iront pas célébrer cette fête.
19 Ainsi seront punies
l'Égypte et les nations
qui ne célébreront pas cette fête.
20 En ce temps-là,
même les clochettes des chevaux
porteront l'inscription "consacré au Seigneur".
Les chaudrons ordinaires du *temple
seront considérés comme aussi sacrés que les bols à aspersion
placés devant *l'autel.
21 Tous les chaudrons qui se trouvent
à Jérusalem et en Juda
seront consacrés au Seigneur de l'univers.
Ceux qui viendront offrir des *sacrifices
les utiliseront pour faire cuire la viande.
Quand ce temps arrivera,
il n'y aura plus aucun marchand
dans le *temple du Seigneur de l'univers.

---

j **14.15** Voir v. 12.
k **14.16** Voir au Vocabulaire CALENDRIER.

Malachie

***Introduction** – Le livre de* Malachie *a été écrit dans la première moitié du 5e siècle ava J.-C., presque un siècle après que les Juifs sont rentrés de Babylonie, où ils avaient été exilés début du 6e siècle jusqu'en 538 avant J.-C. Après le retour d'exil, la communauté israél avait peu à peu sombré dans l'indifférence et le découragement. Trente ou cinquante ans ava la prédication du *prophète Malachie, les Israélites avaient suivi les appels d'Aggée et de Z charie et reconstruit le *temple de Jérusalem (de 520 à 515 avant J.-C.). Mais depuis lors, l' poir d'un renouveau national sous l'autorité du gouverneur Zorobabel a été déçu, et la réfor d'Esdras (peut-être vers 440 avant J.-C.) n'a pas encore eu lieu. La situation religieuse et la tuation morale se sont dégradées : le culte est négligé (1.6-14), à l'occasion des offrandes trompe Dieu (3.6-11), les prêtres ne sont plus à la hauteur de leur mission, et la loi que Die donnée à son peuple n'est plus respectée (2.1-16).*

Pour le prophète, ce bilan est l'occasion d'exhorter les prêtres et le peuple à un changeme radical, en leur rappelant l'amour de Dieu (1.1-5) mais aussi la proximité de son jugement de sa venue (2.17–3.5 ; 3.13-24). Il leur annonce l'envoi par Dieu de son messager (3.1) d'un prophète comme Élie (3.23). Dans les évangiles de Matthieu et de Luc cette promesse Malachie est rapportée à Jean-Baptiste, chargé de préparer la venue de Jésus (Matt 17.1 13 ; Luc 1.17).

En s'élevant avec force contre la dégradation de la vie religieuse et morale de son temps, livre de Malachie *prépare la communauté croyante à rencontrer son Dieu. C'est à cette re contre qu'il nous invite encore aujourd'hui.*

1 1 Message que le Seigneur a adressé
aux Israélites par l'intermédiaire de
Malachie[a].

C'est Israël que le Seigneur a choisi

2 Le Seigneur déclare à son peuple : «
vous aime. » On lui demande : « Où est
preuve de ton amour ? » Le Seigneur
pond : « Ésaü n'était-il pas le frère de
cob[b] ? Pourtant j'ai aimé Jacob 3 mais
repoussé Ésaü[c]. J'ai dévasté la régi
montagneuse d'Ésaü, et j'ai livré son p
aux chacals du désert. 4 Ses descendar
les Édomites, peuvent bien dire : "N
avons été écrasés, mais nous allons re
tir nos villes en ruine." Moi, le Seign
de l'univers, je déclare ceci : Qu'ils
construisent, je démolirai leur œuvre.

---

a **1.1** Le nom *Malachie* signifie *mon messager* (voir 3.1). On estime que ce *prophète a dû apporter son message vers les années 480/460 avant J.-C., c'est-à-dire vingt ou trente ans avant l'arrivée de Néhémie à Jérusalem (voir la note sur Néh 1.1).

b **1.2** *Ésaü* est l'ancêtre des Édomites, ennemis traditionnels des Israélites, voir par ex. Ézék 25.12-14 ; Joël 4.19 ; Abd 10-15 ; Ps 137.7. *Jacob* est l'ancêtre des Israélites, voir Osée 12.4 et la note.

c **1.3** *j'ai aimé Jacob mais j'ai repoussé Ésaü* : voir le développement de Rom 9.6-16 où cette phrase est citée et commentée.

eur appliquera ces surnoms “le pays où
ègne le mal” et “le peuple contre lequel
e Seigneur est sans cesse irrité”. 5 Vous,
es Israélites, vous verrez tout cela et vous
ous exclamerez: “Le Seigneur mani-
este sa puissance même au-delà des fron-
ières d’Israël !” »

Un culte indigne du Seigneur

6 Le Seigneur de l’univers déclare ceci
ux prêtres : « Un fils a des égards pour
on père et un serviteur pour son maître.
Ne suis-je pas à la fois votre père et votre
naître ? Alors pourquoi n’avez-vous ni
égards ni respect pour moi ? Vous me mé-
risez et vous demandez: “En quoi
’avons-nous méprisé ?” 7 Vous apportez
ur mon *autel des aliments indignes de
noi[d] et vous dites : “En quoi offensons-
ous ta dignité ?” Eh bien, c’est en trai-
ant mon autel avec désinvolture !
Quand vous amenez un animal aveugle,
oiteux ou malade pour me l’offrir en
sacrifice, pensez-vous que ce soit cor-
ect ? Si vous offrez un tel animal au gou-
erneur, croyez-vous qu’il sera satisfait et
rêt à vous accorder des faveurs ? Je vous
e demande, moi, le Seigneur de l’uni-
ers. 9 Maintenant, essayez donc de me
upplier, moi, votre Dieu, pour que je
ois favorable à mon peuple. Pensez-vous
ue je vais vous écouter avec bienveil-
ance après ce que vous avez fait ? Sûre-
nent pas ! 10 Il vaudrait bien mieux que
’un de vous ferme les portes du *temple ;
lors vous n’iriez plus allumer pour rien
u feu sur mon autel. En effet, je n’ai au-
un plaisir à vous voir et les offrandes
ue vous me présentez ne me sont pas
gréables, je le déclare, moi, le Seigneur
e l’univers. 11 D’une extrémité de la
erre à l’autre, des gens de toutes nations
econnaissent ma grandeur. Partout on
rûle du parfum en mon honneur et on
n’apporte des offrandes dignes de moi.
Dui, les nations reconnaissent ma gran-
leur, je le déclare, moi, le Seigneur de
univers. 12 Mais vous, vous la bafouez en
onsidérant que l’autel du Seigneur n’est
as digne de respect et qu’il ne rapporte
ien[e]. 13 Vous dites même : “Quelle corée !” Vous n’avez que du mépris pour
noi, le Seigneur de l’univers. Vous m’offrez des animaux volés, boiteux ou malades. Comment pourrais-je accepter de
telles offrandes, je vous le demande ?
14 Malheur au tricheur qui a des bêtes saines dans son troupeau et qui met de côté
un animal taré pour me l’offrir en sacrifice ! Malheur à lui, car je suis un grand
roi dont toutes les nations redoutent la
puissance, je le déclare, moi, le Seigneur
de l’univers ! »

Avertissement aux prêtres

2 1-2 Voici un avertissement que le Seigneur de l’univers adresse aux prêtres : « Écoutez-moi et efforcez-vous de
me rendre l’honneur qui m’est dû. Sinon,
j’appellerai le malheur sur vous, je changerai en malheur le bonheur que je vous
ai promis, oui, je ferai cela puisque vous
ne prenez rien au sérieux. 3 Déjà, je profère des menaces contre vos descendants.
Quant à vous, je vais vous jeter du fumier
à la figure, le fumier des animaux *sacrifiés pendant vos fêtes. Et l’on se débarrassera de vous en même temps que de lui.
4 Vous comprendrez alors que moi, le Seigneur Dieu, je vous ai adressé cet avertissement pour préserver *l’alliance que
j’ai conclue avec les lévites[f]. 5 Par cette alliance, je leur ai accordé la vie et la prospérité, je leur ai inspiré du respect, ils
m’ont obéi et ont été remplis de crainte
devant ma puissance. 6 Ils n’ont formulé
que des enseignements justes, ils n’ont
prononcé aucune parole mensongère. Ils
vivaient en parfait accord avec moi, dans
la loyauté, et ils ont convaincu beaucoup
de gens de renoncer au mal. 7 Oui, c’est le
rôle du prêtre d’enseigner aux hommes à
connaître Dieu, c’est lui qu’ils viennent

---

d **1.7** Ces *aliments* sont *indignes* du Seigneur parce qu’ils ne sont pas offerts selon les règles, voir par ex. v. 8 et Lév 22.17-30 ; Deut 15.21.

e **1.12** *qu’il ne rapporte rien* : autre traduction *on n’y trouve que des aliments méprisables*. Il y a là sans doute une allusion à la part des sacrifices qui revenait aux prêtres et dont ils trouvent qu’elle n’est pas importante ou intéressante.

f **2.4** *l’alliance... lévites* : hébreu *l’alliance avec Lévi*. Cette alliance n’est mentionnée explicitement nulle part ailleurs dans l’AT. Elle correspond au fait que les descendants de Lévi exerçaient la fonction de prêtres ou d’auxiliaires des prêtres.

consulter au sujet des règles à appliquer[g],
car il est le porte-parole du Seigneur de
l'univers. 8 Mais vous, vous avez trahi
cette mission. Par votre enseignement,
vous avez égaré beaucoup de gens, vous
avez rompu mon alliance avec vous, les
lévites, je le déclare, moi, le Seigneur de
l'univers. 9 Eh bien moi, je vais inciter
tout le peuple d'Israël à vous mépriser et
vous humilier, puisque vous n'obéissez
pas à ma volonté et que vous faites preuve
de partialité dans vos décisions. »

Deux manières de trahir l'alliance

10 « N'avons-nous pas tous le même
père ? N'est-ce pas le même Dieu qui
nous a créés ? Alors pourquoi sommes-
nous déloyaux les uns envers les autres
en violant *l'alliance conclue entre Dieu
et nos ancêtres ? 11 Les gens de Juda ont
trahi leurs engagements. Ils ont commis
des actions abominables à Jérusalem et
dans tout le pays d'Israël. En effet, ils ont
méprisé le *lieu saint, cher au Seigneur[h],
et ils ont épousé des femmes qui adorent
des dieux étrangers. 12 Que le Seigneur
prive d'aide quiconque agit ainsi ! Que
personne dans les maisons israélites ne
témoignent en sa faveur ou ne présente
en son nom des offrandes au Seigneur de
l'univers[i] !

13 « Et voici ce que vous faites encore :
vous inondez de larmes *l'autel du Seigneur ; vous pleurez et gémissez parce
que le Seigneur ne prête plus attention à
vos offrandes et n'accepte plus ce que
vous lui apportez. 14 Vous demandez
pourquoi il n'en veut plus. Eh bien, vous
vous étiez engagés devant le Seigneu
envers la femme épousée dans votre jeu
nesse. C'était votre compagne, vous vou
étiez liés à elle, et pourtant vous l'ave
trahie. 15 Le Seigneur n'a-t-il pas fait d
vous un seul être avec elle, par le corps e
l'esprit ? Et que souhaite ce seul être[j]
N'est-ce pas d'avoir des enfants accordé
par Dieu ? Prenez donc garde à vous
mêmes, ne trahissez pas la femme épou
sée dans votre jeunesse. 16 "Je hais la ré
pudiation et celui qui se rend coupabl
de violence[k], dit le Seigneur, le Dieu d'Is
raël et de l'univers. Prenez donc garde
vous-mêmes et ne trahissez pas vos en
gagements." »

Le Seigneur va envoyer son messager

17 « Vous fatiguez le Seigneur par vo
discours. Mais vous demandez : "En quo
le fatiguons-nous ?" Eh bien, c'est lors
que vous dites : "Le Seigneur voit d'u
bon œil celui qui agit mal, il approuv
cette sorte de gens." Ou encore : "O
donc est le Dieu qui fait régner la jus
tice ?"

3 1 « Le Seigneur de l'univers vous ré
pond : "Je vais envoyer mon messa
ger pour m'ouvrir le chemin[l]. L
Seigneur que vous désirez arrivera sou
dain dans son *temple ; le messager qu
vous attendez proclamera mon *allianc
avec vous. Le voici, il est en train de ve
nir !" 2 Quelqu'un pourra-t-il surviv
lorsqu'il arrivera ? Quelqu'un restera-t-
debout lorsqu'il apparaîtra ? Il ser
comme le feu qui affine le métal, comm
le savon du blanchisseur. 3 Il s'installer
pour éliminer les déchets et enlever le
impuretés. Comme on raffine de l'or e
de l'argent, il purifiera totalement le
descendants de Lévi[m]. Ceux-ci présente
ront alors leurs offrandes au Seigneu
conformément aux règles. 4 Le Seigneu
accueillera favorablement les offrande
des gens de Juda et de Jérusalem comm
auparavant, dans les années du pass
5 Oui, le Seigneur de l'univers déclare
"Je viendrai au milieu de vous pour vou
juger. Je m'empresserai d'accuser ceu
qui pratiquent la magie, qui commetten
l'adultère, qui prononcent de faux se

---

g **2.7** Voir la note sur Ag 2.11.

h **2.11** *le lieu saint, cher au Seigneur* : autre traduction *les lois saintes, chères au Seigneur*.

i **2.12** Sens possible d'un texte hébreu difficile ; autre traduction *Que le Seigneur supprime à celui qui agit ainsi fils et famille dans les maisons israélites, de même que tout homme qui présente pour lui des offrandes au Seigneur de l'univers*.

j **2.15** Sens possible d'un texte hébreu difficile.

k **2.16** *Je hais la répudiation et celui qui se rend coupable de violence* : autre traduction *répudier par haine, c'est se rendre coupable de violence*.

l **3.1** Voir És 40.3 et Matt 11.10.

m **3.3** Voir 2.4 et la note, et 2.8.

nents, qui retiennent le salaire des ouvriers, qui oppriment les veuves et les or)helins ou qui font du tort aux étrangers, ous ceux qui ne tiennent aucun compte le moi.” »

Revenir au Seigneur

6 « Moi, le Seigneur, je ne change pas. Et vous, vous ne cessez pas d’être les rais descendants de Jacob[n]. 7 Tout omme vos ancêtres avant vous, vous ous êtes écartés de mes enseignements, ous ne les avez pas observés. Revenez à noi et je reviendrai à vous, je le déclare, noi, le Seigneur de l’univers. Mais voilà que vous dites : “Comment pouvons-ious revenir à toi ?” 8 Je vous réponds : Est-il normal de tromper Dieu ? Pourant vous, vous me trompez ! “En quoi ?” me demandez-vous. Dans le verement de la dîme[o] et dans vos offrandes. 9 Vous êtes sous le coup d’une rave malédiction parce que vous me rompez, vous, le peuple tout entier.) Apportez donc réellement tout ce que ous devez dans mon *temple pour qu’il ait toujours de la nourriture en réserve. ous pouvez me mettre à l’épreuve à ce ujet, moi, le Seigneur de l’univers. Vous errez bien que j’ouvrirai pour vous les annes du ciel et que je vous comblerai e bienfaits. 11 J’empêcherai les insectes e détruire vos récoltes et de rendre vos ignes improductives, je vous le pronets. 12 Toutes les nations étrangères ous déclareront heureux, car il fera bon ivre dans votre pays, je le déclare, moi, : Seigneur de l’univers. »

Le jour où Dieu révélera sa justice

13 Le Seigneur déclare : « Vous prononcez contre moi des paroles insolen-s puis vous demandez : “Quels propos ıalveillants à ton égard avons-nous ien pu échanger entre nous ?” 14 Eh ien, vous avez affirmé : “Il est inutile e servir Dieu. Nous avons obéi à ses ores et nous avons participé à des cérénonies de deuil[p] pour obtenir la faveur u Seigneur de l’univers, mais nous n’en vons tiré aucun profit. 15 Nous le onstatons maintenant : les gens heureux, ce sont les arrogants, et les gens prospères, ce sont les malfaiteurs. Même s’ils provoquent Dieu, ils s’en tirent toujours !” »

16 Alors, ceux qui se soumettent au Seigneur ont discuté entre eux. Le Seigneur les a écoutés, il a entendu leur propos. On a mis par écrit devant lui la liste de ceux qui reconnaissent et respectent son autorité. 17 Puis le Seigneur de l’univers a déclaré : « Le jour où je manifesterai ma puissance, je considérerai ces gens comme miens, ils seront mon propre peuple. Je serai bienveillant à leur égard comme un père l’est à l’égard du fils qui le sert. 18 Et vous verrez de nouveau la différence entre les justes et les méchants, entre ceux qui servent Dieu et ceux qui ne le servent pas. 19 Je le déclare, moi, le Seigneur de l’univers, le jour où j’interviendrai arrive, semblable à une fournaise ardente. Ce jour-là, les arrogants et les malfaiteurs disparaîtront comme paille au feu. Il ne restera rien d’eux, absolument plus rien[q]. 20 Mais, pour ceux qui reconnaissent mon autorité, voici ma promesse : ma puissance de salut va apparaître comme le soleil levant qui apporte la guérison dans ses rayons. Vous serez libres et vous bondirez de joie comme des veaux au sortir de l’étable. 21 Le jour où je manifesterai ma puissance, vous écraserez les méchants ; ils seront comme de la poussière sous vos pieds, je le déclare, moi, le Seigneur de l’univers. »

---

n **3.6** *les vrais descendants de Jacob* : Jacob est aussi le type du trompeur (voir És 43.27 ; Osée 12.3,4) dont les descendants suivent les traces (voir v. 8). *Et vous, vous ne cessez pas d’être les vrais descendants de Jacob* : autre traduction *Et vous, les descendants de Jacob, vous n’avez pas été exterminés*.

o **3.8** La *dîme* ou dixième partie des revenus servait à l’entretien des prêtres et des lévites et garantissait ainsi la continuité du culte. Elle était offerte en nature, voir Deut 14.24-27.

p **3.14** A l’occasion des grandes calamités on convoquait le peuple à des *cérémonies de deuil* comportant *jeûne, lamentations et sacrifices. Certains pensaient que ces cérémonies suffisaient pour amener Dieu à se montrer plus favorable.

q **3.19** Dans certaines traductions 3.19-24 est numéroté 4.1-6. – *le jour où j’interviendrai* : hébreu *le jour*, voir Joël 1.15 et la note.

Le retour d'Élie

22 « Souvenez-vous de ce que mon serviteur Moïse a enseigné, observez les règles et les lois que je lui ai données sur l
mont *Horeb pour tout le peuple d'Is
raël.
23 « Avant que vienne le jour du Sei
gneur, ce jour grand et redoutable, je vai
vous envoyer le *prophète Élie[r]. 24 Il ré
conciliera les pères avec leurs enfants[s] e
les enfants avec leurs pères. Ainsi je n'au
rai pas à venir détruire votre pays. »

r **3.23** *le prophète Élie* : voir 1 Rois 17–21 ; Matt 17.1-13.
s **3.24** Voir Luc 1.17.

e Nouveau Testament

La naissance de Jésus

sus naît à Bethléem et grandit dans le vil-
ie de Nazareth, qui se trouve au nord du
ys, à une trentaine de kilomètres du lac
Génésareth. Les évangiles parlent peu de
jeunesse. Vers l'an 27 de notre ère, Jean-
otiste se met à annoncer la venue immi-
nte du Messie (voir Marc 1.1-8 et l'entrée
lessie» du vocabulaire). Le terme grec
ur le désigner est «Christ». Jean se pré-
te comme celui qui prépare le chemin du
rist.

L'église de la nativité à Bethléem. Cette grotte est considérée et vénérée comme le lieu de naissance de Jésus.

Les étendues aux alentours de Bethléem sont appelées les «champs des bergers» en souvenir des bergers qui y faisaient paître leurs troupeaux quand Jésus est né à Bethléem.

2. L'activité publique de Jésus

Jésus demande à Jean de le baptiser dans le Jourdain. Les évangiles racontent que lors de ce baptême, l'Esprit de Dieu descend sur lui et le prépare à accomplir sa mission (Luc 3.21-22). Ensuite, l'Esprit conduit Jésus dans le désert, où le diable tente de différentes manières de le pousser à désobéir à Dieu, mais en vain (Luc 4.1-13). Jésus commence alors à proclamer la Bonne Nouvelle du Royaume de Dieu, à enseigner et à guérir des malades. Les gens reconnaissent dans ses paroles et dans ses actes une autorité qui lui vient de Dieu lui-même (Marc 1.21-28). Ils découvrent que Dieu est présent en Jés dans sa conduite, dans ses actions com dans sa prédication. Jésus annonce et vit présence de Dieu de telle façon que les ge qui le rencontrent sentent que Dieu est t proche d'eux.

Jésus ne se présente pas ouvertement co me le Messie; mais ses disciples commence à le considérer comme tel, tout en se fais leur propre image de ce Messie. Du coup, ont du mal à comprendre et à accepter q Jésus ne soit ni un chef militaire ni un cl politique, mais qu'il doive subir la m pour accomplir la mission que Dieu lu confiée (Marc 8.31-33).

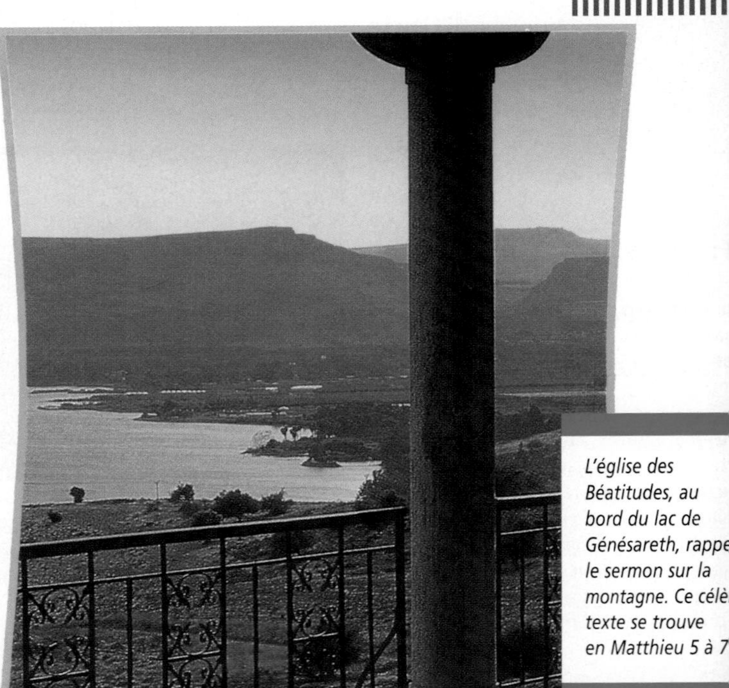

L'église des Béatitudes, au bord du lac de Génésareth, rappe le sermon sur la montagne. Ce célè texte se trouve en Matthieu 5 à 7

La Pâque juive commence par un repas familial accompagné de pain sans levain et d'herbes amères, pour rappeler l'amertume de la vie du peuple d'Israël en Égypte et la précipitation de son départ. La photo montre les préparatifs du repas pascal chez les Samaritains, une communauté juive qui ne reconnaît que les cinq livres du Pentateuque.

Jésus est condamné à mort

ıus fait preuve d'une totale liberté à ıard de toute autorité humaine lorsqu'il ɛrprète et explique les lois et les commdements des Écritures Saintes. Il déclare ɛ sa présence inaugure le Royaume de u (voir les pages en couleur 69–71, qui tent sur la proclamation du Royaume de u par Jésus). Cette revendication lui atti'hostilité des chefs religieux juifs (Marc à 3.6 rapporte comment le conflit éclate re Jésus et les dirigeants de son peuple). te tension culminera dans la décision de chefs de faire mourir Jésus.

rs de la Pâque juive, Jésus monte à ısalem. Et c'est là, dans la cité où se ıve le temple du Seigneur, que tous vont prendre position par rapport à Jésus. Les foules le reçoivent avec enthousiasme lorsqu'il entre dans la ville, tandis que les autorités juives le font arrêter avec l'aide de l'un de ses disciples. Elles livrent Jésus au procurateur romain Ponce-Pilate, qui finit par le condamner au châtiment le plus cruel et le plus humiliant qui soit: la mort sur la croix. Après la mort de Jésus, ses proches obtiennent le droit d'emporter son corps et le font déposer dans un tombeau creusé dans un rocher. Tu peux lire le récit de la souffrance et de la mort de Jésus dans Marc 14 à 16.

4. Jésus, vainqueur de la mort

La «tombe du jardin» à Jérusalem permet de se faire une idée des tombeaux de l'époque de Jésus.

Trois jours après la mort de Jésus quelques femmes, qui l'avaient accompagné depuis la Galilée jusqu'à Jérusalem, trouvent le tombeau vide (Luc 24.1-12) et se dépêchent d'annoncer la nouvelle aux disciples. Deux d'entre eux, se rendant de Jérusalem à Emmaüs, rencontrent Jésus en chemin. Aveuglés par leur chagrin, ils ne le reconnaissent pas, mais lui se fait connaître à eux (Luc 24.13-35). Au cours des quarante jours suivants, d'autres personnes, disciples ou proches de Jésus, le voient à plusieurs reprises. Dieu l'a réveillé de la mort. Il vit auprès de Dieu, de qui il tient le pouvoir d'offrir le salut et la vie à l'humanité entière (Matthieu 28.16-18).

Dans 1 Corinthiens 15.20-28, Paul explic ce que la résurrection de Jésus signifie pc nous: pour qui met sa confiance en Jés Christ, la mort n'a plus le dernier mot. nombreux passages du Nouveau Testam soulignent le fait que par sa mort sur la cr Jésus apporte le salut au monde: il n délivre du jugement de Dieu, qui est pro (1 Thessaloniciens 1.10), il nous rend jus devant Dieu (Romains 4.24-25), et il établi paix pour tout l'univers (Colossiens 1.2

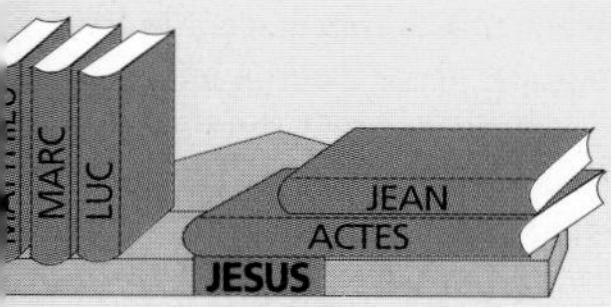

es évangiles et les ctes des Apôtres

e Nouveau Testament commence par les atre évangiles. Le mot «évangile» vient grec et signifie «bonne nouvelle». Cette nne Nouvelle concerne Jésus-Christ, sa nue dans ce monde, son enseignement et œuvres, sa mort et sa résurrection, ainsi e la mission qu'il a confiée à ses disciples ur les temps à venir. Les quatre évangiles nt intitulés, d'après leurs auteurs, Évangi- selon Matthieu, selon Marc, selon Luc, se- n Jean. Selon une opinion largement ad- se aujourd'hui, le plus ancien des quatre angiles est celui de Marc; c'est de lui 'est tiré le titre d'«évangile» conféré à ces atre livres (le terme figure en Marc 1.1).

haque évangile présente la vie et l'œuvre Jésus d'un point de vue différent: Marc tribue une place centrale à la souffrance -à.-d. la «passion») et à la mort du Christ. atthieu ne cesse de montrer qu'en Jésus, promesses des prophètes de l'Ancien Tes- ment se sont réalisées. Luc suit le modèle s écrits historiques de son temps et s'ef- rce de rapporter les événements de la fa- n la plus complète et la plus ordonnée ssible (Luc 1.1-4). Pour lui, Jésus est non ulement l'accomplissement de l'histoire salut de l'Ancien Testament, mais il nstitue le centre même de l'histoire du onde. Jean, quant à lui, voit Jésus comme Parole de Dieu devenue homme, qui ré- nd aux aspirations de toute l'humanité.

Les quatre évangélistes partagent la même volonté de susciter chez leurs lecteurs la foi en Jésus-Christ. Ainsi, malgré toutes les différences de détail, il s'agit d'une **seule** Bonne Nouvelle, racontée de quatre manières complémentaires.

Luc ajoute un deuxième ouvrage à son évangile: les Actes des Apôtres, où il montre comment la Bonne Nouvelle de Jésus-Christ se répand. De Jérusalem et de la Judée, en passant par la Samarie, la Syrie, l'Asie Mineure et la Grèce, elle arrive jusqu'à Rome, le centre du monde de l'époque. Ce mouvement est déclenché et animé par le Ressuscité lui-même et par l'Esprit qu'il envoie à ses disciples de la part de son Père.

En lisant un texte d'évangile, tu devrais te demander: comment Jésus y est-il présenté? Que voulait-il dire à ceux qui l'écoutaient? A-t-il aussi exprimé son message par ses actes?

A toi de te lancer!

Lis le début des quatre évangiles. Qu'y apprends-tu sur l'intention de chaque évangéliste?

Quel est le dernier récit de chacun des évangiles? (Attention, de nombreux spécialistes pensent que l'évangile de Marc finissait à l'origine en 16.8.) Comment ces passages préparent-ils les lecteurs au temps qui suit la venue de Jésus sur la terre, au temps de la propagation de la foi?

5. La Bonne Nouvelle se répand

Les disciples de Jésus, qui s'étaient dispersés après sa mort en croix, se rassemblent de nouveau à Jérusalem. En Actes 2.1-13, Luc raconte comment l'Esprit Saint descend, les rendant ainsi capables d'annoncer la Bonne Nouvelle.

La communauté de Jérusalem se développe rapidement. Des liens étroits se tissent entre les croyants, hommes et femmes se réunissent souvent pour prier, pour « rompre le pain » lors de repas communautaires, prolongeant ainsi la communion de Jésus av
ses disciples. (Pour d'autres infos à ce suj
voir « La communauté chrétienne », pag
en couleur 75–76.) Les plus riches mette
leurs biens à la disposition de la comm
nauté, ce qui lui permet de prendre to
particulièrement soin des veuves, démuni
et isolées, ainsi que des pauvres. Les Act
des Apôtres rapportent également les te
tatives des autorités juives pour empêch
la diffusion de cette nouvelle doctri
(Actes 5.17-42; 8.1-3). De nombreux ch
tiens doivent s'enfuir de Jérusalem, m
cela ne fait que contribuer à une propag
tion encore plus large de la foi.

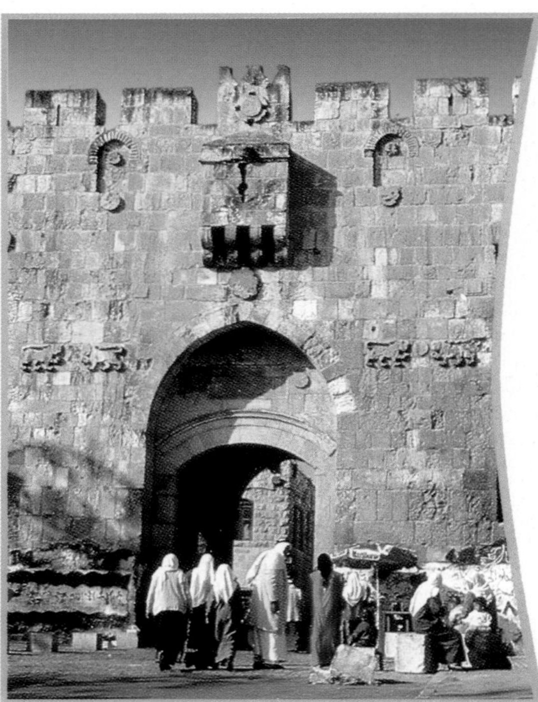

La porte des Lions, à Jérusalem, également appelée par la tradition chrétien porte d'Étienne en souvenir du premier martyr chrétien. Membre éminent de la communauté de Jérusalem, ce dernier a été lapidé à cause de sa foi en Jésus (Actes 6.8–7.60)

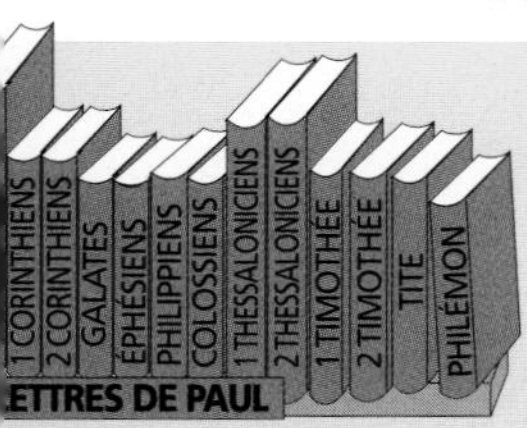

es lettres postoliques

e Nouveau Testament contient 21 lettres, épîtres. Le groupe le plus important est ui des lettres de Paul. Viennent en preer les lettres adressées aux communautés rétiennes de Rome, de Corinthe et de Gaie. Ce sont des lettres majeures, où Paul ite les thèmes principaux de sa théologie. s lettres de Paul aux Éphésiens, aux Phipiens, aux Colossiens et le billet à Philéon ont été rédigés en prison ; on les aplle « lettres de la captivité ». Les lettres aux essaloniciens, classées traditionnellement rs la fin de la liste, sont sans doute, en t, les plus anciennes. Enfin, trois lettres nt adressées à des proches collaborateurs Paul, Timothée et Tite ; on les appelle ettres pastorales ».

es lettres de Paul sont suivies de la lettre x Hébreux, dont l'auteur, inconnu, interète l'événement de la Croix à l'aide mages de l'Ancien Testament. Les sept tres restantes – celle de Jacques, les deux tres de Pierre, les trois lettres de Jean et le de Jude – portent traditionnellement nom de leur « expéditeur » et non celui une communauté destinataire. En effet, s lettres s'adressent à un public plus large, ire à l'Église entière. C'est pourquoi elles nt aussi appelées « catholiques », du terme ec katholikos (= universel, général).

A l'origine, les lettres étaient lues et commentées publiquement dans les assemblées chrétiennes, et il est facile d'imaginer qu'elles ont provoqué d'interminables discussions. En lisant une épître, pose-toi les questions suivantes : Quel est le sujet de cette épître ? Quels problèmes se posaient-ils dans la communauté concernée ? Comment l'auteur les aborde-t-il ? Les lettres les plus courtes gagnent à être lues en une seule fois. Quant aux plus longues, il te faudra plus de temps pour en comprendre le message.

A toi de te lancer !

Pour te faire une idée des lettres de Paul, lis celle qu'il a adressée à la communauté de Philippes, avec laquelle il entretenait des relations particulièrement amicales et dont il recevait un soutien financier (Philippiens 4.15-16). Paul écrit cette lettre alors qu'il est en prison. Il veut informer les Philippiens de l'avancement de son procès et les exhorter à rester fidèles au Christ dans leur vie quotidienne et à ne pas se laisser induire en erreur par de fausses doctrines. En lisant cette lettre, demande-toi en quoi les enseignements et les exhortations de l'apôtre s'appliquent également à ta vie et à celle des autres chrétiens d'aujourd'hui.

6. Paul

L'étape la plus importante dans l'histoire des premiers chrétiens est celle de la mission parmi les peuples païens du pourtour méditerranéen. Ceux-ci ne croyaient pas au Dieu unique d'Israël, mais adoraient leurs propres dieux. L'apôtre Paul est le principal artisan de la propagation systématique de la Bonne Nouvelle de Jésus-Christ parmi les peuples de l'Empire romain. Paul – tel est son nom grec, son nom juif étant Saul – est un juif cultivé, maître de la loi ; il est d'abord l'un des plus farouches adversaires des disciples de Jésus. Sur le chemin de Damas, où il se rend pour arrêter les chrétiens au nom des autorités juives, Jésus l'appelle à son service (cet épisode est rapporté en Actes 9.1-19).

Paul considère que les païens ne sont pas tenus d'accepter et de suivre l'intégralité de la loi juive lorsqu'ils deviennent chrétiens. L'amour de Dieu est inconditionnel (lire à ce sujet l'épître aux Galates). Lors de l'Assemblée des apôtres, réunie à Jérusalem vers l'an 48, les dirigeants de la communauté judéo-chrétienne admettent à leur tour ce point de vue (Galates 2, Actes 15). A partir de la fin des années quarante, Paul va œuvrer dans le centre et dans l'ouest de l'Asie Mineure, en Macédoine et en Grèce ; d'importantes communautés chrétiennes se forment en contexte païen, surtout à Corinthe et à Éphèse. Paul reste en contact avec elles par lettres (pour plus de détails, voir la séquence infos « lettres apostoliques »). Paul entreprend au total trois grands voyages missionnaires, dont tu peux suivre les itinéraires sur les cartes de la page en couleur 95.

Ce port est celui de la ville turque d'Antalya, que l'on retrouve dans la Bible sous le nom d'Attalia (Actes des Apôtres 14.25).

Lors d'une visite à Jérusalem, Paul est ar
té par les Romains, à l'instigation de ju
d'Asie Mineure. Invoquant son droit,
tant que citoyen romain, de comparaît
devant un tribunal impérial, Paul
conduit à Rome. Le Nouveau Testament
nous renseigne pas sur l'issue de son proc
Selon une tradition ancienne, Paul aur
subi le martyre pour sa foi, sous l'empere
Néron, à Rome.

La fin du livre des Actes raconte comment Paul est transféré à Rome, devant l'empereur. Ci-contre le Forum romanum.

7. L'Église grandit

La suite de l'histoire de l'Église primitive est liée de façon décisive à ses relations avec l'État romain. Les chrétiens, qui refusent d'honorer l'empereur comme seigneur et d'invoquer les dieux de l'État romain, ne tardent pas à attirer l'attention des autorités. L'empereur Néron (54–68 ap. J.-C.) accuse les chrétiens d'avoir mis le feu à Rome en juillet 64 et déclenche la première des grandes persécutions des chrétiens qui cesseront de sévir dans divers endroits l'Empire. Cela n'empêche pas la foi chr tienne de se répandre de plus en plus, l'Église survivra même aux persécutic systématiques du 3e siècle. C'est en 313 a J.-C. que la religion chrétienne est autoris par l'empereur Constantin. En 30 ap. J.- Théodose le Grand en fait la religion d'Ét de l'Empire romain.

Le christianisme naissant a beaucoup souffert de la puissance romaine, symbolisée ici par la statue de l'empereur romain Auguste, qui se trouve dans le théâtre antique d'Orange.

De nombreux chrétiens ont sacrifié leur vie pour leur foi chrétienne dans l'arène de Rome, le Colisée.

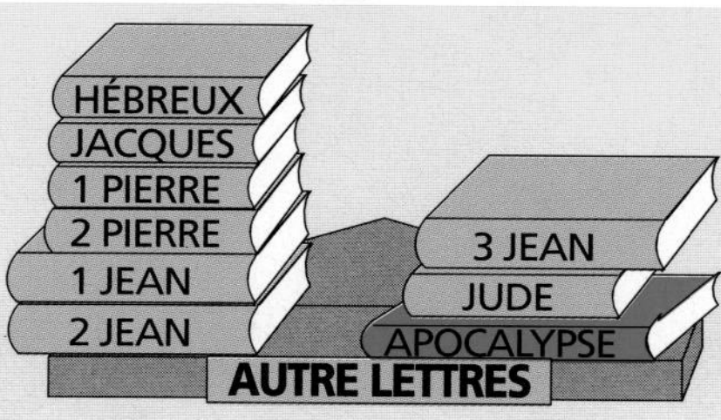

'Apocalypse

Apocalypse de Jean a été rédigée sous le gne de l'empereur Domitien (81–96 ap. C.), alors que les chrétiens étaient dure- ent opprimés parce qu'ils refusaient de ndre un culte à l'empereur. Jean, l'auteur ce livre, avait été déporté par les autori- romaines sur la petite île de Patmos, au ge de la côte ouest de l'Asie Mineure. De s jours, le langage qu'utilise Jean semble uvent difficile à comprendre. Il ressemble r moments à un code secret. De nom- eux symboles et images qu'il utilise font érence à des paroles prophétiques de ncien Testament, notamment au livre de niel. C'est pourquoi l'Apocalypse de Jean parfois appelé le livre prophétique du uveau Testament.

ans la première partie (chapitres 2 et 3), n exhorte, réconforte et instruit sept lises d'Asie Mineure. La plus grande par- du livre cependant est occupée par la ré- ation que Dieu donne à Jean des événe- nts de la fin du monde. En trois cycles de ons avec sept sceaux, sept trompettes et t coupes, est brossé le tableau des catas- phes qui ne manqueront pas de déferler le monde. Il ne s'agit pas pour autant ne sorte de « programme » de la fin du nde, comme beaucoup le pensent. Le lentendu provient entre autres du fait que le mot grec pour « révélation » – apocalypse – soit souvent utilisé dans le sens de « fin du monde, catastrophe finale ». Par ses visions, Jean veut ouvrir les yeux des chrétiens persécutés sur le fait que toutes les puissances de ce monde passent. Il veut les encourager : à l'issue de cette période de détresse, le Christ établira son Règne ; cette assurance doit redonner force et espoir à tous les persécutés. Dans la communion avec le Christ, toute souffrance et tout malheur prendront fin.

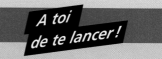

A toi de te lancer !

Lis le message à l'Église de Laodicée en Apocalypse 3.14-22. En quoi sa situation est-elle semblable à celle des communautés chrétiennes d'aujourd'hui ? Quelle conduite Jean lui recommande-t-il ?

Lis également la vision grandiose du monde nouveau en Apocalypse 21.1 à 22.5. A l'aide de quelles images Jean évoque-t-il ce bouleversement ? Quelles promesses y découvres-tu pour les êtres humains et pour toute la Création ?

Il y a maintenant des chrétiens dans toutes les parties du monde : la Bonne Nouvelle du Christ continue à passionner des hommes et des femmes.

NOUVEAU TESTAMENT

Les Évangiles

Introduction – *Le mot* évangile, *emprunté au grec, signifie* bonne nouvelle. *Il a donc ıt naturellement servi à désigner le message annoncé par Jésus (Marc 1.14) ou concernant ›us (Marc 1.1). On l'a repris ensuite pour désigner un genre très particulier de livre rappor- ıt des paroles et des actes de Jésus, ainsi que sa mort sur une croix et sa résurrection. C'est en dernier sens qu'on parlera des* quatre évangiles *conservés dans le Nouveau Testament.*

Marc est sans doute l'inventeur de ce genre d'écrit. Mais Luc est le seul à expliquer comment ı procédé pour rédiger le sien : il a recueilli un certain nombre de témoignages et les a ensuite ;anisés lui-même en un tout cohérent (Luc 1.1-4). On peut facilement imaginer que les ıtre évangiles n'ont pas été composés autrement.

Sur les quatre portraits d'une même personne, peints par quatre artistes différents, on re- ınaîtra certainement le personnage qui a servi de modèle aux quatre peintres. Mais on aura lui quatre points de vue, quatre interprétations originales de son visage. Les quatre évangiles paraissent de même comme autant de portraits de Jésus, ce qui explique leurs ressemblances ıis aussi leurs différences.

Il faut donc les lire non comme des biographies mais comme des témoignages : chacun fait sortir en effet un aspect de Jésus qui l'a plus particulièrement frappé : Jésus, le mystérieux ʼs de Dieu (Marc) ; Jésus, le Maître qui enseigne son Église (Matthieu) ; Jésus, le Sauveur monde (Luc) ; Jésus, l'envoyé du Père (Jean). Tels pourraient être les titres donnés à chacun ; quatre évangiles.

Évangile selon

Matthieu

Introduction – *On retrouve chez Matthieu les grandes lignes de la présentation de l'éva*
gile adoptée par Marc :
– Message de Jean-Baptiste (3.1-12).
– Baptême et tentation de Jésus (3.13–4.11).
– Activité de Jésus en Galilée, où il prêche, enseigne les foules et guérit des malades (4.12
18.35).
– Puis c'est le voyage vers Jérusalem (chap. 19–20),
– où Jésus ne fait qu'un court séjour : une semaine, qui s'achève sur sa condamnation, son ex
cution, la grande surprise de sa résurrection et ses apparitions (chap. 21–28).

Mais Matthieu consacre d'abord un long prologue (chap. 1–2) aux origines, à la naissan
et à la petite enfance de Jésus. A travers ces pages, il fait déjà ressortir qui est ce Jésus qu'il
suivre tout au long de son évangile : le Roi-sauveur promis, mais aussi Emmanuel *(= Di*
avec nous), et Celui par qui se réalise ce que Dieu avait annoncé dans l'Ancien Testament.

L'évangile selon Matthieu *présente aussi la particularité d'avoir regroupé une importan*
partie de l'enseignement de Jésus en cinq grands discours :
– 1) Le « sermon sur la montagne » (chap. 5–7), qui décrit la véritable fidélité attendue d
nouveaux citoyens du « Royaume des cieux ».
– 2) Les instructions données à ceux qui doivent annoncer l'avènement de ce Royaume (cha
10).
*– 3) Le mystère du Royaume, présenté en sept *paraboles : ce Royaume est maintenant cach*
mais sa victoire sera éclatante (chap. 13).
– 4) Comment vivre entre frères dans ce monde nouveau qu'est le Royaume (chap. 18).
– 5) Comment attendre la victoire finale de ce Royaume (chap. 24–25).

Dans l'évangile selon Matthieu, *Jésus apparaît donc comme le Maître qui vient inaugu*
le monde nouveau du Royaume et apporter à ceux qui y entrent l'enseignement dont ils ont b
soin pour en être les témoins auprès des autres hommes.

Les ancêtres de Jésus

(Voir aussi Luc 3.23-38)

1 [1] Voici la liste des ancêtres de Jésus-
Christ, descendant de David, lui-
même descendant d'Abraham.
[2] Abraham fut père d'Isaac, Isaac de Jacob, Jacob de Juda et de ses frères ; [3] Juda
fut père de Pérès et de Zéra – leur mè
était Tamar –, Pérès fut père de Hesro
Hesron de Ram ; [4] Ram fut père d'Amm
nadab ; Amminadab de Nachon ; N
chon de Salman ; [5] Salman fut père
Booz – Rahab était sa mère –, Booz f
père d'Obed – Ruth était sa mère –, Ob
fut père de *Jessé, [6] et Jessé du roi Davi

David fut père de Salomon – sa mère avait été la femme d'Urie – ; 7 Salomon fut père de Roboam, Roboam d'Abia, Abia d'Asaf ; 8 Asaf fut père de Josaphat, Josaphat de Joram, Joram d'Ozias ; 9 Ozias fut père de Yotam, Yotam d'Akaz, Akaz d'Ézékias ; 10 Ézékias fut père de Manassé, Manassé d'Amon, Amon de Josias ; 11 Josias fut père de Yekonia et de ses frères, à l'époque où les Israélites furent déportés à *Babylone[a].

12 Après que les Israélites eurent été déportés à Babylone, Yekonia fut père de Chéaltiel et Chéaltiel de Zorobabel ; 13 Zorobabel fut père d'Abihoud, Abihoud d'Éliakim ; Éliakim d'Azor ; 14 Azor fut père de Sadok, Sadok d'Achim ; Achim d'Élioud ; 15 Élioud fut père d'Éléazar, Éléazar de Matthan, Matthan de Jacob ; 16 Jacob fut père de Joseph, l'époux de Marie ; c'est d'elle qu'est né Jésus, appelé le *Messie.

17 Il y eut donc en tout quatorze générations depuis Abraham jusqu'à David, puis quatorze depuis David jusqu'à l'époque où les Israélites furent déportés à Babylone, et quatorze depuis cette époque jusqu'à la naissance du Messie.

La naissance de Jésus-Christ

(Voir aussi Luc 2.1-7)

18 Voici dans quelles circonstances Jésus-Christ est né. Marie, sa mère, était fiancée à Joseph ; mais avant qu'ils aient vécu ensemble, elle se trouva enceinte par l'action du Saint-Esprit. 19 Joseph, son fiancé, était un homme droit et ne voulait pas la dénoncer publiquement ; il décida de rompre secrètement ses fiançailles. 20 Comme il y pensait, un *ange du Seigneur lui apparut dans un rêve et lui dit : « Joseph, descendant de David, ne crains pas d'épouser Marie, car c'est par l'action du Saint-Esprit qu'elle attend un enfant. 21 Elle mettra au monde un fils, que tu appelleras Jésus, car il sauvera son peuple de ses péchés[b]. »

22 Tout cela arriva afin que se réalise ce que le Seigneur avait dit par le *prophète :

23 « La vierge sera enceinte
et mettra au monde un fils,
qu'on appellera Emmanuel[c]. »

– Ce nom signifie « Dieu est avec nous ». –

24 Quand Joseph se réveilla, il agit comme l'ange du Seigneur le lui avait ordonné et prit Marie comme épouse. 25 Mais il n'eut pas de relations avec elle jusqu'à ce qu'elle ait mis au monde son fils, que Joseph appela Jésus.

Des savants viennent voir Jésus

2 1 Jésus naquit à Bethléem[d], en Judée, à l'époque où *Hérode était roi. Après sa naissance, des savants, spécialistes des étoiles, vinrent d'Orient. Ils arrivèrent à Jérusalem 2 et demandèrent : « Où est l'enfant qui vient de naître, le roi des Juifs ? Nous avons vu son étoile apparaître en Orient et nous sommes venus l'adorer. » 3 Quand le roi Hérode apprit cette nouvelle, il fut troublé, ainsi que toute la population de Jérusalem. 4 Il convoqua tous les chefs des *prêtres et les *maîtres de la loi, et leur demanda où le *Messie devait naître. 5 Ils lui répondirent : « A Bethléem, en Judée. Car voici ce que le *prophète a écrit :

6 "Et toi, Bethléem, au pays de Juda,
tu n'es certainement pas la moins importante des localités de Juda ;
car c'est de toi que viendra un chef
qui conduira mon peuple, *Israël[e]." »

7 Alors Hérode convoqua secrètement les savants et s'informa auprès d'eux du moment précis où l'étoile était apparue. 8 Puis il les envoya à Bethléem, en leur disant : « Allez chercher des renseignements précis sur l'enfant ; et quand vous l'aurez trouvé, faites-le-moi savoir, afin que j'aille, moi aussi, l'adorer. »

9 Après avoir reçu ces instructions du roi, ils partirent. Ils virent alors l'étoile qu'ils avaient déjà remarquée en Orient : elle allait devant eux, et quand elle arriva au-dessus de l'endroit où se trouvait l'en-

---

a **1.11** Voir 2 Rois 24.12-16.
b **1.21** *Jésus*, forme grecque de *Josué*, signifie : le Seigneur est (ou donne) le salut.
c **1.23** És 7.14, cité d'après l'ancienne version grecque.
d **2.1** Selon 1 Sam 16.1, Bethléem est la patrie de David.
e **2.6** Mich 5.1.

fant, elle s'arrêta. 10 Ils furent remplis
d'une très grande joie en la voyant là.
11 Ils entrèrent dans la maison et virent
l'enfant avec sa mère, Marie. Ils se mirent
à genoux pour adorer l'enfant; puis ils
ouvrirent leurs bagages et lui offrirent
des cadeaux : de l'or, de *l'encens et de la
*myrrhe. 12 Ensuite, Dieu les avertit dans
un rêve de ne pas retourner auprès d'Hérode; ils prirent alors un autre chemin
pour rentrer dans leur pays.

La fuite en Égypte

13 Quand les savants furent partis, un
*ange du Seigneur apparut à Joseph dans
un rêve et lui dit : « Debout, prends avec
toi l'enfant et sa mère et fuis en Égypte;
restes-y jusqu'à ce que je te dise de revenir. Car *Hérode va rechercher l'enfant
pour le faire mourir. » 14 Joseph se leva
donc, prit avec lui l'enfant et sa mère, en
pleine nuit, et se réfugia en Égypte. 15 Il y
resta jusqu'à la mort d'Hérode. Cela arriva afin que se réalise ce que le Seigneur
avait dit par le *prophète : « J'ai appelé
mon fils à sortir d'Égypte[f]. »

Le massacre des enfants

16 Quand *Hérode se rendit compte
que les savants l'avaient trompé, il entra
dans une grande colère. Il donna l'ordre
de tuer, à Bethléem et dans les environs,
tous les garçons de moins de deux ans;
cette limite d'âge correspondait aux indications que les savants lui avaient données. 17 Alors se réalisa ce qu'avait déclaré
le *prophète Jérémie :

18 « On a entendu une plainte à Rama,
des pleurs et de grandes lamentations
C'est Rachel qui pleure ses enfants,
elle ne veut pas être consolée, car il
sont morts[g]. »

Le retour d'Égypte

19 Après la mort *d'Hérode, un *ang
du Seigneur apparut dans un rêve à Jo
seph, en Égypte. 20 Il lui dit : « Debou
prends avec toi l'enfant et sa mère et re
tourne au pays *d'Israël, car ceux qu
cherchaient à faire mourir l'enfant son
morts. » 21 Joseph se leva donc, prit ave
lui l'enfant et sa mère et retourna a
pays d'Israël. 22 Mais il apprit qu'Arché
laos[h] avait succédé à son père Hérod
comme roi de Judée; alors il eut peur d
s'y rendre. Il reçut de nouvelles indica
tions dans un rêve, et il partit pour l
province de Galilée. 23 Il alla s'établi
dans une ville appelée Nazareth. Il e
fut ainsi pour que se réalise cette parol
des *prophètes : « Il sera appelé Naza
réen[i]. »

La prédication de Jean-Baptiste

(Voir aussi Marc 1.1-8; Luc 3.1-18; Jean 1.19-28)

3 1 En ce temps-là, Jean-Baptiste paru
dans le désert de Judée[j] et se mit
prêcher : 2 « Changez de comportement
disait-il, car le *Royaume des cieux s'es
approché ! » 3 Jean est celui dont le *pr
phète Ésaïe a parlé lorsqu'il a dit :
« Un homme crie dans le désert :
Préparez le chemin du Seigneur,
faites-lui des sentiers bien droits[l] ! »
4 Le vêtement de Jean était fait de poi
de chameau et il portait une ceinture d
cuir autour de la taille[m]; il mangeait de
*sauterelles et du miel sauvage. 5 Les h
bitants de Jérusalem, de toute la Judée e
de toute la région voisine de la rivière,
Jourdain, allaient à lui. 6 Ils confessaien
publiquement leurs péchés et Jean le
baptisait dans le Jourdain.

7 Jean vit que beaucoup de *Pharisie
et de *Sadducéens venaient à lui pou
être baptisés; il leur dit alors : « Bande d
serpents ! Qui vous a enseigné à voulo
échapper au jugement de Dieu, qui e
proche ? 8 Montrez par des actes que vo

---

f **2.15** Osée 11.1.
g **2.18** Jér 31.15.
h **2.22** *Archélaos* : fils et successeur d'Hérode le Grand; il régna de 4 avant J.-C. à 6 après J.-C.
i **2.23** *Nazaréen* : personne venant de Nazareth. Ce nom fut utilisé comme titre pour Jésus (comparer Matt 21.11) et servit aussi à désigner les premiers chrétiens (Act 24.5). – On ignore le texte auquel Matthieu fait allusion dans ce verset.
j **3.1** *désert de Judée* : région à peine peuplée située entre la ligne de crête Jérusalem-Hébron et la mer Morte ou le Jourdain inférieur.
k **3.2** *Changez de comportement* : autres traductions *Changez de mentalité* ou *Repentez-vous*.
l **3.3** És 40.3, cité d'après l'ancienne version grecque.
m **3.4** Voir 2 Rois 1.8.

ıvez changé de mentalité 9 et ne pensez
)as qu'il suffit de dire en vous-mêmes :
'Abraham est notre ancêtre[n]." Car je
/ous déclare que Dieu peut utiliser les
ierres que voici pour en faire des des-
:endants d'Abraham ! 10 La hache est
léjà prête à couper les arbres à la racine :
out arbre qui ne produit pas de bons
ruits va être coupé et jeté au feu. 11 Moi,
e vous baptise avec de l'eau pour mon-
rer que vous changez de comportement ;
nais celui qui vient après moi vous bap-
isera avec le Saint-Esprit et avec du feu.
l est plus puissant que moi : je ne suis
as même digne d'enlever ses chaussures.
2 Il tient en sa main la pelle à vanner[o] et
éparera le grain de la paille. Il amassera
on grain dans le grenier, mais il brûlera
a paille dans un feu qui ne s'éteint ja-
nais. »

Le baptême de Jésus

(Voir aussi Marc 1.9-11 ; Luc 3.21-22)

13 Alors Jésus vint de la Galilée au Jour-
ain ; il arriva auprès de Jean pour être
aptisé par lui. 14 Jean s'y opposait et lui
isait : « C'est moi qui devrais être bap-
sé par toi et c'est toi qui viens à moi ! »
Mais Jésus lui répondit : « Accepte qu'il
n soit ainsi pour le moment. Car voilà
omment nous devons accomplir tout ce
ue Dieu demande. » Alors Jean accepta.
Dès que Jésus fut baptisé, il sortit de
eau. Au même moment le *ciel s'ouvrit
our lui : il vit l'Esprit de Dieu descendre
omme une colombe et venir sur lui.
Et une voix venant du ciel déclara :
Celui-ci est mon *Fils bien-aimé ; je
ets en lui toute ma joie[p]. »

La tentation de Jésus

(Voir aussi Marc 1.12-13 ; Luc 4.1-13)

4 1 Ensuite l'Esprit de Dieu conduisit
Jésus dans le désert pour qu'il y soit
nté par le *diable. 2 Après avoir passé
uarante jours et quarante nuits sans
anger, Jésus eut faim. 3 Le diable, le
ntateur, s'approcha et lui dit : « Si[q] tu es
*Fils de Dieu, ordonne à ces pierres de
changer en pains. » 4 Jésus répondit :
L'Écriture déclare : "L'homme ne vivra
as de pain seulement, mais de toute pa-
le que Dieu prononce[r]." »

5 Alors le diable l'emmena jusqu'à
Jérusalem, la ville sainte, le plaça au sommet du *temple 6 et lui dit : « Si tu es le
Fils de Dieu, jette-toi en bas ; car l'Écriture déclare :

"Dieu donnera pour toi des ordres à
ses *anges
et ils te porteront sur leurs mains
pour éviter que ton pied ne heurte une
pierre[s]." »

7 Jésus lui répondit : « L'Écriture déclare
aussi : "Ne mets pas à l'épreuve le Seigneur ton Dieu[t]." »
8 Le diable l'emmena encore sur une
très haute montagne, lui fit voir tous les
royaumes du monde et leur splendeur,
9 et lui dit : « Je te donnerai tout cela, si tu
te mets à genoux devant moi pour m'adorer. » 10 Alors Jésus lui dit : « Va-t'en, Satan ! Car l'Écriture déclare : "Adore le
Seigneur ton Dieu et ne rends de culte
qu'à lui seul[u]." » 11 Cette fois le diable le
laissa. Des anges vinrent alors auprès de
Jésus et se mirent à le servir.

Jésus commence son œuvre en Galilée

(Voir aussi Marc 1.14-15 ; Luc 4.14-15)

12 Quand Jésus apprit que Jean avait été
mis en prison[v], il s'en alla en Galilée. 13 Il
ne resta pas à Nazareth, mais alla demeurer à Capernaüm, ville située au bord du
lac de Galilée, dans la région de Zabulon
et de Neftali[w]. 14 Il en fut ainsi afin que se
réalisent ces paroles du *prophète Ésaïe :
15 « Région de Zabulon, région de Neftali,
en direction de la mer, de l'autre côté
du Jourdain,
Galilée qu'habitent des non-Juifs !

---

n **3.9** Comparer Jean 8.33,37,39.
o **3.12** *pelle à vanner* : instrument semblable à une pelle ou à une fourche et servant à secouer le blé pour séparer le grain de la paille.
p **3.17** Comparer Ps 2.7 ; És 42.1.
q **4.3** *Si* : autre traduction (ici et au v. 6) *Puisque...*
r **4.4** Deut 8.3.
s **4.6** Ps 91.11-12.
t **4.7** Deut 6.16.
u **4.10** Deut 6.13.
v **4.12** *Jean avait été mis en prison* : il s'agit de Jean-Baptiste. Voir 14.3.
w **4.13** *Zabulon et Neftali* : deux anciennes tribus septentrionales d'Israël.

16 Le peuple qui vit dans la nuit
verra une grande lumière !
Pour ceux qui vivent dans le sombre
pays de la mort,
la lumière apparaîtra[x] ! »
17 Dès ce moment, Jésus se mit à prêcher :
« Changez de comportement[y], disait-il,
car le *Royaume des cieux s'est approché ! »

Jésus appelle quatre pêcheurs

(Voir aussi Marc 1.16-20 ; Luc 5.1-11)

18 Jésus marchait le long du lac de Galilée, lorsqu'il vit deux frères qui étaient
pêcheurs, Simon, surnommé Pierre, et
son frère André ; ils pêchaient en jetant
un filet dans le lac. 19 Jésus leur dit :
« Venez avec moi et je ferai de vous des
pêcheurs d'hommes. » 20 Aussitôt, ils laissèrent leurs filets et le suivirent. 21 Il alla
plus loin et vit deux autres frères, Jacques
et Jean, les fils de Zébédée. Ils étaient
dans leur barque avec Zébédée, leur père,
et réparaient leurs filets. Jésus les appela ;
22 aussitôt, ils laissèrent la barque et leur
père et ils le suivirent.

Jésus enseigne et guérit

23 Jésus allait dans toute la Galilée ; il
enseignait dans les *synagogues de la région, proclamait la Bonne Nouvelle du
*Royaume et guérissait les gens de tou-
tes leurs maladies et de toutes leurs infirmités. 24 L'on entendit parler de lui
dans tout le pays de Syrie et on lui
amena tous ceux qui souffraient de diverses maladies ou étaient tourmentés
par divers maux : ceux qui étaient possédés d'un esprit mauvais, ainsi que les
épileptiques[z] et les paralysés. Et Jésus
les guérit. 25 De grandes foules le suivirent ; elles venaient de Galilée, de la
région des Dix Villes, de Jérusalem, de
Judée et du territoire situé de l'autre
côté du Jourdain.

Le sermon sur la montagne (chap. 5 à 7)

5 1 Quand Jésus vit ces foules, il mont
sur une montagne et s'assit. Ses *dis
ciples vinrent auprès de lui 2 et il se mit
leur donner cet enseignement :

Le vrai bonheur

(Voir aussi Luc 6.20-23)

3 « Heureux ceux qui se savent pauvre
en eux-mêmes,
car le *Royaume des cieux est à eux !
4 Heureux ceux qui pleurent,
car Dieu les consolera !
5 Heureux ceux qui sont doux,
car ils recevront la terre que Dieu
promise !
6 Heureux ceux qui ont faim et soif d
vivre comme Dieu le demande,
car Dieu exaucera leur désir !
7 Heureux ceux qui ont de la compas
sion pour autrui,
car Dieu aura de la compassion pou
eux !
8 Heureux ceux qui ont le cœur *pur,
car ils verront Dieu !
9 Heureux ceux qui créent la paix autou
d'eux,
car Dieu les appellera ses fils !
10 Heureux ceux qu'on persécute parc
qu'ils agissent comme Dieu le d
mande,
car le Royaume des cieux est à eux !
11 Heureux êtes-vous si les hommes vo
insultent, vous persécutent et dise
faussement toute sorte de mal cont
vous parce que vous croyez en moi. 12 R
jouissez-vous, soyez heureux, car u
grande récompense vous attend dans l
*cieux. C'est ainsi, en effet, qu'on a pers
cuté les *prophètes qui ont vécu ava
vous[a]. »

Le sel et la lumière

(Voir aussi Marc 9.50 ; Luc 14.34-35)

13 « C'est vous qui êtes le sel du mond
Mais si le sel perd son goût, comme
pourrait-on le rendre de nouveau salé ?
n'est plus bon à rien ; on le jette deho
et les gens marchent dessus.
14 « C'est vous qui êtes la lumière d
monde. Une ville construite sur u

---

x **4.16** És 8.23–9.1.
y **4.17** *Changez de comportement* : autres traductions *Changez de mentalité* ou *Repentez-vous*.
z **4.24** *épileptiques* : personnes souffrant d'une maladie nerveuse qui provoque des convulsions et des évanouissements.
a **5.12** Comparer 2 Chron 36.16 ; Act 7.52.

montagne ne peut pas être cachée. 15 On
n'allume pas une lampe pour la mettre
sous un seau. Au contraire, on la place
sur son support, d'où elle éclaire tous
ceux qui sont dans la maison[b]. 16 C'est
ainsi que votre lumière doit briller devant les hommes, afin qu'ils voient le
bien que vous faites et qu'ils louent votre
Père qui est dans les *cieux. »

Enseignement au sujet de la loi

17 « Ne pensez pas que je sois venu supprimer la *loi de Moïse et l'enseignement
des *prophètes. Je ne suis pas venu pour
les supprimer mais pour leur donner tout
leur sens. 18 Je vous le déclare, c'est la vérité : aussi longtemps que le *ciel et la
terre dureront, ni la plus petite lettre ni le
plus petit détail ne seront supprimés de
la loi, et cela jusqu'à la fin de toutes choses[c]. 19 C'est pourquoi, celui qui écarte
même le plus petit des commandements
et enseigne aux autres à faire de même,
sera le plus petit dans le *Royaume des
cieux. Mais celui qui l'applique et enseigne aux autres à faire de même, sera
grand dans le Royaume des cieux. 20 Je
vous l'affirme : si vous n'êtes pas plus fidèles à la volonté de Dieu que les *maîtres de la loi et les *Pharisiens, vous ne
pourrez pas entrer dans le Royaume des
cieux. »

Enseignement au sujet de la colère

21 « Vous avez entendu qu'il a été dit à
nos ancêtres : "Tu ne commettras pas de
meurtre[d] ; tout homme qui en tue un autre mérite de comparaître devant le juge."
Eh bien, moi je vous déclare : tout
homme qui se met en colère contre son
frère mérite de comparaître devant le
juge ; celui qui dit à son frère : "Imbécile !" mérite d'être jugé par le *Conseil
supérieur ; celui qui lui dit : "Idiot !" mérite d'être jeté dans le feu de *l'enfer. 23 Si
donc tu viens à *l'autel présenter ton offrande à Dieu et que là tu te souviennes
que ton frère a une raison de t'en vouloir,
laisse là ton offrande, devant l'autel, et
va d'abord faire la paix avec ton frère ;
puis reviens et présente ton offrande à
Dieu.

25 « Si tu es en procès avec quelqu'un,
dépêche-toi de te mettre d'accord avec lui
pendant que vous êtes encore en chemin.
Tu éviteras ainsi que ton adversaire ne te
livre au juge, que le juge ne te remette à la
police et qu'on ne te jette en prison. 26 Je
te le déclare, c'est la vérité : tu ne sortiras
pas de là tant que tu n'auras pas payé ta
dette jusqu'au dernier centime. »

Enseignement au sujet de l'adultère

27 « Vous avez entendu qu'il a été dit :
"Tu ne commettras pas d'adultère[e]."
28 Eh bien, moi je vous déclare : tout
homme qui regarde la femme d'un autre
en la désirant a déjà commis l'adultère
avec elle en lui-même. 29 Si donc c'est à
cause de ton œil droit que tu tombes dans
le péché, arrache-le et jette-le loin de toi :
il vaut mieux pour toi perdre une seule
partie de ton corps que d'être jeté tout entier dans *l'enfer. 30 Si c'est à cause de ta
main droite que tu tombes dans le péché,
coupe-la et jette-la loin de toi : il vaut
mieux pour toi perdre un seul membre de
ton corps que d'aller tout entier en enfer. »

Enseignement au sujet du divorce

(Voir aussi Matt 19.9 ; Marc 10.11-12 ; Luc 16.18)

31 « Il a été dit aussi : "Celui qui renvoie
sa femme doit lui donner une attestation
de divorce[f]." 32 Eh bien, moi je vous déclare : tout homme qui renvoie sa femme,
alors qu'elle n'a pas été infidèle[g], lui fait
commettre un adultère si elle se remarie ;
et celui qui épouse une femme renvoyée
par un autre commet aussi un adultère. »

Enseignement au sujet des serments

33 « Vous avez aussi entendu qu'il a été
dit à nos ancêtres : "Ne romps pas ton

---

b **5.15** En Orient, la maison des gens simples comprend une seule pièce.

c **5.18** *jusqu'à la fin de toutes choses* : autre traduction *jusqu'à ce que tous ses enseignements se réalisent*.

d **5.21** Ex 20.13 ; Deut 5.17.

e **5.27** Ex 20.14 ; Deut 5.18.

f **5.31** Deut 24.1.

g **5.32** *alors qu'elle n'a pas été infidèle* : autre traduction *sauf en cas d'union illégale* (voir Lév 18.6-18).

serment, mais accomplis ce que tu as promis avec serment devant le Seigneur[h]."
34 Eh bien, moi je vous dis de ne faire aucun serment : n'en faites ni par le *ciel,
car c'est le trône de Dieu ; 35 ni par la
terre, car elle est un escabeau sous ses
pieds ; ni par Jérusalem, car elle est la
ville du grand Roi. 36 N'en fais pas non
plus par ta tête, car tu ne peux pas rendre
blanc ou noir un seul de tes cheveux. 37 Si
c'est oui, dites "oui", si c'est non, dites
"non", tout simplement ; ce que l'on dit
en plus vient du Mauvais. »

Enseignement au sujet de la vengeance

(Voir aussi Luc 6.29-30)

38 « Vous avez entendu qu'il a été dit :
"Œil pour œil et dent pour dent[i]." 39 Eh
bien, moi je vous dis de ne pas vous venger de celui qui vous fait du mal. Si
quelqu'un te gifle sur la joue droite,
laisse-le te gifler aussi sur la joue gauche.
40 Si quelqu'un veut te faire un procès
pour te prendre ta chemise, laisse-le
prendre aussi ton manteau. 41 Si quelqu'un t'oblige à faire mille pas[j], fais-en
deux mille avec lui. 42 Donne à celui qui
te demande quelque chose ; ne refuse pas
de prêter à celui qui veut t'emprunter. »

L'amour pour les ennemis

(Voir aussi Luc 6.27-28,32-36)

43 « Vous avez entendu qu'il a été dit :
"Tu dois aimer ton prochain[k] et haïr ton
ennemi." 44 Eh bien, moi je vous dis : aimez vos ennemis et priez pour ceux qui
vous persécutent. 45 Ainsi vous deviendrez les fils de votre Père qui est dans les
*cieux. Car il fait lever son soleil aussi
bien sur les méchants que sur les bons, il
fait pleuvoir sur ceux qui lui sont fidèles
comme sur ceux qui ne le sont pas. 46 S
vous aimez seulement ceux qui vous ai
ment, pourquoi vous attendre à recevoi
une récompense de Dieu ? Même le
*collecteurs d'impôts en font autant
47 Si vous ne saluez que vos frères, faite
vous là quelque chose d'extraordinaire
Même les païens en font autant ! 48 Soye
donc parfaits, tout comme votre Père qu
est au ciel est parfait[l]. »

Enseignement au sujet des dons faits aux pauvres

6 1 « Gardez-vous d'accomplir vos de
voirs religieux en public, pour qu
tout le monde vous remarque. Sinon
vous ne recevrez pas de récompense d
votre Père qui est dans les *cieu
2 Quand donc tu donnes quelque chose
un pauvre, n'attire pas bruyamment l'a
tention sur toi, comme le font les hypo
crites dans les *synagogues et dans le
rues : ils agissent ainsi pour être loués pa
les hommes. Je vous le déclare, c'est la ve
rité : ils ont déjà leur récompense. 3 Ma
quand ta main droite donne quelqu
chose à un pauvre, ta main gauche elle
même ne doit pas le savoir. 4 Ainsi, il fa
que ce don reste secret ; et Dieu, ton Pèr
qui voit ce que tu fais en secret,
récompensera. »

Enseignement au sujet de la prière

(Voir aussi Luc 11.2-4)

5 « Quand vous priez, ne soyez pa
comme les hypocrites : ils aiment à pri
debout dans les *synagogues et au co
des rues[m] pour que tout le monde l
voie. Je vous le déclare, c'est la vérité : i
ont déjà leur récompense. 6 Mais toi, lor
que tu veux prier, entre dans ta chambr
ferme la porte et prie ton Père qui est l
dans cet endroit secret ; et ton Père, q
voit ce que tu fais en secret, te récompen
sera.
7 « Quand vous priez, ne répétez pa
sans fin les mêmes choses comme le
païens : ils s'imaginent que Dieu l
exaucera s'ils parlent beaucoup. 8 Ne le
imitez pas, car Dieu, votre Père, sait dé
de quoi vous avez besoin avant que vo
le lui demandiez. 9 Voici comment vo
devez prier :

---

h **5.33** Voir Lév 19.12 ; Nomb 30.3 ; Deut 23.22-24.
i **5.38** Ex 21.24 ; Lév 24.20 ; Deut 19.21.
j **5.41** Allusion probable aux réquisitions pratiquées par les militaires ou les fonctionnaires romains.
k **5.43** Lév 19.18.
l **5.48** Comparer Lév 19.2 ; Deut 18.13.
m **6.5** La prière des Juifs pieux devant se faire à heures fixes, c'est en ces lieux publics que certains trouvaient une bonne occasion de faire remarquer leur zèle religieux. Comparer Luc 18.10-14.

"Notre Père qui es dans les *cieux,
que chacun reconnaisse que tu es le
Dieu saint,
10 que ton *Règne vienne;
que chacun, sur la terre, fasse ta volonté comme elle est faite dans le
ciel.
1 Donne-nous aujourd'hui le pain nécessaire[n].
2 Pardonne-nous nos torts,
comme nous pardonnons nous aussi à
ceux qui nous ont fait du tort.
3 Et ne nous expose pas à la tentation,
mais délivre-nous du Mauvais.
[Car c'est à toi qu'appartiennent le règne, la puissance et la *gloire, pour
toujours. *Amen[o].]"
14 « En effet, si vous pardonnez aux au-
:es le mal qu'ils vous ont fait, votre Père
ui est au ciel vous pardonnera aussi.
Mais si vous ne pardonnez pas aux au-
:es, votre Père ne vous pardonnera pas
on plus le mal que vous avez fait. »

Enseignement au sujet du jeûne

16 « Quand vous *jeûnez, ne prenez pas
n air triste comme font les hypocrites :
s changent de visage pour que tout le
ionde voie qu'ils jeûnent. Je vous le dé-
lare, c'est la vérité : ils ont déjà leur ré-
ompense. 17 Mais toi, quand tu jeûnes,
ive-toi le visage et parfume ta tête, 18 afin
ue les gens ne se rendent pas compte que
jeûnes. Seul ton Père qui est là, dans le
ecret, le saura ; et ton Père, qui voit ce
ue tu fais en secret, te récompensera. »

Des richesses dans le ciel

(Voir aussi Luc 12.33-34)

19 « Ne vous amassez pas des richesses
ans ce monde, où les vers et la rouille
étruisent, où les cambrioleurs forcent
s serrures pour voler. 20 Amassez-vous
lutôt des richesses dans le *ciel, où il n'y
ni vers ni rouille pour détruire, ni cam-
rioleurs pour forcer les serrures et voler.
Car ton cœur sera toujours là où sont
s richesses. »

La lumière du corps

(Voir aussi Luc 11.34-36)

22 « Les yeux sont la lampe du corps : si
s yeux sont en bon état, tout ton corps
est éclairé ; 23 mais si tes yeux sont malades, tout ton corps est dans l'obscurité.
Si donc la lumière qui est en toi n'est
qu'obscurité, comme cette obscurité sera
noire ! »

Dieu ou l'argent

(Voir aussi Luc 16.13)

24 « Personne ne peut servir deux
maîtres : ou bien il haïra le premier et
aimera le second ; ou bien il s'attachera
au premier et méprisera le second. Vous
ne pouvez pas servir à la fois Dieu et
l'argent. »

Avoir confiance en Dieu

(Voir aussi Luc 12.22-31)

25 « Voilà pourquoi je vous dis : Ne vous
inquiétez pas au sujet de la nourriture et
de la boisson dont vous avez besoin pour
vivre, ou au sujet des vêtements dont
vous avez besoin pour votre corps. La vie
est plus importante que la nourriture et le
corps plus important que les vêtements,
n'est-ce pas ? 26 Regardez les oiseaux : ils
ne sèment ni ne moissonnent, ils n'amassent pas de récoltes dans des greniers,
mais votre Père qui est au *ciel les nourrit ! Ne valez-vous pas beaucoup plus que
les oiseaux ? 27 Qui d'entre vous parvient
à prolonger un peu la durée de sa vie[p] par
le souci qu'il se fait ?
28 « Et pourquoi vous inquiétez-vous au
sujet des vêtements ? Observez comment
poussent les fleurs des champs : elles ne
travaillent pas, elles ne se font pas de vêtements. 29 Pourtant, je vous le dis, même
Salomon, avec toute sa richesse[q], n'a pas
eu de vêtements aussi beaux qu'une seule
de ces fleurs. 30 Dieu habille ainsi l'herbe
des champs qui est là aujourd'hui et qui
demain sera jetée au feu : alors ne vous
habillera-t-il pas à bien plus forte raison
vous-mêmes ? Comme votre confiance en
lui est faible ! 31 Ne vous inquiétez donc

---

n **6.11** *nécessaire* : autres traductions *de ce jour* ou *du jour qui vient* (c'est-à-dire *du lendemain*).

o **6.13** Le passage entre crochets ne se trouve pas dans les plus anciens manuscrits. Voir 1 Chron 29.11-13.

p **6.27** *la durée de sa vie* : autre traduction *sa taille*.

q **6.29** Voir 1 Rois 10.

pas en disant : "Qu'allons-nous manger ?
qu'allons-nous boire ? qu'allons-nous
mettre pour nous habiller ?" 32 Ce sont les
païens qui recherchent sans arrêt tout
cela. Mais votre Père qui est au ciel sait
que vous en avez besoin. 33 Préoccupez-
vous d'abord du *Royaume de Dieu et de
la vie juste qu'il demande, et Dieu vous
accordera aussi tout le reste. 34 Ne vous
inquiétez donc pas du lendemain : le lendemain se souciera de lui-même. A chaque jour suffit sa peine. »

Ne pas juger les autres

(Voir aussi Luc 6.37-38,41-42)

7 1 « Ne portez de jugement contre personne, afin que Dieu ne vous juge pas
non plus. 2 Car Dieu vous jugera comme
vous jugez les autres ; il vous mesurera
avec la mesure que vous employez pour
eux. 3 Pourquoi regardes-tu le brin de
paille qui est dans l'œil de ton frère, alors
que tu ne remarques pas la poutre qui est
dans ton œil ? 4 Comment peux-tu dire à
ton frère : "Laisse-moi enlever cette
paille de ton œil", alors que tu as une
poutre dans le tien ? 5 Hypocrite, enlève
d'abord la poutre de ton œil et alors tu
verras assez clair pour enlever la paille de
l'œil de ton frère.
6 « Ne donnez pas ce qui est saint aux
chiens, de peur qu'ils ne se retournent
contre vous et ne vous déchirent ; ne jetez pas vos perles devant les porcs, de
peur qu'ils ne les piétinent. »

Demander, chercher et frapper à la porte

(Voir aussi Luc 11.9-13)

7 « Demandez et vous recevrez ; cherchez et vous trouverez ; frappez et l'on
vous ouvrira la porte. 8 Car quiconque
demande reçoit, qui cherche trouve et
l'on ouvre la porte à qui frappe. 9 Y a-t-il
quelqu'un parmi vous qui donne à son
fils une pierre si celui-ci demande du
pain ? 10 ou qui lui donne un serpent s'il
demande un poisson ? 11 Tout mauvais
que vous êtes, vous savez donner de bonnes choses à vos enfants. A combien plu
forte raison, donc, votre Père qui es
dans les *cieux donnera-t-il de bonne
choses à ceux qui les lui demandent !
12 « Faites pour les autres tout ce qu
vous voulez qu'ils fassent pour vous
c'est là ce qu'enseignent les livres de l
*loi de Moïse et des *Prophètes[r]. »

La porte étroite

(Voir aussi Luc 13.24)

13 « Entrez par la porte étroite ! Ca
large est la porte et facile le chemin qu
mènent à la ruine ; nombreux sont ceu
qui passent par là. 14 Mais combie
étroite est la porte et difficile le chemi
qui mènent à la vie ; peu nombreux son
ceux qui les trouvent. »

Les faux prophètes

(Voir aussi Luc 6.43-44)

15 « Gardez-vous des faux *prophète
Ils viennent à vous déguisés en *brebi
mais au-dedans ce sont des loups féroce
16 Vous les reconnaîtrez à leur conduit
On ne cueille pas des raisins sur des bui
sons d'épines, ni des figues sur des cha
dons. 17 Un bon arbre produit de bor
fruits et un arbre malade de mauva
fruits. 18 Un bon arbre ne peut pas pr
duire de mauvais fruits ni un arbre m
lade de bons fruits. 19 Tout arbre qui r
produit pas de bons fruits est coupé, pu
jeté au feu. 20 Ainsi donc, vous reconna
trez les faux prophètes à leur conduite.

Dire et faire

(Voir aussi Luc 13.25-27)

21 « Ce ne sont pas tous ceux qui me d
sent : "Seigneur, Seigneur", qui entrero
dans le *Royaume des cieux, mais seul
ment ceux qui font la volonté de mo
Père qui est dans les *cieux. 22 Au jour d
Jugement, beaucoup me diront : "Se
gneur, Seigneur, c'est en ton nom q
nous avons été *prophètes ; c'est en to
nom que nous avons chassé des espri
mauvais ; c'est en ton nom que no
avons accompli de nombreux miracle
Ne le sais-tu pas ?" 23 Alors je leur d
clarerai : "Je ne vous ai jamais connu
allez-vous-en loin de moi, vous q
commettez le mal[s] !" »

---

r 7.12 Comparer Rom 13.8-10.
s 7.23 *allez-vous-en... le mal* : comparer Ps 6.9.

Les deux maisons

(Voir aussi Luc 6.47-49)

24 « Ainsi, quiconque écoute ce que je
iens de dire et le met en pratique sera
omme un homme intelligent qui a bâti
a maison sur le roc. 25 La pluie est tom-
ée, les rivières ont débordé, la tempête
'est abattue sur cette maison, mais elle
e s'est pas écroulée, car ses fondations
vaient été posées sur le roc. 26 Mais qui-
onque écoute ce que je viens de dire et
e le met pas en pratique sera comme un
omme insensé qui a bâti sa maison sur
: sable. 27 La pluie est tombée, les ri-
ières ont débordé, la tempête s'est abat-
ıe sur cette maison et elle s'est écroulée :
ı ruine a été complète. »

L'autorité de Jésus

28 Quand Jésus eut achevé ces instruc-
ons, tous restèrent impressionnés par sa
ıanière d'enseigner ; 29 car il n'était pas
omme leurs *maîtres de la loi, mais il les
ıseignait avec autorité.

Jésus guérit un lépreux

(Voir aussi Marc 1.40-45 ; Luc 5.12-16)

8 1 Jésus descendit de la montagne et
une foule de gens le suivirent. 2 Alors
ı *lépreux s'approcha, se mit à genoux
evant lui et dit : « Maître, si tu le veux,
ı peux me rendre *pur. » 3 Jésus étendit
main, le toucha et déclara : « Je le veux,
ois pur ! » Aussitôt, l'homme fut purifié
: sa lèpre. 4 Puis Jésus lui dit : « Écoute
en : ne parle de cela à personne. Mais
ı te faire examiner par le *prêtre, puis
fre le *sacrifice que Moïse a ordonné,
our prouver à tous que tu es guéri[t]. »

Jésus guérit le serviteur d'un officier romain

(Voir aussi Luc 7.1-10 ; Jean 4.43-54)

5 Au moment où Jésus entrait dans Ca-
ernaüm, un capitaine romain s'appro-
ıa et lui demanda son aide 6 en ces
rmes : « Maître, mon serviteur est cou-
ıé à la maison, il est paralysé et souffre
rriblement. » 7 Jésus lui dit : « J'y vais et
le guérirai. » 8 Mais le capitaine répon-
t : « Maître, je ne suis pas digne que tu
ıtres dans ma maison. Mais il suffit que
tu dises un mot et mon serviteur sera
guéri. 9 Je suis moi-même soumis à mes
supérieurs et j'ai des soldats sous mes ordres. Si je dis à l'un : "Va !", il va ; si je dis
à un autre : "Viens !", il vient ; et si je dis
à mon serviteur : "Fais ceci !", il le fait. »
10 Quand Jésus entendit ces mots, il fut
dans l'admiration et dit à ceux qui le suivaient : « Je vous le déclare, c'est la vérité : je n'ai trouvé une telle foi chez
personne en *Israël. 11 Je vous l'affirme,
beaucoup viendront de l'est et de l'ouest
et prendront place à table dans le
*Royaume des cieux avec Abraham, Isaac
et Jacob. 12 Mais ceux qui étaient destinés
au Royaume seront jetés dehors, dans le
noir, où ils pleureront et grinceront des
dents. »
13 Puis Jésus dit au capitaine : « Retourne chez toi, Dieu t'accorde ce que tu
as demandé avec foi ! » Et le serviteur du
capitaine fut guéri à ce moment même.

Jésus guérit beaucoup de malades

(Voir aussi Marc 1.29-34 ; Luc 4.38-41)

14 Jésus se rendit à la maison de Pierre.
Il y trouva la belle-mère de Pierre au lit :
elle avait de la fièvre. 15 Il lui toucha la
main et la fièvre la quitta ; elle se leva et
se mit à le servir.
16 Le soir venu, on amena à Jésus un
grand nombre de personnes tourmentées
par des esprits mauvais. Par sa parole Jésus chassa ces esprits et il guérit aussi
tous les malades. 17 Il le fit afin que se réalise cette parole du *prophète Ésaïe : « Il a
pris nos infirmités et nous a déchargés de
nos maladies[u]. »

Ceux qui désirent suivre Jésus

(Voir aussi Luc 9.57-62)

18 Quand Jésus vit toute la foule qui
l'entourait, il donna l'ordre à ses *disciples de passer avec lui de l'autre côté du
lac. 19 Un *maître de la loi s'approcha et
lui dit : « Maître, je te suivrai partout où
tu iras. » 20 Jésus lui répondit : « Les renards ont des terriers et les oiseaux ont
des nids, mais le *Fils de l'homme n'a

---

t **8.4** Voir Lév 14.2-32.
u **8.17** Voir És 53.4.

pas un endroit où il puisse se coucher et
se reposer. »
21 Quelqu'un d'autre, un de ses disciples, lui dit : « Maître, permets-moi
d'aller d'abord enterrer mon père. » 22 Jésus lui répondit : « Suis-moi et laisse les
morts enterrer leurs morts. »

Jésus apaise une tempête

(Voir aussi Marc 4.35-41 ; Luc 8.22-25)

23 Jésus monta dans la barque et ses
*disciples l'accompagnèrent. 24 Soudain,
une grande tempête s'éleva sur le lac, si
bien que les vagues recouvraient la barque. Mais Jésus dormait. 25 Les disciples
s'approchèrent de lui et le réveillèrent en
criant : « Seigneur, sauve-nous ! Nous allons mourir ! » 26 Jésus leur répondit :
« Pourquoi avez-vous peur ? Comme votre confiance est faible ! » Alors il se leva,
parla sévèrement au vent et à l'eau du lac,
et il se fit un grand calme. 27 Tous étaient
remplis d'étonnement et disaient : « Quel
genre d'homme est-ce pour que même le
vent et les flots lui obéissent[v] ? »

Jésus guérit deux hommes possédés par des esprits mauvais

(Voir aussi Marc 5.1-20 ; Luc 8.26-39)

28 Quand Jésus arriva de l'autre côté du
lac, dans le territoire des Gadaréniens[w],
deux hommes sortirent du milieu des
tombeaux et vinrent à sa rencontre. Ces
hommes étaient possédés par des esprits
mauvais ; ils étaient si dangereux que
personne n'osait passer par ce chemin.
29 Ils se mirent à crier : « Que nous
veux-tu, *Fils de Dieu ? Es-tu venu ici
pour nous tourmenter avant le moment
fixé ? »
30 Il y avait, à une certaine distance, u
grand troupeau de porcs[x] qui cherchai
sa nourriture. 31 Les esprits mauvai
adressèrent cette prière à Jésus : « Si t
veux nous chasser, envoie-nous dans c
troupeau de porcs. » – 32 « Allez », leur di
Jésus. Ils sortirent des deux hommes e
s'en allèrent dans les porcs. Aussitôt, tou
le troupeau se précipita du haut de la fa
laise dans le lac et disparut dans l'eau
33 Les hommes qui gardaient les porc
s'enfuirent ; ils se rendirent dans la vil
où ils racontèrent toute l'histoire et c
qui s'était passé pour les deux possédé
34 Alors tous les habitants de la ville so
tirent à la rencontre de Jésus ; quand il
le virent, ils le supplièrent de quitter leu
territoire.

Jésus guérit un homme paralysé

(Voir aussi Marc 2.1-12 ; Luc 5.17-26)

9 1 Jésus monta dans la barque, refit
traversée du lac et se rendit dans s
ville[y]. 2 Quelques personnes lui amen
rent un paralysé couché sur une civièr
Quand Jésus vit leur foi, il dit au para
lysé : « Courage, mon fils ! Tes péch
sont pardonnés ! » 3 Alors quelques *ma
tres de la loi se dirent en eux-même
« Cet homme fait insulte à Dieu[z] ! » 4 J
sus discerna ce qu'ils pensaient et di
« Pourquoi avez-vous ces mauvaises pe
sées ? 5 Est-il plus facile de dire : "T
péchés sont pardonnés", ou de dire
"Lève-toi et marche" ? 6 Mais je veux q
vous le sachiez : le *Fils de l'homme a
pouvoir sur la terre de pardonner les p
chés. » Il dit alors au paralysé : « Lève-to
prends ta civière et rentre chez toi !
7 L'homme se leva et s'en alla chez lu
8 Quand la foule vit cela, elle fut rempl
de crainte et loua Dieu d'avoir donné u
tel pouvoir aux hommes.

Jésus appelle Matthieu

(Voir aussi Marc 2.13-17 ; Luc 5.27-32)

9 Jésus partit de là et vit, en passant, u
homme appelé Matthieu assis au bure
des impôts. Il lui dit : « Suis-moi ! » Ma
thieu se leva et le suivit. 10 Jésus prena
un repas dans la maison de Matthieu
beaucoup de *collecteurs d'impôts et a
tres gens de mauvaise réputation vinre

---

v **8.27** Comparer Ps 65.8 ; 89.10 ; 107.23-32.

w **8.28** *Gadara* était une ville non juive située à 10 km environ au sud-est du lac de Génésareth ou de Galilée.

x **8.30** Voir Marc 5.11 et la note.

y **9.1** D'après Marc 2.1, c'est Capernaüm qui est ici considéré comme la ville de Jésus. Voir aussi Matt 4.13.

z **9.3** Comparer Lév 24.16.

a **9.10** Le texte grec dit simplement *la maison*. Mais il s'agit fort probablement de *la maison de Matthieu*, plutôt que de celle de Jésus. Comparer Luc 5.29.

prendre place à table avec lui et ses *disciples. 11 Les *Pharisiens virent cela et
dirent à ses disciples : « Pourquoi votre
maître mange-t-il avec les collecteurs
d'impôts et les gens de mauvaise réputation[b] ? » 12 Jésus les entendit et déclara :
« Les personnes en bonne santé n'ont
pas besoin de médecin, ce sont les malades qui en ont besoin. 13 Allez apprendre ce que signifient ces mots prononcés
par Dieu : "Je désire la bonté et non des
*sacrifices d'animaux[c]." Car je ne suis
pas venu appeler ceux qui s'estiment
justes, mais ceux qui se savent pécheurs. »

Jésus et le jeûne

(Voir aussi Marc 2.18-22 ; Luc 5.33-39)

14 Les *disciples de Jean-Baptiste
s'approchèrent alors de Jésus et lui
demandèrent : « Pourquoi nous et les
Pharisiens *jeûnons-nous souvent, tandis que tes disciples ne le font pas ? » 15 Et
Jésus leur répondit : « Pensez-vous que
les invités d'une noce peuvent être tristes
pendant que le marié est avec eux ? Bien
sûr que non ! Mais le temps viendra où le
marié leur sera enlevé ; alors ils jeûneront.

16 « Personne ne répare un vieux vêtement avec une pièce d'étoffe neuve ; car
cette pièce arracherait une partie du vêtement et la déchirure s'agrandirait encore.
17 On ne verse pas non plus du vin nouveau dans de vieilles *outres ; sinon les
outres éclatent, le vin se répand et les outres sont perdues. On verse au contraire
le vin nouveau dans des outres neuves et
ainsi le tout se conserve bien. »

La fille d'un chef juif et la femme qui toucha le vêtement de Jésus

(Voir aussi Marc 5.21-43 ; Luc 8.40-56)

18 Pendant que Jésus leur parlait ainsi,
un chef juif arriva, se mit à genoux devant lui et dit : « Ma fille est morte il y a
un instant ; mais viens, pose ta main sur
elle et elle vivra. » 19 Jésus se leva et le suivit avec ses *disciples.

20 Une femme, qui souffrait de pertes
de sang depuis douze ans, s'approcha
alors de Jésus par derrière et toucha le
bord de son vêtement. 21 Car elle se disait : « Si je peux seulement toucher son
vêtement, je serai guérie ». 22 Jésus se retourna, la vit et déclara : « Courage, ma
fille ! Ta foi t'a guérie[d]. » Et à ce moment
même, la femme fut guérie.

23 Jésus arriva à la maison du chef.
Quand il vit les musiciens[e] prêts pour
l'enterrement et la foule qui s'agitait
bruyamment, 24 il dit : « Sortez d'ici, car
la fillette n'est pas morte, elle dort. » Mais
ils se moquèrent de lui. 25 Quand on eut
mis la foule dehors, Jésus entra dans la
chambre, il prit la fillette par la main et
elle se leva. 26 La nouvelle s'en répandit
dans toute cette région.

Jésus guérit deux aveugles

27 Au moment où Jésus partit de là,
deux aveugles se mirent à le suivre en
criant : « Aie pitié de nous, *Fils de David ! »

28 Quand Jésus fut arrivé à la maison,
les aveugles s'approchèrent de lui et il
leur demanda : « Croyez-vous que je
peux faire cela ? » Ils lui répondirent :
« Oui, Maître. » 29 Alors Jésus leur toucha
les yeux et dit : « Dieu vous accorde ce
que vous attendez avec foi ! » 30 Et leurs
yeux purent voir. Jésus leur parla avec
sévérité : « Écoutez bien, leur dit-il, personne ne doit le savoir. » 31 Mais ils s'en
allèrent parler de Jésus dans toute cette
région.

Jésus guérit un homme muet

32 Alors qu'ils s'en allaient, on amena à
Jésus un homme qui était muet parce
qu'il était possédé d'un esprit mauvais.
33 Dès que Jésus eut chassé cet esprit, le
muet se mit à parler. Dans la foule tous
étaient remplis d'étonnement et disaient : « On n'a jamais rien vu de pareil
en *Israël ! » 34 Mais les *Pharisiens affirmaient : « C'est le chef des esprits mau-

---

b **9.11** Comparer les v. 10-11 et Luc 15.1-2.

c **9.13** Osée 6.6.

d **9.22** *t'a guérie* ou *t'a sauvée.*

e **9.23** *Les musiciens,* ou *joueurs de flûte,* accompagnaient les pleureuses professionnelles pour les bruyantes cérémonies qui commençaient à la maison mortuaire.

vais qui lui donne le pouvoir de chasser
ces esprits[f] ! »

Jésus a pitié des foules

35 Jésus parcourait villes et villages ; il
enseignait dans leurs *synagogues, prêchait la Bonne Nouvelle du *Royaume et
guérissait toutes les maladies et toutes les
infirmités. 36 Son cœur fut rempli de pitié
pour les foules qu'il voyait, car ces gens
étaient fatigués et découragés, comme un
troupeau qui n'a pas de *berger[g]. 37 Il dit
alors à ses *disciples : « La moisson à
faire est grande, mais il y a peu d'ouvriers
pour cela. 38 Priez donc le propriétaire de
la moisson d'envoyer davantage d'ouvriers pour la faire. »

Les douze apôtres

(Voir aussi Marc 3.13-19 ; Luc 6.12-16)

10 1 Jésus appela ses douze *disciples
et leur donna le pouvoir de chasser les esprits mauvais et de guérir toutes
les maladies et toutes les infirmités.
2 Voici les noms de ces douze *apôtres :
d'abord Simon, surnommé Pierre, et son
frère André ; Jacques et son frère Jean,
tous deux fils de Zébédée ; 3 Philippe et
Barthélemy ; Thomas et Matthieu le
*collecteur d'impôts ; Jacques le fils d'Al-
phée et Thaddée ; 4 Simon le nationaliste
et Judas Iscariote, qui trahit Jésus.

La mission des douze

(Voir aussi Marc 6.7-13 ; Luc 9.1-6)

5 Jésus envoya ces douze hommes en
mission, avec les instructions suivantes :
« Évitez les régions où habitent les non-
Juifs et n'entrez dans aucune ville de Samarie[h]. 6 Allez plutôt vers les *brebis perdues du peuple *d'Israël. 7 En chemin,
prêchez et dites : "Le *Royaume des
cieux s'est approché !" 8 Guérissez les malades, rendez la vie aux morts, *purifiez
les *lépreux, chassez les esprits mauvais
Vous avez reçu gratuitement, donne
aussi gratuitement. 9 Ne vous procure
ni or, ni argent, ni monnaie de cuivre
mettre dans vos poches ; 10 ne prenez pa
de sac pour le voyage, ni une deuxièm
chemise, ne prenez ni chaussures, ni bâ
ton. En effet, l'ouvrier a droit à sa nour
riture[i].

11 « Quand vous arriverez dans un
ville ou un village, cherchez qui est prêt
vous recevoir et restez chez cette per
sonne jusqu'à ce que vous quittiez l'en
droit. 12 Quand vous entrerez dans un
maison, dites : "La paix soit avec vous[j].
13 Si les habitants de cette maison vou
reçoivent, que votre souhait de paix re
pose sur eux ; mais s'ils ne vous reçoiven
pas, retirez votre souhait de paix. 14 S
dans une maison ou dans une ville, on re
fuse de vous accueillir ou de vous écoute
partez de là et secouez la poussière de vo
pieds[k]. 15 Je vous le déclare, c'est la vé
rité : au jour du Jugement, les habitan
de Sodome et Gomorrhe[l] seront traité
moins sévèrement que les habitants d
cette ville-là.

Les persécutions à venir

(Voir aussi Marc 13.9-13 ; Luc 21.12-17)

16 « Écoutez ! Je vous envoie comm
des moutons au milieu des loups. Soye
donc prudents comme les serpents et in
nocents comme les colombes. 17 Pren
garde, car des hommes vous feront pass
devant les tribunaux et vous frapperont
coups de fouet dans leurs *synagogue
18 On vous fera comparaître devant de
gouverneurs et des rois à cause de mo
pour que vous puissiez apporter votre té
moignage devant eux et devant les no
Juifs. 19 Lorsqu'on vous conduira deva
le tribunal, ne vous inquiétez pas de
que vous aurez à dire ni de la manière
l'exprimer ; les paroles que vous aure
à prononcer vous seront données à
moment-là : 20 elles ne viendront pas
vous, mais l'Esprit de votre Père parle
en vous. 21 Des frères livreront leurs pr
pres frères pour qu'on les mette à mort,
des pères agiront de même avec leurs e
fants ; des enfants se tourneront cont
leurs parents et les feront condamner

---

f **9.34** Comparer 12.24.
g **9.36** Comparer Nomb 27.17 ; 1 Rois 22.17.
h **10.5** Voir au Vocabulaire SAMARITAIN.
i **10.10** Comparer 1 Cor 9.14 ; 1 Tim 5.18.
j **10.12** La salutation juive consiste à souhaiter la paix.
k **10.14** Voir Marc 6.11 et la note.
l **10.15** *Sodome et Gomorrhe* : voir Gen 18–19.

mort. 22 Tout le monde vous haïra à cause
de moi. Mais celui qui tiendra bon
jusqu'à la fin sera sauvé. 23 Quand on
vous persécutera dans une ville, fuyez
dans une autre. Je vous le déclare, c'est la
vérité : vous n'aurez pas encore fini de
parcourir toutes les villes *d'Israël avant
que vienne le *Fils de l'homme.
24 « Aucun élève n'est supérieur à son
maître ; aucun serviteur n'est supérieur à
son patron. 25 Il suffit que l'élève devienne comme son maître et que le serviteur devienne comme son patron. Si l'on
a appelé le chef de famille Béelzébul[m], à
combien plus forte raison insultera-t-on
les membres de sa famille ! »

Celui qu'il faut craindre

(Voir aussi Luc 12.2-7)

26 « Ne craignez donc aucun homme.
Tout ce qui est caché sera découvert, et
tout ce qui est secret sera connu. 27 Ce que
je vous dis dans l'obscurité, répétez-le à la
lumière du jour ; et ce que l'on chuchote
à votre oreille, criez-le du haut des toits.
28 Ne craignez pas ceux qui tuent le corps
mais qui ne peuvent pas tuer l'âme ; craignez plutôt Dieu qui peut faire périr[n] à la
fois le corps et l'âme dans *l'enfer. 29 Ne
vend-on pas deux moineaux pour un
sou ? Cependant, aucun d'eux ne tombe à
terre sans que Dieu votre Père le sache.
30 Quant à vous, même vos cheveux sont
tous comptés. 31 N'ayez donc pas peur :
vous valez plus que beaucoup de moineaux ! »

Confesser ou renier Jésus-Christ

(Voir aussi Luc 12.8-9)

32 « Quiconque reconnaît publiquement qu'il est mon *disciple, je reconnaîtrai moi aussi devant mon Père qui est
dans les *cieux qu'il est à moi ; 33 mais si
quelqu'un affirme publiquement ne pas
me connaître[o], j'affirmerai moi aussi devant mon Père qui est dans les cieux que
je ne le connais pas. »

Non la paix, mais le combat

(Voir aussi Luc 12.51-53 ; 14.26-27)

34 « Ne pensez pas que je sois venu apporter la paix sur la terre : je ne suis pas
venu apporter la paix, mais le combat.
35 Je suis venu séparer l'homme de son
père, la fille de sa mère, la belle-fille de
sa belle-mère ; 36 on aura pour ennemis
les membres de sa propre famille[p]. 37 Celui qui aime son père ou sa mère plus
que moi n'est pas digne de moi ; celui
qui aime son fils ou sa fille plus que moi
n'est pas digne de moi. 38 Celui qui ne se
charge pas de sa croix pour marcher à
ma suite n'est pas digne de moi. 39 Celui
qui voudra garder sa vie la perdra ; mais
celui qui perdra sa vie pour moi la retrouvera. »

Des récompenses

(Voir aussi Marc 9.41)

40 « Quiconque vous accueille m'accueille ; quiconque m'accueille accueille
celui qui m'a envoyé. 41 Celui qui accueille un *prophète de Dieu parce qu'il
est prophète, recevra la récompense
accordée à un prophète ; et celui qui accueille un homme fidèle à Dieu parce
qu'il est fidèle, recevra la récompense
accordée à un fidèle. 42 Je vous le déclare,
c'est la vérité : celui qui donne même un
simple verre d'eau fraîche à l'un de ces
petits parmi mes *disciples parce qu'il est
mon disciple recevra sa récompense. »

Les envoyés de Jean-Baptiste

(Voir aussi Luc 7.18-35)

11 1 Lorsque Jésus eut achevé de donner ces instructions à ses douze
*disciples, il partit de là pour aller en-
seigner et prêcher dans les villes de la
région.
2 Jean-Baptiste, dans sa prison, entendit parler des œuvres du *Christ. Alors il
envoya quelques-uns de ses disciples 3 demander à Jésus : « Es-tu le Messie qui
doit venir[q] ou devons-nous attendre
quelqu'un d'autre ? » 4 Jésus leur répondit : « Allez raconter à Jean ce que vous
entendez et voyez : 5 les aveugles voient,
les boiteux marchent, les *lépreux sont

---

m **10.25** *Béelzébul* : nom donné au diable en tant que chef des esprits mauvais.
n **10.28** Comparer Jacq 4.12.
o **10.33** Comparer 2 Tim 2.12.
p **10.36** Pour les v. 35-36, voir Mich 7.6.
q **11.3** Autre traduction *celui qui doit venir*.

guéris, les sourds entendent, les morts reviennent à la vie et la Bonne Nouvelle est
annoncée aux pauvres[r]. 6 Heureux celui
qui n'abandonnera pas la foi en moi[s] ! »
7 Quand les disciples de Jean partirent,
Jésus se mit à parler de Jean à la foule en
disant : « Qu'êtes-vous allés voir au désert ? un roseau agité par le vent ? Non ?
8 Alors qu'êtes-vous allés voir ? un
homme vêtu d'habits magnifiques ? Mais
ceux qui portent des habits magnifiques
se trouvent dans les palais des rois.
9 Qu'êtes-vous donc allés voir ? un *prophète ? Oui, vous dis-je, et même bien
plus qu'un prophète. 10 Car Jean est celui
dont l'Écriture déclare : "Je vais envoyer
mon messager devant toi, dit Dieu, pour
t'ouvrir le chemin[t]." 11 Je vous le déclare,
c'est la vérité : parmi les humains, il n'a
jamais existé personne de plus grand que
Jean-Baptiste ; pourtant, celui qui est le
plus petit dans le *Royaume des cieux est
plus grand que lui. 12 Depuis l'époque où
Jean-Baptiste prêchait jusqu'à présent, le
Royaume des cieux subit la violence[u] et
les violents cherchent à s'en emparer.
13 Tous les prophètes et la *loi de Moïse
ont annoncé le Royaume, jusqu'à l'époque de Jean. 14 Et si vous voulez bien l'admettre, Jean est cet *Élie dont la venue a
été annoncée. 15 Écoutez bien, si vous
avez des oreilles !
16 « A qui puis-je comparer les gens
d'aujourd'hui ? Ils ressemblent à des enfants assis sur les places publiques, dont
les uns crient aux autres : 17 "Nous vous
avons joué un air de danse sur la flûte et
vous n'avez pas dansé ! Nous avons
chanté des chants de deuil et vous ne
vous êtes pas lamentés !" 18 En effet, Jean
est venu, il ne mange ni ne boit, et l'on
dit : "Il est possédé d'un esprit mauvais !"
19 Le *Fils de l'homme est venu, il mang
et boit, et l'on dit : "Voyez cet homme qu
ne pense qu'à manger et à boire du vin
qui est ami des *collecteurs d'impôts e
autres gens de mauvaise réputation !"
Mais la sagesse de Dieu se révèle juste pa
ses effets. »

Les villes qui refusent de croire

(Voir aussi Luc 10.13-15)

20 Alors Jésus se mit à faire des re
proches aux villes dans lesquelles il avai
accompli le plus grand nombre de ses mi
racles, parce que leurs habitant
n'avaient pas changé de comportemen
Il dit : 21 « Malheur à toi, Chorazin ! Mal
heur à toi, Bethsaïda ! Car si les miracle
qui ont été accomplis chez vous l'avaien
été à Tyr et à Sidon, il y a longtemps qu
leurs habitants auraient pris le deuil, s
seraient couvert la tête de cendre et au
raient changé de comportement[v]. 22 C'es
pourquoi, je vous le déclare, au jour d
Jugement Tyr et Sidon seront traitée
moins sévèrement que vous. 23 Et toi, Ca
pernaüm, crois-tu que tu t'élèvera
jusqu'au *ciel ? Tu seras abaissée jusqu'a
monde des morts. Car si les miracles qu
ont été accomplis chez toi l'avaient été
Sodome, cette ville existerait encore au
jourd'hui[w]. 24 C'est pourquoi, je vous l
déclare, au jour du Jugement Sodom
sera traitée moins sévèrement que toi. »

Venez à moi pour trouver le repos

(Voir aussi Luc 10.21-22)

25 En ce temps-là, Jésus s'écria : « (
Père, Seigneur du *ciel et de la terre, je t
remercie d'avoir révélé aux petits ce qu
tu as caché aux sages et aux gens ins
truits[x]. 26 Oui, Père, tu as bien voulu qu'
en soit ainsi.
27 « Mon Père m'a remis toutes chose
Personne ne connaît le Fils si ce n'est l
Père, et personne ne connaît le Père si c
n'est le Fils et ceux à qui le Fils veut l
révéler.
28 « Venez à moi vous tous qui êtes fat
gués de porter un lourd fardeau et je vou
donnerai le repos. 29 Prenez sur vous mo
*joug et laissez-moi vous instruire, car j
suis doux et humble de cœur, et vou

---

r **11.5** Comparer És 35.5-6 ; 61.1.
s **11.6** *en moi* : autre traduction *à cause de moi.*
t **11.10** Mal 3.1.
u **11.12** *subit la violence* : autre traduction *se fraie sa voie avec violence*, mais cette traduction s'accorde difficilement avec la seconde partie du verset.
v **11.21** *Chorazin* et *Bethsaïda* : localités voisines de Capernaüm. – *Tyr et Sidon* : comparer És 23.1-18 ; Ézék 26 ; Joël 4.4-8 ; Amos 1.9-10.
w **11.23** *tu t'élèveras... monde des morts* : És 14.13-15. – *Sodome* : voir Gen 19.24-28.
x **11.25** Comparer 1 Cor 1.17-29.

trouverez le repos pour vous-mêmes[y].
30 Le joug que je vous invite à prendre est
facile à porter et le fardeau que je vous
propose est léger. »

Jésus et le sabbat

(Voir aussi Marc 2.23-28 ; Luc 6.1-5)

12 1 Quelque temps après, Jésus traversait des champs de blé un jour
de *sabbat. Ses *disciples avaient faim ;
ls se mirent à cueillir des épis et à en
nanger les grains[z]. 2 Quand les *Phari-
iens virent cela, ils dirent à Jésus : « Regarde, tes disciples font ce que notre loi
ne permet pas le jour du sabbat[a] ! » 3 Jésus
eur répondit : « N'avez-vous pas lu ce
que fit David un jour où lui-même et ses
compagnons avaient faim ? 4 Il entra dans
a maison de Dieu et lui et ses compagnons mangèrent les pains offerts à
Dieu ; il ne leur était pourtant pas permis
l'en manger : notre loi ne le permet
qu'aux seuls *prêtres[b]. 5 Ou bien, n'avez-
vous pas lu dans la loi de Moïse que, le
jour du sabbat, les prêtres en service dans
e *temple n'observent pas la loi du sabbat, et cela sans être coupables[c] ? 6 Or, je
vous le déclare, il y a ici plus que le temple ! 7 Si vous saviez vraiment ce que signifient ces mots de l'Écriture : "Je désire
a bonté et non des *sacrifices d'animaux[d]", vous n'auriez pas condamné des
innocents. 8 Car le *Fils de l'homme est
maître du sabbat. »

L'homme à la main paralysée

(Voir aussi Marc 3.1-6 ; Luc 6.6-11)

9 Jésus partit de là et se rendit dans leur
synagogue. 10 Il y avait là un homme
dont la main était paralysée. Les *Pharisiens voulaient accuser Jésus ; c'est pourquoi ils lui demandèrent : « Notre loi
permet-elle de faire une guérison le jour
du *sabbat ? » 11 Jésus leur répondit : « Si
un d'entre vous a un seul mouton et que
celui-ci tombe dans un trou profond le
jour du sabbat, n'ira-t-il pas le prendre
pour le sortir de là ? 12 Et un homme vaut
beaucoup plus qu'un mouton ! Donc, notre loi permet de faire du bien à
quelqu'un le jour du sabbat. » 13 Jésus dit
alors à l'homme : « Avance ta main. » Il
l'avança et elle redevint saine comme
l'autre. 14 Les Pharisiens s'en allèrent et
tinrent conseil pour décider comment ils
pourraient faire mourir Jésus.

Le serviteur que Dieu a choisi

15 Quand Jésus apprit cela, il quitta cet
endroit et un grand nombre de personnes
le suivirent. Il guérit tous les malades,
16 mais il leur recommanda sévèrement
de ne pas dire qui il était. 17 Il en fut ainsi
afin que se réalisent ces paroles du *prophète Ésaïe :

18 « Voici mon serviteur que j'ai choisi,
dit Dieu,
celui que j'aime et en qui je mets toute
ma joie.
Je placerai mon Esprit sur lui
et il annoncera aux nations le droit que
j'instaure.
19 Il ne se disputera avec personne et ne
criera pas,
on ne l'entendra pas faire des discours
dans les rues.
20 Il ne cassera pas le roseau déjà plié
et n'éteindra pas la lampe dont la lumière faiblit.
Il agira ainsi jusqu'à ce qu'il ait fait
triompher le droit ;
21 et toutes les nations mettront leur
espoir en lui[e]. »

Jésus répond à une accusation portée contre lui

(Voir aussi Marc 3.22-30 ; Luc 11.14-23)

22 On amena alors à Jésus un homme
qui était aveugle et muet parce qu'il était
possédé d'un esprit mauvais. Jésus guérit
cet homme, de sorte qu'il se mit à parler
et à voir. 23 La foule était remplie d'étonnement et tous disaient : « Serait-il le
*Fils de David ? » 24 Quand les *Phari-
siens les entendirent, ils déclarèrent :
« Cet homme ne chasse les esprits mau-

---

y **11.29** Comparer Jér 6.16.
z **12.1** Voir Deut 23.26.
a **12.2** Voir Ex 34.21.
b **12.4** *mangèrent les pains...* : voir 1 Sam 21.2-7. – *...permet qu'aux seuls prêtres* : voir Lév 24.9.
c **12.5** Voir Nomb 28.9-10.
d **12.7** Osée 6.6.
e **12.21** És 42.1-4, cité d'après l'ancienne version grecque.

vais que parce que Béelzébul[f], leur chef,
lui en donne le pouvoir ! » 25 Mais Jésus
connaissait leurs pensées ; il leur dit
alors : « Tout royaume dont les habitants
luttent les uns contre les autres finit par
être détruit. Aucune ville ou aucune famille dont les habitants ou les membres
luttent les uns contre les autres ne pourra
se maintenir. 26 Si *Satan chasse ce qui est
à Satan, il est en lutte contre lui-même ;
comment donc son royaume pourra-t-il
se maintenir ? 27 Vous prétendez que je
chasse les esprits mauvais parce que Béelzébul m'en donne le pouvoir ; qui donne
alors à vos partisans le pouvoir de les
chasser ? Vos partisans eux-mêmes démontrent que vous avez tort ! 28 En réalité, c'est par l'Esprit de Dieu que je
chasse les esprits mauvais, ce qui signifie
que le *Royaume de Dieu est déjà venu
jusqu'à vous.

29 « Personne ne peut entrer dans la
maison d'un homme fort et s'emparer de
ses biens, s'il n'a pas d'abord ligoté cet
homme fort ; mais après l'avoir ligoté, il
peut s'emparer de tout dans sa maison.
30 Celui qui n'est pas avec moi est contre
moi ; et celui qui ne m'aide pas à rassembler disperse. 31 C'est pourquoi, je vous le
déclare : les êtres humains pourront être
pardonnés pour tout péché et pour toute
insulte qu'ils font à Dieu ; mais celui qui
fait insulte au Saint-Esprit ne recevra pas
de pardon. 32 Celui qui dit une parole
contre le *Fils de l'homme sera pardonné ; mais celui qui parle contre le
Saint-Esprit ne sera pardonné ni dans
le monde présent, ni dans le monde à
venir. »

L'arbre et ses fruits

(Voir aussi Luc 6.43-45)

33 « Pour avoir de bons fruits, vous devez avoir un bon arbre ; si vous avez un
arbre malade, vous aurez de mauvais
fruits. Car on reconnaît un arbre au genre
de fruits qu'il produit. 34 Bande de ser
pents ! Comment pourriez-vous dire d
bonnes choses, alors que vous êtes mau
vais ? Car la bouche exprime ce dont l
cœur est plein. 35 L'homme bon tire d
bonnes choses de son bon trésor
l'homme mauvais tire de mauvaises cho
ses de son mauvais trésor. 36 Je vous le dé
clare : au jour du Jugement, les homme
auront à rendre compte de toute parol
inutile qu'ils auront prononcée. 37 Ca
c'est d'après tes paroles que tu seras jug
et déclaré soit innocent, soit coupable. »

La demande d'un signe miraculeux

(Voir aussi Marc 8.11-12 ; Luc 11.29-32)

38 Alors quelques *maîtres de la loi e
quelques *Pharisiens dirent à Jésus
« Maître, nous voudrions que tu nou
fasses voir un signe miraculeux. » 39 Jé
sus leur répondit en ces termes : « Le
gens d'aujourd'hui, qui sont mauvais e
infidèles à Dieu, réclament un signe mi
raculeux, mais aucun signe ne leur ser
accordé si ce n'est celui du *prophète Jo
nas. 40 En effet, de même que Jonas
passé trois jours et trois nuits dans l
ventre du grand poisson[g], ainsi le *Fil
de l'homme passera trois jours et troi
nuits dans la terre. 41 Au jour du Juge
ment, les habitants de Ninive se lève
ront en face des gens d'aujourd'hui et le
accuseront, car les Ninivites ont chang
de comportement quand ils ont entend
prêcher Jonas[h]. Et il y a ici plus que J
nas ! 42 Au jour du Jugement, la reine d
Sud se lèvera en face des gens d'au
jourd'hui et les accusera, car elle est ve
nue des régions les plus lointaines de l
terre pour écouter les paroles pleines d
sagesse de Salomon[i]. Et il y a ici plus qu
Salomon ! »

Le retour de l'esprit mauvais

(Voir aussi Luc 11.24-26)

43 « Lorsqu'un esprit mauvais est sor
d'un homme, il va et vient dans des es
paces déserts en cherchant un lieu o
s'établir. Comme il n'en trouve pas, 44 il s
dit : "Je vais retourner dans ma maiso
celle que j'ai quittée." Il y retourne et l
trouve vide, balayée, bien arrangé
45 Alors il s'en va prendre sept autres e

---

f **12.24** Voir 10.25 et la note.
g **12.40** Voir Jon 2.1.
h **12.41** *Ninive* : ancienne capitale de l'Assyrie, à l'est du fleuve Tigre. – *les Ninivites ont changé...* : voir Jon 3.5.
i **12.42** Voir 1 Rois 10.1-10.

ɪrits encore plus malfaisants que lui ; ils
eviennent ensemble dans la maison et
'y installent. Finalement, l'état de cet
ıomme est donc pire qu'au début. Et il
n ira de même pour les gens mauvais
l'aujourd'hui. »

La mère et les frères de Jésus

(Voir aussi Marc 3.31-35 ; Luc 8.19-21)

46 Jésus parlait encore à la foule, lors-
ue sa mère et ses frères arrivèrent. Ils se
enaient dehors et cherchaient à lui parer. 47 Quelqu'un dit à Jésus : « Écoute, ta
ıère et tes frères se tiennent dehors et
ésirent te parler[j]. » 48 Jésus répondit à
ette personne : « Qui est ma mère et qui
ont mes frères ? » 49 Puis il désigna de la
ıain ses *disciples et dit : « Voyez : ma
ıère et mes frères sont ici. 50 Car celui
ui fait la volonté de mon Père qui est
ans les *cieux est mon frère, ma sœur ou
ıa mère. »

La parabole du semeur

(Voir aussi Marc 4.1-9 ; Luc 8.4-8)

13 1 Ce jour-là, Jésus sortit de la maison[k] et alla s'asseoir au bord du lac
our enseigner. 2 Une foule nombreuse
assembla autour de lui, si bien qu'il
ıonta dans une barque et s'y assit. Les
ens se tenaient au bord de l'eau. 3 Il leur
arlait de beaucoup de choses en utilisant
es *paraboles et il leur disait : « Un jour,
n homme s'en alla dans son champ pour
emer. 4 Tandis qu'il lançait la semence,
ne partie des grains tomba le long du
ıemin : les oiseaux vinrent et les man-
èrent. 5 Une autre partie tomba sur un
ol pierreux où il y avait peu de terre. Les
rains poussèrent aussitôt parce que la
ouche de terre n'était pas profonde.
Quand le soleil fut haut dans le ciel, il
rûla les jeunes plantes : elles se dessé-
ıèrent parce que leurs racines étaient
ısuffisantes. 7 Une autre partie des
rains tomba parmi des plantes épineu-
es. Celles-ci grandirent et étouffèrent les
onnes pousses. 8 Mais d'autres grains
ombèrent dans la bonne terre et produi-
rent des épis : les uns portaient cent
rains, d'autres soixante et d'autres
ente. » 9 Et Jésus ajouta : « Écoutez bien,
vous avez des oreilles ! »

Pourquoi Jésus utilise des paraboles

(Voir aussi Marc 4.10-12 ; Luc 8.9-10)

10 Les *disciples s'approchèrent alors
de Jésus et lui demandèrent : « Pourquoi
leur parles-tu en utilisant des *paraboles ? » 11 Il leur répondit : « Vous avez
reçu, vous, la connaissance des secrets du
*Royaume des cieux, mais eux ne l'ont
pas reçue. 12 Car celui qui a quelque chose
recevra davantage et il sera dans l'abondance ; mais à celui qui n'a rien on enlèvera même le peu qui pourrait lui
rester. 13 C'est pourquoi j'utilise des paraboles pour leur parler : parce qu'ils regardent sans voir et qu'ils écoutent sans
entendre et sans comprendre. 14 Ainsi
s'accomplit pour eux la prophétie exprimée par Ésaïe en ces termes :

"Vous entendrez bien,
mais vous ne comprendrez pas ;
vous regarderez bien,
mais vous ne verrez pas.
15 Car ce peuple est devenu insensible ;
ils se sont bouché les oreilles,
ils ont fermé les yeux,
afin d'empêcher leurs yeux de voir,
leurs oreilles d'entendre,
leur intelligence de comprendre,
et ainsi, ils ne reviendront pas à moi
pour que je les guérisse, dit Dieu[l]."

16 « Quant à vous, heureux êtes-vous :
vos yeux voient et vos oreilles entendent !
17 Je vous le déclare, c'est la vérité : beaucoup de *prophètes et de gens fidèles à
Dieu ont désiré voir ce que vous voyez,
mais ne l'ont pas vu, et entendre ce que
vous entendez, mais ne l'ont pas entendu[m]. »

Jésus explique la parabole du semeur

(Voir aussi Marc 4.13-20 ; Luc 8.11-15)

18 « Écoutez donc ce que signifie la *parabole du semeur. 19 Ceux qui entendent
parler du *Royaume et ne comprennent
pas sont comme le bord du chemin où

---

j **12.47** Ce verset ne se trouve pas dans plusieurs anciens manuscrits.

k **13.1** Voir Marc 2.1 et la note.

l **13.15** És 6.9-10, cité d'après l'ancienne version grecque.

m **13.17** Comparer 1 Pi 1.10-12.

tombe la semence : le Mauvais arrive et
arrache ce qui a été semé dans leur cœur.
20 D'autres sont comme le terrain pierreux où tombe la semence : ils entendent
la parole et la reçoivent aussitôt avec joie.
21 Mais ils ne la laissent pas s'enraciner en
eux, ils ne s'y attachent qu'un instant. Et
alors, quand survient la détresse ou la
persécution à cause de la parole de Dieu,
ils renoncent bien vite à la foi. 22 D'autres
encore reçoivent la semence parmi des
plantes épineuses : ils ont entendu la parole, mais les préoccupations de ce
monde et l'attrait trompeur de la richesse
étouffent la parole, et elle ne produit
rien[n]. 23 D'autres, enfin, reçoivent la semence dans de la bonne terre : ils entendent la parole et la comprennent ; ils
portent alors des fruits, les uns cent, d'autres soixante et d'autres trente. »

La parabole de la mauvaise herbe

24 Jésus leur raconta une autre *parabole : « Voici à quoi ressemble le
*Royaume des cieux : Un homme avait
semé de la bonne semence dans son
champ. 25 Une nuit, pendant que tout le
monde dormait, un ennemi de cet
homme vint semer de la mauvaise herbe
parmi le blé et s'en alla. 26 Lorsque les
plantes poussèrent et que les épis se formèrent, la mauvaise herbe apparut aussi.
27 Les serviteurs du propriétaire vinrent
lui dire : "Maître, tu avais semé de la
bonne semence dans ton champ : d'où
vient donc cette mauvaise herbe ?" 28 Il
leur répondit : "C'est un ennemi qui a
fait cela." Les serviteurs lui demandèrent
alors : "Veux-tu que nous allions enlever
la mauvaise herbe ?" – 29 "Non, répondit-il, car en l'enlevant vous risqueriez
d'arracher aussi le blé. 30 Laissez-les
pousser ensemble jusqu'à la moisson et, à
ce moment-là, je dirai aux moissonneurs : Enlevez d'abord la mauvaise
herbe et liez-la en bottes pour la brûler,
puis vous rentrerez le blé dans mon grenier." »

La parabole de la graine de moutarde

(Voir aussi Marc 4.30-32 ; Luc 13.18-19)

31 Jésus leur raconta une autre *para
bole : « Le *Royaume des cieux ressem
ble à une graine de moutarde qu'u
homme a prise et semée dans son champ
32 C'est la plus petite de toutes les grai
nes ; mais quand elle a poussé, c'est l
plus grande de toutes les plantes du jar
din : elle devient un arbre, de sorte qu
les oiseaux viennent faire leurs nids dan
ses branches. »

La parabole du levain

(Voir aussi Luc 13.20-21)

33 Jésus leur dit une autre *parabole
« Le *Royaume des cieux ressemble a
*levain qu'une femme prend et mêle
une grande quantité de farine, si bien qu
toute la pâte lève. »

Comment Jésus utilisait des parabole

(Voir aussi Marc 4.33-34)

34 Jésus dit tout cela aux foules en util
sant des *paraboles ; il ne leur parlait pa
sans utiliser de paraboles. 35 Il agissa
ainsi afin que se réalise cette parole d
*prophète :

« Je m'exprimerai par des paraboles,
j'annoncerai des choses tenues secrète
depuis la création du monde[o]. »

Jésus explique la parabole de la mauvaise herbe

36 Alors Jésus quitta la foule et se rend
à la maison. Ses *disciples s'approch
rent de lui et dirent : « Explique-nous l
*parabole de la mauvaise herbe dans l
champ. » 37 Jésus répondit en ces terme
« Celui qui sème la bonne semence, c'e
le *Fils de l'homme ; 38 le champ, c'est l
monde ; la bonne semence représen
ceux qui se soumettent au *Royaume ; l
mauvaise herbe représente ceux q
obéissent au Mauvais ; 39 l'ennemi q
sème la mauvaise herbe, c'est le *diable
la moisson, c'est la fin du monde ; et l
moissonneurs, ce sont les *ange
40 Comme on enlève la mauvaise herb
pour la jeter au feu, ainsi en sera-t-il à
fin du monde : 41 le Fils de l'homme e
verra ses anges, ils élimineront de so

---

n 13.22 *elle ne produit rien* : autre traduction *ils ne produisent rien*.

o 13.35 Ps 78.2.

Royaume tous ceux qui détournent de la
oi les autres et ceux qui commettent le
nal, 42 et ils les jetteront dans le feu de la
ournaise ; c'est là que beaucoup pleure-
ont et grinceront des dents. 43 Mais
lors, ceux qui sont fidèles à Dieu brille-
ont comme le soleil dans le Royaume de
eur Père[p]. Écoutez bien, si vous avez des
reilles ! »

Le trésor caché et la perle

44 « Le *Royaume des cieux ressemble
un trésor caché dans un champ. Un
omme découvre ce trésor et le cache de
ouveau. Il est si heureux qu'il va vendre
out ce qu'il possède et revient acheter ce
hamp.
45 « Le Royaume des cieux ressemble
ncore à un marchand qui cherche de
elles perles. 46 Quand il en a trouvé une
e grande valeur, il va vendre tout ce
u'il possède et achète cette perle. »

La parabole du filet

47 « Le *Royaume des cieux ressemble
ncore à un filet qu'on a jeté dans le lac et
ui attrape toutes sortes de poissons.
Quand il est plein, les pêcheurs le tirent
u bord de l'eau, puis s'asseyent pour
ier les poissons : ils mettent les bons
ans des paniers et rejettent ceux qui ne
alent rien. 49 Ainsi en sera-t-il à la fin du
nonde : les *anges viendront séparer les
néchants d'avec les bons 50 pour les jeter
ans le feu de la fournaise ; c'est là que
eaucoup pleureront et grinceront des
ents. »

Des richesses nouvelles et anciennes

51 « Avez-vous compris tout cela ? » leur
emanda Jésus. « Oui », répondirent-ils.
Il leur dit alors : « Ainsi donc, tout
maître de la loi qui devient *disciple du
Royaume des cieux est semblable à un
ropriétaire qui tire de son trésor des
hoses nouvelles et des choses ancien-
es. »

Les gens de Nazareth ne croient pas en Jésus

(Voir aussi Marc 6.1-6 ; Luc 4.16-30)

53 Quand Jésus eut fini de raconter ces
paraboles, il partit de là 54 et se rendit
dans la ville où il avait grandi[q]. Il se mit à
enseigner dans la *synagogue de l'endroit et toutes les personnes présentes furent très étonnées. Elles disaient : « D'où
a-t-il cette sagesse ? comment peut-il accomplir ces miracles ? 55 N'est-ce pas lui
le fils du charpentier ? Marie n'est-elle
pas sa mère[r] ? Jacques, Joseph, Simon et
Jude ne sont-ils pas ses frères ? 56 Et ses
sœurs ne vivent-elles pas toutes parmi
nous ? D'où a-t-il donc tout ce pouvoir ? »
57 Et cela les empêchait de croire en lui.
Alors Jésus leur dit : « Un *prophète est
estimé partout, excepté dans sa ville natale et dans sa famille[s]. » 58 Jésus n'accomplit là que peu de miracles à cause de
leur manque de foi.

La mort de Jean-Baptiste

(Voir aussi Marc 6.14-29 ; Luc 9.7-9)

14 1 En ce temps-là, *Hérode, qui régnait sur la Galilée, entendit parler de Jésus. 2 Il dit à ses serviteurs :
« C'est Jean-Baptiste : il est revenu d'entre les morts ! Voilà pourquoi il a le pouvoir d'accomplir des miracles. »
3 En effet, Hérode avait ordonné d'arrêter Jean, de l'enchaîner et de le jeter en
prison. C'était à cause d'Hérodiade, la
femme de son frère Philippe[t]. 4 Car Jean
disait à Hérode : « Il ne t'est pas permis
d'avoir Hérodiade pour femme[u] ! » 5 Hérode voulait faire mourir Jean, mais il
craignait le peuple juif, car tous considéraient Jean comme un *prophète. 6 Cependant, le jour de l'anniversaire
d'Hérode, la fille d'Hérodiade dansa devant les invités. Elle plut tellement à
Hérode 7 qu'il jura de lui donner tout ce
qu'elle demanderait. 8 Sur le conseil de
sa mère, elle lui dit : « Donne-moi ici la
tête de Jean-Baptiste sur un plat ! » 9 Le
roi en fut attristé ; mais à cause des serments qu'il avait faits devant ses invités,

---

p **13.43** Comparer Dan 12.3.
q **13.54** *la ville...* : c'est-à-dire Nazareth. Voir 2.23 et Luc 4.16.
r **13.55** Comparer Jean 6.42.
s **13.57** Comparer Luc 4.24 ; Jean 4.44.
t **14.3** Voir Marc 6.17 et la note.
u **14.4** Voir Lév 18.16 ; 20.21.

il donna l'ordre de la lui accorder. 10 Il envoya donc quelqu'un couper la tête de
Jean-Baptiste dans la prison. 11 La tête fut
apportée sur un plat et donnée à la jeune
fille, qui la remit à sa mère. 12 Les *disciples de Jean vinrent prendre son corps
et l'enterrèrent ; puis ils allèrent annoncer à Jésus ce qui s'était passé.

Jésus nourrit cinq mille hommes

(Voir aussi Marc 6.30-44 ; Luc 9.10-17 ; Jean 6.1-14)

13 Quand Jésus entendit cette nouvelle,
il partit de là en barque pour se rendre
seul dans un endroit isolé. Mais les foules l'apprirent ; elles sortirent des localités voisines et suivirent Jésus en
marchant au bord de l'eau. 14 Lorsque Jésus sortit de la barque, il vit une grande
foule ; il eut le cœur rempli de pitié pour
ces gens et il se mit à guérir leurs malades. 15 Quand le soir fut venu, les *disciples de Jésus s'approchèrent de lui et
dirent : « Il est déjà tard et cet endroit est
isolé. Renvoie tous ces gens pour qu'ils
aillent dans les villages s'acheter des vivres. » 16 Jésus leur répondit : « Il n'est pas
nécessaire qu'ils s'en aillent ; donnez-
leur vous-mêmes à manger ! » 17 Mais ils
lui dirent : « Nous n'avons ici que cinq
pains et deux poissons. » – 18 « Apportez-
les-moi », leur dit Jésus. 19 Ensuite, il ordonna à la foule de s'asseoir sur l'herbe ;
puis il prit les cinq pains et les deux poissons, leva les yeux vers le *ciel et remercia Dieu. Il rompit les pains et les donna
aux disciples, et ceux-ci les distribuèrent
à la foule. 20 Chacun mangea à sa faim.
Les disciples emportèrent douze corbeilles pleines des morceaux qui restaient[v].
21 Ceux qui avaient mangé étaient au
nombre d'environ cinq mille hommes,
sans compter les femmes et les enfants.

Jésus marche sur le lac

(Voir aussi Marc 6.45-52 ; Jean 6.15-21)

22 Aussitôt après, Jésus fit monter les
*disciples dans la barque pour qu'ils pas-
sent avant lui de l'autre côté du lac, per
dant que lui-même renverrait la foul
23 Après l'avoir renvoyée, il monta su
une colline pour prier. Quand le soir fu
venu, il se tenait là, seul ; 24 la barqu
était déjà à une bonne distance de l
terre, elle était battue par les vagues, ca
le vent soufflait contre elle. 25 Tard dan
la nuit, Jésus se dirigea vers ses disciple
en marchant sur l'eau. 26 Quand ils le v
rent marcher sur l'eau, ils furent terr
fiés et dirent : « C'est un fantôme ! » E
ils poussèrent des cris de frayeur. 27 Ma
aussitôt Jésus leur parla : « Courage, leu
dit-il. C'est moi, n'ayez pas peur !
28 Pierre prit alors la parole et lui dit
« Seigneur, si c'est bien toi, ordonne qu
j'aille vers toi sur l'eau. » – 29 « Viens !
répondit Jésus.

Pierre sortit de la barque et se mit
marcher sur l'eau pour aller à Jésu
30 Mais quand il remarqua la violence d
vent, il prit peur. Il commença à s'enfor
cer dans l'eau et s'écria : « Seigneu
sauve-moi ! » 31 Aussitôt, Jésus étendit l
main, le saisit et lui dit : « Comme
confiance est faible ! Pourquoi as-t
douté ? » 32 Ils montèrent tous les deu
dans la barque et le vent tomba. 33 Alor
les disciples qui étaient dans la barque s
mirent à genoux devant Jésus et diren
« Tu es vraiment le *Fils de Dieu ! »

Jésus guérit les malades dans la région de Génésareth

(Voir aussi Marc 6.53-56)

34 Ils achevèrent la traversée du lac
arrivèrent dans la région de Génésareth[w]
35 Les gens de l'endroit reconnurent J
sus et répandirent dans les environs
nouvelle de son arrivée, et on lui amen
tous les malades. 36 On le suppliait de l
laisser toucher au moins le bord de so
manteau ; et tous ceux qui le touchaie
étaient guéris.

L'enseignement transmis par les ancêtres

(Voir aussi Marc 7.1-13)

15 1 Des *Pharisiens et des *maîtr
de la loi vinrent alors de Jérus
lem trouver Jésus et lui demandèren
2 « Pourquoi tes *disciples désobéissen

v 14.20 Comparer 2 Rois 4.42-44.
w 14.34 Voir Marc 6.53 et la note.

s aux règles transmises par nos an-
ètres ? Car ils ne se lavent pas les mains
elon la coutume avant de manger[x]. » 3 Jé-
ıs leur répondit : « Et vous, pourquoi
ésobéissez-vous au commandement de
Dieu pour agir selon votre propre tradi-
on ? 4 Dieu a dit en effet : “Respecte ton
ère et ta mère”, et aussi “Celui qui mau-
it son père ou sa mère doit être mis à
ıort[y].” 5 Mais vous, vous enseignez que
quelqu'un déclare à son père ou à sa
ıère : “Ce que je pourrais te donner pour
aider est une offrande réservée à Dieu”,
l n'a pas besoin de marquer pratique-
ıent son respect pour son père[z]. C'est
nsi que vous annulez l'exigence de la
arole de Dieu pour agir selon votre pro-
re tradition ! 7 Hypocrites ! Ésaïe avait
ien raison lorsqu'il *prophétisait à votre
ıjet en ces termes :

“Ce peuple, dit Dieu, m'honore en paroles,
mais de cœur il est loin de moi.
Le culte que ces gens me rendent est sans valeur
car les doctrines qu'ils enseignent
ne sont que des prescriptions humaines[a].” »

Les choses qui rendent un homme impur

(Voir aussi Marc 7.14-23)

10 Puis Jésus appela la foule et dit à
ıus : « Écoutez et comprenez ceci : 11 Ce
est pas ce qui entre dans la bouche d'un
omme qui le rend *impur. Mais ce qui
rt de sa bouche, voilà ce qui le rend im-
ır. » 12 Les *disciples s'approchèrent
ors de Jésus et lui dirent : « Sais-tu que
s *Pharisiens ont été scandalisés de
entendre parler ainsi ? » 13 Il répondit :
Toute plante que n'a pas plantée mon
ère qui est au *ciel sera arrachée. 14 Lais-
z-les : ce sont des aveugles conducteurs
aveugles ! Et si un aveugle conduit un
ıtre aveugle, ils tomberont tous les deux
ıns un trou. » 15 Pierre prit la parole et
i dit : « Explique-nous le sens de cette
ıage. » 16 Jésus dit : « Êtes-vous encore,
ous aussi, sans intelligence ? 17 Ne
mprenez-vous pas que tout ce qui entre
ıns la bouche de quelqu'un passe dans
n ventre et sort ensuite de son corps ?
18 Mais ce qui sort de la bouche vient du
cœur, et c'est cela qui rend l'homme impur. 19 Car de son cœur viennent les
mauvaises pensées qui le poussent à tuer,
commettre l'adultère, vivre dans l'immoralité, voler, prononcer de faux témoignages et dire du mal des autres.
20 Voilà ce qui rend l'homme impur !
Mais manger sans s'être lavé les mains
selon la coutume, cela ne rend pas
l'homme impur. »

Une femme étrangère croit en Jésus

(Voir aussi Marc 7.24-30)

21 Puis Jésus partit de là et s'en alla
dans le territoire de Tyr et de Sidon.
22 Une femme cananéenne[b] qui vivait
dans cette région vint à lui et s'écria :
« Maître, *Fils de David, aie pitié de
moi ! Ma fille est tourmentée par un esprit mauvais, elle va très mal ! » 23 Mais
Jésus ne répondit pas un mot. Ses *disciples s'approchèrent pour lui adresser
cette demande : « Renvoie-la[c], car elle ne
cesse de crier en nous suivant. » 24 Jésus
répondit : « Je n'ai été envoyé qu'aux
*brebis perdues du peuple *d'Israël[d]. »
25 Mais la femme vint se mettre à genoux devant lui et dit : « Maître, aide-
moi ! » 26 Jésus répondit : « Il n'est pas
bien de prendre le pain des enfants et de
le jeter aux chiens. » – 27 « C'est vrai,
Maître, dit-elle, pourtant même les
chiens mangent les miettes qui tombent
de la table de leurs maîtres. » 28 Alors Jésus lui répondit : « Oh ! que ta foi est
grande ! Dieu t'accordera ce que tu dé-

---

x **15.2** Comparer Luc 11.38.

y **15.4** Voir Ex 20.12 et Deut 5.16 ; Ex 21.17 et Lév 20.9.

z **15.6** *son père* : certains manuscrits ont *son père ou sa mère*.

a **15.9** És 29.13, cité d'après l'ancienne version grecque.

b **15.22** L'appellation *cananéenne* désigne cette femme comme appartenant à la population autochtone de cette partie de la Phénicie. Qu'elle soit non juive n'exclut pas qu'elle ait entendu parler de Jésus.

c **15.23** *Renvoie-la* : autre traduction *Accorde-lui ce qu'elle demande*.

d **15.24** Comparer 10.5-6.

sires. » Et sa fille fut guérie à ce moment même.

Jésus guérit de nombreux malades

29 Jésus partit de là et se rendit au bord du lac de Galilée. Il monta sur une colline et s'assit. 30 Des foules nombreuses vinrent à lui, amenant avec elles des boiteux, des aveugles, des infirmes, des muets et beaucoup d'autres malades. On les déposa aux pieds de Jésus et il les guérit. 31 Les gens furent remplis d'étonnement quand ils virent les muets parler, les infirmes être guéris, les boiteux marcher et les aveugles voir, et ils se mirent à louer le Dieu *d'Israël.

Jésus nourrit quatre mille hommes

(Voir aussi Marc 8.1-10)

32 Jésus appela ses *disciples et dit : « J'ai pitié de ces gens, car voilà trois jours qu'ils sont avec moi et ils n'ont plus rien à manger. Je ne veux pas les renvoyer le ventre vide ; ils pourraient se trouver mal en chemin. » 33 Les disciples lui demandèrent : « Où pourrions-nous trouver de quoi faire manger à sa faim une telle foule, dans cet endroit désert ? » 34 Jésus leur demanda : « Combien avez-vous de pains ? » Et ils répondirent : « Sept, et quelques petits poissons. » 35 Alors, il ordonna à la foule de s'asseoir par terre. 36 Puis il prit les sept pains et les poissons, remercia Dieu, les rompit et les donna à ses disciples, et les disciples les distribuèrent à tous. 37 Chacun mangea à sa faim. Les disciples emportèrent sept corbeilles pleines des morceaux qui restaient. 38 Ceux qui avaient mangé étaient au nombre de quatre mille hommes, sans compter les femmes et les enfants. 39 Après avoir renvoyé la foule, Jésus monta dans la barque et se rendit dans la région de Magadan[e].

Les Pharisiens et les Sadducéens demandent un signe miraculeux

(Voir aussi Marc 8.11-13 ; Luc 12.54-56)

16 1 Les *Pharisiens et les *Saddu-céens s'approchèrent de Jésu pour lui tendre un piège. Ils lui deman dèrent de leur montrer par un signe mi raculeux qu'il venait de la part de Dieu 2 Mais Jésus leur répondit en ces termes « Au coucher du soleil, vous dites : "Il v faire beau temps, car le ciel est rouge. 3 Et tôt le matin, vous dites : "Il va pleu voir aujourd'hui, car le ciel est roug sombre." Vous savez interpréter les as pects du ciel, mais vous êtes incapable d'interpréter les signes qui concernen ces temps-ci[f] ! 4 Les gens d'aujourd'hu qui sont mauvais et infidèles à Dieu réclament un signe miraculeux, mai aucun signe ne leur sera accordé si c n'est celui de Jonas[g]. » Puis il les laissa e partit.

Le levain des Pharisiens et des Sadducéens

(Voir aussi Marc 8.14-21)

5 Quand les *disciples passèrent d l'autre côté du lac, ils oublièrent d'empor ter du pain. 6 Jésus leur dit alors : « Atter tion ! Gardez-vous du *levain de *Pharisiens et des *Sadducéens. » 7 Le disciples se mirent à dire entre eux : « parle ainsi parce que nous n'avons pa emporté de pain. » 8 Jésus s'aperçut de c qu'ils disaient et leur demanda : « Pour quoi dire entre vous : c'est parce que nou n'avons pas de pain ? Comme votr confiance est faible ! 9 Ne comprene vous pas encore ? Ne vous rappelez-vou pas les cinq pains distribués aux cin mille hommes et le nombre de corbeille que vous avez emportées[h] ? 10 Et ne vo rappelez-vous pas les sept pains distribu aux quatre mille hommes et le nombre c corbeilles que vous avez emportées[i] 11 Comment ne comprenez-vous pas qu je ne vous parlais pas de pain quand vous disais : Gardez-vous du levain de Pharisiens et des Sadducéens ? »

12 Alors les disciples comprirent qu' ne leur avait pas dit de se garder du le vain utilisé pour le pain, mais de l'e

---

e **15.39** *Magadan* : localité inconnue. Certains manuscrits ont *Magdala*.
f **16.3** Plusieurs manuscrits anciens n'ont pas les paroles de Jésus des v. 2 et 3.
g **16.4** Comparer 12.39-40.
h **16.9** Voir 14.15-21.
i **16.10** Voir 15.32-38.

eignement des Pharisiens et des Saddu-
éens.

Pierre déclare que Jésus est le Messie

(Voir aussi Marc 8.27-30 ; Luc 9.18-21)

13 Jésus se rendit dans le territoire de
:ésarée de Philippe. Il demanda à ses
disciples : « Que disent les gens au sujet
u *Fils de l'homme ? » 14 Ils répondi-
ent : « Certains disent que tu es Jean-
Baptiste, d'autres que tu es *Élie, et d'au-
:es encore que tu es Jérémie ou un autre
prophète. » – 15 « Et vous, leur demanda
ésus, qui dites-vous que je suis ? » 16 Sinon Pierre répondit : « Tu es le *Messie,
: Fils du Dieu vivant. » 17 Jésus lui dit
lors : « Tu es heureux, Simon fils de
ean, car ce n'est pas un être humain qui
a révélé cette vérité, mais mon Père qui
st dans les *cieux. 18 Eh bien, moi, je te
: déclare, tu es Pierre et sur cette pierre
: construirai mon Église[j]. La mort elle-
nême ne pourra rien contre elle. 19 Je te
onnerai les clés du *Royaume des
ieux : ce que tu excluras sur terre sera
xclu dans les cieux ; ce que tu accueille-
as sur terre sera accueilli dans les
ieux[k]. » 20 Puis Jésus ordonna sévère-
nent à ses disciples de ne dire à personne
u'il était le Messie.

Jésus annonce sa mort et sa *résurrection

(Voir aussi Marc 8.31–9.1 ; Luc 9.22-27)

21 A partir de ce moment, Jésus se mit à
arler ouvertement à ses *disciples en di-
ant : « Il faut que j'aille à Jérusalem et
ue j'y souffre beaucoup de la part des
anciens, des chefs des *prêtres et des
maîtres de la loi. Je serai mis à mort et,
troisième jour, je reviendrai à la vie. »
Alors Pierre le prit à part et se mit à lui
ire des reproches : « Dieu t'en garde,
eigneur ! dit-il. Non, cela ne t'arrivera
as ! » 23 Mais Jésus se retourna et dit à
ierre : « Va-t'en loin de moi, *Satan ! Tu
: un obstacle sur ma route, car tu ne
enses pas comme Dieu, mais comme les
res humains. »
24 Puis Jésus dit à ses disciples : « Si
uelqu'un veut venir avec moi, qu'il
esse de penser à lui-même, qu'il porte sa
roix et me suive. 25 En effet, celui qui
veut sauver sa vie la perdra ; mais celui
qui perdra sa vie pour moi la retrouvera.
26 A quoi servirait-il à un homme de gagner le monde entier, si c'est au prix de sa
vie ? Que pourrait-il donner pour racheter sa vie ? 27 En effet, le *Fils de l'homme
va venir dans la *gloire de son Père avec
ses *anges, et alors il traitera chacun selon la façon dont il aura agi[l]. 28 Je vous le
déclare, c'est la vérité : quelques-uns de
ceux qui sont ici ne mourront pas avant
d'avoir vu le Fils de l'homme venir
comme roi. »

La transfiguration de Jésus

(Voir aussi Marc 9.2-13 ; Luc 9.28-36)

17 1 Six jours après, Jésus prit avec
lui Pierre, Jacques et Jean, frère
de Jacques, et les conduisit sur une
haute montagne où ils se trouvèrent
seuls. 2 Il changea d'aspect devant leurs
yeux ; son visage se mit à briller comme
le soleil et ses vêtements devinrent
blancs comme la lumière[m]. 3 Soudain les
trois *disciples virent Moïse et *Élie qui
parlaient avec Jésus. 4 Pierre dit alors à
Jésus : « Seigneur, il est bon que nous
soyons ici. Si tu le veux, je vais dresser
ici trois tentes, une pour toi, une pour
Moïse et une pour Élie. » 5 Il parlait
encore, lorsqu'un nuage brillant vint
les couvrir, et du nuage une voix se fit
entendre : « Celui-ci est mon *Fils
bien-aimé en qui je mets toute ma joie.
Écoutez-le[n] ! » 6 Quand les disciples entendirent cette voix, ils eurent tellement
peur qu'ils se jetèrent le visage contre
terre. 7 Jésus s'approcha d'eux, les toucha
et dit : « Relevez-vous, n'ayez pas peur. »
8 Ils levèrent alors les yeux et ne virent
personne d'autre que Jésus. 9 Tandis
qu'ils descendaient de la montagne, Jésus leur fit cette recommandation : « Ne
parlez à personne de cette vision, jusqu'à
ce que le *Fils de l'homme revienne
d'entre les morts. »

---

j **16.18** Comparer Éph 2.20.
k **16.19** Comparer 18.18 ; Jean 20.23.
l **16.27** Comparer Ps 62.13 ; Rom 2.6.
m **17.2** Comparer 2 Pi 1.16-18.
n **17.5** Voir 3.17 et la note.

10 Puis les disciples interrogèrent Jésus :
« Pourquoi les *maîtres de la loi disent-
ils qu'Élie doit venir d'abord[o] ? » 11 Il
leur répondit : « Élie doit en effet venir
et tout remettre en ordre. 12 Quant à moi,
je vous le déclare : Élie est déjà venu, les
gens ne l'ont pas reconnu mais l'ont
traité comme ils l'ont voulu. C'est ainsi
que le Fils de l'homme lui-même sera
maltraité par eux. » 13 Les disciples
comprirent alors qu'il leur parlait de
Jean-Baptiste.

Jésus guérit un enfant épileptique

(Voir aussi Marc 9.14-29 ; Luc 9.37-43a)

14 Quand ils arrivèrent là où était la
foule, un homme s'approcha de Jésus, se
mit à genoux devant lui 15 et dit : « Maître, aie pitié de mon fils. Il est épilep-
tique[p] et il a de telles crises que, souvent,
il tombe dans le feu ou dans l'eau. 16 Je l'ai
amené à tes *disciples, mais ils n'ont pas
pu le guérir. » 17 Jésus s'écria : « Gens
mauvais et sans foi que vous êtes !
Combien de temps encore devrai-je rester avec vous ? Combien de temps encore
devrai-je vous supporter ? Amenez-moi
l'enfant ici. » 18 Jésus menaça l'esprit
mauvais ; celui-ci sortit de l'enfant qui
fut guéri à ce moment même. 19 Les disciples s'approchèrent alors de Jésus en
particulier et lui demandèrent : « Pourquoi n'avons-nous pas pu chasser cet esprit ? » 20 Jésus leur répondit : « Parce que
vous avez trop peu de foi. Je vous le déclare, c'est la vérité : si vous aviez de la foi
gros comme un grain de moutarde[q], vous
diriez à cette colline : "Déplace-toi d'ici à
là-bas", et elle se déplacerait. Rien ne
vous serait impossible. [21 Mais c'est par
la prière et le *jeûne seulement qu'on
peut faire sortir ce genre d'esprit[r].] »

Jésus annonce de nouveau sa mort et sa *résurrection

(Voir aussi Marc 9.30-32 ; Luc 9.43b-45)

22 Un jour que les *disciples se trou
vaient tous ensemble en Galilée, Jésu
leur dit : « Le *Fils de l'homme va être li
vré entre les mains des hommes, 23 qui l
mettront à mort ; mais, le troisième jou
il reviendra à la vie. » Alors les disciple
furent profondément attristés.

Le paiement de l'impôt du temple

24 Quand Jésus et ses *disciples arri
vèrent à Capernaüm, ceux qui perce
vaient l'impôt du *temple s'approchèren
de Pierre et lui demandèrent : « Votr
maître ne paie-t-il pas l'impôt du tem
ple[s] ? » – 25 « Si, répondit Pierre, il l
paie. » Au moment où Pierre entrait dan
la maison, Jésus prit la parole le premie
et dit : « Qu'en penses-tu, Simon ? Qu
doit payer les impôts ou les taxes aux roi
de ce monde ? Les citoyens de leurs pays
ou les étrangers ? » – 26 « Les étrangers »
répondit Pierre. « Par conséquent, lui di
Jésus, les citoyens n'ont pas à payer. 27 Ce
pendant, nous ne voulons pas choque
ces gens. C'est pourquoi, va au lac, lanc
une ligne à l'eau, tire à toi le premie
poisson que tu attraperas et ouvre-lui l
bouche : tu y trouveras une pièce d'ar
gent qui suffira pour payer mon impô
et le tien ; prends-la et paie-leur notr
impôt. »

Le plus grand dans le Royaume des cieux

(Voir aussi Marc 9.33-37 ; Luc 9.46-48)

18 1 A ce moment, les *disciples s'ap
prochèrent de Jésus et lui deman
dèrent : « Qui est le plus grand dans l
*Royaume des cieux ? » 2 Jésus appela u
petit enfant, le plaça au milieu d'eux 3 e
dit : « Je vous le déclare, c'est la vérité : s
vous ne changez pas pour devenir comm
des petits enfants, vous n'entrerez pa
dans le Royaume des cieux. 4 Le plu
grand dans le Royaume des cieux est ce
lui qui s'abaisse et devient comme cet en
fant. 5 Et l'homme qui reçoit un enfan
comme celui-ci par amour pour moi, m
reçoit moi-même.

---

o **17.10** Comparer Mal 3.23.

p **17.15** Voir 4.24 et la note.

q **17.20** *gros comme un grain de moutarde* : la graine de moutarde était considérée comme la plus petite de toutes les graines. Voir 13.32.

r **17.21** Ce verset ne se trouve pas dans plusieurs anciens manuscrits.

s **17.24** Voir Ex 30.11-16.

t **17.25** *les citoyens de leurs pays* : autre traduction *les membres de leur famille*.

Sérieuse mise en garde

(Voir aussi Marc 9.42-48 ; Luc 17.1-2)

6 « Celui qui fait tomber dans le péché
ın de ces petits qui croient en moi, il
vaudrait mieux pour lui qu'on lui attache
ıu cou une grosse pierre et qu'on le noie
ıu fond de la mer. 7 Quel malheur pour le
nonde que tous les faits qui entraînent
es hommes à pécher ! Ils se produisent
atalement, mais malheur à l'homme qui
:n est la cause ! 8 Si c'est à cause de ta
nain ou de ton pied que tu tombes dans
e péché, coupe-les et jette-les loin de toi ;
l vaut mieux pour toi entrer dans la vraie
rie avec une seule main ou un seul pied
que de garder les deux mains et les deux
pieds et d'être jeté dans le feu éternel. 9 Et
i c'est à cause de ton œil que tu tombes
dans le péché, arrache-le et jette-le loin
le toi ; il vaut mieux pour toi entrer dans
a vraie vie avec un seul œil que de garder
es deux yeux et d'être jeté dans le feu de
l'enfer. »

La parabole du mouton égaré et retrouvé

(Voir aussi Luc 15.3-7)

10 « Gardez-vous de mépriser l'un de
es petits ; je vous l'affirme, en effet, leurs
anges se tiennent continuellement en
résence de mon Père dans les *cieux.
11 Car le *Fils de l'homme est venu sau-
er ceux qui étaient perdus[u].]
12 « Qu'en pensez-vous ? Supposons
u'un homme possède cent moutons et
ue l'un d'eux s'égare, ne va-t-il pas lais-
er les quatre-vingt-dix-neuf autres sur la
olline pour partir à la recherche de celui
ui s'est égaré ? 13 Je vous l'affirme, s'il le
etrouve, il ressent plus de joie pour ce
nouton que pour les quatre-vingt-dix-
euf autres qui ne se sont pas égarés.
De même, votre Père[v] qui est dans les
ieux ne veut pas qu'un seul de ces petits
e perde. »

Quand un frère se rend coupable

15 « Si ton frère se rend coupable à ton
gard[w], va le trouver seul à seul et mon-
re-lui sa faute. S'il t'écoute, tu auras ga-
né ton frère. 16 Mais s'il refuse de
écouter, prends une ou deux autres personnes avec toi, afin que, comme le dit
l'Écriture, "toute affaire soit réglée sur le
témoignage de deux ou trois personnes[x]." 17 Mais s'il refuse de les écouter,
dis-le à l'Église ; et s'il refuse d'écouter
l'Église, considère-le comme un incroyant ou un *collecteur d'impôts.
18 « Je vous le déclare, c'est la vérité :
tout ce que vous exclurez sur terre sera
exclu dans le *ciel ; tout ce que vous ac-
cueillerez sur terre sera accueilli dans le
ciel[y].
19 « Je vous déclare aussi que si deux
d'entre vous, sur la terre, s'accordent
pour demander quoi que ce soit dans la
prière, mon Père qui est dans les cieux le
leur donnera. 20 Car là où deux ou trois
s'assemblent en mon nom, je suis au milieu d'eux. »

La parabole du serviteur qui refuse de pardonner

21 Alors Pierre s'approcha de Jésus et
lui demanda : « Seigneur, combien de fois
devrai-je pardonner à mon frère s'il se
rend coupable envers moi ? jusqu'à sept
fois ? » – 22 « Non, répondit Jésus, je ne te
dis pas jusqu'à sept fois, mais jusqu'à
soixante-dix fois sept fois[z]. 23 C'est pourquoi, voici à quoi ressemble le *Royaume
des cieux : Un roi décida de régler ses
comptes avec ses serviteurs. 24 Il
commençait à le faire, quand on lui en
amena un qui lui devait une énorme
somme d'argent. 25 Cet homme n'avait
pas de quoi rendre cet argent ; alors son
maître donna l'ordre de le vendre comme
esclave et de vendre aussi sa femme, ses
enfants et tout ce qu'il possédait, afin de
rembourser ainsi la dette. 26 Le serviteur
se jeta à genoux devant son maître et lui
dit : "Prends patience envers moi et je te
paierai tout !" 27 Le maître en eut pitié : il
annula sa dette et le laissa partir. 28 Le

---

u **18.11** Ce verset ne se trouve pas dans plusieurs anciens manuscrits. Voir Luc 19.10.

v **18.14** *votre Père* : certains manuscrits ont *mon Père*.

w **18.15** Certains manuscrits n'ont pas *à ton égard*.

x **18.16** Deut 19.15.

y **18.18** Comparer 16.19 ; Jean 20.23.

z **18.22** *soixante-dix fois sept fois* : autre traduction *soixante-dix-sept fois*.

serviteur sortit et rencontra un de ses compagnons de service qui lui devait une très petite somme d'argent. Il le saisit à la gorge et le serrait à l'étouffer en disant : "Paie ce que tu me dois !" 29 Son compagnon se jeta à ses pieds et le supplia en ces termes : "Prends patience envers moi et je te paierai !" 30 Mais l'autre refusa ; bien plus, il le fit jeter en prison en attendant qu'il ait payé sa dette. 31 Quand les autres serviteurs virent ce qui était arrivé, ils en furent profondément attristés et allèrent tout raconter à leur maître. 32 Alors le maître fit venir ce serviteur et lui dit : "Méchant serviteur ! j'ai annulé toute ta dette parce que tu m'as supplié de le faire. 33 Tu devais toi aussi avoir pitié de ton compagnon, comme j'ai eu pitié de toi." 34 Le maître était fort en colère et il envoya le serviteur aux travaux forcés en attendant qu'il ait payé toute sa dette. »

35 Et Jésus ajouta : « C'est ainsi que mon Père qui est au *ciel vous traitera si chacun de vous ne pardonne pas à son frère de tout son cœur. »[a]

L'enseignement de Jésus sur le divorce

(Voir aussi Marc 10.1-12)

19 1 Quand Jésus eut achevé ces instructions, il quitta la Galilée et se rendit dans la partie de la Judée qui se trouve de l'autre côté de la rivière, le Jourdain[b]. 2 Une foule de gens l'y suivirent et il guérit leurs malades. 3 Quelques *Pharisiens s'approchèrent de lui pour lui tendre un piège. Ils lui demandèrent : « Notre loi permet-elle à un homme de renvoyer sa femme pour n'importe quelle raison ? » 4 Jésus répondit : « N'avez-vous pas lu ce que déclare l'Écriture ? "Au commencement, le Créateur les fit homme et femme[c]", 5 puis il dit :
C'est pourquoi, l'homme quittera sor
père et sa mère pour s'attacher à s
femme, et les deux deviendront un seu
être[d]. 6 Ainsi, ils ne sont plus deux mai
un seul être. Que l'homme ne sépar
donc pas ce que Dieu a uni. » 7 Les Phari
siens lui demandèrent : « Pourquoi don
Moïse a-t-il commandé à l'homme d
donner une attestation de divorce à s
femme quand il la renvoie[e] ? » 8 Jésus ré
pondit : « Moïse vous a permis de ren
voyer vos femmes parce que vous avez l
cœur dur. Mais au commencement, i
n'en était pas ainsi. 9 Je vous le déclare : s
un homme renvoie sa femme, alor
qu'elle n'a pas été infidèle[f], et en épous
une autre, il commet un adultère. »

10 Ses *disciples lui dirent : « Si telle es
la condition de l'homme par rapport à s
femme, il vaut mieux ne pas se marier.
11 Jésus leur répondit : « Tous les homme
ne sont pas capables d'accepter cet en
seignement, mais seulement ceux à qu
Dieu en donne les moyens. 12 Il y a dif
férentes raisons qui empêchent les hom
mes de se marier : pour certains, c'est un
impossibilité dès leur naissance ; d'au
tres, les *eunuques, en ont été rendus in
capables par les hommes ; d'autres enfi
renoncent à se marier à cause d
*Royaume des cieux. Que celui qui peu
accepter cet enseignement l'accepte ! »

Jésus bénit des enfants

(Voir aussi Marc 10.13-16 ; Luc 18.15-17)

13 Des gens amenèrent des enfants à Jé
sus pour qu'il pose les mains sur eux e
prie pour eux, mais les *disciples leur fi
rent des reproches. 14 Jésus dit alors
« Laissez les enfants venir à moi et ne le
en empêchez pas, car le *Royaume de
cieux appartient à ceux qui sont comm
eux. »[g] 15 Il posa les mains sur eux, pui
partit de là.

Le jeune homme riche

(Voir aussi Marc 10.17-31 ; Luc 18.18-30)

16 Un homme s'approcha de Jésus et l
demanda : « Maître, que dois-je faire d
bon pour avoir la vie éternelle ? » 17 Jésu
lui dit : « Pourquoi m'interroges-tu au su
jet de ce qui est bon ? Un seul est bon. S
tu veux entrer dans la vie, obéis au

---

a **18.35** Comparer 6.15.
b **19.1** *de l'autre côté... Jourdain* : c'est-à-dire à l'est du Jourdain.
c **19.4** Gen 1.27 ; 5.2.
d **19.5** Gen 2.24.
e **19.7** Voir Deut 24.1 ; Matt 5.31.
f **19.9** *alors qu'elle n'a pas été infidèle* : voir 5.32 et la note.
g **19.14** Comparer 18.3-5.

:ommandements. » – 18 « Auxquels ? » de-
nanda-t-il. Jésus répondit : « Ne commets
›as de meurtre ; ne commets pas d'adul-
ère ; ne vole pas ; ne prononce pas de
aux témoignage contre quelqu'un ; 19 res-
›ecte ton père et ta mère ; aime ton pro-
:hain comme toi-même[h]. » 20 Le jeune
ıomme lui dit : « J'ai obéi à tous ces
:ommandements. Que dois-je faire en-
:ore ? » – 21 « Si tu veux être parfait[i], lui dit
ésus, va vendre tout ce que tu possèdes et
lonne l'argent aux pauvres, alors tu auras
les richesses dans les *cieux ; puis viens
:t suis-moi. » 22 Mais quand le jeune
ıomme entendit cela, il s'en alla tout
riste, parce qu'il avait de grands biens.

23 Jésus dit alors à ses *disciples : « Je
ous le déclare, c'est la vérité : il est dif-
icile à un homme riche d'entrer dans le
Royaume des cieux. 24 Et je vous dé-
lare encore ceci : il est difficile à un
hameau de passer par le trou d'une ai-
uille, mais il est encore plus difficile à
ın riche d'entrer dans le Royaume de
)ieu. » 25 Quand les disciples entendi-
ent ces mots, ils furent très étonnés et
irent : « Mais qui donc peut être
auvé ? » 26 Jésus les regarda et leur dit :
C'est impossible aux hommes, mais
›ut est possible à Dieu. » 27 Alors Pierre
rit la parole : « Écoute, lui dit-il, nous
vons tout quitté pour te suivre. Que se
assera-t-il pour nous ? » 28 Jésus leur
it : « Je vous le déclare, c'est la vérité :
uand le *Fils de l'homme siégera sur
›n trône glorieux dans le monde nou-
eau[j], vous, les douze qui m'avez suivi,
ous siégerez également sur des trônes
our juger les douze tribus *d'Israël.
Et tous ceux qui auront quitté pour
ıoi leurs maisons, ou leurs frères, leurs
eurs, leur père, leur mère, leurs en-
ınts, leurs champs, recevront cent fois
lus et auront part à la vie éternelle.
Mais beaucoup qui sont maintenant
s premiers seront les derniers et beau-
›up qui sont maintenant les derniers
:ront les premiers. »

Les ouvriers dans la vigne

20 1 « Voici, en effet, à quoi ressemble
le *Royaume des cieux : Un pro-
riétaire sortit tôt le matin afin d'engager
des ouvriers pour sa vigne. 2 Il convint
avec eux de leur payer le salaire habituel,
une pièce d'argent par jour, et les envoya
travailler dans sa vigne. 3 Il sortit de nouveau à neuf heures du matin et en vit
d'autres qui se tenaient sur la place sans
rien faire. 4 Il leur dit : "Allez, vous aussi,
travailler dans ma vigne et je vous donnerai un juste salaire." 5 Et ils y allèrent. Le
propriétaire sortit encore à midi, puis à
trois heures de l'après-midi et fit de
même. 6 Enfin, vers cinq heures du soir, il
sortit et trouva d'autres hommes qui se
tenaient encore sur la place. Il leur demanda : "Pourquoi restez-vous ici tout le
jour sans rien faire ?" – 7 "Parce que personne ne nous a engagés", répondirent-
ils. Il leur dit : "Eh bien, allez, vous aussi,
travailler dans ma vigne."

8 « Quand vint le soir, le propriétaire
de la vigne dit à son contremaître : "Appelle les ouvriers et paie à chacun son salaire. Tu commenceras par les derniers
engagés et tu termineras par les premiers engagés." 9 Ceux qui s'étaient mis
au travail à cinq heures du soir vinrent
alors et reçurent chacun une pièce d'argent. 10 Quand ce fut le tour des premiers engagés, ils pensèrent qu'ils
recevraient plus ; mais on leur remit
aussi à chacun une pièce d'argent. 11 En
la recevant, ils critiquaient le propriétaire 12 et disaient : "Ces ouvriers engagés en dernier n'ont travaillé qu'une
heure et tu les as payés comme nous qui
avons supporté la fatigue d'une journée
entière de travail sous un soleil brûlant !" 13 Mais le propriétaire répondit à
l'un d'eux : "Mon ami, je ne te cause aucun tort. Tu as convenu avec moi de travailler pour une pièce d'argent par jour,
n'est-ce pas ? 14 Prends donc ton salaire
et va-t'en. Je veux donner à ce dernier
engagé autant qu'à toi. 15 N'ai-je pas le
droit de faire ce que je veux de mon argent ? Ou bien es-tu jaloux parce que je
suis bon ?" 16 Ainsi, ajouta Jésus, ceux
qui sont les derniers seront les premiers

h **19.19** Voir Ex 20.12-16 : Deut 5.16-20 ; Lév 19.18.
i **19.21** Comparer 5.48.
j **19.28** Comparer Dan 7.14.

et ceux qui sont les premiers seront les
derniers. »

Jésus annonce une troisième fois sa mort et sa *résurrection

(Voir aussi Marc 10.32-34 ; Luc 18.31-34)

17 Jésus se rendait à Jérusalem. Il prit
les douze *disciples à part et leur dit, tout
en marchant : 18 « Écoutez, nous montons
à Jérusalem, où le *Fils de l'homme sera
livré aux chefs des *prêtres et aux *maîtres de la loi. Ils le condamneront à mort
19 et le livreront aux païens, qui se moqueront de lui, le frapperont à coups de
fouet et le cloueront sur une croix. Et le
troisième jour, il reviendra de la mort à la
vie. »

La demande de la mère de Jacques et Jean

(Voir aussi Marc 10.35-45)

20 Alors la femme de Zébédée s'approcha de Jésus avec ses deux fils ; elle s'inclina devant lui pour lui demander une
faveur. 21 « Que désires-tu ? » lui dit Jésus. Elle lui répondit : « Promets-moi
que mes deux fils que voici siégeront
l'un à ta droite et l'autre à ta gauche
quand tu seras roi. » – 22 « Vous ne savez
pas ce que vous demandez, répondit Jésus. Pouvez-vous boire la coupe de douleur que je vais boire ? » – « Nous le
pouvons », lui répondirent-ils. 23 « Vous
boirez en effet ma coupe, leur dit Jésus[k].
Mais ce n'est pas à moi de décider qui
siégera à ma droite et à ma gauche ; ces
places sont à ceux pour qui mon Père les
a préparées. »

24 Quand les dix autres *disciples entendirent cela, ils s'indignèrent contre les
deux frères. 25 Alors Jésus les appela tous
et dit : « Vous savez que les chefs des peuples les commandent en maîtres et que
les grands personnages leur font sentir
leur pouvoir. 26 Mais cela ne doit pas se
passer ainsi parmi vous. Au contraire, si
l'un de vous veut être grand, il doit être
votre serviteur, 27 et si l'un de vous veut
être le premier, il doit être votre esclave :
28 c'est ainsi que le *Fils de l'homme n'est
pas venu pour se faire servir, mais il est
venu pour servir, et donner sa vie comme
rançon pour libérer une multitude de
gens[l]. »

Jésus guérit deux aveugles

(Voir aussi Marc 10.46-52 ; Luc 18.35-43)

29 Lorsqu'ils sortirent de Jéricho, une
grande foule suivit Jésus. 30 Deux aveugles qui étaient assis au bord du chemin
entendirent que Jésus passait ; ils se mirent alors à crier : « Maître, *Fils de David, aie pitié de nous ! » 31 La foule leur
faisait des reproches pour qu'ils se taisent, mais ils criaient encore plus fort :
« Maître, Fils de David, aie pitié de
nous ! » 32 Jésus s'arrêta, les appela et leur
demanda : « Que voulez-vous que je fasse
pour vous ? » 33 Ils lui répondirent : « Maître, fais que nos yeux puissent voir. » 34 Jésus eut pitié d'eux et toucha leurs yeux ;
aussitôt, les deux hommes purent voir, et
ils le suivirent.

Jésus entre à Jérusalem

(Voir aussi Marc 11.1-11 ; Luc 19.28-40 ; Jean 12.12-19)

21 1 Quand ils approchèrent de Jérusalem et arrivèrent près du village
de Bethfagé, sur le mont des Oliviers[m],
Jésus envoya en avant deux des *disciples : 2 « Allez au village qui est là devant vous, leur dit-il. Vous y trouverez
tout de suite une ânesse attachée et son
ânon avec elle. Détachez-les et amenez-
les-moi. 3 Si l'on vous dit quelque chose,
répondez : "Le Seigneur[n] en a besoin."
Et aussitôt on les laissera partir. »

4 Cela arriva afin que se réalisent ces
paroles du *prophète :

5 « Dites à la population de *Sion :
Regarde, ton roi vient à toi,
plein de douceur, monté sur une
ânesse,
et sur un ânon, le petit d'une ânesse[o]. »

6 Les disciples partirent donc et firent
ce que Jésus leur avait ordonné. 7 Ils amenèrent l'ânesse et l'ânon, posèrent leurs

---

k **20.23** Comparer Act 12.2.
l **20.28** Comparer 26.28 ; 1 Tim 2.6.
m **21.1** Voir Marc 11.1 et la note.
n **21.3** *Le Seigneur* : autres traductions *Le Maître* ou *Leur propriétaire*.
o **21.5** Zach 9.9.

anteaux sur eux et Jésus s'assit dessus.
Jne grande foule de gens étendirent
urs manteaux sur le chemin ; d'autres
upaient des branches aux arbres et les
ettaient sur le chemin[p]. 9 Les gens qui
archaient devant Jésus et ceux qui le
ivaient criaient : « Gloire au *Fils de
avid ! Que Dieu *bénisse celui qui
ent au nom du Seigneur ! Gloire à Dieu
ıns les *cieux[q] ! »
10 Quand Jésus entra dans Jérusalem,
ute la population se mit à s'agiter. « Qui
t cet homme ? » demandait-on. 11 « C'est
prophète Jésus, de Nazareth en Gali-
e », répondaient les gens.

Jésus dans le temple

(Voir aussi Marc 11.15-19 ; Luc 19.45-48 ; Jean 2.13-22)

12 Jésus entra dans le *temple et chassa
us ceux qui vendaient ou qui ache-
ient à cet endroit ; il renversa les tables
s changeurs d'argent et les sièges des
ndeurs de pigeons. 13 Puis il leur dit :
Dans les Écritures, Dieu déclare : "On
pellera ma maison maison de prière."
ais vous, ajouta-t-il, vous en faites une
verne de voleurs[r] ! »
14 Des aveugles et des boiteux s'appro-
èrent de Jésus dans le temple et il les
érit. 15 Les chefs des *prêtres et les
aîtres de la loi s'indignèrent quand ils
rent les actions étonnantes qu'il ac-
mplissait et les enfants qui criaient
ns le temple : « Gloire au *Fils de
avid ! » 16 Ils dirent alors à Jésus :
Entends-tu ce qu'ils disent ? » – « Oui,
ır répondit Jésus. N'avez-vous jamais
ce passage de l'Écriture : "Tu as fait en
rte que même des enfants et des bébés
louent[s]" ? » 17 Puis il les quitta et sortit
la ville pour se rendre à Béthanie où il
ssa la nuit.

Jésus maudit un figuier

(Voir aussi Marc 11.12-14,20-24)

18 Le lendemain matin, tandis qu'il re-
nait en ville, Jésus eut faim. 19 Il vit un
uier au bord du chemin et s'en appro-
a, mais il n'y trouva que des feuilles. Il
t alors au figuier : « Tu ne porteras plus
nais de fruit ! » Aussitôt, le figuier de-
ıt tout sec. 20 Les *disciples virent cela
et furent remplis d'étonnement. Ils demandèrent à Jésus : « Comment ce figuier
est-il devenu tout sec en un instant ? »
21 Jésus leur répondit : « Je vous le déclare, c'est la vérité : si vous avez de la foi
et si vous ne doutez pas, non seulement
vous pourrez faire ce que j'ai fait à ce figuier, mais vous pourrez même dire à
cette colline : "Ote-toi de là et jette-toi
dans la mer", et cela arrivera. 22 Si vous
croyez, vous recevrez tout ce que vous demanderez dans la prière. »

D'où vient l'autorité de Jésus ?

(Voir aussi Marc 11.27-33 ; Luc 20.1-8)

23 Jésus entra dans le *temple et se mit
à enseigner ; les chefs des *prêtres et les
*anciens du peuple juif s'approchèrent
alors et lui demandèrent : « De quel droit
fais-tu ces choses ? Qui t'a donné autorité
pour cela ? » 24 Jésus leur répondit : « Je
vais vous poser à mon tour une question,
une seule ; si vous me donnez une réponse, alors je vous dirai de quel droit je
fais ces choses. 25 Qui a envoyé Jean baptiser[t] ? Est-ce Dieu ou les hommes ? »
Mais ils se mirent à discuter entre eux et
se dirent : « Si nous répondons : "C'est
Dieu qui l'a envoyé", il nous demandera :
"Pourquoi donc n'avez-vous pas cru
Jean ?" 26 Mais si nous disons : "Ce sont
les hommes qui l'ont envoyé", nous
avons à craindre la foule, car tous pensent
que Jean était un *prophète. » 27 Alors ils
répondirent à Jésus : « Nous ne savons
pas. » – « Eh bien, répliqua-t-il, moi non
plus, je ne vous dirai pas de quel droit je
fais ces choses. »

La parabole des deux fils

28 « Que pensez-vous de ceci ? ajouta
Jésus. Un homme avait deux fils. Il

---

p **21.8** Comparer 2 Rois 9.13.

q **21.9** Comparer Ps 118.25-26. – *Gloire... Gloire* : le texte original comporte les deux fois le terme *Hosanna*, dérivé d'une expression hébraïque signifiant *viens à notre aide* (Ps 118.25) ; mais ce terme est devenu une acclamation, un cri de louange.

r **21.13** Comparer És 56.7 ; Jér 7.11.

s **21.16** Ps 8.3, cité d'après l'ancienne version grecque.

t **21.25** Voir 3.6.

s'adressa au premier et lui dit : "Mon enfant, va travailler aujourd'hui dans la vigne." – 29 "Non, je ne veux pas",
répondit-il ; mais, plus tard, il changea
d'idée et se rendit à la vigne. 30 Le père
adressa la même demande à l'autre fils.
Celui-ci lui répondit : "Oui, père, j'y
vais", mais il n'y alla pas. 31 Lequel des
deux a fait la volonté de son père ? »
– « Le premier », répondirent-ils. Jésus
leur dit alors : « Je vous le déclare, c'est la
vérité : les *collecteurs d'impôts et les
prostituées arriveront avant vous dans le
*Royaume de Dieu. 32 Car Jean-Baptiste
est venu à vous en vous montrant le juste
chemin et vous ne l'avez pas cru ; mais les
collecteurs d'impôts et les prostituées
l'ont cru. Et même après avoir vu cela,
vous n'avez pas changé intérieurement
pour croire en lui. »

La parabole des méchants vignerons

(Voir aussi Marc 12.1-12 ; Luc 20.9-19)

33 « Écoutez une autre *parabole : Il y
avait un propriétaire qui planta une vigne ; il l'entoura d'un mur, y creusa la roche pour le pressoir à raisin et bâtit une
tour de garde[u]. Ensuite, il loua la vigne à
des ouvriers vignerons et partit en
voyage. 34 Quand vint le moment de récolter le raisin, il envoya ses serviteurs
aux ouvriers vignerons pour recevoir sa
récolte. 35 Mais les vignerons saisirent ses
serviteurs, battirent l'un, assassinèrent
l'autre et tuèrent un troisième à coups de
pierres. 36 Alors le propriétaire envoya
d'autres serviteurs, en plus grand nombre que la première fois, mais les vignerons les traitèrent de la même façon.
37 Finalement, il leur envoya son fils en
pensant : "Ils auront du respect pour
mon fils." 38 Mais quand les vignerons virent le fils, ils se dirent entre eux : "Voici
le futur héritier ! Allons, tuons-le et nous
aurons sa propriété !" 39 Ils le saisirent
donc, le jetèrent hors de la vigne et le
tuèrent.

40 « Eh bien, quand le propriétaire de
vigne viendra, que fera-t-il à ces vign
rons ? » demanda Jésus. 41 Ils lui répo
dirent : « Il mettra à mort sans pitié c
criminels et louera la vigne à d'autres v
gnerons, qui lui remettront la récolte
moment voulu. »
42 Puis Jésus leur dit : « N'avez-vous
mais lu ce que déclare l'Écriture ?

"La pierre que les bâtisseurs avaie
rejetée
est devenue la pierre principale.
Cela vient du Seigneur,
pour nous, c'est une merveille[v] !"

43 « C'est pourquoi, ajouta Jésus, je vous
déclare : le *Royaume de Dieu vous se
enlevé pour être confié à un peuple c
en produira les fruits. [44 Celui qui to
bera sur cette pierre s'y brisera ; et si
pierre tombe sur quelqu'un, elle le
duira en poussière[w].] »
45 Les chefs des *prêtres et les *Pha
siens entendirent les paraboles de Jés
et comprirent qu'il parlait d'eux. 46
cherchèrent alors un moyen de l'arrêt
mais ils eurent peur de la foule qui con
dérait Jésus comme un *prophète.

La parabole du grand repas de mariage

(Voir aussi Luc 14.15-24)

22 1 Jésus utilisa de nouveau des *p
raboles pour parler à ses auditeu
Il leur dit : 2 « Voici à quoi ressemble
*Royaume des cieux : Un roi organisa
repas pour le mariage de son fils. 3 Il e
voya ses serviteurs appeler les invi
pour ce repas, mais ils ne voulurent p
venir. 4 Il envoya alors d'autres serviteu
avec cet ordre : "Dites aux invités : M
repas est préparé maintenant, mes ta
reaux et mes bêtes grasses sont tués, to
est prêt. Venez au repas de mariage
5 Mais les invités ne s'en soucièrent pas
s'en allèrent à leurs affaires : l'un à s
champ, l'autre à son commerce ; 6 les a
tres saisirent les serviteurs, les maltr
tèrent et les tuèrent. 7 Le roi se mit
colère : il envoya ses soldats tuer ces
sassins et incendier leur ville. 8 Puis il
à ses serviteurs : "Le repas de mariage
prêt, mais les invités ne le méritaient p
9 Allez donc dans les principales rues

---

u **21.33** Comparer És 5.1-2.
v **21.42** Ps 118.22-23.
w **21.44** Ce verset ne se trouve pas dans plusieurs anciens manuscrits. Voir Luc 20.18.

vitez au repas tous ceux que vous pour-
z trouver.” 10 Les serviteurs s’en al-
rent dans les rues et rassemblèrent tous
ux qu’ils trouvèrent, les mauvais
mme les bons ; et ainsi, la salle de fête
remplit de monde. 11 Le roi entra alors
ur voir les invités et il aperçut un
mme qui ne portait pas de costume de
e. 12 Il lui demanda : “Mon ami, coment es-tu entré ici sans costume de
e ?” Mais l’homme ne répondit rien.
Alors le roi dit aux serviteurs : “Liez-
i les pieds et les mains et jetez-le de-
rs, dans le noir. C’est là qu’il pleurera
grincera des dents.” 14 En effet, ajouta
sus, beaucoup sont invités, mais peu
nt admis. »

L’impôt payé à l’empereur

(Voir aussi Marc 12.13-17 ; Luc 20.20-26)

15 Les *Pharisiens allèrent alors tenir
nseil pour décider comment ils pour-
ent prendre Jésus au piège par une
estion. 16 Ils envoyèrent ensuite quel-
es-uns de leurs *disciples et quelques
embres du parti d’Hérode[x] dire à Jésus :
Maître, nous savons que tu dis la vérité :
enseignes la vérité sur la conduite que
eu demande ; tu n’as pas peur de ce que
nsent les autres et tu ne tiens pas
mpte de l’apparence des gens. 17 Dis-
us donc ce que tu penses de ceci : notre
permet-elle ou non de payer des im-
ts à l’empereur romain ? » 18 Mais Jésus
nnaissait leurs mauvaises intentions ; il
r dit alors : « Hypocrites, pourquoi me
dez-vous un piège ? 19 Montrez-moi
gent qui sert à payer l’impôt. » Ils lui
ésentèrent une pièce d’argent, 20 et Jésus
r demanda : « Ce visage et ce nom gra-
ici, de qui sont-ils ? » – 21 « De l’empe-
ur », répondirent-ils. Alors Jésus leur
: « Payez donc à l’empereur ce qui lui
partient, et à Dieu ce qui lui appar-
nt. » 22 Quand ils entendirent cette ré-
nse, ils furent remplis d’étonnement.
le laissèrent et s’en allèrent.

Une question sur la résurrection des morts

(Voir aussi Marc 12.18-27 ; Luc 20.27-40)

23 Le même jour, quelques *Saddu-
ns vinrent auprès de Jésus. – Ce sont
eux qui affirment qu’il n’y a pas de
*résurrection[y]. – Ils l’interrogèrent 24 de
la façon suivante : « Maître, voici ce que
Moïse a déclaré : “Si un homme meurt
sans avoir eu d’enfants, son frère doit
épouser la veuve pour donner des descendants à celui qui est mort[z].” 25 Or, il y
avait parmi nous sept frères. Le premier
se maria, mourut sans avoir eu d’enfants
et laissa ainsi sa veuve à son frère. 26 Il en
fut de même pour le deuxième frère,
puis pour le troisième et pour tous les
sept. 27 Après eux tous, la femme mourut
aussi. 28 Au jour où les morts se relèveront, duquel des sept sera-t-elle donc la
femme ? Car ils l’ont tous eue comme
épouse ! » 29 Jésus leur répondit : « Vous
vous trompez parce que vous ne
connaissez ni les Écritures, ni la puissance de Dieu. 30 En effet, quand les
morts se relèveront, les hommes et les
femmes ne se marieront pas, mais ils vivront comme les *anges dans le *ciel.
31 Pour ce qui est de se relever d’entre les
morts, n’avez-vous jamais lu ce que Dieu
vous a déclaré ? Il a dit : 32 “Je suis le
Dieu d’Abraham, le Dieu d’Isaac et le
Dieu de Jacob[a].” Dieu, ajouta Jésus, est
le Dieu des vivants, et non des morts. »
33 Tous ceux qui l’avaient entendu
étaient impressionnés par son enseignement.

Le commandement le plus important

(Voir aussi Marc 12.28-34 ; Luc 10.25-28)

34 Quand les *Pharisiens apprirent que
Jésus avait réduit au silence les *Sadducéens, ils se réunirent. 35 Et l’un d’eux, un
*maître de la loi, voulut lui tendre un
piège ; il lui demanda : 36 « Maître, quel
est le plus grand commandement de la
loi ? »

37 Jésus lui répondit : « “Tu dois aimer
le Seigneur ton Dieu de tout ton cœur, de
toute ton âme et de toute ton intelligence[b].” 38 C’est là le commandement le

x **22.16** *parti d’Hérode* : voir Marc 3.6 et la note.
y **22.23** Comparer Act 23.8.
z **22.24** Voir Deut 25.5-6.
a **22.32** Ex 3.6.
b **22.37** Deut 6.5.

plus grand et le plus important. 39 Et
voici le second commandement, qui est
d'une importance semblable : "Tu dois
aimer ton prochain comme toi-même[c]."
40 Toute la *loi de Moïse et tout l'enseignement des *prophètes dépendent de
ces deux commandements. »[d]

Le Messie et David

(Voir aussi Marc 12.35-37 ; Luc 20.41-44)

41 Les *Pharisiens se trouvaient réunis
et Jésus leur posa cette question : 42 « Que
pensez-vous du *Messie ? De qui est-il le
descendant ? » – « Il est le descendant de
David », lui répondirent-ils. 43 Jésus leur
dit : « Comment donc David, guidé par le
Saint-Esprit, a-t-il pu l'appeler "Seigneur" ? Car David a dit :
44 "Le Seigneur Dieu a déclaré à mon
Seigneur :
Viens siéger à ma droite,
je veux contraindre tes ennemis à passer sous tes pieds[e]."
45 « Si donc David l'appelle "Seigneur",
comment le Messie peut-il être aussi descendant de David ? » 46 Aucun d'eux ne
put lui répondre un seul mot et, à partir
de ce jour, personne n'osa plus lui poser
de questions.

Jésus met en garde contre les maîtres de la loi et les Pharisiens

(Voir aussi Marc 12.38-39 ; Luc 11.43,46 ; 20.45-46)

23 1 Alors Jésus s'adressa à toute la
foule, ainsi qu'à ses *disciples :
2 « Les *maîtres de la loi et les *Pharisiens, dit-il, sont chargés d'expliquer la
*loi de Moïse. 3 Vous devez donc leur
obéir et accomplir tout ce qu'ils vous disent ; mais n'imitez pas leur façon d'agir,
car ils ne mettent pas en pratique ce
qu'ils enseignent. 4 Ils attachent de
lourds fardeaux, difficiles à porter, et l
mettent sur les épaules des homme
mais eux-mêmes refusent de bouger u
doigt pour les aider à remuer ces fa
deaux. 5 Ils accomplissent toutes leu
œuvres de façon que les hommes les r
marquent. Ainsi, pour les paroles s
crées qu'ils portent au front ou au bra
ils ont des étuis particulièreme
grands ; les franges de leurs mantea
sont exceptionnellement larges[f]. 6 Ils a
ment les places d'honneur dans l
grands repas et les sièges les plus en v
dans les *synagogues ; 7 ils aiment à r
cevoir des salutations respectueuses s
les places publiques et à être appel
"Maître" par les gens. 8 Mais vous,
vous faites pas appeler "Maître", c
vous êtes tous frères et vous n'av
qu'un seul Maître. 9 N'appelez person
sur la terre votre "Père", car vous n'av
qu'un seul Père, celui qui est au *ci
10 Ne vous faites pas non plus appel
"Chef", car vous n'avez qu'un seul Ch
le *Messie. 11 Le plus grand parmi vo
doit être votre serviteur. 12 Celui q
s'élève sera abaissé, mais celui q
s'abaisse sera élevé. »

Jésus dénonce l'hypocrisie des maîtres de la loi et des Pharisiens

(Voir aussi Marc 12.40 ; Luc 11.39-52 ; 20.45-47)

13 « Malheur à vous, *maîtres de la
et *Pharisiens, hypocrites ! Vous ferm
la porte du *Royaume des cieux deva
les hommes ; vous n'y entrez pas vo
mêmes et vous ne laissez pas entrer ce
qui le désirent.
[14 « Malheur à vous, maîtres de la loi
Pharisiens, hypocrites ! Vous prenez a
veuves tout ce qu'elles possèdent et,
même temps, vous faites de longues pr
res pour vous faire remarquer. C'est po
quoi vous serez jugés d'autant pl
sévèrement[g] !]
15 « Malheur à vous, maîtres de la loi
Pharisiens, hypocrites ! Vous voyag
partout sur terre et sur mer pour gagn
un seul converti, et quand vous l'avez g
gné vous le rendez digne de *l'enfer de
fois plus que vous.

---

c **22.39** Lév 19.18.
d **22.40** Comparer 7.12.
e **22.44** Ps 110.1.
f **23.5** Les Juifs pieux portaient une *frange* à leur vêtement, munie d'un fil violet, qui rappelait les commandements de Dieu. Voir Nomb 15.38-41.
g **23.14** Ce verset ne se trouve pas dans plusieurs anciens manuscrits. Voir Marc 12.40.

16 « Malheur à vous, conducteurs aveugles ! Vous dites : “Si quelqu’un jure par
le *temple, il n’est pas engagé par ce serment ; mais s’il jure par l’or du temple, il
est engagé.” 17 Insensés, aveugles !
Qu’est-ce qui a le plus d’importance : l’or,
ou le temple qui rend cet or sacré ?
18 Vous dites aussi : “Si quelqu’un jure par
l’autel, il n’est pas engagé par ce serment ; mais s’il jure par l’offrande qui se
trouve sur l’autel, il est engagé.” 19 Aveugles ! Qu’est-ce qui a le plus d’importance : l’offrande, ou l’autel qui rend cette
offrande sacrée ? 20 Celui donc qui jure
par l’autel jure par l’autel et par tout ce
qui se trouve dessus ; 21 celui qui jure par
le temple jure par le temple et par Dieu
qui l’habite ; 22 celui qui jure par le *ciel
jure par le trône de Dieu et par Dieu qui
y siège[h].

23 « Malheur à vous, maîtres de la loi et
Pharisiens, hypocrites ! Vous donnez à
Dieu le dixième de plantes comme la
menthe, le fenouil et le cumin[i], mais vous
négligez les enseignements les plus importants de la loi, tels que la justice, la
bonté et la fidélité : c’est pourtant là ce
qu’il fallait pratiquer, sans négliger le
reste. 24 Conducteurs aveugles ! Vous fil-
trez votre boisson pour en éliminer un
moustique, mais vous avalez un chameau !

25 « Malheur à vous, maîtres de la loi et
Pharisiens, hypocrites ! Vous nettoyez
l’extérieur de la coupe et du plat, mais
l’intérieur reste rempli du produit de vos
vols et de vos mauvais désirs. 26 Pharisien
aveugle ! Nettoie d’abord l’intérieur de la
coupe et alors l’extérieur deviendra également propre.

27 « Malheur à vous, maîtres de la loi et
Pharisiens, hypocrites ! Vous ressemblez
à des tombeaux blanchis[j] qui paraissent
beaux à l’extérieur mais qui, à l’intérieur,
sont pleins d’ossements de morts et de
toute sorte de pourriture. 28 Vous de
même, extérieurement vous donnez à
tout le monde l’impression que vous êtes
fidèles à Dieu, mais intérieurement vous
êtes pleins d’hypocrisie et de mal.

29 « Malheur à vous, maîtres de la loi et
Pharisiens, hypocrites ! Vous construisez
de belles tombes pour les *prophètes,
vous décorez les tombeaux des hommes
justes, 30 et vous dites : “Si nous avions
vécu au temps de nos ancêtres, nous n’aurions pas été leurs complices pour tuer les
prophètes.” 31 Ainsi, vous reconnaissez
vous-mêmes que vous êtes les descendants de ceux qui ont assassiné les prophètes. 32 Eh bien, continuez, achevez ce
que vos ancêtres ont commencé ! 33 Serpents, bande de vipères ! Comment
pensez-vous éviter d’être condamnés à
l’enfer ? 34 C’est pourquoi, écoutez : je
vais vous envoyer des prophètes, des sages et de vrais maîtres de la loi. Vous tuerez les uns, vous en clouerez d’autres sur
des croix, vous en frapperez d’autres encore à coups de fouet dans vos *synagogues et vous les poursuivrez de ville en
ville. 35 Et alors, c’est sur vous que retomberont les conséquences de tous les
meurtres commis contre des innocents
depuis le meurtre d’Abel le juste jusqu’à
celui de Zacharie, fils de Barachie, que
vous avez assassiné entre le *sanctuaire et
l’autel[k]. 36 Je vous le déclare, c’est la vérité : les conséquences de tous ces meurtres retomberont sur les gens d’aujourd’hui ! »

Jésus et Jérusalem

(Voir aussi Luc 13.34-35)

37 « Jérusalem, Jérusalem, toi qui mets à
mort les *prophètes et tues à coups de
pierres ceux que Dieu t’envoie ! Combien
de fois ai-je désiré rassembler tes habitants auprès de moi comme une poule
rassemble ses poussins sous ses ailes,
mais vous ne l’avez pas voulu ! 38 Eh bien,
votre maison va être complètement abandonnée[l]. 39 En effet, je vous le déclare :
dès maintenant vous ne me verrez plus
jusqu’à ce que vous disiez : “Que Dieu
*bénisse celui qui vient au nom du Sei-
gneur[m] !” »

---

h **23.22** Comparer És 66.1 ; Matt 5.34.
i **23.23** Voir Lév 27.30 ; Deut 14.22.
j **23.27** Les tombeaux palestiniens étaient peints en blanc pour éviter qu’on ne les touche la nuit et qu’on ne soit tenu ainsi à des rites de purification.
k **23.35** Voir Gen 4.8 ; 2 Chron 24.20-22.
l **23.38** Comparer Jér 22.5.
m **23.39** Ps 118.26.

Jésus
annonce la destruction du temple
(Voir aussi Marc 13.1-2 ; Luc 21.5-6)

24 1 Jésus sortit du *temple et, tandis
qu'il s'en allait, ses *disciples s'approchèrent de lui pour lui faire remarquer les constructions du temple. 2 Alors
Jésus prit la parole et leur dit : « Vous
voyez tout cela ? Je vous le déclare, c'est
la vérité : il ne restera pas ici une seule
pierre posée sur une autre ; tout sera renversé. »

Des malheurs
et des persécutions
(Voir aussi Marc 13.3-13 ; Luc 21.7-19)

3 Jésus s'était assis au mont des Oliviers. Ses *disciples s'approchèrent alors
de lui en particulier et lui demandèrent :
« Dis-nous quand cela se passera, et quel
signe indiquera le moment de ta venue et
de la fin du monde. » 4 Jésus leur répondit : « Faites attention que personne ne
vous trompe. 5 Car beaucoup d'hommes
viendront en usant de mon nom et diront : "Je suis le *Messie !" Et ils tromperont quantité de gens. 6 Vous allez
entendre le bruit de guerres proches et
des nouvelles sur des guerres lointaines ;
ne vous laissez pas effrayer : il faut que
cela arrive, mais ce ne sera pas encore la
fin de ce monde. 7 Un peuple combattra
contre un autre peuple, et un royaume attaquera un autre royaume ; il y aura des
famines et des tremblements de terre
dans différentes régions. 8 Tous ces événements seront comme les premières
douleurs de l'accouchement. 9 Alors des
hommes vous livreront pour qu'on vous
tourmente et l'on vous mettra à mort.
Tous les peuples vous haïront à cause de
moi. 10 En ce temps-là, beaucoup abandonneront la foi ; ils se trahiront et se
haïront les uns les autres. 11 De nombreux faux *prophètes apparaîtront et
tromperont beaucoup de gens. 12 Le mal
se répandra à tel point que l'amour d'un
grand nombre de personnes se refroidira.
13 Mais celui qui tiendra bon jusqu'à la
fin sera sauvé. 14 Cette Bonne Nouvelle
du *Royaume sera annoncée dans le
monde entier pour que le témoignage en
soit présenté à tous les peuples. Et alors
viendra la fin. »

L'Horreur abominable
(Voir aussi Marc 13.14-23 ; Luc 21.20-24)

15 « Vous verrez celui qu'on appelle
"l'Horreur abominable", dont le *prophète Daniel a parlé[n] ; il sera placé dans
le *lieu saint. – Que celui qui lit
comprenne bien cela ! – 16 Alors, ceux qui
seront en Judée devront s'enfuir vers les
montagnes ; 17 celui qui sera sur la terrasse de sa maison ne devra pas descendre pour prendre ses affaires à
l'intérieur[o] ; 18 et celui qui sera dans les
champs ne devra pas retourner chez lui
pour emporter son manteau. 19 Quel malheur ce sera, en ces jours-là, pour les femmes enceintes et pour celles qui
allaiteront ! 20 Priez Dieu pour que vous
n'ayez pas à fuir pendant la mauvaise saison ou un jour de *sabbat ! 21 Car, en ce
temps-là, la détresse sera plus terrible
que toutes celles qu'on a connues depuis
le commencement du monde jusqu'à
maintenant, et il n'y en aura plus jamais
de pareille[p]. 22 Si Dieu n'avait pas décidé
d'abréger cette période, personne ne
pourrait survivre. Mais il l'a abrégée à
cause de ceux qu'il a choisis. 23 Si
quelqu'un vous dit alors : "Regardez, le
*Messie est ici !" ou bien : "Il est là !", ne
le croyez pas. 24 Car de faux messies et de
faux prophètes apparaîtront ; ils accompliront de grands miracles et des prodiges pour tromper, si possible, même
ceux que Dieu a choisis. 25 Écoutez ! Je
vous ai avertis à l'avance.

26 « Si donc on vous dit : "Regardez, il
est dans le désert !", n'y allez pas. Ou si
l'on vous dit : "Regardez, il se cache
ici !", ne le croyez pas. 27 Comme l'éclair
brille à travers le ciel de l'est à l'ouest
ainsi viendra le *Fils de l'homme. 28 Où
que soit le cadavre, là se rassembleront
les vautours. »

---

n **24.15** Dan 9.27 ; 11.31 ; 12.11.
o **24.17** La maison palestinienne avait généralement un toit plat, la *terrasse*, d'où l'on descendait par un escalier extérieur.
p **24.21** Comparer Dan 12.1.

La venue du Fils de l'homme

(Voir aussi Marc 13.24-27 ; Luc 21.25-28)

29 « Aussitôt après la détresse de ces
jours-là, le soleil s'obscurcira, la lune ne
donnera plus sa clarté, les étoiles tomberont du ciel et les puissances des *cieux
seront ébranlées[q]. 30 Alors, le signe du
*Fils de l'homme apparaîtra dans le ciel ;
alors, tous les peuples de la terre se lamenteront, ils verront le Fils de l'homme
arriver sur les nuages du ciel avec beaucoup de puissance et de *gloire[r]. 31 La
grande trompette sonnera et il enverra
ses *anges aux quatre coins de la terre :
ils rassembleront ceux qu'il a choisis,
d'un bout du monde à l'autre[s]. »

L'enseignement donné par le figuier

(Voir aussi Marc 13.28-31 ; Luc 21.29-33)

32 « Comprenez l'enseignement que
donne le figuier : dès que la sève circule
dans ses branches et que ses feuilles poussent, vous savez que la bonne saison est
proche. 33 De même, quand vous verrez
tout cela, sachez que l'événement est
proche, qu'il va se produire[t]. 34 Je vous
le déclare, c'est la vérité : les gens d'aujourd'hui n'auront pas tous disparu avant
que tout cela arrive. 35 Le ciel et la terre
disparaîtront, tandis que mes paroles ne
disparaîtront jamais. »

Dieu seul connaît le moment de la fin

(Voir aussi Marc 13.32-37 ; Luc 17.26-30,34-36)

36 « Cependant personne ne sait quand
viendra ce jour ou cette heure, pas même
les *anges dans les *cieux, ni même le
Fils[u] ; le Père seul le sait. 37 Ce qui s'est
passé du temps de *Noé se passera de la
même façon quand viendra le *Fils de
l'homme. 38 En effet, à cette époque,
avant la grande inondation, les gens
mangeaient et buvaient, se mariaient
ou donnaient leurs filles en mariage,
jusqu'au jour où Noé entra dans *l'arche[v] ; 39 ils ne se rendirent compte de rien
jusqu'au moment où la grande inondation vint et les emporta tous[w]. Ainsi
en sera-t-il quand viendra le Fils de
l'homme. 40 Alors, deux hommes seront
aux champs : l'un sera emmené et l'autre
laissé. 41 Deux femmes moudront du
grain au moulin : l'une sera emmenée et
l'autre laissée. 42 Veillez donc, car vous ne
savez pas quel jour votre Seigneur viendra. 43 Comprenez bien ceci : si le maître
de la maison savait à quel moment de la
nuit le voleur doit venir, il resterait
éveillé et ne le laisserait pas pénétrer dans
sa maison. 44 C'est pourquoi, tenez-vous
prêts, vous aussi, car le Fils de l'homme
viendra à l'heure que vous ne pensez
pas. »

Le serviteur fidèle et le serviteur infidèle

(Voir aussi Luc 12.41-48)

45 « Quel est donc le serviteur fidèle et
intelligent ? En voici un que son maître a
chargé de prendre soin des autres serviteurs pour leur donner leur nourriture au
moment voulu. 46 Heureux ce serviteur si
le maître, à son retour chez lui, le trouve
occupé à ce travail ! 47 Je vous le déclare,
c'est la vérité : le maître lui confiera la
charge de tous ses biens. 48 Mais si c'est
un mauvais serviteur, il se dira : "Mon
maître tarde à revenir", 49 et il se mettra à
battre ses compagnons de service, il mangera et boira avec des ivrognes. 50 Eh
bien, le maître reviendra un jour où le
serviteur ne l'attend pas et à une heure
qu'il ne connaît pas ; 51 il chassera le serviteur[x] et lui fera partager le sort des hypocrites, là où l'on pleure et grince des
dents. »

La parabole des dix jeunes filles

25 1 « Alors le *Royaume des cieux
ressemblera à l'histoire de dix jeunes filles qui prirent leurs lampes et sortirent pour aller à la rencontre du marié.
2 Cinq d'entre elles étaient imprévoyantes

---

q **24.29** Comparer És 13.10 ; 34.4 ; Ézék 32.7 ; Joël 2.10 ; 3.4.
r **24.30** Dan 7.13.
s **24.31** Comparer Deut 30.4 ; Zach 2.10 ; Néh 1.9.
t **24.33** *l'événement... produire* : autre traduction *il (le Fils de l'homme) est proche, il va arriver.*
u **24.36** *ni même le Fils* : ces mots ne se trouvent pas dans certains manuscrits.
v **24.38** Voir Gen 6.9–7.6.
w **24.39** Voir Gen 7.7-24.
x **24.51** *il chassera le serviteur* : autre traduction *il punira le serviteur d'une façon terrible.*

et cinq étaient raisonnables. 3 Celles qui
étaient imprévoyantes prirent leurs lampes mais sans emporter une réserve
d'huile. 4 En revanche, celles qui étaient
raisonnables emportèrent des flacons
d'huile avec leurs lampes. 5 Or, le marié
tardait à venir ; les jeunes filles eurent
toutes sommeil et s'endormirent. 6 A minuit, un cri se fit entendre : “Voici le marié ! Sortez à sa rencontre !” 7 Alors ces
dix jeunes filles se réveillèrent et se mirent à préparer leurs lampes. 8 Les imprévoyantes demandèrent aux
raisonnables : “Donnez-nous un peu de
votre huile, car nos lampes s'éteignent.”
9 Les raisonnables répondirent : “Non,
car il n'y en aurait pas assez pour nous et
pour vous. Vous feriez mieux d'aller au
magasin en acheter pour vous.” 10 Les
imprévoyantes partirent donc acheter de
l'huile, mais pendant ce temps, le marié
arriva. Les cinq jeunes filles qui étaient
prêtes entrèrent avec lui dans la salle de
mariage et l'on ferma la porte à clé.
11 Plus tard, les autres jeunes filles arrivèrent et s'écrièrent : “Maître, maître,
ouvre-nous !” 12 Mais le marié répondit :
“Je vous le déclare, c'est la vérité : je ne
vous connais pas.” 13 Veillez donc, ajouta
Jésus, car vous ne connaissez ni le jour
ni l'heure. »

La parabole des trois serviteurs

(Voir aussi Luc 19.11-27)

14 « Il en sera comme d'un homme qui
allait partir en voyage : il appela ses serviteurs et leur confia ses biens. 15 Il remit à
l'un cinq cents pièces d'or, à un autre
deux cents, à un troisième cent : à chacun
selon ses capacités. Puis il partit. 16 Le
serviteur qui avait reçu les cinq cents pièces d'or s'en alla aussitôt faire du
commerce avec cet argent et gagna cinq
cents autres pièces d'or. 17 Celui qui avait
reçu deux cents pièces agit de même et
gagna deux cents autres pièces. 18 Mais
celui qui avait reçu cent pièces s'en alla
creuser un trou dans la terre et y cacha
l'argent de son maître.

19 « Longtemps après, le maître de ces
serviteurs revint et se mit à régler ses
comptes avec eux. 20 Celui qui avait reçu
cinq cents pièces d'or s'approcha et présenta les cinq cents autres pièces en disant : “Maître, tu m'avais remis cinq
cents pièces d'or. J'en ai gagné cinq cents
autres : les voici.” 21 Son maître lui dit :
“C'est bien, bon et fidèle serviteur. Tu as
été fidèle dans des choses qui ont peu de
valeur, je te confierai donc celles qui ont
beaucoup de valeur. Viens te réjouir avec
moi.” 22 Le serviteur qui avait reçu les
deux cents pièces s'approcha ensuite et
dit : “Maître, tu m'avais remis deux cents
pièces d'or. J'en ai gagné deux cents autres : les voici.” 23 Son maître lui dit :
“C'est bien, bon et fidèle serviteur. Tu as
été fidèle dans des choses qui ont peu de
valeur, je te confierai donc celles qui ont
beaucoup de valeur. Viens te réjouir avec
moi.” 24 Enfin, le serviteur qui avait reçu
les cent pièces s'approcha et dit : “Maître,
je te connaissais comme un homme dur :
tu moissonnes où tu n'as pas semé, tu récoltes où tu n'as rien planté. 25 J'ai eu
peur et je suis allé cacher ton argent dans
la terre. Eh bien, voici ce qui t'appartient.” 26 Son maître lui répondit : “Mauvais serviteur, paresseux ! Tu savais que je
moissonne où je n'ai pas semé, que je récolte où je n'ai rien planté ? 27 Eh bien, tu
aurais dû placer mon argent à la banque
et, à mon retour, j'aurais retiré mon bien
avec les intérêts. 28 Enlevez-lui donc les
cent pièces d'or et remettez-les à celui qui
en a mille. 29 Car quiconque a quelque
chose recevra davantage et il sera dans
l'abondance ; mais à celui qui n'a rien, on
enlèvera même le peu qui pourrait lui
rester. 30 Quant à ce serviteur bon à rien,
jetez-le dehors, dans le noir, là où l'on
pleure et grince des dents.” »

Le jugement dernier

31 « Quand le *Fils de l'homme viendra
dans sa *gloire avec tous les *anges, il siégera sur son trône royal. 32 Tous les peuples de la terre seront assemblés devant
lui et il séparera les gens les uns des autres comme le *berger sépare les moutons
des chèvres ; 33 il placera les moutons à sa
droite et les chèvres à sa gauche. 34 Alors
le roi dira à ceux qui seront à sa droite :
“Venez, vous qui êtes *bénis par mon
Père, et recevez le *Royaume qui a été
préparé pour vous depuis la création du

monde. 35 Car j'ai eu faim et vous m'avez
donné à manger ; j'ai eu soif et vous
m'avez donné à boire ; j'étais étranger et
vous m'avez accueilli chez vous ; 36 j'étais
nu et vous m'avez habillé ; j'étais malade
et vous avez pris soin de moi ; j'étais en
prison et vous êtes venus me voir."
37 Ceux qui ont fait la volonté de Dieu lui
répondront alors : "Seigneur, quand
t'avons-nous vu affamé et t'avons-nous
donné à manger, ou assoiffé et t'avons-
nous donné à boire ? 38 Quand t'avons-
nous vu étranger et t'avons-nous accueilli
chez nous, ou nu et t'avons-nous habillé ?
39 Quand t'avons-nous vu malade ou en
prison et sommes-nous allés te voir ?"
40 Le roi leur répondra : "Je vous le déclare, c'est la vérité : toutes les fois que
vous l'avez fait à l'un de ces plus petits de
mes frères, c'est à moi que vous l'avez
fait."

41 « Ensuite, le roi dira à ceux qui seront à sa gauche : "Allez-vous-en loin de
moi, maudits ! Allez dans le feu éternel
qui a été préparé pour le *diable et ses anges ! 42 Car j'ai eu faim et vous ne m'avez
pas donné à manger ; j'ai eu soif et vous
ne m'avez pas donné à boire ; 43 j'étais
étranger et vous ne m'avez pas accueilli ;
j'étais nu et vous ne m'avez pas habillé ;
j'étais malade et en prison et vous n'avez
pas pris soin de moi." 44 Ils lui répondront alors : "Seigneur, quand t'avons-
nous vu affamé, ou assoiffé, ou étranger,
ou nu, ou malade, ou en prison et ne
t'avons-nous pas secouru ?" 45 Le roi leur
répondra : "Je vous le déclare, c'est la vérité : toutes les fois que vous ne l'avez pas
fait à l'un de ces plus petits, vous ne
l'avez pas fait à moi non plus." 46 Et ils
iront subir la peine éternelle, tandis que
ceux qui ont fait la volonté de Dieu iront
à la vie éternelle[y]. »

Les chefs complotent contre Jésus

(Voir aussi Marc 14.1-2 ; Luc 22.1-2 ; Jean 11.45-53)

26 1 Quand Jésus eut achevé toutes
ces instructions, il dit à ses *disciples : 2 « Vous savez que la fête de la *Pâque[z] aura lieu dans deux jours : le *Fils
de l'homme va être livré pour être cloué
sur une croix. »

3 Alors les chefs des *prêtres et les *anciens du peuple juif se réunirent dans le
palais de Caïphe, le grand-prêtre ; 4 ils
prirent ensemble la décision d'arrêter Jésus en cachette et de le mettre à mort. 5 Ils
disaient : « Nous ne devons pas l'arrêter
pendant la fête, sinon le peuple va se soulever. »

Une femme met du parfum sur la tête de Jésus

(Voir aussi Marc 14.3-9 ; Jean 12.1-8)

6 Jésus était à Béthanie, dans la maison
de Simon le *lépreux. 7 Une femme s'approcha de lui avec un flacon d'albâtre[a]
plein d'un parfum de grande valeur : elle
versa ce parfum sur la tête de Jésus pendant qu'il était à table. 8 Quand les *disciples virent cela, ils furent indignés et
dirent : « Pourquoi ce gaspillage ? 9 On
aurait pu vendre ce parfum très cher et
donner l'argent aux pauvres ! »
10 Jésus se rendit compte qu'ils parlaient ainsi et leur dit : « Pourquoi faites-
vous de la peine à cette femme ? Ce
qu'elle a accompli pour moi est beau.
11 Car vous aurez toujours des pauvres
avec vous[b] ; mais moi, vous ne m'aurez
pas toujours avec vous. 12 Elle a répandu
ce parfum sur mon corps afin de me préparer pour le tombeau[c]. 13 Je vous le déclare, c'est la vérité : partout où l'on
annoncera cette Bonne Nouvelle, dans le
monde entier, on racontera ce que cette
femme a fait, et l'on se souviendra
d'elle. »

Judas veut livrer Jésus aux chefs des prêtres

(Voir aussi Marc 14.10-11 ; Luc 22.3-6)

14 Alors un des douze *disciples, appelé
Judas Iscariote, alla trouver les chefs des
*prêtres 15 et leur dit : « Que me donne-
rez-vous si je vous livre Jésus ? » Ceux-ci
comptèrent trente pièces d'argent qu'ils

y **25.46** Comparer Dan 12.2.
z **26.2** Voir Ex 12.1-27.
a **26.7** *albâtre* : pierre de couleur claire, dont on faisait des flacons à parfums.
b **26.11** Comparer Deut 15.11.
c **26.12** Voir Marc 14.8 et la note.

lui remirent[d]. 16 A partir de ce moment, Judas se mit à chercher une occasion favorable pour leur livrer Jésus.

Jésus prend le repas de la Pâque avec ses disciples

(Voir aussi Marc 14.12-21 ; Luc 22.7-14,21-23 ; Jean 13.21-30)

17 Le premier jour de la fête des *pains sans levain, les *disciples vinrent demander à Jésus : « Où veux-tu que nous te préparions le repas de la *Pâque ? » 18 Jésus leur dit alors : « Allez à la ville chez un tel et dites-lui : “Le Maître déclare : Mon heure est arrivée ; c'est chez toi que je célébrerai la Pâque avec mes disciples.” » 19 Les disciples firent ce que Jésus leur avait ordonné et préparèrent le repas de la Pâque.

20 Quand le soir fut venu, Jésus se mit à table avec les douze disciples. 21 Pendant qu'ils mangeaient, Jésus dit : « Je vous le déclare, c'est la vérité : l'un de vous me trahira. » 22 Les disciples en furent profondément attristés et se mirent à lui demander l'un après l'autre : « Ce n'est pas moi, n'est-ce pas, Seigneur ? » 23 Jésus répondit : « Celui qui a trempé avec moi son pain dans le plat[e], c'est lui qui me trahira. 24 Le *Fils de l'homme va mourir comme les Écritures l'annoncent à son sujet[f] ; mais quel malheur pour celui qui trahit le Fils de l'homme ! Il aurait mieux valu pour cet homme-là ne pas naître ! » 25 Judas, celui qui le trahissait, prit la parole et demanda : « Ce n'est pas moi, n'est-ce pas, Maître ? » Jésus lui répondit : « C'est toi qui le dis. »

La sainte cène

(Voir aussi Marc 14.22-26 ; Luc 22.14-20 ; 1 Cor 11.23-25)

26 Pendant le repas, Jésus prit du pain et, après avoir remercié Dieu, il le rompit et le donna à ses *disciples ; il leur dit : « Prenez et mangez ceci, c'est mon corps. » 27 Il prit ensuite une coupe de vin et, après avoir remercié Dieu, il la leur donna en disant : « Buvez-en tous, 28 car ceci est mon sang, le sang qui garantit *l'alliance de Dieu[g] et qui est versé pour une multitude de gens, pour le pardon des péchés. 29 Je vous le déclare : dès maintenant, je ne boirai plus de ce vin jusqu'au jour où je boirai avec vous le vin nouveau dans le *Royaume de mon Père. » 30 Ils chantèrent ensuite les psaumes de la fête[h], puis ils s'en allèrent au mont des Oliviers.

Jésus annonce que Pierre le reniera

(Voir aussi Marc 14.27-31 ; Luc 22.31-34 ; Jean 13.36-38)

31 Alors Jésus dit à ses *disciples : « Cette nuit même, vous allez tous m'abandonner, car on lit dans les Écritures : “Je tuerai le *berger, et les moutons du troupeau partiront de tous côtés[i].” 32 Mais, ajouta Jésus, quand je serai de nouveau vivant, j'irai vous attendre en Galilée. » 33 Pierre prit la parole et lui dit : « Même si tous les autres t'abandonnent, moi je ne t'abandonnerai jamais. » 34 Jésus lui répondit : « Je te le déclare, c'est la vérité : cette nuit même, avant que le coq chante, tu auras prétendu trois fois ne pas me connaître. » 35 Pierre lui dit : « Je ne prétendrai jamais que je ne te connais pas, même si je dois mourir avec toi. » Et tous les autres disciples dirent la même chose.

Jésus prie à Gethsémané

(Voir aussi Marc 14.32-42 ; Luc 22.39-46)

36 Alors Jésus arriva avec ses *disciples à un endroit appelé Gethsémané[j] et il leur dit : « Asseyez-vous ici, pendant que je vais là-bas pour prier. » 37 Puis il emmena avec lui Pierre et les deux fils de Zébédée. Il commença à ressentir de la tristesse et de l'angoisse. 38 Il leur dit alors : « Mon cœur est plein d'une tristesse mortelle ; restez ici et veillez avec moi. » 39 Il alla un peu plus loin, se jeta le visage contre terre et pria en ces termes

---

d **26.15** Comparer Zach 11.12.
e **26.23** Voir Marc 14.20 et la note.
f **26.24** Voir Ps 22.2-19 ; És 53.
g **26.28** Comparer Ex 24.8 ; Jér 31.31-34.
h **26.30** *les psaumes de la fête* : c'est-à-dire les Ps 113 à 118.
i **26.31** Zach 13.7.
j **26.36** *Gethsémané* : nom araméen qui signifie *pressoir à huile*.

« Mon Père, si c'est possible, éloigne de
moi cette coupe de douleur. Toutefois,
non pas comme je veux, mais comme tu
veux. » 40 Il revint ensuite vers les trois
disciples et les trouva endormis. Il dit à
Pierre : « Ainsi vous n'avez pas été capables de veiller avec moi même une
heure ? 41 Restez éveillés et priez pour ne
pas tomber dans la tentation. L'être humain est plein de bonne volonté, mais il
est faible. »
42 Il s'éloigna une deuxième fois et pria
en ces termes : « Mon Père, si cette coupe
ne peut pas être enlevée sans que je la
boive, que ta volonté soit faite ! » 43 Il revint encore auprès de ses disciples et les
trouva endormis ; ils ne pouvaient pas
garder les yeux ouverts. 44 Jésus les quitta
de nouveau, s'éloigna et pria pour la troisième fois en répétant les mêmes paroles.
45 Puis il revint auprès des disciples et
leur dit : « Vous dormez encore et vous
vous reposez ? Maintenant, l'heure est arrivée et le *Fils de l'homme va être livré
entre les mains des pécheurs. 46 Levez-
vous, allons-y ! Voyez, l'homme qui me
livre à eux est ici ! »

L'arrestation de Jésus

(Voir aussi Marc 14.43-50 ; Luc 22.47-53 ; Jean 18.3-12)

47 Jésus parlait encore quand arriva Judas, l'un des douze *disciples. Il y avait
avec lui une foule nombreuse de gens armés d'épées et de bâtons. Ils étaient envoyés par les chefs des *prêtres et les
*anciens du peuple juif. 48 Judas, celui
qui leur livrait Jésus, avait indiqué à
cette foule le signe qu'il utiliserait :
« L'homme que j'embrasserai, c'est lui.
Saisissez-le. » 49 Judas s'approcha immédiatement de Jésus et lui dit : « Salut,
Maître ! » Puis il l'embrassa. 50 Jésus lui
répondit : « Mon ami, ce que tu es venu
faire, fais-le vite[k]. » Alors les autres s'approchèrent, mirent la main sur Jésus et
l'arrêtèrent. 51 Un de ceux qui étaient
avec Jésus tira son épée, frappa le serviteur du grand-prêtre et lui coupa
l'oreille[l]. 52 Jésus lui dit alors : « Remets
ton épée à sa place, car tous ceux qui
prennent l'épée périront par l'épée. 53 Ne
sais-tu pas que je pourrais appeler mon
Père à l'aide et qu'aussitôt il m'enverrait
plus de douze armées *d'anges ? 54 Mais,
en ce cas, comment se réaliseraient les
Écritures ? Elles déclarent, en effet, que
cela doit se passer ainsi. »
55 Puis Jésus dit à la foule : « Deviez-
vous venir armés d'épées et de bâtons
pour me prendre, comme si j'étais un brigand ? Tous les jours, j'étais assis dans le
*temple pour y enseigner, et vous ne
m'avez pas arrêté. 56 Mais tout cela est arrivé pour que se réalisent les paroles des
*prophètes contenues dans les Écritu-
res. » Alors tous les disciples l'abandonnèrent et s'enfuirent[m].

Jésus devant le Conseil supérieur

(Voir aussi Marc 14.53-65 ; Luc 22.54-55,63-71 ; Jean 18.13-14,19-24)

57 Ceux qui avaient arrêté Jésus l'emmenèrent chez Caïphe, le *grand-prêtre,
où les *maîtres de la loi et les *anciens
étaient assemblés. 58 Pierre suivit Jésus de
loin, jusqu'à la cour de la maison du
grand-prêtre. Il entra dans la cour et s'assit avec les gardes pour voir comment
cela finirait.
59 Les chefs des prêtres et tout le
*Conseil supérieur cherchaient une ac-
cusation, même fausse, contre Jésus
pour le condamner à mort ; 60 mais ils
n'en trouvèrent pas, quoique beaucoup
de gens fussent venus déposer de fausses
accusations contre lui[n]. Finalement,
deux hommes se présentèrent 61 et dirent : « Cet homme a déclaré : "Je peux
détruire le *temple de Dieu et le rebâtir
en trois jours[o]." » 62 Le grand-prêtre se
leva et dit à Jésus : « Ne réponds-tu rien
à ce que ces gens disent contre toi ? »
63 Mais Jésus se taisait. Le grand-prêtre
lui dit alors : « Au nom du Dieu vivant,
je te demande de nous répondre sous
serment : es-tu le *Messie, le *Fils de

---

k **26.50** *ce que tu es venu faire, fais-le vite* : autres traductions *que s'accomplisse ce que tu es venu faire* ou *est-ce pour cela que tu es ici ?*

l **26.51** Comparer Jean 18.26.

m **26.56** Comparer 26.31.

n **26.60** Comparer Ps 27.12 ; 35.11.

o **26.61** Voir Jean 2.19.

Dieu ? » 64 Jésus lui répondit : « C'est toi
qui le dis. Mais je vous le déclare : dès
maintenant vous verrez le *Fils de
l'homme siégeant à la droite du Dieu
puissant ; vous le verrez aussi venir sur
les nuages du ciel[p]. » 65 Alors le grand-
prêtre *déchira ses vêtements et dit : « Il a
fait insulte à Dieu ! Nous n'avons plus
besoin de témoins ! Vous venez d'entendre cette insulte faite à Dieu. 66 Qu'en
pensez-vous ? » Ils répondirent : « Il est
coupable et mérite la mort[q]. » 67 Puis ils
lui crachèrent au visage et le frappèrent à
coups de poing ; certains lui donnèrent
des gifles[r] 68 en disant : « Devine, toi le
Messie, dis-nous qui t'a frappé ! »

Pierre renie Jésus

(Voir aussi Marc 14.66-72 ; Luc 22.56-62 ; Jean 18.15-18,25-27)

69 Pierre était assis dehors, dans la
cour. Une servante s'approcha de lui et
lui dit : « Toi aussi, tu étais avec Jésus,
cet homme de Galilée. » 70 Mais il le nia
devant tout le monde en déclarant : « Je
ne sais pas ce que tu veux dire. » 71 Puis il
s'en alla vers la porte de la cour. Une autre servante le vit et dit à ceux qui
étaient là : « Celui-ci était avec Jésus de
Nazareth. » 72 Et Pierre le nia de nouveau
en déclarant : « Je jure que je ne connais
pas cet homme. »

73 Peu après, ceux qui étaient là s'approchèrent de Pierre et lui dirent : « Certainement, tu es l'un d'eux : ton accent
révèle d'où tu viens. » 74 Alors Pierre
s'écria : « Que Dieu me punisse si je
mens ! Je le jure, je ne connais pas cet
homme ! » A ce moment même, un coq
chanta, 75 et Pierre se rappela ce que Jésus
lui avait dit : « Avant que le coq chante, tu
auras prétendu trois fois ne pas me
connaître[s]. » Il sortit et pleura amèrement.

Jésus est amené à Pilate

(Voir aussi Marc 15.1 ; Luc 23.1-2 ; Jean 18.28-32)

27 1 Tôt le matin, tous les chefs des
*prêtres et les *anciens du peuple
juif prirent ensemble la décision de faire
mourir Jésus. 2 Ils le firent ligoter, l'emmenèrent et le livrèrent à *Pilate, le gouverneur romain.

La mort de Judas

(Voir aussi Actes 1.18-19)

3 Judas, celui qui l'avait trahi, apprit
que Jésus avait été condamné. Il fut alors
pris de remords et rapporta les trente pièces d'argent aux chefs des *prêtres et aux
*anciens. 4 Il leur dit : « Je suis coupable,
j'ai livré un innocent à la mort ! » Mais ils
lui répondirent : « Cela nous est égal !
C'est ton affaire ! » 5 Judas jeta l'argent
dans le *temple et partit ; puis il alla se
pendre. 6 Les chefs des prêtres ramassèrent l'argent et dirent : « Notre loi ne
permet pas de verser cet argent dans le
trésor du temple, car c'est le prix du
sang[t]. » 7 Après s'être mis d'accord, ils
achetèrent avec cette somme le champ du
potier pour y établir un cimetière
d'étrangers. 8 C'est pourquoi ce champ
s'est appelé « champ du sang » jusqu'à ce
jour. 9 Alors se réalisèrent ces paroles du
*prophète Jérémie : « Ils prirent les
trente pièces d'argent – le prix auquel les
Israélites l'avaient estimé – 10 et les em-
ployèrent pour acheter le champ du potier, comme le Seigneur me l'avait
ordonné[u]. »

Pilate interroge Jésus

(Voir aussi Marc 15.2-5 ; Luc 23.3-5 ; Jean 18.33-38)

11 Jésus comparut devant le gouverneur
qui l'interrogea : « Es-tu le roi des Juifs ? »
Jésus répondit : « Tu le dis[v]. » 12 Ensuite
lorsque les chefs des *prêtres et les *anciens l'accusèrent, il ne répondit rien.
13 *Pilate lui dit alors : « N'entends-tu pas
toutes les accusations qu'ils portent
contre toi ? » 14 Mais Jésus ne lui répondit
sur aucun point, de sorte que le gouverneur était profondément étonné.

---

p **26.64** Ps 110.1 ; Dan 7.13.
q **26.66** Voir Lév 24.16.
r **26.67** Comparer És 50.6.
s **26.75** Voir 26.34.
t **27.6** *le prix du sang* ou *le prix d'une vie humaine*.
u **27.10** La citation combine Zach 11.12-13 avec des éléments empruntés à Jér 18.2-3 ; 19.1-2 ; 32.6-15.
v **27.11** *Tu le dis* : autre traduction *C'est toi qui le dis*.

Jésus est condamné à mort

(Voir aussi Marc 15.6-15 ; Luc 23.13-25 ; Jean 18.39–19.16)

15 A chaque fête de la *Pâque, le gou-
rneur avait l'habitude de libérer un
isonnier, celui que la foule voulait.
Or, il y avait à ce moment-là un prison-
ier célèbre appelé Jésus Barabbas[w].
*Pilate demanda donc à la foule assem-
ée : « Qui voulez-vous que je vous li-
ère : Jésus Barabbas ou Jésus appelé
Christ ? » 18 Pilate savait bien, en effet,
'ils lui avaient livré Jésus par jalousie.
Pendant que Pilate siégeait au tribunal,
femme lui envoya ce message : « N'aie
en à faire avec cet homme innocent car,
tte nuit, j'ai beaucoup souffert en rêve à
use de lui. »
20 Les chefs des *prêtres et les *anciens
rsuadèrent la foule de demander la li-
ration de Barabbas et la mise à mort de
sus. 21 Le gouverneur reprit la parole
ur leur demander : « Lequel des deux
ulez-vous que je vous libère ? » – « Ba-
bbas ! » lui répondirent-ils. 22 « Que
rai-je donc de Jésus appelé Christ ? »
ur demanda Pilate. Tous répondirent :
Cloue-le sur une croix ! » – 23 « Quel mal
t-il donc commis ? » demanda Pilate.
ais ils se mirent à crier de toutes leurs
rces : « Cloue-le sur une croix ! »
Quand Pilate vit qu'il n'arrivait à rien,
ais que l'agitation augmentait, il prit de
au, se lava les mains devant la foule[x] et
t : « Je ne suis pas responsable de la
ort de cet homme ! C'est votre affaire ! »
Toute la foule répondit : « Que les
nséquences de sa mort retombent sur
us et sur nos enfants ! » 26 Alors Pilate
ur libéra Barabbas ; il fit frapper Jésus à
ups de fouet et le livra pour qu'on le
ue sur une croix.

Les soldats se moquent de Jésus

(Voir aussi Marc 15.16-20 ; Jean 19.2-3)

27 Les soldats de *Pilate emmenèrent
sus dans le palais du gouverneur et
ute la troupe se rassembla autour de lui.
Ils lui enlevèrent ses vêtements et le retirent d'un manteau rouge[y]. 29 Puis ils
ssèrent une *couronne avec des bran-
es épineuses, la posèrent sur sa tête et
placèrent un roseau dans sa main droite.
Ils se mirent ensuite à genoux devant lui
et se moquèrent de lui en disant : « Salut,
roi des Juifs ! » 30 Ils crachaient sur lui et
prenaient le roseau pour le frapper sur la
tête. 31 Quand ils se furent bien moqués
de lui, ils lui enlevèrent le manteau, lui
remirent ses vêtements et l'emmenèrent
pour le clouer sur une croix.

Jésus est cloué sur la croix

(Voir aussi Marc 15.21-32 ; Luc 23.26-43 ; Jean 19.17-27)

32 En sortant de la ville, ils rencontrèrent un homme de Cyrène, appelé Simon ; les soldats l'obligèrent à porter la
croix de Jésus. 33 Ils arrivèrent à un endroit appelé Golgotha, ce qui signifie
« Le lieu du Crâne ». 34 Et là, ils donnèrent à boire à Jésus du vin mélangé
avec une drogue amère[z] ; après l'avoir
goûté, il ne voulut pas en boire. 35 Ils le
clouèrent sur la croix et se partagèrent ses
vêtements en tirant au sort[a]. 36 Puis ils
s'assirent là pour le garder. 37 Au-dessus
de sa tête, ils placèrent une inscription
qui indiquait la raison de sa condamnation : « Celui-ci est Jésus, le roi des Juifs. »
38 Deux brigands furent alors cloués sur
des croix à côté de Jésus, l'un à sa droite
et l'autre à sa gauche[b].
39 Les passants l'insultaient en hochant
la tête[c] ; 40 ils lui disaient : « Toi qui voulais détruire le *temple et en bâtir un autre en trois jours[d], sauve-toi toi-même, si
tu es le *Fils de Dieu, et descends de la
croix ! » 41 De même, les chefs des *prêtres, les *maîtres de la loi et les *anciens
se moquaient de lui et disaient : 42 « Il a
sauvé d'autres gens, mais il ne peut pas se
sauver lui-même ! Il est le roi *d'Israël ?
Qu'il descende maintenant de la croix et

---

w **27.16** *Jésus Barabbas* : de nombreux manuscrits omettent le nom *Jésus*.
x **27.24** Comparer Deut 21.6-8.
y **27.28** *manteau rouge* : en grec, l'expression désigne ici le manteau des soldats romains.
z **27.34** Voir Ps 69.22.
a **27.35** Voir Ps 22.19.
b **27.38** Comparer És 53.12.
c **27.39** Voir Ps 22.8.
d **27.40** Voir 26.61 ; Jean 2.19.

nous croirons en lui. 43 Il a mis sa
confiance en Dieu et a déclaré : "Je suis le
Fils de Dieu." Eh bien, si Dieu l'aime,
qu'il le sauve maintenant[e] ! » 44 Et les brigands qui avaient été mis en croix à côté
de lui l'insultaient de la même manière.

La mort de Jésus

(Voir aussi Marc 15.33-41 ; Luc 23.44-49 ; Jean 19.28-30)

45 A midi, l'obscurité se fit sur tout le
pays et dura jusqu'à trois heures de
l'après-midi. 46 Vers trois heures, Jésus
cria avec force : « *Éli, Éli, lema sabac-
tani ?* » – ce qui signifie « Mon Dieu, mon
Dieu, pourquoi m'as-tu abandonné ?[f] » –
47 Quelques-uns de ceux qui se tenaient là
l'entendirent et s'écrièrent : « Il appelle
*Élie ! » 48 L'un d'eux courut aussitôt
prendre une éponge, la remplit de vinaigre et la fixa au bout d'un roseau, puis
il la tendit à Jésus pour qu'il boive[g].
49 Mais les autres dirent : « Attends, nous
allons voir si Élie vient le sauver ! »
50 Jésus poussa de nouveau un grand
cri et mourut. 51 A ce moment, le rideau
suspendu dans le *temple[h] se déchira depuis le haut jusqu'en bas. La terre trembla, les rochers se fendirent, 52 les
tombeaux s'ouvrirent et de nombreux
croyants qui étaient morts revinrent à la
vie. 53 Ils sortirent des tombeaux et, après
la *résurrection de Jésus, ils entrèrent
dans Jérusalem, la ville sainte, où beaucoup de personnes les virent. 54 Le capitaine romain et les soldats qui gardaient
Jésus avec lui virent le tremblement de
terre et tout ce qui arrivait ; ils eurent
alors très peur et dirent : « Il était vraiment le *Fils de Dieu ! » 55 De nombreuses femmes étaient là et regardaie[nt]
de loin : elles avaient suivi Jésus depuis
Galilée[i] pour le servir. 56 Parmi elles, il
avait Marie du village de Magdala, Ma[rie]
la mère de Jacques et de Joseph, et
mère des fils de Zébédée.

Jésus est mis dans un tombeau

(Voir aussi Marc 15.42-47 ; Luc 23.50-56 ; Jean 19.38-42)

57 Quand le soir fut venu, un hom[me]
riche, qui était d'Arimathée[j], arriva.
s'appelait Joseph et était lui aussi *d[is-]
ciple de Jésus. 58 Il alla trouver *Pilate
lui demanda le corps de Jésus. Alors P[i-]
late ordonna de le remettre à Josep[h].
59 Celui-ci prit le corps, l'enveloppa da[ns]
un drap de lin neuf 60 et le déposa da[ns]
son propre tombeau qu'il venait de fa[ire]
creuser dans le rocher. Puis il roula u[ne]
grosse pierre pour fermer l'entrée
tombeau et s'en alla. 61 Marie de Magd[ala]
et l'autre Marie étaient là, assises en fa[ce]
du tombeau.

La garde du tombeau

62 Le lendemain, c'est-à-dire le jour q[ui]
suivait la préparation du *sabbat[k],
chefs des *prêtres et les *Pharisiens
lèrent ensemble chez *Pilate 63 et dire[nt]
« Excellence, nous nous souvenons q[ue]
cet imposteur, quand il était encore
vant, a dit : "Au bout de trois jours, je
viendrai de la mort à la vie[l]." 64 Veuil[lez]
donc ordonner que le tombeau soit ga[rdé]
jusqu'au troisième jour, sinon ses *d[is-]
ciples pourraient venir voler le corps
diraient ensuite au peuple : "Il est reve[nu]
d'entre les morts." Cette dernière imp[os-]
ture serait encore pire que la premièr[e]
65 Pilate leur dit : « Voici des soldats p[our]
monter la garde. Allez et faites survei[ller]
le tombeau comme vous le jugez bo[n]
66 Ils allèrent donc organiser la surv[eil-]
lance du tombeau : ils scellèrent la pie[rre]
qui le fermait et placèrent les gardes.

La *résurrection de Jésus

(Voir aussi Marc 16.1-10 ; Luc 24.1-12 ; Jean 20.1-10)

28 1 Après le *sabbat, dimanche
lever du jour, Marie de Magdal[a]
l'autre Marie[m] vinrent voir le tombe[au]

---

e **27.43** Voir Ps 22.9.
f **27.46** Ps 22.2.
g **27.48** Comparer Ps 69.22.
h **27.51** Voir Ex 26.31-33.
i **27.55** *depuis la Galilée* : c'est-à-dire depuis le début du ministère de Jésus.
j **27.57** *Arimathée* : localité située à environ 35 km au nord-ouest de Jérusalem.
k **27.62** Le jour de la *préparation* était le vendredi, au cours duquel les Juifs effectuaient les préparatifs nécessaires à l'observance du jour suivant, le sabbat.
l **27.63** Voir 16.21 ; 17.23 ; 20.19.
m **28.1** Voir 27.56.

2 Soudain, il y eut un fort tremblement de
terre ; un *ange du Seigneur descendit
du *ciel, vint rouler la grosse pierre et
s'assit dessus. 3 Il avait l'aspect d'un éclair
et ses vêtements étaient blancs comme la
neige. 4 Les gardes en eurent une telle
peur qu'ils se mirent à trembler et devinrent comme morts. 5 L'ange prit la parole et dit aux femmes : « N'ayez pas peur.
Je sais que vous cherchez Jésus, celui
qu'on a cloué sur la croix ; 6 il n'est pas
ici, il est revenu de la mort à la vie
comme il l'avait dit. Venez, voyez l'endroit où il était couché. 7 Allez vite dire à
ses *disciples : "Il est revenu d'entre les
morts et il va maintenant vous attendre
en Galilée[n] ; c'est là que vous le verrez."
Voilà ce que j'avais à vous dire. » 8 Elles
quittèrent rapidement le tombeau, remplies tout à la fois de crainte et d'une
grande joie, et coururent porter la nouvelle aux disciples de Jésus. 9 Tout à coup,
Jésus vint à leur rencontre et dit : « Je
vous salue ! » Elles s'approchèrent de lui,
saisirent ses pieds et l'adorèrent. 10 Jésus
leur dit alors : « N'ayez pas peur. Allez
dire à mes frères de se rendre en Galilée :
c'est là qu'ils me verront. »

Le récit des gardes

11 Pendant qu'elles étaient en chemin,
uelques-uns des soldats qui devaient
arder le tombeau revinrent en ville et ra-
ontèrent aux chefs des *prêtres tout ce
ui était arrivé. 12 Les chefs des prêtres se
éunirent avec les *anciens : après s'être
mis d'accord, ils donnèrent une forte
somme d'argent aux soldats 13 et leur dirent : « Vous déclarerez que les *disciples
de cet homme sont venus voler son corps
durant la nuit, pendant que vous dor-
miez[o]. 14 Et si le gouverneur l'apprend,
nous saurons le convaincre et vous éviter
toute difficulté. » 15 Les gardes prirent
l'argent et agirent conformément aux
instructions reçues. Ainsi, cette histoire
s'est répandue parmi les Juifs jusqu'à ce
jour.

Jésus se montre à ses disciples

(Voir aussi Marc 16.14-18 ; Luc 24.36-49 ; Jean 20.19-23 ; Actes 1.6-8)

16 Les onze *disciples se rendirent en
Galilée, sur la colline que Jésus leur avait
indiquée[p]. 17 Quand ils le virent, ils l'adorèrent ; certains d'entre eux, pourtant,
eurent des doutes. 18 Jésus s'approcha et
leur dit : « Tout pouvoir m'a été donné
dans le *ciel et sur la terre. 19 Allez donc
auprès des gens de toutes les nations et
faites d'eux mes disciples[q] ; baptisez-les
au nom du Père, du Fils et du Saint-
Esprit, 20 et enseignez-leur à pratiquer
tout ce que je vous ai commandé. Et sachez-le : je vais être avec vous tous les
jours, jusqu'à la fin du monde. »

n **28.7** Voir 26.32.
o **28.13** Comparer 27.64.
p **28.16** Voir 26.32.
q **28.19** Comparer Act 1.8.

Évangile selon
Marc

***Introduction** – Des quatre évangiles, celui de* Marc *est le plus court et très probablemer le plus ancien.*

Dès les premières lignes, il présente Jésus comme le « Fils de Dieu » (1.1). Mais ce titre éton nant, pourtant confirmé à plusieurs reprises tout au long de l'évangile (1.11 ; 9.7 ; voir aus 3.11 ; 5.7), doit rester secret selon la volonté même de Jésus (voir 3.12 ; 5.43 ; 7.24 ; 8.30 9.30). Pourquoi ? – Parce qu'il ne peut être compris qu'en contemplant, avec l'officier romai Celui qui est mort sur la croix.

Pourtant, lorsqu'un tel envoyé paraît, il faut que chacun l'accueille dignement. Y préparer peuple de Dieu, telle est la tâche de Jean-Baptiste (1.2-8), de qui Jésus reçoit lui aussi le ba tême (1.9-11).

Puis, après une période d'épreuve dans la solitude (1.12-13), commence la vie publique Jésus. Marc souligne alors souvent l'autorité de Jésus, tant lorsque celui-ci appelle des homm à le suivre que lorsqu'il enseigne les foules ou apporte la guérison à des malades (1.14–8.30

Dans une deuxième partie de son récit, Marc montre Jésus s'acheminant vers les sou frances, la mort et la résurrection qui l'attendent à Jérusalem (8.31–10.52). Trois fois, il en i forme ses disciples, mais sans être compris. Il parle plus souvent de lui-même en se désigna comme le « Fils de l'homme », mais le mystère qui entoure sa personne demeure tout aus grand.

A Jérusalem, où il est entré sous les acclamations, il chasse les vendeurs du temple et heurte à l'opposition des dirigeants religieux d'Israël. C'est pour lui l'occasion d'un dernier e seignement à ses adversaires, à la foule, à ses disciples (chap. 11–13).

Les chapitres 14–15 sont consacrés aux deux dernières journées de Jésus. C'est là qu' trouvera en particulier le récit du dernier repas qu'il prit avec les siens (partageant avec eux pain et le vin), sa prière solitaire au jardin de Gethsémané, son arrestation, sa condamnatio son exécution sur une croix, sa mise au tombeau. Le surlendemain de sa mort cependant, d femmes trouvent sa tombe vide et apprennent qu'il est passé de la mort à la vie (16.1-8). El s'enfuient alors affolées. (Certains manuscrits ajoutent un supplément, qui résume quelques a paritions de Jésus ressuscité et son ascension ; ces récits se trouvent de façon plus détaillée da les autres évangiles).

Après avoir lu l'évangile selon Marc, *reconnaîtrez-vous, comme l'officier romain, que Jés de Nazareth « était vraiment le Fils de Dieu » (15.39) ?*

La prédication de Jean-Baptiste

(Voir aussi Matt 3.1-12 ; Luc 3.1-18 ; Jean 1.19-28)

1 1 Ici commence la Bonne Nouvelle de
Jésus-Christ, le *Fils de Dieu[a].
2 Dans le livre du *prophète Ésaïe, il est
écrit :

« Je vais envoyer mon messager devant
toi, dit Dieu,
pour t'ouvrir le chemin.
3 C'est la voix d'un homme qui crie dans
le désert :
Préparez le chemin du Seigneur,
faites-lui des sentiers bien droits[b] ! »

4 Ainsi, Jean le Baptiste parut dans le désert ; il lançait cet appel : « Changez de
comportement, faites-vous baptiser et
Dieu pardonnera vos péchés[c]. » 5 Tous les
habitants de la région de Judée et de la
ville de Jérusalem allaient à lui ; ils
confessaient publiquement leurs péchés
et Jean les baptisait dans la rivière, le
Jourdain.
6 Jean portait un vêtement fait de poils
de chameau et une ceinture de cuir autour de la taille[d] ; il mangeait des *sauterelles et du miel sauvage. 7 Il déclarait à
la foule : « Celui qui vient après moi est
plus puissant que moi ; je ne suis pas
même digne de me baisser pour délier la
courroie de ses sandales. 8 Moi, je vous ai
baptisés avec de l'eau, mais lui, il vous
baptisera avec le Saint-Esprit. »

Le baptême et la tentation de Jésus

(Voir aussi Matt 3.13–4.11 ; Luc 3.21-22 ; 4.1-13)

9 Alors, Jésus vint de Nazareth, localité
de Galilée, et Jean le baptisa dans le Jourdain. 10 Au moment où Jésus sortait de
l'eau, il vit le *ciel s'ouvrir et l'Esprit
Saint descendre sur lui comme une colombe. 11 Et une voix se fit entendre du
ciel : « Tu es mon *Fils bien-aimé ; je
mets en toi toute ma joie[e]. »
12 Tout de suite après, l'Esprit le poussa
dans le désert. 13 Jésus y resta pendant
quarante jours et il fut tenté par *Satan.
Il vivait parmi les bêtes sauvages et les
anges le servaient.

Jésus appelle quatre pêcheurs

(Voir aussi Matt 4.12-22 ; Luc 4.14-15 ; 5.1-11)

14 Après que Jean eut été mis en prison[f], Jésus se rendit en Galilée ; il y proclamait la Bonne Nouvelle venant de
Dieu. 15 « Le moment fixé est arrivé,
disait-il, car le *Royaume de Dieu s'est
approché ! Changez de comportement[g] et
croyez la Bonne Nouvelle ! »
16 Jésus marchait le long du lac de Galilée lorsqu'il vit deux pêcheurs, Simon et
son frère André, qui pêchaient en jetant
un filet dans le lac. 17 Jésus leur dit :
« Venez avec moi et je ferai de vous des
pêcheurs d'hommes. » 18 Aussitôt, ils laissèrent leurs filets et le suivirent. 19 Jésus
s'avança un peu plus loin et vit Jacques et
son frère Jean, les fils de Zébédée. Ils
étaient dans leur barque et réparaient
leurs filets. 20 Aussitôt Jésus les appela ; ils
laissèrent leur père Zébédée dans la barque avec les ouvriers et allèrent avec Jésus.

L'homme tourmenté par un esprit mauvais

(Voir aussi Luc 4.31-37)

21 Jésus et ses *disciples se rendirent à
la ville de Capernaüm. Au jour du *sabbat, Jésus entra dans la *synagogue et se
mit à enseigner. 22 Les gens qui l'entendaient étaient impressionnés par sa manière d'enseigner ; car il n'était pas
comme les *maîtres de la loi, mais il leur
donnait son enseignement avec autorité.
23 Or, dans cette synagogue, il y avait justement un homme tourmenté par un
esprit mauvais. Il cria : 24 « Que nous
veux-tu, Jésus de Nazareth ? Es-tu venu

---

a **1.1** Certains manuscrits n'ont pas les mots *le Fils de Dieu*.

b **1.3** Mal 3.1 ; És 40.3, cité d'après l'ancienne version grecque.

c **1.4** *Jean le Baptiste... appel* : certains manuscrits ont *Jean parut dans le désert ; il baptisait et lançait cet appel*. – *Changez de comportement* : autres traductions *Changez de mentalité* ou *Repentez-vous*.

d **1.6** Voir 2 Rois 1.8.

e **1.11** Comparer Ps 2.7 ; És 42.1.

f **1.14** *Jean... mis en prison* : il s'agit de Jean-Baptiste. Voir 6.17.

g **1.15** *Changez de comportement* : autres traductions *Changez de mentalité* ou *Repentez-vous*.

pour nous détruire ? Je sais bien qui tu
es : le Saint envoyé de Dieu ! » 25 Jésus
parla sévèrement à l'esprit mauvais et lui
donna cet ordre : « Tais-toi et sors de cet
homme ! » 26 L'esprit secoua rudement
l'homme et sortit de lui en poussant un
grand cri. 27 Les gens furent tous si étonnés qu'ils se demandèrent les uns aux autres : « Qu'est-ce que cela ? Un nouvel
enseignement donné avec autorité ! Cet
homme commande même aux esprits
mauvais et ils lui obéissent ! » 28 Et, très
vite, la renommée de Jésus se répandit
dans toute la région de la Galilée.

Jésus guérit beaucoup de malades

(Voir aussi Matt 8.14-17 ; Luc 4.38-41)

29 Ils quittèrent la *synagogue et allèrent aussitôt à la maison de Simon et
d'André, en compagnie de Jacques et
Jean. 30 La belle-mère de Simon était au
lit, parce qu'elle avait de la fièvre ; dès que
Jésus arriva, on lui parla d'elle. 31 Il s'approcha d'elle, lui prit la main et la fit lever.
La fièvre la quitta et elle se mit à les servir.
32 Le soir, après le coucher du soleil[h],
les gens transportèrent vers Jésus tous les
malades et ceux qui étaient possédés d'un
esprit mauvais. 33 Toute la population de
la ville était rassemblée devant la porte de
la maison. 34 Jésus guérit beaucoup de
gens qui souffraient de toutes sortes de
maladies et il chassa aussi beaucoup d'esprits mauvais. Il ne laissait pas parler les
esprits mauvais, parce qu'ils savaient,
eux, qui il était.

Jésus parcourt la Galilée

(Voir aussi Luc 4.42-44)

35 Très tôt le lendemain, alors qu'il faisait encore nuit noire, Jésus se leva et
sortit de la maison. Il s'en alla hors de la
ville, dans un endroit isolé ; là, il se mit à
prier. 36 Simon et ses compagnons partirent à sa recherche ; 37 quand ils le trouvèrent, ils lui dirent : « Tout le monde te
cherche. » 38 Mais Jésus leur dit : « Allons
ailleurs, dans les villages voisins. Je dois
prêcher là-bas aussi, car c'est pour cela
que je suis venu[i]. » 39 Et ainsi, il alla dans
toute la Galilée ; il prêchait dans les *synagogues de la région et il chassait les esprits mauvais.

Jésus guérit un lépreux

(Voir aussi Matt 8.1-4 ; Luc 5.12-16)

40 Un *lépreux vint à Jésus, se mit à
genoux devant lui et lui demanda son
aide en disant : « Si tu le veux, tu peux
me rendre *pur. » 41 Jésus fut rempli de
pitié pour lui[j] ; il étendit la main, le toucha et lui déclara : « Je le veux, sois
pur ! » 42 Aussitôt, la lèpre quitta cet
homme et il fut pur. 43 Puis, Jésus le renvoya immédiatement en lui parlant avec
sévérité. 44 « Écoute bien, lui dit-il, ne
parle de cela à personne. Mais va te faire
examiner par le *prêtre, puis offre le *sacrifice que Moïse a ordonné, pour prouver à tous que tu es guéri[k]. » 45 L'homme
partit, mais il se mit à raconter partout
ce qui lui était arrivé. A cause de cela, Jésus ne pouvait plus se montrer dans une
ville ; il restait en dehors, dans des
endroits isolés. Et l'on venait à lui de
partout.

Jésus guérit un homme paralysé

(Voir aussi Matt 9.1-8 ; Luc 5.17-26)

2 1 Quelques jours plus tard, Jésus revint à Capernaüm, et l'on apprit qu'il
était à la maison[l]. 2 Une foule de gens s'assembla, si bien qu'il ne restait plus de
place, pas même dehors devant la porte.
Jésus leur donnait son enseignement.
3 Quelques hommes arrivèrent, lui amenant un paralysé porté par quatre d'entre
eux. 4 Mais ils ne pouvaient pas le présenter à Jésus, à cause de la foule. Ils ouvrirent alors le toit[m] au-dessus de
l'endroit où était Jésus ; par le trou qu'ils
avaient fait, ils descendirent le paralysé
étendu sur sa natte. 5 Quand Jésus vit la foi
de ces hommes, il dit au paralysé : « Mon

---

h **1.32** *après le coucher du soleil* : le sabbat (voir v. 21) se terminait à l'apparition des premières étoiles.
i **1.38** *que je suis venu* : autre traduction *que je suis sorti (de Capernaüm)*.
j **1.41** *fut rempli de pitié pour lui* : certains manuscrits ont *fut rempli de colère contre lui*.
k **1.44** Voir Lév 14.2-32.
l **2.1** *à la maison* : d'après 1.29, on peut penser qu'il s'agit de la maison de Simon et d'André.
m **2.4** *Ils ouvrirent alors le toit* : le toit des maisons palestiniennes, en forme de terrasse, était fait de bois et de terre battue.

fils, tes péchés sont pardonnés. » 6 Quelques *maîtres de la loi, qui étaient assis là,
pensaient en eux-mêmes : 7 « Pourquoi cet
homme parle-t-il ainsi ? Il fait insulte à
Dieu ! Qui peut pardonner les péchés ?
Dieu seul le peut[n] ! » 8 Jésus devina aussitôt ce qu'ils pensaient et leur dit : « Pourquoi avez-vous de telles pensées ? 9 Est-il
plus facile de dire au paralysé : “Tes péchés sont pardonnés”, ou de dire : “Lève-
toi, prends ta natte et marche” ? 10 Mais je
veux que vous le sachiez : le *Fils de
l'homme a le pouvoir sur la terre de pardonner les péchés. » Alors il adressa ces
mots au paralysé : 11 « Je te le dis, lève-toi,
prends ta natte, et rentre chez toi ! »
12 Aussitôt, tandis que tout le monde le regardait, l'homme se leva, prit sa natte et
partit. Ils furent tous frappés d'étonnement ; ils louaient Dieu et disaient :
« Nous n'avons jamais rien vu de pareil ! »

Jésus appelle Lévi

(Voir aussi Matt 9.9-13 ; Luc 5.27-32)

13 Jésus retourna au bord du lac de Galilée. Une foule de gens venaient à lui et il
leur donnait son enseignement. 14 En
passant, il vit Lévi, le fils d'Alphée, assis
au bureau des impôts. Jésus lui dit :
« Suis-moi ! » Lévi se leva et le suivit.
15 Jésus prit ensuite un repas dans la maison de Lévi[o]. Beaucoup de *collecteurs
d'impôts et autres gens de mauvaise réputation étaient à table avec lui et ses
*disciples, car nombreux étaient les
hommes de cette sorte qui le suivaient.
16 Et les *maîtres de la loi qui étaient du
parti des *Pharisiens virent que Jésus
mangeait avec tous ces gens ; ils dirent à
ses disciples : « Pourquoi mange-t-il avec
les collecteurs d'impôts et les gens de
mauvaise réputation[p] ? » 17 Jésus les entendit et leur déclara : « Les personnes en
bonne santé n'ont pas besoin de médecin,
ce sont les malades qui en ont besoin. Je
ne suis pas venu appeler ceux qui s'estiment justes, mais ceux qui se sentent
pécheurs. »

Jésus et le jeûne

(Voir aussi Matt 9.14-17 ; Luc 5.33-39)

18 Un jour, les *disciples de Jean-
Baptiste et les *Pharisiens *jeûnaient.
Des gens vinrent alors demander à Jésus :
« Pourquoi les disciples de Jean-Baptiste
et ceux des Pharisiens jeûnent-ils, tandis
que tes disciples ne le font pas ? » 19 Et Jésus leur répondit : « Pensez-vous que les
invités d'une noce peuvent refuser de
manger pendant que le marié est avec
eux ? Bien sûr que non ! Tant que le marié est avec eux, ils ne peuvent pas refuser
de manger. 20 Mais le temps viendra où le
marié leur sera enlevé ; ce jour-là, ils jeûneront.
21 « Personne ne coud une pièce d'étoffe
neuve sur un vieux vêtement ; sinon, la
nouvelle pièce arrache une partie du vieux
vêtement et la déchirure s'agrandit encore. 22 Et personne ne verse du vin nouveau dans de vieilles *outres ; sinon, le vin
fait éclater les outres : le vin est perdu et
les outres aussi. Mais non ! Pour le vin
nouveau, il faut des outres neuves ! »

Jésus et le sabbat

(Voir aussi Matt 12.1-8 ; Luc 6.1-5)

23 Un jour de *sabbat, Jésus traversait
des champs de blé. Ses *disciples se mirent à cueillir des épis le long du chemin[q]. 24 Les *Pharisiens dirent alors à
Jésus : « Regarde, pourquoi tes disciples
font-ils ce que notre loi ne permet pas le
jour du sabbat[r] ? » 25 Jésus leur répondit :
« N'avez-vous jamais lu ce que fit David
un jour où il se trouvait en difficulté,
parce que lui-même et ses compagnons
avaient faim ? 26 Il entra dans la maison
de Dieu et mangea les pains offerts à
Dieu. Abiatar était le *grand-prêtre en ce
temps-là. Notre loi permet aux seuls prêtres de manger ces pains[s], mais David en
prit et en donna aussi à ses compagnons. » 27 Jésus leur dit encore : « Le sab-

---

n **2.7** *faire insulte à Dieu* : comparer Lév 24.16. – *...Dieu seul le peut* : voir Ps 103.3 ; És 43.25.

o **2.15** Le texte grec dit simplement *sa maison*. Mais il s'agit fort probablement de *la maison de Lévi*, plutôt que de celle de Jésus. Voir Luc 5.29.

p **2.16** Comparer les v. 15-16 et Luc 15.1-2.

q **2.23** Voir Deut 23.26.

r **2.24** Voir Ex 34.21.

s **2.26** *mangea les pains...* : voir 1 Sam 21.2-7. – *Abiatar* : voir 2 Sam 15.35. – *permet aux seuls prêtres* : voir Lév 24.9.

bat a été fait pour l'homme ; l'homme n'a pas été fait pour le sabbat. 28 Voilà pourquoi, le *Fils de l'homme est maître même du sabbat. »

Jésus guérit un homme le jour du sabbat

(Voir aussi Matt 12.9-14 ; Luc 6.6-11)

3 1 Ensuite, Jésus retourna dans la *synagogue. Il y avait là un homme dont la main était paralysée. 2 Les *Pharisiens observaient attentivement Jésus pour voir s'il allait le guérir le jour du *sabbat, car ils voulaient l'accuser. 3 Jésus dit à l'homme dont la main était paralysée : « Lève-toi, là, devant tout le monde. » 4 Puis il demanda à ceux qui regardaient : « Que permet notre loi ? de faire du bien le jour du sabbat ou de faire du mal ? de sauver la vie d'un être humain ou de le laisser mourir ? » Mais ils ne voulaient pas répondre. 5 Jésus les regarda tous avec indignation ; il était en même temps profondément attristé qu'ils refusent de comprendre. Il dit alors à l'homme : « Avance ta main. » Il l'avança et sa main redevint saine. 6 Les Pharisiens sortirent de la synagogue et se réunirent aussitôt avec des membres du parti d'Hérode[t] pour décider comment ils pourraient faire mourir Jésus.

Une foule nombreuse vient à Jésus

7 Jésus se retira avec ses *disciples au bord du lac de Galilée et une foule nombreuse le suivit. Les gens arrivaient de Galilée et de Judée, 8 de Jérusalem, du territoire d'Idumée[u], du territoire situé de l'autre côté du Jourdain et de la région de Tyr et de Sidon. Ils venaient en foule à Jésus parce qu'ils avaient appris tout ce qu'il faisait. 9 Alors Jésus demanda à ses disciples de lui préparer une barque afin que la foule ne l'écrase pas. 10 En effet, comme il guérissait beaucoup de gens, tous ceux qui souffraient de maladies se précipitaient sur lui pour le toucher. 11 Et quand ceux que les esprits mauvais tourmentaient le voyaient, ils se jetaient à ses pieds et criaient : « Tu es le *Fils de Dieu ! » 12 Mais Jésus leur recommandait sévèrement de ne pas dire qui il était.

Jésus choisit les douze apôtres

(Voir aussi Matt 10.1-4 ; Luc 6.12-16)

13 Puis Jésus monta sur une colline ; il appela les hommes qu'il voulait et ils vinrent à lui. 14 Il forma ainsi le groupe des douze qu'il nomma *apôtres[v]. Il fit cela pour les avoir avec lui et les envoyer annoncer la Bonne Nouvelle, 15 avec le pouvoir de chasser les esprits mauvais. 16 Voici ces douze : Simon – Jésus lui donna le nom de Pierre[w] –, 17 Jacques et son frère Jean, tous deux fils de Zébédée – Jésus leur donna le nom de Boanergès, qui signifie « les hommes semblables au tonnerre[x] » –, 18 André, Philippe, Barthélemy, Matthieu, Thomas, Jacques le fils d'Alphée, Thaddée, Simon le nationaliste, 19 et Judas Iscariote, celui qui trahit Jésus.

La famille de Jésus veut l'emmener

20 Jésus se rendit ensuite à la maison. Une telle foule s'assembla de nouveau que Jésus et ses *disciples ne pouvaient même pas manger. 21 Quand les membres de sa famille apprirent cela, ils se mirent en route pour venir le prendre, car ils disaient[y] : « Il a perdu la raison ! »

Jésus répond à une accusation portée contre lui

(Voir aussi Matt 12.22-32 ; Luc 11.14-23 ; 12.10)

22 Les *maîtres de la loi qui étaient venus de Jérusalem disaient : « Béelzébul[z], le *diable, habite en lui ! » Et encore « C'est le chef des esprits mauvais qui lu

---

t **3.6** *parti d'Hérode* : ce parti comprenait les amis ou partisans d'Hérode Antipas (4 avant J.-C. à 39 après J.-C.). Ils tenaient à voir l'un des descendants du roi Hérode le Grand régner sur eux à la place du gouverneur romain.

u **3.8** *Idumée* : ce territoire était situé au sud de la Judée et comprenait la ville d'Hébron.

v **3.14** Certains manuscrits n'ont pas les mots *qu'il nomma apôtres*.

w **3.16** *le nom de Pierre* : comparer Matt 16.16-18 ; Jean 1.42.

x **3.17** Comparer Luc 9.54.

y **3.21** *ils disaient* : autre traduction *on disait*.

z **3.22** *Béelzébul* : voir Matt 10.25 et la note.

›nne le pouvoir de chasser ces esprits ! »
Alors Jésus les appela et leur parla en
ilisant des images : « Comment Satan
:ut-il se chasser lui-même ? 24 Si les
embres d'un royaume luttent les uns
›ntre les autres, ce royaume ne peut pas
maintenir ; 25 et si les membres d'une
mille luttent les uns contre les autres,
tte famille ne pourra pas se maintenir.
Si donc Satan lutte contre lui-même,
l est divisé, son pouvoir ne peut pas se
aintenir mais prend fin.
27 « Personne ne peut entrer dans la
aison d'un homme fort et s'emparer de
s biens, s'il n'a pas d'abord ligoté cet
›mme fort ; mais après l'avoir ligoté, il
:ut s'emparer de tout dans sa maison.
Je vous le déclare, c'est la vérité : les
res humains pourront être pardonnés
tous leurs péchés et de toutes les in-
ltes qu'ils auront faites à Dieu. 29 Mais
lui qui aura fait insulte au Saint-Esprit
recevra jamais de pardon, car il est
upable d'un péché éternel. »
30 Jésus leur parla ainsi parce qu'ils dé-
raient : « Un esprit mauvais habite en
i. »

La mère et les frères de Jésus

(Voir aussi Matt 12.46-50 ; Luc 8.19-21)

31 La mère et les frères de Jésus arri-
rent alors ; ils se tinrent en dehors de la
aison et lui envoyèrent quelqu'un pour
ppeler. 32 Un grand nombre de per-
nnes étaient assises autour de Jésus et
lui dit : « Écoute, ta mère, tes frères et
s sœurs[a] sont dehors et ils te deman-
nt. » 33 Jésus répondit : « Qui est ma
ère et qui sont mes frères ? » 34 Puis il
garda les gens assis en cercle autour de
i et dit : « Voyez : ma mère et mes frères
nt ici. 35 Car celui qui fait la volonté de
ieu est mon frère, ma sœur ou ma
ère. »

La parabole du semeur

(Voir aussi Matt 13.1-9 ; Luc 8.4-8)

1 Jésus se mit de nouveau à enseigner
au bord du lac de Galilée. Une foule
mbreuse s'assembla autour de lui, si
en qu'il monta dans une barque et s'y
sit. La barque était sur le lac et les gens
aient à terre, près de l'eau. 2 Il leur enseignait beaucoup de choses en utilisant
des *paraboles et il leur disait dans son
enseignement : 3 « Écoutez ! Un jour, un
homme s'en alla dans son champ pour semer. 4 Or, tandis qu'il lançait la semence,
une partie des grains tomba le long du
chemin : les oiseaux vinrent et les mangèrent. 5 Une autre partie tomba sur un
sol pierreux où il y avait peu de terre. Les
grains poussèrent aussitôt parce que la
couche de terre n'était pas profonde.
6 Quand le soleil fut haut dans le ciel, il
brûla les jeunes plantes : elles se desséchèrent parce que leurs racines étaient
insuffisantes. 7 Une autre partie des
grains tomba parmi des plantes épineuses. Celles-ci grandirent et étouffèrent les
bonnes pousses, qui ne produisirent rien.
8 Mais d'autres grains tombèrent dans la
bonne terre ; les plantes poussèrent, se
développèrent et produisirent des épis :
les uns portaient trente grains, d'autres
soixante et d'autres cent. » 9 Et Jésus dit :
« Écoutez bien, si vous avez des oreilles
pour entendre ! »

Pourquoi Jésus utilise des paraboles

(Voir aussi Matt 13.10-17 ; Luc 8.9-10)

10 Quand ils furent seuls avec Jésus,
ceux qui l'entouraient d'habitude et les
douze *disciples le questionnèrent au sujet des *paraboles. 11 Il leur répondit :
« Vous avez reçu, vous, le secret du
*Royaume de Dieu ; mais les autres n'en
entendent parler que sous forme de paraboles, 12 et ainsi

"Ils peuvent bien regarder mais sans
vraiment voir,
ils peuvent bien entendre mais sans
vraiment comprendre,
sinon ils reviendraient à Dieu et Dieu
leur pardonnerait[b] !" »

Jésus explique la parabole du semeur

(Voir aussi Matt 13.18-23 ; Luc 8.11-15)

13 Puis Jésus leur dit : « Vous ne
comprenez pas cette *parabole ? Alors

---

a **3.32** Certains manuscrits n'ont pas les mots *et tes sœurs*.

b **4.12** És 6.9-10, cité librement d'après l'ancienne version grecque.

comment comprendrez-vous toutes les
autres paraboles ? 14 Le semeur sème la
parole de Dieu. 15 Certains sont comme le
bord du chemin où tombe la parole : dès
qu'ils l'ont entendue, *Satan arrive et arrache la parole semée en eux. 16 D'autres
reçoivent la semence dans des sols pierreux : aussitôt qu'ils entendent la parole,
ils l'acceptent avec joie. 17 Mais ils ne la
laissent pas s'enraciner en eux, ils ne s'y
attachent qu'un instant. Et alors, quand
survient la détresse ou la persécution à
cause de la parole de Dieu, ils renoncent
bien vite à la foi. 18 D'autres encore reçoivent la semence parmi des plantes épineuses : ils ont entendu la parole, 19 mais
les préoccupations de ce monde, l'attrait
trompeur de la richesse et les désirs de
toutes sortes pénètrent en eux, ils étouffent la parole et elle ne produit rien.
20 D'autres, enfin, reçoivent la semence
dans de la bonne terre : ils entendent la
parole, ils l'accueillent et portent des
fruits, les uns trente, d'autres soixante et
d'autres cent. »

La parabole de la lampe

(Voir aussi Luc 8.16-18)

21 Puis Jésus leur dit : « Quelqu'un
apporte-t-il la lampe pour la mettre sous
un seau ou sous le lit ? N'est-ce pas plutôt
pour la mettre sur son support[c] ? 22 Tout
ce qui est caché paraîtra au grand jour, et
tout ce qui est secret sera mis en pleine
lumière. 23 Écoutez bien, si vous avez des
oreilles pour entendre ! » 24 Jésus leur dit
encore : « Faites attention à ce que vous
entendez ! Dieu mesurera ce qu'il vous
donne avec la mesure que vous employez
vous-mêmes et il y ajoutera encore[d].
25 Car celui qui a quelque chose recevra
davantage ; mais à celui qui n'a rien on
enlèvera même le peu qui pourrait lui
rester. »

La parabole de la semence qui pousse toute seule

26 Jésus dit encore : « Voici à quoi r
semble le *Royaume de Dieu : U
homme lance de la semence dans s
champ. 27 Ensuite, il va dormir durant
nuit et il se lève chaque jour, et penda
ce temps les graines germent et pousse
sans qu'il sache comment. 28 La terre f
pousser d'elle-même la récolte : d'abo
la tige des plantes, puis l'épi vert, et enf
le grain bien formé dans l'épi. 29 Dès q
le grain est mûr, l'homme se met au tr
vail avec sa faucille, car le moment de
moisson est arrivé[e]. »

La parabole de la graine de moutard

(Voir aussi Matt 13.31-32,34 ; Luc 13.18-19,

30 Jésus dit encore : « A quoi pouvon
nous comparer le *Royaume de Die
Au moyen de quelle *parabole allon
nous en parler ? 31 Il ressemble à u
graine de moutarde ; quand on la sè
dans la terre, elle est la plus petite de to
tes les graines du monde. 32 Mais ap
qu'on l'a semée, elle monte et devient
plus grande de toutes les plantes du ja
din. Elle pousse des branches si granc
que les oiseaux peuvent faire leurs nid
son ombre. »

33 Ainsi, Jésus donnait son enseign
ment en utilisant beaucoup de parabo
de ce genre ; il le donnait selon ce que s
auditeurs pouvaient comprendre. 34 Il
leur parlait pas sans utiliser des pa
boles ; mais quand il était seul avec s
*disciples, il leur expliquait tout.

Jésus apaise une tempête

(Voir aussi Matt 8.23-27 ; Luc 8.22-25)

35 Le soir de ce même jour, Jésus di
ses *disciples : « Passons de l'autre cô
du lac. » 36 Ils quittèrent donc la foule ;
disciples emmenèrent Jésus dans la b
que où il se trouvait encore. D'autres ba
ques étaient près de lui. 37 Et voilà qu'
vent violent se mit à souffler, les vagu
se jetaient dans la barque, à tel point q
déjà, elle se remplissait d'eau. 38 Jésus
l'arrière du bateau, dormait, la tête a
puyée sur un coussin. Ses disciples le r
veillèrent alors en criant : « Maître, no

---

c **4.21** Comparer Matt 5.15 ; Luc 11.33.
d **4.24** *Dieu mesurera ce qu'il vous donne... encore* : autre traduction *Dieu vous jugera avec la mesure que vous employez pour juger les autres, et même avec encore plus de sévérité.*
e **4.29** Comparer Joël 4.13.

allons mourir : cela ne te fait donc rien ? »
9 Jésus, réveillé, menaça le vent et dit à
'eau du lac : « Silence ! calme-toi ! » Alors
e vent tomba et il y eut un grand calme.
0 Puis Jésus dit aux disciples : « Pourquoi
ivez-vous si peur ? N'avez-vous pas encore confiance ? » 41 Mais ils éprouvèrent
ine grande frayeur et ils se dirent les uns
ux autres : « Qui est donc cet homme,
pour que même le vent et les flots lui
obéissent[f] ? »

Jésus guérit un homme possédé par des esprits mauvais

(Voir aussi Matt 8.28-34 ; Luc 8.26-39)

5 1 Puis ils arrivèrent de l'autre côté du
lac de Galilée, dans le territoire des
Géraséniens[g]. 2 Jésus descendit de la
arque et, aussitôt, un homme sortit du
nilieu des tombeaux[h] et vint à sa
encontre. Cet homme était possédé par
n esprit mauvais 3 et il vivait parmi les
ombeaux. Personne ne pouvait plus le
enir attaché, même avec une chaîne ;
souvent, en effet, on lui avait mis des
ers aux pieds et des chaînes aux mains,
nais il avait rompu les chaînes et brisé
s fers. Personne n'était assez fort pour
maîtriser. 5 Continuellement, la nuit
omme le jour, il errait parmi les tom-
eaux et sur les collines, en poussant des
is et en se blessant lui-même avec des
ierres. 6 Il vit Jésus de loin ; alors il ac-
ourut, se jeta à genoux devant lui, 7 et
ria avec force : « Que me veux-tu, Jésus,
ils du Dieu très-haut ? Je t'en conjure,
ı nom de Dieu, ne me tourmente pas ! »
- Jésus lui disait en effet : « Esprit mau-
ais, sors de cet homme ! » – 9 Jésus l'in-
rrogea : « Quel est ton nom ? » Il
pondit : « Mon nom est "Multitude",
r nous sommes nombreux. » 10 Et il le
ppliait avec insistance de ne pas en-
oyer les esprits mauvais hors de la ré-
on.
11 Il y avait là un grand troupeau de
orcs[i] qui cherchait sa nourriture près de
colline. 12 Les esprits adressèrent cette
ière à Jésus : « Envoie-nous dans ces
orcs, laisse nous entrer en eux ! » 13 Jésus
leur permit. Alors les esprits mauvais
rtirent de l'homme et entrèrent dans
porcs. Tout le troupeau – environ
deux mille porcs – se précipita du haut de
la falaise dans le lac et s'y noya. 14 Les
hommes qui gardaient les porcs s'enfuirent et portèrent la nouvelle dans la
ville et dans les fermes. Les gens vinrent
donc voir ce qui s'était passé. 15 Ils arrivèrent auprès de Jésus et virent l'homme
qui avait été possédé d'une multitude
d'esprits mauvais : il était assis, il portait
des vêtements et était dans son bon sens.
Et ils prirent peur. 16 Ceux qui avaient
tout vu leur racontèrent ce qui était arrivé à l'homme possédé et aux porcs.
17 Alors ils se mirent à supplier Jésus de
quitter leur territoire. 18 Au moment où
Jésus montait dans la barque, l'homme
guéri lui demanda de pouvoir rester avec
lui. 19 Jésus ne le lui permit pas, mais il
lui dit : « Retourne chez toi, dans ta famille, et raconte-leur tout ce que le Seigneur a fait dans sa bonté pour toi. »
20 L'homme s'en alla donc et se mit à proclamer dans la région des Dix Villes[j] tout
ce que Jésus avait fait pour lui ; et tous
ceux qui l'entendirent furent remplis
d'étonnement.

La fille de Jaïrus et la femme qui toucha le vêtement de Jésus

(Voir aussi Matt 9.18-26 ; Luc 8.40-56)

21 Jésus revint en barque de l'autre côté
du lac. Une grande foule s'assembla autour de lui alors qu'il se tenait au bord de
l'eau. 22 Un chef de la *synagogue locale,
nommé Jaïrus, arriva. Il vit Jésus, se jeta à
ses pieds 23 et le supplia avec insistance :
« Ma petite fille est mourante, dit-il. Je
t'en prie, viens et pose les mains sur elle
afin qu'elle soit sauvée et qu'elle vive ! »

---

f **4.41** Comparer Ps 65.8 ; 89.10 ; 107.23-32.

g **5.1** Marc semble désigner ici la région située à l'est du lac de Génésareth ou de Galilée. Comparer Matt 8.28 et la note.

h **5.2** Les *tombeaux* étaient aménagés le plus souvent dans des grottes naturelles ou étaient creusés dans le roc.

i **5.11** Selon Lév 11.7 et Deut 14.8, le *porc* était tenu par les Juifs pour *impur et interdit à la consommation. Le détail indique qu'on est en pays non juif.

j **5.20** *La région des Dix Villes* était située au sud-est du lac de Génésareth.

24 Jésus partit avec lui. Une grande foule
l'accompagnait et le pressait de tous
côtés.
25 Il y avait là une femme qui avait des
pertes de sang depuis douze ans. 26 Elle
avait été chez de nombreux médecins,
dont le traitement l'avait fait beaucoup
souffrir. Elle y avait dépensé tout son argent, mais cela n'avait servi à rien ; au
contraire, elle allait plus mal. 27 Elle avait
entendu parler de Jésus. Elle vint alors
dans la foule, derrière lui, et toucha son
vêtement. 28 Car elle se disait : « Si je touche au moins ses vêtements, je serai guérie. » 29 Sa perte de sang s'arrêta aussitôt
et elle se sentit guérie de son mal. 30 Au
même moment, Jésus se rendit compte
qu'une force était sortie de lui. Il se retourna au milieu de la foule et demanda :
« Qui a touché mes vêtements ? » 31 Ses
*disciples lui répondirent : « Tu vois que
la foule te presse de tous côtés, et tu
demandes encore : "Qui m'a touché ?" »
32 Mais Jésus regardait autour de lui pour
voir qui avait fait cela. 33 La femme tremblait de peur parce qu'elle savait ce qui
lui était arrivé ; elle vint alors se jeter à
ses pieds et lui avoua toute la vérité. 34 Jésus lui dit : « Ma fille, ta foi t'a guérie[k]. Va
en paix, délivrée de ton mal. »
35 Tandis que Jésus parlait ainsi, des
messagers vinrent de la maison du chef
de la synagogue et lui dirent : « Ta fille est
morte. Pourquoi déranger encore le Maître ? » 36 Mais Jésus ne prêta aucune attention à leurs paroles[l] et dit à Jaïrus :
« N'aie pas peur, crois seulement. » 37 Il ne
permit alors à personne de l'accompagner, si ce n'est à Pierre, à Jacques et à son
frère Jean. 38 Ils arrivèrent chez le chef de
la synagogue, où Jésus vit des gens très
agités, qui pleuraient et se lamentaient à
grands cris. 39 Il entra dans la maison et
leur dit : « Pourquoi toute cette agitati
et ces pleurs ? L'enfant n'est pas mor
elle dort. » 40 Mais ils se moquèrent de l
Alors il les fit tous sortir, garda avec lui
père, la mère et les trois *disciples, et e
tra dans la chambre de l'enfant. 41 Il
prit par la main et lui dit : « *Talit*
koum[m] ! » – ce qui signifie « Fillette, d
bout, je te le dis ! » –
42 La fillette se leva aussitôt et se mit
marcher – elle avait douze ans –. Aus
tôt, tous furent frappés d'un très gra
étonnement. 43 Mais Jésus leur r
commanda fermement de ne le faire s
voir à personne ; puis il leur di
« Donnez-lui à manger. »

Les gens de Nazareth ne croient pas en Jésus

(Voir aussi Matt 13.53-58 ; Luc 4.16-30)

6 1 Jésus quitta cet endroit et se ren
dans la ville où il avait grandi[n] ; s
*disciples l'accompagnaient. 2 Le jour
*sabbat, il se mit à enseigner dans la *s
nagogue. Ses nombreux auditeurs fure
très étonnés. Ils disaient : « D'où a-t
tout cela ? Qui donc lui a donné cette s
gesse et le pouvoir d'accomplir de t
miracles ? 3 N'est-ce pas lui le charpe
tier, le fils de Marie[o], et le frère de Ja
ques, de Joses, de Jude et de Simon ?
ses sœurs ne vivent-elles pas ici par
nous ? » Et cela les empêchait de croire
lui. 4 Alors Jésus leur dit : « Un *prophè
est estimé partout, excepté dans sa vi
natale, sa parenté et sa famille[p]. » 5 Jés
ne put faire là aucun miracle, si ce n'
qu'il posa les mains sur quelques malad
et les guérit. 6 Et il s'étonnait du manq
de foi des gens de sa ville.

La mission des douze disciples

(Voir aussi Matt 10.5-15 ; Luc 9.1-6)

Ensuite, Jésus parcourut tous les v
lages des environs pour y donner son e
seignement. 7 Il appela ses dou
*disciples et se mit à les envoyer deux p
deux. Il leur donna le pouvoir de soum
tre les esprits mauvais 8 et leur fit ces r
commandations : « Ne prenez rien av
vous pour le voyage, sauf un bâton ;
prenez pas de pain, ni de sac, ni d'arge

---

k 5.34 *t'a guérie* ou *t'a sauvée*.
l 5.36 *ne prêta aucune attention à leurs paroles* : autre traduction *entendit par hasard leurs paroles*.
m 5.41 *Talitha koum* : deux mots araméens ; l'araméen était la langue parlée par les Juifs au temps de Jésus.
n 6.1 *la ville...* : c'est-à-dire Nazareth. Comparer Matt 13.54 et la note.
o 6.3 Comparer Jean 6.42.
p 6.4 Comparer Luc 4.24 ; Jean 4.44.

ıns votre poche. 9 Mettez des sandales,
ais n'emportez pas deux chemises.»
10 Il leur dit encore: «Quand vous ar-
verez quelque part, restez dans la mai-
n où l'on vous invitera jusqu'au
oment où vous quitterez l'endroit. 11 Si
s habitants d'une localité refusent de
us accueillir ou de vous écouter, partez
là et secouez la poussière de vos
eds[q]: ce sera un avertissement pour
x.» 12 Les disciples s'en allèrent donc
oclamer à tous qu'il fallait changer de
mportement. 13 Ils chassaient beau-
up d'esprits mauvais et guérissaient de
ombreux malades après leur avoir versé
ıelques gouttes d'huile sur la tête[r].

La mort de Jean-Baptiste

(Voir aussi Matt 14.1-12 ; Luc 9.7-9)

14 Or, le roi *Hérode[s] entendit parler
Jésus, car sa réputation s'était répan-
ıe partout. Certains disaient: «Jean-
ıptiste est revenu d'entre les morts!
est pourquoi il a le pouvoir de faire des
iracles.» 15 Mais d'autres disaient:
C'est *Élie.» D'autres encore disaient:
C'est un *prophète, pareil à l'un des
ophètes d'autrefois.» 16 Quand Hérode
tendit tout ce qui se racontait, il se dit:
C'est Jean-Baptiste! Je lui ai fait couper
tête, mais il est revenu à la vie!»
17 En effet, Hérode avait donné l'ordre
ırrêter Jean et de le jeter en prison, en-
aîné. C'était à cause d'Hérodiade,
'Hérode avait épousée bien qu'elle fût
femme de son frère Philippe[t]. 18 Car
an disait à Hérode: «Il ne t'est pas per-
is de prendre la femme de ton frère[u]!»
Hérodiade était remplie de haine
ntre Jean et voulait le faire exécuter,
ais elle ne le pouvait pas. 20 En effet,
érode craignait Jean, car il savait que
tait un homme juste et saint, et il le pro-
geait. Quand il l'écoutait, il était très
barrassé; pourtant il aimait l'écouter.
Cependant, une occasion favorable se
ésenta pour Hérodiade le jour de l'an-
versaire d'Hérode. Celui-ci donna un
nquet aux membres de son gouverne-
ent, aux chefs de l'armée et aux notables
Galilée. 22 La fille d'Hérodiade[v] entra
ns la salle et dansa; elle plut à Hérode et
ses invités. Le roi dit alors à la jeune
fille: «Demande-moi ce que tu voudras,
et je te le donnerai.» 23 Et il lui fit ce serment solennel: «Je jure de te donner ce
que tu demanderas, même la moitié de
mon royaume.» 24 La jeune fille sortit et
dit à sa mère: «Que dois-je demander?»
Celle-ci répondit: «La tête de Jean-
Baptiste.» 25 La jeune fille se hâta de
retourner auprès du roi et lui fit cette demande: «Je veux que tu me donnes tout
de suite la tête de Jean-Baptiste sur un
plat!» 26 Le roi devint tout triste; mais il
ne voulut pas lui opposer un refus, à cause
des serments qu'il avait faits devant ses invités. 27 Il envoya donc immédiatement un
soldat de sa garde, avec l'ordre d'apporter
la tête de Jean-Baptiste. Le soldat se rendit à la prison et coupa la tête de Jean.
28 Puis il apporta la tête sur un plat et la
donna à la jeune fille, et celle-ci la donna à
sa mère. 29 Quand les *disciples de Jean
apprirent la nouvelle, ils vinrent prendre
son corps et le mirent dans un tombeau.

Jésus nourrit cinq mille hommes

(Voir aussi Matt 14.13-21 ; Luc 9.10-17 ; Jean 6.1-14)

30 Les *apôtres revinrent auprès de Jésus et lui racontèrent tout ce qu'ils
avaient fait et enseigné. 31 Cependant, les
gens qui allaient et venaient étaient si
nombreux que Jésus et ses *disciples
n'avaient même pas le temps de manger.
C'est pourquoi il leur dit: «Venez avec
moi dans un endroit isolé pour vous reposer un moment.» 32 Ils partirent donc
dans la barque, seuls, vers un endroit
isolé. 33 Mais beaucoup de gens les virent

---

q **6.11** *Secouer la poussière de ses pieds* est un geste de rupture. Il signifie que l'envoyé ne doit plus rien aux personnes visées, pas même la poussière de leur ville qui aurait pu rester attachée à ses chaussures. Comparer Act 13.51 ; 18.6.

r **6.13** Comparer Jacq 5.14.

s **6.14** *Hérode* : il s'agit ici d'Hérode Antipas, qui régnait sur la Galilée.

t **6.17** *Philippe* : c'est-à-dire Hérode Philippe, qui vivait à Rome ; il ne doit pas être confondu avec un autre Philippe, qui régnait à Césarée de Philippe (voir 8.27).

u **6.18** Voir Lév 18.16 ; 20.21.

v **6.22** *La fille d'Hérodiade* : certains manuscrits ont *Sa fille Hérodiade*.

s'éloigner et comprirent où ils allaient ;
ils accoururent alors de toutes les localités voisines et arrivèrent à pied à cet endroit avant Jésus et ses disciples.
34 Quand Jésus sortit de la barque, il vit
cette grande foule ; son cœur fut rempli de
pitié pour ces gens, parce qu'ils ressemblaient à un troupeau sans *berger[w]. Et il
se mit à leur enseigner beaucoup de choses. 35 Il était déjà tard, lorsque les disciples de Jésus s'approchèrent de lui et lui
dirent : « Il est déjà tard et cet endroit est
isolé. 36 Renvoie ces gens pour qu'ils aillent dans les fermes et les villages des environs acheter de quoi manger. » 37 Jésus
leur répondit : « Donnez-leur vous-mêmes
à manger ! » Mais ils lui demandèrent :
« Voudrais-tu que nous allions dépenser
deux cents pièces d'argent[x] pour acheter
du pain et leur donner à manger ? » 38 Jésus leur dit : « Combien avez-vous de
pains ? Allez voir. » Ils se renseignèrent et
lui dirent : « Nous avons cinq pains, et
aussi deux poissons. » 39 Alors, Jésus leur
donna l'ordre de faire asseoir tout le
monde, par groupes, sur l'herbe verte.
40 Les gens s'assirent en rangs de cent et
de cinquante. 41 Puis Jésus prit les cinq
pains et les deux poissons, leva les yeux
vers le *ciel et remercia Dieu. Il rompit les
pains et les donna aux disciples pour
qu'ils les distribuent aux gens. Il partagea
aussi les deux poissons entre eux tous.
42 Chacun mangea à sa faim. 43 Les disciples emportèrent les morceaux de pain
et de poisson qui restaient, de quoi remplir douze corbeilles[y]. 44 Ceux qui avaient
mangé les pains étaient au nombre de
cinq mille hommes.

Jésus marche sur le lac

(Voir aussi Matt 14.22-33 ; Jean 6.15-21)

45 Aussitôt après, Jésus fit monter ses
*disciples dans la barque pour qu'ils pas-
sent avant lui de l'autre côté du lac, ve
la ville de Bethsaïda, pendant que lu
même renverrait la foule. 46 Après l'avo
congédiée, il s'en alla sur une colli
pour prier. 47 Quand le soir fut venu,
barque était au milieu du lac et Jésus éta
seul à terre. 48 Il vit que ses discipl
avaient beaucoup de peine à ramer, par
que le vent soufflait contre eux ; alo
tard dans la nuit, il se dirigea vers eux
marchant sur l'eau, et il allait les dépa
ser[z]. 49 Quand ils le virent marcher s
l'eau, ils crurent que c'était un fantôme
poussèrent des cris. 50 En effet, tous
voyaient et étaient terrifiés. Mais auss
tôt, il leur parla : « Courage ! leur dit-
C'est moi ; n'ayez pas peur ! » 51 Puis
monta dans la barque, auprès d'eux, et
vent tomba. Les disciples étaient rempl
d'un étonnement extrême, 52 car
n'avaient pas compris le miracle d
pains : leur intelligence était incapab
d'en saisir le sens.

Jésus guérit les malades dans la région de Génésareth

(Voir aussi Matt 14.34-36)

53 Ils achevèrent la traversée du lac
touchèrent terre dans la région de Gén
sareth[a]. 54 Ils sortirent de la barque
aussitôt, on reconnut Jésus. 55 Les ge
coururent alors dans toute la région et
mirent à lui apporter les malades s
leurs nattes, là où ils entendaient di
qu'il était. 56 Partout où Jésus allait, da
les villes, les villages ou les fermes,
gens venaient mettre leurs malades s
les places publiques et le suppliaient
les laisser toucher au moins le bord
son manteau ; tous ceux qui le touchaie
étaient guéris.

L'enseignement transmis par les ancêtres

(Voir aussi Matt 15.1-9)

7 1 Les *Pharisiens et quelques *m
tres de la loi venus de Jérusalem s'
semblèrent autour de Jésus. 2
remarquèrent que certains de ses *d
ciples prenaient leur repas avec d
mains *impures, c'est-à-dire sans
avoir lavées selon la coutume. 3 En eff
les Pharisiens et tous les autres Juifs r

---

w **6.34** Comparer Nomb 27.17 ; 1 Rois 22.17 ; Ézék 34.5-6.
x **6.37** Une *pièce d'argent* représentait à l'époque le salaire quotidien d'un ouvrier agricole. Voir Matt 20.2.
y **6.43** Comparer 2 Rois 4.42-44.
z **6.48** *les dépasser* : autre traduction *les rejoindre*.
a **6.53** *la région de Génésareth* : plaine fertile au sud-ouest de Capernaüm.

:ctent les règles transmises par leurs an-
:tres : ils ne mangent pas sans s'être lavé
s mains avec soin[b] 4 et quand ils re-
ennent du marché, ils ne mangent pas
ant de s'être purifiés. Ils respectent
:aucoup d'autres règles traditionnelles,
lles que la bonne manière de laver les
upes, les pots, les marmites de cuivre
t les lits][c].
5 Les Pharisiens et les maîtres de la loi
mandèrent donc à Jésus : « Pourquoi
s disciples ne suivent-ils pas les règles
ansmises par nos ancêtres, mais pren-
:nt-ils leur repas avec des mains im-
ires ? » 6 Jésus leur répondit : « Ésaïe
ait bien raison lorsqu'il *prophétisait à
tre sujet ! Vous êtes des hypocrites,
nsi qu'il l'écrivait :
"Ce peuple, dit Dieu, m'honore en paroles,
mais de cœur il est loin de moi.
Le culte que ces gens me rendent est
sans valeur,
car les doctrines qu'ils enseignent
ne sont que des prescriptions humaines[d]."
'ous laissez de côté les commande-
:nts de Dieu, dit Jésus, pour respecter
; règles transmises par les hommes. »
9 Puis il ajouta : « Vous savez fort bien
ieter le commandement de Dieu pour
us en tenir à votre propre tradition !
Moïse a dit en effet : "Respecte ton père
ta mère", et aussi "Celui qui maudit
n père ou sa mère doit être mis à
ort[e]." 11 Mais vous, vous enseignez que
un homme déclare à son père ou à sa
ère : "Ce que je pourrais te donner pour
ider est *Corban*[f]" – c'est-à-dire "of-
.nde réservée à Dieu" –, 12 il n'a plus
soin de rien faire pour son père ou sa
ère, vous le lui permettez. 13 De cette fa-
n, vous annulez l'exigence de la parole
Dieu par la tradition que vous trans-
:ttez. Et vous faites beaucoup d'autres
oses semblables. »

Les choses qui rendent un homme impur

(Voir aussi Matt 15.10-20)

14 Puis Jésus appela de nouveau la foule
dit : « Écoutez-moi, vous tous, et
mprenez ceci : 15 Rien de ce qui entre
du dehors en l'homme ne peut le rendre
*impur. Mais ce qui sort de l'homme,
voilà ce qui le rend impur. [16 Écoutez
bien, si vous avez des oreilles pour entendre[g] !] »
17 Quand Jésus eut quitté la foule et fut
rentré à la maison, ses *disciples lui demandèrent le sens de cette image. 18 Et il
leur dit : « Êtes-vous donc, vous aussi,
sans intelligence ? Ne comprenez-vous
pas que rien de ce qui entre du dehors en
l'homme ne peut le rendre impur, 19 car
cela n'entre pas dans son cœur, mais dans
son ventre, et sort ensuite de son corps ? »
Par ces paroles, Jésus déclarait donc que
tous les aliments peuvent être mangés[h].
20 Et il dit encore : « C'est ce qui sort de
l'homme qui le rend impur. 21 Car c'est
du dedans, du cœur de l'homme, que
viennent les mauvaises pensées qui le
poussent à vivre dans l'immoralité, à voler, tuer, 22 commettre l'adultère, vouloir
ce qui est aux autres, agir méchamment,
tromper, vivre dans le désordre, être jaloux, dire du mal des autres, être orgueilleux et insensé. 23 Toutes ces mauvaises
choses sortent du dedans de l'homme et
le rendent impur. »

Une femme étrangère croit en Jésus

(Voir aussi Matt 15.21-28)

24 Jésus partit de là et se rendit dans le
territoire de Tyr. Il entra dans une maison et il voulait que personne ne sache
qu'il était là, mais il ne put pas rester caché. 25 En effet, une femme, dont la fille
était tourmentée par un esprit mauvais,
entendit parler de Jésus ; elle vint aussitôt vers lui et se jeta à ses pieds. 26 Cette

---

b **7.3** Comparer Luc 11.38.
c **7.4** *quand ils reviennent... purifiés* : autre traduction *ils ne mangent rien qui vienne du marché sans l'avoir lavé d'abord*. – *et les lits* : certains manuscrits n'ont pas ces mots.
d **7.7** És 29.13, cité d'après l'ancienne version grecque.
e **7.10** Voir Ex 20.12 et Deut 5.16 ; Ex 21.17 et Lév 20.9.
f **7.11** *Corban* : mot araméen.
g **7.16** Ce verset ne se trouve pas dans plusieurs anciens manuscrits.
h **7.19** Comparer Act 10.9-16.

femme était non juive, née en Phénicie
de Syrie. Elle pria Jésus de chasser l'esprit mauvais hors de sa fille. 27 Mais Jésus
lui dit : « Laisse d'abord les enfants manger à leur faim ; car il n'est pas bien de
prendre le pain des enfants et de le jeter
aux chiens. » 28 Elle lui répondit : « Pourtant, Maître, même les chiens, sous la table, mangent les miettes que les enfants
laissent tomber. » 29 Alors Jésus lui dit :
« A cause de cette réponse, tu peux retourner chez toi : l'esprit mauvais est
sorti de ta fille. » 30 Elle retourna donc
chez elle et, là, elle trouva son enfant
étendue sur le lit : l'esprit mauvais l'avait
quittée.

Jésus guérit un homme sourd et muet

31 Jésus quitta ensuite le territoire de
Tyr, passa par Sidon et revint vers le lac
de Galilée à travers le territoire des Dix
Villes. 32 On lui amena un homme qui
était sourd et avait de la peine à parler, et
on le supplia de poser la main sur lui.
33 Alors Jésus l'emmena seul avec lui, loin
de la foule ; il mit ses doigts dans les
oreilles de l'homme et lui toucha la langue avec sa propre salive. 34 Puis il leva les
yeux vers le *ciel, soupira et dit à
l'homme : « *Effata*[i] ! » – ce qui signifie
« Ouvre-toi ! » – 35 Aussitôt, les oreilles de
l'homme s'ouvrirent, sa langue fut libérée et il se mit à parler normalement.
36 Jésus recommanda à tous de n'en parler
à personne ; mais plus il le leur recommandait, plus ils répandaient la nouvelle. 37 Et les gens étaient impressionnés
au plus haut point ; ils disaient : « Tout ce
qu'il fait est vraiment bien ! Il fait même
entendre les sourds et parler les muets ! »

Jésus nourrit quatre mille personnes

(Voir aussi Matt 15.32-39)

8 1 En ce temps-là, une grande foule
s'était de nouveau assemblée.
Comme elle n'avait rien à manger, Jésus
appela ses *disciples et leur dit : 2 « J'ai pitié de ces gens, car voilà trois jours qu'ils
sont avec moi et ils n'ont plus rien à ma
ger. 3 Si je les renvoie chez eux le vent
vide, ils se trouveront mal en chemin, c
plusieurs d'entre eux sont venus
loin. » 4 Ses disciples lui répondiren
« Où pourrait-on trouver de quoi les fai
manger à leur faim, dans cet endroit d
sert ? » 5 Jésus leur demanda : « Combie
avez-vous de pains ? » Et ils répondiren
« Sept. » 6 Alors, il ordonna à la foule
s'asseoir par terre. Puis il prit les se
pains, remercia Dieu, les rompit et l
donna à ses disciples pour les distribuer
tous. C'est ce qu'ils firent. 7 Ils avaient e
core quelques petits poissons. Jésus r
mercia Dieu pour ces poissons et dit à s
disciples de les distribuer aussi. 8 Chacu
mangea à sa faim. Les disciples empo
tèrent sept corbeilles pleines des mo
ceaux qui restaient. 9 Or, il y avait
environ quatre mille personnes. Puis J
sus les renvoya, 10 monta aussitôt dans
barque avec ses disciples et se rendit da
la région de Dalmanoutha[j].

Les Pharisiens demandent un signe miraculeux

(Voir aussi Matt 16.1-4)

11 Les *Pharisiens arrivèrent et co
mencèrent à discuter avec Jésus pour l
tendre un piège. Ils lui demandèrent
montrer par un signe miraculeux qu
venait de Dieu. 12 Jésus soupira profond
ment et dit : « Pourquoi les gens d'a
jourd'hui réclament-ils un signe mirac
leux ? Je vous le déclare, c'est la vérit
aucun signe ne leur sera donné ! » 13 Pu
il les quitta, remonta dans la barque
partit vers l'autre côté du lac.

Le levain des Pharisiens et d'Hérod

(Voir aussi Matt 16.5-12)

14 Les *disciples avaient oublié d'e
porter des pains, ils n'en avaient qu'
seul avec eux dans la barque. 15 Jésus le
fit alors cette recommandation : « Atte
tion ! Gardez-vous du *levain des *Pha
siens et du levain *d'Hérode. » 16 L
disciples se mirent à discuter entre e
parce qu'ils n'avaient pas de pain. 17 Jés
s'en aperçut et leur demanda : « Pourqu
discutez-vous parce que vous n'avez p
de pain ? Ne comprenez-vous pas e

---

i 7.34 *Effata* : mot araméen.
j 8.10 *Dalmanoutha* : localité inconnue.

:ore ? Ne saisissez-vous pas ? Avez-vous
'esprit bouché ? 18 Vous avez des yeux,
ıe voyez-vous pas ? Vous avez des oreilles,
ı'entendez-vous pas[k] ? Ne vous rappelez-
/ous pas : 19 quand j'ai rompu les cinq
ɔains pour les cinq mille hommes,
:ombien de corbeilles pleines de mor-
:eaux avez-vous emportées ? » – « Douze »,
'épondirent-ils[l]. 20 « Et quand j'ai rompu
es sept pains pour les quatre mille per-
ıonnes, demanda Jésus, combien de cor-
ɔeilles pleines de morceaux avez-vous
:mportées ? » – « Sept », répondirent-ils[m].
1 Alors Jésus leur dit : « Et vous ne
:omprenez pas encore ? »

Jésus guérit un aveugle à Bethsaïda

22 Ils arrivèrent à Bethsaïda ; là, on
ımena à Jésus un aveugle et on le pria de
e toucher. 23 Jésus prit l'aveugle par la
nain et le conduisit hors du village. Puis
l lui mit de la salive sur les yeux, posa les
nains sur lui et lui demanda : « Peux-tu
'oir quelque chose ? » 24 L'aveugle leva
es yeux et dit : « Je vois des gens, je les
'ois comme des arbres, mais ils mar-
:hent. » 25 Jésus posa de nouveau les
nains sur les yeux de l'homme ; celui-ci
egarda droit devant lui : il était guéri, il
'oyait tout clairement. 26 Alors Jésus le
envoya chez lui en lui disant : « N'entre
ɔas dans le village. »

Pierre déclare que Jésus est le Messie

(Voir aussi Matt 16.13-20 ; Luc 9.18-21)

27 Jésus et ses *disciples partirent en-
uite vers les villages proches de Césarée
le Philippe[n]. En chemin, il leur de-
nanda : « Que disent les gens à mon su-
et ? » 28 Ils lui répondirent : « Certains
lisent que tu es Jean-Baptiste, d'autres
ue tu es *Élie, et d'autres encore que tu
s l'un des *prophètes. » – 29 « Et vous,
eur demanda Jésus, qui dites-vous que je
uis ? » Pierre lui répondit : « Tu es le
Messie. » 30 Alors, Jésus leur ordonna sé-
'èrement de n'en parler à personne.

Jésus annonce sa mort et sa *résurrection

(Voir aussi Matt 16.21-28 ; Luc 9.22-27)

31 Ensuite, Jésus se mit à donner cet en-
eignement à ses *disciples : « Il faut que
le *Fils de l'homme souffre beaucoup ;
les *anciens, les chefs des *prêtres et les
*maîtres de la loi le rejetteront ; il sera
mis à mort, et après trois jours, il se relèvera de la mort. » 32 Il leur annonçait cela
très clairement. Alors Pierre le prit à part
et se mit à lui faire des reproches. 33 Mais
Jésus se retourna, regarda ses disciples et
reprit sévèrement Pierre : « Va-t'en loin
de moi, *Satan, dit-il, car tu ne penses
pas comme Dieu mais comme les êtres
humains. »
34 Puis Jésus appela la foule avec ses
disciples et dit à tous : « Si quelqu'un
veut venir avec moi, qu'il cesse de penser
à lui-même, qu'il porte sa croix et me
suive. 35 En effet, celui qui veut sauver sa
vie la perdra ; mais celui qui perdra sa vie
pour moi et pour la Bonne Nouvelle la
sauvera. 36 A quoi sert-il à un homme de
gagner le monde entier, si c'est au prix de
sa vie ? 37 Que pourrait-il donner pour racheter sa vie ? 38 Si quelqu'un a honte de
moi et de mes paroles face aux gens d'aujourd'hui, infidèles et rebelles à Dieu,
alors le Fils de l'homme aussi aura honte
de lui, quand il viendra dans la *gloire de
son Père avec les saints *anges. »

9 1 Jésus leur dit encore : « Je vous le
déclare, c'est la vérité : quelques-uns
de ceux qui sont ici ne mourront pas
avant d'avoir vu le *Royaume de Dieu
venir avec puissance. »

La transfiguration de Jésus

(Voir aussi Matt 17.1-13 ; Luc 9.28-36)

2 Six jours après, Jésus prit avec lui
Pierre, Jacques et Jean, et les conduisit
sur une haute montagne où ils se trouvèrent seuls. Il changea d'aspect devant
leurs yeux ; 3 ses vêtements devinrent
d'un blanc si brillant que personne sur
toute la terre ne pourrait les blanchir à ce
point[o]. 4 Soudain les trois *disciples virent *Élie et Moïse qui parlaient avec Jé-

---

k **8.18** Comparer Jér 5.21 ; Ézék 12.2.
l **8.19** Voir 6.35-44.
m **8.20** Voir 8.1-9.
n **8.27** *Césarée de Philippe* : ville située près des sources du Jourdain, fondée par Philippe Hérode. Aujourd'hui Banias.
o **9.3** Comparer 2 Pi 1.16-18.

sus. 5 Pierre dit alors à Jésus : « Maître, il
est bon que nous soyons ici. Nous allons
dresser trois tentes, une pour toi, une
pour Moïse et une pour Élie. » 6 En fait, il
ne savait pas que dire, car ses deux
compagnons et lui-même étaient très effrayés. 7 Un nuage survint et les couvrit
de son ombre, et du nuage une voix se fit
entendre : « Celui-ci est mon *Fils bien-
aimé, écoutez-le[p] ! » 8 Aussitôt, les disciples regardèrent autour d'eux, mais ils
ne virent plus personne ; Jésus seul était
avec eux. 9 Tandis qu'ils descendaient de
la montagne, Jésus leur recommanda de
ne raconter à personne ce qu'ils avaient
vu, jusqu'à ce que le *Fils de l'homme se
relève d'entre les morts. 10 Ils retinrent
cette recommandation, mais ils se demandèrent entre eux : « Que veut-il dire
par "se relever d'entre les morts" ? »
11 Puis ils interrogèrent Jésus : « Pourquoi les *maîtres de la loi disent-ils
qu'Élie doit venir d'abord[q] ? » 12 Il leur répondit : « Élie doit en effet venir d'abord
pour tout remettre en ordre. Mais pourquoi les Écritures affirment-elles aussi
que le Fils de l'homme souffrira beaucoup et qu'on le traitera avec mépris[r] ?
13 Quant à moi, je vous le déclare : Élie est
déjà venu, et les gens l'ont traité comme
ils l'ont voulu, ainsi que les Écritures
l'annoncent à son sujet. »

Jésus guérit un enfant tourmenté par un esprit mauvais

(Voir aussi Matt 17.14-21 ; Luc 9.37-43a)

14 Quand ils arrivèrent près des autres
*disciples, ils virent une grande foule qui
les entourait et des *maîtres de la loi qui
discutaient avec eux. 15 Dès que les gens
virent Jésus, ils furent tous très surpris, et
ils accoururent pour le saluer. 16 Jésus demanda à ses disciples : « De quoi discutez-vous avec eux ? » 17 Un homme
dans la foule lui répondit : « Maître, je t'ai
amené mon fils, car il est tourmenté par
un esprit mauvais qui l'empêche de parler. 18 L'esprit le saisit n'importe où, il le
jette à terre, l'enfant a de l'écume à la
bouche et grince des dents, son corps devient raide. J'ai demandé à tes disciples
de chasser cet esprit, mais ils ne l'ont pas
pu. » 19 Jésus leur déclara : « Gens sans foi
que vous êtes ! Combien de temps encore
devrai-je rester avec vous ? Combien de
temps encore devrai-je vous supporter ?
Amenez-moi l'enfant. » 20 On le lui
amena donc. Dès que l'esprit vit Jésus, il
secoua rudement l'enfant ; celui-ci tomba
à terre, il se roulait et avait de l'écume à la
bouche. 21 Jésus demanda au père : « Depuis combien de temps cela lui arrive-t-
il ? » Et le père répondit : « Depuis sa petite enfance. 22 Et souvent l'esprit l'a
poussé dans le feu ou dans l'eau pour le
faire mourir. Mais aie pitié de nous et
viens à notre secours, si tu peux ! » 23 Jésus répliqua : « Si tu peux, dis-tu. Mais
tout est possible pour celui qui croit. »
24 Aussitôt, le père de l'enfant s'écria : « Je
crois, aide-moi, car j'ai de la peine à
croire ! »
25 Jésus vit la foule accourir près d'eux ;
alors, il menaça l'esprit mauvais et lui
dit : « Esprit qui rend muet et sourd, je te
le commande : sors de cet enfant et ne reviens plus jamais en lui ! » 26 L'esprit
poussa des cris, secoua l'enfant avec violence, et sortit. Le garçon paraissait mort,
de sorte que beaucoup de gens disaient :
« Il est mort. » 27 Mais Jésus le prit par la
main, le fit lever et l'enfant se tint debout. 28 Quand Jésus fut rentré à la maison et que ses disciples furent seuls avec
lui, ils lui demandèrent : « Pourquoi
n'avons-nous pas pu chasser cet esprit ? »
29 Et Jésus leur répondit : « C'est par la
prière seulement qu'on peut faire sortir
ce genre d'esprit. »

Jésus annonce de nouveau sa mort et sa *résurrection

(Voir aussi Matt 17.22-23 ; Luc 9.43b-45)

30 Ils partirent de là et traversèrent la
Galilée. Jésus ne voulait pas qu'on sache
où il était. 31 Voici, en effet, ce qu'il enseignait à ses *disciples : « Le *Fils de
l'homme sera livré aux mains des hommes, ceux-ci le mettront à mort ; et trois
jours après, il se relèvera de la mort. »
32 Mais les disciples ne comprenaient pas

p **9.7** Voir 1.11 et la note.
q **9.11** Comparer Mal 3.23.
r **9.12** Voir És 53.3 ; Ps 22.1-18.

la signification de ces paroles et ils
avaient peur de lui poser des questions.

Qui est le plus grand ?

(Voir aussi Matt 18.1-5 ; Luc 9.46-48)

33 Ils arrivèrent à Capernaüm. Quand il
fut à la maison, Jésus questionna ses *disciples : « De quoi discutiez-vous en chemin ? » 34 Mais ils se taisaient, car, en
chemin, ils avaient discuté entre eux
pour savoir lequel était le plus grand.
35 Alors Jésus s'assit, il appela les douze
disciples et leur dit : « Si quelqu'un veut
être le premier, il doit être le dernier de
tous et le serviteur de tous. » 36 Puis il prit
un petit enfant et le plaça au milieu
d'eux ; il le serra dans ses bras et leur dit :
37 « Celui qui reçoit un enfant comme
celui-ci par amour pour moi, me reçoit
moi-même ; et celui qui me reçoit ne reçoit pas seulement moi-même, mais aussi
celui qui m'a envoyé. »

Celui qui n'est pas contre nous est pour nous

(Voir aussi Luc 9.49-50)

38 Jean dit à Jésus : « Maître, nous
avons vu un homme qui chassait les esprits mauvais en usant de ton nom, et
nous avons voulu l'en empêcher, parce
qu'il n'appartient pas à notre groupe. »
39 Mais Jésus répondit : « Ne l'en empêchez pas, car personne ne peut accomplir
un miracle en mon nom et tout de suite
après dire du mal de moi. 40 Car celui qui
n'est pas contre nous est pour nous. 41 Et
celui qui vous donnera à boire un verre
d'eau parce que vous appartenez au
Christ, je vous le déclare, c'est la vérité :
il recevra sa récompense. »

Sérieuse mise en garde

(Voir aussi Matt 18.6-9 ; Luc 17.1-2)

42 « Celui qui fait tomber dans le péché
un de ces petits qui croient en moi, il
vaudrait mieux pour lui qu'on lui attache
au cou une grosse pierre et qu'on le jette
dans la mer. 43 Si c'est à cause de ta main
que tu tombes dans le péché, coupe-la ; il
vaut mieux pour toi entrer dans la vraie
vie avec une seule main que de garder les
deux mains et d'aller en *enfer, dans le
feu qui ne s'éteint pas. [44 Là, "les vers
qui rongent les corps ne meurent pas et le
feu ne s'éteint jamais[s]."] 45 Si c'est à cause
de ton pied que tu tombes dans le péché,
coupe-le ; il vaut mieux pour toi entrer
dans la vraie vie avec un seul pied que de
garder les deux pieds et d'être jeté en enfer. [46 Là, "les vers qui rongent les corps
ne meurent pas et le feu ne s'éteint jamais[t]."] 47 Et si c'est à cause de ton œil
que tu tombes dans le péché, arrache-le ;
il vaut mieux pour toi entrer dans le
*Royaume de Dieu avec un seul œil que
de garder les deux yeux et d'être jeté en
enfer. 48 Là, "les vers qui rongent les
corps ne meurent pas et le feu ne s'éteint
jamais[u]." 49 En effet, chacun sera salé de
feu.

50 « Le sel est une bonne chose ; mais si
le sel perd son goût particulier, comment
le lui rendrez-vous ? Ayez du sel en vous-mêmes et vivez en paix les uns avec les
autres. »

L'enseignement de Jésus sur le divorce

(Voir aussi Matt 19.1-12 ; Luc 16.18)

10 1 Jésus partit de là et se rendit dans
le territoire de la Judée, puis de
l'autre côté du Jourdain. De nouveau,
une foule de gens s'assemblèrent près de
lui et il se mit à leur donner son enseignement, comme il le faisait toujours.
2 Quelques *Pharisiens s'approchèrent de
lui pour lui tendre un piège. Ils lui demandèrent : « Notre loi permet-elle à un
homme de renvoyer sa femme ? » 3 Jésus
leur répondit par cette question : « Quel
commandement Moïse vous a-t-il
donné ? » 4 Ils dirent : « Moïse a permis à
un homme d'écrire une attestation de divorce et de renvoyer sa femme[v]. » 5 Alors
Jésus leur dit : « Moïse a écrit ce
commandement pour vous parce que
vous avez le cœur dur. 6 Mais au
commencement, quand Dieu a tout créé,
"il les fit homme et femme", dit l'Écri-

s **9.44** Ce verset ne se trouve pas dans plusieurs anciens manuscrits.

t **9.46** Ce verset ne se trouve pas dans plusieurs anciens manuscrits.

u **9.48** Comparer És 66.24.

v **10.4** Voir Deut 24.1.

ture[w]. 7 “C’est pourquoi, l’homme quittera son père et sa mère pour s’attacher à sa femme, 8 et les deux deviendront un seul être[x].” Ainsi, ils ne sont plus deux mais un seul être. 9 Que l’homme ne sépare donc pas ce que Dieu a uni.» 10 Quand ils furent dans la maison, les *disciples posèrent de nouveau des questions à Jésus à ce propos. 11 Il leur répondit : « Si un homme renvoie sa femme et en épouse une autre, il commet un adultère envers la première ; 12 de même, si une femme renvoie son mari et épouse un autre homme, elle commet un adultère. »

Jésus bénit des enfants

(Voir aussi Matt 19.13-15 ; Luc 18.15-17)

13 Des gens amenèrent des enfants à Jésus pour qu’il pose les mains sur eux, mais les *disciples leur firent des reproches. 14 Quand Jésus vit cela, il s’indigna et dit à ses disciples : « Laissez les enfants venir à moi ! Ne les en empêchez pas, car le *Royaume de Dieu appartient à ceux qui sont comme eux.[y] 15 Je vous le déclare, c’est la vérité : celui qui ne reçoit pas le Royaume de Dieu comme un enfant ne pourra jamais y entrer. » 16 Ensuite, il prit les enfants dans ses bras ; il posa les mains sur chacun d’eux et les *bénit.

L’homme riche

(Voir aussi Matt 19.16-30 ; Luc 18.18-30)

17 Comme Jésus se mettait en route, un homme vint en courant, se jeta à genoux devant lui et lui demanda : « Bon maître, que dois-je faire pour obtenir la vie éternelle ? » 18 Jésus lui dit : « Pourquoi m’appelles-tu bon ? Personne n’est bon, à part Dieu seul. 19 Tu connais les commandements : “Ne commets pas de meurtre ; ne commets pas d’adultère ; ne vole pas ; ne prononce pas de faux témoignage contre quelqu’un ; ne prends rien aux autres par tromperie ; respecte ton père et ta mère[z].” » 20 L’homme lui répondit : « Maître, j’ai obéi à tous ces commandements depuis ma jeunesse. » 21 Jésus le regarda avec amour et lui dit : « Il te manque une chose : va vendre tout ce que tu as et donne l’argent aux pauvres, alors tu auras des richesses dans le *ciel ; puis viens et suis-moi. » 22 Mais quand l’homme entendit cela, il prit un air sombre et il s’en alla tout triste parce qu’il avait de grands biens.

23 Jésus regarda ses *disciples qui l’entouraient et leur dit : « Qu’il est difficile aux riches d’entrer dans le *Royaume de Dieu ! » 24 Les disciples furent troublés par ces paroles. Mais Jésus leur dit encore : « Mes enfants, qu’il est difficile d’entrer dans le Royaume de Dieu ! 25 Il est difficile à un chameau de passer par le trou d’une aiguille, mais il est encore plus difficile à un riche d’entrer dans le Royaume de Dieu. » 26 Les disciples étaient de plus en plus étonnés, et ils se demandèrent les uns aux autres : « Mais qui donc peut être sauvé ? » 27 Jésus les regarda et leur dit : « C’est impossible aux hommes, mais non à Dieu, car tout est possible à Dieu. » 28 Alors Pierre lui dit : « Écoute, nous avons tout quitté pour te suivre. » 29 Jésus lui répondit : « Je vous le déclare, c’est la vérité : si quelqu’un quitte, pour moi et pour la Bonne Nouvelle, sa maison, ou ses frères, ses sœurs, sa mère, son père, ses enfants, ses champs, 30 il recevra cent fois plus dans le temps où nous vivons maintenant : des maisons, des frères, des sœurs, des mères, des enfants et des champs, avec des persécutions aussi ; et dans le monde futur, il recevra la vie éternelle. 31 Mais beaucoup qui sont maintenant les premiers seront les derniers, et ceux qui sont maintenant les derniers seront les premiers. »

Jésus annonce une troisième fois sa mort et sa *résurrection

(Voir aussi Matt 20.17-19 ; Luc 18.31-34)

32 Ils étaient en chemin pour monter à Jérusalem. Jésus marchait devant ses

---

w **10.6** Gen 1.27 ; 5.2.

x **10.8** Gen 2.24. – Certains manuscrits n’ont pas les mots *pour s’attacher à sa femme*.

y **10.14** Comparer 9.37.

z **10.19** Voir Ex 20.12-16 ; Deut 5.16-20. – *ne prends rien aux autres par tromperie* : ces mots ne figurent pas dans les dix commandements et sont absents dans les passages parallèles de Matthieu et de Luc.

a **10.24** *difficile* : certains manuscrits précisent *à ceux qui se confient dans les richesses*.

lisciples, qui étaient inquiets, et ceux qui
s suivaient avaient peur. Jésus prit de
ɔuveau les douze disciples avec lui et se
ıit à leur parler de ce qui allait bientôt lui
river. 33 Il leur dit : « Écoutez, nous mon-
ıns à Jérusalem, où le *Fils de l'homme
ra livré aux chefs des *prêtres et aux
naîtres de la loi. Ils le condamneront à
ıort et le livreront aux païens. 34 Ceux-ci
moqueront de lui, cracheront sur lui, le
apperont à coups de fouet et le mettront
mort. Et, après trois jours, il se relèvera
e la mort. »

La demande de Jacques et Jean

(Voir aussi Matt 20.20-28)

35 Alors, Jacques et Jean, les fils de Zé-
édée, vinrent auprès de Jésus. Ils lui di-
ent : « Maître, nous désirons que tu
sses pour nous ce que nous te de-
ıanderons. » – 36 « Que voulez-vous que
fasse pour vous ? » leur dit Jésus. 37 Ils
i répondirent : « Quand tu seras dans
ɔn règne glorieux, accorde-nous de sié-
er à côté de toi, l'un à ta droite, l'autre à
gauche. » 38 Mais Jésus leur dit : « Vous
e savez pas ce que vous demandez.
ouvez-vous boire la coupe de douleur
ue je vais boire, ou recevoir le baptême
e souffrance que je vais recevoir ? » 39 Et
s lui répondirent : « Nous le pouvons. »
ésus leur dit : « Vous boirez en effet la
oupe que je vais boire et vous recevrez
baptême que je vais recevoir[b]. 40 Mais
e n'est pas à moi de décider qui siègera
ma droite ou à ma gauche ; ces places
ɔnt à ceux pour qui Dieu les a prépa-
ées. »
41 Quand les dix autres *disciples en-
endirent cela, ils s'indignèrent contre
acques et Jean. 42 Alors Jésus les appela
ɔus et leur dit : « Vous le savez, ceux
u'on regarde comme les chefs des peu-
les les commandent en maîtres, et les
rands personnages leur font sentir leur
ouvoir. 43 Mais cela ne se passe pas ainsi
armi vous. Au contraire, si l'un de vous
eut être grand, il doit être votre servi-
eur, 44 et si l'un de vous veut être le pre-
nier, il doit être l'esclave de tous. 45 Car le
Fils de l'homme lui-même n'est pas
enu pour se faire servir, mais il est venu
pour servir et donner sa vie comme rançon pour libérer une multitude de
gens[c]. »

Jésus guérit l'aveugle Bartimée

(Voir aussi Matt 20.29-34 ; Luc 18.35-43)

46 Ils arrivèrent à Jéricho. Lorsque Jésus sortit de cette ville avec ses *disciples
et une grande foule, un aveugle appelé
Bartimée, le fils de Timée, était assis au
bord du chemin et mendiait. 47 Quand il
entendit que c'était Jésus de Nazareth, il
se mit à crier : « Jésus, *Fils de David, aie
pitié de moi ! » 48 Beaucoup lui faisaient
des reproches pour qu'il se taise, mais il
criait encore plus fort : « Fils de David,
aie pitié de moi ! » 49 Jésus s'arrêta et dit :
« Appelez-le. » Ils appelèrent donc l'aveugle et lui dirent : « Courage, lève-toi, il
t'appelle. » 50 Alors il jeta son manteau,
sauta sur ses pieds et vint vers Jésus. 51 Jésus lui demanda : « Que veux-tu que je
fasse pour toi ? » L'aveugle lui répondit :
« Maître, fais que je voie de nouveau. »
52 Et Jésus lui dit : « Va, ta foi t'a guéri[d]. »
Aussitôt, il put voir, et il suivait Jésus sur
le chemin.

Jésus entre à Jérusalem

(Voir aussi Matt 21.1-11 ; Luc 19.28-40 ; Jean 12.12-19)

11 1 Quand ils approchèrent de Jérusalem, près des villages de Bethfagé et de Béthanie, ils arrivèrent au
mont des Oliviers[e]. Jésus envoya en avant
deux de ses *disciples : 2 « Allez au village
qui est là devant vous, leur dit-il. Dès que
vous y serez arrivés, vous trouverez un
petit âne attaché, sur lequel personne ne
s'est encore assis. Détachez-le et amenez-
le-moi. 3 Et si quelqu'un vous demande :
“Pourquoi faites-vous cela ?”, dites-lui :

---

b **10.39** Comparer Act 12.2.
c **10.45** Comparer 14.24 ; 1 Tim 2.6.
d **10.52** *t'a guéri* ou *t'a sauvé*.
e **11.1** *Bethfagé* : village situé sur le flanc oriental du mont des Oliviers, à quelques kilomètres de Jérusalem. – *Béthanie* : autre village, voisin du précédent. – Le *mont des Oliviers* est une colline située à l'est de Jérusalem ; elle est séparée de la ville par la vallée du Cédron.

"Le Seigneur en a besoin, mais il le renverra ici sans tarder[f]." »
4 Ils partirent donc et trouvèrent un
âne dehors, dans la rue, attaché à la
porte d'une maison. Ils le détachèrent.
5 Quelques-uns de ceux qui se trouvaient
là leur demandèrent : « Que faites-vous ?
pourquoi détachez-vous cet ânon ? » 6 Ils
leur répondirent ce que Jésus avait dit, et
on les laissa aller. 7 Ils amenèrent l'ânon à
Jésus ; ils posèrent leurs manteaux sur
l'animal, et Jésus s'assit dessus[g]. 8 Beaucoup de gens étendirent leurs manteaux
sur le chemin, et d'autres y mirent des
branches vertes qu'ils avaient coupées
dans la campagne[h]. 9 Ceux qui marchaient devant Jésus et ceux qui le suivaient criaient : « Gloire à Dieu ! Que
Dieu *bénisse celui qui vient au nom
du Seigneur ! 10 Que Dieu bénisse le
royaume qui vient, le royaume de David
notre père ! Gloire à Dieu dans les
*cieux[i] ! » 11 Jésus entra dans Jérusalem et
se rendit dans le *temple. Après avoir
tout regardé autour de lui, il partit pour
Béthanie avec les douze disciples, car il
était déjà tard.

Jésus maudit un figuier

(Voir aussi Matt 21.18-19)

12 Le lendemain, au moment où ils
quittaient Béthanie, Jésus eut faim. 13 Il
vit de loin un figuier qui avait des feuilles, et il alla regarder s'il y trouverait des
fruits ; mais quand il fut près de l'arbre, il
ne trouva que des feuilles, car ce n'était
pas la saison des figues. 14 Alors Jésus d
au figuier : « Que personne ne mang
plus jamais de tes fruits ! » Et ses *di
ciples l'entendirent.

Jésus dans le temple

(Voir aussi Matt 21.12-17 ; Luc 19.45-48 ; Jean 2.13-22)

15 Ils arrivèrent ensuite à Jérusalem. Jé
sus entra dans le *temple et se mit à chas
ser ceux qui vendaient ou qui achetaien
à cet endroit ; il renversa les tables de
changeurs d'argent et les sièges des ven
deurs de pigeons[j], 16 et il ne laissait per
sonne transporter un objet à travers l
temple. 17 Puis il leur enseigna ceci
« Dans les Écritures, Dieu déclare : "O
appellera ma maison maison de prièr
pour tous les peuples." Mais vous, ajouta
t-il, vous en avez fait une caverne de vo
leurs[k] ! » 18 Les chefs des *prêtres et le
*maîtres de la loi apprirent cela et il
cherchaient un moyen de faire mourir Jé
sus ; en effet, ils avaient peur de lui, parc
que toute la foule était impressionnée pa
son enseignement. 19 Le soir venu, Jésu
et ses *disciples sortirent de la ville[l].

Jésus et le figuier desséché

(Voir aussi Matt 21.20-22)

20 Tôt le lendemain, tandis qu'ils pas
saient le long du chemin, ils virent l
figuier : il était complètement se
jusqu'aux racines. 21 Pierre se rappela c
qui était arrivé et dit à Jésus : « Maître, re
garde, le figuier que tu as maudit est de
venu tout sec. » 22 Jésus dit alors à se
*disciples : « Je vous le déclare, c'est la vé
rité : Ayez foi en Dieu ! 23 Si quelqu'u
dit à cette colline : "Ote-toi de là et jette
toi dans la mer", et s'il ne doute pas dan
son cœur, mais croit que ce qu'il dit arri
vera, cela arrivera pour lui. 24 C'est pour
quoi, je vous dis : Quand vous priez pou
demander quelque chose, croyez qu
vous l'avez reçu et cela vous sera donné
25 Et quand vous êtes debout pour prier, s
vous avez quelque chose contr
quelqu'un, pardonnez-lui, afin que votr
Père qui est dans les *cieux vous par
donne aussi le mal que vous avez fai
[26 Mais si vous ne pardonnez pas aux au
tres, votre Père qui est dans les cieux n

---

f **11.3** *Le Seigneur* : autres traductions *Le Maître* ou *Son propriétaire*. – *il le renverra ici sans tarder* : autre traduction, d'après certains manuscrits, *il (le propriétaire) l'enverra ici tout de suite*.

g **11.7** Comparer Zach 9.9.

h **11.8** Comme en 2 Rois 9.13, il s'agit d'une sorte de tapis d'honneur.

i **11.10** Comparer Ps 118.25-26. – *Gloire* (v. 9) ...*Gloire* (v. 10) : voir Matt 21.9 et la note.

j **11.15** *à cet endroit* : c'est-à-dire dans l'une des cours du temple, ouverte aux non-Juifs. – Les *changeurs* permettaient aux Juifs venus de l'étranger de changer leur argent pour acheter leur offrande ou pour payer l'impôt du temple.

k **11.17** Comparer És 56.7 ; Jér 7.11.

l **11.19** Autre traduction : *Quand venait le soir, Jésus et ses disciples sortaient de la ville*.

us pardonnera pas non plus le mal que
us avez fait[m].] »

D'où vient l'autorité de Jésus ?

(Voir aussi Matt 21.23-27 ; Luc 20.1-8)

27 Ils revinrent à Jérusalem. Pendant
ıe Jésus allait et venait dans le *tem-
e, les chefs des *prêtres, les *maîtres
la loi et les *anciens vinrent auprès de
i. 28 Ils lui demandèrent : « De quel
oit fais-tu ces choses ? Qui t'a donné
torité pour les faire ? » 29 Jésus leur ré-
ndit : « Je vais vous poser une seule
estion ; si vous me donnez une ré-
nse, alors je vous dirai de quel droit je
is ces choses. 30 Qui a envoyé Jean bap-
ser[n] ? Est-ce Dieu ou les hommes ? Ré-
ndez-moi. » 31 Mais ils se mirent à
scuter entre eux et se dirent : « Si nous
pondons : "C'est Dieu qui l'a envoyé",
nous demandera : "Pourquoi donc
avez-vous pas cru Jean ?" 32 Mais pou-
ns-nous dire : "Ce sont les hommes
i l'ont envoyé..." ? » – Ils avaient peur
la foule, car tous pensaient que Jean
ait été un vrai *prophète. – 33 Alors ils
pondirent à Jésus : « Nous ne savons
s. » – « Eh bien, répliqua Jésus, moi
n plus, je ne vous dirai pas de quel
oit je fais ces choses. »

a parabole des méchants vignerons

(Voir aussi Matt 21.33-46 ; Luc 20.9-19)

2 1 Puis Jésus se mit à leur parler en
utilisant des *paraboles : « Un
mme planta une vigne ; il l'entoura
un mur, creusa la roche pour le pressoir
raisin et bâtit une tour de garde[o]. En-
ite, il loua la vigne à des ouvriers vigne-
ns et partit en voyage. 2 Au moment
ulu, il envoya un serviteur aux ouvriers
gnerons pour recevoir d'eux sa part de
récolte. 3 Mais ils saisirent le serviteur,
battirent et le renvoyèrent les mains vi-
s. 4 Alors le propriétaire envoya un au-
serviteur ; celui-là, ils le frappèrent à
tête et l'insultèrent. 5 Le propriétaire
envoya encore un autre, et, celui-là, ils
tuèrent ; et ils en traitèrent beaucoup
autres de la même manière : ils bat-
rent les uns et tuèrent les autres. 6 Le
ul homme qui restait au propriétaire
ait son fils bien-aimé. Il le leur envoya
en dernier, car il pensait : "Ils auront du
respect pour mon fils." 7 Mais ces vignerons se dirent les uns aux autres : "Voici
le futur héritier ! Allons, tuons-le, et la
vigne sera à nous !" 8 Ils saisirent donc le
fils, le tuèrent et jetèrent son corps hors
de la vigne.
9 « Eh bien, que fera le propriétaire de
la vigne ? demanda Jésus. Il viendra, il
mettra à mort les vignerons et confiera la
vigne à d'autres. 10 Vous avez sûrement lu
cette parole de l'Écriture ?
"La pierre que les bâtisseurs avaient
rejetée
est devenue la pierre principale.
11 Cela vient du Seigneur,
pour nous, c'est une merveille[p] !" »
12 Les chefs des Juifs cherchaient un
moyen d'arrêter Jésus, car ils savaient
qu'il avait dit cette parabole contre eux.
Mais ils avaient peur de la foule ; ils le
laissèrent donc et s'en allèrent.

L'impôt payé à l'empereur

(Voir aussi Matt 22.15-22 ; Luc 20.20-26)

13 On envoya auprès de Jésus quelques
*Pharisiens et quelques membres du
parti d'Hérode[q] pour le prendre au piège
par une question. 14 Ils vinrent lui dire :
« Maître, nous savons que tu dis la vérité ; tu n'as pas peur de ce que pensent
les autres et tu ne tiens pas compte de
l'apparence des gens, mais tu enseignes
la vérité sur la conduite qui plaît à Dieu.
Dis-nous, notre loi permet-elle ou non
de payer des impôts à l'empereur romain ? Devons-nous les payer, oui ou
non ? » 15 Mais Jésus savait qu'ils ca-
chaient leur véritable pensée ; il leur dit
alors : « Pourquoi me tendez-vous un
piège ? Apportez-moi une pièce d'argent,
je voudrais la voir. » 16 Ils en apportèrent
une, et Jésus leur demanda : « Ce visage
et ce nom gravés ici, de qui sont-ils ? »
– « De l'empereur », lui répondirent-ils.
17 Alors Jésus leur dit : « Payez donc à

---

m **11.26** Ce verset ne se trouve pas dans plusieurs anciens manuscrits. Voir Matt 6.15.

n **11.30** Voir 1.4-5.

o **12.1** Comparer És 5.1-2.

p **12.11** Ps 118.22-23.

q **12.13** *parti d'Hérode* : voir 3.6 et la note.

l'empereur ce qui lui appartient, et à
Dieu ce qui lui appartient. » Et sa réponse
les remplit d'étonnement.

Une question sur la résurrection des morts

(Voir aussi Matt 22.23-33 ; Luc 20.27-40)

18 Quelques *Sadducéens vinrent auprès de Jésus. – Ce sont eux qui disent
qu'il n'y a pas de *résurrection[r]. – Ils
l'interrogèrent de la façon suivante :
19 « Maître, Moïse nous a donné ce
commandement écrit : "Si un homme,
qui a un frère, meurt et laisse une femme
sans enfants, il faut que son frère épouse
la veuve pour donner des descendants à
celui qui est mort[s]." 20 Or, il y avait une
fois sept frères. Le premier se maria et
mourut sans laisser d'enfants. 21 Le
deuxième épousa la veuve, et il mourut
sans laisser d'enfants. La même chose arriva au troisième frère, 22 et à tous les sept,
qui épousèrent successivement la femme
et moururent sans laisser d'enfants.
Après eux tous, la femme mourut aussi.
23 Au jour de la résurrection, quand les
morts se relèveront, de qui sera-t-elle
donc la femme ? Car tous les sept l'ont
eue comme épouse ! » 24 Jésus leur répondit : « Vous vous trompez, et savez-vous
pourquoi ? Parce que vous ne connaissez
ni les Écritures, ni la puissance de Dieu.
25 En effet, quand ils se relèveront d'entre
les morts, les hommes et les femmes ne se
marieront pas, mais ils vivront comme
les *anges dans le *ciel. 26 Pour ce qui est
des morts qui reviennent à la vie, n'avez-
vous jamais lu dans le livre de Moïse le
passage qui parle du buisson en flammes ? On y lit que Dieu dit à Moïse : "Je
suis le Dieu d'Abraham, le Dieu d'Isaac
et le Dieu de Jacob[t]." 27 Dieu, ajouta Jésus, est le Dieu des vivants, et non d
morts. Ainsi, vous êtes complèteme
dans l'erreur. »

Le commandement le plus importan

(Voir aussi Matt 22.34-40 ; Luc 10.25-28)

28 Un *maître de la loi les avait ente
dus discuter. Il vit que Jésus avait bien r
pondu aux *Sadducéens ; il s'approc
donc de lui et lui demanda : « Quel est
plus important de tous les command
ments ? » 29 Jésus lui répondit : « Voici
commandement le plus importan
"Écoute, *Israël ! Le Seigneur notre Di
est le seul Seigneur[u]. 30 Tu dois aimer
Seigneur ton Dieu de tout ton cœur,
toute ton âme, de toute ton intelligen
et de toute ta force[v]." 31 Et voici le secor
commandement : "Tu dois aimer to
prochain comme toi-même[w]." Il n'y
pas d'autre commandement plus impo
tant que ces deux-là. » 32 Le maître de
loi dit alors à Jésus : « Très bien, Maîtr
Ce que tu as dit est vrai : Le Seigneur e
le seul Dieu, et il n'y a pas d'autre Di
que lui[x]. 33 Chacun doit donc aimer Di
de tout son cœur, de toute son inte
ligence et de toute sa force ; et il doit a
mer son prochain comme lui-même. Ce
vaut beaucoup mieux que de présenter
Dieu toutes sortes d'offrandes et de *s
crifices d'animaux[y]. » 34 Jésus vit qu
avait répondu de façon intelligente ; il l
dit alors : « Tu n'es pas loin du *Royaum
de Dieu. » Après cela, personne n'osa
plus lui poser de questions.

Le Messie et David

(Voir aussi Matt 22.41-46 ; Luc 20.41-44)

35 Alors que Jésus enseignait dans
*temple, il posa cette question : « Cor
ment les *maîtres de la loi peuvent-i
dire que le *Messie est descendant de D
vid ? 36 Car David, guidé par le Sain
Esprit, a dit lui-même :

"Le Seigneur Dieu a déclaré à m
Seigneur :
Viens siéger à ma droite,
je veux contraindre tes ennemis à pa
ser sous tes pieds[z]."

37 David lui-même l'appelle "Seigneur"
comment le Messie peut-il alors êt
aussi descendant de David ? »

---

r **12.18** Comparer Act 23.8.
s **12.19** Voir Deut 25.5-6.
t **12.26** Voir Ex 3.2,6.
u **12.29** *Le Seigneur... Seigneur* : autre traduction *Le Seigneur est notre Dieu, le Seigneur seul.*
v **12.30** Deut 6.4-5.
w **12.31** Lév 19.18.
x **12.32** Comparer Deut 4.35.
y **12.33** Comparer Osée 6.6.
z **12.36** Ps 110.1.

Jésus met la foule en garde contre les maîtres de la loi

(Voir aussi Matt 23.1-36 ; Luc 20.45-47)

La foule, nombreuse, écoutait Jésus
'ec plaisir. 38 Voici ce qu'il enseignait à
us : « Gardez-vous des *maîtres de la loi
ıi aiment à se promener en longues ro-
:s et à recevoir des salutations respec-
euses sur les places publiques ; 39 ils
ıoisissent les sièges les plus en vue dans
s *synagogues et les places d'honneur
ıns les grands repas. 40 Ils prennent aux
:uves tout ce qu'elles possèdent et, en
ême temps, font de longues prières
ıur se faire remarquer. Ils seront jugés
autant plus sévèrement ! »

Le don offert par une veuve pauvre

(Voir aussi Luc 21.1-4)

41 Puis Jésus s'assit en face des troncs à
frandes du *temple, et il regardait coment les gens y déposaient de l'argent.
e nombreux riches donnaient beau-
ıup d'argent. 42 Une veuve pauvre arriva
mit deux petites pièces de cuivre,
une valeur de quelques centimes[a].
Alors Jésus appela ses *disciples et leur
t : « Je vous le déclare, c'est la vérité :
:tte veuve pauvre a mis dans le tronc
us que tous les autres. 44 Car tous les au-
es ont donné de l'argent dont ils
avaient pas besoin ; mais elle, dans sa
ıuvreté, a offert tout ce qu'elle possé-
ıit, tout ce dont elle avait besoin pour
vre. »

Jésus annonce la destruction du temple

(Voir aussi Matt 24.1-2 ; Luc 21.5-6)

13 1 Tandis que Jésus sortait du *temple, un de ses *disciples lui dit :
Maître, regarde ! Quelles belles pierres,
ıelles grandes constructions ! » 2 Jésus
i répondit : « Tu vois ces grandes
ınstructions ? Il ne restera pas ici une
ule pierre posée sur une autre ; tout
ra renversé. »

Des malheurs et des persécutions

(Voir aussi Matt 24.3-14 ; Luc 21.7-19)

3 Jésus s'assit au mont des Oliviers, en
ce du *temple. Pierre, Jacques, Jean et
André, qui étaient seuls avec lui, lui demandèrent : 4 « Dis-nous quand cela se
passera et quel signe indiquera le moment où toutes ces choses doivent arriver. »
5 Alors Jésus se mit à leur dire : « Faites
attention que personne ne vous trompe.
6 Beaucoup d'hommes viendront en
usant de mon nom et diront : "Je suis le
*Messie !" Et ils tromperont quantité de
gens. 7 Quand vous entendrez le bruit de
guerres proches et des nouvelles sur des
guerres lointaines, ne vous effrayez pas ;
il faut que cela arrive, mais ce ne sera pas
encore la fin de ce monde. 8 Un peuple
combattra contre un autre peuple, et un
royaume attaquera un autre royaume ; il
y aura des tremblements de terre dans
différentes régions, ainsi que des famines. Ce sera comme les premières douleurs de l'accouchement. 9 Quant à vous,
faites attention à vous-mêmes. Car des
gens vous feront passer devant les tribunaux ; on vous battra dans les *synagogues. Vous devrez comparaître devant
des gouverneurs et des rois à cause de
moi, pour apporter votre témoignage devant eux. 10 Il faut avant tout que la
Bonne Nouvelle soit annoncée à tous les
peuples. 11 Et lorsqu'on vous arrêtera
pour vous conduire devant le tribunal, ne
vous inquiétez pas d'avance de ce que
vous aurez à dire ; mais dites les paroles
qui vous seront données à ce moment-là,
car elles ne viendront pas de vous, mais
du Saint-Esprit. 12 Des frères livreront
leurs propres frères pour qu'on les mette
à mort, et des pères agiront de même avec
leurs enfants ; des enfants se tourneront
contre leurs parents et les feront condamner à mort[b]. 13 Tout le monde vous haïra à
cause de moi. Mais celui qui tiendra bon
jusqu'à la fin sera sauvé. »

L'Horreur abominable

(Voir aussi Matt 24.15-28 ; Luc 21.20-24)

14 « Vous verrez celui qu'on appelle
"l'Horreur abominable" : il sera placé là

---

a **12.42** Le texte original mentionne ici *deux leptes*, les plus petites pièces de monnaie alors en circulation.

b **13.12** Comparer Mich 7.6.

où il ne doit pas être[c]. – Que celui qui lit
comprenne bien cela ! – Alors, ceux qui
seront en Judée devront s'enfuir vers les
montagnes ; 15 celui qui sera sur la terrasse de sa maison ne devra pas descendre pour aller prendre quelque chose à
l'intérieur[d] ; 16 et celui qui sera dans les
champs ne devra pas retourner chez lui
pour emporter son manteau. 17 Quel malheur ce sera, en ces jours-là, pour les femmes enceintes et pour celles qui
allaiteront ! 18 Priez Dieu pour que ces
choses n'arrivent pas pendant la mauvaise saison ! 19 Car, en ces jours-là, la détresse sera plus grande que toutes celles
qu'on a connues depuis le commencement du monde, quand Dieu a tout créé,
jusqu'à maintenant, et il n'y en aura plus
jamais de pareille[e]. 20 Si le Seigneur
n'avait pas décidé d'abréger cette période, personne ne pourrait survivre. Mais il
l'a abrégée à cause de ceux qu'il a choisis
pour être à lui. 21 Si quelqu'un vous dit
alors : "Regardez, le *Messie est ici !" ou
bien : "Regardez, il est là !", ne le croyez
pas. 22 Car de faux messies et de faux
*prophètes apparaîtront ; ils accompli-
ront des miracles et des prodiges pour
tromper, si possible, ceux que Dieu a
choisis. 23 Vous donc, faites attention ! Je
vous ai avertis de tout à l'avance. »

La venue du Fils de l'homme

(Voir aussi Matt 24.29-31 ; Luc 21.25-28)

24 « Mais en ces jours-là, après ce temps
de détresse, le soleil s'obscurcira, la lune
ne donnera plus sa clarté, 25 les étoiles
tomberont du ciel, et les puissances qui
sont dans les *cieux seront ébranlées[f].
26 Alors on verra le *Fils de l'homme arriver parmi les nuages, avec beaucoup de
puissance et de *gloire[g]. 27 Il enverra les
*anges aux quatre coins de la terre pou
rassembler ceux qu'il a choisis, d'un bo
du monde à l'autre[h]. »

L'enseignement donné par le figuier

(Voir aussi Matt 24.32-35 ; Luc 21.29-33)

28 « Comprenez l'enseignement qu
donne le figuier : dès que la sève circu
dans ses branches et que ses feuilles pou
sent, vous savez que la bonne saison e
proche. 29 De même, quand vous verre
ces choses arriver, sachez que l'évén
ment est proche, qu'il va se produire
30 Je vous le déclare, c'est la vérité : le
gens d'aujourd'hui n'auront pas tous di
paru avant que tout cela arrive. 31 Le ci
et la terre disparaîtront, tandis que me
paroles ne disparaîtront jamais. »

Dieu seul connaît le moment de la fi

(Voir aussi Matt 24.36-44)

32 « Cependant personne ne sait quan
viendra ce jour ou cette heure, pas mêm
les *anges dans les *cieux, ni même l
Fils ; le Père seul le sait. 33 Attention ! N
vous endormez pas, car vous ne savez p
quand le moment viendra. 34 Ce se
comme lorsqu'un homme part e
voyage : il quitte sa maison et en laisse l
soin à ses serviteurs, il donne à chacu
un travail particulier à faire et il ordonn
au gardien de la porte de rester éveill
35 Restez donc éveillés, car vous ne save
pas quand le maître de la maison revie
dra : ce sera peut-être le soir, ou au milie
de la nuit, ou au chant du coq, ou le m
tin. 36 S'il revient tout à coup, il ne fa
pas qu'il vous trouve endormis. 37 Ce qu
je vous dis là, je le dis à tous : Reste
éveillés ! »

Les chefs complotent contre Jésus

(Voir aussi Matt 26.1-5 ; Luc 22.1-2 ; Jean 11.45-53)

14 1 On était à deux jours de la fête d
la *Pâque et des *pains sans le
vain[j]. Les chefs des *prêtres et les *ma
tres de la loi cherchaient un moye
d'arrêter Jésus en cachette et de le mett
à mort. 2 Ils se disaient en effet : « Nou
ne pouvons pas faire cela pendant la fêt
sinon le peuple risquerait de se soul
ver. »

---

c **13.14** Voir Dan 9.27 ; 11.31 ; 12.11.
d **13.15** Voir Matt 24.17 et la note.
e **13.19** Comparer Dan 12.1.
f **13.25** Pour les v. 24-25, comparer És 13.10 ; 34.4 ; Ézék 32.7 ; Joël 2.10 ; 3.4.
g **13.26** Dan 7.13.
h **13.27** Comparer Deut 30.4 ; Zach 2.10 ; Néh 1.9.
i **13.29** *l'événement... produire* : autre traduction *il (le Fils de l'homme) est proche, il va arriver.*
j **14.1** Voir Ex 12.1-27.

Une femme met du parfum sur la tête de Jésus

(Voir aussi Matt 26.6-13 ; Jean 12.1-8)

3 Jésus était à Béthanie, dans la mai-
n de Simon le *lépreux ; pendant qu'il
ait à table, une femme entra avec un
acon d'albâtre[k] plein d'un parfum très
er, fait de *nard pur. Elle brisa le fla-
n et versa le parfum sur la tête de Jé-
s. 4 Certains de ceux qui étaient là
rent indignés et se dirent entre eux :
À quoi bon avoir ainsi gaspillé ce par-
m ? 5 On aurait pu le vendre plus de
ois cents pièces d'argent[l] pour les don-
r aux pauvres ! » Et ils critiquaient sé-
rement cette femme. 6 Mais Jésus dit :
Laissez-la tranquille. Pourquoi lui
ites-vous de la peine ? Ce qu'elle a ac-
mpli pour moi est beau. 7 Car vous au-
z toujours des pauvres avec vous[m], et
utes les fois que vous le voudrez, vous
urrez leur faire du bien ; mais moi,
us ne m'aurez pas toujours avec vous.
Elle a fait ce qu'elle a pu : elle a
avance mis du parfum sur mon corps
in de le préparer pour le tombeau[n]. 9 Je
us le déclare, c'est la vérité : partout
l'on annoncera la Bonne Nouvelle,
ns le monde entier, on racontera ce
e cette femme a fait et l'on se souvien-
a d'elle. »

Judas veut livrer Jésus aux chefs des prêtres

(Voir aussi Matt 26.14-16 ; Luc 22.3-6)

10 Alors Judas Iscariote, un des douze
isciples, alla proposer aux chefs des
rêtres de leur livrer Jésus. 11 Ils furent
s contents de l'entendre et lui pro-
rent de l'argent. Et Judas se mit à cher-
er une occasion favorable pour leur
rer Jésus.

Jésus prend le repas de la Pâque avec ses disciples

(oir aussi Matt 26.17-25 ; Luc 22.7-14,21-23 ; Jean 13.21-30)

12 Le premier jour de la fête des *pains
ns levain, le jour où l'on *sacrifiait les
neaux pour le repas de la *Pâque, les
isciples de Jésus lui demandèrent :
Où veux-tu que nous allions te préparer
le repas de la Pâque ? » 13 Alors Jésus envoya deux de ses disciples en avant, avec
l'ordre suivant : « Allez à la ville, vous y
rencontrerez un homme qui porte une
cruche d'eau. Suivez-le, 14 et là où il entrera, dites au propriétaire de la maison :
“Le Maître demande : Où est la pièce
qui m'est réservée, celle où je prendrai le
repas de la Pâque avec mes disciples ?”
15 Et il vous montrera, en haut de la maison, une grande chambre déjà prête,
avec tout ce qui est nécessaire. C'est là
que vous nous préparerez le repas. »
16 Les disciples partirent et allèrent à la
ville ; ils trouvèrent tout comme Jésus le
leur avait dit, et ils préparèrent le repas
de la Pâque.

17 Quand le soir fut venu, Jésus arriva
avec les douze disciples. 18 Pendant qu'ils
étaient à table et qu'ils mangeaient, Jésus
dit : « Je vous le déclare, c'est la vérité :
l'un de vous, qui mange avec moi, me trahira[o]. » 19 Les disciples devinrent tout
tristes, et ils se mirent à lui demander
l'un après l'autre : « Ce n'est pas moi,
n'est-ce pas ? » 20 Jésus leur répondit :
« C'est l'un d'entre vous, les douze,
quelqu'un qui trempe avec moi son pain
dans le plat[p]. 21 Certes, le *Fils de
l'homme va mourir comme les Écritures
l'annoncent à son sujet[q] ; mais quel malheur pour celui qui trahit le Fils de
l'homme ! Il aurait mieux valu pour cet
homme-là ne pas naître ! »

La sainte cène

(Voir aussi Matt 26.26-30 ; Luc 22.14-20 ; 1 Cor. 11.23-25)

22 Pendant le repas, Jésus prit du pain
et, après avoir remercié Dieu, il le rompit
et le donna à ses *disciples ; il leur dit :
« Prenez ceci, c'est mon corps. » 23 Il prit
ensuite une coupe de vin et, après avoir

---

k **14.3** *albâtre* : voir Matt 26.7 et la note.
l **14.5** *pièces d'argent* : voir 6.37 et la note.
m **14.7** Comparer Deut 15.11.
n **14.8** Les coutumes funéraires juives de l'époque comprenaient un embaumement sommaire pratiqué à l'aide d'onguents et de parfums.
o **14.18** Comparer Ps 41.10.
p **14.20** Les convives se servaient eux-mêmes directement dans le plat commun. Voir aussi Ps 41.10.
q **14.21** Voir Ps 22.2-19 ; És 53.

remercié Dieu, il la leur donna, et ils en
burent tous. 24 Jésus leur dit : « Ceci est
mon sang, le sang qui garantit *l'alliance
de Dieu[r] et qui est versé pour une multitude de gens. 25 Je vous le déclare, c'est la
vérité : je ne boirai plus jamais de vin
jusqu'au jour où je boirai le vin nouveau
dans le *Royaume de Dieu. » 26 Ils chantèrent ensuite les psaumes de la fête[s],
puis ils s'en allèrent au mont des Oliviers.

Jésus annonce que Pierre le reniera

(Voir aussi Matt 26.31-35 ; Luc 22.31-34 ; Jean 13.36-38)

27 Jésus dit à ses *disciples : « Vous allez
tous m'abandonner, car on lit dans les
Écritures : "Je tuerai le *berger, et les
moutons partiront de tous côtés[t]".
28 Mais, ajouta Jésus, quand je serai de
nouveau vivant, j'irai vous attendre en
Galilée. » 29 Pierre lui dit : « Même si tous
les autres t'abandonnent, moi je ne
t'abandonnerai pas. » 30 Alors Jésus lui répondit : « Je te le déclare, c'est la vérité :
aujourd'hui, cette nuit même, avant que
le coq chante deux fois, toi, tu auras prétendu trois fois ne pas me connaître. »
31 Mais Pierre répliqua encore plus fort :
« Je ne prétendrai jamais que je ne te
connais pas, même si je dois mourir avec
toi. » Et tous les autres disciples disaient
la même chose.

Jésus prie à Gethsémané

(Voir aussi Matt 26.36-46 ; Luc 22.39-46)

32 Ils arrivèrent ensuite à un endroit
appelé Gethsémané[u], et Jésus dit à ses
*disciples : « Asseyez-vous ici, pendant
que je vais prier. » 33 Puis il emmena avec
lui Pierre, Jacques et Jean. Il commença à
ressentir de la frayeur et de l'angoisse,
34 et il leur dit : « Mon cœur est plein
d'une tristesse mortelle ; restez ici et d
meurez éveillés. » 35 Il alla un peu pl
loin, se jeta à terre et pria pour que,
c'était possible, il n'ait pas à passer p
cette heure de souffrance. 36 Il disai
« Abba, ô mon Père[v], tout t'est possibl
éloigne de moi cette coupe de doule
Toutefois, non pas ce que je veux, mais
que tu veux. » 37 Il revint ensuite vers l
trois disciples et les trouva endormis.
dit à Pierre : « Simon, tu dors ? Tu n'
pas été capable de rester éveillé mêr
une heure ? 38 Restez éveillés et prie
pour ne pas tomber dans la tentatio
L'être humain est plein de bonne v
lonté, mais il est faible. »

39 Il s'éloigna de nouveau et pria en r
pétant les mêmes paroles. 40 Puis il revi
auprès de ses disciples et les trouva e
dormis ; ils ne pouvaient pas garder l
yeux ouverts. Et ils ne savaient pas q
lui dire. 41 Quand il revint la troisièr
fois, il leur dit : « Vous dormez encore
vous vous reposez ? C'est fini ! L'heu
est arrivée. Maintenant, le *Fils
l'homme va être livré entre les mains d
pécheurs. 42 Levez-vous, allons-y ! Voye
l'homme qui me livre à eux est ici ! »

L'arrestation de Jésus

(Voir aussi Matt 26.47-56 ; Luc 22.47-53 ; Jean 18.3-12)

43 Jésus parlait encore quand arriva J
das, l'un des douze *disciples. Il y av
avec lui une foule de gens armés d'épé
et de bâtons. Ils étaient envoyés par l
chefs des *prêtres, les *maîtres de la loi
les *anciens. 44 Judas, celui qui leur
vrait Jésus, avait indiqué à cette foule
signe qu'il utiliserait : « L'homme q
j'embrasserai, c'est lui. Saisissez-le
emmenez-le sous bonne garde. » 45 D
que Judas arriva, il s'approcha de Jésus
lui dit : « Maître ! » Puis il l'embras
46 Les autres mirent alors la main sur J
sus et l'arrêtèrent. 47 Mais un de ceux q
étaient là tira son épée, frappa le servite
du grand-prêtre et lui coupa l'oreille
48 Jésus leur dit : « Deviez-vous venir
més d'épées et de bâtons pour me pre
dre, comme si j'étais un brigand ? 49 To
les jours j'étais avec vous et j'enseign
dans le *temple, et vous ne m'avez pas

---

r **14.24** Comparer Ex 24.8 ; Jér 31.31-34.

s **14.26** *les psaumes de la fête* : voir Matt 26.30 et la note.

t **14.27** Zach 13.7.

u **14.32** Voir Matt 26.36 et la note.

v **14.36** *Abba* : terme araméen qui désigne habituellement le propre père de celui qui parle ou dont on parle.

w **14.47** Comparer Jean 18.26.

ɛ. Mais cela arrive pour que les Écri-
·es se réalisent. » 50 Alors tous les dis-
·les l'abandonnèrent et s'enfuirent[x].
Jn jeune homme suivait Jésus, vêtu
ın simple drap. On essaya de le saisir,
nais il abandonna le drap et s'enfuit
ıt nu.

Jésus devant le Conseil supérieur

*ɔir aussi Matt 26.57-68 ; Luc 22.54-55,63-71 ;
Jean 18.13-14,19-24)*

53 Ils emmenèrent Jésus chez le
rand-prêtre, où s'assemblèrent tous les
efs des prêtres, les *anciens et les *maî-
s de la loi. 54 Pierre suivit Jésus de loin,
il entra dans la cour de la maison du
ınd-prêtre. Là, il s'assit avec les gardes
il se chauffait près du feu.
55 Les chefs des prêtres et tout le
onseil supérieur cherchaient une ac-
sation contre Jésus pour le condamner
mort, mais ils n'en trouvaient pas.
Beaucoup de gens, en effet, portaient
fausses accusations contre Jésus[y],
iis ils se contredisaient entre eux.
Quelques-uns se levèrent alors et por-
ent cette fausse accusation contre lui :
Nous l'avons entendu dire : “Je dé-
irai ce *temple construit par les hom-
s, et en trois jours j'en bâtirai un autre
i ne sera pas une œuvre humaine[z].” »
Mais même sur ce point-là ils se contre-
aient. 60 Le grand-prêtre se leva alors
ns l'assemblée et interrogea Jésus :
Ne réponds-tu rien à ce que ces gens di-
ıt contre toi ? » 61 Mais Jésus se taisait,
ıe répondait rien. Le grand-prêtre l'in-
rogea de nouveau : « Es-tu le *Messie,
Fils du Dieu auquel vont nos louan-
; ? » 62 Jésus répondit : « Oui, je le suis,
vous verrez tous le *Fils de l'homme
geant à la droite du Dieu puissant ;
us le verrez aussi venir parmi les nua-
; du ciel[a]. » 63 Alors le grand-prêtre
échira ses vêtements et dit : « Nous
ivons plus besoin de témoins ! 64 Vous
ez entendu cette insulte faite à Dieu.
ı'en pensez-vous ? » Tous déclarèrent
'il était coupable et qu'il méritait la
ɔrt[b]. 65 Quelques-uns d'entre eux se mi-
ıt à cracher sur Jésus, ils lui couvrirent
visage, le frappèrent à coups de poing
lui dirent : « Devine qui t'a fait cela ! »
Et les gardes prirent Jésus et lui donnèrent des gifles[c].

Pierre renie Jésus

*(Voir aussi Matt 26.69-75 ; Luc 22.56-62 ;
Jean 18.15-18,25-27)*

66 Pierre se trouvait encore en bas dans
la cour, quand arriva une des servantes
du *grand-prêtre. 67 Elle vit Pierre qui se
chauffait, le regarda bien et lui dit : « Toi
aussi, tu étais avec Jésus, cet homme de
Nazareth. » 68 Mais il le nia en déclarant :
« Je ne sais pas ce que tu veux dire, je ne
comprends pas. » Puis il s'en alla hors de
la cour, dans l'entrée. [Alors un coq chanta[d].] 69 Mais la servante le vit et répéta devant ceux qui étaient là : « Cet homme est
l'un d'eux ! » 70 Et Pierre le nia de nouveau. Peu après, ceux qui étaient là dirent
encore à Pierre : « Certainement, tu es
l'un d'eux, parce que, toi aussi, tu es de
Galilée. » 71 Alors Pierre s'écria : « Que
Dieu me punisse si je mens ! Je le jure, je
ne connais pas l'homme dont vous parlez. » 72 A ce moment même, un coq
chanta pour la seconde fois, et Pierre se
rappela ce que Jésus lui avait dit : « Avant
que le coq chante deux fois, tu auras prétendu trois fois ne pas me connaître. »
Alors, il se mit à pleurer[e].

Jésus devant Pilate

*(Voir aussi Matt 27.1-2,11-14 ; Luc 23.1-5 ;
Jean 18.28-38)*

15 1 Tôt le matin, les chefs des *prêtres se réunirent en séance avec les
*anciens et les *maîtres de la loi, c'est-à-
dire tout le *Conseil supérieur. Ils firent
ligoter Jésus, l'emmenèrent et le livrèrent
à *Pilate. 2 Celui-ci l'interrogea : « Es-tu
le roi des Juifs ? » Jésus lui répondit : « Tu

x **14.50** Comparer 14.27.
y **14.56** Comparer Ps 27.12 ; 35.11.
z **14.58** Voir Jean 2.19.
a **14.62** Ps 110.1 ; Dan 7.13.
b **14.64** Voir Lév 24.16.
c **14.65** Comparer És 50.6.
d **14.68** Certains manuscrits n'ont pas les mots *Alors un coq chanta*.
e **14.72** Voir 14.30. – *il se mit à pleurer* : autres traductions *il sortit précipitamment et pleura*, ou *en songeant à ceci il pleura*, ou encore *il se couvrit la tête et pleura*.

le dis[f]. » 3 Les chefs des prêtres portaient de nombreuses accusations contre Jésus. 4 Alors, Pilate l'interrogea de nouveau : « Ne réponds-tu rien ? Tu entends combien d'accusations ils portent contre toi ! » 5 Mais Jésus ne répondit plus rien, de sorte que Pilate était étonné.

Jésus est condamné à mort

(*Voir aussi Matt 27.15-26 ; Luc 23.13-25 ; Jean 18.39–19.16*)

6 A chaque fête de la *Pâque, *Pilate libérait un prisonnier, celui que la foule demandait. 7 Or, un certain Barabbas était en prison avec des rebelles qui avaient commis un meurtre lors d'une révolte. 8 La foule se rendit donc à la résidence de Pilate et tous se mirent à lui demander ce qu'il avait l'habitude de leur accorder. 9 Pilate leur répondit : « Voulez-vous que je vous libère le roi des Juifs ? » 10 Il savait bien, en effet, que les chefs des *prêtres lui avaient livré Jésus par jalousie. 11 Mais les chefs des prêtres poussèrent la foule à demander que Pilate leur libère plutôt Barabbas. 12 Pilate s'adressa de nouveau à la foule : « Que voulez-vous donc que je fasse de celui que vous appelez le roi des Juifs ? » 13 Ils lui répondirent en criant : « Cloue-le sur une croix ! » 14 Pilate leur demanda : « Quel mal a-t-il donc commis ? » Mais ils crièrent encore plus fort : « Cloue-le sur une croix ! » 15 Pilate voulut contenter la foule et leur libéra Barabbas ; puis il fit frapper Jésus à coups de fouet et le livra pour qu'on le cloue sur une croix.

Les soldats se moquent de Jésus

(*Voir aussi Matt 27.27-31 ; Jean 19.2-3*)

16 Les soldats emmenèrent Jésus à l'intérieur du palais du gouverneur, et ils appelèrent toute la troupe. 17 Ils le re
tirent d'un manteau rouge[g], tressère
une *couronne avec des branches é
neuses et la posèrent sur sa tête. 18 Puis
se mirent à le saluer : « Salut, roi d
Juifs ! » 19 Et ils le frappaient sur la t
avec un roseau, crachaient sur lui et
mettaient à genoux pour s'incliner bi
bas devant lui. 20 Quand ils se furent bi
moqués de lui, ils lui enlevèrent le ma
teau rouge et lui remirent ses vêtemen
Puis ils l'emmenèrent au-dehors pour
clouer sur une croix.

Jésus est cloué sur la croix

(*Voir aussi Matt 27.32-44 ; Luc 23.26-43 ; Jean 19.17-27*)

21 Un certain Simon, de Cyrène,
père d'Alexandre et de Rufus[h], pass
par là alors qu'il revenait des cham
Les soldats l'obligèrent à porter la cr
de Jésus. 22 Ils conduisirent Jésus à
endroit appelé Golgotha, ce qui signi
« Le lieu du Crâne ». 23 Ils voulurent
donner du vin mélangé avec une drog
la *myrrhe, mais Jésus le refusa. 24 P
ils le clouèrent sur la croix et se par
gèrent ses vêtements, en tirant au s
pour savoir ce que chacun recevrait[i]. 2
était neuf heures du matin quand ils
clouèrent sur la croix. 26 Sur l'écrite
qui indiquait la raison de sa condam
tion, il y avait ces mots : « Le roi d
Juifs ». 27 Ils clouèrent aussi deux b
gands sur des croix à côté de Jésus, l'u
sa droite et l'autre à sa gauche. [28 C'
ainsi que se réalisa le passage de l'Éc
ture qui déclare : « Il a été placé au no
bre des malfaiteurs[j]. »]

29 Les passants l'insultaient en hocha
la tête ; ils lui disaient : « Hé ! toi qui vo
lais détruire le *temple et en bâtir un a
tre en trois jours[k], 30 sauve-toi toi-mêm
descends de la croix ! » 31 De même,
chefs des *prêtres et les *maîtres de la
se moquaient de Jésus et se disaient
uns aux autres : « Il a sauvé d'autres ge
mais il ne peut pas se sauver lui-mêm
32 Que le *Messie, le roi *d'Israël d
cende maintenant de la croix ! Si no
voyons cela, alors nous croirons en lu
Ceux qui avaient été mis en croix à c
de Jésus l'insultaient aussi.

---

f **15.2** *Tu le dis* : voir Matt 27.11 et la note.
g **15.17** *un manteau rouge* ou *un manteau de pourpre*, étoffe précieuse, de couleur rouge, réservée habituellement aux rois et aux personnages importants.
h **15.21** Comparer Rom 16.13.
i **15.24** Voir Ps 22.19.
j **15.28** Ce verset ne se trouve pas dans plusieurs anciens manuscrits. Voir Luc 22.37 et És 53.12.
k **15.29** Voir 14.58 ; Ps 22.8 ; Jean 2.19.

La mort de Jésus

(Voir aussi Matt 27.45-56 ; Luc 23.44-49 ;
Jean 19.28-30)

33 A midi, l'obscurité se fit sur tout le
ays et dura jusqu'à trois heures de
après-midi. 34 Et à trois heures, Jésus
ria avec force : « *Éloï, Éloï, lema sabac-*
ni ? » – ce qui signifie « Mon Dieu, mon
ieu, pourquoi m'as-tu abandonné[l] ? » –
Quelques-uns de ceux qui étaient là
entendirent et s'écrièrent : « Écoutez, il
pelle ⋆Élie ! » 36 L'un d'eux courut rem-
lir une éponge de vinaigre et la fixa au
out d'un roseau, puis il la tendit à Jésus
our qu'il boive[m] et dit : « Attendez, nous
lons voir si Élie vient le descendre de la
oix ! » 37 Mais Jésus poussa un grand cri
mourut.
38 Le rideau suspendu dans le ⋆temple[n]
déchira en deux depuis le haut
squ'en bas. 39 Le capitaine romain, qui
tenait en face de Jésus, vit comment il
ait mort[o] et il dit : « Cet homme était
raiment ⋆Fils de Dieu ! » 40 Quelques
mmes étaient là, elles aussi, et regar-
aient de loin. Parmi elles, il y avait Ma-
e du village de Magdala, Marie, la mère
Jacques le jeune et de Joses, et Salomé.
Elles avaient suivi Jésus et l'avaient
rvi quand il était en Galilée. Il y avait là
galement plusieurs autres femmes qui
aient montées avec lui à Jérusalem.

Jésus est mis dans un tombeau

(Voir aussi Matt 27.57-61 ; Luc 23.50-56 ;
Jean 19.38-42)

42-43 Le soir était déjà là, quand arriva
seph, qui était d'Arimathée[p]. Joseph
ait un membre respecté du ⋆Conseil su-
rieur, et il espérait, lui aussi, la venue
⋆Royaume de Dieu. C'était le jour de
préparation, c'est-à-dire la veille du
abbat. C'est pourquoi Joseph alla cou-
geusement demander à ⋆Pilate le corps
Jésus. 44 Mais Pilate fut étonné d'ap-
endre qu'il était déjà mort. Il fit donc
peler le capitaine et lui demanda si Jé-
is était mort depuis longtemps. 45 Après
oir reçu la réponse de l'officier, il per-
it à Joseph d'avoir le corps. 46 Joseph
heta un drap de lin, il descendit le
rps de la croix, l'enveloppa dans le drap
et le déposa dans un tombeau qui avait
été creusé dans le rocher. Puis il roula
une grosse pierre pour fermer l'entrée du
tombeau. 47 Marie de Magdala et Marie la
mère de Joses regardaient où on mettait
Jésus.

La ⋆résurrection de Jésus

(Voir aussi Matt 28.1-8 ; Luc 24.1-12 ;
Jean 20.1-10)

16 1 Quand le jour du ⋆sabbat fut
passé, Marie de Magdala, Marie
mère de Jacques, et Salomé achetèrent
des huiles parfumées pour aller embau-
mer le corps de Jésus. 2 Très tôt le dimanche matin, au lever du soleil, elles se
rendirent au tombeau. 3 Elles se disaient
l'une à l'autre : « Qui va rouler pour nous
la pierre qui ferme l'entrée du tombeau ? » 4 Mais quand elles regardèrent,
elles virent que la pierre, qui était très
grande, avait déjà été roulée de côté. 5 Elles entrèrent alors dans le tombeau ; elles
virent là un jeune homme, assis à droite,
qui portait une robe blanche, et elles furent effrayées. 6 Mais il leur dit : « Ne
soyez pas effrayées ; vous cherchez Jésus
de Nazareth, celui qu'on a cloué sur la
croix ; il est revenu de la mort à la vie, il
n'est pas ici. Regardez, voici l'endroit où
on l'avait déposé. 7 Allez maintenant dire
ceci à ses ⋆disciples, y compris à Pierre :
"Il va vous attendre en Galilée ; c'est là
que vous le verrez, comme il vous l'a
dit[q]." » 8 Elles sortirent alors et s'enfuirent loin du tombeau, car elles étaient
toutes tremblantes de crainte. Et elles ne
dirent rien à personne, parce qu'elles
avaient peur.

Jésus se montre à Marie de Magdala

(Voir aussi Matt 28.9-10 ; Jean 20.11-18)

[9 [r] Après que Jésus eut passé de la
mort à la vie tôt le dimanche matin, il se

---

l **15.34** Ps 22.2, cité en araméen.
m **15.36** Comparer Ps 69.22.
n **15.38** Voir Ex 26.31-33.
o **15.39** *comment il était mort* : certains manuscrits ajoutent *en criant* (ainsi).
p **15.42-43** *Arimathée* : voir Matt 27.57 et la note.
q **16.7** Voir 14.28.
r **16.9** Les versets 9 à 20 ne se trouvent pas dans plusieurs anciens manuscrits.

montra tout d'abord à Marie de Magdala,
de laquelle il avait chassé sept esprits
mauvais. 10 Elle alla le raconter à ceux qui
avaient été avec lui. Ils étaient tristes et
pleuraient. 11 Mais quand ils entendirent
qu'elle disait : « Jésus est vivant, je l'ai
vu ! », ils ne la crurent pas.

Jésus se montre à deux disciples

(Voir aussi Luc 24.13-35)

12 Ensuite, Jésus se montra d'une manière différente à deux *disciples qui
étaient en chemin pour aller à la campagne. 13 Ils revinrent et le racontèrent
aux autres, qui ne les crurent pas non plus.

Jésus se montre aux onze disciples

(Voir aussi Matt 28.16-20 ; Luc 24.36-49 ; Jean 20.19-23 ; Actes 1.6-8)

14 Enfin, Jésus se montra aux onze
*disciples pendant qu'ils mangeaient ; il
leur reprocha de manquer de foi et de
s'être obstinés à ne pas croire ceux qu
l'avaient vu vivant. 15 Puis il leur dit
« Allez dans le monde entier annoncer l
Bonne Nouvelle à tous les êtres hu
mains[s]. 16 Celui qui croira et sera baptis
sera sauvé ; mais celui qui ne croira pa
sera condamné. 17 Et voici à quels signe
on pourra reconnaître ceux qui auron
cru : ils chasseront des esprits mauvais e
mon nom ; ils parleront des langues nou
velles ; 18 s'ils prennent des serpents dan
leurs mains ou boivent du poison, il n
leur arrivera aucun mal ; ils poseront le
mains sur les malades et ceux-ci seron
guéris. »

Jésus retourne auprès de Dieu

(Voir aussi Luc 24.50-53 ; Actes 1.9-11)

19 Après leur avoir ainsi parlé, le Sei
gneur Jésus fut enlevé au *ciel et s'assit
la droite de Dieu[t]. 20 Les *disciples par
tirent pour annoncer partout la Bonn
Nouvelle. Le Seigneur les aidait dans c
travail et confirmait la vérité de leur pré
dication par les signes miraculeux qu
l'accompagnaient.]

---

s **16.15** Comparer Act 1.8.
t **16.19** Comparer Act 1.9-11.

Évangile selon
Luc

***Introduction** – Ainsi que Matthieu, Luc présente son évangile selon le même plan géné- que Marc :*

ntervention de Jean-Baptiste, comme précurseur de Jésus (3.1-20), suivie du baptême et de tentation de Jésus (3.21–4.13).

Vie publique de Jésus en Galilée, où il prêche et guérit des malades (4.14–9.50).

Voyage de Jésus, qui le conduit de la Galilée à Jérusalem (9.51–19.28). Mais Luc apporte de nombreux compléments aux récits de Marc, comme les paraboles du bon Samaritain, du he insensé, du fils perdu et retrouvé... et aussi des récits comme celui de la visite chez Marthe Marie.

Activité de Jésus à Jérusalem (19.29–21.38), débouchant sur la Passion (dernières souffrances et mort de Jésus ; chap. 22–23).

Le livre s'achève sur la journée de Pâques (chap. 24), où il situe en particulier l'apparition de sus ressuscité aux disciples d'Emmaüs, avant d'évoquer l'Ascension.

Mais, à la différence de Marc, après un bref prologue dans lequel il dédicace son livre et ex- que comment il l'a composé (1.1-4), Luc introduit le corps de son évangile par un préambule nsacré aux origines de Jésus et de Jean-Baptiste (chap. 1–2). C'est là qu'on lira, par exem-, les récits de l'annonce faite à Marie, de la naissance de Jean-Baptiste, de la nativité et de doration des bergers... ainsi que les cantiques de Marie (Magnificat), de Zacharie, de Si-on. Dans ce préambule, Luc exprime déjà l'essentiel de son témoignage : l'origine divine de sus et ses profondes racines israélites, le grand tournant que sa venue représente pour toute umanité. Luc y montre aussi l'amour particulier que Dieu porte aux petits (les humbles, les clus, les femmes, les pauvres, les étrangers), l'action déterminante de l'Esprit de Dieu, ainsi e l'atmosphère de joie, de louange et de prière qui accompagne la présence de la Bonne Nou-lle.

Luc *est le plus grec des quatre évangiles. S'adressant à des lecteurs peu informés des tradi-ns particulières d'Israël, il montre un constant souci d'être clair et d'expliquer ce qui pourrait ur paraître étrange. Pour l'homme d'aujourd'hui, c'est sans doute l'évangile le plus acces-le. En suivant le récit pas à pas, le lecteur y découvrira le Sauveur de tous les hommes.*

Introduction

1 1 Cher Théophile[a],
Plusieurs personnes ont essayé
d'écrire le récit des événements qui se
sont passés parmi nous. 2 Ils ont rapporté
les faits tels que nous les ont racontés
ceux qui les ont vus dès le commencement et qui ont été chargés d'annoncer la
parole de Dieu. 3 C'est pourquoi, à mon
tour, je me suis renseigné exactement sur
tout ce qui est arrivé depuis le début et il
m'a semblé bon, illustre Théophile, d'en
écrire pour toi le récit suivi. 4 Je le fais
pour que tu puisses reconnaître la vérité
des enseignements que tu as reçus.

Un ange annonce la naissance prochaine de Jean-Baptiste

5 Au temps où *Hérode était roi de Judée, il y avait un *prêtre nommé Zacharie qui appartenait au groupe de prêtres
d'Abia[b]. Sa femme, une descendante
*d'Aaron le grand-prêtre, s'appelait Éli-
sabeth. 6 Ils étaient tous deux justes aux
yeux de Dieu et obéissaient parfaitement
à toutes les lois et tous les commandements du Seigneur. 7 Mais ils n'avaient
pas d'enfant, car Élisabeth ne pouvait pas
en avoir et ils étaient déjà âgés tous les
deux.

8 Un jour, Zacharie exerçait ses fonctions de prêtre devant Dieu, car c'était au
tour de son groupe de le faire. 9 Selon la
coutume des prêtres, il fut désigné par le
sort pour entrer dans le *sanctuaire du
Seigneur et y brûler *l'encens[c]. 10 Toute la
foule des fidèles priait au-dehors à
l'heure où l'on brûlait l'encens. 11 Un
*ange du Seigneur apparut alors à Zacha-
rie : il se tenait à la droite de *l'autel
servant à l'offrande de l'encens
12 Quand Zacharie le vit, il fut troublé
saisi de crainte. 13 Mais l'ange lui di
« N'aie pas peur, Zacharie, car Dieu a e
tendu ta prière : Élisabeth, ta femme,
donnera un fils que tu nommeras Jea
14 Tu en seras profondément heureux
beaucoup de gens se réjouiront au suj
de sa naissance. 15 Car il sera un gran
serviteur du Seigneur. Il ne boira ni vi
ni aucune autre boisson fermentée[e].
sera rempli du Saint-Esprit dès avant
naissance. 16 Il ramènera beaucoup d'I
raélites au Seigneur leur Dieu[f]. 17 Il vie
dra comme messager de Dieu av
l'esprit et la puissance du *prophè
*Élie, pour réconcilier les pères av
leurs enfants et ramener les désobéissan
à la sagesse des justes[g] ; il formera u
peuple prêt pour le Seigneur. » 18 Mais Z
charie dit à l'ange : « Comment saurai-
que cela est vrai ? Car je suis vieux et m
femme aussi est âgée. » 19 Et l'ange lui r
pondit : « Je suis Gabriel[h] ; je me tiens d
vant Dieu pour le servir ; il m'a envo
pour te parler et t'apporter cette bon
nouvelle. 20 Mais tu n'as pas cru à mes p
roles, qui se réaliseront pourtant au m
ment voulu ; c'est pourquoi tu v
devenir muet, tu seras incapable de pa
ler jusqu'au jour où ces événements
produiront. »

21 Pendant ce temps, les fidèles atte
daient Zacharie et s'étonnaient qu'il res
si longtemps à l'intérieur du sanctuair
22 Mais quand il sortit, il ne put pas le
parler et les gens comprirent qu'il ava
eu une vision dans le sanctuaire. Il le
faisait des signes et restait muet.

23 Quand Zacharie eut achevé la pé
ode où il devait servir dans le *temple,
retourna chez lui. 24 Quelque tem
après, Élisabeth sa femme devint e
ceinte, et elle se tint cachée pendant ci
mois. Elle se disait : 25 « Voilà ce que
Seigneur a fait pour moi : il a bien vou
me délivrer maintenant de ce qui causa
ma honte devant tout le monde. »

Un ange annonce la naissance prochaine de Jésus

26 Le sixième mois, Dieu envo
*l'ange Gabriel[i] dans une ville de Galilé

---

a **1.1** Comparer Act 1.1.
b **1.5** *Judée* : selon l'usage grec, Luc désigne ici par *Judée* l'ensemble du pays des Juifs. – *Abia* : voir 1 Chron 24.7-18.
c **1.9** Voir Ex 30.7-8.
d **1.11** Voir Ex 30.1-6 ; 1 Rois 7.48.
e **1.15** Comparer Nomb 6.3.
f **1.16** Comparer Mal 2.6.
g **1.17** Mal 3.23-24.
h **1.19** Voir Dan 8.16 ; 9.21 ; Luc 1.26.
i **1.26** Voir 1.19 et la note.

Nazareth, 27 chez une jeune fille fiancée à
un homme appelé Joseph. Celui-ci était
un descendant du roi David ; le nom de
la jeune fille était Marie. 28 L'ange entra
chez elle et lui dit : « Réjouis-toi ! Le Seigneur t'a accordé une grande faveur, il est
avec toi. » 29 Marie fut très troublée par
ces mots ; elle se demandait ce que pouvait signifier cette salutation. 30 L'ange
lui dit alors : « N'aie pas peur, Marie, car
tu as la faveur de Dieu. 31 Bientôt tu seras
enceinte, puis tu mettras au monde un
fils que tu nommeras Jésus. 32 Il sera
grand et on l'appellera le *Fils du Dieu
très-haut. Le Seigneur Dieu fera de lui
un roi, comme le fut David son ancêtre,
33 et il régnera pour toujours sur le peuple
*d'Israël, son règne n'aura point de fin[j]. »
34 Marie dit à l'ange : « Comment cela
sera-t-il possible, puisque je suis
vierge ? » 35 L'ange lui répondit : « Le
Saint-Esprit viendra sur toi et la puissance du Dieu très-haut te couvrira
comme d'une ombre. C'est pourquoi on
appellera saint et Fils de Dieu l'enfant
qui doit naître. 36 Élisabeth ta parente attend elle-même un fils, malgré son âge ;
elle qu'on disait stérile en est maintenant
à son sixième mois. 37 Car rien n'est impossible à Dieu[k]. » 38 Alors Marie dit : « Je
suis la servante du Seigneur ; que tout se
passe pour moi comme tu l'as dit. » Et
l'ange la quitta.

Marie rend visite à Élisabeth

39 Dans les jours qui suivirent, Marie se
mit en route et se rendit en hâte dans une
localité de la région montagneuse de Judée. 40 Elle entra dans la maison de Zacharie et salua Élisabeth. 41 Au moment
où celle-ci entendit la salutation de Marie, l'enfant remua en elle. Élisabeth fut
remplie du Saint-Esprit 42 et s'écria d'une
voix forte : « Dieu t'a *bénie plus que toutes les femmes et sa bénédiction repose
sur l'enfant que tu auras ! 43 Qui suis-je
pour que la mère de mon Seigneur
vienne chez moi ? 44 Car, vois-tu, au moment où j'ai entendu ta salutation, l'enfant a remué de joie en moi. 45 Tu es
heureuse : tu as cru que le Seigneur accomplira ce qu'il t'a annoncé ! »

Le cantique de Marie

46 Marie dit alors[l] :
« De tout mon être je veux dire la grandeur du Seigneur,
47 mon cœur est plein de joie
à cause de Dieu, mon Sauveur ;
48 car il a bien voulu abaisser son regard
sur moi, son humble servante[m].
Oui, dès maintenant et en tous les
temps, les humains me diront bien-
heureuse,
49 car Dieu le Tout-Puissant a fait pour
moi des choses magnifiques.
Il est le Dieu saint,
50 il est plein de bonté en tout temps
pour ceux qui le respectent.
51 Il a montré son pouvoir en déployant
sa force :
il a mis en déroute les hommes au
cœur orgueilleux,
52 il a renversé les rois de leurs trônes
et il a placé les humbles au premier
rang[n].
53 Il a comblé de biens ceux qui avaient
faim,
et il a renvoyé les riches les mains vides.
54 Il est venu en aide au peuple *d'Israël,
son serviteur :
il n'a pas oublié de manifester sa bonté
55 envers Abraham et ses descendants,
pour toujours,
comme il l'avait promis à nos ancêtres. »
56 Marie resta avec Élisabeth pendant
environ trois mois, puis elle retourna
chez elle.

La naissance de Jean-Baptiste

57 Le moment arriva où Élisabeth devait accoucher et elle mit au monde un
fils. 58 Ses voisins et les membres de sa parenté apprirent que le Seigneur lui avait
donné cette grande preuve de sa bonté et
ils s'en réjouissaient avec elle. 59 Le hui-

j **1.33** Comparer 2 Sam 7.12,13,16 ; És 9.6 ; Dan 7.14.
k **1.37** Comparer Gen 18.14.
l **1.46** Comparer les v. 46-55 et 1 Sam 2.1-10.
m **1.48** Comparer 1 Sam 1.11.
n **1.52** Comparer Job 5.11 ; 12.19.

tième jour après la naissance, ils vinrent
pour *circoncire l'enfant[o] ; ils voulaient
lui donner le nom de son père, Zacharie.
60 Mais sa mère déclara : « Non, il s'appellera Jean. » 61 Ils lui dirent : « Mais, personne dans ta famille ne porte ce nom ! »
62 Alors, ils demandèrent par gestes au
père comment il voulait qu'on nomme
son enfant. 63 Zacharie se fit apporter une
tablette à écrire et il y inscrivit ces mots :
« Jean est bien son nom. » Ils s'en éton-
nèrent tous. 64 Aussitôt, Zacharie put de
nouveau parler : il se mit à louer Dieu à
haute voix. 65 Alors, tous les voisins
éprouvèrent de la crainte, et dans toute la
région montagneuse de Judée l'on se racontait ces événements. 66 Tous ceux qui
en entendaient parler se mettaient à y réfléchir et se demandaient : « Que deviendra donc ce petit enfant ? » La puissance
du Seigneur était en effet réellement avec
lui.

Le cantique prophétique de Zacharie

67 Zacharie, le père du petit enfant, fut
rempli du Saint-Esprit ; il se mit à *prophétiser en ces termes :

68 « Loué soit le Seigneur, le Dieu du peuple *d'Israël,
parce qu'il est intervenu en faveur de
son peuple et l'a délivré.
69 Il a fait apparaître un puissant Sauveur, pour nous,
parmi les descendants du roi David,
son serviteur.
70 C'est ce qu'il avait annoncé depuis
longtemps par ses saints prophètes :
71 il avait promis qu'il nous délivrerait de
nos ennemis
et du pouvoir de tous ceux qui nous
veulent du mal.
72 Il a manifesté sa bonté envers nos ancêtres
et n'a pas oublié sa sainte *alliance.
73 En effet, Dieu avait fait serment à
Abraham, notre ancêtre[p],
74 de nous libérer du pouvoir des ennemis
et de nous permettre ainsi de le servir
sans peur,
75 pour que nous soyons saints et justes
devant lui
tous les jours de notre vie.
76 Et toi, mon enfant, tu seras prophète
du Dieu très-haut,
car tu marcheras devant le Seigneur
pour préparer son chemin[q]
77 et pour faire savoir à son peuple qu'il
vient le sauver
en pardonnant ses péchés.
78 Notre Dieu est plein de tendresse et de
bonté :
il fera briller sur nous une lumière
d'en haut, semblable à celle du soleil
levant,
79 pour éclairer ceux qui se trouvent dans
la nuit et dans l'ombre de la mort,
pour diriger nos pas sur le chemin de
la paix[r]. »

80 L'enfant grandissait et se dévelop-
pait spirituellement. Il demeura dans des
lieux déserts jusqu'au jour où il se présenta publiquement devant le peuple
d'Israël.

La naissance de Jésus

(Voir aussi Matt 1.18-25)

2 1 En ce temps-là, l'empereur Auguste[s] donna l'ordre de recenser tous
les habitants de l'empire romain. 2 Ce recensement, le premier, eut lieu alors que
Quirinius était gouverneur de la province de Syrie. 3 Tout le monde allait se
faire enregistrer, chacun dans sa ville
d'origine. 4 Joseph lui aussi partit de Nazareth, un bourg de Galilée, pour se rendre en Judée, à Bethléem, où est né le roi
David ; en effet, il était lui-même un descendant de David. 5 Il alla s'y faire enregistrer avec Marie, sa fiancée, qui était
enceinte. 6 Pendant qu'ils étaient à Bethléem, le jour de la naissance arriva. 7 Elle
mit au monde un fils, son premier-né.
Elle l'enveloppa de langes et le coucha
dans une crèche, parce qu'il n'y avait pas
de place pour eux dans l'abri destiné aux
voyageurs.

---

o **1.59** Voir Lév 12.3.
p **1.73** Voir Gen 22.16-17.
q **1.76** Comparer Mal 3.1.
r **1.79** Comparer És 9.1.
s **2.1** *Auguste* fut empereur à Rome de 29 avant J.-C. à 14 après J.-C.

Un ange apparaît à des bergers

8 Dans cette même région, il y avait des
bergers qui passaient la nuit dans les
hamps pour garder leur troupeau. 9 Un
ange du Seigneur leur apparut et la
gloire du Seigneur les entoura de lu-
ière. Ils eurent alors très peur. 10 Mais
ange leur dit : « N'ayez pas peur, car je
ous apporte une bonne nouvelle qui ré-
uira beaucoup tout le peuple : 11 cette
uit, dans la ville de David, est né, pour
ous, un Sauveur ; c'est le *Christ, le Seineur. 12 Et voici le signe qui vous le fera
connaître : vous trouverez un petit en-
nt enveloppé de langes et couché dans
ne crèche. »
13 Tout à coup, il y eut avec l'ange une
oupe nombreuse d'anges du *ciel, qui
uaient Dieu en disant :

« Gloire à Dieu dans les cieux très hauts,
et paix sur la terre pour ceux qu'il aime[t] ! »

Les bergers vont à Bethléem

15 Lorsque les *anges les eurent quittés
our retourner au *ciel, les *bergers se
rent les uns aux autres : « Allons donc
squ'à Bethléem : il faut que nous
oyions ce qui est arrivé, ce que le Seineur nous a fait connaître. » 16 Ils se dé-
chèrent d'y aller et ils trouvèrent
arie et Joseph, et le petit enfant couché
ans la crèche. 17 Quand ils le virent, ils
contèrent ce que l'ange leur avait dit au
jet de ce petit enfant. 18 Tous ceux qui
tendirent les bergers furent étonnés[u]
ce qu'ils leur disaient. 19 Quant à Ma-
e, elle gardait tout cela dans sa mémoire
y réfléchissait profondément. 20 Puis
s bergers prirent le chemin du retour.
célébraient la grandeur de Dieu et le
uaient pour tout ce qu'ils avaient en-
ndu et vu, car tout s'était passé comme
nge le leur avait annoncé.

Jésus reçoit son nom

21 Le huitième jour après la naissance,
moment vint de *circoncire l'enfant ;
lui donna le nom de Jésus, nom que
'ange avait indiqué avant que sa mère
vienne enceinte[v].

Jésus est présenté dans le temple

22 Puis le moment vint pour Joseph et
Marie d'accomplir la cérémonie de *purification qu'ordonne la loi de Moïse[w].
Ils amenèrent alors l'enfant au *temple
de Jérusalem pour le présenter au Seigneur, 23 car il est écrit dans la *loi du Seigneur : « Tout garçon premier-né sera mis
à part pour le Seigneur[x]. » 24 Ils devaient
offrir aussi le *sacrifice que demande la
même loi, « une paire de tourterelles ou
deux jeunes pigeons[y]. »
25 Il y avait alors à Jérusalem un certain
Siméon. Cet homme était droit ; il respectait Dieu et attendait celui qui devait
sauver *Israël. Le Saint-Esprit était avec
lui 26 et lui avait appris qu'il ne mourrait
pas avant d'avoir vu le *Messie envoyé
par le Seigneur. 27 Guidé par l'Esprit, Siméon alla dans le temple. Quand les parents de Jésus amenèrent leur petit
enfant afin d'accomplir pour lui ce que
demandait la loi, 28 Siméon le prit dans
ses bras et remercia Dieu en disant :

29 « Maintenant, Seigneur, tu as réalisé ta promesse :
tu peux laisser ton serviteur mourir en paix.
30 Car j'ai vu de mes propres yeux ton salut,
31 ce salut que tu as préparé devant tous les peuples :
32 c'est la lumière qui te fera connaître aux nations du monde
et qui sera la *gloire d'Israël, ton peuple[z]. »

La prophétie de Siméon

33 Le père et la mère de Jésus étaient
tout étonnés[a] de ce que Siméon disait de

---

t **2.14** Autre traduction, d'après certains manuscrits, *paix sur la terre, bienveillance pour les hommes.*

u **2.18** *furent étonnés* : autre traduction *furent émerveillés.*

v **2.21** Voir Lév 12.3 ; Luc 1.31.

w **2.22** Voir Lév 12.3,6.

x **2.23** Voir Ex 13.2,12.

y **2.24** Voir Lév 12.8.

z **2.32** Comparer És 42.6 ; 49.6 ; 52.10.

a **2.33** *tout étonnés* : autre traduction *émerveillés.*

lui. 34 Siméon les *bénit et dit à Marie, la
mère de Jésus : « Dieu a destiné cet enfant
à causer la chute ou le relèvement de
beaucoup en *Israël. Il sera un signe de
Dieu auquel les gens s'opposeront, 35 et il
mettra ainsi en pleine lumière les pensées
cachées dans le cœur de beaucoup. Quant
à toi, Marie, la douleur te transpercera
l'âme comme une épée. »

Anne, la prophétesse

36 Il y avait aussi une prophétesse, appelée Anne, qui était la fille de Penouel,
de la tribu d'Asser. Elle était très âgée.
Elle avait vécu sept ans avec le mari
qu'elle avait épousé dans sa jeunesse,
37 puis, demeurée veuve, elle était parvenue à l'âge de quatre-vingt-quatre ans[b].
Elle ne quittait pas le *temple, mais elle
servait Dieu jour et nuit : elle *jeûnait et
elle priait. 38 Elle arriva à ce même moment et se mit à remercier Dieu. Et elle
parla de l'enfant à tous ceux qui attendaient que Dieu délivre Jérusalem.

Le retour à Nazareth

39 Quand les parents de Jésus eurent
achevé de faire tout ce que demandait la
*loi du Seigneur, ils retournèrent avec lui
en Galilée, dans leur ville de Nazareth.
40 L'enfant grandissait et se fortifiait. Il
était rempli de sagesse et la faveur de
Dieu reposait sur lui.

Jésus à douze ans dans le temple

41 Chaque année, les parents de Jésus a
laient à Jérusalem pour la fête de la *Pâ
que. 42 Lorsque Jésus eut douze ans, il
l'emmenèrent avec eux selon la coutume
43 Quand la fête fut terminée, ils repar
tirent, mais l'enfant Jésus resta à Jérusalem
et ses parents ne s'en aperçurent pas. 44 Il
pensaient que Jésus était avec leurs compa
gnons de voyage et firent une journée d
marche. Ils se mirent ensuite à le cherche
parmi leurs parents et leurs amis, 45 ma
sans le trouver. Ils retournèrent donc à Jé
rusalem en continuant à le chercher. 46 L
troisième jour, ils le découvrirent dans l
*temple : il était assis au milieu des *ma
tres de la loi, les écoutait et leur posait de
questions. 47 Tous ceux qui l'entendaient
étaient surpris de son intelligence et de
réponses qu'il donnait. 48 Quand ses pa
rents l'aperçurent, ils furent stupéfaits
sa mère lui dit : « Mon enfant, pourquoi
nous as-tu fait cela ? Ton père et moi, no
étions très inquiets en te cherchant. » 49
leur répondit : « Pourquoi me cherchie
vous ? Ne saviez-vous pas que je dois êt
dans la maison de mon Père[d] ? » 50 Mais i
ne comprirent pas ce qu'il leur disait.
51 Jésus repartit avec eux à Nazareth.
leur obéissait. Sa mère gardait en elle
souvenir de tous ces événements. 52
Jésus grandissait, il progressait en sages
et se rendait agréable à Dieu et au
hommes[e].

La prédication de Jean-Baptiste

(Voir aussi Matt 3.1-12 ; Marc 1.1-8 ; Jean 1.19-28)

3 1 C'était la quinzième année du règ
de l'empereur Tibère[f] ; Ponc
*Pilate était gouverneur de Judée, *H
rode régnait sur la Galilée et son frè
Philippe sur le territoire de l'Iturée et
la Trachonitide, Lysanias régnait s
l'Abilène, 2 Hanne et Caïphe[g] étaie
*grands-prêtres. La parole de Dieu se
alors entendre à Jean, fils de Zachari
dans le désert. 3 Jean se mit à parcour
toute la région voisine de la rivière,
Jourdain. Il lançait cet appel : « Chang
de comportement[h], faites-vous baptis
et Dieu pardonnera vos péchés. »

---

b **2.37** *demeurée veuve... quatre-vingt-quatre ans* : autre traduction *elle avait été veuve pendant quatre-vingt-quatre ans*.

c **2.42** Voir Ex 12.1-27 ; Deut 16.1-8. – *douze ans* : c'était à peu près l'âge de la maturité religieuse dans le judaïsme.

d **2.49** *que je dois être dans la maison de mon Père* : autre traduction *que je dois être occupé aux affaires de mon Père*.

e **2.52** Comparer 1 Sam 2.26 ; Prov 3.4.

f **3.1** *Tibère* fut le successeur d'Auguste sur le trône impérial de Rome (voir 2.1 et la note) ; il fut empereur de 14 à 37 après J.-C. L'indication chronologique de Luc renvoie aux environs de l'année 28 de notre ère.

g **3.2** *Hanne* : grand-prêtre déposé en l'an 15 ; il exerçait encore une influence certaine sous le ministère de son successeur et gendre *Caïphe* (voir Jean 18.13 ; Act 4.6).

h **3.3** *Changez de comportement* : autres traductions *Changez de mentalité* ou *Repentez-vous*.

4 Ainsi arriva ce que le *prophète Ésaïe
avait écrit dans son livre :

« Un homme crie dans le désert :
Préparez le chemin du Seigneur,
faites-lui des sentiers bien droits !
5 Toute vallée sera comblée,
toute montagne et toute colline seront abaissées ;
les courbes de la route seront redressées,
les chemins en mauvais état seront égalisés.
6 Et tout le monde verra le salut accordé par Dieu[i]. »

7 Une foule de gens venaient à Jean
pour qu'il les baptise. Il leur disait :
« Bande de serpents ! Qui vous a enseigné
à vouloir échapper au jugement divin,
qui est proche ? 8 Montrez par des actes
que vous avez changé de mentalité et ne
vous mettez pas à dire en vous-mêmes :
"Abraham est notre ancêtre[j]." Car je
vous déclare que Dieu peut utiliser les
pierres que voici pour en faire des descendants d'Abraham ! 9 La hache est déjà
prête à couper les arbres à la racine : tout
arbre qui ne produit pas de bons fruits va
être coupé et jeté au feu. »
10 Les gens lui demandaient : « Que devons-nous donc faire ? » 11 Il leur répondit : « Celui qui a deux chemises doit en
donner une à celui qui n'en a pas et celui
qui a de quoi manger doit partager. »
12 Des *collecteurs d'impôts vinrent
aussi pour être baptisés et demandèrent à
Jean : « Maître, que devons-nous faire ? »
13 Il leur répondit : « Ne faites pas payer
plus que ce qui vous a été indiqué. »
14 Des soldats lui demandèrent également : « Et nous, que devons-nous
faire ? » Il leur dit : « Ne prenez d'argent à
personne par la force ou en portant de
fausses accusations, mais contentez-vous
de votre solde. »
15 Le peuple attendait, plein d'espoir :
chacun pensait que Jean était peut-être
le *Messie. 16 Jean leur dit alors à tous :
« Moi, je vous baptise avec de l'eau ; mais
celui qui vient est plus puissant que
moi : je ne suis pas même digne de délier
la courroie de ses sandales. Il vous baptisera avec le Saint-Esprit et avec du feu.
17 Il tient en sa main la pelle à vanner[k]
pour séparer le grain de la paille. Il
amassera le grain dans son grenier, mais
il brûlera la paille dans un feu qui ne
s'éteint jamais. »
18 C'est en leur adressant beaucoup
d'autres appels encore que Jean annonçait la Bonne Nouvelle au peuple. 19 Cependant Jean fit des reproches à Hérode,
qui régnait sur la Galilée, parce qu'il avait
épousé Hérodiade, la femme de son frère,
et parce qu'il avait commis beaucoup
d'autres mauvaises actions. 20 Alors Hérode commit une mauvaise action de
plus : il fit mettre Jean en prison.

Le baptême de Jésus

(Voir aussi Matt 3.13-17 ; Marc 1.9-11)

21 Après que tout le monde eut été baptisé, Jésus fut aussi baptisé[l]. Pendant
qu'il priait, le *ciel s'ouvrit 22 et le Saint-
Esprit descendit sur lui sous une forme
corporelle, comme une colombe. Et une
voix se fit entendre du ciel : « Tu es mon
*Fils bien-aimé ; je mets en toi toute ma
joie[m]. »

La généalogie de Jésus

(Voir aussi Matt 1.1-17)

23 Jésus avait environ trente ans
lorsqu'il commença son œuvre. Il était, à
ce que l'on pensait, fils de Joseph, qui
était fils d'Éli, 24 fils de Matthat, fils de
Lévi, fils de Melchi, fils de Jannaï, fils de
Joseph, 25 fils de Mattatias, fils d'Amos,
fils de Nahoum, fils d'Esli, fils de Naggaï,
26 fils de Maath, fils de Mattatias, fils de
Séméïn, fils de Josech, fils de Joda, 27 fils
de Yohanan, fils de Rhésa, fils de Zorobabel, fils de Chéaltiel, fils de Néri, 28 fils de
Melchi, fils d'Addi, fils de Kosam, fils
d'Elmadam, fils d'Er, 29 fils de Jésus, fils
d'Éliézer, fils de Jorim, fils de Matthat,
fils de Lévi, 30 fils de Siméon, fils de Juda,
fils de Joseph, fils de Jonam, fils d'Éliakim, 31 fils de Méléa, fils de Menna, fils

---

i **3.6** És 40.3-5, cité d'après l'ancienne version grecque.

j **3.8** Comparer Jean 8.33,37,39.

k **3.17** *pelle à vanner* : voir Matt 3.12 et la note.

l **3.21** *Après que... baptisé* : autre traduction *Tandis que tout le monde était baptisé...*

m **3.22** Comparer Ps 2.7 ; És 42.1.

de Mattata, fils de Natan, fils de David,
32 fils de *Jessé, fils d'Obed, fils de Booz,
fils de Sala, fils de Nachon, 33 fils d'Amminadab, fils d'Admin, fils d'Arni, fils de
Hesron, fils de Pérès, fils de Juda, 34 fils
de Jacob, fils d'Isaac, fils d'Abraham, fils
de Téra, fils de Nahor, 35 fils de Seroug,
fils de Réou, fils de Péleg, fils d'Éber, fils
de Chéla, 36 fils de Quénan, fils d'Arpaxad, fils de Sem, fils de *Noé, fils de
Lémek, 37 fils de Matusalem, fils d'Hénok, fils de Yéred, fils de Malaléel, fils de
Quénan, 38 fils d'Énos, fils de Seth, fils
d'Adam, fils de Dieu.

La tentation de Jésus

(Voir aussi Matt 4.1-11 ; Marc 1.12-13)

4 1 Jésus, rempli de Saint-Esprit, revint
du Jourdain et fut conduit par l'Esprit dans le désert. 2 Il y fut tenté par le
*diable pendant quarante jours. Il ne
mangea rien durant ces jours-là et, quand
ils furent passés, il eut faim. 3 Le diable
lui dit alors : « Si[n] tu es le *Fils de Dieu,
ordonne à cette pierre de se changer en
pain. » 4 Jésus lui répondit : « L'Écriture
déclare : "L'homme ne vivra pas de pain
seulement[o]." »
5 Le diable l'emmena plus haut, lui fit
voir en un instant tous les royaumes de la
terre 6 et lui dit : « Je te donnerai toute
cette puissance et la richesse de ces
royaumes : tout cela m'a été remis et je
peux le donner à qui je veux. 7 Si donc tu
te mets à genoux devant moi, tout sera à
toi. » 8 Jésus lui répondit : « L'Écriture
déclare : "Adore le Seigneur ton Dieu et
ne rends de culte qu'à lui seul[p]." »
9 Le diable le conduisit ensuite à Jérusalem, le plaça au sommet du *temple et
lui dit : « Si tu es le Fils de Dieu, jette-toi
d'ici en bas ; 10 car l'Écriture déclare :
"Dieu ordonnera à ses *anges de te garder." 11 Et encore : "Ils te porteront sur
leurs mains pour éviter que ton pied ne
heurte une pierre[q]." » 12 Jésus lui répondit : « L'Écriture déclare : "Ne mets pas à
l'épreuve le Seigneur ton Dieu[r]." »
13 Après avoir achevé de tenter Jésus de
toutes les manières, le diable s'éloigna de
lui jusqu'à une autre occasion[s].

Jésus commence son œuvre en Galilée

(Voir aussi Matt 4.12-17 ; Marc 1.14-15)

14 Jésus retourna en Galilée, plein de la
puissance du Saint-Esprit. On se mit à
parler de lui dans toute cette région. 15 Il
y enseignait dans les *synagogues et tout
le monde faisait son éloge.

Jésus est rejeté à Nazareth

(Voir aussi Matt 13.53-58 ; Marc 6.1-6)

16 Jésus se rendit à Nazareth, où il avait
été élevé. Le jour du *sabbat, il entra
dans la *synagogue selon son habitude. Il
se leva pour lire les Écritures 17 et on lui
remit le rouleau du livre du *prophète
Ésaïe. Il le déroula et trouva le passage où
il est écrit :
18 « L'Esprit du Seigneur est sur moi,
il m'a consacré pour apporter la Bonne
Nouvelle aux pauvres.
Il m'a envoyé pour proclamer la délivrance aux prisonniers
et le don de la vue aux aveugles,
pour libérer les opprimés,
19 pour annoncer l'année où le Seigneur
manifestera sa faveur[t]. »
20 Puis Jésus roula le livre, le rendit au serviteur et s'assit. Toutes les personnes présentes dans la synagogue fixaient les yeux
sur lui. 21 Alors il se mit à leur dire : « Ce
passage de l'Écriture est réalisé, aujourd'hui, pour vous qui m'écoutez. »
22 Tous exprimaient leur admiration à
l'égard de Jésus et s'étonnaient des paroles
merveilleuses[u] qu'il prononçait. Ils disaient : « N'est-ce pas le fils de Joseph ? »
23 Jésus leur déclara : « Vous allez certainement me citer ce proverbe : "Médecin,
guéris-toi toi-même." Vous me direz
aussi : "Nous avons appris tout ce que tu
as fait à Capernaüm, accomplis les mêmes
choses ici, dans ta propre ville." » 24 Puis il

---

n **4.3** *Si* : autre traduction (ici et au v. 9) *Puisque*...
o **4.4** Deut 8.3.
p **4.8** Deut 6.13.
q **4.11** v. 10-11 : Ps 91.11-12.
r **4.12** Deut 6.16.
s **4.13** *jusqu'à une autre occasion* : autre traduction *jusqu'au moment fixé*.
t **4.19** És 61.1-2, cité d'après l'ancienne version grecque.
u **4.22** *des paroles merveilleuses* : autre traduction *du message de la grâce*.

ajouta : « Je vous le déclare, c'est la vérité :
aucun prophète n'est bien reçu dans sa
ville natale. 25 De plus, je peux vous assurer qu'il y avait beaucoup de veuves en
*Israël à l'époque *d'Élie, lorsque la pluie
ne tomba pas durant trois ans et demi et
qu'une grande famine sévit dans tout le
pays[v]. 26 Pourtant Dieu n'envoya Élie chez
aucune d'elles, mais seulement chez une
veuve qui vivait à Sarepta, dans la région
de Sidon[w]. 27 Il y avait aussi beaucoup de
*lépreux en Israël à l'époque du prophète
Élisée ; pourtant aucun d'eux ne fut guéri,
mais seulement Naaman le Syrien[x]. »
28 Tous, dans la synagogue, furent remplis de colère en entendant ces mots. 29 Ils
se levèrent, entraînèrent Jésus hors de la
ville et le menèrent au sommet de la colline sur laquelle Nazareth était bâtie, afin
de le précipiter dans le vide. 30 Mais il
passa au milieu d'eux et s'en alla.

L'homme tourmenté par un esprit mauvais

(Voir aussi Marc 1.21-28)

31 Jésus se rendit alors à Capernaüm,
ville de Galilée, et il y donnait son enseignement à tous le jour du *sabbat.
32 Les gens étaient impressionnés par sa
manière d'enseigner, car il parlait avec
autorité. 33 Dans la *synagogue, il y avait
un homme tourmenté par un esprit mauvais. Il se mit à crier avec force : 34 « Ah !
que nous veux-tu, Jésus de Nazareth ?
Es-tu venu pour nous détruire ? Je sais
bien qui tu es : le Saint envoyé de Dieu ! »
35 Jésus parla sévèrement à l'esprit mauvais et lui donna cet ordre : « Tais-toi et
sors de cet homme ! » L'esprit jeta
l'homme à terre devant tout le monde et
sortit de lui sans lui faire aucun mal.
36 Tous furent saisis d'étonnement et ils
se disaient les uns aux autres : « Quel
genre de parole est-ce là ? Cet homme
commande avec autorité et puissance aux
esprits mauvais et ils sortent ! » 37 Et la renommée de Jésus se répandit partout
dans cette région.

Jésus guérit beaucoup de malades

(Voir aussi Matt 8.14-17 ; Marc 1.29-34)

38 Jésus quitta la *synagogue et se rendit à la maison de Simon. La belle-mère
de Simon souffrait d'une forte fièvre et
l'on demanda à Jésus de faire quelque
chose pour elle. 39 Il se pencha sur elle et,
d'un ton sévère, donna un ordre à la fièvre. La fièvre la quitta, elle se leva aussitôt et se mit à les servir.
40 Au coucher du soleil[y], tous ceux qui
avaient des malades atteints de divers
maux les amenèrent à Jésus. Il posa les
mains sur chacun d'eux et les guérit.
41 Des esprits mauvais sortirent aussi de
beaucoup de malades en criant : « Tu es le
*Fils de Dieu ! » Mais Jésus leur adressait
des paroles sévères et les empêchait de
parler, parce qu'ils savaient, eux, qu'il
était le *Messie.

Jésus prêche dans les synagogues

(Voir aussi Marc 1.35-39)

42 Dès que le jour parut, Jésus sortit de
la ville et s'en alla vers un endroit isolé.
Une foule de gens se mirent à le chercher ; quand ils l'eurent rejoint, ils voulurent le retenir et l'empêcher de les
quitter. 43 Mais Jésus leur dit : « Je dois
annoncer la Bonne Nouvelle du
*Royaume de Dieu aux autres villes
aussi, car c'est pour cela que Dieu m'a envoyé. » 44 Et il prêchait dans les *synagogues du pays[z].

Jésus appelle les premiers disciples

(Voir aussi Matt 4.18-22 ; Marc 1.16-20)

5 1 Un jour, Jésus se tenait au bord du
lac de Génésareth[a] et la foule se pressait autour de lui pour écouter la parole
de Dieu. 2 Il vit deux barques près de la
rive : les pêcheurs en étaient descendus
et lavaient leurs filets. 3 Jésus monta
dans l'une des barques, qui appartenait à
Simon, et pria celui-ci de s'éloigner un
peu du bord. Jésus s'assit dans la barque

---

v **4.25** Voir 1 Rois 17.1.
w **4.26** Voir 1 Rois 17.8-16.
x **4.27** Voir 2 Rois 5.1-14.
y **4.40** Voir Marc 1.32 et la note.
z **4.44** *du pays* : litt. *de Judée* : voir 1.5 et la note. Certains manuscrits ont *Galilée*.
a **5.1** *lac de Génésareth* : autre nom du lac de Galilée. Voir aussi Marc 6.53 et la note.

et se mit à donner son enseignement à la
foule.
4 Quand il eut fini de parler, il dit à Simon : « Avance plus loin, là où l'eau est
profonde, puis, toi et tes compagnons, jetez vos filets pour pêcher. » 5 Simon lui répondit : « Maître, nous avons peiné toute
la nuit sans rien prendre. Mais puisque tu
me dis de le faire, je jetterai les filets. » 6 Ils
les jetèrent donc et prirent une si grande
quantité de poissons que leurs filets
commençaient à se déchirer[b]. 7 Ils firent
alors signe à leurs compagnons qui étaient
dans l'autre barque de venir les aider.
Ceux-ci vinrent et, ensemble, ils remplirent les deux barques de tant de poissons qu'elles enfonçaient dans l'eau.
8 Quand Simon Pierre vit cela, il se mit à
genoux devant Jésus et dit : « Éloigne-toi
de moi, Seigneur, car je suis un homme
pécheur ! » 9 Simon, comme tous ceux qui
étaient avec lui, était en effet saisi de
crainte, à cause de la grande quantité de
poissons qu'ils avaient pris. 10 Il en était de
même des compagnons de Simon, Jacques
et Jean, les fils de Zébédée. Mais Jésus dit
à Simon : « N'aie pas peur ; désormais, ce
sont des hommes que tu prendras. » 11 Ils
ramenèrent alors leurs barques à terre et
laissèrent tout pour suivre Jésus.

Jésus guérit un *lépreux

(Voir aussi Matt 8.1-4 ; Marc 1.40-45)

12 Alors que Jésus se trouvait dans une
localité, survint un homme couvert de
*lèpre. Quand il vit Jésus, il se jeta de-
vant lui le visage contre terre et le pria en
ces termes : « Maître, si tu le veux, tu
peux me rendre *pur. » 13 Jésus étendit la
main, le toucha et déclara : « Je le veux,
sois pur ! » Aussitôt, la lèpre quitta cet
homme. 14 Jésus lui donna cet ordre : « Ne
parle de cela à personne. Mais va te faire
examiner par le *prêtre, puis offre le *sacrifice que Moïse a ordonné, pour prouver à tous que tu es guéri[c]. » 15 Cependant,
la réputation de Jésus se répandait de
plus en plus ; des foules nombreuses se
rassemblaient pour l'entendre et se faire
guérir de leurs maladies. 16 Mais Jésus se
retirait dans des endroits isolés où il
priait.

Jésus guérit un homme paralysé

(Voir aussi Matt 9.1-8 ; Marc 2.1-12)

17 Un jour, Jésus était en train d'enseigner. Des *Pharisiens et des *maîtres
de la loi étaient présents ; ils étaient venus de tous les villages de Galilée et de
Judée, ainsi que de Jérusalem. La puissance du Seigneur[d] était avec Jésus et lui
faisait guérir des malades. 18 Des gens arrivèrent, portant sur une civière un
homme paralysé ; ils cherchaient à le
faire entrer dans la maison et à le déposer
devant Jésus. 19 Mais ils ne savaient pas
où l'introduire, à cause de la foule. Ils le
montèrent alors sur le toit, firent une ouverture parmi les tuiles et le descendirent
sur sa civière au milieu de l'assemblée
devant Jésus. 20 Quand Jésus vit leur foi,
il dit au malade : « Mon ami, tes péchés te
sont pardonnés. » 21 Les maîtres de la loi
et les Pharisiens se mirent à penser :
« Qui est cet homme qui fait insulte à
Dieu ? Qui peut pardonner les péchés ?
Dieu seul le peut[e] ! » 22 Jésus devina leurs
pensées et leur dit : « Pourquoi avez-vous
de telles pensées ? 23 Est-il plus facile de
dire : "Tes péchés te sont pardonnés", ou
de dire : "Lève-toi et marche" ? 24 Mais je
veux que vous le sachiez : le *Fils de
l'homme a le pouvoir sur la terre de pardonner les péchés. » Alors il adressa ces
mots au paralysé : « Je te le dis, lève-toi,
prends ta civière et rentre chez toi ! »
25 Aussitôt, l'homme se leva devant tous
le monde, prit la civière sur laquelle il
avait été couché et s'en alla chez lui en
louant Dieu. 26 Tous furent frappés
d'étonnement. Ils louaient Dieu, remplis
de crainte, et disaient : « Nous avons vu
aujourd'hui des choses extraordinaires ! »

Jésus appelle Lévi

(Voir aussi Matt 9.9-13 ; Marc 2.13-17)

27 Après cela, Jésus sortit et vit un *collecteur d'impôts, nommé Lévi, assis

---

b **5.6** Comparer Jean 21.6.
c **5.14** Voir Lév 14.2-32.
d **5.17** *Seigneur* : comme dans l'Ancien Testament et de nombreux passages des chapitres 1 à 4 de Luc, ce titre est appliqué ici à Dieu.
e **5.21** *fait insulte à Dieu* : comparer Lév 24.16. – *...Dieu seul le peut* : voir Ps 103.3 ; És 43.25.

son bureau. Jésus lui dit : « Suis-moi ! »
28 Lévi se leva, laissa tout et le suivit.
29 Puis Lévi lui offrit un grand repas dans
sa maison ; beaucoup de collecteurs d'impôts et d'autres personnes étaient à table
avec eux. 30 Les *Pharisiens et les *maîtres de la loi qui étaient de leur parti critiquaient cela ; ils dirent aux *disciples de
Jésus : « Pourquoi mangez-vous et buvez-
vous avec les collecteurs d'impôts et autres gens de mauvaise réputation[f] ? » 31 Jésus leur répondit : « Les personnes en
bonne santé n'ont pas besoin de médecin,
ce sont les malades qui en ont besoin.
32 Je ne suis pas venu appeler ceux qui
s'estiment justes, mais ceux qui se savent
pécheurs pour qu'ils changent de
comportement. »

Jésus et le jeûne

(Voir aussi Matt 9.14-17 ; Marc 2.18-22)

33 Les *Pharisiens dirent à Jésus : « Les
*disciples de Jean, de même que les nô-
tres, *jeûnent souvent et font des prières ;
mais tes disciples, eux, mangent et boivent. » 34 Jésus leur répondit : « Pensez-
vous pouvoir obliger les invités d'une
noce à ne pas manger pendant que le marié est avec eux ? Bien sûr que non !
35 Mais le temps viendra où le marié leur
sera enlevé ; ces jours-là, ils jeûneront. »
36 Jésus leur dit aussi cette *parabole :
« Personne ne déchire une pièce d'un vêtement neuf pour réparer un vieux vêtement ; sinon, le vêtement neuf est
déchiré et la pièce d'étoffe neuve ne s'accorde pas avec le vieux. 37 Et personne ne
verse du vin nouveau dans de vieilles
*outres ; sinon, le vin nouveau fait éclater
les outres : il se répand et les outres sont
perdues. 38 Mais non ! pour le vin nouveau, il faut des outres neuves ! 39 Et personne ne veut du vin nouveau après en
avoir bu du vieux. On dit en effet : "Le
vieux est meilleur." »

Jésus et le sabbat

(Voir aussi Matt 12.1-8 ; Marc 2.23-28)

6 1 Un jour de *sabbat, Jésus traversait
des champs de blé. Ses *disciples
cueillaient des épis, les frottaient dans
leurs mains et en mangeaient les grains[g].
2 Quelques *Pharisiens leur dirent :
« Pourquoi faites-vous ce que notre loi ne
permet pas le jour du sabbat[h] ? » 3 Jésus
leur répondit : « N'avez-vous pas lu ce
que fit David un jour où lui-même et ses
compagnons avaient faim ? 4 Il entra dans
la maison de Dieu, prit les pains offerts à
Dieu, en mangea et en donna à ses
compagnons, bien que notre loi ne permette qu'aux seuls *prêtres d'en manger[i]. » 5 Jésus leur dit encore : « Le *Fils
de l'homme est maître du sabbat. »

L'homme à la main paralysée

(Voir aussi Matt 12.9-14 ; Marc 3.1-6)

6 Un autre jour de *sabbat, Jésus entra
dans la *synagogue et se mit à enseigner.
Il y avait là un homme dont la main
droite était paralysée. 7 Les *maîtres de la
loi et les *Pharisiens observaient attentivement Jésus pour voir s'il allait guérir
quelqu'un le jour du sabbat, car ils voulaient avoir une raison de l'accuser.
8 Mais Jésus connaissait leurs pensées. Il
dit alors à l'homme dont la main était paralysée : « Lève-toi et tiens-toi là, devant
tout le monde. » L'homme se leva et se
tint là. 9 Puis Jésus leur dit : « Je vous le
demande : Que permet notre loi ? de faire
du bien le jour du sabbat ou de faire du
mal ? de sauver la vie d'un être humain
ou de la détruire ? » 10 Il les regarda tous
et dit ensuite à l'homme[j] : « Avance ta
main. » Il le fit et sa main redevint saine.
11 Mais les maîtres de la loi et les Pharisiens furent remplis de fureur et se mirent à discuter entre eux sur ce qu'ils
pourraient faire à Jésus.

Jésus choisit les douze apôtres

(Voir aussi Matt 10.1-4 ; Marc 3.13-19)

12 En ce temps-là, Jésus monta sur une
colline pour prier et y passa toute la nuit

---

f **5.30** Comparer les v. 29-30 et 15.1-2.

g **6.1** *Un jour de sabbat* : certains manuscrits ont *Un second sabbat du premier mois*, sabbat qui est proche de la moisson (voir Lév 23.5-14). – *...et en mangeaient les grains* : voir Deut 23.26.

h **6.2** Voir Ex 34.21.

i **6.4** *prit les pains offerts à Dieu...* : voir 1 Sam 21.2-7. – *ne permette qu'aux seuls prêtres...* : voir Lév 24.9.

j **6.10** *et dit ensuite à l'homme* : certains manuscrits ont *et dit ensuite avec colère à l'homme*.

à prier Dieu. 13 Quand le jour parut, il appela ses *disciples et en choisit douze
qu'il nomma *apôtres : 14 Simon – auquel
il donna aussi le nom de Pierre – et son
frère André, Jacques et Jean, Philippe et
Barthélemy, 15 Matthieu et Thomas, Jacques le fils d'Alphée[k] et Simon – dit le
nationaliste –, 16 Jude le fils de Jacques[l]
et Judas Iscariote, celui qui devint un
traître.

Jésus enseigne et guérit

(Voir aussi Matt 4.23-25)

17 Jésus descendit de la colline avec eux
et s'arrêta en un endroit plat, où se trouvait un grand nombre de ses *disciples. Il
y avait aussi là une foule immense : des
gens de toute la Judée[m], de Jérusalem et
des villes de la côte, Tyr et Sidon ; 18 ils
étaient venus pour l'entendre et se faire
guérir de leurs maladies. Ceux que tourmentaient des esprits mauvais étaient
guéris. 19 Tout le monde cherchait à le
toucher, parce qu'une force sortait de lui
et les guérissait tous.

Le bonheur et le malheur

(Voir aussi Matt 5.1-12)

20 Jésus regarda alors ses *disciples et
dit :
« Heureux, vous qui êtes pauvres,
car le *Royaume de Dieu est à vous !
21 Heureux, vous qui avez faim maintenant,
car vous aurez de la nourriture en
abondance !
Heureux, vous qui pleurez maintenant,
car vous rirez !
22 « Heureux êtes-vous si les hommes
vous haïssent, s'ils vous rejettent, vous
insultent et disent du mal de vous, parce
que vous croyez au *Fils de l'homme.
23 Réjouissez-vous quand cela arrivera et
sautez de joie, car une grande récompense vous attend dans le *ciel. C'est
ainsi, en effet, que leurs ancêtres maltrai-
taient les *prophètes[n].
24 « Mais malheur à vous qui êtes riches,
car vous avez déjà eu votre bonheur !
25 Malheur à vous qui avez tout en abondance maintenant,
car vous aurez faim !
Malheur à vous qui riez maintenant,
car vous serez dans la tristesse et vous
pleurerez !
26 « Malheur à vous si tous les hommes disent du bien de vous, car c'est ainsi que
leurs ancêtres agissaient avec les faux
prophètes ! »

L'amour pour les ennemis

(Voir aussi Matt 5.38-48 ; 7.12a)

27 « Mais je vous le dis, à vous qui
m'écoutez : Aimez vos ennemis, faites
du bien à ceux qui vous haïssent, 28 *bénissez ceux qui vous maudissent et
priez pour ceux qui vous maltraitent. 29 Si
quelqu'un te frappe sur une joue,
présente-lui aussi l'autre ; si quelqu'un te
prend ton manteau, laisse-le prendre
aussi ta chemise. 30 Donne à quiconque te
demande quelque chose, et si quelqu'un
te prend ce qui t'appartient, ne le lui réclame pas. 31 Faites pour les autres exactement ce que vous voulez qu'ils fassent
pour vous[o]. 32 Si vous aimez seulement
ceux qui vous aiment, pourquoi vous attendre à une reconnaissance particulière ? Même les pécheurs aiment ceux
qui les aiment ! 33 Et si vous faites du bien
seulement à ceux qui vous font du bien,
pourquoi vous attendre à une reconnaissance particulière ? Même les pécheurs
en font autant ! 34 Et si vous prêtez seulement à ceux dont vous espérez qu'ils vous
rendront, pourquoi vous attendre à une
reconnaissance particulière ? Des pécheurs aussi prêtent à des pécheurs pour
qu'ils leur rendent la même somme !
35 Au contraire, aimez vos ennemis,
faites-leur du bien et prêtez sans rien espérer recevoir en retour. Vous obtiendrez
une grande récompense et vous serez les
fils du Dieu très-haut, car il est bon pour
les ingrats et les méchants. 36 Soyez pleins
de bonté comme votre Père est plein de
bonté[p]. »

---

k 6.15 *fils d'Alphée* ou *frère d'Alphée*.
l 6.16 *fils de Jacques* ou *frère de Jacques*.
m 6.17 Comme en Luc 1.5, l'appellation *Judée* désigne ici sans doute toute la Palestine.
n 6.23 Comparer 2 Chron 36.16 ; Act 7.52.
o 6.31 Comparer Rom 13.8-10.
p 6.36 Comparer Ex 34.6 ; Ps 86.15.

Ne pas juger les autres
(Voir aussi Matt 7.1-5)

37 « Ne portez de jugement contre personne et Dieu ne vous jugera pas non
plus ; ne condamnez pas les autres et
Dieu ne vous condamnera pas ; pardonnez aux autres et Dieu vous pardonnera.
38 Donnez aux autres et Dieu vous donnera : on versera dans la grande poche de
votre vêtement une bonne mesure, bien
serrée et secouée, débordante. Dieu mesurera ses dons envers vous avec la mesure même que vous employez pour les
autres. »
39 Jésus leur parla encore avec des images : « Un aveugle ne peut pas conduire
un autre aveugle, n'est-ce pas ? Sinon, ils
tomberont tous les deux dans un trou.
40 Aucun élève n'est supérieur à son maître ; mais tout élève complètement instruit sera comme son maître. 41 Pourquoi
regardes-tu le brin de paille qui est dans
l'œil de ton frère, alors que tu ne remarques pas la poutre qui est dans ton
œil ? 42 Comment peux-tu dire à ton
frère : "Mon frère, laisse-moi enlever
cette paille qui est dans ton œil", toi qui
ne vois même pas la poutre qui est dans le
tien ? Hypocrite, enlève d'abord la poutre
de ton œil et alors tu verras assez clair
pour enlever la paille de l'œil de ton
frère. »

L'arbre et ses fruits
(Voir aussi Matt 7.16-20 ; 12.33-35)

43 « Un bon arbre ne produit pas de
mauvais fruits, ni un arbre malade de
bons fruits. 44 Chaque arbre se reconnaît à
ses fruits : on ne cueille pas des figues sur
les buissons d'épines et l'on ne récolte
pas du raisin sur des ronces. 45 L'homme
bon tire du bien du bon trésor que
contient son cœur ; l'homme mauvais
tire du mal de son mauvais trésor. Car la
bouche de chacun exprime ce dont son
cœur est plein. »

Les deux maisons
(Voir aussi Matt 7.24-27)

46 « Pourquoi m'appelez-vous "Seigneur, Seigneur", et ne faites-vous pas ce
que je vous dis ? 47 Je vais vous montrer à
qui ressemble quiconque vient à moi,
écoute mes paroles et les met en pratique : 48 il est comme un homme qui
s'est mis à bâtir une maison ; il a creusé
profondément la terre et a posé les fondations sur le roc. Quand l'inondation
est venue, les eaux de la rivière se sont
jetées contre cette maison, mais sans
pouvoir l'ébranler, car la maison était
bien bâtie. 49 Mais quiconque écoute mes
paroles et ne les met pas en pratique est
comme un homme qui a bâti une maison
directement sur le sol, sans fondations.
Quand les eaux de la rivière se sont jetées contre cette maison, elle s'est aussitôt écroulée : elle a été complètement
détruite. »

Jésus guérit le serviteur d'un officier romain
(Voir aussi Matt 8.5-13)

7 1 Quand Jésus eut fini d'adresser
toutes ces paroles à la foule qui l'entourait, il se rendit à Capernaüm. 2 Là,
un capitaine romain avait un serviteur
qui lui était très cher. Ce serviteur était
malade et près de mourir. 3 Quand le capitaine entendit parler de Jésus, il lui
envoya quelques *anciens des Juifs pour
lui demander de venir guérir son serviteur. 4 Ils arrivèrent auprès de Jésus et se
mirent à le prier avec insistance en disant : « Cet homme mérite que tu lui accordes ton aide. 5 Il aime notre peuple et
c'est lui qui a fait bâtir notre *synagogue. » 6 Alors Jésus s'en alla avec eux.
Il n'était pas loin de la maison, quand le
capitaine envoya des amis pour lui dire :
« Maître, ne te dérange pas. Je ne suis pas
digne que tu entres dans ma maison ;
7 c'est pour cela que je ne me suis pas
permis d'aller en personne vers toi. Mais
dis un mot pour que mon serviteur soit
guéri. 8 Je suis moi-même soumis à mes
supérieurs et j'ai des soldats sous mes ordres. Si je dis à l'un : "Va !", il va ; si je
dis à un autre : "Viens !", il vient ; et si je
dis à mon serviteur : "Fais ceci !", il le
fait. » 9 Quand Jésus entendit ces mots, il
admira le capitaine. Il se retourna et dit
à la foule qui le suivait : « Je vous le déclare : je n'ai jamais trouvé une telle foi,
non, pas même en *Israël. » 10 Les en-

voyés retournèrent dans la maison du capitaine et y trouvèrent le serviteur en
bonne santé.

Jésus ramène à la vie le fils d'une veuve

11 Jésus se rendit ensuite dans une localité appelée Naïn[q]; ses *disciples et
une grande foule l'accompagnaient. 12 Au
moment où il approchait de la porte de
cette localité, on menait un mort au cimetière: c'était le fils unique d'une
veuve. Un grand nombre d'habitants de
l'endroit se trouvaient avec elle. 13 Quand
le Seigneur la vit, il fut rempli de pitié
pour elle et lui dit: «Ne pleure pas!»
14 Puis il s'avança et toucha le cercueil;
les porteurs s'arrêtèrent. Jésus dit:
«Jeune homme, je te l'ordonne, lève-
toi!» 15 Le mort se dressa et se mit à parler. Jésus le rendit à sa mère. 16 Tous furent saisis de crainte; ils louaient Dieu
en disant: «Un grand *prophète est apparu parmi nous!» et aussi: «Dieu est
venu secourir son peuple!» 17 Et dans
toute la Judée[r] et ses environs on apprit
ce que Jésus avait fait.

Les envoyés de Jean-Baptiste

(Voir aussi Matt 11.2-19)

18 Les *disciples de Jean racontèrent
tout cela à leur maître. Jean appela deux
d'entre eux 19 et les envoya au Seigneur
pour lui demander: «Es-tu le *Messie
qui doit venir[s] ou devons-nous attendre
quelqu'un d'autre?» 20 Quand ils arrivèrent auprès de Jésus, ils lui dirent:
«Jean-Baptiste nous a envoyés pour te
demander: "Es-tu le Messie qui doit venir ou devons-nous attendre quelqu'un
d'autre?"» 21 Au même moment, Jésus
guérit beaucoup de personnes de leurs
maladies, de leurs maux, il les délivra
d'esprits mauvais et rendit la vue à de
nombreux aveugles. 22 Puis il répondit
aux envoyés de Jean: «Allez raconter à
Jean ce que vous avez vu et entendu: les
aveugles voient, les boiteux marchent, les
*lépreux sont guéris, les sourds enten-
dent, les morts reviennent à la vie, la
Bonne Nouvelle est annoncée aux pauvres[t]. 23 Heureux celui qui n'abandonnera pas la foi en moi[u]!»
24 Quand les envoyés de Jean furent
partis, Jésus se mit à parler de Jean à la
foule en disant: «Qu'êtes-vous allés voir
au désert? un roseau agité par le vent?
Non? 25 Alors qu'êtes-vous allés voir? un
homme vêtu d'habits magnifiques? Mais
ceux qui portent de riches habits et vivent dans le luxe se trouvent dans les palais des rois. 26 Qu'êtes-vous donc allés
voir? un *prophète? Oui, vous dis-je, et
même bien plus qu'un prophète. 27 Car
Jean est celui dont l'Écriture déclare:

"Je vais envoyer mon messager devant
toi, dit Dieu,
pour t'ouvrir le chemin[v]."

28 «Je vous le déclare, ajouta Jésus, il
n'est jamais né personne de plus grand
que Jean; pourtant, celui qui est le plus
petit dans le *Royaume de Dieu est plus
grand que lui. 29 Tout le peuple et les *collecteurs d'impôts l'ont écouté, ils ont reconnu que Dieu est juste et ils se sont fait
baptiser par Jean. 30 Mais les *Pharisiens
et les *maîtres de la loi ont rejeté ce que
Dieu voulait pour eux et ont refusé de se
faire baptiser par Jean.»
31 Jésus dit encore: «A qui puis-je
comparer les gens d'aujourd'hui? A qui
ressemblent-ils? 32 Ils ressemblent à des
enfants assis sur la place publique, dont
les uns crient aux autres: "Nous vous
avons joué un air de danse sur la flûte et
vous n'avez pas dansé! Nous avons
chanté des chants de deuil et vous n'avez
pas pleuré!" 33 En effet, Jean-Baptiste est
venu, il ne mange pas de pain et ne boit
pas de vin, et vous dites: "Il est possédé
d'un esprit mauvais!" 34 Le *Fils de
l'homme est venu, il mange et boit, et
vous dites: "Voyez cet homme qui ne
pense qu'à manger et à boire du vin, qui
est ami des collecteurs d'impôts et autres
gens de mauvaise réputation!" 35 Mais la
sagesse de Dieu est reconnue comme
juste par tous ceux qui l'acceptent.»

---

q **7.11** *ensuite*: certains manuscrits ont *le jour suivant*. – *Naïn*: localité située au sud-est de la Galilée.
r **7.17** Voir 6.17 et la note.
s **7.19** Voir Matt 11.3 et la note.
t **7.22** Comparer És 35.5-6; 61.1.
u **7.23** *en moi*: autre traduction *à cause de moi*.
v **7.27** Mal 3.1.

Jésus dans la maison de Simon le Pharisien

36 Un *Pharisien invita Jésus à prendre
un repas avec lui. Jésus se rendit chez cet
homme et se mit à table. 37 Il y avait dans
cette ville une femme de mauvaise réputation. Lorsqu'elle apprit que Jésus était
à table chez le Pharisien, elle apporta un
flacon d'albâtre[w] plein de parfum 38 et se
tint derrière Jésus, à ses pieds[x]. Elle pleurait et se mit à mouiller de ses larmes les
pieds de Jésus ; puis elle les essuya avec
ses cheveux, les embrassa et répandit le
parfum sur eux. 39 Quand le Pharisien qui
avait invité Jésus vit cela, il se dit en lui-
même : « Si cet homme était vraiment un
*prophète, il saurait qui est cette femme
qui le touche et ce qu'elle est : une femme
de mauvaise réputation. » 40 Jésus prit
alors la parole et dit au Pharisien : « Simon, j'ai quelque chose à te dire. » Simon
répondit : « Parle, Maître. » 41 Et Jésus
dit : « Deux hommes devaient de l'argent
à un prêteur. L'un lui devait cinq cents
pièces d'argent et l'autre cinquante.
42 Comme ni l'un ni l'autre ne pouvaient
le rembourser, il leur fit grâce de leur
dette à tous deux. Lequel des deux l'aimera le plus ? » 43 Simon lui répondit :
« Je pense que c'est celui auquel il a fait
grâce de la plus grosse somme. » Jésus lui
dit : « Tu as raison. »
44 Puis il se tourna vers la femme et dit
à Simon : « Tu vois cette femme ? Je suis
entré chez toi et tu ne m'as pas donné
l'eau pour mes pieds[y] ; mais elle m'a lavé
les pieds de ses larmes et les a essuyés
avec ses cheveux. 45 Tu ne m'as pas reçu
en m'embrassant ; mais elle n'a pas cessé
de m'embrasser les pieds depuis que je
suis entré. 46 Tu n'as pas répandu d'huile
sur ma tête[z] ; mais elle a répandu du parfum sur mes pieds. 47 C'est pourquoi, je te
le déclare : le grand amour qu'elle a manifesté prouve que ses nombreux péchés
ont été pardonnés. Mais celui à qui l'on a
peu pardonné ne manifeste que peu
d'amour. » 48 Jésus dit alors à la femme :
« Tes péchés sont pardonnés. » 49 Ceux qui
étaient à table avec lui se mirent à dire en
eux-mêmes : « Qui est cet homme qui ose
même pardonner les péchés ? » 50 Mais
Jésus dit à la femme : « Ta foi t'a sauvée :
va en paix. »

Les femmes qui accompagnaient Jésus

8 1 Ensuite, Jésus alla dans les villes et
les villages pour y prêcher et annoncer la Bonne Nouvelle du *Royaume de
Dieu. Les douze *disciples l'accompagnaient, 2 ainsi que quelques femmes qui
avaient été délivrées d'esprits mauvais et
guéries de maladies : Marie – appelée
Marie de Magdala –, dont sept esprits
mauvais avaient été chassés ; 3 Jeanne,
femme de Chuza, un administrateur
*d'Hérode ; Suzanne et plusieurs autres
qui utilisaient leurs biens pour aider
Jésus et ses disciples.

La parabole du semeur

(Voir aussi Matt 13.1-9 ; Marc 4.1-9)

4 De chaque ville, des gens venaient à
Jésus. Comme une grande foule s'assem-
blait, il dit cette *parabole : 5 « Un homme
s'en alla dans son champ pour semer du
grain. Tandis qu'il lançait la semence, une
partie des grains tomba le long du chemin : on marcha dessus et les oiseaux les
mangèrent. 6 Une autre partie tomba sur
un sol pierreux : dès que les plantes poussèrent, elles se desséchèrent parce qu'elles
manquaient d'humidité. 7 Une autre partie tomba parmi des plantes épineuses qui
poussèrent en même temps que les bonnes plantes et les étouffèrent. 8 Mais une
autre partie tomba dans la bonne terre ;
les plantes poussèrent et produisirent des
épis : chacun portait cent grains. » Et Jésus
ajouta : « Écoutez bien, si vous avez des
oreilles pour entendre ! »

Pourquoi Jésus utilise des paraboles

(Voir aussi Matt 13.10-17 ; Marc 4.10-12)

9 Les *disciples de Jésus lui demandèrent ce que signifiait cette *parabole.

---

w **7.37** *albâtre* : voir Matt 26.7 et la note.
x **7.38** A la manière antique, les convives étaient allongés face à la table.
y **7.44** C'est un usage de l'hospitalité orientale. Voir Gen 18.4 ; 19.2.
z **7.46** Voir Ps 23.5 et la note.

10 Il leur répondit : « Vous avez reçu, vous,
la connaissance des secrets du *Royaume
de Dieu ; mais aux autres gens, ils sont
présentés sous forme de paraboles et ainsi

"Ils peuvent regarder, mais sans voir,
ils peuvent entendre, mais sans
comprendre[a]." »

Jésus explique la parabole du semeur

(Voir aussi Matt 13.18-23 ; Marc 4.13-20)

11 « Voici ce que signifie cette *parabole : la semence, c'est la parole de Dieu.
12 Certains sont comme le bord du chemin où tombe le grain : ils entendent,
mais le *diable arrive et arrache la parole de leur cœur pour les empêcher de
croire et d'être sauvés. 13 D'autres sont
comme un sol pierreux : ils entendent la
parole et la reçoivent avec joie. Mais ils
ne la laissent pas s'enraciner, ils ne
croient qu'un instant et ils abandonnent
la foi au moment où survient l'épreuve.
14 La semence qui tombe parmi les plantes épineuses représente ceux qui entendent ; mais ils se laissent étouffer en
chemin par les préoccupations, la richesse et les plaisirs de la vie, et ils ne
donnent pas de fruits mûrs. 15 La semence qui tombe dans la bonne terre représente ceux qui écoutent la parole et la
gardent dans un cœur bon et bien disposé, qui demeurent fidèles et portent
ainsi des fruits. »

La parabole de la lampe

(Voir aussi Marc 4.21-25)

16 « Personne n'allume une lampe pour
la couvrir d'un pot ou pour la mettre sous
un lit. Au contraire, on la place sur son
support, afin que ceux qui entrent voient
la lumière[b]. 17 Tout ce qui est caché apparaîtra au grand jour, et tout ce qui est secret sera connu et mis en pleine lumière.
18 Faites attention à la manière dont vous
écoutez ! Car celui qui a quelque chose
recevra davantage ; mais à celui qui n'a
rien on enlèvera même le peu qu'il pense
avoir. »

La mère et les frères de Jésus

(Voir aussi Matt 12.46-50 ; Marc 3.31-35)

19 La mère et les frères de Jésus vinrent
le trouver, mais ils ne pouvaient pas arriver jusqu'à lui à cause de la foule. 20 On
l'annonça à Jésus en ces termes : « Ta
mère et tes frères se tiennent dehors et
désirent te voir. » 21 Mais Jésus dit à tous :
« Ma mère et mes frères, ce sont ceux qui
écoutent la parole de Dieu et la mettent
en pratique. »

Jésus apaise une tempête

(Voir aussi Matt 8.23-27 ; Marc 4.35-41)

22 Un jour, Jésus monta dans une barque avec ses *disciples et leur dit : « Passons de l'autre côté du lac[c]. » Et ils
partirent. 23 Pendant qu'ils naviguaient,
Jésus s'endormit. Soudain, un vent violent se mit à souffler sur le lac ; la barque
se remplissait d'eau et ils étaient en danger. 24 Les disciples s'approchèrent alors
de Jésus et le réveillèrent en criant :
« Maître, maître, nous allons mourir ! »
Jésus, réveillé, menaça le vent et les grosses vagues, qui s'apaisèrent. Il y eut un
grand calme. 25 Jésus dit aux disciples :
« Où est votre confiance ? » Mais ils
avaient peur, étaient remplis d'étonnement et se disaient les uns aux autres :
« Qui est donc cet homme ? Il donne des
ordres même aux vents et à l'eau, et ils lui
obéissent[d] ! »

Jésus guérit un homme possédé par des esprits mauvais

(Voir aussi Matt 8.28-34 ; Marc 5.1-20)

26 Ils abordèrent dans le territoire des
Géraséniens[e], qui est de l'autre côté du
lac, en face de la Galilée. 27 Au moment
où Jésus descendait à terre, un homme de
la ville vint à sa rencontre. Cet homme
était possédé par des esprits mauvais ; depuis longtemps il ne portait pas de vêtement et n'habitait pas dans une maison,
mais vivait parmi les tombeaux. 28 Quand
il vit Jésus, il poussa un cri, se jeta à ses

---

a **8.10** És 6.9, cité d'après l'ancienne version grecque.
b **8.16** Comparer Matt 5.15 ; Luc 11.33.
c **8.22** Il s'agit du lac de Galilée. Le territoire situé *de l'autre côté* était habité par des populations non juives.
d **8.25** Comparer Ps 65.8 ; 89.10 ; 107.23-32.
e **8.26** Certains manuscrits ont *Gadaréniens* (voir Matt 8.28 et la note) et d'autres ont *Gergéséniens*.

pieds et dit avec force : « Que me veux-tu,
Jésus, fils du Dieu très-haut ? Je t'en prie,
ne me tourmente pas ! » 29 Jésus ordonnait en effet à l'esprit mauvais de sortir
de lui. Cet esprit s'était emparé de lui
bien des fois ; on attachait alors les mains
et les pieds de l'homme avec des chaînes
pour le garder, mais il rompait ses liens et
l'esprit l'entraînait vers les lieux déserts.
30 Jésus l'interrogea : « Quel est ton
nom ? » – « Mon nom est "Multitude" »,
répondit-il. En effet, de nombreux esprits mauvais étaient entrés en lui. 31 Et
ces esprits suppliaient Jésus de ne pas les
envoyer dans *l'abîme.

32 Il y avait là un grand troupeau de
porcs[f] qui cherchait sa nourriture sur la
colline. Les esprits prièrent Jésus de leur
permettre d'entrer dans ces porcs. Il le
leur permit. 33 Alors les esprits mauvais
sortirent de l'homme et entrèrent dans les
porcs. Tout le troupeau se précipita du
haut de la falaise dans le lac et s'y noya.
34 Quand les hommes qui gardaient les
porcs virent ce qui était arrivé, ils s'enfuirent et portèrent la nouvelle dans la
ville et dans les fermes. 35 Les gens sortirent pour voir ce qui s'était passé. Ils arrivèrent auprès de Jésus et trouvèrent
l'homme dont les esprits mauvais étaient
sortis : il était assis aux pieds de Jésus, il
portait des vêtements et était dans son
bon sens. Et ils prirent peur. 36 Ceux qui
avaient tout vu leur racontèrent comment
l'homme possédé avait été guéri. 37 Alors
toute la population de ce territoire demanda à Jésus de s'en aller de chez eux,
car ils avaient très peur. Jésus monta dans
la barque pour partir. 38 L'homme dont les
esprits mauvais étaient sortis priait Jésus
de le laisser rester avec lui. Mais Jésus le
renvoya en disant : 39 « Retourne chez toi
et raconte tout ce que Dieu a fait pour
toi. » L'homme s'en alla donc et proclama
dans la ville entière tout ce que Jésus avait
fait pour lui.

La fille de Jaïrus et la femme qui toucha le vêtement de Jésus

(Voir aussi Matt 9.18-26 ; Marc 5.21-43)

40 Au moment où Jésus revint sur l'autre rive du lac, la foule l'accueillit, car
tous l'attendaient. 41 Un homme appelé
Jaïrus arriva alors. Il était chef de la *synagogue locale. Il se jeta aux pieds de Jésus et le supplia de venir chez lui, 42 parce
qu'il avait une fille unique, âgée d'environ douze ans, qui était mourante.

Pendant que Jésus s'y rendait, la foule
le pressait de tous côtés. 43 Il y avait là une
femme qui souffrait de pertes de sang depuis douze ans. Elle avait dépensé tout ce
qu'elle possédait chez les médecins[g],
mais personne n'avait pu la guérir. 44 Elle
s'approcha de Jésus par derrière et toucha
le bord de son vêtement. Aussitôt, sa
perte de sang s'arrêta. 45 Jésus demanda :
« Qui m'a touché ? » Tous niaient l'avoir
fait et Pierre dit : « Maître, la foule t'entoure et te presse de tous côtés. » 46 Mais
Jésus dit : « Quelqu'un m'a touché, car
j'ai senti qu'une force était sortie de
moi. » 47 La femme vit qu'elle avait été découverte. Elle vint alors, toute trem-
blante, se jeter aux pieds de Jésus. Elle lui
raconta devant tout le monde pourquoi
elle l'avait touché et comment elle avait
été guérie immédiatement. 48 Jésus lui
dit : « Ma fille, ta foi t'a guérie[h]. Va en
paix. »

49 Tandis que Jésus parlait ainsi, un
messager vint de la maison du chef de la
synagogue et dit à celui-ci : « Ta fille est
morte. Ne dérange plus le maître. »
50 Mais Jésus l'entendit et dit à Jaïrus :
« N'aie pas peur, crois seulement, et elle
guérira. » 51 Lorsqu'il fut arrivé à la maison, il ne permit à personne d'entrer avec
lui, si ce n'est à Pierre, à Jean, à Jacques,
et au père et à la mère de l'enfant. 52 Tous
pleuraient et se lamentaient à cause de
l'enfant. Alors Jésus dit : « Ne pleurez
pas. Elle n'est pas morte, elle dort. »
53 Mais ils se moquèrent de lui, car ils savaient qu'elle était morte. 54 Cependant,
Jésus la prit par la main et dit d'une voix
forte : « Enfant, debout ! » 55 Elle revint à
la vie et se leva aussitôt. Jésus leur ordonna de lui donner à manger. 56 Ses parents furent remplis d'étonnement, mais

---

f **8.32** *porcs* : voir Marc 5.11 et la note.

g **8.43** Certains manuscrits n'ont pas les mots *Elle avait dépensé tout ce qu'elle possédait chez les médecins*.

h **8.48** *t'a guérie* ou *t'a sauvée*.

Jésus leur recommanda de ne dire à personne ce qui s'était passé.

La mission des douze disciples

(Voir aussi Matt 10.5-15 ; Marc 6.7-13)

9 1 Jésus réunit les douze *disciples et
leur donna le pouvoir et l'autorité de
chasser tous les esprits mauvais et de guérir les maladies. 2 Puis il les envoya prêcher le *Royaume de Dieu et guérir les
malades. 3 Il leur dit : « Ne prenez rien
avec vous pour le voyage : ni bâton, ni
sac, ni pain, ni argent, et n'ayez pas deux
chemises chacun. 4 Partout où l'on vous
accueillera, restez dans la même maison
jusqu'à ce que vous quittiez l'endroit.
5 Partout où les gens refuseront de vous
accueillir, quittez leur ville et secouez la
poussière de vos pieds[i] : ce sera un avertissement pour eux. » 6 Les disciples partirent ; ils passaient dans tous les villages,
annonçaient la Bonne Nouvelle et guérissaient partout les malades.

L'inquiétude d'Hérode

(Voir aussi Matt 14.1-12 ; Marc 6.14-29)

7 Or, *Hérode, qui régnait sur la Galilée, entendit parler de tout ce qui se passait. Il ne savait qu'en penser, car certains
disaient : « Jean-Baptiste est revenu d'entre les morts. » 8 D'autres disaient : « C'est
*Élie qui est apparu. » D'autres encore
disaient : « L'un des *prophètes d'autrefois s'est relevé de la mort. » 9 Mais Hérode déclara : « J'ai fait couper la tête à
Jean. Qui est donc cet homme dont j'entends dire toutes ces choses ? » Et il cherchait à voir Jésus.

Jésus nourrit cinq mille hommes

*(Voir aussi Matt 14.13-21 ; Marc 6.30-44 ;
Jean 6.1-14)*

10 Les *apôtres revinrent et racontèrent à Jésus tout ce qu'ils avaient fait. Il
les emmena et se retira avec eux seuls
près d'une localité appelée Bethsaïda.
11 Mais les gens l'apprirent et le suivirent.
Jésus les accueillit, leur parla du
*Royaume de Dieu et guérit ceux qui en
avaient besoin. 12 Le jour commençait à
baisser ; alors les Douze s'approchèrent
de Jésus et lui dirent : « Renvoie tous ces
gens, afin qu'ils aillent dans les villages et
les fermes des environs pour y trouver à
se loger et à se nourrir, car nous sommes
ici dans un endroit isolé. » 13 Mais Jésus
leur dit : « Donnez-leur vous-mêmes à
manger ! » Ils répondirent : « Nous
n'avons que cinq pains et deux poissons.
Voudrais-tu peut-être que nous allions
acheter des vivres pour tout ce monde ? »
14 Il y avait là, en effet, environ cinq mille
hommes. Jésus dit à ses *disciples :
« Faites-les asseoir par groupes de cinquante environ. » 15 Les disciples obéirent et les firent tous asseoir. 16 Jésus prit
les cinq pains et les deux poissons, leva
les yeux vers le *ciel et remercia Dieu
pour ces aliments. Il les partagea et les
donna aux disciples pour qu'ils les distribuent à la foule. 17 Chacun mangea à sa
faim. On emporta douze corbeilles pleines des morceaux qu'ils eurent en trop[j].

Pierre déclare que Jésus est le Messie

(Voir aussi Matt 16.13-19 ; Marc 8.27-29)

18 Un jour, Jésus priait à l'écart et ses
*disciples étaient avec lui. Il leur de-
manda : « Que disent les foules à mon sujet ? » 19 Ils répondirent : « Certains disent
que tu es Jean-Baptiste, d'autres que tu es
*Élie, et d'autres encore que l'un des
*prophètes d'autrefois s'est relevé de la
mort. » – 20 « Et vous, leur demanda Jésus,
qui dites-vous que je suis ? » Pierre répondit : « Tu es le *Messie de Dieu. »

Jésus annonce sa mort et sa *résurrection

(Voir aussi Matt 16.20-28 ; Marc 8.30–9.1)

21 Jésus leur ordonna sévèrement de
n'en parler à personne, 22 et il ajouta : « Il
faut que le *Fils de l'homme souffre
beaucoup ; les *anciens, les chefs des
*prêtres et les *maîtres de la loi le rejette-
ront ; il sera mis à mort et, le troisième
jour, il reviendra à la vie. »

23 Puis il dit à tous : « Si quelqu'un veut
venir avec moi, qu'il cesse de penser à
lui-même, qu'il porte sa croix chaque
jour et me suive. 24 En effet, celui qui veut

i **9.5** Voir Marc 6.11 et la note.
j **9.17** Comparer 2 Rois 4.42-44.

sauver sa vie la perdra ; mais celui qui
perdra sa vie pour moi la sauvera. 25 A
quoi sert-il à un homme de gagner le
monde entier, s'il se perd lui-même ou va
à sa ruine ? 26 Si quelqu'un a honte de moi
et de mes paroles, alors le Fils de
l'homme aura honte de lui, quand il viendra dans sa *gloire et dans la gloire du
Père et des saints *anges. 27 Je vous le déclare, c'est la vérité : quelques-uns de
ceux qui sont ici ne mourront pas avant
d'avoir vu le *Royaume de Dieu. »

La transfiguration de Jésus

(Voir aussi Matt 17.1-8 ; Marc 9.2-8)

28 Environ une semaine après qu'il eut
parlé ainsi, Jésus prit avec lui Pierre, Jean
et Jacques, et il monta sur une montagne
pour prier. 29 Pendant qu'il priait, son visage changea d'aspect et ses vêtements devinrent d'une blancheur éblouissante.
30 Soudain, il y eut là deux hommes qui
s'entretenaient avec Jésus : c'étaient Moïse
et *Élie, 31 qui apparaissaient au milieu
d'une *gloire *céleste. Ils parlaient avec
Jésus de la façon dont il allait réaliser sa
mission en mourant à Jérusalem. 32 Pierre
et ses compagnons s'étaient profondément
endormis ; mais ils se réveillèrent et virent
la gloire de Jésus et les deux hommes qui
se tenaient avec lui[k]. 33 Au moment où ces
hommes quittaient Jésus, Pierre lui dit :
« Maître, il est bon que nous soyons ici.
Nous allons dresser trois tentes, une pour
toi, une pour Moïse et une pour Élie. » – Il
ne savait pas ce qu'il disait. – 34 Pendant
qu'il parlait ainsi, un nuage survint et les
couvrit de son ombre. Les *disciples eurent peur en voyant ce nuage les recouvrir.
35 Du nuage une voix se fit entendre :
« Celui-ci est mon *Fils, que j'ai choisi.
Écoutez-le[l] ! » 36 Après que la voix eut
parlé, on ne vit plus que Jésus seul. Les
disciples gardèrent le silence et, en ce
temps-là, ne racontèrent rien à personne
de ce qu'ils avaient vu.

Jésus guérit un enfant tourmenté par un esprit mauvais

(Voir aussi Matt 17.14-18 ; Marc 9.14-27)

37 Le jour suivant, ils descendirent de
la montagne et une grande foule vint à la
rencontre de Jésus. 38 De la foule un
homme se mit à crier : « Maître, je t'en
prie, jette un regard sur mon fils, mon fils
unique ! 39 Un esprit le saisit, le fait crier
tout à coup, le secoue avec violence et le
fait écumer de la bouche ; il le maltraite
et ne le quitte que difficilement. 40 J'ai
prié tes *disciples de chasser cet esprit,
mais ils ne l'ont pas pu. » 41 Jésus s'écria :
« Gens mauvais et sans foi que vous êtes !
Combien de temps encore devrai-je rester avec vous ? Combien de temps encore
devrai-je vous supporter ? Amène ton fils
ici. » 42 Au moment où l'enfant approchait, l'esprit le jeta à terre et le secoua
rudement. Mais Jésus menaça l'esprit
mauvais, guérit l'enfant et le rendit à son
père. 43 Et tous étaient impressionnés par
la grande puissance de Dieu.

Jésus annonce de nouveau sa mort

(Voir aussi Matt 17.22-23 ; Marc 9.30-32)

Comme chacun s'étonnait encore de
tout ce que Jésus faisait, il dit à ses *disciples : 44 « Retenez bien ce que je vous affirme maintenant : Le *Fils de l'homme
va être livré entre les mains des hommes. »
45 Mais ils ne comprenaient pas cette parole : son sens leur avait été caché afin
qu'ils ne puissent pas le comprendre, et ils
avaient peur d'interroger Jésus à ce sujet.

Qui est le plus grand ?

(Voir aussi Matt 18.1-5 ; Marc 9.33-37)

46 Les *disciples se mirent à discuter
pour savoir lequel d'entre eux était le
plus grand. 47 Jésus se rendit compte de ce
qu'ils pensaient. Il prit alors un enfant, le
plaça auprès de lui, 48 et leur dit : « Celui
qui reçoit cet enfant par amour pour moi,
me reçoit moi-même ; et celui qui me reçoit, reçoit aussi celui qui m'a envoyé.
Car celui qui est le plus petit parmi vous
tous, c'est lui qui est le plus grand. »

Celui qui n'est pas contre vous est pour vous

(Voir aussi Marc 9.38-40)

49 Jean prit la parole : « Maître, dit-il,
nous avons vu un homme qui chassait les

---

k **9.32** Comparer 2 Pi 1.16-18.
l **9.35** Comparer És 42.1 ; Luc 3.22.

esprits mauvais en usant de ton nom et
nous avons voulu l'en empêcher, parce
qu'il n'appartient pas à notre groupe. »
50 Mais Jésus lui répondit : « Ne l'en empêchez pas, car celui qui n'est pas contre
vous est pour vous. »

Un village de Samarie refuse de recevoir Jésus

51 Lorsque le moment approcha où Jésus devait être enlevé au *ciel, il décida
fermement de se rendre à Jérusalem. 52 Il
envoya des messagers devant lui. Ceux-ci
partirent et entrèrent dans un village de
Samarie[m] pour lui préparer tout le nécessaire. 53 Mais les habitants refusèrent de
le recevoir parce qu'il se dirigeait vers Jérusalem. 54 Quand les *disciples Jacques
et Jean apprirent cela, ils dirent : « Seigneur, veux-tu que nous commandions
au feu de descendre du ciel et de les exterminer[n] ? »
55 Jésus se tourna vers eux et leur fit des
reproches[o]. 56 Et ils allèrent dans un autre
village.

Ceux qui désirent suivre Jésus

(Voir aussi Matt 8.19-22)

57 Ils étaient en chemin, lorsqu'un
homme dit à Jésus : « Je te suivrai partout
où tu iras. » 58 Jésus lui dit : « Les renards
ont des terriers et les oiseaux ont des nids,
mais le *Fils de l'homme n'a pas un endroit où il puisse se coucher et se reposer. »
59 Il dit à un autre homme : « Suis-
moi. » Mais l'homme dit : « Maître, permets-moi d'aller d'abord enterrer mon
père. » 60 Jésus lui répondit : « Laisse les
morts enterrer leurs morts ; et toi, va annoncer le *Royaume de Dieu. »
61 Un autre homme encore dit : « Je t
suivrai, Maître, mais permets-moi d'alle
d'abord dire adieu à ma famille. » 62 Jésu
lui déclara : « Celui qui se met à laboure
puis regarde en arrière n'est d'aucun
utilité pour le Royaume de Dieu. »

La mission des soixante-douze disciples

10 1 Après cela, le Seigneur chois
soixante-douze[p] autres hommes e
les envoya deux par deux devant lui dan
toutes les villes et tous les endroits où lu
même devait se rendre. 2 Il leur dit : « L
moisson à faire est grande, mais il y a pe
d'ouvriers pour cela. Priez donc le pr
priétaire de la moisson d'envoyer davan
tage d'ouvriers pour la faire. 3 En route
Je vous envoie comme des agneaux a
milieu des loups. 4 Ne prenez ni bours
ni sac, ni chaussures ; ne vous arrêtez pa
en chemin pour saluer quelqu'un
5 Quand vous entrerez dans une maiso
dites d'abord : "Paix à cette maison." 6
un homme de paix habite là, votre so
hait de paix reposera sur lui ; sinon, re
rez votre souhait de paix. 7 Demeure
dans cette maison-là, mangez et buvez
que l'on vous y donnera, car l'ouvrier
droit à son salaire[q]. Ne passez pas de cet
maison dans une autre. 8 Quand vous en
trerez dans une ville et que l'on vous r
cevra, mangez ce que l'on vo
présentera ; 9 guérissez les malades
cette ville et dites à ses habitants : "I
*Royaume de Dieu s'est approché
vous." 10 Mais quand vous entrerez da
une ville et que l'on ne vous recevra pa
allez dans les rues et dites à tou
11 "Nous secouons contre vous la pou
sière même de votre ville qui s'est att
chée à nos pieds[r]. Pourtant, sachez bi
ceci : le Royaume de Dieu s'est approc
de vous." 12 Je vous le déclare : au jour
Jugement les habitants de Sodome[s] s
ront traités moins sévèrement que les h
bitants de cette ville-là. »

Les villes qui refusent de croire

(Voir aussi Matt 11.20-24)

13 « Malheur à toi, Chorazin ! Malhe
à toi, Bethsaïda ! Car si les miracles o
ont été accomplis chez vous l'avaient e

---

m **9.52** Voir au Vocabulaire SAMARITAIN.

n **9.54** Comparer 2 Rois 1.10-12. – Après *de les exterminer*, certains manuscrits ajoutent *comme le fit Élie*.

o **9.55** Certains manuscrits ajoutent *et dit : Vous ne savez pas à quel esprit vous appartenez ; car le Fils de l'homme n'est pas venu pour détruire les vies des hommes, mais pour les sauver*. Comparer Luc 19.10.

p **10.1** *soixante-douze* : certains manuscrits ont *soixante-dix*.

q **10.7** Comparer Matt 10.10 ; 1 Cor 9.14 ; 1 Tim 5.18.

r **10.11** Voir 9.5 ; Marc 6.11 et la note.

s **10.12** Voir Gen 19.24-28.

ı Tyr et à Sidon, il y a longtemps que
eurs habitants auraient pris le deuil, se
seraient assis dans la cendre et auraient
:hangé de comportement[t]. 14 C'est pourquoi, au jour du Jugement, Tyr et Sidon
seront traitées moins sévèrement que
vous. 15 Et toi, Capernaüm, crois-tu que
u t'élèveras jusqu'au *ciel ? Tu seras
ıbaissée jusqu'au monde des morts[u]. »
6 Il dit encore à ses *disciples : « Celui
qui vous écoute, m'écoute ; celui qui vous
'ejette, me rejette ; et celui qui me rejette,
ejette celui qui m'a envoyé. »

Le retour des soixante-douze

17 Les soixante-douze[v] envoyés revin-
ent pleins de joie et dirent : « Seigneur,
nême les esprits mauvais nous obéissent
quand nous leur donnons des ordres en
on nom ! » 18 Jésus leur répondit : « Je
'oyais *Satan tomber du *ciel comme
ın éclair. 19 Écoutez : je vous ai donné le
ouvoir de marcher sur les serpents et
es scorpions[w] et d'écraser toute la puis-
ance de l'ennemi, et rien ne pourra
'ous faire du mal. 20 Mais ne vous ré-
ouissez pas de ce que les esprits mauvais
'ous obéissent ; réjouissez-vous plutôt
e ce que vos noms sont écrits dans les
ieux. »

Jésus se réjouit

(Voir aussi Matt 11.25-27 ; 13.16-17)

21 A ce moment même, Jésus fut rempli
e joie par le Saint-Esprit[x] et s'écria :
O Père, Seigneur du *ciel et de la terre,
: te remercie d'avoir révélé aux petits ce
ue tu as caché aux sages et aux gens
ıstruits. Oui, Père, tu as bien voulu qu'il
n soit ainsi.
22 « Mon Père m'a remis toutes choses.
'ersonne ne sait qui est le Fils si ce n'est
: Père, et personne ne sait qui est le Père
ce n'est le Fils et ceux à qui le Fils veut
ien le révéler. »
23 Puis Jésus se tourna vers ses *dis-
iples et leur dit à eux seuls : « Heureux
tes-vous de voir[y] ce que vous voyez !
Car, je vous le déclare, beaucoup de
prophètes et de rois ont désiré voir ce
ue vous voyez, mais ne l'ont pas vu, et
ıtendre ce que vous entendez, mais ne
ont pas entendu[z]. »

La parabole du bon Samaritain

25 Un *maître de la loi intervint alors.
Pour tendre un piège à Jésus, il lui demanda : « Maître, que dois-je faire pour
recevoir la vie éternelle ? » 26 Jésus lui
dit : « Qu'est-il écrit dans notre loi ?
Qu'est-ce que tu y lis ? » 27 L'homme répondit : « "Tu dois aimer le Seigneur
ton Dieu de tout ton cœur, de toute ton
âme, de toute ta force et de toute ton intelligence." Et aussi : "Tu dois aimer ton
prochain comme toi-même[a]." » 28 Jésus
lui dit alors : « Tu as bien répondu. Fais
cela et tu vivras[b]. » 29 Mais le maître de la
loi voulait justifier sa question. Il demanda donc à Jésus : « Qui est mon prochain ? » 30 Jésus répondit : « Un homme
descendait de Jérusalem à Jéricho, lorsque des brigands l'attaquèrent, lui prirent tout ce qu'il avait, le battirent et
s'en allèrent en le laissant à demi-mort.
31 Il se trouva qu'un *prêtre descendait
cette route. Quand il vit l'homme, il
passa de l'autre côté de la route et s'éloigna. 32 De même, un *lévite arriva à cet
endroit, il vit l'homme, passa de l'autre
côté de la route et s'éloigna. 33 Mais un
*Samaritain, qui voyageait par là, arriva
près du blessé. Quand il le vit, il en eut
profondément pitié. 34 Il s'en approcha
encore plus, versa de l'huile et du vin[c]
sur ses blessures et les recouvrit de pan-
sements. Puis il le plaça sur sa propre
bête et le mena dans un hôtel, où il prit

t **10.13** Pour tout ce verset, voir Matt 11.21 et la note.
u **10.15** És 14.13-15.
v **10.17** *soixante-douze* : certains manuscrits ont *soixante-dix* (voir v. 1).
w **10.19** *scorpions* : le scorpion est un petit animal dont la longue queue comporte à son extrémité un aiguillon empoisonné. Il peut causer des blessures très douloureuses et parfois mortelles.
x **10.21** *par le Saint-Esprit* : certains manuscrits ont *par l'Esprit* et d'autres *en son esprit*.
y **10.23** *êtes-vous de voir* autre traduction *ceux qui voient*.
z **10.24** Comparer 1 Pi 1.10-12.
a **10.27** Deut 6.5 ; Lév 19.18.
b **10.28** Comparer Lév 18.5.
c **10.34** *de l'huile et du vin* : remèdes utilisés à cette époque pour calmer le douleur (huile) et désinfecter les plaies (vin). Comparer És 1.6.

soin de lui. 35 Le lendemain, il sortit deux pièces d'argent, les donna à l'hôtelier et lui dit : “Prends soin de cet homme ; lorsque je repasserai par ici, je te paierai moi-même ce que tu auras dépensé en plus pour lui.” »

36 Jésus ajouta : « Lequel de ces trois te semble avoir été le prochain de l'homme attaqué par les brigands ? » 37 Le maître de la loi répondit : « Celui qui a été bon pour lui. » Jésus lui dit alors : « Va et fais de même. »

Jésus chez Marthe et Marie

38 Tandis que Jésus et ses *disciples étaient en chemin, il entra dans un village où une femme, appelée Marthe, le reçut chez elle. 39 Elle avait une sœur, appelée Marie, qui, après s'être assise aux pieds du Seigneur, écoutait ce qu'il enseignait[d]. 40 Marthe était très affairée à tout préparer pour le repas. Elle survint et dit : « Seigneur, cela ne te fait-il rien que ma sœur me laisse seule pour accomplir tout le travail ? Dis-lui donc de m'aider. » 41 Le Seigneur lui répondit : « Marthe, Marthe, tu t'inquiètes et tu t'agites pour beaucoup de choses, 42 mais une seule est nécessaire. Marie a choisi la meilleure part, qui ne lui sera pas enlevée. »

Jésus et la prière

(Voir aussi Matt 6.9-13 ; 7.7-11)

11 1 Un jour, Jésus priait en un certain lieu. Quand il eut fini, un de ses *disciples lui demanda : « Seigneur, enseigne-nous à prier, comme Jean[e] l'a appris à ses disciples. » 2 Jésus leur déclara : « Quand vous priez, dites :

“Père,
que tous reconnaissent que tu es le Dieu saint ;
que ton Règne vienne.
3 Donne-nous chaque jour le pain néces-saire[f].
4 Pardonne-nous nos péchés,
car nous pardonnons nous-mêmes tous ceux qui nous ont fait du tort.
Et ne nous expose pas à la tentation.”

5 Jésus leur dit encore : « Supposon[s] ceci : l'un d'entre vous a un ami qu'il s'e[n] va trouver chez lui à minuit pour lu[i] dire : “Mon ami, prête-moi trois pain[s]. 6 Un de mes amis qui est en voyage vien[t] d'arriver chez moi et je n'ai rien à lui of-frir.” 7 Et supposons que l'autre lui ré-ponde de l'intérieur de la maison : “Laisse-moi tranquille ! La porte est déj[à] fermée à clé, mes enfants et moi somme[s] au lit ; je ne peux pas me lever pour t[e] donner des pains.” 8 Eh bien, je vous l'a[f]firme, même s'il ne se lève pas par amiti[é] pour les lui donner, il se lèvera pourtan[t] et lui donnera tout ce dont il a besoi[n] parce que son ami insiste sans se gêne[r]. 9 Et moi, je vous dis : demandez et vou[s] recevrez ; cherchez et vous trouverez[;] frappez et l'on vous ouvrira la port[e]. 10 Car quiconque demande reçoit, qu[i] cherche trouve et l'on ouvrira la porte [à] qui frappe. 11 Si l'un d'entre vous est pèr[e,] donnera-t-il un serpent à son fils alo[rs] que celui-ci lui demande un poisson[g] 12 Ou bien lui donnera-t-il un scorpio[n] s'il demande un œuf ? 13 Tout mauva[is] que vous êtes, vous savez donner de bo[n]nes choses à vos enfants. A combien pl[us] forte raison, donc, le Père qui est au *ci[el] donnera-t-il le Saint-Esprit à ceux qui [le] lui demandent ! »

Jésus répond à une accusation portée contre lui

(Voir aussi Matt 12.22-30 ; Marc 3.22-27)

14 Jésus était en train de chasser un e[s]prit mauvais qui rendait un homm[e] muet. Quand l'esprit mauvais sortit, [le] muet se mit à parler et, dans la foule, l[es] gens furent remplis d'étonnement. 15 C[e]pendant, quelques-uns dirent : « C'e[st] Béelzébul[i], le chef des esprits mauvai[s,] qui lui donne le pouvoir de chasser c[es] esprits ! » 16 D'autres voulaient lui tend[re] un piège : ils lui demandèrent de montr[er] par un signe miraculeux qu'il venait [de]

---

d **10.39** *Marthe* et *Marie* : voir Jean 11.1 ; 12.1-3.
e **11.1** Il s'agit de Jean-Baptiste.
f **11.3** *nécessaire* : autre traduction *pour le lendemain*.
g **11.11** Certains manuscrits ajoutent après *fils* : *une pierre alors qu'il lui demande du pain ou* un serpent... Voir Matt 7.9.
h **11.12** *scorpion* : voir 10.19 et la note.
i **11.15** *Béelzébul* : voir Matt 10.25 et la note.

Dieu. 17 Mais Jésus connaissait leurs pensées ; il leur dit alors : « Tout royaume
dont les habitants luttent les uns contre
les autres finit par être détruit, ses maisons s'écroulent les unes sur les autres.
18 Si donc *Satan est en lutte contre lui-
même, comment son royaume pourra-t-il
se maintenir ? Vous dites, en effet, que je
chasse les esprits mauvais parce que Béelzébul m'en donne le pouvoir. 19 Si je les
chasse de cette façon, qui donne à vos
partisans le pouvoir de les chasser ? Vos
partisans eux-mêmes démontrent que
vous avez tort ! 20 En réalité, c'est avec la
puissance de Dieu[j] que je chasse les esprits mauvais, ce qui signifie que le
*Royaume de Dieu est déjà venu jusqu'à
vous.

21 « Quand un homme fort et bien armé
garde sa maison, tous ses biens sont en
sûreté. 22 Mais si un homme plus fort que
lui arrive et s'en rend vainqueur, il lui enlève les armes dans lesquelles il mettait sa
confiance et il distribue tout ce qu'il lui a
pris.

23 « Celui qui n'est pas avec moi est
contre moi ; et celui qui ne m'aide pas à
rassembler disperse. »

Le retour de l'esprit mauvais

(Voir aussi Matt 12.43-45)

24 « Lorsqu'un esprit mauvais est sorti
d'un homme, il va et vient dans des espaces déserts en cherchant un lieu où
s'établir. S'il n'en trouve pas, il se dit
alors : "Je vais retourner dans ma maison,
celle que j'ai quittée." 25 Il y retourne et la
trouve balayée, bien arrangée. 26 Alors il
s'en va prendre sept autres esprits encore
plus malfaisants que lui ; ils reviennent
ensemble dans la maison et s'y installent.
Finalement, l'état de cet homme est donc
pire qu'au début. »

Le vrai bonheur

27 Jésus venait de parler ainsi, quand
une femme s'adressa à lui du milieu de la
foule : « Heureuse est la femme qui t'a
porté en elle et qui t'a allaité ! » 28 Mais Jésus répondit : « Heureux plutôt ceux qui
écoutent la parole de Dieu et la mettent
en pratique ! »

La demande d'un signe miraculeux

(Voir aussi Matt 12.38-42)

29 Tandis que les foules s'amassaient
autour de Jésus, il se mit à dire : « Les
gens d'aujourd'hui sont mauvais ; ils réclament un signe miraculeux, mais aucun signe ne leur sera accordé si ce n'est
celui de Jonas. 30 En effet, de même que
Jonas fut un signe pour les habitants de
Ninive[k], ainsi le *Fils de l'homme sera
un signe pour les gens d'aujourd'hui.
31 Au jour du Jugement, la reine du Sud
se lèvera en face des gens d'aujourd'hui et
les accusera, car elle est venue des régions
les plus lointaines de la terre pour écouter les paroles pleines de sagesse de Salomon[l]. Et il y a ici plus que Salomon !
32 Au jour du Jugement, les habitants de
Ninive se lèveront en face des gens d'aujourd'hui et les accuseront, car les Ninivites ont changé de comportement quand
ils ont entendu prêcher Jonas[m]. Et il y a
ici plus que Jonas ! »

La lumière du corps

(Voir aussi Matt 5.15 ; 6.22-23)

33 « Personne n'allume une lampe pour
la cacher ou la mettre sous un seau[n] ; au
contraire, on la place sur son support,
afin que ceux qui entrent voient la lumière. 34 Tes yeux sont la lampe de ton
corps : si tes yeux sont en bon état, tout
ton corps est éclairé ; mais si tes yeux
sont mauvais, alors ton corps est dans
l'obscurité. 35 Ainsi, prends garde que la
lumière qui est en toi ne soit pas obscurité. 36 Si donc tout ton corps est
éclairé, sans aucune partie dans l'obscurité, il sera tout entier en pleine lumière, comme lorsque la lampe
t'illumine de sa brillante clarté. »

---

j **11.20** *avec la puissance de Dieu* : voir Ex 8.15 et la note.

k **11.30** *Jonas* (v. 29 et 30) : voir Jon 3.3-5. – *Ninive* : voir Matt 12.41 et la note.

l **11.31** Voir 1 Rois 10.1-10.

m **11.32** Voir Jon 3.5,8,10.

n **11.33** Certains manuscrits n'ont pas les mots *ou la mettre sous un seau* (voir Matt 5.15 ; Marc 4.21).

Jésus accuse les Pharisiens et les maîtres de la loi

(Voir aussi Matt 23.1-36 ; Marc 12.38-40)

37 Quand Jésus eut fini de parler, un
*Pharisien l'invita à prendre un repas
chez lui. Jésus entra et se mit à table. 38 Le
Pharisien s'étonna lorsqu'il remarqua
que Jésus ne s'était pas lavé avant le repas. 39 Le Seigneur lui dit alors : « Voilà
comme vous êtes, vous les Pharisiens :
vous nettoyez l'extérieur de la coupe et
du plat, mais à l'intérieur vous êtes pleins
du désir de voler et pleins de méchanceté.
40 Insensés que vous êtes ! Dieu qui a fait
l'extérieur n'a-t-il pas aussi fait l'intérieur ? 41 Donnez donc plutôt aux pauvres
ce qui est dans vos coupes et vos plats, et
tout sera *pur pour vous.

42 « Malheur à vous, Pharisiens ! Vous
donnez à Dieu le dixième de plantes
comme la menthe et la rue, ainsi que de
toutes sortes de légumes[o], mais vous négligez la justice et l'amour pour Dieu :
c'est pourtant là ce qu'il fallait pratiquer,
sans négliger le reste.

43 « Malheur à vous, Pharisiens ! Vous
aimez les sièges les plus en vue dans les
*synagogues et vous aimez à recevoir des
salutations respectueuses sur les places
publiques. 44 Malheur à vous ! Vous êtes
comme des tombeaux qu'on ne remarque
pas et sur lesquels on marche sans le savoir ! »

45 Un des *maîtres de la loi lui dit :
« Maître, en parlant ainsi, tu nous insultes nous aussi ! » 46 Jésus répondit :
« Malheur à vous aussi, maîtres de la loi !
Vous mettez sur le dos des gens des fardeaux difficiles à porter, et vous ne bou-
gez pas même un seul doigt pour les aider
à porter ces fardeaux. 47 Malheur à vous !
Vous construisez de beaux tombeaux
pour les *prophètes, ces prophètes que
vos ancêtres ont tués ! 48 Vous montrez
ainsi que vous approuvez les actes de vos
ancêtres, car ils ont tué les prophètes, et
vous, vous construisez leurs tombeaux !
49 C'est pourquoi Dieu, dans sa sagesse, a
déclaré : "Je leur enverrai des prophètes
et des *apôtres ; ils tueront certains d'entre eux et en persécuteront d'autres."
50 Par conséquent, les gens d'aujourd'hui
supporteront les conséquences des meurtres commis contre tous les prophètes depuis la création du monde, 51 depuis le
meurtre d'Abel jusqu'à celui de Zacharie,
qui fut tué entre *l'autel et le *sanctuaire[p]. Oui, je vous l'affirme, les gens
d'aujourd'hui supporteront les conséquences de tous ces meurtres !

52 « Malheur à vous, maîtres de la loi !
Vous avez pris la clé permettant d'ouvrir
la porte du savoir : vous n'entrez pas
vous-mêmes et vous empêchez d'entrer
ceux qui le désirent. »

53 Quand Jésus fut sorti de cette maison, les maîtres de la loi et les Pharisiens
se mirent à lui manifester une violente
fureur et à lui poser des questions sur
toutes sortes de sujets : 54 ils lui tendaient
des pièges pour essayer de surprendre
quelque chose de faux dans ses paroles.

Une mise en garde contre l'hypocrisie

(Voir aussi Matt 10.26-27)

12 1 Pendant ce temps, les gens
s'étaient assemblés par milliers, au
point qu'ils se marchaient sur les pieds les
uns des autres. Jésus s'adressa d'abord à
ses *disciples : « Gardez-vous, leur dit-il
du *levain des *Pharisiens, c'est-à-dire de
leur hypocrisie. 2 Tout ce qui est caché sera
découvert, et tout ce qui est secret sera
connu. 3 C'est pourquoi tout ce que vous
aurez dit dans l'obscurité sera entendu à la
lumière du jour, et ce que vous aurez murmuré à l'oreille d'autrui dans une chambre fermée sera crié du haut des toits. »

Celui qu'il faut craindre

(Voir aussi Matt 10.28-31)

4 « Je vous le dis, à vous mes amis : ne
craignez pas ceux qui tuent le corps mais
qui, ensuite, ne peuvent rien faire de
plus. 5 Je vais vous montrer qui vous devez craindre : craignez Dieu qui, après la
mort, a le pouvoir de vous jeter en enfer[q].
Oui, je vous le dis, c'est lui que vous devez craindre !

---

o **11.42** Voir Lév 27.30 ; Deut 14.22.
p **11.51** Voir Gen 4.8 ; 2 Chron 24.20-22.
q **12.5** Comparer Matt 10.28.

6 « Ne vend-on pas cinq moineaux pour
eux sous ? Cependant, Dieu n'en oublie
as un seul. 7 Et même vos cheveux sont
ɔus comptés. N'ayez donc pas peur :
ous valez plus que beaucoup de moi-
eaux ! »

Confesser ou renier Jésus-Christ

(Voir aussi Matt 10.32-33 ; 12.32 ; 10.19-20)

8 « Je vous le dis : quiconque reconnaît
ubliquement qu'il est mon *disciple, le
Fils de l'homme aussi reconnaîtra de-
ant les *anges de Dieu qu'il est à lui ;
mais si quelqu'un affirme publique-
ıent ne pas me connaître[r], le Fils de
homme aussi affirmera devant les an-
es de Dieu qu'il ne le connaît pas.
Quiconque dira une parole contre le
ils de l'homme sera pardonné ; mais
:lui qui aura fait insulte au Saint-Esprit
e recevra pas de pardon.
11 « Quand on vous conduira pour être
ıgés dans les *synagogues, ou devant les
irigeants ou les autorités, ne vous in-
uiétez pas de la manière dont vous vous
éfendrez ou de ce que vous aurez à dire,
car le Saint-Esprit vous enseignera à ce
ıoment-là ce que vous devez exprimer. »

La parabole du riche insensé

13 Quelqu'un dans la foule dit à Jésus :
Maître, dis à mon frère de partager avec
ıoi les biens que notre père nous a lais-
:s. » 14 Jésus lui répondit : « Mon ami,
ıi m'a établi pour juger vos affaires ou
ɔur partager vos biens ? » 15 Puis il dit à
·us : « Attention ! Gardez-vous de tout
nour des richesses, car la vie d'un
ɔmme ne dépend pas de ses biens,
ême s'il est très riche. »
16 Il leur raconta alors cette *parabole :
Un homme riche avait des terres qui lui
pportèrent de bonnes récoltes. 17 Il ré-
échissait et se demandait : "Que vais-je
ire ? Je n'ai pas de place où amasser tou-
s mes récoltes." 18 Puis il ajouta : "Voici
que je vais faire : je vais démolir mes
eniers, j'en construirai de plus grands,
· amasserai tout mon blé et mes autres
ens. 19 Ensuite, je me dirai à moi-
ême : Mon cher, tu as des biens en
ondance pour de nombreuses années ;
pose-toi, mange, bois et jouis de la vie."
20 Mais Dieu lui dit : "Insensé ! Cette nuit
même tu cesseras de vivre. Et alors, pour
qui sera tout ce que tu as accumulé ?" »
21 Jésus ajouta : « Ainsi en est-il de celui
qui amasse des richesses pour lui-même,
mais qui n'est pas riche aux yeux de
Dieu[s]. »

Avoir confiance en Dieu

(Voir aussi Matt 6.25-34)

22 Puis Jésus dit à ses *disciples : « Voilà
pourquoi je vous dis : Ne vous inquiétez
pas au sujet de la nourriture dont vous
avez besoin pour vivre, ou au sujet des vêtements dont vous avez besoin pour votre
corps. 23 Car la vie est plus importante
que la nourriture et le corps plus important que les vêtements. 24 Regardez les
corbeaux : ils ne sèment ni ne moissonnent, ils n'ont ni cave à provisions ni
grenier, mais Dieu les nourrit ! Vous valez beaucoup plus que les oiseaux ! 25 Qui
d'entre vous parvient à prolonger un peu
la durée de sa vie[t] par le souci qu'il se
fait ? 26 Si donc vous ne pouvez rien pour
ce qui est très peu de chose, pourquoi
vous inquiétez-vous au sujet du reste ?
27 Regardez comment poussent les fleurs
des champs : elles ne travaillent pas et ne
tissent pas de vêtements. Pourtant, je
vous le dis, même Salomon, avec toute sa
richesse, n'a pas eu de vêtements aussi
beaux qu'une seule de ces fleurs[u]. 28 Dieu
revêt ainsi l'herbe des champs qui est là
aujourd'hui et qui demain sera jetée au
feu : à combien plus forte raison vous
vêtira-t-il vous-mêmes ! Comme votre
confiance en lui est faible ! 29 Ne vous
tourmentez donc pas à chercher continuellement ce que vous allez manger et
boire. 30 Ce sont les païens de ce monde
qui recherchent sans arrêt tout cela. Mais
vous, vous avez un Père qui sait que vous
en avez besoin. 31 Préoccupez-vous plutôt
du *Royaume de Dieu et Dieu vous accordera aussi le reste. »

---

r **12.9** Comparer 2 Tim 2.12.
s **12.21** Comparer Matt 6.20.
t **12.25** *la durée de sa vie* : autre traduction *sa taille*.
u **12.27** *ne travaillent pas* : certains manuscrits ont *ne filent pas*. – *Salomon, avec toute sa richesse* : voir 1 Rois 10.

Des richesses dans le ciel

(Voir aussi Matt 6.19-21)

32 « N'aie pas peur, petit troupeau ! Car
il a plu à votre Père de vous donner le
*Royaume. 33 Vendez vos biens et donnez
l'argent aux pauvres. Munissez-vous de
bourses qui ne s'usent pas, amassez-vous
des richesses dans les *cieux, où elles ne
disparaîtront jamais : les voleurs ne peuvent pas les y atteindre ni les vers les détruire. 34 Car votre cœur sera toujours là
où sont vos richesses. »

Des serviteurs qui veillent

35 « Soyez prêts à agir, avec la ceinture
serrée autour de la taille et vos lampes allumées. 36 Soyez comme des serviteurs
qui attendent leur maître au moment où
il va revenir d'un mariage, afin de lui ouvrir la porte dès qu'il arrivera et frappera.
37 Heureux ces serviteurs que le maître, à
son arrivée, trouvera éveillés ! Je vous le
déclare, c'est la vérité : il attachera sa
ceinture, les fera prendre place à table et
viendra les servir. 38 S'il revient à minuit
ou même plus tard encore et qu'il les
trouve éveillés, heureux sont-ils !

39 « Comprenez bien ceci : si le maître
de la maison savait à quelle heure le voleur doit venir, il ne le laisserait pas pénétrer dans la maison. 40 Tenez-vous prêts,
vous aussi, car le *Fils de l'homme viendra à l'heure que vous ne pensez pas. »

Le serviteur fidèle et le serviteur infidèle

(Voir aussi Matt 24.45-51)

41 Alors Pierre demanda : « Seigneur,
dis-tu cette *parabole pour nous seulement ou bien pour tout le monde ? »

42 Le Seigneur répondit : « Quel est
donc le serviteur fidèle et intelligent ? En
voici un que son maître va charger de
veiller sur la maison et de donner aux autres serviteurs leur part de nourriture au
moment voulu. 43 Heureux ce serviteur si
le maître, à son retour chez lui, le trouve
occupé à ce travail ! 44 Je vous le déclare
c'est la vérité : le maître lui confiera la
charge de tous ses biens. 45 Mais si le serviteur se dit : "Mon maître tarde à revenir", s'il se met alors à battre les autres
serviteurs et les servantes, s'il mange
boit et s'enivre, 46 alors le maître reviendra un jour où le serviteur ne l'attend pas
et à une heure qu'il ne connaît pas ; il
chassera le serviteur[v] et lui fera partager
le sort des infidèles. 47 Le serviteur qui
sait ce que veut son maître, mais ne se
tient pas prêt à le faire, recevra de nombreux coups. 48 Par contre, le serviteur
qui ne sait pas ce que veut son maître e
agit de telle façon qu'il mérite d'être
battu, recevra peu de coups. A qui l'on a
beaucoup donné, on demandera beaucoup ; à qui l'on a confié beaucoup, on
demandera encore plus. »

Jésus, cause de division

(Voir aussi Matt 10.34-36)

49 « Je suis venu apporter un feu sur la
terre[w] et combien je voudrais qu'il soit
déjà allumé ! 50 Je dois recevoir un baptême et quelle angoisse pour moi jusqu'à
ce qu'il soit accompli ! 51 Pensez-vous que
je sois venu apporter la paix sur la terre
Non, je vous le dis, mais la division
52 Dès maintenant, une famille de cinq
personnes sera divisée, trois contre deux
et deux contre trois. 53 Le père sera contre
son fils et le fils contre son père, la mère
contre sa fille et la fille contre sa mère, la
belle-mère contre sa belle-fille et la belle-fille contre sa belle-mère[x]. »

Comprendre le sens des temps

(Voir aussi Matt 16.2-3)

54 Jésus disait aussi à la foule : « Quand
vous voyez un nuage se lever à l'ouest
vous dites aussitôt : "Il va pleuvoir", et
c'est ce qui arrive. 55 Et quand vous sentez souffler le vent du sud, vous dites
"Il va faire chaud", et c'est ce qui arrive.
56 Hypocrites ! Vous êtes capables de
comprendre ce que signifient les aspects
de la terre et du ciel ; alors, pourquoi ne
comprenez-vous pas le sens du temps
présent ? »

---

v **12.46** *il chassera le serviteur* : autre traduction *il punira le serviteur d'une façon terrible*.
w **12.49** Comparer És 66.15-16.
x **12.53** Voir Mich 7.6.

Trouver un arrangement avec son adversaire

(Voir aussi Matt 5.25-26)

57 « Pourquoi ne jugez-vous pas par
'ous-mêmes de la juste façon d'agir ? 58 Si
u es en procès avec quelqu'un et que
'ous alliez ensemble au tribunal, efforce-
oi de trouver un arrangement avec lui
endant que vous êtes en chemin. Tu évi-
eras ainsi que ton adversaire ne te traîne
levant le juge, que le juge ne te livre à la
olice et que la police ne te jette en pri-
on. 59 Tu ne sortiras pas de là, je te l'af-
rme, tant que tu n'auras pas payé ta
lette jusqu'au dernier centime. »

Changer de comportement ou mourir

13 1 En ce temps-là, quelques personnes vinrent raconter à Jésus com-
nent ⋆Pilate avait fait tuer des Galiléens
u moment où ils offraient des ⋆sacrifices à
)ieu. 2 Jésus leur répondit : « Pensez-vous
ue si ces Galiléens ont été ainsi massa-
rés, cela signifie qu'ils étaient de plus
rands pécheurs que tous les autres Gali-
éens ? 3 Non, vous dis-je ; mais si vous ne
hangez pas de comportement, vous
nourrez tous comme eux. 4 Et ces dix-huit
ersonnes que la tour de Siloé a écrasées
n s'écroulant, pensez-vous qu'elles étaient
lus coupables que tous les autres habi-
ants de Jérusalem ? 5 Non, vous dis-je ;
nais si vous ne changez pas de comporte-
nent, vous mourrez tous comme eux. »

La parabole du figuier sans figues

6 Puis Jésus leur dit cette ⋆parabole :
Un homme avait un figuier planté dans
a vigne. Il vint y chercher des figues,
nais n'en trouva pas. 7 Il dit alors au vi-
neron : “Regarde : depuis trois ans je
iens chercher des figues sur ce figuier et
n'en trouve pas. Coupe-le donc ! Pour-
uoi occupe-t-il du terrain inutilement ?”
Mais le vigneron lui répondit : “Maître,
isse-le cette année encore ; je vais creu-
er la terre tout autour et j'y mettrai du fu-
nier. 9 Ainsi, il donnera peut-être des
gues l'année prochaine ; sinon, tu le feras
ouper.” »

Jésus guérit une femme infirme le jour du sabbat

10 Un jour de ⋆sabbat, Jésus enseignait
dans une ⋆synagogue. 11 Une femme malade se trouvait là : depuis dix-huit ans,
un esprit mauvais la tenait courbée et
elle était totalement incapable de se redresser[y]. 12 Quand Jésus vit cette femme,
il l'appela et lui dit : « Tu es délivrée de ta
maladie. » 13 Il posa les mains sur elle et,
aussitôt, elle se redressa et se mit à louer
Dieu. 14 Mais le chef de la synagogue
était indigné de ce que Jésus avait accompli une guérison le jour du sabbat. Il
s'adressa alors à la foule : « Il y a six jours
pendant lesquels on doit travailler[z] ; venez donc vous faire guérir ces jours-là et
non le jour du sabbat ! » 15 Le Seigneur
lui répondit en ces mots : « Hypocrites
que vous êtes ! Le jour du sabbat, chacun de vous détache de la crèche son
bœuf ou son âne pour le mener boire,
n'est-ce pas ? 16 Et cette femme, descendante d'Abraham, que ⋆Satan a tenue
liée pendant dix-huit ans, ne fallait-il
pas la détacher de ses liens le jour du
sabbat ? » 17 Cette réponse de Jésus remplit de honte tous ses adversaires ; mais
la foule entière se réjouissait de toutes
les œuvres magnifiques qu'il accomplissait.

La parabole de la graine de moutarde

(Voir aussi Matt 13.31-32 ; Marc 4.30-32)

18 Jésus dit : « A quoi le ⋆Royaume de
Dieu ressemble-t-il ? A quoi puis-je le
comparer ? 19 Il ressemble à une graine de
moutarde qu'un homme a prise et mise
en terre dans son jardin : elle a poussé,
elle est devenue un arbre et les oiseaux
ont fait leurs nids dans ses branches. »

La parabole du levain

(Voir aussi Matt 13.33)

20 Jésus dit encore : « A quoi puis-je
comparer le ⋆Royaume de Dieu ? 21 Il res-

---

y **13.11** *était totalement incapable de se redresser* ou *était incapable de se redresser complètement.*

z **13.14** Voir Ex 20.9-10 ; Deut 5.13-14.

semble au *levain qu'une femme prend
et mêle à une grande quantité de farine, si
bien que toute la pâte lève. »

La porte étroite

(Voir aussi Matt 7.13-14, 21-23)

22 Jésus traversait villes et villages et
enseignait en faisant route vers Jérusalem. 23 Quelqu'un lui demanda : « Maître,
n'y a-t-il que peu de gens qui seront sauvés ? » Jésus répondit : 24 « Efforcez-vous
d'entrer par la porte étroite ; car, je vous
l'affirme, beaucoup essayeront d'entrer et
ne le pourront pas.
25 « Quand le maître de maison se sera
levé et aura fermé la porte à clé, vous
vous trouverez dehors, vous vous mettrez à frapper à la porte et à dire : "Maître, ouvre-nous." Il vous répondra : "Je
ne sais pas d'où vous êtes !" 26 Alors,
vous allez lui dire : "Nous avons mangé
et bu avec toi, tu as enseigné dans les
rues de notre ville." 27 Il vous dira de
nouveau : "Je ne sais pas d'où vous êtes.
Écartez-vous de moi, vous tous qui
commettez le mal[a] !" 28 C'est là que vous
pleurerez et grincerez des dents, quand
vous verrez Abraham, Isaac, Jacob et
tous les *prophètes dans le *Royaume
de Dieu et que vous serez jetés dehors !
29 Des hommes viendront de l'est et de
l'ouest, du nord et du sud et prendront
place à table dans le Royaume de Dieu.
30 Et alors, certains de ceux qui sont
maintenant les derniers seront les premiers et d'autres qui sont maintenant les
premiers seront les derniers. »

Jésus et Jérusalem

(Voir aussi Matt 23.37-39)

31 A ce moment-là, quelques *Pharisiens s'approchèrent de Jésus et lui dirent : « Pars d'ici, va-t'en ailleurs, car
*Hérode veut te faire mourir. » 32 Jésus
leur répondit : « Allez dire à cette espèce
de renard : "Je chasse des esprits mauvai
et j'accomplis des guérisons aujourd'hu
et demain, et le troisième jour j'achèv
mon œuvre." 33 Mais il faut que je conti
nue ma route aujourd'hui, demain et l
jour suivant, car il ne convient pas qu'u
*prophète soit mis à mort ailleurs qu'
Jérusalem.
34 « Jérusalem, Jérusalem, toi qui mets
mort les prophètes et tues à coups d
pierres ceux que Dieu t'envoie ! Combie
de fois ai-je désiré rassembler tes habi
tants auprès de moi comme une poul
rassemble ses poussins sous ses ailes
mais vous ne l'avez pas voulu ! 35 Eh bien
votre maison va être abandonnée. Je vou
le déclare : vous ne me verrez plus jusqu'
ce que vienne le moment où vous direz
"Que Dieu *bénisse celui qui vient a
nom du Seigneur[b] !" »

Jésus guérit un malade

14 1 Un jour de *sabbat, Jésus se ren
dit chez un des chefs des *Phari
siens pour y prendre un repas. Ceux qu
étaient là observaient attentivement Jé
sus. 2 Un homme atteint d'hydropisie s
tenait devant lui. 3 Jésus prit la parole e
demanda aux *maîtres de la loi et au
Pharisiens : « Notre loi permet-elle o
non de faire une guérison le jour du sab
bat ? » 4 Mais ils ne voulurent pas ré
pondre. Alors Jésus toucha le malade, l
guérit et le renvoya. 5 Puis il leur dit : « S
l'un de vous a un fils ou un bœuf qu
tombe dans un puits, ne va-t-il pas l'e
retirer aussitôt, même le jour du sab
bat ? » 6 Ils furent incapables de répondr
à cela.

La façon de choisir une place et la façon d'inviter

7 Jésus remarqua comment les invité
choisissaient les meilleures places. Il d
alors à tous cette *parabole : 8 « Lorsqu
quelqu'un t'invite à un repas de mariag
ne va pas t'asseoir à la meilleure place.
se pourrait en effet que quelqu'un de plu
important que toi ait été invité 9 et qu
celui qui vous a invités l'un et l'aut
vienne te dire : "Laisse-lui cette place
Alors tu devrais, tout honteux, te mett
à la dernière place. 10 Au contraire, lor

---

a **13.27** *Il vous dira de nouveau* : certains manuscrits ont *Il dira : Je vous le déclare... – Ecartez-vous... le mal* : comparer Ps 6.9.

b **13.35** *votre maison... abandonnée* : comparer Jér 22.5. – *jusqu'à ce que vienne le moment où vous direz* : certains manuscrits ont *jusqu'à ce que vous disiez* (voir Matt 23.39). – *Que Dieu... Seigneur* : Ps 118.26.

ue tu es invité, va t'installer à la dernière
lace, pour qu'au moment où viendra ce-
ui qui t'a invité, il te dise : "Mon ami,
iens t'asseoir à une meilleure place[c]."
Ainsi, ce sera pour toi un honneur devant
ous ceux qui seront à table avec toi. 11 En
ffet, quiconque s'élève sera abaissé, et
elui qui s'abaisse sera élevé. »
12 Puis Jésus dit à celui qui l'avait in-
ité : « Quand tu donnes un déjeuner ou
n dîner, n'invite ni tes amis, ni tes frè-
es, ni les membres de ta parenté, ni tes
iches voisins ; car ils pourraient t'inviter
leur tour et tu serais ainsi payé pour ce
ue tu as donné. 13 Mais quand tu offres
n repas de fête, invite les pauvres, les in-
irmes, les boiteux et les aveugles. 14 Tu
eras heureux, car ils ne peuvent pas te le
endre. Dieu te le rendra lorsque ceux
ui ont fait le bien se relèveront de la
ort. »

La parabole du grand repas

(Voir aussi Matt 22.1-10)

15 Après avoir entendu ces mots, un de
eux qui étaient à table dit à Jésus :
Heureux celui qui prendra son repas
ans le *Royaume de Dieu ! » 16 Jésus lui
aconta cette *parabole : « Un homme
ffrit un grand repas auquel il invita
eaucoup de monde. 17 A l'heure du
epas, il envoya son serviteur dire aux
vités : "Venez, car c'est prêt mainte-
ant[d]." 18 Mais tous, l'un après l'autre, se
irent à s'excuser. Le premier dit au
erviteur : "J'ai acheté un champ et il
ut que j'aille le voir ; je te prie de m'ex-
user." 19 Un autre lui dit : "J'ai acheté
nq paires de bœufs et je vais les es-
ayer ; je te prie de m'excuser." 20 Un au-
e encore dit : "Je viens de me marier et
est pourquoi je ne peux pas y aller."
Le serviteur retourna auprès de son
aître et lui rapporta ces réponses. Le
aître de la maison se mit en colère et
it à son serviteur : "Va vite sur les pla-
s et dans les rues de la ville, et amène
i les pauvres, les infirmes, les aveugles
les boiteux." 22 Après un moment, le
erviteur vint dire : "Maître, tes ordres
t été exécutés, mais il y a encore de la
ace." 23 Le maître dit alors à son serviteur : "Va sur les chemins de campagne,
le long des haies, et oblige les gens à entrer, afin que ma maison soit remplie.
24 Je vous le dis : aucun de ceux qui
avaient été invités ne mangera de mon
repas !" »

Les conditions nécessaires pour être disciple

(Voir aussi Matt 10.37-38)

25 Une foule immense faisait route
avec Jésus. Il se retourna et dit à tous :
26 « Celui qui vient à moi doit me préférer à son père, sa mère, sa femme, ses enfants, ses frères, ses sœurs, et même à sa
propre personne. Sinon, il ne peut pas
être mon *disciple. 27 Celui qui ne porte
pas sa croix pour me suivre ne peut pas
être mon disciple. 28 Si l'un de vous veut
construire une tour, il s'assied d'abord
pour calculer la dépense et voir s'il a assez d'argent pour achever le travail.
29 Autrement, s'il pose les fondations
sans pouvoir achever la tour, tous ceux
qui verront cela se mettront à rire de lui
30 en disant : "Cet homme a commencé
de construire mais a été incapable
d'achever le travail !" 31 De même, si un
roi veut partir en guerre contre un autre
roi, il s'assied d'abord pour examiner s'il
peut, avec dix mille hommes, affronter
son adversaire qui marche contre lui
avec vingt mille hommes. 32 S'il ne le
peut pas, il envoie des messagers à l'autre roi, pendant qu'il est encore loin,
pour lui demander ses conditions de
paix. 33 Ainsi donc, ajouta Jésus, aucun
de vous ne peut être mon disciple s'il ne
renonce pas à tout ce qu'il possède. »

Le sel inutile

(Voir aussi Matt 5.13 ; Marc 9.50)

34 « Le sel est une bonne chose. Mais
s'il perd son goût, comment pourrait-on
le lui rendre ? 35 Il n'est alors bon ni pour
la terre, ni pour le fumier ; on le jette
dehors. Écoutez bien, si vous avez des
oreilles pour entendre ! »

---

c **14.10** Comparer les v. 8-10 et Prov 25.6-7.
d **14.17** *c'est prêt maintenant* : certains manuscrits ont *tout est prêt* (voir Matt 22.4).

La parabole du mouton perdu et retrouvé

(Voir aussi Matt 18.12-14)

15 1 Les *collecteurs d'impôts et autres gens de mauvaise réputation s'approchaient tous de Jésus pour l'écouter. 2 Les *Pharisiens et les *maîtres de la loi critiquaient Jésus ; ils disaient : « Cet homme fait bon accueil aux gens de mauvaise réputation et mange avec eux[e] ! » 3 Jésus leur dit alors cette *parabole : 4 « Si quelqu'un parmi vous possède cent moutons et qu'il perde l'un d'entre eux, ne va-t-il pas laisser les quatre-vingt-dix-neuf autres dans leur pâturage pour partir à la recherche de celui qui est perdu jusqu'à ce qu'il le retrouve ? 5 Et quand il l'a retrouvé, il est tout joyeux : il met le mouton sur ses épaules, 6 il rentre chez lui, puis appelle ses amis et ses voisins et leur dit : "Réjouissez-vous avec moi, car j'ai retrouvé mon mouton, celui qui était perdu !" 7 De même, je vous le dis, il y aura plus de joie dans le *ciel pour un seul pécheur qui commence une vie nouvelle que pour quatre-vingt-dix-neuf justes qui n'en ont pas besoin. »

La pièce d'argent perdue et retrouvée

8 « Ou bien, si une femme possède dix pièces d'argent et qu'elle en perde une, ne va-t-elle pas allumer une lampe, balayer la maison et chercher avec soin jusqu'à ce qu'elle la retrouve ? 9 Et quand elle l'a retrouvée, elle appelle ses amies et ses voisines et leur dit : "Réjouissez-vous avec moi, car j'ai retrouvé la pièce d'argent que j'avais perdue !" 10 De même, je vous le dis, il y a de la joie parmi les *anges de Dieu pour un seul pécheur qui commence une vie nouvelle. »

Le fils perdu et retrouvé

11 Jésus dit encore : « Un homme avait deux fils. 12 Le plus jeune dit à son père : "Mon père, donne-moi la part de notre fortune qui doit me revenir." Alors le père partagea ses biens entre ses deux fils. 13 Peu de jours après, le plus jeune fils vendit sa part de la propriété et partit avec son argent pour un pays éloigné. Là, il vécut dans le désordre et dissipa ainsi tout ce qu'il possédait. 14 Quand il eut tout dépensé, une grande famine survint dans ce pays, et il commença à manquer du nécessaire. 15 Il alla donc se mettre au service d'un des habitants du pays, qui l'envoya dans ses champs garder les cochons[f]. 16 Il aurait bien voulu se nourrir des fruits du caroubier que mangeaient les cochons, mais personne ne lui en donnait. 17 Alors, il se mit à réfléchir sur sa situation et se dit : "Tous les ouvriers de mon père ont plus à manger qu'ils ne leur en faut, tandis que moi, ici, je meurs de faim ! 18 Je veux repartir chez mon père et je lui dirai : Mon père, j'ai péché contre Dieu et contre toi, 19 je ne suis plus digne que tu me regardes comme ton fils. Traite-moi donc comme l'un de tes ouvriers." 20 Et il repartit chez son père.

« Tandis qu'il était encore assez loin de la maison, son père le vit et en eut profondément pitié : il courut à sa rencontre, le serra contre lui et l'embrassa. 21 Le fils lui dit alors : "Mon père, j'ai péché contre Dieu et contre toi, je ne suis plus digne que tu me regardes comme ton fils..." 22 Mais le père dit à ses serviteurs : "Dépêchez-vous d'apporter la plus belle robe et mettez-la-lui ; passez-lui une bague au doigt et des chaussures aux pieds. 23 Amenez le veau que nous avons engraissé et tuez-le ; nous allons faire un festin et nous réjouir, 24 car mon fils que voici était mort et il est revenu à la vie, il était perdu et je l'ai retrouvé." Et ils commencèrent la fête.

25 « Pendant ce temps, le fils aîné de cet homme était aux champs. A son retour, quand il approcha de la maison, il entendit un bruit de musique et de danses. 26 Il appela un des serviteurs et lui demanda ce qui se passait. 27 Le serviteur lui répondit : "Ton frère est revenu, et ton père a fait tuer le veau que nous avons engraissé, parce qu'il a retrouvé son fils en bonne santé." 28 Le fils aîné se mit alors

---

e **15.2** Selon les prescriptions rabbiniques, on se mettait en état d'impureté en partageant le repas d'une personne réputée *impure.

f **15.15** Comparer Marc 5.11 et la note.

en colère et refusa d'entrer dans la maison. Son père sortit pour le prier d'entrer.
29 Mais le fils répondit à son père:
"Écoute, il y a tant d'années que je te sers
sans avoir jamais désobéi à l'un de tes ordres. Pourtant, tu ne m'as jamais donné
même un chevreau pour que je fasse la
fête avec mes amis. 30 Mais quand ton fils
que voilà revient, lui qui a dépensé entièrement ta fortune avec des prostituées,
pour lui tu fais tuer le veau que nous
avons engraissé!" 31 Le père lui dit:
"Mon enfant, tu es toujours avec moi, et
tout ce que je possède est aussi à toi.
32 Mais nous devions faire une fête et
nous réjouir, car ton frère que voici était
mort et il est revenu à la vie, il était perdu
et le voilà retrouvé!" »

Le gérant habile

16 1 Jésus dit à ses *disciples: « Un
homme riche avait un gérant et
l'on vint lui rapporter que ce gérant gas-
pillait ses biens. 2 Le maître l'appela et lui
dit: "Qu'est-ce que j'apprends à ton sujet? Présente-moi les comptes de ta ges-
tion, car tu ne pourras plus être mon
gérant." 3 Le gérant se dit en lui-même:
"Mon maître va me retirer ma charge.
Que faire? Je ne suis pas assez fort pour
travailler la terre et j'aurais honte de
mendier. 4 Ah! je sais ce que je vais faire!
Et quand j'aurai perdu ma place, des gens
me recevront chez eux!" 5 Il fit alors venir un à un tous ceux qui devaient quelque chose à son maître. Il dit au premier:
"Combien dois-tu à mon maître?"
6 "Cent tonneaux d'huile d'olive", lui
répondit-il. Le gérant lui dit: "Voici ton
compte; vite, assieds-toi et note cinquante." 7 Puis il dit à un autre: "Et toi,
combien dois-tu?" – "Cent sacs de blé",
répondit-il. Le gérant lui dit: "Voici ton
compte; note quatre-vingts." 8 Eh bien,
le maître[g] loua le gérant malhonnête
d'avoir agi si habilement. En effet, les
gens de ce monde sont bien plus habiles
dans leurs rapports les uns avec les autres
que ceux qui appartiennent à la lumière. »
9 Jésus ajouta: « Et moi je vous dis:
faites-vous des amis avec les richesses
trompeuses de ce monde, afin qu'au moment où elles n'existeront plus pour vous
on vous reçoive dans les demeures éternelles. 10 Celui qui est fidèle dans les petites choses est aussi fidèle dans les
grandes; celui qui est malhonnête dans
les petites choses est aussi malhonnête
dans les grandes. 11 Si donc vous n'avez
pas été fidèles dans votre façon d'utiliser
les richesses trompeuses de ce monde, qui
pourrait vous confier les vraies richesses?
12 Et si vous n'avez pas été fidèles en ce qui
concerne le bien des autres, qui vous donnera le bien qui vous est destiné?
13 « Aucun serviteur ne peut servir
deux maîtres: ou bien il haïra le premier
et aimera le second; ou bien il s'attachera
au premier et méprisera le second. Vous
ne pouvez pas servir à la fois Dieu et
l'argent[h]. »

Diverses déclarations de Jésus

(Voir aussi Matt 11.12-13; 5.31-32; Marc 10.11-12)

14 Les *Pharisiens entendaient toutes
ces paroles et se moquaient de Jésus, car
ils aimaient l'argent. 15 Jésus leur dit:
« Vous êtes des gens qui se font passer
pour justes aux yeux des hommes, mais
Dieu connaît vos cœurs. Car ce que les
hommes considèrent comme grand est
détestable aux yeux de Dieu.
16 « Le temps de la *loi de Moïse et des
livres des *Prophètes a duré jusqu'à
l'époque de Jean-Baptiste. Depuis cette
époque, la Bonne Nouvelle du *Royaume
de Dieu est annoncée et chacun use de
force pour y entrer. 17 Mais le ciel et la
terre peuvent disparaître plus facilement
que le plus petit détail de la loi.
18 « Tout homme qui renvoie sa femme
et en épouse une autre commet un adultère, et celui qui épouse une femme renvoyée par son mari commet un adultère. »

L'homme riche et Lazare

19 « Il y avait une fois un homme riche
qui s'habillait des vêtements les plus fins
et les plus coûteux et qui, chaque jour, vivait dans le luxe en faisant de bons repas.

---

g **16.8** *le maître*: il s'agit soit du maître du gérant, soit de Jésus lui-même.

h **16.13** Comparer Matt 6.24.

20 Devant la porte de sa maison était couché un pauvre homme, appelé Lazare.
Son corps était couvert de plaies. 21 Il aurait bien voulu se nourrir des morceaux
qui tombaient de la table du riche. De
plus, les chiens venaient lécher ses plaies.
22 Le pauvre mourut et les *anges le portèrent auprès d'Abraham[i]. Le riche mourut aussi et on l'enterra. 23 Il souffrait
beaucoup dans le monde des morts ; il
leva les yeux et vit de loin Abraham et
Lazare à côté de lui. 24 Alors il s'écria :
“Père Abraham, aie pitié de moi ; envoie
donc Lazare tremper le bout de son doigt
dans de l'eau pour me rafraîchir la langue, car je souffre beaucoup dans ce feu.”
25 Mais Abraham dit : “Mon enfant,
souviens-toi que tu as reçu beaucoup de
biens pendant ta vie, tandis que Lazare a
eu beaucoup de malheurs. Maintenant, il
reçoit ici sa consolation, tandis que toi tu
souffres. 26 De plus, il y a un profond
*abîme entre vous et nous ; ainsi, ceux
qui voudraient passer d'ici vers vous ne le
peuvent pas et l'on ne peut pas non plus
parvenir jusqu'à nous de là où tu es.”
27 Le riche dit : “Je t'en prie, père, envoie
donc Lazare dans la maison de mon père,
28 où j'ai cinq frères. Qu'il aille les avertir,
afin qu'ils ne viennent pas eux aussi dans
ce lieu de souffrances.” 29 Abraham répondit : “Tes frères ont Moïse et les *prophètes pour les avertir : qu'ils les
écoutent !” 30 Le riche dit : “Cela ne suffit
pas, père Abraham. Mais si quelqu'un revient de chez les morts et va les trouver,
alors ils changeront de comportement.”
31 Mais Abraham lui dit : “S'ils ne veulent
pas écouter Moïse et les prophètes, ils
ne se laisseront pas persuader même
si quelqu'un se relevait d'entre les
morts.” »

Le péché et le pardon

(Voir aussi Matt 18.6-7,21-22 ; Marc 9.42)

17 1 Jésus dit à ses *disciples : « Il est
inévitable qu'il y ait des faits qui
entraînent les hommes à pécher. Mais
malheur à celui qui en est la cause ! 2
vaudrait mieux pour lui qu'on lui attach
au cou une grosse pierre et qu'on le jet
dans la mer, plutôt que de faire tomb
dans le péché un seul de ces petits. 3 Pr
nez bien garde !

« Si ton frère se rend coupable, parl
lui sérieusement. Et s'il regrette son act
pardonne-lui. 4 S'il se rend coupable à to
égard sept fois en un jour et que chaqu
fois il revienne te dire : “Je le regrette”, t
lui pardonneras. »

La foi

5 Les *apôtres dirent au Seigneu
« Augmente notre foi. » 6 Le Seigneur r
pondit : « Si vous aviez de la foi gr
comme un grain de moutarde[j], vo
pourriez dire à cet arbre, ce mûrie
“Déracine-toi et va te planter dans
mer”, et il vous obéirait. »

Le devoir du serviteur

7 « Supposons ceci : l'un d'entre vous
un serviteur qui laboure ou qui garde l
troupeaux. Lorsqu'il le voit revenir d
champs, va-t-il lui dire : “Viens vite
mettre à table” ? 8 Non, il lui dira plutô
“Prépare mon repas, puis change de v
tements pour me servir pendant que
mange et bois ; après quoi, tu pourr
manger et boire à ton tour.” 9 Il n'a pas
remercier son serviteur d'avoir fait
qui lui était ordonné, n'est-ce pas ? 10
en va de même pour vous : quand vo
aurez fait tout ce qui vous est ordonn
dites : “Nous sommes de simples serv
teurs ; nous n'avons fait que not
devoir.” »

Jésus guérit dix lépreux

11 Tandis que Jésus faisait route vers J
rusalem, il passa le long de la frontiè
qui sépare la Samarie et la Galilée. 12
entrait dans un village quand dix *l
preux vinrent à sa rencontre. Ils se ti
rent à distance[k] 13 et se mirent à crie
« Jésus, Maître, aie pitié de nous ! » 14 J
sus les vit et leur dit : « Allez vous fai
examiner par les *prêtres[l]. » Penda
qu'ils y allaient, ils furent guéris. 15 L'u
d'entre eux, quand il vit qu'il était gué
revint sur ses pas en louant Dieu à hau

---

i **16.22** Comparer 13.28.
j **17.6** Voir Matt 17.20 et la note.
k **17.12** Voir Lév 13.45-46.
l **17.14** Voir Lév 14.2-3.

voix. 16 Il se jeta aux pieds de Jésus, le vi-
age contre terre, et le remercia. Cet
homme était *Samaritain. 17 Jésus dit
alors : « Tous les dix ont été guéris,
n'est-ce pas ? Où sont les neuf autres ?
8 Personne n'a-t-il pensé à revenir pour
emercier Dieu, sinon cet étranger ? »
9 Puis Jésus lui dit : « Relève-toi et va ; ta
oi t'a sauvé. »

La venue du Royaume

(Voir aussi Matt 24.23-28,37-41)

20 Les *Pharisiens demandèrent à Jé-
us quand viendrait le *Royaume de
Dieu. Il leur répondit : « Le Royaume de
Dieu ne vient pas de façon spectaculaire.
1 On ne dira pas : "Voyez, il est ici !" ou
bien : "Il est là !" Car, sachez-le, le
Royaume de Dieu est au milieu de
vous[m]. »
22 Puis il dit aux *disciples : « Le temps
viendra où vous désirerez voir le *Fils de
l'homme même un seul jour, mais vous
ne le verrez pas. 23 On vous dira : "Regardez là !" ou : "Regardez ici !" Mais n'y al-
ez pas, n'y courez pas. 24 Comme l'éclair
brille à travers le ciel et l'illumine d'une
extrémité à l'autre, ainsi sera le Fils de
l'homme en son jour. 25 Mais il faut
d'abord qu'il souffre beaucoup et qu'il
soit rejeté par les gens d'aujourd'hui.
6 Ce qui s'est passé du temps de *Noé se
passera de la même façon aux jours du
Fils de l'homme. 27 Les gens mangeaient
et buvaient, se mariaient ou étaient donnés en mariage, jusqu'au jour où Noé entra dans *l'arche : la grande inondation
vint alors et les fit tous périr[n]. 28 Ce sera
comme du temps de Loth : les gens mangeaient et buvaient, achetaient et vendaient, plantaient et bâtissaient ; 29 mais
le jour où Loth quitta Sodome, il tomba
du ciel une pluie de soufre enflammé qui
les fit tous périr[o]. 30 Il se passera la même
chose le jour où le Fils de l'homme doit
apparaître.
31 « En ce jour-là, celui qui sera sur la
terrasse de sa maison et aura ses affaires à
l'intérieur, ne devra pas descendre pour
les prendre[p] ; de même, celui qui sera
dans les champs ne devra pas retourner
dans sa maison. 32 Rappelez-vous la
femme de Loth[q] ! 33 Celui qui cherchera à
préserver sa vie la perdra ; mais celui qui
perdra sa vie la conservera. 34 Je vous le
déclare, en cette nuit-là, deux personnes
seront dans un même lit : l'une sera emmenée et l'autre laissée. 35 Deux femmes
moudront du grain ensemble : l'une sera
emmenée et l'autre laissée. [36 Deux hommes seront dans un champ : l'un sera emmené et l'autre laissé[r].] » 37 Les disciples
lui demandèrent : « Où cela se passera-
t-il, Seigneur ? » Et il répondit : « Où sera
le cadavre, là aussi se rassembleront les
vautours[s]. »

La parabole de la veuve et du juge

18 1 Jésus leur dit ensuite cette *parabole pour leur montrer qu'ils devaient toujours prier, sans jamais se
décourager : 2 « Il y avait dans une ville
un juge qui ne se souciait pas de Dieu et
n'avait d'égards pour personne. 3 Il y
avait aussi dans cette ville une veuve qui
venait fréquemment le trouver pour obtenir justice : "Rends-moi justice contre
mon adversaire", disait-elle. 4 Pendant
longtemps, le juge refusa, puis il se dit :
"Bien sûr, je ne me soucie pas de Dieu et
je n'ai d'égards pour personne ; 5 mais
comme cette veuve me fatigue, je vais
faire reconnaître ses droits, sinon, à force
de venir, elle finira par m'exaspérer." »
6 Puis le Seigneur ajouta : « Écoutez ce
que dit ce juge indigne ! 7 Et Dieu, lui, ne
ferait-il pas justice aux siens quand ils
crient à lui jour et nuit ? Tardera-t-il à les
aider[t] ? 8 Je vous le déclare : il leur fera
justice rapidement. Mais quand le *Fils
de l'homme viendra, trouvera-t-il la foi
sur la terre ? »

---

m **17.21** *au milieu de vous* ou *parmi vous*, plutôt que *en vous*.

n **17.27** Pour les v. 26-27, voir Gen 6.9–7.24.

o **17.29** Pour les v. 28-29, voir Gen 18.20–19.25. – *soufre* : substance jaune qui brûle en produisant une grande chaleur et une odeur désagréable.

p **17.31** Voir Matt 24.17 et la note.

q **17.32** Voir Gen 19.26.

r **17.36** Ce verset ne se trouve pas dans plusieurs anciens manuscrits (voir Matt 24.40).

s **17.37** Comparer Job 39.30.

t **18.7** *Tardera-t-il à les aider ?* Autre traduction *Et il les fait attendre !*

La parabole du Pharisien et du collecteur d'impôts

9 Jésus dit la *parabole suivante à l'intention de ceux qui se croyaient justes aux yeux de Dieu et méprisaient les autres : 10 « Deux hommes montèrent au *temple pour prier ; l'un était *Pharisien, l'autre *collecteur d'impôts. 11 Le Pharisien, debout, priait ainsi en lui-même[u] : "O Dieu, je te remercie de ce que je ne suis pas comme le reste des hommes, qui sont voleurs, mauvais et adultères ; je te remercie de ce que je ne suis pas comme ce collecteur d'impôts. 12 Je *jeûne deux jours par semaine et je te donne le dixième de tous mes revenus." 13 Le collecteur d'impôts, lui, se tenait à distance et n'osait pas même lever les yeux vers le *ciel, mais il se frappait la poitrine et disait : "O Dieu, aie pitié de moi, qui suis un pécheur." 14 Je vous le dis, ajouta Jésus, cet homme était en règle avec Dieu[v] quand il retourna chez lui, mais pas le Pharisien. En effet, quiconque s'élève sera abaissé, mais celui qui s'abaisse sera élevé. »

Jésus bénit des petits enfants

(Voir aussi Matt 19.13-15 ; Marc 10.13-16)

15 Des gens amenèrent à Jésus même des bébés pour qu'il pose les mains sur eux. En voyant cela, les *disciples leur firent des reproches. 16 Mais Jésus fit approcher les enfants et dit : « Laissez les enfants venir à moi ! Ne les en empêchez pas, car le *Royaume de Dieu appartient à ceux qui sont comme eux. 17 Je vous le déclare, c'est la vérité : celui qui ne reçoit pas le Royaume de Dieu comme un enfant ne pourra jamais y entrer. »

L'homme riche

(Voir aussi Matt 19.16-30 ; Marc 10.17-31)

18 Un chef juif demanda à Jésus : « Bon maître, que dois-je faire pour obtenir la vie éternelle ? » 19 Jésus lui dit : « Pourquoi m'appelles-tu bon ? Personne n'est bon si ce n'est Dieu seul. 20 Tu connais les commandements : "Ne commets pas d'adultère ; ne commets pas de meurtre ; ne vole pas ; ne prononce pas de faux témoignage contre quelqu'un ; respecte ton père et ta mère[w]." » 21 L'homme répondit : « J'ai obéi à tous ces commandements depuis ma jeunesse. » 22 Après avoir entendu cela, Jésus lui dit : « Il te manque encore une chose : vends tout ce que tu as et distribue l'argent aux pauvres, alors tu auras des richesses dans les *cieux ; puis viens et suis-moi. » 23 Mais quand l'homme entendit ces mots, il devint tout triste, car il était très riche. 24 Jésus vit qu'il était triste et dit : « Qu'il est difficile aux riches d'entrer dans le *Royaume de Dieu ! 25 Il est difficile à un chameau de passer par le trou d'une aiguille, mais il est encore plus difficile à un riche d'entrer dans le Royaume de Dieu. » 26 Ceux qui l'écoutaient dirent : « Mais qui donc peut être sauvé ? » 27 Jésus répondit : « Ce qui est impossible aux hommes est possible à Dieu. » 28 Pierre dit alors : « Écoute, nous avons quitté ce que nous avions pour te suivre. » 29 Jésus leur dit : « Je vous le déclare, c'est la vérité : si quelqu'un quitte, pour le Royaume de Dieu, sa maison, ou sa femme, ses frères, ses parents, ses enfants, 30 il recevra beaucoup plus dans le temps présent et dans le monde futur il recevra la vie éternelle. »

Jésus annonce une troisième fois sa mort et sa *résurrection

(Voir aussi Matt 20.17-19 ; Marc 10.32-34)

31 Jésus prit les douze *disciples avec lui et leur dit : « Écoutez, nous allons à Jérusalem où se réalisera tout ce que les *prophètes ont écrit au sujet du *Fils de l'homme. 32 On le livrera aux païens, qui se moqueront de lui, l'insulteront et cracheront sur lui. 33 Ils le frapperont à coups de fouet et le mettront à mort. Et le troisième jour il se relèvera de la mort. » 34 Mais les disciples ne comprirent rien à cela ; le sens de ces paroles leur était caché et ils ne savaient pas de quoi Jésus parlait.

---

u **18.11** *debout, priait ainsi en lui-même* : autre traduction *se tenait à part et priait ainsi.*

v **18.14** *était en règle avec Dieu* ou *était pardonné par Dieu.*

w **18.20** Voir Ex 20.12-16 ; Deut 5.16-20.

Jésus guérit un aveugle

(Voir aussi Matt 20.29-34 ; Marc 10.46-52)

35 Jésus approchait de Jéricho. Or, un
'eugle était assis au bord du chemin et
endiait. 36 Il entendit la foule qui avan-
ıit et demanda ce que c'était. 37 On lui
›prit que Jésus de Nazareth passait par
. 38 Alors il s'écria : « Jésus, *Fils de Da-
d, aie pitié de moi ! » 39 Ceux qui mar-
ıaient en avant lui faisaient des
proches pour qu'il se taise, mais il
iait encore plus fort : « Fils de David,
e pitié de moi ! » 40 Jésus s'arrêta et or-
›nna qu'on le lui amène. Quand l'aveu-
e se fut approché, Jésus lui demanda :
« Que veux-tu que je fasse pour toi ? »
répondit : « Maître, fais que je voie de
›uveau. » 42 Et Jésus lui dit : « Eh bien,
foi t'a guéri[x]. » 43 Aussitôt, il put voir,
il suivait Jésus en louant Dieu. Toute
foule vit cela et se mit aussi à louer
ieu.

Jésus et Zachée

9 1 Après être entré dans Jéricho, Jésus traversait la ville. 2 Il y avait là
ı homme appelé Zachée ; c'était le chef
:s *collecteurs d'impôts et il était riche.
l cherchait à voir qui était Jésus, mais
›mme il était de petite taille, il ne pou-
it pas y parvenir à cause de la foule. 4 Il
›urut alors en avant et grimpa sur un ar-
e, un sycomore, pour voir Jésus qui de-
it passer par là. 5 Quand Jésus arriva à
t endroit, il leva les yeux et dit à Za-
ıée : « Dépêche-toi de descendre, Za-
ıée, car il faut que je loge chez toi
ıjourd'hui. » 6 Zachée se dépêcha de des-
ndre et le reçut avec joie. 7 En voyant
la, tous critiquaient Jésus ; ils disaient :
Cet homme est allé loger chez un pé-
ıeur ! » 8 Zachée, debout devant le Sei-
ıeur, lui dit : « Écoute, Maître, je vais
›nner la moitié de mes biens aux pau-
es, et si j'ai pris trop d'argent à
ıelqu'un, je vais lui rendre quatre fois
ıtant[y]. » 9 Jésus lui dit : « Aujourd'hui, le
lut est entré dans cette maison, parce
ıe tu es, toi aussi[z], un descendant
Abraham. 10 Car le *Fils de l'homme
t venu chercher et sauver ceux qui
aient perdus. »

La parabole des pièces d'or

(Voir aussi Matt 25.14-30)

11 Jésus dit encore une *parabole pour
ceux qui venaient d'entendre ces paroles.
Il était en effet près de Jérusalem et l'on
pensait que le *Royaume de Dieu allait se
manifester d'un instant à l'autre. 12 Voici
donc ce qu'il dit : « Un homme de famille
noble se rendit dans un pays éloigné pour
y être nommé roi ; il devait revenir ensuite. 13 Avant de partir, il appela dix de
ses serviteurs, leur remit à chacun une
pièce d'or de grande valeur et leur dit :
“Faites des affaires avec cet argent
jusqu'à mon retour.” 14 Mais les gens de
son pays le haïssaient ; ils envoyèrent une
délégation derrière lui pour dire : “Nous
ne voulons pas de lui comme roi.” 15 Il fut
pourtant nommé roi et revint dans son
pays. Il fit alors appeler les serviteurs
auxquels il avait remis l'argent, pour savoir ce qu'ils avaient gagné. 16 Le premier
se présenta et dit : “Maître, j'ai gagné dix
pièces d'or avec celle que tu m'as donnée.” 17 Le roi lui dit : “C'est bien, bon
serviteur ; puisque tu as été fidèle dans de
petites choses, je te nomme gouverneur
de dix villes.” 18 Le deuxième serviteur
vint et dit : “Maître, j'ai gagné cinq pièces
d'or avec celle que tu m'as donnée.” 19 Le
roi dit à celui-là : “Toi, je te nomme gouverneur de cinq villes.” 20 Un autre serviteur vint et dit : “Maître, voici ta pièce
d'or ; je l'ai gardée cachée dans un mou-
choir. 21 J'avais peur de toi, car tu es un
homme dur : tu prends ce que tu n'as pas
déposé, tu moissonnes ce que tu n'as pas
semé.” 22 Le roi lui dit : “Mauvais serviteur, je vais te juger sur tes propres paroles. Tu savais que je suis un homme
dur, que je prends ce que je n'ai pas déposé et moissonne ce que je n'ai pas semé.
23 Alors, pourquoi n'as-tu pas placé mon
argent dans une banque ? A mon retour,
j'aurais pu le retirer avec les intérêts.”
24 Puis il dit à ceux qui étaient là : “Enlevez-lui cette pièce d'or et remettez-la à

---

x **18.42** *t'a guéri* ou *t'a sauvé*.
y **19.8** Comparer Ex 21.37 ; 2 Sam 12.6 ; Prov 6.31.
z **19.9** *Jésus lui dit... tu es, toi aussi* : autre traduction *Jésus dit à son propos... cet homme est*.

celui qui en a dix.” 25 Ils lui dirent : “Maître, il a déjà dix pièces !” 26 – “Je vous l’affirme, répondit-il, à celui qui a quelque
chose l’on donnera davantage ; tandis
qu’à celui qui n’a rien on enlèvera même
le peu qui pourrait lui rester. 27 Quant à
mes ennemis qui n’ont pas voulu de moi
comme roi, amenez-les ici et exécutez-les
devant moi.” »

Jésus se rend à Jérusalem

(Voir aussi Matt 21.1-11 ; Marc 11.1-11 ; Jean 12.12-19)

28 Après avoir ainsi parlé, Jésus partit
en tête de la foule sur le chemin qui
monte à Jérusalem. 29 Lorsqu’il approcha
de Bethfagé et de Béthanie, près de la colline appelée mont des Oliviers[a], il envoya
en avant deux *disciples : 30 « Allez au village qui est en face, leur dit-il. Quand
vous y serez arrivés, vous trouverez un
petit âne attaché, sur lequel personne
ne s’est jamais assis. Détachez-le et
amenez-le ici. 31 Et si quelqu’un vous demande : “Pourquoi le détachez-vous ?”,
dites-lui : “Le Seigneur[b] en a besoin.” »
32 Les envoyés partirent et trouvèrent
tout comme Jésus le leur avait dit. 33 Pendant qu’ils détachaient l’ânon, ses propriétaires leur dirent : « Pourquoi
détachez-vous cet ânon ? » 34 Ils répondirent : « Le Seigneur en a besoin. »
35 Puis ils amenèrent l’ânon à Jésus ; ils
jetèrent leurs manteaux sur l’animal et y
firent monter Jésus[c]. 36 A mesure qu’il
avançait, les gens étendaient leurs manteaux sur le chemin[d]. 37 Tandis qu’il approchait de Jérusalem, par le chemin qui
descend du mont des Oliviers, toute la
foule des disciples, pleine de joie, se mit à
louer Dieu d’une voix forte pour tous les
miracles qu’ils avaient vus. 38 Ils disaient : « Que Dieu *bénisse le roi qui
vient au nom du Seigneur ! Paix dans le
*ciel et *gloire à Dieu[e] ! »
39 Quelques *Pharisiens, qui se trouvaient dans la foule, dirent à Jésus
« Maître, ordonne à tes disciples de s
taire. » 40 Jésus répondit : « Je vous le dé
clare, s’ils se taisent, les pierres cri
ront ! »

Jésus pleure sur Jérusalem

41 Quand Jésus fut près de la ville
qu’il la vit, il pleura sur elle, 42 en disant
« Si seulement tu comprenais toi aussi, e
ce jour, comment trouver la paix ! Ma
maintenant, cela t’est caché, tu ne peu
pas le voir ! 43 Car des jours vont veni
pour toi où tes ennemis t’entoureror
d’ouvrages fortifiés, t’assiégeront et
presseront de tous côtés. 44 Ils te détru
ront complètement, toi et ta population
ils ne te laisseront pas une seule pierr
posée sur une autre, parce que tu n’as pa
reconnu le temps où Dieu est venu
secourir ! »

Jésus dans le temple

(Voir aussi Matt 21.12-17 ; Marc 11.15-19 ; Jean 2.13-22)

45 Jésus entra dans le *temple et se m
à en chasser les marchands, 46 en leur d
sant : « Dans les Écritures, Dieu déclare
“Ma maison sera une maison de prière.
Mais vous, ajouta-t-il, vous en avez fa
une caverne de voleurs[f] ! »
47 Jésus enseignait tous les jours dans l
temple. Les chefs des *prêtres, les *ma
tres de la loi, ainsi que les notables d
peuple, cherchaient à le faire mouri
48 Mais ils ne savaient pas comment
parvenir, car tout le peuple l’écoutait ave
une grande attention.

D’où vient l’autorité de Jésus ?

(Voir aussi Matt 21.23-27 ; Marc 11.27-33)

20 1 Un jour, Jésus donnait son er
seignement au peuple dans l
*temple et annonçait la Bonne Nouvell
Les chefs des *prêtres et les *maîtres d
la loi survinrent alors avec les *ancier
2 et lui demandèrent : « Dis-nous de qu
droit tu fais ces choses, qui t’a donné au
torité pour cela ? » 3 Jésus leur répondit
« Je vais vous poser une question, m
aussi. Dites-moi : 4 qui a envoyé Jea

---

a **19.29** Voir Marc 11.1 et la note.
b **19.31** *Le Seigneur* : autres traductions *Le Maître* ou *Son propriétaire*.
c **19.35** Comparer Zach 9.9.
d **19.36** Comparer 2 Rois 9.13.
e **19.38** Comparer Ps 118.26 ; Luc 2.14.
f **19.46** Comparer És 56.7 ; Jér 7.11.

baptiser[g] ? Est-ce Dieu ou les hommes ? »
5 Mais ils se mirent à discuter entre eux et
se dirent : « Si nous répondons : “C'est
Dieu qui l'a envoyé”, il nous demandera :
“Pourquoi n'avez-vous pas cru Jean ?”
6 Mais si nous disons : “Ce sont les hommes qui l'ont envoyé,” le peuple tout entier nous jettera des pierres pour nous
tuer, car il est persuadé que Jean a été
un *prophète. » 7 Ils répondirent alors :
« Nous ne savons pas qui l'a envoyé baptiser. » – 8 « Eh bien, répliqua Jésus, moi
non plus, je ne vous dirai pas de quel
droit je fais ces choses. »

La parabole des méchants vignerons

(Voir aussi Matt 21.33-46 ; Marc 12.1-12)

9 Ensuite, Jésus se mit à dire au peuple
la *parabole suivante : « Un homme
planta une vigne[h], la loua à des ouvriers
vignerons et partit en voyage pour longtemps. 10 Au moment voulu, il envoya
un serviteur aux ouvriers vignerons
pour qu'ils lui remettent sa part de la récolte. Mais les vignerons battirent le serviteur et le renvoyèrent les mains vides.
11 Le propriétaire envoya encore un
autre serviteur, mais les vignerons le
battirent aussi, l'insultèrent et le
renvoyèrent sans rien lui donner. 12 Il
envoya encore un troisième serviteur ;
celui-là, ils le blessèrent aussi et le jetèrent dehors. 13 Le propriétaire de la
vigne dit alors : “Que faire ? Je vais envoyer mon fils bien-aimé ; ils auront
probablement du respect pour lui.”
14 Mais quand les vignerons le virent, ils
se dirent les uns aux autres : “Voici le futur héritier. Tuons-le, pour que la vigne
soit à nous.” 15 Et ils le jetèrent hors de la
vigne et le tuèrent.
« Eh bien, que leur fera le propriétaire
de la vigne ? demanda Jésus. 16 Il viendra,
il mettra à mort ces vignerons et confiera
la vigne à d'autres. » Quand les gens entendirent ces mots, ils affirmèrent : « Cela
n'arrivera certainement pas ! » 17 Mais Jésus les regarda et dit : « Que signifie cette
parole de l'Écriture :
“La pierre que les bâtisseurs avaient
rejetée
est devenue la pierre principale[i]” ?
18 Tout homme qui tombera sur cette
pierre s'y brisera ; et si la pierre tombe
sur quelqu'un, elle le réduira en poussière. »

L'impôt payé à l'empereur

(Voir aussi Matt 22.15-22 ; Marc 12.13-17)

19 Les *maîtres de la loi et les chefs des
*prêtres cherchèrent à arrêter Jésus à ce
moment même, car ils savaient qu'il avait
dit cette *parabole contre eux ; mais ils
eurent peur du peuple. 20 Ils se mirent
alors à surveiller Jésus. A cet effet, ils lui
envoyèrent des gens qui faisaient semblant d'être des hommes honorables. Ces
gens devaient prendre Jésus au piège par
une question, afin qu'on ait l'occasion de
le livrer au pouvoir et à l'autorité du gouverneur. 21 Ils lui posèrent cette question :
« Maître, nous savons que ce que tu dis et
enseignes est juste ; tu ne juges personne
sur les apparences, mais tu enseignes la
vérité sur la conduite qui plaît à Dieu.
22 Eh bien, dis-nous, notre loi permet-elle
ou non de payer des impôts à l'empereur
romain ? » 23 Mais Jésus se rendit compte
de leur ruse et leur dit : 24 « Montrez-moi
une pièce d'argent. Le visage et le nom
gravés sur cette pièce, de qui sont-ils ? »
– « De l'empereur », répondirent-ils.
25 Alors Jésus leur dit : « Eh bien, payez à
l'empereur ce qui lui appartient, et à
Dieu ce qui lui appartient. » 26 Ils ne purent pas le prendre en faute pour ce qu'il
disait devant le peuple. Au contraire, sa
réponse les remplit d'étonnement et ils
gardèrent le silence.

Une question sur la résurrection des morts

(Voir aussi Matt 22.23-33 ; Marc 12.18-27)

27 Quelques *Sadducéens vinrent auprès de Jésus. – Ce sont eux qui affirment
qu'il n'y a pas de *résurrection[j]. – Ils l'interrogèrent 28 de la façon suivante : « Maître, Moïse nous a donné ce commandement écrit : “Si un homme marié,

---

g **20.4** Voir 3.3,7.
h **20.9** Comparer És 5.1.
i **20.17** Ps 118.22.
j **20.27** Comparer Act 23.8.

qui a un frère, meurt sans avoir eu d'enfants, il faut que son frère épouse la veuve
pour donner des descendants à celui qui
est mort[k]." 29 Or, il y avait une fois sept
frères. Le premier se maria et mourut
sans laisser d'enfants. 30 Le deuxième
épousa la veuve, 31 puis le troisième. Il en
fut de même pour tous les sept, qui moururent sans laisser d'enfants. 32 Finalement, la femme mourut aussi. 33 Au jour
où les morts se relèveront, de qui sera-
t-elle donc la femme ? Car tous les sept
l'ont eue comme épouse ! » 34 Jésus leur
répondit : « Les hommes et les femmes de
ce monde-ci se marient ; 35 mais les hommes et les femmes qui sont jugés dignes
de se relever d'entre les morts et de vivre
dans le monde à venir ne se marient pas.
36 Ils ne peuvent plus mourir, ils sont pareils aux *anges. Ils sont fils de Dieu, car
ils ont passé de la mort à la vie. 37 Moïse
indique clairement que les morts reviendront à la vie. Dans le passage qui parle
du buisson en flammes, il appelle le
Seigneur "le Dieu d'Abraham, le Dieu
d'Isaac et le Dieu de Jacob[l]." 38 Dieu,
ajouta Jésus, est le Dieu des vivants, et
non des morts, car tous sont vivants pour
lui. » 39 Quelques *maîtres de la loi prirent alors la parole et dirent : « Tu as bien
parlé, Maître. » 40 Car ils n'osaient plus lui
poser d'autres questions.

Le Messie et David

(Voir aussi Matt 22.41-46 ; Marc 12.35-37)

41 Jésus leur dit : « Comment peut-on
affirmer que le *Messie est descendant de
David ? 42 Car David déclare lui-même
dans le livre des Psaumes :

"Le Seigneur Dieu a déclaré à mon
Seigneur :
Viens siéger à ma droite,
43 je veux contraindre tes ennemis
à te servir de marchepied[m]."

44 David l'appelle donc "Seigneur" : comment le Messie peut-il être aussi le descendant de David ? »

Jésus met en garde contre les maîtres de la loi

(Voir aussi Matt 23.1-36 ; Marc 12.38-40)

45 Tandis que toute l'assemblée l'écoutait, Jésus dit à ses *disciples : 46 « Gardez-
vous des *maîtres de la loi qui se plaisent
à se promener en longues robes et qui aiment à recevoir des salutations respectueuses sur les places publiques ; ils
choisissent les sièges les plus en vue dans
les *synagogues et les places d'honneur
dans les grands repas. 47 Ils prennent aux
veuves tout ce qu'elles possèdent et, en
même temps, font de longues prières
pour se faire remarquer. Ils seront jugés
d'autant plus sévèrement. »

Le don offert par une veuve pauvre

(Voir aussi Marc 12.41-44)

21 1 Jésus regarda autour de lui et vit
des riches qui déposaient leurs
dons dans les troncs à offrandes du *temple. 2 Il vit aussi une veuve pauvre qui y
mettait deux petites pièces de cuivre[n]. 3 Il
dit alors : « Je vous le déclare, c'est la vérité : cette veuve pauvre a mis plus que
tous les autres. 4 Car tous les autres ont
donné comme offrande de l'argent dont
ils n'avaient pas besoin ; mais elle, dans
sa pauvreté, a offert tout ce dont elle avait
besoin pour vivre. »

Jésus annonce la destruction du temple

(Voir aussi Matt 24.1-2 ; Marc 13.1-2)

5 Quelques personnes parlaient du
*temple et disaient qu'il était magnifique
avec ses belles pierres et les objets offerts
à Dieu. Mais Jésus déclara : 6 « Les jours
viendront où il ne restera pas une seule
pierre posée sur une autre de ce que vous
voyez là ; tout sera renversé. »

Des malheurs et des persécutions

(Voir aussi Matt 24.3-14 ; Marc 13.3-13)

7 Ils lui demandèrent alors : « Maître
quand cela se passera-t-il ? Quel sera le si
gne qui indiquera le moment où ces cho
ses doivent arriver ? » 8 Jésus répondit
« Faites attention, ne vous laissez pa
tromper. Car beaucoup d'hommes vien
dront en usant de mon nom et diront

---

k **20.28** Voir Deut 25.5-6.
l **20.37** Voir Ex 3.2,6.
m **20.43** Ps 110.1.
n **21.2** Voir Marc 12.42 et la note.

'Je suis le *Messie !" et : "Le temps est ar-
ivé !" Mais ne les suivez pas. [9] Quand
'ous entendrez parler de guerres et de ré-
'olutions, ne vous effrayez pas ; il faut que
ela arrive d'abord, mais ce ne sera pas
out de suite la fin de ce monde. » [10] Puis il
jouta : « Un peuple combattra contre un
utre peuple, et un royaume attaquera un
utre royaume ; [11] il y aura de terribles
remblements de terre et, dans différentes
égions, des famines et des épidémies ; il y
ura aussi des phénomènes effrayants et
es signes impressionnants venant du
ciel. [12] Mais avant tout cela, on vous arrê-
:ra, on vous persécutera, on vous livrera
our être jugés dans les *synagogues et
on vous mettra en prison ; on vous fera
omparaître devant des rois et des gouver-
eurs à cause de moi. [13] Ce sera pour vous
occasion d'apporter votre témoignage à
ion sujet. [14] Soyez donc bien décidés à ne
as vous inquiéter par avance de la ma-
ière dont vous vous défendrez. [15] Je vous
onnerai moi-même des paroles et une sa-
esse telles qu'aucun de vos adversaires ne
ourra leur résister ou les contredire.
Vous serez livrés même par vos père et
ière, vos frères, vos parents et vos amis ;
n fera condamner à mort plusieurs d'en-
'e vous. [17] Tout le monde vous haïra à
ause de moi. [18] Mais pas un cheveu de vo-
'e tête ne sera perdu. [19] Tenez bon : c'est
nsi que vous sauverez vos vies. »

Jésus annonce la destruction de Jérusalem

(Voir aussi Matt 24.15-21 ; Marc 13.14-19)

[20] « Quand vous verrez Jérusalem en-
:rclée par des armées, vous saurez, à ce
ioment-là, qu'elle sera bientôt détruite.
Alors, ceux qui seront en Judée devront
enfuir vers les montagnes ; ceux qui se-
ont à l'intérieur de Jérusalem devront
éloigner, et ceux qui seront dans les
ampagnes ne devront pas entrer dans la
lle. [22] Car ce seront les jours du Juge-
ient, où se réalisera tout ce que dé-
arent les Écritures[o]. [23] Quel malheur ce
:ra, en ces jours-là, pour les femmes en-
:intes et pour celles qui allaiteront ! Car
y aura une grande détresse dans ce pays
la colère de Dieu se manifestera contre
ce peuple. [24] Ils seront tués par l'épée, ils
seront emmenés prisonniers parmi toutes les nations, et les païens piétineront
Jérusalem jusqu'à ce que le temps qui
leur est accordé soit écoulé. »

La venue du Fils de l'homme

(Voir aussi Matt 24.29-31 ; Marc 13.24-27)

[25] « Il y aura des signes dans le soleil,
dans la lune et dans les étoiles[p]. Sur la
terre, les nations seront dans l'angoisse,
rendues inquiètes par le bruit violent de
la mer et des vagues. [26] Des hommes
mourront de frayeur en pensant à ce qui
devra survenir sur toute la terre, car les
puissances des *cieux seront ébranlées.
[27] Alors on verra le *Fils de l'homme
arriver sur un nuage, avec beaucoup de
puissance et de *gloire[q]. [28] Quand ces
événements commenceront à se produire, redressez-vous et relevez la tête,
car votre délivrance sera proche. »

L'enseignement donné par le figuier

(Voir aussi Matt 24.32-35 ; Marc 13.28-31)

[29] Puis Jésus leur dit cette *parabole :
« Regardez le figuier et tous les autres arbres : [30] quand vous voyez leurs feuilles
commencer à pousser, vous savez que la
bonne saison est proche. [31] De même,
quand vous verrez ces événements arriver, sachez que le *Royaume de Dieu est
proche. [32] Je vous le déclare, c'est la vérité : les gens d'aujourd'hui n'auront pas
tous disparu avant que tout cela arrive.
[33] Le ciel et la terre disparaîtront, tandis
que mes paroles ne disparaîtront jamais. »

La nécessité de veiller

[34] « Prenez garde ! Ne laissez pas votre
esprit s'alourdir dans les fêtes et l'ivrognerie, ainsi que dans les soucis de cette
vie, sinon le jour du Jugement vous surprendra tout à coup, [35] comme un piège[r] ;

---

o **21.22** Comparer Osée 9.7.
p **21.25** Comparer És 13.10 ; Ézék 32.7 ; Joël 3.3-4.
q **21.27** Dan 7.13.
r **21.35** *comme un piège* : certains manuscrits lient ces mots à la phrase suivante : *car il s'abattra comme un piège...*

car il s'abattra sur tous les habitants de la
terre entière. 36 Ne vous endormez pas,
priez en tout temps ; ainsi vous aurez la
force de surmonter tout ce qui doit arriver et vous pourrez vous présenter debout devant le *Fils de l'homme. »
37 Pendant le jour, Jésus enseignait
dans le *temple ; mais, le soir, il s'en allait passer la nuit sur la colline appelée
mont des Oliviers. 38 Et tout le peuple venait au temple tôt le matin pour l'écouter.

Les chefs complotent contre Jésus

(Voir aussi Matt 26.1-5 ; Marc 14.1-2 ; Jean 11.45-53)

22 1 La fête des *pains sans levain,
appelée la *Pâque, approchait[s].
2 Les chefs des *prêtres et les *maîtres de
la loi cherchaient un moyen de mettre
à mort Jésus, mais ils avaient peur du
peuple.

Judas est prêt à livrer Jésus aux chefs

(Voir aussi Matt 26.14-16 ; Marc 14.10-11)

3 Alors *Satan entra dans Judas, appelé
Iscariote, qui était l'un des douze *disciples. 4 Judas alla parler avec les chefs
des *prêtres et les chefs des gardes du
*temple de la façon dont il pourrait leur
livrer Jésus. 5 Ils en furent très contents et
promirent de lui donner de l'argent. 6 Judas accepta et se mit à chercher une occasion favorable pour leur livrer Jésus sans
que la foule le sache.

Jésus fait préparer le repas de la Pâque

(Voir aussi Matt 26.17-25 ; Marc 14.12-21 ; Jean 13.21-30)

7 Le jour arriva, pendant la fête des
*pains sans levain, où l'on devait *sacri-
fier les agneaux pour le repas de la *Pâque. 8 Jésus envoya alors Pierre et Jean en
avant avec l'ordre suivant : « Allez nous
préparer le repas de la Pâque[t]. » 9 Ils lu
demandèrent : « Où veux-tu que nous l
préparions ? » 10 Il leur dit : « Écoutez : a
moment où vous arriverez en ville, vou
rencontrerez un homme qui porte un
cruche d'eau. Suivez-le dans la maison o
il entrera 11 et dites au propriétaire de l
maison : "Le Maître te demande : Où es
la pièce où je prendrai le repas de la Pâ
que avec mes *disciples ?" 12 Et il vou
montrera, en haut de la maison, un
grande chambre avec tout ce qui est né
cessaire. C'est là que vous préparerez l
repas. » 13 Ils s'en allèrent, trouvèrent tou
comme Jésus le leur avait dit et prépa
rèrent le repas de la Pâque.

La sainte cène

(Voir aussi Matt 26.26-30 ; Marc 14.22-26 ; 1 Cor 11.23-25)

14 Quand l'heure fut venue, Jésus s
mit à table avec les *apôtres. 15 Il leu
dit : « Combien j'ai désiré prendre ce re
pas de la *Pâque avec vous avant de sou
frir ! 16 Car, je vous le déclare, je ne l
prendrai plus jusqu'à ce que son sens so
pleinement réalisé dans le *Royaume d
Dieu. » 17 Il saisit alors une coupe, reme
cia Dieu et dit : « Prenez cette coupe e
partagez-en le contenu entre vous ; 18 ca
je vous le déclare, dès maintenant je n
boirai plus de vin jusqu'à ce que vienn
le Royaume de Dieu. » 19 Puis il prit d
pain et, après avoir remercié Dieu, il l
rompit et le leur donna en disant : « Ce
est mon corps qui est donné pour vou
Faites ceci en mémoire de moi. » 20 Il leu
donna de même la coupe, après le repa
en disant : « Cette coupe est la nouvel
*alliance de Dieu, garantie par mon san
qui est versé pour vous[u]. 21 Mais rega
dez : celui qui me trahit est ici, à tab
avec moi[v] ! 22 Certes, le *Fils de l'homm
va mourir suivant le plan de Dieu ; ma
quel malheur pour celui qui le trahit !
23 Ils se mirent alors à se demander l
uns aux autres qui était celui d'entre eu
qui allait faire cela.

Qui est le plus important ?

24 Les *disciples se mirent à discut
vivement pour savoir lequel d'entre e
devait être considéré comme le plus ir

---

s **22.1** Voir Ex 12.1-27.
t **22.8** Voir Ex 12.3-9.
u **22.20** Certains manuscrits n'ont pas les paroles de Jésus après *Ceci est mon corps* (v. 19), ainsi que tout le verset 20. – Comparer le v. 20 et Ex 24.8 ; Jér 31.31-34.
v **22.21** Comparer Ps 41.10.

portant. 25 Jésus leur dit : « Les rois des
nations leur commandent et ceux qui
exercent le pouvoir sur elles se font appeler “Bienfaiteurs”[w]. 26 Mais il n’en va
pas ainsi pour vous. Au contraire, le plus
important parmi vous doit être comme
le plus jeune, et celui qui commande
doit être comme celui qui sert. 27 Car qui
est le plus important, celui qui est à table
ou celui qui sert ? Celui qui est à table,
n’est-ce pas ? Eh bien, moi je suis parmi
vous comme celui qui sert ! 28 Vous êtes
demeurés continuellement avec moi
dans mes épreuves ; 29 et de même que le
Père a disposé du *Royaume en ma faveur, de même j’en dispose pour vous :
30 vous mangerez et boirez à ma table
dans mon Royaume, et vous siégerez sur
des trônes pour juger les douze tribus
*d’Israël. »

Jésus annonce que Pierre le reniera

(Voir aussi Matt 26.31-35 ; Marc 14.27-31 ; Jean 13.36-38)

31 « Simon, Simon ! Écoute : *Satan a
demandé de pouvoir vous passer tous au
crible comme on le fait pour purifier le
grain. 32 Mais j’ai prié pour toi, afin que
ta foi ne vienne pas à te manquer. Et
quand tu seras revenu à moi, fortifie tes
frères. » 33 Pierre lui dit : « Seigneur, je
suis prêt à aller en prison avec toi et à
mourir avec toi. » 34 Jésus lui répondit :
« Je te le déclare, Pierre, le coq n’aura pas
encore chanté aujourd’hui que tu auras
déjà prétendu trois fois ne pas me
connaître. »

La bourse, le sac et l’épée

35 Puis Jésus leur dit : « Quand je vous
ai envoyés en mission sans bourse, ni sac,
ni chaussures, avez-vous manqué de
quelque chose ? » – « De rien », répondirent-ils. 36 Alors il leur dit : « Mais
maintenant, celui qui a une bourse doit la
prendre, de même celui qui a un sac ; et
celui qui n’a pas d’épée doit vendre son
manteau pour en acheter une. 37 Car, je
vous le déclare, il faut que se réalise en
ma personne cette parole de l’Écriture :
“Il a été placé au nombre des malfaiteurs[x].” En effet, ce qui me concerne va
se réaliser. » 38 Les *disciples dirent :
« Seigneur, voici deux épées. » – « Cela
suffit », répondit-il[y].

Jésus prie au mont des Oliviers

(Voir aussi Matt 26.36-46 ; Marc 14.32-42)

39 Jésus sortit et se rendit, selon son habitude, au mont des Oliviers. Ses *disciples le suivirent. 40 Quand il fut arrivé à
cet endroit, il leur dit : « Priez afin de ne
pas tomber dans la tentation. » 41 Puis il
s’éloigna d’eux à la distance d’un jet de
pierre environ, se mit à genoux et pria
42 en ces termes : « Père, si tu le veux, éloigne de moi cette coupe de douleur. Toutefois, que ce ne soit pas ma volonté qui se
fasse, mais la tienne. » [43 Alors un *ange
du *ciel lui apparut pour le fortifier.
44 Saisi d’angoisse, Jésus priait avec encore plus d’ardeur. Sa sueur devint
comme des gouttes de sang qui tombaient à terre[z].]
45 Après avoir prié, il se leva, revint
vers les disciples et les trouva endormis,
épuisés de tristesse. 46 Il leur dit : « Pourquoi dormez-vous ? Levez-vous et priez,
afin que vous ne tombiez pas dans la tentation. »

L’arrestation de Jésus

(Voir aussi Matt 26.47-56 ; Marc 14.43-50 ; Jean 18.3-11)

47 Il parlait encore quand une foule apparut. Judas, l’un des douze *disciples, la
conduisait ; il s’approcha de Jésus pour
l’embrasser. 48 Mais Jésus lui dit : « Judas,
est-ce en l’embrassant que tu trahis le
*Fils de l’homme ? » 49 Quand les compa-
gnons de Jésus virent ce qui allait arriver,
ils lui demandèrent : « Seigneur, devons-
nous frapper avec nos épées ? » 50 Et l’un
d’eux frappa le serviteur du *grand-prêtre
et lui coupa l’oreille droite[a]. 51 Mais Jésus
dit : « Laissez, cela suffit. » Il toucha
l’oreille de cet homme et le guérit. 52 Puis

---

w **22.25** Dans le monde grec, le titre de *“Bienfaiteurs”* était attribué à des rois en particulier.
x **22.37** És 53.12.
y **22.38** *Cela suffit* : autre traduction *En voilà assez dit.*
z **22.44** Certains manuscrits n’ont pas les versets 43-44.
a **22.50** Comparer Jean 18.10,26.

Jésus dit aux chefs des prêtres, aux chefs
des gardes du *temple et aux *anciens qui
étaient venus le prendre : « Deviez-vous
venir armés d'épées et de bâtons, comme
si j'étais un brigand ? 53 Tous les jours
j'étais avec vous dans le temple et vous
n'avez pas cherché à m'arrêter. Mais cette
heure est à vous et à la puissance de la
nuit. »

Pierre renie Jésus

(Voir aussi Matt 26.57-58,69-75 ; Marc 14.53-54,66-72 ; Jean 18.12-18,25-27)

54 Ils se saisirent alors de Jésus, l'emmenèrent et le conduisirent dans la maison du *grand-prêtre. Pierre suivait de
loin. 55 On avait fait du feu au milieu de la
cour et Pierre prit place parmi ceux qui
étaient assis autour. 56 Une servante le vit
assis près du feu ; elle le fixa du regard et
dit : « Cet homme aussi était avec lui ! »
57 Mais Pierre le nia en lui déclarant : « Je
ne le connais pas. » 58 Peu après,
quelqu'un d'autre le vit et dit : « Toi aussi,
tu es l'un d'eux ! » Mais Pierre répondit à
cet homme : « Non, je n'en suis pas. »
59 Environ une heure plus tard, un autre
encore affirma avec force : « Certainement, cet homme était avec lui, car il est
de Galilée. » 60 Mais Pierre répondit : « Je
ne sais pas ce que tu veux dire, toi. » Au
moment même où il parlait un coq
chanta. 61 Le Seigneur se retourna et regarda fixement Pierre. Alors Pierre se
souvint de ce que le Seigneur lui avait
dit : « Avant que le coq chante aujourd'hui, tu auras prétendu trois fois ne
pas me connaître[b]. » 62 Pierre sortit et
pleura amèrement.

Jésus insulté et battu

(Voir aussi Matt 26.67-68 ; Marc 14.65)

63 Les hommes qui gardaient Jésus se
moquaient de lui et le frappaient. 64 Ils lui
couvraient le visage et lui demandaient :
« Qui t'a frappé ? Devine ! » 65 Et ils lui
adressaient beaucoup d'autres paroles
insultantes.

Jésus devant le Conseil supérieur

(Voir aussi Matt 26.59-66 ; Marc 14.55-64 ; Jean 18.19-24)

66 Quand il fit jour, les *anciens du
peuple juif, les chefs des *prêtres et les
*maîtres de la loi s'assemblèrent. Ils fi-
rent amener Jésus devant leur *Conseil
supérieur 67 et lui demandèrent : « Es-tu
le *Messie ? Dis-le-nous. » Il leur répondit : « Si je vous le dis, vous ne me croirez
pas, 68 et si je vous pose une question
vous ne me répondrez pas. 69 Mais dès
maintenant le *Fils de l'homme siégera à
la droite du Dieu puissant[c]. » 70 Tous s'exclamèrent : « Tu es donc le *Fils de
Dieu ? » Il leur répondit : « Vous le dites
je le suis. » 71 Alors ils ajoutèrent : « Nous
n'avons plus besoin de témoins ! Nous
avons nous-mêmes entendu ses propres
paroles ! »

Jésus devant Pilate

(Voir aussi Matt 27.1-2,11-14 ; Marc 15.1-5 ; Jean 18.28-38)

23 1 L'assemblée entière se leva et ils
amenèrent Jésus devant *Pilate.
2 Là, ils se mirent à l'accuser en disant
« Nous avons trouvé cet homme en train
d'égarer notre peuple : il leur dit de ne
pas payer les impôts à l'empereur et prétend qu'il est lui-même le *Messie, un
roi. » 3 Pilate l'interrogea en ces mots
« Es-tu le roi des Juifs ? » Jésus lui répondit : « Tu le dis[d]. » 4 Pilate s'adressa alors
aux chefs des *prêtres et à la foule : « Je ne
trouve aucune raison de condamner cet
homme. » 5 Mais ils déclarèrent avec encore plus de force : « Il pousse le peuple
la révolte par son enseignement. Il
commencé en Galilée, a passé par toute l
Judée et, maintenant, il est venu
jusqu'ici. »

Jésus devant Hérode

6 Quand *Pilate entendit ces mots, il
demanda : « Cet homme est-il de Galilée ? » 7 Et lorsqu'il eut appris que Jésus
venait de la région gouvernée par *Hérode, il l'envoya à celui-ci, car il se trouvait aussi à Jérusalem ces jours-là.
8 Hérode fut très heureux de voir Jésus
En effet, il avait entendu parler de lui e

---

b **22.61** Voir 22.34.
c **22.69** Ps 110.1.
d **23.3** *Tu le dis* : voir Matt 27.11 et la note.

ésirait le rencontrer depuis longtemps[e];
espérait le voir faire un signe mira-
ıleux. 9 Il lui posa beaucoup de ques-
ons, mais Jésus ne lui répondit rien.
Les chefs des *prêtres et les *maîtres de
loi étaient là et portaient de violentes
ccusations contre Jésus. 11 Hérode et ses
ldats se moquèrent de lui et le trai-
èrent avec mépris. Ils lui mirent un vête-
ıent magnifique et le renvoyèrent à
ilate. 12 Hérode et Pilate étaient enne-
ıis auparavant; ce jour-là, ils devinrent
mis.

Jésus est condamné à mort

(Voir aussi Matt 27.15-26; Marc 15.6-15; Jean 18.39–19.16)

13 *Pilate réunit les chefs des *prêtres,
s dirigeants et le peuple, 14 et leur dit:
Vous m'avez amené cet homme en me
isant qu'il égare le peuple. Eh bien, je
ai interrogé devant vous et je ne l'ai
ouvé coupable d'aucune des mauvaises
ctions dont vous l'accusez. 15 *Hérode
e l'a pas non plus trouvé coupable, car
nous l'a renvoyé. Ainsi, cet homme n'a
ommis aucune faute pour laquelle il
ıériterait de mourir. 16 Je vais donc le
ire battre à coups de fouet, puis je le re-
cherai.» [17 A chaque fête de la *Pâ-
ıe, Pilate devait leur libérer un
risonnier[f].] 18 Mais ils se mirent à crier
ous ensemble: «Fais mourir cet
omme! Relâche-nous Barabbas!»
– Barabbas avait été mis en prison
our une révolte qui avait eu lieu dans la
lle et pour un meurtre. – 20 Comme Pi-
te désirait libérer Jésus, il leur adressa
e nouveau la parole. 21 Mais ils lui
iaient: «Cloue-le sur une croix!
loue-le sur une croix!» 22 Pilate prit la
arole une troisième fois et leur dit:
Quel mal a-t-il commis? Je n'ai trouvé
ı lui aucune faute pour laquelle il mé-
terait de mourir. Je vais donc le faire
attre à coups de fouet, puis je le re-
cherai.» 23 Mais ils continuaient à ré-
amer à grands cris que Jésus soit cloué
ır une croix. Et leurs cris l'empor-
rent: 24 Pilate décida de leur accorder
qu'ils demandaient. 25 Il libéra
homme qu'ils réclamaient, celui qui
ait été mis en prison pour révolte et
meurtre, et leur livra Jésus pour qu'ils en
fassent ce qu'ils voulaient.

Jésus est cloué sur la croix

(Voir aussi Matt 27.32-44; Marc 15.21-32; Jean 19.17-27)

26 Tandis qu'ils emmenaient Jésus, ils
rencontrèrent Simon, un homme de Cyrène, qui revenait des champs. Les soldats se saisirent de lui et le chargèrent de
la croix pour qu'il la porte derrière Jésus.
27 Une grande foule de gens du peuple le
suivait, ainsi que des femmes qui pleuraient et se lamentaient à cause de lui.
28 Jésus se tourna vers elles et dit: «Femmes de Jérusalem, ne pleurez pas à mon
sujet! Pleurez plutôt pour vous et pour
vos enfants! 29 Car le moment approche
où l'on dira: "Heureuses celles qui ne
peuvent pas avoir d'enfant, qui n'en ont
jamais mis au monde et qui n'en ont jamais allaité!" 30 Alors les gens se mettront à dire aux montagnes: "Tombez sur
nous!" et aux collines: "Cachez-nous[g]!"
31 Car si l'on traite ainsi le bois vert,
qu'arrivera-t-il au bois sec?»
32 On emmenait aussi deux autres
hommes, des malfaiteurs, pour les mettre à mort avec Jésus. 33 Lorsqu'ils arrivèrent à l'endroit appelé «Le Crâne», les
soldats clouèrent Jésus sur la croix à cet
endroit-là et mirent aussi les deux malfaiteurs[h] en croix, l'un à sa droite et l'autre à sa gauche. 34 Jésus dit alors: «Père,
pardonne-leur, car ils ne savent pas ce
qu'ils font.» Ils partagèrent ses vêtements entre eux en les tirant au sort[i].
35 Le peuple se tenait là et regardait. Les
chefs juifs se moquaient de lui[j] en disant: «Il a sauvé d'autres gens; qu'il se
sauve lui-même, s'il est le *Messie, celui
que Dieu a choisi!» 36 Les soldats aussi
se moquèrent de lui; ils s'approchèrent,

e **23.8** Voir 9.9.
f **23.17** Ce verset ne se trouve pas dans plusieurs anciens manuscrits. Voir Matt 27.15; Marc 15.6.
g **23.30** Osée 10.8.
h **23.33** Comparer És 53.12.
i **23.34** Certains manuscrits n'ont pas les mots *Jésus dit alors: «Père, pardonne-leur, car ils ne savent pas ce qu'ils font.»* – Fin du verset: voir Ps 22.19.
j **23.35** Voir Ps 22.8-9.

lui présentèrent du vinaigre[k] 37 et dirent :
« Si tu es le roi des Juifs, sauve-toi toi-
même ! » 38 Au-dessus de lui, il y avait
cette inscription : « Celui-ci est le roi des
Juifs. »
39 L'un des malfaiteurs suspendus en
croix l'insultait en disant : « N'es-tu pas
le Messie ? Sauve-toi toi-même et nous
avec toi ! » 40 Mais l'autre lui fit des reproches et lui dit : « Ne crains-tu pas
Dieu, toi qui subis la même punition ?
41 Pour nous, cette punition est juste, car
nous recevons ce que nous avons mérité
par nos actes ; mais lui n'a rien fait de
mal. » 42 Puis il ajouta : « Jésus, souviens-
toi de moi quand tu viendras pour être
roi. » 43 Jésus lui répondit : « Je te le déclare, c'est la vérité : aujourd'hui tu seras
avec moi dans le paradis[l]. »

La mort de Jésus

(Voir aussi Matt 27.45-56 ; Marc 15.33-41 ; Jean 19.28-30)

44-45 Il était environ midi quand le soleil cessa de briller : l'obscurité se fit sur
tout le pays et dura jusqu'à trois heures
de l'après-midi. Le rideau suspendu dans
le *temple[m] se déchira par le milieu. 46 Jésus s'écria d'une voix forte : « Père, je remets mon esprit entre tes mains[n]. » Après
avoir dit ces mots, il mourut. 47 Le capitaine romain vit ce qui était arrivé ; il
loua Dieu et dit : « Certainement cet
homme était innocent ! » 48 Tous ceux qui
étaient venus, en foule, assister à ce spectacle virent ce qui était arrivé. Alors ils
s'en retournèrent en se frappant la poitrine de tristesse. 49 Tous les amis de Jésus, ainsi que les femmes qui l'avaient
accompagné depuis la Galilée, se tenaient
à distance[o] pour regarder ce qui se passait.

Jésus est mis dans un tombeau

(Voir aussi Matt 27.57-61 ; Marc 15.42-47 ; Jean 19.38-42)

50-51 Il y avait un homme appelé Josep
qui était de la localité juive d'Arim
thée[p]. Cet homme était bon et juste, et e
pérait la venue du *Royaume de Dieu.
était membre du *Conseil supérieu
mais n'avait pas approuvé ce que les au
tres conseillers avaient décidé et fait. 52
alla trouver *Pilate et lui demanda
corps de Jésus. 53 Puis il descendit
corps de la croix, l'enveloppa dans u
drap de lin et le déposa dans un tombea
qui avait été creusé dans le roc, un tom
beau dans lequel on n'avait jamais m
personne. 54 C'était vendredi et le *sabb
allait commencer. 55 Les femmes q
avaient accompagné Jésus depuis la Gal
lée vinrent avec Joseph ; elles regardère
le tombeau et virent comment le corps d
Jésus y était placé. 56 Puis elles retou
nèrent en ville et préparèrent les huiles
les parfums pour le corps. Le jour d
sabbat, elles se reposèrent, comme la l
l'ordonnait[q].

La *résurrection de Jésus

(Voir aussi Matt 28.1-10 ; Marc 16.1-8 ; Jean 20.1-10)

24 1 Très tôt le dimanche matin, l
femmes se rendirent au tombea
en apportant les huiles parfumées qu'e
les avaient préparées[r]. 2 Elles découvr
rent que la pierre fermant l'entrée d
tombeau avait été roulée de côté ; 3 ell
entrèrent, mais ne trouvèrent pas
corps du Seigneur Jésus. 4 Elles ne s
vaient qu'en penser, lorsque deux hom
mes aux vêtements brillants le
apparurent. 5 Comme elles étaient saisi
de crainte et tenaient leur visage bais
vers la terre, ces hommes leur diren
« Pourquoi cherchez-vous parmi l
morts celui qui est vivant ? 6 Il n'est p
ici, mais il est revenu de la mort à la vi
Rappelez-vous ce qu'il vous a d
lorsqu'il était encore en Galilée : 7 "
faut que le *Fils de l'homme soit livré
des pécheurs, qu'il soit cloué sur u
croix et qu'il se relève de la mort le tro
sième jour[s]." »

---

k **23.36** Voir Ps 69.22.
l **23.43** *paradis* : lieu où ceux qui ont été sauvés jouissent de la présence de Dieu après leur mort.
m **23.44-45** Voir Ex 26.31-33.
n **23.46** Ps 31.6.
o **23.49** Comparer Ps 38.12.
p **23.50-51** Voir Matt 27.57 et la note.
q **23.56** *huiles et parfums* : voir Marc 14.8 et la note. – *comme la loi l'ordonnait* : voir Ex 20.10 ; Deut 5.14.
r **24.1** Voir 23.56.
s **24.7** Voir 9.22 ; 17.25 ; 18.32-33.

8 Elles se rappelèrent alors les paroles
e Jésus. 9 Elles quittèrent le tombeau et
lèrent raconter tout cela aux onze et à
ous les autres *disciples. 10 C'étaient Ma-
e de Magdala, Jeanne et Marie, mère de
acques. Les autres femmes qui étaient
vec elles firent le même récit aux *apô-
es. 11 Mais ceux-ci pensèrent que ce
u'elles racontaient était absurde et ils ne
s crurent pas. 12 Cependant Pierre se
va et courut au tombeau ; il se baissa et
e vit que les bandes de lin. Puis il re-
urna chez lui, très étonné de ce qui
était passé[t].

Sur le chemin d'Emmaüs

(Voir aussi Marc 16.12-13)

13 Ce même jour, deux *disciples se
endaient à un village appelé Emmaüs[u],
ui se trouvait à environ deux heures de
arche de Jérusalem. 14 Ils parlaient de
out ce qui s'était passé. 15 Pendant qu'ils
arlaient et discutaient, Jésus lui-même
approcha et fit route avec eux. 16 Ils le
oyaient, mais quelque chose les empê-
hait de le reconnaître. 17 Jésus leur de-
anda : « De quoi discutez-vous en
archant ? » Et ils s'arrêtèrent, tout at-
istés. 18 L'un d'eux, appelé Cléopas, lui
it : « Es-tu le seul habitant de Jérusalem
ui ne connaisse pas ce qui s'est passé ces
erniers jours ? » – 19 « Quoi donc ? » leur
emanda-t-il. Ils lui répondirent : « Ce
ui est arrivé à Jésus de Nazareth ! C'était
n *prophète puissant ; il l'a montré par
s actes et ses paroles devant Dieu et de-
ant tout le peuple. 20 Les chefs de nos
prêtres et nos dirigeants l'ont livré pour
faire condamner à mort et l'ont cloué
ur une croix. 21 Nous avions l'espoir
u'il était celui qui devait délivrer *Is-
aël. Mais en plus de tout cela, c'est au-
urd'hui le troisième jour depuis que ces
its se sont passés. 22 Quelques femmes
e notre groupe nous ont étonnés, il est
rai. Elles se sont rendues tôt ce matin au
mbeau 23 mais n'ont pas trouvé son
orps. Elles sont revenues nous raconter
ue des *anges leur sont apparus et leur
nt déclaré qu'il est vivant[v]. 24 Quelques-
ns de nos compagnons sont allés au
mbeau et ont trouvé tout comme les
mmes l'avaient dit, mais lui, ils ne l'ont
pas vu. » 25 Alors Jésus leur dit : « Gens
sans intelligence, que vous êtes lents à
croire tout ce qu'ont annoncé les prophètes ! 26 Ne fallait-il pas que le *Messie
souffre ainsi avant d'entrer dans sa
*gloire[w] ? » 27 Puis il leur expliqua ce qui
était dit à son sujet dans l'ensemble des
Écritures, en commençant par les livres
de Moïse et en continuant par tous les livres des Prophètes.

28 Quand ils arrivèrent près du village
où ils se rendaient, Jésus fit comme s'il
voulait poursuivre sa route. 29 Mais ils le
retinrent en disant : « Reste avec nous ; le
jour baisse déjà et la nuit approche. » Il
entra donc pour rester avec eux. 30 Il se
mit à table avec eux, prit le pain et remercia Dieu ; puis il rompit le pain et le leur
donna. 31 Alors, leurs yeux s'ouvrirent et
ils le reconnurent ; mais il disparut de devant eux. 32 Ils se dirent l'un à l'autre :
« N'y avait-il pas comme un feu qui brûlait au-dedans de nous quand il nous parlait en chemin et nous expliquait les
Écritures ? »

33 Ils se levèrent aussitôt et retournèrent à Jérusalem. Ils y trouvèrent les onze
disciples réunis avec leurs compagnons,
34 qui disaient : « Le Seigneur est vraiment *ressuscité ! Simon l'a vu ! » 35 Et
eux-mêmes leur racontèrent ce qui s'était
passé en chemin et comment ils avaient
reconnu Jésus au moment où il rompait
le pain.

Jésus se montre à ses disciples

(Voir aussi Matt 28.16-20 ; Marc 16.14-18 ; Jean 20.19-23 ; Act 1.6-8)

36 Ils parlaient encore, quand Jésus lui-
même se présenta au milieu d'eux et leur
dit : « La paix soit avec vous[x] ! » 37 Ils furent saisis de crainte, et même de terreur,
car ils croyaient voir un fantôme. 38 Mais
Jésus leur dit : « Pourquoi êtes-vous troublés ? Pourquoi avez-vous ces doutes
dans vos cœurs ? 39 Regardez mes mains

---

t **24.12** Certains manuscrits n'ont pas ce verset.
u **24.13** La localisation d'*Emmaüs* est incertaine.
v **24.23** Voir 24.1-11.
w **24.26** *Ne fallait-il pas...* : voir 9.22 ; 17.25.
x **24.36** Certains manuscrits n'ont pas les mots *et leur dit : « La paix soit avec vous ! »*

et mes pieds : c'est bien moi ! Touchez-
moi et voyez, car un fantôme n'a ni chair
ni os, contrairement à moi, comme vous
pouvez le constater. » 40 Il dit ces mots et
leur montra ses mains et ses pieds[y].
41 Comme ils ne pouvaient pas encore
croire, tellement ils étaient remplis de
joie et d'étonnement, il leur demanda :
« Avez-vous ici quelque chose à manger ? » 42 Ils lui donnèrent un morceau de
poisson grillé. 43 Il le prit et le mangea devant eux. 44 Puis il leur dit : « Quand
j'étais encore avec vous, voici ce que je
vous ai déclaré : ce qui est écrit à mon sujet dans la *loi de Moïse, dans les livres
des *Prophètes et dans les Psaumes, tout
cela devait se réaliser. » 45 Alors il leur ouvrit l'intelligence pour qu'ils compre
nent les Écritures, 46 et il leur dit : « Voi
ce qui est écrit : le *Messie doit souffr
puis se relever d'entre les morts le tro
sième jour[z], 47 et il faut que l'on prêche e
son nom devant toutes les nations, e
commençant par Jérusalem ; on appelle
les humains à changer de comportemen
et à recevoir le pardon des péchés. 48 Vo
êtes témoins de tout cela. 49 Et je vais e
voyer moi-même sur vous ce que mo
Père a promis. Quant à vous, restez da
la ville jusqu'à ce que vous soyez rempl
de la puissance d'en haut[b]. »

Jésus monte au ciel

(Voir aussi Marc 16.19-20 ; Act 1.9-11)

50 Puis Jésus les emmena hors de
ville, près de Béthanie[c], et là, il leva l
mains et les *bénit. 51 Pendant qu'il l
bénissait, il se sépara d'eux et fut enle
au *ciel[d]. 52 Quant à eux, ils l'adorèrent
retournèrent à Jérusalem, pleins d'u
grande joie. 53 Ils se tenaient continuell
ment dans le *temple et louaient Dieu.

---

y **24.40** Certains manuscrits n'ont pas ce verset.
z **24.46** Comparer És 53 ; Osée 6.2.
a **24.47** *à changer de comportement* : autres traductions *à changer de mentalité* ou *à se repentir*.
b **24.49** Voir Act 1.4-5.
c **24.50** Voir Marc 11.1 et la note.
d **24.51** Comparer Act 1.9.

Évangile selon
Jean

Introduction – *Des quatre évangiles, celui de* Jean *est le plus original. Mis à part en effet récit de la Passion de Jésus (chap. 18–19), on n'y retrouve que peu d'éléments communs aux ıtres évangiles. Inversement, il est le seul à rapporter certains épisodes comme le mariage à ana (2.1-12) et les rencontres de Jésus avec Nicodème (3.1-21), avec la femme samaritaine .1-12), avec le paralysé de Bethzatha (5.1-18), avec l'aveugle de naissance (9.1-41), par emple. En comparaison des autres évangiles, il retient donc assez peu d'événements de la vie rrestre de Jésus. En revanche, il leur accorde une grande importance, la plupart d'entre eux ınt en effet l'occasion d'un enseignement approfondi donné par Jésus.*

Dans son prologue (1.1-18) en forme de poème, l'évangile présente Jésus comme la Parole ernelle de Dieu qui se fait homme et vient vivre avec les humains, présence parmi eux de la e, de la lumière et de la vérité.

Le corps de l'évangile peut s'articuler en deux grandes parties déterminées par « l'heure » de sus, c'est-à-dire le moment de sa mort, qui est aussi celui de son élévation à la gloire (2.4; .23).

Avant l'heure de Jésus (1.19–12.50) : cette première partie rapporte d'abord une chaîne de moignages : Jean-Baptiste, son disciple André, Philippe, Nathanaël expriment, chacun à sa anière, ce qu'ils ont découvert en la personne de Jésus. Puis l'évangile raconte diverses rencontres de Jésus et sept actes miraculeux qu'il présente comme des « signes », soulignant par là e l'essentiel est d'en saisir le sens. Jean achève cette première partie par une sorte de bilan et ı résumé du message de Jésus (12.37-50).

Quand l'heure est venue (13.1), Jésus laisse à ses disciples ses ultimes recommandations, en elque sorte son testament spirituel (chap. 13–16). Puis, dans la prière, il se prépare à affron- la mort et confie au Père ceux qu'il va laisser derrière lui (chap. 17). En rapportant alors rrestation, la condamnation et la mort de Jésus sur la croix, puis la découverte du tombeau de, Jean rejoint les grandes lignes du récit des autres évangiles (chap. 18–20). Le jour de Pâes est marqué par les apparitions du Christ ressuscité à Marie de Magdala, puis aux disples, en particulier à Thomas. Le chapitre 21 (sept disciples, dont Pierre, rencontrent le essuscité au bord du lac de Tibériade) est un supplément ajouté après la conclusion du livre.

Cette conclusion (20.30-31) révèle le but de l'évangile : amener le lecteur à reconnaître en sus le Messie promis, le Fils de Dieu. C'est ainsi qu'il trouvera la vie, tant il est vrai que Jés, l'envoyé du Père, est, comme il le dit lui-même, « le chemin, la vérité et la vie » (14.6).

La Parole de lumière et de vie

1 [1] Au commencement de toutes choses, la Parole existait déjà ; celui qui est la Parole était avec Dieu, et il était Dieu. [2] Il était donc avec Dieu au commencement[a]. [3] Dieu a fait toutes choses par lui ; rien n'a été fait sans lui[b] ; [4] ce qui a été fait avait la vie en lui[c]. Cette vie était la lumière des hommes. [5] La lumière brille dans l'obscurité, mais l'obscurité ne l'a pas reçue[d]. [6] Dieu envoya son messager, un homme appelé Jean[e]. [7] Il vint comme témoin, pour rendre témoignage à la lumière, afin que tous croient grâce à lui. [8] Il n'était pas lui-même la lumière, mais il devait rendre témoignage à la lumière. [9] Cette lumière était la seule lumière véritable, celle qui vient dans le monde et qui éclaire tous les hommes.

[10] Celui qui est la Parole était dans le monde. Dieu a fait le monde par lui[f], et pourtant le monde ne l'a pas reconnu. [11] Il est venu dans son propre pays[g], mais les siens ne l'ont pas accueilli. [12] Cependant, certains l'ont reçu et ont cru en lui ; il leur a donné le droit de devenir enfants de Dieu[h]. [13] Ils ne sont pas devenus enfants de Dieu par une naissance na
turelle, par une volonté humaine ; c'e
Dieu qui leur a donné une nouvelle vie.

[14] Celui qui est la Parole est devenu u
homme et il a vécu parmi nous, plein d
grâce et de vérité. Nous avons vu s
*gloire[i], la gloire que le Fils unique re
çoit du Père. [15] Jean lui a rendu témo
gnage ; il s'est écrié : « C'est de lui que j'a
parlé quand j'ai dit : “Il vient après mo
mais il est plus important que moi, car
existait déjà avant moi[j].” » [16] Nous avon
tous reçu notre part des richesses de s
grâce ; nous avons reçu une *bénédictio
après l'autre. [17] Dieu nous a donné la lo
par Moïse[k] ; mais la grâce et la vérité son
venues par Jésus-Christ. [18] Personne n'
jamais vu Dieu[l]. Mais le Fils unique, qu
est Dieu et demeure auprès du Père, lu
seul l'a fait connaître.

Le témoignage de Jean-Baptiste

(Voir aussi Matt 3.1-12 ; Marc 1.1-8 ; Luc 3.1-18)

[19] Voici le témoignage rendu par Jea
lorsque les autorités juives de Jérusaler
envoyèrent des *prêtres et des *lévite
pour lui demander : « Qui es-tu ? » [20] Il n
refusa pas de répondre, mais il affirm
très clairement devant tous : « Je ne sui
pas le *Messie. » [21] Ils lui demandèrent
« Qui es-tu donc ? Es-tu *Élie ? » – « Non
répondit Jean, je ne le suis pas. » – « Es-t
le *Prophète ? » dirent-ils. « Non », répor
dit-il[m]. [22] Ils lui dirent alors : « Qui es-t
donc ? Nous devons donner une répons
à ceux qui nous ont envoyés. Que dis-tu
ton sujet ? » [23] Jean répondit : « Je suis

“celui qui crie dans le désert :
Préparez un chemin bien droit pour l
Seigneur[n] !” »

– C'est ce qu'a dit le prophète Ésaïe. –

[24] Parmi les messagers envoyés à Jear
il y avait des *Pharisiens[o] ; [25] ils lui de
mandèrent encore : « Si tu n'es pas l
Messie, ni Élie, ni le Prophète, pourquo
donc baptises-tu ? » [26] Jean leur répondit
« Moi, je vous baptise avec de l'eau ; mai
il y a au milieu de vous quelqu'un qu
vous ne connaissez pas. [27] Il vient aprè
moi, mais je ne suis pas même digne d
délier la courroie de ses sandales. » [28] Tou
cela se passait à Béthanie[p], de l'autre côt

---

a **1.2** Comparer les v. 1-2 et Prov 8.22-26.
b **1.3** Comparer Gen 1.3 ; Ps 33.6,9 ; 1 Cor 8.6 ; Col 1.16-17.
c **1.4** *rien n'a été fait sans lui (v. 3) ; ce qui a été fait avait la vie en lui* : autre traduction (en ponctuant différemment le texte grec) *rien de ce qui existe n'a été fait sans lui. En lui était la vie.*
d **1.5** *l'obscurité ne l'a pas reçue* : autre traduction *l'obscurité n'a pas pu s'en rendre maîtresse.*
e **1.6** Il s'agit de Jean-Baptiste. Voir 1.19-36.
f **1.10** Voir v. 3.
g **1.11** *dans son propre pays* ou *chez lui, dans le monde qui est le sien.*
h **1.12** Comparer Gal 3.26 ; 1 Jean 3.1-2.
i **1.14** Comparer És 60.1-2.
j **1.15** Voir 1.30.
k **1.17** Voir Ex 31.18 ; 34.28.
l **1.18** Comparer Ex 33.20.
m **1.21** Voir Mal 3.23 ; Deut 18.15,18.
n **1.23** És 40.3, cité d'après l'ancienne version grecque.
o **1.24** Autre traduction *Les messagers envoyés à Jean étaient des Pharisiens.*
p **1.28** *Béthanie* : village de site inconnu localisé à l'est du Jourdain ; il ne faut pas le confondre avec le village du même nom situé à proximité de Jérusalem (voir 11.1).

la rivière, le Jourdain, là où Jean bapti-
it.

Jésus, l'Agneau de Dieu

29 Le lendemain, Jean vit Jésus venir à
i, et il dit : « Voici l'Agneau de Dieu qui
lève le péché du monde[q]. 30 C'est de lui
ie j'ai parlé quand j'ai dit : "Un homme
ent après moi, mais il est plus impor-
nt que moi, car il existait déjà avant
oi." 31 Je ne savais pas qui ce devait être,
ais je suis venu baptiser avec de l'eau
n de le faire connaître au peuple *d'Is-
ël. »
32 Jean déclara encore : « J'ai vu l'Esprit
Dieu descendre du *ciel comme une
lombe et demeurer sur lui[r]. 33 Je ne sais pas encore qui il était, mais Dieu, qui
'a envoyé baptiser avec de l'eau, m'a
t : "Tu verras l'Esprit descendre et de-
eurer sur un homme ; c'est lui qui va
ptiser avec le Saint-Esprit." 34 J'ai vu
la, dit Jean, et j'atteste donc que cet
mme est le *Fils de Dieu. »

Les premiers disciples de Jésus

35 Le lendemain, Jean était de nouau là, avec deux de ses *disciples.
Quand il vit Jésus passer, il dit : « Voici
Agneau de Dieu[s] ! » 37 Les deux dis-
oles de Jean entendirent ces paroles, et
suivirent Jésus. 38 Jésus se retourna, il
qu'ils le suivaient et leur demanda :
Que cherchez-vous ? » Ils lui dirent :
Où demeures-tu, Rabbi[t] ? » – Ce mot si-
ifie « Maître ». – 39 Il leur répondit :
Venez, et vous verrez. » Ils allèrent
nc et virent où il demeurait, et ils pas-
rent le reste de ce jour avec lui. Il était
ors environ quatre heures de l'après-
idi.
40 L'un des deux qui avaient entendu
paroles de Jean et avaient suivi Jésus,
ait André, le frère de Simon Pierre.
La première personne que rencontra
ndré fut son frère Simon ; il lui dit :
Nous avons trouvé le *Messie. » – Ce
ot signifie « Christ ». – 42 Et il conduisit
mon auprès de Jésus. Jésus le regarda et
t : « Tu es Simon, le fils de Jean ; on
ppellera Céphas[u]. » – Ce nom signifie
Pierre ». –

Philippe et Nathanaël

43 Le lendemain, Jésus décida de partir
pour la Galilée. Il rencontra Philippe et
lui dit : « Suis-moi ! » 44 – Philippe était
de Bethsaïda[v], la localité d'où provenaient aussi André et Pierre. – 45 Ensuite,
Philippe rencontra Nathanaël et lui dit :
« Nous avons trouvé celui dont Moïse a
parlé dans le livre de la *Loi et dont les
*prophètes aussi ont parlé[w]. C'est Jésus,
le fils de Joseph, de Nazareth. » 46 Nathanaël lui dit : « Peut-il venir quelque chose
de bon de Nazareth ? » Philippe lui répondit : « Viens, et tu verras. »
47 Quand Jésus vit Nathanaël s'approcher de lui, il dit à son sujet : « Voici un
véritable Israélite ; il n'y a rien de faux en
lui. » 48 Nathanaël lui demanda : « Comment me connais-tu ? » Jésus répondit :
« Je t'ai vu quand tu étais sous le figuier[x],
avant que Philippe t'appelle. » 49 Alors
Nathanaël lui dit : « Maître, tu es le *Fils
de Dieu, tu es le roi *d'Israël[y] ! » 50 Jésus
lui répondit : « Ainsi, tu crois en moi
parce que je t'ai dit que je t'avais vu sous
le figuier ? Tu verras de bien plus grandes
choses que celle-ci ! » 51 Et il ajouta :
« Oui, je vous le déclare, c'est la vérité :
vous verrez le *ciel ouvert et les *anges
de Dieu monter et descendre au-dessus
du *Fils de l'homme[z] ! »

Le mariage à Cana

2 1 Deux jours après, il y eut un mariage à Cana, en Galilée. La mère de
Jésus était là, 2 et on avait aussi invité Jésus et ses *disciples à ce mariage. 3 A un
moment donné, il ne resta plus de vin. La
mère de Jésus lui dit alors : « Ils n'ont
plus de vin. » 4 Mais Jésus lui répondit :

---

q **1.29** Comparer És 53.6-7.
r **1.32** Comparer És 11.2 ; 61.1.
s **1.36** Voir 1.29.
t **1.38** *Rabbi* : mot araméen.
u **1.42** *Céphas* : mot araméen.
v **1.44** *Bethsaïda* : localité voisine de Capernaüm.
w **1.45** Comparer Deut 18.18 ; És 9.5-6 ; Ézék 34.23.
x **1.48** D'après les récits des rabbins, on s'abritait volontiers sous un *figuier* pour lire et méditer l'Écriture.
y **1.49** Comparer Ps 2.7 ; Soph 3.15.
z **1.51** Comparer Gen 28.12.

« Mère, est-ce à toi de me dire ce que j'ai à
faire[a] ? Mon heure n'est pas encore venue. » 5 La mère de Jésus dit alors aux serviteurs : « Faites tout ce qu'il vous dira. »
6 Il y avait là six récipients de pierre que
les Juifs utilisaient pour leurs rites de
*purification. Chacun d'eux pouvait
contenir une centaine de litres. 7 Jésus dit
aux serviteurs : « Remplissez d'eau ces récipients. » Ils les remplirent jusqu'au
bord. 8 Alors Jésus leur dit : « Puisez
maintenant un peu de cette eau et por-
tez-en au maître de la fête. » C'est ce qu'ils
firent. 9 Le maître de la fête goûta l'eau
changée en vin. Il ne savait pas d'où venait ce vin, mais les serviteurs qui avaient
puisé l'eau le savaient. Il appela donc le
marié 10 et lui dit : « Tout le monde
commence par offrir le meilleur vin, puis,
quand les invités ont beaucoup bu, on
sert le moins bon. Mais toi, tu as gardé le
meilleur vin jusqu'à maintenant ! »

11 Voilà comment Jésus fit le premier
de ses signes miraculeux, à Cana en Galilée ; il manifesta ainsi sa *gloire, et ses
disciples crurent en lui. 12 Après cela, il se
rendit à Capernaüm[b] avec sa mère, ses
frères et ses disciples. Ils n'y restèrent
que peu de jours.

Jésus dans le temple

(Voir aussi Matt 21.12-13 ; Marc 11.15-17 ; Luc 19.45-46)

13 La fête juive de la *Pâque était proche et Jésus alla donc à Jérusalem[c].
14 Dans le *temple, il trouva des gens qui
vendaient des bœufs, des moutons et d
pigeons ; il trouva aussi des changeu
d'argent assis à leurs tables[d]. 15 Alors, il f
un fouet avec des cordes et les chassa to
hors du temple, avec leurs moutons
leurs bœufs[e] ; il jeta par terre l'argent d
changeurs en renversant leurs tables ; 16
il dit aux vendeurs de pigeons : « Enlev
tout cela d'ici ! Ne faites pas de la maiso
de mon Père une maison de commerce !
17 Ses *disciples se rappelèrent ces parol
de l'Écriture : « L'amour que j'ai pour
maison, ô Dieu, me consumera comme u
feu[f]. »

18 Alors les chefs juifs lui demandèren
« Quel signe miraculeux peux-tu faire po
nous prouver que tu as le droit d'ag
ainsi ? » 19 Jésus leur répondit : « Détruis
ce temple, et en trois jours je le rebât
rai[g]. » – 20 « On a mis quarante-six ans po
bâtir ce temple, et toi, tu vas le rebâtir e
trois jours ? » lui dirent-ils[h]. 21 Mais le ten
ple dont parlait Jésus, c'était son corp
22 Plus tard, quand Jésus revint d'entre l
morts, ses disciples se rappelèrent qu'
avait dit cela ; et ils crurent à l'Écriture
aux paroles que Jésus avait dites.

Jésus connaît bien le cœur humain

23 Pendant que Jésus était à Jérusaler
au moment de la fête de la *Pâque, bea
coup crurent en lui en voyant les sign
miraculeux qu'il faisait. 24 Mais Jés
n'avait pas confiance en eux, parce qu'
les connaissait tous très bien. 25 Il n'ava
pas besoin qu'on le renseigne sur qui q
ce soit, car il savait lui-même ce qu'il y
dans le cœur humain.

Jésus et Nicodème

3 1 Il y avait un homme appelé Nic
dème, qui était du parti des *Phar
siens et qui était l'un des chefs juifs. 2
vint une nuit trouver Jésus et lui di
« Maître, nous savons que Dieu t'a e
voyé pour nous apporter un enseign
ment ; car personne ne peut faire d
signes miraculeux comme tu en fais
Dieu n'est pas avec lui. » 3 Jésus lui répo
dit : « Oui, je te le déclare, c'est la vérit
personne ne peut voir le *Royaume
Dieu s'il ne naît pas de nouveau[i]. » 4 N

---

a 2.4 *Mère* : litt. *Femme*, mais le terme grec n'a pas la nuance d'irrespect que comporte la traduction littérale en français. – *est-ce à toi... ce que j'ai à faire* : autre traduction *que me veux-tu ?*

b 2.12 Voir Matt 4.13.

c 2.13 Voir Ex 12.1-27.

d 2.14 Voir Marc 11.15 et la note.

e 2.15 *les chassa... bœufs* : autre traduction *il chassa tous* (les animaux), *les moutons comme les bœufs*.

f 2.17 Ps 69.10.

g 2.19 Comparer Matt 26.61 ; 27.40 ; Marc 14.58 ; 15.29.

h 2.20 La reconstruction du temple avait commencé vers l'année 20 avant J.-C. sous l'impulsion d'Hérode le Grand.

i 3.3 *de nouveau* : le terme grec traduit ainsi signifie aussi *d'en haut*. Il est probable que Jean joue sur le double sens de ce mot.

ɔdème lui demanda : « Comment un
omme déjà âgé peut-il naître de nou-
eau ? Il ne peut pourtant pas retourner
ans le ventre de sa mère et naître une se-
ɔnde fois ? » 5 Jésus répondit : « Oui, je te
déclare, c'est la vérité : personne ne
eut entrer dans le Royaume de Dieu s'il
e naît pas d'eau et de l'Esprit. 6 Ce qui
aît de parents humains est humain ; ce
ui naît de l'Esprit de Dieu est esprit.
Ne sois pas étonné parce que je t'ai dit :
Il vous faut tous naître de nouveau[j]."
Le vent[k] souffle où il veut ; tu entends le
ruit qu'il fait, mais tu ne sais pas d'où il
ient ni où il va. Voilà ce qui se passe
our quiconque naît de l'Esprit de
ieu. »
9 Alors Nicodème lui dit : « Comment
ela peut-il se faire ? » 10 Jésus lui répon-
it : « Toi qui es un maître réputé en *Is-
aël, tu ne sais pas ces choses ? 11 Oui, je te
déclare, c'est la vérité : nous parlons de
e que nous savons, et nous témoignons
e ce que nous avons vu, mais vous ne
oulez pas accepter notre témoignage.
Vous ne me croyez pas quand je vous
arle des choses terrestres ; comment
onc me croirez-vous si je vous parle des
hoses *célestes ? 13 Personne n'est jamais
onté au ciel, excepté le *Fils de
homme qui est descendu du ciel[l] ! 14 De
ême que Moïse a élevé le serpent de
ronze sur une perche dans le désert[m], de
ême le Fils de l'homme doit être élevé,
afin que quiconque croit en lui ait la vie
ernelle. 16 Car Dieu a tellement aimé le
onde qu'il a donné son Fils unique,
in que quiconque croit en lui ne soit
as perdu mais qu'il ait la vie éternelle.
Dieu n'a pas envoyé son Fils dans le
onde pour condamner le monde, mais
our sauver le monde par lui. 18 Celui qui
oit au Fils n'est pas condamné ; mais
elui qui ne croit pas est déjà condamné,
arce qu'il n'a pas cru au Fils unique de
ieu. 19 Voici comment la condamnation
manifeste : la lumière est venue dans le
onde, mais les hommes préfèrent l'obs-
urité à la lumière, parce qu'ils agissent
al. 20 Quiconque fait le mal déteste la lu-
ière et s'en écarte, car il a peur que ses
auvaises actions apparaissent en plein
ur. 21 Mais celui qui obéit à la vérité
vient à la lumière, afin qu'on voie clairement que ses actions sont accomplies en
accord avec Dieu. »

Jésus et Jean

22 Après cela, Jésus et ses *disciples allèrent en Judée. Il y resta quelque temps
avec eux, et il baptisait[n]. 23 Jean aussi baptisait, à Énon près de Salim[o], parce qu'il y
avait là beaucoup d'eau. Les gens venaient à lui et il les baptisait. 24 En effet,
Jean n'avait pas encore été mis en prison[p].
25 Alors quelques-uns des disciples de
Jean commencèrent à discuter avec un
Juif[q] des rites de *purification. 26 Ils allèrent trouver Jean et lui dirent : « Maître, tu te rappelles l'homme qui était avec
toi de l'autre côté du Jourdain, celui auquel tu as rendu témoignage ? Eh bien, il
baptise maintenant et tout le monde va le
voir ! » 27 Jean leur répondit : « Personne
ne peut avoir quoi que ce soit si Dieu ne
le lui a pas donné. 28 Vous pouvez vous-
mêmes témoigner que j'ai dit : "Je ne suis
pas le *Messie, mais j'ai été envoyé devant lui[r]." 29 Celui à qui appartient la mariée, c'est le marié ; mais l'ami du marié
se tient près de lui et l'écoute, et il est tout
joyeux d'entendre la voix du marié. Cette
joie est la mienne, et elle est maintenant
complète. 30 Il faut que son influence
grandisse et que la mienne diminue. »

Celui qui vient du ciel

31 « Celui qui vient d'en haut est au-
dessus de tous ; celui qui est de la terre
appartient à la terre et parle des choses de

---

j **3.7** *de nouveau* ou *d'en haut* (voir v. 3).

k **3.8** En grec, c'est le même terme qui désigne le *vent* et l'*Esprit*. Il y donc également un jeu de mots à cet égard dans ce passage.

l **3.13** Certains manuscrits ont *celui qui est descendu du ciel, le Fils de l'homme qui est dans le ciel*. – Pour l'ensemble du verset comparer Prov 30.4 ; Rom 10.6.

m **3.14** Voir Nomb 21.9.

n **3.22** Voir 4.1-2.

o **3.23** *Énon* et *Salim* : deux localités de site incertain, dans la vallée du Jourdain.

p **3.24** Voir Matt 14.3 ; Marc 6.17 ; Luc 3.19-20.

q **3.25** *avec un Juif* : certains manuscrits ont *avec des Juifs*.

r **3.28** Voir 1.20. Comparer Mal 3.1.

la terre. Celui qui vient du *ciel [est au-
dessus de tous][s] ; 32 il témoigne de ce qu'il
a vu et entendu, mais personne n'accepte
son témoignage. 33 Celui qui accepte son
témoignage certifie ainsi que Dieu dit la
vérité. 34 Celui que Dieu a envoyé dit les
paroles de Dieu, car Dieu lui donne pleinement son Esprit. 35 Le Père aime le Fils
et a tout mis en son pouvoir. 36 Celui qui
croit au Fils a la vie éternelle ; celui qui
refuse de croire au Fils n'aura pas cette
vie, mais il reste exposé à la colère de
Dieu. »

Jésus et la femme de Samarie

4 1-3 Les *Pharisiens entendirent raconter que Jésus faisait et baptisait
plus de *disciples que Jean. – En réalité,
Jésus lui-même ne baptisait personne,
c'étaient ses disciples qui baptisaient. –
Quand Jésus apprit ce que l'on racontait,
il quitta la Judée et retourna en Galilée.
4 Pour y aller, il devait traverser la Samarie. 5 Il arriva près d'une localité de Samarie appelée Sychar, qui est proche du
champ que Jacob avait donné à son fils
Joseph[t]. 6 Là se trouvait le puits de Jacob.
Jésus, fatigué du voyage, s'assit au bord
du puits. Il était environ midi.
7 Une femme de Samarie vint pour puiser de l'eau et Jésus lui dit : « Donne-moi
à boire. » 8 – Ses disciples étaient allés à la
ville acheter de quoi manger. – 9 La
femme samaritaine dit à Jésus : « Mais, tu
es Juif ! Comment oses-tu donc me demander à boire, à moi, une Samaritaine ? » – En effet, les Juifs n'ont pas de
relations avec les *Samaritains[u]. – 10 Jésus lui répondit : « Si tu connaissais ce
que Dieu donne, et qui est celui qui te d
mande à boire, c'est toi qui lui aura
demandé de l'eau et il t'aurait donné
l'eau vive[v]. » 11 La femme répliqu
« Maître, tu n'as pas de seau et le puits e
profond. Comment pourrais-tu avo
cette eau vive ? 12 Notre ancêtre Jac
nous a donné ce puits ; il a bu lui-mêm
de son eau, ses fils et ses troupeaux en o
bu aussi. Penses-tu être plus grand q
Jacob ? » 13 Jésus lui répondit : « Qu
conque boit de cette eau aura de nouve
soif ; 14 mais celui qui boira de l'eau que
lui donnerai n'aura plus jamais soif : l'e
que je lui donnerai deviendra en lui u
source d'où jaillira la vie éternelle[w]
15 La femme lui dit : « Maître, donne-m
cette eau, pour que je n'aie plus soif
que je n'aie plus besoin de venir puiser
l'eau ici. »
16 Jésus lui dit : « Va chercher ton ma
et reviens ici. » 17 La femme lui répondi
« Je n'ai pas de mari. » Et Jésus lui d
clara : « Tu as raison d'affirmer que
n'as pas de mari ; 18 car tu as eu cinq m
ris, et l'homme avec lequel tu vis maint
nant n'est pas ton mari. Tu as dit
vérité. » 19 Alors la femme s'exclam
« Maître, je vois que tu es un *prophèt
20 Nos ancêtres samaritains ont ado
Dieu sur cette montagne, mais vous, l
Juifs, vous dites que l'endroit où l'on do
adorer Dieu est à Jérusalem[x]. » 21 Jésus l
répondit : « Crois-moi, le moment vie
où vous n'adorerez le Père ni sur cet
montagne, ni à Jérusalem. 22 Vous, les S
maritains, vous adorez Dieu sans
connaître ; nous, les Juifs, nous l'adoro
et le connaissons, car le salut vient d
Juifs[y]. 23 Mais le moment vient, et il e
même déjà là, où les vrais adorateurs ad
reront le Père en étant guidés par son E
prit et selon sa vérité ; car tels sont l
adorateurs que veut le Père. 24 Dieu e
Esprit, et ceux qui l'adorent doive
l'adorer en étant guidés par son Esprit
selon sa vérité. » 25 La femme lui dit : «
sais que le *Messie – c'est-à-dire
Christ – va venir. Quand il viendra,
nous expliquera tout. » 26 Jésus lui répo
dit : « Je le suis, moi qui te parle. »
27 A ce moment, les disciples de Jés
revinrent ; et ils furent étonnés de le vo

---

s **3.31** Certains manuscrits n'ont pas *est au-dessus de tous* ; il faut alors comprendre le texte ainsi : *Celui qui vient du ciel 32 témoigne de ce qu'il a vu...*

t **4.5** Voir Gen 33.19 ; Jos 24.32.

u **4.9** Comparer Luc 9.52-53.

v **4.10** *eau vive* ou *eau courante*. Il y a ici une sorte de jeu de mots : *l'eau vive* dont parle Jésus est aussi ce qui donne la vie (voir v. 14) ; comparer 7.37.

w **4.14** Comparer És 12.3 ; Jér 2.13 ; 17.13.

x **4.20** Exclus de la communauté juive, les Samaritains avaient édifié un temple sur le *mont Garizim*, montagne proche de l'ancienne Sichem. – *à Jérusalem* : comparer Ps 122.1-4.

y **4.22** Comparer És 2.3 ; Rom 9.3-4.

a Bible
n questions

a Bible comme guide,
ui mais…

lecture de la Bible est vraiment passionnte lorsque les textes prennent vie pour us et nous interpellent directement. Mais :'arrive sans doute de trouver les textes anges et obscurs. Des questions fondantales surgissent et exigent une réponse. pages qui suivent abordent quelqueses des questions qui ne manqueront pas se poser à toi.

tu lis la Bible en y cherchant des direces pour ta vie personnelle, sois attentif éléments suivants:

s lois universelles

s « dix commandements » constituent le illeur exemple de lois valables aussi bien ns l'Ancien que dans le Nouveau Testament. Ils se trouvent en Exode 20.1-17 et en utéronome 5.1-21. Pour savoir comment us voyait les dix commandements, lis rc 12.28-34. Même si Jésus en éclaire et ouvelle la compréhension, les dix comndements n'ont rien perdu de leur var. Nous pouvons donc nous en inspirer et conformer notre éthique de vie quotinne.

Les prescriptions particulières

La Bible contient de nombreuses prescriptions liées à des situations culturelles particulières aux époques de l'Ancien et du Nouveau Testament. La prescription de Deutéronome 24.6 par exemple recommande de ne pas exiger en gage de quelqu'un sa meule à blé puisqu'elle sert à moudre le

grain dont on fait le pain. Voici ce que cela signifie : Dieu ne veut pas que l'on prive les hommes de leurs moyens d'existence. Ils doivent pouvoir pourvoir eux-mêmes à leurs besoins fondamentaux. – Le seul fait d'appliquer ce principe à notre époque provoquerait déjà de grands changements dans le monde !

Les récits didactiques

Il arrive souvent que la Bible présente des principes de vie sous forme de récits ayant valeur d'enseignement. Un bon exemple se trouve en 2 Samuel 12.1–15, où Dieu se sert d'une parabole racontée par le prophète Natan pour obliger le roi David à prendre conscience de sa faute et à prononcer lui-même son propre jugement.

Jésus comme modèle

Par ses actes et son enseignement, Jésus voulait montrer aux humains à quoi ressemble une vie conforme à la volonté de Dieu. Son exemple a impressionné et influencé des hommes et des femmes de tous les temps :

Ce n'était pas sa propre volonté, mais projet de Dieu qui primait (Luc 2.41-42).

Il nous a enseigné à pardonner aux aut (Matthieu 18.21-35).

Il était tout particulièrement attentif a exclus et à ceux qui souffraient (M 10.46-52).

Il a fait de l'amour le cœur de la religi (Jean 13.34-35).

Parfois, il est difficile de trouver des dir tives bibliques d'inspiration pour notre quotidienne moderne. Il arrive aussi que chrétiens aient des positions divergean sur certains problèmes précis tout en les j tifiant par la Bible. Pour plus de précision ce sujet, voir les pages en couleur 53–54.

Intérieur d'un « mouroir » de mère Teresa, à Calcutta. A l'exemple de Jésus, mère Teresa accueillait les pauvres et les déshérités.

.a Bible est-elle
a Parole de Dieu ?

.a Bible n'est pas un livre comme les autres. n la lisant, tu finiras par le sentir : son but 'est pas de raconter des histoires du passé. 'est toi-même qui es interpellé – tu y ouves un écho aux questions qui te préoc- ıpent, aux doutes qui te tourmentent. lais la Bible dépasse de loin notre logique ımaine. Qui se laisse entièrement saisir ar le message biblique peut découvrir que ieu lui-même s'adresse à lui ou à elle. Les aroles de la Bible deviennent alors paroles e salut qui délivrent du doute et de la peur, les donnent un sens et une cohérence à otre vie. Vue de cette manière, la Bible est Parole de Dieu, mais non une parole tombée du ciel ». Elle est Parole de eu en ce sens qu'elle est pour nous le eilleur moyen de connaître Dieu. ans la Bible, la Parole de Dieu vient nous sous forme d'expériences et paroles humaines.

e qui suit est destiné à t'aider à ieux comprendre la relation particulière itre Parole de Dieu et paroles humaines.

a transmission de la Parole

es récits bibliques remontent en grande rtie à une époque où peu de gens sa- ient lire et écrire. C'est pourquoi ces his- ires ont d'abord été transmises de bouche oreille. Le père les transmettait à ses en- nts, le maître à ses élèves, et les personnes ées aux jeunes. Celui qui a finalement mis le ou telle histoire par écrit n'est donc e le dernier maillon d'une longue chaîne transmission.

Nous, chrétiens, nous croyons que l'Esprit de Dieu était à l'œuvre dans chaque phase de ce processus, et qu'il inspirait ceux qui transmettaient ces récits chacun à leur manière – de celui qui, le premier, a raconté l'histoire jusqu'à celui qui l'a écrite. C'est aussi l'Esprit de Dieu qui permet à un lecteur de la Bible d'y percevoir la Parole de Dieu à travers le language humain.

Des porte-parole de Dieu

Quelques auteurs bibliques signalent explicitement qu'ils annoncent aux hommes un message dont Dieu lui-même les a chargés. Cela est particulièrement vrai pour les prophètes (voir aussi la page en couleur 33 et l'entrée « prophète » du Vocabulaire). Tu trouveras un bon exemple en Ézékiel 3.4. Même les récits d'événements historiques, comme on en trouve dans une grande partie de l'Ancien Testament, ont été écrits et conservés parce que des hommes ont discerné dans ces événements l'action de Dieu.

Des auteurs imprégnés de fo

Les auteurs des livres bibliques étaient de
croyants et ils voulaient éveiller la foi che
leurs lecteurs. C'est pourquoi ils ne parle
pas en observateurs « neutres », mais pr
sentent leurs récits de manière à reflét
leur propre expérience de foi. Ceci se r
marque en particulier dans les récits q
sont rapportés plus d'une fois dans la Bibl
La mort de Jésus, racontée dans les quat
évangiles, constitue un exemple très él
quent (voir aussi le chapitre « Jésus-Chris
un personnage unique », aux pages en co
leur 71–74). Ce récit se trouve en Marc 1
Matthieu 27, Luc 23 et Jean 19. Il suffit
comparer quelle est la dernière parole
Jésus que transmet chaque évangéliste po
comprendre ce qui lui semble importa
dans la mort de Jésus : d'après Marc 15.34
Matthieu 27.46, Jésus meurt dans la profo
de douleur de celui qui se sait abandon
de Dieu ; mais il exprime à Dieu sa doule
en empruntant des paroles du Psaume 2
lequel exprime aussi la joie de la délivran
et l'espoir que tous les peuples se tourn
ront vers Dieu. D'après Luc 23.34,43,46, J
sus demande à Dieu son pardon pour ce
qui l'ont crucifié et promet le paradis au v
leur repentant mis en croix à côté de l
Avant de mourir, il prie avec les paroles
Psaume 31, exprimant ainsi sa confiance
ébranlable en son Père céleste. D'après Je
19.30 enfin, Jésus meurt en disant : « To
est achevé » – en roi qui, avec cette paro
entre définitivement dans son Royaume.

a Bible,
omme de discorde ?

es chrétiens sont loin d'être toujours unanes sur le sens des textes bibliques. Pars ils aboutissent à des jugements diamélement opposés, alors que tous se lament de la Bible. Comment est-ce posle ? Et que faire ?

ttention aux vues partielles

est rare que le message de la Bible soit exmé sous forme de phrases ou de résumés nples et immédiatement compréhenles. Certains versets bibliques peuvent oir plusieurs sens – ou nuances de sens. Le is souvent, il est nécessaire de consulter isieurs passages pour se faire une idée nplète d'un sujet. Parfois, différentes afnations de la Bible peuvent paraître contradictoires, et seules des informations supplémentaires permettent de comprendre de quoi il s'agit réellement. Si l'on se contente d'interpréter superficiellement un verset ou de le citer sans tenir compte de son contexte, les avis ne peuvent que diverger rapidement. Il faut alors poursuivre la lecture et consulter d'autres passages qui abordent le même sujet. La plupart des éditions de la Bible contiennent, en note, des **références** renvoyant à d'autres textes bibliques qui te permettront de suivre un thème (voir la page en couleur 13). Souvent, les articles du **Vocabulaire** t'apportent des éclaircissements et des renseignements complémentaires. Pour étudier à fond une notion particulière, il peut être utile de recourir à une concordance biblique, qui fait la liste de tous les passages de la Bible employant un mot donné.

La Bible nous lance un défi

Des divergences d'opinion peuvent surgir entre chrétiens même si le sens du message biblique est clair. L'écrivain américain Mark Twain confessait à ce sujet : « La plupart des gens ont du mal avec les passages bibliques qu'ils ne comprennent pas. Pour ma part, j'avoue que ce sont justement ceux que je comprends qui me perturbent ! » Tout le monde n'est en effet pas prêt à se laisser remettre en question dans sa manière de vivre par des paroles bibliques souvent dérangeantes. L'honnêteté intellectuelle accepte le texte biblique tel qu'il est, avec les passages qui posent problème. C'est ainsi qu'on évite l'écueil des interprétations simplistes, superficielles, voire sectaires.

Le message original

Comme nous l'avons dit précédemment (voir pages en couleur 17–18), il est important de comprendre la signification qu'avait un texte biblique pour ses premiers destinataires dans la situation de l'époque. Ensuite seulement, on peut se demander en quoi ce texte concerne notre vie dans le monde moderne. Nous avons à cet égard un avantage considérable sur les générations précédentes : grâce à la recherche biblique, il es maintenant possible de préciser quan comment et pourquoi certains textes or été écrits. Si la Bible n'a pas changé au des siècles, les possibilités de la comprend ont fait un bond en avant.

Poursuivre le dialogue

Quand des opinions différentes se fo jour à propos des textes bibliques, l'esse tiel est de poursuivre le dialogue dans ur attitude d'ouverture et d'amitié même l'égard de ceux dont le point de vue est di férent du nôtre.

Essayez ensemble de considérer la questi litigieuse dans une perspective plus larg Ne vous attachez pas à des passages b bliques isolés, mais examinez-les à la lumi re de leur contexte.

L'intelligence n'est pas seule concern lorsqu'il s'agit de creuser une question, cœur sincère est tout aussi important. D mandez à Dieu, dans la prière, de vous do ner de recevoir le message du texte ! Sa P role veut rassembler les êtres humains, n les séparer !

u secours,
ᴇ n'y comprends rien !

vec une traduction moderne de la Bible, mme la Bible en français courant, tu ne vrais pas avoir trop de problèmes de comhension. Il peut pourtant t'arriver de mber sur des mots qui n'appartiennent s à ton vocabulaire courant, ou qui n'ont us le même sens qu'autrefois.

lots rares

l'époque biblique existaient au Procheient certains animaux, plantes ou minéux qui nous sont peu connus aujourd'hui. ends par exemple Lévitique 14.4 : qu'estque l'hysope ? Dans le texte, le mot porte astérisque (*), qui te renvoie aux explitions du Vocabulaire. Il en va de même ur d'autres mots peu courants.

Noms qui « parlent »

La Bible est riche en noms propres qui « parlent » parce qu'ils ont une signification dans la langue originale. Le nom de Béthel par exemple est très connu. Il signifie littéralement « maison de Dieu ». Pour en savoir plus à ce sujet, lis le récit du rêve de Jacob en Genèse 28.10-22. On peut encore citer un lieu appelé Meriba. Ce nom signifie « querelle » et s'explique par le fait que pendant sa longue traversée du désert, le peuple d'Israël a cherché querelle à Moïse, prétendant que Dieu l'avait abandonné. Ce récit se trouve en Exode 17.1-7. De tels jeux de mots sont en général expliqués soit dans le Vocabulaire (à la fin de la Bible) soit dans les notes de bas de page (voir les pages en couleur 12–14).

Termes propres au judaïsme

La Bible contient des mots comme « Pharisiens », « lévites » ou « Messie », qui avaient une signification particulière dans la vie religieuse des juifs. La première fois qu'un de ces mots apparaît dans une page, un astérisque * te signale que tu peux trouver une explication dans le Vocabulaire.

Le langage de la foi

Pour vraiment comprendre la Bible il est important de saisir le sens particulier que prennent certaines expressions comme, par exemple, « grâce » ou « faute », dans un contexte religieux. Comme ces termes ne sont pas toujours expliqués dans le Vocab
laire, il peut être utile de consulter un di
tionnaire biblique. Mais parfois, même c
informations ne seront pas suffisantes. Ce
taines notions clés ont de nombreuses f
cettes que tu ne découvriras qu'à force
les sonder. C'est certainement le cas d'
terme comme « grâce », ou d'une notic
pourtant familière, comme « amour ».
dialogue avec d'autres chrétiens peut au
contribuer à nous faire saisir leur port
pour notre vie et pour notre foi. Pour co
prendre pleinement le sens de tels termes,
est enfin indispensable de prendre
temps pour les méditer et pour prier.

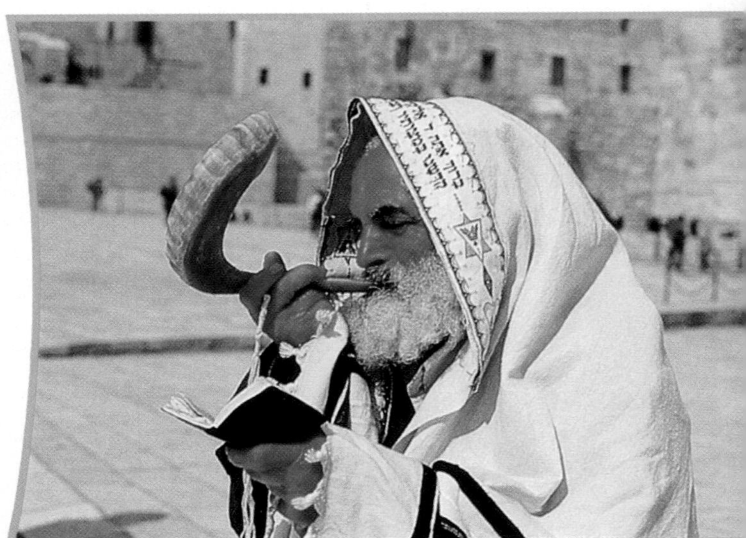

Le rituel juif du grand jour du Pardon (jour national de jeûne et de prière) comprend la sonnerie du « shofar », un cor fait d'une corne de bélier.

'ourquoi lire 'Ancien Testament e nos jours ?

'Ancien Testament constitue plus des deux rs de la Bible chrétienne. Pourtant de andes parties en sont fort peu connues. urquoi lire l'Ancien Testament ?

arce qu'il est un des ouvrages majeurs e la littérature mondiale

'Ancien Testament contient une foule de cits passionnants et chargés de sens, ainsi e de superbes poèmes. L'histoire de Jooh, le livre de Job, les Psaumes ou les ants d'amour du Cantique des cantiques uchent même des personnes qui ne pargent ni la foi d'Israël ni celle de l'Église. s textes sont une source d'inspiration ur les plus grands écrivains et artistes de us les temps.

arce qu'il nous aide mieux nous comprendre ous-mêmes

Ancien Testament nous fait rencontrer s êtres humains qui nous ressemblent – s hommes et des femmes avec leurs forces leurs faiblesses, leurs joies et leurs peines, ırs espoirs et leurs craintes, leur foi et leur ute. L'Ancien Testament nous révèle un eu proche d'eux, qui a besoin d'eux pour aliser ses plans. Il nous fait découvrir coment, saisis par Dieu, ces hommes et ces mmes trouvent un sens et un but à leur vie.

Georges de La Tour, peintre du XVIIe siècle, a puisé dans l'Ancien Testament son inspiration pour ce tableau représentant Job raillé par sa femme.

Parce qu'il nous aide à mieux comprendre le peuple juif

L'Ancien Testament était et continue à être l'Écriture Sainte d'Israël. Pour mieux comprendre le rôle particulier de ce peuple dans l'histoire du monde, il faut étudier les documents qui expriment le sens que ce peuple donne à son existence et à son histoire. Juifs et chrétiens ont leur racine commune dans l'Ancien Testament. Qui prend conscience de notre héritage commun évitera d'être pris au piège de malentendus ou de préjugés.

Parce qu'il nous aide à mieux comprendre Jésus-Christ

Comme tout garçon juif, Jésus a acquis une solide connaissance de l'Ancien Testament. Il s'y référait sans cesse (voir par exemple Luc 4.16-19), et de nombreux écrits du Nouveau Testament lui ont emboîté le pas. 2 Timothée 3.14-17 par exemple fait référence au rôle de l'Ancien Testament. L'Ancien Testament constituait également l'Écriture Sainte des premiers chrétiens, qui y découvraient de nombreux passages qu'ils interprétaient comme des prophéties concernant Jésus-Christ. Ils considéraient que celles-ci s'étaient pleinement réalisées avec sa venue. L'un des textes les plus importants que cite le Nouveau Testament est le chant du serviteur souffrant tiré du livre du prophète Ésaïe (Ésaïe 52.13 à 53.12). Le récit de la conversion d'un haut fonctionnaire éthiopien (Actes 8.26-40) montre comment ce texte prophétique était compris par les premiers chrétiens. Un autre exemple, qui nous est sans doute bien plus familier, est celui des messages prophétiques qui continuent à être inclus dans nos célébrations de l'Avent et de Noël (voir Ésaïe 9.1-6; Ésaïe 60.1-3 et Zacharie 9.9-10).

L'Ancien Testament n'est pas périmé depuis la venue de Jésus. Son sens et sa richesse demeurent. Il est impossible de comprendre la personne et la mission de Jésus indépendamment de cet arrière-plan. Le dernier chapitre du Nouveau Testament, par une vision du ciel nouveau et de la terre nouvelle, referme le cercle commencé par le récit de la création du monde. Cela nous rappelle on ne peut plus clairement que l'histoire de la relation entre Dieu et l'humanité n'est accessible que par cette unité composite que forment l'Ancien et le Nouveau Testament.

A toi de te lancer!

Voici quelques illustrations du fait qu[e] notre foi s'enracine dans l'Ancien Testa[-]ment:

Notre engagement pour la justice trou[-]ve son origine dans l'Ancien Testament[;] lis par exemple Michée 6.6–8.

Nombre de nos cantiques et prière[s] s'inspirent de textes de l'Ancien Testa[-]ment, comme par exemple les psaume[s] qui figurent dans nos recueils de chant[s].

Jésus et les auteurs des écrits du Nou[-]veau Testament se réfèrent souvent à de[s] textes de l'Ancien Testament. Pour t'e[n] faire une idée plus précise, lis les pas[-]sages suivants: Matthieu 5.17-48; Acte[s] 2.14-21; Hébreux 11.1-31. Les notes d[e] bas de page renvoient aux textes d[e] l'Ancien Testament repris par l'auteur.

L'Ancien Testament soulève des ques[-]tions qui sont toujours d'actualité: Com[-]ment suivre les commandements d[e] Dieu, alors que tant de choses peuven[t] nous en détourner? Dans certaines situa[-]tions, il n'est pas facile de se conforme[r] aux commandements de Dieu; obéir [à] Dieu peut parfois même être dangereu[x]. A ce propos, lis Daniel 6.2-28. Que nou[s] apprend l'exemple de Daniel?

'Ancien Testament, n livre rempli e cruautés ?

ertaines personnes ont beaucoup de mal ec l'Ancien Testament parce qu'il contient grand nombre d'histoires cruelles. Le mportement des hommes y est souvent iel, et la manière dont il parle de Dieu sse entendre qu'il peut l'être aussi. ielques lecteurs sont prompts à se servir ce prétexte pour mettre la Bible de côté. ais cela paraît trop simple. En étudiant la estion de plus près, voici ce que tu découvriras :

ieu punit les coupables, ais il leur offre aussi la vie

histoire du déluge est un bon exemple : cette catastrophe, dit le texte, Dieu supme les êtres vivants de la terre, parce que pensées et les actions des hommes sont licalement mauvaises (Genèse 6.5). Mais conclusion de cette grande inondation, c'est la promesse de Dieu que jamais plus il ne ravagera la terre de cette manière, même si la méchanceté des hommes reste inchangée. Dieu supporte et porte l'humanité telle qu'elle est (Genèse 8.21-22).

Dieu exige l'adhésion inconditionnelle des êtres humains, mais il promet aussi d'être à leurs côtés. Dieu conclut avec son peuple une alliance qui se fonde sur un engagement réciproque de fidélité (pour plus de précisions à ce sujet, voir « L'alliance », pages en couleur 64–65). Si le peuple reste fidèle à Dieu en respectant ses commandements de vie, Dieu s'engage à l'accompagner et à pourvoir à son bien-être (voir Deutéronome 11.16-28). L'Ancien Testament rappelle que le peuple d'Israël a maintes fois refusé de se soumettre à Dieu, il en a subi les fâcheuses conséquences. Mais Dieu ne l'a pourtant jamais abandonné.

Le Dieu de l'Ancien Testament est aussi un Dieu d'amour

Certains récits effrayants, qui présentent Dieu comme tyran ou comme juge impitoyable, risquent de nous faire oublier à quel point Dieu apparaît comme un Dieu d'amour, dans l'Ancien Testament déjà. Sans doute connais-tu le Psaume 23, qui décrit Dieu comme le bon Berger auprès de qui tout être humain peut se savoir en sécurité, même lorsque la vie lui fait traverser les vallées les plus obscures. Considère aussi le message du prophète Osée : il est tout entier déclaration d'amour d'un amant trompé (Dieu lui-même), qui n'est pas pour autant prêt à renoncer à son premier amour (son peuple élu). Lis par exemple Osée 2.16-24. Le prophète Ésaïe quant à lui compare Dieu à une jeune mère : s'il est difficile d'imaginer qu'une jeune femme puisse oublier son nouveau-né, il est totalement inconcevable que Dieu oublie un jour son peuple, ce peuple dont il a gravé le nom dans la paume de ses mains (Ésaïe 49.15-16).

Le Nouveau Testament propose une nouvelle manière de traiter les ennemis

Il faut l'admettre, certains textes de l'A cien Testament nous choquent parce qu' présentent Dieu comme un Dieu guerri Mais d'autres textes de l'Ancien Testame parlent déjà d'un Dieu universel qui prom un avenir de paix entre les peuples. Le No veau Testament reprend résolument cet idée et nous appelle à aimer nos ennem (Matthieu 5.43-48) et à considérer Di comme le père aimant de **tous** les homm

ırler avec une femme. Mais aucun d'eux
'osa lui demander : « Que lui veux-tu ? »
ı : « Pourquoi parles-tu avec elle ? »
Alors la femme laissa là sa cruche d'eau
: retourna à la ville, où elle dit aux gens :
« Venez voir un homme qui m'a dit tout
: que j'ai fait. Serait-il peut-être le Mes-
e ? » 30 Ils sortirent donc de la ville et
ınrent trouver Jésus.
31 Pendant ce temps, les disciples
riaient Jésus de manger : « Maître,
ıange quelque chose ! » disaient-ils.
Mais il leur répondit : « J'ai à manger
ne nourriture que vous ne connaissez
as. » 33 Les disciples se demandèrent
ors les uns aux autres : « Quelqu'un lui
-t-il apporté à manger ? » 34 Jésus leur
it : « Ma nourriture, c'est d'obéir à la vo-
nté de celui qui m'a envoyé et d'acheer le travail qu'il m'a confié. 35 Vous
ites, vous : "Encore quatre mois et ce
era la moisson." Mais moi je vous dis,
egardez bien les champs : les grains sont
ıûrs et prêts pour la moisson ! 36 Celui
ui moissonne reçoit déjà son salaire et il
ıssemble le grain pour la vie éternelle ;
insi, celui qui sème et celui qui mois-
onne se réjouissent ensemble. 37 Car il
st vrai le proverbe qui dit : "Un homme
ème et un autre moissonne." 38 Je vous ai
nvoyés moissonner dans un champ où
ous n'avez pas travaillé ; d'autres y ont
availlé et vous profitez de leur travail. »
39 Beaucoup de Samaritains de cette
ille crurent en Jésus parce que la femme
eur avait déclaré : « Il m'a dit tout ce que
ai fait. » 40 C'est pourquoi, quand les Sa-
ıaritains arrivèrent auprès de lui, ils le
rièrent de rester avec eux ; et Jésus resta
ı deux jours. 41 Ils furent encore bien
lus nombreux à croire, à cause de ce
u'il disait lui-même ; 42 et ils déclaraient
la femme : « Maintenant nous ne
royons plus seulement à cause de ce que
ı as raconté, mais parce que nous l'avons
ntendu nous-mêmes, et nous savons
u'il est vraiment le Sauveur du monde. »

Jésus guérit le fils d'un haut fonctionnaire

43 Après avoir passé deux jours à cet en-
roit, Jésus partit et se rendit en Galilée.
Il avait lui-même déclaré : « Un *prophète n'est pas respecté dans son propre
pays[z]. » 45 Cependant, quand il arriva en
Galilée, les habitants de la région le reçurent bien, car ils étaient allés eux aussi
à la fête de la *Pâque à Jérusalem et
avaient vu tout ce qu'il avait fait pendant
cette fête[a].
46 Jésus revint alors à Cana de Galilée,
où il avait changé de l'eau en vin. Il y
avait là un haut fonctionnaire du roi[b], qui
avait un fils malade à Capernaüm.
47 Quand il apprit que Jésus était arrivé de
Judée en Galilée, il alla le trouver et le
pria de se rendre à Capernaüm pour guérir son fils, qui était mourant. 48 Jésus lui
dit : « Vous serez toujours incapables de
croire si vous ne voyez pas des signes miraculeux et des prodiges ! » 49 Le fonctionnaire lui répondit : « Maître, viens chez
moi avant que mon enfant soit mort. »
50 Jésus lui dit : « Retourne chez toi, ton
fils a repris vie. » L'homme crut à ce que
Jésus lui disait et partit. 51 Il était sur le
chemin du retour, quand ses serviteurs
vinrent à sa rencontre et lui dirent : « Ton
enfant a repris vie ! » 52 Il leur demanda à
quelle heure son fils s'était senti mieux, et
ils lui répondirent : « Il était une heure de
l'après-midi, hier, quand la fièvre l'a
quitté. » 53 Le père se rendit compte que
c'était l'heure même où Jésus lui avait
dit : « Ton fils a repris vie ». Alors lui et
toute sa famille crurent en Jésus[c]. 54 Ce fut
le second signe miraculeux que fit Jésus,
après son retour de Judée en Galilée[d].

Jésus guérit un homme paralysé

5 1 Peu après, les Juifs célébrèrent une
fête religieuse et Jésus se rendit alors
à Jérusalem. 2 Dans cette ville, il y a, près
de la porte des Brebis, une piscine avec
cinq galeries à colonnes ; on l'appelle en
hébreu Bethzatha[e]. 3 Dans ces galeries,
une foule de malades étaient couchés :

---

z **4.44** Voir Matt 13.57 ; Marc 6.4 ; Luc 4.24.

a **4.45** Voir 2.23.

b **4.46** *changé de l'eau en vin* : voir 2.1-11. – *un haut fonctionnaire du roi* : le terme grec désigne un personnage attaché au service du « roi » *Hérode Antipas.

c **4.53** Comparer Act 11.14 ; 16.14-15,31.

d **4.54** Comparer 2.11.

e **5.2** *Bethzatha* : certains manuscrits ont *Béthesda*.

des aveugles, des boiteux, des paralysés.
[Ils attendaient que l'eau fasse des re-
mous ; 4 car un *ange du Seigneur descendait à certains moments dans la
piscine et agitait l'eau. Le premier malade qui descendait dans l'eau ainsi agitée, était guéri de sa maladie, quelle
qu'elle fût[f].] 5 Il y avait là un homme malade depuis trente-huit ans. 6 Quand Jésus le vit étendu à terre et apprit qu'il
était malade depuis longtemps déjà, il
lui demanda : « Veux-tu être guéri ? »
7 Le malade lui répondit : « Maître, je
n'ai personne pour me plonger dans la
piscine quand l'eau est agitée ; pendant
que j'essaie d'y aller, un autre y descend
avant moi. » 8 Jésus lui dit : « Lève-toi,
prends ta natte et marche. » 9 Aussitôt,
l'homme fut guéri ; il prit sa natte et se
mit à marcher. Or, cela se passait le jour
du *sabbat, 10 et les chefs juifs dirent à
l'homme qui avait été guéri : « C'est le
sabbat, tu n'as donc pas le droit de porter ta natte[g]. » 11 Il leur répondit : « Celui
qui m'a guéri m'a dit : "Prends ta natte
et marche." » 12 Ils lui demandèrent
alors : « Qui est celui qui t'a dit : "Prends
ta natte et marche" ? » 13 Mais l'homme
qui avait été guéri l'ignorait, car Jésus
avait disparu dans la foule[h] qui se trouvait à cet endroit.

14 Plus tard, Jésus le rencontra dans le
*temple et lui dit : « Te voilà guéri main-
tenant. Ne pèche plus, pour qu'il ne t'arrive pas quelque chose de pire. »
15 L'homme alla dire aux chefs juifs que
c'était Jésus qui l'avait guéri. 16 Ils s'en
prirent alors à Jésus, parce qu'il avait fait
cela le jour du sabbat. 17 Mais Jésus leur
répondit : « Mon Père est continuellement à l'œuvre et moi aussi je suis à l'œuvre. » 18 A cause de cette parole, les
autorités juives cherchaient encore plus à
faire mourir Jésus ; car il avait non seulement agi contre la loi du sabbat, mais il
disait encore que Dieu était son propre
Père et se faisait ainsi l'égal de Dieu.

L'autorité du Fils de Dieu

19 Jésus reprit la parole et leur dit
« Oui, je vous le déclare, c'est la vérité : l
Fils ne peut rien faire par lui-même ;
ne fait que ce qu'il voit faire au Père. Tou
ce que le Père fait, le Fils le fait égale
ment. 20 Car le Père aime le Fils et lu
montre tout ce qu'il fait lui-même. Il lu
montrera des œuvres à faire encore plu
grandes que celles-ci et vous en sere
étonnés. 21 Car, de même que le Père re
lève les morts et leur donne la vie, d
même le Fils donne la vie à qui il veu
22 Et le Père ne juge personne, mais il
donné au Fils tout le pouvoir de juge
23 afin que tous honorent le Fils comm
ils honorent le Père. Celui qui n'honor
pas le Fils, n'honore pas le Père qui l'
envoyé.

24 « Oui, je vous le déclare, c'est la vé
rité : quiconque écoute mes paroles, e
croit en celui qui m'a envoyé, possède l
vie éternelle. Il ne sera pas condamné
mais il est déjà passé de la mort à la vie
25 Oui, je vous le déclare, c'est la vérité : l
moment vient, et il est même déjà là, o
les morts entendront la voix du *Fils d
Dieu et ceux qui l'auront entendue vi
vront. 26 Car, de même que le Père est l
source de la vie, de même il a accordé a
Fils d'être source de vie. 27 Et il a accord
au Fils le pouvoir de juger, parce qu'il es
le *Fils de l'homme. 28 Ne vous en éton
nez pas, car le moment vient où tous le
morts qui sont enterrés entendront s
voix 29 et sortiront de leurs tombes. Ceu
qui ont fait le bien *ressusciteront pou
recevoir la vie, mais ceux qui ont fait l
mal ressusciteront pour être condamnés
30 Je ne peux rien faire par moi-même. J
juge d'après ce que Dieu me dit, et mo
jugement est juste parce que je ne cher
che pas à faire ce que je veux, mais ce qu
veut celui qui m'a envoyé. »

Témoignage en faveur de Jésus

31 « Si je témoignais en ma faveur, mon
témoignage ne serait pas valable. 32 Mai
c'est un autre qui témoigne en ma faveu
et je sais que ce témoignage à mon suje
est vrai. 33 Vous avez envoyé des messa
gers à Jean et il a rendu témoignage à l

---

f 5.4 Le passage mis entre crochets (fin du v. 3 et v. 4) ne se trouve pas dans plusieurs anciens manuscrits.
g 5.10 Comparer Jér 17.21 ; Néh 13.19.
h 5.13 *dans la foule* ou *à cause de la foule*.
i 5.29 Voir Dan 12.2.

érité[j]. 34 Je n'ai pas besoin, moi, du témoignage d'un homme ; mais je dis cela
eulement pour que vous puissiez être
auvés. 35 Jean était comme une lampe
u'on allume pour qu'elle éclaire et vous
vez accepté de vous réjouir un moment à
a lumière. 36 Mais j'ai pour moi un té-
ıoignage plus grand que celui de Jean :
s œuvres que je fais, celles-là mêmes
ue le Père m'a donné à accomplir, par-
nt en ma faveur et montrent que le Père
ı'a envoyé. 37 Et le Père qui m'a envoyé
émoigne aussi en ma faveur. Seulement,
ous n'avez jamais entendu sa voix et
ous n'avez jamais vu son visage. 38 Vous
e gardez pas ses paroles en vous, parce
ue vous ne croyez pas en celui qu'il a en-
oyé. 39 Vous étudiez avec soin les Écri-
ıres parce que vous pensez trouver en
lles la vie éternelle : ce sont justement
lles qui témoignent de moi[k] ! 40 Pour-
ınt, vous ne voulez pas venir à moi pour
voir la vraie vie.

41 « Je ne recherche pas les éloges qui
iennent des hommes. 42 D'ailleurs je
ous connais : je sais que vous n'avez pas
n vous d'amour pour Dieu. 43 Je suis
enu de la part de mon Père et vous refu-
z de me recevoir. Mais si quelqu'un
'autre vient de sa propre autorité, vous
recevrez ! 44 Vous aimez recevoir des
loges les uns des autres et vous ne re-
herchez pas l'éloge qui vient du seul
)ieu ; comment donc pourriez-vous me
roire ? 45 Mais ne pensez pas que je vous
ccuserai devant mon Père. C'est Moïse
ui vous accusera[l], lui en qui vous avez
ıis votre espérance. 46 Si vous croyiez
raiment Moïse, vous me croiriez aussi,
ar il a écrit à mon sujet[m]. 47 Mais
uisque vous ne croyez pas ce qu'il a
crit, comment pourriez-vous croire
ıes paroles ? »

Jésus nourrit cinq mille hommes

(Voir aussi Matt 14.13-21 ; Marc 6.30-44 ; Luc 9.10-17)

6 1 Après cela, Jésus s'en alla de l'autre
côté du lac de Galilée – appelé aussi
ıc de Tibériade[n] –. 2 Une grande foule le
ıivait, parce que les gens voyaient les sines miraculeux qu'il faisait en guérissant
s malades. 3 Jésus monta sur une colline
et s'assit là avec ses *disciples. 4 La *Pâque, la fête des Juifs, était proche. 5 Jésus
regarda et vit qu'une grande foule venait à
lui ; il demanda donc à Philippe : « Où
pourrions-nous acheter du pain pour leur
donner à manger à tous ? » 6 – Il disait cela
pour mettre Philippe à l'épreuve, car il savait déjà ce qu'il allait faire. – 7 Philippe
lui répondit : « Même avec deux cents pièces d'argent[o], nous n'aurions pas de quoi
acheter assez de pain pour que chacun
d'eux en reçoive un petit morceau. » 8 Un
autre de ses disciples, André, le frère de
Simon Pierre, lui dit : 9 « Il y a ici un garçon qui a cinq pains d'orge et deux poissons. Mais qu'est-ce que cela pour un si
grand nombre de personnes[p] ? » 10 Jésus
dit alors : « Faites asseoir tout le monde. »
Il y avait beaucoup d'herbe à cet endroit.
Ils s'assirent donc ; ils étaient environ
cinq mille hommes. 11 Jésus prit les pains
et, après avoir remercié Dieu, il les distribua à ceux qui étaient là. Il leur donna de
même du poisson, autant qu'ils en voulaient. 12 Quand ils eurent tous mangé à
leur faim, Jésus dit à ses disciples : « Ramassez les morceaux qui restent, afin que
rien ne soit perdu. » 13 Ils les ramassèrent
et remplirent douze corbeilles avec les
morceaux qui restaient des cinq pains
d'orge dont on avait mangé. 14 Les gens,
voyant le signe miraculeux que Jésus avait
fait, déclarèrent : « Cet homme est vraiment le *Prophète qui devait venir dans le
monde ! » 15 Jésus se rendit compte qu'ils
allaient venir l'enlever de force pour le
faire roi. Il se retira donc de nouveau sur
la colline, tout seul.

Jésus marche sur le lac

(Voir aussi Matt 14.22-33 ; Marc 6.45-52)

16 Quand vint le soir, les *disciples de
Jésus descendirent au bord du lac, 17 ils

j **5.33** Il s'agit de Jean-Baptiste. Voir 1.19-27 ; 3.22-30.

k **5.39** Voir 1.45 et la note.

l **5.45** Comparer Deut 31.26-27.

m **5.46** Comparer Deut 18.15.

n **6.1** Cet autre nom du *lac de Galilée* est dû à la ville de *Tibériade* (voir 6.23) qui se trouvait sur la côte ouest du lac.

o **6.7** *pièces d'argent* : voir Marc 6.37 et la note.

p **6.9** Comparer 2 Rois 4.42-44.

montèrent dans une barque et se mirent à traverser le lac en direction de Capernaüm. Il faisait déjà nuit et Jésus ne les avait pas encore rejoints. 18 L'eau du lac était agitée, car le vent soufflait avec force. 19 Les disciples avaient ramé sur une distance de cinq à six kilomètres quand ils virent Jésus s'approcher de la barque en marchant sur l'eau ; et ils furent saisis de peur. 20 Mais Jésus leur dit : « C'est moi, n'ayez pas peur ! » 21 Les disciples voulaient le prendre dans la barque, mais aussitôt la barque toucha terre, à l'endroit où ils se rendaient.

La foule cherche Jésus

22 Le lendemain, la foule qui était restée de l'autre côté du lac se rendit compte qu'il n'y avait eu là qu'une seule barque ; les gens savaient que Jésus n'était pas monté dans cette barque avec ses *disciples, mais que ceux-ci étaient partis seuls. 23 Cependant, d'autres barques, venant de la ville de Tibériade[q], étaient arrivées près de l'endroit où ils avaient mangé le pain après que le Seigneur eut remercié Dieu. 24 Quand les gens virent que ni Jésus ni ses disciples n'étaient là, ils montèrent dans ces barques et se rendirent à Capernaüm pour le chercher.

Jésus, le pain de vie

25 Ils trouvèrent Jésus de l'autre côté du lac et lui dirent : « Maître, quand es-tu arrivé ici ? » 26 Jésus leur répondit : « Oui, je vous le déclare, c'est la vérité : vous me cherchez parce que vous avez mangé du pain à votre faim, et non parce que vous avez saisi le sens de mes signes miraculeux. 27 Travaillez non pas pour la nourriture qui se gâte, mais pour la nourriture qui dure et qui est source de vie éternelle. Cette nourriture, le *Fils de l'homme vous la donnera, parce que Dieu, le Père, a mis sur lui la marque de son autorité. »

28 Ils lui demandèrent alors : « Qu devons-nous faire pour travailler aux œu vres voulues par Dieu ? » 29 Jésus leur ré pondit : « L'œuvre que Dieu attend d vous, c'est que vous croyiez en celui qu' a envoyé. » 30 Ils lui dirent : « Quel sign miraculeux peux-tu nous faire voir pou que nous te croyions ? Quelle œuvr vas-tu accomplir ? 31 Nos ancêtres on mangé la *manne dans le désert, comm le dit l'Écriture : "Il leur a donné à man ger du pain venu du *ciel[r]." » 32 Jésu leur répondit : « Oui, je vous le déclar c'est la vérité : ce n'est pas Moïse qui vou a donné le pain du ciel[s], mais c'est mo Père qui vous donne le vrai pain du cie 33 Car le pain que Dieu donne, c'est celu qui descend du ciel et qui donne la vie a monde. » 34 Ils lui dirent alors : « Maîtr donne-nous toujours de ce pain-là. »

35 Jésus leur déclara : « Je suis le pain d vie. Celui qui vient à moi n'aura jama faim et celui qui croit en moi n'aura ja mais soif. 36 Mais je vous l'ai dit : vou m'avez vu et pourtant vous ne croye pas[t]. 37 Chacun de ceux que le Père m donne viendra à moi et je ne rejetterai ja mais celui qui vient à moi ; 38 car je sui descendu du ciel non pas pour faire m volonté, mais pour faire la volonté de ce lui qui m'a envoyé. 39 Et voici ce que veu celui qui m'a envoyé : c'est que je n perde aucun de ceux qu'il m'a confié mais que je les relève de la mort au der nier jour. 40 Oui, voici ce que veut mo Père : que tous ceux qui voient le Fils e croient en lui aient la vie éternelle et qu je les relève de la mort au dernier jour. »

41 Les Juifs critiquaient Jésus parc qu'il avait dit : « Je suis le pain descend du ciel. » – 42 « N'est-ce pas Jésus, d saient-ils, le fils de Joseph ? Nou connaissons bien son père et sa mère Comment peut-il dire maintenant qu' est descendu du ciel ? » 43 Jésus leur ré pondit : « Cessez de critiquer entre vou 44 Personne ne peut venir à moi si le Pèr qui m'a envoyé ne l'y conduit, et moi, j le relèverai de la mort au dernier jou 45 Les *prophètes ont écrit ceci : "Ils se ront tous instruits par Dieu[v]". Qu conque écoute le Père et reçoit so enseignement vient à moi. 46 Cela ne s

q **6.23** Voir 6.1 et la note.
r **6.31** Voir Ex 16.4,15 ; Ps 78.24.
s **6.32** *ce n'est pas Moïse qui vous a donné...* : autre traduction *ce que Moïse vous a donné n'était pas...*
t **6.36** Comparer 20.29.
u **6.42** Comparer Marc 6.3 ; Matt 13.55 ; Luc 4.22.
v **6.45** Voir És 54.13.

nifie pas que quelqu'un ait vu le Père ;
:ul celui qui est venu de Dieu a vu le Pè-
:.[w] 47 Oui, je vous le déclare, c'est la vé-
:té : celui qui croit possède la vie
:ernelle. 48 Je suis le pain de vie. 49 Vos
ıcêtres ont mangé la manne dans le dé-
:rt et ils sont pourtant morts. 50 Mais le
ain qui descend du ciel est tel que celui
ui en mange ne mourra pas. 51 Je suis le
ain vivant descendu du ciel. Si
uelqu'un mange de ce pain, il vivra pour
ujours. Le pain que je donnerai, c'est
a chair ; je la donne afin que le monde
ive. »
52 Là-dessus, les Juifs discutaient vive-
ient entre eux : « Comment cet homme
eut-il nous donner sa chair à manger ? »
emandaient-ils. 53 Jésus leur dit : « Oui,
vous le déclare, c'est la vérité : si vous
: mangez pas la chair du Fils de
homme et si vous ne buvez pas son
ing, vous n'aurez pas la vie en vous.
Celui qui mange ma chair et boit mon
ing possède la vie éternelle et je le re-
verai de la mort au dernier jour. 55 Car
a chair est une vraie nourriture et mon
ing est une vraie boisson. 56 Celui qui
ange ma chair et boit mon sang de-
eure uni à moi et moi à lui. 57 Le Père
ui m'a envoyé est vivant et je vis par lui ;
: même, celui qui me mange vivra par
oi. 58 Voici donc le pain qui est des-
:ndu du ciel. Il n'est pas comme celui
ı'ont mangé vos ancêtres, qui sont
orts. Mais celui qui mange ce pain vi-
a pour toujours. » 59 Jésus prononça ces
roles alors qu'il enseignait dans la *sy-
agogue de Capernaüm.

Les paroles de la vie éternelle

60 Après avoir entendu Jésus, beaucoup
: ses *disciples dirent : « Là, il exagère !
omment admettre un tel discours ? »
61 Jésus s'aperçut que ses disciples le
itiquaient à ce sujet. C'est pourquoi il
ur dit : « Cela vous choque-t-il ?
Qu'arrivera-t-il alors si vous voyez le
Fils de l'homme monter là où il était au-
ravant[x] ? 63 C'est l'Esprit de Dieu qui
onne la vie ; l'homme seul n'aboutit à
en. Les paroles que je vous ai dites sont
sprit et vie. 64 Mais quelques-uns parmi
ous ne croient pas. » En effet, Jésus savait depuis le commencement qui étaient
ceux qui ne croyaient pas et il savait qui
allait le trahir. 65 Il ajouta : « Voilà pourquoi je vous ai dit que personne ne peut
venir à moi si le Père ne lui en a pas
donné la possibilité. »
66 Dès lors, beaucoup de ses disciples se
retirèrent et cessèrent d'aller avec lui.
67 Jésus demanda alors aux douze disciples : « Voulez-vous partir, vous aussi ? »
68 Simon Pierre lui répondit : « Seigneur,
à qui irions-nous ? Tu as les paroles qui
donnent la vie éternelle. 69 Nous le
croyons, nous le savons : tu es le Saint envoyé de Dieu[y]. » 70 Jésus leur répondit :
« Ne vous ai-je pas choisis vous les
douze ? Et pourtant l'un de vous est un
*diable ! » 71 Il parlait de Judas, fils de Si-
mon Iscariote. Car Judas, quoiqu'il fût un
des douze disciples, allait le trahir[z].

Les frères de Jésus ne croient pas en lui

7 1 Après cela, Jésus parcourut la Galilée ; il ne voulait pas aller et venir en
Judée, car les autorités juives cherchaient
à le faire mourir. 2 La fête juive des Huttes[a] était proche 3 et les frères de Jésus lui
dirent : « Pars d'ici et va en Judée, afin
que tes *disciples, eux aussi, voient les
œuvres que tu fais. 4 Personne n'agit en
cachette s'il désire être connu. Puisque tu
fais de telles œuvres, agis en sorte que
tout le monde te voie. » 5 En effet, ses frères eux-mêmes ne croyaient pas en lui.
6 Jésus leur dit : « Le moment n'est pas
encore venu pour moi. Pour vous, tout
moment est bon. 7 Le monde ne peut pas
vous haïr, mais il a de la haine pour moi,
parce que j'atteste que ses actions sont
mauvaises. 8 Allez à la fête, vous. Moi, je

---

w **6.46** Voir 1.18.

x **6.62** Comparer Act 1.9-11.

y **6.69** Comparer Matt 16.16 ; Marc 8.29 ; Luc 9.20.

z **6.71** Voir 13.2,21 ; 18.5.

a **7.2** La *fête des Huttes* était une fête juive qui durait une semaine ; elle était célébrée en automne et coïncidait avec la fête des récoltes. Elle rappelait le séjour d'Israël au désert. Pendant toute la durée de la fête, les familles habitaient sous des huttes dressées pour cette occasion. Jérusalem devenait alors un centre de pèlerinage. Voir Lév 23.34-36 ; Deut 16.13.

ne vais pas à cette fête[b], parce que le moment n'est pas encore arrivé pour moi. »
9 Après avoir dit cela, il resta en Galilée.

Jésus à la fête des Huttes

10 Quand ses frères se furent rendus à la
fête, Jésus y alla aussi, mais sans se faire
voir, presque en secret. 11 Les autorités
juives le cherchaient pendant cette fête[c]
et demandaient : « Où donc est-il ? » 12 On
discutait beaucoup à son sujet, dans la
foule. « C'est un homme de bien », disaient les uns. « Non, disaient les autres,
il égare les gens. » 13 Mais personne ne
parlait librement de lui, parce que tous
avaient peur des autorités juives.
14 La fête était déjà à moitié passée,
quand Jésus se rendit au *temple et se
mit à enseigner. 15 Les Juifs s'étonnaient
et disaient : « Comment cet homme en
sait-il autant, lui qui n'a pas étudié[d] ? »
16 Jésus leur répondit : « L'enseignement que je donne ne vient pas de moi,
mais de Dieu qui m'a envoyé. 17 Celui qui
est disposé à faire ce que Dieu veut saura
si mon enseignement vient de Dieu ou si
je parle en mon propre nom. 18 L'homme
qui parle en son propre nom recherche la
*gloire pour lui-même. Mais celui qui
travaille à la gloire de celui qui l'a envoyé
dit la vérité et il n'y a rien de faux en lui.
19 Moïse vous a donné la loi, n'est-ce pas ?
Mais aucun de vous ne la met en pratique. Pourquoi cherchez-vous à me faire
mourir ? » 20 La foule lui répondit : « Tu es
possédé d'un esprit mauvais ! Qui cherche à te faire mourir ? »
21 Jésus leur répondit : « J'ai fait une
seule œuvre et vous voilà tous étonnés !
22 Parce que Moïse vous a donné l'ordre
de *circoncire les garçons – bien que ce
ne soit pas Moïse qui ait commencé à le
faire, mais déjà nos premiers ancêtres[e] –,
vous acceptez de circoncire quelqu'u
même le jour du *sabbat. 23 Si vous po
vez circoncire un garçon le jour du sab
bat pour que la loi de Moïse so
respectée, pourquoi êtes-vous irrit
contre moi parce que j'ai guéri u
homme tout entier le jour du sabbat[f]
24 Cessez de juger d'après les apparence
Jugez de façon correcte[g]. »

Jésus est-il le Messie ?

25 Quelques habitants de Jérusalem d
saient : « N'est-ce pas cet homme qu'o
cherche à faire mourir ? 26 Voyez : il par
en public et on ne lui dit rien ! Nos che
auraient-ils vraiment reconnu qu'il est l
*Messie ? 27 Mais quand le Messie app
raîtra, personne ne saura d'où il vien
tandis que nous savons d'où vient c
homme. »
28 Jésus enseignait alors dans le *tem
ple ; il s'écria : « Savez-vous vraime
qui je suis et d'où je viens ? Je ne suis p
venu de moi-même, mais celui qui m
envoyé est digne de confiance. Vous n
le connaissez pas. 29 Moi, je le conna
parce que je viens d'auprès de lui et q
c'est lui qui m'a envoyé. » 30 Ils che
chèrent alors à l'arrêter, mais person
ne mit la main sur lui, car son heu
n'était pas encore venue. 31 Dans la foul
cependant, beaucoup crurent en lui. I
disaient : « Quand le Messie viendr
fera-t-il plus de signes miraculeux q
n'en a fait cet homme ? »

Des gardes sont envoyés pour arrêter Jésus

32 Les *Pharisiens apprirent ce q
l'on disait à voix basse dans la foule a
sujet de Jésus. Les chefs des *prêtres
les Pharisiens envoyèrent alors des ga
des pour l'arrêter. 33 Jésus déclara : « J
suis avec vous pour un peu de temps e
core, puis je m'en irai auprès de celui q
m'a envoyé. 34 Vous me chercherez, ma
vous ne me trouverez pas, car vous n
pouvez pas aller là où je serai. » 35 Le
Juifs se demandèrent entre eux : « Où v
t-il se rendre pour que nous ne puissio
pas le trouver ? Va-t-il se rendre chez l
Juifs dispersés parmi les Grecs et appo
ter son enseignement aux Grecs[h] ? 36 Q

---

b **7.8** *Je ne vais pas* : certains manuscrits ont *Je ne vais pas encore*.
c **7.11** Voir 7.2 et la note.
d **7.15** Comparer Matt 13.54 ; Luc 2.47.
e **7.22** Voir Lév 12.3 ; Gen 17.10-13.
f **7.23** Voir 5.8-9.
g **7.24** Comparer Lév 19.15 ; És 11.4.
h **7.35** L'appellation *les Grecs* désigne ici les non-Juifs plutôt que les Juifs vivant hors de Palestine.

gnifient ces mots qu'il a dits : Vous me
hercherez, mais vous ne me trouverez
as, car vous ne pouvez pas aller là où je
erai ? »

Des fleuves d'eau vive

37 Le dernier jour de la fête était le plus
olennel[i]. Ce jour-là, Jésus, debout,
écria : « Si quelqu'un a soif, qu'il vienne
moi et qu'il boive. 38 "Celui qui croit en
noi, des fleuves d'eau vive jailliront de
on cœur", comme dit l'Écriture[j]. » 39 Jé-
us parlait de l'Esprit de Dieu que ceux
ui croyaient en lui allaient recevoir. A ce
noment-là, l'Esprit n'avait pas encore été
onné, parce que Jésus n'avait pas encore
té élevé à la gloire.

La foule se divise à cause de Jésus

40 Après avoir entendu ces paroles, cer-
ains, dans la foule, disaient : « Cet
omme est vraiment le *Prophète ! »
D'autres disaient : « C'est le *Messie ! »
« Mais, répliquaient d'autres, le Messie
ourrait-il venir de Galilée[k] ? 42 L'Écri-
ure déclare que le Messie sera un descen-
ant de David et qu'il viendra de
ethléem, le village où a vécu David[l]. »
La foule se divisa donc à cause de Jésus.
Certains d'entre eux voulaient qu'on
arrête, mais personne ne mit la main sur
i.

L'incrédulité des chefs juifs

45 Les gardes retournèrent auprès des
nefs des *prêtres et des *Pharisiens qui
ur demandèrent : « Pourquoi n'avez-
ous pas amené Jésus ? » 46 Les gardes ré-
ondirent : « Jamais personne n'a parlé
omme lui ! » – 47 « Vous êtes-vous laissé
omper, vous aussi ? leur demandèrent
s Pharisiens. 48 Y a-t-il un seul membre
es autorités ou un seul des Pharisiens
ui ait cru en lui ? 49 Mais ces gens ne
onnaissent pas la loi de Moïse, ce sont
es maudits ! »
50 Nicodème était l'un des Pharisiens
résents : c'est lui qui était allé voir Jésus
uelque temps auparavant[m]. Il leur dit :
« Selon notre loi, nous ne pouvons pas
ondamner un homme sans l'avoir
abord entendu et sans savoir ce qu'il a
fait[n]. » 52 Ils lui répondirent : « Es-tu de
Galilée, toi aussi ? Examine les Écritures
et tu verras qu'aucun *prophète n'est jamais venu de Galilée[o]. »

Jésus et la femme adultère

[53 Ensuite, chacun s'en alla dans sa
maison[p].
8 1 Mais Jésus se rendit au mont des
Oliviers[q]. 2 Tôt le lendemain matin, il
retourna dans le *temple et tous les gens
s'approchèrent de lui. Il s'assit et se mit à
leur donner son enseignement. 3 Les
*maîtres de la loi et les *Pharisiens lui
amenèrent alors une femme qu'on avait
surprise en train de commettre un adultère. Ils la placèrent devant tout le monde
4 et dirent à Jésus : « Maître, cette femme
a été surprise au moment même où elle
commettait un adultère. 5 Moïse nous a
ordonné dans la *loi de tuer de telles
femmes à coups de pierres[r]. Et toi, qu'en
dis-tu ? »
6 Ils disaient cela pour lui tendre un
piège, afin de pouvoir l'accuser. Mais Jésus se baissa et se mit à écrire avec le
doigt sur le sol. 7 Comme ils continuaient
à le questionner, Jésus se redressa et leur
dit : « Que celui d'entre vous qui n'a jamais péché lui jette la première pierre. »
8 Puis il se baissa de nouveau et se remit à
écrire sur le sol. 9 Quand ils entendirent
ces mots, ils partirent l'un après l'autre,
les plus âgés d'abord. Jésus resta seul avec
la femme, qui se tenait encore devant lui.
10 Alors il se redressa et lui dit : « Eh bien,

---

i **7.37** Voir Lév 23.36.

j **7.38** Les paroles de Jésus, aux v. 37 et 38, peuvent être traduites ainsi (en ponctuant différemment le texte grec) : *Si quelqu'un a soif, qu'il vienne à moi, et qu'il boive, celui qui croit en moi. Comme dit l'Écriture : « Des fleuves d'eau vive jailliront de son cœur. »* – Comparer Ézék 47.1 ; Zach 14.8.

k **7.41** Comparer 1.46 ; 7.52.

l **7.42** Voir 2 Sam 7.12 ; Mich 5.1 ; Matt 2.5.

m **7.50** Voir 3.1-2.

n **7.51** Comparer Deut 1.16.

o **7.52** Comparer 1.46 ; 7.41.

p **7.53** Le passage 7.53–8.11 ne se trouve pas dans les manuscrits les plus anciens et les versions latine, syriaque, etc. Quelques manuscrits le situent ailleurs, en particulier à la fin de l'évangile.

q **8.1** Voir Marc 11.1 et la note.

r **8.5** Voir Lév 20.10 ; Deut 22.22-24.

où sont-ils ? Personne ne t'a condamnée ? » – 11 « Personne, Maître », répondit-elle. « Je ne te condamne pas non plus, dit Jésus. Tu peux t'en aller, mais désormais ne pèche plus. »]

Jésus, la lumière du monde

12 Jésus adressa de nouveau la parole à la foule et dit : « Je suis la lumière du monde[s]. Celui qui me suit aura la lumière de la vie et ne marchera plus jamais dans l'obscurité. » 13 Les *Pharisiens lui dirent : « Tu te rends témoignage à toi-même ; ton témoignage est sans valeur. » 14 Jésus leur répondit : « Même si je me rends témoignage à moi-même, mon témoignage est valable, parce que je sais d'où je suis venu et où je vais. Mais vous, vous ne savez ni d'où je viens ni où je vais. 15 Vous jugez à la manière des hommes ; moi je ne juge personne. 16 Cependant, s'il m'arrive de juger, mon jugement est valable, parce que je ne suis pas tout seul pour juger, mais le Père qui m'a envoyé est avec moi. 17 Il est écrit dans votre *loi que si deux personnes apportent le même témoignage, ce témoignage est valable[t]. 18 Je me rends témoignage à moi-même et le Père qui m'a envoyé témoigne aussi pour moi. » 19 Ils lui demandèrent : « Où est ton Père ? » Jésus répondit : « Vous ne connaissez ni moi ni mon Père. Si vous me connaissiez, vous connaîtriez aussi mon Père. »

20 Jésus prononça ces paroles alors qu'il enseignait dans le *temple, à l'endroit où se trouvent les troncs à offrandes. Personne ne l'arrêta, parce que son heure n'était pas encore venue.

« Vous ne pouvez pas aller là où je vais »

21 Jésus leur dit encore : « Je vais partir ; vous me chercherez, mais vous mourrez dans votre péché. Vous ne pouvez pas al-ler là où je vais. » 22 Les Juifs se disaient « Va-t-il se suicider, puisqu'il dit : "Vou ne pouvez pas aller là où je vais" ? » 23 Jé-sus leur répondit : « Vous êtes d'en bas mais moi je viens d'en haut. Vous ap-partenez à ce monde, mais moi je n'ap-partiens pas à ce monde. 24 C'es pourquoi je vous ai dit que vous mourre dans vos péchés. Car vous mourrez dan vos péchés si vous ne croyez pas que "j suis qui je suis[u]". » – 25 « Qui es-tu ? » lu demandèrent-ils. Jésus leur répondit « Celui que je vous ai dit depuis l commencement[v]. 26 J'ai beaucoup à dir et à juger à votre sujet. Mais j'annonc au monde seulement ce que j'ai appris d celui qui m'a envoyé ; et lui, il dit la vé-rité. »

27 Ils ne comprirent pas qu'il leur par-lait du Père. 28 Jésus leur dit alors « Quand vous aurez élevé le *Fils d l'homme[w], vous reconnaîtrez que "je sui qui je suis" ; vous reconnaîtrez que je n fais rien par moi-même : je dis seulemen ce que le Père m'a enseigné. 29 Celui qu m'a envoyé est avec moi ; il ne m'a pa laissé seul, parce que je fais toujours c qui lui plaît. » 30 Tandis que Jésus parla ainsi, beaucoup crurent en lui.

Les hommes libres et les esclaves

31 Jésus dit alors aux Juifs qui avaien cru en lui : « Si vous restez fidèles à me paroles, vous êtes vraiment mes *dis-ciples ; 32 ainsi vous connaîtrez la vérité e la vérité vous rendra libres. » 33 Ils lui ré-pondirent : « Nous sommes les descen-dants d'Abraham[x] et nous n'avons jama été les esclaves de personne. Commen peux-tu nous dire : "Vous deviendrez li-bres" ? » 34 Jésus leur répondit : « Oui, j vous le déclare, c'est la vérité : tou homme qui pèche est un esclave du pé-ché. 35 Un esclave ne fait pas pour tou-jours partie de la famille, mais un fils e fait partie pour toujours. 36 Si le Fils vou libère, vous serez alors vraiment libre 37 Je sais que vous êtes les descendan d'Abraham. Mais vous cherchez à m faire mourir, parce que vous refusez me paroles. 38 Moi, je parle de ce que mo

---

s 8.12 Comparer És 49.6 ; Matt 5.14 ; Jean 9.5.

t 8.17 Voir Deut 19.15 ; comparer Deut 17.6 ; Nomb 35.30.

u 8.24 Comparer Ex 3.14-15.

v 8.25 *Ce que... commencement* : autres traductions *D'abord, pourquoi vous parlerai-je ?* ou *Absolument ce que je vous dis.*

w 8.28 Comparer 3.14.

x 8.33 Comparer Matt 3.9 ; Luc 3.8.

ère m'a montré, mais vous, vous faites
e que votre père vous a dit. » 39 Ils lui ré-
liquèrent : « Notre père, c'est Abra-
am. » – « Si vous étiez vraiment les
nfants d'Abraham, leur dit Jésus, vous
riez les actions qu'il a faites[y]. 40 Mais
aintenant, bien que je vous aie dit la vé-
té que j'ai apprise de Dieu, vous cher-
hez à me faire mourir. Abraham n'a rien
it de semblable ! 41 Vous, vous faites les
êmes actions que votre père. » Ils lui ré-
ondirent : « Nous ne sommes pas des
nfants illégitimes. Nous avons un seul
ère, Dieu. » 42 Jésus leur dit : « Si Dieu
ait vraiment votre Père, vous m'aime-
ez, car je suis venu de Dieu et je suis ici
e sa part. Je ne suis pas venu de moi-
ême, mais c'est lui qui m'a envoyé.
Pourquoi ne comprenez-vous pas ce
ue je vous dis ? Parce que vous êtes inca-
ables d'écouter mes paroles. 44 Vous avez
our père le *diable et vous voulez faire
e que votre père désire. Il a été meurtrier
ès le commencement. Il ne s'est jamais
nu dans la vérité parce qu'il n'y a pas de
érité en lui. Quand il dit des mensonges,
parle de la manière qui lui est naturelle,
arce qu'il est menteur et père du men-
nge. 45 Mais moi je dis la vérité et c'est
ourquoi vous ne me croyez pas. 46 Qui
'entre vous peut prouver que j'ai péché ?
t si je dis la vérité, pourquoi ne me
oyez-vous pas ? 47 Celui qui est de Dieu
oute les paroles de Dieu. Mais vous
'êtes pas de Dieu et c'est pourquoi vous
'écoutez pas. »

Jésus et Abraham

48 Les Juifs répondirent à Jésus :
N'avons-nous pas raison de dire que tu
un *Samaritain et que tu es possédé
'un esprit mauvais ? » – 49 « Je ne suis pas
ossédé, répondit Jésus, mais j'honore
on Père et vous, vous refusez de m'ho-
orer. 50 Je ne cherche pas la *gloire pour
oi-même. Il en est un qui la cherche
our moi et qui juge. 51 Oui, je vous le dé-
are, c'est la vérité : celui qui obéit à mes
aroles ne mourra jamais. »
52 Les Juifs lui dirent : « Maintenant
ous sommes sûrs que tu es possédé d'un
prit mauvais ! Abraham est mort, les
rophètes sont morts, et toi, tu dis : "Celui qui obéit à mes paroles ne mourra jamais." 53 Abraham, notre père, est mort :
penses-tu être plus grand que lui ? Les
prophètes aussi sont morts. Pour qui te
prends-tu ? » 54 Jésus répondit : « Si je me
glorifiais moi-même, ma gloire ne vaudrait rien. Celui qui me glorifie, c'est
mon Père. Vous dites de lui : "Il est notre
Dieu", 55 alors que vous ne le connaissez
pas. Moi je le connais. Si je disais que je
ne le connais pas, je serais un menteur
comme vous. Mais je le connais et j'obéis
à ses paroles. 56 Abraham, votre père, s'est
réjoui à la pensée de voir mon jour ; il l'a
vu et en a été heureux. » 57 Les Juifs lui dirent : « Tu n'as pas encore cinquante ans
et tu as vu Abraham[z] ? » 58 Jésus leur répondit : « Oui, je vous le déclare, c'est la
vérité : avant qu'Abraham soit né, "je
suis[a]". » 59 Ils ramassèrent alors des pierres pour les jeter contre lui. Mais Jésus se
cacha et sortit du *temple.

Jésus guérit un homme aveugle de naissance

9 1 En chemin, Jésus vit un homme qui
était aveugle depuis sa naissance.
2 Ses *disciples lui demandèrent : « Maître, pourquoi cet homme est-il né aveugle : à cause de son propre péché ou à
cause du péché de ses parents[b] ? » 3 Jésus
répondit : « Ce n'est ni à cause de son péché, ni à cause du péché de ses parents. Il
est aveugle pour que l'œuvre de Dieu
puisse se manifester en lui. 4 Pendant
qu'il fait jour, nous devons accomplir les
œuvres de celui qui m'a envoyé. La nuit
s'approche, où personne ne peut travailler. 5 Pendant que je suis dans le monde,
je suis la lumière du monde[c]. » 6 Après
avoir dit ces mots, Jésus cracha par terre
et fit un peu de boue avec sa salive[d] ; il
frotta les yeux de l'aveugle avec cette

---

y **8.39** *Si vous étiez vraiment... vous feriez* : certains manuscrits ont *Si vous êtes... faites... – les actions qu'il a faites* : comparer Hébr 11.8-19.

z **8.57** *tu as vu Abraham ?* : certains manuscrits ont *Abraham t'a vu ?*

a **8.58** Voir 1.1-3.

b **9.2** Voir Ex 20.5.

c **9.5** Voir 8.12 et la note.

d **9.6** Comparer Marc 8.23.

boue [7] et lui dit : « Va te laver la figure à la
piscine de Siloé[e]. » – Ce nom signifie
« Envoyé ». – L'aveugle y alla, se lava la
figure et, quand il revint, il voyait ! [8] Ses
voisins et ceux qui l'avaient vu mendier
auparavant demandaient : « N'est-ce pas
cet homme qui se tenait assis pour mendier ? » [9] Les uns disaient : « C'est lui. »
D'autres disaient : « Non, ce n'est pas lui,
mais il lui ressemble. » Et l'homme disait : « C'est bien moi. » [10] Ils lui demandèrent : « Comment donc tes yeux ont-ils
été guéris ? » [11] Il répondit : « L'homme
appelé Jésus a fait un peu de boue, il en a
frotté mes yeux et m'a dit : "Va à Siloé te
laver la figure." J'y suis allé et, après
m'être lavé, je voyais ! » [12] Ils lui demandèrent : « Où est cet homme ? » – « Je ne
sais pas », répondit-il.

Les Pharisiens interrogent l'aveugle guéri

[13] On amena alors aux *Pharisiens
l'homme qui avait été aveugle. [14] Or, Jésus avait fait de la boue et lui avait guéri
les yeux un jour de *sabbat. [15] C'est pourquoi les Pharisiens, eux aussi, demandèrent à l'homme ce qui s'était passé
pour qu'il voie maintenant. Il leur dit :
« Il m'a mis un peu de boue sur les yeux,
je me suis lavé la figure et maintenant je
vois. » [16] Quelques Pharisiens disaient :
« Celui qui a fait cela ne peut pas venir de
Dieu, car il n'obéit pas à la loi du sabbat. » Mais d'autres répliquaient : « Comment un pécheur pourrait-il faire de tels
signes miraculeux ? » Et ils étaient divisés
entre eux. [17] Les Pharisiens demandèrent
encore à l'aveugle guéri : « Et toi, que
dis-tu de celui qui a guéri tes yeux ? »
– « C'est un *prophète », répondit-il.

[18] Cependant, les chefs juifs ne voulaient pas croire qu'il avait été aveugle et
que maintenant il voyait. C'est pourquoi
ils convoquèrent ses parents [19] pour les
interroger. Ils leur demandèrent : « Est-ce
bien là votre fils ? Affirmez-vous qu'il e
né aveugle ? Que s'est-il donc passé pou
qu'il voie maintenant ? » [20] Les paren
répondirent : « Nous savons que c'est no
tre fils et qu'il est né aveugle. [21] Mais nou
ne savons pas ce qui s'est passé pour qu'
voie maintenant et nous ne savons pa
non plus qui a guéri ses yeux. Interroge
le : il est d'âge à répondre lui-même !
[22] Ils parlèrent ainsi parce qu'ils avaie
peur des chefs juifs. En effet, ceux-
s'étaient déjà mis d'accord pour exclu
de la *synagogue toute personne qui a
firmerait que Jésus est le *Messie. [23] Voi
pourquoi les parents dirent : « Il est d'âg
à répondre, interrogez-le ! »

[24] Les Pharisiens appelèrent une se
conde fois l'homme qui avait été aveug
et lui dirent : « Dis la vérité devant Die
Nous savons que cet homme est un pe
cheur. » [25] Il répondit : « Je ne sais pas s'
est pécheur ou non. Mais je sais un
chose : j'étais aveugle et maintenant
vois. » [26] Ils lui demandèrent : « Que t'a
t-il fait ? Comment a-t-il guéri te
yeux ? » – [27] « Je vous l'ai déjà dit, répon
dit-il, mais vous ne m'avez pas écout
Pourquoi voulez-vous me l'entendre di
encore une fois ? Peut-être désirez-vou
vous aussi, devenir ses *disciples ? » [28] I
l'injurièrent et dirent : « C'est toi qui
disciple de cet homme ! Nous, nous som
mes disciples de Moïse. [29] Nous savon
que Dieu a parlé à Moïse ; mais lui, no
ne savons même pas d'où il vient !
[30] L'homme leur répondit : « Voilà bie
ce qui est étonnant : vous ne savez pa
d'où il vient et pourtant il a guéri me
yeux ! [31] Nous savons que Dieu n'écou
pas les pécheurs, mais qu'il écoute to
être qui le respecte et obéit à sa volonté
[32] On n'a jamais entendu dire qu
quelqu'un ait guéri les yeux d'une pe
sonne née aveugle. [33] Si cet homme ne v
nait pas de Dieu, il ne pourrait rie
faire. » [34] Ils lui répondirent : « Tu es to
entier dans le péché depuis ta naissan
et tu veux nous faire la leçon ? » Et ils
chassèrent de la synagogue[g].

L'aveuglement spirituel

[35] Jésus apprit qu'ils l'avaient chassé.
le rencontra et lui demanda : « Crois-

---

e **9.7** La *piscine de Siloé* était située à l'intérieur des murs de Jérusalem. Voir 2 Rois 20.20 ; És 8.6 et la note.

f **9.31** Voir És 1.15 ; Ps 34.16 ; 66.18 ; Prov 15.29.

g **9.34** *ils le chassèrent de la synagogue* : autre traduction *ils le jetèrent dehors*.

ı *Fils de l'homme ?» – 36 «Dis-moi qui
'est, Maître, répondit l'homme, pour
ue je puisse croire en lui.» 37 Jésus lui
it : «Eh bien, tu le vois ; c'est lui qui te
arle maintenant.» – 38 «Je crois, Seineur», dit l'homme. Et il se mit à ge-
oux devant Jésus. 39 Jésus dit alors : «Je
ıis venu dans ce monde pour qu'un ju-
ement ait lieu : pour que les aveugles
oient et que ceux qui voient deviennent
veugles.» 40 Quelques *Pharisiens, qui
e trouvaient près de lui, entendirent ces
aroles et lui demandèrent : «Sommes-
ous des aveugles, nous aussi ?» 41 Jésus
ur répondit : «Si vous étiez aveugles,
ous ne seriez pas coupables ; mais
omme vous dites : "Nous voyons", vous
estez coupables.»

La parabole du berger et des brebis

10 1 Jésus dit : «Oui, je vous le déclare, c'est la vérité : celui qui
'entre pas par la porte dans l'enclos des
brebis[h], mais qui passe par-dessus le
ıur à un autre endroit, celui-là est un vo-
ur, un brigand. 2 Mais celui qui entre
ar la porte est le *berger des brebis. 3 Le
ardien lui ouvre la porte et les brebis
coutent sa voix. Il appelle ses brebis cha-
ıne par son nom et les mène dehors.
Quand il les a toutes fait sortir, il mar-
ne devant elles et les brebis le suivent,
arce qu'elles connaissent sa voix. 5 Mais
les ne suivront pas un inconnu ; au
ontraire, elles fuiront loin de lui, parce
u'elles ne connaissent pas sa voix.»
6 Jésus leur raconta cette *parabole,
ıais ses auditeurs ne comprirent pas ce
u'il voulait dire.

Jésus, le bon berger

7 Jésus dit encore : «Oui, je vous le dé-
are, c'est la vérité : je suis la porte de
enclos des *brebis. 8 Tous ceux qui sont
enus avant moi sont des voleurs, des
rigands[i] ; mais les brebis ne les ont pas
coutés. 9 Je suis la porte. Celui qui entre
ı passant par moi sera sauvé ; il pourra
ntrer et sortir, et il trouvera sa nourri-
ıre[j]. 10 Le voleur vient uniquement pour
oler, tuer et détruire. Moi, je suis venu
our que les humains aient la vie et
l'aient en abondance. 11 Je suis le bon
*berger[k]. Le bon berger est prêt à donner
sa vie pour ses brebis. 12 L'homme qui ne
travaille que pour de l'argent n'est pas
vraiment le berger ; les brebis ne lui appartiennent pas. Il les abandonne et s'enfuit quand il voit venir le loup. Alors le
loup se jette sur les brebis et disperse le
troupeau. 13 Voilà ce qui arrive parce que
cet homme ne travaille que pour de l'argent et ne se soucie pas des brebis. 14 Je
suis le bon berger. Je connais mes brebis
et elles me connaissent, 15 de même que le
Père me connaît et que je connais le
Père[l]. Et je donne ma vie pour mes brebis. 16 J'ai encore d'autres brebis qui ne
sont pas dans cet enclos. Je dois aussi les
conduire ; elles écouteront ma voix, et elles deviendront un seul troupeau[m] avec
un seul berger. 17 Le Père m'aime parce
que je donne ma vie, pour ensuite l'obtenir à nouveau. 18 Personne ne me prend
la vie, mais je la donne volontairement.
J'ai le pouvoir de la donner et j'ai le pouvoir de l'obtenir à nouveau. Cela correspond à l'ordre que mon Père m'a donné.»
19 Les Juifs furent de nouveau divisés à
cause de ces paroles. 20 Beaucoup d'entre
eux disaient : «Il est possédé d'un esprit
mauvais ! Il est fou ! Pourquoi l'écoutez-
vous ?» 21 D'autres disaient : «Un possédé ne parlerait pas ainsi. Un esprit
mauvais peut-il rendre la vue aux aveugles ?»

Jésus est rejeté

22 C'était l'hiver et l'on célébrait à Jérusalem la fête de la Dédicace[n]. 23 Jésus al-

---

h **10.1** Pendant la nuit, les troupeaux étaient parqués à l'intérieur d'un enclos de pierres sèches sous la surveillance d'un gardien.

i **10.8** Voir Jér 23.1-2 ; Ézék 34.2-3.

j **10.9** *sa nourriture* ou *un pâturage*.

k **10.11** Comparer Ps 23.1 ; És 40.11 ; Ézék 34.15 ; 37.24.

l **10.15** Voir Matt 11.27 ; Luc 10.22.

m **10.16** *elles deviendront un seul troupeau* : certains manuscrits ont *il y aura un seul troupeau*.

n **10.22** La *fête de la Dédicace* était célébrée à Jérusalem vers la fin de décembre pour rappeler la restauration et la nouvelle dédicace de l'autel du temple effectuées par le patriote juif Judas Maccabée en 165 ou 164 avant J.-C.

lait et venait dans la galerie à colonnes de
Salomon, au *temple. 24 Les Juifs se rassemblèrent alors autour de lui et lui dirent : « Jusqu'à quand vas-tu nous
maintenir dans l'incertitude ? Si tu es le
*Messie, dis-le-nous franchement. » 25 Jé-
sus leur répondit : « Je vous l'ai déjà dit,
mais vous ne me croyez pas. Les œuvres
que je fais au nom de mon Père témoignent en ma faveur. 26 Mais vous ne
croyez pas, parce que vous ne faites pas
partie de mes *brebis. 27 Mes brebis écoutent ma voix ; je les connais et elles me
suivent. 28 Je leur donne la vie éternelle,
elles ne seront jamais perdues et personne ne les arrachera de ma main. 29 Ce
que mon Père m'a donné est plus grand
que tout[o] et personne ne peut rien arracher de la main du Père. 30 Le Père et moi,
nous sommes un. »

31 Les Juifs ramassèrent de nouveau
des pierres pour les jeter contre lui[p]. 32 Jésus leur dit alors : « Je vous ai fait voir
beaucoup d'œuvres bonnes de la part du
Père. Pour laquelle de ces œuvres voulez-
vous me tuer à coups de pierres ? » 33 Les
Juifs lui répondirent : « Nous ne voulons
pas te tuer à coups de pierres pour une
œuvre bonne, mais parce que tu fais insulte à Dieu : tu n'es qu'un homme et tu
veux te faire Dieu[q] ! » 34 Jésus répondit :
« Il est écrit dans votre *loi que Dieu a
dit : "Vous êtes des dieux[r]." 35 Nous savons qu'on ne peut pas supprimer ce
qu'affirme l'Écriture. Or, Dieu a appelé
dieux ceux auxquels s'adressait sa parole.
36 Et moi, le Père m'a choisi et envoyé
dans le monde. Comment donc pouvez-
vous dire que je fais insulte à Dieu parce
que j'ai déclaré que je suis le *Fils de
Dieu ? 37 Si je ne fais pas les œuvres de
mon Père, ne me croyez pas. 38 Mais si j
les fais, quand même vous ne me croirie
pas, croyez au moins à ces œuvres af
que vous sachiez une fois pour toutes qu
le Père vit en moi et que je vis dans l
Père. » 39 Ils cherchèrent une fois de plu
à l'arrêter, mais il leur échappa. 40 Jésu
s'en alla de nouveau de l'autre côté de l
rivière, le Jourdain, à l'endroit où Jea
avait baptisé précédemment[s], et il y rest
41 Beaucoup de gens vinrent à lui. Ils d
saient : « Jean n'a fait aucun signe mir
culeux, mais tout ce qu'il a dit de c
homme était vrai. » 42 Et là, beaucoup cru
rent en Jésus.

La mort de Lazare

11 1 Un homme appelé Lazare tomb
malade. Il habitait Béthanie, le vi
lage où vivaient Marie et sa sœur Marthe
2 – Marie était cette femme qui répand
du parfum sur les pieds du Seigneur et l
essuya avec ses cheveux, et c'était son frè
Lazare qui était malade[u]. – 3 Les deu
sœurs envoyèrent quelqu'un dire à Jésus
« Seigneur, ton ami est malade. » 4 Lorsqu
Jésus apprit cette nouvelle, il dit : « La m
ladie de Lazare ne le fera pas mourir ; el
doit servir à montrer la puissance gl
rieuse de Dieu et à manifester ainsi l
*gloire du *Fils de Dieu. »

5 Jésus aimait Marthe et sa sœur, ain
que Lazare. 6 Or, quand il apprit que L
zare était malade, il resta encore deu
jours à l'endroit où il se trouvait, 7 puis
dit à ses *disciples : « Retournons en J
dée. » 8 Les disciples lui répondiren
« Maître, il y a très peu de temps on che
chait à te tuer à coups de pierres là-bas
tu veux y retourner ? » 9 Jésus leur dit : «
y a douze heures dans le jour, n'est-c
pas ? Si quelqu'un marche pendant l
jour, il ne trébuche pas, parce qu'il vo
la lumière de ce monde. 10 Mais
quelqu'un marche pendant la nuit, il tr
buche, parce qu'il n'y a pas de lumière e
lui. » 11 Après avoir dit cela, Jésus ajouta
« Notre ami Lazare s'est endormi, mais j
vais aller le réveiller. » 12 Les disciples r
pondirent : « Seigneur, s'il s'est endorm
il guérira. » 13 En fait, Jésus avait parlé d
la mort de Lazare, mais les disciples pe
saient qu'il parlait du sommeil ordinair

---

o **10.29** *Ce que... plus grand que tout* : certains manuscrits ont *Mon Père qui me les a données est plus grand que tout*.
p **10.31** Voir 8.59.
q **10.33** Voir Lév 24.16.
r **10.34** Ps 82.6.
s **10.40** Voir 1.28.
t **11.1** Voir Luc 10.38-39. – *Lazare* était un nom probablement assez courant à l'époque de Jésus ; c'est la forme abrégée d'*Eléazar* (Dieu l'aide). – *Béthanie* : voir Marc 11.1 et la note.
u **11.2** Voir 12.3.

'Jésus leur dit alors clairement : « La-
are est mort. 15 Je me réjouis pour vous
le n'avoir pas été là-bas, parce que ainsi
ous croirez en moi. Mais allons auprès
le lui. » 16 Alors Thomas – surnommé
e Jumeau – dit aux autres disciples :
Allons-y, nous aussi, pour mourir avec
otre Maître ! »

Jésus est la résurrection et la vie

17 Quand Jésus arriva, il apprit que La-
are était dans la tombe depuis quatre
ours déjà. 18 Béthanie est proche de Jéru-
alem, à moins de trois kilomètres, 19 et
eaucoup de Juifs étaient venus chez Mar-
he et Marie pour les consoler de la mort
le leur frère. 20 Quand Marthe apprit que
ésus arrivait, elle partit à sa rencontre ;
nais Marie resta assise à la maison.
Marthe dit à Jésus : « Seigneur, si tu
vais été ici, mon frère ne serait pas mort.
Mais je sais que même maintenant Dieu
e donnera tout ce que tu lui demande-
as. » 23 Jésus lui dit : « Ton frère se relèvera
e la mort. » 24 Marthe répondit : « Je sais
u'il se relèvera lors de la *résurrection
es morts, au dernier jour[v]. » 25 Jésus lui
it : « Je suis la résurrection et la vie. Celui
ui croit en moi vivra, même s'il meurt ;
et celui qui vit et croit en moi ne mourra
amais. Crois-tu cela ? » – 27 « Oui, Seineur, répondit-elle, je crois que tu es le
Messie, le *Fils de Dieu, celui qui devait
enir dans le monde. »

Jésus pleure

28 Sur ces mots, Marthe s'en alla appeler
a sœur Marie et lui dit tout bas : « Le
Maître est là et il te demande de venir. »
Dès que Marie eut entendu cela, elle se
eva et courut au-devant de Jésus. 30 Or, Jé-
us n'était pas encore entré dans le village,
nais il se trouvait toujours à l'endroit où
Marthe l'avait rencontré. 31 Quand les
uifs qui étaient dans la maison avec Ma-
ie pour la consoler la virent se lever et
ortir en hâte, ils la suivirent. Ils pensaient
u'elle allait au tombeau pour y pleurer.
Marie arriva là où se trouvait Jésus ; dès
u'elle le vit, elle se jeta à ses pieds et lui
it : « Seigneur, si tu avais été ici, mon
rère ne serait pas mort. » 33 Jésus vit
u'elle pleurait, ainsi que ceux qui étaient
venus avec elle. Il en fut profondément
ému et troublé, 34 et il leur demanda : « Où
l'avez-vous mis ? » Ils lui répondirent :
« Seigneur, viens et tu verras. » 35 Jésus
pleura. 36 Les Juifs dirent alors : « Voyez
comme il l'aimait ! » 37 Mais quelques-uns
d'entre eux dirent : « Lui qui a guéri les
yeux de l'aveugle[w], ne pouvait-il pas aussi
empêcher Lazare de mourir ? »

Lazare est ramené à la vie

38 Jésus, de nouveau profondément
ému, se rendit au tombeau. C'était une caverne, dont l'entrée était fermée par une
grosse pierre[x]. 39 « Enlevez la pierre », dit
Jésus. Marthe, la sœur du mort, lui dit :
« Seigneur, il doit sentir mauvais, car il y a
déjà quatre jours qu'il est ici. » 40 Jésus lui
répondit : « Ne te l'ai-je pas dit ? Si tu crois
tu verras la *gloire de Dieu. » 41 On enleva
donc la pierre. Jésus leva les yeux vers le
*ciel et dit : « Père, je te remercie de
m'avoir écouté. 42 Je sais que tu m'écoutes
toujours, mais je le dis à cause de ces gens
qui m'entourent, afin qu'ils croient que tu
m'as envoyé. » 43 Cela dit, il cria très fort :
« Lazare, sors de là ! » 44 Le mort sortit, les
pieds et les mains entourés de bandes et le
visage enveloppé d'un linge[y]. Jésus dit
alors : « Déliez-le et laissez-le aller. »

Le complot contre Jésus

(Voir aussi Matt 26.1-5 ; Marc 14.1-2 ; Luc 22.1-2)

45 Beaucoup de Juifs, parmi ceux qui
étaient venus chez Marie et avaient vu ce
que Jésus avait fait, crurent en lui. 46 Mais
quelques-uns d'entre eux allèrent trouver
les *Pharisiens et leur racontèrent ce que
Jésus avait fait. 47 Les chefs des *prêtres
et les Pharisiens réunirent alors le
*Conseil supérieur et dirent : « Qu'al-
lons-nous faire ? Car cet homme réalise
beaucoup de signes miraculeux ! 48 Si
nous le laissons agir ainsi, tous croiront

---

v **11.24** Voir Dan 12.2.
w **11.37** Voir 9.6.
x **11.38** Dans la Palestine du temps de Jésus, les tombes étaient souvent creusées à flanc de coteau dans le rocher et fermées par une grosse pierre ronde et plate. Voir Matt 27.60 ; Marc 15.46 ; Luc 24.2.
y **11.44** Comparer 20.6-7.

en lui, puis les autorités romaines interviendront et détruiront notre *temple et notre nation ! » 49 L'un d'entre eux, nommé Caïphe, qui était grand-prêtre cette année-là, leur dit : « Vous n'y comprenez rien ! 50 Ne saisissez-vous pas qu'il est de votre intérêt qu'un seul homme meure pour le peuple et qu'ainsi la nation entière ne soit pas détruite ? » 51 Or, ce n'est pas de lui-même qu'il disait cela ; mais, comme il était grand-prêtre cette année-là, il *prophétisait que Jésus devait mourir pour la nation juive, 52 et non seulement pour cette nation, mais aussi pour rassembler en un seul corps tous les enfants de Dieu dispersés.

53 Dès ce jour-là, les autorités juives décidèrent de faire mourir Jésus. 54 C'est pourquoi Jésus cessa d'aller et venir en public parmi les Juifs. Il se rendit dans une région voisine du désert, dans une localité appelée Éfraïm[z], où il resta avec ses *disciples.

55 La fête juive de la *Pâque était proche, et beaucoup de gens du pays se rendirent à Jérusalem pour se *purifier avant cette fête. 56 Ils cherchaient Jésus et, alors qu'ils se tenaient dans le temple, ils se demandaient les uns aux autres : « Qu'en pensez-vous ? Viendra-t-il à la fête ou non ? » 57 Les chefs des prêtres et les Pharisiens avaient ordonné que si quelqu'un savait où était Jésus, il devait les avertir, afin qu'on puisse l'arrêter.

Marie met du parfum sur les pieds de Jésus

(Voir aussi Matt 26.6-13 ; Marc 14.3-9)

12 1 Six jours avant la *Pâque, Jésus se rendit à Béthanie[a], où vivait Lazare, l'homme qu'il avait ramené d'entre les morts. 2 Là, on lui offrit un repas
servi par Marthe. Lazare était un d
ceux qui se trouvaient à table avec Jésus
3 Marie prit alors un demi-litre d'un par
fum très cher, fait de *nard pur, et le ré
pandit sur les pieds de Jésus, puis elle le
essuya avec ses cheveux[b]. Toute la mai
son se remplit de l'odeur du parfum
4 L'un des *disciples de Jésus, Judas Is
cariote – celui qui allait le trahir – di
alors : 5 « Pourquoi n'a-t-on pas vendu c
parfum trois cents pièces d'argent[c] pou
les donner aux pauvres ? » 6 Il disait cel
non parce qu'il se souciait des pauvres
mais parce qu'il était voleur : il tenait l
bourse et prenait ce qu'on y mettai
7 Mais Jésus dit : « Laisse-la tranquille
Elle a fait cela en vue du jour où l'on m
mettra dans la tombe[d]. 8 Vous aurez tou
jours des pauvres avec vous[e], mais mo
vous ne m'aurez pas toujours ave
vous. »

Le complot contre Lazare

9 La foule nombreuse des Juifs appri
que Jésus était à Béthanie. Ils y allèren
non seulement à cause de Jésus, mai
aussi pour voir Lazare que Jésus avait ra
mené d'entre les morts. 10 Les chefs de
*prêtres décidèrent alors de faire mouri
aussi Lazare, 11 parce que beaucoup d
Juifs les quittaient à cause de lui e
croyaient en Jésus.

Jésus entre à Jérusalem

(Voir aussi Matt 21.1-11 ; Marc 11.1-11 ; Luc 19.28-40)

12 Le lendemain, la foule nombreus
qui était venue pour la fête de la *Pâqu
apprit que Jésus arrivait à Jérusalem
13 Tous prirent alors des branches de pal
miers et sortirent de la ville pour aller
sa rencontre ; ils criaient : « Gloire
Dieu ! Que Dieu *bénisse celui qui vien
au nom du Seigneur ! Que Dieu béniss
le roi *d'Israël[f] ! » 14 Jésus trouva un ân
et s'assit dessus, comme le déclare l'Écri
ture :

15 « N'aie pas peur, ville de *Sion !
Regarde, ton roi vient,
assis sur le petit d'une ânesse[g]. »

16 Tout d'abord, ses *disciples ne compri
rent pas ces faits ; mais lorsque Jésus eu

---

z 11.54 *Éfraïm* : on situe souvent cette localité à une vingtaine de kilomètres au nord-est de Jérusalem.
a 12.1 Voir Marc 11.1 et la note.
b 12.3 Comparer Luc 7.37-38.
c 12.5 *pièces d'argent* : voir Marc 6.37 et la note.
d 12.7 *Elle a fait cela... dans la tombe* : autre traduction *Laisse-la garder ce qu'elle a pour le jour où l'on me mettra dans la tombe*.
e 12.8 Comparer Deut 15.11.
f 12.13 Comparer Ps 118.25-26. – *Gloire* : le texte original a *Hosanna* (voir Matt 21.9 et la note).
g 12.15 Zach 9.9.

été élevé à la *gloire, ils se rappelèrent
que l'Écriture avait annoncé cela à son
sujet et qu'on avait accompli pour lui ce
qu'elle disait.
17 Tous ceux qui étaient avec Jésus
quand il avait appelé Lazare hors du tombeau et l'avait ramené d'entre les morts,
racontaient ce qu'ils avaient vu. 18 C'est
pourquoi la foule vint à sa rencontre : les
gens avaient appris qu'il avait fait ce signe miraculeux. 19 Les *Pharisiens se dirent alors entre eux : « Vous voyez que
vous n'y pouvez rien : tout le monde s'est
mis à le suivre ! »

Quelques Grecs cherchent Jésus

20 Quelques Grecs[h] se trouvaient parmi
ceux qui étaient venus à Jérusalem pour
adorer Dieu pendant la fête. 21 Ils s'approchèrent de Philippe, qui était de Bethsaïda en Galilée, et lui dirent : « Maître,
nous désirons voir Jésus. » 22 Philippe alla
le dire à André, puis tous deux allèrent le
dire à Jésus. 23 Jésus leur répondit :
« L'heure est maintenant venue où le
*Fils de l'homme va être élevé à la
*gloire. 24 Oui, je vous le déclare, c'est la
vérité : un grain de blé reste un seul grain
s'il ne tombe pas en terre et ne meurt pas.
Mais s'il meurt, il produit beaucoup de
grains. 25 Celui qui aime sa vie la perdra,
mais celui qui refuse de s'y attacher dans
ce monde la gardera pour la vie éternelle[i]. 26 Si quelqu'un veut me servir, il
doit me suivre ; ainsi, mon serviteur sera
aussi là où je suis. Mon Père honorera
celui qui me sert. »

Jésus parle de sa mort

27 « Maintenant mon cœur est troublé.
Et que dirai-je ? Dirai-je : Père, délivre-
moi de cette heure de souffrance ? Mais
c'est précisément pour cette heure que je
suis venu. 28 Père, donne *gloire à ton
nom ! » Une voix se fit alors entendre du
*ciel : « Je l'ai déjà glorifié et je le glorifie-
rai de nouveau. » 29 La foule qui se trouvait là et avait entendu la voix disait :
« C'était un coup de tonnerre ! » D'autres
disaient : « Un *ange lui a parlé ! » 30 Mais
Jésus leur déclara : « Ce n'est pas pour
moi que cette voix s'est fait entendre,
mais pour vous. 31 C'est maintenant le
moment où ce monde va être jugé ; maintenant, le dominateur de ce monde va
être chassé. 32 Et moi, quand j'aurai été
élevé de la terre[j], j'attirerai à moi tous les
humains. » 33 Par ces mots, Jésus indiquait de quel genre de mort il allait mourir. 34 La foule lui répondit : « Nous avons
appris dans les livres de notre *loi que le
*Messie vivra toujours[k]. Alors, comment
peux-tu dire que le *Fils de l'homme doit
être élevé ? Qui est ce Fils de l'homme ? »
35 Jésus leur dit : « La lumière est encore
parmi vous, mais pour peu de temps.
Marchez pendant que vous avez la lumière, pour que l'obscurité ne vous surprenne pas, car celui qui marche dans
l'obscurité ne sait pas où il va. 36 Croyez
donc en la lumière pendant que vous
l'avez, afin que vous deveniez des êtres de
lumière. »

Les Juifs ne croient pas en Jésus

Après avoir ainsi parlé, Jésus s'en alla
et se cacha loin d'eux. 37 Bien qu'il eût fait
tant de signes miraculeux devant eux, ils
ne croyaient pas en lui. 38 Ainsi se réalisait ce qu'avait dit le *prophète Ésaïe :
« Seigneur, qui a cru notre message ?
A qui le Seigneur a-t-il révélé son intervention[l] ? »
39 Ésaïe a dit aussi pourquoi ces gens ne
pouvaient pas croire :
40 « Dieu a rendu leurs yeux aveugles,
il a fermé leur intelligence,
afin que leurs yeux ne voient pas,
que leur intelligence ne comprenne
pas.

---

h **12.20** *Grecs* : ces gens, qui participent au pèlerinage pascal sans être pourtant de race juive, peuvent être considérés comme des sympathisants du judaïsme ou encore comme des *prosélytes* (non-Juifs gagnés à la foi juive).

i **12.25** Comparer Matt 10.39 ; 16.25 ; Marc 8.35 ; Luc 9.24.

j **12.32** *élevé de la terre* est une expression à double sens, comme il arrive souvent chez Jean (voir 3.3,8 et les notes). Elle vise ici à la fois l'élévation de Jésus sur la croix et son élévation à la gloire (voir v. 33 ; 3.14-15 ; 8.28).

k **12.34** Voir Ps 110.4 ; És 9.6 ; Dan 7.14.

l **12.38** És 53.1, cité d'après l'ancienne version grecque.

Et voilà pourquoi, dit Dieu, ils ne se
tournent pas vers moi
pour que je les guérisse[m]. »
41 Esaïe a dit cela parce qu'il avait vu la
*gloire de Jésus et qu'il parlait de lui.
42 Cependant, parmi les chefs juifs eux-
mêmes, beaucoup crurent en Jésus. Mais,
à cause des *Pharisiens, ils ne le déclaraient pas, pour ne pas être exclus de la
*synagogue[n]. 43 Ils préféraient l'approba-
tion qui vient des hommes à celle qui
vient de Dieu.

Le jugement par la parole de Jésus

44 Jésus s'écria : « Celui qui croit en
moi, croit en réalité non pas en moi, mais
en celui qui m'a envoyé. 45 Celui qui me
voit, voit celui qui m'a envoyé. 46 Moi, je
suis venu dans le monde comme lumière,
afin que quiconque croit en moi ne reste
pas dans l'obscurité. 47 Si quelqu'un entend mes paroles et ne les met pas en pratique, ce n'est pas moi qui le condamne,
car je suis venu pour sauver le monde et
non pas pour le condamner. 48 Celui qui
me rejette et n'accepte pas mes paroles
trouve là ce qui le condamne : c'est l'enseignement que j'ai donné qui le
condamnera au dernier jour. 49 En effet, je
n'ai pas parlé de ma propre initiative,
mais le Père qui m'a envoyé m'a ordonné
lui-même ce que je devais dire et enseigner. 50 Et je le sais : ce qu'il ordonne
produit la vie éternelle. Ainsi, ce que je
dis, je le dis comme mon Père me l'a
ordonné. »

Jésus lave les pieds de ses disciples

13 1 C'était la veille de la fête de la
*Pâque. Jésus savait que l'heure
était venue pour lui de quitter ce monde
pour aller auprès du Père. Il avait toujours aimé les siens qui étaient dans le
monde et il les aima jusqu'à la fin[o]. 2 Jésus et ses *disciples prenaient le repas
du soir. Le *diable avait déjà persuadé
Judas, fils de Simon Iscariote, de trahir
Jésus[p]. 3 Jésus savait que lui-même était
venu de Dieu et retournait à Dieu, et
que le Père avait tout mis en son pouvoir. 4 Il se leva de table, ôta son vêtement de dessus et prit un linge dont il
s'entoura la taille. 5 Ensuite, il versa de
l'eau dans une cuvette et se mit à laver
les pieds de ses disciples, puis à les es-
suyer avec le linge qu'il avait autour de
la taille. 6 Il arriva ainsi près de Simon
Pierre, qui lui dit : « Seigneur, vas-tu me
laver les pieds, toi ? » 7 Jésus lui répondit : « Tu ne saisis pas maintenant ce que
je fais, mais tu comprendras plus tard. »
8 Pierre lui dit : « Non, tu ne me laveras
jamais les pieds ! » Jésus lui répondit :
« Si je ne te les lave pas, tu n'auras aucune part à ce que j'apporte. » 9 Simon
Pierre lui dit : « Alors, Seigneur, ne me
lave pas seulement les pieds, mais aussi
les mains et la tête ! » 10 Jésus lui dit :
« Celui qui a pris un bain n'a plus besoin
de se laver, sinon les pieds, car il est entièrement propre. Vous êtes propres,
vous, mais pas tous cependant[q]. » 11 Jésus
savait bien qui allait le trahir ; c'est
pourquoi il dit : « Vous n'êtes pas tous
propres. »
12 Après leur avoir lavé les pieds, Jésus
reprit son vêtement, se remit à table et
leur dit : « Comprenez-vous ce que je
vous ai fait ? 13 Vous m'appelez "Maître"
et "Seigneur", et vous avez raison, car je
le suis. 14 Si donc moi, le Seigneur et le
Maître, je vous ai lavé les pieds, vous
aussi vous devez vous laver les pieds les
uns aux autres. 15 Je vous ai donné un
exemple pour que vous agissiez comme je
l'ai fait pour vous. 16 Oui, je vous le déclare, c'est la vérité : un serviteur n'est
pas plus grand que son maître et un envoyé n'est pas plus grand que celui qui
l'envoie[r]. 17 Maintenant vous savez cela :
vous serez heureux si vous le mettez en
pratique. 18 Je ne parle pas de vous tous ;
je connais ceux que j'ai choisis. Mais il
faut que cette parole de l'Écriture se réa-

m **12.40** És 6.9-10, cité d'après l'ancienne version grecque.

n **12.42** Voir 9.22.

o **13.1** *jusqu'à la fin* : autre traduction *au plus haut point*.

p **13.2** *Le diable... de trahir Jésus* : autre traduction *Le diable avait déjà décidé que Judas, fils de Simon Iscariote, trahirait Jésus*.

q **13.10** *sinon les pieds* : certains manuscrits n'ont pas ces mots. – *propre* : le même mot grec signifie à la fois *propre* et *pur* ; il est pris dans ce double sens ici.

r **13.16** Comparer les v. 12-16 et Luc 22.24-27.

lise : “Celui avec qui je partageais mon
pain s'est tourné contre moi[s].” 19 Je vous
le dis déjà maintenant, avant que la chose
arrive, afin que lorsqu'elle arrivera vous
croyiez que “je suis qui je suis”. 20 Oui, je
vous le déclare, c'est la vérité : quiconque
reçoit celui que j'envoie me reçoit aussi ;
et quiconque me reçoit, reçoit celui qui
m'a envoyé. »

Jésus annonce que Judas va le trahir

(Voir aussi Matt 26.20-25 ; Marc 14.17-21 ; Luc 22.21-23)

21 Après ces mots, Jésus fut profondément troublé et dit solennellement :
« Oui, je vous le déclare, c'est la vérité :
l'un de vous me trahira. » 22 Les *disciples se regardaient les uns les autres,
sans savoir du tout de qui il parlait.
23 L'un des disciples, celui que Jésus aimait, était placé à côté de Jésus. 24 Simon
Pierre lui fit un signe pour qu'il demande à Jésus de qui il parlait. 25 Le disciple se pencha alors vers Jésus et lui
demanda : « Seigneur, qui est-ce ? » 26 Jésus répondit : « Je vais tremper un morceau de pain dans le plat : celui à qui je le
donnerai, c'est lui. » Jésus prit alors un
morceau de pain, le trempa et le donna à
Judas, fils de Simon Iscariote. 27 Dès que
Judas eut pris le morceau, *Satan entra
en lui. Jésus lui dit : « Ce que tu as à
faire, fais-le vite ! » 28 Aucun de ceux qui
étaient à table ne comprit pourquoi il lui
disait cela. 29 Comme Judas tenait la
bourse, plusieurs pensaient que Jésus lui
demandait d'aller acheter ce qui leur
était nécessaire pour la fête, ou d'aller
faire un don aux pauvres. 30 Judas prit
donc le morceau de pain et sortit aussitôt. Il faisait nuit.

Le nouveau commandement

31 Après que Judas fut sorti, Jésus dit :
« Maintenant la *gloire du *Fils de
l'homme est révélée et la gloire de Dieu
se révèle en lui. 32 [Et si la gloire de Dieu
se révèle en lui,][t] Dieu aussi manifestera
en lui-même la gloire du Fils et il le fera
bientôt. 33 Mes enfants, je ne suis avec
vous que pour peu de temps encore. Vous
me chercherez, mais je vous dis maintenant ce que j'ai dit aux autres Juifs : vous
ne pouvez pas aller là où je vais[u]. 34 Je
vous donne un commandement nou-
veau : aimez-vous les uns les autres. Il
faut que vous vous aimiez les uns les autres comme je vous ai aimés. 35 Si vous
vous aimez les uns les autres, alors tous
sauront que vous êtes mes *disciples. »

Jésus annonce que Pierre le reniera

(Voir aussi Matt 26.31-35 ; Marc 14.27-31 ; Luc 22.31-34)

36 Simon Pierre lui demanda : « Seigneur, où vas-tu ? » Jésus lui répondit :
« Tu ne peux pas me suivre maintenant là
où je vais, mais tu me suivras plus tard. »
37 Pierre lui dit : « Seigneur, pourquoi ne
puis-je pas te suivre maintenant ? Je suis
prêt à donner ma vie pour toi ! » 38 Jésus
répondit : « Es-tu vraiment prêt à donner
ta vie pour moi ? Eh bien, je te le déclare,
c'est la vérité : avant que le coq chante, tu
auras prétendu trois fois ne pas me
connaître. »

Jésus est le chemin qui conduit au Père

14 1 « Ne soyez pas si inquiets, leur
dit Jésus. Ayez confiance[v] en Dieu
et ayez aussi confiance en moi. 2 Il y a
beaucoup de place dans la maison de
mon Père ; sinon vous aurais-je dit que
j'allais vous préparer le lieu où vous serez[w] ? 3 Et après être allé vous préparer
une place, je reviendrai et je vous prendrai auprès de moi, afin que vous soyez,
vous aussi, là où je suis. 4 Vous connaissez
le chemin qui conduit où je vais. » 5 Thomas lui dit : « Seigneur, nous ne savons
pas où tu vas. Comment pourrions-nous
en connaître le chemin ? » 6 Jésus lui répondit : « Je suis le chemin, la vérité, la
vie. Personne ne peut aller au Père autre-

---

s **13.18** Ps 41.10.
t **13.32** Certains manuscrits n'ont pas les mots *Et si la gloire de Dieu se révèle en lui.*
u **13.33** Voir 7.34.
v **14.1** *Ayez confiance* ou *Vous avez confiance.*
w **14.2** *Père ; sinon... où vous serez* : autre traduction *Père et je vais vous préparer une place. Je ne vous l'aurais pas dit si ce n'était pas vrai.*

ment que par moi. 7 Si vous me connaissez, vous connaîtrez[x] aussi mon Père. Et
dès maintenant vous le connaissez, vous
l'avez vu. »

8 Philippe lui dit : « Seigneur, montre-
nous le Père et nous serons satisfaits. » 9 Jésus lui répondit : « Il y a si longtemps que
je suis avec vous et tu ne me connais pas
encore, Philippe ? Celui qui m'a vu a vu le
Père. Pourquoi donc dis-tu : “Montre-
nous le Père” ? 10 Ne crois-tu pas que je vis
dans le Père et que le Père vit en moi ? Les
paroles que je vous dis à tous ne viennent
pas de moi. C'est le Père qui demeure en
moi qui accomplit ses propres œuvres.
11 Croyez-moi quand je dis : je vis dans le
Père et le Père vit en moi. Ou, du moins,
croyez à cause de ces œuvres. 12 Oui, je
vous le déclare, c'est la vérité : celui qui
croit en moi fera aussi les œuvres que je
fais. Il en fera même de plus grandes,
parce que je vais auprès du Père. 13 Et je ferai tout ce que vous demanderez en mon
nom, afin que le Fils manifeste la *gloire
du Père. 14 Si vous me[y] demandez quelque
chose en mon nom, je le ferai. »

La promesse de l'envoi du Saint-Esprit

15 « Si vous m'aimez, vous obéirez à
mes commandements. 16 Je demanderai
au Père de vous donner quelqu'un d'autre pour vous venir en aide, afin qu'il soit
toujours avec vous : 17 c'est l'Esprit de vérité. Le monde ne peut pas le recevoir,
parce qu'il ne peut ni le voir ni le connaître. Mais vous, vous le connaissez, parce
qu'il demeure avec vous et qu'il sera[z] toujours en vous. 18 Je ne vous laisserai pas
seuls comme des orphelins ; je reviendrai
auprès de vous. 19 Dans peu de temps le
monde ne me verra plus, mais vous, vous
me verrez, parce que je vis et que vous vivrez aussi. 20 Ce jour-là, vous comprendrez que je vis uni à mon Père et que vous
êtes unis à moi et moi à vous.

21 « Celui qui retient mes commandements et leur obéit, voilà celui qui
m'aime. Mon Père aimera celui qui
m'aime ; je l'aimerai aussi et je me montrerai à lui. »

22 Jude – non pas Judas Iscariote – lui
dit : « Seigneur, comment se fait-il que tu
doives te montrer à nous et non au
monde ? » 23 Jésus lui répondit : « Celui
qui m'aime obéira à ce que je dis. Mon
Père l'aimera ; nous viendrons à lui, mon
Père et moi, et nous habiterons chez lui.
24 Celui qui ne m'aime pas n'obéit pas à
mes paroles. Ce que vous m'entendez
dire ne vient pas de moi, mais de mon
Père qui m'a envoyé. 25 Je vous ai dit cela
pendant que je suis encore avec vous.
26 Celui qui doit vous venir en aide, le
Saint-Esprit que le Père enverra en mon
nom, vous enseignera tout et vous rappellera tout ce que je vous ai dit.

27 « C'est la paix que je vous laisse, c'est
ma paix que je vous donne[a]. Je ne vous la
donne pas à la manière du monde. Ne
soyez pas inquiets, ne soyez pas effrayés.
28 Vous m'avez entendu dire : “Je m'en
vais, mais je reviendrai auprès de vous”.
Si vous m'aimiez, vous vous réjouiriez de
savoir que je vais auprès du Père, parce
que le Père est plus grand que moi. 29 Je
vous l'ai dit maintenant, avant que ces
choses arrivent, afin que lorsqu'elles arriveront vous croyiez. 30 Je ne parlerai
plus beaucoup avec vous, car le dominateur de ce monde vient. Il n'a aucun pouvoir sur moi, 31 mais il faut que le monde
sache que j'aime le Père et que j'agis
comme le Père me l'a ordonné. Levez-
vous, partons d'ici ! »

Jésus, la vraie vigne

15 1 « Je suis la vraie vigne[b] et mon
Père est le vigneron. 2 Il enlève
tout rameau qui, uni à moi, ne porte pas
de fruit, mais il taille, il *purifie, chaque
rameau qui porte des fruits pour qu'il en
porte encore plus. 3 L'enseignement que
je vous ai donné vous a déjà rendus purs.
4 Demeurez unis à moi, comme je suis
uni à vous. Un rameau ne peut pas porter

x 14.7 *Si vous me connaissez, vous connaîtrez aussi...* : certains manuscrits ont *Si vous m'aviez connu, vous connaîtriez...*

y 14.14 *Si vous me demandez* : certains manuscrits n'ont pas *me*.

z 14.17 *qu'il sera* : certains manuscrits ont *qu'il est*.

a 14.27 Comparer És 9.5.

b 15.1 Comparer És 5.1-4.

de fruit par lui-même, sans être uni à la
vigne ; de même, vous ne pouvez pas porter de fruit si vous ne demeurez pas unis
à moi. 5 Je suis la vigne, vous êtes les rameaux. Celui qui demeure uni à moi, et à
qui je suis uni, porte beaucoup de fruits,
car vous ne pouvez rien faire sans moi.
6 Celui qui ne demeure pas uni à moi est
jeté dehors, comme un rameau, et il sèche ; les rameaux secs, on les ramasse, on
les jette au feu et ils brûlent. 7 Si vous demeurez unis à moi et que mes paroles demeurent en vous, demandez ce que vous
voulez et vous le recevrez. 8 Voici comment la *gloire de mon Père se manifeste : quand vous portez beaucoup de
fruits et que vous vous montrez ainsi mes
*disciples. 9 Je vous aime comme le Père
m'aime. Demeurez dans mon amour. 10 Si
vous obéissez à mes commandements,
vous demeurerez dans mon amour,
comme moi j'ai obéi aux commandements de mon Père et que je demeure
dans son amour.

11 « Je vous ai dit cela afin que ma joie
soit en vous et que votre joie soit
complète[c]. 12 Voici mon commandement : aimez-vous les uns les autres
comme je vous aime. 13 Le plus grand
amour que quelqu'un puisse montrer,
c'est de donner sa vie pour ses amis.
14 Vous êtes mes amis si vous faites ce que
je vous commande. 15 Je ne vous appelle
plus serviteurs, parce que le serviteur ne
sait pas ce que fait son maître. Je vous appelle amis, parce que je vous ai fait
connaître tout ce que j'ai appris de mon
Père. 16 Ce n'est pas vous qui m'avez
choisi, c'est moi qui vous ai choisis ; je
vous ai chargés d'aller, de porter des
fruits et des fruits durables. Alors, le Père
vous donnera tout ce que vous lui demanderez en mon nom. 17 Ce que je vous
commande, donc, c'est de vous aimer les
uns les autres. »

Le monde hait Jésus et les siens

18 « Si le monde a de la haine pour vous,
sachez qu'il m'a haï avant vous. 19 Si vous
apparteniez au monde, le monde vous aimerait parce que vous seriez à lui. Mais je
vous ai choisis et pris hors du monde, et
vous n'appartenez plus au monde : c'est
pourquoi le monde vous hait. 20 Rappelez-
vous ce que je vous ai dit : "Un serviteur
n'est pas plus grand que son maître[d]." Si
les gens m'ont persécuté, ils vous persécuteront aussi ; s'ils ont obéi à mon enseignement, ils obéiront aussi au vôtre.
21 Mais ils vous feront tout cela à cause de
moi, parce qu'ils ne connaissent pas celui
qui m'a envoyé. 22 Ils ne seraient pas coupables de péché si je n'étais pas venu et si
je ne leur avais pas parlé. Mais maintenant, ils n'ont pas d'excuse pour leur péché. 23 Celui qui a de la haine pour moi,
en a aussi pour mon Père. 24 Ils n'auraient
pas été coupables de péché si je n'avais
pas fait parmi eux des œuvres que personne d'autre n'a jamais faites. Or, maintenant, ils ont vu mes œuvres et ils me
haïssent, ainsi que mon Père. 25 Mais cela
arrive pour que se réalise la parole écrite
dans leur *loi : "Ils m'ont haï sans raison[e]."

26 « Celui qui doit vous venir en aide
viendra : c'est l'Esprit de vérité qui vient
du Père. Je vous l'enverrai de la part du
Père et il me rendra témoignage. 27 Et
vous aussi, vous me rendrez témoignage,
parce que vous avez été avec moi depuis
le commencement. »

16 1 « Je vous ai dit cela pour que vous
n'abandonniez pas la foi. 2 On
vous exclura des *synagogues. Et même,
le moment viendra où ceux qui vous tueront s'imagineront servir Dieu de cette
façon. 3 Ils agiront ainsi parce qu'ils n'ont
connu ni le Père, ni moi. 4 Mais je vous ai
dit cela pour que, lorsque ce moment sera
venu, vous vous rappeliez que je vous
l'avais dit. »

L'œuvre du Saint-Esprit

« Je ne vous ai pas dit cela dès le
commencement, car j'étais avec vous.
5 Maintenant, je m'en vais auprès de celui
qui m'a envoyé et aucun d'entre vous ne
me demande : "Où vas-tu ?" 6 Mais la
tristesse a rempli votre cœur parce que je
vous ai parlé ainsi. 7 Cependant, je vous

---

c **15.11** Comparer És 9.2 ; 35.10.
d **15.20** Comparer Matt 10.24 ; Luc 6.40 ; Jean 13.16.
e **15.25** Ps 35.19 ; 69.5.

dis la vérité : il est préférable pour vous
que je parte ; en effet, si je ne pars pas,
celui qui doit vous venir en aide ne viendra pas à vous. Mais si je pars, je vous
l'enverrai. 8 Et quand il viendra, il prouvera aux gens de ce monde leur erreur au
sujet du péché, de la justice et du jugement de Dieu[f]. 9 Quant au péché, il réside en ceci : ils ne croient pas en moi[g] ;
10 quant à la justice, elle se révèle en
ceci : je vais auprès du Père et vous ne
me verrez plus ; 11 quant au jugement, il
consiste en ceci : le dominateur de ce
monde est déjà jugé.

12 « J'ai encore beaucoup de choses à
vous dire, mais vous ne pourriez pas les
supporter maintenant. 13 Quand viendra
l'Esprit de vérité, il vous conduira dans
toute la vérité. Il ne parlera pas en son
propre nom, mais il dira tout ce qu'il aura
entendu et vous annoncera ce qui doit
arriver. 14 Il révélera ma *gloire, car il
recevra de ce qui est à moi et vous
l'annoncera. 15 Tout ce que le Père possède est aussi à moi. C'est pourquoi j'ai
dit que l'Esprit recevra de ce qui est à moi
et vous l'annoncera. »

La tristesse se changera en joie

16 « D'ici peu vous ne me verrez plus,
puis peu de temps après vous me reverrez. » 17 Quelques-uns de ses *disciples se
dirent alors entre eux : « Qu'est-ce que
cela signifie ? Il nous déclare : "D'ici peu
vous ne me verrez plus, puis peu de
temps après vous me reverrez", et aussi :
"C'est parce que je m'en vais auprès du
Père". 18 Que signifie ce "peu de temps"
dont il parle ? Nous ne comprenons pas
ce qu'il veut dire. » 19 Jésus se rendit
compte qu'ils désiraient l'interroger. Il
leur dit donc : « Je vous ai déclaré : "D'ici
peu vous ne me verrez plus, puis peu de
temps après vous me reverrez." Est-ce à
ce sujet que vous vous posez des questions entre vous ? 20 Oui, je vous le déclare, c'est la vérité : vous pleurerez et
vous vous lamenterez, tandis que le
monde se réjouira ; vous serez dans la
peine, mais votre peine se changera en
joie. 21 Quand une femme va mettre un
enfant au monde, elle est en peine parce
que le moment de souffrir est arrivé pour
elle ; mais quand le bébé est né, elle oublie ses souffrances tant elle a de joie
qu'un être humain soit venu au monde.
22 De même, vous êtes dans la peine, vous
aussi, maintenant ; mais je vous reverrai,
alors votre cœur se réjouira, et votre joie,
personne ne peut vous l'enlever.

23 « Quand viendra ce jour, vous ne
m'interrogerez plus sur rien. Oui, je vous
le déclare, c'est la vérité : le Père vous
donnera tout ce que vous lui demanderez
en mon nom[h]. 24 Jusqu'à maintenant,
vous n'avez rien demandé en mon nom.
Demandez et vous recevrez, et ainsi votre
joie sera complète. »

Jésus est vainqueur du monde

25 « Je vous ai dit tout cela en utilisant
des *paraboles. Le moment viendra où je
ne vous parlerai plus ainsi, mais où je
vous annoncerai clairement ce qui se
rapporte au Père. 26 Ce jour-là, vous
adresserez vos demandes au Père en mon
nom ; et je ne vous dis pas que je le prierai pour vous, 27 car le Père lui-même
vous aime. Il vous aime parce que vous
m'aimez et que vous croyez que je suis
venu de Dieu. 28 Je suis venu du Père et je
suis arrivé dans le monde. Maintenant je
quitte le monde et je retourne auprès du
Père. » 29 Ses *disciples lui dirent alors :
« Voilà, maintenant tu parles clairement,
sans utiliser de paraboles. 30 Maintenant
nous savons que tu connais tout et que tu
n'as pas besoin d'attendre qu'on t'interroge. C'est pourquoi nous croyons que tu
es venu de Dieu. » 31 Jésus leur répondit :
« Vous croyez maintenant ? 32 Eh bien, le
moment vient, et il est déjà là, où vous
serez tous dispersés, chacun retournera
chez soi et vous me laisserez seul. Non, je
ne suis pas vraiment seul, car le Père est
avec moi. 33 Je vous ai dit tout cela pour
que vous ayez la paix en restant unis à
moi. Vous aurez à souffrir dans le
monde. Mais courage ! J'ai vaincu le
monde ! »

---

f **16.8** Comparer Act 24.25.
g **16.9** Voir 8.21-24 ; 9.41 ; 15.22-24.
h **16.23** *le Père... en mon nom* : certains manuscrits ont *si vous demandez quelque chose à mon Père, il vous le donnera en mon nom*.

Jésus prie pour ses disciples

17 1 Après avoir ainsi parlé, Jésus leva
les yeux vers le *ciel et dit : « Père,
l'heure est venue. Manifeste la *gloire de
ton Fils, afin que le Fils manifeste aussi
ta gloire. 2 Tu lui as donné le pouvoir sur
tous les êtres humains, pour qu'il donne
la vie éternelle à ceux que tu lui as
confiés. 3 La vie éternelle consiste à te
connaître, toi le seul véritable Dieu, et à
connaître Jésus-Christ, que tu as envoyé.
4 J'ai manifesté ta gloire sur la terre ; j'ai
achevé l'œuvre que tu m'as donné à faire.
5 Maintenant donc, Père, accorde-moi en
ta présence la gloire que j'avais auprès de
toi avant que le monde existe[i]. 6 Je t'ai fait
connaître à ceux que tu as pris dans le
monde pour me les confier. Ils t'appartenaient, tu me les as confiés, et ils ont obéi
à ta parole. 7 Ils savent maintenant que
tout ce que tu m'as donné vient de toi,
8 car je leur ai donné les paroles que tu
m'as données et ils les ont accueillies. Ils
ont reconnu que je suis vraiment venu de
toi et ils ont cru que tu m'as envoyé.
9 « Je te prie pour eux. Je ne prie pas
pour le monde, mais pour ceux que tu
m'as confiés, car ils t'appartiennent.
10 Tout ce que j'ai est à toi et tout ce que tu
as est à moi ; et ma gloire se manifeste en
eux. 11 Je ne suis plus dans le monde, mais
eux sont dans le monde ; moi je vais à toi.
Père saint, garde-les par ton divin pouvoir,
celui que tu m'as accordé[j], afin qu'ils
soient un comme toi et moi nous sommes
un. 12 Pendant que j'étais avec eux, je les
gardais par ton divin pouvoir, celui que tu
m'as accordé. Je les ai protégés et aucun
d'eux ne s'est perdu, à part celui qui devait
se perdre, pour que l'Écriture se réalise[k].
13 Et maintenant je vais à toi. Je parle ainsi
pendant que je suis encore dans le monde,
afin qu'ils aient en eux-mêmes ma joie,
une joie complète. 14 Je leur ai donné ta
parole, et le monde les a haïs parce qu'ils
n'appartiennent pas au monde, comme
moi je n'appartiens pas au monde. 15 Je ne
te prie pas de les retirer du monde, mais
de les garder du Mauvais[l]. 16 Ils n'appartiennent pas au monde, comme moi je
n'appartiens pas au monde. 17 Fais qu'ils
soient entièrement à toi, par le moyen de
la vérité ; ta parole est la vérité. 18 Je les ai
envoyés dans le monde comme tu m'as
envoyé dans le monde. 19 Je m'offre entièrement à toi pour eux, afin qu'eux aussi
soient vraiment à toi.
20 « Je ne prie pas seulement pour eux,
mais aussi pour ceux qui croiront en moi
grâce à leur message. 21 Je prie pour que
tous soient un. Père, qu'ils soient unis à
nous, comme toi tu es uni à moi et moi à
toi. Qu'ils soient un pour que le monde
croie que tu m'as envoyé. 22 Je leur ai
donné la gloire que tu m'as donnée, pour
qu'ils soient un comme toi et moi nous
sommes un. 23 Je vis en eux, tu vis en
moi ; c'est ainsi qu'ils pourront être parfaitement un, afin que le monde reconnaisse que tu m'as envoyé et que tu
les aimes comme tu m'aimes. 24 Père, tu
me les as donnés, et je désire qu'ils soient
avec moi là où je suis, afin qu'ils voient
ma gloire, la gloire que tu m'as donnée,
parce que tu m'as aimé avant la création
du monde. 25 Père juste, le monde ne t'a
pas connu, mais moi je t'ai connu et
ceux-ci ont reconnu que tu m'as envoyé.
26 Je t'ai fait connaître à eux et te ferai encore connaître, afin que l'amour que tu as
pour moi soit en eux et que je sois moi-
même en eux. »

L'arrestation de Jésus

(Voir aussi Matt 26.47-56 ; Marc 14.43-50 ; Luc 22.47-53)

18 1 Après ces mots, Jésus s'en alla
avec ses *disciples de l'autre côté
du ruisseau du Cédron[m]. Il y avait là un
jardin dans lequel il entra avec ses disciples. 2 Judas, celui qui le trahissait,
connaissait aussi l'endroit, parce que Jésus et ses disciples y étaient souvent venus ensemble[n]. 3 Judas se rendit donc au

---

i **17.5** Comparer 1.1-2.

j **17.11** *garde-les... que tu m'as accordé* : certains manuscrits ont *par ton divin pouvoir, garde ceux que tu m'as confiés.*

k **17.12** *je les gardais... que tu m'as accordé* : certains manuscrits ont *par ton divin pouvoir je gardais ceux que tu m'as confiés. – que l'Écriture se réalise* : voir Ps 41.10 ; Jean 13.18.

l **17.15** Comparer Matt 6.13.

m **18.1** Voir Marc 11.1 et la note.

n **18.2** Voir Luc 21.37 ; 22.39.

jardin, emmenant avec lui une troupe de
soldats et des gardes fournis par les chefs
des *prêtres et le parti des *Pharisiens ;
ils étaient armés et portaient des lanter-
nes et des flambeaux. 4 Alors Jésus, qui
savait tout ce qui devait lui arriver,
s'avança vers eux et leur demanda : « Qui
cherchez-vous ? » 5 Ils lui répondirent :
« Jésus de Nazareth. » Jésus leur dit :
« C'est moi. » Et Judas, celui qui le leur livrait, se tenait là avec eux. 6 Lorsque Jésus leur dit : « C'est moi », ils reculèrent
et tombèrent à terre. 7 Jésus leur demanda
de nouveau : « Qui cherchez-vous ? » Ils
dirent : « Jésus de Nazareth. » 8 Jésus leur
répondit : « Je vous l'ai déjà dit, c'est moi.
Si donc c'est moi que vous cherchez, laissez partir les autres. »

9 C'est ainsi que devait se réaliser la parole qu'il avait dite : « Je n'ai perdu aucun
de ceux que toi, Père, tu m'as confiés[o]. »
10 Simon Pierre avait une épée ; il la tira,
frappa le serviteur du grand-prêtre et lui
coupa l'oreille droite. Ce serviteur s'appelait Malchus. 11 Mais Jésus dit à Pierre :
« Remets ton épée dans son fourreau.
Penses-tu que je ne boirai pas la coupe de
douleur que le Père m'a donnée[p] ? »

Jésus est amené devant Hanne

12 La troupe de soldats avec leur
commandant et les gardes des autorités
juives se saisirent alors de Jésus et le ligotèrent. 13 Ils le conduisirent tout d'abord
chez Hanne[q]. Celui-ci était le beau-père
de Caïphe qui était *grand-prêtre cette
année-là. 14 Or, c'est Caïphe qui avait
donné ce conseil aux autorités juives : « Il
est de votre intérêt qu'un seul homme
meure pour tout le peuple[r] ».

Pierre nie être disciple de Jésus

(Voir aussi Matt 26.69-70 ; Marc 14.66-68 ; Luc 22.55-57)

15 Simon Pierre et un autre *disciple
suivaient Jésus. Cet autre disciple était
connu du *grand-prêtre, si bien qu'il entra en même temps que Jésus dans la cour
intérieure de la maison du grand-prêtre.
16 Mais Pierre resta dehors, près de la
porte. Alors l'autre disciple, celui qui
était connu du grand-prêtre, sortit et
parla à la femme qui gardait la porte, puis
il fit entrer Pierre. 17 La servante qui
gardait la porte dit à Pierre : « N'es-tu
pas, toi aussi, un des disciples de cet
homme-là ? » – « Non, je n'en suis pas »,
répondit-il.

18 Il faisait froid ; c'est pourquoi les serviteurs et les gardes avaient allumé un
feu autour duquel ils se tenaient pour se
réchauffer. Pierre aussi se tenait avec eux
et se réchauffait.

Le grand-prêtre interroge Jésus

(Voir aussi Matt 26.59-66 ; Marc 14.55-64 ; Luc 22.66-71)

19 Le *grand-prêtre interrogea alors
Jésus sur ses *disciples et sur l'enseignement qu'il donnait. 20 Jésus lui répondit :
« J'ai parlé ouvertement à tout le
monde ; j'ai toujours enseigné dans les
*synagogues et dans le *temple, où se
rassemblent tous les Juifs ; je n'ai rien
dit en cachette. 21 Pourquoi m'interroges-tu ? Demande à ceux qui m'ont entendu ce que je leur ai dit : ils savent
bien, eux, de quoi je leur ai parlé. » 22 A
ces mots, un des gardes qui se trouvaient
là donna une gifle à Jésus en disant :
« Est-ce ainsi que tu réponds au grand-
prêtre ? » 23 Jésus lui répondit : « Si j'ai
dit quelque chose de mal, montre-nous
en quoi ; mais si ce que j'ai dit est juste,
pourquoi me frappes-tu ? » 24 Hanne
l'envoya alors, toujours ligoté, à Caïphe
le grand-prêtre.

Pierre renie de nouveau Jésus

(Voir aussi Matt 26.71-75 ; Marc 14.69-72 ; Luc 22.58-62)

25 Pendant ce temps, Simon Pierre, lui,
restait là à se réchauffer. On lui demanda : « N'es-tu pas, toi aussi, un des
*disciples de cet homme ? » Mais Pierre
le nia en disant : « Non, je n'en suis pas. »
26 L'un des serviteurs du *grand-prêtre,
qui était parent de l'homme à qui Pierre
avait coupé l'oreille, lui dit : « Est-ce que
je ne t'ai pas vu avec lui dans le jardin ? »

---

o **18.9** Voir 6.39 ; 17.12.
p **18.11** Comparer Matt 26.39 ; Marc 14.36 ; Luc 22.42.
q **18.13** *Hanne* : voir Luc 3.2 et la note.
r **18.14** Voir 11.49-50.

27 Mais Pierre le nia de nouveau. Et à ce
moment même un coq chanta.

Jésus devant Pilate

(Voir aussi Matt 27.1-2,11-14 ; Marc 15.1-5 ; Luc 23.1-5)

28 Puis on emmena Jésus de chez Caïphe au palais du gouverneur romain.
C'était tôt le matin. Mais les chefs juifs
n'entrèrent pas dans le palais afin de ne
pas se rendre *impurs et de pouvoir manger le repas de la *Pâque. 29 C'est pourquoi le gouverneur *Pilate vint les
trouver au dehors. Il leur demanda : « De
quoi accusez-vous cet homme ? » 30 Ils lui
répondirent : « Si ce n'était pas un malfaiteur, nous ne serions pas venus te le livrer. » 31 Pilate leur dit : « Prenez-le
vous-mêmes et jugez-le selon votre loi. »
– « Nous n'avons pas le droit de condamner quelqu'un à mort », répondirent-ils.
32 C'est ainsi que devait se réaliser la
parole que Jésus avait dite pour indiquer
de quelle mort il allait mourir[s]. 33 Pilate
rentra alors dans le palais ; il fit venir Jésus et lui demanda : « Es-tu le roi des
Juifs ? » 34 Jésus répondit : « Dis-tu cela
parce que tu y as pensé toi-même ou
parce que d'autres te l'ont dit de moi ? »
35 Pilate répondit : « Suis-je un Juif, moi ?
Ceux de ta nation et les chefs des *prêtres
t'ont livré à moi ; qu'as-tu donc fait ? »
36 Jésus répondit : « Mon royaume n'appartient pas à ce monde ; si mon royaume
appartenait à ce monde, mes serviteurs
auraient combattu pour empêcher qu'on
me livre aux autorités juives. Mais non,
mon royaume n'est pas d'ici-bas. » 37 Pilate lui dit alors : « Tu es donc roi ? » Jésus
répondit : « Tu le dis : je suis roi[t]. Je suis
né et je suis venu dans le monde pour
rendre témoignage à la vérité. Quiconque
appartient à la vérité écoute ce que je
dis. » – 38 « Qu'est-ce que la vérité ? » lui
demanda Pilate.

Jésus est condamné à mort

(Voir aussi Matt 27.15-31 ; Marc 15.6-20 ; Luc 23.13-25)

Après ces mots, *Pilate alla de nouveau trouver les Juifs au dehors. Il leur
déclara : « Je ne trouve aucune raison de
condamner cet homme. 39 Mais selon la
coutume que vous avez, je vous libère
toujours un prisonnier à la fête de la *Pâque. Voulez-vous que je vous libère le roi
des Juifs ? » 40 Ils lui répondirent en
criant : « Non, pas lui ! C'est Barabbas
que nous voulons ! » Or, ce Barabbas était
un brigand[u].

19 1 Alors Pilate ordonna d'emmener
Jésus et de le frapper à coups de
fouet. 2 Les soldats tressèrent une *couronne avec des branches épineuses et la
posèrent sur la tête de Jésus ; ils le revê-
tirent aussi d'un manteau rouge[v]. 3 Ils
s'approchaient de lui et lui disaient : « Salut, roi des Juifs ! » Et ils lui donnaient
des gifles.
4 Pilate sortit une nouvelle fois et dit à
la foule : « Eh bien, je vais vous l'amener
ici, dehors, afin que vous compreniez que
je ne trouve aucune raison de condamner
cet homme. » 5 Jésus sortit donc ; il portait la couronne d'épines et le manteau
rouge. Et Pilate leur dit : « Voilà
l'homme ! » 6 Mais lorsque les chefs des
*prêtres et les gardes le virent, ils criè-
rent : « Cloue-le sur une croix ! Cloue-le
sur une croix ! » Pilate leur dit : « Allez le
clouer vous-mêmes sur une croix, car je
ne trouve personnellement aucune raison
de le condamner. » 7 Les Juifs lui répondirent : « Nous avons une loi, et selon
cette loi il doit mourir, car il a prétendu
être le *Fils de Dieu[w]. » 8 Quand Pilate
entendit ces mots, il eut encore plus peur.
9 Il rentra dans le palais et demanda à Jésus : « D'où es-tu ? » Mais Jésus ne lui
donna pas de réponse. 10 Pilate lui dit
alors : « Tu ne veux pas me répondre ? Ne
sais-tu pas que j'ai le pouvoir de te relâcher et aussi celui de te faire clouer sur
une croix ? » 11 Jésus lui répondit : « Tu
n'as aucun pouvoir sur moi à part celui
que Dieu t'a accordé. C'est pourquoi,
l'homme qui m'a livré à toi est plus coupable que toi. »

---

s **18.32** Voir 3.14 ; 12.32 et la note.
t **18.37** *Tu le dis : je suis roi* : autre traduction *C'est toi qui dis que je suis roi.*
u **18.40** Comparer Act 3.14.
v **19.2** *manteau rouge* ou *manteau de pourpre* : voir Marc 15.17 et la note.
w **19.7** Comparer Lév 24.16.

12 Dès ce moment, Pilate cherchait un
moyen de relâcher Jésus. Mais les Juifs
se mirent à crier : « Si tu relâches cet
homme, tu n'es pas un ami de l'empereur !
Quiconque se prétend roi est un ennemi
de l'empereur ! » 13 Quand Pilate entendit
ces mots, il fit amener Jésus dehors ; il
s'assit sur le siège du juge à l'endroit appelé « Place pavée » – qu'on nomme « Gabbatha » en hébreu[x] –. 14 C'était le jour qui
précédait la fête de la Pâque, vers midi[y].
Pilate dit aux Juifs : « Voilà votre roi ! »
15 Mais ils se mirent à crier : « A mort ! A
mort ! Cloue-le sur une croix ! » Pilate leur
dit : « Faut-il que je cloue votre roi sur une
croix ? » Les chefs des prêtres répondirent : « Nous n'avons pas d'autre roi que
l'empereur. » 16 Alors Pilate leur livra
Jésus, pour qu'on le cloue sur une croix.

Jésus est cloué sur une croix

(Voir aussi Matt 27.32-44 ; Marc 15.21-32 ; Luc 23.26-43)

Ils emmenèrent donc Jésus. 17 Celui-ci
dut porter lui-même sa croix pour sortir
de la ville et aller à un endroit appelé « le
lieu du Crâne » – qu'on nomme « Golgotha » en hébreu[z] –. 18 C'est là que les soldats clouèrent Jésus sur la croix. En
même temps, ils mirent deux autres
hommes en croix, de chaque côté de Jésus, qui se trouvait ainsi au milieu. 19 *Pilate ordonna aussi de faire un écriteau et
de le mettre sur la croix ; il portait cette
inscription : « Jésus de Nazareth, le roi
des Juifs. » 20 Beaucoup de Juifs lurent cet
écriteau, car l'endroit où l'on avait mis
Jésus en croix était près de la ville et l'inscription était en hébreu, en latin et en
grec. 21 Alors les chefs des *prêtres juifs
dirent à Pilate : « Tu ne dois pas laisser
cette inscription "le roi des Juifs" mais tu
dois mettre : "Cet homme a dit : Je suis le
roi des Juifs". » 22 Pilate répondit : « Ce
que j'ai écrit reste écrit. »

23 Quand les soldats eurent mis Jésus
en croix, ils prirent ses vêtements et les
divisèrent en quatre parts, une pour chaque soldat[a]. Ils prirent aussi sa tunique,
qui était sans couture, tissée en une seule
pièce du haut en bas. 24 Les soldats se dirent les uns aux autres : « Ne déchirons
pas cette tunique, mais tirons au sort
pour savoir à qui elle appartiendra. »
C'est ainsi que devait se réaliser le passage de l'Écriture qui déclare :

« Ils se sont partagé mes habits
et ils ont tiré au sort mon vêtement[b]. »

Voilà ce que firent les soldats.

25 Près de la croix de Jésus se tenaient
sa mère, la sœur de sa mère, Marie la
femme de Clopas et Marie du village de
Magdala. 26 Jésus vit sa mère et, auprès
d'elle, le *disciple qu'il aimait. Il dit à sa
mère : « Voici ton fils, mère. » 27 Puis il dit
au disciple : « Voici ta mère. » Et dès ce
moment, le disciple la prit chez lui.

La mort de Jésus

(Voir aussi Matt 27.45-56 ; Marc 15.33-41 ; Luc 23.44-49)

28 Après cela, comme Jésus savait que,
maintenant, tout était achevé, il dit pour
accomplir le texte de l'Écriture : « J'ai
soif[c]. » 29 Il y avait là un vase plein de vinaigre. Les soldats trempèrent donc une
éponge dans le vinaigre[d], la fixèrent à
une branche *d'hysope et l'approchèrent
de la bouche de Jésus. 30 Jésus prit le vinaigre, puis il dit : « Tout est achevé ! »
Alors, il baissa la tête et mourut.

Un soldat perce le côté de Jésus

31 C'était vendredi et les chefs juifs ne
voulaient pas que les corps restent sur les
croix durant le *sabbat, d'autant plus que
ce sabbat-là était spécialement important ; ils demandèrent donc à *Pilate de
faire briser les jambes des crucifiés[e] et de

---

x **19.13** *Gabbatha* : mot araméen désignant un endroit surélevé.
y **19.14** C'est à partir de *midi*, ce jour-là, qu'on immolait, au temple, les agneaux destinés au repas de la Pâque.
z **19.17** *Golgotha* : mot araméen signifiant *le crâne*. C'était une petite élévation située à proximité de la ville.
a **19.23** La loi romaine accordait aux bourreaux le droit de s'approprier les dépouilles des condamnés.
b **19.24** Ps 22.19.
c **19.28** Ps 69.22 ; comparer Ps 22.16.
d **19.29** Comparer Ps 69.22.
e **19.31** *ne voulaient pas... sabbat* : voir Deut 21.22-23. – *briser les jambes des crucifiés* : les crucifiés, pendus par les bras, mouraient par une lente asphyxie. En leur brisant les jambes, on les empêchait de prendre appui et on hâtait ainsi leur mort.

faire enlever les corps. 32 Alors les soldats vinrent briser les jambes du premier condamné mis en croix en même
temps que Jésus, puis du second.
33 Quand ils arrivèrent à Jésus, ils virent
qu'il était déjà mort ; c'est pourquoi ils
ne lui brisèrent pas les jambes. 34 Mais
un des soldats lui perça le côté avec sa
lance, et du sang et de l'eau en sortirent
aussitôt. 35 L'homme qui témoigne de
ces faits les a vus, et son témoignage est
vrai ; il sait, lui, qu'il dit la vérité. Il en
témoigne afin que vous aussi vous
croyiez[f]. 36 En effet, cela est arrivé pour
que ce passage de l'Écriture se réalise :
« On ne lui brisera aucun os[g]. » 37 Et un
autre texte dit encore : « Ils regarderont
à celui qu'ils ont transpercé[h]. »

Jésus est mis dans un tombeau

(Voir aussi Matt 27.57-61 ; Marc 15.42-47 ; Luc 23.50-56)

38 Après cela, Joseph, qui était d'Arimathée[i], demanda à *Pilate l'autorisation d'emporter le corps de Jésus.
– Joseph était un *disciple de Jésus, mais
en secret parce qu'il avait peur des autorités juives.– Et Pilate le lui permit. Joseph alla donc emporter le corps de Jésus.
39 Nicodème, cet homme qui était allé
trouver une fois Jésus pendant la nuit,
vint aussi et apporta environ trente kilos
d'un mélange de *myrrhe et d'aloès[j].
40 Tous deux prirent le corps de Jésus et
l'enveloppèrent de bandes de lin, en y
mettant les huiles parfumées, comme les
Juifs ont coutume de le faire quand ils
enterrent leurs morts. 41 A l'endroit où
l'on avait mis Jésus en croix, il y avait un
jardin, et dans ce jardin il y avait un tombeau neuf dans lequel on n'avait jamais
déposé personne. 42 Comme c'était la
veille du *sabbat des Juifs[k] et que le tombeau était tout proche, ils y déposèrent
Jésus.

Le tombeau vide

(Voir aussi Matt 28.1-8 ; Marc 16.1-8 ; Luc 24.1-12)

20 1 Tôt le dimanche matin, alors
qu'il faisait encore nuit, Marie de
Magdala se rendit au tombeau. Elle vit
que la pierre avait été ôtée de l'entrée du
tombeau. 2 Elle courut alors trouver Simon Pierre et l'autre *disciple, celui
qu'aimait Jésus, et leur dit : « On a enlevé
le Seigneur de son tombeau, et nous ne
savons pas où on l'a mis. » 3 Pierre et l'autre disciple partirent et se rendirent au
tombeau. 4 Ils couraient tous les deux ;
mais l'autre disciple courut plus vite que
Pierre et arriva le premier au tombeau.
5 Il se baissa pour regarder et vit les bandes de lin posées à terre, mais il n'entra
pas. 6 Simon Pierre, qui le suivait, arriva à
son tour et entra dans le tombeau. Il vit
les bandes de lin posées à terre 7 et aussi le
linge qui avait recouvert la tête de Jésus ;
ce linge n'était pas avec les bandes de lin,
mais il était enroulé à part, à une autre
place. 8 Alors, l'autre disciple, celui qui
était arrivé le premier au tombeau, entra
aussi. Il vit et il crut. 9 En effet, jusqu'à ce
moment les disciples n'avaient pas
compris l'Écriture qui annonce que Jésus
devait se relever d'entre les morts[l]. 10 Puis
les deux disciples s'en retournèrent chez
eux.

Jésus se montre à Marie de Magdala

(Voir aussi Matt 28.9-10 ; Marc 16.9-11)

11 Marie se tenait près du tombeau, dehors, et pleurait. Tandis qu'elle pleurait,
elle se baissa pour regarder dans le tombeau ; 12 elle vit deux *anges en vêtements blancs assis à l'endroit où avait
reposé le corps de Jésus, l'un à la place de
la tête et l'autre à la place des pieds.
13 Les anges lui demandèrent : « Pourquoi
pleures-tu ? » Elle leur répondit : « On a
enlevé mon Seigneur, et je ne sais pas où
on l'a mis. » 14 Cela dit, elle se retourna
et vit Jésus qui se tenait là, mais sans se
rendre compte que c'était lui. 15 Jésus lui

---

f **19.35** *que vous aussi vous croyiez* ou, d'après certains manuscrits, *que vous aussi vous continuiez à croire*. – Comparer 20.31.

g **19.36** Voir Ex 12.46 ; Nomb 9.12 ; Ps 34.21.

h **19.37** Zach 12.10.

i **19.38** *Arimathée* : voir Matt 27.57 et la note.

j **19.39** *Nicodème... pendant la nuit* : voir 3.1-2. – *aloès* : substance parfumée, tirée d'une plante, que les Juifs répandaient sur les bandes de lin dont ils entouraient un corps avant de le mettre au tombeau.

k **19.42** Voir 19.31

l **20.9** Voir Ps 16.10.

demanda : « Pourquoi pleures-tu ? Qui
cherches-tu ? » Elle pensa que c'était le
jardinier, c'est pourquoi elle lui dit : « Si
c'est toi qui l'as emporté, dis-moi où tu
l'as mis, et j'irai le reprendre. » 16 Jésus
lui dit : « Marie ! » Elle se tourna vers lui
et lui dit en hébreu : « Rabbouni ! » – ce
qui signifie « Maître » –. 17 Jésus lui dit :
« Ne me retiens pas[m], car je ne suis pas
encore monté vers le Père. Mais va dire à
mes frères que je monte vers mon Père
qui est aussi votre Père, vers mon Dieu
qui est aussi votre Dieu. » 18 Alors, Marie
de Magdala se rendit auprès des *disciples et leur annonça : « J'ai vu le Seigneur ! » Et elle leur raconta ce qu'il lui
avait dit.

Jésus se montre à ses disciples

(Voir aussi Matt 28.16-20 ; Marc 16.14-18 ; Luc 24.36-49)

19 Le soir de ce même dimanche, les
*disciples étaient réunis dans une mai-
son. Ils en avaient fermé les portes à clé,
car ils craignaient les autorités juives.
Jésus vint et, debout au milieu d'eux, il
leur dit : « La paix soit avec vous ! »
20 Cela dit, il leur montra ses mains et
son côté[n]. Les disciples furent remplis
de joie en voyant le Seigneur. 21 Jésus
leur dit de nouveau : « La paix soit avec
vous ! Comme le Père m'a envoyé, moi
aussi je vous envoie. » 22 Après ces mots,
il souffla sur eux et leur dit : « Recevez le
Saint-Esprit ! 23 Ceux à qui vous par-
donnerez leurs péchés obtiendront le
pardon ; ceux à qui vous refuserez le pardon ne l'obtiendront pas[o]. »

Jésus et Thomas

24 Or, l'un des douze *disciples, Thomas – surnommé le Jumeau – n'était pas
avec eux quand Jésus vint. 25 Les autres
disciples lui dirent : « Nous avons vu le
Seigneur. » Mais Thomas leur répondit :
« Si je ne vois pas la marque des clous
dans ses mains, si je ne mets pas mon
doigt à la place des clous et ma main dans
son côté, je ne croirai pas[p]. »
26 Une semaine plus tard, les disciples
de Jésus étaient de nouveau réunis dans
la maison, et Thomas était avec eux. Les
portes étaient fermées à clé, mais Jésus
vint et, debout au milieu d'eux, il dit :
« La paix soit avec vous ! » 27 Puis il dit à
Thomas : « Mets ton doigt ici et regarde
mes mains ; avance ta main et mets-la
dans mon côté. Cesse de douter et crois ! »
28 Thomas lui répondit : « Mon Seigneur
et mon Dieu ! » 29 Jésus lui dit : « C'est
parce que tu m'as vu que tu as cru ? Heureux sont ceux qui croient sans m'avoir
vu[q] ! »

Le but de ce livre

30 Jésus a fait encore, devant ses *disciples, beaucoup d'autres signes miraculeux qui ne sont pas racontés dans ce
livre[r]. 31 Mais ce qui s'y trouve a été écrit
pour que vous croyiez[s] que Jésus est le
*Messie, le *Fils de Dieu. Et si vous
croyez en lui, vous aurez la vie par lui.

Jésus se montre à sept disciples

21 1 Quelque temps après, Jésus se
montra de nouveau à ses *disciples, au bord du lac de Tibériade. Voici
dans quelles circonstances il leur apparut : 2 Simon Pierre, Thomas – surnommé le Jumeau –, Nathanaël – qui
était de Cana en Galilée –, les fils de Zébédée, et deux autres disciples de Jésus,
étaient ensemble. 3 Simon Pierre leur
dit : « Je vais à la pêche. » Ils lui dirent :
« Nous aussi, nous allons avec toi. » Ils
partirent donc et montèrent dans la barque. Mais ils ne prirent rien cette nuit-là.
4 Quand il commença à faire jour, Jésus se
tenait là, au bord de l'eau, mais les disciples ne savaient pas que c'était lui. 5 Jésus leur dit alors : « Avez-vous pris du
poisson, mes enfants ? » – « Non », lui répondirent-ils. 6 Il leur dit : « Jetez le filet
du côté droit de la barque et vous en trouverez. » Ils jetèrent donc le filet, et ils
n'arrivaient plus à le retirer de l'eau, tant

---

m **20.17** *Ne me retiens pas* ou *Ne me touche pas*.
n **20.20** Il s'agit des traces de la crucifixion et du coup de lance (voir 19.34).
o **20.23** Comparer Matt 16.19 ; 18.18.
p **20.25** Voir 20.20 et la note.
q **20.29** Comparer 1 Pi 1.8.
r **20.30** Comparer 21.25.
s **20.31** *que vous croyiez* ou, d'après certains manuscrits, *que vous continuiez à croire*.

il était plein de poissons[t]. 7 Le disciple
que Jésus aimait dit à Pierre : « C'est le
Seigneur ! » Quand Simon Pierre entendit ces mots : « C'est le Seigneur », il remit son vêtement de dessus, car il l'avait
enlevé pour pêcher, et il se jeta à l'eau.
8 Les autres disciples revinrent en barque, en tirant le filet plein de poissons :
ils n'étaient pas très loin du bord, à cent
mètres environ. 9 Lorsqu'ils furent descendus à terre, ils virent là un feu avec du
poisson posé dessus, et du pain. 10 Jésus
leur dit : « Apportez quelques-uns des
poissons que vous venez de prendre. »
11 Simon Pierre monta dans la barque et
tira à terre le filet plein de gros poissons :
cent cinquante-trois en tout. Et quoiqu'il
y en eût tant, le filet ne se déchira pas.
12 Jésus leur dit : « Venez manger. » Aucun
des disciples n'osait lui demander : « Qui
es-tu ? », car ils savaient que c'était le Seigneur. 13 Jésus s'approcha, prit le pain et
le leur partagea ; il leur donna aussi du
poisson. 14 C'était la troisième fois[u] que
Jésus se montrait à ses disciples, depuis
qu'il était revenu d'entre les morts.

Jésus et Pierre

15 Après le repas, Jésus demanda à
Simon Pierre : « Simon, fils de Jean,
m'aimes-tu plus que ceux-ci ? » – « Oui,
Seigneur, répondit-il, tu sais que je
t'aime. » Jésus lui dit : « Prends soin de
mes agneaux. » 16 Puis il lui demanda une
deuxième fois : « Simon, fils de Jean,
m'aimes-tu ? » – « Oui, Seigneur, répondit-il, tu sais que je t'aime. » Jésus lui dit :
« Prends soin de mes *brebis. » 17 Puis il
lui demanda une troisième fois : « Simon,
fils de Jean, m'aimes-tu ? » Pierre fut attristé de ce que Jésus lui avait demandé
pour la troisième fois : « M'aimes-tu ? » et
il lui répondit : « Seigneur, tu sais tout ;
tu sais que je t'aime ! » Jésus lui dit :
« Prends soin de mes brebis[v]. 18 Oui, je te
le déclare, c'est la vérité : quand tu étais
jeune, tu attachais toi-même ta ceinture
et tu allais où tu voulais ; mais quand tu
seras vieux, tu étendras les bras, un autre
attachera ta ceinture et te mènera où tu
ne voudras pas aller. » 19 Par ces mots, Jésus indiquait de quelle façon Pierre allait
mourir et servir ainsi la *gloire de Dieu.
Puis Jésus lui dit : « Suis-moi ! »

Jésus et le disciple qu'il aimait

20 Pierre se retourna et vit derrière eux
le *disciple que Jésus aimait – celui qui
s'était penché vers Jésus pendant le repas
et lui avait demandé : « Seigneur, qui est
celui qui va te trahir[w] ? » – 21 Pierre le vit
donc et dit à Jésus : « Et lui, Seigneur, que
lui arrivera-t-il ? » 22 Jésus lui répondit :
« Si je désire qu'il vive jusqu'à ce que je
revienne, que t'importe ? Toi, suis-moi ! »
23 La nouvelle se répandit alors parmi les
croyants que ce disciple ne mourrait pas.
Pourtant Jésus n'avait pas dit à Pierre :
« Il ne mourra pas », mais il avait dit : « Si
je désire qu'il vive jusqu'à ce que je revienne, que t'importe[x] ? »
24 C'est ce même disciple qui témoigne
de ces faits et les a mis par écrit, et nous
savons que son témoignage est vrai[y].

Conclusion

25 Jésus a fait encore beaucoup d'autres
choses. Si on les racontait par écrit l'une
après l'autre, je pense que le monde entier ne pourrait pas contenir les livres
qu'on écrirait[z].

---

t **21.6** Comparer les v. 3 et 6 et Luc 5.4-7.
u **21.14** Voir 20.19,26.
v **21.17** Comparer Act 20.28 ; 1 Pi 5.2.
w **21.20** Voir 13.25.
x **21.23** Certains manuscrits n'ont pas les mots *que t'importe*.
y **21.24** Comparer 19.35.
z **21.25** Comparer 20.30.

Actes des Apôtres

***Introduction** – Le livre des* Actes des Apôtres *est le second tome de l'œuvre de Luc. Dans le premier, son évangile, Luc se limitait au temps de la vie terrestre de Jésus. A partir de l'ascension de Jésus (1.1-11), la présence du Christ parmi ses disciples change de nature : on ne le verra plus avec les yeux du corps. C'est ainsi que le livre des* Actes *inaugure le temps de l'Église : Jésus y reste présent par son Esprit, qui anime les disciples.*

Le récit est plein de vie. On y assiste à la naissance de communautés chrétiennes en milieu juif (avec l'apôtre Pierre), comme à Jérusalem, ou en milieu non juif, comme à Antioche, Corinthe ou Philippes. On y suit aussi l'apôtre Paul au long de ses voyages missionnaires. On entrevoit enfin les difficultés de cette jeune Église et la manière dont elle a su les résoudre grâce à l'Esprit du Seigneur.

Parmi les sources du livre mentionnons ce que l'on peut appeler le « journal de Luc ». Luc s'y exprime à la première personne pour raconter le voyage de Troas à Philippes (« nous *avons cherché à partir... » 16.10-40), puis jusqu'à Jérusalem, où Paul est arrêté (20.5–21.18), et enfin de Césarée à Rome, où Paul attend deux ans avant d'être jugé (chap. 27–28).*

D'entrée le livre annonce clairement son plan (1.8) :

– les débuts de la première Église, à Jérusalem, après l'ascension de Jésus (1.1–8.3) ;
– la diffusion de l'Évangile dans le reste du pays (8.4–12.25),
– puis dans le monde méditerranéen et jusqu'à Rome, capitale de l'empire (13.1–28.31).

Le message, ainsi diffusé partout dans le monde connu d'alors, est résumé dans les prédications et les discours des apôtres. On y voit que le Jésus présenté à tous, Juifs comme non-Juifs, n'est autre que celui qui a vécu en Palestine. L'Esprit ramène sans cesse ses disciples vers sa personne, ses paroles et ses actes.

Les événements relatés dans le livre des Actes *ouvrent la voie au programme que l'Église de tous les temps doit réaliser : annoncer l'Évangile de Jésus-Christ à l'ensemble de l'humanité, jusqu'aux extrémités de la terre.*

Le Saint-Esprit promis aux apôtres

1 1 Cher Théophile,
Dans mon premier livre[a] j'ai raconté
out ce que Jésus a fait et enseigné dès le
lébut 2 jusqu'au jour où il fut enlevé au
ciel. Avant d'y monter, il donna ses ins-
ructions, par la puissance du Saint-
Esprit, à ceux qu'il avait choisis comme
apôtres[b]. 3 En effet, après sa mort, c'est à
ux qu'il se montra en leur prouvant de
bien des manières qu'il était vivant : pen-
lant quarante jours, il leur apparut et
eur parla du *Royaume de Dieu. 4 Un
our qu'il prenait un repas avec eux, il
eur donna cet ordre : « Ne vous éloignez
pas de Jérusalem, mais attendez ce que le
Père a promis, le don que je vous ai annoncé[c]. 5 Car Jean a baptisé avec de l'eau,
nais vous, dans peu de jours, vous serez
baptisés avec le Saint-Esprit[d]. »

Jésus monte au ciel

6 Ceux qui étaient réunis auprès de Jé-
us lui demandèrent alors : « Seigneur,
st-ce en ce temps-ci que tu rétabliras le
oyaume *d'Israël[e] ? »
7 Jésus leur répondit : « Il ne vous appartient pas de savoir quand viendront
es temps et les moments, car le Père les a
ixés de sa seule autorité[f]. 8 Mais vous re-
evrez une force quand le Saint-Esprit
lescendra sur vous. Vous serez alors mes
émoins à Jérusalem, dans toute la Judée
t la Samarie, et jusqu'au bout du
nonde[g]. » 9 Après ces mots, Jésus s'éleva
ers le *ciel pendant que tous le regar-
laient ; puis un nuage le cacha à leurs
eux[h]. 10 Ils avaient encore les regards
ixés vers le ciel où Jésus s'élevait, quand
eux hommes habillés en blanc[i] se trou-
èrent tout à coup près d'eux 11 et leur di-
ent : « Hommes de Galilée, pourquoi
estez-vous là à regarder le ciel ? Ce Jésus,
ui vous a été enlevé pour aller au ciel, re-
iendra de la même manière que vous
avez vu y partir. »

Le successeur de Judas

12 Les *apôtres retournèrent alors à Jé-
usalem depuis la colline qu'on appelle
nont des Oliviers. Cette colline se
trouve près de la ville, à environ une
demi-heure de marche[j]. 13 Quand ils furent arrivés à Jérusalem, ils montèrent
dans la chambre où ils se tenaient d'habitude, en haut d'une maison. Il y avait
Pierre, Jean, Jacques et André, Philippe
et Thomas, Barthélemy et Matthieu,
Jacques le fils d'Alphée, Simon le nationaliste et Jude le fils de Jacques[k]. 14 Tous
ensemble ils se réunissaient régulièrement pour prier, avec les femmes, avec
Marie la mère de Jésus, et avec les frères
de Jésus.
15 Un de ces jours-là, les croyants réunis étaient au nombre d'environ cent
vingt. Pierre se leva au milieu d'eux et
leur dit : 16 « Frères, il fallait que se réalise
ce que le Saint-Esprit a annoncé dans
l'Écriture : s'exprimant par l'intermédiaire de David, il y a parlé d'avance de
Judas[l], devenu le guide de ceux qui arrêtèrent Jésus. 17 Judas était l'un d'entre
nous et il avait reçu sa part de notre mission. 18 – Avec l'argent qu'on lui paya
pour son crime, cet homme s'acheta un
champ ; il y tomba la tête la première, son
corps éclata par le milieu et tous ses intestins se répandirent. 19 Les habitants de
Jérusalem ont appris ce fait, de sorte
qu'ils ont appelé ce champ, dans leur langue, “Hakeldama”, c'est-à-dire “champ

---

a **1.1** Voir Luc 1.1-4 ; le livre des *Actes* est la suite de l'évangile de Luc.

b **1.2** *ses instructions, par la puissance du Saint-Esprit, à ceux qu'il avait choisis...* : autre traduction *ses instructions à ceux qu'il avait choisis par la puissance du Saint-Esprit...* D'autres rattachent *par la puissance du Saint-Esprit* à *fut enlevé au ciel*.

c **1.4** *qu'il prenait un repas avec eux* : autre traduction *qu'il se trouvait avec eux*. – Pour cette parole de Jésus, voir Luc 24.49.

d **1.5** *Jean*, c'est-à-dire *Jean-Baptiste*. Voir Matt 3.11 ; Marc 1.8 ; Luc 3.16 ; Jean 1.33.

e **1.6** Comparer Amos 9.11-12 ; Luc 19.11.

f **1.7** Comparer Marc 13.32.

g **1.8** Comparer Matt 28.19 ; Marc 16.15 ; Luc 24.47-48.

h **1.9** Comparer Marc 16.19 ; Luc 24.50-51.

i **1.10** Comparer Luc 24.4.

j **1.12** Voir Marc 11.1 et la note.

k **1.13** *la chambre* : c'était une pièce comme il s'en trouvait sur le toit en terrasse des maisons palestiniennes. – *Pierre... Jacques* : comparer Matt 10.2-4 ; Marc 3.16-19 ; Luc 6.14-16.

l **1.16** Comparer Ps 41.10.

du sang[m]". – 20 Or, voici ce qui est écrit
dans le livre des Psaumes :
"Que sa maison soit abandonnée,
et que personne n'y habite."
Et il est encore écrit :
"Qu'un autre prenne ses fonctions[n]."
21-22 Il faut donc qu'un homme se joigne à
nous pour témoigner de la *résurrection
du Seigneur Jésus. Cet homme doit être
l'un de ceux qui nous ont accompagnés
tout le temps que le Seigneur Jésus a parcouru le pays avec nous, à partir du moment où Jean l'a baptisé jusqu'au jour où
il nous a été enlevé pour aller au *ciel[o]. »
23 On proposa alors deux hommes : Joseph, appelé Barsabbas, surnommé aussi
Justus, et Matthias. 24 Puis l'assemblée fit
cette prière : « Seigneur, toi qui connais le
cœur de tous, montre-nous lequel de ces
deux tu as choisi 25 pour occuper, dans
cette fonction d'apôtre, la place que Judas
a quittée pour aller à celle qui lui revient. » 26 Ils tirèrent alors au sort et le
sort désigna Matthias, qui fut donc associé aux onze apôtres.

La venue du Saint-Esprit

2 1 Quand le jour de la *Pentecôte[p] arriva, les croyants étaient réunis tous
ensemble au même endroit. 2 Tout à
coup, un bruit vint du *ciel, comme si un
vent violent se mettait à souffler, et il
remplit toute la maison où ils étaient assis. 3 Ils virent alors apparaître des langues pareilles à des flammes de feu ; elles
se séparèrent et elles se posèrent une à
une sur chacun d'eux. 4 Ils furent tous
remplis du Saint-Esprit et se mirent à
parler en d'autres langues, selon ce que
l'Esprit leur donnait d'exprimer.
5 A Jérusalem vivaient des Juifs pieux,
venus de tous les pays du monde.
6 Quand ce bruit se fit entendre, ils s'assemblèrent en foule. Ils étaient tous profondément surpris, car chacun d'eux
entendait les croyants parler dans sa propre langue. 7 Ils étaient remplis d'étonnement et d'admiration, et disaient : « Ces
gens qui parlent, ne sont-ils pas tous Galiléens[q] ? 8 Comment se fait-il alors que
chacun de nous les entende parler dans sa
langue maternelle ? 9 Parmi nous, il y en a
qui viennent du pays des Parthes, de Médie et d'Élam. Il y a des habitants de Mésopotamie, de Judée et de Cappadoce, du
Pont et de la province d'Asie, 10 de Phrygie et de Pamphylie, d'Égypte et de la région de Cyrène, en Libye ; il y en a qui
sont venus de Rome, 11 de Crète et d'Arabie ; certains sont nés Juifs, et d'autres se
sont convertis à la religion juive. Et pourtant nous les entendons parler dans nos
diverses langues des grandes œuvres de
Dieu ! » 12 Ils étaient tous remplis d'étonnement et ne savaient plus que penser ;
ils se disaient les uns aux autres :
« Qu'est-ce que cela signifie ? » 13 Mais
d'autres se moquaient des croyants en disant : « Ils sont complètement ivres ! »

Le discours de Pierre

14 Pierre se leva alors avec les onze
autres *apôtres ; d'une voix forte, il
s'adressa à la foule : « Vous, Juifs, et vous
tous qui vivez à Jérusalem, écoutez attentivement mes paroles et comprenez bien
ce qui se passe. 15 Ces gens ne sont pas
ivres comme vous le supposez, car il est
seulement neuf heures du matin. 16 Mais
maintenant se réalise ce que le *prophète
Joël a annoncé :
17 "Voici ce qui arrivera dans les derniers
jours, dit Dieu :
Je répandrai de mon Esprit sur tout
être humain ;
vos fils et vos filles deviendront prophètes,
je parlerai par des visions à vos jeunes
gens
et par des rêves à vos vieillards.
18 Oui, je répandrai de mon Esprit sur
mes serviteurs et mes servantes en
ces jours-là,
et ils seront prophètes.
19 Je susciterai des phénomènes extraordinaires en haut dans le ciel
et des signes miraculeux en bas sur la
terre :

m **1.19** Pour les v. 18-19, voir Matt 27.3-8.
n **1.20** Ps 69.26 ; 109.8.
o **1.22** *où Jean l'a baptisé* : autre traduction *où Jean baptisait*. Voir Matt 3.16 ; Marc 1.9 ; Luc 3.21. – *...pour aller au ciel* : voir 1.9 et la note.
p **2.1** Voir Lév 23.15-21 ; Deut 16.9-11.
q **2.7** Comparer 1.11.

Il y aura du sang, du feu et des nuages
de fumée,
20 le soleil deviendra obscur
et la lune rouge comme du sang,
avant que vienne le jour du Seigneur,
ce jour grand et glorieux.
21 Alors, quiconque fera appel au Seigneur sera sauvé[r]."

22 « Gens *d'Israël, écoutez ce que je
vais vous dire : Jésus de Nazareth[s] était
un homme dont Dieu vous a démontré
l'autorité en accomplissant par lui toutes
sortes de miracles et de signes prodigieux
au milieu de vous, comme vous le savez
vous-mêmes. 23 Cet homme vous a été livré conformément à la décision que Dieu
avait prise et au plan qu'il avait formé
d'avance. Vous l'avez tué en le faisant
clouer sur une croix par des infidèles[t].
24 Mais Dieu l'a *ressuscité, il l'a délivré
des douleurs de la mort, car il n'était pas
possible que la mort le retienne en son
pouvoir[u]. 25 En effet, David a dit à son
sujet :

"Je voyais continuellement le Seigneur devant moi,
il est à mes côtés pour que je ne tremble pas.
26 C'est pourquoi mon cœur est rempli de bonheur et mes paroles sont pleines de joie ;
mon corps lui-même reposera dans l'espérance,
27 car, Seigneur, tu ne m'abandonneras pas dans le monde des morts,
tu ne permettras pas que moi, ton fidèle, je pourrisse dans la tombe.
28 Tu m'as montré les chemins qui mènent à la vie,
tu me rempliras de joie par ta présence[v]."

29 « Frères, il m'est permis de vous parler très clairement au sujet du patriarche
David : il est mort, il a été enterré et sa
tombe se trouve encore aujourd'hui chez
nous[w]. 30 Mais il était prophète et il savait
que Dieu lui avait promis avec serment
que l'un de ses descendants lui succéde-
rait comme roi[x]. 31 David a vu d'avance
ce qui allait arriver ; il a donc parlé de la
résurrection du *Messie quand il a dit :

"Il n'a pas été abandonné dans le monde des morts,
et son corps n'a pas pourri dans la tombe."

32 Dieu a relevé de la mort ce Jésus dont je
parle et nous en sommes tous témoins.
33 Il a été élevé à la droite de Dieu[y] et il a
reçu du Père le Saint-Esprit qui avait été
promis ; il l'a répandu sur nous, et c'est ce
que vous voyez et entendez maintenant.
34 Car David n'est pas monté lui-même au
ciel, mais il a dit :

"Le Seigneur Dieu a dit à mon Seigneur :
viens siéger à ma droite,
35 je veux contraindre tes ennemis
à te servir de marchepied[z]."

36 Tout le peuple d'Israël doit donc le savoir avec certitude : ce Jésus que vous
avez cloué sur la croix, c'est lui que Dieu
a fait Seigneur et Messie ! »

37 Les auditeurs furent profondément
bouleversés par ces paroles. Ils demandèrent à Pierre et aux autres apôtres :
« Frères, que devons-nous faire ? »
38 Pierre leur répondit : « Changez de
comportement[a] et que chacun de vous se
fasse baptiser au nom de Jésus-Christ,
pour que vos péchés vous soient pardonnés. Vous recevrez alors le don de Dieu,
le Saint-Esprit. 39 Car la promesse de
Dieu a été faite pour vous et vos enfants,
ainsi que pour tous ceux qui vivent au
loin, tous ceux que le Seigneur notre
Dieu appellera. »

40 Pierre leur adressait encore beaucoup d'autres paroles pour les convaincre

---

r **2.21** Joël 3.1-5, cité d'après l'ancienne version grecque.

s **2.22** Comparer Matt 2.23 ; Luc 18.37.

t **2.23** Voir Matt 27.35 ; Marc 15.24 ; Luc 23.33 ; Jean 19.18.

u **2.24** Voir Matt 28.5-6 ; Marc 16.6 ; Luc 24.5.

v **2.28** Pour les v. 25-28, voir Ps 16.8-11, cité d'après l'ancienne version grecque.

w **2.29** *patriarche* : on appelait *patriarches* les ancêtres célèbres de la race juive, tels qu'Abraham, Isaac et Jacob, avec lesquels Dieu fit alliance. Ici, il s'agit du *roi David* et, en 7.8, des douze fils de Jacob. - *il est mort, il a été enterré...* : voir 1 Rois 2.10.

x **2.30** Voir Ps 132.11 ; 2 Sam 7.12-13.

y **2.33** *élevé à la droite de Dieu* : autre traduction *élevé par la main droite de Dieu*.

z **2.35** Ps 110.1.

a **2.38** *Changez de comportement* : autres traductions *Changez de mentalité* ou *Repentez-vous*.

et les encourager, et il disait : « Acceptez
le salut pour n'avoir pas le sort de ces
gens perdus ! » 41 Un grand nombre d'entre eux acceptèrent les paroles de Pierre
et furent baptisés. Ce jour-là, environ
trois mille personnes s'ajoutèrent au
groupe des croyants.

La vie de la communauté

42 Tous s'appliquaient fidèlement à
écouter l'enseignement que donnaient
les *apôtres, à vivre dans la communion
fraternelle, à prendre part aux repas
communs[b] et à participer aux prières.
43 Chacun ressentait de la crainte, car
Dieu accomplissait beaucoup de prodiges
et de miracles par l'intermédiaire des
apôtres. 44 Tous les croyants étaient unis
et partageaient entre eux tout ce qu'ils
possédaient[c]. 45 Ils vendaient leurs propriétés et leurs biens et répartissaient
l'argent ainsi obtenu entre tous, en tenant compte des besoins de chacun.
46 Chaque jour, régulièrement, ils se réunissaient dans le *temple, ils prenaient
leurs repas ensemble dans leurs maisons
et mangeaient leur nourriture avec joie et
simplicité de cœur. 47 Ils louaient Dieu et
ils étaient estimés par tout le monde. Et
le Seigneur ajoutait chaque jour à leur
groupe ceux qu'il amenait au salut.

Un homme infirme est guéri

3 1 Un après-midi, Pierre et Jean montaient au *temple pour la prière de
trois heures. 2 Près de la porte du temple,
appelée « la Belle Porte », il y avait un
homme qui était infirme depuis sa naissance. Chaque jour, on l'apportait e
l'installait là, pour qu'il puisse mendie
auprès de ceux qui entraient dans l
temple. 3 Il vit Pierre et Jean qui allaien
y entrer et leur demanda de l'argent
4 Pierre et Jean fixèrent les yeux sur lu
et Pierre lui dit : « Regarde-nous. »
5 L'homme les regarda avec attention
car il s'attendait à recevoir d'eux quel
que chose. 6 Pierre lui dit alors : « Je n'a
ni argent ni or, mais ce que j'ai, je te l
donne : au nom de Jésus-Christ de Naza
reth, lève-toi et marche[d] ! » 7 Puis il l
prit par la main droite pour l'aider à s
lever. Aussitôt, les pieds et les cheville
de l'infirme devinrent fermes ; 8 d'u
bond, il fut sur ses pieds et se mit à mar
cher. Il entra avec les *apôtres dans l
temple, en marchant, sautant et louan
Dieu. 9 Toute la foule le vit marcher e
louer Dieu. 10 Quand ils reconnurent e
lui l'homme qui se tenait assis à la Bell
Porte du temple pour mendier, ils furen
tous remplis de crainte et d'étonnemen
à cause de ce qui lui était arrivé.

Discours de Pierre dans le temple

11 Comme l'homme ne quittait pa
Pierre et Jean, tous, frappés d'étonne
ment, accoururent vers eux dans la gale
rie à colonnes qu'on appelait « Galerie d
Salomon[e] ». 12 Quand Pierre vit cela, i
s'adressa à la foule en ces termes : « Gen
*d'Israël, pourquoi vous étonnez-vous d
cette guérison ? Pourquoi nous regardez
vous comme si nous avions fait marche
cet homme par notre propre puissance o
grâce à notre attachement à Dieu ? 13 L
Dieu d'Abraham, d'Isaac et de Jacob, l
Dieu de nos ancêtres[f], a manifesté l
*gloire de son serviteur Jésus. Vous
mêmes, vous l'avez livré aux autorités e
vous l'avez rejeté devant *Pilate, alor
que celui-ci avait décidé de le relâche
14 Vous avez rejeté celui qui était saint e
juste et vous avez préféré demande
qu'on vous accorde la libération d'un cr
minel[g]. 15 Ainsi, vous avez fait mourir l
maître de la vie. Mais Dieu l'a ramen
d'entre les morts et nous en sommes té
moins. 16 C'est la puissance du nom de Jé
sus qui, grâce à la foi en lui[h], a rendu l
force à cet homme que vous voyez e

---

b **2.42** *aux repas communs* : il peut s'agir soit de la Sainte Cène, ou Eucharistie, soit d'un repas à proprement parler accompagné de la Cène.

c **2.44** Comparer 4.32-35.

d **3.6** Certains manuscrits n'ont pas *lève-toi*.

e **3.11** Cette galerie bordait la cour où étaient admis les non-Juifs, au temple de Jérusalem. Comparer 5.12 ; Jean 10.23.

f **3.13** Voir Ex 3.15.

g **3.14** Voir Matt 27.15-23 ; Marc 15.6-14 ; Luc 23.13-23 ; Jean 18.38-40 ; 19.12-15.

h **3.16** *la puissance du nom... en lui* : comme souvent dans la Bible, le *nom* équivaut à la personne même qui le porte. Cette tournure est fréquente dans les Actes (voir 4.10, etc.) et y désigne souvent la personne de Jésus ressuscité.

onnaissez. C'est la foi en Jésus qui lui a
onné d'être complètement guéri comme
ous pouvez tous le constater.
17 « Cependant, frères, je sais bien que
ous et vos chefs avez agi par ignorance
l'égard de Jésus. 18 Mais Dieu a réalisé
insi ce qu'il avait annoncé autrefois par
ous les *prophètes ; il avait dit que son
Messie devait souffrir[i]. 19 Changez
onc de comportement[j] et tournez-vous
ers Dieu, pour qu'il efface vos péchés.
Alors le Seigneur fera venir des temps
e repos et vous enverra Jésus, le Messie
u'il avait choisi d'avance pour vous.
Pour le moment, Jésus-Christ doit res-
er au *ciel jusqu'à ce que vienne le
emps où tout sera renouvelé, comme
ieu l'a annoncé par ses saints pro-
hètes depuis longtemps déjà. 22 Moïse a
it en effet : “Le Seigneur votre Dieu
ous enverra un prophète comme moi[k],
ui sera un membre de votre peuple.
ous écouterez tout ce qu'il vous dira.
Tout homme qui n'écoutera pas ce pro-
hète sera exclu du peuple de Dieu et
is à mort[l].” 24 Et les prophètes qui ont
arlé depuis Samuel ont tous, les uns
près les autres, également annoncé ces
urs-ci. 25 La promesse que Dieu a faite
ar les prophètes est pour vous, et vous
vez part à *l'alliance que Dieu a
onclue avec vos ancêtres quand il a dit à
braham : “Je *bénirai toutes les failles de la terre à travers tes descen-
ants[m].” 26 Ainsi, Dieu a fait apparaître
n serviteur pour vous d'abord, il l'a
nvoyé pour vous bénir en détournant
hacun d'entre vous de ses mauvaises ac-
ons. »

Pierre et Jean devant le *Conseil supérieur

4 1 Pierre et Jean parlaient encore au
peuple, quand arrivèrent les *prê-
es[n], le chef des gardes du *temple et les
Sadducéens. 2 Ils étaient très mé-
ontents que les deux *apôtres apportent
ur enseignement au peuple et lui an-
oncent que Jésus était *ressuscité, affir-
ant par là que les morts peuvent se
lever. 3 Ils les arrêtèrent et les mirent en
rison pour la nuit, car il était déjà tard.
Cependant, parmi ceux qui avaient entendu le message des apôtres, beaucoup
crurent, et le nombre des croyants s'éleva
à cinq mille personnes environ.
5 Le lendemain, les chefs des Juifs, les
*anciens et les *maîtres de la loi s'assem-
blèrent à Jérusalem. 6 Il y avait en particulier Hanne le grand-prêtre, Caïphe,
Jean, Alexandre et tous les membres de la
famille du grand-prêtre. 7 Ils firent amener les apôtres devant eux et leur demandèrent : « Par quel pouvoir ou au nom de
qui avez-vous effectué cette guérison ? »
8 Alors Pierre, rempli du Saint-Esprit,
leur dit : « Chefs du peuple et anciens :
9 on nous interroge aujourd'hui à propos
du bien fait à un infirme, on nous demande comment cet homme a été guéri.
10 Eh bien, il faut que vous le sachiez,
vous tous, ainsi que tout le peuple *d'Israël : si cet homme se présente devant
vous en bonne santé, c'est par le pouvoir
du nom de Jésus-Christ de Nazareth, celui que vous avez cloué sur la croix et que
Dieu a ramené d'entre les morts. 11 Jésus
est celui dont l'Écriture affirme :

“La pierre que vous, les bâtisseurs,
avez rejetée
est devenue la pierre principale[o].”

12 Le salut ne s'obtient qu'en lui, car,
nulle part dans le monde entier, Dieu n'a
donné aux êtres humains quelqu'un d'autre par qui nous pourrions être sauvés. »
13 Les membres du Conseil étaient très
étonnés, car ils voyaient l'assurance de
Pierre et de Jean et se rendaient compte
en même temps que c'étaient des hommes simples et sans instruction. Ils re-
connaissaient en eux des compagnons de
Jésus. 14 Mais ils voyaient aussi l'homme
guéri qui se tenait auprès d'eux et ils ne
trouvaient rien à répondre. 15 Ils leur ordonnèrent alors de sortir de la salle du

---

i **3.18** Comparer Luc 24.26-27.

j **3.19** *Changez donc de comportement* : autres traductions *Changez donc de mentalité* ou *Repentez-vous donc*.

k **3.22** *vous enverra un prophète comme moi* ou *vous enverra un prophète, comme il m'a envoyé*.

l **3.23** Pour les versets 22-23, voir Deut 18.15,18,19.

m **3.25** Gen 22.18.

n **4.1** *les prêtres* : certains manuscrits ont *les chefs des prêtres*.

o **4.11** Ps 118.22.

Conseil et se mirent à discuter entre eux.
16 Ils se disaient : « Que ferons-nous de ces
gens ? Car tous les habitants de Jérusalem
savent clairement que ce miracle évident a
été réalisé par eux et nous ne pouvons pas
le nier. 17 Mais il ne faut pas que la nouvelle de cette affaire se répande davantage
parmi le peuple. Nous allons donc leur défendre avec des menaces de parler encore
à qui que ce soit au nom de Jésus. »

18 Ils les rappelèrent alors et leur inter-
dirent catégoriquement de parler ou
d'enseigner au nom de Jésus. 19 Mais
Pierre et Jean leur répondirent : « Jugez
vous-mêmes s'il est juste devant Dieu de
vous obéir à vous plutôt qu'à lui. 20 Quant
à nous, nous ne pouvons pas renoncer à
parler de ce que nous avons vu et entendu. » 21 Les membres du Conseil les
menacèrent de nouveau puis les relâchèrent. Ils ne trouvaient aucun moyen
de les punir, car tout le peuple louait
Dieu de ce qui était arrivé. 22 L'homme
miraculeusement guéri était âgé de plus
de quarante ans.

La prière des croyants

23 Dès qu'ils furent relâchés, Pierre et
Jean se rendirent auprès du groupe de
leurs amis et leur racontèrent tout ce que
les chefs des *prêtres et les *anciens
avaient dit. 24 Après avoir entendu ce récit,
les croyants adressèrent d'un commun accord cette prière à Dieu : « Maître, c'est toi
qui as créé le ciel, la terre, la mer et tout ce
qui s'y trouve[p]. 25 C'est toi qui, par le
Saint-Esprit, as fait dire à David notre ancêtre et ton serviteur :

"Les nations se sont agitées, mais
pourquoi ?
Les peuples ont comploté, mais c'est
pour rien !
26 Les rois de la terre se sont préparés au
combat
et les chefs se sont unis
contre le Seigneur et contre le roi qu'il
a consacré[q]."

27 Car il est bien vrai *qu'Hérode
Ponce-*Pilate se sont unis, dans cet
ville, avec les représentants des natior
étrangères et du peuple *d'Israël cont
ton saint serviteur Jésus, celui que tu
consacré[r]. 28 Ils ont ainsi réalisé tout
que, avec puissance, tu avais voulu et d
cidé d'avance. 29 Et maintenant, Se
gneur, sois attentif à leurs menaces
donne à tes serviteurs d'annoncer ta p
role avec une pleine assurance. 30 D
montre ta puissance afin que d
guérisons, des miracles et des prodig
s'accomplissent par le nom de ton sai
serviteur Jésus. » 31 Quand ils eurent fi
de prier, l'endroit où ils étaient réun
trembla. Ils furent tous remplis d
Saint-Esprit et se mirent à annoncer
parole de Dieu avec assurance.

Les croyants partagent leurs biens entre eux

32 Le groupe des croyants était parfait
ment uni, de cœur et d'âme. Aucun d'e
ne disait que ses biens étaient à lui seu
mais, entre eux, tout ce qu'ils avaie
était propriété commune[s]. 33 C'est av
une grande puissance que les *apôtr
rendaient témoignage à la *résurrectio
du Seigneur Jésus et Dieu leur accorda
à tous d'abondantes *bénédiction
34 Personne parmi eux ne manquait
nécessaire. En effet, tous ceux qui poss
daient des champs ou des maisons l
vendaient, apportaient la somme pr
duite par cette vente 35 et la remettaie
aux apôtres ; on distribuait ensuite l'a
gent à chacun selon ses besoins. 36 P
exemple, Joseph, un *lévite né à Chypr
que les apôtres surnommaient Barnab
– ce qui signifie « l'homme qui enco
rage » –, 37 vendit un champ qu'il poss
dait, apporta l'argent et le remit a
apôtres.

Ananias et Saphira

5 1 Mais un homme appelé Anania
dont la femme se nommait Saphi
vendit, d'accord avec elle, un terrain q
leur appartenait. 2 Il garda une partie
l'argent pour lui et alla remettre le res
aux *apôtres. Sa femme le savait. 3 Alo
Pierre lui dit : « Ananias, pourquoi *S

---

p **4.24** Voir Ex 20.11 ; Ps 146.6.
q **4.26** Ps 2.1-2, cité d'après l'ancienne version grecque.
r **4.27** Voir Luc 23.7-11 ; Matt 27.1-2 ; És 61.1.
s **4.32** Comparer 2.44-45.

n a-t-il pu s'emparer de ton cœur[t] ? Tu
: menti au Saint-Esprit et tu as gardé
ne partie de l'argent rapporté par ce ter-
in. 4 Avant que tu le vendes, il était à
i, et après que tu l'as vendu, l'argent
appartenait, n'est-ce pas ? Comment
onc as-tu pu décider de commettre une
lle action ? Ce n'est pas à des hommes
ie tu as menti, mais à Dieu. » 5 En en-
ndant ces paroles, Ananias tomba et
ourut. Et tous ceux qui l'apprirent fu-
nt saisis d'une grande crainte. 6 Les jeu-
es gens vinrent envelopper le corps,
iis ils l'emportèrent et l'enterrèrent.
7 Environ trois heures plus tard, la
mme d'Ananias entra sans savoir ce qui
était passé. 8 Pierre lui demanda : « Dis-
oi, avez-vous vendu votre terrain pour
lle somme ? » Et elle répondit : « Oui,
our cette somme-là. » 9 Alors Pierre lui
t : « Comment donc avez-vous pu déci-
er ensemble de défier l'Esprit du Sei-
ieur ? Écoute, ceux qui ont enterré ton
ari sont déjà à la porte et ils vont t'em-
orter toi aussi. » 10 Au même instant, elle
mba aux pieds de l'apôtre et mourut.
es jeunes gens entrèrent et la trouvèrent
orte ; ils l'emportèrent et l'enterrèrent
près de son mari. 11 Toute l'Église et
us ceux qui apprirent ces faits furent
isis d'une grande crainte.

De nombreux miracles

12 De nombreux miracles et prodiges
aient accomplis par les *apôtres parmi
peuple. Les croyants se tenaient tous
isemble dans la galerie à colonnes de
ilomon[u]. 13 Personne d'autre n'osait se
indre à eux, et pourtant le peuple les
timait beaucoup. 14 Une foule de plus
plus nombreuse d'hommes et de fem-
es croyaient au Seigneur et s'ajou-
ient à leur groupe. 15 Et l'on se mit à
iener les malades dans les rues : on les
posait sur des civières ou des nattes
in qu'au moment où Pierre passerait,
n ombre au moins puisse recouvrir
in ou l'autre d'entre eux. 16 Une foule
gens accouraient aussi des localités
isines de Jérusalem ; ils apportaient
s malades et des personnes tourmen-
es par des esprits mauvais, et tous
aient guéris.

Les apôtres sont persécutés

17 Alors le *grand-prêtre et tous ceux
qui étaient avec lui, c'est-à-dire les membres du parti des *Sadducéens, furent
remplis de jalousie à l'égard des *apôtres ; ils décidèrent d'agir. 18 Ils les firent
arrêter et jeter dans la prison publique.
19 Mais pendant la nuit, un *ange du Seigneur ouvrit les portes de la prison, fit
sortir les apôtres et leur dit : 20 « Allez
dans le *temple et annoncez au peuple
tout ce qui concerne la vie nouvelle. »
21 Les apôtres obéirent : tôt le matin, ils
allèrent dans le temple et se mirent à proclamer leur enseignement.

Le grand-prêtre et ceux qui étaient
avec lui réunirent les *anciens du peuple
juif pour une séance du *Conseil supérieur. Puis ils envoyèrent chercher les
apôtres à la prison. 22 Mais quand les gardes y arrivèrent, ils ne les trouvèrent pas
dans leur cellule. Ils retournèrent au
Conseil et firent le rapport 23 suivant :
« Nous avons trouvé la prison soigneusement fermée et les gardiens à leur poste
devant les portes. Mais quand nous les
avons ouvertes, nous n'avons trouvé personne à l'intérieur. » 24 En apprenant cette
nouvelle, le chef des gardes du temple et
les chefs des prêtres ne surent que penser
et ils se demandèrent ce qui était arrivé
aux apôtres[v]. 25 Puis quelqu'un survint et
leur dit : « Écoutez ! Les hommes que
vous avez jetés en prison se trouvent dans
le temple où ils donnent leur enseignement au peuple. »

26 Le chef des gardes partit alors avec
ses hommes pour ramener les apôtres.
Mais ils n'usèrent pas de violence, car ils
avaient peur que le peuple leur lance des
pierres. 27 Après les avoir ramenés, ils les
firent comparaître devant le Conseil et le
grand-prêtre se mit à les accuser. 28 Il leur
dit : « Nous vous avions sévèrement défendu d'enseigner au nom de cet homme.
Et qu'avez-vous fait ? Vous avez répandu

---

t 5.3 Comparer Jean 13.2.

u 5.12 Voir 3.11 et la note.

v 5.24 *que penser et... ce qui était arrivé aux apôtres* : autre traduction *que penser au sujet des apôtres et ils se demandèrent ce qui allait arriver*.

votre enseignement dans toute la ville de
Jérusalem et vous voulez faire retomber
sur nous les conséquences de sa mort[w] ! »
29 Pierre et les autres apôtres répondirent : « Il faut obéir à Dieu plutôt qu'aux
hommes. 30 Le Dieu de nos ancêtres a
rendu la vie à ce Jésus que vous aviez fait
mourir en le clouant sur la croix. 31 Dieu
l'a élevé à sa droite[x] et l'a établi comme
chef et Sauveur pour donner l'occasion
au peuple *d'Israël de changer de
comportement et de recevoir le pardon
de ses péchés. 32 Nous sommes témoins
de ces événements, nous et le Saint-
Esprit que Dieu a donné à ceux qui lui
obéissent. »

33 Les membres du Conseil devinrent
furieux en entendant ces paroles, et ils
voulaient faire mourir les apôtres. 34 Mais
il y avait parmi eux un *Pharisien
nommé Gamaliel[y], un *maître de la loi
que tout le peuple respectait. Il se leva au
milieu du Conseil et demanda de faire
sortir un instant les apôtres. 35 Puis il dit
à l'assemblée : « Gens d'Israël, prenez
garde à ce que vous allez faire à ces hommes. 36 Il n'y a pas longtemps est apparu
Theudas, qui prétendait être un personnage important ; environ quatre cents
hommes se sont joints à lui. Mais il fut
tué, tous ceux qui l'avaient suivi se dispersèrent et il ne resta rien du mouvement. 37 Après lui, à l'époque du
recensement, est apparu Judas le Gali-
léen ; il entraîna une foule de gens à sa
suite. Mais il fut tué, lui aussi, et tous
ceux qui l'avaient suivi furent dispersés.
38 Maintenant donc, je vous le dis : ne
vous occupez plus de ceux-ci et laissez-les
aller. Car si leurs intentions et leur activité viennent des hommes, elles disparaîtront. 39 Mais si elles viennent vraimen
de Dieu, vous ne pourrez pas les détruire
Ne prenez pas le risque de combattr
Dieu ! » Les membres du Conseil accep
tèrent l'avis de Gamaliel. 40 Ils rappe
lèrent les apôtres, les firent battre et leu
ordonnèrent de ne plus parler au nom d
Jésus, puis ils les relâchèrent. 41 Les apô
tres quittèrent le Conseil, tout joyeux d
ce que Dieu les ait jugés dignes d'êtr
maltraités pour le nom de Jésus. 42 E
chaque jour, dans le temple et dans le
maisons, ils continuaient sans arrêt
donner leur enseignement en annonçan
la Bonne Nouvelle de Jésus, le *Messie.

Sept hommes sont choisis pour aider les apôtres

6 1 En ce temps-là, alors que le nomb
des *disciples augmentait, le
croyants de langue grecque se plaignirent
de ceux qui parlaient l'hébreu : ils d
saient que les veuves de leur group
étaient négligées au moment où, chaqu
jour, on distribuait la nourriture[z]. 2 Le
douze *apôtres réunirent alors l'ensem
ble des disciples et leur dirent : « Il ne se
rait pas juste que nous cessions d
prêcher la parole de Dieu pour nous oc
cuper des repas[a]. 3 C'est pourquoi, frère
choisissez parmi vous sept hommes d
bonne réputation, remplis du Sain
Esprit et de sagesse, et nous les charge
rons de ce travail. 4 Nous pourrons ain
continuer à donner tout notre temps à l
prière et à la tâche de la prédication.
5 L'assemblée entière fut d'accord ave
cette proposition. On choisit alo
Étienne, homme rempli de foi et d
Saint-Esprit, ainsi que Philippe, Procor
Nicanor, Timon, Parménas et Nicola
d'Antioche, qui s'était autrefois conver
à la religion juive. 6 Puis on les présen
aux apôtres qui prièrent et posèrent le
mains sur eux. 7 La parole de Dieu se r
pandait de plus en plus. Le nombre d
disciples augmentait beaucoup à Jérus
lem et de très nombreux *prêtres[b] se sou
mettaient à la foi en Jésus.

L'arrestation d'Étienne

8 Étienne, plein de force par la grâce d
Dieu, accomplissait des prodiges et d

---

w 5.28 Comparer Matt 27.25.

x 5.31 *à sa droite* : autre traduction *par sa main droite* (comparer 2.33).

y 5.34 *Gamaliel* était un des plus célèbres maîtres juifs. Il faisait partie du Conseil supérieur de sa nation et Paul avait suivi son enseignement (22.3).

z 6.1 *on distribuait la nourriture* : autre traduction *on distribuait les secours en argent*.

a 6.2 *des repas* : autre traduction *des questions d'administration* (comparer 6.1 et la note).

b 6.7 On estime que les membres des diverses classes de prêtres juifs étaient environ 8 000 à Jérusalem.

rands miracles parmi le peuple. 9 Quel-
ues hommes s'opposèrent alors à lui:
'étaient d'une part des membres de la
synagogue dite des « Esclaves libérés[c] »,
ui comprenait des Juifs de Cyrène et
'Alexandrie, et d'autre part des Juifs de
ilicie et de la province d'Asie. Ils se mi-
ent à discuter avec Étienne. 10 Mais ils
e pouvaient pas lui résister, car il parait avec la sagesse que lui donnait l'Es-
rit Saint. 11 Ils payèrent alors des gens
our qu'ils disent: « Nous l'avons en-
endu prononcer des paroles insultantes
ontre Moïse et contre Dieu[d] ! » 12 Ils ex-
itèrent ainsi le peuple, les *anciens et
es *maîtres de la loi. Puis ils se jetèrent
ur Étienne, le saisirent et le condui-
irent devant le *Conseil supérieur. 13 Ils
menèrent aussi des faux témoins qui
éclarèrent: « Cet homme ne cesse pas
e parler contre notre saint *temple et
ontre la *loi de Moïse! 14 Nous l'avons
ntendu dire que ce Jésus de Nazareth
étruira le temple et changera les cou-
umes que nous avons reçues de Moïse. »
Tous ceux qui étaient assis dans la salle
u Conseil avaient les yeux fixés sur
tienne et ils virent que son visage était
emblable à celui d'un *ange.

Le discours d'Étienne

7 1 Le *grand-prêtre lui demanda: « Ce
que l'on dit de toi est-il vrai? »
Étienne répondit: « Frères et pères,
coutez-moi. Le Dieu glorieux apparut à
otre ancêtre Abraham lorsqu'il était en
lésopotamie, avant qu'il aille habiter
Iaran, 3 et lui dit: "Quitte ton pays et ta
mille, et va dans le pays que je te mon-
erai." 4 Abraham quitta alors le pays des
haldéens et alla habiter Haran. Puis,
près la mort de son père, Dieu le fit pas-
er de Haran dans ce pays où vous vivez
aintenant. 5 Dieu ne lui donna là au-
une propriété, pas même un terrain de la
rgeur du pied; mais il promit qu'il lui
onnerait le pays et que ses descendants
posséderaient aussi après lui. Pourtant,
cette époque, Abraham n'avait pas d'en-
nt. 6 Voici ce que Dieu lui déclara: "Tes
escendants vivront dans un pays étran-
er, où ils deviendront esclaves et où on
s maltraitera pendant quatre cents ans.
7 Mais je jugerai la nation dont ils auront
été les esclaves. Ensuite, ils s'en iront de
là et me rendront un culte en ce lieu-ci[e]."
8 Puis Dieu conclut avec Abraham *l'alliance dont la *circoncision est le signe.
C'est ainsi qu'Abraham circoncit son fils
Isaac le huitième jour après sa naissance;
de même, Isaac circoncit Jacob, et Jacob
circoncit les douze patriarches[f].

9 « Les patriarches furent jaloux de Joseph et le vendirent pour être esclave en
Égypte. Mais Dieu était avec lui; 10 il le
délivra de toutes ses peines. Il donna la
sagesse à Joseph et le rendit agréable aux
yeux du *Pharaon, roi d'Égypte. Celui-ci
établit Joseph comme gouverneur sur
l'Égypte et sur toute la maison royale.
11 La famine survint alors partout en
Égypte et dans le pays de Canaan. La détresse était grande et nos ancêtres ne
trouvaient plus rien à manger. 12 Quand
Jacob apprit qu'il y avait du blé en
Égypte, il y envoya nos ancêtres une première fois. 13 La seconde fois qu'ils y allèrent, Joseph se fit reconnaître par ses
frères et le Pharaon apprit ainsi quelle
était la famille de Joseph. 14 Alors Joseph
envoya chercher Jacob, son père, et toute
la famille qui comprenait soixante-
quinze personnes. 15 Jacob se rendit donc
en Égypte où il mourut, ainsi que nos autres ancêtres. 16 On transporta leurs corps
à Sichem et on les enterra dans la tombe
qu'Abraham avait achetée pour une
somme d'argent aux fils de Hamor, à
Sichem[g].

---

c **6.9** *La synagogue des « Esclaves libérés »* (ou « *Affranchis* ») regroupait les descendants d'anciens esclaves emmenés par le général romain Pompée en 63 avant J.-C. et libérés par la suite.

d **6.11** Comparer Matt 26.59-61; Marc 14.55-58.

e **7.7** Références pour les versets 2 à 7: *v. 2-3*: Gen 12.1. – *v. 4*: Gen 11.31; 12.4. – *v. 5*: Gen 12.7; 13.15; 15.18; 17.8. – *v. 6-7*: Gen 15.13-14; Ex 3.12.

f **7.8** Voir Gen 17.10-14; 21.4. – *patriarches*: voir 2.29 et la note.

g **7.16** Références pour les versets 9 à 16: *v. 9*: Gen 37.11,28; 39.2,21. – *v. 10*: Gen 41.39-41. – *v. 11*: Gen 41.57; 42.1-2. – *v. 13*: Gen 45.1,16. – *v. 14*: Gen 45.9-10,17-18; *soixante-quinze personnes*: Gen 46.27, cité d'après l'ancienne version grecque. – *v. 15*: Gen 46.1-7; 49.33. – *v. 16*: Gen 23.3-16; 33.19; 50.7-13; Jos 24.32.

17 « Lorsque le temps approcha où Dieu
devait accomplir la promesse qu'il avait
faite à Abraham, notre peuple s'accrut et
devint de plus en plus nombreux en
Égypte. 18 Puis un nouveau roi, qui
n'avait pas connu Joseph, se mit à régner
sur l'Égypte. 19 Ce roi trompa notre peuple et maltraita nos ancêtres en les obligeant à abandonner leurs bébés pour
qu'ils meurent[h]. 20 A cette époque naquit
Moïse qui était un bel enfant, agréable à
Dieu. Il fut nourri pendant trois mois
dans la maison de son père[i]. 21 Lorsqu'il
fut abandonné, la fille du Pharaon le recueillit et l'éleva comme son propre fils[j].
22 Ainsi, Moïse fut instruit dans toutes les
sciences des Égyptiens et devint un
homme influent par ses paroles et ses actes. 23 Quand il eut quarante ans, Moïse
décida d'aller voir ses frères de race, les
Israélites. 24 Il vit un Égyptien maltraiter
l'un d'eux ; il prit la défense de l'homme
malmené et, pour le venger, tua l'Égyptien. 25 Il pensait que ses frères israélites
comprendraient que Dieu allait leur accorder la délivrance en se servant de lui ;
mais ils ne le comprirent pas. 26 Le lendemain, Moïse rencontra deux Israélites
qui se battaient et il voulut rétablir la
paix entre eux. “Mes amis, leur dit-il,
vous êtes frères ; pourquoi vous maltrai-
tez-vous ?” 27 Mais celui qui maltraitait
son compagnon repoussa Moïse en lui disant : “Qui t'a établi comme chef et juge
sur nous ? 28 Veux-tu me tuer comme tu
as tué hier l'Égyptien ?” 29 A ces mots,
Moïse s'enfuit et alla vivre dans le pays
de Madian. Là-bas, il eut deux fils[k].

30 « Quarante ans plus tard, dans le désert proche du mont Sinaï, un *ange apparut à Moïse dans les flammes d'un
buisson en feu. 31 Moïse fut étonné en
voyant cette apparition. Mais au moment
où il s'avançait pour regarder de plus
près, il entendit la voix du Seigneur qui
disait : 32 “Je suis le Dieu de tes ancêtres,
le Dieu d'Abraham, d'Isaac et de Jacob”.
Tremblant de peur, Moïse n'osait plus regarder. 33 Alors le Seigneur lui dit : “Enlève tes sandales, car tu te trouves dans
un endroit consacré. 34 J'ai vu comment
on maltraite mon peuple en Égypte, j'ai
entendu ses gémissements et je suis venu
pour le délivrer. Va maintenant, je veux
t'envoyer en Égypte[l].”

35 « Ce même Moïse que les Israélites
avaient rejeté en lui disant : “Qui t'a établi
comme chef et juge ?”, Dieu l'a envoyé
comme chef et libérateur, par l'intermédiaire de l'ange qui lui était apparu dans le
buisson. 36 C'est Moïse qui a fait sortir les
Israélites d'Égypte, en accomplissant des
prodiges et des miracles dans ce pays, à la
mer Rouge et au désert pendant quarante
ans[m]. 37 C'est Moïse encore qui dit aux Israélites : “Dieu vous enverra un *prophète
comme moi, qui sera un membre de votre
peuple[n].” 38 De plus, alors que le peuple
*d'Israël était assemblé dans le désert, c'est
lui qui se tenait entre nos ancêtres et l'ange
qui lui parlait sur le mont Sinaï ; il reçut
les paroles vivantes de Dieu, pour nous les
transmettre[o]. 39 Mais nos ancêtres ne voulurent pas lui obéir ; ils le repoussèrent et
désirèrent retourner en Égypte. 40 Ils dirent à *Aaron : “Fais-nous des dieux qui
marchent devant nous, car nous ne savons
pas ce qui est arrivé à ce Moïse qui nous a
fait sortir d'Égypte.” 41 Ils fabriquèrent
alors un veau et offrirent un *sacrifice à
cette idole, ils fêtèrent joyeusement ce
qu'ils avaient eux-mêmes fabriqué[p].
42 Mais Dieu se détourna d'eux et les laissa
adorer les astres du ciel, comme il est écrit
dans le livre des prophètes :

“Peuple d'Israël, est-ce à moi
que vous avez offert des animaux et
d'autres sacrifices
pendant quarante ans dans le désert ?
43 Non, mais vous avez porté la tente du
dieu Molok

---

h **7.19** Références pour les versets 17 à 19 : *v. 17-18* : Ex 1.7-8. – *v. 19* : Ex 1.10-11,22.

i **7.20** *un bel enfant, agréable à Dieu* : autre traduction *un enfant exceptionnellement beau*. Voir Ex 2.2.

j **7.21** Voir Ex 2.3-10.

k **7.29** Références pour les versets 23 à 29 : Ex 2.11-15,21-22 ; 18.3-4.

l **7.34** Référence pour les versets 30 à 34 : Ex 3.1-10.

m **7.36** Références pour les versets 35 à 36 : *v. 35* : Ex 2.14. – *v. 36* : Ex 7.3 ; 14.21 ; Nomb 14.33.

n **7.37** *comme moi* ou *comme il m'a envoyé*. Voir Deut 18.15,18.

o **7.38** Voir Ex 19.1–20.17 ; Deut 5.1-33.

p **7.41** Références pour les versets 39 à 41 : *v. 39* : Nomb 14.3. – *v. 40* : Ex 32.1. – *v. 41* : Ex 32.2-6.

et l'image de votre dieu-étoile Réphan,
ces idoles que vous aviez faites pour les
adorer.
C'est pourquoi je vous déporterai au-
delà de *Babylone[q]."
44 « Dans le désert, nos ancêtres avaient
la tente qui renfermait le *document de
l'alliance. Elle était faite comme Dieu
l'avait ordonné à Moïse : en effet, il avait
dit à Moïse de reproduire le modèle qu'il
avait vu. 45 Cette tente fut transmise à nos
ancêtres de la génération suivante ; ils
l'emportèrent avec eux lorsque, sous la
conduite de Josué, ils conquirent le pays
des nations que Dieu chassa devant eux.
Elle y resta jusqu'à l'époque de David[r].
46 Celui-ci obtint la faveur de Dieu et lui
demanda la permission de donner une
demeure sainte pour les descendants de
Jacob[s]. 47 Toutefois, ce fut Salomon qui
lui bâtit une maison[t]. 48 Mais le Dieu très-
haut n'habite pas dans des maisons
construites par les hommes. Comme le
déclare le prophète :
49 "Le ciel est mon trône, dit le Seigneur,
et la terre un escabeau sous mes pieds.
Quel genre de maison pourriez-vous
me bâtir ?
En quel endroit pourrais-je m'installer ?
50 N'ai-je pas fait tout cela de mes
mains[u] ?"
51 « Vous, hommes rebelles, dont le
cœur et les oreilles sont fermés aux appels de Dieu, vous résistez toujours au
Saint-Esprit ! Vous êtes comme vos ancêtres ! 52 Lequel des prophètes vos ancêtres n'ont-ils pas persécuté ? Ils ont tué
ceux qui ont annoncé la venue du seul
juste ; et maintenant, c'est lui que vous
avez trahi et tué[v]. 53 Vous qui avez reçu la
loi de Dieu par l'intermédiaire des anges[w], vous n'avez pas obéi à cette loi ! »

La mort d'Étienne

54 Les membres du Conseil devinrent
furieux en entendant ces paroles et ils
grinçaient des dents de colère contre
Étienne. 55 Mais lui, rempli du Saint-
Esprit, regarda vers le *ciel ; il vit la
gloire de Dieu et Jésus debout à la
droite de Dieu. 56 Il dit : « Écoutez, je
vois les cieux ouverts et le *Fils de
l'homme debout à la droite de Dieu. »
57 Ils poussèrent alors de grands cris et se
bouchèrent les oreilles. Ils se précipitèrent tous ensemble sur lui, 58 l'entraînèrent hors de la ville et se mirent à lui
jeter des pierres pour le tuer. Les témoins laissèrent leurs vêtements à la
garde d'un jeune homme appelé Saul.
59 Tandis qu'on lui jetait des pierres,
Étienne priait ainsi : « Seigneur Jésus,
reçois mon esprit ! » 60 Puis il tomba à genoux et cria avec force : « Seigneur, ne
les tiens pas pour coupables de ce péché[x] ! » Après avoir dit ces mots, il mourut.
8 1 Et Saul approuvait le meurtre
d'Étienne[y].

Saul persécute l'Église

Le même jour commença une grande
persécution contre l'Église de Jérusalem.
Tous les croyants, excepté les *apôtres, se
dispersèrent dans les régions de Judée et
de Samarie. 2 Des hommes pieux enterrèrent Étienne et pleurèrent abondamment sur sa mort.
3 Saul, lui, s'efforçait de détruire
l'Église ; il allait de maison en maison, en
arrachait les croyants, hommes et femmes, et les jetait en prison[z].

Philippe annonce la Bonne Nouvelle en Samarie

4 Ceux qui avaient été dispersés par-
couraient le pays en annonçant la Bonne

---

q **7.43** *v. 42-43* : Amos 5.25-27, cité d'après l'ancienne version grecque. – *Molok* : l'un des dieux des anciens habitants du pays de Canaan. – *Réphan* : nom d'un ancien dieu qu'on adorait en tant que maître de la planète Saturne.
r **7.45** *v. 44-45* : Ex 25.9,40 ; Jos 3.14-17.
s **7.46** *pour les descendants de Jacob* : certains manuscrits ont *au Dieu de Jacob*. Voir 2 Sam 7.1-16 ; 1 Chron 17.1-14.
t **7.47** Voir 1 Rois 6.1-38 ; 2 Chron 3.1-17.
u **7.50** *v. 49-50* : És 66.1-2.
v **7.52** *v. 51-52* : comparer És 63.10 ; 2 Chron 36.16 ; Matt 23.31.
w **7.53** Selon une tradition rabbinique, la révélation de la loi de Dieu au Sinaï a été faite par l'intermédiaire des anges. Comparer Gal 3.19 ; Hébr 2.2.
x **7.60** Comparer Luc 23.34.
y **8.1** Comparer 22.20.
z **8.3** Comparer 22.4-5 ; 26.9-11.

Nouvelle. 5 Philippe se rendit dans la principale ville de Samarie[a] et se mit à annoncer le *Messie à ses habitants. 6 La population tout entière était très attentive aux paroles de Philippe quand elle l'entendait et voyait les miracles qu'il accomplissait. 7 En effet, des esprits mauvais sortaient de beaucoup de malades en poussant un grand cri et de nombreux paralysés et boiteux étaient également guéris. 8 Ainsi, la joie fut grande dans cette ville.

9 Un homme appelé Simon se trouvait déjà auparavant dans cette même ville. Il pratiquait la magie et provoquait l'étonnement de la population de la Samarie. Il prétendait être quelqu'un d'important, 10 et tous, des plus jeunes aux plus âgés, lui accordaient beaucoup d'attention. On disait : « Cet homme est la puissance de Dieu, celle qu'on appelle "la grande puissance". » 11 Ils lui accordaient donc beaucoup d'attention, car il y avait longtemps qu'il les étonnait par ses pratiques magiques. 12 Mais quand ils crurent à la Bonne Nouvelle que Philippe annonçait au sujet du *Royaume de Dieu et de la personne de Jésus-Christ, ils se firent baptiser, hommes et femmes. 13 Simon lui-même crut et fut baptisé ; il restait auprès de Philippe et il était rempli d'étonnement en voyant les grands miracles et prodiges qui s'accomplissaient.

14 Les *apôtres qui étaient à Jérusalem apprirent que les habitants de la Samarie avaient reçu la parole de Dieu ; ils leur envoyèrent alors Pierre et Jean. 15 Quand ceux-ci arrivèrent en Samarie, ils prièrent pour les croyants afin qu'ils reçoivent le Saint-Esprit. 16 En effet, le Saint-Esprit n'était encore descendu sur aucun d'eux ; ils avaient seulement été baptisés au nom du Seigneur Jésus. 17 Alors Pierre et Jean posèrent les main sur eux et ils reçurent le Saint-Esprit 18 Quand Simon vit que l'Esprit étai donné aux croyants lorsque les apôtre posaient les mains sur eux, il offrit d l'argent à Pierre et Jean 19 en disant : « Ac cordez-moi aussi ce pouvoir, afin qu ceux sur qui je poserai les mains re çoivent le Saint-Esprit. » 20 Mais Pierr lui répondit : « Que ton argent soit dé truit avec toi, puisque tu as pensé que l don de Dieu peut s'acheter avec de l'ar gent ! 21 Tu n'as aucune part ni aucu droit en cette affaire, car ton cœur n'es pas honnête aux yeux de Dieu. 22 Rejett donc ta mauvaise intention et prie le Sei gneur pour que, si possible, il te par donne d'avoir eu une telle pensée. 23 J vois, en effet, que tu es plein d'un ma amer et que tu es prisonnier du péché. 24 Simon dit alors à Pierre et Jean : « Prie vous-mêmes le Seigneur pour moi, afi qu'il ne m'arrive rien de ce que vous ave dit. » 25 Après avoir rendu témoignage e prêchant la parole du Seigneur, les deu apôtres retournèrent à Jérusalem. E chemin, ils annoncèrent la Bonne Nou velle dans de nombreux villages de Sa marie.

Philippe et le fonctionnaire éthiopien

26 Un *ange du Seigneur dit à Phi lippe : « Tu vas partir en direction d sud[b], sur la route qui descend de Jérusa lem à Gaza. Cette route est déserte. 27 Philippe partit aussitôt. Et, sur so chemin, un homme se présenta : c'étai un *eunuque éthiopien, haut fonction naire chargé d'administrer les trésors d Candace[c], la reine d'Éthiopie ; il étai venu à Jérusalem pour adorer Dieu 28 et retournait chez lui. Assis sur son char, i lisait le livre du *prophète Ésaïe. 29 L Saint-Esprit dit à Philippe : « Va rejoin dre ce char. » 30 Philippe s'en approcha e courant et entendit l'Éthiopien qui lisait le livre du prophète Ésaïe. Il lui de manda : « Comprends-tu ce que tu lis ? 31 L'homme répondit : « Comment pou rais-je comprendre, si personne n m'éclaire ? » Et il invita Philippe à mon ter sur le char pour s'asseoir à côté de lu

---

a **8.5** *la principale ville* : certains manuscrits ont *une ville*.

b **8.26** *en direction du sud* ou *à midi*.

c **8.27** *Candace* n'est pas un nom propre, mais un titre désignant la reine d'Éthiopie, comme Pharaon désignait le roi d'Égypte.

d **8.30** Il *lisait* à haute voix, comme c'était l'habitude chez les anciens.

32 Le passage de l'Écriture qu'il lisait était
celui-ci :
« Il a été comme une *brebis
qu'on mène à l'abattoir,
comme un agneau qui reste muet
devant celui qui le tond.
Il n'a pas dit un mot.
33 Il a été humilié
et n'a pas obtenu justice.
Qui pourra parler de ses descendants ?
Car on a mis fin à sa vie sur terre[e]. »
34 Le fonctionnaire demanda à Philippe :
« Je t'en prie, dis-moi de qui le prophète
parle-t-il ainsi ? Est-ce de lui-même ou de
quelqu'un d'autre ? » 35 Philippe prit alors
la parole et, en partant de ce passage de
l'Écriture, il lui annonça la Bonne Nouvelle de Jésus. 36 Ils continuèrent leur
chemin et arrivèrent à un endroit où il y
avait de l'eau. Le fonctionnaire dit alors :
« Voici de l'eau ; qu'est-ce qui empêche
que je sois baptisé ? » [37 Philippe lui dit :
« Si tu crois de tout ton cœur, tu peux être
baptisé. » Et l'homme répondit : « Je crois
que Jésus-Christ est le *Fils de Dieu[f]. »]
38 Puis il fit arrêter le char. Philippe descendit avec lui dans l'eau et il le baptisa.
39 Quand ils furent sortis de l'eau, l'Esprit
du Seigneur enleva Philippe. Le fonctionnaire ne le vit plus, mais il continua
son chemin tout joyeux. 40 Philippe se retrouva à Azot[g], puis il passa de ville en
ville, en annonçant partout la Bonne
Nouvelle, jusqu'au moment où il arriva à
Césarée.

La conversion de Saul

(Voir aussi Actes 22.6-16 ; 26.12-18)

9 1 Pendant ce temps, Saul ne cessait
de menacer de mort les *disciples du
Seigneur. Il alla trouver le *grand-prêtre
et lui demanda des lettres d'introduction pour les *synagogues de Damas,
afin que, s'il y trouvait des personnes,
hommes ou femmes, qui suivaient le
chemin du Seigneur[h], il puisse les arrêter et les amener à Jérusalem. 3 Il était en
route pour Damas et approchait de cette
ville, quand, tout à coup, une lumière
qui venait du *ciel brilla autour de lui.
Il tomba à terre et entendit une voix
qui lui disait : « Saul, Saul, pourquoi
me persécutes-tu ? » 5 Il demanda : « Qui
es-tu Seigneur ? » Et la voix répondit :
« Je suis Jésus que tu persécutes. 6 Mais
relève-toi, entre dans la ville, et là on te
dira ce que tu dois faire. » 7 Les compagnons de voyage de Saul s'étaient arrêtés
sans pouvoir dire un mot ; ils entendaient la voix, mais ne voyaient personne. 8 Saul se releva de terre et ouvrit
les yeux, mais il ne voyait plus rien. On
le prit par la main pour le conduire à Damas. 9 Pendant trois jours, il fut incapable de voir et il resta sans rien manger
ni boire.

10 Il y avait à Damas un disciple appelé
Ananias. Le Seigneur lui apparut dans
une vision et lui dit : « Ananias ! » Il répondit : « Me voici, Seigneur. » 11 Le Seigneur lui dit : « Tu vas te rendre tout de
suite dans la rue Droite et, dans la maison de Judas, demande un homme de
Tarse appelé Saul. Il prie en ce moment
12 et, dans une vision, il a vu un homme
appelé Ananias qui entrait et posait les
mains sur lui afin qu'il puisse voir de
nouveau. » 13 Ananias répondit : « Seigneur, de nombreuses personnes m'ont
parlé de cet homme et m'ont dit tout le
mal qu'il a fait à tes fidèles à Jérusalem.
14 Et il est venu ici avec le pouvoir que lui
ont accordé les chefs des prêtres d'arrêter
tous ceux qui font appel à ton nom. »
15 Mais le Seigneur lui dit : « Va, car j'ai
choisi cet homme et je l'utiliserai pour
faire connaître mon nom aux autres nations et à leurs rois, ainsi qu'au peuple
*d'Israël. 16 Je lui montrerai moi-même
tout ce qu'il devra souffrir pour moi. »
17 Alors Ananias partit. Il entra dans la
maison, posa les mains sur Saul et lui dit :
« Saul, mon frère, le Seigneur Jésus qui
t'est apparu sur le chemin par lequel tu
venais m'a envoyé pour que tu puisses
voir de nouveau et que tu sois rempli
du Saint-Esprit. » 18 Aussitôt, des sortes

---

e **8.33** *v. 32-33* : És 53.7-8, cité d'après l'ancienne version grecque.

f **8.37** Le verset 37 ne se trouve pas dans plusieurs anciens manuscrits. On a peut-être ici l'écho d'une très ancienne liturgie de baptême.

g **8.40** *Azot* est l'ancienne Asdod des Philistins (voir 1 Sam 5.1-7).

h **9.2** Comparer És 30.21 ; Ps 27.11.

d'écailles tombèrent des yeux de Saul et il put voir de nouveau. Il se leva et fut baptisé ; 19 puis il mangea et les forces lui revinrent.

Saul prêche à Damas

Saul resta quelques jours avec les *disciples qui étaient à Damas. 20 Il se mit immédiatement à prêcher dans les *synagogues, en proclamant que Jésus est le *Fils de Dieu. 21 Tous ceux qui l'entendaient étaient étonnés et demandaient : « N'est-ce pas cet homme qui persécutait violemment à Jérusalem ceux qui font appel au nom de Jésus ? Et n'est-il pas venu ici exprès pour les arrêter et les ramener aux chefs des *prêtres ? » 22 Mais Saul se montrait toujours plus convaincant : les Juifs qui vivaient à Damas ne savaient plus que lui répondre quand il leur démontrait que Jésus est le *Messie.

23 Après un certain temps, les Juifs prirent ensemble la décision de faire mourir Saul, 24 mais il fut averti de leur complot. On surveillait les portes de la ville jour et nuit, afin de le mettre à mort. 25 Alors les disciples de Saul l'emmenèrent de nuit pour le faire passer de l'autre côté du mur de la ville, en le descendant dans une corbeille[i].

Saul à Jérusalem

26 Arrivé à Jérusalem, Saul essaya de se joindre aux *disciples ; mais tous en avaient peur, car ils ne croyaient pas qu'il fût vraiment un disciple. 27 Barnabas le prit alors avec lui et le conduisit auprès des *apôtres. Il leur raconta comment Saul avait vu le Seigneur en cours de route et comment le Seigneur lui avait parlé. Il leur dit aussi avec quelle assurance Saul avait prêché au nom de Jésus à Damas. 28 A partir de ce moment, Saul se tint avec eux, il allait et venait dans Jérusalem et prêchait avec assurance au nom du Seigneur. 29 Il s'adressait aussi aux Juifs de langue grecque et discutait avec eux ; mais ceux-ci cherchaient à le faire mourir. 30 Quand les frères l'apprirent, ils conduisirent Saul à Césarée, d'où ils le firent partir pour Tarse.

31 L'Église était alors en paix dans toute la Judée, la Galilée et la Samarie ; elle se fortifiait et vivait dans la soumission au Seigneur, elle s'accroissait grâce à l'aide du Saint-Esprit.

La guérison d'Énée

32 Pierre, qui parcourait tout le pays, se rendit un jour chez les croyants qui vivaient à Lydda. 33 Il y trouva un homme appelé Énée qui était couché sur un lit depuis huit ans, parce qu'il était paralysé. 34 Pierre lui dit : « Énée, Jésus-Christ te guérit ! Lève-toi et fais ton lit. » Aussitôt Énée se leva. 35 Tous les habitants de Lydda et de la plaine de Saron le virent et se convertirent au Seigneur.

Dorcas est ramenée à la vie

36 Il y avait à Jaffa une femme croyante appelée Tabitha. – Ce nom se traduit en grec par « Dorcas », ce qui signifie « gazelle ». – Elle était continuellement occupée à faire du bien et à venir en aide aux pauvres. 37 En ce temps-là, elle tomba malade et mourut. Après avoir lavé son corps, on le déposa dans une chambre, en haut de la maison[j]. 38 Les *disciples de Jaffa avaient appris que Pierre se trouvait à Lydda, qui est proche de Jaffa[k]. Ils lui envoyèrent deux hommes avec ce message : « Nous t'en prions, viens chez nous sans tarder. » 39 Pierre partit tout de suite avec eux. Lorsqu'il fut arrivé, on le conduisit dans la chambre située en haut de la maison. Toutes les veuves s'approchèrent de lui en pleurant ; elles lui montrèrent les chemises et les manteaux que Tabitha avait faits quand elle vivait encore. 40 Pierre fit sortir tout le monde, se mit à genoux et pria. Puis il se tourna vers le corps et dit : « Tabitha, lève-toi ! » Elle ouvrit les yeux et, quand elle vit Pierre, elle s'assit. 41 Pierre lui prit la main et l'aida à se lever. Il appela ensuite les croyants et les veuves, et la leur présenta vivante. 42 On le sut dans toute la ville de Jaffa et beaucoup crurent au Seigneur. 43 Pierre resta assez longtemps à

---

i **9.25** *v. 23-25* : comparer 2 Cor 11.32-33.
j **9.37** *chambre... maison* : voir 1.13 et la note.
k **9.38** Il y a environ 20 km de Lydda à Jaffa.

Jaffa chez un ouvrier sur cuir, appelé Simon.

Pierre appelé chez Corneille

10 1 Il y avait à Césarée un homme
appelé Corneille, qui était capitaine dans un bataillon romain dit « bataillon italien ». 2 Cet homme était pieux
et, avec toute sa famille, il participait au
culte rendu à Dieu. Il accordait une aide
généreuse aux pauvres du peuple juif et
priait Dieu régulièrement. 3 Un après-
midi, vers trois heures, il eut une vision :
il vit distinctement un *ange de Dieu entrer chez lui et lui dire : « Corneille ! » 4 Il
regarda l'ange avec frayeur et lui dit :
« Qu'y a-t-il, Seigneur ? » L'ange lui répondit : « Dieu a prêté attention à tes
prières et à l'aide que tu as apportée aux
pauvres, et il ne t'oublie pas. 5 Maintenant donc, envoie des hommes à Jaffa
pour en faire venir un certain Simon,
surnommé Pierre. 6 Il loge chez un ouvrier sur cuir nommé Simon, dont la
maison est au bord de la mer. » 7 Quand
l'ange qui venait de lui parler fut parti,
Corneille appela deux de ses serviteurs et
l'un des soldats attachés à son service, qui
était un homme pieux. 8 Il leur raconta
tout ce qui s'était passé, puis les envoya à
Jaffa.

9 Le lendemain, tandis qu'ils étaient en
route et approchaient de Jaffa, Pierre
monta sur le toit en terrasse de la maison,
vers midi, pour prier. 10 Il eut faim et voulut manger. Pendant qu'on lui préparait
un repas, il eut une vision. 11 Il vit le *ciel
ouvert et quelque chose qui en descendait : une sorte de grande nappe, tenue
aux quatre coins, qui s'abaissait à terre.
12 Et dedans il y avait toutes sortes d'animaux quadrupèdes et de reptiles, et toutes sortes d'oiseaux. 13 Une voix lui dit :
« Debout, Pierre, tue et mange ! » 14 Mais
Pierre répondit : « Oh non ! Seigneur, car
je n'ai jamais rien mangé d'interdit ni
*d'impur[l]. » 15 La voix se fit de nouveau
entendre et lui dit : « Ne considère pas
comme impur ce que Dieu a déclaré
pur[m]. » 16 Cela arriva trois fois, et aussitôt
après, l'objet fut remonté dans le ciel.

17 Pierre se demandait quel pouvait
être le sens de la vision qu'il avait eue. Or,
pendant ce temps, les hommes envoyés
par Corneille s'étaient renseignés pour
savoir où était la maison de Simon et ils
se trouvaient maintenant devant l'entrée.
18 Ils appelèrent et demandèrent : « Est-ce
ici que loge Simon, surnommé Pierre ? »
19 Pierre était encore en train de réfléchir
au sujet de la vision quand l'Esprit lui
dit : « Écoute, il y a ici trois hommes[n] qui
te cherchent. 20 Debout, descends et pars
avec eux sans hésiter, car c'est moi qui les
ai envoyés. » 21 Pierre descendit alors auprès de ces hommes et leur dit : « Je suis
celui que vous cherchez. Pourquoi êtes-
vous venus ? » 22 Ils répondirent : « Nous
venons de la part du capitaine Corneille.
C'est un homme droit, qui adore Dieu et
que tous les Juifs estiment. Un ange de
Dieu lui a recommandé de te faire venir
chez lui pour écouter ce que tu as à lui
dire. » 23 Pierre les fit entrer et les logea
pour la nuit.

Le lendemain, il se mit en route avec
eux. Quelques-uns des frères de Jaffa l'accompagnèrent. 24 Le jour suivant, il arriva à Césarée. Corneille les y attendait
avec des membres de sa parenté et des
amis intimes qu'il avait invités. 25 Au moment où Pierre allait entrer, Corneille
vint à sa rencontre et se courba jusqu'à
terre devant lui pour le saluer avec grand
respect. 26 Mais Pierre le releva en lui disant : « Lève-toi, car je ne suis qu'un
homme, moi aussi. » 27 Puis, tout en
continuant à parler avec Corneille, il entra dans la maison où il trouva de nombreuses personnes réunies. 28 Il leur dit :
« Vous savez qu'un Juif n'est pas autorisé
par sa religion à fréquenter un étranger
ou à entrer dans sa maison. Mais Dieu
m'a montré que je ne devais considérer
personne comme impur ou indigne
d'être fréquenté. 29 C'est pourquoi, quand
vous m'avez appelé, je suis venu sans
faire d'objection. J'aimerais donc savoir
pourquoi vous m'avez fait venir. » 30 Corneille répondit : « Il y a trois jours, à la

l **10.14** Voir Lév 11.1-47 ; Ézék 4.14.
m **10.15** Comparer Marc 7.15,19.
n **10.19** *trois hommes* : certains manuscrits ont *des hommes* et un manuscrit a *deux hommes*.

même heure, à trois heures de l'après-midi, je priais[o] chez moi. Tout à coup, un homme aux vêtements resplendissants se trouva devant moi 31 et me dit : "Corneille, Dieu a entendu ta prière et n'oublie pas l'aide que tu as apportée aux pauvres. 32 Envoie donc des hommes à Jaffa pour en faire venir Simon, surnommé Pierre. Il loge dans la maison de Simon, un ouvrier sur cuir qui habite au bord de la mer." 33 J'ai immédiatement envoyé des gens te chercher et tu as bien voulu venir. Maintenant, nous sommes tous ici devant Dieu pour écouter tout ce que le Seigneur t'a chargé de dire. »

Le discours de Pierre chez Corneille

34 Pierre prit alors la parole et dit : « Maintenant, je comprends vraiment que Dieu n'avantage personne[p] : 35 tout être humain, quelle que soit sa nationalité, qui le respecte et fait ce qui est juste, lui est agréable. 36 Il a envoyé son message au peuple *d'Israël, la Bonne Nouvelle de la paix[q] par Jésus-Christ, qui est le Seigneur de tous les hommes. 37 Vous savez ce qui est arrivé d'abord en Galilée, puis dans toute la Judée, après que Jean a prêché et baptisé. 38 Vous savez comment Dieu a répandu la puissance du Saint-Esprit sur Jésus de Nazareth. Vous savez aussi comment Jésus a parcouru le pays en faisant le bien et en guérissant tous ceux qui étaient sous le pouvoir du *diable, car Dieu était avec lui. 39 Et nous, nous sommes témoins de tout ce qu'il a fait dans le pays des Juifs et à Jérusalem. On l'a fait mourir en le clouant sur la croix. 40 Mais Dieu lui a rendu la vie le troisième jour ; il lui a donné d'apparaître, 41 non à tout le peuple, mais à nous que Dieu a choisis d'avance comme témoins. Nous avons mangé et bu avec lui après que Dieu l'a relevé d'entre les morts[r]. 42 Il nous a commandé de prêcher au peuple et d'attester qu'il est celui que Dieu a établi pour juger les vivants et les morts. 43 Tous les *prophètes ont parlé de lui, en disant que quiconque croit en lui reçoit le pardon de ses péchés par le pouvoir de son nom[s]. »

Des non-Juifs reçoivent le Saint-Esprit

44 Pendant que Pierre parlait encore, le Saint-Esprit descendit sur tous ceux qui écoutaient son discours. 45 Les croyants d'origine juive qui étaient venus avec Pierre furent stupéfaits de constater que le Saint-Esprit donné par Dieu se répandait aussi sur des non-Juifs. 46 En effet, ils les entendaient parler en des langues inconnues et louer la grandeur de Dieu. Pierre dit alors : 47 « Pourrait-on empêcher ces gens d'être baptisés d'eau, maintenant qu'ils ont reçu le Saint-Esprit aussi bien que nous ? » 48 Et il ordonna de les baptiser au nom de Jésus-Christ. Ils lui demandèrent alors de rester quelques jours avec eux.

Le rapport de Pierre devant l'Église de Jérusalem

11 1 Les *apôtres et les frères qui étaient en Judée apprirent que les non-Juifs avaient aussi reçu la parole de Dieu. 2 Quand Pierre revint à Jérusalem, les croyants d'origine juive le critiquèrent 3 en disant : « Tu es entré chez des gens non *circoncis et tu as mangé avec eux ! » 4 Alors Pierre leur raconta en détail tout ce qui s'était passé. Il leur dit : 5 « J'étais dans la ville de Jaffa et je priais lorsque j'eus une vision. Je vis quelque chose qui descendait vers moi : une sorte de grande nappe, tenue aux quatre coins, qui s'abaissait du *ciel et qui vint tout près de moi. 6 Je regardai attentivement à l'intérieur et vis des animaux quadrupèdes, des bêtes sauvages, des reptiles et des oiseaux. 7 J'entendis alors une voix qui me disait : "Debout, Pierre, tue et mange !" 8 Mais je répondis : "Oh non, Seigneur, car jamais rien d'interdit ou *d'impur n'est entré dans ma bouche." 9 La voix se fit de nouveau entendre du ciel : "Ne considère pas comme impur c

---

o **10.30** *je priais* : certains manuscrits ont *je priais et jeûnais*.
p **10.34** Comparer Deut 10.17.
q **10.36** Comparer És 52.7.
r **10.41** Voir 1.4 ; Luc 24.30,42.
s **10.43** Voir És 53.5-6 ; Jér 31.34.

rode, qui régnait sur la Galilée[e] –, et Saul. 2 Un jour, pendant qu'ils célébraient le culte du Seigneur et qu'ils *jeûnaient, le Saint-Esprit leur dit : « Mettez à part Barnabas et Saul pour l'œuvre à laquelle je les ai appelés. » 3 Alors, après avoir jeûné et prié, ils posèrent les mains sur eux et les laissèrent partir.

Barnabas et Saul à Chypre

4 Barnabas et Saul, ainsi envoyés en mission par le Saint-Esprit, se rendirent Séleucie[f] d'où ils partirent en bateau pour l'île de Chypre. 5 Quand ils furent arrivés à Salamine, ils se mirent à annoncer la parole de Dieu dans les *synagogues juives. Ils avaient avec eux Jean-Marc pour les aider. 6 Ils traversèrent toute l'île jusqu'à Paphos. Là, ils rencontrèrent un magicien appelé Barjésus, un Juif qui se faisait passer pour prophète. 7 Il vivait auprès du gouverneur de l'île, Sergius Paulus, qui était un homme intelligent. Celui-ci fit appeler Barnabas et Saul, car il désirait entendre la parole de Dieu. 8 Mais le magicien Élymas – tel est son nom en grec – s'opposait à eux et cherchait à détourner de la foi le gouverneur. 9 Alors Saul, appelé aussi Paul[g], rempli du Saint-Esprit, fixa son regard sur lui 10 et dit : « Homme plein de ruse et de méchanceté, fils du *diable, ennemi de tout ce qui est bien ! Ne cesses-tu jamais de vouloir fausser les plans du Seigneur ? 11 Maintenant, écoute : le Seigneur va te frapper, tu seras aveugle et tu ne verras plus la lumière du soleil pendant un certain temps. » Aussitôt, les yeux d'Élymas s'obscurcirent et il se trouva dans la nuit : il se tournait de tous côtés, cherchant quelqu'un pour le conduire par la main. 12 Quand le gouverneur vit ce qui était arrivé, il devint croyant ; il était vivement impressionné par l'enseignement du Seigneur.

Paul et Barnabas à Antioche de Pisidie

13 Paul et ses compagnons s'embarquèrent à Paphos d'où ils gagnèrent Perge, en Pamphylie. Jean-Marc[h] les quitta à cet endroit et retourna à Jérusalem. 14 Ils continuèrent leur route à partir de Perge et arrivèrent à Antioche de Pisidie. Le jour du *sabbat, ils entrèrent dans la *synagogue et s'assirent. 15 Après qu'on eut fait la lecture dans les livres de la *loi et des *prophètes, les chefs de la synagogue leur firent dire : « Frères, si vous avez quelques mots à adresser à l'assemblée pour l'encourager, vous pouvez parler maintenant. » 16 Paul se leva, fit un signe de la main et dit : « Gens *d'Israël et vous qui participez au culte rendu à Dieu, écoutez-moi ! 17 Le Dieu du peuple d'Israël a choisi nos ancêtres. Il a fait grandir ce peuple pendant qu'il vivait à l'étranger, en Égypte, puis il l'a fait sortir de ce pays en agissant avec puissance. 18 Il le supporta pendant environ quarante ans dans le désert[i]. 19 Ensuite, il extermina sept nations dans le pays de Canaan et remit leur territoire à son peuple comme propriété[j] 20 pour quatre cent cinquante ans environ.

« Après cela, il donna des juges à nos ancêtres jusqu'à l'époque du prophète Samuel[k]. 21 Ensuite, ils demandèrent un roi et Dieu leur donna Saül, fils de Quich, de la tribu de Benjamin, qui régna pendant quarante ans. 22 Après avoir rejeté Saül, Dieu leur accorda David comme roi. Il déclara à son sujet : "J'ai trouvé David, fils de *Jessé : cet homme correspond à mon désir, il accomplira tout ce que je veux[l]." 23 L'un des descendants de David

---

e **13.1** Il s'agit d'Hérode Antipas (voir Luc 3.1).

f **13.4** *Séleucie* était le port d'Antioche, en face de l'île de Chypre.

g **13.9** *Saul* était le nom juif de l'apôtre et *Paul* son nom romain (voir 22.27-29).

h **13.13** *Perge* : ville de la côte sud de l'Asie Mineure. – *Jean-Marc* : voir 12.12,25 ; 13.5.

i **13.18** *supporta* : certains manuscrits ont *nourrit*. – *v. 17-18* : voir Ex 1.7 ; 12.51 ; Nomb 14.34 ; Deut 1.31.

j **13.19** Voir Deut 7.1 ; Jos 14.1.

k **13.20** *pour quatre cent cinquante ans environ. Après cela, il donna...* : certains manuscrits ont *Pendant quatre cent cinquante ans environ, il donna...* Mais on peut aussi traduire, en ponctuant différemment le texte grec *Environ quatre cent cinquante ans après, il donna...* – *juges* : voir Jug 2.16 et la note. – *Samuel* : voir 1 Sam 3.20.

l **13.22** *v. 21-22* : 1 Sam 8.5,19 ; 10.21 ; 13.14 ; 16.12. Comparer Ps 89.21.

tance à l'épreuve[g] et la résistance l'espérance. 5 Cette espérance ne nous déçoit pas, car Dieu a répandu son amour dans nos cœurs par le Saint-Esprit qu'il nous a donné.

6 En effet, quand nous étions encore incapables de nous en sortir, le *Christ est mort pour les pécheurs au moment fixé par Dieu. 7 C'est difficilement qu'on accepterait de mourir pour un homme droit. Quelqu'un aurait peut-être le courage de mourir pour un homme de bien. 8 Mais Dieu nous a prouvé à quel point il nous aime : le Christ est mort pour nous alors que nous étions encore pécheurs. 9 Par son *sacrifice, nous sommes maintenant rendus justes devant Dieu ; à plus forte raison serons-nous sauvés par lui de la colère de Dieu. 10 Nous étions les ennemis de Dieu, mais il nous a réconciliés avec lui par la mort de son Fils. A plus forte raison, maintenant que nous sommes réconciliés avec lui, serons-nous sauvés par la vie de son Fils. 11 Il y a plus encore : nous nous réjouissons devant Dieu par notre Seigneur Jésus-Christ, grâce auquel nous sommes maintenant réconciliés avec Dieu.

Adam et Christ

12 Le péché est entré dans le monde à cause d'un seul homme, Adam, et le péché a amené la mort. Et ainsi, la mort a atteint tous les hommes parce que tous ont péché[h]. 13 Avant que Dieu ait révélé la loi à Moïse, le péché existait déjà dans le monde, mais, comme il n'y avait pas encore de loi, Dieu ne tenait pas compte du péché. 14 Pourtant, depuis l'époque d'Adam jusqu'à celle de Moïse, la mort a manifesté son pouvoir même sur ceux qui n'avaient pas péché comme Adam, qui désobéit à l'ordre de Dieu.

Adam était l'image de celui qui devait venir. 15 Mais la faute d'Adam n'est pas comparable en importance au don gratuit de Dieu. Certes, beaucoup sont morts à cause de la faute de ce seul homme ; mais la grâce de Dieu est bien plus grande et le don qu'il a accordé gratuitement à beaucoup par un seul homme, Jésus-Christ, est bien plus important. 16 Et le don de Dieu a un tout autre effet que le péché d'un seul homme ; le jugement provoqué par le péché d'un seul a eu pour résultat la condamnation, tandis que le don gratuit accordé après de nombreuses fautes a pour résultat l'acquittement. 17 Certes, la mort a manifesté son pouvoir par la faute d'un seul, à cause de ce seul être ; mais, par le seul Jésus-Christ, nous obtenons beaucoup plus : tous ceux qui reçoivent la grâce abondante de Dieu et le don de son œuvre salutaire vivront et régneront à cause du *Christ.

18 Ainsi, la faute d'un seul être, Adam, a entraîné la condamnation de tous les humains ; de même, l'œuvre juste d'un seul, Jésus-Christ, libère tous les humains du jugement et les fait vivre. 19 Par la désobéissance d'un seul une multitude de gens sont tombés dans le péché ; de même, par l'obéissance d'un seul une multitude de gens sont rendus justes aux yeux de Dieu.

20 La loi est intervenue et alors les fautes se sont multipliées ; mais là où le péché s'est multiplié, la grâce de Dieu a été bien plus abondante encore. 21 Ainsi, de même que le péché a manifesté son pouvoir de mort, de même la grâce de Dieu manifeste son pouvoir salutaire pour nous conduire à la vie éternelle par Jésus-Christ, notre Seigneur.

Morts par rapport au péché mais vivants en Christ

6 1 Que faut-il en conclure ? Devons-nous continuer à vivre dans le péché pour que la grâce de Dieu soit plus abondante[i] ? 2 Certainement pas ! Nous sommes morts au péché : comment pourrions-nous vivre encore dans le péché ? 3 Ne savez-vous pas que nous tous qui avons été baptisés pour être unis à Jésus-Christ, nous avons été baptisés en étant associés à sa mort ? 4 Par le baptême, donc, nous avons été mis au tombeau avec lui pour être associés à sa mort

---

g 5.4 *la résistance à l'épreuve* : autre traduction *la mise à l'épreuve* (au sens d'une vérification de la qualité).

h 5.12 *parce que tous ont péché* : autres traductions *à cause de lui (Adam) tous...* ou *en vue de laquelle (la mort) tous...* Voir Gen 2.17 ; 3.6,17-19.

i 6.1 Comparer 3.8.

afin que, tout comme le *Christ a été ramené d'entre les morts par la puissance
glorieuse du Père, nous aussi nous vivions d'une vie nouvelle.
5 En effet, si[j] nous avons été unis à lui
par une mort semblable à la sienne, nous
serons également unis à lui par une *résurrection semblable à la sienne. 6 Sa-
chons bien ceci : l'être humain que nous
étions auparavant a été mis à mort avec le
Christ sur la croix, afin que notre nature
pécheresse soit détruite et que nous ne
soyons plus les esclaves du péché. 7 Car
celui qui est mort est libéré du péché. 8 Si
nous sommes morts avec le Christ, nous
sommes convaincus que nous vivrons
aussi avec lui. 9 Nous savons en effet que
le Christ, depuis qu'il a été ramené d'entre les morts, ne doit plus mourir : la
mort n'a plus de pouvoir sur lui. 10 En
mourant, il est mort par rapport au péché
une fois pour toutes ; mais maintenant
qu'il est vivant, il vit pour Dieu. 11 De
même, vous aussi, considérez-vous
comme morts au péché et comme vivants
pour Dieu dans l'union avec Jésus-
Christ.
12 Le péché ne doit donc plus régner
sur votre corps mortel pour vous faire
obéir aux désirs de ce corps. 13 Ne mettez
plus les diverses parties de votre corps au
service du péché comme instruments du
mal. Au contraire, offrez-vous à Dieu,
comme des êtres revenus de la mort à la
vie, et mettez-vous tout entiers à son service comme instruments de ce qui est
juste. 14 En effet, le péché n'aura plus de
pouvoir sur vous, puisque vous n'êtes pas
soumis à la loi mais à la grâce de Dieu.

Au service de la justice

15 Mais quoi ? Allons-nous pécher
parce que nous ne sommes pas soumis à
la loi mais à la grâce de Dieu ? Certainement pas ! 16 Vous le savez bien : si vous
vous mettez au service de quelqu'un pour
lui obéir, vous devenez les esclaves du
maître auquel vous obéissez ; il s'agit soit
du péché qui conduit à la mort[k], soit de
l'obéissance à Dieu qui conduit à une vie
juste. 17 Mais Dieu soit loué : vous qui
étiez auparavant esclaves du péché, vous
avez maintenant obéi de tout votre cœur
au modèle présenté par l'enseignement
que vous avez reçu. 18 Vous avez été libérés du péché et vous êtes entrés au service
de ce qui est juste. 19 J'emploie cette façon
humaine de parler à cause de votre faiblesse naturelle. Auparavant, vous vous
étiez mis tout entiers comme esclaves au
service de *l'impureté et du mal qui produisent la révolte contre Dieu ; de même,
maintenant, mettez-vous tout entiers
comme esclaves au service de ce qui est
juste pour mener une vie sainte.
20 Quand vous étiez esclaves du péché,
vous étiez libres par rapport à ce qui est
juste. 21 Qu'avez-vous gagné à commettre
alors des actes dont vous avez honte
maintenant ? Ces actes mènent à la mort !
22 Mais maintenant vous avez été libérés
du péché et vous êtes au service de Dieu ;
vous y gagnez d'être dirigés dans une vie
sainte et de recevoir, à la fin, la vie éternelle. 23 Car le salaire que paie le péché,
c'est la mort ; mais le don que Dieu accorde gratuitement, c'est la vie éternelle
dans l'union avec Jésus-Christ notre
Seigneur.

Un exemple emprunté au mariage

7 1 Frères, vous savez sûrement déjà ce
que je vais vous dire, car vous
connaissez la *loi : la loi n'a autorité sur
un homme qu'aussi longtemps qu'il vit.
2 Par exemple, une femme mariée est liée
par la loi à son mari tant qu'il vit ; mais si
le mari meurt, elle est libérée de la loi qui
la liait à lui. 3 Si donc elle devient la
femme d'un autre homme du vivant de
son mari, on la considère comme adultère ; mais si son mari meurt, elle est libre
par rapport à la loi, de sorte qu'elle peut
devenir la femme d'un autre sans être
adultère. 4 Il en va de même pour vous,
mes frères. Vous êtes morts à l'égard de la
loi, en étant unis au corps du *Christ.
Ainsi vous appartenez maintenant à un
autre, c'est-à-dire à celui qui a été ramené
d'entre les morts afin que nous produi-
sions ce qui est agréable à Dieu. 5 En effet, quand nous vivions selon notre

j **6.5** *si* : autre traduction *puisque* (de même au v. 8).
k **6.16** Comparer Jean 8.34.

plan. 29 Car Dieu les a choisis d'avance ; il
a aussi décidé d'avance de les rendre semblables à son Fils, afin que celui-ci soit
l'aîné d'un grand nombre de frères.
30 Ceux pour qui Dieu a pris d'avance
cette décision, il les a aussi appelés ; ceux
qu'il a appelés, il les a aussi rendus justes
devant lui, ceux qu'il a rendus justes, il
leur a aussi donné part à sa gloire.

La grandeur de l'amour de Dieu

31 Que dirons-nous de plus ? Si Dieu est
pour nous, qui peut être contre nous ? 32 Il
n'a pas épargné son propre Fils, mais il l'a
livré pour nous tous : comment ne nous
donnerait-il pas tout avec son Fils ? 33 Qui
accusera ceux que Dieu a choisis ? Personne, car c'est Dieu qui les déclare non
coupables. 34 Qui peut alors les condamner ? Personne, car Jésus-Christ est celui
qui est mort, bien plus il est *ressuscité, il
est à la droite de Dieu et il prie en notre faveur. 35 Qui peut nous séparer de l'amour
du *Christ ? La détresse le peut-elle ou
bien l'angoisse, ou encore la persécution,
la faim, les privations, le danger, la mort ?
36 Comme le déclare l'Écriture :

« A cause de toi, nous sommes exposés
à la mort tout le long du jour,
on nous traite comme des moutons
qu'on mène à la boucherie[w]. »

37 Mais en tout cela nous remportons la
plus complète victoire par celui qui nous
a aimés. 38 Oui, j'ai la certitude que rien
ne peut nous séparer de son amour : ni la
mort, ni la vie, ni les *anges, ni d'autres
autorités ou puissances *célestes, ni le
présent, ni l'avenir, 39 ni les forces d'en
haut, ni celles d'en bas, ni aucune autre
chose créée, rien ne pourra jamais nous
séparer de l'amour que Dieu nous a manifesté en Jésus-Christ notre Seigneur.

Dieu et le peuple qu'il a choisi

9 1 Ce que je vais dire est la vérité ; je
ne mens pas, car j'appartiens au
*Christ ; ma conscience, guidée par le
Saint-Esprit, témoigne que je dis vrai :
2 mon cœur est plein d'une grande tristesse et d'une douleur continuelle. 3 Je
souhaiterais être moi-même maudit par
Dieu et séparé du Christ pour le bien de
mes frères, ceux de ma race. 4 Ils sont les
membres du peuple *d'Israël : Dieu a fait
d'eux ses enfants, il leur a accordé sa présence glorieuse, ses *alliances, la loi, le
culte, les promesses[x]. 5 Ils sont les descendants des patriarches et le Christ, en
tant qu'être humain, appartient à leur
peuple, lui qui est au-dessus de tout,
Dieu loué pour toujours. *Amen[y].

6 Cela ne signifie pourtant pas que la
promesse de Dieu a perdu sa valeur. En
effet, les descendants d'Israël[z] ne sont pas
tous le vrai peuple d'Israël ; 7 et les descendants d'Abraham ne sont pas tous ses
vrais enfants, car Dieu a dit à Abraham :
« C'est par Isaac que tu auras les descendants que je t'ai promis[a]. » 8 C'est-à-dire :
ce ne sont pas les enfants nés conformément à l'ordre naturel[b] qui sont les enfants de Dieu ; seuls les enfants nés
conformément à la promesse de Dieu
sont considérés comme les vrais descendants. 9 Car Dieu a exprimé la promesse
en ces termes : « A la même époque, je reviendrai et Sara aura un fils[c]. »

10 Et ce n'est pas tout. Pensons aussi à
Rébecca : ses deux fils avaient le même
père, notre ancêtre Isaac. 11-12 Mais Dieu a
son plan pour choisir les hommes : son
choix dépend de l'appel qu'il leur adresse
et non de leurs actions. Pour montrer
qu'il demeure fidèle à ce plan, Dieu a dit
à Rébecca alors que ses fils n'étaient pas
encore nés et n'avaient donc fait ni bien
ni mal : « L'aîné servira le plus jeune[d]. »
13 Comme le déclare l'Écriture :

« J'ai aimé Jacob, mais j'ai repoussé
Ésaü[e]. »

---

w **8.36** Ps 44.23.

x **9.4** Voir Ex 4.22 ; Deut 7.6 ; Osée 11.1. – *ses alliances* : certains manuscrits ont *son alliance*.

y **9.5** *patriarches* : voir Act 2.29 et la note. – *lui qui est au-dessus de tout, Dieu loué pour toujours* : autre traduction *que Dieu, qui est au-dessus de tout, soit loué pour toujours*.

z **9.6** *les descendants d'Israël* ou *les descendants de Jacob* (voir Gen 32.29).

a **9.7** Gen 21.12.

b **9.8** *les enfants nés conformément à l'ordre naturel* : allusion aux descendants qu'Abraham eut par Ismaël, le fils que lui donna Agar (comparer Gal 4.22-23).

c **9.9** Gen 18.10.

d **9.12** Gen 25.23.

e **9.13** Mal 1.2-3.

14 Que faut-il en conclure ? Dieu
serait-il injuste ? Certainement pas ! 15 En
effet, il dit à Moïse : « J'aurai pitié de qui
je veux avoir pitié et j'aurai compassion
de qui je veux avoir compassion[f]. » 16 Cela
ne dépend donc pas de la volonté de
l'homme ni de ses efforts, mais uniquement de Dieu qui a pitié. 17 Dans l'Écriture, Dieu déclare au roi d'Égypte : « Je
t'ai établi roi précisément pour montrer
en toi ma puissance et pour que ma renommée se répande sur toute la terre[g]. »
18 Ainsi, Dieu a pitié de qui il veut et il
incite qui il veut à s'obstiner.

La colère et la pitié de Dieu

19 On me dira peut-être : « Alors pourquoi Dieu nous ferait-il encore des reproches ? Car qui pourrait résister à sa
volonté ? » 20 Mais qui es-tu donc, toi,
homme, pour contredire Dieu ? Le vase
d'argile demande-t-il à celui qui l'a façonné : « Pourquoi m'as-tu fait ainsi[h] ? »
21 Le potier peut faire ce qu'il veut avec
l'argile : à partir de la même pâte il peut
fabriquer un vase précieux ou un vase
ordinaire[i].

22 Eh bien, Dieu a voulu montrer sa colère et faire connaître sa puissance. Pourtant il a supporté avec une grande
patience ceux qui méritaient sa colère et
étaient mûrs pour la ruine. 23 Mais il a
voulu aussi manifester combien sa
*gloire est riche pour les autres, ceux
dont il a pitié, ceux qu'il a préparés
d'avance à participer à sa gloire. 24 Nous
en sommes, nous qu'il a appelés, non seulement d'entre les Juifs mais aussi d'entre
les autres peuples. 25 C'est ce qu'il déclare
dans le livre d'Osée :

« Le peuple qui n'était pas le mien, je
l'appellerai mon peuple,
et la nation que je n'aimais pas, je l'appellerai ma bien-aimée.
26 Et là où on leur avait dit : "Vous n'êtes
pas mon peuple",
là même ils seront appelés fils du Dieu
vivant[j]. »

27 De son côté, Ésaïe s'écrie au sujet du
peuple *d'Israël : « Même si les Israélites
étaient aussi nombreux que les grains de
sable au bord de la mer, c'est un reste
d'entre eux seulement qui sera sauvé ;
28 car ce que le Seigneur a dit, il le réalisera complètement et rapidement sur la
terre[k]. » 29 Et comme le même Ésaïe
l'avait dit auparavant :

« Si le Seigneur de l'univers ne nous
avait pas laissé quelques descendants,
nous serions devenus comme Sodome,
nous aurions été semblables à Gomorrhe[l]. »

Israël et le salut par la foi

30 Que faut-il en conclure ? Ceci : des
gens d'autres nations, qui ne cherchaient
pas à se rendre justes devant Dieu, ont été
rendus justes à ses yeux par la foi ; 31 tandis que les membres du peuple *d'Israël,
qui cherchaient à se rendre justes aux
yeux de Dieu grâce à la loi, n'ont pas atteint le but de la loi. 32 Pourquoi ? Parce
qu'ils ne cherchaient pas à être agréables
à Dieu par la foi, ils pensaient l'être par
leurs actions. Ils se sont heurtés à la
« pierre qui fait trébucher », 33 dont parle
l'Écriture :

« Voyez, je pose en *Sion une pierre qui
fait trébucher,
un rocher qui fait tomber.
Mais celui qui croit en lui ne sera pas
déçu[m]. »

10 1 Frères, ce que je désire de tout
mon cœur et que je demande à
Dieu pour les Juifs, c'est qu'ils soient sauvés. 2 Certes, je peux témoigner en leur faveur qu'ils sont pleins de zèle pour Dieu,
mais leur zèle n'est pas éclairé par la
connaissance. 3 En effet, ils n'ont pas
compris comment Dieu rend les hommes
justes devant lui et ils ont cherché à établir leur propre façon de l'être. Ainsi, ils

---

f **9.15** Ex 33.19.
g **9.17** Ex 9.16, cité d'après l'ancienne version grecque.
h **9.20** Comparer És 29.16 ; 45.9.
i **9.21** Comparer Jér 18.6.
j **9.26** *v. 25* : Osée 2.25. – *v. 26* : Osée 2.1.
k **9.28** *v. 27-28* : És 10.22-23, cité d'après l'ancienne version grecque.
l **9.29** És 1.9, cité d'après l'ancienne version grecque. – *Sodome* et *Gomorrhe* : voir Gen 19.23-28.
m **9.33** És 28.16, cité d'après l'ancienne version grecque. Comparer És 8.14-15.

ne se sont pas soumis à l'œuvre salutaire
de Dieu. 4 Car le *Christ a conduit la loi
de Moïse à son but, pour que tous ceux
qui croient soient rendus justes aux yeux
de Dieu.

Le salut est pour quiconque croit au Seigneur

5 Voici ce que Moïse a écrit au sujet de
la possibilité d'être rendu juste par la
loi : « Celui qui met en pratique les
commandements de la loi vivra par
eux[n]. » 6 Mais voilà comment il est parlé
de la possibilité d'être juste par la foi :
« Ne dis pas en toi-même : Qui montera
au *ciel ? » (c'est-à-dire : pour en faire
descendre le *Christ). 7 Ne dis pas non
plus : « Qui descendra dans le monde
d'en bas ? » (c'est-à-dire : pour faire remonter le Christ d'entre les morts).
8 Qu'est-il dit alors ? Ceci : « La parole est
près de toi, dans ta bouche et dans ton
cœur[o]. » Cette parole est le message de la
foi que nous prêchons. 9 Si, de ta bouche,
tu affirmes devant tous que Jésus est le
Seigneur et si tu crois de tout ton cœur
que Dieu l'a ramené d'entre les morts, tu
seras sauvé. 10 C'est par le cœur, en effet,
que l'on croit, et Dieu rend juste celui
qui croit ; c'est par la bouche qu'on affirme, et Dieu sauve qui fait ainsi.
11 L'Écriture déclare en effet : « Quiconque croit en lui ne sera pas déçu[p]. »
12 Ainsi, il n'y a pas de différence entre
les Juifs et les non-Juifs : ils ont tous le
même Seigneur qui accorde ses biens à
tous ceux qui font appel à lui. 13 En effet,
il est dit : « Quiconque fera appel au Seigneur sera sauvé[q]. »

14 Mais comment feront-ils appel à lui
sans avoir cru en lui ? Et comment croi-
ront-ils en lui sans en avoir entendu parler ? Et comment en entendront-ils parler
si personne ne l'annonce ? 15 Et comment
l'annoncera-t-on s'il n'y a pas des gens envoyés pour cela ? Comme le déclare
l'Écriture : « Qu'il est beau de voir venir
des porteurs de bonnes nouvelles[r] ! »
16 Mais tous n'ont pas accepté la Bonne
Nouvelle. Ésaïe dit en effet : « Seigneur,
qui a cru la nouvelle que nous proclamons[s] ? » 17 Ainsi, la foi vient de ce qu'on
écoute la nouvelle proclamée et cette nouvelle est l'annonce de la parole du Christ.

18 Je demande alors : Les Juifs n'auraient-ils pas entendu cette nouvelle ?
Mais si, ils l'ont entendue ! L'Écriture
déclare :

« Leur voix s'est fait entendre sur la
terre entière,
et leurs paroles ont atteint le bout du
monde. »

19 Je demande encore : Le peuple *d'Israël n'aurait-il pas compris ? Eh bien,
voici d'abord la réponse que donne
Moïse :

« Je vous rendrai jaloux de ceux qui ne
sont pas une vraie nation, dit Dieu,
j'exciterai votre colère contre une nation sans intelligence. »

20 Ésaïe ose même proclamer :

« J'ai été trouvé par ceux qui ne me
cherchaient pas, dit Dieu,
je me suis montré à ceux qui ne me demandaient rien. »

21 Mais au sujet d'Israël, il ajoute :

« Tout le jour j'ai tendu les mains vers
un peuple désobéissant et rebelle[t]. »

Dieu n'a pas rejeté Israël

11 1 Je demande donc : Dieu aurait-il
rejeté son peuple ? Certainement
pas ! Car je suis moi-même Israélite, descendant d'Abraham, membre de la tribu
de Benjamin[u]. 2 Dieu n'a pas rejeté son
peuple, qu'il s'est choisi d'avance[v]. Vous
savez, n'est-ce pas, ce que dit l'Écriture
dans le passage où *Élie se plaint *d'Israël devant Dieu : 3 « Seigneur, ils ont tué
tes *prophètes et démoli tes *autels : je
suis resté moi seul et ils cherchent à me
tuer. » 4 Mais que lui répondit Dieu ? « Je

---

n **10.5** Voir Lév 18.5.
o **10.8** *v. 6-8* : voir Deut 9.4 ; 30.12-14.
p **10.11** És 28.16, cité d'après l'ancienne version grecque.
q **10.13** Joël 3.5.
r **10.15** És 52.7.
s **10.16** És 53.1, cité d'après l'ancienne version grecque.
t **10.21** Références pour les versets 18 à 21 : *v. 18* : Ps 19.5, cité d'après l'ancienne version grecque. – *v. 19* : voir Deut 32.21. – *v. 20-21* : És 65.1-2, cité d'après l'ancienne version grecque.
u **11.1** Comparer Phil 3.5.
v **11.2** Comparer Ps 94.14.

me suis réservé sept mille hommes qui ne
se sont pas mis à genoux devant le dieu
*Baal[w]. » 5 De même, dans le temps pré-
sent, il reste un petit nombre de gens que
Dieu a choisis par bonté. 6 Il les a choisis
par bonté et non pas à cause de leurs actions, sinon la bonté de Dieu ne serait pas
vraiment de la bonté.

7 Qu'en résulte-t-il ? Le peuple d'Israël
n'a pas obtenu ce qu'il recherchait ; seuls
ceux que Dieu a choisis l'ont obtenu.
Quant aux autres, ils sont devenus incapables de comprendre, 8 comme le déclare l'Écriture : « Dieu a rendu leur
esprit insensible ; il a empêché leurs yeux
de voir et leurs oreilles d'entendre
jusqu'à ce jour. » 9 David dit aussi :

« Que leurs banquets soient pour eux
un piège, une trappe,
une occasion de tomber
et de recevoir ce qu'ils méritent.
10 Que leurs yeux s'obscurcissent,
qu'ils perdent la vue ;
fais-leur sans cesse courber le dos[x]. »

11 Je demande donc : quand les Juifs
ont trébuché, sont-ils tombés définitivement ? Certainement pas ! Mais, grâce à
leur faute, les autres peuples ont pu obtenir le salut, de manière à exciter la jalousie des Juifs. 12 Or, si la faute des Juifs
a enrichi spirituellement le monde, si
leur abaissement a enrichi les autres peuples, combien plus grands encore seront
les bienfaits liés à leur participation totale au salut !

Le salut de ceux qui ne sont pas juifs

13 Je m'adresse maintenant à vous qui
n'êtes pas juifs : je suis *l'apôtre destiné
aux peuples non juifs et, en tant que tel,
je me réjouis de la tâche qui est la
mienne. 14 J'espère ainsi exciter la jalousie des gens de ma race pour en sauver
quelques-uns. 15 En effet, quand ils ont
été mis à l'écart, le monde a été réconcilié
avec Dieu. Qu'arrivera-t-il alors quand
ils seront de nouveau accueillis ? Ce sera
un vrai retour de la mort à la vie !

16 Si la première part du pain est présentée à Dieu, tout le reste du pain lui appartient aussi. Si les racines d'un arbre
sont offertes à Dieu, les branches lui appartiennent aussi[y]. 17 *Israël est comme
un olivier auquel Dieu a coupé quelques
branches ; à leur place, il t'a greffé, toi qui
n'es pas juif, comme une branche d'olivier sauvage : tu profites maintenant
aussi de la sève montant de la racine de
l'olivier. 18 C'est pourquoi, tu n'a pas à
mépriser les branches coupées. Comment
pourrais-tu te vanter ? Ce n'est pas toi qui
portes la racine, mais c'est la racine qui te
porte.

19 Tu vas me dire : « Mais, ces branches
ont été coupées pour que je sois greffé à
leur place. » 20 C'est juste. Elles ont été
coupées parce qu'elles ont manqué de foi,
et tu es à cette place en raison de ta foi.
Mais ne t'enorgueillis pas ! Fais bien attention plutôt. 21 Car, si Dieu n'a pas
épargné les Juifs, les branches naturelles,
prends garde, de peur qu'il ne t'épargne
pas non plus[z]. 22 Remarque comment
Dieu montre à la fois sa bonté et sa sévérité : il est sévère envers ceux qui sont
tombés et il est bon envers toi. Mais il
faut que tu continues à compter sur sa
bonté, sinon tu seras aussi coupé comme
une branche. 23 Et si les Juifs renoncent à
leur incrédulité, ils seront greffés là où ils
étaient auparavant. Car Dieu a le pouvoir
de les greffer de nouveau. 24 Toi, tu es la
branche naturelle d'un olivier sauvage
que Dieu a coupée et greffée, contrairement à l'usage naturel, sur un olivier
cultivé. Quant aux Juifs, ils sont les branches naturelles de cet olivier cultivé :
Dieu pourra donc d'autant mieux les
greffer de nouveau sur l'arbre qui est le
leur.

Le salut final du peuple d'Israël

25 Frères, je veux vous faire connaître le
plan secret de Dieu, afin que vous ne
vous preniez pas pour des sages : une partie du peuple *d'Israël restera incapable

---

w **11.4** *v. 3-4* : 1 Rois 19.10,18.
x **11.10** Références pour les versets 8 à 10 : *v. 8* : voir Deut 29.3 ; És 6.10 ; 29.10. – *v. 9-10* : Ps 69.23-24, cité d'après l'ancienne version grecque.
y **11.16** Comparer Nomb 15.19-21.
z **11.21** *prends garde... pas non plus* : ou, d'après certains manuscrits, *il ne t'épargnera pas non plus*.

de comprendre jusqu'à ce que l'ensemble
des autres peuples soit parvenu au salut.
26 Et c'est ainsi que tout Israël sera sauvé,
comme le déclare l'Écriture :
« Le libérateur viendra de *Sion,
il éliminera la révolte des descendants
de Jacob.
27 Voilà *l'alliance que je ferai avec eux,
quand j'enlèverai leurs péchés[a]. »
28 Si l'on considère leur refus de la
Bonne Nouvelle, ils sont les ennemis de
Dieu pour votre bien ; mais si l'on considère le choix fait par Dieu, ils sont toujours aimés à cause de leurs ancêtres.
29 Car Dieu ne reprend pas ce qu'il a
donné et ne change pas d'idée à l'égard de
ceux qu'il a appelés. 30 Autrefois, vous
avez désobéi à Dieu ; mais maintenant,
vous avez connu la compassion de Dieu,
parce que les Juifs ont désobéi. 31 De
même, ils ont désobéi maintenant pour
que la compassion de Dieu vous soit accordée, mais afin qu'eux aussi puissent
connaître maintenant[b] cette même
compassion. 32 Car Dieu a enfermé tous
les humains dans la désobéissance afin de
leur montrer à tous sa compassion.

La grandeur merveilleuse de Dieu

33 Que la richesse de Dieu est immense ! Que sa sagesse et sa connaissance
sont profondes ! Qui pourrait expliquer
ses décisions ? Qui pourrait comprendre
ses plans[c] ? 34 Comme le déclare l'Écriture :
« Qui connaît la pensée du Seigneur ?
Qui peut être son conseiller ?
35 Qui a pu le premier lui donner quelque
chose,
pour recevoir de lui un paiement en retour[d] ? »
36 Car tout vient de lui, tout existe par lui
et pour lui. A Dieu soit la *gloire pour
toujours ! *Amen.

La vie nouvelle au service de Dieu

12 1 Frères, puisque Dieu a ainsi manifesté sa bonté pour nous, je vous
exhorte à vous offrir vous-mêmes en *sacrifice vivant, réservé à Dieu et qui lui est
agréable. C'est là le véritable culte que
vous lui devez. 2 Ne vous conformez pas
aux habitudes de ce monde[e], mais laissez
Dieu vous transformer et vous donner
une intelligence nouvelle. Vous pourrez
alors discerner ce que Dieu veut : ce qui
est bien, ce qui lui est agréable et ce qui
est parfait.
3 A cause du don que Dieu m'a accordé
dans sa bonté, je le dis à vous tous :
n'ayez pas une opinion de vous-mêmes
plus haute qu'il ne faut. Ayez au
contraire des pensées modestes, chacun
selon la part de foi que Dieu lui a donnée. 4 Nous avons un seul corps, mais
avec plusieurs parties qui ont toutes des
fonctions différentes. 5 De même, bien
que nous soyons nombreux, nous formons un seul corps dans l'union avec le
*Christ et nous sommes tous unis les uns
aux autres comme les parties d'un même
corps. 6 Nous avons des dons différents à
utiliser selon ce que Dieu a accordé gratuitement à chacun. Si l'un de nous a le
don de transmettre des messages reçus
de Dieu, il doit le faire selon la foi. 7 Si un
autre a le don de servir, qu'il serve. Celui
qui a le don d'enseigner doit enseigner.
8 Celui qui a le don d'encourager les autres doit les encourager. Que celui qui
donne ses biens le fasse avec une entière
générosité. Que celui qui dirige le fasse
avec soin. Que celui qui aide les malheureux le fasse avec joie[f].
9 L'amour doit être sincère. Détestez le
mal, attachez-vous au bien. 10 Ayez de
l'affection les uns pour les autres comme
des frères qui s'aiment ; mettez du zèle à
vous respecter les uns les autres. 11 Soyez
actifs et non paresseux. Servez le Seigneur avec un cœur plein d'ardeur.
12 Soyez joyeux à cause de votre espérance ; soyez patients dans la détresse ;
priez avec fidélité. 13 Venez en aide à vos
frères dans le besoin et pratiquez sans
cesse l'hospitalité.

---

a **11.27** *v. 26-27* : És 59.20-21 et 27.9, cités d'après l'ancienne version grecque.
b **11.31** Certains manuscrits n'ont pas *maintenant*.
c **11.33** Comparer És 55.8, Ps 139.6,17-18.
d **11.35** *v. 34* : És 40.13, cité d'après l'ancienne version grecque. – *v. 35* : voir Job 41.3.
e **12.2** Comparer 1 Pi 1.14.
f **12.8** Comparer les versets 4 à 8 et 1 Cor 12.4-12.

14 Demandez la *bénédiction de Dieu pour ceux qui vous persécutent ; demandez-lui de les bénir et non de les maudire[g]. 15 Réjouissez-vous avec ceux qui sont dans la joie, pleurez avec ceux qui pleurent. 16 Vivez en bon accord les uns avec les autres. N'ayez pas la folie des grandeurs, mais acceptez des tâches modestes. Ne vous prenez pas pour des sages[h].

17 Ne rendez à personne le mal pour le mal. Efforcez-vous de faire le bien devant tous les hommes. 18 S'il est possible, et dans la mesure où cela dépend de vous, vivez en paix avec tous les hommes. 19 Mes chers amis, ne vous vengez pas vous-mêmes, mais laissez agir la colère de Dieu, car l'Écriture déclare : « C'est moi qui tirerai vengeance, c'est moi qui paierai de retour, » dit le Seigneur. 20 Et aussi : « Si ton ennemi a faim, donne-lui à manger ; s'il a soif, donne-lui à boire ; car, en agissant ainsi, ce sera comme si tu amassais des charbons ardents sur sa tête[i]. » 21 Ne te laisse pas vaincre par le mal. Sois au contraire vainqueur du mal par le bien.

L'obéissance aux autorités de l'État

13 1 Chacun doit se soumettre aux autorités qui exercent le pouvoir. Car toute autorité vient de Dieu ; celles qui existent ont été établies par lui. 2 Ainsi, celui qui s'oppose à l'autorité s'oppose à l'ordre voulu par Dieu. Ceux qui s'y opposent attireront le jugement sur eux-mêmes. 3 En effet, les magistrats ne sont pas à craindre par ceux qui font le bien, mais par ceux qui font le mal. Désires-tu ne pas avoir à craindre l'autorité ? Alors, fais le bien et tu recevras des éloges, 4 car elle est au service de Dieu pour t'encourager à bien faire. Mais si tu fais le mal, crains-la ! Car ce n'est pas pour rien qu'elle a le pouvoir de punir : elle est au service de Dieu pour montrer sa colère contre celui qui agit mal. 5 C'est pourquoi il est nécessaire de se soumettre aux autorités, non seulement pour éviter la colère de Dieu, mais encore par devoir de conscience.

6 C'est aussi pourquoi vous payez des impôts, car ceux qui les perçoivent sont au service de Dieu pour accomplir soigneusement cette tâche. 7 Payez à chacun ce que vous lui devez : payez l'impôt à qui vous le devez et la taxe à qui vous la devez ; montrez du respect à qui vous le devez et honorez celui à qui l'honneur est dû[j].

L'amour du prochain

8 N'ayez de dette envers personne, sinon l'amour que vous vous devez les uns aux autres. Celui qui aime les autres a obéi complètement à la loi. 9 En effet, les commandements « Ne commets pas d'adultère, ne commets pas de meurtre, ne vole pas, ne convoite pas », ainsi que tous les autres, se résument dans ce seul commandement : « Tu dois aimer ton prochain comme toi-même[k]. » 10 Celui qui aime ne fait aucun mal à son prochain. En aimant, on obéit donc complètement à la loi.

Être prêt pour la venue du Christ

11 Prenez cela d'autant plus au sérieux que vous savez en quel temps nous sommes : le moment est venu de vous réveiller de votre sommeil[l]. En effet, le salut est plus près de nous maintenant qu'au moment où nous avons commencé à croire. 12 La nuit est avancée, le jour approche. Rejetons donc les actions qui se font dans l'obscurité et prenons sur nous les armes qu'on utilise en pleine lumière. 13 Conduisons-nous honnêtement, comme il convient à la lumière du jour. Gardons-nous des orgies et de l'ivrognerie, de l'immoralité et des vices, des querelles et de la jalousie. 14 Revêtez-vous de tout ce que nous offre Jésus-Christ le Seigneur et ne vous laissez plus entraîner

---

g **12.14** Comparer Matt 5.44 ; Luc 6.28.
h **12.16** Comparer És 5.21.
i **12.20** *v. 19* : Deut 32.35. – *v. 20* : Prov 25.21-22, cité d'après l'ancienne version grecque.
j **13.7** *v. 6-7* : comparer Matt 22.21 ; Marc 12.17 ; Luc 20.25.
k **13.9** Voir Ex 20.13-17 ; Deut 5.17-21 ; Lév 19.18.
l **13.11** *de vous réveiller de votre sommeil* : certains manuscrits ont *de nous réveiller de notre sommeil*.

par votre propre nature pour en satisfaire
les désirs.

Ne pas juger son frère

14 1 Accueillez celui qui est faible
dans la foi, sans critiquer ses opinions[m]. 2 Par exemple, l'un croit pouvoir
manger de tout, tandis que l'autre, qui est
faible dans la foi, ne mange que des légumes. 3 Celui qui mange de tout ne doit
pas mépriser celui qui ne mange pas de
viande et celui qui ne mange pas de
viande ne doit pas juger celui qui mange
de tout, car Dieu l'a accueilli lui aussi.
4 Qui es-tu pour juger le serviteur d'un
autre ? Qu'il demeure ferme dans son
service ou qu'il tombe, cela regarde son
maître. Et il demeurera ferme, car le Seigneur a le pouvoir de le soutenir.

5 Pour l'un, certains jours ont plus
d'importance que d'autres[n], tandis que
pour l'autre ils sont tous pareils. Il faut
que chacun soit bien convaincu de ce
qu'il pense. 6 Celui qui attribue de l'importance à un jour particulier le fait
pour honorer le Seigneur ; celui qui
mange de tout le fait également pour honorer le Seigneur, car il remercie Dieu
pour son repas. Celui qui ne mange pas
de tout le fait pour honorer le Seigneur
et lui aussi remercie Dieu. 7 En effet, aucun de nous ne vit pour soi-même et aucun ne meurt pour soi-même. 8 Si nous
vivons, nous vivons pour le Seigneur, et
si nous mourons, nous mourons pour le
Seigneur. Ainsi, soit que nous vivions,
soit que nous mourions, nous appartenons au Seigneur. 9 Car le *Christ est
mort et revenu à la vie pour être le Seigneur des morts et des vivants. 10 Mais
toi, pourquoi juges-tu ton frère ? Et toi,
pourquoi méprises-tu ton frère ? Nous
aurons tous à nous présenter devant
Dieu pour être jugés par lui. 11 Car
l'Écriture déclare :

« Moi, le Seigneur vivant, je l'affirme :
tous les humains se mettront à genoux
devant moi,
et tous célèbreront la *gloire de
Dieu[o]. »

12 Ainsi, chacun de nous devra rendre
compte à Dieu pour soi-même.

Ne pas faire tomber son frère

13 Cessons donc de nous juger les uns
les autres. Appliquez-vous bien plutôt à
ne rien faire qui amène votre frère à trébucher ou à tomber dans l'erreur. 14 Par le
Seigneur Jésus, je sais de façon tout à fait
certaine que rien n'est *impur en soi[p].
Mais si quelqu'un pense qu'une chose est
impure, elle le devient pour lui. 15 Si tu
fais de la peine à ton frère à cause de ce
que tu manges, tu ne te conduis plus selon l'amour. Ne va pas entraîner la perte
de celui pour qui le *Christ est mort, simplement pour une question de nourriture ! 16 Ce qui est bien pour vous[q] ne doit
pas devenir pour d'autres une occasion
de critiquer. 17 En effet, le *Royaume de
Dieu n'est pas une affaire de nourriture
et de boisson ; il consiste en la justice, la
paix et la joie que donne le Saint-Esprit.
18 Celui qui sert le Christ de cette manière
est agréable à Dieu et approuvé des
hommes.

19 Recherchons donc[r] ce qui contribue
à la paix et nous permet de progresser
ensemble dans la foi. 20 Ne détruis pas
l'œuvre de Dieu pour une question de
nourriture. Certes, tout aliment peut
être mangé, mais il est mal de manger
quelque chose si l'on fait ainsi tomber
un frère dans l'erreur. 21 Ce qui est bien,
c'est de ne pas manger de viande, de ne
pas boire de vin, de renoncer à tout ce
qui peut faire tomber ton frère. 22 Ta
conviction personnelle à ce sujet,
garde-la pour toi devant Dieu. Heureux
celui qui ne se sent pas coupable dans
ses choix ! 23 Mais celui qui a mauvaise
conscience en consommant un aliment
est condamné par Dieu, parce qu'il
n'agit pas selon une conviction fondée
sur la foi. Et tout acte qui n'est pas fondé
sur la foi est péché.

---

m **14.1** Comparer 1 Cor 8.7-13 ; 10.23-33.
n **14.5** Paul pense à des pratiques inspirées par le judaïsme. Comparer Gal 4.10 ; Col 2.16.
o **14.11** És 45.23, cité d'après l'ancienne version grecque.
p **14.14** Comparer Marc 7.19.
q **14.16** *vous* : certains manuscrits ont *nous*.
r **14.19** *Recherchons donc* : certains manuscrits ont *Nous recherchons donc*.

Plaire à son prochain et non à soi-même

15 1 Nous qui sommes forts dans la
foi, nous devons prendre à cœur
les scrupules des faibles. Nous ne devons
pas rechercher ce qui nous plaît. 2 Il faut
que chacun de nous cherche à plaire à
son prochain pour son bien, pour le faire
progresser dans la foi. 3 En effet, le
*Christ n'a pas recherché ce qui lui plai-
sait. Au contraire, comme le déclare
l'Écriture : « Les insultes que l'on te destinait sont retombées sur moi[s]. » 4 Tout
ce que nous trouvons dans l'Écriture a
été écrit dans le passé pour nous instruire, afin que, grâce à la patience et au
réconfort qu'elle nous apporte, nous
possédions l'espérance. 5 Que Dieu, la
source de la patience et du réconfort,
vous rende capables de vivre en bon accord les uns avec les autres en suivant
l'exemple de Jésus-Christ. 6 Alors, tous
ensemble et d'une seule voix, vous loue-
rez Dieu, le Père de notre Seigneur Jésus-Christ.

La Bonne Nouvelle pour tous les peuples

7 Ainsi, accueillez-vous les uns les autres, comme le *Christ vous a accueillis,
pour la *gloire de Dieu. 8 En effet, je vous
l'affirme, le Christ est devenu le serviteur
des Juifs pour accomplir les promesses
que Dieu a faites à leurs ancêtres et montrer ainsi que Dieu est fidèle. 9 Il est venu
aussi afin que les non-Juifs louent Dieu
pour sa bonté, comme le déclare l'Écriture :

« C'est pourquoi je te louerai parmi les nations,
et je chanterai en ton honneur. »

10 Elle déclare aussi :

« Nations, réjouissez-vous avec le peuple du Seigneur ! »

11 Et encore :

« Glorifiez le Seigneur, vous toutes les nations,
chantez ses louanges, vous tous les peuples ! »

12 Ésaïe dit aussi :

« Le descendant de *Jessé viendra,
il se lèvera pour gouverner les nations,
et elles mettront leur espoir en lui[t]. »

13 Que Dieu, la source de l'espérance,
vous remplisse d'une joie et d'une paix
parfaites par votre foi en lui, afin que
vous soyez riches d'espérance par la puissance du Saint-Esprit.

Paul a le droit d'écrire comme il l'a fait

14 Mes frères, je suis personnellement
convaincu que vous êtes remplis de bonnes dispositions, pleinement au courant
de tout ce qu'il faut connaître et capables
de vous conseiller les uns les autres.
15 Pourtant, je vous ai écrit avec une certaine audace dans plusieurs passages de
ma lettre, pour vous rappeler ce que
vous aviez déjà appris. J'ai écrit ainsi en
raison de la faveur que Dieu m'a accordée 16 d'être serviteur de Jésus-Christ
pour les peuples non juifs. J'accomplis
un service sacré en annonçant la Bonne
Nouvelle de Dieu, afin que les peuples
non juifs deviennent une offrande agréable à Dieu et rendue digne de lui par le
Saint-Esprit. 17 Dans l'union avec Jésus-
Christ, je peux donc être fier de mon travail pour Dieu. 18 En fait, si j'ose parler
de quelque chose, c'est uniquement de
ce que le *Christ a réalisé par moi pour
amener les non-Juifs à obéir à Dieu. Il l'a
fait au moyen de paroles et d'actes, 19 par
la puissance de signes miraculeux et de
prodiges, par la puissance de l'Esprit de
Dieu. C'est ainsi que j'ai annoncé pleinement la Bonne Nouvelle du Christ, en
allant de tous côtés depuis Jérusalem
jusqu'à la province d'Illyrie[u]. 20 Mais j'ai
tenu à annoncer la Bonne Nouvelle uniquement dans les endroits où l'on
n'avait pas entendu parler du Christ,
afin de ne pas bâtir sur les fondations
posées par quelqu'un d'autre. 21 Ainsi,
j'ai agi selon la déclaration de l'Écriture :

---

s **15.3** Ps 69.10.

t **15.12** Références pour les versets 9 à 12 : *v. 9* : Ps 18.50 ; 2 Sam 22.50. – *v. 10* : voir Deut 32.43. – *v. 11* : Ps 117.1. – *v. 12* : És 11.10, cité d'après l'ancienne version grecque.

u **15.19** *Illyrie* : province romaine correspondant à peu près à l'actuelle Yougoslavie.

« Ceux à qui on ne l'avait pas annoncé
le verront,
et ceux qui n'en avaient pas entendu
parler comprendront[v]. »

Paul parle de son projet de voyage à Rome

22 C'est là ce qui m'a empêché bien des fois d'aller chez vous[w]. 23 Mais maintenant, j'ai achevé mon travail dans ces régions-ci. Depuis de nombreuses années, je désire vous rendre visite 24 et je voudrais le faire quand je me rendrai en Espagne. Car j'espère vous voir en passant et recevoir votre aide pour aller dans ce pays, après avoir profité de votre compagnie pendant quelque temps. 25 Mais pour le moment, je vais à Jérusalem pour le service des croyants de là-bas. 26 En effet, les chrétiens de Macédoine et d'Achaïe ont décidé de faire une collecte en faveur des pauvres de la communauté de Jérusalem. 27 Ils l'ont décidé eux-mêmes, mais, en réalité, ils le leur devaient. Car les chrétiens juifs ont partagé leurs biens spirituels avec ceux qui ne sont pas juifs ; les non-Juifs doivent donc aussi les servir en subvenant à leurs besoins matériels[x]. 28 Quand j'aurai terminé cette affaire et que je leur aurai remis le produit de cette collecte, je partirai pour l'Espagne et passerai chez vous. 29 Et je sais que lorsque j'irai chez vous, j'arriverai avec la pleine *bénédiction du *Christ.

30 Mais voici ce que je vous demande, frères, par notre Seigneur Jésus-Christ et par l'amour que donne l'Esprit Saint : combattez avec moi en adressant à Dieu des prières en ma faveur. 31 Priez pour que j'échappe aux incroyants de Judée et pour que l'aide que j'apporte à Jérusalem y soit bien accueillie par les croyants. 32 De cette façon, j'arriverai chez vous plein de joie, si Dieu le veut, et je prendrai quelque repos parmi vous. 33 Que Dieu, source de la paix, soit avec vous tous. *Amen.

Salutations personnelles

16 1 Je vous recommande notre sœur Phébé qui est au service de l'Église de Cenchrées[y]. 2 Recevez-la au nom du Seigneur, comme on doit le faire entre croyants, et apportez-lui votre aide en toute affaire où elle peut avoir besoin de vous. Elle a elle-même aidé beaucoup de gens et moi en particulier.

3 Saluez Priscille et Aquilas, mes compagnons de travail au service de Jésus-Christ[z]. 4 Ils ont risqué leur propre vie pour sauver la mienne. Je ne suis pas seul à leur être reconnaissant, toutes les Églises du monde non juif le sont aussi. 5 Saluez également l'Église qui se réunit chez eux. Saluez mon cher Épaïnète, qui fut le premier à croire au *Christ dans la province d'Asie. 6 Saluez Marie, qui a beaucoup travaillé pour vous. 7 Saluez Andronicus et Junias, qui me sont apparentés[a] et ont été en prison avec moi. Ils sont très estimés parmi les *apôtres et ils sont même devenus chrétiens avant moi.

8 Saluez Ampliatus, qui m'est très cher dans le Seigneur. 9 Saluez Urbain, notre compagnon de travail au service du Christ, et mon cher Stachys. 10 Saluez Apelles, qui a donné des preuves de sa foi au Christ. Saluez les gens de la maison d'Aristobule. 11 Saluez Hérodion, mon parent. Saluez les gens de la maison de Narcisse qui croient au Seigneur. 12 Saluez Tryphène et Tryphose, qui travaillent pour le Seigneur, et ma chère Perside, qui a beaucoup travaillé pour lui. 13 Saluez Rufus[b], ce remarquable serviteur du Seigneur, et sa mère, qui est aussi une mère pour moi. 14 Saluez Asyncrite, Phlégon, Hermès, Patrobas, Hermas, et les frères qui sont avec eux. 15 Saluez Phi

---

v **15.21** És 52.15, cité d'après l'ancienne version grecque.

w **15.22** Comparer 1.13.

x **15.27** *v. 25-27* : comparer 1 Cor 16.1-4 ; 9.11 ; 2 Cor 8-9.

y **16.1** *Cenchrées* : voir Act 18.18 et la note.

z **16.3** Les noms des chrétiens salués par l'apôtre révèlent une extrême diversité d'origines (grecs, romains, juifs) ou de conditions sociales (personnages de haut rang, esclaves ou anciens esclaves). – *Priscille et Aquilas* : voir Act 18.2.

a **16.7** *Junias* : certains manuscrits ont *Julia*. – *qui me sont apparentés* : le terme grec employé s'applique aussi bien à la famille, à la tribu, au peuple qu'à la race. On peut donc comprendre ici cette parenté au sens large (voir 9.3, *ceux de ma race* ; 16.11,21).

b **16.13** *Rufus* : voir Marc 15.21.

lologue et Julie, Nérée et sa sœur, Olympas, et tous les croyants qui sont avec eux.
16 Saluez-vous les uns les autres d'un baiser fraternel. Toutes les Églises du Christ vous adressent leurs salutations.

Un dernier avertissement

17 Je vous le demande, frères, prenez garde à ceux qui suscitent des divisions et égarent les croyants en s'opposant à l'enseignement que vous avez reçu.
Éloignez-vous d'eux, 18 car les gens de cette espèce ne servent pas le *Christ notre Seigneur, mais leur propre ventre[c] !
Par leurs belles paroles et leurs discours flatteurs, ils trompent les gens simples.
19 Tout le monde connaît votre obéissance au Seigneur. Je me réjouis donc à votre sujet, mais je désire que vous soyez sages pour faire le bien, et *purs pour éviter le
mal. 20 Dieu, source de la paix, écrasera bientôt *Satan sous vos pieds.

Que la grâce de notre Seigneur Jésus soit avec vous[d] !
21 Timothée, mon compagnon de travail[e], vous salue, ainsi que Lucius, Jason et Sosipater, mes parents.
22 Et moi, Tertius, qui ai écrit cette lettre[f], je vous envoie mes salutations dans le Seigneur qui nous unit.
23 Gaïus, l'hôte qui me reçoit, vous salue. C'est chez lui que se réunit toute l'Église. Éraste, le trésorier de la ville, vous salue, ainsi que notre frère Quartus[g].
[24 Que la grâce de notre Seigneur Jésus-Christ soit avec vous tous. *Amen[h].]

Louange finale

25 Louons Dieu ! Il a le pouvoir de vous fortifier dans la foi, selon la Bonne Nouvelle que j'annonce, le message que je prêche au sujet de Jésus-Christ, et selon la connaissance que nous avons reçue du plan secret de Dieu. Ce plan a été tenu caché très longtemps dans le passé, 26 mais
maintenant, il a été mis en pleine lumière par les livres des *Prophètes ; conformément à l'ordre du Dieu éternel, il est porté à la connaissance de toutes les nations pour qu'elles croient en lui et lui obéissent.
27 A Dieu seul sage soit la *gloire, par Jésus-Christ, pour toujours ! *Amen[i].

---

c **16.18** Comparer Phil 3.19.
d **16.20** Certains manuscrits n'ont pas la phrase *Que la grâce... avec vous.*
e **16.21** Voir Act 16.1-3.
f **16.22** *Tertius* est le secrétaire chrétien auquel Paul a dicté sa lettre.
g **16.23** *Gaïus* : voir Act 19.29 ; 1 Cor 1.14. – *Éraste* : voir 2 Tim 4.20.
h **16.24** Ce verset ne se trouve pas dans plusieurs anciens manuscrits.
i **16.27** Dans certains manuscrits, les versets 25 à 27 se trouvent à la fois ici et après 14.23, tandis que d'autres ne les ont qu'après 14.23 et qu'un autre encore les place après 15.33.

Première lettre aux

Corinthiens

Introduction *– Lors de son deuxième voyage missionnaire, Paul passa dix-huit moi dans la ville grecque de Corinthe. L'Église qu'il y fonda comprenait surtout d'anciens païen appartenant à des milieux modestes.*

Corinthe connaissait alors une grande prospérité grâce à ses deux ports ; le commerce étai florissant, la vie culturelle intense, les mouvements philosophiques ou religieux actifs. Mai l'immoralité y était grande. La jeune communauté chrétienne se trouvait donc soumise à toute sortes d'influences, et l'on comprend qu'elle ait donné de sérieux soucis à l'apôtre.

Après son départ, Paul reçut en effet à plusieurs reprises d'inquiétantes nouvelles la concer- nant. Il fut amené à lui écrire au moins quatre lettres, les deux que le Nouveau Testament conservées et celles qui sont évoquées respectivement en 1 Cor 5.9-13 et en 2 Cor 2.3 ; 7.8. Le deux lettres qui nous restent ont été écrites au cours du troisième voyage missionnaire de l'apô- tre, la première d'Éphèse (voir 1 Cor 16.8), la seconde d'Éphèse également ou de Macédoine

*

Dans sa première lettre aux Corinthiens, *après la salutation et une prière de reconnais sance (1.1-9), Paul invite ses correspondants à surmonter leurs divisions (1.10–4.21), à chasse l'immoralité hors de la communauté (chap. 5) et à cesser de soumettre leurs différends aux tri bunaux païens (6.1-11). Il précise encore quel usage les chrétiens ont à faire de leur corp (6.12-20), après quoi il répond à diverses questions posées par ses correspondants :*
– le mariage (chap. 7) ;
– la consommation de viandes provenant de sacrifices offerts aux idoles, et l'attitude à adopte vis-à-vis du paganisme ambiant en général (8.1–11.1) ;
– les assemblées chrétiennes et le repas du Seigneur (11.2-34) ;
– les dons du Saint-Esprit (chap. 12–14) ;
– la résurrection des morts (chap. 15).
La lettre s'achève par quelques nouvelles (une collecte en cours, les projets de l'apôtre...) e des salutations personnelles (chap. 16).

Sur tous ces problèmes de vie, l'apôtre s'exprime sans le moindre ton moralisateur. Il montr comment la fidélité au Christ permet de les résoudre. L'amour fraternel est ici la voie supérieur à toutes les autres (chap. 13).

Salutation

1 1 De la part de Paul, qui par la volonté de Dieu a été appelé à être *apôtre de Jésus-Christ, et de la part de Sosthène, notre frère[a].

2 A l'Église de Dieu qui est à Corinthe[b], à ceux qui, là-bas, sont appelés à vivre pour Dieu et qui lui appartiennent par la foi en Jésus-Christ, et à tous ceux qui, partout, font appel au nom de notre Seigneur Jésus-Christ, leur Seigneur et le nôtre : 3 Que Dieu notre Père et le Seigneur Jésus-Christ vous accordent la grâce et la paix.

Les bienfaits reçus en Christ

4 Je remercie sans cesse mon Dieu[c] à votre sujet pour la grâce qu'il vous a accordée par Jésus-Christ. 5 En effet, dans l'union avec le *Christ, vous avez été enrichis de tous les dons, en particulier tous ceux de la parole et de la connaissance. 6 Le témoignage rendu au Christ a été si fermement établi parmi vous 7 qu'il ne vous manque aucun don de Dieu, à vous qui attendez le moment où notre Seigneur Jésus-Christ apparaîtra. 8 C'est lui qui vous maintiendra fermes jusqu'au bout pour qu'on ne puisse vous accuser d'aucune faute au jour de sa venue. 9 Dieu lui-même vous a appelés à vivre dans l'union avec son Fils Jésus-Christ notre Seigneur : il est fidèle à ses promesses[d].

Divisions dans l'Église

10 Frères, je vous en supplie au nom de notre Seigneur Jésus-Christ : mettez-vous d'accord, qu'il n'y ait pas de divisions parmi vous ; soyez parfaitement unis, en ayant la même façon de penser, les mêmes convictions. 11 En effet, mes frères, des personnes de la famille de Chloé m'ont informé qu'il y a des rivalités entre vous. 12 Voici ce que je veux dire : parmi vous, l'un déclare : « Moi, j'appartiens à Paul » ; l'autre : « Moi à Apollos » ; un autre encore : « Moi à Pierre[e] » ; et un autre : « Et moi au *Christ. » 13 Pensez-vous qu'on puisse diviser le Christ[f] ? Est-ce Paul qui est mort sur la croix pour vous ? Avez-vous été baptisés au nom de Paul ?

14 Dieu merci, je n'ai baptisé aucun de vous, à part Crispus et Gaïus[g]. 15 Ainsi, on ne pourra pas prétendre que vous avez été baptisés en mon nom. 16 Ah ! c'est vrai, j'ai aussi baptisé la famille de Stéphanas, mais je ne crois pas avoir baptisé qui que ce soit d'autre. 17 Le Christ ne m'a pas envoyé baptiser : il m'a envoyé annoncer la Bonne Nouvelle, et cela sans utiliser le langage de la sagesse humaine, afin de ne pas priver de son pouvoir la mort du Christ sur la croix.

Jésus-Christ, puissance et sagesse de Dieu

18 En effet, prêcher la mort du *Christ sur la croix est une folie pour ceux qui se perdent ; mais nous qui sommes sur la voie du salut, nous y discernons la puissance de Dieu.

19 Voici ce que l'Écriture déclare :

« Je détruirai la sagesse des sages,
je rejetterai le savoir des gens intelligents[h]. »

20 Alors, que peuvent encore dire les sages ? ou les gens instruits ? ou les discoureurs du temps présent ? Dieu a démontré que la sagesse de ce monde est folie[i] !

21 En effet, les humains, avec toute leur sagesse, ont été incapables de reconnaître Dieu là où il manifestait sa sagesse. C'est pourquoi, Dieu a décidé de sauver ceux qui croient grâce à cette prédication apparemment folle de la croix. 22 Les Juifs demandent comme preuves des miracles et les Grecs recherchent la sagesse.

---

a **1.1** *Sosthène* : voir Act 18.17.
b **1.2** *Corinthe* : voir Act 18.1 et la note.
c **1.4** *mon Dieu* : certains manuscrits ont seulement *Dieu*.
d **1.9** Comparer Deut 7.9.
e **1.12** *Apollos* : voir Act 18.24. – *Pierre* : le texte original emploie ici *Céphas* qui est l'équivalent araméen de *Pierre* (voir Jean 1.42).
f **1.13** *Pensez-vous... Christ* : certains manuscrits ont *Le Christ ne peut pas être divisé...*
g **1.14** *Crispus* : voir Act 18.8. – *Gaïus* : voir Act 19.29.
h **1.19** És 29.14, cité d'après l'ancienne version grecque.
i **1.20** Comparer És 44.25.

23 Quant à nous, nous prêchons le Christ
crucifié : c'est un message scandaleux
pour les Juifs et une folie pour les non-
Juifs ; 24 mais pour ceux que Dieu a appelés, aussi bien Juifs que non-Juifs, le
Christ est la puissance et la sagesse de
Dieu. 25 Car la folie apparente de Dieu est
plus sage que la sagesse des hommes, et la
faiblesse apparente de Dieu est plus forte
que la force des hommes.
26 Considérez, frères, qui vous êtes,
vous que Dieu a appelés : il y a parmi
vous, du point de vue humain, peu de sages, peu de puissants, peu de gens de noble origine. 27 Au contraire, Dieu a choisi
ce qui est folie aux yeux du monde pour
couvrir de honte les sages ; il a choisi ce
qui est faiblesse aux yeux du monde pour
couvrir de honte les forts ; 28 il a choisi ce
qui est bas, méprisable ou ne vaut rien
aux yeux du monde, pour détruire ce que
celui-ci estime important. 29 Ainsi, aucun
être humain ne peut se vanter devant
Dieu. 30 Mais Dieu vous a unis à Jésus-
Christ et il a fait du Christ notre sagesse :
c'est le Christ qui nous rend justes devant
Dieu, qui nous permet de vivre pour
Dieu et qui nous délivre du péché. 31 Par
conséquent, comme le déclare l'Écriture :
« Si quelqu'un veut se vanter, qu'il se
vante de ce que le Seigneur a fait[j]. »

Annoncer le Christ crucifié

2 1 Quand je suis allé chez vous, frères,
pour vous révéler le plan secret de
Dieu[k], je n'ai pas usé d'un langage
compliqué ou de connaissances impressionnantes. 2 Car j'avais décidé de ne rien
savoir d'autre, durant mon séjour parmi
vous, que Jésus-Christ et, plus précisément, Jésus-Christ crucifié. 3 C'est pourquoi, je me suis présenté à vous faible et
tout tremblant de crainte[l] ; 4 mon enseignement et ma prédication n'avaient
rien des discours de la sagesse humaine,
mais c'est la puissance de l'Esprit divin
qui en faisait une démonstration
convaincante. 5 Ainsi, votre foi ne repose
pas sur la sagesse des hommes, mais bien
sur la puissance de Dieu.

La sagesse de Dieu

6 J'enseigne pourtant une sagesse aux
chrétiens spirituellement adultes. Mais
ce n'est pas la sagesse de ce monde, ni
celle des puissances qui règnent sur ce
monde et qui sont destinées à la destruction. 7 Non, j'annonce la sagesse secrète
de Dieu, cachée aux hommes. Dieu
l'avait déjà choisie pour nous faire participer à sa *gloire avant la création du
monde. 8 Aucune des puissances de ce
monde n'a connu cette sagesse. Si elles
l'avaient connue, elles n'auraient pas crucifié le Seigneur de la gloire. 9 Mais,
comme le déclare l'Écriture :

« Ce que nul homme n'a jamais vu ni
entendu,
ce à quoi nul homme n'a jamais pensé,
Dieu l'a préparé pour ceux qui l'aiment[m]. »

10 Or[n], c'est à nous que Dieu a révélé ce
secret par le Saint-Esprit. En effet, l'Esprit peut tout examiner, même les plans
de Dieu les plus profondément cachés.
11 Dans le cas d'un homme, seul son propre esprit connaît les pensées qui sont en
lui ; de même, seul l'Esprit de Dieu
connaît les pensées de Dieu. 12 Nous
n'avons pas reçu, nous, l'esprit de ce
monde ; mais nous avons reçu l'Esprit
qui vient de Dieu, afin que nous connais-
sions les dons que Dieu nous a accordés.
13 Et nous en parlons non pas avec le langage qu'enseigne la sagesse humaine,
mais avec celui qu'enseigne l'Esprit de
Dieu. C'est ainsi que nous expliquons des
vérités spirituelles à ceux qui ont en eux
cet Esprit[o].
14 L'homme qui ne compte que sur ses
facultés naturelles est incapable d'accueillir les vérités communiquées par
l'Esprit de Dieu : elles sont une folie pour
lui ; il lui est impossible de les comprendre, car on ne peut en juger que par l'Esprit. 15 L'homme qui a l'Esprit de Dieu

---

j **1.31** Voir Jér 9.23.
k **2.1** *le plan secret de Dieu* : certains manuscrits ont *le témoignage concernant Dieu*.
l **2.3** Comparer Act 18.9.
m **2.9** Voir És 64.3 ; 52.15.
n **2.10** *Or* : certains manuscrits ont *Car*.
o **2.13** *à ceux qui ont en eux cet Esprit* : autre traduction *avec les mots inspirés par cet Esprit*.

peut juger de tout, mais personne ne peut
le juger. 16 Il est écrit, en effet :
« Qui connaît la pensée du Seigneur ?
Qui peut lui donner des conseils[p] ? »
Mais nous, nous avons la pensée du
*Christ.

Serviteurs de Dieu

3 1 En réalité, frères, je n'ai pas pu
vous parler comme à des gens qui
ont l'Esprit de Dieu : j'ai dû vous parler
comme à des gens de ce monde, comme
à des enfants dans la foi chrétienne.
2 C'est du lait que je vous ai donné, non
de la nourriture solide, car vous ne l'auriez pas supportée[q]. Et même à présent
vous ne le pourriez pas, 3 parce que vous
vivez encore comme des gens de ce
monde. Du moment qu'il y a de la jalousie et des rivalités entre vous, ne
montrez-vous pas que vous êtes des gens
de ce monde et que vous vous conduisez
d'une façon toute humaine ? 4 Quand
l'un de vous déclare : « J'appartiens à
Paul » et un autre : « J'appartiens à Apollos[r] », n'agissez-vous pas comme n'importe quel être humain ?
5 Au fond, qui est Apollos ? et qui est
Paul ? Nous sommes simplement des serviteurs de Dieu, par lesquels vous avez
été amenés à croire. Chacun de nous accomplit le devoir que le Seigneur lui a
confié : 6 j'ai mis la plante en terre, Apollos l'a arrosée, mais c'est Dieu qui l'a fait
croître. 7 Ainsi, celui qui plante et celui
qui arrose sont sans importance : seul
Dieu compte, lui qui fait croître la plante.
8 Celui qui plante et celui qui arrose sont
égaux ; Dieu accordera à chacun sa récompense selon son propre travail. 9 Car
nous sommes des collaborateurs de Dieu
et vous êtes le champ de Dieu.
Vous êtes aussi l'édifice de Dieu. 10 Selon le don que Dieu m'a accordé, j'ai travaillé comme un bon entrepreneur et
posé les fondations. Maintenant, un autre
bâtit dessus. Mais il faut que chacun
prenne garde à la manière dont il bâtit.
11 Car les fondations sont déjà en place
dans la personne de Jésus-Christ, et nul
ne peut en poser d'autres. 12 Certains utiliseront de l'or, de l'argent ou des pierres
précieuses pour bâtir sur ces fondations ;
d'autres utiliseront du bois, du foin ou de
la paille. 13 Mais la qualité de l'ouvrage de
chacun sera clairement révélée au jour du
Jugement. En effet, ce jour se manifestera
par le feu, et le feu éprouvera l'ouvrage de
chacun pour montrer ce qu'il vaut. 14 Si
quelqu'un a édifié un ouvrage qui résiste
au feu, il recevra une récompense. 15 Par
contre, si l'ouvrage est brûlé, son auteur
perdra la récompense ; cependant lui-
même sera sauvé, mais comme s'il avait
passé à travers les flammes d'un incendie.
16 Vous savez sûrement que vous êtes le
*temple de Dieu et que l'Esprit de Dieu
habite en vous. 17 Eh bien, si quelqu'un
détruit le temple de Dieu, Dieu détruira
le coupable. Car le temple de Dieu est
saint, et c'est vous qui êtes son temple[s].
18 Que personne ne se trompe lui-
même : si l'un d'entre vous pense être
sage du point de vue de ce monde, qu'il
devienne fou afin d'être réellement sage.
19 Car la sagesse à la manière de ce monde
est une folie aux yeux de Dieu. En effet,
l'Écriture déclare : « Dieu prend les sages
au piège de leur propre ruse. » 20 Elle déclare aussi : « Le Seigneur connaît les
pensées des sages, il sait qu'elles ne valent
rien[t]. » 21 Ainsi, personne ne doit fonder
sa fierté sur des hommes. Car tout vous
appartient : 22 Paul, Apollos ou Pierre,
le monde, la vie, la mort, le présent ou
l'avenir, tout est à vous ; 23 mais vous,
vous appartenez au *Christ et le Christ
appartient à Dieu.

Apôtres du Christ

4 1 Vous devez donc nous considérer
comme des serviteurs du *Christ,
chargés de gérer les vérités secrètes de
Dieu. 2 Tout ce que l'on demande à un gérant, c'est d'être fidèle. 3 Pour ma part,
peu importe que je sois jugé par vous ou
par un tribunal humain. Je ne me juge
pas non plus moi-même. 4 Ma con-

---

p **2.16** És 40.13, cité d'après l'ancienne version grecque.

q **3.2** Comparer Hébr 5.12-13.

r **3.4** Voir 1.12.

s **3.17** *et c'est vous qui êtes son temple* : autre traduction *et c'est ce que vous êtes* (c'est-à-dire *saints*).

t **3.20** *v. 19* : Job 5.13. – *v. 20* : Ps 94.11.

science, il est vrai, ne me reproche rien,
mais je n'en suis pas justifié pour autant.
Le Seigneur est celui qui me juge. 5 C'est
pourquoi, ne portez de jugement sur personne avant le moment fixé. Attendez
que le Seigneur vienne : il mettra en lumière ce qui est caché dans l'obscurité et
révélera les intentions secrètes du cœur
des hommes. Alors chacun recevra de
Dieu la louange qui lui revient.

6 Frères, j'ai appliqué ce qui précède à
Apollos et à moi-même pour votre instruction. J'ai voulu que, par notre exemple, vous appreniez le sens de ce
principe : « Il convient de rester dans les
limites fixées par ce qui est écrit[u]. » Aucun de vous ne doit être prétentieux en
prenant le parti d'un homme contre un
autre. 7 Car en quoi penses-tu être supérieur aux autres ? Tout ce que tu as, ne
l'as-tu pas reçu de Dieu ? Puisqu'il en est
ainsi, pourquoi te vanter de ce que tu as
comme si tu ne l'avais pas reçu ?

8 Déjà vous avez tout ce que vous désirez ! Déjà vous êtes riches ! Vous êtes devenus rois alors que nous ne le sommes
pas ! Vraiment ? J'aimerais bien que vous
soyez réellement rois afin que nous aussi
nous puissions régner avec vous. 9 En
fait, il me semble que Dieu nous a mis,
nous les *apôtres, à la dernière place :
nous sommes comme des condamnés à
mort jetés dans l'arène : nous sommes
donnés en spectacle au monde entier, aux
*anges aussi bien qu'aux êtres humains.
10 Nous sommes fous à cause du Christ,
mais vous êtes sages dans l'union avec le
Christ ; nous sommes faibles, mais vous
êtes forts ; nous sommes méprisés, mais
vous êtes honorés ! 11 A cette heure encore, nous souffrons de la faim et de la
soif, nous manquons de vêtements, nous
sommes battus, nous passons d'un endroit à l'autre ; 12 nous travaillons durement pour gagner notre pain[v]. Quand on
nous insulte, nous *bénissons ; quand on
nous persécute, nous supportons ;
13 quand on dit du mal de nous, nous répondons avec bienveillance. On nous
considère maintenant encore comme les
balayures du monde, comme le déchet de
l'humanité.

14 Je vous écris ainsi non pas pour vous
faire honte, mais pour vous instruire
comme mes très chers enfants. 15 Car
même s'il vous arrivait d'avoir dix mille
guides dans votre vie avec le Christ,
vous ne pouvez avoir qu'un seul père :
en effet, quand je vous ai apporté la
Bonne Nouvelle, c'est moi qui suis devenu votre père pour votre vie avec
Jésus-Christ. 16 Alors, je vous en supplie,
suivez mon exemple. 17 A cet effet, je
vous envoie Timothée[w], qui est mon fils
aimé et fidèle dans la foi au Seigneur. Il
vous rappellera les principes qui me dirigent dans la vie avec Jésus-Christ, tels
que je les enseigne partout, dans toutes
les Églises.

18 Certains d'entre vous ont fait les prétentieux en pensant que je ne viendrais
pas vous voir. 19 Mais si le Seigneur le
permet, j'irai bientôt chez vous. Alors je
connaîtrai non pas seulement les paroles
de ces prétentieux mais ce dont ils sont
capables ! 20 Car le *Royaume de Dieu
n'est pas une affaire de paroles mais de
puissance. 21 Que préférez-vous ? que je
vienne à vous avec un bâton, ou avec un
cœur plein d'amour et de douceur ?

Immoralité dans l'Église

5 1 On entend dire partout qu'il y a de
l'immoralité parmi vous, une immoralité si grave que même les païens ne
s'en rendraient pas coupables : on raconte, en effet, que l'un de vous vit avec
la femme de son père[x] ! 2 Et vous faites
encore les prétentieux ! Vous devriez au
contraire en être affligés, et l'auteur
d'une telle action devrait être chassé du
milieu de vous. 3-4 Quant à moi, même si
je suis absent de corps, je suis près de
vous en esprit ; et j'ai déjà jugé au nom de
notre Seigneur Jésus celui qui a si mal
agi, comme si j'étais présent parmi vous.
Lorsque vous serez assemblés, je serai

---

u 4.6 *Il convient... écrit* : le texte original est obscur et la traduction incertaine.
v 4.12 Voir Act 18.3 ; 20.34.
w 4.17 *Timothée* : voir Act 16.1.
x 5.1 Il s'agit sans doute de la seconde femme de son père. Une telle union était interdite par la loi juive (voir Lév 18.8 ; Deut 23.1), ainsi que par le droit romain.

avec vous en esprit et la puissance de notre Seigneur Jésus se manifestera ; 5 vous
devrez alors livrer cet homme à *Satan[y]
pour que son être pécheur soit détruit,
mais qu'il puisse être spirituellement
sauvé au jour du Seigneur.

6 Il n'y a pas de quoi vous vanter ! Vous
le savez bien : « Un peu de *levain fait
lever toute la pâte[z]. » 7 *Purifiez-vous
donc ! Éliminez ce vieux levain pour que
vous deveniez semblables à une pâte nouvelle et sans levain. Vous l'êtes déjà en
réalité depuis que le *Christ, notre
agneau pascal, a été *sacrifié. 8 Célébrons
donc notre fête, non pas avec du pain fait
avec le vieux levain du péché et de l'immoralité, mais avec le pain sans levain de
la pureté et de la vérité[a].

9 Dans ma précédente lettre, je vous ai
écrit de ne pas avoir de contact avec ceux
qui vivent dans l'immoralité. 10 Je ne vi-
sais pas, d'une façon générale, tous ceux
qui, dans ce monde, sont immoraux, envieux, voleurs, ou adorateurs d'idoles. Sinon, vous devriez sortir du monde ! 11 Je
voulais vous dire de ne pas avoir de
contact avec quelqu'un qui, tout en se
donnant le nom de chrétien, serait immoral, envieux, adorateur d'idoles, calomniateur, ivrogne ou voleur. Vous ne
devez pas même partager un repas avec
un tel homme.

12-13 Ce n'est pas mon affaire, en effet,
de juger les non-chrétiens. Dieu les jugera. Mais ne devriez-vous pas juger les
membres de votre communauté ? Il est
écrit, en effet : « Chassez le méchant du
milieu de vous[b]. »

Les procès contre des frères

6 1 Quand l'un de vous entre en conflit
avec un frère, comment ose-t-il demander justice à des juges païens au lieu
de s'adresser aux membres de la communauté ? 2 Ne savez-vous pas que le peuple
de Dieu jugera le monde ? Et si vous devez juger le monde, êtes-vous incapables
de juger des affaires de peu d'importance ? 3 Ne savez-vous pas que nous ju-
gerons les *anges ? A plus forte raison les
affaires de cette vie ! 4 Or, quand vous
avez des conflits pour des affaires de ce
genre, vous allez prendre comme juges
des gens qui ne comptent pour rien dans
l'Église ! 5 Je le dis à votre honte. Il y a sûrement parmi vous au moins un homme
sage qui soit capable de régler un conflit
entre frères ! 6 Alors, faut-il vraiment
qu'un frère soit en procès avec un autre et
cela devant des juges incroyants ?

7 Certes, le fait d'avoir des procès entre
vous est déjà la preuve de votre complet
échec. Pourquoi ne supportez-vous pas
plutôt l'injustice ? Pourquoi ne vous laissez-vous pas plutôt dépouiller ? 8 Au
contraire, c'est vous qui pratiquez l'injustice et qui dépouillez, et vous agissez
ainsi envers des frères ! 9 Vous savez sûrement que ceux qui font le mal n'auront
pas de place dans le *Royaume de Dieu.
Ne vous y trompez pas : les gens immoraux, adorateurs d'idoles, adultères, pédérastes, 10 voleurs, envieux, ivrognes,
calomniateurs ou malhonnêtes, n'auront
pas de place dans le Royaume de Dieu.
11 Voilà ce qu'étaient certains d'entre
vous. Mais vous avez été *purifiés, vous
avez été mis à part pour Dieu, vous avez
été rendus justes devant Dieu au nom du
Seigneur Jésus-Christ et par l'Esprit de
notre Dieu.

Mettre son corps au service de la gloire du Seigneur

12 Vous allez jusqu'à dire : « Tout m'est
permis. » Oui, cependant tout ne vous est
pas bon. Je pourrais dire : « Tout m'est
permis », mais je ne vais pas me laisser as-
servir par quoi que ce soit. 13 Vous dites
aussi : « Les aliments sont pour le ventre
et le ventre pour les aliments. » Oui, cependant Dieu détruira les uns comme
l'autre. Mais le corps humain, lui, n'est
pas fait pour l'immoralité : il est pour le
Seigneur et le Seigneur est pour le corps.
14 Dieu a ramené le Seigneur à la vie et il

y 5.5 Même tournure en 1 Tim 1.20. Cette expression très forte désigne sans doute l'exclusion au moins momentanée du coupable hors de la communauté chrétienne.

z 5.6 Comparer Gal 5.9.

a 5.8 *v. 7* : comparer Ex 12.3,5,21. – *v. 8* : comparer Ex 13.7.

b **5.12-13** Deut 17.7, cité d'après l'ancienne version grecque.

nous ramènera de la mort à la vie par sa
puissance.
15 Vous savez que vos corps sont des
parties du corps du *Christ. Vais-je donc
prendre une partie du corps du Christ
pour en faire une partie du corps d'une
prostituée ? Certainement pas ! 16 Ou bien
ne savez-vous pas que l'homme qui s'unit
à une prostituée devient avec elle un seul
corps ? Il est écrit, en effet : « Les deux
deviendront un seul être[c]. » 17 Mais celui
qui s'unit au Seigneur devient spirituellement un avec lui.
18 Fuyez l'immoralité ! Tout autre péché commis par l'homme reste extérieur
à son corps ; mais l'homme qui se livre à
l'immoralité pèche contre son propre
corps. 19 Ne savez-vous pas que votre
corps est le *temple du Saint-Esprit, cet
Esprit qui est en vous et que Dieu vous a
donné[d] ? Vous ne vous appartenez pas :
20 Dieu vous a acquis, il a payé le prix
pour cela. Mettez donc votre corps lui-
même au service de la *gloire de Dieu.

Questions concernant le mariage

7 1 Passons maintenant aux sujets dont
vous m'avez parlé dans votre lettre. Il
est bon pour un homme de ne pas se marier[e]. 2 Cependant, en raison de l'immoralité si répandue, il vaut mieux que chaque
homme ait sa femme et que chaque
femme ait son mari. 3 Le mari doit remplir son devoir d'époux envers sa femme
et la femme, de même, doit remplir son
devoir d'épouse envers son mari. 4 La
femme ne peut pas faire ce qu'elle veut de
son propre corps : son corps est à son
mari ; de même, le mari ne peut pas faire
ce qu'il veut de son propre corps : son
corps est à sa femme. 5 Ne vous refusez
pas l'un à l'autre, à moins que, d'un
commun accord, vous n'agissiez ainsi
momentanément pour vous consacrer à
la prière ; mais ensuite, reprenez une vie
conjugale normale, sinon vous risqueriez
de ne plus pouvoir vous maîtriser et d
céder aux tentations de *Satan.
6 Ce que je vous dis là n'est pas un or
dre, mais une concession. 7 En réalité, j
préférerais que tout le monde soit céliba
taire comme moi ; mais chacun a le do
particulier que Dieu lui a accordé, l'un c
don-ci, l'autre ce don-là.
8 Voici ce que je déclare aux célibataire
et aux veuves : il serait bon pour vous qu
vous continuiez à vivre seuls, comm
moi. 9 Mais si vous ne pouvez pas vou
maîtriser, mariez-vous : il vaut mieux s
marier que de brûler de désir.
10 A ceux qui sont mariés, je donne ce
ordre (qui ne vient pas de moi, mais d
Seigneur) : la femme ne doit pas se sépa
rer de son mari, 11 – au cas où elle en se
rait séparée, qu'elle ne se remarie pas, o
bien qu'elle se réconcilie avec son mari
et un mari ne doit pas renvoyer s
femme[f].
12 Aux autres, voici ce que je dis (mo
même, et non le Seigneur) : si un ma
chrétien a une femme non croyante e
qu'elle soit d'accord de continuer à vivr
avec lui, il ne doit pas la renvoyer ; 13 d
même, si une femme chrétienne a u
mari non croyant et qu'il soit d'accord d
continuer à vivre avec elle, elle ne do
pas le renvoyer. 14 En effet, le mari no
croyant est proche de Dieu à cause de so
union avec sa femme ; de même,
femme non croyante est proche de Dieu
cause de son union avec son mari chr
tien. Autrement, vos enfants seraien
considérés comme *impurs, alors que, e
réalité, ils sont proches de Dieu. 15 Ce
pendant, si celui qui n'est pas croyan
veut se séparer de son conjoint chrétie
qu'on le laisse agir ainsi. Dans un tel ca
le conjoint chrétien, que ce soit l'épou
ou l'épouse, est libre, car Dieu vous
appelés à vivre en paix. 16 Commen
pourrais-tu être sûre, toi, femme chr
tienne, que tu sauveras ton mari ? O
comment pourrais-tu être sûr, toi, ma
chrétien, que tu sauveras ta femme ?

Vivre comme Dieu vous a appelés à le faire

17 Ce cas excepté, il faut que chacu
continue à vivre conformément au do

---

c **6.16** Gen 2.24.
d **6.19** Comparer 3.16.
e **7.1** *Il est bon... se marier* : autre traduction *Vous dites qu'il est bon pour un homme de ne pas se marier.*
f **7.11** *v. 10-11* : voir Matt 5.32 ; Marc 10.11-12 ; Luc 16.18.

ue le Seigneur lui a accordé et confor-
nément à ce qu'il était quand Dieu l'a
ppelé. Telle est la règle que j'établis dans
outes les Églises. 18 Si un homme était
circoncis lorsque Dieu l'a appelé, il ne
oit pas chercher à dissimuler sa cir-
oncision[g] ; si un autre était incirconcis
rsque Dieu l'a appelé, il ne doit pas se
ire circoncire. 19 Être circoncis ou ne
as l'être n'a pas d'importance : ce qui
nporte, c'est d'obéir aux commande-
ents de Dieu. 20 Il faut que chacun de-
eure dans la condition où il était
rsque Dieu l'a appelé. 21 Étais-tu esclave
uand Dieu t'a appelé ? Ne t'en inquiète
as ; mais si une occasion se présente
our toi de devenir libre, profites-en[h].
Car l'esclave qui a été appelé par le Seineur est un homme libéré qui dépend
u Seigneur ; de même, l'homme libre
ui a été appelé par le *Christ est son es-
lave. 23 Dieu vous a acquis, il a payé le
rix pour cela ; ne devenez donc pas es-
laves des hommes. 24 Oui, frères, il faut
ue chacun demeure devant Dieu dans la
ondition où il était lorsqu'il a été appelé.

Questions concernant les personnes non mariées et les veuves

25 En ce qui concerne les personnes
on mariées, je n'ai pas d'ordre du Seineur ; mais je donne mon opinion en
omme qui, grâce à la bonté du Seigneur,
st digne de confiance.

26 En raison de la détresse présente,
oici ce que je pense : il est bon pour
hacun de demeurer comme il est.
As-tu une femme ? Alors, ne cherche
as à t'en séparer. N'es-tu pas marié ?
lors, ne cherche pas de femme. 28 Ce-
endant, si tu te maries, tu ne commets
as de péché ; et si une jeune fille se ma-
e, elle ne commet pas de péché. Mais
eux qui se marient auront des tracas
ans leur vie quotidienne, et je voudrais
ous les épargner.

29 Voici ce que je veux dire, frères : il
este peu de temps ; dès maintenant, il
ut que les hommes mariés vivent
omme s'ils n'étaient pas mariés, 30 ceux
ui pleurent comme s'ils n'étaient pas
istes, ceux qui rient comme s'ils
n'étaient pas joyeux, ceux qui achètent
comme s'ils ne possédaient pas ce qu'ils
ont acheté, 31 ceux qui usent des biens de
ce monde comme s'ils n'en usaient pas.
Car ce monde, tel qu'il est, ne durera plus
très longtemps.

32 J'aimerais que vous soyez libres de
tout souci. Celui qui n'est pas marié se
préoccupe des affaires du Seigneur, il
cherche à plaire au Seigneur ; 33 mais celui qui est marié se préoccupe des affaires
du monde, il cherche à plaire à sa femme,
34 et il est ainsi partagé entre deux préoccupations. De même, une femme qui
n'est pas mariée ou une jeune fille se
préoccupe des affaires du Seigneur, car
elle désire être à lui dans tout ce qu'elle
fait et pense ; mais celle qui est mariée se
préoccupe des affaires du monde, elle
cherche à plaire à son mari.

35 Je dis cela pour votre bien et non
pour vous imposer une contrainte ; je désire que vous fassiez ce qui convient le
mieux, en demeurant totalement attachés
au service du Seigneur.

36 Maintenant, si un jeune homme
pense qu'il cause du tort à sa fiancée en
ne l'épousant pas[i], s'il est dominé par le
désir et estime qu'ils devraient se marier,
eh bien, qu'ils se marient, comme il le
veut ; il ne commet pas de péché. 37 Par
contre, si le jeune homme, sans subir de
contrainte, a pris intérieurement la ferme
résolution de ne pas se marier, s'il est capable de dominer sa volonté et a décidé
en lui-même de ne pas avoir de relations
avec sa fiancée, il fait bien. 38 Ainsi, celui

g **7.18** Il s'agit probablement d'une allusion à l'opération par laquelle certains Juifs cherchaient à dissimuler la marque de la circoncision.

h **7.21** *profites-en* : autre traduction *mets plutôt à profit ta condition d'esclave*.

i **7.36** L'interprétation des versets 36 à 38 est controversée. Certains estiment que ce passage concerne un père et sa fille ; d'où cette autre traduction *Si cependant quelqu'un estime manquer aux convenances envers sa fille, si elle a passé l'âge et qu'il est de son devoir d'agir ainsi, qu'il fasse ce qu'il veut, il ne pèche pas : qu'on se marie. Mais celui qui a pris en son cœur une ferme résolution hors de toute contrainte, et qui, en pleine possession de sa volonté, a pris en son cœur la décision de garder sa fille, celui-là fera bien. Ainsi celui qui marie sa fille fait bien et celui qui ne la marie pas fera mieux encore.*

qui épouse sa fiancée fait bien, mais celui
qui y renonce fait mieux encore.
39 Une femme est liée à son mari aussi
longtemps qu'il vit ; mais si son mari
meurt, elle est libre d'épouser qui elle
veut, à condition que ce soit un mariage
chrétien. 40 Pourtant, elle sera plus heureuse si elle demeure comme elle est.
C'est là mon opinion et j'estime avoir,
moi aussi, l'Esprit de Dieu.

La viande provenant de sacrifices offerts aux idoles

8 1 Examinons maintenant la question
de la viande provenant de *sacrifices
offerts aux idoles[j] : Il est vrai que « nous
avons tous la connaissance », comme
vous le dites. Mais cette connaissance
rend l'homme prétentieux, tandis que
l'amour renforce la communauté. 2 Celui
qui s'imagine connaître quelque chose ne
connaît pas encore comme il devrait
connaître. 3 Mais celui qui aime Dieu est
connu par lui.
4 La question est donc la suivante :
peut-on manger de la viande provenant
de sacrifices offerts aux idoles ? Nous savons bien qu'une idole ne représente
rien de réel dans le monde et qu'il n'y a
qu'un seul Dieu. 5 Même s'il y a de prétendus dieux au *ciel et sur la terre – et,
en fait, il y a beaucoup de « dieux » et de
« seigneurs[k] » –, 6 il n'en est pas moins
vrai que pour nous il n'y a qu'un seul
Dieu, le Père, qui a créé toutes choses et
pour qui nous vivons ; il n'y a également
qu'un seul Seigneur, Jésus-Christ, par
qui toutes choses existent et par qui
nous vivons.
7 Mais tous ne connaissent pas cette vérité. Certains ont été tellement habitués
aux idoles que, maintenant encore, ils
mangent la viande des sacrifices comme
si elle appartenait à une idole ; leur
conscience est faible et ils se sentent
souillés par cette viande. 8 Ce n'est pourtant pas un aliment qui nous rapprocher
de Dieu : nous ne perdrons rien si nou
n'en mangeons pas, et nous ne gagneron
rien non plus si nous en mangeons[l].
9 Cependant, prenez garde que la li
berté avec laquelle vous agissez n'en
traîne dans l'erreur ceux qui sont faible
dans la foi. 10 En effet, si quelqu'un de fai
ble te voit, toi qui as la « connaissance »
en train de manger dans le *temple d'un
idole, ne se sentira-t-il pas encourag
dans sa conscience à manger de la viand
offerte aux idoles ? 11 Et ainsi ce faible, c
frère pour qui le *Christ est mort, va s
perdre à cause de ta « connaissance »
12 En péchant de cette façon contre vo
frères et en blessant leur conscience qu
est faible, vous péchez contre le Chris
lui-même. 13 C'est pourquoi, si un ali
ment entraîne mon frère dans l'erreur, j
ne mangerai plus jamais de viande afi
de ne pas égarer mon frère.

Les droits et les devoirs d'un apôtre

9 1 Ne suis-je pas libre ? Ne suis-je pa
*apôtre ? N'ai-je pas vu Jésus notr
Seigneur[m] ? N'êtes-vous pas le résultat d
mon activité au service du Seigneur
2 Même si d'autres refusent de me re
connaître comme apôtre, pour vous je l
suis certainement. En effet, puisque vou
êtes unis au Seigneur, vous êtes vous
mêmes la preuve que je suis apôtre.
3 Voici comment je me défends cont
ceux qui me critiquent : 4 N'aurais-je pa
le droit de recevoir nourriture et boisso
pour mon travail ? 5 N'aurais-je pas l
droit d'emmener avec moi une épous
chrétienne, comme le font les apôtres, le
frères du Seigneur et Pierre ? 6 Ou bie
serions-nous les seuls, Barnabas[n] et mo
à devoir travailler pour gagner notre vie
7 Avez-vous jamais entendu dire qu'u
soldat serve dans l'armée à ses propre
frais ? ou qu'un homme ne mange pas d
raisin de la vigne qu'il a plantée ? o
qu'un *berger ne prenne pas de lait d
troupeau dont il s'occupe ?
8 Mais je ne me fonde pas seulemen
sur des exemples tirés de la vie courant
car la *loi de Moïse dit la même chos
9 Il est en effet écrit dans cette loi : « Vou

---

j **8.1** Comparer Act 15.20,29.
k **8.5** Paul fait allusion ici aux divinités de la religion grecque. Voir aussi 10.20-21.
l **8.8** Comparer Rom 14.17.
m **9.1** Comparer Act 22.17-18 ; 26.16.
n **9.6** *Barnabas* : voir Act 9.27 ; 11.22-25,30 ; etc.

ne mettrez pas une muselière à un bœuf
qui foule le blé[o]. » Dieu s'inquiète-t-il des
bœufs ? 10 N'est-ce pas en réalité pour
nous qu'il a parlé ainsi ? Assurément,
cette parole a été écrite pour nous. Il faut
que celui qui laboure et celui qui bat le
blé le fassent avec l'espoir d'obtenir leur
part de la récolte. 11 Nous avons semé en
vous une semence spirituelle : serait-il
alors excessif que nous récoltions une
part de vos biens matériels[p] ? 12 Si d'autres ont ce droit sur vous, ne l'avons-nous
pas à plus forte raison ?

Cependant, nous n'avons pas usé de ce
droit. Au contraire, nous avons tout supporté pour ne pas placer d'obstacle sur le
chemin de la Bonne Nouvelle du *Christ.
13 Vous savez sûrement que ceux qui sont
en fonction dans le *temple reçoivent
leur nourriture du temple, et que ceux
qui présentent les *sacrifices sur *l'autel
reçoivent leur part de ces sacrifices[q].
14 De même, le Seigneur a ordonné que
ceux qui annoncent la Bonne Nouvelle
vivent de cette activité[r].

15 Mais je n'ai usé d'aucun de ces
droits, et je n'écris pas cela pour demander à en profiter. J'aimerais mieux mourir ! Personne ne m'enlèvera ce sujet de
fierté ! 16 Je n'ai pas à me vanter d'annoncer la Bonne Nouvelle. C'est en effet une
obligation qui m'est imposée, et malheur
à moi si je n'annonce pas la Bonne Nouvelle. 17 Si j'avais choisi moi-même cette
tâche, j'aurais droit à un salaire ; mais
puisqu'elle m'est imposée, je m'acquitte
simplement de la charge qui m'est
confiée. 18 Quel est alors mon salaire ?
C'est la satisfaction d'annoncer la Bonne
Nouvelle gratuitement, sans user des
droits que me confère la prédication de
cette Bonne Nouvelle.

19 Je suis libre, je ne suis l'esclave de
personne ; cependant je me suis fait l'esclave de tous afin d'en gagner le plus
grand nombre possible au Christ. 20 Lorsque j'ai affaire aux Juifs, je vis comme un
Juif, afin de les gagner ; bien que je ne
sois pas soumis à la loi de Moïse, je vis
comme si je l'étais lorsque j'ai affaire à
ceux qui sont soumis à cette loi, afin de
les gagner. 21 De même, lorsque je suis
avec ceux qui ignorent la loi de Moïse, je
vis comme eux, sans tenir compte de
cette loi, afin de les gagner. Cela ne veut
pas dire que je suis indifférent à la loi de
Dieu, car je suis soumis à la loi du Christ.
22 Avec ceux qui sont faibles dans la foi, je
vis comme si j'étais faible moi-même,
afin de les gagner. Ainsi, je me fais tout à
tous afin d'en sauver de toute manière
quelques-uns. 23 Je fais tout cela pour la
Bonne Nouvelle, afin d'avoir part aux
biens qu'elle promet.

24 Vous savez sûrement que les coureurs dans le stade courent tous, mais
qu'un seul remporte le prix. Courez donc
de manière à remporter le prix. 25 Tous les
athlètes à l'entraînement s'imposent une
discipline sévère. Ils le font pour gagner
une *couronne qui se fane vite ; mais
nous, nous le faisons pour gagner une
couronne qui ne se fanera jamais. 26 C'est
pourquoi je cours les yeux fixés sur le
but ; c'est pourquoi je suis semblable au
boxeur qui ne frappe pas au hasard. 27 Je
traite durement mon corps et je le maîtrise sévèrement, afin de ne pas être moi-
même disqualifié après avoir prêché aux
autres.

Mise en garde contre les idoles

10 1 Je veux que vous vous rappeliez,
frères, ce qui est arrivé à nos ancêtres du temps de Moïse. Ils ont tous été
sous la protection du nuage et ils ont tous
passé à travers la mer Rouge[s]. 2 Dans le
nuage et dans la mer, ils ont tous été baptisés en communion avec Moïse. 3 Ils ont
tous mangé la même nourriture spirituelle 4 et ils ont tous bu la même boisson
spirituelle : ils buvaient en effet au rocher
spirituel qui les accompagnait[t], et ce ro-

---

o **9.9** Voir Deut 25.4 et la note. Comparer 1 Tim 5.18.
p **9.11** Comparer Rom 15.27.
q **9.13** Voir Lév 6.9,19 ; Deut 18.1-3.
r **9.14** Voir Matt 10.10 ; Luc 10.7.
s **10.1** *nuage* : il s'agit de la *colonne de fumée* dont parle l'Exode ; voir Ex 13.21-22 ; 14.19-20. – *à travers la mer Rouge* : voir Ex 14.22-29.
t **10.4** *v. 3* : voir Ex 16.35. – *v. 4* : *rocher spirituel qui les accompagnait* : Paul semble reprendre ici un enseignement des rabbins, selon lequel le rocher dont il est question en Nomb 20.8-11 accompagnait Israël dans ses déplacements au désert.

cher était le *Christ. 5 Pourtant, la plupart d'entre eux ne furent pas agréables à
Dieu et c'est pourquoi ils tombèrent
morts dans le désert[u].

6 Ces événements nous servent d'exemples, pour que nous n'ayons pas de mauvais désirs comme ils en ont eu[v]. 7 Ne
vous mettez pas à adorer des idoles
comme certains d'entre eux l'ont fait.
Ainsi que le déclare l'Écriture : « Les
gens s'assirent pour manger et boire, puis
ils se levèrent pour se divertir[w]. » 8 Ne
nous livrons pas non plus à la débauche,
comme certains d'entre eux l'ont fait et
vingt-trois mille personnes tombèrent
mortes en un seul jour[x]. 9 Ne mettons pas
le Christ à l'épreuve, comme certains
d'entre eux l'ont fait et ils moururent de
la morsure des serpents[y]. 10 Enfin, ne
vous plaignez pas, comme certains d'entre eux l'ont fait et ils furent exterminés
par *l'ange de la mort[z].

11 Ces malheurs leur arrivèrent pour
servir d'exemple à d'autres ; ils ont été mis
par écrit pour nous avertir, car nous vivons en un temps proche de la fin. 12 Par
conséquent, que celui qui pense être debout prenne garde de ne pas tomber.
13 Les tentations que vous avez connues
ont toutes été de celles qui se présentent
normalement aux hommes. Dieu est fidèle à ses promesses et il ne permettra pas
que vous soyez tentés au-delà de vos forces ; mais, au moment où surviendra la
tentation, il vous donnera la force de la
supporter et, ainsi, le moyen d'en sortir.

14 C'est pourquoi, mes chers amis, gardez-vous du culte des idoles. 15 Je vous
parle comme à des personnes raisonnables ; jugez vous-mêmes de ce que je
dis. 16 Pensez à la coupe de la Cène pour
laquelle nous remercions Dieu : lorsque
nous en buvons, ne nous met-elle pas en
communion avec le sang du Christ ? Et
le pain que nous rompons : lorsque nous
en mangeons, ne nous met-il pas en
communion avec le corps du Christ[a] ?
17 Il y a un seul pain ; aussi, bien que
nous soyons nombreux, nous formons
un seul corps, car nous avons tous part
au même pain.

18 Voyez le peuple *d'Israël : ceux qui
mangent les victimes *sacrifiées sont en
communion avec Dieu auquel *l'autel est
consacré[b]. 19 Est-ce que je veux dire par là
qu'une idole ou que la viande qui lui est
offerte en sacrifice ont une valeur quelconque ? 20 Non, mais j'affirme que ce
que les païens sacrifient est offert aux démons et non à Dieu[c]. Or, je ne veux pas
que vous soyez en communion avec des
démons. 21 Vous ne pouvez pas boire à la
fois à la coupe du Seigneur et à la coupe
des démons ; vous ne pouvez pas manger
à la fois à la table du Seigneur et à la table
des démons. 22 Ou bien voulons-nous
susciter la jalousie du Seigneur[d] ? Pensez-vous que nous soyons plus forts que
lui ?

Agir en tout pour la gloire de Dieu

23 « Tout est permis », dites-vous[e]. Oui,
cependant tout n'est pas bon. « Tout est
permis », cependant tout n'est pas utile
pour la communauté. 24 Que personne ne
cherche son propre intérêt, mais plutôt
celui des autres.

25 Vous êtes libres de manger tout ce
qui se vend au marché de la viande sans
avoir à poser des questions par motif de
conscience ; 26 car, comme il est écrit
« c'est au Seigneur qu'appartient la terre
avec tout ce qu'elle contient[f] ».

27 Si un non-croyant vous invite à un
repas et que vous acceptiez d'y aller, mangez de tout ce qu'on vous servira, sans poser de question par motif de conscience.
28 Mais si quelqu'un vous dit : « Cette
viande provient d'un *sacrifice offert aux
idoles », alors n'en mangez pas, à cause de

---

u **10.5** Comparer Nomb 14.16.
v **10.6** Voir Nomb 11.4.
w **10.7** Ex 32.6.
x **10.8** Voir Nomb 25.1-18.
y **10.9** *le Christ* : certains manuscrits ont *le Seigneur*. – Pour l'ensemble du verset, voir Nomb 21.5-6.
z **10.10** Voir Nomb 17.6-14.
a **10.16** Voir Matt 26.26-28 ; Marc 14.22-24 ; Luc 22.19-20.
b **10.18** Voir Lév 7.6,15-16.
c **10.20** *démons* : voir 1 Tim 4.1 et la note. – *sacrifient... non à Dieu* : Deut 32.17, cité d'après l'ancienne version grecque.
d **10.22** Comparer Deut 32.21.
e **10.23** Comparer 6.12.
f **10.26** Ps 24.1.

celui qui a fait cette remarque et par motif de conscience 29 – je parle ici non pas
de votre conscience, mais de celle de l'autre.

« Mais pourquoi, demandera-t-on, ma
liberté devrait-elle être limitée par la
conscience de quelqu'un d'autre ? 30 Si je
remercie Dieu pour ce que je mange,
pourquoi me critiquerait-on au sujet de
cette nourriture pour laquelle j'ai dit
merci ? »

31 Ainsi, que vous mangiez, que vous
buviez, ou que vous fassiez quoi que ce
soit, faites tout pour la *gloire de Dieu.
32 Vivez de façon à ne scandaliser ni les
Juifs, ni les non-Juifs, ni l'Église de Dieu.
33 Comportez-vous comme moi : je m'efforce de plaire à tous en toutes choses ; je
ne cherche pas mon propre bien, mais le
bien d'une multitude de gens, afin qu'ils
soient sauvés.

11 1 Suivez mon exemple, comme je
suis l'exemple du *Christ.

La femme doit se couvrir la tête pendant le culte

2 Je vous félicite : vous vous souvenez
de moi en toute occasion et vous suivez
les instructions que je vous ai transmises.
3 Cependant, je veux que vous compreniez ceci : le *Christ est le chef de tout
homme, le mari est le chef de sa femme,
et Dieu est le chef du Christ. 4 Si donc,
pendant le culte, un homme a la tête[g]
couverte lorsqu'il prie ou donne des messages reçus de Dieu, il déshonore le
Christ. 5 Mais si une femme est tête nue
lorsqu'elle prie ou donne des messages
reçus de Dieu, elle déshonore son mari ;
elle est comme une femme aux cheveux
tondus. 6 Si une femme ne se couvre pas
la tête, elle pourrait tout aussi bien se
couper la chevelure ! Mais puisqu'il est
honteux pour une femme de se couper les
cheveux ou de les tondre, il faut alors
qu'elle se couvre la tête. 7 L'homme n'a
pas besoin de se couvrir la tête, parce
qu'il reflète l'image et la *gloire de Dieu.
Mais la femme reflète la gloire de
l'homme ; 8 en effet, l'homme n'a pas été
créé à partir de la femme, mais c'est la
femme qui a été créée à partir de
l'homme. 9 Et l'homme n'a pas été créé
pour la femme, mais c'est la femme qui a
été créée pour l'homme[h]. 10 C'est pourquoi, à cause des *anges[i], la femme doit
avoir sur la tête un signe marquant ses
responsabilités. 11 Cependant, dans notre
vie avec le Seigneur, la femme n'est pas
indépendante de l'homme et l'homme
n'est pas indépendant de la femme. 12 Car
de même que la femme a été créée à partir
de l'homme, de même l'homme naît de la
femme, et tout vient de Dieu.

13 Jugez-en vous-mêmes : est-il convenable qu'une femme soit tête nue
lorsqu'elle prie Dieu pendant le culte ?
14 La nature elle-même vous enseigne
qu'il est indécent pour l'homme de porter les cheveux longs, 15 tandis que c'est
un honneur pour la femme de les porter
ainsi. En effet, les cheveux longs ont été
donnés à la femme pour lui servir de
voile. 16 Mais si quelqu'un désire encore
discuter à ce sujet, qu'il sache simplement ceci : ni les Églises de Dieu, ni
nous-mêmes n'avons d'autre coutume
dans le culte.

Le repas du Seigneur

(Voir aussi Matt 26.26-29 ; Marc 14.22-25 ; Luc 22.15-20)

17 En passant aux remarques qui suivent, je ne peux pas vous féliciter, car vos
réunions vous font plus de mal que de
bien. 18 Tout d'abord, on m'a dit que lorsque vous tenez des assemblées, il y a
parmi vous des groupes rivaux, – et je le
crois en partie. 19 Il faut bien qu'il y ait
des divisions parmi vous pour qu'on
puisse reconnaître ceux d'entre vous qui
sont vraiment fidèles. – 20 Quand vous
vous réunissez, ce n'est pas le repas du
Seigneur que vous prenez : 21 en effet, dès

---

g 11.4 En grec, le même mot désigne la *tête* et le *chef*. Dans tout ce passage Paul joue sur le double sens de ce mot grec.

h 11.9 *v. 7* : *l'image et la gloire de Dieu* : voir Gen 1.26-27. – *v. 8-9* : voir Gen 2.18-23.

i 11.10 L'interprétation de ce verset reste contestée. Pour certains, *à cause des anges* serait une allusion aux anges en tant que gardiens de l'ordre voulu par Dieu ; pour d'autres, il serait question ici de puissances angéliques à l'égard desquelles la femme devrait être protégée.

que vous êtes à table, chacun se hâte de
prendre son propre repas, de sorte que
certains ont faim tandis que d'autres
s'enivrent. 22 N'avez-vous pas vos maisons pour y manger et y boire ? Ou bien
méprisez-vous l'Église de Dieu et voulez-
vous humilier ceux qui n'ont rien ?
Qu'attendez-vous que je vous dise ?
Faut-il que je vous félicite ? Non, je ne
peux vraiment pas vous féliciter !
23 En effet, voici l'enseignement que
j'ai reçu du Seigneur et que je vous ai
transmis : Le Seigneur Jésus, dans la nuit
où il fut livré, prit du pain 24 et, après
avoir remercié Dieu, il le rompit et dit :
« Ceci est mon corps, qui est pour vous.
Faites ceci en mémoire de moi. » 25 De
même, il prit la coupe après le repas et
dit : « Cette coupe est la nouvelle *alliance de Dieu, garantie par mon sang.
Toutes les fois que vous en boirez,
faites-le en mémoire de moi[j]. » 26 En effet,
jusqu'à ce que le Seigneur vienne, vous
annoncez sa mort toutes les fois que vous
mangez de ce pain et que vous buvez de
cette coupe.
27 C'est pourquoi, celui qui mange le
pain du Seigneur ou boit de sa coupe de
façon indigne, se rend coupable de péché
envers le corps et le sang du Seigneur.
28 Que chacun donc s'examine soi-même
et qu'il mange alors de ce pain et boive de
cette coupe ; 29 car si quelqu'un mange du
pain et boit de la coupe sans reconnaître
leur relation avec le corps du Seigneur, il
attire ainsi le jugement sur lui-même.
30 C'est pour cette raison que beaucoup
d'entre vous sont malades et faibles, et
que plusieurs sont morts. 31 Si nous
commencions par nous examiner nous-
mêmes, nous éviterions de tomber sous le
jugement de Dieu. 32 Mais nous sommes
jugés et corrigés par le Seigneur afin que
nous ne soyons pas condamnés avec le
monde.
33 Ainsi, mes frères, lorsque vous vous
réunissez pour prendre le repas du Seigneur, attendez-vous les uns les autres.
34 Si quelqu'un a faim, qu'il mange chez
lui, afin que vous n'attiriez pas le jugement de Dieu sur vous dans vos réunions. Quant aux autres questions, je les
réglerai quand je serai arrivé chez vous.

Les dons du Saint-Esprit

12 1 Parlons maintenant des dons du
Saint-Esprit : Frères, je désire que
vous connaissiez la vérité à propos de ces
dons. 2 Vous savez que lorsque vous étiez
encore païens, vous étiez entraînés irrésistiblement vers les idoles muettes.
3 C'est pourquoi je tiens à vous l'affirmer :
aucun être guidé par l'Esprit de Dieu ne
peut s'écrier : « Maudit soit Jésus ! », et
personne ne peut déclarer : « Jésus est le
Seigneur ! », s'il n'est pas guidé par le
Saint-Esprit.
4 Il y a diverses sortes de dons spirituels, mais c'est le même Esprit qui les
accorde. 5 Il y a diverses façons de servir,
mais c'est le même Seigneur que l'on sert.
6 Il y a diverses activités, mais c'est le
même Dieu qui les produit toutes en
tous. 7 En chacun l'Esprit Saint se manifeste par un don pour le bien de tous.
8 L'Esprit donne à l'un de parler selon la
sagesse, et à un autre le même Esprit
donne de parler selon la connaissance.
9 Ce seul et même Esprit donne à l'un une
foi exceptionnelle et à un autre le pouvoir
de guérir les malades. 10 L'Esprit accorde
à l'un de pouvoir accomplir des miracles,
à un autre le don de transmettre des messages reçus de Dieu, à un autre encore la
capacité de distinguer les faux esprits du
véritable Esprit. A l'un il donne la possibilité de parler en des langues inconnues
et à un autre la possibilité d'interpréter
ces langues. 11 C'est le seul et même Esprit qui produit tout cela ; il accorde à
chacun un don différent, comme il le
veut[k].

Un seul corps avec plusieurs parties

12 Eh bien, le *Christ est semblable à
un corps qui se compose de plusieurs par
ties. Toutes ses parties, bien que nombreuses, forment un seul corps[l]. 13 Et
nous tous, Juifs ou non-Juifs, esclaves ou
hommes libres, nous avons été baptisés

---

j **11.25** Comparer Ex 24.6-8 ; Jér 31.31-34.
k **12.11** *v. 4-11* : comparer Rom 12.6-8.
l **12.12** Comparer Rom 12.4-5.

pour former un seul corps par le même
Esprit Saint et nous avons tous eu à boire
de ce seul Esprit.
14 Le corps ne se compose pas d'une
seule partie, mais de plusieurs. 15 Si le
pied disait : « Je ne suis pas une main,
donc je n'appartiens pas au corps », il ne
cesserait pas pour autant d'être une partie
du corps. 16 Et si l'oreille disait : « Je ne
suis pas un œil, donc je n'appartiens pas
au corps », elle ne cesserait pas pour autant d'être une partie du corps. 17 Si tout
le corps n'était qu'un œil, comment
pourrait-il entendre ? Et s'il n'était
qu'une oreille, comment pourrait-il sentir les odeurs ? 18 En réalité, Dieu a disposé chacune des parties du corps comme
il l'a voulu. 19 Il n'y aurait pas de corps s'il
ne se trouvait en tout qu'une seule partie ! 20 En fait, il y a plusieurs parties et un
seul corps.
21 L'œil ne peut donc pas dire à la
main : « Je n'ai pas besoin de toi ! » Et la
tête ne peut pas dire non plus aux pieds :
« Je n'ai pas besoin de vous ! » 22 Bien
plus, les parties du corps qui paraissent
les plus faibles sont indispensables ;
23 celles que nous estimons le moins,
nous les entourons de plus de soin que
les autres ; celles dont il est indécent de
parler sont traitées avec des égards particuliers 24 qu'il n'est pas nécessaire d'accorder aux parties plus convenables de
notre corps. Dieu a disposé le corps de
manière à donner plus d'honneur aux
parties qui en manquent : 25 ainsi, il n'y a
pas de division dans le corps, mais les
différentes parties ont toutes un égal
souci les unes des autres. 26 Si une partie
du corps souffre, toutes les autres souffrent avec elle ; si une partie est honorée,
toutes les autres s'en réjouissent avec
elle.
27 Or, vous êtes le corps du Christ, et
chacun de vous est une partie de ce corps.
28 C'est ainsi que, dans l'Église, Dieu a
établi premièrement des *apôtres,
deuxièmement des *prophètes et troi-
sièmement des enseignants[m] ; ensuite, il
y a ceux qui accomplissent des miracles,
puis ceux qui peuvent guérir les malades,
ceux qui ont le don d'aider ou de diriger
les autres, ou encore de parler en des langues inconnues. 29 Tous ne sont pas
apôtres, ou prophètes, ou enseignants.
Tous n'ont pas le don d'accomplir des
miracles, 30 ou de guérir les malades, ou
de parler en des langues inconnues ou
d'interpréter ces langues. 31 Ainsi, désirez
les dons les plus importants.
Mais[n] je vais vous montrer maintenant
le chemin qui est supérieur à tout.

L'amour

13 1 Supposons que je parle les langues des hommes et même celles
des *anges : si je n'ai pas d'amour, je ne
suis rien de plus qu'un métal qui résonne
ou qu'une cymbale bruyante. 2 Je pourrais transmettre des messages reçus de
Dieu, posséder toute la connaissance et
comprendre tous les mystères, je pourrais
avoir la foi capable de déplacer des montagnes[o], si je n'ai pas d'amour, je ne suis
rien. 3 Je pourrais distribuer tous mes
biens aux affamés et même livrer mon
corps aux flammes[p], si je n'ai pas
d'amour, cela ne me sert à rien.
4 Qui aime est patient et bon, il n'est
pas envieux, ne se vante pas et n'est pas
prétentieux ; 5 qui aime ne fait rien de
honteux, n'est pas égoïste, ne s'irrite pas
et n'éprouve pas de rancune ; 6 qui aime
ne se réjouit pas du mal, il se réjouit de la
vérité. 7 Qui aime supporte tout et garde
en toute circonstance la foi, l'espérance et
la patience.
8 L'amour est éternel. Les messages divins cesseront un jour, le don de parler en
des langues inconnues prendra fin, la
connaissance disparaîtra. 9 En effet, notre
connaissance est incomplète et notre annonce des messages divins est limitée ;
10 mais quand viendra la perfection, ce
qui est incomplet disparaîtra.
11 Lorsque j'étais enfant, je parlais,
pensais et raisonnais comme un enfant ;

---

m **12.28** Comparer Éph 4.11. – Les *enseignants* sont des membres de l'Église chargés d'enseigner ce qui concerne la foi.

n **12.31** *Ainsi, désirez... Mais* : autre traduction *Vous désirez..., mais...*

o **13.2** Comparer Matt 17.20 ; 21.21 ; Marc 11.23.

p **13.3** *aux flammes* : certains manuscrits ont *pour en tirer orgueil*.

mais une fois devenu adulte, j'ai abandonné tout ce qui est propre à l'enfant.
12 A présent, nous ne voyons qu'une
image confuse, pareille à celle d'un vieux
miroir[q] ; mais alors, nous verrons face à
face. A présent, je ne connais qu'in-
complètement ; mais alors, je connaîtrai
Dieu complètement, comme lui-même
me connaît.
13 Maintenant, ces trois choses demeurent : la foi, l'espérance et l'amour ; mais
la plus grande des trois est l'amour.

Nouvelles remarques à propos des dons du Saint-Esprit

14 1 Cherchez donc avant tout à recevoir l'amour. Désirez aussi les
dons spirituels, surtout celui de transmettre les messages reçus de Dieu. 2 Celui
qui parle en des langues inconnues ne
parle pas aux hommes mais à Dieu, car
personne ne le comprend. Par la puissance de l'Esprit, il exprime des vérités
mystérieuses. 3 Mais celui qui transmet
des messages divins parle aux autres pour
les faire progresser dans la foi, pour les
encourager et pour les consoler. 4 Celui
qui parle en des langues inconnues est
seul à en tirer profit, tandis que celui qui
transmet des messages divins en fait profiter l'Église entière.
5 Je veux bien que vous parliez tous en
des langues inconnues, mais je désire encore plus que vous puissiez transmettre
des messages divins. En effet, celui qui
donne de tels messages est plus utile que
celui qui parle en des langues inconnues,
à moins que quelqu'un ne soit capable
d'expliquer ce qu'il dit afin que l'Église
entière en profite. 6 Ainsi, frères, je vous
le demande : quand je viendrai chez
vous, si je vous parle en des langues inconnues, en quoi vous serai-je utile ? A
rien, à moins que je ne vous communique
une révélation, une connaissance, un
message divin, ou encore un enseignement.
7 Prenons l'exemple d'instruments de
musique comme la flûte ou la harpe : si
les notes ne sont pas données distinctement, comment reconnaîtra-t-on la mé-
lodie jouée sur l'un ou l'autre de ces
instruments ? 8 Et si le joueur de trompette ne fait pas retentir un appel clair,
qui se préparera au combat ? 9 De même,
comment pourra-t-on comprendre de
quoi vous parlez si le message que vous
exprimez au moyen de langues inconnues n'est pas clair ? Vous parlerez
pour le vent ! 10 Il y a bien des langues différentes dans le monde, mais aucune
d'entre elles n'est dépourvue de sens.
11 Cependant, si je ne connais pas une
langue, celui qui la parle sera un étranger
pour moi et moi un étranger pour lui.
12 Ainsi, puisque vous désirez avec ardeur
les dons de l'Esprit, cherchez à être riches surtout de ceux qui font progresser
l'Église.
13 Par conséquent, celui qui parle en
des langues inconnues doit demander à
Dieu le don d'interpréter ces langues.
14 Car si je prie dans de telles langues,
mon esprit est bien en prière, mais mon
intelligence demeure inactive. 15 Que
vais-je donc faire ? Je prierai avec mon esprit, mais je prierai aussi avec mon intelligence ; je chanterai avec mon esprit,
mais je chanterai aussi avec mon intelligence. 16 En effet, si tu remercies Dieu
uniquement en esprit, comment celui qui
est un simple auditeur dans l'assemblée
pourra-t-il répondre « *Amen » à ta prière
de reconnaissance ? Il ne sait vraiment
pas ce que tu dis. 17 Même si ta prière de
reconnaissance est très belle, l'autre n'en
tire aucun profit.
18 Je remercie Dieu de ce que je parle
en des langues inconnues plus que vous
tous. 19 Mais, devant l'Église assemblée,
je préfère dire cinq mots compréhen-
sibles, afin d'instruire les autres, plutôt
que de prononcer des milliers de mots en
langues inconnues.
20 Frères, ne raisonnez pas comme des
enfants ; soyez des enfants par rapport au
mal, mais soyez des adultes quant à la façon de raisonner. 21 Voici ce que déclare
l'Écriture :
« C'est par des hommes de langue
étrangère que je m'adresserai à ce
peuple, dit le Seigneur,

q 13.12 Les *miroirs* de l'Antiquité étaient faits de métal poli, d'où leur relative imperfection.

je leur parlerai par la bouche d'étrangers.
Même alors ils ne voudront pas m'entendre[r]. »
22 Ainsi, le don de parler en langues inconnues est un signe pour les non-
croyants, mais non pour les croyants;
inversement, le don de transmettre des
messages divins est un signe pour les
croyants, mais non pour les non-
croyants.
23 Supposons donc que l'Église entière
s'assemble et que tous se mettent à parler
en des langues inconnues: si de simples
auditeurs ou des non-croyants entrent là
où vous vous trouvez, ne diront-ils pas
que vous êtes fous ? 24 Mais si tous transmettent des messages divins et qu'il entre
un non-croyant ou un simple auditeur, il
sera convaincu de son péché à cause de ce
qu'il entend. Il sera jugé par tout ce qu'il
entend 25 et ses pensées secrètes seront
mises en pleine lumière. Alors, il se cour-
bera le visage contre terre et adorera Dieu
en déclarant: « Dieu est vraiment parmi
vous ! »

L'ordre dans l'Église

26 Que faut-il en conclure, frères ?
Lorsque vous vous réunissez pour le
culte, l'un de vous peut chanter un cantique, un autre apporter un enseignement, un autre une révélation, un autre
un message en langues inconnues et un
autre encore l'interprétation de ce message: tout cela doit aider l'Église à progresser. 27 Si l'on se met à parler en des
langues inconnues, il faut que deux ou
trois au plus le fassent, chacun à son tour,
et que quelqu'un interprète ce qu'ils disent. 28 S'il ne se trouve personne pour les
interpréter, que chacun d'eux renonce
alors à s'exprimer à haute voix dans l'assemblée: qu'il parle seulement à lui-
même et à Dieu. 29 Quant à ceux qui reçoivent des messages divins, que deux ou
trois prennent la parole et que les autres
jugent de ce qu'ils disent. 30 Mais si une
autre personne présente reçoit une révélation de Dieu, il faut que celui qui parle
s'interrompe. 31 Vous pouvez tous donner, l'un après l'autre, des messages divins, afin que tous soient instruits et
encouragés. 32 Ceux qui transmettent de
tels messages doivent rester maîtres du
don qui leur est accordé, 33 car Dieu n'est
pas un Dieu qui suscite le désordre, mais
qui crée la paix.
Comme dans toutes les communautés
chrétiennes, 34 il faut que les femmes
gardent le silence dans les assemblées : il
ne leur est pas permis d'y parler. Comme
le dit la *loi de Dieu, elles doivent être
soumises. 35 Si elles désirent un renseignement, qu'elles interrogent leur
mari à la maison. Il n'est pas convenable
pour une femme de parler dans une assemblée.[s]
36 Ou bien serait-ce de chez vous que la
Parole de Dieu est venue ? ou serait-ce à
vous seuls qu'elle est parvenue ? 37 Si
quelqu'un pense être messager de Dieu
ou pense avoir un don spirituel, il doit reconnaître dans ce que je vous écris un
commandement du Seigneur. 38 Mais s'il
ne le reconnaît pas, qu'on ne tienne pas
compte de lui[t].
39 Ainsi, mes frères, cherchez avant
tout à transmettre des messages divins,
mais n'interdisez pas de parler en des
langues inconnues. 40 Seulement, que
tout se fasse avec dignité et ordre.

La *résurrection du Christ

15 1 Frères, je désire vous rappeler
maintenant la Bonne Nouvelle
que je vous ai annoncée, que vous avez reçue et à laquelle vous êtes fermement attachés. 2 C'est par elle que vous êtes
sauvés, si vous la retenez telle que je vous
l'ai annoncée; autrement, vous auriez
cru inutilement.
3 Je vous ai transmis avant tout cet enseignement que j'ai reçu moi-même: le
*Christ est mort pour nos péchés, comme
l'avaient annoncé les Écritures; 4 il a été
mis au tombeau et il est revenu à la vie le
troisième jour, comme l'avaient annoncé
les Écritures; 5 il est apparu à Pierre, puis

---

r **14.21** És 28.11-12.
s **14.35** Comparer 11.2-5.
t **14.38** *qu'on ne tienne pas compte de lui*: autre traduction, d'après certains manuscrits, *c'est que Dieu ne le connaît pas*.

aux douze *apôtres[u]. 6 Ensuite, il est apparu à plus de cinq cents de ses *disciples
à la fois – la plupart d'entre eux sont encore vivants, mais quelques-uns sont
morts –. 7 Ensuite, il est apparu à Jacques,
puis à tous les apôtres.

8 Enfin, après eux tous, il m'est aussi
apparu à moi, bien que je sois pareil à un
être né avant terme. 9 Je suis en effet le
moindre des apôtres – à vrai dire, je ne
mérite même pas d'être appelé apôtre –,
car j'ai persécuté l'Église de Dieu[v].
10 Mais par la grâce de Dieu je suis ce que
je suis, et la grâce qu'il m'a accordée n'a
pas été inefficace : au contraire, j'ai travaillé plus que tous les autres apôtres
– non pas moi, en réalité, mais la grâce de
Dieu qui agit en moi –. 11 Ainsi, que ce
soit moi, que ce soit eux, voilà ce que
nous prêchons, voilà ce que vous avez
cru.

Notre résurrection

12 Nous prêchons donc que le *Christ
est revenu d'entre les morts : comment
alors quelques-uns d'entre vous peuvent-
ils dire que les morts ne se relèveront
pas ? 13 Si tel est le cas, le Christ n'est pas
non plus *ressuscité ; 14 et si le Christ
n'est pas ressuscité, nous n'avons rien à
prêcher et vous n'avez rien à croire. 15 De
plus, il se trouve que nous sommes de
faux témoins de Dieu puisque nous
avons certifié qu'il a ressuscité le Christ ;
or, il ne l'a pas fait, s'il est vrai que les
morts ne ressuscitent pas. 16 Car si les
morts ne ressuscitent pas, le Christ non
plus n'est pas ressuscité. 17 Et si le Christ
n'est pas ressuscité, votre foi est une illusion et vous êtes encore en plein dans vos
péchés. 18 Il en résulte aussi que ceux qui
sont morts en croyant au Christ sont perdus. 19 Si nous avons mis notre espérance
dans le Christ uniquement pour cette
vie[w], alors nous sommes les plus à plaindre de tous les hommes.

20 Mais, en réalité, le Christ est revenu
d'entre les morts, en donnant ainsi la garantie que ceux qui sont morts ressusciteront également. 21 Car, de même que la
mort est venue par un homme, de même
la résurrection des morts vient par un
homme. 22 Tous les hommes meurent
parce qu'ils sont liés à Adam, de même
tous recevront la vie parce qu'ils sont liés
au Christ[x], 23 mais chacun à son propre
rang : le Christ le premier de tous, puis
ceux qui appartiennent au Christ, au moment où il viendra. 24 Ensuite arrivera la
fin : le Christ détruira toute autorité, tout
pouvoir et toute puissance spirituels, et il
remettra le *Royaume à Dieu le Père.
25 Car il faut que le Christ règne jusqu'à ce
que Dieu ait contraint tous les ennemis à
passer sous ses pieds[y]. 26 Le dernier ennemi qui sera détruit, c'est la mort. 27 En
effet, il est écrit : « Dieu lui a tout mis
sous les pieds[z]. » Mais il est clair que,
dans cette phrase, le mot « tout » n'inclut
pas Dieu, qui soumet toutes choses au
Christ. 28 Lorsque toutes choses auront
été soumises au Christ, alors lui-même, le
Fils, se soumettra à Dieu qui lui aura tout
soumis ; ainsi, Dieu régnera parfaitement
sur tout.

29 Pensez encore au cas de ceux qui se
font baptiser pour les morts[a] : qu'espè-
rent-ils obtenir ? S'il est vrai que les
morts ne ressuscitent pas, pourquoi se
font-ils baptiser pour eux ? 30 Et nous-
mêmes, pourquoi nous exposons-nous à
tout moment au danger ? 31 Frères, chaque jour je risque la mort : c'est vrai,
aussi vrai que je suis fier de vous dans la
communion avec Jésus-Christ notre Seigneur. 32 A quoi m'aurait-il servi de
combattre contre des bêtes sauvages, à
Éphèse, si c'était pour des motifs purement humains ? Si les morts ne ressuscitent pas, alors, comme on le dit
« mangeons et buvons, car demain nous
mourrons[b] ».

---

u **15.5** Références pour les versets 3 à 5 : *v. 3* : voir És 53.5-12. – *v. 4* : voir Ps 16.10 ; Osée 6.2. – *v. 5* : voir Luc 24.34 ; Matt 28.16-17 ; Marc 16.14 ; Luc 24.36 ; Jean 20.19.

v **15.9** *v. 8* : voir Act 9.3-6. – *v. 9* : voir Act 8.3.

w **15.19** *Si nous avons mis notre espérance... pour cette vie* : autre traduction *Si dans cette vie nous n'avons fait qu'espérer dans le Christ*.

x **15.22** *v. 21-22* : voir Gen 3.17-19 ; Rom 5.12-21.

y **15.25** Voir Ps 110.1.

z **15.27** Ps 8.7.

a **15.29** On ignore la nature exacte et le but de cette pratique.

b **15.32** És 22.13.

33 Ne vous y trompez pas : « Les mauvaises compagnies sont la ruine d'une
bonne conduite[c]. » 34 Revenez à la raison,
comme il convient, et cessez de pécher. Je
le dis à votre honte : certains d'entre vous
ne connaissent pas Dieu.

Le corps des ressuscités

35 « Mais, demandera-t-on, comment
les morts *ressuscitent-ils ? Quelle sorte
de corps auront-ils ? » 36 Insensé que tu
es ! Quand tu sèmes une graine, celle-ci
ne peut donner vie à une plante que si
elle meurt. 37 Ce que tu sèmes est une
simple graine, peut-être un grain de blé
ou une autre semence, et non la plante
elle-même qui va pousser. 38 Ensuite,
Dieu accorde à cette graine de donner
corps à la plante qu'il veut ; à chaque
graine correspond la plante qui lui est
propre.

39 Les êtres vivants n'ont pas tous la
même chair[d] : celle des humains diffère
de celle des animaux, autre est celle des
oiseaux et autre encore celle des poissons.

40 Il y a aussi des corps *célestes et des
corps terrestres ; les corps célestes ont un
éclat différent de celui des corps terrestres. 41 Le soleil possède son propre éclat,
la lune en a un autre et les étoiles un autre encore ; même parmi les étoiles,
l'éclat varie de l'une à l'autre.

42 Il en sera ainsi lorsque les morts se
relèveront. Quand le corps est mis en
terre, il est mortel ; quand il ressuscitera,
il sera immortel. 43 Quand il est mis en
terre, il est misérable et faible ; quand il
ressuscitera, il sera glorieux et fort.
44 Quand il est mis en terre, c'est un
corps matériel ; quand il ressuscitera, ce
sera un corps animé par l'Esprit. Il y a
un corps matériel, il y a donc aussi un
corps animé par l'Esprit. 45 En effet,
l'Écriture déclare : « Le premier homme,
Adam, devint un être vivant[e] » ; mais le
dernier Adam est l'Esprit qui donne la
vie. 46 Ce n'est pas le spirituel qui vient le
premier, mais le matériel : le spirituel
vient ensuite. 47 Le premier Adam a été
fait de la poussière du sol[f] ; le deuxième
Adam est venu du ciel. 48 Les êtres terrestres sont pareils à celui qui a été fait
de la poussière du sol, tandis que les
êtres célestes sont pareils à celui qui est
venu du ciel. 49 Et de même que nous
sommes à l'image de l'homme fait de
poussière du sol, de même nous serons à
l'image[g] de celui qui est du ciel.

50 Voici ce que je veux dire, frères : ce
qui est fait de chair et de sang ne peut pas
avoir part au *Royaume de Dieu, et ce
qui est mortel ne peut pas participer à
l'immortalité.

51 Je vais vous révéler un secret : nous
ne mourrons pas tous, mais nous serons
tous transformés 52 en un instant, en un
clin d'œil, au son de la dernière trompette. Car lorsqu'elle sonnera, les morts
ressusciteront pour ne plus mourir, et
nous serons tous transformés[h]. 53 En effet,
ce qui est périssable doit se revêtir de ce
qui est impérissable ; ce qui meurt doit se
revêtir de ce qui est immortel. 54 Lorsque
ce qui est périssable se sera revêtu de ce
qui est impérissable, et que ce qui meurt
se sera revêtu de ce qui est immortel,
alors se réalisera cette parole de l'Écriture : « La mort est supprimée ; la victoire est complète ! »
55 « Mort, où est ta victoire ?
Mort, où est ton pouvoir de tuer[i] ? »
56 La mort tient du péché son pouvoir de
tuer, et le péché tient son pouvoir de la
loi. 57 Mais loué soit Dieu qui nous donne
la victoire par notre Seigneur Jésus-
Christ !

58 Ainsi, mes chers frères, montrez-
vous fermes et inébranlables. Soyez
toujours plus actifs dans l'œuvre du
Seigneur, puisque vous savez que la
peine que vous vous donnez dans la
communion avec le Seigneur n'est jamais
perdue.

---

c **15.33** Ce verset cite un vers du poète grec Ménandre.

d **15.39** *la même chair... celle... celle... celle... celle...* : autre traduction *le même aspect... celui... celui... celui... celui...*.

e **15.45** Gen 2.7.

f **15.47** Voir Gen 2.7.

g **15.49** *nous serons à l'image* : certains manuscrits ont *soyons à l'image*.

h **15.52** *v. 51-52* : comparer 1 Thess 4.15-17.

i **15.55** *v. 54* : És 25.8. – *v. 55* : Osée 13.14, cité d'après l'ancienne version grecque.

La collecte en faveur des frères

16 1 Quelques mots encore à propos de la collecte en faveur des croyants de Jérusalem[j] : Agissez conformément aux instructions que j'ai données aux Églises de Galatie. 2 Chaque dimanche, chacun de vous doit mettre de côté chez lui ce qu'il aura économisé, selon ses possibilités, afin qu'on n'attende pas mon arrivée pour faire une collecte. 3 Lorsque je serai arrivé, j'enverrai ceux que vous aurez choisis, avec des lettres d'introduction, porter votre don à Jérusalem. 4 S'il vaut la peine que j'y aille aussi, ils feront le voyage avec moi.

Les projets de Paul

5 Je me rendrai chez vous après avoir traversé la Macédoine, car je vais y passer[k]. 6 Je resterai probablement quelque temps chez vous, peut-être même tout l'hiver ; alors, vous pourrez m'aider à poursuivre mon voyage, quelle que soit ma destination. 7 Car je ne veux pas vous voir juste en passant. J'espère demeurer un certain temps chez vous, si le Seigneur le permet.

8 Cependant, je compte rester à Éphèse, jusqu'au jour de la *Pentecôte. 9 Car une occasion favorable m'y est offerte de me livrer à une activité fructueuse, bien que les adversaires soient nombreux[l].

10 Si Timothée arrive[m], faites en sorte que rien ne le décourage chez vous, car il travaille comme moi à l'œuvre du Seigneur. 11 Que personne ne le méprise. Aidez-le plutôt à poursuivre son voyage en paix, pour qu'il puisse revenir auprès de moi, car je l'attends avec les frères.

12 Quant à notre frère Apollos, je l'ai souvent encouragé à se rendre chez vous avec les autres frères, mais il ne désire pas du tout le faire maintenant[n]. Cependant, il ira quand il en aura l'occasion.

Dernières recommandations et salutations

13 Veillez, demeurez fermes dans la foi, soyez courageux, soyez forts. 14 Agissez en tout avec amour.

15 Vous connaissez Stéphanas et sa famille[o] : vous savez qu'en Achaïe ils ont été les premiers à se convertir et qu'ils se sont mis au service de la communauté. Je vous le demande donc, frères : 16 laissez-vous diriger par de telles personnes et par tous ceux qui travaillent activement avec eux.

17 Je suis heureux de la venue de Stéphanas, Fortunatus et Achaïcus ; ils m'ont donné ce qui me manquait du fait de votre absence, 18 et ils m'ont réconforté comme ils l'ont fait pour vous-mêmes. Sachez apprécier de tels hommes !

19 Les Églises de la province d'Asie vous saluent. Aquilas et Priscille[p], avec l'Église qui se réunit chez eux, vous envoient leurs cordiales salutations dans la communion du Seigneur. 20 Tous les frères présents ici vous saluent.

Saluez-vous les uns les autres d'un baiser fraternel.

21 C'est de ma propre main que j'écris ces mots : Salutations de Paul.

22 Si quelqu'un n'aime pas le Seigneur qu'il soit maudit !

Marana tha – Notre Seigneur viens[q] ! –

23 Que la grâce du Seigneur Jésus soit avec vous.

24 Je vous aime tous dans la communion avec Jésus-Christ.

---

j **16.1** Voir Rom 15.25-26.
k **16.5** Voir Act 19.21.
l **16.9** *v. 8-9* : voir Act 19.8-10.
m **16.10** Voir 4.17.
n **16.12** *Apollos* : voir Act 18.24. – *il ne désire pas du tout le faire* : autre traduction *ce n'est pas du tout la volonté de Dieu qu'il vienne*.
o **16.15** Voir 1.16.
p **16.19** Voir Act 18.2.
q **16.22** *Marana tha* : expression araméenne conservée dans la liturgie. Certains lisent *Maran atha* : le Seigneur vient. – Comparer Apoc 22.20.

Deuxième lettre aux
Corinthiens

Introduction *– Cette seconde lettre laisse apparaître des relations beaucoup plus tendues ntre Paul et les chrétiens de Corinthe. Certains d'entre eux l'avaient gravement offensé et mettaient en doute la légitimité ou l'autorité de son titre d'apôtre. Paul réagit vivement, sans renoncer pour autant à exprimer son amour pour les Corinthiens et son désir de réconciliation. C'est pourquoi il témoigne de sa joie quand de meilleures nouvelles lui parviennent de Corinthe 7.5-15).*

Après avoir évoqué les graves dangers qu'il a dû affronter lui-même dans la région d'Éphèse 1.1-11), il rappelle les difficultés qu'il a rencontrées dans ses rapports avec les Corinthiens et ouligne l'importance de la charge d'apôtre (= d'envoyé) de Jésus-Christ. Il explique ainsi ourquoi il a dû faire preuve de sévérité dans une précédente lettre et combien il se réjouit que ette sévérité ait eu un résultat positif (1.12–7.16).

A propos d'une collecte en faveur des chrétiens de Judée (chap. 8–9), il invite les Corinhiens à être généreux car, dit-il, « vous connaissez la grâce de notre Seigneur Jésus-Christ : lui ui était riche, il s'est fait pauvre en votre faveur, afin de vous enrichir par sa pauvreté » (8.9).

La suite de la lettre (chap. 10–13) marque un net changement de ton : Paul s'en prend vioureusement à ceux qui l'accusent de n'être pas vraiment apôtre. La lettre s'achève sur une onclusion fraternelle mais brève (13.11-13).

Le ton personnel et parfois passionné de cette lettre ne doit pas induire en erreur : ce n'est pas a propre personne que l'apôtre cherche à défendre, ni un point de vue personnel auquel il serait articulièrement attaché. S'il lutte aussi fermement pour faire reconnaître son autorité d'apôre, c'est pour que l'Évangile soit pleinement accepté et le Christ vraiment reconnu comme le Seigneur.

Salutation

1 1 De la part de Paul, qui par la volonté
de Dieu est *apôtre de Jésus-Christ,
t de la part de Timothée, notre frère.

A l'Église de Dieu qui est à Corinthe
t à tous ceux qui appartiennent au peule de Dieu dans l'Achaïe entière[a] :
Que Dieu notre Père et le Seigneur
ésus-Christ vous accordent la grâce et la
aix.

Paul remercie Dieu

3 Louons Dieu, le Père de notre Seigneur Jésus-Christ, le Père riche en bonté, le Dieu qui accorde le réconfort en

---

a **1.1** *Corinthe* : voir Act 18.1 et la note. Sur le premier séjour de l'apôtre à Corinthe, voir Act 18.1-18. – *Achaïe* : province romaine correspondant à la moitié sud de la Grèce actuelle.

toute occasion[b] ! 4 Il nous réconforte dans
toutes nos détresses, afin que nous puissions réconforter ceux qui passent par toutes sortes de détresses en leur apportant le
réconfort que nous avons nous-mêmes
reçu de lui. 5 De même en effet que nous
avons abondamment part aux souffrances
du *Christ, de même nous recevons aussi
un grand réconfort par le Christ. 6 Si nous
sommes en difficulté, c'est pour que vous
obteniez le réconfort et le salut ; si nous
sommes réconfortés, c'est pour que vous
receviez le réconfort qui vous fera supporter avec patience les mêmes souffrances
que nous subissons. 7 Ainsi, nous avons
un ferme espoir à votre sujet ; car, nous le
savons, comme vous avez part à nos souffrances, vous avez aussi part au réconfort
qui nous est accordé.

8 Nous voulons en effet que vous sachiez, frères, par quelles détresses nous
avons passé dans la province d'Asie : le
poids en a été si lourd pour nous, si insupportable, que nous désespérions de
conserver la vie[c]. 9 Nous avions l'impression que la peine de mort avait été décidée
contre nous. Cependant, il en fut ainsi
pour que nous apprenions à ne pas placer
notre confiance en nous-mêmes, mais
uniquement en Dieu qui ramène les
morts à la vie. 10 C'est lui qui nous a délivrés d'une telle mort[d] et qui nous en délivrera encore ; oui, nous avons cette
espérance en lui qu'il nous délivrera encore, 11 et vous y contribuerez vous-mêmes en priant pour nous. Ainsi, Dieu
répondra aux prières faites par beaucoup
en notre faveur, il nous accordera ce bienfait et beaucoup le remercieront à notre
sujet.

Paul change ses projets

12 Voici en quoi nous pouvons être
fiers : comme notre conscience en témoigne, nous nous sommes conduits
dans le monde, et particulièrement envers vous, avec la simplicité[e] et la sincérité qui viennent de Dieu, en étant guidés
par sa grâce et non par la sagesse humaine. 13 En effet, dans nos lettres nous
ne vous écrivons rien d'autre que ce que
vous y lisez et comprenez. Et j'espère que
vous parviendrez à comprendre parfaitement ceci 14 – que vous comprenez maintenant en partie seulement – : au jour de
la venue de Jésus, notre Seigneur, vous
pourrez être fiers de nous comme nous le
serons de vous.

15 J'avais une telle confiance à cet égard
que j'avais d'abord projeté d'aller chez
vous afin qu'un double bienfait vous soit
accordé[f]. 16 Je voulais, en effet, passer
chez vous, puis me rendre en Macédoine
et vous revoir à mon retour[g] : vous m'auriez alors aidé à poursuivre mon voyage
vers la Judée. 17 En formant ce projet, ai-je
donc fait preuve de légèreté ? Les plans
que j'établis sont-ils inspirés par des motifs purement humains, de sorte que je serais prêt à dire « oui » et « non » en même
temps ? 18 Dieu m'en est témoin, ce que je
vous ai dit n'était pas à la fois « oui » et
« non ». 19 Car Jésus-Christ, le *Fils de
Dieu, que nous avons annoncé chez vous,
Silas, Timothée et moi-même[h], n'est pas
venu pour dire « oui » et « non ». Au
contraire, en lui il n'y a jamais eu que
« oui » : 20 en effet, il est le « oui » qui
confirme toutes les promesses de Dieu
C'est donc par Jésus-Christ que nous disons notre « *amen » pour rendre *gloire
à Dieu. 21 Et c'est Dieu lui-même qui
nous affermit avec vous dans la vie avec le
*Christ. Dieu lui-même nous a choisis
22 il nous a marqués à son nom et il a répandu dans nos cœurs le Saint-Esprit
comme garantie des biens qu'il nous réserve.

23 J'en prends Dieu à témoin – qu'il me
fasse mourir si je mens – : c'est pour vous
épargner que j'ai décidé de ne pas retourner à Corinthe. 24 Nous ne cherchons pa

---

b **1.3** *réconfort en toute occasion* : comparer És 40.1 ; Ps 94.19.

c **1.8** Comparer 1 Cor 15.32. – La *province d'Asie* était une province romaine dont Éphèse était la capitale.

d **1.10** *d'une telle mort* : autre traduction, d'après certains manuscrits, *de dangers de mort aussi graves*.

e **1.12** *simplicité* : certains manuscrits ont *sainteté*.

f **1.15** *un double bienfait vous soit accordé* : certains manuscrits ont *une double joie vous soit accordée*.

g **1.16** *Macédoine* : province romaine (capitale Thessalonique) correspondant à la moitié nord de la Grèce actuelle. – Voir Act 19.21.

h **1.19** Voir Act 18.5.

à vous imposer ce que vous devez croire,
car vous tenez bon dans la foi ; mais nous
désirons contribuer à votre bonheur.

2 1 Ainsi, j'ai décidé de ne pas retourner chez vous, pour ne pas vous attrister de nouveau. 2 Car si je vous
attriste, qui me donnera encore de la
joie ? Celui que j'aurai attristé le pourrait-
il ? 3 Voilà pourquoi je vous ai écrit
comme je l'ai fait[i] : je ne voulais pas, en
arrivant chez vous, être attristé par les
personnes mêmes qui devraient me donner de la joie. J'en suis en effet
convaincu : lorsque j'éprouve de la joie,
vous aussi vous en êtes tous heureux.
4 Oui, je vous ai écrit en pleine angoisse,
le cœur lourd et avec beaucoup de larmes, non pour vous attrister, mais pour
que vous sachiez à quel point je vous
aime.

Pardonner au coupable

5 Si quelqu'un a été une cause de tristesse, ce n'est pas pour moi qu'il l'a été,
mais pour vous tous, ou du moins, n'exa-
gérons pas, pour une partie d'entre vous[j].
6 Il suffit pour cet homme d'avoir été
blâmé par la majorité d'entre vous ; 7 c'est
pourquoi, maintenant, vous devez plutôt
lui pardonner et l'encourager, pour éviter
qu'une trop grande tristesse ne le
conduise au désespoir. 8 Par conséquent,
je vous le demande, donnez-lui la preuve
de votre amour à son égard. 9 Voici en effet pourquoi je vous ai écrit : je désirais
vous mettre à l'épreuve pour voir si vous
êtes toujours prêts à obéir à mes instructions. 10 Quand vous pardonnez à
quelqu'un une faute, je lui pardonne
aussi. Et si je pardonne – pour autant que
j'aie à pardonner quelque chose – je le
fais pour vous, devant le *Christ, 11 afin
de ne pas laisser *Satan prendre l'avantage sur nous ; nous connaissons en effet
fort bien ses intentions.

L'inquiétude de Paul à Troas

12 Quand je suis arrivé à Troas pour y
annoncer la Bonne Nouvelle du *Christ,
j'ai découvert que le Seigneur m'y offrait
une occasion favorable de le faire. 13 Cependant, j'étais profondément inquiet
parce que je n'avais pas trouvé notre frère
Tite. C'est pourquoi j'ai fait mes adieux
aux gens de Troas et je suis parti pour la
Macédoine[k].

La victoire en Jésus-Christ

14 Mais loué soit Dieu, car il nous entraîne sans cesse dans le cortège de victoire du *Christ. Par nous, il fait
connaître le Christ en tout lieu, comme
un parfum dont l'odeur se répand partout. 15 Nous sommes en effet comme un
parfum à l'odeur agréable offert par le
Christ à Dieu ; nous le sommes pour[l]
ceux qui sont sur la voie du salut et pour
ceux qui se perdent. 16 Pour les uns, c'est
une odeur de mort qui mène à la mort ;
pour les autres, c'est une odeur de vie
qui mène à la vie. Qui donc est qualifié
pour une telle mission ? 17 Nous ne sommes pas comme tant d'autres qui se livrent au trafic de la parole de Dieu ; au
contraire, parce que c'est Dieu qui nous
a envoyés, nous parlons avec sincérité en
sa présence, en communion avec le
Christ.

Serviteurs de la nouvelle alliance

3 1 Cherchons-nous encore à nous recommander nous-mêmes ? Ou bien
aurions-nous besoin, comme certains, de
vous présenter des lettres de recommandation ou de vous en demander ? 2 C'est
vous-mêmes qui êtes notre lettre, écrite
dans nos cœurs et que tout le monde peut
connaître et lire. 3 Oui, il est clair que
vous êtes une lettre écrite par le *Christ
et transmise par nous. Elle est écrite non
pas avec de l'encre, mais avec l'Esprit du
Dieu vivant ; elle est gravée non pas sur
des tablettes de pierre, mais dans des
cœurs humains[m].
4 Nous parlons ainsi en raison de la
confiance que nous avons en Dieu par le

---

i **2.3** Allusion à une lettre probablement perdue pour nous. Voir aussi 7.8.

j **2.5** *pour une partie d'entre vous* : autre traduction *dans une certaine mesure*.

k **2.13** *v. 12-13* : voir Act 20.1.

l **2.15** *comme un parfum... par le Christ à Dieu : nous le sommes pour...* : autre traduction *au service de Dieu la bonne odeur de la parole du Christ pour...*

m **3.3** Voir Ex 24.12 ; Jér 31.33 ; Ézék 11.19 ; 36.26.

Christ. 5 En effet, nous ne saurions prétendre accomplir une telle tâche grâce à notre capacité personnelle. Ce que nous sommes capables de faire vient de Dieu ; 6 c'est lui qui nous a rendus capables d'être serviteurs de la nouvelle *alliance, qui ne dépend pas d'une loi écrite mais de l'Esprit Saint. La loi écrite mène à la mort, mais l'Esprit mène à la vie[n].

7 La loi a été gravée lettre par lettre sur des tablettes de pierre et la *gloire de Dieu a resplendi à ce moment-là. Le visage de Moïse brillait d'un tel éclat que les Israélites ne pouvaient pas fixer leurs regards sur lui[o], et pourtant cet éclat était passager. Si la loi, dont la fonction avait pour effet de mener à la mort, est apparue avec une telle gloire, 8 combien plus glorieuse doit être la fonction exercée par l'Esprit ! 9 La fonction qui entraînait la condamnation des hommes était glorieuse ; combien plus glorieuse est la fonction qui a pour effet de rendre les hommes justes devant Dieu ! 10 Nous pouvons même dire que la gloire qui brilla dans le passé s'efface devant la gloire actuelle, tellement supérieure. 11 En effet, si ce qui était passager a été glorieux, combien plus le sera ce qui demeure pour toujours !

12 C'est parce que nous avons une telle espérance que nous sommes pleins d'assurance. 13 Nous ne faisons pas comme Moïse qui se couvrait le visage d'un voile pour empêcher les Israélites d'en voir disparaître l'éclat passager[p]. 14 Mais leur intelligence s'était obscurcie ; et jusqu'à ce jour, elle est recouverte du même voile quand ils lisent les livres de l'ancienne alliance[q]. Ce voile ne disparaît qu'à la lumière du Christ. 15 Aujourd'hui encore, chaque fois qu'ils lisent les livres de Moïse, un voile recouvre leur intelligence. 16 Mais, comme il est écrit : « Lorsqu'on se tourne vers le Seigneur, le voile est enlevé[r]. » 17 Or, le mot Seigneur signifie ici l'Esprit ; et là où l'Esprit du Seigneur est présent, là est la liberté. 18 Nous tous, le visage découvert, nous reflétons la gloire du Seigneur ; ainsi, nous sommes transformés pour être semblables au Seigneur et nous passons d'une gloire à une gloire plus grande encore. Voilà en effet ce que réalise le Seigneur, qui est l'Esprit.

Un trésor spirituel dans des vases d'argile

4 1 Dieu, dans sa bonté, nous a confié cette tâche, et c'est pourquoi nous ne perdons pas courage. 2 Nous avons renoncé à toute action cachée ou honteuse ; nous agissons sans ruse et nous ne falsifions pas la parole de Dieu. Au contraire, nous faisons connaître clairement la vérité et nous nous rendons ainsi recommandables au jugement de tout être humain devant Dieu. 3 Cependant, si la Bonne Nouvelle que nous annonçons paraît obscure, elle ne l'est que pour ceux qui se perdent. 4 Ils ne croient pas parce que *Satan, le dieu de ce monde[s], a aveuglé leur intelligence. Ce dieu les empêche de voir la lumière diffusée par la Bonne Nouvelle de la *gloire du *Christ, lequel est l'image même de Dieu. 5 En effet, dans notre prédication, ce n'est pas nous-mêmes que nous annonçons, mais Jésus-Christ comme Seigneur ; quant à nous, nous déclarons être vos serviteurs à cause de Jésus. 6 Dieu a dit autrefois : « Que la lumière brille du milieu de l'obscurité[t] ! » Eh bien, c'est lui aussi qui a fait briller sa lumière dans nos cœurs, pour nous donner la connaissance lumineuse de sa gloire divine qui resplendit sur le visage du Christ.

7 Mais nous portons ce trésor spirituel en nous comme en des vases d'argile, pour qu'il soit clair que cette puissance extraordinaire vient de Dieu et non de nous. 8 Nous sommes accablés de toutes sortes de souffrances, mais non écrasés ; inquiets, mais non désespérés ; 9 persécutés, mais non abandonnés ; jetés à

---

n **3.6** Comparer Jér 31.31.
o **3.7** Voir Ex 34.29.
p **3.13** Voir Ex 34.33.
q **3.14** *de l'ancienne alliance* ou *de l'Ancien Testament*.
r **3.16** *Lorsqu'on... enlevé* : autre traduction *Lorsqu'il (Moïse) se tournait vers le Seigneur, son voile était enlevé*. Voir Ex 34.34.
s **4.4** Comparer Jean 12.31. Notre texte est le seul où Satan reçoive le titre de *dieu de ce monde*.
t **4.6** Voir Gen 1.3.

terre, mais non anéantis. 10 Nous portons
sans cesse dans notre corps la mort de Jésus, afin que sa vie se manifeste aussi
dans notre corps. 11 Bien que vivants,
nous sommes sans cesse exposés à la mort
à cause de Jésus, afin que sa vie se manifeste aussi dans notre corps mortel.
12 Ainsi, la mort agit en nous pour que la
vie agisse en vous.
13 L'Écriture déclare : « J'ai cru, c'est
pourquoi j'ai parlé[u]. » Nous aussi, dans le
même esprit de foi, nous croyons et c'est
pourquoi nous parlons. 14 Nous savons en
effet que Dieu, qui a ramené le Seigneur
Jésus de la mort à la vie, nous ramènera
aussi à la vie avec Jésus et nous fera paraître avec vous en sa présence. 15 Tout ce
que nous endurons, c'est pour vous ; de
cette façon, la grâce de Dieu atteint de
plus en plus de personnes, en augmentant ainsi le nombre de prières de reconnaissance exprimées à la gloire de
Dieu.

Vivre par la foi

16 C'est pourquoi nous ne perdons jamais courage. Même si notre être physique se détruit peu à peu, notre être
spirituel se renouvelle de jour en jour.
17 La détresse que nous éprouvons en ce
moment est légère en comparaison de la
*gloire abondante et éternelle, tellement
plus importante, qu'elle nous prépare.
18 Car nous portons notre attention non
pas sur ce qui est visible, mais sur ce qui
est invisible. Ce qui est visible est provi-
soire, mais ce qui est invisible dure toujours.
5 1 Nous savons, en effet, que si la tente
dans laquelle nous vivons – c'est-à-
dire notre corps terrestre – est détruite,
Dieu nous réserve une habitation dans
les *cieux, une demeure non faite par les
hommes, qui durera toujours. 2 Et nous
gémissons maintenant[v], car notre désir
est grand d'être recouverts de notre habitation céleste ; 3 en effet, nous serons vêtus et non pas nus[w]. 4 Oui, aussi
longtemps que nous vivons dans cette
tente terrestre, nous gémissons comme
sous un fardeau. Ce n'est pas que nous
voudrions être débarrassés de notre corps
terrestre, mais nous souhaitons être revêtus du corps céleste, afin que ce qui est
mortel soit absorbé par la vie. 5 C'est Dieu
lui-même qui nous a destinés à cela, et il
nous a accordé son Esprit comme garantie des biens qu'il nous réserve.
6 Nous sommes donc toujours pleins
de courage. Nous savons que tant que
nous demeurons dans ce corps, nous
sommes loin de la demeure du Seigneur
7 – nous marchons en effet par la foi et
non par la vue –. 8 Nous sommes pleins
de courage et nous préférerions quitter ce
corps pour aller demeurer auprès du Seigneur. 9 Mais nous désirons avant tout lui
plaire, que nous demeurions dans ce
corps ou que nous le quittions. 10 Car
nous devons tous comparaître devant le
*Christ pour être jugés par lui ; alors cha-
cun recevra ce qui lui revient, selon ce
qu'il aura fait en bien ou en mal durant sa
vie terrestre[x].

Réconciliés avec Dieu par le Christ

11 Nous savons ce que signifie respecter le Seigneur et nous cherchons donc à
convaincre les hommes. Dieu nous
connaît parfaitement et j'espère que, au
fond de vous-mêmes, vous me connaissez aussi. 12 Nous ne voulons pas de nouveau nous recommander nous-mêmes
auprès de vous, mais nous désirons vous
donner l'occasion d'être fiers de nous ;
ainsi, vous aurez de quoi répondre à
ceux qui se vantent de détails extérieurs
et non de ce qui est dans le cœur. 13 S'il
est vrai que nous sommes insensés, c'est
pour Dieu que nous le sommes ; mais si
nous sommes dans notre bon sens, c'est
pour vous. 14 En effet, l'amour du
*Christ nous domine, nous qui avons la
certitude qu'un seul est mort pour tous
et, donc, que tous ont part à sa mort. 15 Il
est mort pour tous afin que ceux qui vivent ne vivent plus pour eux-mêmes,

u **4.13** Ps 116.10, cité d'après l'ancienne version grecque.

v **5.2** Comparer Rom 8.23.

w **5.3** *en effet... nus* : autre traduction, d'après certains manuscrits, *ainsi, au moment d'être dépouillés de notre corps, nous ne serons pas trouvés nus*.

x **5.10** Comparer Rom 14.10.

mais pour celui qui est mort et revenu à
la vie pour eux.
16 Voilà pourquoi nous ne considérons
plus personne d'une manière purement
humaine. Même si, autrefois, nous avons
considéré le Christ d'une manière humaine, maintenant nous ne le considérons plus ainsi. 17 Dès que quelqu'un est
uni au Christ, il est un être nouveau : ce
qui est ancien a disparu, ce qui est nouveau est là. 18 Tout cela vient de Dieu, qui
nous a réconciliés avec lui par le Christ et
qui nous a confié la tâche d'amener d'autres hommes à la réconciliation avec lui.
19 Car, par le Christ, Dieu agissait pour réconcilier tous les humains avec lui[y], sans
tenir compte de leurs fautes. Et il nous a
chargés d'annoncer cette œuvre de réconciliation.
20 Nous sommes donc des ambassadeurs envoyés par le Christ, et c'est
comme si Dieu lui-même vous adressait
un appel par nous : nous vous en supplions, au nom du Christ, laissez-vous réconcilier avec Dieu. 21 Le Christ était
sans péché, mais Dieu l'a chargé de notre
péché, afin que, par lui, nous ayons part à
l'œuvre salutaire de Dieu.

6 1 Ainsi, puisque nous collaborons
avec Dieu, nous vous en supplions :
ne négligez pas la grâce que vous avez reçue de lui. 2 Dieu déclare en effet :

« Au moment où se manifestait ma faveur, je t'ai écouté,
au jour du salut, je suis venu à ton secours[z]. »

Eh bien, voici maintenant le moment
d'accepter la faveur de Dieu ; voici le jour
du salut.
3 Il ne faut pas que l'on puisse critiquer
notre fonction, c'est pourquoi nous ne
voulons scandaliser personne en quoi
que ce soit. 4 Au contraire, nous cherchons en toutes circonstances à nous présenter comme de vrais serviteurs de
Dieu : nous supportons avec beaucoup de
patience les souffrances, les détresses et
les angoisses. 5 On nous a battus et mis en
prison[a], on a soulevé le peuple contre
nous ; accablés de travail, nous avons été
privés de sommeil et de nourriture.
6 Nous nous montrons serviteurs de
Dieu par notre pureté, notre connaissance, notre patience et notre bonté, par
l'action du Saint-Esprit, par notre
amour sincère, 7 par notre prédication de
la vérité et grâce à la puissance de Dieu.
Nos armes offensives et défensives, c'est
de faire ce qui est juste aux yeux de
Dieu. 8 On nous honore ou on nous couvre de mépris ; on nous insulte ou on
nous respecte. On nous regarde comme
des menteurs alors que nous disons la
vérité, 9 comme des inconnus alors que
nous sommes bien connus, comme des
mourants alors que nous sommes bien
vivants. On nous punit, sans pourtant
nous exécuter ; 10 on nous attriste et
pourtant nous sommes toujours joyeux ;
nous sommes pauvres, mais nous enri-
chissons beaucoup de gens ; nous parais-
sons ne rien avoir, nous qui, en réalité,
possédons tout.
11 Nous vous avons parlé franchement,
chers amis corinthiens, nous vous avons
largement ouvert notre cœur. 12 Nous ne
vous avons pas refusé notre affection,
mais c'est vous qui avez fermé votre
cœur. 13 Alors, je m'adresse à vous comme
à mes enfants : répondez à notre affection, ouvrez-nous largement votre cœur !

Mise en garde contre des influences païennes

14 N'allez pas vous placer sous le même
*joug que les incroyants, d'une manière
absurde. Comment, en effet, ce qui est
juste pourrait-il s'associer à ce qui est
mauvais ? Comment la lumière pourrait-
elle s'unir à l'obscurité ? 15 Comment le
*Christ pourrait-il s'entendre avec le
*diable ? Ou bien, qu'est-ce qu'un
croyant peut avoir en commun avec un
incroyant ? 16 Quel accord peut-il y avoir
entre le *temple de Dieu et les idoles
païennes ? Car nous sommes, nous, le
temple du Dieu vivant[b], comme Dieu lui-
même l'a dit :

« Je demeurerai et je marcherai avec
eux,

---

y **5.19** *par le Christ... avec lui* : autre traduction *Dieu était en Christ, réconciliant tous les hommes avec lui.*
z **6.2** És 49.8.
a **6.5** Voir Act 16.23.
b **6.16** Comparer 1 Cor 3.16.

je serai leur Dieu et ils seront mon
peuple. »
17 C'est pourquoi
« vous devez les quitter et vous séparer
d'eux.
Ne touchez à rien *d'impur,
et moi je vous accueillerai.
18 Je serai un père pour vous
et vous serez des fils et des filles pour
moi,
dit le Seigneur tout-puissant[c]. »

7 1 Toutes ces promesses sont valables
pour nous, mes chers amis. C'est
pourquoi, purifions-nous de tout ce qui
salit le corps ou l'âme et efforçons-nous
d'être parfaitement saints en vivant dans
le respect de Dieu.

La joie de Paul

2 Faites-nous une place dans votre
cœur ! Nous n'avons causé de tort à personne, nous n'avons ruiné personne,
nous n'avons exploité personne.
3 Je ne
dis pas cela pour vous condamner. En effet, comme je l'ai déjà affirmé, vous nous
êtes si chers que nous sommes unis pour
la vie ou pour la mort.
4 J'ai une grande
confiance en vous, je suis très fier de
vous. Dans toutes nos détresses, je demeure plein de courage et je déborde de
joie.
5 En fait, même à notre arrivée en Macédoine[d], nous n'avons connu aucun répit. Nous avons rencontré toutes sortes
de difficultés : des conflits autour de
nous, des craintes au-dedans de nous.
6 Mais Dieu, qui relève le courage de ceux
qui sont abattus, nous a réconfortés par
l'arrivée de Tite.
7 Et ce n'est pas seule-
ment son arrivée qui a produit cet effet,
mais encore son rapport sur la façon dont
vous l'avez lui-même réconforté. Il nous
a parlé de votre désir de me revoir, de votre tristesse, de votre zèle à me défendre.
Et voilà pourquoi ma joie en est d'autant
plus grande.
8 En effet, même si la lettre que je vous
ai écrite[e] vous a attristés, je ne le regrette
pas maintenant. J'ai pu le regretter
quand j'ai constaté que cette lettre vous
avait attristés momentanément.
9 Mais
maintenant je me réjouis, non pas de
vous avoir attristés, mais de ce que votre
tristesse vous a fait changer de comportement[f]. Cette tristesse était telle que
Dieu la voulait, si bien que nous ne vous
avons causé aucun tort.
10 Car la tristesse
conforme au plan de Dieu produit un
changement de comportement qui
conduit au salut, sans qu'on ait à le regretter. Mais la tristesse causée par les
soucis de ce monde produit la mort.
11 Voyez maintenant les résultats de votre tristesse selon Dieu : quelle bonne
volonté de votre part, quel empressement à présenter votre défense ! Quelle
indignation, quelle crainte, quel désir de
me revoir, quel zèle, quelle ardeur à punir le mal ! Vous avez prouvé de toutes
les manières que vous étiez innocents
dans cette affaire.
12 Si donc je vous ai écrit, ce n'était ni à
cause de celui qui a commis le mal, ni à
cause de celui qui l'a subi[g]. Mais c'était
pour que vous vous rendiez clairement
compte, devant Dieu, du dévouement
que vous avez pour nous.
13 C'est pour-
quoi votre réaction nous a réconfortés.
Nous n'avons pas seulement reçu du
réconfort ; nous avons ressenti une joie
bien plus grande encore en voyant
combien Tite était heureux de la façon
dont vous tous l'avez rassuré.
14 Si je me
suis un peu vanté à votre sujet auprès de
lui, vous ne m'avez pas déçu. Mais, de
même que nous vous avons toujours dit
la vérité, de même l'éloge que nous
avons fait de vous auprès de Tite s'est révélé justifié.
15 Et ainsi, son affection
pour vous est encore plus grande
lorsqu'il se rappelle comment vous avez
tous obéi et comment vous l'avez accueilli humblement, avec respect.
16 Je
me réjouis de pouvoir compter sur vous
en tout.

---

c **6.18** Références pour les versets 16 à 18 : *v. 16* : Lév 26.12 ; Ézék 37.27. – *v. 17* : voir És 52.11 ; Ézék 20.34. – *v. 18* : voir 2 Sam 7.14 ; És 43.6.

d **7.5** Comparer 2.13.

e **7.8** Voir 2.3 et la note.

f **7.9** *changer de comportement*... (v. 10) *changement de comportement* : autres traductions *changer de mentalité... changement de mentalité* ou *vous repentir... une repentance*.

g **7.12** Comparer 2.5.

Donner généreusement

8 1 Frères, nous désirons que vous sachiez comment la grâce de Dieu s'est
manifestée dans les Églises de Macédoine. 2 Les fidèles y ont été éprouvés par
de sérieuses détresses ; mais leur joie était
si grande qu'ils se sont montrés extrêmement généreux, bien que très pauvres.
3 J'en suis témoin, ils ont donné selon
leurs possibilités et même au-delà, et cela
spontanément. 4 Ils nous ont demandé
avec beaucoup d'insistance la faveur de
participer à l'envoi d'une aide aux
croyants de Judée[h]. 5 Ils en ont fait plus
que nous n'espérions : ils se sont d'abord
donnés au Seigneur et ensuite, par la volonté de Dieu, également à nous. 6 C'est
pourquoi nous avons prié Tite de mener
à bonne fin, chez vous, cette œuvre généreuse, comme il l'avait commencée.
7 Vous êtes riches en tout : foi, don de la
parole, connaissance, zèle sans limite et
amour que nous avons éveillé en vous[i].
Par conséquent nous désirons que vous
vous montriez riches également dans
cette œuvre généreuse.

8 Ce n'est pas un ordre que je vous
donne : mais en vous parlant du zèle des
autres, je vous offre l'occasion de prouver
la réalité de votre amour. 9 Car vous
connaissez la grâce de notre Seigneur
Jésus-Christ : lui qui était riche, il s'est
fait pauvre en votre faveur[j], afin de vous
enrichir par sa pauvreté.

10 Ainsi, je vous donne mon opinion
dans cette affaire : il est bon pour vous
de persévérer, vous qui, l'année dernière, avez été les premiers non seulement à agir, mais encore à décider d'agir.
11 Maintenant donc, achevez de réaliser
cette œuvre. Mettez autant de bonne volonté à l'achever que vous en avez mis à
la décider, et cela selon vos moyens.
12 Car si l'on y met de la bonne volonté,
Dieu accepte le don offert en tenant
compte de ce que l'on a et non de ce que
l'on n'a pas.

13 Il ne s'agit pas de vous faire tomber
dans le besoin pour soulager les autres,
mais c'est une question d'égalité. 14 En ce
moment, vous êtes dans l'abondance et
vous pouvez donc venir en aide à ceux
qui sont dans le besoin. Puis, si vous êtes
un jour dans le besoin et eux dans l'abondance, ils pourront vous venir en aide.
C'est ainsi qu'il y aura égalité, 15 conformément à ce que l'Écriture déclare :

« Celui qui en avait beaucoup ramassé
n'en avait pas trop,
et celui qui en avait peu ramassé n'en
manquait pas[k]. »

Tite et ses compagnons

16 Loué soit Dieu qui a inspiré à Tite
autant de zèle pour vous que nous en
avons ! 17 Tite a accepté notre demande ;
bien plus, il était si plein de zèle qu'il a
décidé spontanément de se rendre chez
vous. 18 Avec lui, nous envoyons le frère
dont toutes les Églises font l'éloge pour
son activité au service de la Bonne Nouvelle. 19 En outre, il a été désigné par les
Églises pour être notre compagnon de
voyage dans cette entreprise généreuse
dont nous sommes chargés pour la
*gloire du Seigneur lui-même et pour
manifester notre bonne volonté.

20 Nous tenons à éviter que l'on critique notre façon de nous occuper de
cette somme importante. 21 Nous cherchons à faire ce qui est bien non seulement aux yeux du Seigneur, mais aussi
aux yeux des hommes[l].

22 Nous envoyons avec eux notre
frère[m] ; nous avons eu beaucoup d'occasions de le mettre à l'épreuve et il s'est
toujours montré zélé. Mais maintenant,
il l'est encore bien plus en raison de la
grande confiance qu'il a en vous. 23 En ce
qui concerne Tite, il est mon compagnon, ainsi que mon collaborateur auprès
de vous ; quant aux autres frères qui l'accompagnent, ce sont les envoyés des
Églises et ils agissent pour la gloire du
*Christ. 24 Montrez-leur que vous les ai-

---

h **8.4** *v. 1-4* : voir Rom 15.26.
i **8.7** *que nous avons éveillé en vous* : certains manuscrits ont *que vous avez pour nous*.
j **8.9** Comparer Matt 8.20.
k **8.15** Ex 16.18.
l **8.21** Comparer Prov 3.4 (l'allusion y est faite d'après l'ancienne version grecque) ; Rom 12.17.
m **8.22** *notre frère* : il peut s'agir de quelqu'un d'autre que de l'anonyme du verset 18 : comparer le verset 23 (*autres frères*, au pluriel).

mez réellement, afin que les Églises en
aient la certitude et sachent que nous
avons raison d'être fiers de vous.

L'aide en faveur des frères

9 1 Il est vraiment inutile que je vous
écrive au sujet de l'aide destinée aux
croyants de Judée. 2 Je connais en effet
votre bonne volonté et j'ai exprimé ma
fierté à votre sujet auprès des Macédoniens[n] en disant : « Les frères d'Achaïe
sont prêts à donner depuis l'année dernière. » Votre zèle a stimulé la plupart
d'entre eux. 3 Cependant, je vous envoie
quelques frères afin que l'éloge que nous
avons fait de vous à ce sujet ne se révèle
pas immérité : je désire que vous soyez
réellement prêts, comme je l'ai dit. 4 Autrement, si des Macédoniens venaient
avec moi et ne vous trouvaient pas prêts,
nous serions couverts de honte de nous
être sentis si sûrs de vous, pour ne rien
dire de la honte qui serait la vôtre ! 5 J'ai
donc estimé nécessaire de prier ces frères
de me précéder chez vous pour s'occuper
du don généreux que vous avez déjà promis. Ainsi, il sera prêt quand j'arriverai et
prouvera que vous donnez généreusement et non à contre-cœur.

6 Rappelez-vous ceci : celui qui sème
peu récoltera peu ; celui qui sème beaucoup récoltera beaucoup. 7 Il faut donc
que chacun donne comme il l'a décidé,
non pas à regret ou par obligation ; car
Dieu aime celui qui donne avec joie. 8 Et
Dieu a le pouvoir de vous combler de
toutes sortes de biens, afin que vous ayez
toujours tout le nécessaire et, en plus, de
quoi contribuer à toutes les œuvres bonnes. 9 Comme l'Écriture le déclare :

« Il donne largement aux pauvres,
sa générosité dure pour toujours[o]. »

10 Dieu qui fournit la semence au semeur
et le pain qui le nourrit[p], vous fournira
toute la semence dont vous avez besoin et
la fera croître, pour que votre générosité
produise beaucoup de fruits. 11 Il vous rendra suffisamment riches en tout temps
pour que vous puissiez sans cesse vous
montrer généreux ; ainsi, beaucoup remercieront Dieu pour les dons que nous
leur transmettrons de votre part. 12 Car ce
service que vous accomplissez ne pourvoit
pas seulement aux besoins des croyants,
mais il suscite encore de très nombreuses
prières de reconnaissance envers Dieu.
13 Impressionnés par la valeur de ce service, beaucoup rendront *gloire à Dieu
pour l'obéissance témoignant de votre fidélité à la Bonne Nouvelle du *Christ ; ils
lui rendront gloire aussi pour votre générosité dans le partage de vos biens avec
eux et avec tous les autres. 14 Ils prieront
pour vous, en vous manifestant leur affection, à cause de la grâce extraordinaire que
Dieu vous a accordée. 15 Loué soit Dieu
pour son don incomparable !

Paul défend son ministère

10 1 Moi, Paul, je vous adresse personnellement un appel – moi qui
suis, à ce qu'on dit, si humble quand je
suis avec vous, mais si énergique à votre
égard quand je suis absent –. Par la douceur et la bonté du *Christ, 2 je vous en
supplie : ne m'obligez pas à intervenir
énergiquement quand je serai chez vous ;
car je compte faire preuve de fermeté envers ceux qui prétendent que nous agissons selon des motifs purement humains.
3 Certes, nous sommes des êtres humains,
mais nous ne combattons pas d'une façon
purement humaine. 4 Dans notre combat,
les armes que nous utilisons ne sont pas
d'origine humaine : ce sont les armes
puissantes de Dieu qui permettent de détruire des forteresses. Nous détruisons les
faux raisonnements, 5 nous renversons
tout ce qui se dresse orgueilleusement
contre la connaissance de Dieu, nous faisons prisonnière toute pensée pour
l'amener à obéir au Christ. 6 Et nous sommes prêts à punir toute désobéissance,
dès que vous aurez manifesté une parfaite
obéissance.

7 Vous considérez les choses selon leur
apparence[q]. Eh bien, si quelqu'un est
persuadé d'appartenir au Christ, qu'il ré-

---

n **9.2** *Macédoniens* : c'est-à-dire les membres des Églises de Philippes, Thessalonique, Bérée... Voir aussi 1.16 et la note.

o **9.9** Voir Ps 112.9.

p **9.10** Comparer És 55.10.

q **10.7** Autre traduction *Considérez les choses telles qu'elles sont.*

fléchisse encore à ceci : nous appartenons
au Christ tout autant que lui. 8 Car je n'ai
pas à éprouver de honte même si je me
suis un peu trop vanté de l'autorité que le
Seigneur nous a donnée, autorité qui a
pour but de faire progresser votre
communauté et non de la détruire. 9 Je ne
veux pas avoir l'air de vous effrayer par
mes lettres. 10 En effet, voici ce que l'on
dit : « Les lettres de Paul sont dures et sévères ; mais quand il se trouve parmi
nous en personne, il est faible et sa façon
de parler est lamentable. » 11 Que celui
qui s'exprime ainsi le sache bien : ce que
nous sommes en écrivant nos lettres de
loin, nous le serons aussi dans nos actes
une fois présents parmi vous.
12 Certes, nous n'oserions pas nous
égaler ou nous comparer à certains de
ceux qui ont une si haute opinion d'eux-
mêmes. Ils sont stupides : ils établissent
leur propre mesure pour s'évaluer, ils se
comparent à eux-mêmes. 13 Quant à
nous, nous n'allons pas nous vanter au-
delà de toute mesure ; nous le ferons
dans les limites du champ de travail que
Dieu nous a fixé en nous permettant de
parvenir jusque chez vous. 14 Nous ne
dépassons pas nos limites, comme ce serait le cas si nous n'étions pas venus chez
vous ; car nous sommes bien arrivés les
premiers jusqu'à vous en vous apportant
la Bonne Nouvelle du Christ. 15 Ainsi,
nous ne nous vantons pas outre mesure
en nous réclamant du travail effectué
par d'autres. Au contraire, nous espérons que votre foi augmentera et que
nous pourrons accomplir une œuvre
beaucoup plus importante parmi vous,
mais dans les limites qui nous ont été
fixées[r]. 16 Nous pourrons ensuite apporter la Bonne Nouvelle dans des régions
situées au-delà de chez vous, sans avoir à
nous vanter des résultats obtenus par
d'autres dans leur propre champ de
travail.
17 Cependant, il est écrit : « Si quelqu'un veut se vanter, qu'il se vante de ce
que le Seigneur a fait[s]. » 18 En effet, ce
n'est pas celui qui a une haute opinion de
lui-même qui est approuvé, mais celui
dont le Seigneur fait l'éloge.

Paul et les faux *apôtres

11 1 Ah ! je souhaite que vous suppor-
tiez un peu de folie de ma part !
Eh bien, oui, supportez-moi ! 2 Je suis jaloux à votre sujet, d'une jalousie qui vient
de Dieu : je vous ai promis en mariage à
un seul époux, le *Christ, et je désire
vous présenter à lui comme une vierge
pure. 3 Mais, tout comme Ève se laissa
égarer par la ruse du serpent, je crains
que votre intelligence ne se corrompe et
ne vous entraîne loin de l'attachement fidèle et pur au Christ[t]. 4 En effet, vous
supportez fort bien que quelqu'un vienne
vous annoncer un Jésus différent de celui
que nous vous avons annoncé ; vous êtes
également prêts à accepter un esprit et un
message différents de l'Esprit et de la
Bonne Nouvelle que vous avez reçus de
nous.
5 J'estime que je ne suis inférieur en
rien à vos super-*apôtres ! 6 Il est possible
que je ne sois qu'un amateur quant à l'art
de parler, mais certainement pas quant à
la connaissance : nous vous l'avons clairement montré en toute occasion et à
tous égards.
7 Quand je vous ai annoncé la Bonne
Nouvelle de Dieu, je l'ai fait gratuitement ; je me suis abaissé afin de vous élever. Ai-je eu tort d'agir ainsi ? 8 J'ai
accepté d'être payé par d'autres Églises
et de vivre à leurs dépens, pour vous servir[u]. 9 Et pendant que je me trouvais chez
vous, je n'ai été à la charge de personne
quand j'étais dans le besoin, car les frères
venus de Macédoine m'ont apporté tout
ce qui m'était nécessaire[v]. Je me suis
gardé d'être une charge pour vous en
quoi que ce soit et je continuerai à m'en
garder. 10 Par la vérité du Christ qui est en
moi, je le déclare : personne ne me privera de ce sujet de fierté dans toute la
province d'Achaïe. 11 Pourquoi ai-je dit
cela ? Serait-ce parce que je ne vous aime
pas ? Dieu sait bien que si !

---

r **10.15** *v. 13-15* : comparer Rom 15.17-21.
s **10.17** Voir Jér 9.23 ; 1 Cor 1.31.
t **11.3** Voir Gen 3.1-6,13. – *attachement fidèle et pur* : certains manuscrits n'ont pas *et pur*.
u **11.8** Comparer 8.1-4.
v **11.9** Comparer Phil 4.15-18.

12 Je continuerai à me comporter
comme maintenant, afin d'enlever tout
prétexte à ceux qui en voudraient un
pour se vanter d'être pleinement nos
égaux. 13 Ces gens-là ne sont que de faux
apôtres, des tricheurs qui se déguisent[w]
en apôtres du Christ. 14 Il n'y a là rien
d'étonnant, car *Satan lui-même se dé-
guise en *ange de lumière. 15 Il n'est donc
pas surprenant que ses serviteurs aussi se
déguisent en serviteurs du Dieu juste.
Mais ils auront la fin que méritent leurs
actions.

Les souffrances endurées par Paul en tant qu'apôtre

16 Je le répète : que personne ne me
considère comme fou. Ou alors, si on le
pense, acceptez que je sois fou pour que je
puisse moi aussi me vanter un peu. 17 Certes, en étant amené à me vanter, je ne
parle pas comme le Seigneur le voudrait,
mais comme si j'étais fou. 18 Puisque tant
d'autres se vantent pour des motifs purement humains, eh bien, je me vanterai
moi aussi. 19 Vous qui êtes des sages, vous
supportez si volontiers les fous ! 20 Vous
supportez qu'on vous traite comme des
esclaves, qu'on vous exploite, qu'on vous
dépouille, qu'on vous regarde de haut,
qu'on vous frappe au visage. 21 J'ai honte
de le dire : nous avons été trop faibles à
cet égard !

Cependant, là où d'autres osent se vanter – je parle comme si j'étais fou – je le
suis moi aussi. 22 Ils sont Hébreux ? Moi
aussi. Israélites ? Moi aussi. Descendants
d'Abraham ? Moi aussi[x]. 23 Ils sont serviteurs du *Christ ? Eh bien – je vais parler
comme si j'avais complètement perdu la
raison – je le suis plus qu'eux. J'ai peiné
plus qu'eux, j'ai été en prison bien plus
fréquemment, frappé beaucoup plus et en
danger de mort plus souvent. 24 Cinq fois
j'ai reçu des Juifs la série de trente-neuf
coups[y], 25 trois fois j'ai été battu à coups
de fouet par les Romains et une fois on
m'a blessé en me jetant des pierres[z] ; trois
fois j'ai fait naufrage et une fois je suis
resté un jour et une nuit dans les flots.
26 Dans mes nombreux voyages j'ai connu
les dangers dus aux rivières qui débordent ou aux brigands, les dangers dus à
mes compatriotes juifs ou à des non-
Juifs[a], j'ai été en danger dans les villes ou
dans les lieux déserts, en danger sur la
mer et en danger parmi de faux frères.
27 J'ai connu des travaux pénibles et de
dures épreuves ; souvent j'ai été privé de
sommeil ; j'ai eu faim et soif ; souvent j'ai
été obligé de *jeûner ; j'ai souffert du
froid et du manque de vêtements. 28 Et
sans parler du reste, il y a ma préoccupation quotidienne : le souci que j'ai de toutes les Églises. 29 Si quelqu'un est faible,
je me sens faible aussi ; si quelqu'un est
détourné de la foi, j'en éprouve une vive
douleur.

30 S'il faut que je me vante, je me vanterai de ma faiblesse. 31 Dieu, le Père du
Seigneur Jésus – qu'il soit loué pour toujours ! – sait que je ne mens pas. 32 Quand
j'étais à Damas, le gouverneur représentant le roi Arétas plaça des gardes aux
portes de la ville pour m'arrêter. 33 Mais,
par une fenêtre de la muraille, on me descendit à l'extérieur dans une corbeille, et
c'est ainsi que je lui échappai[b].

Les visions et révélations accordées à Paul

12 1 Il faut donc que je me vante, bien
que cela ne soit pas bon. Mais je
vais parler maintenant des visions et révélations que le Seigneur m'a accordées.
2 Je connais un chrétien qui, il y a quatorze ans[c], fut enlevé jusqu'au plus haut
des *cieux. (Je ne sais pas s'il fut réellement enlevé ou s'il eut une vision, Dieu
seul le sait.) 3-4 Oui, je sais que cet homme

---

w **11.13** Comparer Matt 7.15.
x **11.22** Comparer Phil 3.5.
y **11.24** Le texte original dit *quarante moins un* : on ne voulait pas risquer de dépasser le maximum de quarante coups prescrits par Deut 25.3.
z **11.25** Voir Act 16.22 ; 14.19.
a **11.26** Voir Act 9.23 ; 14.5.
b **11.33** *v. 32-33* : voir Act 9.23-25. – *Arétas* : Arétas IV fut roi des Nabatéens de 9 avant J.-C. à 39 après J.-C. Le pays des Nabatéens était une contrée située au sud et à l'est de la Palestine.
c **12.2** *un chrétien* : l'apôtre parle de lui-même. – *quatorze ans* : c'est-à-dire vers l'an 42 ou 43, pendant le séjour de Paul en Cilicie (voir Act 9.30 ; 11.25 ; Gal 1.21), ou à Antioche, avant son premier voyage missionnaire.

fut enlevé jusqu'au paradis[d] (encore une
fois, je ne sais pas s'il fut réellement enlevé ou s'il eut une vision, Dieu seul le
sait), et là il entendit des paroles inexpri-
mables et qu'il n'est permis à aucun être
humain de répéter. 5 Je me vanterai au sujet de cet homme – mais, quant à moi, je
ne me vanterai que de ma faiblesse –. 6 Si
je voulais me vanter, je ne serais pas fou,
car je dirais la vérité. Mais j'évite de me
vanter, car je ne désire pas qu'on ait de
moi une opinion qui dépasserait ce qu'on
me voit faire ou m'entend dire.

7 Cependant, afin que je ne sois pas
enflé d'orgueil pour avoir reçu des
révélations si extraordinaires, une dure
souffrance m'a été infligée dans mon
corps, comme un messager de *Satan
destiné à me frapper et à m'empêcher
d'être enflé d'orgueil[e]. 8 Trois fois j'ai prié
le Seigneur de me délivrer de cette souffrance. 9 Il m'a répondu : « Ma grâce te
suffit. Ma puissance se manifeste précisément quand tu es faible. » Je préfère donc
bien plutôt me vanter de mes faiblesses,
afin que la puissance du *Christ étende
sa protection sur moi. 10 C'est pourquoi je
me réjouis des faiblesses, des insultes, des
détresses, des persécutions et des angoisses que j'endure pour le Christ ; car
lorsque je suis faible, c'est alors que je
suis fort.

L'inquiétude que Paul ressent au sujet des Corinthiens

11 Je parle comme si j'étais devenu fou,
mais vous m'y avez obligé. C'est vous qui
auriez dû prendre ma défense. Car même
si je ne suis rien, je ne suis nullement inférieur à vos super-*apôtres. 12 Les actes
qui prouvent que je suis apôtre ont été
réalisés parmi vous avec une patience
parfaite : ils ont consisté en toutes sortes
de miracles et de prodiges. 13 En quoi
avez-vous été moins bien traités que le
autres Églises, sinon en ce que je ne vou
ai pas été à charge ? Pardonnez-moi cett
injustice !

14 Me voici prêt à me rendre chez vou
pour la troisième fois[f], et je ne vous sera
pas à charge. C'est vous que je recherch
et non votre argent. En effet, ce n'est pa
aux enfants à amasser de l'argent pou
leurs parents, mais aux parents pou
leurs enfants. 15 Quant à moi, je sera
heureux de dépenser tout ce que j'ai e
de me dépenser moi-même pour vous
M'aimerez-vous moins si je vous aime
un tel point ?

16 Vous admettrez donc que je n'ai pa
été un fardeau pour vous. Mais on pré
tendra que, faux comme je suis, je vous a
pris au piège par ruse. 17 Est-ce que j
vous ai exploités par l'un de ceux que j
vous ai envoyés ? 18 J'ai prié Tite d'alle
chez vous et j'ai envoyé avec lui le frèr
que vous savez[g]. Tite vous a-t-il exploi
tés ? N'avons-nous pas agi lui et moi ave
les mêmes intentions, en suivant l
même chemin ?

19 Peut-être pensez-vous depuis un bo
moment que nous cherchons à nous jus
tifier devant vous ? Eh bien non ! Nou
parlons en communion avec le *Christ
devant Dieu, et nous vous disons tou
cela, chers amis, pour vous faire progres
ser dans la foi. 20 Je crains qu'à mon arri
vée chez vous je ne vous trouve pas tel
que je voudrais et que vous ne me trou
viez pas tel que vous voudriez. Je crain
qu'il n'y ait des querelles et de la jalousie
de la colère et des rivalités, des insultes e
des médisances, de l'orgueil et du dé
sordre. 21 Je crains qu'à ma prochaine vi
site mon Dieu ne m'humilie devant vous
et que je n'aie à pleurer sur beaucoup qu
continuent à pécher comme autrefois e
ne se sont pas détournés de *l'impureté
de l'immoralité et du vice qu'ils on
pratiqués.

Derniers avertissements et salutations

13 1 C'est la troisième fois que je vai
me rendre chez vous. Comme i
est écrit : « Toute affaire doit être réglé
sur le témoignage de deux ou trois per

---

d **12.3-4** *paradis* : voir Luc 23.43 et la note.

e **12.7** Il s'agit d'une *souffrance* particulière à l'apôtre, qu'il n'est pas possible de préciser. Comparer Gal 4.13-15.

f **12.14** Le premier séjour de Paul à Corinthe est celui au cours duquel il a fondé l'Église de cette ville (voir Act 18) ; le deuxième est évoqué en 2 Cor 13.2.

g **12.18** Voir 8.18.

sonnes[h]. » 2 J'ai un avertissement à donner à ceux qui ont péché autrefois et à
tous les autres ; je l'ai déjà donné durant
ma seconde visite chez vous, mais je le répète maintenant que je suis absent : la
prochaine fois que j'irai vous voir, je ne
serai indulgent pour personne. 3 Vous désirez la preuve que le *Christ parle par
moi, et vous l'aurez. Le Christ n'est pas
faible à votre égard, mais il manifeste sa
puissance parmi vous. 4 Certes, quand il a
été cloué sur une croix, il était faible,
mais maintenant il vit par la puissance de
Dieu. Dans l'union avec lui, nous sommes faibles nous aussi ; mais, nous vous
le montrerons, nous vivons avec lui par la
puissance de Dieu.

5 Mettez-vous à l'épreuve, examinez
vous-mêmes si vous vivez dans la foi.
Vous reconnaissez que Jésus-Christ est
parmi vous, n'est-ce pas ? A moins que
l'examen ne soit un échec pour vous.
6 Cependant, je l'espère, vous reconnaîtrez que nous n'avons pas échoué, nous.
7 Nous prions Dieu que vous ne fassiez
aucun mal ; nous désirons non pas démontrer par là notre réussite, mais vous
voir pratiquer le bien, même si nous sem-
blons échouer. 8 Car nous ne pouvons
rien faire contre la vérité de Dieu, nous
ne pouvons qu'agir pour elle. 9 Nous nous
réjouissons quand nous sommes faibles
tandis que vous êtes forts. Par conséquent, nous demandons aussi dans nos
prières que vous deveniez parfaits.
10 Voici pourquoi je vous écris tout cela en
étant loin de vous : c'est pour ne pas
avoir, une fois présent, à vous traiter durement avec l'autorité que le Seigneur
m'a donnée, autorité qui a pour but de
faire progresser votre communauté et
non de la détruire.

11 Et maintenant, frères, adieu ! Tendez
à la perfection, encouragez-vous les uns
les autres, mettez-vous d'accord, vivez en
paix, et le Dieu d'amour et de paix sera
avec vous.

12 Saluez-vous les uns les autres d'un
baiser fraternel.

Tous les croyants vous adressent leurs
salutations.

13 Que la grâce du Seigneur Jésus-
Christ, l'amour de Dieu et la communion
du Saint-Esprit soient avec vous tous[i].

---

h **13.1** Voir Deut 19.15 ; Matt 18.16 ; 1 Tim 5.19 ; Hébr 10.28. – *la troisième fois* : voir 12.14 et la note.

i **13.13** *Jésus-Christ... Dieu... Saint-Esprit* : comparer Matt 28.19 ; Éph 2.18 ; 1 Pi 1.2.

Lettre aux

Galates

Introduction – *Au troisième siècle avant Jésus-Christ, des Celtes gaulois s'étaient avancés jusqu'en Asie Mineure (aujourd'hui la Turquie d'Asie) et s'y étaient établis. Leurs descendants, les Galates, occupaient la région proche de l'actuelle ville d'Ankara. Certains furent gagnés à l'Évangile par l'apôtre Paul lors de son deuxième et de son troisième voyage missionnaire (Act 16.6 et 18.23).*

*Mais l'apôtre fut suivi par d'autres visiteurs. Ces derniers enseignaient que les chrétiens d'origine non juive devaient se soumettre à la loi juive et en particulier se faire *circoncire. Pour Paul, cette exigence était contraire au véritable Évangile de Jésus-Christ : elle plaçait les chrétiens galates dans une situation d'esclavage spirituel. Quand il apprit – probablement à Éphèse – que ceux-ci semblaient accepter le message de ses adversaires, il leur écrivit cette lettre passionnée.*

Pour ramener ses frères à la seule « Bonne Nouvelle », Paul procède en trois temps :
– Il évoque d'abord ses expériences personnelles : sa conversion ; l'accord qu'il obtint de l'Église de Jérusalem (les chrétiens d'origine non juive ne seraient pas soumis à la loi juive) ; son différend avec l'apôtre Pierre sur l'application de cette décision. Paul défend son autorité d'apôtre, en insistant sur le fait que cette charge lui a été confiée par le Seigneur (chap. 1–2).
– En s'appuyant sur des textes de l'Ancien Testament il explique qu'on ne trouve pas le salut en se soumettant à la loi juive mais seulement en croyant en Jésus-Christ (chap. 3–4).
– Il termine par un pressant appel à vivre librement sous la conduite de l'Esprit de Dieu, car l'Esprit produit en l'homme toutes sortes de nouvelles dispositions, en premier l'amour (chap. 5–6).
Chaque Église, chaque chrétien doit entendre cet appel et y répondre du fond du cœur, afin d'être libéré de tout esclavage.

Salutation

1 [1]De la part de Paul, chargé d'être
*apôtre non point par les hommes
ou par l'intermédiaire d'un homme,
mais par Jésus-Christ et par Dieu le Père
qui l'a ramené d'entre les morts. [2]Tous
les frères qui sont ici se joignent à moi
pour adresser cette lettre aux Églises de
Galatie[a] et leur dire : [3]Que Dieu notre
Père et le Seigneur Jésus-Christ vous accordent la grâce et la paix. [4]Le *Christ
s'est livré lui-même pour nous sauver de
nos péchés afin de nous arracher au pouvoir mauvais du monde présent, selon la
volonté de Dieu, notre Père. [5]A Dieu
soit la *gloire pour toujours ! *Amen.

---

a **1.2** La *Galatie* est généralement considérée comme la région où se trouve actuellement Ankara, en Turquie. Voir Act 16.6.

La seule Bonne Nouvelle

6 Je suis stupéfait de la rapidité avec laquelle vous vous détournez de Dieu : il vous a appelés par la grâce du *Christ et vous, vous regardez à une autre Bonne Nouvelle[b]. 7 En réalité, il n'y en a pas d'autre ; il y a seulement des gens qui vous troublent et qui veulent changer la Bonne Nouvelle du Christ. 8 Eh bien, si quelqu'un – même si c'était nous ou un *ange venu du *ciel – vous annonçait une Bonne Nouvelle différente de celle que nous vous avons annoncée, qu'il soit maudit ! 9 Je vous l'ai déjà dit et je le répète maintenant : si quelqu'un vous annonce une Bonne Nouvelle différente de celle que vous avez reçue, qu'il soit maudit !

10 Est-ce que par là je cherche à gagner l'approbation des hommes ? Non, c'est celle de Dieu que je désire. Est-ce que je cherche à plaire aux hommes ? Si je cherchais encore à leur plaire, je ne serais pas serviteur du Christ.

Comment Paul est devenu apôtre

11 Frères, je vous le déclare : la Bonne Nouvelle que j'annonce n'est pas une invention humaine. 12 Ce n'est pas un homme qui me l'a transmise ou enseignée, mais c'est Jésus-Christ qui me l'a révélée.

13 Vous avez entendu parler de la façon dont je me comportais quand j'étais encore attaché à la religion juive. Vous savez avec quelle violence je persécutais l'Église de Dieu et m'efforçais de la détruire. 14 Je surpassais bien des frères juifs de mon âge dans la pratique de la religion juive ; j'étais beaucoup plus zélé qu'eux pour les traditions de nos ancêtres[c].

15-16 Mais Dieu, dans sa grâce, m'a choisi avant même que je sois né et m'a appelé à le servir. Et quand il décida de me révéler son Fils pour que je le fasse connaître parmi les non-Juifs, je ne suis allé demander conseil à personne[d] 17 et je ne me suis pas non plus rendu à Jérusalem auprès de ceux qui furent *apôtres avant moi ; mais je suis parti aussitôt pour l'Arabie, puis je suis retourné à Damas. 18 C'est trois ans plus tard que je me suis rendu à Jérusalem pour faire la connaissance de Pierre, et je suis resté deux semaines avec lui[e]. 19 Je n'ai vu aucun autre apôtre, mais seulement Jacques, le frère du Seigneur[f]. 20 Ce que je vous écris là est vrai ; devant Dieu j'affirme que je ne mens pas.

21 Ensuite, je suis allé dans les régions de Syrie et de Cilicie. 22 Les Églises chrétiennes de Judée ne me connaissaient pas personnellement. 23 Elles avaient seulement entendu dire : « Celui qui nous persécutait autrefois prêche maintenant la foi qu'il s'efforçait alors de détruire. » 24 Et elles louaient Dieu à mon sujet.

Paul et les autres apôtres

2 1 Quatorze ans plus tard, je suis retourné à Jérusalem avec Barnabas ; j'ai également emmené Tite avec moi[g]. 2 J'y suis allé pour obéir à une révélation divine. Dans une réunion privée que j'ai eue avec les personnes les plus influentes, je leur ai expliqué la Bonne Nouvelle que je prêche aux non-Juifs. Je ne voulais pas que mon travail passé ou présent s'avère inutile. 3 Eh bien, Tite mon compagnon, qui est grec, n'a pas même été obligé de se faire *circoncire, 4 malgré des faux frères[h] qui s'étaient mêlés à nous et voulaient le circoncire. Ces gens s'étaient glissés dans notre groupe pour espionner la liberté qui nous vient de Jésus-Christ et nous ra-

---

b **1.6** *par la grâce du Christ* : certains manuscrits ont *par sa grâce*. – *une autre Bonne Nouvelle* ou *un autre évangile*. Selon les propagateurs de cet « autre évangile », l'accès au salut exigeait, outre la foi en Jésus-Christ, qu'on se soumette aux prescriptions de la loi juive, notamment la circoncision et la séparation d'avec les non-Juifs. Voir 2.3-5,12-14.

c **1.14** *v. 13-14* : voir Act 8.3 ; 22.3-5 ; 26.9-11.

d **1.15-16** Voir Act 9.3-6 ; 22.6-10 ; 26.13-18. Pour le v. 15, comparer És 49.1 ; Jér 1.5.

e **1.18** Voir Act 9.26-30. – *Pierre* : le texte original emploie ici *Céphas* qui est l'équivalent araméen de Pierre (voir Jean 1.42).

f **1.19** *Jacques, le frère du Seigneur*, était un des principaux dirigeants de l'Église de Jérusalem (voir 2.9 ; Act 15.13). – Autre traduction du verset *Je n'ai vu aucun autre apôtre, si ce n'est Jacques...*

g **2.1** Voir Act 11.30 ; 15.2.

h **2.4** Voir 1.7. Comparer 1.6 et la note.

mener à l'esclavage de la loi. 5 Pas un seul
instant nous ne leur avons cédé, afin de
maintenir pour vous la vérité de la Bonne
Nouvelle.
6 Mais les personnes considérées
comme les plus influentes – en fait, ce
qu'elles étaient ne m'importe pas, car
Dieu ne juge pas sur les apparences[i] –,
ces personnes, donc, ne m'imposèrent
pas de nouvelles prescriptions. 7 Au
contraire, elles virent que Dieu m'avait
chargé d'annoncer la Bonne Nouvelle
aux non-Juifs, tout comme il avait
chargé Pierre de l'annoncer aux Juifs.
8 Car Dieu a fait de moi *l'apôtre destiné
aux autres nations, tout comme il a fait
de Pierre l'apôtre destiné aux Juifs. 9 Jacques, Pierre et Jean[j], qui étaient considérés comme les colonnes de l'Église,
reconnurent que Dieu m'avait confié
cette tâche particulière ; ils nous ser-
rèrent alors la main, à Barnabas et à moi,
en signe d'accord. Ainsi, nous avons
convenu tous ensemble que, pour notre
part, nous irions travailler parmi les
non-Juifs et qu'ils iraient, eux, parmi les
Juifs. 10 Ils nous demandèrent seulement
de nous souvenir des pauvres de leur
Église, à Jérusalem, ce que j'ai pris grand
soin de faire[k].

A Antioche, Paul adresse des reproches à Pierre

11 Mais quand Pierre vint à Antioche[l],
je me suis opposé à lui ouvertement,
parce qu'il avait tort. 12 En effet, avant
l'arrivée de quelques personnes envoyées par Jacques, il mangeait avec les
frères non juifs. Mais après leur arrivée,
il prit ses distances et cessa de manger
avec les non-Juifs par peur des partisans
de la *circoncision. 13 Les autres frères
juifs se comportèrent aussi lâchement
que Pierre, et Barnabas lui-même se
laissa entraîner par leur hypocrisie.
14 Quand j'ai vu qu'ils ne se conduisaient
pas d'une façon droite, conforme à la vérité de la Bonne Nouvelle, j'ai dit à
Pierre devant tout le monde : « Toi qui es
Juif, tu as vécu ici à la manière de ceux
qui ne le sont pas, et non selon la loi
juive. Comment peux-tu donc vouloir
forcer les non-Juifs à vivre à la manière
des Juifs ? »

Les Juifs et les non-Juifs sont sauvés par la foi

15 Nous sommes, nous, juifs de naissance et non originaires d'autres nations
qui ignorent la loi divine. 16 Cependant,
nous savons que l'homme est reconnu
juste par Dieu uniquement à cause de sa
foi en Jésus-Christ et non parce qu'il
obéit en tout à la *loi de Moïse. C'est
pourquoi, nous aussi, nous avons cru en
Jésus-Christ afin d'être reconnus justes à
cause de notre foi au *Christ et non pour
avoir obéi à cette loi. Car personne ne
sera reconnu juste par Dieu[m] pour avoir
obéi en tout à la loi. 17 Mais si, alors que
nous cherchons à être reconnus justes
grâce au Christ, il se trouve que nous
sommes pécheurs autant que les non-
Juifs, cela signifie-t-il que le Christ sert la
cause du péché ? Certainement pas ! 18 En
effet, si je reconstruis le système de la loi
que j'ai détruit, je refais de moi un être
qui désobéit à la loi. 19 Or, en ce qui
concerne la loi, je suis mort, d'une mort
provoquée par la loi elle-même, afin que
je puisse vivre pour Dieu. J'ai été mis à
mort avec le Christ sur la croix, 20 de sorte
que ce n'est plus moi qui vis, mais c'est le
Christ qui vit en moi. Car ma vie humaine, actuelle, je la vis dans la foi au
*Fils de Dieu qui m'a aimé et a donné sa
vie pour moi. 21 Je refuse de rejeter la
grâce de Dieu. En effet, si c'est au moyen
de la loi que l'on peut être rendu juste
aux yeux de Dieu, alors le Christ est mort
pour rien.

La loi ou la foi

3 1 O Galates insensés ! Qui vous a en-
sorcelés ? Pourtant, c'est une claire
vision de Jésus-Christ mort sur la croix
qui vous a été présentée. 2 Je désire que

---

i **2.6** Comparer Deut 10.17.
j **2.9** *Jean* est ici l'apôtre.
k **2.10** Voir Act 11.29-30.
l **2.11** *Antioche* de Syrie : voir Act 11.19-26.
m **2.16** *l'homme est reconnu juste par Dieu* : autre traduction *l'homme est replacé dans une juste relation avec Dieu* (voir Rom 1.17). – *personne ne sera reconnu juste...* : voir Ps 143.2 ; Rom 3.20,22.

vous répondiez à cette seule question :
avez-vous reçu l'Esprit de Dieu parce que
vous avez obéi en tout à la *loi ou parce
que vous avez entendu et cru la Bonne
Nouvelle ? 3 Comment pouvez-vous être
aussi insensés ? Ce que vous avez
commencé par l'Esprit de Dieu, voulez-
vous l'achever maintenant par vos propres forces ? 4 Avez-vous fait de telles expériences pour rien ? Il n'est pas possible
que ce soit pour rien. 5 Quand Dieu vous
accorde son Esprit et réalise des miracles
parmi vous, le fait-il parce que vous
obéissez à la loi ou parce que vous entendez et croyez la Bonne Nouvelle ?
6 C'est ainsi qu'il est dit au sujet
d'Abraham : « Il eut confiance en Dieu,
et Dieu le considéra comme juste en tenant compte de sa foi. » 7 Vous devez
donc le comprendre : ceux qui vivent selon la foi sont les vrais descendants
d'Abraham. 8 L'Écriture a prévu que
Dieu rendrait les non-Juifs justes à ses
yeux à cause de leur foi. C'est pourquoi
elle a annoncé d'avance à Abraham cette
bonne nouvelle : « Dieu *bénira toutes
les nations de la terre à travers toi[n]. »
9 Abraham a cru et il fut béni ; ainsi, tous
ceux qui croient sont bénis comme il l'a
été.
10 En revanche, ceux qui comptent sur
l'obéissance à la loi sont frappés d'une
malédiction. En effet, l'Écriture déclare :
« Maudit soit celui qui ne met pas continuellement en pratique tout ce qui est
écrit dans le livre de la loi. » 11 Il est d'ailleurs clair que personne ne peut être
rendu juste aux yeux de Dieu au moyen
de la loi, car il est écrit : « Celui qui est
juste par la foi, vivra. » 12 Or, la loi n'a rien
à voir avec la foi. Au contraire, comme il
est également écrit : « Celui qui met en
pratique les commandements de la loi vivra par eux[o]. »
13 Le *Christ, en devenant objet de malédiction à notre place, nous a délivrés de
la malédiction de la loi. L'Écriture déclare en effet : « Maudit soit quiconque
est pendu à un arbre[p]. » 14 C'est ainsi que
la bénédiction promise à Abraham est accordée aussi aux non-Juifs grâce à Jésus-
Christ, et que nous recevons tous par la
foi l'Esprit promis par Dieu.

La loi et la promesse

15 Frères, je vais prendre un exemple
dans la vie courante : quand un homme a
établi un testament en bonne et due
forme, personne ne peut annuler ce testament ou lui ajouter quoi que ce soit. 16 Eh
bien, Dieu a fait ses promesses à Abraham
et à son descendant. L'Écriture ne déclare
pas : « et à ses descendants », comme s'il
s'agissait de nombreuses personnes ; elle
déclare : « et à ton descendant[q] », en indiquant par là une seule personne, qui est le
*Christ. 17 Voici ce que je veux dire : Dieu
avait établi un testament et avait promis
de le maintenir. La *loi, qui est survenue
quatre cent trente ans plus tard[r], ne peut
pas annuler ce testament et supprimer la
promesse de Dieu. 18 Mais si l'héritage que
Dieu accorde s'obtient par la loi, alors ce
n'est plus grâce à la promesse. Or, c'est par
la promesse que Dieu a manifesté sa faveur à Abraham.
19 Quel a donc été le rôle de la loi ? Elle
a été ajoutée pour faire connaître les actions contraires à la volonté de Dieu, et
cela jusqu'à ce que vienne le descendant
d'Abraham pour qui la promesse avait
été faite. Cette loi a été promulguée par
des *anges qui se sont servis d'un intermédiaire[s]. 20 Mais un intermédiaire est
inutile quand une seule personne est en
cause, et Dieu seul est en cause[t].

Le but de la loi

21 Cela signifie-t-il que la *loi est
contraire aux promesses de Dieu ? Cer-

---

n **3.8** Références pour les versets 6 à 8 : *v. 6* : Gen 15.6 ; Rom 4.3. – *v. 7* : Rom 4.16. – *v. 8* : Gen 12.3.

o **3.12** Références pour les versets 10 à 12 : *v. 10* : Deut 27.26, cité d'après l'ancienne version grecque. – *v. 11* : *juste par la foi, vivra* (voir Hab 2.4) : autre traduction *juste vivra par la foi* (comparer Rom 1.17). – *v. 12* : voir Lév 18.5 ; Rom 10.5.

p **3.13** Voir Deut 21.23 et la note.

q **3.16** Voir Gen 12.7.

r **3.17** *Dieu avait établi un testament* : en grec, le même mot signifie à la fois *testament* et *alliance*. – Comparer Ex 12.40.

s **3.19** *par des anges* : comme Étienne, Paul se réfère ici à une tradition juive (voir Act 7.53 et la note). – *un intermédiaire* : c'est-à-dire Moïse.

t **3.20** *et Dieu seul est en cause* : autre traduction *et Dieu est unique* (comparer Deut 6.4).

tainement pas ! Si une loi avait été donnée qui puisse procurer la vraie vie aux
hommes, alors l'homme pourrait être
rendu juste aux yeux de Dieu par le
moyen de la loi. 22 Mais l'Écriture a déclaré que le monde entier est soumis à la
puissance du péché, afin que le don promis par Dieu soit accordé aux croyants,
en raison de leur foi en Jésus-Christ.

23 Avant que vienne le temps de la foi,
la loi nous gardait prisonniers, en attendant que cette foi soit révélée. 24 Ainsi, la
loi a été notre surveillant jusqu'à la venue
du *Christ, afin que nous soyons rendus
justes aux yeux de Dieu par la foi.
25 Maintenant que le temps de la foi est
venu, nous ne dépendons plus de ce surveillant.

26 Car vous êtes tous enfants de Dieu
par la foi qui vous lie à Jésus-Christ.
27 Vous tous, en effet, avez été unis au
Christ dans le baptême et vous vous êtes
ainsi revêtus de tout ce qu'il nous offre.
28 Il n'importe donc plus que l'on soit juif
ou non juif, esclave ou libre, homme ou
femme ; en effet, vous êtes tous un dans la
communion avec Jésus-Christ. 29 Si vous
appartenez au Christ, vous êtes alors les
descendants d'Abraham et vous recevrez
l'héritage que Dieu a promis[u].

4 1 En d'autres mots, voici ce que je
veux dire : aussi longtemps qu'un héritier est mineur, sa situation ne diffère
pas de celle d'un esclave, bien que théoriquement tout lui appartienne. 2 En fait,
il est soumis à des personnes qui prennent soin de lui et s'occupent de ses affaires jusqu'au moment fixé par son
père[v]. 3 Nous, de même, nous étions précédemment comme des enfants, nous
étions esclaves des forces spirituelles du
monde[w]. 4 Mais quand le moment fixé est
arrivé, Dieu a envoyé son Fils : il est né
d'une femme et il a été soumis à la loi
juive, 5 afin de délivrer ceux qui étaient
soumis à la loi, et de nous permettre ainsi
de devenir enfants de Dieu.

6 Pour prouver que vous êtes bien ses
enfants, Dieu a envoyé dans nos cœurs
l'Esprit de son Fils, l'Esprit qui crie :
« Abba, ô mon Père[x] ! » 7 Ainsi, tu n'es
plus esclave, mais enfant ; et puisque tu
es son enfant, Dieu te donnera l'héritage
qu'il réserve à ses enfants.

L'inquiétude que Paul ressent au sujet des Galates

8 Autrefois, vous ne connaissiez pas
Dieu et vous étiez esclaves de dieux qui
n'en sont pas en réalité[y]. 9 Mais maintenant que vous connaissez Dieu – ou, plutôt, maintenant que Dieu vous connaît –,
comment est-il possible que vous retour-
niez à ces faibles et misérables forces spirituelles[z] ? Voulez-vous redevenir leurs
esclaves ? 10 Vous attachez une telle importance à certains jours, certains mois,
certaines saisons et certaines années[a] !
11 Vous m'inquiétez : toute la peine que je
me suis donnée pour vous serait-elle inutile ?

12 Frères, je vous en supplie, devenez
semblables à moi, puisque je me suis fait
semblable à vous. Vous ne m'avez causé
aucun tort. 13 Vous vous rappelez pourquoi je vous ai annoncé la Bonne Nouvelle la première fois : c'est parce que
j'étais malade. 14 La vue de mon corps
malade était éprouvante pour vous, et
pourtant vous ne m'avez pas méprisé ou
repoussé. Au contraire, vous m'avez accueilli comme un *ange de Dieu, ou
même comme Jésus-Christ. 15 Vous étiez
si heureux ! Que vous est-il donc arrivé ?
Je peux vous rendre ce témoignage : s'il
avait été possible, vous vous seriez arraché les yeux pour me les donner ! 16 Et
maintenant, suis-je devenu votre ennemi
parce que je vous dis la vérité ?

17 Il en est d'autres qui manifestent
beaucoup d'intérêt pour vous, mais dont

---

u **3.29** Comparer Rom 4.13.

v **4.2** Selon le droit hellénistique, c'est le père qui fixait l'âge de la majorité pour son fils.

w **4.3** *forces spirituelles du monde* : le sens exact de l'expression est controversé. Il semble que Paul évoque diverses puissances invisibles qui asservissent l'homme avant qu'il soit libéré par la foi en Jésus-Christ. Voir 4.9 ; Col 2.8,20.

x **4.6** *Pour prouver que* ou *Parce que... – Abba* : voir Marc 14.36 et la note ; Rom 8.15. – Comparer les v. 5-7 et Rom 8.15-17.

y **4.8** Comparer 1 Cor 8.4-6.

z **4.9** Voir 4.3 et la note.

a **4.10** Il est fait allusion soit à des fêtes juives, soit à des rites païens en relation avec le culte des astres. Comparer Rom 14.5 ; Col 2.16-23.

Pour en savoir plus

Les pages précédentes ont peut-être éveillé on intérêt, et tu désires approfondir ta onnaissance de la Bible. Tu constateras u'un certain nombre de thèmes centraux y eviennent sans cesse. Dans l'Ancien Testa-nent, il s'agit de l'activité créatrice de Dieu, le la sortie des Israélites hors d'Égypte, de alliance que Dieu conclut avec son peuple, es lois qu'il lui donne et en particulier des ix commandements, et du domaine des êtes et du culte.

Jn thème central du Nouveau Testament st le message que Jésus proclame parmi les ommes : par sa venue, Dieu inaugure son oyaume dans ce monde. Mais que signifie Royaume de Dieu » ? Un chapitre entier era consacré à cette question, et un autre hapitre tentera de montrer pourquoi Jésus st particulier. Les premiers chrétiens ont tilisé une série de titres honorifiques pour xprimer convenablement la signification articulière qu'avait Jésus-Christ pour eux. ous ces titres seront expliqués en détail. – es chrétiens ne sont pas des « combattants olitaires ». Vivant et travaillant en commu-ion les uns avec les autres, ils constituent la ommunauté de l'Église. Le dernier sujet bordé dans cette partie sera donc celui de communauté ou Église chrétienne.

La création

« Au commencement, Dieu créa le ciel et la terre. » Cette première phrase de la Bible relève non d'une démarche scientifique, mais d'une affirmation de foi fondamentale : l'univers entier est l'œuvre de Dieu ; il ne doit son existence ni au hasard, ni à un simple enchaînement de processus physiques et chimiques. Au commencement de tout, il y a l'activité créatrice de Dieu. C'est lui qui transforme le chaos primitif (Genèse 1.2) en un espace de vie pour les plantes, les animaux et les êtres humains.

Dieu crée par sa Parole

Dieu crée le monde par sa Parole. Les éléments de la création s'organisent parce que Dieu les appelle à exister par sa Parole puissante : « Dieu dit... et cela se réalisa. » Le début de l'évangile de Jean reprend le récit de la création tout en précisant que c'est cette Parole qui maintient en vie et relie à Dieu tout ce qui a été créé. En Jésus, la « Parole » est devenue un être humain, elle est venue dans le monde, parmi les êtres humains (Jean 1.1-14).

L'image de Dieu

Parmi toutes les créatures, l'être humain a une place à part, et il est relié avec le Créateur de façon très particulière : il est créé « comme une image » de Dieu, « une image vraiment ressemblante » (Genèse 1.26-27). Ce qui fait de lui l'image de Dieu, c'est sa liberté et sa responsabilité personnelle devant Dieu. L'être humain est la créature à laquelle Dieu parle et qui lui répond, non seulement par sa parole, mais par tout son être et toute son activité. La responsabilité que Dieu lui confie ne se limite pas à sa seule personne : elle concerne toute la création, que Dieu confie à sa garde. Il est important de saisir que la notion d'« image de Dieu » n'est pas appliquée à l'homme (masculin) seul, ni à l'être humain en général, mais expressément à l'homme et à la femme. Ce n'est que dans l'unité des deux sexes que l'être humain est l'image de Dieu, et ce n'est que dans l'unité qu'il peut gérer la création de manière saine et juste. Prolongeant cette notion d'image de Dieu, le Nouveau Testament décrit le Christ, à la différence de tous les autres êtres humains, comme l'image parfaite de Dieu (ex. : 2 Corinthiens 4.4 ; Colossiens 1.15).

Le septième jour

Contrairement à un malentendu très répandu, ce n'est pas dans la création de l'homme, mais dans le repos de Dieu, le septième jour, que la création trouve son accomplissement (Genèse 2.2-4). Le don du repos est alors accordé également à ses créatures. Dieu déclare que ce septième jour lui est réservé et le bénit d'une façon particulière. Ce jour-là, toutes les créatures, libérées des contraintes propres aux jours de travail, peuvent être simplement elles-mêmes. Qui prend conscience de ce don pour se laisser émouvoir par la beauté de la Création saisira pour quoi Dieu a créé l'unvers : la création est un chant de louange a Créateur, un chant qui a pris une forme vsible et tangible. Cette louange devait trouver son écho dans le culte de l'Église.

A toi de te lancer !

Voici quelques autres textes bibliques qui chantent de manière très expressive la louange du Créateur et qui nous invitent à nous associer à cette louange : Psaume 104, Job 38 à 41.

Le Psaume 8 nous propose une réflexion sur le rôle particulier de l'être humain dans la création.

Colossiens 1.15-20, un chant de louange ancien, médite la relation du Christ avec la création du monde au commencement, et avec son accomplissement à la fin.

La sortie d'Égypte (Exode)

La plupart des États fêtent les événements majeurs survenus dans l'histoire de la nation, par exemple l'anniversaire de leur fondation, ou celui de leur accession à l'indépendance. Il y a aussi des fêtes religieuses. L'événement le plus marquant pour le peuple d'Israël est à la fois historique et religieux, c'est la sortie d'Égypte, l'Exode.

Les descendants de Jacob, qui étaient venus s'installer en Égypte pendant une période de famine (lire l'histoire de Joseph, Genèse 37 à 50), sont devenus un grand peuple, que le Pharaon a réduit à l'esclavage. Un certain nombre d'historiens pensent que ceci s'est passé sous le Pharaon Ramsès II (1290–1224 av. J.-C.), qui avait besoin de main d'œuvre pour construire une nouvelle résidence dans l'est du delta du Nil. La fuite des Israélites du « pays de l'esclavage » est relatée dans Exode 1 à 15.

Le peuple est conduit par Moïse, que Dieu lui-même appelle à cette tâche (le récit de cette vocation se trouve dans Exode 3.1 à 4.17). Dieu révèle en même temps son nom : « Je suis qui je suis », quatre lettres hébraïques (YHWH) qu'on appelle également le tétragramme (voir Exode 3.13-15 et les notes de bas de page). Ce nom signifie : Je suis le Dieu qui sera là pour son peuple, qui se révélera comme son sauveur et son soutien.

Dieu est donc avec son peuple : Israël en fera l'expérience au cours des événements dramatiques liés à la sortie d'Égypte. Le Pharaon, qui refuse de libérer sa main d'œuvre, subit les effets de la puissance de Dieu sous la forme des « dix plaies (ou fléaux) d'Égypte » (chapitres 7 à 11). Ce n'est que lorsque Dieu fait mourir tous les fils premiers-nés d'Égypte en une seule nuit que le Pharaon cède et laisse le peuple s'en aller. Mais peu après, il revient sur sa décision et poursuit les Israélites avec toute son armée. Une fois de plus, Dieu sauve son peuple et lui fait traverser la mer Rouge à pied sec, tandis que les forces armées égyptiennes se noieront (Exode 14).

Le peuple d'Israël doit son existence à ce double sauvetage lors de la sortie d'Égypte puis de la traversée de la mer Rouge. Cette délivrance constitue l'expérience fondamentale du peuple avec son Dieu, et la fête annuelle de la Pâque la rappelle toujours à nouveau.

A toi de te lancer !

Voici un rappel des textes bibliques les plus importants à propos de la sortie d'Égypte : Exode 11 à 12 et 14.

IIIIIIIIIIIIIIIIIII

L'alliance

À plusieurs reprises, l'Ancien Testament parle d'une alliance conclue par Dieu avec les hommes. Par « alliance », nous entendons habituellement un contrat entre partenaires égaux, qui acceptent certaines obligations l'un à l'égard de l'autre. Il en va autrement des alliances bibliques entre Dieu et les êtres humains. C'est toujours Dieu qui prend l'initiative de proposer une alliance et qui choisit son partenaire. Alors ce partenaire bénéficie de l'action bienfaisante et salutaire de Dieu.

L'alliance de Dieu avec Noé

Noé et sa famille sont les premières personnes avec qui Dieu conclut une alliance, après les avoir sauvés du déluge (ce récit se trouve en Genèse 9.1–17). Dieu s'engage à ne plus jamais anéantir sa création. Il fait de l'arc-en-ciel le signe visible de son alliance avec les hommes.

L'alliance de Dieu avec Abraham

L'alliance de Dieu avec Noé concerne tous les humains. L'alliance avec Abraham et ses descendants (Genèse 15 et 17) se limite à un cercle plus restrient : Dieu promet à Abraham, très âgé et sans enfant, une grande descendance (voir Genèse 12.1-9 et 18.1-15). Cette alliance implique également que les descendants d'Abraham seront le peuple élu et aimé de Dieu. La naissance de son fils Isaac (Genèse 21.1-8) fait d'Abraham l'ancêtre d'Israël. Le signe matériel de cette alliance est la circoncision (voir l'article correspondant du Vocabulaire), qui doit être pratiquée par Abraham et par les siens. Plus tard, la circoncision deviendra un signe d'identification distinguant Israël comme peuple de Dieu parmi les autres peuples de son entourage.

L'alliance de Dieu avec le peuple d'Israël

La révélation de Dieu au mont Sinaï et l'alliance qu'il y conclut avec son peuple constituent le second temps fort dans l'histoire d'Israël, après la sortie d'Égypte (voir le chapitre précédent). Dieu a sauvé son peuple des Égyptiens, et il l'a guidé avec sollicitude pendant toute sa marche au désert. Maintenant, le peuple est appelé à répondre à l'intervention de Dieu par sa manière de vivre ; les Israélites doivent conformer toute leur vie aux commandements de Dieu (Exode 19.3-6). La longue section qui va d'Exode 20 jusqu'aux premiers chapitres de Nombres contient des commandements et des instructions précisant en quoi consiste leur engagement (voir aussi le chapitre sur les dix commandements et la loi). Toutes ces prescriptions ne doivent pas faire perdre de vue le sens profond de l'alliance, qui réside dans la communion entre Dieu et les hommes. L'alliance de Dieu avec son peuple est une alliance d'amour.

Tout au long de l'histoire d'Israël, la grave question est de savoir si le peuple aimé et choisi par Dieu respecte l'alliance ou s'il la bafoue par l'idolâtrie et l'injustice sociale. Des catastrophes s'abattent sur Israël et sont considérées par les auteurs bibliques comme des punitions envoyées par Dieu à son peuple infidèle. Mais les prophètes disent aussi l'amour constant de Dieu et appellent sans cesse son peuple à « revenir » et à rétablir ainsi l'alliance.

La nouvelle alliance

En même temps, une nouvelle espérance a pris forme chez les prophètes: l'attente d'une alliance radicalement différente. Les instructions de Dieu seraient alors gravées dans les cœurs (Jérémie 31.31-34). Pour le Nouveau Testament, cette attente est réalisée en Jésus: par sa mort sur la croix, il fonde une nouvelle alliance (1 Corinthiens 11.25), valable non seulement pour le peuple d'Israël, mais pour des hommes et des femmes de toutes les nations.

A toi de te lancer!

Voici deux autres textes bibliques en rapport avec la nouvelle alliance: Matthieu 26.26-30; 2 Corinthiens 3.1-17.

Les dix commandements et la Loi

«Vous serez une nation consacrée à mon service» (Exode 19.6). Toutes les dispositions légales de l'Ancien Testament sont enracinées dans ce verset. En effet, l'objet de la Loi est de révéler aux Israélites comment ils peuvent être le peuple de Dieu. Et Israël tient à être le peuple de Dieu parce que Dieu a fait des merveilles pour lui.

Les dix commandements constituent le centre de tous les textes de loi de l'Ancien Testament (Exode 20.2-17). Ils ne visent pas à limiter arbitrairement la liberté humaine, mais ils sont un don particulier de Dieu, qui a libéré Israël de l'esclavage égyptien. Par ces commandements, il donne à son peuple les indications qui lui permettront de préserver le bien précieux qu'est la liberté.

C'est pourquoi les dix commandements sont introduits par un rappel explicite de la sortie d'Égypte (Exode 20.2). Traditionnellement, on admet qu'ils comportent deux parties : les devoirs envers Dieu et les devoirs envers les êtres humains. Ces commandements sont le noyau le plus ancien des textes législatifs de l'Ancien Testament. Les lois ultérieures les développent et les explicitent.

Les devoirs envers Dieu sont précisés dans les instructions au sujet du culte sacrificiel. Celles-ci comprennent le récit de la fabrication d'un sanctuaire transportable (Exode 35 à 40), des dispositions au sujet des fêtes (Exode 23.10-19 ; voir aussi le chapitre « les fêtes d'Israël »), ainsi que des prescriptions en rapport avec la « pureté » qui doit caractériser tout Israélite qui veut s'approcher de Dieu dans le cadre du culte (voir l'article « pur, pureté » du Vocabulaire).
Les devoirs envers les autres êtres humains sont développés dans des dispositions de droit civil et pénal (Exode 21 à 23). Un aspect frappant des commandements et lois de l'Ancien Testament est le respect des faibles : des étrangers, des pauvres, des veuves et des orphelins (Exode 22.20-26), qui bénéficient de la protection particulière de Dieu.

A toi de te lancer !

La Bible contient deux versions des dix commandements. Lis Exode 20.1–17 et Deutéronome 5.6–21. Cherche en quoi ces deux versions s'accordent et en quoi elles diffèrent.

De nos jours, nous avons tendance à considérer des commandements et des lois comme des limitations indues de notre liberté, que nous ne sommes souvent pas prêts à tolérer. A l'époque de l'Ancien Testament par contre, ils étaient considérés comme expression du désir de Dieu de sauver, guider et protéger les hommes. Lis le Psaume 119 pour te faire une idée de la reconnaissance débordante et de la vive joie qu'inspirait la Loi aux fidèles de l'époque. Peux-tu comprendre leur attitude ? La partager ?

La fête des Huttes est riche en couleurs et en coutumes.

Les fêtes d'Israël

Le sabbat

L'un des dix commandements demande le respect d'un jour de repos, consacré à Dieu de façon particulière : ce jour est le sabbat, le septième jour de la semaine (voir aussi page en couleur 62). Le sabbat est aussi un rappel de l'intervention de Dieu pour délivrer son peuple de l'esclavage.

Les fêtes

Outre le jour de repos hebdomadaire, il y avait en Israël une série de fêtes particulières, qui revenaient à dates fixes. Comme le sabbat, ces fêtes continuent à être célébrées par les juifs. Les fêtes les plus importantes d'Israël étaient à l'origine des fêtes agricoles ou pastorales. Plus tard, elles ont été consacrées à Dieu pour rappeler ses interventions mémorables en faveur de son peuple.

La fête de la **Pâque** (Pesach) commémore la sortie d'Égypte (l'Exode). A l'époque biblique, les familles offraient un agneau en sacrifice la veille de la fête. Suite à la réforme du roi Josias (voir page en couleur 30), cela ne devait plus se faire qu'à Jérusalem. Au début de la célébration on rappelle le récit de l'Exode. Les mets qui composent le repas pascal des familles sont choisis pour évoquer cet événement.

La fête de la Pâque se prolongeait pendant sept jours par la **fête des Pains sans levain.** A l'origine c'était une fête des moissons, qui a été associée à l'Exode par la suite. Elle rappelle le fait que les Israélites n'avaient pas eu le temps de laisser lever la pâte du pain avant de quitter précipitamment l'Égypte.

La deuxième grande fête de l'année est la **fête de la Moisson ou fête des Semaines** (Chavouot), qui a lieu à la fin de la récolte du blé. Étant célébrée le cinquantième jour après la Pâque, elle a reçu le nom de Pentecôte, qui s'inspire du grec (pentêkostê hêmera = 50e jour). Plus tard, on a surtout commémoré ce jour-là l'arrivée des Israélites au mont Sinaï et la proclamation de la Loi.

La dernière fête de moisson de l'année, la **fête des Huttes ou fête des Tentes** (Soukot), se déroule en automne, après les vendanges. Elle donnait lieu à un pèlerinage à Jérusalem. Son nom lui vient de la coutume d'habiter dans des huttes faites de branchages (ou dans des tentes) pendant cette fête. A l'origine on logeait très probablement ainsi dans les vignobles au moment des vendanges; mais plus tard, les juifs ont repris cette coutume pour se remémorer la vie dans les tentes durant la marche au désert.

Cinq jours avant cette fête des Huttes est célébré le **grand jour du Pardon des péchés** ou **Yom Kippour.** Tout le peuple confesse ses péchés devant Dieu et lui demande pardon. C'est ce jour-là seulement que le grand-prêtre était autorisé à pénétrer dans le « lieu très saint » du temple. Une coutume consistait en outre à charger symboliquement un bouc des péchés du peuple et à l'envoyer dans le désert (Lévitique 16) – c'est là que l'expression « choisir un bouc émissaire » trouve son origine. Un autre bouc était sacrifié pour le pardon.

D'autres fêtes plus récentes sont la **fête des Pourim** (fête « des sorts » ; pour l'histoire de cette fête, voir Esther 9.20-32), et la **fête de la Dédicace** (Hanouka) qui commémore la restauration et la consécration du temple à l'issue de la révolte des Maccabées (1 Maccabées 4.36-59).

A toi de te lancer !

Entreprends la lecture du livre d'Esther. Tu seras sans doute surpris de te rendre compte que cette histoire se lit aisément, comme un roman !

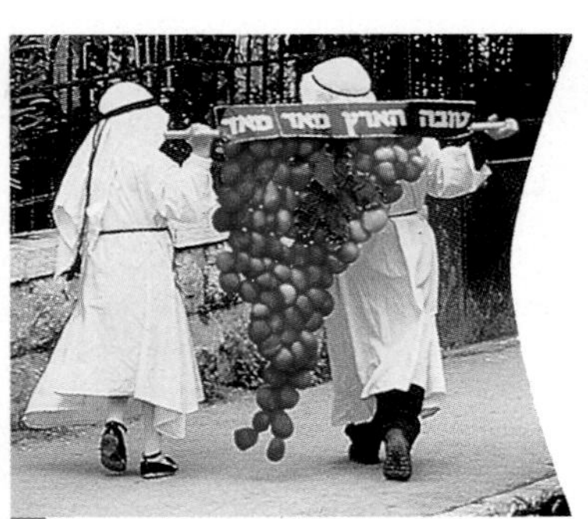

Lors de la fête des Pourim, les enfants juifs se déguisent. La photo montre deux enfants déguisés en émissaires envoyés par Moïse dans la Terre promise et ramenant une immense grappe de raisin (voir Nombres 13).

Le culte en Israël

Le coffre de l'alliance

Les dix commandements constituaient l
charte, le document de l'alliance que Die
avait conclue avec son peuple. On le
conservait dans le « coffre (ou arche) de l'Al
liance ». Ce coffre était en même temp
considéré comme le trône du Dieu invisible
(Tu en trouves une description détaillée e
Exode 25.10-22.) Ce coffre, qui symbolisa
la présence de Dieu au milieu des tribus d'Is
raël, accompagnait parfois les armées e
temps de guerre. David a fait installer l
coffre sacré à Jérusalem, et Salomon l'
transféré dans le « lieu très saint » d
temple. Il y est resté jusqu'à ce qu'il soit dé
truit ou volé lors de l'occupation de Jérusa
lem par Nabucodonosor (voir aussi l'articl
correspondant du Vocabulaire).

Le temple

Dans le désert, Israël avait comme san
tuaire le « tabernacle », une grande tent
démontable et transportable. Bien plu
tard, après avoir fait de Jérusalem la capita
le de son empire, David a acheté un terrai
pour y construire un temple. Il s'est égale
ment occupé des premiers préparatifs, ma
ce n'est que sous le règne de son fils Salo
mon que la construction a effectivement e
lieu. Les travaux ont duré sept ans, et l
temple a subsisté jusqu'à l'arrivée des Baby
loniens en 587 av. J.-C. Le temple était no
un lieu de rassemblement pour la commu
nauté, mais la demeure de Dieu. C'est pour
quoi, dans l'Ancien Testament, le temple es
aussi appelé « maison de Dieu » ou « du Se
gneur » (voir Psaumes 23.6 ; 42.5 ; voir aus
l'article correspondant du Vocabulaire).

Après le retour d'exil, le temple a été rebâti sur ses anciennes fondations, mais il était d'apparence beaucoup plus modeste que le temple de Salomon. Hérode le Grand, le roi qui régnait à l'époque de la naissance de Jésus, a fait remplacer ce temple par un édifice prestigieux. C'est surtout la cour extérieure qui a été notablement agrandie, et entourée de portiques grandioses. C'est là que se tenaient les changeurs de monnaie et les marchands qui vendaient des animaux pour les sacrifices. En l'an 70 ap. J.-C., lors de l'occupation de Jérusalem par les Romains, le temple a été pillé et détruit. L'arc de triomphe que Titus s'est fait ériger au Forum de Rome en mémoire de sa victoire, porte des représentations de cet événement.

A toi de te lancer !

En 1 Samuel 4 à 6, tu trouveras un récit passionnant relatif au coffre de l'alliance.

L'inauguration du temple sous le règne du roi Salomon est rapportée en 1 Rois 8. Dans le Nouveau Testament, c'est la communauté chrétienne qui est présentée comme l'édifice qui remplace le temple de pierre. Lis à ce sujet 1 Corinthiens 3.16-17; 1 Pierre 2.5.

Jésus-Christ, son message

« Le moment est venu où Dieu veut instaurer son Règne et achever son œuvre. Changez de comportement et croyez la Bonne Nouvelle. » Voilà un bref résumé du contenu de la prédication de Jésus (voir Marc 1.15). C'est le Règne de Dieu qui en constitue le centre. Les traductions traditionnelles « Royaume des cieux » et « Royaume de Dieu » pourraient, à tort, faire croire que ce Royaume est dans le ciel et qu'il n'a pas grand-chose à voir avec notre vie quotidienne. Jésus annonce exactement le contraire : le Royaume de Dieu, c'est le domaine dans lequel Dieu règne en Seigneur, et ce domaine englobe aussi notre monde et notre vie quotidienne.

« Les aveugles voient, les boiteux marchent, les morts reviennent à la vie et la Bonne Nouvelle est annoncée aux pauvres »

Que se passe-t-il donc, lorsque le Royaume de Dieu fait irruption dans notre monde ? Les actes de Jésus, ses miracles, sont autant de signes, annoncés par les prophètes de l'Ancien Testament pour l'époque où le Messie viendrait et où Dieu instaurerait son Règne (voir Matthieu 11.2-6 et 12.28).

Cette maquette donne une idée du temple d'Hérode.

Jésus compare le Royaume de Dieu à une semence qui pousse toute seule (Marc 4.26-29)

Que Jésus accueille les pauvres, ceux qui sont mis au ban de la société et ceux qui se sont rendus coupables à l'égard de Dieu et des hommes est un signe tout à fait remarquable. Jésus leur accorde son attention et son amour particuliers. Par contre, il met en garde les riches, les gens bien nourris et satisfaits d'eux-mêmes (voir Luc 6.20-26 et 7.36-50).

Présent et à venir

De nombreuses fois, on a demandé à Jésus quand Dieu allait instaurer son Royaume (voir par exemple Luc 17.20-21), mais il refusait toujours de préciser une date. Pourtant, il parlait du Royaume de Dieu de manière à faire comprendre qu'avec lui, Jésus, il avait déjà commencé. En la personne de Jésus, le présent et l'avenir du Royaume de Dieu ne font plus qu'un. La présence de Dieu dans les actes et dans les paroles de Jésus se révèle à ceux qui prennent au sérieux ce qu'il dit et croient en lui. Jésus utilise de nombreuses «paraboles» (paroles imagées ou histoires simples tirées de la vie quotidienne) pour faire comprendre à quoi ressemble le Règne de Dieu.

Une nouvelle façon de vivre

Avec Jésus, le Royaume de Dieu a, d'une certaine manière, déjà commencé, mais il n'est pas encore là. Pendant ce temps du «déjà et pas encore», tous ceux qui se réclament de Jésus ont la tâche de remettre en question leur façon de vivre pour renoncer à tout ce qui les éloigne de Dieu (voir Matthieu 6.31-34; 21.28-32). Appartenir à Jésus signifie être prêt à abandonner liens et engagements pour répondre à son appel (Matthieu 8.21-22).

L'appartenance à Jésus exige de la part des hommes l'engagement de tout ce qu'ils possèdent, mais cet investissement en vaut largement la peine (Matthieu 13.44-46). Le commandement d'aimer ses ennemis (Matthieu 5.43-48) et les autres règles de vie que Jésus propose aux chrétiens dans le Sermon sur la montagne (Matthieu 5 à 7) montrent quelle nouvelle façon de vivre le Royaume de Dieu instaure parmi les humains.

A toi de te lancer !

Les guérisons sont des signes particulièrement frappants de l'autorité de Jésus. En lisant Luc 5.17-26, tu découvriras quel est leur effet sur les gens. L'histoire de Lévi, un collecteur d'impôts, illustre la façon dont Jésus se tournait vers ceux qui étaient exclus et méprisés; (voir Luc 5.27-32).

Certaines paraboles de Jésus montrent comment le Royaume de Dieu est à la fois présent et à venir: ces histoires opposent un début apparemment insignifiant à un avenir extraordinaire. Pour comprendre comment elles ravivent l'espérance des chrétiens, il suffit de lire les paraboles de Marc 4.3-9, 26-29, 30-32 ou de Matthieu 13.31-33.

L'histoire du bon Samaritain illustre de manière éloquente la nouvelle manière de vivre des chrétiens. Tu la trouves en Luc 10.29-37.

Jésus-Christ, un personnage unique

Le Messie, le Christ

En parlant de Jésus-Christ aujourd'hui, nous n'avons plus guère conscience que le second terme n'est en réalité pas un nom propre, mais un titre qui exprime la dignité particulière de Jésus. En grec, le terme **christos** signifie « l'oint »; c'est la traduction du mot hébreu rendu par « Messie ». Dans l'Ancien Testament, ce titre s'applique d'abord au roi, qui recevait une onction d'huile lors de son entrée en fonction. Sous les derniers rois, et surtout après l'exil babylonien, la notion d'« oint » a pris une signification nouvelle et très particulière: on attendait un Messie, qui serait le souverain idéal inaugurant un temps de salut radicalement opposée à l'oppression du présent. (Voir l'article « Messie » du Vocabulaire.)

En revendiquant ce titre pour Jésus, les chrétiens entendent indiquer que c'est lui qui inaugure ce temps de salut. Pourtant, il ne correspondait pas du tout à l'image que ses contemporains se faisaient du Messie: C'est non par son habileté politique ou par la force des armes, mais par sa souffrance et sa mort que Jésus a changé le cours des choses. C'est pourquoi le Nouveau Testament emploie souvent le titre de Christ lorsqu'il est question de la mort et de la résurrection de Jésus (voir Romains 5.8; 1 Corinthiens 15.12).

A toi de te lancer !

En Marc 8.27-30, tu peux lire la confession de foi des disciples reconnaissant que Jésus est le Messie ou le Christ.

Lis 1 Corinthiens 15.1-28 en entier; tu découvriras ainsi la relation étroite entre le titre de Christ et la souffrance et la résurrection de Jésus.

Le Fils de David

Le Messie attendu était considéré comme descendant de David, si bien que Jésus sera également appelé Fils de David (voir Marc 10.47; Romains 1.3-4). Lors de son entrée à Jérusalem, Jésus est acclamé comme Fils de David (Matthieu 21.9). Dans les évangiles de Matthieu (1.6) et de Luc (3.31), David est explicitement mentionné dans la généalogie de Jésus (voir aussi l'article « Fils de David » dans le Vocabulaire).

Le Fils de l'homme

En évoquant la mission spécifique de Jésus dans le monde, les évangiles emploient l'expression « Fils de l'homme ». Elle vient de l'hébreu et signifie d'abord simplement « être humain ». Mais dans l'Ancien Testament, cette expression revêt déjà une signification particulière: dans une vision prophétique du jugement du monde, le livre de Daniel mentionne « un être semblable à un Fils d'homme », c'est-à-dire à un « être humain » (Daniel 7.13). Il arrive parmi les nuages et reçoit de Dieu le pouvoir de régner sur le monde.

L'emploi de l'expression « Fils de l'homme » dans le Nouveau Testament renoue avec cette vision: en Marc 13.26, Jésus proclame la venue du Fils de l'homme « parmi les nuages avec beaucoup de puissance et de gloire ». Parfois, il parle du Fils de l'homme comme s'il s'agissait de quelqu'un d'autre (voir Luc 12.8-9). Bien que Jésus ne tisse qu'en filigrane le lien qui l'unit au Fils de l'homme, ceux qui croient en lui ont la certitude, au plus tard à partir de Pâques, que Jésus est bel est bien le « Fils de l'homme ».

Lorsque Jésus parle du Fils de l'homme, il va bien au-delà de la compréhension que ses contemporains ont de ce terme. Dans le Nouveau Testament, on découvre que l'œuvre du Fils de l'homme est actuelle: qu'il a le pouvoir de pardonner les péchés (Marc 2.10), qu'il est le maître du sabbat (Marc 2.28), qu'il a une mission spécifique (Luc 19.10), mais aussi qu'il n'a pas de domicile fixe (Matthieu 8.20).

Pour ceux qui écoutaient Jésus, l'idée que le Fils de l'homme puisse souffrir et ressusciter était particulièrement déconcertante, notamment lorsqu'elle était exprimée par Jésus, annonçant ce qui devait lui arriver (Marc 8.31; 9.31 et 10.33-34). Le rôle du Fils de l'homme est résumé dans la parole de Marc 10.45: en tant que juge, le Fils de l'homme donne sa vie pour libérer une multitude de gens (voir l'article « Fils de l'homme » du Vocabulaire).

A toi de te lancer !

Compare la vision de Daniel 7.13-14 à celle de Marc 14.62 et au témoignage d'Étienne en Actes 7.55-56.

En lisant Matthieu 13.24-30 et 36-43, tu comprendras la relation entre l'œuvre présente du Fils de l'homme et sa venue en tant que juge.

Marc 8.31-33 te fera découvrir la réaction des disciples lorsque Jésus annonce la souffrance du Fils de l'homme.

.e Fils de Dieu

De nombreux peuples de l'Antiquité considéraient certains hommes, et le roi en particulier, comme des descendants de leurs divinités. En Égypte, il en était ainsi des Pharaons. Dans le psaume , le Seigneur déclare au roi qu'il a choisi: tu es mon fils... je suis ton père. »

.e Nouveau Testament cite plusieurs fois ce ıême verset du Psaume 2 en relation avec ésus. Selon le témoignage de Marc, il est epris par la voix venant du ciel lors du baptême (1.11) et de la transfiguration de Jésus).7). Mais ce n'est qu'au pied de la croix u'un être humain confesse pour la premièe fois que Jésus est le Fils de Dieu (15.39). elon la confession de foi des premiers chréens citée par Paul en Romains 1.3-4, c'est par la résurrection que Jésus a été manifesté Fils de Dieu avec puissance. En Colossiens 1.15–17, le titre a une portée encore plus vaste, puisque Jésus y est décrit comme le Fils premier-né de Dieu, qui précède toute création et qui établit une relation entre le Créateur et les créatures (voir aussi Jean 1.14, où il est question du « Fils unique de Dieu »).

L'intimité entre Jésus et Dieu s'exprime aussi par le fait qu'il l'appelait « Abba » (un terme araméen qui signifie « mon père »; Marc 14.36). Pareille appellation était pour le moins insolite aux yeux des juifs de l'époque. L'exemple de Jésus encourage les chrétiens à rechercher cette même intimité filiale avec Dieu (voir Romains 8.15 et Galates 4.6; voir aussi l'article « Fils de Dieu » dans le Vocabulaire).

A toi de te lancer !

Lis le Psaume 2 en entier. En Israël, on priait ce Psaume lorsqu'un nouveau roi accédait au trône.

L'attitude confiante de Jésus à l'égard de Dieu se reflète dans la prière où il s'adresse à lui en lui disant « Abba ». Tu la trouves dans Marc 14.32-36.

Le Seigneur

Que Jésus reçoive le titre de « Seigneur » s'explique de différentes manières. Tout d'abord, les gens qu'il côtoyait l'appelaient sans doute souvent « mon seigneur » ou « seigneur », en araméen « mare ». C'était la façon usuelle de s'adresser à une personnalité haut placée. C'est ainsi que les premiers chrétiens priaient après Pâques: *Marana tha* (= Notre Seigneur, viens, ou vient !, 1 Corinthiens 16.22).

Le second facteur relève de la démarcation des chrétiens par rapport à leur environnement païen. Les Romains et les Grecs appelaient leurs différents dieux « seigneurs ». Les empereurs romains, exigeant d'être vénérés, revendiquaient également ce titre. S'opposant à eux en appelant Jésus « Seigneur », les chrétiens confessaient leur foi en celui qui est infiniment supérieur à tous les dieux païens. Pour eux, Jésus était le « Roi des rois » et le « Seigneur des seigneurs » (Apocalypse 19.16; voir aussi 1 Corinthiens 8.5-6).

Mais c'est le troisième facteur qui est décisif dans l'attribution du titre de Seigneur à Jésus : la traduction grecque de l'Ancien Testament utilise le titre « Seigneur » pour Dieu. Les chrétiens n'ont pas hésité à appliquer à leur « Seigneur » Jésus-Christ certains des passages de l'Ancien Testament qui parlent de Dieu en l'appelant Seigneur. Ils l'ont fait, forts de la conviction qu'en Jésus, Dieu lui-même s'approche des hommes, d'une manière unique et définitive. Selon une ancienne confession chrétienne, c'est Dieu lui-même qui a conféré à Jésus le titre de Seigneur, et qui veut qu'il soit honoré comme Seigneur (Philippiens 2.9-11).

A toi de te lancer !

En comparant certains passages des deux parties de la Bible, tu découvriras comment le titre « Seigneur », appliqué à Dieu dans l'Ancien Testament, est conféré à Jésus dans le contexte du Nouveau Testament. Compare :

- *Ésaïe 45.22-25 avec Philippiens 2.9-11*
- *Ésaïe 40.3 avec Matthieu 3.3*
- *Ésaïe 13.6,9; Joël 2.1,11 avec 1 Corinthiens 5.5; 2 Thessaloniciens 2.2.*

La communauté chrétienne

Jésus parlait du Royaume de Dieu et annonçait sa venue, pour préparer les êtres umains au salut offert par Dieu. Son activité visait à rassembler le peuple de Dieu. Après la mort et la résurrection de Jésus, ses disciples ont poursuivi cette tâche. La Bonne Nouvelle de Jésus-Christ ne concerne pas eulement les Juifs ; de plus en plus de gens 'entendent et l'acceptent. C'est ainsi que se forme la communauté des chrétiens, qui prend le nom d'Église.

A propos du terme « Église »

Les termes français « Église » et « assemblée » ou « communauté » traduisent un seul mot grec, *ekklêsia.* Le premier terme français évoque davantage l'aspect institutionnel de l'Église chrétienne, tandis que les deux autres s'appliquent plutôt à un rassemblement de croyants (bien que le terme Église puisse également être utilisé dans ce sens). Cette distinction est étrangère au Nouveau Testament.

Le mot grec *ekklêsia* a néanmoins plusieurs sens : dans le domaine politique, il désigne l'assemblée des hommes habilités à voter, voire une assemblée publique tout court. Pour le judaïsme du temps de Jésus, il désigne l'ensemble de ceux que Dieu appelle à son service lorsqu'il établit son Règne. Les deux sens sont sous-entendus dans le nom d'*ekklêsia* que la jeune communauté chrétienne se donne.

Transformés par la proximité du Royaume de Dieu

Le Règne de Dieu est proche : cette assurance transformait la vie de ceux qui appartenaient à Jésus. C'est pourquoi ils renonçaient consciemment à toute forme de pouvoir et de domination. Conformément à l'exemple de Jésus, ils cherchaient plutôt à s'aimer les uns les autres et à accueillir ceux qui avaient besoin de leur aide.

La Pentecôte : confirmation et assurance

Lors de la fête de la Pentecôte (voir le chapitre « Fêtes d'Israël », pages en couleur 67–68), les disciples de Jésus ont pour la première fois publiquement proclamé leur message, à savoir que Dieu avait réveillé Jésus de la mort et qu'il l'avait établi comme Seigneur de l'univers. C'est le don de l'Esprit Saint qui les en avait rendus capables. Selon le prophète Joël, Dieu avait promis aux siens qu'il répandrait sur eux ce don au moment où il établirait son Royaume (voir Joël 3.1–2). La croissance de la communauté chrétienne commença avec la prédication de Pierre à la Pentecôte.

Le baptême : début de la vie chrétienne

Le récit des Actes des apôtres au sujet des événements de la Pentecôte signale en conclusion que de très nombreux auditeurs de Pierre se sont fait baptiser (Actes 2.41). Dès le début, les croyants ont été incorporés dans la communauté chrétienne par le baptême.

De même que le baptême se situe au début du ministère de Jésus (Marc 1.9-11), il marque aussi le début de la vie chrétienne. Par le baptême, les chrétiens se savaient unis à leur Seigneur.

L'Esprit Saint est descendu sur Jésus lors de son baptême, et la voix venant du ciel l'a proclamé Fils de Dieu ; de même, le baptême chrétien est pour nous un gage du don de l'Esprit Saint et de notre adoption comme enfants de Dieu (voir Galates 3.26-27).

Dans l'épître aux Romains, Paul déclare que le baptême nous associe à la mort et la résurrection de Jésus (Romains 6.3-5). Libérés de la domination du péché parce que Jésus est mort pour nous, nous pouvons mener une vie qui montre que Dieu nous a donné de prendre un nouveau départ.

L'Eucharistie ou sainte Cène : Expression de la communion chrétienne

Les signes distinctifs d'une vie chrétienne sont la solidarité et l'acceptation mutuelle dans l'amour, qui se fondent sur le fait que Jésus nous aime et ne nous abandonne pas. Pour renouveler et fortifier cette communion particulière entre eux et avec le Christ, les chrétiens célèbrent, depuis les débuts de l'Église, la sainte Cène ou Eucharistie. Ce repas remonte à Jésus lui-même : la nuit précédant sa mort, Jésus a partagé un dernier repas de fête avec ses disciples. Il leur a offert le pain et le vin, leur ordonnant de continuer à en faire de même entre eux. Il a dit du pain « Prenez ceci, c'est mon corps », et du vin « Ceci est mon sang », faisant ainsi allusion au don de sa personne pour le salut des humains (voir Marc 14.22-24).

Voici comment, dans sa première lettre à la communauté de Corinthe, Paul décrit l'Église : puisque le Christ lui-même se donne aux chrétiens dans le repas de la Cène, le fait de partager pain et le vin les unit entre eux pour former la communauté de ceux qui appartiennent au Christ. Ensemble, ils forment le « corps du Christ » (1 Corinthiens 10.16-17). Cette communion ne se limite pas à la célébration de la Cène, mais englobe toute la vie des chrétiens, dans tous les domaines. C'est ainsi que la communauté devient un signe vivant de l'amour de Dieu dans le monde.

A toi de te lancer !

En Actes 2.42-47 et 4.32-35, la communion fraternelle particulière qui unissait les premiers chrétiens est décrite de façon saisissante. La solidarité entre eux était telle qu'ils vendaient leurs biens pour aider les membres de la communauté qui étaient dans le besoin.

Actes 2.1-41 raconte comment, fortifiés par le don du Saint-Esprit, ceux qui appartenaient à Jésus ont osé prêcher publiquement la Bonne Nouvelle, et cela avec un succès extraordinaire.

En Romains 6.1-18, Paul montre comment le baptême unit les humains au Christ et les libère du pouvoir du péché.

Pas plus que les chrétiens modernes, les premiers chrétiens n'étaient à l'abri de comportements contraires à l'Esprit du Christ. Dans 1 Corinthiens 11.20-34, Paul critique vigoureusement l'attitude de la communauté lors de la sainte Cène. A Corinthe, celle-ci était célébrée au cours d'un repas ordinaire où les riches se hâtaient de manger tant et plus, alors que les pauvres devaient repartir le ventre vide. La véritable communion chrétienne ne saurait se limiter au partage solennel du pain et du vin, mais doit s'étendre à notre vie entière.

les intentions ne sont pas bonnes. Ce
qu'ils veulent, c'est vous détacher de moi
pour que vous leur portiez tout votre intérêt. 18 Certes, il est bon d'être rempli
d'intérêt, mais pour le bien, et cela en
tout temps, non pas seulement quand je
suis parmi vous. 19 Mes enfants, je souffre
de nouveau pour vous, comme une
femme qui accouche, jusqu'à ce qu'il soit
clair que le *Christ est présent parmi
vous.[b] 20 Combien j'aimerais me trouver
auprès de vous en ce moment afin de
pouvoir vous parler autrement. Je suis si
perplexe à votre sujet !

L'exemple d'Agar et de Sara

21 Dites-moi, vous qui voulez être soumis à la *loi : n'entendez-vous pas ce que
déclare cette loi ? 22 Il est écrit, en effet,
qu'Abraham eut deux fils, l'un d'une esclave, Agar, et l'autre d'une femme née libre, Sara. 23 Le fils qu'il eut de la
première naquit conformément à l'ordre
naturel, mais le fils qu'il eut de la seconde
naquit conformément à la promesse de
Dieu[c]. 24 Ce récit comporte un sens plus
profond : les deux femmes représentent
deux *alliances. L'une de ces alliances,
représentée par Agar, est celle du mont
Sinaï ; elle donne naissance à des esclaves. 25 Agar, c'est le mont Sinaï en Arabie ; elle correspond à l'actuelle ville de
Jérusalem[d], qui est esclave avec tous les
siens. 26 Mais la Jérusalem *céleste est libre et c'est elle notre mère. 27 En effet,
l'Écriture déclare :

« Réjouis-toi, femme qui n'avais pas
d'enfant !
Pousse des cris de joie, toi qui n'as pas
connu les douleurs de l'accouchement !
Car la femme abandonnée aura plus
d'enfants
que la femme aimée par son mari[e]. »

28 Quant à vous, frères, vous êtes des
enfants nés conformément à la promesse
de Dieu, tout comme Isaac. 29 Autrefois,
le fils né conformément à l'ordre naturel
persécutait celui qui était né selon l'Esprit de Dieu, et il en va de même maintenant. 30 Mais que déclare l'Écriture ?
Ceci : « Chasse cette esclave et son fils ;
car le fils de l'esclave ne doit pas avoir
part à l'héritage paternel avec le fils de la
femme née libre[f]. » 31 Ainsi, frères, nous
ne sommes pas enfants de celle qui est esclave, mais de celle qui est libre.

Ne perdez pas votre liberté

5 1 Le *Christ nous a libérés pour que
nous soyons vraiment libres. Tenez
bon, donc, ne vous laissez pas de nouveau
réduire en esclavage.

2 Écoutez ! Moi, Paul, je vous l'affirme :
si vous vous faites *circoncire, alors le
Christ ne vous servira plus à rien. 3 Je l'affirme encore une fois à tout homme qui
se fait circoncire : il a le devoir d'obéir à
la *loi tout entière. 4 Vous qui cherchez à
être reconnus justes aux yeux de Dieu par
la loi, vous êtes séparés du Christ ; vous
êtes privés de la grâce de Dieu. 5 Quant à
nous, nous mettons notre espoir en Dieu,
qui nous rendra justes à ses yeux ; c'est ce
que nous attendons, par la puissance du
Saint-Esprit qui agit au travers de notre
foi. 6 Car, pour celui qui est uni à Jésus-
Christ, être circoncis ou ne pas l'être n'a
pas d'importance : ce qui importe, c'est la
foi qui agit par l'amour.

7 Vous aviez pris un si bon départ ! Qui
a brisé votre élan pour vous empêcher
d'obéir à la vérité ? 8 Ce que l'on vous a
dit pour vous convaincre ne venait pas de
Dieu qui vous appelle. 9 « Un peu de *levain fait lever toute la pâte », comme on
dit[g]. 10 Cependant, le Seigneur me donne
confiance en ce qui vous concerne : je
suis certain que vous ne penserez pas autrement que moi. Mais celui qui vous
trouble, quel qu'il soit, subira la condamnation divine.

11 Quant à moi, frères, s'il était vrai que
je prêche encore la nécessité de se faire

---

b **4.19** *que le Christ est présent parmi vous* : autre traduction *que le Christ soit formé en vous.*

c **4.23** *v. 22* : voir Gen 16.15 ; 21.2. – *v. 23* : *conformément à la promesse* : voir Gen 17.16 ; Rom 9.7-9.

d **4.25** *Agar... Arabie ; elle...* : certains manuscrits ont *Le Sinaï est une montagne d'Arabie et il... – Jérusalem* personnifie ici le judaïsme. Comparer Matt 23.37 ; Luc 13.34.

e **4.27** Voir És 54.1.

f **4.30** *v. 29* : comparer Gen 21.9. – *v. 30* : voir Gen 21.10.

g **5.9** Comparer 1 Cor 5.6.

circoncire, pourquoi continuerait-on à
me persécuter ? Dans ce cas, annoncer le
Christ crucifié ne serait plus scandaleux
pour personne. 12 Que ceux qui vous
troublent aillent encore plus loin dans
leurs pratiques : qu'ils se mutilent tout à
fait[h] !
13 Mais vous, frères, vous avez été appelés à la liberté. Seulement ne faites pas
de cette liberté un prétexte pour vivre
selon les désirs de votre propre nature.
Au contraire, laissez-vous guider par
l'amour pour vous mettre au service les
uns des autres. 14 Car toute la loi se résume dans ce seul commandement : « Tu
dois aimer ton prochain comme toi-
même[i]. » 15 Mais si vous agissez comme
des bêtes sauvages, en vous mordant et
vous dévorant les uns les autres, alors
prenez garde : vous finirez par vous détruire les uns les autres.

Être dirigé par l'Esprit et non par les désirs humains

16 Voici donc ce que j'ai à vous dire :
laissez le Saint-Esprit diriger votre vie et
vous n'obéirez plus aux désirs de votre
propre nature. 17 Car notre propre nature
a des désirs contraires à ceux de l'Esprit,
et l'Esprit a des désirs contraires à ceux
de notre propre nature : ils sont complètement opposés l'un à l'autre, de sorte
que vous ne pouvez pas faire ce que vous
voudriez[j]. 18 Mais si l'Esprit vous
conduit, alors vous n'êtes plus soumis à la
*loi.
19 On sait bien comment se manifeste
l'activité de notre propre nature : dans
l'immoralité, *l'impureté et le vice, 20 le
culte des idoles et la magie. Les gens se
haïssent les uns les autres, se querellent
et sont jaloux, ils sont dominés par la colère et les rivalités. Ils se divisent en partis et en groupes opposés ; 21 ils sont
envieux, ils se livrent à l'ivrognerie et à
des orgies, et commettent d'autres actions semblables. Je vous avertis maintenant comme je l'ai déjà fait : ceux qui
agissent ainsi n'auront pas de place dans
le *Royaume de Dieu.
22 Mais ce que l'Esprit Saint produit,
c'est l'amour, la joie, la paix, la patience,
la bienveillance, la bonté, la fidélité, 23 la
douceur et la maîtrise de soi. La loi n'est
certes pas contre de telles choses !
24 Ceux qui appartiennent à Jésus-Christ
ont fait mourir sur la croix leur propre
nature avec ses passions et ses désirs.
25 L'Esprit nous a donné la vie ;
laissons-le donc aussi diriger notre
conduite. 26 Ne soyons pas vaniteux, renonçons à nous défier ou à nous envier
les uns les autres.

Porter les fardeaux les uns des autres

6 1 Frères, si quelqu'un vient à être pris
en faute, vous qui avez l'Esprit de
Dieu ramenez-le dans le droit chemin ;
mais faites preuve de douceur à son
égard. Et prenez bien garde, chacun,
de ne pas vous laisser tenter, vous aussi.
2 Aidez-vous les uns les autres à porter
vos fardeaux : vous obéirez[k] ainsi à la loi
du *Christ. 3 Si quelqu'un pense être important alors qu'il n'est rien, il se trompe
lui-même. 4 Que chacun examine sa propre conduite ; s'il peut en être fier, il le
sera alors par rapport à lui seul et non par
comparaison avec autrui. 5 Car chacun
doit porter sa propre charge.
6 Celui qui est instruit dans la foi chrétienne doit partager les biens qu'il possède avec celui qui lui donne cet
enseignement.
7 Ne vous y trompez pas : on ne se moque pas de Dieu. L'homme récoltera ce
qu'il aura semé[l]. 8 S'il sème ce qui plaît à
sa propre nature, la récolte qu'il en aura
sera la mort ; mais s'il sème ce qui plaît à
l'Esprit Saint, la récolte qu'il en aura
sera la vie éternelle. 9 Ne nous lassons
pas de faire le bien ; car si nous ne nous
décourageons pas, nous aurons notre récolte au moment voulu. 10 Ainsi, tant
que nous en avons l'occasion, faisons du
bien à tous, et surtout à nos frères dans
la foi.

---

h **5.12** *qu'ils se mutilent tout à fait* ou *qu'ils se châtrent* : allusion possible à un rite pratiqué en Galatie dans le culte de la déesse Cybèle.
i **5.14** Lév 19.18.
j **5.17** Comparer Rom 7.14-23.
k **6.2** *vous obéirez* : certains manuscrits ont *obéissez*.
l **6.7** Comparer Job 4.8 ; Prov 22.8 ; Osée 8.7.

Derniers avertissements et salutation

11 Je vous écris maintenant de ma propre main, comme vous le voyez à la gros-
seur des lettres. 12 Ceux qui veulent vous
obliger à vous faire *circoncire sont des
gens qui désirent se faire bien voir pour
des motifs humains. Ils veulent uniquement ne pas être persécutés à cause de la
croix du *Christ[m]. 13 Ces gens qui pratiquent la circoncision n'obéissent pas
eux-mêmes à la *loi ; ils veulent que vous
soyez circoncis pour pouvoir se vanter de
vous avoir imposé ce signe dans votre
chair. 14 Quant à moi, je ne veux me vanter que de la croix de notre Seigneur
Jésus-Christ ; en effet, grâce à elle le
monde est mort pour moi et je suis mort
pour le monde. 15 C'est pourquoi être circoncis ou ne pas l'être n'a aucune importance : ce qui importe, c'est d'être une
nouvelle créature. 16 Pour tous ceux qui se
conduisent selon cette règle, je dis : que
la paix et la bonté de Dieu leur soient accordées, ainsi qu'à l'ensemble du peuple
de Dieu.

17 A l'avenir, que personne ne me cause
plus de difficultés ; car les cicatrices que
je porte sur mon corps prouvent que j'appartiens à Jésus[n].

18 Que la grâce de notre Seigneur Jésus-
Christ soit avec vous tous, frères. *Amen.

---

m **6.12** *ne pas être persécutés...* : la circoncision mettait le Juif en sécurité dans le monde romain, puisque celui-ci avait reconnu les institutions juives. Non circoncis, les chrétiens ne bénéficiaient pas de cette protection.

n **6.17** *les cicatrices...* : ce sont les marques des souffrances endurées par Paul au service de Jésus.

Lettre aux
Éphésiens

***Introduction** – Au milieu du premier siècle de notre ère, le nombre des Églises chrétiennes augmentait rapidement en Asie Mineure (aujourd'hui la Turquie d'Asie). Les communautés étaient en relation les unes avec les autres, et celle d'Éphèse devait jouir d'un certain prestige. En effet l'apôtre Paul avait séjourné dans cette ville durant trois ans lors de son troisième voyage missionnaire (Act 19.1–20.1). Selon Éph 3.1 et 4.1, l'apôtre était en prison lorsqu'il écrivit la* lettre aux Éphésiens. *C'est pourquoi on la classe parmi les lettres dites « de la captivité », avec celles aux Philippiens, à Philémon, aux Colossiens.*

L'ampleur de son enseignement fait penser que la lettre concerne un cercle de lecteurs beaucoup plus large que celui d'une seule communauté locale. Son thème central est le plan éternel de Dieu, qui vise à « réunir tout ce qui est dans les cieux et sur la terre sous un seul chef, le Christ » (1.10).

Encadré par une courte introduction (1.1-2) et une brève conclusion (6.21-24), le message de la lettre se divise en deux parties principales :
– Dans la première (1.3–3.21), après avoir exprimé son émerveillement devant ce que Dieu a fait pour nous par Jésus-Christ, l'auteur développe le thème de l'unité, *en montrant comment Dieu a incorporé les non-Juifs (ses correspondants) et les Juifs en un seul peuple, son peuple.*
– Dans la seconde partie (4.1–6.20), l'apôtre appelle ses lecteurs à vivre cette unité d'une façon digne de leur vie nouvelle en union avec Jésus-Christ. Cela implique des conséquences précises pour les relations qu'ils ont avec les autres, dans la communauté chrétienne, dans la famille, dans la société.

Pour illustrer l'unité du peuple de Dieu, l'apôtre emploie trois images : celle du corps, l'Église, dont Jésus-Christ est la tête ; celle de l'édifice, dont Jésus-Christ est la pierre d'angle ; celle du couple, l'Église étant l'épouse du Christ. On voit donc qu'il n'y a pas d'unité possible en dehors de l'attachement total et constant des croyants à leur Seigneur.

Salutation

1 1 De la part de Paul, qui par la volonté
de Dieu est *apôtre de Jésus-Christ.
A ceux qui appartiennent au peuple de
Dieu à Éphèse[a] et qui sont fidèles dans la
communion avec Jésus-Christ : 2 Que
Dieu notre Père et le Seigneur Jésus-
Christ vous accordent la grâce et la paix.

Les bienfaits que Dieu nous a accordés par le Christ

3 Louons Dieu, le Père de notre Seigneur Jésus-Christ ! Il nous a *bénis dans notre union avec le *Christ, en nous accordant toute bénédiction spirituelle

---

[a] **1.1** Certains manuscrits n'ont pas les mots *à Éphèse*. Pour le séjour de Paul à Éphèse, voir Act 18.19-21 ; 19.1-40.

Juifs les biens que Dieu réserve à son peuple, ils sont membres du même corps et bénéficient eux aussi de la promesse que Dieu a faite en Jésus-Christ.

7 Je suis devenu serviteur de la Bonne Nouvelle grâce à un don que Dieu, dans sa bonté, m'a accordé en agissant avec puissance. 8 Je suis le moindre de tous les croyants[l] ; pourtant, Dieu m'a accordé cette faveur d'annoncer aux non-Juifs la richesse infinie du Christ. 9 Je dois mettre en lumière, pour tous les humains, la façon dont Dieu réalise son plan secret. Lui qui est le créateur de toutes choses, il a tenu caché ce plan depuis toujours[m], 10 afin que maintenant, grâce à l'Église, les autorités et les puissances[n] du monde *céleste puissent connaître la sagesse divine sous tous ses aspects. 11 Tout cela est conforme au projet éternel de Dieu, qu'il a réalisé par Jésus-Christ notre Seigneur. 12 Dans l'union avec le Christ et par notre foi en lui, nous avons la liberté de nous présenter devant Dieu avec une pleine confiance. 13 Par conséquent, je vous le demande, ne vous laissez pas décourager par les souffrances que j'éprouve pour vous : elles vous assurent un avantage glorieux.

L'amour du Christ

14 C'est pourquoi je me mets à genoux devant Dieu, le Père, 15 dont dépend toute famille dans les *cieux et sur la terre. 16 Je lui demande que, selon la richesse de sa *gloire, il fortifie votre être intérieur par la puissance de son Esprit, 17 et que le *Christ habite dans vos cœurs par la foi. Je demande que vous soyez enracinés et solidement établis dans l'amour, 18 pour être capables de comprendre, avec l'ensemble du peuple de Dieu, combien l'amour du Christ est large et long, haut et profond. 19 Oui, puissiez-vous connaître son amour – bien qu'il surpasse toute connaissance – et être ainsi remplis de toute la richesse de Dieu.

20 A Dieu qui a le pouvoir de faire infiniment plus que tout ce que nous demandons ou même imaginons, par la puissance qui agit en nous, 21 à lui soit la gloire dans l'Église et par Jésus-Christ, dans tous les temps et pour toujours ! *Amen.

L'unité du corps

4 1 Je vous en supplie, donc, moi qui suis prisonnier parce que je sers le Seigneur : vous que Dieu a appelés, conduisez-vous d'une façon digne de cet appel. 2 Soyez toujours humbles, doux et patients. Supportez-vous les uns les autres avec amour. 3 Efforcez-vous de maintenir l'unité que donne l'Esprit Saint par la paix qui vous lie les uns aux autres. 4 Il y a un seul corps[o] et un seul Saint-Esprit, de même qu'il y a une seule espérance à laquelle Dieu vous a appelés. 5 Il y a un seul Seigneur, une seule foi, un seul baptême ; 6 il y a un seul Dieu, le Père de tous, qui règne sur tous, agit par tous et demeure en tous.

7 Cependant, chacun de nous a reçu un don particulier, l'un de ceux que le *Christ a généreusement accordés. 8 Il est dit dans l'Écriture :

« Quand il est monté vers les hauteurs,
il a capturé des prisonniers ;
il a fait des dons aux hommes[p]. »

9 Or, que veut dire « il est monté » ? Cela présuppose qu'il est aussi descendu dans les régions les plus profondes de la terre[q]. 10 Celui qui est descendu est aussi celui qui est monté au plus haut des *cieux afin de remplir tout l'univers. 11 C'est lui qui a fait des dons particuliers aux hommes : des uns il a fait des *apôtres, d'autres des *prophètes, d'autres encore des évangélistes, des pasteurs ou des enseignants[r]. 12 C'est ainsi qu'il a rendu le peuple de Dieu apte à accomplir son service, pour faire croître le corps du Christ. 13 De cette façon, nous parviendrons tous ensemble à l'unité de la foi dans la connaissance du *Fils de Dieu ; nous devien-

---

l **3.8** Comparer 1 Cor 15.9.
m **3.9** Comparer Rom 16.25-26.
n **3.10** Voir Col 1.16 et la note.
o **4.4** *un seul corps* : comparer 2.16 ; Rom 12.5 ; 1 Cor 12.12.
p **4.8** Voir Ps 68.19.
q **4.9** *dans les régions les plus profondes de la terre* : autre traduction *dans les régions d'en bas, c'est-à-dire la terre*.
r **4.11** Comparer 1 Cor 12.28.

drons des adultes dont le développement
atteindra à la stature parfaite du Christ.
14 Alors, nous ne serons plus des enfants,
emportés par les vagues ou le tourbillon
de toutes sortes de doctrines, trompés par
des hommes recourant à la ruse pour entraîner les autres dans l'erreur. 15 Au
contraire, en proclamant la vérité avec
amour, nous grandirons en tout vers le
Christ, qui est la tête. 16 C'est grâce à lui
que le corps forme un tout solide, bien
uni par toutes les articulations dont il est
pourvu. Ainsi, lorsque chaque partie
fonctionne comme elle doit, le corps entier grandit et se développe par l'amour.

La vie nouvelle des chrétiens

17 Voici donc ce que je vous demande
avec insistance au nom du Seigneur : ne
vous conduisez plus comme les païens
que leurs pensées mènent au néant. 18 Ils
refusent de comprendre ; ils n'ont aucune part à la vie qui vient de Dieu, parce
qu'ils sont complètement ignorants et
profondément endurcis. 19 Ils ont perdu
tout sentiment de honte ; ils se sont livrés
au vice et commettent sans aucune retenue toutes sortes d'actions *impures.
20 Ce n'est pas là ce que vous avez appris au sujet du *Christ ! 21 Vous avez certainement entendu tout ce qui le
concerne, et on vous a enseigné, en tant
que chrétiens, la vérité qui est en Jésus.
22 Vous devez donc, en renonçant à votre
conduite passée, vous débarrasser de votre vieille nature que ses désirs trompeurs mènent à la ruine. 23 Il faut vous
laisser complètement renouveler dans
votre cœur et votre esprit. 24 Revêtez-
vous de la nouvelle nature, créée à la ressemblance de Dieu[s] et qui se manifeste
dans la vie juste et sainte qu'inspire la
vérité.
25 C'est pourquoi, rejetez le mensonge !
Que chacun dise la vérité à son prochain[t],
car nous sommes tous membres d'un
même corps. 26 Si vous vous mettez en colère, ne péchez pas[u] ; que votre colère
s'apaise avant le coucher du soleil. 27 Ne
donnez pas au *diable l'occasion de vous
dominer. 28 Que celui qui volait cesse de
voler ; qu'il se mette à travailler de ses
propres mains pour gagner honnêtement
sa vie et avoir ainsi de quoi aider les pauvres. 29 Qu'aucune parole mauvaise ne
sorte de votre bouche ; dites seulement
des paroles utiles, qui répondent à un besoin et encouragent autrui, pour faire
ainsi du bien à ceux qui vous entendent.
30 N'attristez pas le Saint-Esprit[v] que
Dieu vous a accordé ; il est la garantie que
le jour viendra où Dieu vous délivrera
complètement du mal. 31 Chassez loin de
vous tout sentiment amer, toute irritation, toute colère, ainsi que les cris et les
insultes. Abstenez-vous de toute forme
de méchanceté. 32 Soyez bons et pleins
d'affection les uns pour les autres ; pardonnez-vous réciproquement, comme
Dieu vous a pardonné par le Christ[w].

Vivre dans la lumière

5 1 Puisque vous êtes les enfants que
Dieu aime, efforcez-vous d'être
comme lui[x]. 2 Que votre façon de vivre
soit inspirée par l'amour, à l'exemple du
*Christ qui nous a aimés et a donné sa vie
pour nous, comme une offrande et un *sacrifice dont l'agréable odeur plaît à Dieu[y].
3 Vous appartenez au peuple de Dieu,
par conséquent il ne convient pas qu'une
forme quelconque d'immoralité, *d'impureté ou d'envie soit même mentionnée
parmi vous. 4 Il n'est pas convenable non
plus que vous prononciez des paroles
grossières, stupides ou sales. Adressez
plutôt des prières de reconnaissance à
Dieu. 5 Sachez-le bien : aucun être immoral, impur ou avare (car l'avarice, c'est
de l'idolâtrie) n'aura jamais part au
*Royaume du Christ et de Dieu.
6 Que personne ne vous égare par des
raisonnements trompeurs : ce sont de telles fautes qui attirent la colère de Dieu

---

s **4.24** Comparer Gen 1.26-27.
t **4.25** Voir Zach 8.16.
u **4.26** Allusion au Ps 4.5, d'après l'ancienne version grecque.
v **4.30** Comparer És 63.10.
w **4.32** Comparer Matt 6.12,14. – *vous a pardonné* : certains manuscrits ont *nous a pardonné*.
x **5.1** Comparer Lév 19.2 ; Matt 5.48.
y **5.2** Comparer Ex 29.18. – *qui nous a aimés* : certains manuscrits ont *qui vous a aimés*.

sur ceux qui s'opposent à lui. 7 N'ayez
donc rien de commun avec ces gens-là.
8 Vous étiez autrefois dans l'obscurité ;
mais maintenant, par votre union avec le
Seigneur, vous êtes dans la lumière[z]. Par
conséquent, conduisez-vous comme des
êtres qui dépendent de la lumière, 9 car la
lumière[a] produit toute sorte de bonté,
de droiture et de vérité. 10 Efforcez-vous
de discerner ce qui plaît au Seigneur.
11 N'ayez aucune part aux actions stériles
que l'on pratique dans l'obscurité[b] ; dé-
noncez-les plutôt. 12 On a honte même de
parler de ce que certains font en cachette.
13 Or, tout ce qui est dévoilé est mis en
pleine lumière ; 14 de plus, tout ce qui est
mis en pleine lumière devient à son tour
lumière. C'est pourquoi il est dit :

« Réveille-toi, toi qui dors,
relève-toi d'entre les morts,
et le Christ t'éclairera[c]. »

15 Ainsi prenez bien garde à votre manière de vivre. Ne vous conduisez pas
comme des ignorants mais comme des
sages. 16 Faites un bon usage de toute occasion qui se présente à vous, car les jours
que nous vivons sont mauvais. 17 Ne
soyez donc pas déraisonnables, mais
efforcez-vous de comprendre ce que le
Seigneur attend de vous.

18 Ne vous enivrez pas : l'abus de vin ne
peut que vous mener au désordre ; mais
soyez remplis de l'Esprit Saint. 19 Encouragez-vous les uns les autres par des psaumes, des hymnes et de saints cantiques
inspirés par l'Esprit; chantez des cantiques et des psaumes pour louer le Seigneur de tout votre cœur[d]. 20 Remerciez
Dieu le Père en tout temps et pour tout,
au nom de notre Seigneur Jésus-Christ.

Femmes et maris

21 Soumettez-vous les uns aux autres à
cause du respect que vous avez pour le
*Christ.

22 Femmes, soyez soumises à vos maris,
comme vous l'êtes au Seigneur. 23 Car le
mari est le chef de sa femme, comme le
Christ est le chef de l'Église. Le Christ
est en effet le Sauveur de l'Église qui est
son corps. 24 Les femmes doivent donc se
soumettre en tout à leurs maris, tout
comme l'Église se soumet au Christ.

25 Maris, aimez vos femmes tout
comme le Christ a aimé l'Église jusqu'à
donner sa vie pour elle. 26 Il a voulu ainsi
rendre l'Église digne d'être à Dieu, après
l'avoir *purifiée par l'eau[e] et par la parole ; 27 il a voulu se présenter à lui-même
l'Église dans toute sa beauté, pure et sans
défaut, sans tache ni ride ni aucune autre
imperfection. 28 Les maris doivent donc
aimer leurs femmes comme ils aiment
leur propre corps. Celui qui aime sa
femme s'aime lui-même. 29 En effet, personne n'a jamais haï son propre corps ; au
contraire, on le nourrit et on en prend
soin, comme le Christ le fait pour
l'Église, 30 son corps, dont nous faisons
tous partie. 31 Comme il est écrit : « C'est
pourquoi l'homme quittera son père et sa
mère pour s'attacher à sa femme, et les
deux deviendront un seul être[f]. » 32 Il y a
une grande vérité cachée dans ce passage.
Je dis, moi, qu'il se rapporte au Christ et à
l'Église. 33 Mais il s'applique aussi à vous :
il faut que chaque mari aime sa femme
comme lui-même, et que chaque femme
respecte son mari.

Enfants et parents

6 1 Enfants, c'est votre devoir devant le
Seigneur[g] d'obéir à vos parents, car
cela est juste. 2 « Respecte ton père et ta
mère » est le premier commandement
suivi d'une promesse : 3 « afin que tu sois
heureux et que tu jouisses d'une longue
vie sur la terre[h]. »

4 Et vous, pères, n'allez pas irriter vos
enfants par votre attitude. Mais élevez-les
en leur donnant une éducation et une
discipline inspirées par le Seigneur.

---

z **5.8** Comparer És 60.1-3.

a **5.9** *la lumière* : certains manuscrits ont *l'Esprit* (comparer Gal 5.22).

b **5.11** Comparer Rom 13.12.

c **5.14** *tout ce qui... lumière* : autre traduction *c'est la lumière qui révèle clairement toute chose. – Réveille-toi... t'éclairera* : citation d'un texte inconnu, peut-être un hymne chrétien.

d **5.19** Comparer Ps 33.1-3.

e **5.26** *par l'eau* : allusion probable au baptême (comparer Tite 3.5).

f **5.31** Gen 2.24.

g **6.1** Certains manuscrits n'ont pas *devant le Seigneur*.

h **6.3** *v. 2-3* : Ex 20.12 ; Deut 5.16.

Esclaves et maîtres

5 Esclaves, obéissez à vos maîtres d'ici-
bas humblement, avec respect, d'un cœur
sincère, comme si vous serviez le *Christ.
6 Ne le faites pas seulement quand ils
vous surveillent, pour leur plaire ; mais
accomplissez la volonté de Dieu de tout
votre cœur, comme des esclaves du
Christ. 7 Servez-les avec bonne volonté,
comme si vous serviez le Seigneur lui-
même et non des hommes. 8 Rappelez-
vous que chacun, qu'il soit esclave ou libre, sera récompensé par le Seigneur, selon le bien qu'il aura fait.

9 Et vous, maîtres, conduisez-vous
d'une façon semblable à l'égard de vos esclaves ; abstenez-vous de toute menace.
Rappelez-vous que vous avez, vous et vos
esclaves, le même Maître dans les *cieux,
qui n'avantage personne[i].

Les armes que Dieu fournit

10 Enfin, puisez votre force dans
l'union avec le Seigneur, dans son immense puissance. 11 Prenez sur vous toutes les armes que Dieu fournit, afin de
pouvoir tenir bon contre les ruses du
*diable. 12 Car nous n'avons pas à lutter
contre des êtres humains, mais contre les
puissances spirituelles mauvaises du
monde *céleste, les autorités, les pouvoirs et les maîtres de ce monde obscur.
13 C'est pourquoi, saisissez maintenant
toutes les armes de Dieu ! Ainsi, quand
viendra le jour mauvais, vous pourrez résister à l'adversaire et, après avoir
combattu jusqu'à la fin, vous tiendrez encore fermement votre position.

14 Tenez-vous donc prêts : ayez la vérité comme ceinture autour de la taille ;
portez la droiture comme cuirasse ;
15 mettez comme chaussures le zèle à annoncer la Bonne Nouvelle de la paix.
16 Prenez toujours la foi comme bouclier : il vous permettra d'éteindre toutes
les flèches enflammées du Mauvais.
17 Acceptez le salut comme casque et la
parole de Dieu comme épée donnée par
l'Esprit Saint[j]. 18 Tout cela, demandez-le
à Dieu dans la prière. Oui, priez en toute
occasion, avec l'assistance de l'Esprit. A
cet effet, soyez vigilants et continuellement fidèles. Priez pour l'ensemble du
peuple de Dieu ; 19 priez aussi pour moi,
afin que Dieu m'inspire les mots justes
quand je m'exprime, et que je puisse révéler avec assurance le secret de la
Bonne Nouvelle. 20 Bien que je sois
maintenant en prison, je suis l'ambassadeur de cette Bonne Nouvelle. Priez
donc pour que j'en parle avec assurance,
comme je le dois.

Salutations finales

21 Tychique[k], notre cher frère et collaborateur fidèle au service du Seigneur,
vous donnera toutes les nouvelles qui me
concernent, afin que vous sachiez ce que
je deviens. 22 Je vous l'envoie donc en particulier pour vous dire comment nous allons et pour vous réconforter.

23 Que Dieu le Père et le Seigneur
Jésus-Christ accordent à tous les frères la
paix et l'amour, avec la foi. 24 Que la grâce
de Dieu soit avec tous ceux qui aiment
notre Seigneur Jésus-Christ d'un amour
inaltérable.

---

i **6.9** Comparer Deut 10.17.

j **6.17** Références pour les versets 14 à 17 : *v. 14* : comparer És 11.5 ; 59.17. – *v. 15* : comparer És 52.7. – *v. 16* : le *Mauvais* est la personnification du mal (Matt 6.13 ; Jean 17.15). – *v. 17* : comparer És 59.17 ; 49.2.

k **6.21** *Tychique* : voir Act 20.4.

Lettre aux Philippiens

Introduction *– La première ville d'Europe où l'apôtre Paul a prêché la Bonne Nouvelle est Philippes, dans l'ancienne province romaine de Macédoine (au nord-est de la Grèce). C'est au cours de son deuxième voyage missionnaire que Paul y fonda une Église (voir Act 16.12-40). Quelques années plus tard, alors qu'il était prisonnier (à Éphèse, selon les uns, à Césarée ou à Rome, selon d'autres ; voir Phil 1.7), l'apôtre écrivit aux Philippiens une lettre au ton spécialement chaleureux. Il désirait les remercier pour les dons que ceux-ci lui avaient fait parvenir par Épaphrodite, alors qu'il se trouvait lui-même dans la peine. Il voulait aussi les encourager à rester fidèles au Christ et à ne pas se laisser séduire par les fausses doctrines qui s'insinuaient dans leur communauté.*

Au début (1.1-11), Paul exprime la joie et la reconnaissance qu'il éprouve en pensant aux chrétiens de Philippes. Après quoi il donne des informations sur sa situation personnelle. Face à un avenir incertain, il manifeste l'entière assurance que lui donne sa communion avec Jésus-Christ (1.12-26). Il encourage les Philippiens à demeurer fermes dans la foi et à chercher la bonne entente entre eux, en faisant preuve de l'humilité et de l'esprit de service qui viennent de Jésus-Christ (1.27–2.18). En attendant le revoir, Épaphrodite, l'envoyé des Philippiens, et Timothée, le compagnon de Paul, maintiendront le lien entre l'apôtre et la communauté de Philippes (2.19-30).

Puis Paul met énergiquement en garde ses correspondants contre des personnages infidèles au véritable Évangile. Il invite les Philippiens à imiter sa conduite, en s'avançant résolument vers le but de la vie chrétienne : devenir semblable à Jésus-Christ (chap. 3). La lettre s'achève par divers encouragements, des remerciements et des salutations (chap. 4).

Cette lettre a été appelée « l'épître de la joie », car ce thème traverse la lettre d'un bout à l'autre. Cette joie est liée à la fidélité au Christ, dont l'œuvre est célébrée dans l'hymne de 2.6-11. La découvrirez-vous à votre tour ?

Salutation

1 1 De la part de Paul et Timothée, serviteurs de Jésus-Christ.

A tous ceux qui, à Philippes[a], appartiennent au peuple de Dieu par Jésus-Christ, aux dirigeants de l'Église et aux *diacres : 2 Que Dieu notre Père et le Seigneur Jésus-Christ vous accordent la grâce et la paix.

La prière de Paul pour les chrétiens de Philippes

3 Je remercie mon Dieu chaque fois que je pense à vous. 4 Toutes les fois que je prie pour vous, je le fais avec joie, 5 en raison de l'aide que vous m'avez apportée dans la diffusion de la Bonne Nouvelle, depuis le premier jour[b] jusqu'à maintenant. 6 Je suis certain de ceci : Dieu, qui a commencé cette œuvre bonne parmi vous, la continuera jusqu'à son achèvement au jour de la venue de Jésus-Christ[c]. 7 Il est bien juste que j'aie de tels sentiments envers vous tous. Je vous porte en effet dans mon cœur, car vous avez tous part à la faveur que Dieu m'a accordée, aussi bien maintenant que je suis en prison[d] que lorsque je suis appelé à défendre fermement la Bonne Nouvelle. 8 Dieu m'en est témoin : je vous aime tous avec la profonde affection de Jésus-Christ.

9 Voici ce que je demande à Dieu dans ma prière : que votre amour grandisse de plus en plus, qu'il soit enrichi de vraie connaissance et de compréhension parfaite, 10 pour que vous soyez capables de discerner ce qui est bien. Ainsi, vous serez *purs et irréprochables au jour de la venue du Christ. 11 Vous serez riches des actions justes produites en vous par Jésus-Christ, à la *gloire et à la louange de Dieu.

La vie, c'est le Christ

12 Frères, je veux que vous le sachiez : ce qui m'est arrivé a contribué en réalité à la progression de la Bonne Nouvelle. 13 C'est ainsi que tous, dans le palais du gouverneur ou ailleurs, savent que je suis en prison pour le service du Christ[e]. 14 En me voyant en prison, la plupart des frères ont gagné en confiance dans le Seigneur, de sorte que, de plus en plus, ils osent annoncer sans crainte la parole de Dieu.

15 Il est vrai que certains d'entre eux annoncent le Christ par jalousie, avec des intentions polémiques à mon égard ; mais d'autres l'annoncent avec de bonnes dispositions. 16 Ceux-ci agissent par amour, car ils savent que ma mission ici est de défendre la Bonne Nouvelle. 17 Les autres annoncent le Christ dans un esprit de rivalité, leurs motifs sont troubles ; ils pensent augmenter ma détresse de prisonnier.

18 Peu importe ! Que leurs intentions soient inavouables ou sincères, le Christ est de toute façon annoncé, et je m'en réjouis. Je continuerai même à m'en réjouir, 19 car je sais que tout cela tournera à mon salut, grâce à vos prières et à l'aide que m'apporte l'Esprit de Jésus-Christ. 20 En effet, selon ce que j'attends et que j'espère vivement, je n'aurai aucune raison d'être honteux. Au contraire, maintenant comme toujours, avec une pleine assurance je manifesterai la grandeur du Christ par tout mon être, soit en vivant soit en mourant. 21 Car pour moi, la vie c'est le Christ, et la mort est un gain 22 Mais si continuer à vivre me permet encore d'accomplir une œuvre utile, alors je ne sais pas que choisir. 23 Je suis tiraillé par deux désirs contraires : j'aimerais quitter cette vie pour être avec le Christ ce qui serait bien préférable ; 24 mais il est beaucoup plus important, à cause de vous, que je continue à vivre. 25 Comme je suis certain de cela, je sais que je resterai que je demeurerai avec vous tous pour vous aider à progresser et à être joyeux

---

a **1.1** A l'époque de Paul, *Philippes* était une importante colonie romaine de la Macédoine (4.15). Selon Act 16.12, Paul s'y arrêta lors de son deuxième voyage missionnaire.

b **1.5** Voir Act 16.13-15.

c **1.6** Comparer 1.10 ; 1 Cor 1.8.

d **1.7** Voir 1.13. On ignore où l'apôtre était emprisonné.

e **1.13** Comparer Act 28.30 ; Éph 3.1 ; 4.1. – *palais du gouverneur* : litt. *le prétoire* ; il s'agit soit du siège d'un gouverneur de province, soit de la caserne de la garde prétorienne à Rome.

dans la foi. 26 Ainsi, quand je me retrouverai auprès de vous, vous aurez grâce à
moi d'autant plus sujet d'être fiers dans la
communion avec Jésus-Christ.
27 Seulement, conduisez-vous d'une
manière conforme à la Bonne Nouvelle
du Christ. Ainsi, que j'aille vous voir ou
que je reste absent, je pourrai apprendre
que vous demeurez fermement unis dans
un même esprit, et que vous combattez
ensemble d'un même cœur pour la foi
fondée sur la Bonne Nouvelle. 28 Ne vous
laissez effrayer en rien par vos adversaires : ce sera pour eux le signe qu'ils
vont à leur perte et que vous êtes sur la
voie du salut ; et cela vient de Dieu. 29 Car
Dieu vous a accordé la faveur de servir le
Christ, non seulement en croyant en lui,
mais encore en souffrant pour lui.
30 Maintenant, vous participez au même
combat que vous m'avez vu livrer autrefois[f] et que je livre encore, comme vous le
savez.

L'humilité et la grandeur du Christ

2 1 Votre union avec le Christ vous
donne-t-elle du courage ? Son amour
vous apporte-t-il du réconfort ? Êtes-vous
en communion avec le Saint-Esprit[g] ?
Avez-vous de l'affection et de la bonté les
uns pour les autres ? 2 Alors, rendez-moi
parfaitement heureux en vous mettant
d'accord, en ayant un même amour, en
étant unis de cœur et d'intention. 3 Ne
faites rien par esprit de rivalité ou par désir inutile de briller, mais, avec humilité,
considérez les autres comme supérieurs à
vous-mêmes. 4 Que personne ne recherche son propre intérêt, mais que chacun
de vous pense à celui des autres.
5 Comportez-vous entre vous comme on
le fait quand on connaît Jésus-Christ[h] :

6 Il possédait depuis toujours la condition divine,
mais il n'a pas voulu demeurer de force l'égal de Dieu[i].
7 Au contraire, il a de lui-même renoncé à tout ce qu'il avait
et il a pris la condition de serviteur[j].
Il est devenu homme parmi les hommes,
il a été reconnu comme homme ;
8 il a choisi de vivre dans l'humilité
et s'est montré obéissant jusqu'à la mort,
la mort sur une croix.
9 C'est pourquoi Dieu l'a élevé à la plus haute place
et lui a donné le nom supérieur à tout autre nom.
10 Il a voulu que, pour honorer le nom de Jésus,
tous les êtres vivants, dans les *cieux, sur la terre et sous la terre[k],
se mettent à genoux,
11 et que tous proclament, à la *gloire de Dieu le Père : « Jésus-Christ est le Seigneur ! »[l].

Briller comme des lumières dans le monde

12 Ainsi, mes chers amis, vous m'avez
toujours obéi quand je me trouvais auprès de vous. Eh bien, faites-le encore
plus maintenant que je suis absent. Me-
nez à bien votre salut humblement, avec
respect, 13 car Dieu agit parmi vous, il
vous rend capables de vouloir et de réaliser ce qui est conforme à son propre
plan.
14 Faites tout sans plaintes ni contesta-
tions, 15 afin que vous soyez irréprochables et *purs, des enfants de Dieu sans
défaut au milieu des gens faux et mauvais
de ce monde[m]. Vous devez briller parmi
eux comme les étoiles dans le ciel, 16 en
leur présentant le message de vie. Ainsi,
je pourrai être fier de vous au jour de la
venue du Christ, car mon travail et ma
peine n'auront pas été inutiles.

---

f **1.30** Voir Act 16.19-40.
g **2.1** *Êtes-vous... Saint-Esprit* : autre traduction *Le Saint-Esprit a-t-il créé la communion entre vous ?*
h **2.5** *Comportez-vous... Jésus-Christ* : autre traduction *Ayez entre vous les dispositions qui viennent de Jésus-Christ.*
i **2.6** *demeurer de force... Dieu* : autre traduction *chercher à se faire de force l'égal de Dieu* (comparer Gen 3.5).
j **2.7** Comparer És 52.13–53.12 ; Matt 20.28.
k **2.10** *sous la terre* : l'expression se rapporte au monde des morts.
l **2.11** *v. 10-11* : allusion à És 45.23, d'après l'ancienne version grecque. – Les versets 6 à 11 citent sans doute un hymne chrétien très ancien.
m **2.15** Allusion à Deut 32.5, d'après l'ancienne version grecque.

[17] Peut-être mon sang va-t-il être versé, comme une offrande ajoutée au *sacrifice que votre foi présente à Dieu[n]. Si tel doit être le cas, j'en suis heureux et vous associe tous à ma joie. [18] De même, vous aussi vous devez être heureux et m'associer à votre joie.

Timothée et Épaphrodite

[19] Avec confiance dans le Seigneur Jésus, j'ai bon espoir de vous envoyer bientôt Timothée, afin d'être réconforté moi-même par les nouvelles que j'aurai de vous. [20] Il est le seul à prendre part à mes préoccupations et à se soucier réellement de vous. [21] Tous les autres s'inquiètent seulement de leurs affaires personnelles et non de la cause de Jésus-Christ. [22] Vous savez vous-mêmes comment Timothée a donné des preuves de sa fidélité : comme un fils avec son père, il s'est activé avec moi au service de la Bonne Nouvelle. [23] J'espère vous l'envoyer dès que je serai au clair sur ma situation ; [24] et j'ai la certitude, fondée dans le Seigneur, que j'irai moi-même vous voir bientôt.

[25] J'ai estimé nécessaire de vous renvoyer notre frère Épaphrodite[o], mon compagnon de travail et de combat, lui que vous m'aviez envoyé pour m'apporter l'aide dont j'avais besoin. [26] Il désire beaucoup vous revoir tous et il est préoccupé parce que vous avez appris sa maladie. [27] Il a été malade, en effet, et bien près de mourir ; mais Dieu a eu pitié de lui, et non seulement de lui, mais aussi de moi, pour que je n'éprouve pas une tristesse encore plus grande. [28] Je me sens donc d'autant plus pressé de vous l'envoyer, afin que vous vous réjouissiez de le revoir et que ma propre tristesse disparaisse. [29] Ainsi, accueillez-le avec une joie entière, comme un frère dans le Seigneur. Vous devez avoir de l'estime pour des hommes tels que lui, [30] car il a été près de mourir pour l'œuvre du Christ : il a risqué sa vie pour m'apporter l'aide que vous ne pouviez pas m'apporter vous-mêmes.

La véritable manière d'être juste aux yeux de Dieu

3 [1] Et maintenant, mes frères, soyez joyeux d'être unis au Seigneur. Il ne m'est pas pénible de vous répéter ce que j'ai déjà écrit, et pour vous cela vaut mieux. [2] Gardez-vous de ceux qui commettent le mal, ces chiens[p], ces partisans d'une fausse *circoncision ! [3] En fait, c'est nous qui avons la vraie circoncision, car nous servons Dieu par son Esprit, nous sommes fiers d'être à Jésus-Christ et nous ne fondons pas notre assurance sur des privilèges humains. [4] Pourtant, je pourrais aussi me réclamer de tels privilèges. J'aurais plus de raisons de le faire que qui que ce soit d'autre. [5] J'ai été circoncis le huitième jour après ma naissance. Je suis Israélite de naissance, de la tribu de Benjamin, Hébreu descendant d'Hébreux. Je pratiquais la loi juive en bon *Pharisien[q], [6] et j'étais si fanatique que je persécutais l'Église[r]. En ce qui concerne la vie juste prescrite par la loi, j'étais irréprochable. [7] Mais ces qualités que je regardais comme un gain, je les considère maintenant comme une perte à cause du Christ. [8] Et je considère même toute chose comme une perte en comparaison de ce bien suprême : connaître Jésus-Christ mon Seigneur, pour qui je me suis privé de tout avantage personnel ; je considère tout cela comme des déchets, afin de gagner le Christ [9] et d'être parfaitement uni à lui. Je n'ai plus la prétention d'être juste grâce à ma pratique de la loi. C'est par la foi au Christ que je le suis, grâce à cette possibilité d'être juste créée par Dieu et qu'il accorde en réponse à la foi. [10] Tout ce que je désire, c'est de connaître le Christ et la puissance de sa *résurrection, d'avoir part à ses souffrances et d'être rendu semblable à lui

---

n **2.17** Comparer 2 Tim 4.6.

o **2.25** *Épaphrodite* était un délégué de l'Église de Philippes auprès de Paul (voir 4.18).

p **3.2** Dans le Proche-Orient, le *chien* était considéré comme un animal méprisable. Le terme vise ici des adversaires, les partisans de la circoncision. – Pour cette appellation, comparer Matt 7.6.

q **3.5** Comparer Rom 11.1 ; Act 23.6 ; 26.5. – La *tribu de Benjamin* était vénérée entre toutes ; elle était restée fidèle à la dynastie de David.

r **3.6** Voir Act 8.3 ; 22.4 ; 26.9-11.

dans sa mort, 11 avec l'espoir que je serai
moi aussi relevé d'entre les morts.

Courir vers le but

12 Je ne prétends pas avoir déjà atteint
le but ou être déjà devenu parfait. Mais je
poursuis ma course pour m'efforcer d'en
saisir le prix, car j'ai été moi-même saisi
par Jésus-Christ. 13 Non, frères, je ne
pense pas[s] avoir déjà obtenu le prix ; mais
je fais une chose : j'oublie ce qui est derrière moi et m'efforce d'atteindre ce qui
est devant moi. 14 Ainsi, je cours vers le
but afin de gagner le prix que Dieu, par
Jésus-Christ, nous appelle à recevoir là-
haut.

15 Nous tous qui sommes spirituellement adultes, ayons cette même préoccupation. Cependant, si vous avez une
autre opinion, Dieu vous éclairera à ce
sujet. 16 Quoi qu'il en soit, continuons à
avancer dans la direction que nous avons
suivie jusqu'à maintenant.

17 Frères, imitez-moi tous. Nous avons
donné l'exemple ; alors fixez vos regards
sur ceux qui se conduisent selon cet
exemple. 18 Je vous l'ai déjà dit souvent et
je vous le répète maintenant en pleurant :
il y en a beaucoup qui se conduisent en
ennemis de la croix du Christ. 19 Ils courent à leur perte, car leur dieu c'est leur
ventre, ils sont fiers de ce qui devrait leur
faire honte[t] et ils n'ont en tête que les
choses de ce monde. 20 Quant à nous,
nous sommes citoyens des *cieux, d'où
nous attendons que vienne notre Sauveur, le Seigneur Jésus-Christ. 21 Il transformera notre misérable corps mortel
pour le rendre semblable à son corps glorieux, grâce à la puissance qui lui permet
de soumettre toutes choses à son autorité.

4 1 Mes chers frères, je désire tellement
vous revoir ! Vous êtes ma joie et
ma *couronne de victoire ! Eh bien, mes
amis, voilà comment vous devez demeurer fermes dans votre vie avec le
Seigneur.

Recommandations

2 Évodie et Syntyche, je vous en prie, je
vous en supplie, vivez en bon accord dans
la communion avec le Seigneur. 3 Et toi
aussi, mon fidèle collègue, je te demande
de les aider ; elles ont en effet combattu
avec moi pour répandre la Bonne Nouvelle, ainsi qu'avec Clément et tous mes
autres collaborateurs, dont les noms se
trouvent dans le livre de vie[u].

4 Soyez toujours joyeux d'appartenir au
Seigneur. Je le répète : Soyez joyeux !

5 Que votre bonté soit évidente aux
yeux de tous. Le Seigneur viendra bientôt. 6 Ne vous inquiétez de rien[v], mais en
toute circonstance demandez à Dieu
dans la prière ce dont vous avez besoin, et
faites-le avec un cœur reconnaissant. 7 Et
la paix de Dieu, qui dépasse tout ce que
l'on peut imaginer, gardera vos cœurs et
vos pensées en communion avec Jésus-
Christ.

8 Enfin, frères, portez votre attention
sur tout ce qui est bon et digne de
louange : sur tout ce qui est vrai, respectable, juste, *pur, agréable et honorable.
9 Mettez en pratique ce que vous avez appris et reçu de moi, ce que vous m'avez
entendu dire et vu faire. Et le Dieu qui
accorde la paix sera avec vous.

Paul remercie les Philippiens pour leurs dons

10 J'ai éprouvé une grande joie dans ma
vie avec le Seigneur : vous avez enfin pu
manifester de nouveau votre intérêt pour
moi. Cet intérêt vous l'aviez déjà, certes,
mais vous n'aviez pas l'occasion de me le
montrer. 11 Et je ne parle pas ainsi parce
que je suis dans le besoin. J'ai en effet appris à me contenter toujours de ce que
j'ai. 12 Je sais vivre dans la pauvreté aussi
bien que dans l'abondance. J'ai appris à
être satisfait partout et en toute circonstance, que j'aie de quoi me nourrir

---

s **3.13** *je ne pense pas* : certains manuscrits ont *je ne pense pas encore*.

t **3.19** *leur ventre* : Paul vise sans doute ici des interdictions alimentaires prescrites par les tenants de la loi juive (comparer Rom 16.18 ; Col 2.16,20-21). – *leur faire honte* : allusion probable à la circoncision (comparer Gal 6.13,15).

u **4.3** *mon fidèle collègue* : on ignore à qui Paul s'adresse ainsi. Cependant, certains commentateurs supposent que le terme grec correspondant à collègue, *suzugos*, pourrait avoir été un nom propre. – *livre de vie* : comparer Apoc 3.5.

v **4.6** Comparer Matt 6.25-34.

ou que j'aie faim, que je sois dans l'abondance ou dans le besoin. 13 Je peux faire face à toutes les difficultés grâce au Christ qui m'en donne la force. 14 Cependant, vous avez bien fait de prendre votre part de mes détresses.

15 Vous le savez bien vous-mêmes, Philippiens : quand j'ai quitté la Macédoine, à l'époque où commençait la diffusion de la Bonne Nouvelle, vous avez été la seule Église à m'aider, vous seuls avez participé à mes profits et pertes[w]. 16 Déjà quand j'étais à Thessalonique, vous m'avez envoyé plus d'une fois ce dont j'avais besoin[x]. 17 Ce n'est pas que je cherche à recevoir des dons ; mais je désire qu'un bénéfice soit ajouté à votre compte. 18 Je certifie donc que j'ai reçu tout ce que vous m'avez envoyé ; c'est plus que suffisant. Maintenant qu'Épaphrodite m'a apporté vos dons, je dispose de tout le nécessaire. Ces dons sont comme une offrande d'agréable odeur, un *sacrifice que Dieu accepte et qui lui plaît[y]. 19 Mon Dieu pourvoira à tous vos besoins, selon sa magnifique richesse, par Jésus-Christ. 20 A Dieu notre Père soit la *gloire pour toujours. *Amen.

Salutations finales

21 Saluez au nom de Jésus-Christ chacun des membres de votre communauté. Les frères qui sont avec moi vous adressent leurs salutations. 22 Tous les croyants d'ici, et spécialement ceux qui sont au service de l'empereur[z], vous adressent leurs salutations.

23 Que la grâce du Seigneur Jésus-Christ soit avec vous tous.

---

w **4.15** *Macédoine* : voir 2 Cor 1.16 et la note. – *mes profits et pertes* : Paul recourt ici au langage des transactions commerciales.

x **4.16** *v. 15-16* : voir Act 17.1 ; 2 Cor 11.9.

y **4.18** Comparer Ex 29.18 ; Éph 5.2.

z **4.22** *ceux qui sont au service de l'empereur* : litt. *ceux du palais de l'empereur*, expression qui fait penser à Rome, la capitale de l'empire. Mais il est fort possible que *ceux du palais de l'empereur* désigne le personnel qui est au service de l'empereur dans une ville, autre que Rome, où siégeait un gouverneur romain. Comparer 1.13.

Lettre aux

Colossiens

Introduction – *Colosses était une ville d'Asie Mineure (aujourd'hui la Turquie d'Asie), située à environ 200 km à l'est d'Éphèse. Il ne semble pas que Paul l'ait jamais visitée. C'est l'un de ses compagnons, Épaphras, lui-même Colossien, qui fut le premier à y apporter l'Évangile (Col 1.7 ; 4.12).*

*Alors que Paul est prisonnier (4.3,10,18), probablement à Rome, Épaphras est venu l'informer que les Colossiens étaient influencés par l'enseignement des propagateurs d'une nouvelle doctrine. Selon ces personnages, pour connaître Dieu et être sauvé, il fallait adorer des puissances spirituelles, se soumettre à certains rites comme la *circoncision et observer des règles strictes concernant la nourriture, la boisson, etc. Sitôt averti de cette situation inquiétante, l'apôtre écrit aux Colossiens pour leur rappeler que le salut accordé par Dieu en Jésus-Christ est pleinement suffisant. Il leur fait parvenir sa lettre probablement par l'intermédiaire de Tychique et d'Onésime (4.7,9).*

Après la salutation et une prière de reconnaissance à Dieu (1.1-14), une première partie met en évidence la souveraineté du Christ : il est supérieur à toutes les puissances spirituelles, il est le seul chef de l'Église (1.15–2.3).

Ensuite, l'apôtre met en garde les Colossiens contre les erreurs que certains répandent chez eux (2.4-25).

Enfin, la dernière partie rappelle les aspects pratiques de la vie nouvelle qu'on mène en communion avec le Christ, dans la communauté chrétienne elle-même, dans la famille ou dans la société (3.1–4.6).

La conclusion apporte une série de messages personnels et la salutation écrite de la propre main de l'apôtre (4.7-18).

Les fausses doctrines peuvent changer de forme et de contenu d'une époque à l'autre. Mais elles ont toujours ceci de commun : elles tendent à distraire les chrétiens de la foi au seul Christ. C'est pourquoi la lecture de la lettre aux Colossiens *reste d'une actualité constante : elle met en effet l'accent sur la suprématie du Christ, celui qui libère de tous les esclavages spirituels.*

Salutation

1 1 De la part de Paul, qui par la volonté
de Dieu est *apôtre de Jésus-Christ,
et de la part de Timothée, notre frère.
2 A ceux qui appartiennent au peuple
de Dieu à Colosses et qui sont nos fidèles
frères dans la communion avec le Christ :
Que Dieu notre Père vous accorde la
grâce et la paix[a].

---

a 1.2 *Colosses* était une petite ville de Phrygie, située à 200 km à l'est d'Éphèse, dans une région qui est actuellement en Turquie. – *notre Père* : certains manuscrits ajoutent *et le Seigneur Jésus-Christ*.

Prière de reconnaissance

3 Nous remercions toujours Dieu, le
Père de notre Seigneur Jésus-Christ,
quand nous prions pour vous. 4 En effet,
nous avons entendu parler de votre foi en
Jésus-Christ et de l'amour que vous avez
pour tous les croyants. 5 Quand le message de la vérité, la Bonne Nouvelle, est
parvenu pour la première fois chez vous,
vous avez appris ce que Dieu vous réserve
dans les *cieux : votre foi et votre amour
sont fondés sur cette espérance[b]. 6 La
Bonne Nouvelle se répand et porte des
fruits dans le monde entier, tout comme
elle l'a fait parmi vous depuis le jour où,
pour la première fois, vous avez entendu
parler de la grâce de Dieu et avez découvert ce qu'elle est véritablement. 7 C'est
Épaphras, notre cher compagnon de service, qui vous a donné cet enseignement ;
il travaille pour vous comme un fidèle
serviteur du Christ[c]. 8 Il nous a informés
de l'amour que l'Esprit Saint vous a
donné.

9 C'est pourquoi nous ne cessons pas de
prier pour vous, depuis le jour où nous
avons entendu parler de vous. Nous demandons à Dieu de vous faire connaître
pleinement sa volonté, grâce à toute la sagesse et l'intelligence que donne son Esprit. 10 Ainsi, vous pourrez vous conduire
d'une façon digne du Seigneur, en faisant
toujours ce qui lui plaît. Vous produirez
toutes sortes d'actions bonnes et progres-
serez dans la connaissance de Dieu.
11 Nous lui demandons de vous fortifier à
tous égards par sa puissance glorieuse,
afin que vous puissiez tout supporter avec
patience. 12 Remerciez avec joie Dieu[d] le
Père : il vous a rendus capables d'avoir
part aux biens qu'il réserve dans le
royaume de lumière à ceux qui lui appartiennent. 13 Il nous a en effet arrachés à la
puissance de la nuit[e] et nous a fait passer
dans le royaume de son Fils bien-aimé.
14 C'est par lui qu'il nous a délivrés du mal
et que nos péchés sont pardonnés[f].

La personne et l'œuvre du Christ

15 Le Christ est l'image visible du Dieu
invisible. Il est le Fils premier-né, supérieur à tout ce qui a été créé[g]. 16 Car c'est
par lui que Dieu a tout créé dans les
*cieux et sur la terre, ce qui est visible et
ce qui est invisible, puissances spirituelles, dominations, autorités et pouvoirs[h].
Dieu a tout créé par lui et pour lui. 17 Il
existait avant toutes choses, et c'est par
lui qu'elles sont toutes maintenues à leur
place. 18 Il est la tête du corps, qui est
l'Église ; c'est en lui que commence la vie
nouvelle, il est le Fils premier-né, le premier à avoir été ramené d'entre les morts,
afin d'avoir en tout le premier rang. 19 Car
Dieu a décidé d'être pleinement présent
en son Fils 20 et, par lui, il a voulu réconcilier l'univers entier avec lui. C'est
par la mort de son Fils sur la croix[i] qu'il a
établi la paix pour tous, soit sur la terre
soit dans les cieux.

21 Vous aussi, vous étiez autrefois loin
de Dieu, vous étiez ses ennemis à cause
de tout le mal que vous pensiez et
commettiez. 22 Mais maintenant, par la
mort que son Fils a subie dans son corps
humain, Dieu vous a réconciliés avec lui,
afin de vous faire paraître devant lui
saints, sans défaut et irréprochables.
23 Cependant, il faut que vous demeuriez
dans la foi, fermement établis sur de solides fondations, sans vous laisser écarter
de l'espérance qui est la vôtre depuis que
vous avez entendu la Bonne Nouvelle.
Cette Bonne Nouvelle a été annoncée à

---

b **1.5** Comparer 1 Cor 13.13.

c **1.7** *Épaphras* : comparer 4.12. – *pour vous* : certains manuscrits ont *de notre part*.

d **1.12** *avec patience. Remerciez avec joie Dieu...* : autre traduction (en ponctuant différemment le texte grec) *avec patience et avec joie. Et remerciez Dieu...*

e **1.13** *puissance de la nuit* : comparer Luc 22.53.

f **1.14** Comparer Éph 1.7.

g **1.15** Comparer Prov 8.32-36 ; Jean 1.1-3.

h **1.16** Le verset énumère un certain nombre de puissances spirituelles que l'Antiquité considérait comme participant au gouvernement de l'univers physique et du monde religieux. Comparer Gal 4.3 et la note.

i **1.20** *par la mort de son Fils sur la croix* : d'autres traduisent, littéralement, *par le sang de sa croix*. Dans la Bible, le mot que l'on traduit par *sang* n'évoque pas seulement le liquide qui coule dans les veines, mais encore la vie elle-même (voir par exemple Gen 9.4-5). Le « sang de la croix » indique, par conséquent, le don que Jésus-Christ a fait de sa vie, sa mort, son sacrifice sur la croix. Comparer aussi Éph 2.16.

l'humanité entière, et c'est d'elle que moi, Paul, je suis devenu le serviteur.

La mission de Paul en faveur de l'Église

24 Maintenant, je me réjouis des souffrances que j'éprouve pour vous. Car, en ma personne, je complète ainsi ce qui manque encore aux souffrances du Christ pour son corps, qui est l'Église[j]. 25 Je suis devenu serviteur de l'Église, conformément à la mission que Dieu m'a confiée à votre égard : il m'a chargé d'annoncer pleinement son message, 26 c'est-à-dire le plan secret qu'il a tenu caché depuis toujours à toute l'humanité, mais qu'il a révélé maintenant aux croyants. 27 Car Dieu a voulu leur faire connaître ce plan secret, si riche et si magnifique, élaboré en faveur de tous les peuples. Et voici ce secret : le Christ est en vous et il vous donne l'assurance que vous aurez part à la *gloire de Dieu. 28 Ainsi, nous annonçons le Christ à tout être humain. Nous avertissons et instruisons chacun, avec toute la sagesse possible, afin de rendre chacun spirituellement adulte dans l'union avec le Christ. 29 A cet effet, je travaille et lutte avec la force qui vient du Christ et qui agit en moi avec puissance.

2 1 Je tiens à ce que vous sachiez combien dure est la lutte que je livre pour vous, pour ceux de Laodicée[k] et pour bien d'autres qui ne me connaissent pas personnellement. 2 Je désire que leur cœur soit rempli de courage, qu'ils soient unis dans l'amour et enrichis de toute la certitude que donne une vraie intelligence. Ils pourront connaître ainsi le secret de Dieu, c'est-à-dire le Christ lui-même[l] : 3 en lui se trouvent cachés tous les trésors de la sagesse et de la connaissance divines. 4 Je vous dis cela afin que personne ne puisse vous tromper par des raisonnements séduisants. 5 Même si je suis absent de corps, je suis à vos côtés en esprit, et je suis heureux de vous voir tenir bon et rester solides dans votre foi au Christ.

La vie pleinement reçue en Christ

6 Ainsi, puisque vous avez accepté Jésus-Christ comme Seigneur, vivez dans l'union avec lui. 7 Soyez enracinés en lui et construisez toute votre vie sur lui. Soyez toujours plus fermes dans la foi, conformément à l'enseignement que vous avez reçu, et soyez pleins de reconnaissance.

8 Prenez garde que personne ne vous séduise par les arguments trompeurs et vides de la sagesse humaine : elle se fonde sur les traditions des hommes, sur les forces spirituelles du monde[m], et non sur le Christ. 9 Car tout ce qui est en Dieu a pris corps dans le Christ et habite pleinement en lui ; 10 et c'est par lui que vous avez tout reçu pleinement, lui qui domine toute autorité et tout pouvoir spirituels.

11 Dans l'union avec lui, vous avez été *circoncis, non pas de la circoncision faite par les hommes, mais de la circoncision qui vient du Christ et qui nous délivre de notre être pécheur. 12 En effet, quand vous avez été baptisés, vous avez été mis au tombeau avec le Christ, et vous êtes aussi *ressuscités avec lui, parce que vous avez cru en la puissance de Dieu qui l'a ramené d'entre les morts[n]. 13 Autrefois, vous étiez spirituellement morts à cause de vos fautes et parce que vous étiez des incirconcis, des païens. Mais maintenant, Dieu vous a fait revivre avec le Christ. Il nous a pardonné toutes nos fautes. 14 Il a annulé le document qui nous accusait et qui nous était contraire par ses dispositions : il l'a supprimé en le clouant à la croix. 15 C'est ainsi que Dieu a désarmé les autorités et pouvoirs spirituels ; il les a donnés publiquement en spectacle en les emmenant comme pri-

---

j **1.24** *souffrances du Christ* ou *détresses du Christ* : le terme grec traduit ici par *souffrances* est le même qui est employé ailleurs pour désigner les épreuves liées à la prédication de l'Évangile et particulières à la fin des temps. Comparer par exemple Matt 24.9 ; Apoc 7.14.

k **2.1** Voir 4.13 et la note.

l **2.2** *le secret de Dieu, c'est-à-dire le Christ lui-même* : certains manuscrits ont *le secret de Dieu*, d'autres *le secret de Dieu le Père du Christ*, d'autres encore *le secret du Dieu et Père et du Christ*.

m **2.8** Voir Gal 4.3 et la note.

n **2.12** Comparer Rom 6.4.

sonniers dans le cortège triomphal de son Fils[o].

16 Ainsi, ne laissez personne vous juger à propos de ce que vous mangez ou buvez, ou pour une question de fête, de nouvelle lune ou de *sabbat[p]. 17 Tout cela n'est que l'ombre des biens à venir ; mais la réalité, c'est le Christ. 18 Ne vous laissez pas condamner par des gens qui prennent plaisir à des pratiques extérieures d'humilité et au culte des *anges, et qui attachent beaucoup d'importance à leurs visions. De tels êtres sont enflés d'un vain orgueil par leur façon trop humaine de penser ; 19 ils ne restent pas attachés au Christ, qui est la tête. C'est pourtant grâce au Christ que le corps entier est nourri et bien uni par ses jointures et ses articulations, et qu'il grandit comme Dieu le veut.

Mourir et vivre avec le Christ

20 Vous êtes morts avec le Christ et avez été délivrés des forces spirituelles du monde[q]. Alors, pourquoi vivez-vous comme si vous dépendiez de ce monde, en acceptant qu'on vous impose des règles de ce genre : 21 « Ne prends pas ceci », « Ne goûte pas cela », « N'y touche pas » ? 22 Elles concernent des choses destinées à disparaître dès qu'on en fait usage. Il s'agit là de prescriptions et d'enseignements purement humains. 23 Certes, ces règles ont une apparence de sagesse, car elles parlent de religion personnelle, d'humilité et d'obligation de traiter durement son corps ; mais elles n'ont aucune valeur pour maîtriser les désirs de notre propre nature.

3 1 Vous avez été ramenés de la mort à la vie avec le Christ. Alors, recherchez les choses qui sont au *ciel, là où le Christ siège à la droite de Dieu[r]. 2 Préoccupez-vous de ce qui est là-haut et non de ce qui est sur la terre. 3 Car vous êtes morts, et votre vie est cachée avec le Christ en Dieu. 4 Votre véritable vie, c'est le Christ, et quand il paraîtra, alors vous paraîtrez aussi avec lui en participant à sa *gloire.

La vie ancienne et la vie nouvelle

5 Faites donc mourir tout ce qui est terrestre en vous : l'immoralité, *l'impureté, les passions, les mauvais désirs et l'avarice (car l'avarice, c'est de l'idolâtrie). 6 Ce sont de telles fautes qui attirent la colère de Dieu sur ceux qui s'opposent à lui[s]. 7 Voilà comment vous vous conduisiez autrefois quand votre vie était dominée par ces péchés.

8 Mais maintenant, rejetez tout cela : la colère, l'irritation et la méchanceté. Qu'aucune insulte ou parole grossière ne sorte de votre bouche. 9 Ne vous mentez pas les uns aux autres, car vous avez abandonné votre vieille nature avec ses habitudes 10 et vous vous êtes revêtus de la nouvelle nature : vous êtes des êtres nouveaux que Dieu, notre Créateur, renouvelle continuellement à son image[t], pour que vous le connaissiez parfaitement. 11 Il n'importe donc plus que l'on soit non-Juif ou Juif, *circoncis ou incirconcis, non civilisé, primitif[u], esclave ou homme libre ; ce qui compte, c'est le Christ qui est tout et en tous.

12 Vous faites partie du peuple de Dieu ; Dieu vous a choisis et il vous aime. C'est pourquoi vous devez vous revêtir d'affectueuse bonté, de bienveillance, d'humilité, de douceur et de patience. 13 Supportez-vous les uns les autres ; et si l'un de vous a une raison de se plaindre d'un autre, pardonnez-vous réciproquement, tout comme le Seigneur vous a pardonné[v]. 14 Et par-dessus tout, mettez l'amour, ce lien qui vous permettra d'être parfaitement unis. 15 Que la paix du

---

o **2.15** *autorités et pouvoirs spirituels* : voir 1.16 et la note. – *Dieu... spirituels* : autre traduction *le Christ s'est libéré de la puissance des autorités et pouvoirs spirituels*. Comparer 1 Cor 15.24. – *de son Fils* : autre traduction *de la croix*.

p **2.16** Observances religieuses inspirées du judaïsme. – *vous juger...* : comparer Rom 14.1-6.

q **2.20** Voir Gal 4.3 et la note.

r **3.1** Voir Ps 110.1.

s **3.6** Certains manuscrits n'ont pas *ceux qui s'opposent à lui*.

t **3.10** Comparer Gen 1.26.

u **3.11** *primitif* ou *Scythe* : les *Scythes* habitaient les rivages nord de la mer Noire et passaient pour les plus arriérés des hommes.

v **3.13** Comparer Matt 6.12,14.

Christ règne dans vos cœurs ; c'est en effet à cette paix que Dieu vous a appelés, en tant que membres d'un seul corps. Soyez reconnaissants. 16 Que la parole du Christ, avec toute sa richesse, habite en vous. Instruisez-vous et avertissez-vous les uns les autres avec une pleine sagesse. Chantez à Dieu, de tout votre cœur et avec reconnaissance, des psaumes, des hymnes et des cantiques inspirés par l'Esprit[w]. 17 Tout ce que vous faites, en paroles ou en actions, faites-le au nom du Seigneur Jésus, en remerciant par lui Dieu le Père.

Les rapports personnels dans la vie nouvelle

18 Femmes, soyez soumises à vos maris, comme il convient de le faire devant le Seigneur.

19 Maris, aimez vos femmes et ne leur montrez point de mauvaise humeur.

20 Enfants, obéissez en tout à vos parents, car voilà ce que le Seigneur approuve.

21 Pères, n'irritez pas vos enfants, afin qu'ils ne se découragent pas.

22 Esclaves, obéissez en tout à vos maîtres d'ici-bas. Ne le faites pas seulement quand ils vous surveillent, pour leur plaire ; mais obéissez d'un cœur sincère, à cause du respect que vous avez pour le Seigneur. 23 Quel que soit votre travail, faites-le de tout votre cœur, comme pour le Seigneur et non pour des hommes. 24 Rappelez-vous que le Seigneur vous récompensera : vous recevrez les biens qu'il réserve aux siens[x]. Car le véritable Maître que vous servez, c'est le Christ. 25 Mais celui qui fait le mal en subira les conséquences, car Dieu n'avantage personne[y].

4 1 Maîtres, traitez vos esclaves d'une façon droite et juste. Rappelez-vous que vous avez, vous aussi, un Maître dans le *ciel.

Recommandations

2 Priez avec fidélité, demeurez vigilants par la prière adressée à Dieu avec reconnaissance. 3 En même temps, priez aussi pour nous, afin que Dieu nous accorde une occasion favorable de prêcher sa parole, d'annoncer le secret du Christ. En effet, c'est pour cela que je suis maintenant en prison. 4 Priez donc pour que je puisse parler de ce secret et le faire clairement connaître, comme je le dois.

5 Conduisez-vous avec sagesse envers les non-chrétiens, en profitant de toute occasion qui se présente à vous. 6 Que vos paroles soient toujours agréables et pleines d'intérêt ; sachez répondre à chacun de la bonne manière.

Salutations finales

7 Tychique[z], notre compagnon, ce cher frère et fidèle collaborateur au service du Seigneur, vous donnera toutes les nouvelles qui me concernent. 8 Je vous l'envoie donc en particulier pour vous dire comment nous allons et pour vous réconforter. 9 Il est accompagné par Onésime[a], le cher et fidèle frère, qui est l'un des vôtres. Ils vous informeront de tout ce qui se passe ici.

10 Aristarque, qui est en prison avec moi, vous adresse ses salutations, ainsi que Marc, le cousin de Barnabas[b]. Vous avez déjà reçu des instructions au sujet de Marc : s'il vient chez vous, accueillez-le bien. 11 Jésus, surnommé Justus, vous salue aussi. Ces trois hommes sont les seuls chrétiens d'origine juive qui travaillent avec moi pour le *Royaume de Dieu ; ils ont été un grand réconfort pour moi.

12 Épaphras[c], qui est aussi l'un des vôtres, vous salue ; ce serviteur de Jésus-Christ ne cesse pas de prier avec ardeur pour vous, afin que vous demeuriez fermes, spirituellement adultes et bien décidés à faire en tout la volonté de Dieu. 13 Je peux lui rendre ce témoignage : il se

---

w **3.16** Comparer Éph 5.19-20.
x **3.24** *les biens* ou *l'héritage* : la promesse est d'autant plus frappante que les esclaves ne pouvaient pas hériter de biens matériels. Comparer Gal 4.1-2.
y **3.25** Comparer Deut 10.17.
z **4.7** *Tychique* : voir Act 20.4 ; Éph 6.21-22.
a **4.9** *Onésime* : voir Phm 10-15.
b **4.10** *Aristarque* : voir Act 19.29 ; 27.2. – *Marc* : voir Act 12.12,25 ; 13.13 ; 15.37-39. – *Barnabas* : voir Act 9.27 ; 11.22,30 ; etc.
c **4.12** *Épaphras* : voir 1.7.

donne beaucoup de peine pour vous,
pour ceux de Laodicée et pour ceux
d'Hiérapolis[d]. 14 Luc, notre ami le médecin, et Démas vous saluent[e].
15 Saluez les frères qui sont à Laodicée,
ainsi que Nympha et l'Église qui se réunit dans sa maison[f]. 16 Quand vous aurez
lu cette lettre, faites en sorte qu'on la lise
aussi dans l'Église de Laodicée ; lisez
vous-mêmes celle qu'on vous transmettra
de là-bas[g]. 17 Dites à Archippe[h] : « Prends
soin de bien accomplir la tâche dont tu as
été chargé au service du Seigneur. »
18 C'est de ma propre main que j'écris
ces mots : Salutations de Paul. – N'oubliez pas que je suis en prison. – Que la
grâce de Dieu soit avec vous.

---

d **4.13** *Laodicée* et *Hiérapolis* étaient deux villes voisines de Colosses, également situées dans la vallée du Lycus.

e **4.14** *Luc* : voir 2 Tim 4.11 ; Phm 24. – *Démas* : voir 2 Tim 4.10 ; Phm 24.

f **4.15** *Nympha... dans sa maison* (à elle) : certains manuscrits ont *Nymphas* (prénom masculin) *...dans sa maison* (à lui). De toute façon, le personnage nous est inconnu par ailleurs.

g **4.16** *celle... de là-bas* : cette lettre aux Laodicéens est perdue, à moins que ce ne soit notre actuelle lettre « aux Éphésiens », comme le supposent certains spécialistes (voir Éph 1.1 et la note).

h **4.17** *Archippe* : voir Phm 2.

Première lettre aux Thessaloniciens

Introduction *– Thessalonique était la capitale de la province romaine de Macédoine, au nord-est de la Grèce. C'est au cours de son deuxième voyage missionnaire que l'apôtre Paul arriva dans cette ville, après avoir quitté Philippes. Il y fonda une communauté, mais son séjour fut de courte durée en raison de l'opposition d'une partie de la colonie juive. Obligé de quitter rapidement Thessalonique, il se rendit alors à Bérée (Act 17.1-10). Plus tard, alors qu'il se trouvait à Corinthe, son compagnon Timothée le rejoignit et lui fit un rapport sur la situation à Thessalonique. Paul écrivit alors la première des deux* lettres aux Thessaloniciens, *sans doute de Corinthe même. Les spécialistes admettent généralement que cet écrit est le plus ancien du Nouveau Testament et le datent de l'an 50 après J.-C.*

Les nouvelles reçues de Thessalonique réjouissent l'apôtre. Il remercie Dieu pour l'exemple que les Thessaloniciens donnent aux autres communautés de la région. Tout en rappelant le travail qu'il a lui-même accompli parmi eux, il dit à quel point il aimerait les revoir (1.1–3.13). Cependant il les encourage non seulement à persévérer mais encore à progresser dans la vie chrétienne (4.1-12). Par ailleurs, il répond aux questions qu'ils se posent à propos de la résurrection des morts et de la venue glorieuse du Christ (4.13–5.11). Il termine sa lettre par des recommandations et des salutations (5.12-28).

Cette lettre éclairera tous ceux qu'inquiète la perspective de la fin des temps. Elle rappelle en effet aux croyants que l'essentiel est de témoigner maintenant qu'ils appartiennent au monde de la lumière et, en ce qui concerne l'avenir, d'être animés de la ferme espérance que le moment viendra (peu importe la date) où ils seront « toujours avec le Seigneur » (4.17).

Salutation

1 1 De la part de Paul, Silas et Timothée.
A l'Église de Thessalonique[a], qui appartient à Dieu le Père et au Seigneur
Jésus-Christ : Que la grâce et la paix vous
soient accordées.

La vie et la foi des Thessaloniciens

2 Nous remercions toujours Dieu pour
vous tous et nous pensons sans cesse à
vous dans nos prières. 3 En effet, nous
nous rappelons devant Dieu notre Père
votre foi si efficace, votre amour si actif et
votre espérance si ferme en notre Seigneur Jésus-Christ[b]. 4 Nous savons, frères,
que Dieu vous a aimés et vous a choisis
pour être à lui. 5 En effet, quand nous
vous avons annoncé la Bonne Nouvelle,
ce ne fut pas seulement en paroles, mais
aussi avec la puissance et le secours du
Saint-Esprit, et avec une entière conviction. Vous savez comment nous nous
sommes comportés parmi vous, pour votre bien. 6 Vous avez suivi notre exemple
et celui du Seigneur ; malgré la détresse
qui était la vôtre, vous avez reçu la parole
de Dieu avec la joie qui vient du Saint-
Esprit[c]. 7 Ainsi, vous êtes devenus un modèle pour tous les croyants de Macédoine
et d'Achaïe[d]. 8 En effet, non seulement la
parole du Seigneur s'est propagée de chez
vous en Macédoine et en Achaïe, mais encore c'est partout que la nouvelle de votre
foi en Dieu s'est répandue. Nous n'avons
donc pas besoin d'en parler. 9 Tous racontent comment vous nous avez accueillis quand nous sommes allés chez vous et
comment vous avez abandonné les idoles
pour vous tourner vers Dieu, afin de le
servir, lui, le Dieu vivant et vrai. 10 Vous
attendez que Jésus, son Fils, vienne des
*cieux. C'est lui que Dieu a ramené d'en-
tre les morts ; il nous délivre du jugement
divin, qui est proche.

L'activité de Paul à Thessalonique

2 1 Vous le savez bien vous-mêmes, frères : ce n'est pas inutilement que
nous sommes allés chez vous. 2 Vous savez aussi que, peu auparavant, nous
avions été insultés et maltraités à Philippes. Mais Dieu nous a donné le courage de vous annoncer sa Bonne
Nouvelle, malgré une forte opposition[e].
3 En effet, l'appel que nous adressons à
tous n'est pas fondé sur l'erreur ou sur
des motifs *impurs, et nous ne cherchons
à tromper personne. 4 Au contraire, nous
parlons toujours comme Dieu le veut, car
il nous a jugés dignes de confiance et
nous a confié sa Bonne Nouvelle. Nous
ne cherchons pas à plaire aux hommes,
mais à Dieu qui évalue nos intentions
profondes. 5 Vous le savez bien, nous
n'avons jamais usé d'un langage flatteur ;
nous n'avons pas non plus caché sous nos
paroles des motifs intéressés, Dieu nous
en est témoin. 6 Nous n'avons recherché
les éloges de personne, ni de vous ni des
autres ; 7 pourtant nous aurions pu vous
imposer notre autorité, en tant *qu'apôtres du Christ. Au contraire, nous avons
fait preuve de douceur parmi vous,
comme une mère[f] qui prend soin de ses
enfants. 8 Nous avions une telle affection
pour vous, que nous étions prêts à vous
donner non seulement la Bonne Nouvelle de Dieu, mais encore notre propre
vie. Vous nous étiez devenus si chers !
9 Vous vous rappelez certainement, frères,
nos peines et nos fatigues : nous avons
travaillé jour et nuit pour n'être à la
charge d'aucun d'entre vous tandis que
nous vous annoncions la Bonne Nouvelle
de Dieu.
10 Vous en êtes témoins à notre égard et
Dieu l'est aussi : notre conduite envers
vous, les croyants, a été pure, juste et irréprochable. 11 Vous savez que nous avons

---

a **1.1** *Silas* : voir Act 15.22. – *Timothée* : voir Act 16.1. – *Thessalonique* : la ville porte aujourd'hui le nom de Salonique ; elle est située au nord de la Grèce (voir aussi 2 Cor 1.16 et la note). Sur le premier séjour qu'y fit Paul, voir Act 17.1-9 ; 1 Thess 2.1-2.

b **1.3** *foi... amour... espérance* : comparer 1 Cor 13.13.

c **1.6** Voir Act 17.5-9.

d **1.7** *Macédoine* : voir 2 Cor 1.16 et la note. – *Achaïe* : voir 2 Cor 1.1 et la note.

e **2.2** Voir Act 16.19-24 ; 17.1-9.

f **2.7** *nous avons fait preuve de douceur* : litt. *nous avons été doux* ; certains manuscrits ont *nous avons été comme des petits enfants*.

agi avec chacun de vous comme un père
avec ses enfants. 12 Nous vous avons encouragés et réconfortés, nous vous avons
demandé avec insistance de vous
conduire d'une façon digne de Dieu, lui
qui vous appelle à participer à son
*Royaume et à sa *gloire.

13 Nous remercions sans cesse Dieu
pour une autre raison encore : Quand
nous vous avons annoncé la parole de
Dieu, vous l'avez écoutée et accueillie
non comme une simple parole humaine,
mais comme la parole de Dieu, ce qu'elle
est réellement. Ainsi, elle agit en vous,
les croyants. 14 Frères, vous avez passé
par la même expérience que les Églises
de Judée, qui appartiennent à Dieu et
croient en Jésus-Christ. Vous avez souffert de la part de vos compatriotes ce
qu'elles ont souffert de la part des Juifs[g].
15 Ceux-ci ont mis à mort le Seigneur Jésus et les *prophètes, et ils nous ont persécutés[h]. Ils déplaisent à Dieu et sont
ennemis de tous les hommes ! 16 Ils veulent nous empêcher d'annoncer aux autres peuples le message qui peut les
sauver. Ils complètent ainsi la série de
péchés qu'ils ont commis dans tous les
temps. Mais la colère de Dieu les a finalement atteints.[i]

Paul désire revoir les Thessaloniciens

17 Quant à nous, frères, nous avons dû
nous séparer de vous pour quelque
temps, de corps et non de cœur, bien sûr.
Mais nous avions un tel désir de vous revoir que nous avons redoublé d'efforts
pour y parvenir. 18 Nous avons donc
voulu retourner chez vous, et moi, Paul,
j'ai essayé de le faire plus d'une fois. Mais
*Satan nous en a empêchés. 19 C'est vous,
en effet, vous et personne d'autre, qui
êtes notre espérance, notre joie et le signe
de victoire dont nous pourrons être fiers
devant notre Seigneur Jésus quand il
viendra. 20 Oui, vous êtes notre sujet de
*gloire et de joie !

3 1 Finalement, nous n'avons plus pu
supporter cette attente. Nous avons
alors décidé de rester seuls à Athènes[j] 2 et
nous vous avons envoyé Timothée, notre
frère ; il est collaborateur de Dieu[k] pour
la diffusion de la Bonne Nouvelle du
Christ. Il devait vous fortifier et vous encourager dans votre foi, 3 afin qu'aucun
de vous ne se laisse abattre par les persécutions que nous subissons. Vous le savez
vous-mêmes, de telles persécutions font
partie du plan de Dieu à notre égard. 4 En
effet, lorsque nous étions encore auprès
de vous, nous vous avons prévenus que
nous allions être persécutés ; c'est ce qui
est arrivé, vous le savez bien. 5 C'est pourquoi, comme je ne pouvais plus supporter
cette attente, j'ai envoyé Timothée s'informer de votre foi. Je craignais que le
diable ne vous ait tentés et que toute notre peine soit devenue inutile.

6 Mais maintenant, Timothée nous est
revenu de chez vous[l], et il nous a donné
de bonnes nouvelles de votre foi et de votre amour. Il nous a dit que vous pensez
toujours à nous avec affection et que vous
désirez nous revoir tout comme nous désirons vous revoir. 7 Ainsi, au milieu de
toutes nos détresses et de toutes nos souffrances, nous avons été réconfortés à votre sujet, frères, grâce à votre foi.
8 Maintenant nous revivons puisque vous
demeurez fermes dans l'union avec le
Seigneur. 9 Comment pourrions-nous assez remercier notre Dieu à votre sujet, à
cause de toute la joie que vous nous donnez devant lui ? 10 Jour et nuit, nous lui
demandons avec ardeur de nous permettre de vous revoir personnellement et de
compléter ce qui manque encore à votre
foi.

11 Que Dieu lui-même, notre Père, et
notre Seigneur Jésus nous ouvrent le chemin qui conduit chez vous ! 12 Que le Seigneur fasse croître de plus en plus
l'amour que vous avez les uns pour les
autres et envers tous les humains, à

---

g **2.14** Voir Act 17.5-6.

h **2.15** Voir Act 9.23,29 ; 13.45,50 ; 14.2,5,19 ; 17.5,13 ; 18.12.

i **2.16** A propos des v. 15-16, comparer Rom 11, où Paul exprime sa certitude du salut final du peuple juif.

j **3.1** Voir Act 17.15-16.

k **3.2** *il est collaborateur de Dieu* : certains manuscrits ont *et notre collaborateur* et d'autres *serviteur de Dieu*.

l **3.6** Voir Act 18.5 : Paul écrit cette lettre de Corinthe.

l'exemple de l'amour que nous avons
pour vous. 13 Qu'il fortifie vos cœurs,
pour que vous soyez saints et irréprochables devant Dieu notre Père, quand
notre Seigneur Jésus viendra avec tous
ceux qui lui appartiennent[m]. *Amen.

Une conduite qui plaît à Dieu

4 1 Enfin, frères, vous avez appris de
nous comment vous devez vous
conduire pour plaire à Dieu. Certes, vous
vous conduisez déjà ainsi. Mais maintenant, nous vous le demandons et vous en
supplions au nom du Seigneur Jésus : faites mieux encore. 2 Vous connaissez en effet les instructions que nous vous avons
données de la part du Seigneur Jésus.
3 Voici quelle est la volonté de Dieu : c'est
que vous soyez saints et que vous vous gar-
diez de l'immoralité. 4 Que chacun de vous
sache prendre femme d'une façon sainte et
honorable[n], 5 sans se laisser dominer par
de mauvais désirs, comme les païens qui
ne connaissent pas Dieu. 6 Dans cette affaire, que personne ne cause du tort à son
frère ou ne porte atteinte à ses droits. Nous
vous l'avons déjà dit et vous en avons sérieusement avertis : le Seigneur punira
ceux qui commettent de telles fautes.
7 Dieu ne nous a pas appelés à vivre dans
l'immoralité, mais dans la sainteté. 8 C'est
pourquoi, celui qui rejette ces prescriptions ne rejette pas un homme, mais Dieu
qui vous donne son Saint-Esprit.

9 Vous n'avez pas besoin qu'on vous
écrive au sujet de l'amour fraternel ; en
effet, vous avez vous-mêmes appris de
Dieu à vous aimer les uns les autres.
10 C'est d'ailleurs cet amour que vous manifestez envers tous les frères de la Macédoine entière[o]. Mais nous vous
exhortons, frères, à faire mieux encore.
11 Ayez pour ambition de vivre en paix,
de vous occuper de vos propres affaires et
de gagner votre vie de vos propres mains,
comme nous vous l'avons déjà recommandé. 12 Votre conduite suscitera
ainsi le respect des non-chrétiens, et vous
ne serez à la charge de personne.

La venue du Seigneur

13 Frères, nous désirons que vous
connaissiez la vérité au sujet de ceux qui
sont morts, afin que vous ne soyez pas
tristes comme les autres, ceux qui n'ont
pas d'espérance. 14 Nous croyons que Jésus est mort et qu'il s'est relevé de la
mort ; de même, nous croyons aussi que
Dieu relèvera avec Jésus ceux qui seront
morts en croyant en lui.

15 Voici en effet ce que nous déclarons
d'après un enseignement du Seigneur :
ceux d'entre nous qui seront encore en
vie quand le Seigneur viendra, ne seront
pas avantagés par rapport à ceux qui seront morts. 16 On entendra un cri de
commandement, la voix de l'archange[p]
et le son de la trompette de Dieu, et le
Seigneur lui-même descendra du *ciel.
Ceux qui seront morts en croyant au
Christ se relèveront les premiers ; 17 ensuite, nous qui serons encore en vie à ce
moment-là, nous serons enlevés avec eux
au travers des nuages pour rencontrer le
Seigneur dans les airs. Et ainsi nous serons toujours avec le Seigneur[q]. 18 Ré-
confortez-vous donc les uns les autres par
ces paroles.

5 1 Vous n'avez pas besoin, frères, qu'on
vous écrive au sujet des temps et des
moments où tout cela arrivera. 2 Car vous
savez très bien vous-mêmes que le jour
du Seigneur viendra de façon aussi imprévisible qu'un voleur pendant la nuit[r].
3 Quand les gens diront : « Tout est en
paix, en sécurité[s] », c'est alors que, tout à
coup, la ruine s'abattra sur eux, comme
les douleurs de l'accouchement sur une
femme enceinte. Personne ne pourra y
échapper. 4 Mais vous, frères, vous n'êtes
pas en pleine obscurité pour que ce jour
vous surprenne comme un voleur. 5 Vous
tous, en effet, vous dépendez de la lumière, vous appartenez au jour. Nous ne
dépendons ni de la nuit ni de l'obscurité.

---

m **3.13** *avec tous ceux qui lui appartiennent* : autre traduction *avec tous ses anges*.

n **4.4** *sache... honorable* : autre traduction *sache tenir son corps pour vivre d'une façon sainte et honorable*.

o **4.10** Voir 2 Cor 1.16 et la note.

p **4.16** Le terme *archange* désigne un ange de rang supérieur.

q **4.17** *v. 15-17* : comparer 1 Cor 15.51-52.

r **5.2** Comparer Matt 24.43 ; Luc 12.39 ; 2 Pi 3.10.

s **5.3** Comparer Jér 6.14 ; 8.11.

6 Ainsi, ne dormons pas comme les autres ; mais restons éveillés, sobres. 7 Les
dormeurs, c'est la nuit qu'ils dorment, et
les buveurs, c'est la nuit qu'ils s'enivrent.
8 Mais nous, qui appartenons au jour,
nous devons être sobres. Prenons la foi et
l'amour comme cuirasse, et l'espérance
du salut comme casque[t]. 9 En effet, Dieu
ne nous a pas destinés à subir sa colère,
mais à posséder le salut par notre Seigneur Jésus-Christ. 10 Le Christ est mort
pour nous afin de nous faire vivre avec
lui, que nous soyons vivants ou morts
quand il viendra. 11 Ainsi, encouragez-
vous et fortifiez-vous dans la foi les uns
les autres, comme vous le faites déjà.

Dernières recommandations et salutations

12 Frères, nous vous demandons de respecter ceux qui travaillent parmi vous,
ceux qui, par ordre du Seigneur, vous dirigent et vous avertissent. 13 Manifestez-
leur beaucoup d'estime et d'amour, à
cause de leur activité. Vivez en paix entre
vous.

14 Nous vous le recommandons, frères :
avertissez les paresseux[u], encouragez les
craintifs, venez en aide aux faibles, soyez
patients envers tous. 15 Prenez garde que
personne ne rende le mal pour le mal,
mais cherchez en tout temps à faire le
bien entre vous et envers tout le monde.

16 Soyez toujours joyeux, 17 priez sans
cesse, 18 remerciez Dieu en toute circonstance. Voilà ce que Dieu demande de
vous, dans votre vie avec Jésus-Christ.

19 Ne faites pas obstacle à l'action du
Saint-Esprit ; 20 ne méprisez pas les messages inspirés. 21 Mais examinez toutes
choses : retenez ce qui est bon, 22 et
gardez-vous de toute forme de mal.

23 Que Dieu, source de paix, fasse que
vous soyez totalement à lui ; qu'il garde
votre être entier, l'esprit, l'âme et le
corps, irréprochable pour le jour où viendra notre Seigneur Jésus-Christ. 24 Celui
qui vous appelle accomplira cela, car il
est fidèle.

25 Frères, priez aussi pour nous.

26 Saluez tous les frères d'un baiser fraternel.

27 Je vous en supplie, au nom du Seigneur : lisez cette lettre à tous les frères.

28 Que la grâce de notre Seigneur Jésus-
Christ soit avec vous.

---

t 5.8 Comparer És 59.17. ; Eph 6.11-17.

u 5.14 *les paresseux* : autre traduction *ceux qui vivent dans le désordre*.

Deuxième lettre aux
Thessaloniciens

***Introduction** – Dans la* deuxième lettre aux Thessaloniciens, *l'apôtre Paul reprend un point déjà abordé dans la première lettre : le problème posé par la venue glorieuse du Christ. Ce sujet continue à agiter les chrétiens de Thessalonique. Certains d'entre eux, en effet, prétendent que ce jour est déjà arrivé (2.2), d'autres refusent de travailler en raison de l'imminence de la fin des temps et vivent alors aux dépens des personnes actives (3.6-12). La lettre vise donc à corriger les idées erronées qui troublaient l'Église de Thessalonique.*

L'apôtre commence par remercier Dieu pour la foi et l'amour dont les chrétiens de Thessalonique font preuve ; en même temps, il demande au Seigneur de leur accorder la persévérance dans le service auquel ils ont été appelés (1.1-12). Immédiatement après, il en vient au thème central de la lettre, c'est-à-dire à l'enseignement concernant la venue glorieuse du Christ. Celle-ci ne se produira pas avant que soit apparu un mystérieux personnage, « l'être méchant », qui portera à son comble la révolte contre Dieu et l'opposition au Christ (2.1-12). Face au déchaînement de la puissance du mal, il est nécessaire que les croyants demeurent fermes dans leur fidélité à la Bonne Nouvelle et qu'ils ne se lassent pas de prier (2.13–3.5). C'est avec énergie que l'apôtre s'en prend ensuite aux paresseux et leur oppose l'attitude de ceux qui travaillent pour n'être à la charge de personne (3.6-15). Bénédiction et salutations apportent une brève conclusion à la lettre (3.16-18).

La célèbre parole « Celui qui ne veut pas travailler ne doit pas manger non plus » (3.10) met le lecteur en garde contre toute conception qui confondrait la foi avec une fuite loin des responsabilités que Dieu confie à son peuple dans la vie de tous les jours.

Salutation

1 [1]De la part de Paul, Silas et Timothée.
A l'Église de Thessalonique[a], qui appartient à Dieu notre Père et au Seigneur
Jésus-Christ : [2]Que Dieu notre Père et le
Seigneur Jésus-Christ vous accordent la grâce et la paix.

Le jugement prévu pour le jour de la venue du Christ

[3]Nous devons sans cesse remercier
Dieu à votre sujet, frères. Il est juste que nous le fassions, car votre foi fait de grands progrès et l'amour que vous avez tous, les uns pour les autres, augmente
constamment. [4]C'est pourquoi nous parlons de vous avec fierté dans les Églises de Dieu, parce que vous tenez bon dans la foi malgré toutes les persécutions et les détresses que vous subissez.
[5]Il y a là une preuve du juste jugement
de Dieu, car ce que vous supportez vous rendra dignes de son *Royaume, pour

---

a **1.1** Voir 1 Thess 1.1 et la note.

lequel vous souffrez. 6 En effet, Dieu est juste : il rendra détresse pour détresse à ceux qui vous font souffrir, 7 et il vous donnera l'apaisement, à vous qui souffrez, ainsi qu'à nous. Cela se passera quand le Seigneur Jésus apparaîtra du *ciel avec ses *anges puissants ; 8 il viendra dans un feu flamboyant, pour punir ceux qui refusent de connaître Dieu[b] et qui n'obéissent pas à la Bonne Nouvelle de notre Seigneur Jésus. 9 Ils subiront comme châtiment une ruine éternelle, loin de la présence du Seigneur et loin de sa puissance glorieuse[c], 10 lorsqu'il viendra en ce jour-là pour être honoré et admiré par tous ceux qui lui appartiennent et croient en lui. Vous serez vous-mêmes de leur nombre, car vous avez cru au message que nous vous avons annoncé.

11 C'est pourquoi nous prions sans cesse pour vous. Nous demandons à notre Dieu de vous rendre dignes de la vie à laquelle il vous a appelés. Nous demandons que, par sa puissance, il vous aide à réaliser vos désirs de faire le bien et qu'il rende votre foi parfaitement active. 12 Ainsi, le nom de notre Seigneur Jésus sera honoré par vous, et vous serez honorés par lui. Tel sera l'effet de la grâce de notre Dieu et du Seigneur Jésus-Christ[d].

La révolte finale

2 1 En ce qui concerne la venue de notre Seigneur Jésus-Christ et notre rassemblement auprès de lui, nous vous demandons une chose, frères[e] : 2 ne vous laissez pas trop facilement troubler l'esprit ni effrayer si quelqu'un affirme que le jour du Seigneur est arrivé. Ne le croyez pas, même si l'on se réclame d'une *prophétie, d'une déclaration ou d'une lettre qui nous seraient attribuées. 3 Ne vous laissez tromper par personne, d'aucune façon. Car ce jour ne viendra pas avant qu'ait lieu la révolte finale et qu'apparaisse la Méchanceté personnifiée, l'être destiné à la ruine. 4 Celui-ci s'opposera à tout ce que les hommes adorent et considèrent comme divin. Il s'élèvera contre tout cela, et ira jusqu'à pénétrer dans le *temple de Dieu pour s'y asseoir en se faisant passer lui-même pour Dieu[f]. 5 Ne vous rappelez-vous pas que je vous ai dit cela quand j'étais encore auprès de vous ? 6 Cependant, vous savez que quelque chose retient cet être méchant maintenant, de sorte qu'il n'apparaîtra qu'au moment prévu. 7 La puissance secrète de la Méchanceté est déjà à l'œuvre ; seulement, elle ne le sera pleinement que lorsque celui qui la retient encore lui laissera la voie libre[g]. 8 Alors, l'être méchant apparaîtra, et le Seigneur Jésus le fera mourir par le souffle de sa bouche, il le détruira par la splendeur de sa venue[h]. 9 L'être méchant viendra avec la puissance de *Satan, il accomplira toutes sortes de miracles et de prodiges trompeurs[i] ; 10 il usera du mal sous toutes ses formes pour séduire ceux qui vont à leur perte. Ils se perdront parce qu'ils n'auront pas accueilli et aimé la vérité qui les aurait sauvés. 11 Voilà pourquoi Dieu leur envoie une puissance d'erreur qui les pousse à croire au mensonge. 12 Ainsi, tous ceux qui n'auront pas cru à la vérité, mais qui auront pris plaisir au mal, seront condamnés.

Vous avez été choisis pour être sauvés

13 Quant à nous, nous devons sans cesse remercier Dieu à votre sujet, frères, vous que le Seigneur aime. Car Dieu vous a choisis, vous les premiers[j], pour que vous soyez sauvés grâce au Saint-Esprit qui vous fait mener une vie sainte et grâce à votre foi en la vérité. 14 Dieu vous a appelés à cela par la Bonne Nouvelle que nous vous avons annoncée ; il a

---

b **1.8** Comparer Es 66.15.
c **1.9** Comparer Es 2.10,19,21.
d **1.12** *de notre Dieu et du Seigneur Jésus-Christ* : autre traduction *de notre Dieu et Seigneur Jésus-Christ*.
e **2.1** Comparer 1 Thess 4.15-17.
f **2.4** Comparer Dan 11.36 ; Ézék 28.2.
g **2.7** Il est difficile de reconnaître à quoi Paul fait allusion en parlant de ce *quelque chose* (v. 6) et de *celui* (v. 7) qui retardent l'apparition de l'adversaire du Christ (voir v. 8).
h **2.8** Comparer Es 11.4.
i **2.9** Comparer Matt 24.24.
j **2.13** *vous les premiers* : certains manuscrits ont *dès le commencement*.

voulu que vous ayez part à la *gloire de
notre Seigneur Jésus-Christ. 15 Ainsi, frères, demeurez fermes et retenez les enseignements que nous vous avons
transmis soit oralement, soit par notre
lettre.
16 Que notre Seigneur Jésus-Christ lui-
même et Dieu notre Père, qui nous a aimés et nous a donné par sa grâce un réconfort éternel et une bonne espérance,
17 remplissent vos cœurs de courage et
vous accordent la force de pratiquer toujours le bien, en actes et en paroles.

Priez pour nous

3 1 Enfin, frères, priez pour nous, afin
que la parole du Seigneur se répande
rapidement et soit honorée, comme cela
s'est passé parmi vous. 2 Priez aussi Dieu
de nous délivrer des hommes mauvais et
méchants. Car ce n'est pas tout le monde
qui accepte de croire.
3 Mais le Seigneur est fidèle. Il vous
fortifiera et vous gardera du Mauvais[k].
4 Et le Seigneur nous donne confiance à
votre sujet : nous sommes convaincus
que vous faites et continuerez à faire ce
que nous vous recommandons.
5 Que le Seigneur dispose vos cœurs à
l'amour pour Dieu et à la patience donnée par le Christ.

La nécessité de travailler

6 Frères, nous vous le demandons au
nom du Seigneur Jésus-Christ : tenez-
vous à l'écart de tous les frères qui vivent
en paresseux[l] et ne se conforment pas à
l'enseignement que nous leur avons
transmis. 7 Vous savez bien vous-mêmes
comment vous devez suivre notre exemple. Car nous n'avons pas vécu en paresseux chez vous. 8 Nous n'avons demandé
à personne de nous nourrir gratuitement ; au contraire, acceptant peines et
fatigues, nous avons travaillé jour et nuit
pour n'être à la charge d'aucun de vous[m].
9 Nous l'avons fait non pas parce que
nous n'aurions pas le droit de recevoir
votre aide, mais parce que nous avons
voulu vous donner un exemple à suivre.
10 En effet, quand nous étions chez vous,
nous vous avons avertis : « Celui qui ne
veut pas travailler ne doit pas manger
non plus[n]. »
11 Or nous apprenons que certains
d'entre vous vivent en paresseux[o], sans
rien faire que de se mêler des affaires des
autres. 12 A ces gens-là nous demandons,
nous recommandons ceci au nom du Seigneur Jésus-Christ : qu'ils travaillent régulièrement pour gagner leur subsistance.
13 Quant à vous, frères, ne vous lassez
pas de faire le bien. 14 Si quelqu'un
n'obéit pas aux instructions que nous
donnons dans cette lettre, notez-le et
n'ayez aucun contact avec lui, afin qu'il
en ait honte. 15 Cependant, ne le traitez
pas en ennemi, mais avertissez-le comme
un frère.

Bénédiction et salutation

16 Que le Seigneur, source de paix, vous
accorde lui-même la paix en tout temps
et de toute manière. Que le Seigneur soit
avec vous tous.
17 C'est de ma propre main que j'écris
ces mots : Salutations de Paul. – Voilà
comment je signe toutes mes lettres ;
c'est ainsi que j'écris. –
18 Que la grâce de notre Seigneur Jésus-
Christ soit avec vous tous.

---

k **3.3** Comparer Matt 6.13 ; Jean 17.15.
l **3.6** *en paresseux* : autre traduction *dans le désordre*.
m **3.8** Comparer Act 20.34 ; 1 Thess 2.9.
n **3.10** Comparer 1 Thess 4.11.
o **3.11** *en paresseux* : autre traduction *dans le désordre*.

Première lettre à

Timothée

Introduction *– Timothée était le fils d'une mère juive, devenue chrétienne, et d'un père grec. Paul le rencontre pour la première fois à Lystre, en Asie Mineure (la Turquie d'Asie d'aujourd'hui), au cours de son deuxième voyage missionnaire (Act 16.1-3). Dès lors, Timothée fut l'un des plus proches compagnons de l'apôtre. Il l'accompagna dans la plupart de ses déplacements missionnaires et fut chargé par lui, à plusieurs reprises, de démarches délicates auprès de communautés dont la situation était préoccupante. C'est ainsi que son nom est souvent cité dans le livre des Actes (par exemple 17.14-15 ; 18.5 ; 19.22) ou dans les lettres de Paul (par exemple 1 Cor 4.17 ; 16.10-11 ; Phil 2.19-24 ; 1 Thess 3.2-6 ; etc.). Les deux lettres à Timothée et celle adressée à Tite sont appelées traditionnellement « lettres pastorales » en raison des directives qui y sont données aux « pasteurs » ou responsables de l'Église.*

*

La première lettre à Timothée *aborde trois points principaux :*
– Elle met tout d'abord en garde l'Église contre de fausses doctrines, mélanges d'idées juives et païennes, que certains s'efforcent de propager. Ces fausses doctrines s'appuient sur la croyance que le monde matériel est mauvais et qu'on peut atteindre le salut seulement par une connaissance secrète réservée aux initiés. De plus, elles recommandent des pratiques liées à l'abstention de certains aliments et au rejet du mariage.
– La lettre présente ensuite des instructions concernant le culte, l'organisation de l'Église et la conduite des principaux responsables de celle-ci.
– Enfin elle donne des conseils adressés à Timothée sur la façon d'exercer son ministère et de s'occuper des divers groupes de fidèles, afin qu'il soit « un bon serviteur de Jésus-Christ » (4.6).

On peut diviser la lettre en deux parties principales : l'enseignement concernant l'ensemble de l'Église et ses responsables (chap. 1–3) ; les recommandations relatives à l'activité de Timothée lui-même (chap. 4–6).

Ce n'est pas une obéissance froide et rigide qui est exigée de l'Église et de ses chefs, mais un engagement enraciné dans la louange et l'adoration de Jésus-Christ, notre libérateur (2.3-6).

Salutation

1 1 De la part de Paul, ★apôtre de Jésus-
Christ par ordre de Dieu notre Sauveur et de Jésus-Christ notre espérance.
2 A Timothée[a], mon vrai fils dans la
foi : Que Dieu le Père et Jésus-Christ notre Seigneur t'accordent la grâce, le pardon et la paix.

Mise en garde contre de fausses doctrines

3 Comme je te l'ai recommandé en partant pour la Macédoine, reste à Éphèse[b].
Il y a là des gens qui enseignent de fausses doctrines et il faut que tu leur ordonnes de cesser. 4 Dis-leur de renoncer à
ces légendes et à ces longues listes d'ancêtres[c] ; elles ne provoquent que des discussions, au lieu de servir le plan
salutaire de Dieu, que l'on connaît par la
foi. 5 Cet ordre a pour but de susciter
l'amour qui vient d'un cœur ★pur, d'une
bonne conscience et d'une foi sincère.
6 Certains se sont détournés de cette ligne
de conduite et se sont égarés dans des discussions stupides. 7 Ils prétendent être
des maîtres en ce qui concerne la loi de
Dieu, mais ils ne comprennent ni ce
qu'ils disent ni les sujets dont ils parlent
avec tant d'assurance.
8 Nous savons que la loi est bonne, si
l'on en fait bon usage. 9 On se rappellera
en particulier que la loi n'est pas établie
pour ceux qui se conduisent bien, mais
pour les malfaiteurs et les rebelles, pour
les méchants et les pécheurs, pour les gens
qui ne respectent ni Dieu ni ce qui est
saint, pour ceux qui tuent père ou mère,
pour les assassins, 10 les gens immoraux,
les pédérastes, les marchands d'esclaves,
les menteurs et ceux qui prononcent de
faux serments, ou pour ceux qui commettent toute autre action contraire au véritable enseignement. 11 Cet enseignement
se trouve dans la Bonne Nouvelle qui m'a
été confiée et qui vient du Dieu glorieux[d],
source du bonheur.

Reconnaissance pour la bonté de Dieu

12 Je remercie Jésus-Christ notre Seigneur qui m'a donné la force nécessaire
pour ma tâche. Je le remercie de m'avoir
estimé digne de confiance en me prenant à son service, 13 bien que j'aie dit
du mal de lui autrefois, que je l'aie persécuté et insulté. Mais Dieu a eu pitié de
moi, parce que j'étais privé de la foi et
ne savais donc pas ce que je faisais[e].
14 Notre Seigneur a répandu avec abondance sa grâce sur moi, il m'a accordé
la foi et l'amour qui viennent de la
communion avec Jésus-Christ. 15 Voici
une parole certaine, digne d'être accueillie par tous : Jésus-Christ est venu
dans le monde pour sauver les pécheurs.
Je suis le pire d'entre eux, 16 mais c'est
pour cela que Dieu a eu pitié de moi : il
a voulu que Jésus-Christ démontre en
moi, le pire des pécheurs, toute sa patience comme exemple pour ceux qui,
dans l'avenir, croiront en lui et recevront la vie éternelle. 17 Au Roi éternel,
immortel, invisible et seul Dieu, soient
honneur et ★gloire pour toujours !
★Amen.
18 Timothée, mon enfant, je te confie
cette recommandation, conformément
aux paroles prophétiques qui ont été prononcées autrefois à ton sujet. Que ces paroles soient ta force dans le bon combat
que tu as à livrer ; 19 garde la foi et une
bonne conscience. Quelques-uns ont refusé d'écouter leur conscience et ont
causé ainsi le naufrage de leur foi.
20 Parmi eux se trouvent Hyménée et
Alexandre ; je les ai livrés à ★Satan[f] afin
qu'ils apprennent à ne plus faire insulte à
Dieu.

---

a **1.2** Voir Act 16.1.

b **1.3** *Macédoine* : voir 2 Cor 1.16 et la note. – *Éphèse* : voir 2 Cor 1.8 et la note. Le voyage auquel Paul fait allusion ici est postérieur de plusieurs années à celui que rapporte Act 20.1.

c **1.4** Il s'agit sans doute de théories sur la descendance des patriarches et des héros de l'Ancien Testament, théories fondées sur des passages comme Gen 4–5 ; 9–11.

d **1.11** *qui vient du Dieu glorieux* ou *qui concerne le Dieu glorieux.*

e **1.13** Voir Act 8.3 ; 9.4-5.

f **1.20** *livrés à Satan* : comparer 1 Cor 5.5 et la note. – *Hyménée* : voir 2 Tim 2.17. – *Alexandre* : voir 2 Tim 4.14.

Instructions au sujet de la prière

2 1 En tout premier lieu, je recommande que l'on adresse à Dieu des demandes, des prières, des supplications et des remerciements pour tous les êtres humains. 2 Il faut prier pour les rois et tous ceux qui détiennent l'autorité, afin que nous puissions mener une vie tranquille, paisible, respectable, dans un parfait attachement à Dieu. 3 Voilà ce qui est bon et agréable à Dieu notre Sauveur, 4 qui veut que tous les humains soient sauvés[g] et parviennent à connaître la vérité. 5 Car il y a un seul Dieu, et un seul intermédiaire entre Dieu et l'humanité, l'homme Jésus-Christ 6 qui s'est donné lui-même comme rançon pour la libération de tous[h]. Il a apporté ainsi, au temps fixé, la preuve que Dieu veut que tous les humains soient sauvés. 7 C'est pour cela que j'ai été établi messager et *apôtre[i], chargé d'enseigner aux non-Juifs la foi et la vérité. Je ne mens pas, je dis ce qui est vrai.

8 Je veux donc qu'en tout lieu les hommes prient, en levant des mains *pures vers le *ciel[j], sans colère ni esprit de dispute.

9 Je désire aussi que les femmes s'habillent d'une façon décente, avec modestie et simplicité ; qu'elles ne s'ornent ni de coiffures compliquées, ni de bijoux d'or, ni de perles, ni de vêtements luxueux[k], 10 mais d'actions bonnes, comme il convient à des femmes qui déclarent respecter Dieu. 11 Il faut que les femmes reçoivent l'instruction en silence, avec une entière soumission. 12 Je ne permets pas à la femme d'enseigner ou de prendre autorité sur l'homme ; elle doit garder le silence. 13 En effet, Adam a été créé le premier, et Ève ensuite. 14 Et ce n'est pas Adam qui s'est laissé tromper, mais c'est la femme qui, cédant à la tromperie, a désobéi à l'ordre de Dieu[l]. 15 Cependant la femme sera sauvée en ayant des enfants, à condition qu'elle demeure dans la foi, l'amour et la sainteté, avec modestie.

Les dirigeants de l'Église

3 1 Voici une parole certaine : si quelqu'un souhaite la fonction de dirigeant dans l'Église, il désire une belle tâche. 2 Il faut qu'un dirigeant d'Église soit irréprochable, mari d'une seule femme[m], sobre, raisonnable et convenable, hospitalier, capable d'enseigner ; 3 qu'il ne soit ni buveur ni violent, mais doux et pacifique ; qu'il ne soit pas attaché à l'argent ; 4 qu'il soit capable de bien diriger sa propre famille et d'obtenir que ses enfants lui obéissent avec un entier respect. 5 En effet, si quelqu'un ne sait pas diriger sa propre famille, comment pourrait-il prendre soin de l'Église de Dieu ? 6 Il ne doit pas être récemment converti ; sinon, il risquerait de s'enfler d'orgueil et de finir par être condamné comme le *diable. 7 Il faut aussi qu'il mérite le respect des non-chrétiens, afin qu'il ne soit pas méprisé et qu'il ne tombe pas dans les pièges du diable[n].

Les diacres

8 Les *diacres aussi doivent être respectables et sincères ; ils ne doivent pas abuser du vin ni rechercher des gains malhonnêtes ; 9 qu'ils restent attachés à la vérité révélée de la foi chrétienne, avec une conscience *pure. 10 Il faut d'abord qu'on les mette à l'épreuve ; ensuite, si on n'a rien à leur reprocher, ils pourront travailler comme diacres. 11 Leurs femmes[o] aussi doivent être respectables et éviter les propos malveillants ; qu'elles soient sobres et fidèles en tout. 12 Il faut que le diacre soit le mari d'une seule femme[p] et qu'il soit capable de bien diriger ses en-

---

g **2.4** Comparer Ézék 18.23.
h **2.6** Comparer Matt 20.28.
i **2.7** Comparer 2 Tim 1.11.
j **2.8** *Lever les mains vers le ciel* était un des gestes de la prière dans l'ancien Israël. Voir Ex 9.29 ; 1 Rois 8.22.
k **2.9** Comparer 1 Pi 3.3.
l **2.14** *v. 13-14* : voir Gen 2.7,21-22 ; 3.1-6.
m **3.2** *mari d'une seule femme* : autre traduction *qu'il n'ait été marié qu'une seule fois.*
n **3.7** *v. 2-7* : comparer Tite 1.6-9.
o **3.11** *Leurs femmes* : on peut aussi comprendre qu'il s'agit des femmes appelées à un service comparable à celui des diacres dans l'Église ; dans ce cas, on peut traduire *Les femmes chargées d'une fonction semblable...*
p **3.12** *soit le mari d'une seule femme* : autre traduction *n'ait été marié qu'une seule fois.*

fants, toute sa famille. 13 Les diacres qui
s'acquittent bien de leur tâche sont honorés par tous et peuvent parler avec une
pleine assurance de la foi qui nous unit à
Jésus-Christ.

Le grand secret

14 Je t'écris cette lettre, tout en espérant
aller te voir bientôt. 15 Cependant, si je
tarde à te rejoindre, ces lignes te permettront de savoir comment te conduire
dans la famille de Dieu, c'est-à-dire
l'Église du Dieu vivant, qui est la colonne et le soutien de la vérité. 16 Oui, in-
contestablement, il est grand le secret
dévoilé dans notre foi !

Le Christ,
apparu comme un être humain,
a été révélé juste par l'Esprit Saint[q]
et contemplé par les *anges.
Annoncé parmi les nations,
cru par beaucoup dans le monde,
il a été élevé à la *gloire *céleste.

Ceux qui enseignent de fausses doctrines

4 1 L'Esprit le dit clairement : dans les
derniers temps, certains abandonneront la foi pour suivre des esprits trompeurs et des enseignements inspirés par
les démons[r]. 2 Ils se laisseront égarer par
des gens hypocrites et menteurs, à la
conscience marquée au fer rouge[s]. 3 Ces
gens-là enseignent qu'on ne doit pas se
marier ni manger certains aliments. Mais
Dieu a créé ces aliments pour que les
croyants, qui connaissent la vérité, les
prennent en priant pour le remercier.
4 Tout ce que Dieu a créé est bon[t] ; rien
n'est à rejeter, mais il faut tout accueillir
en remerciant Dieu, 5 car la parole de
Dieu et la prière rendent chaque chose
agréable à Dieu.

Un bon serviteur de Jésus-Christ

6 Si tu donnes ces instructions aux frères, tu seras un bon serviteur de Jésus-
Christ, tu montreras que tu es nourri des
paroles de la foi et du véritable enseignement que tu as suivi. 7 Mais rejette les légendes stupides et contraires à la foi.
Exerce-toi à vivre dans l'attachement à
Dieu. 8 Les exercices physiques sont utiles, mais à peu de chose ; l'attachement à
Dieu, au contraire, est utile à tout, car il
nous assure la vie présente et nous promet la vie future. 9 C'est là une parole certaine, digne d'être accueillie par tous.
10 En effet, si nous peinons et luttons[u],
c'est parce que nous avons mis notre espérance dans le Dieu vivant qui est le
Sauveur de tous les humains, et surtout
de ceux qui croient.

11 Recommande et enseigne tout cela.
12 Que personne ne te méprise parce que
tu es jeune ; mais sois un exemple pour
les croyants, dans tes paroles, ta conduite,
ton amour, ta foi et ta *pureté. 13 En attendant que je vienne, applique-toi à lire
publiquement l'Écriture[v], à exhorter et à
enseigner. 14 Ne néglige pas le don spirituel que tu possèdes, celui qui t'a été accordé lorsque les *prophètes ont parlé et
que les *anciens ont posé les mains sur
toi. 15 Applique-toi à tout cela, donne-toi
entièrement à ta tâche. Alors tous verront
tes progrès. 16 Prends garde à toi-même et
à ton enseignement. Demeure ferme à cet
égard. En effet, si tu agis ainsi, tu sauveras aussi bien toi-même que ceux qui
t'écoutent.

Les devoirs à l'égard des fidèles

5 1 N'adresse pas des reproches avec
dureté à un vieillard, mais exhorte-le
comme s'il était ton père[w]. Traite les jeunes gens comme des frères, 2 les femmes
âgées comme des mères, et les jeunes
femmes comme des sœurs, avec une entière *pureté.

3 Occupe-toi avec respect des veuves
qui sont réellement seules[x]. 4 Mais si une
veuve a des enfants ou des petits-enfants,

---

q **3.16** Comparer Rom 1.4.
r **4.1** Les *démons* étaient des esprits mauvais considérés comme des envoyés ou des serviteurs du diable.
s **4.2** La marque au *fer rouge* était réservée aux criminels et aux esclaves fugitifs.
t **4.4** Comparer Gen 1.31.
u **4.10** *luttons* : certains manuscrits ont *sommes insultés*.
v **4.13** Cette *lecture publique de l'Écriture* était semblable à celle qu'on pratiquait dans les synagogues (voir Luc 4.16-21).
w **5.1** Comparer Lév 19.32.
x **5.3** Il s'agit des *veuves* qui sont privées de tout appui familial.

il faut que ceux-ci apprennent à mettre en pratique leur foi d'abord envers leur propre famille et à rendre ainsi à leurs parents ou grands-parents ce qu'ils leur doivent. Voilà ce qui est agréable à Dieu. 5 La veuve qui est réellement seule, qui n'a personne pour prendre soin d'elle, a mis son espérance en Dieu ; elle ne cesse pas de prier jour et nuit pour lui demander son aide. 6 Mais la veuve qui ne pense qu'à se divertir est déjà morte, bien que vivante. 7 Voilà ce que tu dois leur rappeler, afin qu'elles soient irréprochables. 8 Si quelqu'un ne prend pas soin de sa parenté et surtout des membres de sa propre famille, il a trahi sa foi, il est pire qu'un incroyant.

9 Pour être inscrite sur la liste des veuves, il faut qu'une femme soit âgée d'au moins soixante ans. En outre, il faut qu'elle n'ait été mariée qu'une fois[y] 10 et qu'elle soit connue pour ses belles actions : qu'elle ait bien élevé ses enfants, exercé l'hospitalité, lavé les pieds des croyants[z], secouru les malheureux et pratiqué toute espèce d'actions bonnes.

11 Quant aux jeunes veuves, ne les mets pas sur la liste ; car lorsque leurs désirs les incitent à se remarier, elles se détournent du Christ 12 et se rendent ainsi coupables d'avoir rompu leur premier engagement à son égard. 13 De plus, n'ayant rien à faire, elles prennent l'habitude d'aller d'une maison à l'autre ; mais ce qui est pire encore, elles deviennent bavardes et indiscrètes, elles parlent de choses qui ne les regardent pas. 14 C'est pourquoi, je désire que les jeunes veuves se remarient, qu'elles aient des enfants et prennent soin de leur maison, afin de ne donner à nos adversaires aucune occasion de dire du mal de nous. 15 Car quelques veuves se sont déjà détournées du droit chemin pour suivre *Satan. 16 Mais si une croyante a des veuves dans sa parenté, elle doit s'en occuper et ne pas les laisser à la charge de l'Église, afin que l'Église puisse venir en aide aux veuves qui sont réellement seules.

17 Les *anciens qui dirigent bien l'Église méritent un double salaire[a], surtout ceux qui ont la lourde responsabilité de prêcher et d'enseigner. 18 En effet, l'Écriture déclare : « Vous ne mettrez pas une muselière à un bœuf qui foule le blé », et : « L'ouvrier a droit à son salaire[b]. » 19 N'accepte pas d'accusation contre un ancien à moins qu'elle ne soit appuyée par deux ou trois témoins[c]. 20 Si quelqu'un se rend coupable d'une faute, adresse-lui des reproches en public, afin que les autres aussi éprouvent de la crainte.

21 Je te le demande solennellement devant Dieu, devant Jésus-Christ et devant les saints *anges : obéis à ces instructions avec impartialité, sans favoriser qui que ce soit par tes actes. 22 Ne te hâte pas de poser les mains sur quelqu'un pour lui confier une charge dans l'Église. Ne participe pas aux péchés des autres ; garde-toi pur.

23 Cesse de boire uniquement de l'eau, mais prends un peu de vin pour faciliter ta digestion, puisque tu es souvent malade.

24 Les péchés de certains se voient clairement avant même qu'on les juge ; par contre, chez d'autres personnes, ils ne se découvrent qu'après coup. 25 Les actions bonnes, elles aussi, se voient clairement, et même celles qui ne sont pas immédiatement visibles ne peuvent pas rester cachées.

6 1 Ceux qui sont esclaves doivent tous considérer leurs maîtres comme dignes d'un entier respect, afin que personne ne fasse insulte au nom de Dieu et à notre enseignement. 2 S'ils ont des maîtres croyants, ils ne doivent pas leur manquer de respect sous prétexte qu'ils sont leurs frères. Au contraire, ils doivent les servir encore mieux, puisque ceux qui bé-

---

y **5.9** Sur cette *liste* figuraient les *veuves* que l'Église devait assister (comparer v. 16). – *qu'elle n'ait été mariée qu'une fois* : certains comprennent *qu'elle ait été fidèle à son mari.*

z **5.10** *lavé les pieds des croyants* : voir Luc 7.44 et la note.

a **5.17** *un double salaire* (voir v. 18) : autre traduction *un double honneur.*

b **5.18** Voir Deut 25.4 et 1 Cor 9.9 ; Matt 10.10 ; Luc 10.7.

c **5.19** Comparer Deut 19.15.

néficient de leurs services sont des croyants aimés de Dieu.

Les fausses doctrines et les vraies richesses

Voilà ce que tu dois enseigner et recommander. 3 Si quelqu'un enseigne une autre doctrine, s'il s'écarte des véritables paroles de notre Seigneur Jésus-Christ et de l'enseignement conforme à notre foi, 4 il est enflé d'orgueil et ignorant. Il a un désir maladif de discuter et de se quereller à propos de mots. De là viennent des jalousies, des disputes, des insultes, des soupçons malveillants, 5 et des discussions sans fin entre des gens à l'esprit faussé ayant perdu toute notion de la vérité. Ils pensent que la foi en Dieu est un moyen de s'enrichir.

6 Certes, la foi en Dieu est une grande richesse, si l'on se contente de ce que l'on a. 7 En effet, nous n'avons rien apporté dans ce monde, et nous n'en pouvons rien emporter. 8 Par conséquent, si nous avons la nourriture et les vêtements, cela doit nous suffire. 9 Mais ceux qui veulent s'enrichir tombent dans la tentation, ils sont pris au piège par de nombreux désirs insensés et néfastes, qui plongent les hommes dans la ruine et provoquent leur perte. 10 Car l'amour de l'argent est la racine de toutes sortes de maux. Certains ont eu une telle envie d'en posséder qu'ils se sont égarés loin de la foi et se sont infligé bien des tourments.

Recommandations personnelles

11 Mais toi, homme de Dieu, évite tout cela. Recherche la droiture, l'attachement à Dieu, la foi, l'amour, la patience et la douceur. 12 Combats le bon combat de la foi ; saisis la vie éternelle, car Dieu t'a appelé à la connaître quand tu as prononcé ta belle déclaration de foi en présence de nombreux témoins. 13 Devant Dieu, qui donne la vie à toutes choses, et devant Jésus-Christ, qui a rendu témoignage par sa belle déclaration de foi face à *Ponce-Pilate[d], je te le recommande : 14 obéis au commandement reçu, garde-le de façon *pure et irréprochable jusqu'au jour où notre Seigneur Jésus-Christ apparaîtra. 15 Cette apparition interviendra au moment fixé par Dieu, le Souverain unique, la source du bonheur, le Roi des rois et le Seigneur des seigneurs[e]. 16 Lui seul est immortel ; il habite une lumière dont personne ne peut s'approcher. Aucun être humain ne l'a jamais vu ni ne peut le voir[f]. A lui soient l'honneur et la puissance éternelle ! *Amen.

17 Recommande à ceux qui possèdent les richesses de ce monde de ne pas s'enorgueillir ; dis-leur de ne pas mettre leur espérance dans ces richesses si incertaines[g], mais en Dieu qui nous accorde tout avec abondance pour que nous en jouissions. 18 Recommande-leur de faire le bien, d'être riches en actions bonnes, d'être généreux et prêts à partager avec autrui. 19 Qu'ils s'amassent ainsi un bon et solide trésor pour l'avenir[h] afin d'obtenir la vie véritable.

20 Cher Timothée, garde soigneusement ce qui t'a été confié. Évite les bavardages vides et contraires à la foi, les objections d'une soi-disant connaissance. 21 Certains, en effet, ont prétendu posséder une telle connaissance, et ils se sont écartés de la foi.

Que la grâce de Dieu soit avec vous.

---

d **6.13** Voir Jean 18.36-37 ; 19.11.
e **6.15** Comparer Deut 10.17 ; Ps 136.3.
f **6.16** Comparer Ps 104.2 ; Ex 33.20 ; Jean 1.18.
g **6.17** Comparer Luc 12.20.
h **6.19** Comparer Matt 6.20.

Deuxième lettre à
Timothée

Introduction – *La* deuxième lettre à Timothée *se présente comme écrite à Rome (1.17). Paul y connaît une captivité particulièrement sévère (2.9) et se sent isolé (4.10,16). Arrivé au terme de sa carrière (4.6), il adresse ses recommandations à celui qui fut pour lui un compagnon plein d'affection (1.2).*

L'apôtre commence par remercier Dieu pour l'amour et la foi de Timothée. Dans la perspective des souffrances et de l'opposition que rencontrent les serviteurs de l'Évangile, il recommande à Timothée d'être plein de fermeté dans l'épreuve et de combattre avec vaillance « comme un fidèle soldat de Jésus-Christ » (1.3–2.13). Il le presse de prendre garde à ceux qui provoquent de vaines discussions, des querelles de mots qui ne servent à rien et éloignent de la foi. Il l'appelle à suivre son exemple et l'invite à demeurer fidèle à l'enseignement conforme aux Saintes Écritures, qu'il a reçu dès sa jeunesse (2.14–4.5). A la fin de sa lettre, l'apôtre évoque sa situation personnelle dramatique tout en exprimant sa reconnaissance au Seigneur qui l'a soutenu (4.6-22).

L'apôtre a livré jusqu'au bout le bon combat au service de la Bonne Nouvelle (4.7). Dans tous les temps, les lecteurs de sa lettre sont invités à mener le même combat, sans craindre l'adversité, dans la foi, la patience, l'amour et la persévérance.

Salutation

1 [1] De la part de Paul, *apôtre de Jésus-
Christ par la volonté de Dieu, chargé
d'annoncer la vie qui nous est promise
grâce à Jésus-Christ.
[2] A Timothée[a], mon cher fils: Que
Dieu le Père et Jésus-Christ notre Seigneur t'accordent la grâce, le pardon et la
paix.

Reconnaissance et encouragement à la fidélité

[3] Je remercie Dieu, que je sers avec une
conscience *pure comme mes ancêtres
l'ont fait[b]. Je le remercie lorsque, sans
cesse, jour et nuit, je pense à toi dans mes
prières. [4] Je me rappelle tes larmes[c], et je
désire beaucoup te revoir afin d'être rempli de joie. [5] Je garde le souvenir de la foi
sincère qui est la tienne, cette foi qui
anima ta grand-mère Loïs et ta mère Eu-
nice avant toi. Je suis persuadé qu'elle est
présente en toi aussi. [6] C'est pourquoi, je
te le rappelle : maintiens en vie le don
que Dieu t'a accordé quand j'ai posé les
mains sur toi. [7] Car l'Esprit que Dieu
nous a donné ne nous rend pas timides ;

---

a **1.2** Voir Act 16.1.

b **1.3** Les ancêtres de Paul étaient des Juifs pratiquants (voir Phil 3.4-5).

c **1.4** Paul fait allusion à la tristesse exprimée par Timothée lorsque l'apôtre dut le laisser à Éphèse (voir 1 Tim 1.3).

au contraire, cet Esprit nous remplit de
force, d'amour et de maîtrise de soi.
8 N'aie donc pas honte de rendre témoignage à notre Seigneur ; n'aie pas
honte non plus de moi, prisonnier pour
lui[d]. Au contraire, accepte de souffrir avec
moi pour la Bonne Nouvelle, en comptant
sur la force que Dieu donne. 9 C'est lui qui
nous a sauvés et nous a appelés à être son
peuple, non à cause de nos bonnes actions,
mais à cause de son propre plan et de sa
grâce. Il nous a accordé cette grâce par
Jésus-Christ avant tous les temps, 10 mais
il nous l'a manifestée maintenant par l'apparition de notre Sauveur Jésus-Christ.
C'est lui qui a mis fin au pouvoir de la
mort et qui, par la Bonne Nouvelle, a révélé la vie immortelle.
11 Dieu m'a chargé de proclamer cette
Bonne Nouvelle en tant *qu'apôtre et enseignant[e], 12 et c'est pour cela que je subis
ces souffrances. Mais je suis sans crainte,
car je sais en qui j'ai mis ma confiance et
je suis convaincu qu'il a le pouvoir de
garder jusqu'au jour du Jugement ce qu'il
m'a confié[f].
13 Prends comme modèle les paroles
véritables que je t'ai communiquées,
tiens bon dans la foi et l'amour que nous
avons dans la communion avec Jésus-
Christ. 14 Garde les bonnes instructions
qui t'ont été confiées, avec l'aide du
Saint-Esprit qui habite en nous.
15 Comme tu le sais, tous ceux de la
province d'Asie m'ont abandonné, entre
autres Phygèle et Hermogène. 16 Que le
Seigneur traite avec bonté la famille
d'Onésiphore, car il m'a souvent réconforté. Il n'a pas eu honte de moi qui
suis en prison ; 17 au contraire, dès son arrivée à Rome, il m'a cherché avec zèle
jusqu'à ce qu'il m'ait trouvé. 18 Que le Seigneur le fasse bénéficier de la bonté de
Dieu[g] au jour du Jugement. Tu connais
très bien aussi tous les services qu'il m'a
rendus à Éphèse.

Un fidèle soldat de Jésus-Christ

2 1 Toi donc, mon fils, puise ta force
dans la grâce qui nous vient de Jésus-
Christ. 2 Ce que tu m'as entendu annoncer en présence de nombreux témoins,
confie-le à des hommes de confiance, qui
seront eux-mêmes capables de l'enseigner encore à d'autres.
3 Prends ta part de souffrances, comme
un fidèle soldat de Jésus-Christ. 4 Un soldat en service actif ne s'embarrasse pas
des affaires de la vie civile, s'il veut satisfaire son commandant. 5 Un athlète qui
participe à une compétition ne peut gagner le prix que s'il lutte selon les règles[h].
6 Le cultivateur qui s'est chargé du travail
pénible doit être le premier à recevoir sa
part de la récolte. 7 Réfléchis bien à ce que
je dis. D'ailleurs le Seigneur te rendra capable de tout comprendre.
8 Souviens-toi de Jésus-Christ, descendant de David et ramené d'entre les
morts comme l'enseigne la Bonne Nouvelle que j'annonce. 9 C'est pour cette
Bonne Nouvelle que je souffre et que je
suis même enchaîné comme un malfaiteur. Mais la parole de Dieu n'est pas enchaînée ! 10 C'est pourquoi je supporte
tout pour le bien de ceux que Dieu a
choisis, afin qu'eux aussi obtiennent le
salut qui vient de Jésus-Christ, ainsi que
la *gloire éternelle. 11 Les paroles que
voici sont certaines :

« Si nous sommes morts avec lui,
nous vivrons aussi avec lui ;
12 si nous restons fermes,
nous régnerons aussi avec lui ;
si nous le rejetons,
lui aussi nous rejettera ;
13 si nous sommes infidèles,
il demeure fidèle,
car il ne peut pas se mettre en contradiction avec lui-même[i]. »

Un ouvrier approuvé

14 Rappelle cela à tous et demande-leur
solennellement devant Dieu de ne pas se
quereller à propos de mots. Ces querelles

---

d **1.8** Selon 1.17, Paul est en prison à Rome.

e **1.11** Comparer 1 Tim 2.7.

f **1.12** *ce qu'il m'a confié* : autre traduction *ce que je lui ai confié*.

g **1.18** *Que le Seigneur... bonté de Dieu* : autre traduction *Que le Seigneur lui accorde de bénéficier de sa bonté*. Le texte original a les deux fois *Seigneur* et ce titre peut se rapporter soit à Dieu, soit à Jésus-Christ.

h **2.5** Comparer 1 Cor 9.24-27.

i **2.13** *v. 11-13* : comparer Rom 6.8 ; Matt 10.33 et Luc 12.9 ; Nomb 23.19.

ne servent à rien, sinon à causer la ruine
de ceux qui écoutent. 15 Efforce-toi d'être
digne d'approbation aux yeux de Dieu,
comme un ouvrier qui n'a pas à rougir de
son ouvrage, en annonçant correctement
le message de la vérité. 16 Évite les bavardages vides et contraires à la foi, car ceux
qui s'y livrent s'éloigneront de plus en
plus de Dieu. 17 Leur enseignement est
comme une plaie infectée qui ronge les
chairs. Je pense en particulier à Hyménée[j] et Philète : 18 ils se sont écartés de la
vérité et ils ébranlent la foi de plusieurs
en prétendant que notre *résurrection a
déjà eu lieu. 19 Cependant les solides fondations posées par Dieu tiennent bon.
Les paroles suivantes y sont gravées :
« Le Seigneur connaît les siens[k] », et :
« Quiconque déclare appartenir au Seigneur doit se détourner du mal. »
20 Dans une grande maison, il n'y a pas
seulement de la vaisselle en or et en argent, il y en a aussi en bois et en argile.
La première est réservée à des occasions
spéciales, l'autre est destinée à l'usage
courant. 21 Si quelqu'un se *purifie de
tout le mal que j'ai mentionné, il sera
apte à remplir des tâches spéciales : il est
entièrement à la disposition de son Maître, il lui est utile, il est prêt à faire toute
action bonne.
22 Fuis les passions de la jeunesse ; recherche la droiture, la foi, l'amour, la
paix, avec ceux qui, d'un cœur pur, font
appel au Seigneur. 23 Mais rejette les discussions folles et stupides : tu sais qu'elles suscitent des querelles. 24 Or, un
serviteur du Seigneur ne doit pas se quereller. Il doit être aimable envers tous, capable d'enseigner et de supporter les
critiques, 25 il doit instruire avec douceur
ses contradicteurs : Dieu leur donnera
peut-être l'occasion de changer de mentalité[l] et de connaître la vérité. 26 Ils
retrouveront alors leur bon sens et se dé-
gageront des pièges du *diable, qui les a
attrapés et soumis à sa volonté.

Les derniers jours

3 1 Rappelle-toi bien ceci : dans les derniers temps, il y aura des jours difficiles. 2 En effet, les hommes seront
égoïstes, amis de l'argent, vantards et orgueilleux ; ils feront insulte à Dieu et seront rebelles à leurs parents, ils seront
ingrats et sans respect pour ce qui est
saint ; 3 ils seront durs, sans pitié, calomniateurs, violents, cruels et ennemis du
bien ; 4 ils seront traîtres, emportés et enflés d'orgueil ; ils aimeront le plaisir plutôt que Dieu ; 5 ils garderont les formes
extérieures de la foi, mais ils en rejetteront la puissance. Détourne-toi de ces
gens-là ! 6 Certains d'entre eux s'introduisent dans les maisons et soumettent à
leur influence de faibles femmes, chargées de péchés, entraînées par toutes sortes de désirs ; 7 elles cherchent toujours à
apprendre mais sans jamais parvenir à
connaître la vérité. 8 De même que Jannès et Jambrès[m] se sont opposés à Moïse,
de même ces gens s'opposent à la vérité.
Ce sont des hommes à l'esprit faussé et
dont la foi ne vaut rien. 9 Mais ils n'iront
pas très loin, car tout le monde se rendra
compte de leur stupidité, comme ce fut le
cas pour Jannès et Jambrès.

Dernières recommandations

10 Mais toi, tu m'as suivi dans mon enseignement, ma conduite, mes intentions,
ma foi, ma patience, mon amour, ma fermeté, 11 mes persécutions et mes souffrances. Tu sais tout ce qui m'est arrivé à
Antioche, à Iconium, à Lystre, et quelles
persécutions j'ai subies. Cependant, le Seigneur m'a délivré de toutes[n]. 12 D'ailleurs,
tous ceux qui veulent mener une vie fidèle
à Dieu dans l'union avec Jésus-Christ seront persécutés. 13 Mais les hommes méchants et imposteurs iront toujours plus
loin dans le mal, ils tromperont les autres
et seront eux-mêmes trompés. 14 Quant à
toi, demeure ferme dans ce que tu as appris et accueilli avec une entière conviction. Tu sais de quels maîtres tu l'as

---

j **2.17** *Hyménée* : voir 1 Tim 1.20.
k **2.19** Comparer Nomb 16.5.
l **2.25** *de changer de mentalité* : autres traductions *de changer de comportement* ou *de se repentir*.
m **3.8** *Jannès et Jambrès* étaient les noms que la tradition juive donnait aux magiciens d'Égypte mentionnés en Ex 7.11,22.
n **3.11** *Antioche* (de Pisidie), *Iconium, Lystre* : voir Act 13–14. – *le Seigneur... de toutes* : comparer Ps 34.20.

appris[o]. 15 Depuis ton enfance, en effet, tu connais les Saintes Écritures ; elles peuvent te donner la sagesse qui conduit au salut par la foi en Jésus-Christ. 16 Toute Écriture est inspirée de Dieu et utile[p] pour enseigner la vérité, réfuter l'erreur, corriger les fautes et former à une juste manière de vivre, 17 afin que l'homme de Dieu soit parfaitement préparé et équipé pour faire toute action bonne.

4 1 Je te le demande solennellement devant Dieu et devant Jésus-Christ, qui jugera les vivants et les morts, je te le demande au nom de la venue du Christ et de son *Royaume : 2 prêche la parole de Dieu avec insistance, que l'occasion soit favorable ou non ; sois persuasif, adresse des reproches ou des encouragements, en enseignant avec une patience parfaite. 3 Car le temps viendra où les gens ne voudront plus écouter le véritable enseignement, mais ils suivront leurs propres désirs et s'entoureront d'une foule de maîtres qui leur diront ce qu'ils aiment entendre. 4 Ils fermeront leurs oreilles à la vérité pour se tourner vers des légendes. 5 Mais toi, garde la tête froide en toute circonstance, supporte la souffrance, travaille activement à la diffusion de la Bonne Nouvelle et remplis ton devoir de serviteur de Dieu.

6 Quant à moi, je suis déjà sur le point d'être offert en *sacrifice ; le moment de dire adieu à ce monde est arrivé. 7 J'ai combattu le bon combat, je suis allé jusqu'au bout de la course, j'ai gardé la foi[q]. 8 Et maintenant, le prix de la victoire m'attend : c'est la *couronne du salut que le Seigneur, le juste juge, me donnera au jour du Jugement – et pas seulement à moi, mais à tous ceux qui attendent avec amour le moment où il apparaîtra –.

Remarques personnelles

9 Efforce-toi de venir me rejoindre bientôt. 10 Car Démas m'a abandonné, parce qu'il est trop attaché au monde présent ; il est parti pour Thessalonique. Crescens s'est rendu en Galatie et Tite en Dalmatie[r]. 11 Luc seul est avec moi. Emmène Marc avec toi, car il pourra me rendre service dans ma tâche[s]. 12 J'ai envoyé Tychique à Éphèse[t]. 13 Quand tu viendras, apporte-moi le manteau que j'ai laissé à Troas chez Carpus ; apporte également les livres, et surtout ceux qui sont en parchemin[u].

14 Alexandre le forgeron a très mal agi à mon égard ; le Seigneur le traitera selon ce qu'il a fait[v]. 15 Prends garde à lui, toi aussi, car il s'est violemment opposé à notre enseignement.

16 Personne ne m'a soutenu la première fois que j'ai présenté ma défense[w] ; tous m'ont abandonné. Que Dieu ne leur en tienne pas compte ! 17 Mais le Seigneur m'a secouru et m'a fortifié, de sorte que j'ai pu pleinement proclamer son message et le faire entendre à tous les païens. Et il m'a délivré de la gueule du lion. 18 Le Seigneur me délivrera encore de tout mal et me fera entrer sain et sauf dans son *Royaume *céleste. A lui soit la *gloire pour toujours ! *Amen.

Salutations finales

19 Salue Priscille et Aquilas, ainsi que la famille d'Onésiphore[x]. 20 Éraste est resté à Corinthe, et j'ai laissé Trophime à Milet, parce qu'il était malade[y]. 21 Efforce-toi de venir avant l'hiver.

Eubulus, Pudens, Linus, Claudia et tous les autres frères t'adressent leurs salutations.

22 Que le Seigneur soit avec toi.

Que la grâce de Dieu soit avec vous.

---

o **3.14** Voir 1.5 ; 2.2.

p **3.16** *Toute Écriture... et utile* : autre traduction *Toute Écriture inspirée de Dieu est utile*.

q **4.7** *j'ai gardé la foi* : certains comprennent *j'ai été fidèle à ma promesse*.

r **4.10** *Démas* : voir Col 4.14 ; Phm 24. – *Tite* : voir 2 Cor 8.23 ; Gal 2.3 ; Tite 1.4.

s **4.11** *Luc* : voir Col 4.14 ; Phm 24. – *Marc* : voir Act 12.12,25 ; Col 4.10 ; Phm 24.

t **4.12** *Tychique* : voir Act 20.4 ; Éph 6.21-22 ; Col 4.7-8.

u **4.13** *Troas* : voir Act 20.6. – *parchemin* : peau d'animal, habituellement de mouton ou de chèvre, préparée spécialement pour qu'on puisse écrire dessus.

v **4.14** *Alexandre* : voir 1 Tim 1.20. – *le Seigneur... qu'il a fait* : comparer Ps 62.13 ; Prov 24.12 ; Rom 2.6.

w **4.16** Paul fait allusion à son procès.

x **4.19** *Priscille et Aquilas* : voir Act 18.2. – *Onésiphore* : voir 1.16-17.

y **4.20** *Éraste* : voir Act 19.22 ; Rom 16.23. – *Trophime* : voir Act 20.4 ; 21.29.

Lettre à
Tite

Introduction – Tite était un chrétien d'origine non juive (Gal 2.1-3). Il fut un des compagnons de Paul et joua un rôle important dans la réconciliation des Corinthiens avec l'apôtre (2 Cor 7.6-16). Au moment où cette lettre lui est adressée, il se trouve en Crète ; l'apôtre l'a chargé de superviser l'activité et l'organisation de l'Église dans cette île (1.5).

L'introduction de la lettre contient un résumé du message de l'apôtre (1.1-4). La suite du chapitre 1 est consacrée aux qualités exigées des responsables de l'Église (1.5-16). Au chapitre 2, Tite reçoit des conseils au sujet des divers groupes auxquels il a affaire dans l'Église : vieillards, femmes âgées (qui, de leur côté, doivent instruire les femmes plus jeunes), jeunes gens ou esclaves (2.1-15). Le chapitre 3 rappelle les devoirs des chrétiens, la nécessité de vivre en paix et d'éviter les divisions (3.1-11), puis se termine par des recommandations personnelles et des salutations (3.12-15).

Le lecteur découvrira aisément que le message de cette lettre ne concerne pas exclusivement la personne et la tâche de Tite (on pourrait faire la même constatation à propos des deux lettres à Timothée). En effet les problèmes qui y sont traités sont de ceux qui se posent constamment à l'Église : par exemple, celui de l'organisation des communautés ou celui de la conduite des responsables et des fidèles qui en font partie.

Salutation

1 [1] De la part de Paul, serviteur de Dieu
et *apôtre de Jésus-Christ.
J'ai été chargé d'amener à la foi ceux
que Dieu a choisis et de leur faire connaître la vérité conforme à la foi chrétienne
[2] pour qu'ils possèdent l'espérance de la
vie éternelle. Dieu, qui ne ment pas, nous
a promis cette vie avant tous les temps ;
[3] au moment fixé, il l'a révélée par sa parole, dans le message qui m'a été confié et
que je proclame par ordre de Dieu notre
Sauveur.
[4] Je t'adresse cette lettre, Tite[a], mon
vrai fils dans la foi qui nous est
commune : Que Dieu le Père et Jésus-
Christ notre Sauveur t'accordent la grâce
et la paix.

La mission de Tite en Crète

[5] Je t'ai laissé en Crète afin que tu achèves d'organiser ce qui doit l'être encore et
que tu établisses des *anciens d'Église
dans chaque ville. Rappelle-toi les instructions que je t'ai données : [6] un ancien
doit être irréprochable et mari d'une
seule femme[b] ; il faut que ses enfants
soient croyants et qu'on n'ait pas à les
accuser de mauvaise conduite ou de
désobéissance. [7] En effet, un dirigeant
d'Église étant chargé de s'occuper des af-

---

a **1.4** *Tite* : voir 2 Cor 8.23 ; Gal 2.3 ; 2 Tim 4.10.
b **1.6** *mari d'une seule femme* : autre traduction *qu'il n'ait été marié qu'une seule fois.*

faires de Dieu, il doit être irréprochable :
qu'il ne soit ni arrogant, colérique, buveur ou violent, qu'il ne recherche pas les
gains malhonnêtes. 8 Il doit être hospitalier et aimer ce qui est bien. Il faut qu'il
soit raisonnable, juste, saint et maître de
lui. 9 Il doit être fermement attaché au
message digne de foi, conforme à la doctrine reçue. Ainsi, il sera capable d'encourager les autres par le véritable
enseignement et il pourra démontrer leur
erreur à ceux qui le contredisent[c].

10 En effet, il y en a beaucoup, surtout
parmi les chrétiens d'origine juive, qui
sont rebelles et qui trompent les autres en
disant n'importe quoi. 11 Il faut leur fermer la bouche, car ils bouleversent des familles entières en enseignant ce qu'il ne
faut pas, et cela pour des gains malhonnêtes. 12 C'est un de leurs compatriotes, un *prophète, qui a dit : « Les
Crétois ont toujours été des menteurs, de
méchantes bêtes, des paresseux qui ne
pensent qu'à manger[d]. » 13 Et ce qu'il dit
là est la pure vérité. C'est pourquoi,
adresse-leur de sévères reproches, afin
qu'ils aient une foi juste 14 et qu'ils ne
s'attachent plus à des légendes juives et à
des commandements d'hommes qui se
sont détournés de la vérité. 15 Tout est
*pur pour ceux qui sont purs ; mais rien
n'est pur pour ceux qui sont impurs et incroyants, car leur intelligence et leur
conscience sont marquées par l'impureté.
16 Ils affirment connaître Dieu, mais leurs
actions prouvent le contraire. Ils sont détestables, rebelles et incapables de faire
aucune action bonne.

La juste doctrine

2 1 Mais toi, enseigne ce qui est
conforme à la juste doctrine. 2 Dis
aux vieillards d'être sobres, respectables,
raisonnables et fermes dans la foi véritable, l'amour et la patience. 3 De même,
dis aux femmes âgées de se conduire en
personnes qui mènent une vie sainte. Elles doivent éviter les propos malveillants
et ne pas être esclaves du vin. Qu'elles
donnent de bons conseils ; 4 qu'elles apprennent aux jeunes femmes à aimer leur
mari et leurs enfants, 5 à être raisonnables
et *pures, à prendre soin de leur ménage,
à être bonnes et soumises à leur mari,
afin que personne ne fasse insulte à la parole de Dieu.

6 De même, exhorte les jeunes gens à
être raisonnables 7 à tous égards. Toi-
même, tu dois donner l'exemple d'actions bonnes. Que ton enseignement soit
authentique et sérieux. 8 Que tes paroles
soient justes, indiscutables, afin que tes
adversaires soient tout honteux de
n'avoir aucun mal à dire de nous.

9 Que les esclaves soient soumis à leurs
maîtres en toutes choses, qu'ils leur
soient agréables. Qu'ils évitent de les
contredire 10 ou de leur dérober quoi que
ce soit. Qu'ils se montrent toujours parfaitement bons et fidèles, afin de faire
honneur en tout à l'enseignement de
Dieu notre Sauveur.

11 Car Dieu a révélé sa grâce, source de
salut pour tous les humains. 12 Elle nous
enseigne à renoncer à une mauvaise
conduite et aux désirs terrestres, pour
mener dans ce monde une vie raisonnable, juste et fidèle à Dieu. 13 C'est ainsi
que nous devons attendre le bonheur que
nous espérons et le jour où apparaîtra la
*gloire de notre grand Dieu et Sauveur
Jésus-Christ[e]. 14 Il s'est donné lui-même
pour nous, pour nous délivrer de tout
mal et faire de nous un peuple purifié qui
lui appartienne en propre et qui soit zélé
pour faire des actions bonnes[f].

15 Voilà ce que tu dois enseigner, en
usant de toute ton autorité pour encourager tes auditeurs ou leur adresser des reproches. Que personne ne te méprise.

La conduite chrétienne

3 1 Rappelle aux fidèles qu'ils doivent
se soumettre aux dirigeants et aux autorités[g], qu'ils doivent leur obéir, en
étant prêts à faire toute action bonne.

---

c **1.9** *v. 6-9* : comparer 1 Tim 3.2-7.

d **1.12** Citation du poète crétois Épiménide de Cnossos (plus de 500 ans avant J.-C.)

e **2.13** *de notre grand Dieu et Sauveur Jésus-Christ* : autre traduction *du grand Dieu et de notre Sauveur Jésus-Christ*.

f **2.14** Comparer Ps 130.8 ; Ézék 37.23 ; Ex 19.5 ; Deut 14.2 ; 1 Pi 2.9 ; Éph 2.10.

g **3.1** Comparer Rom 13.1 ; 1 Pi 2.13.

[2] Qu'ils ne disent du mal de personne,
qu'ils soient pacifiques et bienveillants,
et qu'ils fassent continuellement preuve
de douceur envers tous les autres. [3] Car
nous aussi, nous étions autrefois insensés, rebelles, dans l'erreur. Nous étions esclaves de toutes sortes de désirs et de plaisirs. Nous vivions dans la méchanceté et l'envie ; nous nous rendions détestables et nous nous haïssions les uns les
autres. [4] Mais lorsque Dieu notre Sauveur
a manifesté sa bonté et son amour pour
les êtres humains, [5] il nous a sauvés, non
point parce que nous aurions accompli des actions justes, mais parce qu'il a eu pitié de nous. Il nous a sauvés et fait naître à une vie nouvelle au travers de l'eau
du baptême et par le Saint-Esprit[h]. [6] Car
Dieu a répandu avec abondance le Saint-Esprit sur nous par Jésus-Christ notre
Sauveur ; [7] ainsi, par sa grâce, il nous
rend justes à ses yeux et nous permet de recevoir la vie éternelle que nous espérons. [8] C'est là une parole certaine.
Je veux que tu insistes beaucoup sur ces points-là, afin que ceux qui croient en Dieu veillent à s'engager à fond dans les actions bonnes. Voilà qui est bon et utile
à tous. [9] Mais évite les folles discussions
et spéculations sur les longues listes d'ancêtres[i], les querelles et polémiques au sujet de la loi : elles sont inutiles et sans
valeur. [10] Donne un premier avertisse-
ment, puis un second[j], à celui qui cause
des divisions ; ensuite, écarte-le. [11] Tu
sais, en effet, qu'un tel homme s'est détourné du droit chemin et qu'en persistant dans l'erreur, il se condamne lui-même.

Dernières recommandations

[12] Dès que je t'aurai envoyé Artémas ou
Tychique, efforce-toi de venir me rejoindre à Nicopolis[k], car j'ai décidé d'y passer
l'hiver. [13] Aie soin d'aider Zénas l'avocat
et Apollos[l] à poursuivre leur voyage, fais
en sorte qu'ils ne manquent de rien. [14] Il
faut que les nôtres aussi apprennent à s'engager à fond dans des actions bonnes, afin de pourvoir aux besoins importants et de ne pas mener une vie inutile.

[15] Tous ceux qui sont avec moi t'adressent leurs salutations. Salue nos amis dans la foi.

Que la grâce de Dieu soit avec vous tous.

---

h **3.5** Comparer Éph 5.26 et la note. Voir aussi Jean 3.5.
i **3.9** Voir 1 Tim 1.4 et la note.
j **3.10** Comparer Matt 18.15-17.
k **3.12** *Tychique* : voir 2 Tim 4.12 et la note. – *Nicopolis* : plusieurs villes portaient ce nom dans le monde antique. Paul semble désigner ici celle qui était située sur la côte ouest de la Grèce.
l **3.13** *Apollos* : voir Act 18.24 ; 1 Cor 16.12.

Lettre à

Philémon

Introduction *– Philémon était un personnage important, converti à la foi chrétienne et sans doute membre de l'Église de Colosses. C'était un ami de l'apôtre Paul (v. 1). Il avait un esclave, nommé Onésime, qui s'était enfui de chez lui. On ignore dans quelles circonstances Onésime est entré en contact avec Paul, qui était en prison. Le fait est qu'il devint chrétien à son tour. Paul décida de le renvoyer à son maître, auquel il écrivit ce billet pour lui demander de l'accueillir non plus comme un esclave (un esclave fugitif s'exposait à une très dure punition), mais comme un frère dans la foi.*

Après avoir salué Philémon et ceux qui vivent avec lui (1-3), Paul remercie Dieu pour la foi et le zèle de Philémon (4-7). Puis il présente sa requête en faveur d'Onésime, qui va rejoindre son maître (8-22). Dans les salutations qui terminent ce billet, on trouve le nom de plusieurs personnes également citées dans la lettre aux Colossiens (4.10,12,14 ; on peut mentionner aussi Archippe, nommé au v. 2 et en Col 4.17). Il est possible qu'Onésime ait apporté à Colosses les deux lettres aux Colossiens et à Philémon.

On remarquera la délicatesse avec laquelle Paul écrit à son ami Philémon : il ne lui donne aucun ordre, il ne lui impose rien, il ne conteste pas ses droits sur Onésime. Mais il lui rappelle, ainsi qu'à tous ceux qui lisent cette lettre, comment l'amour du Christ éclaire d'un jour nouveau et transforme toutes les relations humaines.

Salutation

1 De la part de Paul, mis en prison pour
avoir servi Jésus-Christ[a], et de la part de
notre frère Timothée.
A toi, Philémon, notre cher ami et
compagnon de travail, 2 et à l'Église qui
se réunit dans ta maison, à notre sœur
Appia et à Archippe[b] notre compagnon
de combat : 3 Que Dieu notre Père et le
Seigneur Jésus-Christ vous accordent la
grâce et la paix.

L'amour et la foi de Philémon

4 Toutes les fois que je prie, je pense à
toi, Philémon, et je remercie mon Dieu ;
5 car j'entends parler de ton amour pour
tous les croyants et de ta foi au Seigneur
Jésus. 6 Je demande à Dieu que la foi que
tu as en commun avec nous soit efficace
en toi pour faire mieux connaître tous les
biens que nous avons dans notre vie avec
le Christ. 7 Ton amour, frère, m'a donné
beaucoup de joie et d'encouragement, car
tu as réconforté le cœur des croyants.

Paul présente une demande en faveur d'Onésime

8 Ainsi, bien que dans la communion
avec le Christ j'aie toute liberté de t'ordonner ce que tu dois faire, 9 je préfère
t'adresser une demande au nom de

---

a **v. 1** Voir les v. 13, 22 et 23.
b **v. 2** *Archippe* : voir Col 4.17.

l'amour. Tel que je suis, moi Paul, un
vieillard, et de plus maintenant gardé en
prison à cause de Jésus-Christ[c], 10 je te demande une faveur pour Onésime. Il est
devenu mon fils en Jésus-Christ ici, en
prison[d]. 11 Autrefois, il t'a été inutile,
mais maintenant il nous est utile à toi et à
moi.

12 Je te le renvoie, maintenant, lui qui
est comme une partie de moi-même[e].
13 J'aurais bien aimé le garder auprès de
moi pendant que je suis en prison pour la
Bonne Nouvelle, afin qu'il me rende service à ta place. 14 Mais je n'ai rien voulu
faire sans ton accord, afin que tu ne fasses
pas le bien par obligation, mais de bon
cœur.

15 Peut-être Onésime a-t-il été séparé
de toi pour quelque temps afin que tu
le retrouves pour toujours. 16 Car maintenant il n'est plus un simple esclave, mais il est beaucoup mieux qu'un
esclave : un frère très cher. Il m'est particulièrement cher, mais il doit l'être encore beaucoup plus pour toi, aussi bien
dans sa condition humaine que comme
frère chrétien.

17 Si donc tu me considères comme ton
ami, reçois-le comme si c'était moi-
même. 18 S'il t'a causé du tort, ou s'il te
doit quelque chose, mets cela sur mon
compte. 19 C'est de ma propre main que
j'écris ces mots : Moi, Paul, je te le rem-
bourserai. – Je n'ai certes pas à te rappeler
que toi tu me dois ta propre vie. – 20 Oui,
frère, je t'en prie, accorde-moi cette faveur pour l'amour du Seigneur : réconforte mon cœur au nom de notre
communion avec le Christ.

21 Je suis convaincu, au moment où je
t'écris, que tu feras ce que je te demande
– je sais même que tu feras plus encore –.
22 En même temps, prépare-moi une
chambre, car j'espère que, grâce à vos
prières, je vous serai rendu.

Salutations finales

23 Épaphras[f], qui est en prison avec
moi à cause de Jésus-Christ, t'adresse ses
salutations, 24 ainsi que Marc, Aristarque,
Démas et Luc, mes compagnons de travail[g].

25 Que la grâce du Seigneur Jésus-
Christ soit avec vous.

---

c v. 9 *un vieillard... en prison à cause de Jésus-Christ* : certains comprennent *ambassadeur de Jésus-Christ, et de plus maintenant gardé en prison à cause de lui.*

d v. 10 *Onésime* : un esclave qui s'est enfui de chez son maître Philémon ; son nom signifie *utile* et fait jeu de mots au v. 11. Voir aussi Col 4.9.

e v. 12 *lui qui... moi-même* : certains manuscrits ont *et toi, reçois-le comme s'il était une partie de moi-même.*

f v. 23 *Épaphras* : voir Col 1.7 ; 4.12.

g v. 24 *Marc* : voir 2 Tim 4.11 et la note. – *Aristarque* : voir Act 19.29 ; 27.2 ; Col 4.10. – *Démas* : voir Col 4.14 ; 2 Tim 4.10. – *Luc* : voir Col 4.14 ; 2 Tim 4.11.

Lettre aux
Hébreux

Introduction *– Quiconque lit attentivement ce texte a l'impression de se trouver devant une prédication ou un discours plutôt que devant une lettre à proprement parler. Certes, les tout derniers versets du chapitre 13, avec les salutations qu'ils contiennent, font penser à la conclusion d'une lettre. Mais le début ne comporte aucun renseignement sur l'auteur ou les destinataires de cet écrit. Il est possible, mais non certain, que cette « lettre » ait été envoyée d'Italie (13.24). Elle s'adresse en tout cas à des chrétiens exposés à l'impopularité et à une opposition croissante, au point que ceux-ci sont tentés d'abandonner la foi chrétienne. L'auteur les encourage à demeurer fermes dans cette foi, en leur démontrant la supériorité de la personne et de l'œuvre du Christ pour tout ce qui touche au salut.*

Dès le début, la lettre affirme que Dieu s'est révélé définitivement à nous en la personne de son Fils Jésus-Christ (1.1-3). On peut distinguer deux parties principales dans cet exposé entrecoupé d'appels pressants :
*– La première partie (1.4–10.18) met en évidence la grandeur suprême du Christ : il est non seulement supérieur aux prophètes (1.1-3), mais encore aux anges (1.4–2.18), à Moïse et à Josué (3.1–4.13) ; en tant que grand-prêtre unique de la nouvelle *alliance, il est supérieur aux grands-prêtres de l'ancienne alliance (4.14–7.28) ; son sacrifice accompli une fois pour toutes est supérieur aux nombreux sacrifices de l'ancien Israël (8.1–10.18).*
– La deuxième partie (10.19–13.19) encourage d'abord les auditeurs à persévérer dans la foi (10.19-39). C'est là qu'on trouve le célèbre passage sur l'exemple des croyants de l'Ancien Testament (chap. 11), puis l'invitation à garder les regards fixés sur Jésus-Christ, pour supporter l'opposition comme lui (12.1-11). Après quelques dernières recommandations et des avertissements (12.12–13.19), l'auteur achève par une bénédiction et des salutations (13.20-25).

Pour aider ses lecteurs à surmonter leur découragement, l'auteur ne se contente pas de paroles réconfortantes. Il évoque avec réalisme la difficile condition des chrétiens dans le monde et précise le but de l'œuvre du Christ : par sa mort, il a rendu possible ce qu'aucun sacrifice ne pouvait accomplir. Les lecteurs sont invités alors à prendre place dans la grande foule des témoins de Jésus-Christ, l'auteur d'un salut éternel pour tous ceux qui lui obéissent.

Dieu a parlé par son Fils

1 1 Autrefois Dieu a parlé à nos ancêtres à maintes reprises et de plusieurs manières par les *prophètes, 2 mais
maintenant, à la fin des temps, il nous a
parlé par son Fils. C'est par lui que Dieu
a créé l'univers[a], et c'est à lui qu'il a destiné la propriété de toutes choses. 3 Le
Fils reflète la splendeur de la *gloire divine, il est la représentation exacte de ce
que Dieu est, il soutient l'univers par sa
parole puissante. Après avoir *purifié les

a 1.2 Comparer Jean 1.3.

êtres humains de leurs péchés, il s'est assis dans les *cieux à la droite de Dieu[b], la
puissance suprême.

Le Fils est supérieur aux anges

4 Le Fils est devenu d'autant supérieur
aux *anges que Dieu lui a accordé un titre qui surpasse le leur. 5 En effet, Dieu
n'a jamais dit à l'un de ses anges :
« C'est toi qui es mon Fils,
à partir d'aujourd'hui je suis ton Père. »
Et il n'a jamais dit à propos d'un ange :
« Je serai un Père pour lui
et il sera un Fils pour moi[c]. »
6 Mais au moment où Dieu allait envoyer
son Fils premier-né dans le monde, il a
dit :
« Tous les anges de Dieu doivent l'adorer. »
7 Quant aux anges, il a dit :
« Dieu fait de ses anges des vents
et de ses serviteurs des flammes de feu[d]. »
8 Mais au sujet du Fils, il a déclaré :
« Ton trône, ô Dieu, est établi pour toujours.
C'est avec justice que tu gouvernes ton royaume.
9 Tu aimes ce qui est juste, tu détestes le mal,
c'est pourquoi Dieu, ton Dieu, t'a consacré,
en versant sur ta tête l'huile de fête,
et t'a choisi plutôt que tes compagnons[e]. »
10 Il a dit aussi :
« C'est toi, Seigneur, qui au commencement as fondé la terre,
le ciel est ton ouvrage.
11 Tout cela disparaîtra, mais toi tu restes.
Terre et ciel s'useront comme de vieux habits ;
12 tu les rouleras comme un manteau,
et ils seront changés comme des vêtements.
Mais toi tu demeures le même et ta vie n'a pas de fin[f]. »
13 Dieu n'a jamais dit à l'un de ses anges :
« Viens siéger à ma droite,
je veux contraindre tes ennemis
à te servir de marchepied[g]. »
14 Les anges ne sont que des esprits au
service de Dieu : il les envoie apporter de
l'aide à ceux qui doivent recevoir le salut.

Un si grand salut

2 1 C'est pourquoi nous devons nous
attacher d'autant plus fermement à
ce que nous avons entendu, afin de ne
pas être entraînés à notre perte. 2 Le message autrefois apporté par les *anges[h] a
prouvé sa valeur, et quiconque n'en a pas
tenu compte ou lui a désobéi a reçu la punition qu'il méritait. 3 Alors, comment
pourrons-nous échapper à la punition si
nous négligeons un tel salut ? Le Seigneur lui-même l'a annoncé le premier,
puis ceux qui ont entendu le Seigneur
nous en ont confirmé la valeur. 4 En
même temps, Dieu a appuyé leur témoignage par des prodiges extraordinaires et toutes sortes de miracles[i], ainsi
que par les dons du Saint-Esprit répartis
selon sa volonté.

Celui qui conduit les hommes au salut

5 En effet, ce n'est pas à des *anges que
Dieu a soumis le monde à venir dont
nous parlons. 6 Au contraire, dans un passage de l'Écriture quelqu'un déclare :
« Qu'est-ce que l'homme, ô Dieu, pour que tu penses à lui ?
Qu'est-ce que l'être humain, pour que tu t'occupes de lui ?
7 Tu l'as rendu pour un peu de temps inférieur aux anges,
tu l'as couronné de *gloire et d'honneur,
8 tu as tout mis à ses pieds[j]. »
Si Dieu a tout mis sous l'autorité de
l'homme, cela signifie qu'il n'a rien laissé

---

b **1.3** Voir Ps 110.1. La *droite* est le côté honorifique.
c **1.5** Ps 2.7 ; 2 Sam 7.14.
d **1.7** *v. 6-7* : Deut 32.43 et Ps 104.4, cités d'après l'ancienne version grecque.
e **1.9** *v. 8-9* : Ps 45.7-8. – *ton royaume* (v. 8) : certains manuscrits ont *son royaume*.
f **1.12** *v. 10-12* : Ps 102.26-28, cité d'après l'ancienne version grecque.
g **1.13** Ps 110.1.
h **2.2** *autrefois apporté par les anges* : voir Act 7.53 et la note.
i **2.4** Comparer Marc 16.17-18,20, Act 5.12.
j **2.8** *v. 6-8* : Ps 8.5-7. – *et d'honneur* (v. 7) : certains manuscrits ajoutent *tu l'as fait régner sur tout ce que tu as créé* (voir Ps 8.7).

qui ne lui soit pas soumis. Cependant,
nous ne voyons pas que toutes choses
soient actuellement sous l'autorité de
l'homme. 9 Mais nous constatons ceci :
Jésus a été rendu pour un peu de temps[k]
inférieur aux anges, afin que, par la grâce
de Dieu, il meure en faveur de tous les
humains ; et nous le voyons maintenant
couronné de gloire et d'honneur à cause
de la mort qu'il a soufferte. 10 En effet, il
convenait que Dieu, qui crée et maintient
toutes choses, élève Jésus à la perfection
au travers de la souffrance, afin d'amener
beaucoup de fils à participer à sa gloire.
Car Jésus est celui qui les conduit au
salut.

11 Or, Jésus qui *purifie les êtres humains de leurs péchés et ceux qui sont
purifiés ont tous le même Père[l]. C'est
pourquoi Jésus n'a pas honte de les appeler ses frères. 12 Il déclare en effet :

« O Dieu, je veux parler de toi à mes
frères,
je veux te glorifier devant toute l'assemblée[m]. »

13 Il dit aussi :

« Je mettrai ma confiance en Dieu. »

Et encore :

« Me voici avec les enfants que Dieu
m'a donnés[n]. »

14 Puisque ces enfants sont tous des
êtres de chair et de sang, Jésus lui-même
est devenu comme eux, il a participé à
leur nature humaine. C'est ainsi que, par
sa mort, il a pu écraser le *diable, qui détient la puissance de la mort, 15 et délivrer
ceux que la peur de la mort rendait esclaves durant leur vie entière. 16 En effet,
ce n'est assurément pas aux anges qu'il
vient en aide, mais c'est aux descendants
d'Abraham[o]. 17 C'est pourquoi il devait
devenir en tout semblable à ses frères,
afin d'être leur *grand-prêtre plein de
bonté et fidèle au service de Dieu, pour
assurer le pardon des péchés du peuple[p].
18 Et maintenant, il peut secourir ceux
qui sont tentés, parce qu'il a passé lui-
même par la tentation et la souffrance.

Jésus est supérieur à Moïse

3 1 Frères, vous appartenez à Dieu qui
vous a appelés. Alors, regardez à Jésus, l'envoyé de Dieu et le *grand-prêtre
de la foi que nous proclamons. 2 En effet,
Dieu l'avait désigné pour cette fonction,
et il lui a été fidèle tout comme Moïse
dont il est écrit : « Il fut fidèle dans
toute la maison de Dieu[q]. » 3 Celui qui
construit une maison est plus honoré que
la maison elle-même. Ainsi, Jésus est digne d'une *gloire supérieure à celle de
Moïse. 4 Toute maison, en effet, est
construite par quelqu'un ; or, celui qui a
construit toutes choses, c'est Dieu.
5 Moïse, pour sa part, a été fidèle dans
toute la maison de Dieu, en tant que serviteur chargé de témoigner de ce que
Dieu allait dire. 6 Mais le Christ est fidèle
en tant que Fils placé à la tête de la maison de Dieu. Et nous sommes sa maison,
si nous gardons notre assurance et l'espérance dont nous sommes fiers[r].

Le repos réservé au peuple de Dieu

7 C'est pourquoi, comme le dit le Saint-
Esprit :

« Si vous entendez la voix de Dieu aujourd'hui,
8 ne refusez pas de comprendre, comme
lorsque vous vous êtes révoltés
contre lui,
le jour où vous l'avez mis à l'épreuve
dans le désert.
9 Là vos ancêtres m'ont défié et mis à
l'épreuve, dit Dieu,
même après avoir vu tout ce que j'avais
fait 10 pendant quarante ans.
C'est pourquoi je me suis mis en colère
contre ces gens

---

k **2.9** *pour un peu de temps* : certains traduisent, ici et au verset 7, *quelque peu*, c'est-à-dire *à un niveau un peu inférieur*.

l **2.11** *le même Père* : autre traduction *la même origine*, que certains interprètent comme une allusion soit à Dieu, soit à Adam, soit encore à Abraham.

m **2.12** Ps 22.23.

n **2.13** És 8.17, cité d'après l'ancienne version grecque ; És 8.18.

o **2.16** Comparer És 41.8-9.

p **2.17** Comparer Lév 4.20,26,35 ; 16.6,10,11, où l'on trouve un aperçu des rites de purification accomplis par le grand-prêtre de l'ancienne alliance.

q **3.2** Voir Nomb 12.7 et la note.

r **3.6** *dont nous sommes fiers* : certains manuscrits ajoutent *fermement jusqu'à la fin* (voir v. 14).

et j'ai dit : “Leurs pensées s'égarent
sans cesse,
ils n'ont pas compris ce que j'attendais
d'eux.”
11 Dans ma colère j'ai fait ce serment :
Ils n'entreront jamais dans le pays où
je leur ai préparé le repos[s] ! »
12 Frères, prenez garde que personne
parmi vous n'ait un cœur mauvais, incré-
dule, qui le pousse à se détourner du
Dieu vivant. 13 Encouragez-vous donc les
uns les autres chaque jour tant que dure
« l'aujourd'hui » dont parle l'Écriture,
afin qu'aucun de vous ne refuse de
comprendre, en se laissant tromper par le
péché. 14 En effet, nous sommes les
compagnons du Christ, si nous gardons
fermement jusqu'à la fin la confiance que
nous avons eue au commencement.
15 Ainsi, il est dit :
« Si vous entendez la voix de Dieu aujourd'hui,
ne refusez pas de comprendre, comme
lorsque vous vous êtes révoltés
contre lui[t]. »
16 Or, quels sont ceux qui ont entendu la
voix de Dieu et se sont révoltés contre
lui ? Ce sont tous ceux que Moïse a
conduits hors d'Égypte. 17 Contre qui
Dieu a-t-il été en colère pendant quarante ans ? Contre ceux qui avaient péché, et qui moururent dans le désert.
18 Quand Dieu a fait ce serment : « Ils
n'entreront jamais dans le pays où je leur
ai préparé le repos », de qui parlait-il ? Il
parlait de ceux qui s'étaient révoltés[u].
19 Nous voyons, en effet, qu'ils n'ont pas
pu entrer dans ce lieu de repos parce
qu'ils avaient refusé de croire.

4 1 Dieu nous a laissé la promesse que
nous pourrons entrer dans le repos
qu'il nous a préparé. Prenons donc bien
garde que personne parmi vous ne se
trouve avoir manqué l'occasion d'y entrer. 2 Car nous avons reçu la Parole de
Dieu tout comme ceux qui étaient dans le
désert. Or, ils ont entendu ce message
sans aucun profit, car lorsqu'ils l'entendirent ils ne le reçurent pas avec foi[v].
3 Nous qui croyons, nous allons entrer
dans ce repos, dont Dieu a dit :
« Dans ma colère j'ai fait ce serment :
Ils n'entreront jamais dans le pays où
je leur ai préparé le repos[w] ! »
Il l'a dit alors que son œuvre avait été
achevée dès la création du monde. 4 En
effet, quelque part dans l'Écriture il est
dit ceci à propos du septième jour :
« Dieu se reposa le septième jour de tout
son travail[x]. » 5 Il est dit aussi dans le
texte ci-dessus : « Ils n'entreront jamais
dans le pays où je leur ai préparé le repos[y]. » 6 Ceux qui avaient été les premiers
à entendre la Parole de Dieu ne sont pas
entrés dans ce repos parce qu'ils ont refusé d'obéir. Par conséquent, il est encore
possible pour d'autres d'y entrer. 7 C'est
pourquoi, Dieu fixe de nouveau un jour
appelé « aujourd'hui ». Il en a parlé beaucoup plus tard par l'intermédiaire de David, dans le passage déjà cité :
« Si vous entendez la voix de Dieu aujourd'hui,
ne refusez pas de comprendre[z]. »
8 En effet, si Josué avait conduit le peuple dans ce repos[a], Dieu n'aurait pas
parlé plus tard d'un autre jour. 9 Ainsi, un
repos semblable à celui du septième jour
reste offert au peuple de Dieu. 10 Car celui
qui entre dans le repos préparé par Dieu
se repose de son travail comme Dieu s'est
reposé du sien. 11 Efforçons-nous donc
d'entrer dans ce repos ; faisons en sorte
qu'aucun de nous ne tombe, en refusant
d'obéir comme nos ancêtres.
12 En effet, la parole de Dieu est vivante
et efficace. Elle est plus tranchante qu'aucune épée à deux tranchants. Elle pénètre
jusqu'au point où elle sépare âme et esprit, jointures et moelle. Elle juge les désirs et les pensées du cœur humain. 13 Il
n'est rien dans la création qui puisse être

s 3.11 *v. 7-11* : Ps 95.7-11, cité d'après l'ancienne version grecque.
t 3.15 Ps 95.7-8, cité d'après l'ancienne version grecque.
u 3.18 *v. 16-18* : voir Nomb 14.1-35. – *v. 18* : Ps 95.11.
v 4.2 *car... avec foi* : certains manuscrits ont *car ils ne se joignirent pas par la foi à ceux qui l'avaient entendu*.
w 4.3 Ps 95.11. – *dans le pays... repos* ou *dans mon repos*.
x 4.4 Gen 2.2.
y 4.5 Ps 95.11.
z 4.7 Ps 95.7-8, cité d'après l'ancienne version grecque.
a 4.8 Voir Deut 31.7 ; Jos 22.4.

caché à Dieu. A ses yeux, tout est à nu, à
découvert, et c'est à lui que nous devons
tous rendre compte.

Jésus le grand-prêtre souverain

14 Tenons donc fermement la foi que
nous proclamons. Nous avons, en effet,
un *grand-prêtre souverain qui est parvenu jusqu'en la présence même de
Dieu : c'est Jésus, le *Fils de Dieu.
15 Nous n'avons pas un grand-prêtre incapable de souffrir avec nous de nos faiblesses. Au contraire, notre grand-prêtre
a été tenté en tout comme nous le
sommes, mais sans commettre de péché.
16 Approchons-nous donc avec confiance
du trône de Dieu, où règne la grâce.
Nous y obtiendrons le pardon et nous y
trouverons la grâce, pour être secourus au
bon moment.

5 1 Tout grand-prêtre, choisi parmi les
hommes, a pour fonction de servir
Dieu en leur faveur ; il offre des dons et
des *sacrifices pour les péchés. 2 Il est lui-
même exposé à bien des faiblesses ; il
peut donc montrer de la compréhension
à l'égard des ignorants et de ceux qui
commettent des erreurs. 3 Et parce qu'il
est faible lui-même, il doit offrir des sacrifices non seulement pour les péchés du
peuple, mais aussi pour les siens[b]. 4 Personne ne peut s'attribuer l'honneur
d'être grand-prêtre. On le devient seulement par appel de Dieu, comme ce fut le
cas pour *Aaron.
5 Le Christ également ne s'est pas accordé lui-même l'honneur d'être grand-
prêtre. Il l'a reçu de Dieu, qui lui a déclaré :
« C'est toi qui es mon Fils,
à partir d'aujourd'hui je suis ton Père. »
6 Et ailleurs il a dit aussi :
« Tu es prêtre pour toujours
dans la tradition de Melkisédec[c]. »
7 Durant sa vie terrestre, Jésus adressa
des prières et des supplications, ac-
compagnées de grands cris et de larmes, à
Dieu qui pouvait le sauver de la mort[d]. Et
Dieu l'exauça à cause de sa soumission.
8 Bien qu'il fût le Fils de Dieu, il a appris
l'obéissance par tout ce qu'il a souffert.
9 Après avoir été élevé à la perfection, il
est devenu la source d'un salut éternel
pour tous ceux qui lui obéissent. 10 En effet, Dieu l'a déclaré grand-prêtre dans la
tradition de Melkisédec.

Mise en garde contre le danger d'abandonner la foi

11 Nous avons beaucoup à dire sur ce
sujet, mais il est difficile de vous donner
des explications, car vous êtes bien lents
à comprendre. 12 Il s'est passé suffisamment de temps pour que vous deveniez
des maîtres, et pourtant vous avez encore besoin qu'on vous enseigne les premiers éléments du message de Dieu.
Vous avez encore besoin de lait, au lieu
de nourriture solide. 13 Celui qui se
contente de lait n'est qu'un enfant, il n'a
aucune expérience au sujet de ce qui est
juste[e]. 14 Par contre, la nourriture solide
est destinée aux adultes qui, par la pratique, ont les sens habitués à distinguer
le bien du mal.

6 1 Ainsi, tournons-nous vers un enseignement d'adulte, en laissant derrière nous les premiers éléments du
message chrétien. Nous n'allons pas poser de nouveau les bases de ce message :
la nécessité de se détourner des actions
néfastes et de croire en Dieu, 2 l'enseignement au sujet des baptêmes et de l'imposition des mains[f], l'annonce de la
*résurrection des morts et du jugement
éternel. 3 Progressons ! C'est là ce que
nous allons faire, si Dieu le permet.
4-6 En effet, qu'en est-il de ceux qui retombent dans leur ancienne vie ? Ils ont
reçu une fois la lumière de Dieu. Ils ont
goûté au don *céleste et ont eu part au
Saint-Esprit. Ils ont senti combien la pa-

---

b **5.3** Voir Lév 9.7.
c **5.6** *v. 5-6* : Ps 2.7 ; Ps 110.4.
d **5.7** Voir Matt 26.36-46 ; Marc 14.32-42 ; Luc 22.39-46.
e **5.13** *v. 12-13* : comparer 1 Cor 3.2.
f **6.2** *baptêmes* : ce pluriel peut désigner soit les rites de purification pratiqués par les Juifs et les païens, soit l'ensemble des actes accompagnant le baptême chrétien, soit à la fois le baptême de Jean et le baptême chrétien (comparer Act 18.25 ; 19.3-6). – *imposition des mains* : geste qui consistait à poser les mains sur quelqu'un pour indiquer qu'un don spirituel, une bénédiction particulière ou la guérison lui était accordée.

role de Dieu est bonne et ils ont fait l'expérience des puissances du monde à venir. Et pourtant, ils retombent dans leur ancienne vie ! Il est impossible de les amener une nouvelle fois à changer de vie, car, pour leur part, ils remettent le *Fils de Dieu sur la croix et l'exposent publiquement aux insultes[g].

7 Lorsqu'une terre absorbe la pluie qui tombe fréquemment sur elle, et produit des plantes utiles à ceux pour qui elle est cultivée, Dieu la *bénit. 8 Mais si elle produit des buissons d'épines et des chardons, elle ne vaut rien ; elle sera bientôt maudite par Dieu et finira par être brûlée[h].

9 Cependant, même si nous parlons ainsi, mes chers amis, nous sommes convaincus que vous êtes sur la bonne voie, celle du salut. 10 Dieu n'est pas injuste. Il n'oubliera pas votre activité, ni l'amour que vous avez montré à son égard par les services que vous avez rendus et que vous rendez encore aux autres chrétiens. 11 Mais nous désirons que chacun de vous fasse preuve du même zèle jusqu'à la fin, afin que votre espérance se réalise pleinement. 12 Ne devenez donc pas paresseux, mais suivez l'exemple de ceux qui croient avec persévérance et qui reçoivent ainsi ce que Dieu a promis.

La ferme promesse de Dieu

13 Quand Dieu fit sa promesse à Abraham, il l'accompagna d'un serment formulé en son propre nom, car il n'y avait personne de plus grand que lui par qui le faire. 14 Il déclara : « Je jure de te *bénir abondamment et de t'accorder de très nombreux descendants[i]. » 15 Abraham attendit avec patience, et il obtint ce que Dieu avait promis. 16 Quand les hommes prêtent serment, ils le font au nom de quelqu'un de plus grand qu'eux, et le serment est une garantie qui met fin à toute discussion. 17 Or, Dieu a voulu montrer encore plus clairement à ceux qui devaient recevoir les biens promis que sa décision était irrévocable ; c'est pourquoi il ajouta un serment à la promesse. 18 Il y a donc deux actes irrévocables, dans lesquels il est impossible que Dieu mente[j]. Ainsi, nous qui avons trouvé un refuge en lui, nous sommes grandement encouragés à saisir avec fermeté l'espérance qui nous est proposée. 19 Cette espérance est pour nous comme l'ancre de notre vie. Elle est sûre et solide, et pénètre à travers le rideau du *temple *céleste jusque dans le *sanctuaire intérieur[k]. 20 C'est là que Jésus est entré avant nous et pour nous, car il est devenu *grand-prêtre pour toujours dans la tradition de Melkisédec.

Melkisédec, roi et prêtre

7 1 Ce Melkisédec était roi de Salem et *prêtre du Dieu très-haut. Lorsque Abraham revenait de la bataille où il avait vaincu les rois, Melkisédec est allé à sa rencontre et l'a *béni. 2 Abraham lui a donné un dixième de tout ce qu'il avait pris. Le nom de Melkisédec, tout d'abord, signifie « roi de justice » ; de plus, il était roi de Salem, ce qui veut dire « roi de paix[l] ». 3 On ne lui connaît ni père, ni mère, ni aucun ancêtre ; on ne parle nulle part de sa naissance ou de sa mort[m]. Il est semblable au *Fils de Dieu : il demeure prêtre pour toujours.

4 Remarquez comme il est grand ! Abraham le patriarche[n] lui a donné un dixième de son butin. 5 Or, ceux des descendants de Lévi qui sont prêtres ont l'ordre, selon la *loi, de demander un dixième de tout au peuple *d'Israël[o], c'est-à-dire à leurs propres compatriotes, qui pourtant sont eux aussi des descendants d'Abraham. 6 Melkisédec n'appartenait pas à la descendance de Lévi, mais il a obtenu d'Abraham le dixième de ce qu'il avait pris ; de plus, il a béni celui qui avait reçu les promesses de Dieu. 7 Or, sans aucun doute, celui qui bénit est supérieur à celui qui est béni. 8 Les descen-

---

g **6.4-6** Comparer 10.26.
h **6.8** Comparer Gen 3.17-18.
i **6.14** Gen 22.16-17.
j **6.18** Comparer Nomb 23.19.
k **6.19** Comparer Lév 16.2.
l **7.2** *v. 1-2* : voir Gen 14.17-20. – *Salem* : voir Gen 14.18 et la note.
m **7.3** Genèse 14 ne parle ni de l'ascendance, ni de la naissance, ni de la mort de Melkisédec.
n **7.4** *patriarche* : voir Act 2.29 et la note.
o **7.5** Voir Nomb 18.21.

dants de Lévi, qui reçoivent le dixième
des biens, sont des hommes mortels ;
mais dans le cas de Melkisédec, une telle
part est revenue à quelqu'un qui vit,
comme l'atteste l'Écriture. 9 Enfin, on
peut dire ceci : quand Abraham a payé le
dixième de ses biens, Lévi l'a payé aussi,
lui dont les descendants reçoivent le
dixième de tout. 10 Car bien que Lévi ne
fût pas encore né, il était en quelque sorte
déjà présent dans son ancêtre Abraham
quand Melkisédec vint à sa rencontre.
11 La prêtrise lévitique était à la base de
la loi donnée au peuple d'Israël[p]. Or, si
les prêtres lévitiques avaient réalisé une
œuvre parfaite, il n'aurait pas été nécessaire qu'apparaisse un prêtre différent,
dans la tradition de Melkisédec et non
plus dans la tradition *d'Aaron. 12 Car
lorsque la prêtrise est changée, on doit
aussi changer la loi. 13 Et notre Seigneur,
auquel ces paroles se rapportent, appartient à une autre tribu, dont personne n'a
jamais effectué le service de prêtre à
*l'autel. 14 Il est bien connu qu'il se ratta-
chait, de naissance, à la tribu de Juda[q],
dont Moïse n'a rien dit quand il a parlé
des prêtres.

Un autre prêtre semblable à Melkisédec

15 Voici un fait qui rend tout cela encore plus évident : l'autre *prêtre qui est
apparu est semblable à Melkisédec. 16 Il
n'est pas devenu prêtre d'après des règles
relatives à la descendance humaine ; il
l'est devenu par la puissance d'une vie
qui n'a pas de fin. 17 En effet, l'Écriture
l'atteste :
« Tu seras prêtre pour toujours
dans la tradition de Melkisédec[r]. »
18 Ainsi, l'ancienne règle a été abolie,
parce qu'elle était faible et inutile. 19 La
*loi de Moïse, en effet, n'a rien amené à la
perfection. Mais une espérance meilleure
nous a été accordée et, grâce à elle, nous
pouvons nous approcher de Dieu.
20 De plus, il y a eu le serment de Dieu.
Les autres sont devenus prêtres sans un
tel serment. 21 Mais Jésus, lui, a été établi
prêtre avec un serment, quand Dieu lui a
déclaré :
« Le Seigneur l'a juré,
et il ne se dédira pas :
"Tu es prêtre pour toujours[s]." »
22 Par conséquent, Jésus est aussi celui
qui nous garantit une *alliance meilleure.
23 Il existe une différence de plus : les
autres prêtres ont été nombreux, parce
que la mort les empêchait de poursuivre
leur activité. 24 Mais Jésus vit pour toujours et sa fonction de prêtre est perpétuelle[t]. 25 C'est pourquoi il peut sauver
définitivement ceux qui s'approchent de
Dieu par lui, car il est toujours vivant
pour prier Dieu en leur faveur.
26 Jésus est donc le grand-prêtre qu'il
nous fallait. Il est saint, sans défaut, sans
péché ; il a été séparé des pécheurs et
élevé très haut dans les *cieux. 27 Il n'est
pas comme les autres grands-prêtres : il
n'a pas besoin d'offrir chaque jour des
*sacrifices, d'abord pour ses propres pé-
chés et ensuite pour ceux du peuple[u]. Il a
offert un sacrifice une fois pour toutes,
quand il s'est offert lui-même. 28 La loi de
Moïse établit comme grands-prêtres des
hommes imparfaits ; mais la parole du
serment de Dieu, formulé après la loi,
établit comme grand-prêtre le Fils qui a
été élevé à la perfection pour toujours.

Jésus, notre grand-prêtre

8 1 Voici le point le plus important de
ce que nous avons à dire : c'est bien
un tel *grand-prêtre que nous avons, lui
qui s'est assis dans les *cieux à la droite
du trône de Dieu[v], la puissance suprême.
2 Il exerce ses fonctions dans le *sanctuaire, c'est-à-dire dans la tente véritable
dressée par le Seigneur et non par un
homme.
3 Tout grand-prêtre est établi pour offrir des dons et des *sacrifices ; il faut
donc que le nôtre ait aussi quelque chose

---

p 7.11 *La prêtrise... d'Israël* : autre traduction *Le peuple d'Israël avait reçu des lois au sujet de la prêtrise lévitique*.
q 7.14 Voir Matt 1.1-2 ; Luc 3.33.
r 7.17 Ps 110.4.
s 7.21 Ps 110.4.
t 7.24 *est perpétuelle* : autre traduction *n'est pas transmissible*.
u 7.27 Comparer 5.3 et la note.
v 8.1 Voir Ps 110.1.

à offrir. 4 S'il était sur la terre, il ne serait
pas même prêtre, puisqu'il y en a déjà qui
offrent les dons conformément à la loi
juive. 5 La fonction exercée par ces prêtres n'est qu'une copie, qu'une ombre des
réalités célestes. Cela correspond à ce qui
s'est passé pour Moïse : au moment où il
allait construire la tente sacrée, Dieu lui a
fait cette recommandation : « Tu veilleras
à ce que ton travail soit conforme au modèle que je t'ai montré sur la montagne[w]. » 6 Mais maintenant, Jésus a été
chargé d'un service bien supérieur, car il
est l'intermédiaire d'une *alliance bien
meilleure, fondée sur de meilleures promesses[x].

7 Si la première alliance[y] avait été sans
défaut, il n'aurait pas été nécessaire de la
remplacer par une seconde. 8 Mais c'est
bien des fautes que Dieu reproche à son
peuple, quand il dit :

« Les jours viennent, déclare le Seigneur,
où je conclurai une alliance nouvelle
avec le peuple *d'Israël et le peuple de Juda.
9 Elle ne sera pas comme celle que j'ai conclue avec leurs ancêtres
quand je les ai pris par la main pour les faire sortir d'Égypte.
Ils n'ont pas été fidèles à cette alliance-là,
par conséquent je ne me suis plus soucié d'eux, dit le Seigneur.
10 Voici en quoi consistera l'alliance que je conclurai avec le peuple d'Israël
après ces jours-là, déclare le Seigneur :
J'inscrirai mes instructions dans leur intelligence,
je les graverai dans leur cœur :
je serai leur Dieu
et ils seront mon peuple.
11 Aucun d'eux n'aura plus besoin de s'adresser à son concitoyen ou à son frère pour lui enseigner à me connaître,
car tous me connaîtront,
tous, du plus petit jusqu'au plus grand.
12 En effet, je pardonnerai leurs torts,
je ne me souviendrai plus de leurs fautes[z]. »

13 En parlant d'une alliance nouvelle,
Dieu a rendu ancienne la première ; or, ce
qui devient ancien et qui vieillit est près
de disparaître.

Le culte terrestre et le culte céleste

9 1 La première *alliance avait des règles pour le culte et un *temple terrestre. 2 Une double tente avait été
installée. Dans la première partie, appelée le *lieu saint, il y avait le porte-lampes
et la table avec les pains offerts à Dieu.
3 Derrière le second rideau se trouvait
l'autre partie, appelée le lieu très saint,
4 avec *l'autel en or où l'on brûlait *l'encens, et le *coffre de l'alliance entièrement recouvert d'or. Dans le coffre se
trouvaient le vase d'or qui contenait la
*manne, le bâton *d'Aaron qui avait
fleuri et les tablettes de pierre avec les
commandements de l'alliance. 5 Au-
dessus du coffre se tenaient les *chérubins qui signalaient la présence divine ;
ils étendaient leurs ailes au-dessus de
l'endroit où l'on offrait le sang pour le
pardon des péchés. Mais ce n'est pas le
moment de parler de tout cela en détail[a].

6 L'ensemble étant ainsi disposé, les
*prêtres entrent jour après jour dans la
première partie de la tente pour accomplir leur service. 7 Mais seul le grand-
prêtre entre dans la seconde partie, et il
ne le fait qu'une fois par an. Il doit y apporter du sang d'animal qu'il offre à Dieu
pour lui-même et pour les fautes que le
peuple a commises involontairement[b].
8 Le Saint-Esprit montre ainsi que le chemin du lieu très saint n'est pas encore ouvert aussi longtemps que subsiste la
première tente. 9 C'est là une image qui se
rapporte au temps présent. Elle signifie

---

w **8.5** Ex 25.40.

x **8.6** *fondée... promesses* : autre traduction *car cette alliance comporte des règles concernant de meilleures promesses.*

y **8.7** Il s'agit de *l'alliance* conclue au Sinaï (voir Ex 24.3-8).

z **8.12** *v. 8-12* : Jér 31.31-34, cité d'après l'ancienne version grecque.

a **9.5** Références pour les versets 2 à 5 : *v. 2* : Ex 26.1-30 ; 25.31-40 ; 25.23-30. – *v. 3* : Ex 26.31-33. – *v. 4* : Ex 30.1-6 ; 25.10-16 ; 16.33 ; Nomb 17.16-26 ; Ex 25.16 ; Deut 10.3-5. – *v. 5* : Ex 25.17-22.

b **9.7** *v. 6* : voir Nomb 18.2-6. – *v. 7* : voir Lév 16.2-34.

que les dons et les *sacrifices d'animaux
offerts à Dieu ne peuvent pas rendre parfait le cœur de quiconque pratique ce
culte. 10 Il y est question seulement d'aliments, de boissons et de diverses cérémonies de *purification. Il s'agissait de
règles d'ordre matériel qui n'étaient valables que jusqu'au temps où Dieu réforma toutes choses[c].
11 Mais le Christ est venu comme
grand-prêtre des biens déjà présents[d]. Il a
pénétré dans une tente plus importante
et plus parfaite, qui n'est pas construite
par des hommes, autrement dit qui n'appartient pas à ce monde créé. 12 Quand le
Christ est entré une fois pour toutes dans
le lieu très saint, il n'a pas offert du sang
de boucs et de veaux ; il a offert son propre sang et nous a ainsi délivrés définitivement de nos péchés. 13 Le sang des
boucs et des taureaux et les cendres de la
vache brûlée[e], que l'on répand sur les
personnes impures par rapport aux rites,
les purifient de cette souillure extérieure.
14 S'il en est bien ainsi, combien plus efficace encore doit être le sang du Christ !
Par l'Esprit éternel, il s'est offert lui-
même à Dieu comme sacrifice parfait.
Son sang purifiera notre conscience des
actions néfastes, pour que nous puissions
servir le Dieu vivant.
15 Voilà pourquoi le Christ est l'intermédiaire d'une alliance nouvelle, afin
que ceux qui ont été appelés par Dieu
puissent recevoir les biens éternels qu'il a
promis aux siens. Ils le peuvent parce
qu'une mort est intervenue, grâce à laquelle les humains sont délivrés des fautes commises sous la première alliance.
16 Là où il y a un testament[f], il est nécessaire de prouver que celui qui l'a établi
est mort. 17 En effet, un testament n'a pas
d'effet tant que son auteur est en vie ; il
est valide seulement après la mort de
celui-ci. 18 C'est pourquoi la première
alliance elle-même n'est pas entrée en
vigueur avant que du sang soit répandu.
19 Moïse proclama d'abord devant l'ensemble du peuple tous les commandements, tels que la *loi les présente. Puis il
prit le sang des veaux et des boucs, avec
de l'eau, et en répandit sur le livre de la
loi et sur tout le peuple au moyen d'une
branche *d'hysope et d'un peu de laine
rouge. 20 Il déclara : « Ceci est le sang qui
confirme l'alliance que Dieu vous a ordonné de respecter[g]. » 21 Moïse répandit
également du sang sur la tente et sur tous
les objets utilisés pour le culte. 22 Selon la
loi, on purifie presque tout avec du sang,
et les péchés ne sont pardonnés que si du
sang est répandu[h].

Le sacrifice du Christ enlève les péchés

23 Toutes les copies des réalités *célestes devaient être *purifiées de cette façon.
Mais les réalités célestes elles-mêmes ont
besoin de bien meilleurs *sacrifices.
24 Car le Christ n'est pas entré dans un
*sanctuaire construit par des hommes,
qui ne serait qu'une copie du véritable. Il
est entré dans le ciel même, où il se présente maintenant devant Dieu pour
nous. 25 Le *grand-prêtre du peuple juif
entre chaque année dans le sanctuaire
avec du sang d'animal. Mais le Christ
n'est pas entré pour s'offrir plusieurs fois
lui-même. 26 Autrement, il aurait dû souffrir plusieurs fois depuis la création du
monde. En réalité, il est apparu une fois
pour toutes maintenant, à la fin des
temps, pour supprimer le péché en se
donnant lui-même en sacrifice. 27 Tout
être humain est destiné à mourir une
seule fois, puis à être jugé par Dieu. 28 De
même, le Christ aussi a été offert en sacrifice une seule fois pour enlever les péchés
d'une multitude de gens[i]. Il apparaîtra
une seconde fois, non plus pour éliminer
les péchés, mais pour accorder le salut à
ceux qui attendent sa venue.

10 1 La loi de Moïse n'est pas la représentation exacte des réalités ;
elle n'est que l'ombre des biens à venir.
Elle est tout à fait incapable de rendre

---

c **9.10** Il s'agit du *temps* de la nouvelle alliance.
d **9.11** *déjà présents* : certains manuscrits ont *à venir*.
e **9.13** Voir Lév 16.14-16 ; Nomb 19.9,17-19.
f **9.16** *testament* : en grec, le même mot signifie à la fois *testament* et *alliance*.
g **9.20** Ex 24.8. – Pour les versets 19 à 20, voir Ex 24.3-8.
h **9.22** *v. 21* : voir Lév 8.15. – *v. 22* : voir Lév 17.11.
i **9.28** Comparer És 53.12.

parfaits ceux qui s'approchent de Dieu :
comment le pourrait-elle avec ces sacrifices, toujours les mêmes, que l'on offre
année après année, indéfiniment ? 2 Si
ceux qui rendent un tel culte à Dieu
avaient été une bonne fois purifiés de
leurs fautes, ils ne se sentiraient plus
coupables d'aucun péché, et l'on cesserait d'offrir tout sacrifice. 3 En réalité,
par ces sacrifices, les gens sont amenés à
se rappeler leurs péchés, année après année. 4 Car le sang des taureaux et des
boucs ne pourra jamais enlever les péchés.

5 C'est pourquoi, au moment où il allait
entrer dans le monde, le Christ dit à
Dieu :

« Tu n'as voulu ni sacrifice, ni offrande,
mais tu m'as formé un corps.
6 Tu n'as pris plaisir ni à des animaux
brûlés sur *l'autel,
ni à des sacrifices pour le pardon des
péchés.
7 Alors j'ai dit : "Je viens moi-même à
toi, ô Dieu,
pour faire ta volonté,
selon ce qui est écrit à mon sujet dans
le saint livre[j]." »

8 Il déclare tout d'abord : « Tu n'as voulu
ni sacrifices, ni offrandes, ni animaux
brûlés sur l'autel, ni sacrifices pour le
pardon des péchés, et tu n'y as pas pris
plaisir. » Pourtant, ces sacrifices sont offerts conformément à la loi. 9 Puis il
ajoute : « Je viens moi-même pour faire ta
volonté. » Il supprime donc les anciens
sacrifices et les remplace par le sien.
10 Jésus-Christ a fait la volonté de Dieu ; il
s'est offert lui-même une fois pour toutes,
et c'est ainsi que nous sommes purifiés
du péché.

11 Tout prêtre se tient chaque jour debout pour accomplir son service ; il offre
souvent les mêmes sacrifices, qui ne peuvent cependant jamais enlever les péchés[k]. 12 Le Christ, par contre, a offert un
seul sacrifice pour les péchés, et cela pour
toujours, puis il s'est assis à la droite de
Dieu. 13 Maintenant, c'est là qu'il attend
que Dieu contraigne ses ennemis à lui
servir de marchepied[l]. 14 Ainsi, par une
seule offrande il a rendu parfaits pour
toujours ceux qu'il purifie du péché.

15 Le Saint-Esprit nous l'atteste également. En effet, il dit tout d'abord :

16 « Voici en quoi consistera *l'alliance
que je conclurai avec eux
après ces jours-là, déclare le Seigneur :
J'inscrirai mes instructions dans leur
cœur,
je les graverai dans leur intelligence. »

17 Puis il ajoute : « Je ne me souviendrai
plus de leurs fautes et de leurs péchés[m]. »
18 Or, si les péchés sont pardonnés, il n'est
plus nécessaire de présenter une offrande
à cet effet.

Approchons-nous de Dieu

19 Ainsi, frères, nous avons la liberté
d'entrer dans le *lieu très saint grâce au
sang du *sacrifice de Jésus. 20 Il nous a
ouvert un chemin nouveau et vivant au
travers du rideau, c'est-à-dire par son
propre corps. 21 Nous avons un *grand-
prêtre placé à la tête de la maison de
Dieu. 22 Approchons-nous donc de Dieu
avec un cœur sincère et une entière
confiance, le cœur *purifié de tout ce qui
donne mauvaise conscience et le corps
lavé d'une eau pure[n]. 23 Gardons fermement l'espérance que nous proclamons,
car Dieu reste fidèle à ses promesses.
24 Veillons les uns sur les autres pour nous
inciter à mieux aimer et à faire des actions bonnes. 25 N'abandonnons pas nos
assemblées comme certains ont pris l'habitude de le faire. Au contraire, encoura-
geons-nous les uns les autres, et cela
d'autant plus que vous voyez approcher
le jour du Seigneur.

26 Car si nous continuons volontairement à pécher après avoir appris à
connaître la vérité, il n'y a plus de sacrifice qui puisse enlever les péchés. 27 Il ne
nous reste plus qu'à attendre avec terreur
le Jugement de Dieu et le feu ardent qui
dévorera ses ennemis[o]. 28 Quiconque dé-

---

j **10.7** *v. 5-7* : Ps 40.7-9, cité d'après l'ancienne version grecque.
k **10.11** Voir Ex 29.38.
l **10.13** *v. 12-13* : voir Ps 110.1.
m **10.17** *v. 16-17* : Jér 31.33-34.
n **10.22** Comparer Ézék 36.25.
o **10.27** És 26.11, cité d'après l'ancienne version grecque.

sobéit à la *loi de Moïse est mis à mort
sans pitié, si sa faute est confirmée par le
témoignage de deux ou trois personnes[p].
29 Qu'en sera-t-il alors de celui qui méprise le *Fils de Dieu, qui considère
comme négligeable le sang de *l'alliance
par lequel il a été purifié, et qui insulte
l'Esprit source de grâce ? Vous pouvez
deviner combien pire sera la peine qu'il
méritera ! 30 Nous le connaissons, en effet, celui qui a déclaré : « C'est moi qui
tirerai vengeance, c'est moi qui paierai
de retour », et qui a dit aussi : « Le Seigneur jugera son peuple[q]. » 31 Il est terrible de tomber entre les mains du Dieu
vivant !

32 Rappelez-vous ce que vous avez vécu
dans le passé. En ces jours-là, après avoir
reçu la lumière de Dieu, vous avez eu
beaucoup à souffrir, vous avez soutenu un
dur combat. 33 Certains d'entre vous
étaient insultés et maltraités publiquement, tandis que les autres étaient prêts à
soutenir ceux que l'on traitait ainsi.
34 Vous avez pris part à la souffrance des
prisonniers et, quand on a saisi vos biens,
vous avez accepté avec joie de les perdre,
en sachant que vous possédiez une richesse meilleure, qui dure toujours. 35 Ne
perdez donc pas votre assurance : une
grande récompense lui est réservée.
36 Vous avez besoin de persévérance pour
accomplir la volonté de Dieu et obtenir
ainsi ce qu'il promet. 37 En effet, il est
écrit :

« Encore un peu de temps, très peu
même,
et celui qui doit venir viendra,
il ne tardera pas.
38 Cependant, celui qui est juste à mes
yeux, dit Dieu, vivra par la foi,
mais s'il retourne en arrière, je ne
prendrai pas plaisir en lui[r]. »

39 Nous ne sommes pas de ceux qui retournent en arrière et vont à leur perte.
Nous sommes de ceux qui croient et sont
sur la voie du salut.

La foi

11 1 Mettre sa foi en Dieu, c'est être
sûr de ce que l'on espère, c'est être
convaincu de la réalité de ce que l'on ne
voit pas. 2 C'est à cause de leur foi que les
grands personnages du passé ont été approuvés par Dieu.

3 Par la foi, nous comprenons que
l'univers a été formé par la parole de
Dieu, de sorte que ce qui est visible a été
fait à partir de ce qui est invisible[s].

4 Par la foi, Abel offrit à Dieu un *sacrifice meilleur que celui de Caïn. Grâce
à elle, il fut déclaré juste par Dieu, car
Dieu lui-même approuva ses dons. Par sa
foi, Abel parle encore, bien qu'il soit
mort[t].

5 Par la foi, Hénok fut emmené auprès
de Dieu sans avoir connu la mort. Personne ne put le retrouver, parce que Dieu
l'avait enlevé auprès de lui. L'Écriture déclare qu'avant d'être enlevé, Hénok avait
plu à Dieu[u]. 6 Or, personne ne peut plaire
à Dieu sans la foi. En effet, celui qui s'approche de Dieu doit croire que Dieu
existe et qu'il récompense ceux qui le
cherchent.

7 Par la foi, *Noé écouta les avertissements de Dieu au sujet de ce qui allait se
passer et qu'on ne voyait pas encore. Il
prit Dieu au sérieux et construisit une
*arche dans laquelle il fut sauvé avec
toute sa famille. Ainsi, il condamna le
monde et obtint, grâce à sa foi, que Dieu
le considère comme juste[v].

8 Par la foi, Abraham obéit quand Dieu
l'appela : il partit pour un pays que Dieu
allait lui donner en possession. Il partit
sans savoir où il allait. 9 Par la foi, il vécut
comme un étranger dans le pays que
Dieu lui avait promis. Il habita sous la
tente, ainsi qu'Isaac et Jacob, qui reçurent la même promesse de Dieu[w].
10 Car Abraham attendait la cité qui a de
solides fondations[x], celle dont Dieu est
l'architecte et le constructeur.

---

p **10.28** Comparer Deut 19.15.
q **10.30** Deut 32.35 et 36.
r **10.38** *v. 37-38* : Hab 2.3-4, cité d'après l'ancienne version grecque.
s **11.3** Comparer Gen 1 ; Ps 33.6,9.
t **11.4** Voir Gen 4.3-10.
u **11.5** Gen 5.24, cité d'après l'ancienne version grecque.
v **11.7** Voir Gen 6.13-22.
w **11.9** *v. 8-9* : voir Gen 12.1-5 ; 23.4 ; 35.12,27.
x **11.10** Comparer 11.16 ; 12.22.

11 Par la foi, Abraham fut rendu capable d'être père, alors qu'il avait passé
l'âge de l'être et que Sara elle-même était
stérile. Il[y] eut la certitude que Dieu tiendrait sa promesse. 12 C'est ainsi qu'à partir de ce seul homme, pourtant déjà
marqué par la mort, naquirent des descendants nombreux comme les étoiles
dans le ciel, innombrables comme les
grains de sable au bord de la mer[z].
13 C'est dans la foi que tous ces hommes sont morts. Ils n'ont pas reçu les
biens que Dieu avait promis, mais ils les
ont vus et salués de loin. Ils ont ouvertement reconnu qu'ils étaient des étrangers
et des exilés sur la terre[a]. 14 Ceux qui parlent ainsi montrent clairement qu'ils recherchent une patrie. 15 S'ils avaient
pensé avec regret au pays qu'ils avaient
quitté, ils auraient eu l'occasion d'y retourner. 16 En réalité, ils désiraient une
patrie meilleure, c'est-à-dire la patrie céleste. C'est pourquoi Dieu n'a pas honte
d'être appelé leur Dieu ; en effet, il leur a
préparé une cité.
17 Par la foi, Abraham offrit Isaac en sacrifice lorsque Dieu le mit à l'épreuve. Il
se montra prêt à offrir son fils unique,
alors qu'il avait reçu une promesse ;
18 Dieu lui avait dit : « C'est par Isaac que
tu auras les descendants que je t'ai promis[b]. » 19 Mais Abraham estima que Dieu
avait le pouvoir de ramener Isaac d'entre
les morts ; c'est pourquoi Dieu lui rendit
son fils, et ce fait a une valeur symbolique.
20 Par la foi, Isaac donna à Jacob et à
Ésaü une *bénédiction qui se rapportait à
leur avenir.
21 Par la foi, Jacob bénit chacun des fils
de Joseph, peu avant de mourir ; il s'appuya sur l'extrémité de son bâton et
adora Dieu[c].
22 Par la foi, Joseph, à la fin de sa vie,
annonça que les Israélites sortiraient
d'Égypte et indiqua ce que l'on devait
faire de ses ossements[d].
23 Par la foi, les parents de Moïse le tinrent caché pendant trois mois après sa
naissance. Ils virent que c'était un bel enfant et n'eurent pas peur de désobéir à
l'ordre du roi.
24 Par la foi, Moïse, devenu grand, renonça au titre de fils de la fille du *Pharaon[e]. 25 Il préféra être maltraité avec le
peuple de Dieu plutôt que de jouir des
plaisirs momentanés du péché. 26 Il estima qu'être méprisé comme le *Messie
avait beaucoup plus de valeur que les trésors de l'Égypte, car il gardait les yeux
fixés sur la récompense future.
27 Par la foi, Moïse quitta l'Égypte, sans
craindre la colère du roi ; il demeura
ferme, comme s'il voyait le Dieu invisible. 28 Par la foi, il institua la *Pâque et
ordonna de répandre du sang sur les portes des maisons, afin que *l'ange de la
mort ne tue pas les fils premiers-nés des
Israélites.
29 Par la foi, les Israélites traversèrent la
mer Rouge comme si c'était une terre sèche ; mais lorsque les Égyptiens essayè-
rent d'en faire autant, ils furent noyés[f].
30 Par la foi, les murailles de Jéricho
tombèrent, après que les Israélites en
eurent fait le tour pendant sept jours.
31 Par la foi, Rahab, la prostituée, ne mourut pas avec ceux qui s'étaient opposés à
Dieu, parce qu'elle avait accueilli les espions avec bienveillance[g].
32 Que dirai-je encore ? Le temps me
manquerait pour parler de Gédéon, Barac, Samson, Jefté, David, Samuel, ainsi
que des *prophètes[h]. 33 Grâce à la foi, ils
vainquirent des royaumes, pratiquèrent
la justice et obtinrent ce que Dieu avait
promis. Ils fermèrent la gueule des lions,
34 éteignirent des feux violents, échappèrent à la mort par l'épée. Ils étaient fai-

---

y **11.11** *Par la foi... stérile. Il* : autre traduction *Par la foi, Sara elle-même, bien que stérile, fut rendue capable d'avoir une descendance, alors qu'elle avait passé l'âge d'être enceinte. Elle....* – Voir Gen 18.11-14 ; 21.2.

z **11.12** Voir Gen 22.17.

a **11.13** Comparer Gen 23.4 ; 1 Chron 29.15 ; Ps 39.13.

b **11.18** *v. 17* : voir Gen 22.1-14. – *v. 18* : Gen 21.12.

c **11.21** *v. 20* : voir Gen 27.27-29,39-40. – *v. 21* : voir Gen 48.1-20 ; 47.31, d'après l'ancienne version grecque.

d **11.22** Voir Gen 50.24-25 ; Ex 13.19.

e **11.24** *v. 23* : voir Ex 2.2 ; 1.22. – *v. 24* : voir Ex 2.10-12.

f **11.29** *v. 27* : voir Ex 2.15. – *v. 28* : voir Ex 12.21-30. – *v. 29* : voir Ex 14.21-31.

g **11.31** *v. 30* : voir Jos 6.12-21. – *v. 31* : voir Jos 6.22-25 ; 2.1-21.

h **11.32** Voir Jug 6–7 ; 4–5 ; 13–16 ; 11–12 ; 1 Sam 16.1–1 Rois 2.11 ; 1 Sam 1.1–25.1.

bles et devinrent forts ; ils furent redoutables à la guerre et repoussèrent des armées étrangères. 35 Par la foi, des femmes virent leurs morts se relever et leur être rendus[i].

D'autres ont été torturés à mort ; ils refusèrent la délivrance, afin d'être relevés de la mort et de parvenir à une vie meilleure. 36 D'autres encore subirent les moqueries et le fouet, certains furent enchaînés et jetés en prison. 37 Certains furent tués à coups de pierres, d'autres sciés en deux ou mis à mort par l'épée. Ou bien, ils allaient d'un endroit à l'autre vêtus de peaux de moutons ou de chèvres, pauvres, persécutés et maltraités[j]. 38 Le monde n'était pas digne de ces gens-là ! Ils erraient dans les déserts et les montagnes, ils vivaient dans les cavernes et les trous de la terre.

39 Ils ont tous été approuvés par Dieu à cause de leur foi ; pourtant, ils n'ont pas obtenu ce que Dieu avait promis. 40 En effet, Dieu avait prévu mieux encore pour nous et il n'a pas voulu qu'ils parviennent sans nous à la perfection.

Dieu notre Père

12 1 Quant à nous, nous sommes entourés de cette grande foule de témoins[k]. Débarrassons-nous donc de tout ce qui alourdit notre marche, en particulier du péché qui s'accroche si facilement à nous, et courons résolument la course qui nous est proposée. 2 Gardons les yeux fixés sur Jésus, dont notre foi dépend du commencement à la fin. Il a accepté de mourir sur la croix, sans tenir compte de la honte attachée à une telle mort, parce qu'il avait en vue la joie qui lui était réservée ; et maintenant il siège à la droite du trône de Dieu[l].

3 Pensez à lui, à la façon dont il a supporté une telle opposition de la part des pécheurs. Et ainsi, vous ne vous laisserez pas abattre, vous ne vous découragerez pas. 4 Car, dans votre combat contre le péché, vous n'avez pas encore dû lutter jusqu'à la mort. 5 Avez-vous oublié l'exhortation que Dieu vous adresse comme à ses fils ?

« Mon fils, ne crains pas d'être corrigé
par le Seigneur,
et ne te décourage pas quand il
t'adresse des reproches.
6 Car le Seigneur corrige celui qu'il
aime,
il frappe celui qu'il reconnaît comme
son fils[m]. »

7 Supportez les souffrances par lesquelles Dieu vous corrige : il vous traite en effet comme ses fils. Existe-t-il un fils que son père ne corrige pas ? 8 Si vous n'êtes pas corrigés comme le sont tous ses fils, alors vous n'êtes pas de vrais fils mais des enfants illégitimes. 9 Rappelons-nous nos pères terrestres : ils nous corrigeaient et nous les respections. Nous devons donc, à plus forte raison, nous soumettre à notre Père *céleste pour en recevoir la vie. 10 Nos pères nous corrigeaient pour peu de temps, comme ils le jugeaient bon. Mais Dieu nous corrige pour notre bien, afin que nous ayons part à sa sainteté. 11 Quand nous sommes corrigés, il nous semble au moment même que c'est là une cause de tristesse et non de joie. Mais plus tard, ceux qui ont reçu une telle formation bénéficient de l'effet qu'elle produit : la paix associée à une vie juste.

Recommandations et avertissements

12 Redressez donc vos mains fatiguées, affermissez vos genoux chancelants ! 13 Engagez vos pas sur des sentiers bien droits[n], afin que le pied boiteux ne se démette pas, mais qu'il guérisse plutôt.

14 Efforcez-vous d'être en paix avec tout le monde et de mener une vie sainte ;

---

i **11.35** *v. 33* : voir Dan 6. – *v. 34* : voir Dan 3.1-30. – *v. 35* : voir 1 Rois 17.17-24 ; 2 Rois 4.18-37.

j **11.37** *v. 36* : voir 1 Rois 22.26-27 ; 2 Chron 18.25-26 ; Jér 20.2 ; 37.15 ; 38.6. – *v. 37* : voir 2 Chron 24.21.

k **12.1** Les *témoins* ne sont pas ici simplement des spectateurs, mais tous ceux qui, selon le chapitre précédent, ont témoigné de leur foi.

l **12.2** *parce qu'il... réservée* : autre traduction *en renonçant à la joie qui lui était réservée. – il siège...* : voir Ps 110.1.

m **12.6** Prov 3.11-12, cité d'après l'ancienne version grecque.

n **12.13** *v. 12-13* : És 35.3 et Prov 4.26, cité d'après l'ancienne version grecque.

car, sans cela, aucun de vous ne pourra
voir le Seigneur. 15 Prenez garde que personne ne se détourne de la grâce de Dieu.
Que personne ne devienne comme une
plante nuisible, vénéneuse, qui pousse et
empoisonne beaucoup de gens[o]. 16 Qu'aucun de vous ne soit immoral, que personne ne méprise les choses sacrées,
comme Ésaü qui, pour un seul repas,
vendit son droit de fils aîné. 17 Plus tard,
vous le savez, il voulut recevoir la *bénédiction de son père, mais il fut repoussé.
Il ne trouva aucun moyen de changer la
situation, bien qu'il l'ait cherché en pleurant[p].

18 Vous ne vous êtes pas approchés de
quelque chose qu'on pouvait toucher, le
mont Sinaï, avec son feu ardent, l'obscurité et les ténèbres, l'orage, 19 le bruit
d'une trompette et le son d'une voix.
Quand les Israélites entendirent cette
voix, ils demandèrent qu'on ne leur
adresse pas un mot de plus[q]. 20 En effet,
ils ne pouvaient pas supporter cet ordre :
« Tout être qui touchera la montagne,
même s'il s'agit d'un animal, sera tué à
coups de pierres. » 21 Le spectacle était si
terrifiant que Moïse dit : « Je tremble, tellement je suis effrayé[r] ! »

22 Mais vous vous êtes approchés de la
montagne de *Sion et de la cité du Dieu
vivant, la Jérusalem *céleste, avec ses
milliers *d'anges. 23 Vous vous êtes approchés d'une assemblée en fête, celle des
fils premiers-nés de Dieu, dont les noms
sont écrits dans les cieux. Vous vous êtes
approchés de Dieu, le juge de tous les humains, et des esprits des êtres justes, parvenus à la perfection. 24 Vous vous êtes
approchés de Jésus, l'intermédiaire de
*l'alliance nouvelle, et de son sang ré-
pandu qui parle d'une manière plus favorable que celui d'Abel[s].

25 Prenez donc garde ! Ne refusez pas
d'écouter celui qui vous parle. Ceux qui
ont refusé d'écouter celui qui les avertissait sur la terre[t], n'ont pas échappé au
châtiment. A bien plus forte raison,
nous ne pourrons pas y échapper si nous
nous détournons de celui qui nous parle
du haut des cieux. 26 Autrefois, sa voix a
ébranlé la terre ; mais maintenant il
nous a fait cette promesse : « J'ébranlerai
encore une fois non seulement la terre,
mais aussi le ciel[u]. » 27 Les mots « encore
une fois » montrent que les choses créées
seront ébranlées et disparaîtront, afin
que seul demeure ce qui est inébranlable.

28 Soyons donc reconnaissants, puisque
nous recevons un *royaume inébranlable. Manifestons cette reconnaissance en
servant Dieu d'une manière qui lui soit
agréable, avec respect et crainte. 29 En effet, notre Dieu est un feu qui détruit[v].

Comment plaire à Dieu

13 1 Continuez à vous aimer les uns
les autres comme des frères.
2 N'oubliez pas de pratiquer l'hospitalité.
En effet, en la pratiquant certains ont accueilli des *anges sans le savoir[w]. 3 Souvenez-vous de ceux qui sont en prison,
comme si vous étiez prisonniers avec eux.
Souvenez-vous de ceux qui sont maltraités, puisque vous avez, vous aussi, un
corps exposé à la souffrance.

4 Que le mariage soit respecté par tous,
que les époux soient fidèles l'un à l'autre.
Dieu jugera les gens immoraux et ceux
qui commettent l'adultère.

5 Votre conduite ne doit pas être déterminée par l'amour de l'argent ; contentez-vous de ce que vous avez, car Dieu a
dit : « Je ne te laisserai pas, je ne t'abandonnerai jamais[x]. » 6 C'est pourquoi nous
pouvons affirmer avec confiance :

---

o **12.15** Deut 29.17, cité d'après l'ancienne version grecque.

p **12.17** *v. 16-17* : voir Gen 25.29-34 ; 27.30-40. – *bien qu'il l'ait cherché en pleurant* ou *bien qu'il se soit efforcé en pleurant d'obtenir la bénédiction*.

q **12.19** *v. 18-19* : voir Ex 19.16-22.

r **12.21** *v. 20* : voir Ex 19.12-13. – *v. 21* : comparer Deut 9.19.

s **12.24** Voir Gen 4.10.

t **12.25** Comparer Ex 20.22.

u **12.26** Ag 2.6, cité d'après l'ancienne version grecque.

v **12.29** Voir Deut 4.24.

w **13.2** Voir Gen 18.1-8 ; 19.1-3. – Nombreux étaient les chrétiens qui voyageaient dans l'empire romain ; sans l'hospitalité exercée par des frères dans la foi, leurs déplacements auraient été rendus difficiles.

x **13.5** Cette parole s'inspire de passages comme Deut 31.6,8 ; Jos 1.5.

« Le Seigneur est celui qui vient à mon
aide,
je n'aurai peur de rien.
Que peuvent me faire les hommes[y] ? »
7 Souvenez-vous de vos anciens dirigeants, qui vous ont annoncé la parole de
Dieu. Pensez à la façon dont ils ont vécu
et sont morts[z], et imitez leur foi. 8 Jésus-
Christ est le même hier, aujourd'hui et
pour toujours. 9 Ne vous laissez pas égarer par toutes sortes de doctrines étrangères. Il est bon d'être fortifié intérieurement par la grâce de Dieu, et non
par des règles relatives à des aliments ;
ceux qui observent de telles règles n'en
ont jamais tiré aucun profit[a].
10 Les *prêtres qui officient dans le
*sanctuaire juif n'ont pas le droit de
manger de ce qui est offert sur notre *autel[b]. 11 Le grand-prêtre juif apporte le
sang des animaux dans le *lieu très saint
afin de l'offrir comme *sacrifice pour le
pardon des péchés ; mais les corps de ces
animaux sont brûlés en dehors du camp[c].
12 C'est pourquoi Jésus aussi est mort en
dehors de la ville[d], afin de *purifier le
peuple par son propre sang. 13 Allons
donc à lui en dehors du camp, en supportant le même mépris que lui. 14 Car nous
n'avons pas ici-bas de cité qui dure toujours ; nous recherchons celle qui est à
venir[e]. 15 Par Jésus, présentons sans cesse
à Dieu notre louange comme sacrifice,
c'est-à-dire l'offrande sortant de lèvres
qui célèbrent son nom. 16 N'oubliez pas
de faire le bien et de vous entraider fra-
ternellement, car ce sont de tels sacrifices
qui plaisent à Dieu.
17 Obéissez à vos dirigeants et soyez-
leur soumis. En effet, ils veillent constamment sur vous, puisqu'ils devront
rendre compte à Dieu. Faites en sorte
qu'ils puissent accomplir leur tâche avec
joie, et non en se plaignant, ce qui ne
vous serait d'aucun profit.
18 Priez pour nous. Nous sommes
convaincus d'avoir une bonne
conscience, car nous désirons bien nous
conduire en toute occasion. 19 Je vous demande très particulièrement de prier
pour que Dieu me permette de retourner
plus vite auprès de vous[f].

Prière

20 Dieu, source de la paix, a ramené
d'entre les morts notre Seigneur Jésus,
devenu le grand *berger des *brebis
grâce au sang de son *sacrifice, qui garantit *l'alliance éternelle. 21 Que ce Dieu
vous rende capables de pratiquer tout ce
qui est bien pour que vous fassiez sa volonté ; qu'il réalise en nous, ce qui lui est
agréable, par Jésus-Christ, à qui soit la
*gloire pour toujours ! *Amen.

Conclusions et salutations

22 Frères, je vous le recommande :
écoutez avec patience ces paroles d'encouragement. D'ailleurs, ce que je vous ai
écrit n'est pas très long. 23 Je tiens à vous
faire savoir que notre frère Timothée[g] a
été libéré. S'il arrive assez tôt, j'irai vous
voir avec lui.
24 Saluez tous vos dirigeants et tous
ceux qui appartiennent au peuple de
Dieu. Les frères d'Italie[h] vous adressent
leurs salutations.
25 Que la grâce de Dieu soit avec vous
tous.

---

y **13.6** Ps 118.6, cité d'après l'ancienne version grecque.

z **13.7** *et sont morts* : certains pensent qu'il est fait allusion ici au martyre dont ces *dirigeants* ont été les victimes. Comparer 10.32-33.

a **13.9** Comparer Rom 14.2-23 ; 1 Cor 8.8 ; Col 2.16-22 ; 1 Tim 4.3.

b **13.10** Certains voient ici une allusion à l'eucharistie ou sainte Cène ; mais il s'agit plus probablement soit de *l'autel* du sanctuaire céleste (comparer 9.11-14), soit du sacrifice du Christ sur la croix (13.11-12).

c **13.11** Voir Lév 16.27.

d **13.12** Voir Jean 19.17,20.

e **13.14** Comparer 11.10,16.

f **13.19** L'auteur est retenu par des circonstances qu'il ne précise pas ; rien ne permet donc d'affirmer qu'il ait été en prison.

g **13.23** Voir Act 16.1.

h **13.24** Les *frères d'Italie* sont soit des personnes résidant en Italie soit un groupe d'Italiens habitant une des provinces de l'empire romain.

Lettre de
Jacques

Introduction – *La* lettre de Jacques *contient une série de directives pratiques adressées « à l'ensemble du peuple de Dieu dispersé dans le monde » (1.1). Dans un langage vivant et énergique, aux images frappantes, Jacques (en qui certains voient le frère du Seigneur) écrit aux chrétiens pour dénoncer la façon dont ils se comportent tant dans leurs relations mutuelles que vis-à-vis des non-chrétiens.*

Les sujets traités se succèdent sans qu'on puisse dresser un plan général nettement articulé. Jacques évoque tout d'abord la sagesse : elle vient de Dieu et doit lui être demandée avec une foi entière (1.2-8). Après quoi ses instructions concernent successivement la pauvreté et la richesse, les épreuves et les tentations, la vraie religion, qui doit se traduire par des actes (1.9-27). L'auteur s'en prend vigoureusement ensuite à toute discrimination dans la communauté (2.1-13), puis aborde ce qu'on peut considérer comme le thème fondamental de sa lettre : la relation entre la foi et les actes (2.14-26). Dans un passage plein de comparaisons expressives, il dénonce les maux commis par la langue (3.1-12). Il revient ensuite au thème de la véritable sagesse (3.13-18). Il réprimande sévèrement les gens qui causent des disputes, qui sont amis du monde, qui s'arrogent le droit de juger leurs frères, et il attaque les riches qui exploitent leurs ouvriers (4.1–5.6). En terminant, il recommande la patience, la prière persévérante et l'entraide spirituelle (5.7-20).

L'exigence posée par cette sorte de lettre circulaire aux chrétiens est claire : il ne suffit pas de croire théoriquement à la Bonne Nouvelle de Jésus ; il faut que la foi s'exprime dans un comportement particulier, car « la foi sans les actes est morte » (2.26).

Salutation

1 [1] De la part de Jacques, serviteur de
Dieu et du Seigneur Jésus-Christ.
J'adresse mes salutations à l'ensemble du
peuple de Dieu dispersé dans le monde
entier[a].

Foi et sagesse

[2] Mes frères, considérez-vous comme
très heureux quand vous avez à passer par
toutes sortes d'épreuves ; [3] car, vous le savez, si votre foi résiste à l'épreuve, celle-ci
produit la persévérance. [4] Mais veillez à
ce que votre persévérance se manifeste
pleinement, afin que vous soyez parfaits,
sans défaut, qu'il ne vous manque rien.
[5] Cependant, si l'un de vous manque de
sagesse, qu'il la demande à Dieu, qui la
lui donnera[b] ; car Dieu donne à tous généreusement et avec bienveillance. [6] Mais
il faut qu'il demande avec foi, sans dou-

---

a 1.1 *Jacques* : voir Matt 13.55 ; Marc 6.3 ; Act 15.13 ; Gal 1.19. – *à l'ensemble du peuple de Dieu dispersé* ou *aux douze tribus dispersées* : Jacques s'adresse à des chrétiens d'origine juive vivant hors de la Palestine, ou bien *les douze tribus* représentent *l'ensemble du peuple de Dieu*, les chrétiens en général.

b 1.5 Comparer Prov 2.3-6.

ter ; car celui qui doute est semblable à une vague de la mer, que le vent soulève et pousse d'un côté ou de l'autre. 7 Un tel homme ne doit pas s'imaginer qu'il recevra quelque chose du Seigneur, 8 car il est indécis et incertain dans tout ce qu'il entreprend.

La pauvreté et la richesse

9 Que le frère pauvre se réjouisse de ce que Dieu l'élève, 10 et le frère riche de ce que Dieu l'abaisse. En effet, le riche passera comme la fleur d'une plante sauvage. 11 Le soleil se lève, sa chaleur brûlante dessèche la plante ; sa fleur tombe et sa beauté disparaît[c]. De même, le riche disparaîtra au milieu de ses activités.

Épreuves et tentations

12 Heureux est l'homme qui demeure ferme dans l'épreuve ; car après avoir prouvé sa fermeté, il recevra la *couronne de victoire, la vie éternelle que Dieu a promise à ceux qui l'aiment. 13 Si quelqu'un est tenté, qu'il ne dise pas : « C'est Dieu qui me tente. » Car Dieu ne peut pas être tenté de mal faire, et il ne tente lui-même personne. 14 En réalité, tout être humain est tenté quand il se laisse entraîner et prendre au piège par ses propres désirs ; 15 ensuite, tout mauvais désir conçoit et donne naissance au péché ; et quand le péché est pleinement développé, il engendre la mort. 16 Ne vous y trompez pas, mes chers frères : 17 tout don excellent et tout cadeau parfait descendent du *ciel ; ils viennent de Dieu, le créateur des lumières célestes. Et Dieu ne change pas, il ne produit pas d'ombre par des variations de position. 18 Il a voulu lui-même nous donner la vie par sa Parole, qui est la vérité, afin que nous soyons au premier rang de toutes ses créatures.

Écouter et agir

19 Rappelez-vous bien ceci, mes chers frères : chacun doit être prompt à écouter, mais lent à parler et lent à se mettre en colère[d] ; 20 car un homme en colère n'accomplit pas ce qui est juste aux yeux de Dieu. 21 C'est pourquoi, rejetez tout ce qui salit et tous les excès dus à la méchanceté. Accueillez avec humilité la parole que Dieu plante dans votre cœur, car elle a le pouvoir de vous sauver.

22 Ne vous faites pas des illusions sur vous-mêmes en vous contentant d'écouter la parole de Dieu ; mettez-la réellement en pratique. 23 Car celui qui écoute la parole sans la mettre en pratique ressemble à un homme qui se regarde dans un miroir et se voit tel qu'il est. 24 Après s'être regardé, il s'en va et oublie aussitôt comment il est. 25 En revanche, il y a celui qui examine attentivement la loi parfaite qui nous procure la liberté, et il s'y attache fidèlement ; il ne se contente pas de l'écouter pour l'oublier ensuite, mais il la met en pratique. Eh bien, celui-là sera *béni dans tout ce qu'il fait.

26 Si quelqu'un croit être religieux et ne sait pas maîtriser sa langue, il se trompe lui-même : sa religion ne vaut rien. 27 Voici ce que Dieu, le Père, considère comme la religion *pure et authentique : prendre soin des orphelins et des veuves dans leur détresse[e], et se garder de toute tache due à l'influence de ce monde.

Ne pas agir avec partialité

2 1 Mes frères, vous qui mettez votre foi en notre glorieux Seigneur Jésus-Christ, vous ne devez pas en même temps agir avec partialité à l'égard des autres[f]. 2 Supposez ceci : un homme riche portant un anneau d'or et des vêtements magnifiques entre dans votre assemblée ; un pauvre homme, aux vêtements usés, y entre aussi. 3 Vous manifestez alors un respect particulier pour l'homme magnifiquement vêtu et vous lui dites : « Veuillez vous asseoir ici, à cette place d'honneur » ; mais vous dites au pauvre : « Toi, reste debout, ou assieds-toi là, par terre, à mes pieds ». 4 Si tel est le cas, vous faites des distinctions entre vous et vous

c **1.11** *v. 10-11* : allusion à És 40.6-7, d'après l'ancienne version grecque. – *sa chaleur brûlante* : autre traduction *le vent du Sud*.

d **1.19** *Rappelez-vous... chacun* : certains manuscrits ont *Par conséquent, mes chers frères, chacun... – lent à se mettre en colère* : comparer Eccl 7.9.

e **1.27** Comparer És 1.17.

f **2.1** Comparer Job 34.19.

portez des jugements fondés sur de mauvaises raisons.
5 Écoutez, mes chers frères : Dieu a
choisi ceux qui sont pauvres aux yeux du
monde pour qu'ils deviennent riches
dans la foi et reçoivent le *Royaume qu'il
a promis à ceux qui l'aiment. 6 Mais vous,
vous méprisez le pauvre ! Ceux qui vous
oppriment et vous traînent devant les tribunaux, ce sont les riches, n'est-ce pas ?
7 Ce sont eux qui font insulte au beau
nom qui vous a été donné[g].
8 Certes, vous faites bien si vous accomplissez la loi du Royaume, telle que
l'Écriture la présente : « Tu dois aimer
ton prochain comme toi-même[h]. » 9 Mais
si vous agissez avec partialité, vous
commettez un péché et la loi vous
condamne parce que vous lui désobéissez. 10 Car si quelqu'un pèche contre un
seul commandement de la loi, tout en observant les autres, il se rend coupable à
l'égard de tous. 11 En effet, celui-là même
qui a dit : « Ne commets pas d'adultère »,
a dit aussi : « Ne commets pas de meurtre[i]. » Par conséquent, si tu ne commets
pas d'adultère, mais que tu commettes un
meurtre, tu désobéis à la loi. 12 Parlez et
agissez donc en hommes destinés à être
jugés par la loi qui procure la liberté.
13 En effet, Dieu sera sans pitié quand il
jugera celui qui n'aura pas eu pitié des
autres ; mais celui qui fait preuve de pitié
n'a plus rien à craindre du jugement.

La foi et les actes

14 Mes frères, à quoi cela sert-il à
quelqu'un de dire : « J'ai la foi », s'il ne le
prouve pas par ses actes ? Cette foi peut-
elle le sauver ? 15 Supposez qu'un frère ou
une sœur n'aient pas de quoi se vêtir ni
de quoi manger chaque jour. 16 A quoi
cela sert-il que vous leur disiez : « Au revoir, portez-vous bien ; habillez-vous
chaudement et mangez à votre faim ! », si
vous ne leur donnez pas ce qui est nécessaire pour vivre ? 17 Il en est ainsi de la
foi : si elle ne se manifeste pas par des actes, elle n'est qu'une chose morte.
18 Quelqu'un dira peut-être : « Il y en a
qui ont la foi, d'autres les actes ». Alors je
lui répondrai : « Montre-moi comment
ta foi peut exister sans actes ! Quant à
moi je te prouverai ma foi par mes actes. » 19 Tu crois qu'il y a un seul Dieu ?
Très bien. Les démons le croient aussi et
ils tremblent de peur[j]. 20 Insensé que tu
es ! Veux-tu avoir la preuve que la foi
sans les actes est inutile[k] ? 21 Comment
Abraham, notre ancêtre, a-t-il été reconnu comme juste par Dieu ? A cause
de ses actes, parce qu'il a offert son fils
Isaac sur *l'autel[l]. 22 Tu le vois, sa foi et
ses actes agissaient ensemble : sa foi est
parvenue à la perfection en raison des
actes qui l'accompagnaient. 23 Ainsi s'est
réalisé ce que dit l'Écriture : « Abraham
eut confiance en Dieu, et Dieu le considéra comme juste en tenant compte de
sa foi. » Et Dieu l'appela son ami[m].
24 Vous le voyez donc, un être humain est
reconnu comme juste par Dieu à cause
de ses actes et non pas uniquement à
cause de sa foi.
25 Il en fut de même pour Rahab la
prostituée. Elle fut reconnue comme
juste par Dieu à cause de ses actes, car elle
avait accueilli les messagers israélites et
les avait fait partir par un autre chemin[n].
26 En effet, de même que le corps sans le
souffle de vie est mort, de même la foi
sans les actes est morte.

La langue

3 1 Mes frères, ne soyez pas nombreux à
vouloir être des enseignants, car vous
savez que nous qui enseignons, nous serons jugés plus sévèrement que les autres.
2 Nous commettons tous des erreurs, de
bien des manières. Si quelqu'un ne
commet jamais d'erreur dans ce qu'il dit,

---

g 2.7 *au beau nom qui vous a été donné* : autre traduction *au bon nom* (celui du Seigneur Jésus) *qu'on invoque sur vous* (allusion probable au baptême).

h 2.8 *la loi du Royaume* (de Dieu) : autre traduction *la loi royale*, c'est-à-dire la loi qui est au-dessus des autres lois. – *Tu dois aimer... toi-même* : Lév 19.18.

i 2.11 Voir Ex 20.14 et Deut 5.18 ; Ex 20.13 et Deut 5.17.

j 2.19 *démons* : voir 1 Tim 4.1 et la note. – *le croient aussi...* : comparer Matt 8.29 ; Marc 1.24 ; 5.7 ; Luc 4.34.

k 2.20 *inutile* : certains manuscrit ont *morte*.

l 2.21 Voir Gen 22.9.

m 2.23 *Abraham... foi* : Gen 15.6. – *son ami* : voir És 41.8 ; 2 Chron 20.7.

n 2.25 Voir Jos 2.1-21.

c'est un homme parfait, capable de maîtriser tout son être. 3 Nous mettons un
mors dans la bouche des chevaux pour
qu'ils nous obéissent, et nous pouvons
ainsi diriger leur corps tout entier. 4 Ou
bien, pensez aux navires : même s'ils sont
très grands et que des vents violents les
poussent, on les dirige avec un très petit
gouvernail, et ils vont là où le pilote le
veut. 5 De même, la langue est une très
petite partie du corps, mais elle peut se
vanter d'être la cause d'effets considérables.

Pensez au petit feu qui suffit à mettre
en flammes une grande forêt ! 6 Eh bien,
la langue est pareille à un feu. C'est un
monde de mal installé dans notre corps,
elle infecte notre être entier. Elle enflamme tout le cours de notre existence
d'un feu provenant de *l'enfer même.
7 L'être humain est capable de dompter
toute espèce de bêtes sauvages, d'oiseaux, de reptiles et de poissons, et, en
fait, il les a domptés. 8 Mais personne n'a
jamais pu dompter la langue : elle est
mauvaise et sans cesse en mouvement,
elle est pleine d'un poison mortel.
9 Nous l'utilisons pour louer le Seigneur,
notre Père, mais aussi pour maudire les
êtres humains que Dieu a créés à sa ressemblance[o]. 10 Des paroles de louange ou
de malédiction sortent de la même bouche. Mes frères, il ne faut pas qu'il en
soit ainsi. 11 Aucune source ne donne par
la même ouverture de l'eau douce et de
l'eau amère. 12 Aucun figuier, mes frères,
ne peut produire des olives, aucune vigne ne peut produire des figues ; une
source d'eau salée[p] ne peut pas donner
de l'eau douce.

La sagesse qui vient d'en haut

13 Quelqu'un parmi vous pense-t-il être
sage et intelligent ? Qu'il le prouve par sa
bonne conduite, par des actes accomplis
avec humilité et sagesse. 14 Mais si vous
avez le cœur plein d'une jalousie amère et
d'esprit de rivalité, cessez de vous vanter
d'être sages, en faussant ainsi la vérité.
15 Une telle sagesse ne descend pas du
*ciel ; elle est terrestre, trop humaine,
diabolique même. 16 Car là où règnent jalousie et esprit de rivalité, il y a aussi le
désordre et toute espèce de mal. 17 Mais la
sagesse d'en haut est *pure, tout d'abord ;
ensuite, elle est pacifique, douce et raisonnable ; elle est riche en bonté et en actions bonnes ; elle est sans parti pris et
sans hypocrisie. 18 Ceux qui créent la paix
autour d'eux sèment dans la paix et la récolte qu'ils obtiennent, c'est une vie
juste.

L'amitié pour le monde

4 1 D'où viennent les conflits et les querelles parmi vous ? Ils viennent de
vos passions qui combattent sans cesse
au-dedans de vous. 2 Vous désirez quelque chose, mais vous ne pouvez pas
l'avoir, et alors vous êtes prêts à tuer ;
vous avez envie de quelque chose, mais
vous ne pouvez pas l'obtenir, et alors
vous vous lancez dans des querelles et des
conflits. Vous n'avez pas ce que vous voulez, parce que vous ne savez pas le demander à Dieu. 3 Et si vous demandez,
vous ne recevez pas, parce que vos intentions sont mauvaises : vous voulez tout
gaspiller pour vos plaisirs. 4 Infidèles que
vous êtes ! Ne savez-vous pas qu'être ami
du monde, c'est être ennemi de Dieu ?
Celui qui veut être ami du monde se rend
donc ennemi de Dieu. 5 Ne pensez pas
que ce soit pour rien que l'Écriture déclare : « Dieu réclame avec ardeur l'esprit
qu'il a mis en nous[q]. » 6 Cependant, la
grâce que Dieu nous accorde est supérieure, car il est dit aussi : « Dieu s'oppose
aux orgueilleux, mais il traite les humbles avec bonté[r]. » 7 Soumettez-vous donc
à Dieu ; résistez au *diable et il fuira loin
de vous. 8 Approchez-vous de Dieu et il
s'approchera de vous[s]. Nettoyez vos
mains, pécheurs ; *purifiez vos cœurs,
gens indécis ! 9 Soyez conscients de votre

---

o **3.9** Voir Gen 1.26-27.

p **3.12** *une source d'eau salée* : certains manuscrits ont *de même, une source d'eau salée*.

q **4.5** *Dieu... en nous* : autre traduction *L'Esprit que Dieu a fait habiter en nous a des désirs ardents*. Ce texte ne figure ni dans l'Ancien ni dans le Nouveau Testament.

r **4.6** Prov 3.34, cité d'après l'ancienne version grecque.

s **4.8** Comparer Zach 1.3 ; Mal 3.7.

misère, pleurez et lamentez-vous ; que votre rire se change en pleurs, et votre joie en tristesse. 10 Abaissez-vous devant le Seigneur et il vous élèvera.

Ne pas juger un frère

11 Frères, ne dites pas de mal les uns des autres. Celui qui dit du mal de son frère ou qui le juge, dit du mal de la loi de Dieu et la juge. Dans ce cas, tu te fais le juge de la loi au lieu de la pratiquer. 12 Or, c'est Dieu seul qui donne la loi et qui peut juger ; lui seul peut à la fois sauver et faire périr. Pour qui te prends-tu donc, toi qui juges ton prochain ?

Ne pas être orgueilleux

13 Écoutez-moi, maintenant, vous qui dites : « Aujourd'hui ou demain nous irons dans telle ville, nous y passerons une année, nous ferons du commerce et nous gagnerons de l'argent. » 14 Eh bien, vous ne savez pas ce que votre vie sera demain[t] ! Vous êtes, en effet, comme un léger brouillard qui apparaît pour un instant et disparaît ensuite. 15 Voici bien plutôt ce que vous devriez dire : « Si le Seigneur le veut, nous vivrons et nous ferons ceci ou cela. » 16 Mais, en réalité, vous êtes orgueilleux et prétentieux. Tout orgueil de ce genre est mauvais. 17 Si donc quelqu'un sait comment faire le bien et ne le fait pas, il se rend coupable de péché.

Avertissement aux riches

5 1 Et maintenant écoutez-moi, vous les riches ! Pleurez et gémissez à cause des malheurs qui vont s'abattre sur vous ! 2 Vos richesses sont pourries et vos vêtements sont rongés par les vers. 3 Votre or et votre argent sont couverts de rouille[u], une rouille qui servira de témoignage contre vous ; elle dévorera votre chair comme un feu. Vous avez amassé des trésors à la fin des temps. 4 Vous avez refusé de payer le salaire des ouvriers qui travaillent dans vos champs[v]. C'est une injustice criante ! Les plaintes de ceux qui rentrent vos récoltes sont parvenues jusqu'aux oreilles de Dieu, le Seigneur de l'univers. 5 Vous avez vécu sur la terre dans le luxe et les plaisirs. Vous vous êtes engraissés comme des bêtes pour le jour de la boucherie. 6 Vous avez condamné et mis à mort des innocents ; ils ne vous résistent pas[w].

Patience et prière

7 Prenez donc patience, frères, jusqu'à ce que le Seigneur vienne. Voyez comment le cultivateur prend patience en attendant que la terre produise de précieuses récoltes : il sait que les pluies d'automne et de printemps doivent d'abord tomber[x]. 8 Prenez patience, vous aussi ; soyez pleins de courage, car la venue du Seigneur est proche.

9 Ne vous plaignez pas les uns des autres, frères, sinon Dieu vous jugera. Le juge est proche, il est prêt à entrer ! 10 Frères, souvenez-vous des *prophètes qui ont parlé au nom du Seigneur : prenez-les comme modèles de patience fidèle dans la souffrance. 11 Nous les déclarons heureux parce qu'ils ont tenu bon. Vous avez entendu parler de la longue patience de Job, et vous savez ce que le Seigneur lui a accordé à la fin. En effet, le Seigneur est plein de compassion et de bienveillance[y].

12 Surtout, mes frères, ne faites pas de serment : n'en faites ni par le *ciel, ni par la terre, ni d'aucune autre façon. Dites simplement « oui » si c'est oui, et « non » si c'est non, afin que vous ne tombiez pas sous le jugement de Dieu[z].

13 Quelqu'un parmi vous est-il dans la souffrance ? Qu'il prie. Quelqu'un est-il heureux ? Qu'il chante des louanges. 14 L'un de vous est-il malade ? Qu'il appelle les *anciens de l'Église ; ceux-ci prieront pour lui et verseront quelques gouttes d'huile sur sa tête au nom du Seigneur[a]. 15 Une telle prière, faite avec foi, sauvera le malade : le Seigneur le remettra debout, et les péchés qu'il a commis

---

t **4.14** *v. 13-14* : comparer Prov 27.1.
u **5.3** *v. 2-3* : comparer Matt 6.19.
v **5.4** Comparer Lév 19.13 ; Deut 24.14-15.
w **5.6** *des innocents ; ils ne vous résistent pas* : autre traduction *des innocents. Dieu ne vous résistera-t-il pas ?*
x **5.7** Comparer Deut 11.14 ; Joël 2.23.
y **5.11** *Job* : voir Job 1.20-22 ; 2.10 ; 42.10-17. – *le Seigneur... bienveillance* : comparer Ps 103.8.
z **5.12** Comparer Matt 5.34-37.
a **5.14** Comparer Marc 6.13.

lui seront pardonnés. [16] Confessez donc
vos péchés les uns aux autres, et priez les
uns pour les autres, afin d'être guéris. La
prière fervente d'une personne juste a
une grande efficacité. [17] *Élie était un
homme semblable à nous : il pria avec ardeur pour qu'il ne pleuve pas, et il ne
tomba pas de pluie sur la terre pendant
trois ans et demi. [18] Puis il pria de nouveau ; alors le ciel donna de la pluie et la
terre produisit ses récoltes[b].

[19] Mes frères, si l'un de vous s'est éloigné de la vérité et qu'un autre l'y ramène,
[20] rappelez-vous ceci : celui qui ramène
un pécheur du chemin où il s'égarait le
sauvera de la mort et obtiendra le pardon
d'un grand nombre de péchés[c].

b 5.18 *v. 17-18* : voir 1 Rois 17.1 ; 18.1 ; 18.42-45.
c 5.20 *obtiendra... péchés* : comparer Prov 10.12 ; 1 Pi 4.8.

Première lettre de
Pierre

Introduction – *La* première lettre de Pierre *est adressée à des chrétiens dispersés dans cinq régions du nord et de l'est de l'Asie Mineure (la Turquie d'Asie d'aujourd'hui). Les communautés dont ils font partie ont été fondées par Paul ou par ses compagnons. L'auteur leur écrit vraisemblablement de Rome (qu'il désigne sous le nom de « Babylone » en 5.13). Les allusions qu'il fait à leur situation montrent qu'ils étaient méprisés et accusés de divers méfaits par leurs voisins païens, et qu'ils étaient menacés de persécution. C'est pourquoi l'apôtre s'efforce de renouveler leur courage en ramenant leur regard sur la personne de Jésus-Christ, dont ils partagent maintenant les souffrances.*

Dans une prière de louange, qui succède à la salutation, Pierre rappelle à ses lecteurs comment Dieu les a sauvés et leur a donné une espérance vivante par la mort et la résurrection de Jésus-Christ (1.3-12). Il les encourage à être vigilants et à vivre d'une vie sainte, dans la communion avec le Christ (1.13–2.10). S'inspirant de l'exemple du Christ, ils doivent manifester leur fidélité à sa parole par leur comportement et par leur attitude face à l'épreuve. Des conseils pratiques leur sont donnés au sujet de leurs devoirs civiques, des relations entre serviteurs et maîtres, du respect mutuel des époux, de la vie communautaire et de la conduite à adopter vis-à-vis des païens (2.11–4.19). Au chapitre 5 l'auteur formule encore quelques recommandations à l'intention des anciens (ou responsables de la communauté), des jeunes gens et de tous les croyants : qu'ils demeurent tous fermes au milieu de la souffrance, en comptant sur les promesses de Dieu ! La lettre s'achève par quelques salutations.

Si les lecteurs de cette lettre sont appelés à persévérer dans la foi malgré les difficultés, c'est surtout à cause du témoignage qu'ils doivent rendre dans le monde : il faut que toute leur vie, toute leur conduite, tende à « proclamer les œuvres magnifiques de Dieu » (2.9), pour amener les non-chrétiens à « reconnaître leurs bonnes actions et à louer Dieu le jour où il viendra » (2.12).

Salutation

1 1 De la part de Pierre, *apôtre de
Jésus-Christ.
A ceux que Dieu a choisis et qui vivent
en exilés, dispersés dans les provinces du
Pont, de la Galatie, de la Cappadoce, de
l'Asie et de la Bithynie[a]. 2 Dieu, le Père,
vous a choisis conformément au plan
qu'il a établi d'avance; il vous a mis à
part, grâce à l'Esprit Saint, pour que vous
obéissiez à Jésus-Christ et que vous soyez
*purifiés par son sang[b].
Que la grâce et la paix vous soient accordées avec abondance.

Une espérance vivante

3 Louons Dieu, le Père de notre Seigneur Jésus-Christ! Dans sa grande
bonté, il nous a fait naître à une vie nouvelle en relevant Jésus-Christ d'entre les
morts. Nous avons ainsi une espérance
vivante, 4 en attendant les biens que Dieu
réserve aux siens. Ce sont des biens qui
ne peuvent ni disparaître, ni être salis, ni
perdre leur éclat. Dieu vous les réserve
dans les *cieux, 5 à vous que sa puissance
garde par la foi en vue du salut, prêt à se
manifester à la fin des temps.
6 Vous vous en réjouissez, même s'il
faut que, maintenant, vous soyez attristés
pour un peu de temps par toutes sortes
d'épreuves. 7 L'or lui-même, qui est périssable, est pourtant éprouvé par le feu;
de même votre foi, beaucoup plus précieuse que l'or, est mise à l'épreuve afin
de prouver sa valeur. C'est ainsi que vous
pourrez recevoir louange, *gloire et honneur[c] quand Jésus-Christ apparaîtra.
8 Vous l'aimez, bien que vous ne l'ayez
pas vu; vous croyez en lui, bien que vous
ne le voyiez pas encore[d]; c'est pourquoi
vous vous réjouissez d'une joie glorieuse,
inexprimable, 9 car vous atteignez le but
de votre foi: le salut de votre être.
10 Les *prophètes ont fait des recherches et des investigations au sujet de ce
salut, et ils ont prophétisé à propos du
don que Dieu vous destinait. 11 Ils s'effor-
çaient de découvrir à quelle époque et à
quelles circonstances se rapportaient les
indications données par l'Esprit du
Christ; car cet Esprit, présent en eux, annonçait d'avance les souffrances que le
Christ devait subir et la gloire qui serait
la sienne ensuite[e]. 12 Dieu révéla aux prophètes que le message dont ils étaient
chargés n'était pas pour eux-mêmes, mais
pour vous. Ce message vous a été
communiqué maintenant par les prédica-
teurs de la Bonne Nouvelle, qui en ont
parlé avec la puissance du Saint-Esprit
envoyé du ciel. Et les *anges eux-mêmes
désirent le connaître.

Appel à vivre saintement

13 C'est pourquoi, tenez-vous prêts à
agir, gardez votre esprit en éveil. Mettez
toute votre espérance dans le don qui
vous sera accordé quand Jésus-Christ apparaîtra. 14 Obéissez à Dieu et ne vous
conformez pas aux désirs que vous aviez
autrefois, quand vous étiez encore ignorants. 15 Mais soyez saints dans toute votre conduite, tout comme Dieu qui vous
a appelés est saint. 16 En effet, l'Écriture
déclare: «Soyez saints, car je suis
saint[f].»
17 Dans vos prières, vous donnez le
nom de Père à Dieu qui juge tous les
hommes avec impartialité, selon ce que
chacun a fait; c'est pourquoi, durant le
temps qu'il vous reste à passer sur la
terre, que votre conduite témoigne du
respect que vous avez pour lui. 18 Vous savez, en effet, à quel prix vous avez été délivrés de la manière de vivre insensée que
vos ancêtres vous avaient transmise. Ce
ne fut pas au moyen de choses péris-
sables, comme l'argent ou l'or; 19 non,
vous avez été délivrés par le sang pré-

a **1.1** *dispersés*: le terme correspondant, dans le texte original, désignait habituellement les Juifs vivant hors de Palestine; il est appliqué ici aux chrétiens dispersés dans le monde (comparer Jacq 1.1 et la note). – *Pont... Bithynie*: cinq provinces romaines d'Asie Mineure (Turquie d'Asie actuelle).

b **1.2** Les effets de la mort du Christ sont décrits ici à l'aide du vocabulaire sacrificiel de l'Ancien Testament. Voir Ex 24.3-8; Lév 16.14-15.

c **1.7** *vous pourrez recevoir louange... honneur*: autre traduction *ce sera une raison de louer, glorifier et honorer Dieu*.

d **1.8** Comparer Jean 20.29.

e **1.11** Voir Ps 22; És 53; Luc 24.25-26.

f **1.16** Lév 19.2.

cieux du Christ[g], *sacrifié comme un
agneau sans défaut et sans tache. 20 Dieu
l'avait destiné à cela avant la création du
monde, et il l'a manifesté pour votre bien
dans ces temps qui sont les derniers.
21 Par lui vous croyez en Dieu qui l'a ramené d'entre les morts et lui a donné la
*gloire ; ainsi vous placez votre foi et vo-
tre espérance en Dieu.

22 Vous vous êtes *purifiés en obéissant
à la vérité, pour vous aimer sincèrement
comme des frères. Aimez-vous donc ar-
demment les uns les autres, d'un cœur
pur[h]. 23 En effet, vous êtes nés de nouveau, non de pères mortels, mais grâce à
une semence immortelle, grâce à la parole vivante et éternelle de Dieu. 24 Car il
est écrit :

« Tous les humains sont comme l'herbe
et toute leur gloire comme la fleur des
champs ;
l'herbe sèche et la fleur tombe,
25 mais la parole du Seigneur demeure
pour toujours[i]. »

Or, cette parole est celle de la Bonne
Nouvelle qui vous a été annoncée.

La pierre vivante et le peuple saint

2 1 Rejetez donc toute forme de méchanceté, tout mensonge, ainsi que
l'hypocrisie, la jalousie et les médisances.
2 Comme des enfants nouveau-nés, désirez le lait spirituel et pur, afin qu'en le
buvant vous grandissiez et parveniez au
salut. 3 En effet, « vous avez constaté
combien le Seigneur est bon[j]. »
4 Approchez-vous du Seigneur, la
pierre vivante rejetée par les hommes,
mais choisie et jugée précieuse par Dieu.
5 Prenez place vous aussi, comme des
pierres vivantes, dans la construction du
*temple spirituel. Vous y formerez un
groupe de *prêtres consacrés à Dieu,
vous lui offrirez des *sacrifices spirituels, qui lui seront agréables par Jésus-
Christ. 6 Car voici ce qui est dit dans
l'Écriture :

« J'ai choisi une précieuse pierre
que je vais placer comme pierre d'angle en *Sion ;
et celui qui lui fait confiance ne sera jamais déçu. »

7 Cette pierre est d'une grande valeur
pour vous les croyants ; mais pour les incroyants

« La pierre que les bâtisseurs avaient
rejetée
est devenue la pierre principale. »

8 Et ailleurs, il est dit encore :

« C'est une pierre qui fait trébucher,
un rocher qui fait tomber[k]. »

Ces gens ont trébuché parce qu'ils ont refusé d'obéir à la parole de Dieu, et c'est à
cela qu'ils étaient destinés.

9 Mais vous, vous êtes la race choisie,
les prêtres du Roi, la nation sainte, le
peuple qui appartient à Dieu. Il vous
a appelés à passer de l'obscurité à sa
merveilleuse lumière, afin que vous
proclamiez ses œuvres magnifiques[l].
10 Autrefois, vous n'étiez pas le peuple de
Dieu, mais maintenant vous êtes son
peuple ; autrefois, vous étiez privés de la
compassion de Dieu, mais maintenant
elle vous a été accordée[m].

Vivre en serviteurs de Dieu

11 Je vous le demande, mes chers amis,
vous qui êtes étrangers et exilés sur la
terre : gardez-vous des passions humaines qui font la guerre à votre être. 12 Ayez
une bonne conduite parmi les païens ;
ainsi, même s'ils médisent de vous en
vous traitant de malfaiteurs, ils seront
obligés de reconnaître vos bonnes actions
et de louer Dieu le jour où il viendra.

13 Soyez soumis, à cause du Seigneur, à
toute autorité humaine : à l'empereur,
qui a le pouvoir suprême, 14 et aux gouverneurs, envoyés par lui pour punir les
malfaiteurs et féliciter ceux qui font le

---

g **1.19** *le sang précieux du Christ* : comparer Col 1.20 et la note.

h **1.22** *en obéissant à la vérité* : certains manuscrits ajoutent *par l'Esprit*. – *d'un cœur pur* : certains manuscrits ont *de tout votre cœur*.

i **1.25** *v. 24-25* : És 40.6-8, cité d'après l'ancienne version grecque.

j **2.3** Ps 34.9.

k **2.8** *v. 6* : És 28.16, cité d'après l'ancienne version grecque. – *v. 7* : Ps 118.22. – *v. 8* : És 8.14.

l **2.9** Voir Ex 19.5-6 ; És 43.20 ; Ex 19.5 ; Deut 4.20 ; 7.6 ; És 43.21 ; 9.1.

m **2.10** Voir Osée 1.6,9 ; 2.1,23,25.

bien[n]. 15 En effet, ce que Dieu veut, c'est que vous pratiquiez le bien pour réduire au silence les hommes ignorants et déraisonnables. 16 Conduisez-vous comme des gens libres ; cependant, n'utilisez pas votre liberté comme un voile pour couvrir le mal, mais agissez en serviteurs de Dieu. 17 Respectez tous les êtres humains, aimez vos frères en la foi, adorez Dieu, respectez l'empereur.

L'exemple des souffrances du Christ

18 Serviteurs, soyez soumis à vos maîtres avec un entier respect, non seulement à ceux qui sont bons et bien disposés, mais aussi à ceux qui sont pénibles. 19 En effet, c'est un bien de supporter, par obéissance à Dieu, les peines que l'on souffre injustement. 20 Car quel mérite y a-t-il à supporter les coups si vous les recevez pour avoir commis une faute ? Mais si vous avez à souffrir après avoir bien agi et que vous le supportez, c'est un bien aux yeux de Dieu. 21 C'est à cela qu'il vous a appelés, car le Christ lui-même a souffert pour vous ; il vous a laissé un exemple afin que vous suiviez ses traces. 22 Il n'a pas commis de péché ; aucun mensonge n'est jamais sorti de sa bouche[o]. 23 Quand on l'a insulté, il n'a pas répondu par l'insulte ; quand on l'a fait souffrir, il n'a pas formulé de menaces, mais il s'en est remis à Dieu qui juge avec justice. 24 Dans son propre corps, il a porté nos péchés sur la croix, afin que nous mourions au péché et que nous vivions d'une vie juste. C'est par ses blessures que vous avez été guéris. 25 Car vous étiez comme des moutons égarés[p], mais maintenant vous avez été ramenés à celui qui est votre *berger et qui veille sur vous.

Femmes et maris

3 1 Vous de même, femmes, soyez soumises à vos maris[q], afin que si quelques-uns d'entre eux ne croient pas à la parole de Dieu, ils soient gagnés à la foi par votre conduite. Des paroles ne seront même pas nécessaires : 2 il leur suffira de voir combien votre conduite est *pure et respectueuse. 3 Ne cherchez pas à vous rendre belles par des moyens extérieurs, comme la façon d'arranger vos cheveux, les bijoux d'or ou les vêtements élégants[r]. 4 Recherchez plutôt la beauté de l'être intérieur, la parure impérissable d'un esprit doux et paisible, qui est d'une grande valeur aux yeux de Dieu. 5 Telle était la parure des femmes pieuses d'autrefois, qui espéraient en Dieu. Elles étaient soumises à leurs maris, 6 comme, par exemple, Sara qui obéissait à Abraham et l'appelait « Mon maître[s] ». Vous êtes vraiment ses filles si vous faites le bien en ne vous laissant effrayer par rien.

7 Vous de même, maris, vivez avec vos femmes en tenant compte de leur nature plus délicate ; traitez-les avec respect[t], car elles doivent recevoir avec vous le don de la vraie vie de la part de Dieu. Agissez ainsi afin que rien ne fasse obstacle à vos prières.

Souffrir en faisant ce qui est juste

8 Enfin, ayez tous les mêmes dispositions et les mêmes sentiments ; aimez-vous comme des frères, soyez bienveillants et humbles les uns à l'égard des autres. 9 Ne rendez pas le mal pour le mal, ou l'insulte pour l'insulte. Au contraire, répondez par une *bénédiction[u], car c'est une bénédiction que Dieu a promis de vous accorder quand il vous a appelés. 10 En effet, voici ce qui est écrit :

« Celui qui veut jouir d'une vie agréable et connaître des jours heureux
doit se garder de médire et de mentir.
11 Il doit se détourner du mal, pratiquer le bien
et rechercher la paix avec persévérance.
12 Car le Seigneur a les yeux fixés sur les fidèles, prêt à écouter leurs prières ;

---

n **2.14** *v. 13-14* : comparer Rom 13.1-7.
o **2.22** Comparer És 53.9.
p **2.25** *v. 24-25* : allusion à És 53.4-6, d'après l'ancienne version grecque.
q **3.1** Comparer Éph 5.22 ; Col 3.18.
r **3.3** Comparer 1 Tim 2.9.
s **3.6** Comparer Gen 18.12 et la note.
t **3.7** Comparer Éph 5.25 ; Col 3.19.
u **3.9** Comparer Matt 5.44.

mais le Seigneur s'oppose à ceux qui
font le mal[v]. »
13 Qui vous fera du mal si vous êtes zé-
lés pour pratiquer le bien ? 14 Même si
vous avez à souffrir parce que vous faites
ce qui est juste, vous êtes heureux.
N'ayez aucune crainte des autres et ne
vous laissez pas troubler. 15 Mais honorez dans vos cœurs le Christ, comme votre Seigneur[w]. Soyez toujours prêts à
vous défendre face à tous ceux qui vous
demandent de justifier l'espérance qui
est en vous. 16 Mais faites-le avec douceur et respect. Ayez une conscience
*pure afin que ceux qui médisent de vo-
tre bonne conduite de chrétiens aient à
rougir de leurs calomnies. 17 Car il vaut
mieux souffrir en faisant le bien, si telle
est la volonté de Dieu, plutôt qu'en faisant le mal. 18 En effet, le Christ lui-
même a souffert, une fois pour toutes,
pour les péchés des humains ; innocent,
il est mort pour des coupables, afin de
vous amener à Dieu. Il a été mis à mort
dans son corps humain, mais il a été
rendu à la vie par le Saint-Esprit[x]. 19 Par
la puissance de cet Esprit[y], il est même
allé prêcher aux esprits emprisonnés,
20 c'est-à-dire à ceux qui, autrefois, se
sont opposés à Dieu, quand il attendait
avec patience à l'époque où *Noé
construisait *l'arche. Un petit nombre
de personnes, huit en tout, entrèrent
dans l'arche et furent sauvées par l'eau[z].
21 C'était là une image du baptême qui
vous sauve maintenant ; celui-ci ne
consiste pas à laver les impuretés du
corps, mais à demander à Dieu une
conscience purifiée[a]. Il vous sauve grâce
à la *résurrection de Jésus-Christ, 22 qui
est allé au *ciel et se trouve à la droite de
Dieu, où il règne sur les *anges et les autres autorités et puissances célestes.

Des vies transformées

4 1 Puisque le Christ a souffert dans son
corps[b], vous aussi armez-vous de la
même disposition d'esprit ; car celui qui
a souffert dans son corps en a fini avec le
péché. 2 Dès maintenant, vous devez
donc vivre le reste de votre vie terrestre
selon la volonté de Dieu et non selon les
désirs humains. 3 En effet, vous avez
passé autrefois suffisamment de temps à
faire ce qui plaît aux païens. Vous avez
vécu dans le vice, les mauvais désirs,
l'ivrognerie, les orgies, les beuveries et
l'abominable culte des idoles. 4 Et maintenant, les païens s'étonnent de ce que
vous ne vous livriez plus avec eux aux excès d'une si mauvaise conduite et ils vous
insultent. 5 Mais ils auront à rendre
compte de leurs actes à Dieu, qui est prêt
à juger les vivants et les morts. 6 Voilà
pourquoi la Bonne Nouvelle a été annoncée même aux morts : ainsi, bien que jugés quant à leur existence terrestre,
comme tous les humains, ils ont maintenant la possibilité, grâce à l'Esprit, de vivre la vie de Dieu.

De bons administrateurs des dons de Dieu

7 La fin de toutes choses est proche. Vivez donc d'une manière raisonnable et
gardez l'esprit éveillé afin de pouvoir
prier. 8 Avant tout, aimez-vous ardem-
ment les uns les autres, car l'amour obtient le pardon d'un grand nombre de
péchés[c]. 9 Soyez hospitaliers les uns à
l'égard des autres, sans mauvaise humeur. 10 Que chacun de vous utilise pour
le bien des autres le don particulier qu'il
a reçu de Dieu. Vous serez ainsi de bons
administrateurs des multiples dons divins. 11 Que celui qui a le don de la parole
transmette les paroles de Dieu ; que celui

v **3.12** *v. 10-12* : Ps 34.13-17, cité d'après l'ancienne version grecque.

w **3.15** *v. 14* : *...vous êtes heureux* : comparer Matt 5.10. – *v. 14-15* : comparer És 8.12-13.

x **3.18** *a souffert* : certains manuscrits ajoutent *pour vous*, tandis que d'autres ont *est mort*. – *de vous amener* : certains manuscrits ont *de nous amener*. – *...par le Saint-Esprit* : comparer Rom 1.4.

y **3.19** *Par la puissance de cet Esprit, il* : autre traduction *C'est alors qu'il*.

z **3.20** *par l'eau* : autre traduction *à travers l'eau*. Voir Gen 6.1–7.24.

a **3.21** *à demander à Dieu une conscience purifiée* : autre traduction *à s'engager envers Dieu avec une conscience pure*.

b **4.1** Certains manuscrits ajoutent *pour vous*, et d'autres *pour nous*.

c **4.8** Voir Prov 10.12 ; Jacq 5.20.

qui a le don de servir[d] l'utilise avec la
force que Dieu lui accorde : il faut qu'en
toutes choses *gloire soit rendue à Dieu,
par Jésus-Christ à qui appartiennent la
gloire et la puissance pour toujours !
*Amen.

Avoir part aux souffrances du Christ

12 Mes chers amis, ne vous étonnez pas
d'être en plein feu de l'épreuve, comme
s'il vous arrivait quelque chose d'anormal. 13 Réjouissez-vous plutôt d'avoir
part aux souffrances du Christ, afin que
vous soyez également remplis d'une
grande joie quand il révélera sa *gloire à
tous. 14 Si l'on vous insulte parce que vous
êtes *disciples du Christ, heureux êtes-
vous, car l'Esprit glorieux de Dieu repose
sur vous. 15 Qu'aucun d'entre vous n'ait à
souffrir comme meurtrier, voleur ou malfaiteur, ou pour s'être mêlé des affaires
d'autrui. 16 Mais si quelqu'un souffre
parce qu'il est chrétien, qu'il n'en ait pas
honte ; qu'il remercie plutôt Dieu de
pouvoir porter ce nom.
17 Le moment est arrivé où le Jugement
commence, et c'est le peuple de Dieu qui
est jugé d'abord. Or, si le Jugement dé-
bute par nous, comment sera-ce à la fin,
lorsqu'il frappera ceux qui refusent de
croire à la Bonne Nouvelle de Dieu ?
18 Comme l'Écriture le déclare :

« Si le juste est sauvé difficilement,
qu'en sera-t-il du méchant et du pécheur[e] ? »

19 Ainsi, que ceux qui souffrent selon la
volonté de Dieu continuent à pratiquer le
bien et se remettent eux-mêmes entre les
mains du Créateur, qui est fidèle à ses
promesses.

Prendre soin du troupeau de Dieu

5 1 Je m'adresse maintenant à ceux qui,
parmi vous, sont *anciens d'Église.
Je suis ancien moi aussi ; je suis témoin[f]
des souffrances du Christ et j'aurai part à
la *gloire qui va être révélée. Voici ce que
je leur demande : 2 prenez soin comme
des *bergers du troupeau que Dieu vous
a confié[g], veillez sur lui non par obligation, mais de bon cœur, comme Dieu le
désire. Agissez non par désir de vous enrichir, mais par dévouement. 3 Ne cherchez pas à dominer ceux qui ont été
confiés à votre garde, mais soyez des modèles pour le troupeau. 4 Et quand le Chef
des bergers paraîtra, vous recevrez la
*couronne glorieuse qui ne perdra jamais
son éclat.
5 De même, jeunes gens, soyez soumis
à ceux qui sont plus âgés que vous. Et
vous tous, revêtez-vous d'humilité dans
vos rapports les uns avec les autres, car
l'Écriture déclare : « Dieu s'oppose aux
orgueilleux, mais il traite les humbles
avec bonté[h]. » 6 Courbez-vous donc humblement sous la main puissante de Dieu,
afin qu'il vous élève au moment qu'il a
fixé[i]. 7 Déchargez-vous sur lui de tous vos
soucis, car il prend soin de vous[j].
8 Soyez bien éveillés, lucides ! Car votre
ennemi, le *diable, rôde comme un lion
rugissant, cherchant quelqu'un à dévorer.
9 Résistez-lui en demeurant fermes dans
la foi. Rappelez-vous que vos frères, dans
le monde entier, passent par les mêmes
souffrances. 10 Vous aurez à souffrir encore un peu de temps. Mais Dieu, source
de toute grâce, vous a appelés à participer
à sa gloire éternelle dans la communion
avec Jésus-Christ ; il vous perfectionnera
lui-même, vous affermira, vous fortifiera
et vous établira sur de solides fondations.
11 A lui soit la puissance pour toujours !
*Amen.

Salutations finales

12 Je vous ai écrit cette courte lettre
avec l'aide de Silas[k], que je considère
comme un frère fidèle. Je l'ai fait pour

---

d 4.11 On pense que ce service se rapporte plus particulièrement à l'aide fournie aux pauvres (comparer Act 6.2-4 ; Rom 12.7).

e 4.18 Prov 11.31, cité d'après l'ancienne version grecque.

f 5.1 *témoin* : soit au sens de celui qui a vu le Christ souffrir, soit au sens de celui qui accepte de souffrir pour annoncer le Christ.

g 5.2 Comparer Jean 21.15-17 ; Act 20.28.

h 5.5 Prov 3.34, cité d'après l'ancienne version grecque.

i 5.6 Comparer Matt 23.12 ; Luc 14.11 ; 18.14.

j 5.7 Comparer Ps 55.23.

k 5.12 *Silas* : voir Act 15.22,40.

vous encourager et vous attester que c'est
à la véritable grâce de Dieu que vous êtes
attachés.
13 La communauté qui est ici, à *Babylone, et que Dieu a choisie comme
vous, vous adresse ses salutations, ainsi
que Marc, mon fils[l]. 14 Saluez-vous les
uns les autres d'un baiser affectueux,
fraternel.

Que la paix soit avec vous tous qui appartenez au Christ.

l **5.13** *Babylone* : il faut sans doute voir ici une désignation symbolique de Rome, la capitale de l'empire romain, comme en Apoc 17.5. – *Marc* : voir Act 12.12,25 ; 13.13 ; 15.37-39 ; Col 4.10 ; Phm 24. – *mon fils* : dans un sens spirituel (comparer 1 Tim 1.2).

Deuxième lettre de Pierre

Introduction *– Les destinataires de cette lettre sont les chrétiens en général (1.1). Sa préoccupation fondamentale est de combattre les propagateurs de doctrines contraires au pur Évangile, qui se sont infiltrés dans l'Église. Une des principales conséquences de leur enseignement est une vie déréglée. La seule façon de réagir contre eux est de s'attacher entièrement à la vraie connaissance de Dieu et de Jésus-Christ, telle que l'ont transmise ceux qui ont vu Jésus de leurs propres yeux et qui ont entendu son enseignement.*

Après la salutation (1.1-2), l'auteur tient à insister, au début de sa lettre, sur les qualités nécessaires à la vie chrétienne et sur la fidélité à l'appel reçu de Dieu, conformément au témoignage de ceux qui ont vu le Seigneur (1.3-21). Ensuite il dénonce avec énergie l'activité et la conduite des propagateurs de fausses doctrines (2.1-22). Un aspect particulier de leur enseignement est abordé au chapitre 3 : ils se moquent de ceux qui attendent la venue du Christ et prétendent qu'elle n'aura pas lieu. En réponse, l'auteur affirme que si elle tarde, c'est en raison de la patience de Dieu, qui laisse à beaucoup une occasion d'accepter encore le salut.

Le monde n'a jamais manqué de propagateurs de fausses doctrines. Le message de la deuxième lettre de Pierre *est donc toujours d'actualité : il encourage les croyants à progresser dans la connaissance du Seigneur, afin de ne pas se laisser égarer par des théories inconsistantes.*

Salutation

1 1 De la part de Simon Pierre, serviteur et *apôtre de Jésus-Christ.
A ceux qui, par l'œuvre salutaire de
notre Dieu et Sauveur Jésus-Christ[a], ont
reçu une foi aussi précieuse que la nôtre :
2 Que la grâce et la paix vous soient accordées avec abondance, par la vraie
connaissance de Dieu et de Jésus notre
Seigneur.

L'appel et le choix de Dieu

3 Par sa divine puissance, le Seigneur
nous a donné tout ce qui nous est nécessaire pour vivre dans l'attachement à
Dieu ; il nous a fait connaître celui qui
nous a appelés à participer à sa propre
*gloire[b] et à son œuvre merveilleuse.
4 C'est ainsi qu'il nous a accordé les
biens si précieux et si importants qu'il
avait promis, afin qu'en les recevant
vous puissiez échapper aux désirs destructeurs qui règnent dans le monde et
participer à la nature divine. 5 Pour cette
raison même, faites tous vos efforts pour
ajouter à votre foi la bonne conduite et à
la bonne conduite la vraie connaissance
de Dieu ; 6 à la connaissance ajoutez
la maîtrise de soi, à la maîtrise de soi
la persévérance et à la persévérance
l'attachement à Dieu ; 7 enfin, à l'attachement à Dieu ajoutez l'affection
fraternelle et à l'affection fraternelle
l'amour. 8 Si vous avez ces qualités et si
vous les développez, elles vous rendront
actifs et vous feront progresser dans la
connaissance de notre Seigneur Jésus-
Christ. 9 Mais celui qui ne les possède
pas a la vue si courte qu'il est comme
aveugle ; il oublie qu'il a été *purifié de
ses péchés d'autrefois.
10 C'est pourquoi, frères, efforcez-vous
encore plus de prendre au sérieux l'appel
que Dieu vous a adressé et le choix qu'il a
fait de vous ; car, en faisant cela, vous ne
tomberez jamais dans le mal[c]. 11 C'est
ainsi que vous sera largement accordé le
droit d'entrer dans le *Royaume éternel
de notre Seigneur et Sauveur Jésus-
Christ.
12 Voilà pourquoi je vous rappellerai
toujours ces choses, bien que vous les
connaissiez déjà et que vous restiez fermement attachés à la vérité que vous avez
reçue. 13 Mais j'estime juste de vous tenir
en éveil par mes rappels, tant que je suis
encore en vie. 14 Car je sais que je vais
bientôt quitter ce corps mortel, comme
notre Seigneur Jésus-Christ me l'a révélé.
15 Je ferai donc en sorte que, même après
ma mort, vous puissiez toujours vous
rappeler ces choses.

Ceux qui ont vu la gloire du Christ

16 En effet, nous ne nous sommes pas
fondés sur des légendes habilement ima-
ginées pour vous faire connaître la venue
puissante de notre Seigneur Jésus-
Christ : c'est de nos propres yeux que
nous avons vu sa grandeur. 17 En effet, il a
reçu honneur et *gloire de Dieu le Père ;
et Dieu, la Gloire suprême, lui fit alors
entendre sa voix en disant : « Celui-ci est
mon Fils bien-aimé en qui je mets toute
ma joie. » 18 Nous avons entendu nous-
mêmes cette voix qui venait du *ciel,
lorsque nous étions avec lui sur la montagne sainte[d].
19 Ainsi, nous nous fions encore plus au
message des *prophètes. Vous ferez bien
d'y prêter attention : il est pareil à une
lampe qui brille dans un lieu obscur,
jusqu'à ce que le jour paraisse et que
l'étoile du matin illumine vos cœurs.
20 Avant tout, sachez bien ceci : personne
ne peut interpréter de lui-même une prophétie de l'Écriture[e]. 21 Car aucune prophétie n'est jamais issue de la seule
volonté humaine, mais c'est parce que le
Saint-Esprit les poussait que des hommes
ont parlé de la part de Dieu.

---

a **1.1** *de notre Dieu et Sauveur Jésus-Christ* : autre traduction *de notre Dieu et du Sauveur Jésus-Christ*.

b **1.3** *à participer à sa propre gloire* : certains manuscrits ont *par sa gloire*.

c **1.10** *vous ne tomberez jamais dans le mal* ou *vous n'abandonnerez jamais votre foi*.

d **1.18** *v. 17-18* : voir Matt 17.1-5 ; Marc 9.2-7 ; Luc 9.28-35.

e **1.20** *personne... l'Écriture* : autre traduction *aucune prophétie contenue dans l'Écriture ne provient de la propre pensée du prophète*.

De faux enseignants

(Voir aussi Jude 4-13)

2 1 De faux *prophètes sont apparus
autrefois dans le peuple *d'Israël ; de
même, de faux enseignants apparaîtront
parmi vous. Ils introduiront des doctrines fausses et désastreuses, et rejetteront le Maître qui les a sauvés ; ils
attireront ainsi sur eux une ruine subite.
2 Beaucoup les suivront dans leur vie immorale et, à cause d'eux, on fera insulte
au chemin de la vérité. 3 Par amour du
gain, ces faux enseignants vous exploite-
ront au moyen de raisonnements trompeurs. Mais depuis longtemps déjà, leur
condamnation est prête et leur ruine ne
se fera pas attendre !
4 En effet, Dieu n'a pas épargné les
*anges coupables, mais il les a jetés dans
*l'enfer où ils sont gardés enchaînés
dans l'obscurité[f] pour le jour du Jugement. 5 Il n'a pas non plus épargné le
monde ancien, mais il a fait venir la
grande inondation sur ce monde plein
d'êtres mauvais ; il n'a sauvé que *Noé,
qui proclamait ce qui est juste, ainsi
que sept autres personnes[g]. 6 Dieu a
condamné les villes de Sodome et Gomorrhe et les a détruites par le feu, en
donnant par là un exemple de ce qui allait arriver à tous les pécheurs[h]. 7 En revanche, il a délivré Loth, homme juste,
qui était affligé par la conduite immorale de ses contemporains sans scrupules[i]. 8 Car ce juste, qui vivait au milieu
d'eux, voyait et entendait tout ce qu'ils
faisaient jour après jour ; leur vie scandaleuse tourmentait son cœur honnête.
9 Ainsi, le Seigneur sait comment délivrer de l'épreuve ceux qui lui sont attachés, et comment tenir en réserve ceux
qui font le mal pour les punir au jour du
Jugement ; 10 il punira surtout ceux qui
suivent les désirs impurs de leur propre
nature et méprisent l'autorité de Dieu.
Ces faux enseignants sont audacieux et
arrogants, ils n'ont aucun respect pour
les êtres glorieux du *ciel mais ils les insultent. 11 Même les anges, qui sont pourtant bien plus forts et puissants, ne
portent pas d'accusation insultante
contre eux devant le Seigneur. 12 Mais ces
gens agissent par instinct, comme des
bêtes sauvages qui naissent pour être cap-
turées et tuées ; ils insultent ce qu'ils ne
connaissent pas. Ils seront mis à mort
comme des bêtes ; 13 ils seront ainsi payés
en retour de tout le mal qu'ils auront fait.
Ils trouvent leur plaisir à satisfaire leurs
mauvais désirs en plein jour ; leur présence est une honte et un scandale quand
ils participent à vos repas en jouissant de
leurs tromperies[j]. 14 Leurs yeux sont
pleins du désir de commettre l'adultère ;
ils n'en ont jamais assez de pécher. Ils
prennent au piège les personnes faibles.
Leur cœur est enflammé par l'amour du
gain. La malédiction de Dieu est sur eux !
15 Ayant quitté le droit chemin, ils se sont
égarés et ont suivi la même voie que Balaam, fils de Bosor. Celui-ci aima l'argent
qu'on lui offrait pour faire le mal, 16 mais
il reçut des reproches pour sa désobéissance. En effet, une ânesse muette se mit
à parler en prenant une voix humaine et
arrêta l'action insensée du prophète[k].
17 Ces gens sont comme des sources ta-
ries et comme des nuages poussés par la
tempête ; Dieu leur a réservé une place
dans la nuit la plus noire. 18 Ils font des
discours à la fois enflés et vides de sens,
ils se servent de leurs désirs les plus honteux pour prendre au piège ceux qui viennent à peine d'échapper à la compagnie
des hommes qui vivent dans l'erreur.
19 Ils leur promettent la liberté, alors
qu'ils sont eux-mêmes esclaves d'habitudes destructrices – car chacun est esclave de ce qui le domine –. 20 En effet, il
y a ceux qui ont échappé aux mauvaises
influences du monde grâce à la connaissance de notre Seigneur et Sauveur Jésus-
Christ ; mais s'ils se laissent ensuite reprendre et vaincre par elles, ils se
trouvent finalement dans une situation
pire qu'auparavant. 21 Il aurait mieux

---

f **2.4** *enchaînés dans l'obscurité* : certains manuscrits ont *dans des puits obscurs*.

g **2.5** Voir Gen 6.1–7.24.

h **2.6** Voir Gen 19.24.

i **2.7** Voir Gen 19.1-16.

j **2.13** *tromperies* : certains manuscrits ont *repas fraternels* (voir Jude 12).

k **2.16** *v. 15-16* : voir Nomb 22.4-35.

valu pour eux ne pas avoir connu le juste
chemin, que de l'avoir connu et de se détourner ensuite du saint commandement
qui leur avait été transmis. 22 Il leur est
arrivé ce que le proverbe dit précisément : « Le chien retourne à ce qu'il a vomi[l] », ou : « Le cochon, à peine lavé, va de
nouveau se rouler dans la boue. »

La promesse de la venue du Seigneur

3 1 Mes chers amis, voici déjà la seconde lettre que je vous écris. Dans
l'une et l'autre, j'ai voulu éveiller en votre
esprit des pensées saines par tout ce que
je vous y rappelle. 2 Je désire que vous
vous souveniez des paroles prononcées
autrefois par les saints *prophètes et du
commandement du Seigneur et Sauveur,
transmis par vos *apôtres. 3 Sachez avant
tout que, dans les derniers jours, apparaîtront des gens qui vivront selon leurs
propres désirs. Ils se moqueront de vous
4 et diront : « Il a promis de venir, n'est-ce
pas ? Eh bien, où est-il ? Nos pères[m] sont
déjà morts, mais tout reste dans le même
état que depuis la création du monde ! »
5 Ils oublient volontairement ceci : il y a
longtemps, Dieu a créé le ciel et la terre
par sa parole. La terre a été séparée de
l'eau et formée par l'eau, 6 et c'est également par l'eau, celle de la grande inondation, que le monde ancien a été détruit[n].
7 Quant au ciel et à la terre actuels, la
même parole de Dieu les tient en réserve
pour le feu qui les détruira. Ils sont gardés pour le jour du jugement et de la
ruine des pécheurs.

8 Mais il est une chose que vous ne devez pas oublier, mes chers amis : c'est
que, pour le Seigneur, un jour est comme
mille ans et mille ans sont comme un
jour[o]. 9 Le Seigneur ne tarde pas à réaliser
sa promesse, comme certains le pensent.
Mais il use de patience envers vous, car il
ne veut pas que qui que ce soit aille à sa
perte ; au contraire, il veut que tous aient
l'occasion de se détourner du mal.

10 Cependant, le jour du Seigneur viendra comme un voleur. En ce jour-là, le
ciel disparaîtra avec un fracas effrayant,
les corps célestes seront détruits par le
feu, la terre avec tout ce qu'elle contient
cessera d'exister[p]. 11 Puisque tout va disparaître de cette façon, comprenez bien
ce que vous devez faire ! Il faut que votre
conduite soit sainte et marquée par l'attachement à Dieu. 12 Vous devez attendre
le jour de Dieu en faisant tous vos efforts
pour qu'il puisse venir bientôt. Ce sera le
jour où le ciel sera détruit par le feu et où
les corps célestes se fondront dans la chaleur des flammes. 13 Mais Dieu a promis
un nouveau ciel et une nouvelle terre[q],
où la justice habitera, et voilà ce que nous
attendons.

14 C'est pourquoi, mes chers amis, en
attendant ce jour, faites tous vos efforts
pour être *purs et irréprochables aux
yeux de Dieu, et pour être en paix avec
lui. 15 Considérez que la patience de notre
Seigneur vous offre l'occasion d'être sauvés, ainsi que notre cher frère Paul vous
l'a écrit avec la sagesse que Dieu lui a
donnée. 16 C'est ce qu'il a écrit dans toutes les lettres où il parle de ce sujet. Il s'y
trouve des passages difficiles à comprendre ; des gens ignorants et instables en
déforment le sens, comme ils le font
d'ailleurs avec d'autres parties des Écritures. Ils causent ainsi leur propre ruine.

17 Quant à vous, mes chers amis, vous
êtes maintenant avertis. Prenez donc
garde, ne vous laissez pas égarer par les
erreurs de gens sans scrupules et n'allez
pas perdre la position solide qui est la vôtre. 18 Mais continuez à progresser dans la
grâce et la connaissance de notre Seigneur et Sauveur Jésus-Christ. A lui soit
la *gloire, maintenant et pour toujours !
*Amen.

---

l **2.22** Prov 26.11.

m **3.4** *Nos pères* : cette appellation vise sans doute ici les chrétiens de la première génération.

n **3.6** *v.* 5 : voir Gen 1.6-9. – *v.* 6 : voir Gen 7.11.

o **3.8** Comparer Ps 90.4.

p **3.10** *...comme un voleur* : comparer Matt 24.43-44 ; Luc 12.39-40 ; 1 Thess 5.2. – *cessera d'exister* : certains manuscrits ont *sera trouvée* (ou *sera mise à découvert*), tandis que d'autres ont *sera consumée*, et un autre encore *sera trouvée détruite*.

q **3.13** Voir És 65.17 ; 66.22.

Première lettre de
Jean

Introduction *– La tradition attribue trois lettres à l'apôtre Jean, bien que son nom n'y soit jamais mentionné. La première de ces lettres ne nous donne aucune indication sur son auteur ni sur l'identité de ses destinataires. Elle laisse cependant apparaître certains aspects de la situation des communautés chrétiennes auxquelles elle était adressée. Comme beaucoup d'autres communautés de la deuxième moitié du premier siècle, elles étaient exposées à l'influence de mouvements spirituels ou religieux qui s'écartaient de la vraie foi chrétienne. C'est pourquoi l'auteur vise un double but dans sa lettre :*
– encourager ses lecteurs à vivre dans une communion réelle avec Dieu et son Fils Jésus-Christ, ce qui doit se traduire par la pratique de l'amour fraternel ;
– lutter en même temps contre une fausse doctrine qui compromet la fidélité à l'Évangile.*

L'introduction de la lettre (1.1-4) définit le but poursuivi par l'auteur : fortifier la communion que les croyants doivent avoir avec Dieu et Jésus-Christ, ainsi que la communion fraternelle des uns avec les autres. Pour cela ils doivent rester fidèles au témoignage de ceux qui ont vu et entendu Jésus-Christ. L'auteur invite ses lecteurs à vivre dans la lumière, car Dieu est lumière. Dans ce but, ils doivent pratiquer le commandement de l'amour (1.5–2.17). Après quoi l'auteur annonce l'apparition de grands adversaires du Christ, des menteurs qui nient que Jésus soit le Christ (2.18-29). Puis il rappelle ce qui caractérise les véritables enfants de Dieu : la vie juste qu'ils mènent, l'amour qu'ils ont les uns pour les autres, la fidélité à Jésus-Christ (3.1-24). Après avoir montré comment distinguer l'erreur de la vérité (4.1-6), l'auteur revient une fois encore sur le thème de l'amour : appartenir à Dieu, c'est aimer, car Dieu est amour (4.7-21). Il termine en décrivant la foi victorieuse et en résumant les points importants de sa lettre (5.1-21).

Cette lettre apporte une image claire de la vie chrétienne authentique. Elle nourrit la réflexion des chrétiens en les aidant à écarter les erreurs séduisantes et en les encourageant à mieux lier foi en Jésus-Christ et amour du prochain.

---

*Cette fausse doctrine part de l'idée que le monde matériel est mauvais en soi, et qu'il n'est donc pas possible que le Christ, le Fils de Dieu, soit devenu un être humain (on établissait une distinction entre le Jésus terrestre et le Christ, qui serait resté un être purement spirituel). Le salut serait alors lié à une connaissance supérieure de Dieu ; il réclamerait qu'on soit libéré de toute préoccupation concernant la vie dans le monde ; il serait sans rapport avec l'amour du prochain et même avec toute règle morale. Voilà le genre d'erreurs qu'il s'agissait de combattre.

La parole de vie

1 1 Ce qui existait dès le commencement[a], nous l'avons entendu, nous l'avons vu de nos propres yeux, nous l'avons regardé et nos mains l'ont touché : il s'agissait de la Parole qui donne la vie. 2 Cette vie s'est manifestée et nous l'avons vue ; nous lui rendons témoignage et c'est pourquoi nous vous annonçons la vie éternelle qui était auprès du Père et qui nous a été révélée[b]. 3 Ce que nous avons vu et entendu, nous vous l'annonçons à vous aussi ; ainsi vous serez unis à nous dans la communion que nous avons avec le Père et avec son Fils Jésus-Christ. 4 Et nous écrivons ceci nous-mêmes afin que notre[c] joie soit complète.

Dieu est lumière

5 Voici le message que nous avons entendu de Jésus-Christ et que nous vous annonçons : Dieu est lumière et il n'y a aucune obscurité en lui. 6 Si nous prétendons être en communion avec lui, alors que nous vivons dans l'obscurité, nous sommes menteurs, nous n'agissons pas selon la vérité. 7 Mais si nous vivons dans la lumière, comme Dieu lui-même est dans la lumière, alors nous sommes en communion les uns avec les autres et le sang de Jésus, son Fils, nous *purifie de tout péché.

8 Si nous prétendons être sans péché, nous nous trompons nous-mêmes et la vérité n'est pas en nous. 9 Mais si nous confessons nos péchés, nous pouvons avoir confiance en Dieu, car il est juste : il pardonnera nos péchés et nous purifiera de tout mal[d]. 10 Si nous disons que nous n'avons pas péché, nous faisons de Dieu un menteur et sa parole n'est pas en nous.

Le Christ vient à notre aide

2 1 Mes enfants, je vous écris ceci afin que vous ne commettiez pas de péché. Mais si quelqu'un en commet, nous avons un avocat auprès du Père : Jésus-Christ, le juste. 2 Car Jésus-Christ s'est offert en *sacrifice pour le pardon de nos péchés[e], et non seulement des nôtres, mais aussi de ceux du monde entier.

3 Si nous obéissons aux commandements de Dieu, nous pouvons avoir la certitude que nous connaissons Dieu. 4 Si quelqu'un affirme : « Je le connais », mais n'obéit pas à ses commandements, c'est un menteur et la vérité n'est pas en lui. 5 Par contre, si quelqu'un obéit à sa parole, l'amour de Dieu est véritablement parfait en lui. Voilà comment nous pouvons avoir la certitude d'être unis à Dieu. 6 Celui qui déclare demeurer uni à lui doit vivre comme Jésus a vécu.

Le commandement nouveau

7 Mes chers amis, ce n'est pas un commandement nouveau que je vous écris ; c'est le commandement ancien, que vous avez reçu dès le commencement[f]. Ce commandement ancien est le message que vous avez déjà entendu. 8 Pourtant, c'est un commandement nouveau que je vous écris, dont la vérité se manifeste en Christ et en vous aussi. En effet, l'obscurité s'en va et la véritable lumière resplendit déjà.

9 Celui qui prétend vivre dans la lumière, tout en haïssant son frère, se trouve encore dans l'obscurité. 10 Celui qui aime son frère demeure dans la lumière, et ainsi il n'y a rien en lui qui puisse l'entraîner dans l'erreur[g]. 11 Mais celui qui a de la haine pour son frère se trouve dans l'obscurité ; il marche dans l'obscurité sans savoir où il va parce que l'obscurité l'a rendu aveugle.

12 Je vous écris, mes enfants, parce que vos péchés[h] sont pardonnés grâce au nom de Jésus-Christ. 13 Je vous écris, pères, parce que vous connaissez celui qui a existé dès le commencement[i]. Je vous

---

a **1.1** Comparer 2.13 ; Jean 1.1.
b **1.2** Comparer Jean 1.14.
c **1.4** *notre joie* : certains manuscrits ont *votre joie*.
d **1.9** Comparer Ps 32.1-5.
e **2.2** *s'est offert en sacrifice pour... nos péchés* : comparer Rom 3.25-26 et la note.
f **2.7** Voir Jean13.34.
g **2.10** *l'entraîner dans l'erreur* : autre traduction *entraîner quelqu'un d'autre dans l'erreur*.
h **2.12** *Je vous écris, mes enfants, parce que vos péchés* : autre traduction *Je vous l'écris, mes enfants : vos péchés...* De même, aux versets 13 et 14, on pourrait traduire *Je vous l'écris... : vous...*
i **2.13** *dès le commencement* : comparer 1.1.

écris, jeunes gens, parce que vous avez
vaincu le Mauvais.
14 Je vous écris, mes enfants, parce que
vous connaissez le Père. Je vous écris,
pères, parce que vous connaissez celui
qui a existé dès le commencement. Je
vous écris, jeunes gens, parce que vous
êtes forts : la parole de Dieu demeure en
vous et vous avez vaincu le Mauvais.
15 N'aimez pas le monde, ni rien de ce
qui appartient au monde. Si quelqu'un
aime le monde, il ne lui est plus possible
d'aimer le Père. 16 En effet, voici ce qui
appartient au monde : la volonté de satisfaire ses propres désirs ou de posséder ce
que l'on voit, ainsi que l'orgueil fondé sur
les biens terrestres. Eh bien, tout cela
vient non pas du Père, mais du monde.
17 Le monde est en train de passer, ainsi
que tout ce que l'on y trouve à désirer ;
mais celui qui fait la volonté de Dieu vit
pour toujours.

L'Adversaire du Christ

18 Mes enfants, voici la dernière heure !
Vous avez entendu dire que l'Adversaire
du Christ va venir ; or, maintenant, de
nombreux adversaires du Christ sont apparus et nous savons ainsi que nous en
sommes à la dernière heure[j]. 19 Ces gens
nous ont quittés, mais ils n'étaient pas
vraiment des nôtres ; en effet, s'ils
avaient été des nôtres, ils seraient restés
avec nous. Mais ils nous ont quittés afin
qu'il soit évident qu'aucun d'eux n'était
vraiment des nôtres.
20 Quant à vous, vous avez reçu le
Saint-Esprit de la part du Christ, de sorte
que vous connaissez tous la vérité[k].
21 Donc, si je vous écris ce n'est pas parce
que vous ne connaissez pas la vérité, mais
c'est bien parce que vous la connaissez ;
vous savez aussi qu'aucun mensonge ne
provient de la vérité.
22 Qui est alors le menteur ? C'est celui
qui déclare que Jésus n'est pas le Christ.
Celui-là est l'Adversaire du Christ : il rejette à la fois le Père et le Fils. 23 En effet,
celui qui rejette le Fils n'a pas non plus le
Père ; celui qui reconnaît le Fils a également le Père[l].
24 C'est pourquoi, prenez soin de garder dans votre cœur le message que vous
avez entendu dès le commencement. Si
vous gardez en vous ce que vous avez entendu dès le commencement, vous demeurerez vous aussi unis au Fils et au
Père. 25 Et voici ce que le Christ nous a
promis : la vie éternelle.
26 Je tenais à vous écrire ceci au sujet
de ceux qui cherchent à vous égarer.
27 Quant à vous, l'Esprit que vous avez
reçu du Christ demeure en vous ; vous
n'avez donc pas besoin qu'on vous instruise. En effet, l'Esprit vous instruit de
tout : il enseigne la vérité et non le mensonge. C'est pourquoi, faites ce qu'il vous
a enseigné : demeurez unis au Christ.
28 Oui, mes enfants, demeurez unis au
Christ, afin que nous soyons pleins d'assurance quand il paraîtra et que nous
n'ayons pas à rougir de honte devant lui
le jour de sa venue. 29 Vous savez que le
Christ est juste ; par conséquent vous devez aussi savoir que quiconque fait ce qui
est juste est enfant de Dieu.

Enfants de Dieu

3 1 Voyez à quel point le Père nous a aimés ! Son amour est tel que nous
sommes appelés enfants de Dieu[m], et
c'est ce que nous sommes réellement.
Voici pourquoi le monde ne nous connaît
pas : il n'a pas connu Dieu. 2 Mes chers
amis, nous sommes maintenant enfants
de Dieu, mais ce que nous deviendrons
n'est pas encore clairement révélé. Cependant, nous savons ceci : quand le
Christ paraîtra, nous deviendrons semblables à lui, parce que nous le verrons tel
qu'il est. 3 Quiconque met une telle espérance en lui se rend *pur, comme Jésus-
Christ lui-même est pur.
4 Quiconque pèche s'oppose à la loi de
Dieu, car le péché est la révolte contre
cette loi. 5 Vous le savez, Jésus-Christ est
apparu pour enlever les péchés[n] et il n'y a
pas de péché en lui. 6 Ainsi, quiconque

---

j **2.18** Comparer Matt 24.5,23-24 ; Marc 13.21-22.

k **2.20** *vous connaissez tous la vérité* : certains manuscrits ont *vous connaissez tout*.

l **2.23** Comparer Matt 11.27 ; Jean 5.23 ; 15.23.

m **3.1** Comparer Jean 1.12.

n **3.5** *les péchés* : certains manuscrits ont *nos péchés*.

demeure uni à lui cesse de pécher ; mais
celui qui continue à pécher prouve par là
qu'il ne l'a pas vu et ne l'a pas connu.
7 Mes enfants, ne vous laissez égarer
par personne ! Celui qui fait ce qui est
juste est lui-même juste, comme Jésus-
Christ est juste. 8 Celui qui continue à pécher appartient au *diable, car le diable a
péché dès le commencement. Le *Fils de
Dieu est apparu précisément pour détruire les œuvres du diable.
9 Quiconque est devenu enfant de Dieu
cesse de pécher, car la puissance de vie de
Dieu agit en lui ; puisque Dieu est son
Père, il ne peut pas continuer à pécher.
10 Voici ce qui distingue clairement les
enfants de Dieu des enfants du diable :
quiconque ne fait pas ce qui est juste, ou
n'aime pas son frère, n'appartient pas à
Dieu.

S'aimer les uns les autres

11 En effet, voici le message que vous
avez entendu dès le commencement :
aimons-nous les uns les autres[o]. 12 Ne
soyons pas comme Caïn : il appartenait
au Mauvais et tua son frère. Et pourquoi
le tua-t-il ? Parce que les actions de Caïn
étaient mauvaises, tandis que celles de
son frère étaient justes[p].
13 Ne vous étonnez pas, frères, si les
gens de ce monde vous haïssent[q]. 14 Nous
savons que nous sommes passés de la
mort à la vie[r] ; nous le savons parce que
nous aimons nos frères. Celui qui n'aime
pas est encore sous le pouvoir de la mort.
15 Quiconque a de la haine pour son frère
est un meurtrier. Or vous savez qu'aucun
meurtrier n'a de place en lui pour la vie
éternelle. 16 Voici comment nous savons
ce qu'est l'amour : Jésus-Christ a donné
sa vie pour nous. Donc, nous aussi, nous
devons être prêts à donner notre vie pour
nos frères. 17 Si quelqu'un, ayant largement de quoi vivre, voit son frère dans le
besoin mais lui ferme son cœur[s], comment peut-il prétendre qu'il aime Dieu ?
18 Mes enfants, n'aimons pas seulement
en paroles, avec de beaux discours ; faisons preuve d'un véritable amour qui se
manifeste par des actes.

L'assurance devant Dieu

19 Voilà comment nous saurons que
nous appartenons à la vérité. Voilà comment notre cœur pourra se sentir rassuré
devant Dieu. 20 En effet, même si notre
cœur nous condamne, nous savons que
Dieu est plus grand que notre cœur et
qu'il connaît tout. 21 Et si, mes chers
amis, notre cœur ne nous condamne pas,
nous pouvons regarder à Dieu avec assurance. 22 Nous recevons de lui tout ce que
nous demandons, parce que nous obéissons à ses commandements et faisons ce
qui lui plaît. 23 Voici ce qu'il nous
commande : c'est que nous croyions au
nom de son Fils Jésus-Christ et que nous
nous aimions les uns les autres, comme le
Christ nous l'a ordonné[t]. 24 Celui qui
obéit aux commandements de Dieu demeure uni à Dieu et Dieu est présent en
lui. Voici comment nous savons que Dieu
demeure en nous : c'est grâce à l'Esprit
Saint qu'il nous a donné.

L'Esprit de Dieu et l'esprit de l'Adversaire

4 1 Mes chers amis, ne croyez pas tous
ceux qui prétendent avoir l'Esprit,
mais mettez-les à l'épreuve pour vérifier
si l'esprit qu'ils ont vient de Dieu[u]. En effet, de nombreux faux *prophètes se sont
répandus dans le monde. 2 Voici comment vous pouvez savoir s'il s'agit de
l'Esprit de Dieu : quiconque reconnaît
que Jésus-Christ est réellement devenu
homme a l'Esprit de Dieu. 3 Mais quiconque refuse de reconnaître Jésus en
tant que tel n'a pas l'Esprit de Dieu, mais
celui de l'Adversaire du Christ : vous
avez appris que celui-ci allait venir et,
maintenant, il est déjà dans le monde.
4 Mais vous, mes enfants, vous appartenez à Dieu et vous avez vaincu les faux
prophètes ; car l'Esprit qui agit en vous
est plus puissant que l'esprit qui domine

---

o **3.11** Voir Jean 13.34.
p **3.12** Voir Gen 4.1-8. – *il appartenait au Mauvais* : autrement dit, il était sous la dépendance du diable.
q **3.13** Comparer Luc 6.22 ; Jean 15.18-19 ; 17.14.
r **3.14** Comparer Jean 5.24.
s **3.17** Comparer Deut 15.7-8.
t **3.23** Voir Jean 13.34 ; 15.12,17.
u **4.1** Comparer Deut 13.2-6.

ceux qui appartiennent au monde. 5 Ces gens appartiennent au monde. Ils parlent donc à la manière du monde et le monde les écoute. 6 Mais nous, nous appartenons à Dieu. Celui qui connaît Dieu nous écoute ; celui qui n'appartient pas à Dieu ne nous écoute pas. C'est ainsi que nous pouvons savoir où est l'Esprit de la vérité et où est l'esprit de l'erreur.

Dieu est amour

7 Mes chers amis, aimons-nous les uns les autres, car l'amour vient de Dieu. Quiconque aime est enfant de Dieu et connaît Dieu. 8 Celui qui n'aime pas ne connaît pas Dieu, car Dieu est amour. 9 Voici comment Dieu a manifesté son amour pour nous : il a envoyé son Fils unique dans le monde, afin que nous ayons la vraie vie par lui[v]. 10 Et l'amour consiste en ceci : ce n'est pas nous qui avons aimé Dieu, mais c'est lui qui nous a aimés ; il a envoyé son Fils qui s'est offert en *sacrifice pour le pardon de nos péchés[w].

11 Mes chers amis, si c'est ainsi que Dieu nous a aimés, nous devons, nous aussi, nous aimer les uns les autres. 12 Personne n'a jamais vu Dieu[x]. Or, si nous nous aimons les uns les autres, Dieu demeure en nous et son amour se manifeste parfaitement en nous.

13 Voici comment nous savons que nous demeurons unis à Dieu et qu'il est présent en nous : il nous a donné son Esprit. 14 Et nous avons vu et nous témoignons que le Père a envoyé son Fils pour être le Sauveur du monde[y]. 15 Si quelqu'un reconnaît que Jésus est le *Fils de Dieu, Dieu demeure en lui et il demeure uni à Dieu. 16 Et nous, nous savons et nous croyons que Dieu nous aime.

Dieu est amour ; celui qui demeure dans l'amour demeure uni à Dieu et Dieu demeure en lui. 17 Si l'amour est parfait en nous, alors nous serons pleins d'assurance au jour du Jugement ; nous le serons parce que notre vie dans ce monde est semblable à celle de Jésus-Christ. 18 Il n'y a pas de crainte dans l'amour ; l'amour parfait exclut la crainte. La crainte est liée à l'attente d'un châtiment et, ainsi, celui qui craint ne connaît pas l'amour dans sa perfection.

19 Quant à nous, nous aimons parce que Dieu nous a aimés le premier. 20 Si quelqu'un dit : « J'aime Dieu », et qu'il haïsse son frère, c'est un menteur. En effet, s'il n'aime pas son frère qu'il voit, il ne peut pas aimer Dieu qu'il ne voit pas. 21 Voici donc le commandement que le Christ nous a donné : celui qui aime Dieu doit aussi aimer son frère[z].

Notre victoire sur le monde

5 1 Quiconque croit que Jésus est le Christ est enfant de Dieu ; et quiconque aime un père aime aussi les enfants de celui-ci. 2 Voici à quoi nous reconnaissons que nous aimons les enfants de Dieu : c'est en aimant Dieu et en mettant ses commandements en pratique. 3 En effet, aimer Dieu implique que nous obéissions à ses commandements[a]. Et ses commandements ne sont pas pénibles, 4 car tout enfant de Dieu est vainqueur du monde. Et le moyen de remporter la victoire sur le monde, c'est notre foi. 5 Qui donc est vainqueur du monde ? Seul celui qui croit que Jésus est le *Fils de Dieu.

Le témoignage rendu au sujet de Jésus-Christ

6 C'est Jésus-Christ qui est venu à nous avec l'eau de son baptême et avec le sang de sa mort[b]. Il est venu non pas avec l'eau seulement, mais avec l'eau et le sang. Et l'Esprit Saint témoigne que cela est vrai, car l'Esprit est la vérité. 7 Il y a donc trois témoins[c] : 8 l'Esprit Saint, l'eau et le sang, et tous les trois sont d'accord. 9 Nous acceptons le témoignage des hommes ; or, le témoignage de Dieu a bien plus de poids, et il s'agit du témoignage qu'il a

---

v **4.9** Comparer Jean 3.16.
w **4.10** Voir 2.2 et la note.
x **4.12** Comparer Jean 1.18.
y **4.14** Comparer Jean 3.17 ; 4.42.
z **4.21** Comparer Matt 22.36-40 ; Marc 12.28-31 ; Luc 10.25-28.
a **5.3** Comparer Jean 14.15.
b **5.6** *l'eau de son baptême... le sang de sa mort* : cette traduction correspond à une interprétation possible du texte original. Mais d'autres voient dans *l'eau* et *le sang* une allusion à l'épisode rapporté en Jean 19.34.
c **5.7** Comparer Deut 19.15.

rendu au sujet de son Fils. [10] Ainsi, celui
qui croit au *Fils de Dieu possède en lui-même ce témoignage ; mais celui qui ne croit pas en Dieu fait de lui un menteur, puisqu'il ne croit pas au témoignage que
Dieu a rendu au sujet de son Fils. [11] Voici
ce témoignage : Dieu nous a donné la vie éternelle et cette vie nous est accordée en
son Fils. [12] Celui qui a le Fils a cette vie ; celui qui n'a pas le Fils de Dieu n'a pas la vie[d].

La vie éternelle

[13] Je vous ai écrit cela afin que vous sachiez que vous avez la vie éternelle, vous qui croyez au nom du *Fils de Dieu.
[14] Nous pouvons regarder à Dieu avec assurance, car il nous écoute si nous demandons quelque chose de conforme à sa
volonté. [15] Sachant donc qu'il écoute nos prières, nous avons aussi la certitude d'obtenir ce que nous lui avons demandé.

[16] Si quelqu'un voit son frère commettre un péché qui ne mène pas à la mort, il faut qu'il prie et Dieu donnera la vie à ce frère. Ceci est valable pour ceux dont les péchés ne mènent pas à la mort. Mais il y a un péché qui mène à la mort, et ce n'est pas à propos d'un tel péché que je demande de prier. [17] Toute mauvaise action est un péché, mais tout péché ne mène pas forcément à la mort.

[18] Nous savons qu'aucun enfant de Dieu ne continue à pécher, car le Fils de Dieu le garde[e] et le Mauvais ne peut rien contre lui.

[19] Nous savons que nous appartenons à Dieu et que le monde entier est au pouvoir du Mauvais.

[20] Nous savons que le Fils de Dieu est venu et qu'il nous a donné l'intelligence nous permettant de reconnaître le Dieu véritable. Nous demeurons unis au Dieu véritable grâce à son Fils Jésus-Christ. C'est lui le Dieu véritable, c'est lui la vie éternelle.

[21] Mes enfants, gardez-vous des faux dieux !

---

d **5.12** Comparer Jean 3.36.

e **5.18** *le Fils de Dieu le garde* : certains manuscrits ont *celui qui est né de Dieu se garde lui-même*.

Deuxième lettre de Jean

Introduction – *L'auteur se désigne simplement sous le titre de « l'Ancien ». Mais la façon dont il s'exprime montre qu'il devait jouir d'une autorité particulière auprès de ses correspondants. Il s'adresse à « la Dame choisie par Dieu et à ses enfants », expression qui désigne sans doute une Église locale et ses membres (v. 1).*

Il encourage ses lecteurs à vivre dans la vérité et dans l'amour (v. 1-6) ; il les met en garde contre des gens qui propagent des idées analogues à celles que combat la première lettre de Jean (v. 7-11). Il termine en annonçant sa visite et en transmettant les salutations d'une Église sœur (v. 12-13).

Comme la première lettre de Jean celle-ci invite ses lecteurs à être vigilants et à persévérer dans la véritable foi.

Salutation

1 De la part de *l'Ancien, à la Dame
choisie par Dieu et à ses enfants[a] que
j'aime en toute vérité. Ce n'est pas moi
seul qui vous aime, mais aussi tous ceux
qui connaissent la vérité, 2 parce que la
vérité demeure en nous et sera avec nous
pour toujours.
3 Que Dieu le Père et Jésus-Christ, le
Fils du Père, nous accordent la grâce, le
pardon et la paix pour que nous en vivions dans la vérité et l'amour.

La vérité et l'amour

4 J'ai été très heureux de constater que
certains de tes enfants vivent dans la vérité, comme le Père nous l'a commandé.
5 Et maintenant, voici ce que je te demande, chère Dame : aimons-nous les
uns les autres. Ce n'est pas un commandement nouveau que je t'écris ; c'est celui
que nous avons reçu dès le commencement[b]. 6 L'amour consiste à vivre selon
les commandements de Dieu. Et le
commandement que vous avez appris dès
le commencement, c'est que vous viviez
dans l'amour.
7 Beaucoup d'imposteurs se sont répandus dans le monde ; ils refusent de reconnaître que Jésus-Christ est réellement
devenu homme. C'est en cela que se révèle l'imposteur, l'Adversaire du Christ.
8 Prenez donc garde à vous-mêmes, afin
que vous ne perdiez pas le résultat de notre travail[c], mais que vous receviez pleinement votre récompense.
9 Quiconque ne demeure pas dans l'enseignement du Christ, mais va au-delà,
n'est pas en communion avec Dieu. Celui
qui demeure dans cet enseignement est
en communion avec le Père et le Fils. 10 Si
quelqu'un vient à vous et vous apporte
un autre enseignement, ne le recevez pas
chez vous et refusez même de le saluer ;
11 car celui qui le salue devient complice
de ses mauvaises actions.

Dernières remarques

12 J'aurai encore beaucoup de choses à
vous dire, mais je préfère ne pas les mettre par écrit, avec papier et encre. J'espère
me rendre chez vous et vous parler personnellement, afin que notre joie soit
complète.
13 Les enfants de ta Sœur[d], choisie par
Dieu elle aussi, t'adressent leurs salutations.

---

a **v. 1** Certains pensent que *la Dame choisie par Dieu* désigne ici une Église locale, dont les membres sont appelés *ses enfants*. Voir aussi 4 et 5.

b **v. 5** Voir Jean 13.34 ; 15.12,17.

c **v. 8** *notre travail* : certains manuscrits ont *votre travail*.

d **v. 13** *les enfants de ta Sœur* : il s'agit probablement des membres de l'Église à laquelle appartient l'auteur de la la lettre.

Troisième lettre de
Jean

Introduction *– Cette lettre, écrite également par « l'Ancien » (v. 1 ; voir 2 Jean 1), est adressée à un certain Gaïus. Nous ne savons rien de ce dernier, sinon qu'il demeure fidèle à la vérité. Son attitude contraste avec celle de Diotrèphe, membre influent de la communauté, qui calomnie « l'Ancien » et manque aux devoirs de l'hospitalité.*

L'auteur fait l'éloge de Gaïus en raison de sa fidélité et des services qu'il rend aux croyants (v. 1-8) ; il se plaint de la conduite de Diotrèphe (v. 9-10), puis il mentionne la bonne réputation d'un autre chrétien, Démétrius (v. 11-12), avant d'annoncer sa visite et de transmettre les salutations des amis (v. 13-15).

On remarquera comment, d'après cette lettre, l'hospitalité, l'accueil réservé aux frères, est une forme de l'amour et de la fidélité à la vérité.

Salutation

1 De la part de l'Ancien, à mon cher Gaïus[a] que j'aime en toute vérité.

2 Cher ami, je souhaite que tout aille bien pour toi et que tu sois en aussi bonne santé physiquement que tu l'es spirituellement. 3 Des frères sont arrivés et m'ont déclaré combien tu es fidèle à la vérité, et comment tu vis selon la vérité. J'en ai été très heureux. 4 Rien ne me rend plus heureux que d'apprendre que mes enfants vivent conformément à la vérité.

La fidélité de Gaïus

5 Cher ami, tu te montres fidèle dans tout ce que tu fais pour les frères, même étrangers. 6 Ils ont témoigné de ton amour devant notre Église[b]. Aide-les, je t'en prie, à poursuivre leur voyage, d'une manière digne de Dieu. 7 En effet, ils se sont mis en route au service du Christ sans rien accepter des païens. 8 Nous avons donc le devoir de soutenir de tels hommes, afin de collaborer, nous aussi, à la diffusion de la vérité.

Diotrèphe et Démétrius

9 J'ai écrit une courte lettre à votre Église[c] ; mais Diotrèphe, qui aime à tout diriger, ne tient aucun compte de ce que je dis. 10 C'est pourquoi, quand je viendrai, je dénoncerai le mal qu'il commet, lui qui profère des propos malveillants et mensongers à notre sujet. Mais ce n'est pas tout : il refuse de recevoir les frères de passage, et ceux qui voudraient les recevoir, il les en empêche en les menaçant de les chasser de l'Église.

a **v. 1** *Gaïus* : voir Act 19.29 ; Rom 16.23 ; 1 Cor 1.14.
b **v. 6** D'après le verset 3, il s'agit bien de l'Église locale où réside l'auteur de la lettre.
c **v. 9** Ici, il s'agit sans doute de l'Église locale à laquelle appartient Gaïus et où *Diotrèphe* jette le trouble.

[11] Cher ami, n'imite pas ce qui est mal, mais ce qui est bien. Celui qui pratique le bien appartient à Dieu ; celui qui commet le mal ne connaît pas Dieu.
[12] Tous disent du bien de Démétrius, et la vérité qui l'inspire témoigne en sa faveur. Nous aussi, nous lui rendons un bon témoignage, et tu sais que ce témoignage est vrai.

Salutations finales

[13] J'aurai encore beaucoup de choses à te dire, mais je ne veux pas les mettre par écrit, avec plume et encre. [14] J'espère te voir bientôt et nous parlerons alors personnellement.
[15] Que la paix soit avec toi.

Tes amis t'adressent leurs salutations. Salue nos amis, chacun en particulier.

Lettre de Jude

***Introduction** – La* lettre de Jude *s'adresse non pas à une communauté particulière mais aux chrétiens en général. Son message est proche de celui qu'on trouve dans la deuxième lettre de Pierre (voir en particulier 2 Pi 2) : toutes deux combattent des gens qui propagent des doctrines néfastes et qui se caractérisent par leur immoralité.*

Après l'introduction (v. 1-2), l'auteur attaque avec vigueur les propagateurs de fausses doctrines, qui se sont introduits dans l'Église, et il annonce la condamnation qui les frappera tous (v. 3-16). De leur côté, les fidèles sont invités à demeurer fermes dans la foi (v. 17-23). La lettre se termine par une louange adressée « au Dieu unique, notre Sauveur par Jésus-Christ » (v. 24-25).

Si cette lettre dénonce le caractère redoutable de la puissance du mensonge, elle souligne d'autant mieux le secours et l'espérance que les chrétiens possèdent en Dieu, en Jésus-Christ et par le Saint-Esprit (v. 20-21).

Salutation

[1] De la part de Jude, serviteur de Jésus-Christ et frère de Jacques[a].

A ceux qui ont été appelés par Dieu, qui sont aimés par lui, le Père, et qui sont gardés par Jésus-Christ :

[2] Que le pardon, la paix et l'amour vous soient accordés avec abondance.

De faux enseignants

(Voir aussi 2 Pierre 2.1-17)

[3] Mes chers amis, j'avais un vif désir de vous écrire au sujet du salut qui nous est commun. Or, je me suis vu dans l'obliga-

a **v. 1** *Jude... Jacques* : voir Matt 13.55 ; Marc 6.3.

tion de vous adresser cette lettre afin de
vous encourager à combattre pour la foi
que Dieu a donnée aux siens une fois
pour toutes. 4 En effet, certains hommes
malfaisants se sont introduits discrètement parmi vous ; ils déforment le sens
de la grâce de notre Dieu pour justifier
leur vie immorale, et ils rejettent ainsi
Jésus-Christ, notre seul Maître et Seigneur. Il y a longtemps que les Écritures
ont annoncé la condamnation qui pèse
sur eux[b].

5 Bien que vous connaissiez déjà parfaitement tout cela, je tiens à vous rappeler comment le Seigneur a sauvé une fois
le peuple *d'Israël du pays d'Égypte,
mais a fait mourir ensuite ceux qui n'eurent pas confiance en lui[c]. 6 Rappelez-
vous les *anges qui ne se sont pas contentés du pouvoir qui leur était accordé et
qui ont abandonné leur propre demeure :
Dieu les garde dans l'obscurité d'en bas,
définitivement enchaînés, pour le grand
jour du jugement. 7 Rappelez-vous Sodome, Gomorrhe et les villes voisines :
leurs habitants se sont conduits d'une
manière aussi immorale que ces anges et
ont recherché des relations contre nature[d] ; ils subissent la punition d'un feu
éternel, et c'est là un sérieux avertissement donné à tout le monde.

8 Eh bien, ces gens-là se comportent de
la même manière : entraînés par leurs
fantaisies, ils pèchent contre leur propre
corps, ils méprisent l'autorité de Dieu, ils
insultent les êtres glorieux du *ciel.
9 Même l'archange Michel n'a pas fait
cela. Dans sa querelle avec le *diable,
lorsqu'il lui disputait le corps de Moïse,
Michel n'osa pas porter une condamnation insultante contre lui ; il lui dit seulement : « Que le Seigneur te punisse[e] ! »
10 Mais ces gens-là insultent ce qu'ils ne
connaissent pas ; et ce qu'ils savent par
instinct, comme des bêtes sauvages, cela
même cause leur perte. 11 Malheur à eux !
Ils ont suivi le chemin de Caïn ; ils se
sont livrés à l'erreur pour de l'argent,
comme Balaam ; ils ont péri parce qu'ils
se sont révoltés comme Coré[f]. 12 Leur
présence est un scandale dans vos repas
fraternels, où ils font la fête sans aucune
honte, en ne s'occupant que d'eux-
mêmes. Ils sont comme des nuages emportés par les vents et qui ne donnent pas
de pluie. Ils sont pareils à des arbres qui
ne produisent aucun fruit, même en automne, et qui, une fois déracinés, sont
doublement morts. 13 Ils sont semblables
aux vagues furieuses de la mer, ils projettent devant eux l'écume de leurs actions
honteuses. Ils sont comme des étoiles er-
rantes et Dieu leur a réservé pour toujours une place dans la nuit la plus noire.

14 C'est Hénok, septième descendant
d'Adam en ligne directe, qui, il y a longtemps, a *prophétisé à leur sujet en disant : « Écoutez : le Seigneur va venir
avec ses saints anges par dizaines de milliers, 15 afin d'exercer le jugement sur
tous les humains. Il condamnera tous les
pécheurs pour toutes les mauvaises actions dues à leur révolte contre Dieu et
pour toutes les paroles offensantes que
ces êtres sans respect ont prononcées
contre lui[g]. » 16 Ces gens sont toujours
mécontents et se plaignent de leur sort ;
ils suivent leurs propres désirs ; ils tiennent des propos orgueilleux et flattent les
gens par intérêt.

Avertissements et recommandations

17 Quant à vous, mes chers amis, souvenez-vous de ce que les *apôtres de notre
Seigneur Jésus-Christ vous ont annoncé
autrefois. 18 Ils vous ont dit, en effet : « A

---

b **v. 4** *Jésus-Christ, notre seul Maître et Seigneur* : autre traduction *le seul Maître* (c'est-à-dire Dieu) *et notre Seigneur Jésus-Christ*. – *ont annoncé... sur eux* : comparer Ps 69.28-29.

c **v. 5** *le Seigneur* : appellation de Dieu, comme dans l'Ancien Testament grec ; mais certains manuscrits ont ici *Jésus*, nom qui, en grec, est la même que celui de *Josué*. – Voir Ex 12.51 ; Nomb 14.29-30.

d **v. 7** Allusion aux vices contre nature des habitants de Sodome et Gomorrhe. Ce verset évoque Gen 19.1-25, où les anges venus sauver Loth sont pris par les Sodomites pour des êtres humains.

e **v. 9** *archange* : voir 1 Thess 4.16 et la note. – *Michel* : voir Dan 10.13,21 ; 12.1 ; Apoc 12.7. – *le corps de Moïse* : comparer Deut 34.6 ; mais l'auteur se réfère ici à un récit qui ne figure pas dans la Bible. – *Que le Seigneur te punisse* : comparer Zach 3.2.

f **v. 11** *Caïn* : voir Gen 4.3-8. – *Balaam* : voir Nomb 22.1-35. – *Coré* : voir Nomb 16.1-35.

g **v. 15** Aux versets 14 et 15, l'auteur cite le livre juif *d'Hénok* (1.9). – *Hénok* : voir Gen 5.18,21-24.

la fin des temps, il y aura des gens qui se
moqueront de vous et vivront selon leurs
mauvais désirs[h]. » 19 Les voilà, ceux qui
causent des divisions ! Ils sont dominés
par leurs instincts et non par l'Esprit
de Dieu. 20 Mais vous, mes chers amis,
continuez à fonder votre vie sur votre
très sainte foi. Priez avec la puissance
du Saint-Esprit. 21 Maintenez-vous dans
l'amour de Dieu, en attendant que notre
Seigneur Jésus-Christ, dans sa bonté,
vous accorde la vie éternelle.
22 Ayez pitié de ceux qui hésitent[i]. 23 Il
en est d'autres que vous pouvez sauver en
les arrachant du feu. A d'autres encore
montrez également de la pitié, une pitié
mêlée de crainte : évitez tout contact
même avec leurs vêtements tachés par
leurs passions humaines.

Louange finale

24 A celui qui peut vous garder de toute
chute et vous faire paraître sans défaut et
pleins de joie en sa glorieuse présence,
25 au Dieu unique, notre Sauveur par
Jésus-Christ notre Seigneur, sont la
*gloire, la grandeur, la puissance et l'au-
torité, depuis toujours, maintenant et
pour toujours ! *Amen.

---

h **v. 18** Comparer 2 Pi 3.3.
i **v. 22** *Ayez pitié de* : certains manuscrits ont *Cherchez à convaincre*.

Apocalypse

ou Révélation accordée à Jean

***Introduction** – Jean, l'auteur du dernier livre de la Bible, présente ici une série d'événements que Jésus-Christ lui a révélés (1.1-2) ; il raconte ce qu'il a vu après avoir été « saisi par l'Esprit Saint » (1.10). Au moment où il écrit son livre, il se trouve dans la petite île de Patmos, à l'ouest de l'Asie Mineure (aujourd'hui la Turquie d'Asie) ; il s'y trouve exilé parce qu'il a prêché l'Évangile (1.9), à une période où l'empereur romain persécutait les communautés chrétiennes. Il écrit pour sept Églises d'Asie Mineure, situées dans la région où se trouve actuellement le port turc d'Izmir (Smyrne).*

Si les chrétiens sont persécutés, c'est parce qu'ils ne reconnaissent qu'un seul Seigneur, Jésus-Christ. Dans ce temps troublé, Jean leur écrit pour fortifier leur foi et leur espérance. Son livre se compose en grande partie de visions et de révélations exprimées dans un langage symbolique et imagé, que les croyants, familiers de l'Ancien Testament, pouvaient plus facilement comprendre, alors qu'il restait mystérieux pour les autres. Les visions que Jean décrit sont variées mais reprennent les mêmes thèmes. L'interprétation de leurs détails diffère beaucoup selon les commentateurs, mais l'affirmation centrale du livre est claire : en opposition au triomphe momentané des forces du mal, la victoire totale et définitive sera remportée, pour Dieu et pour les siens, par Jésus-Christ, le seul Seigneur.

Jean commence par se présenter comme le messager du Christ ressuscité (1.1-8).
– Dans la première partie de son message, il rapporte les circonstances de sa première vision, au cours de laquelle Jésus le charge d'écrire des lettres aux sept Églises d'Asie Mineure (1.9–3.22).
– Puis Jean se voit transporté au ciel, où des visions successives s'offrent à lui : la cour céleste, adorant Dieu et Jésus-Christ (chap. 4–5) ; le livre et ses sept sceaux (6.1–8.1) ; les sept trompettes (8.2–11.19) ; le dragon et les deux bêtes (12.1–13.18) ; l'Agneau et les 144 000 rachetés, le jugement annoncé par des anges (14.1-20) ; les sept coupes de la colère de Dieu (15.1–16.21) ; la destruction de Babylone, la défaite de la bête, du faux prophète et du diable (17.1–20.10) ; le nouveau ciel, la nouvelle terre et la nouvelle Jérusalem (21.1–22.5). Le livre s'achève sur un avertissement solennel et sur la promesse du Ressuscité : « Je viens bientôt » (22.6-21).

*Les lecteurs d'aujourd'hui comprendront mieux ce livre difficile s'ils ne cherchent pas les détails d'un avenir catastrophique. L'intention de l'auteur n'est pas de faire peur aux croyants, mais de leur donner du courage dans les temps difficiles. Les visions de l'*Apocalypse *sont destinées à leur faire saisir toutes les conséquences de l'œuvre du Christ et de sa résurrection pour le présent et l'avenir des siens.*

Introduction

1 1 Ce livre contient la révélation que Jésus-Christ a reçue[a]. Dieu la lui a donnée pour qu'il montre à ses serviteurs ce qui doit arriver bientôt. Le Christ a envoyé son *ange à son serviteur Jean pour lui faire connaître cela. 2 Jean est témoin que tout ce qu'il a vu[b] est parole de Dieu et vérité révélée par Jésus-Christ. 3 Heureux celui qui lit ce livre, heureux ceux qui écoutent ce message prophétique et prennent au sérieux ce qui est écrit ici ! Car le moment fixé pour tous ces événements est proche.

Salutations aux sept Églises

4 De la part de Jean, aux sept Églises de la province d'Asie :

Que la grâce et la paix vous soient accordées de la part de Dieu qui est, qui était et qui vient[c], de la part des sept esprits qui sont devant son trône, 5 et de la part de Jésus-Christ, le témoin fidèle, le Fils premier-né, le premier à avoir été ramené d'entre les morts, et le souverain des rois de la terre.

Le Christ nous aime et il nous a délivrés de nos péchés par son *sacrifice, 6 il a fait de nous un royaume de *prêtres pour servir Dieu, son Père. A lui soient la *gloire et la puissance pour toujours ! *Amen.

7 Regardez, il vient parmi les nuages ! Tous le verront, même ceux qui l'ont transpercé[d]. Les peuples de la terre entière se lamenteront à son sujet. Oui, il en sera ainsi ! Amen.

8 « Je suis l'Alpha et l'Oméga[e] », déclare le Seigneur Dieu tout-puissant, qui est, qui était et qui vient.

Jean a une vision du Christ

9 Je suis Jean, votre frère ; uni comme vous à Jésus, je suis votre compagnon dans la détresse, le *Royaume et la persévérance. J'ai été exilé sur l'île de Patmos[f], à cause de ma fidélité à la parole de Dieu et à la vérité révélée par Jésus. 10 Le jour du Seigneur[g], l'Esprit Saint se saisit de moi et j'entendis derrière moi une voix forte, qui résonnait comme une trompette ; 11 elle disait : « Écris dans un livre ce que tu vois, et envoie le livre aux sept Églises suivantes : à Éphèse, Smyrne, Pergame, Thyatire, Sardes, Philadelphie et Laodicée. »

12 Je me retournai pour voir qui me parlait. Alors je vis sept lampes d'or. 13 Au milieu d'elles se tenait un être semblable à un homme ; il portait une robe qui lui descendait jusqu'aux pieds et une ceinture d'or autour de la taille. 14 Ses cheveux étaient blancs comme de la laine, ou comme de la neige, et ses yeux flamboyaient comme du feu ; 15 ses pieds brillaient comme du bronze poli, purifié au four, et sa voix résonnait comme de grandes chutes d'eau. 16 Il tenait sept étoiles dans sa main droite, et une épée aiguë à deux tranchants sortait de sa bouche. Son visage resplendissait comme le soleil à midi. 17 Quand je le vis, je tombai à ses pieds comme mort. Il posa sa main droite sur moi et dit : « N'aie pas peur ! Je suis le premier et le dernier[h]. 18 Je suis le vivant. J'étais mort, mais maintenant je suis vivant pour toujours. Je détiens le pouvoir sur la mort et le monde des morts. 19 Écris donc ce que

---

a **1.1** Le mot grec signifiant *révélation* est celui qui a donné le titre du livre *Apocalypse*.

b **1.2** Voir 1.11-20. Jean va rapporter une *vision*.

c **1.4** *province d'Asie* : voir 2 Cor 1.8 et la note. Les *sept Églises* sont mentionnées au verset 11. – *qui est... vient* : comparer Ex 3.14.

d **1.7** *v. 5* : *témoin fidèle* : comparer És 55.4. – *premier-né* : comparer Ps 89.28. – *par son sacrifice* ou *par son sang, par sa mort* : voir Col 1.20 et la note. – *v. 6* : *un royaume de prêtres* : comparer Ex 19.6 ; 1 Pi 2.5. – *v. 7* : *parmi les nuages* : voir Dan 7.13 ; Marc 14.62. – *...qui l'ont transpercé* : voir Zach 12.10 ; Jean 19.37.

e **1.8** *Alpha* et *Oméga* sont la première et la dernière lettres de l'alphabet grec. Comme en 21.6 et 22.13, l'expression signifie *le premier et le dernier*, ou *le commencement et la fin*.

f **1.9** *Patmos* : petite île de la mer Égée, à une centaine de kilomètres d'Éphèse ; c'était un lieu d'exil pour des personnes jugées indésirables par les autorités romaines.

g **1.10** *jour du Seigneur* : par la suite, cette expression devint la désignation traditionnelle du dimanche chrétien.

h **1.17** *v. 13-15* : voir Dan 7.13 ; 10.5 ; 7.9 ; 10.6. – *v. 16-17* : voir És 49.2 ; Hébr 4.12 ; És 44.6 ; 48.12.

tu vois : aussi bien ce qui se passe maintenant que ce qui doit arriver ensuite. 20 Voici quel est le sens caché des sept étoiles que tu vois dans ma main droite et des sept lampes d'or : les sept étoiles sont les *anges des sept Églises, et les sept lampes sont les sept Églises. »

Le message adressé à l'Église d'Éphèse

2 1 « Écris à *l'ange de l'Église d'Éphèse :

« Voici ce que déclare celui qui tient les sept étoiles dans sa main droite et qui marche au milieu des sept lampes d'or : 2 Je connais ton activité, la peine que tu t'es donnée et ta persévérance. Je sais que tu ne peux pas supporter les méchants ; tu as mis à l'épreuve ceux qui se disent *apôtres mais ne le sont pas et tu as démasqué leur imposture. 3 Tu as de la persévérance, tu as souffert à cause de moi et tu ne t'es pas découragé. 4 Mais j'ai un reproche à te faire : tu ne m'aimes plus comme au commencement. 5 De quelle hauteur tu es tombé ! Prends-en conscience, change d'attitude[i] et agis comme tu l'as fait au commencement. Si tu refuses de changer, je viendrai à toi et j'enlèverai ta lampe de sa place. 6 Cependant, tu as ceci en ta faveur : tout comme moi, tu détestes ce que font les Nicolaïtes[j].

7 « Que chacun, s'il a des oreilles, écoute bien ce que l'Esprit dit aux Églises !

« A ceux qui auront remporté la victoire je donnerai à manger les fruits de l'arbre de la vie qui se trouve dans le jardin de Dieu[k]. »

Le message adressé à l'Église de Smyrne

8 « Écris à *l'ange de l'Église de Smyrne :

« Voici ce que déclare celui qui est le premier et le dernier, celui qui était mort et qui est revenu à la vie : 9 Je connais ta détresse et ta pauvreté – mais en réalité tu es riche ! – Je sais le mal que disent de toi ceux qui se prétendent Juifs mais ne le sont pas : ils sont une assemblée de *Satan ! 10 Ne crains pas ce que tu vas souffrir. Écoute : le diable va vous mettre à l'épreuve en jetant plusieurs d'entre vous en prison ; on vous persécutera pendant dix jours[l]. Sois fidèle jusqu'à la mort, et je te donnerai la *couronne de victoire, la vie éternelle.

11 « Que chacun, s'il a des oreilles, écoute bien ce que l'Esprit dit aux Églises !

« Ceux qui auront remporté la victoire ne subiront pas la seconde mort. »

Le message adressé à l'Église de Pergame

12 « Écris à *l'ange de l'Église de Pergame :

« Voici ce que déclare celui qui possède l'épée aiguë à deux tranchants : 13 Je sais où tu demeures : là où *Satan a son trône. Tu es fermement attaché à moi et tu n'as pas renié la foi en moi, même à l'époque où Antipas, mon témoin fidèle, a été mis à mort chez vous, là où Satan demeure. 14 Cependant, j'ai quelques reproches à te faire : tu as chez toi des gens attachés à la doctrine de Balaam. Celui-ci incitait Balac à tendre un piège aux Israélites en les poussant à manger de la viande provenant de *sacrifices offerts aux idoles et à se livrer à l'immoralité[m]. 15 De même, tu as également chez toi des gens attachés à la doctrine des Nicolaïtes[n]. 16 Change donc d'attitude. Sinon, je viendrai à toi bientôt et je combattrai ces gens avec l'épée qui sort de ma bouche.

17 « Que chacun, s'il a des oreilles, écoute bien ce que l'Esprit dit aux Églises !

« A ceux qui auront remporté la victoire je donnerai de la *manne cachée. Je

---

i **2.5** *change d'attitude* ou *repens-toi*.

j **2.6** Les versets 2, 14, 20 et 24 font sans doute allusion aux doctrines et à la morale de la secte hérétique des *Nicolaïtes*, mentionnés encore au verset 15, mais dont nous ne savons rien par ailleurs.

k **2.7** Voir Gen 2.8-9 ; Apoc 22.2.

l **2.10** *dix jours* : ce nombre indique une durée relativement courte (comparer Gen 24.55 ; Dan 1.12).

m **2.14** Voir Nomb 31.16 et 25.1-2. – *Balaam et Balac* : voir Nomb 22–24.

n **2.15** Voir 2.6 et la note.

donnerai aussi à chacun d'eux un caillou
blanc sur lequel est inscrit un nom nouveau[o], que personne ne connaît à part celui qui le reçoit. »

Le message adressé à l'Église de Thyatire

18 « Écris à *l'ange de l'Église de Thyatire :
« Voici ce que déclare le *Fils de Dieu,
celui dont les yeux flamboient comme du
feu et dont les pieds brillent comme du
bronze poli. 19 Je connais ton activité, ton
amour, ta fidélité, ton esprit de service et ta
persévérance. Je sais que tu es encore plus
actif maintenant qu'au commencement.
20 Mais j'ai un reproche à te faire : tu to-
lères Jézabel[p], cette femme qui prétend
parler de la part de Dieu. Elle égare mes
serviteurs en les incitant à se livrer à l'immoralité et à manger de la viande provenant de *sacrifices offerts aux idoles. 21 Je
lui ai laissé du temps pour changer de
comportement, mais elle ne veut pas se détourner de son immoralité. 22 C'est pourquoi, je vais la jeter sur un lit de douleur ;
j'infligerai également de grands tourments
à ses compagnons d'adultère, à moins
qu'ils ne renoncent aux mauvaises actions
qu'elle leur inspire. 23 De plus, je ferai
mourir ses enfants. Ainsi toutes les Églises
sauront que je suis celui qui discerne les
pensées et les désirs des humains. Je traiterai chacun de vous selon ce qu'il aura fait[q].
24 « Quant à vous qui, à Thyatire, ne
vous êtes pas attachés à cette fausse doctrine et qui n'avez pas appris ce que ces
gens appellent "les profonds secrets de
*Satan[r]", voici ce que je déclare : je ne
vous impose pas d'autre fardeau. 25 Mais
tenez fermement ce que vous avez jusqu'à
ce que je vienne.
26-28 « A ceux qui auront remporté la
victoire et qui auront fait ma volonté
jusqu'à la fin, j'accorderai le pouvoir que
j'ai reçu moi-même de mon Père : je leur
donnerai le pouvoir sur les nations, ils les
dirigeront avec une autorité de fer et les
briseront comme des pots d'argile. Je leur
donnerai aussi l'étoile du matin[s].
29 « Que chacun, s'il a des oreilles,
écoute bien ce que l'Esprit dit aux
Églises ! »

Le message adressé à l'Église de Sardes

3 1 « Écris à *l'ange de l'Église de
Sardes :
« Voici ce que déclare celui qui a les
sept esprits de Dieu et les sept étoiles : Je
connais ton activité ; je sais que tu as la
réputation d'être vivant, alors que tu es
mort. 2 Réveille-toi, affermis ce que tu as
encore, avant que cela ne vienne à mourir
complètement. Car j'ai remarqué qu'aucune de tes actions n'est parfaite aux yeux
de mon Dieu. 3 Rappelle-toi donc l'enseignement que tu as reçu et la façon
dont tu l'as entendu ; sois-lui fidèle et
change de comportement. Si tu ne te ré-
veilles pas, je viendrai te surprendre
comme un voleur, sans que tu saches à
quelle heure ce sera[t]. 4 Cependant, quelques-uns des tiens, à Sardes même, n'ont
pas souillé leurs vêtements. Ils m'accompagneront, vêtus de blanc, car ils en
sont dignes.
5 « Ceux qui auront remporté la victoire
porteront ainsi des vêtements blancs ; je
n'effacerai pas leurs noms du livre de vie.
Je reconnaîtrai devant mon Père et devant ses anges qu'ils sont à moi[u].
6 « Que chacun, s'il a des oreilles,
écoute bien ce que l'Esprit dit aux
Églises ! »

Le message adressé à l'Église de Philadelphie

7 « Écris à *l'ange de l'Église de
Philadelphie :
« Voici ce que déclare celui qui est saint
et véritable, celui qui a la clé du roi David, celui qui ouvre et personne ne peut
fermer, qui ferme et personne ne peut ou-

---

o **2.17** Voir Ex 16.14-15,33-34 ; És 62.2 ; 65.15.

p **2.20** *Jézabel* : il peut s'agir d'un nom symbolique, ici. Voir 1 Rois 16.31 ; 19.1-2 ; 2 Rois 9.22,30.

q **2.23** Voir Ps 7.10 ; Jér 17.10 ; Ps 62.13.

r **2.24** Allusion à des enseignements secrets, réservés aux initiés de la secte.

s **2.26-28** Voir Ps 2.8-9 ; comparer Nomb 24.17 ; Apoc 22.16.

t **3.3** Comparer Matt 24.43-44 ; Luc 12.39-40 ; 1 Thess 5.2 ; 2 Pi 3.10.

u **3.5** *livre de vie* : comparer Phil 4.3. – *Je reconnaîtrai...* : comparer Matt 10.32 ; Luc 12.8.

vrir[v] : 8 Je connais ton activité ; je sais que tu n'as que peu de force, et pourtant tu as été fidèle à ma parole et tu ne m'as pas renié. Eh bien, j'ai ouvert une porte devant toi, que personne ne peut fermer. 9 Voici ce que je ferai des gens de l'assemblée de *Satan, ces menteurs qui se prétendent Juifs mais ne le sont pas : je les forcerai à venir s'agenouiller devant toi pour t'honorer. Ils reconnaîtront que je t'aime[w]. 10 Puisque tu as gardé mon ordre d'être persévérant, moi aussi je te garderai de la période de malheur qui va venir sur le monde entier pour mettre à l'épreuve les habitants de la terre. 11 Je viens bientôt. Tiens fermement ce que tu as, afin que personne ne te prenne ta *couronne de victoire.

12 « De celui qui aura remporté la victoire, je ferai une colonne dans le *temple de mon Dieu et il n'en sortira plus jamais. J'inscrirai sur lui le nom de mon Dieu et le nom de la ville de mon Dieu, la nouvelle Jérusalem qui descend du *ciel, envoyée par mon Dieu. J'inscrirai aussi sur lui mon nom nouveau[x].

13 « Que chacun, s'il a des oreilles, écoute bien ce que l'Esprit dit aux Églises ! »

Le message adressé à l'Église de Laodicée

14 « Écris à *l'ange de l'Église de Laodicée :

« Voici ce que déclare *l'Amen, le témoin fidèle et véritable, qui est à l'origine[y] de tout ce que Dieu a créé : 15 Je connais ton activité ; je sais que tu n'es ni froid ni bouillant. Si seulement tu étais l'un ou l'autre ! 16 Mais tu n'es ni bouillant ni froid, tu es tiède, de sorte que je vais te vomir de ma bouche ! 17 Tu dis :“Je suis riche et j'ai fait de bonnes affaires, je ne manque de rien”. En fait, tu ne sais pas combien tu es malheureux et misérable ! Tu es pauvre, nu et aveugle. 18 C'est pourquoi je te conseille d'acheter chez moi de l'or purifié au feu, pour devenir réellement riche. Achète aussi des vêtements blancs pour t'en couvrir et n'avoir plus la honte de paraître nu, ainsi qu'un remède pour soigner tes yeux et leur rendre la vue. 19 Je réprimande et corrige tous ceux que j'aime[z]. Fais donc preuve de zèle et change de comportement. 20 Écoute, je me tiens à la porte et je frappe ; si quelqu'un entend ma voix et ouvre la porte, j'entrerai chez lui, je prendrai un repas avec lui et lui avec moi.

21 « A ceux qui auront remporté la victoire j'accorderai le droit de siéger avec moi sur mon trône, tout comme moi, après avoir remporté la victoire, je suis allé siéger avec mon Père sur son trône.

22 « Que chacun, s'il a des oreilles, écoute bien ce que l'Esprit dit aux Églises ! »

L'adoration dans le ciel

4 1 Après cela, j'eus une autre vision : je vis une porte ouverte dans le *ciel.

La voix que j'avais entendue me parler auparavant, celle qui résonnait comme une trompette, me dit : « Monte ici, et je te montrerai ce qui doit arriver ensuite. »

2 Aussitôt, l'Esprit se saisit de moi. Et là, dans le ciel, se trouvait un trône. Sur ce trône quelqu'un siégeait ; 3 il avait l'éclat resplendissant de pierres précieuses de jaspe et de sardoine. Le trône était entouré d'un arc-en-ciel qui brillait comme une pierre d'émeraude[a]. 4 Autour du trône, il y avait vingt-quatre autres trônes, sur lesquels siégeaient vingt-quatre *anciens vêtus de blanc et portant des *couronnes d'or. 5 Du trône partaient des éclairs, des bruits de voix et des coups de tonnerre. Sept flambeaux ardents brûlaient devant le trône : ce sont les sept esprits de Dieu[b]. 6 Devant le trône, il y avait comme une mer de verre, aussi claire que du cristal.

---

v **3.7** Comparer És 22.22. Celui qui détient *la clé du roi David* est chargé d'une mission de confiance et des pleins pouvoirs pour la remplir. Par ailleurs le Christ est descendant du roi David (voir Act 2.30).

w **3.9** Comparer És 49.23 ; 60.14 ; 43.4.

x **3.12** Comparer És 62.2.

y **3.14** *à l'origine* : autre traduction*le chef*. Comparer Prov 8.22.

z **3.19** Comparer Prov 3.12 ; Hébr 12.6.

a **4.3** *v. 2-3* : comparer Ézék 1.26-28 ; 10.1. – *émeraude* : voir 21.19-20 et la note.

b **4.5** Comparer Ex 19.16 ; Ézék 1.13 ; Zach 4.2.

Au milieu, autour du trône, se trouvaient quatre êtres vivants, couverts
d'yeux par-devant et par-derrière. 7 Le
premier être vivant ressemblait à un lion
et le deuxième à un jeune taureau ; le
troisième avait un visage pareil à celui
d'un homme ; et le quatrième ressemblait
à un aigle en plein vol[c]. 8 Chacun des quatre êtres vivants avait six ailes, couvertes
d'yeux par-dessus et par-dessous. Ils ne
cessent pas de chanter jour et nuit :

« Saint, saint, saint est le Seigneur
Dieu tout-puissant,
qui était, qui est et qui vient[d]. »

9 Chaque fois que les quatre êtres vivants
chantent pour glorifier, honorer et remercier celui qui siège sur le trône, celui
qui vit pour toujours, 10 les vingt-quatre
anciens s'agenouillent devant celui qui
siège sur le trône, ils adorent celui qui vit
pour toujours. Ils jettent leurs couronnes
devant le trône en disant :

11 « Seigneur, notre Dieu,
tu es digne de recevoir la *gloire,
l'honneur et la puissance.
Car c'est toi qui as créé toutes choses,
elles sont venues à l'existence
parce que tu l'as voulu. »

Le livre et l'Agneau

5 1 Je vis un livre en forme de rouleau
dans la main droite de celui qui siégeait sur le trône ; il était écrit des deux
côtés et fermé par sept sceaux[e]. 2 Et je vis
un *ange puissant qui proclamait d'une
voix forte : « Qui est digne de briser les
sceaux et d'ouvrir le livre ? »

3 Mais il n'y avait personne, ni dans le
*ciel, ni sur la terre, ni sous la terre[f], qui
pût ouvrir le livre et regarder à l'intérieur. 4 Je pleurai beaucoup, parce qu'il ne
s'était trouvé personne qui fût digne
d'ouvrir le livre et de regarder à l'intérieur. 5 Alors l'un des *anciens me dit :
« Ne pleure pas. Regarde : le lion de la
tribu de Juda, le descendant du roi David[g], a remporté la victoire ; il peut donc
briser les sept sceaux et ouvrir le livre. »

6 Et je vis un Agneau debout au milieu
du trône, entouré par les quatre êtres vivants et les anciens. Il semblait avoir été
égorgé. Il avait sept cornes, ainsi que sept
yeux qui sont les sept esprits de Dieu envoyés par toute la terre[h]. 7 L'Agneau
s'avança et prit le livre de la main droite
de celui qui siégeait sur le trône. 8 Aussitôt, les quatre êtres vivants et les vingt-
quatre anciens s'agenouillèrent devant
l'Agneau. Chacun d'eux avait une harpe
et des coupes d'or pleines *d'encens, qui
sont les prières du peuple de Dieu. 9 Ils
chantaient un chant nouveau :

« Tu es digne de prendre le livre
et d'en briser les sceaux.
Car tu as été mis à mort et, par ton *sacrifice,
tu as acquis pour Dieu des gens
de toute tribu, de toute langue, de tout
peuple et de toute nation.
10 Tu as fait d'eux un royaume de *prêtres pour servir notre Dieu,
et ils régneront sur la terre[i]. »

11 Je regardai encore et j'entendis la
voix d'une multitude d'anges : il y en
avait des milliers, des dizaines de milliers[j]. Ils se tenaient autour du trône, des
êtres vivants et des anciens, 12 et ils chantaient d'une voix forte :

« L'Agneau qui a été mis à mort
est digne de recevoir la puissance,
la richesse, la sagesse et la force,
l'honneur, la *gloire et la louange ! »

13 J'entendis aussi toutes les créatures
dans le ciel, sur la terre, sous la terre et
dans la mer – les créatures de l'univers
entier – qui chantaient :

---

c **4.7** *v. 6-7* : comparer Ézék 1.22 ; 1.5-10 ; 10.14.

d **4.8** Comparer Ézék 1.18 ; 10.12 ; És 6.2-3.

e **5.1** Comparer Ézék 2.9-10 et la note ; És 29.11. – Le *sceau* est une marque imprimée dans l'argile ou la cire qu'un propriétaire appose sur un objet lui appartenant, ou dont on se sert pour fermer un livre en forme de rouleau.

f **5.3** Voir Phil 2.10 et la note.

g **5.5** Comparer 3.7 et la deuxième partie de la note ; Gen 49.9 ; És 11.1,10.

h **5.6** Comparer És 53.7 ; Zach 4.10. – Dans la Bible, la *corne* est souvent un symbole de puissance et, d'après Zach 4.10, les *yeux* sont des symboles de la connaissance de toutes choses. Le chiffre *sept*, pris dans un sens symbolique, représentait la perfection et la totalité.

i **5.10** *v. 9* : *chant nouveau* : voir Ps 33.3 ; 98.1 ; És 42.10. – *par ton sacrifice* ou *par ton sang* : comparer Col 1.20 et la note. – *v. 10* : *un royaume de prêtres* : voir 1.6 et la note.

j **5.11** Comparer Dan 7.10.

« A celui qui siège sur le trône et à
l'Agneau
soient la louange, l'honneur, la gloire
et la puissance pour toujours ! »

14 Les quatre êtres vivants répondaient : « *Amen ! » Et les anciens s'agenouillèrent et adorèrent.

Les sceaux

6 1 Puis je vis l'Agneau briser le premier des sept sceaux[k], et j'entendis l'un des quatre êtres vivants dire d'une voix qui résonnait comme le tonnerre : « Viens ! » 2 Je regardai et je vis un cheval blanc. Celui qui le montait tenait un arc, et on lui donna une *couronne. Il partit en vainqueur et pour vaincre encore.

3 Quand l'Agneau brisa le deuxième sceau, j'entendis le deuxième être vivant qui disait : « Viens ! » 4 Alors un autre cheval s'avança, il était de couleur rouge. Celui qui le montait reçut le pouvoir d'écarter toute paix de la terre, pour que les hommes se massacrent les uns les autres. On lui remit une grande épée.

5 Quand l'Agneau brisa le troisième sceau, j'entendis le troisième être vivant qui disait : « Viens ! » Je regardai et je vis un cheval noir[l]. Celui qui le montait tenait une balance à la main. 6 J'entendis comme une voix qui venait du milieu des quatre êtres vivants et qui disait : « Un kilo de blé pour le salaire d'une journée, et trois kilos d'orge pour le salaire d'une journée. Mais ne cause aucun dommage à l'huile et au vin. »

7 Quand l'Agneau brisa le quatrième sceau, j'entendis le quatrième être vivant qui disait : « Viens ! » 8 Je regardai et je vis un cheval de couleur verdâtre. Celui qui le montait se nomme la Mort, et le monde des morts le suivait. On leur donna le pouvoir sur le quart de la terre, pour faire mourir ses habitants par la guerre, la famine, les épidémies et les bêtes féroces[m].

9 Quand l'Agneau brisa le cinquième sceau, je vis sous *l'autel les âmes de ceux qui avaient été exécutés pour leur fidélité à la parole de Dieu et le témoignage qu'ils lui avaient rendu. 10 Ils criaient avec force : « Maître saint et véritable, jusqu'à quand tarderas-tu à juger les habitants de la terre pour leur demander des comptes au sujet de notre mort ? » 11 On donna à chacun d'eux une robe blanche, et on leur demanda de patienter encore un peu de temps, jusqu'à ce que soit complété le nombre de leurs frères et compagnons de service qui devaient être mis à mort comme eux-mêmes.

12 Puis je vis l'Agneau briser le sixième sceau. Il y eut alors un violent tremblement de terre ; le soleil devint noir comme une étoffe de deuil et la lune tout entière devint rouge comme du sang ; 13 les étoiles tombèrent du ciel sur la terre, comme les fruits encore verts qui tombent d'un figuier secoué par un fort vent. 14 Le ciel disparut comme un livre qu'on enroule sur lui-même ; toutes les montagnes et les îles furent arrachées de leur place[n]. 15 Les rois de la terre, les dirigeants, les chefs militaires, les riches, les puissants, et tous les autres, esclaves ou libres, se cachèrent dans les cavernes et parmi les rochers des montagnes. 16 Ils disaient aux montagnes et aux rochers : « Tombez sur nous et cachez-nous loin du regard de celui qui siège sur le trône et loin de la colère de l'Agneau. 17 Car le grand jour de leur colère est arrivé et qui pourrait lui résister[o] ? »

Les 144 000 et le sceau de Dieu

7 1 Après cela, je vis quatre *anges. Debout aux quatre coins de la terre, ils retenaient les quatre vents[p], afin qu'aucun d'eux ne souffle sur la terre, ni sur la mer, ni sur les arbres. 2 Et je vis un autre ange qui montait de l'est et qui tenait le sceau[q] du Dieu vivant. Il cria avec force aux quatre anges qui avaient reçu le pouvoir de ravager la terre et la mer : 3 « Ne ravagez ni la terre, ni la mer, ni les arbres

---

k **6.1** Voir 5.1 et la note.
l **6.5** *v. 2-5* : comparer Zach 1.8 ; 6.1-8.
m **6.8** Comparer Ézék 14.21.
n **6.14** *v. 12-14* : comparer És 13.10-13 ; 34.4 ; Ézék 32.7-8 ; Âmos 8.9 ; Joël 2.10 ; 3.3-4.
o **6.17** *v. 16* : voir Osée 10.8 ; Luc 23.30. – *v. 17* : voir Joël 2.11 ; Soph 2.2-3.
p **7.1** Comparer Jér 49.36 ; Dan 7.2 ; Zach 6.5.
q **7.2** Voir 5.1 et la note.

avant que nous ayons marqué du sceau le front des serviteurs de notre Dieu[r]. » 4 On m'indiqua alors le nombre de ceux qui furent marqués au front du sceau de Dieu : ils étaient cent quarante-quatre mille, de toutes les tribus du peuple *d'Israël : 5 douze mille de la tribu de Juda ; douze mille de la tribu de Ruben ; douze mille de la tribu de Gad ; 6 douze mille de la tribu d'Asser ; douze mille de la tribu de Neftali ; douze mille de la tribu de Manassé ; 7 douze mille de la tribu de Siméon ; douze mille de la tribu de Lévi ; douze mille de la tribu d'Issakar ; 8 douze mille de la tribu de Zabulon ; douze mille de la tribu de Joseph ; douze mille de la tribu de Benjamin.

La foule immense provenant de partout

9 Après cela, je regardai encore et je vis une foule immense de gens que personne ne pouvait compter. C'étaient des gens de toute nation, de toute tribu, de tout peuple et de toute langue. Ils se tenaient devant le trône et devant l'Agneau, vêtus de robes blanches et avec des palmes à la main. 10 Ils criaient avec force : « Le salut vient de notre Dieu, qui siège sur le trône, et de l'Agneau ! » 11 Tous les *anges se tenaient autour du trône, des *anciens et des quatre êtres vivants. Ils se jetèrent le visage contre terre devant le trône, et ils adorèrent Dieu 12 en disant : « *Amen ! Oui, la louange, la *gloire, la sagesse, la reconnaissance, l'honneur, la puissance et la force sont à notre Dieu pour toujours ! Amen. »

13 L'un des anciens me demanda : « Qui sont ces gens vêtus de robes blanches et d'où viennent-ils ? » 14 Je lui répondis : « C'est toi qui le sais, mon seigneur. » Il me dit alors : « Ce sont ceux qui ont passé par la grande persécution[s]. Ils ont lavé leurs robes et les ont blanchies dans le sang de l'Agneau. 15 C'est pourquoi ils se tiennent devant le trône de Dieu et lui rendent un culte nuit et jour dans son *temple. Celui qui siège sur le trône les protégera. 16 Ils n'auront plus jamais faim ou soif ; ni le soleil, ni aucune chaleur torride ne les brûleront plus. 17 Car l'Agneau qui est au milieu du trône sera leur *berger et les conduira aux sources d'eau vive. Et Dieu essuiera toute larme de leurs yeux[t]. »

Le septième sceau

8 1 Quand l'Agneau brisa le septième sceau[u], il y eut dans le *ciel un silence d'environ une demi-heure. 2 Puis je vis les sept *anges qui se tiennent devant Dieu ; on leur donna sept trompettes.

3 Un autre ange vint se placer près de *l'autel ; il tenait un brûle-parfum en or. On lui remit beaucoup *d'encens pour qu'il l'offre, avec les prières du peuple de Dieu, sur l'autel d'or situé devant le trône[v]. 4 La fumée de l'encens s'éleva de la main de l'ange, devant Dieu, avec les prières du peuple de Dieu. 5 Puis l'ange prit le brûle-parfum, le remplit du feu de l'autel et le jeta sur la terre. Il y eut aussitôt des coups de tonnerre, des bruits de voix, des éclairs et un tremblement de terre[w].

Les trompettes

6 Les sept *anges qui tenaient les sept trompettes[x] se préparèrent alors à en sonner.

7 Le premier ange sonna de la trompette. De la grêle et du feu, mêlés de sang, s'abattirent sur la terre. Le tiers de la terre et le tiers des arbres furent brûlés, ainsi que toute l'herbe verte[y].

8 Puis le deuxième ange sonna de la trompette. Une masse semblable à une grande montagne enflammée fut précipitée dans la mer. Le tiers de la mer se changea en sang. 9 Le tiers de toutes les créatures vivant dans la mer mourut et le tiers de tous les bateaux fut détruit.

10 Puis le troisième ange sonna de la trompette. Une grande étoile, qui brûlait

r **7.3** Comparer Ézék 9.4-6.
s **7.14** Comparer Dan 12.1 ; Matt 24.21 ; Marc 13.19.
t **7.17** *v. 16-17* : comparer És 49.10 ; Ps 23.1 ; Ézék 34.23 ; Ps 23.2 ; És 49.10 ; 25.8.
u **8.1** Voir 5.1 et la note.
v **8.3** Comparer Ex 30.1-3.
w **8.5** Comparer Lév 16.12 ; Ézék 10.2 ; Ex 19.16.
x **8.6** Comparer 1 Thess 4.16. La *trompette* est souvent citée comme signal du jugement de Dieu.
y **8.7** Comparer Ex 9.23-24 ; Ézék 38.22.

comme un flambeau, tomba du *ciel. Elle
tomba sur le tiers des fleuves et sur les
sources d'eau. 11 (Le nom de cette étoile
est Amertume.) Le tiers des eaux devint
amer et beaucoup de ceux qui en burent
moururent, parce qu'elles étaient empoisonnées.
12 Puis le quatrième ange sonna de la
trompette. Le tiers du soleil fut frappé,
ainsi que le tiers de la lune et le tiers des
étoiles, de sorte qu'ils perdirent un tiers
de leur clarté ; un tiers du jour et un tiers
de la nuit furent privés de lumière[z].
13 Je regardai encore, et j'entendis un
aigle qui volait très haut dans les airs proclamer d'une voix forte : « Malheur ! Malheur ! Malheur aux habitants de la terre
quand les trois autres anges vont faire retentir le son de leurs trompettes ! »

9 1 Alors le cinquième ange sonna de la
trompette. Je vis une étoile qui était
tombée du ciel sur la terre ; on lui remit
la clé du puits de *l'abîme. 2 L'étoile ouvrit le puits et il en monta une fumée
semblable à celle d'une grande fournaise[a]. Le soleil et l'air furent obscurcis
par cette fumée. 3 Des *sauterelles sortirent de la fumée et se répandirent sur la
terre ; on leur donna un pouvoir semblable à celui des scorpions[b]. 4 On leur ordonna de ne ravager ni l'herbe, ni les
arbres, ni les autres plantes, mais de s'en
prendre seulement aux hommes qui ne
sont pas marqués au front du sceau de
Dieu[c]. 5 Elles n'eurent pas la permission
de tuer ces hommes, mais seulement de
les tourmenter pendant cinq mois. La
douleur qu'elles causent est semblable à
celle qu'on éprouve quand on est piqué
par un scorpion. 6 Durant ces cinq mois,
les hommes chercheront la mort, mais ils
ne la trouveront pas ; ils désireront mourir, mais la mort les fuira[d].
7 Ces sauterelles ressemblaient à des
chevaux prêts pour le combat ; sur leurs
têtes, il y avait comme des *couronnes
d'or, et leurs visages étaient semblables à
des visages humains. 8 Elles avaient des
cheveux pareils à la chevelure des femmes, et leurs dents étaient comme celles
des lions. 9 Leur poitrine semblait couverte d'une cuirasse de fer, et le bruit produit par leurs ailes rappelait le bruit de
chars à plusieurs chevaux se précipitant
au combat[e]. 10 Elles avaient des queues
avec des aiguillons comme en ont les
scorpions, et c'est dans leurs queues
qu'elles avaient le pouvoir de nuire aux
hommes pendant cinq mois. 11 A leur
tête, elles ont un roi, l'ange de l'abîme. Il
s'appelle en hébreu « Abaddon », et en
grec « Apollyon », ce qui signifie « le Destructeur ».
12 Le premier malheur est passé ; après
cela, deux autres malheurs doivent encore venir.
13 Puis le sixième ange sonna de la
trompette. J'entendis une voix venir des
quatre angles de *l'autel d'or qui se
trouve devant Dieu[f]. 14 La voix dit au
sixième ange qui tenait la trompette :
« Libère les quatre anges qui sont enchaînés, près du grand fleuve, l'Euphrate[g]. »
15 On libéra les quatre anges ; c'est précisément pour cette heure, de ce jour, ce
mois et cette année, qu'ils avaient été tenus prêts à faire mourir le tiers de l'humanité. 16 On m'indiqua le nombre de
leurs soldats à cheval : ils étaient deux
cents millions. 17 Et voici comment, dans
ma vision, m'apparurent les chevaux et
leurs cavaliers : ils avaient des cuirasses
rouges comme le feu, bleues comme le saphir et jaunes comme le soufre[h]. Les têtes des chevaux étaient comme des têtes
de lions ; de leurs bouches sortaient du
feu, de la fumée et du soufre. 18 Le tiers de
l'humanité fut tué par ces trois fléaux : le
feu, la fumée et le soufre qui sortaient de
la bouche des chevaux. 19 Car le pouvoir
des chevaux se trouve dans leurs bouches, ainsi que dans leurs queues. En ef-

---

z **8.12** *v. 10* : voir És 14.12. – *v. 11* : voir Jér 9.14. – *v. 12* : voir Ex 10.21-23.

a **9.2** Comparer Gen 19.28.

b **9.3** Comparer Ex 10.12-15. – *scorpions* : voir Luc 10.19 et la note.

c **9.4** Voir 5.1 et la note.

d **9.6** Comparer Job 3.21 ; Jér 8.3.

e **9.9** *v. 7-9* : voir Joël 2.4 ; 1.6 ; 2.5.

f **9.13** Voir 8.3 et la note.

g **9.14** Grand fleuve de Mésopotamie qui marqua la frontière orientale de l'empire romain. Il traverse l'Irak d'aujourd'hui.

h **9.17** *saphir* : voir 21.19-20 et la note. – *soufre* : voir Luc 17.29 et la note.

fet, leurs queues ressemblent à des serpents ; elles ont des têtes, dont elles se servent pour nuire aux hommes.

20 Le reste de l'humanité, tous ceux qui n'avaient pas été tués par ces fléaux, ne se détournèrent pas des idoles faites de leurs propres mains ; ils ne cessèrent pas d'adorer les démons et les statues d'or, d'argent, de bronze, de pierre et de bois, qui ne peuvent ni voir, ni entendre, ni marcher[i]. 21 Ils ne renoncèrent pas non plus à leurs meurtres, leur magie, leur immoralité et leurs vols.

L'ange et le petit livre

10 1 Je vis ensuite un autre *ange puissant descendre du *ciel. Il était enveloppé d'un nuage et un arc-en-ciel couronnait sa tête ; son visage était comme le soleil et ses jambes étaient pareilles à des colonnes de feu. 2 Il tenait à la main un petit livre ouvert. Il posa le pied droit sur la mer et le pied gauche sur la terre. 3 Il cria avec force, comme un lion qui rugit. A son cri répondit le grondement des sept tonnerres. 4 J'allais mettre par écrit ce qu'ils avaient dit, mais j'entendis une voix du ciel me donner cet ordre : « Tiens secret le message des sept tonnerres ; ne l'écris pas. »

5 Alors l'ange que j'avais vu debout sur la mer et sur la terre leva la main droite vers le ciel 6 et fit un serment au nom du Dieu qui vit pour toujours, qui a créé le ciel, la terre, la mer et tout ce qui s'y trouve. L'ange déclara : « Il n'y aura plus de délai ! 7 Mais au moment où le septième ange se mettra à sonner de la trompette, alors Dieu réalisera son plan secret, comme il l'avait annoncé à ses serviteurs les *prophètes[j]. »

8 Puis la voix que j'avais entendue venir du ciel me parla de nouveau en ces termes : « Va prendre le petit livre ouvert dans la main de l'ange qui se tient debout sur la mer et sur la terre. »

9 Je m'approchai de l'ange et lui demandai de me remettre le petit livre. Il me répondit : « Prends-le et mange-le : il sera amer pour ton estomac, mais dans ta bouche il sera doux comme du miel. »

10 Je pris le petit livre de la main de l'ange et le mangeai. Dans ma bouche, il fut doux comme du miel ; mais quand je l'eus avalé, il devint amer pour mon estomac[k].

11 On me dit alors : « Il faut une fois encore que tu annonces ce que Dieu a prévu pour beaucoup de peuples, de nations, de langues et de rois. »

Les deux témoins

11 1 On me donna ensuite un roseau, une sorte de baguette servant à mesurer, et l'on me dit : « Va mesurer le *temple de Dieu ainsi que *l'autel, et compte ceux qui adorent dans le temple[l]. 2 Mais laisse de côté la cour extérieure du temple ; ne la mesure pas, car elle a été livrée aux païens, qui piétineront la ville sainte pendant quarante-deux mois[m]. 3 J'enverrai mes deux témoins, portant un vêtement de deuil, et ils transmettront le message reçu de Dieu pendant ces mille deux cent soixante jours. »

4 Les deux témoins sont les deux oliviers et les deux lampes qui se tiennent devant le Seigneur de la terre[n]. 5 Si quelqu'un cherche à leur nuire, du feu sort de leur bouche et détruit leurs ennemis ; c'est ainsi que mourra quiconque voudra leur nuire. 6 Ils ont le pouvoir de fermer le ciel, pour empêcher la pluie de tomber aussi longtemps qu'ils transmettent le message reçu de Dieu. Ils ont également le pouvoir de changer l'eau en sang et de frapper la terre de toutes sortes de fléaux, aussi souvent qu'ils le veulent[o].

7 Quand ils auront fini de proclamer leur message, la bête qui monte de *l'abîme les attaquera. Elle les vaincra et les tuera[p]. 8 Leurs cadavres resteront sur la place de la grande ville, là où leur Seigneur a été cloué sur une croix. Cette ville est appelée symboliquement So-

---

i **9.20** Comparer Ps 115.4-7 ; 135.15-17 ; Dan 5.4,23. – *démons* : voir 1 Tim 4.1 et la note.

j **10.7** *v. 5-7* : comparer Ex 20.11 ; Deut 32.40 ; Dan 12.7 ; Amos 3.7.

k **10.10** *v. 8-10* : comparer Ézék 2.8–3.3.

l **11.1** Comparer Ézék 40.3 ; Zach 2.5-6.

m **11.2** Comparer Luc 21.24.

n **11.4** Comparer Zach 4.3,11-14.

o **11.6** Comparer 1 Rois 17.1 ; Ex 7.17-19 ; 1 Sam 4.8.

p **11.7** Comparer Dan 7.3,7,21.

dome, ou Égypte[q]. 9 Des gens de tout
peuple, de toute tribu, de toute langue
et de toute nation regarderont leurs cadavres pendant trois jours et demi et ne
permettront pas qu'on les enterre. 10 Les
habitants de la terre seront heureux de
les voir morts ; ils feront la fête joyeusement et échangeront des cadeaux, parce
que ces deux *prophètes auront causé
bien des tourments aux êtres humains.

11 Mais, après ces trois jours et demi,
un souffle de vie venu de Dieu entra en
eux ; ils se relevèrent[r] et tous ceux qui les
virent furent saisis de terreur. 12 Les deux
prophètes entendirent alors une voix
forte leur commander du ciel : « Montez
ici ! » Ils montèrent au ciel dans un
nuage[s], sous les regards de leurs ennemis.
13 Au même moment, il y eut un violent
tremblement de terre ; la dixième partie
de la ville s'écroula et sept mille personnes périrent dans ce tremblement de
terre. Les autres gens furent terrifiés et
rendirent *gloire au Dieu du ciel.

14 Le deuxième malheur est passé.
Mais attention ! le troisième doit venir
bientôt.

La septième trompette

15 Puis le septième *ange sonna de la
trompette. Des voix fortes se firent entendre dans le *ciel ; elles disaient : « Le règne sur le monde appartient maintenant à
notre Seigneur et à son *Messie, et ce règne durera toujours[t] ! » 16 Les vingt-quatre
*anciens qui siègent sur leurs trônes de-
vant Dieu se jetèrent le visage contre terre
et adorèrent Dieu 17 en disant :

« Seigneur Dieu tout-puissant, toi qui
es et qui étais,
nous te louons de t'être servi de ta
grande puissance
pour établir ton règne.
18 Les nations se sont soulevées avec fureur,
mais maintenant c'est ta fureur qui se
manifeste,
le moment du jugement des morts est
arrivé,
le moment où tu vas récompenser tes
serviteurs les *prophètes
et tous ceux qui t'appartiennent et te
respectent,
grands ou petits ;
c'est le moment de la destruction pour
ceux qui détruisent la terre[u] ! »

19 Le *temple de Dieu, dans le ciel,
s'ouvrit alors, et le *coffre de l'alliance y
apparut. Il y eut des éclairs, des bruits de
voix, des coups de tonnerre, un tremblement de terre et une forte grêle.

La femme et le dragon

12 1 Un grand signe apparut dans le
*ciel : une femme revêtue du so-
leil, qui avait la lune sous les pieds et une
*couronne de douze étoiles sur la tête.
2 Elle allait mettre au monde un enfant, et
les peines de l'accouchement la faisaient
crier de douleur.

3 Un autre signe apparut dans le ciel :
un énorme dragon rouge qui avait sept
têtes et dix cornes, et une couronne sur
chaque tête[v]. 4 Avec sa queue, il balaya le
tiers des étoiles du ciel et les jeta sur la
terre. Il se plaça devant la femme qui allait accoucher, afin de dévorer son enfant dès qu'il serait né[w]. 5 La femme mit
au monde un fils, qui dirigera toutes les
nations avec une autorité de fer[x]. L'enfant fut aussitôt amené auprès de Dieu et
de son trône. 6 Quant à la femme, elle
s'enfuit dans le désert, où Dieu lui avait
préparé une place, pour qu'elle y soit
nourrie pendant mille deux cent
soixante jours.

7 Alors une bataille s'engagea dans le
ciel. Michel[y] et ses *anges combattirent
le dragon, et celui-ci se battit contre eux
avec ses anges. 8 Mais le dragon fut
vaincu, et ses anges et lui n'eurent plus la
possibilité de rester dans le ciel.
9 L'énorme dragon fut jeté dehors. C'est

---

q **11.8** Comparer És 1.9-10. – *Sodome* : voir Gen 18–19.
r **11.11** Comparer Ézék 37.5,10.
s **11.12** Comparer 2 Rois 2.11.
t **11.15** Comparer Ex 15.18 ; Dan 2.44 ; 7.14,27.
u **11.18** Comparer Ps 2.1,5 ; 110.5 ; 115.12-13.
v **12.3** Comparer Dan 7.7. – *dragon* : animal imaginaire, ayant la forme d'un énorme lézard. Il est appelé aussi serpent et représente, dans la Bible, le diable. – *cornes* : voir 5.6 et la note.
w **12.4** Comparer Dan 8.10.
x **12.5** Comparer És 66.7 ; Ps 2.9.
y **12.7** *Michel* : voir Jude 9 et la note.

lui le serpent ancien, appelé le *diable ou Satan, qui trompe le monde entier. Il fut jeté sur la terre, et ses anges avec lui[z].

10 Puis j'entendis une voix forte dans le ciel, qui disait : « Maintenant le temps du salut est arrivé ! Maintenant notre Dieu a manifesté sa puissance et son règne ! Maintenant l'autorité est entre les mains de son *Messie. Car il a été jeté hors du ciel l'accusateur de nos frères, celui qui les accusait jour et nuit devant notre Dieu[a]. 11 Nos frères ont remporté la victoire sur lui grâce au sang de l'Agneau et à la parole dont ils ont témoigné ; ils n'ont pas épargné leur vie, ils étaient prêts à mourir. 12 C'est pourquoi, réjouissez-vous, cieux, et vous qui les habitez ! Mais quel malheur pour vous, terre et mer ! Le diable est descendu vers vous, plein de fureur, car il sait qu'il lui reste très peu de temps. »

13 Quand le dragon se rendit compte qu'il avait été jeté sur la terre, il se mit à poursuivre la femme qui avait mis au monde le fils. 14 Mais la femme reçut les deux ailes d'un grand aigle pour voler jusqu'à la place préparée pour elle dans le désert, afin d'y être nourrie pendant trois ans et demi[b], à l'abri des attaques du serpent. 15 Alors le serpent projeta de sa gueule des masses d'eau pareilles à un fleuve derrière la femme, pour que les flots l'emportent. 16 Mais la terre vint au secours de la femme : la terre ouvrit sa bouche et engloutit les masses d'eau que le dragon avait projetées de sa gueule. 17 Plein de fureur contre la femme, le dragon s'en alla combattre le reste de ses descendants, ceux qui obéissent aux commandements de Dieu et sont fidèles à la vérité révélée par Jésus.

18 Le dragon se tint[c] sur le bord de la mer.

Les deux bêtes

13 1 Puis je vis une bête sortir de la mer. Elle avait dix cornes et sept têtes ; elle portait une *couronne sur chacune de ses cornes, et des noms insultants pour Dieu étaient inscrits sur ses têtes. 2 La bête que je vis ressemblait à un léopard, ses pattes étaient comme celles d'un ours et sa gueule comme celle d'un lion. Le dragon lui confia sa puissance, son trône et un grand pouvoir[d]. 3 L'une des têtes de la bête semblait blessée à mort, mais la blessure mortelle fut guérie. La terre entière fut remplie d'admiration et suivit la bête. 4 Tout le monde se mit à adorer le dragon, parce qu'il avait donné le pouvoir à la bête. Tous adorèrent également la bête, en disant : « Qui est semblable à la bête ? Qui peut la combattre ? »

5 La bête fut autorisée à prononcer des paroles arrogantes et insultantes pour Dieu ; elle reçut le pouvoir d'agir pendant quarante-deux mois. 6 Elle se mit à dire du mal de Dieu, à insulter son nom et le lieu où il réside, ainsi que tous ceux qui demeurent dans le *ciel. 7 Elle fut autorisée à combattre le peuple de Dieu et à le vaincre[e] ; elle reçut le pouvoir sur toute tribu, tout peuple, toute langue et toute nation. 8 Tous les habitants de la terre l'adoreront, tous ceux dont le nom ne se trouve pas inscrit, depuis la création du monde, dans le livre de vie, qui est celui de l'Agneau mis à mort.

9 « Écoutez bien, si vous avez des oreilles pour entendre ! 10 Celui qui est destiné à être prisonnier, eh bien, il ira en prison ; celui qui est destiné à périr par l'épée, eh bien, il périra par l'épée[f]. Voilà pourquoi le peuple de Dieu doit faire preuve de patience et de foi. »

11 Puis je vis une autre bête ; elle sortait de la terre. Elle avait deux cornes semblables à celles d'un agneau et elle parlait comme un dragon. 12 Elle exerçait tout le pouvoir de la première bête en sa présence. Elle obligeait la terre et ses habitants à adorer la première bête, dont la

---

z **12.9** Comparer Gen 3.1 ; Luc 10.18.

a **12.10** Comparer Job 1.9-11 ; Zach 3.1-2. – *l'accusateur* : c'est le sens étymologique du nom *Satan*.

b **12.14** Comparer Dan 7.25 ; 12.7.

c **12.18** *Le dragon se tint* : certains manuscrits ont *Je me tins*, en reliant ce verset à ce qui suit.

d **13.2** *v. 1-2* : comparer Dan 7.3-6. – *dragon* : voir 12.3 et la note.

e **13.7** *v. 5-7* : comparer Dan 7.8,25 ; 11.36 ; 7.21.

f **13.10** *Celui qui... périra par l'épée* : certains manuscrits ont *Celui qui emmène quelqu'un prisonnier sera lui-même emmené prisonnier ; celui qui tue par l'épée sera lui-même tué par l'épée.* – Comparer Jér 15.2 ; 43.11.

blessure mortelle avait été guérie. 13 Cette deuxième bête réalisait de grands miracles ; elle faisait même descendre le feu du ciel sur la terre sous les yeux de tous les humains. 14 Elle égarait les habitants de la terre par les miracles qu'elle pouvait réaliser en présence de la première bête. Elle les persuadait de faire une statue en l'honneur de la bête qui, blessée par l'épée, avait repris vie. 15 La deuxième bête reçut le pouvoir d'animer la statue de la première bête, afin que cette statue puisse parler et faire exécuter tous ceux qui ne l'adoreraient pas. 16 La bête obligeait tous les êtres, petits et grands, riches et pauvres, esclaves et libres, à recevoir une marque sur la main droite et sur le front. 17 Personne ne pouvait acheter ou vendre s'il n'avait pas cette marque, c'est-à-dire le nom de la bête ou le chiffre qui correspond à ce nom[g].

18 Ici, il faut de la sagesse. Celui qui est intelligent peut trouver le sens du chiffre de la bête, car ce chiffre correspond au nom d'un homme. Ce chiffre est six cent soixante-six.

Le cantique des rachetés

14 1 Je regardai encore : je vis l'Agneau qui se tenait sur le mont *Sion et, avec lui, cent quarante-quatre mille personnes qui avaient son nom et le nom de son Père inscrits sur le front[h]. 2 J'entendis une voix qui venait du *ciel et qui résonnait comme de grandes chutes d'eau, comme un fort coup de tonnerre. La voix que j'entendis était semblable au son produit par des harpistes, quand ils jouent de leur instrument. 3 Ces milliers de gens chantaient un chant nouveau devant le trône, devant les quatre êtres vivants et les *anciens. Personne ne pouvait apprendre ce chant sinon les cent quarante-quatre mille qui ont été rachetés de la terre.

4 Ceux-là ne se sont pas souillés avec des femmes, ils se sont gardés *purs. Ils suivent l'Agneau partout où il va ; ils ont été rachetés d'entre les humains pour être offerts les premiers à Dieu et à l'Agneau. 5 Dans leur bouche, il n'y a jamais eu place pour le mensonge[i] ; ils sont sans défaut.

Les trois anges

6 Puis je vis un autre *ange qui volait très haut dans les airs ; il avait une Bonne Nouvelle éternelle qu'il devait annoncer aux habitants de la terre, aux gens de toute nation, toute tribu, toute langue et tout peuple. 7 Il disait d'une voix forte : « Soumettez-vous à Dieu et rendez-lui *gloire ! Car le moment est arrivé où il va juger l'humanité. Adorez celui qui a créé le ciel, la terre, la mer et les sources d'eau[j] ! »

8 Un deuxième ange suivit le premier en disant : « Elle est tombée, elle est tombée la grande *Babylone ! Elle a fait boire à toutes les nations le vin de sa furieuse immoralité[k] ! »

9 Un troisième ange suivit les deux premiers, en disant d'une voix forte : « Quiconque adore la bête et sa statue, et en reçoit la marque sur le front ou sur la main, 10 boira lui-même le vin de la fureur de Dieu, versé pur dans la coupe de sa colère ! De tels êtres seront tourmentés dans le soufre enflammé devant les saints anges et devant l'Agneau[l]. 11 La fumée du feu qui les tourmente s'élève pour toujours[m]. Ils sont privés de repos, de jour comme de nuit, ceux qui adorent la bête et sa statue, et quiconque reçoit la marque de son nom. »

12 Voilà pourquoi ils doivent faire preuve de patience ceux qui appartiennent à Dieu, qui obéissent à ses commandements et sont fidèles à Jésus.

13 Puis j'entendis une voix me dire du ciel : « Écris ceci : "Heureux ceux qui dès maintenant meurent au service du Seigneur !" – "Oui, heureux sont-ils, déclare

---

g **13.17** Le *chiffre correspondant à un nom* était obtenu en additionnant les valeurs numériques attribuées aux lettres qui le constituent.

h **14.1** Comparer 7.3-8 ; Ézék 9.4.

i **14.5** Comparer Soph 3.13.

j **14.7** Comparer 10.6-7 et la note.

k **14.8** Comparer És 21.9 ; Jér 51.7-8.

l **14.10** Comparer És 51.17 ; Gen 19.24 ; Ézék 38.22. – *soufre* : voir Luc 17.29 et la note.

m **14.11** Comparer És 34.10.

l'Esprit. Ils pourront se reposer de leurs
durs efforts, car le bien qu'ils ont fait les
accompagne !" »

Moisson et vendange de la terre

14 Je regardai encore, et je vis un nuage
blanc, et sur ce nuage était assis un être
semblable à un homme[n]. Il avait sur la
tête une *couronne d'or et à la main une
faucille tranchante. 15 Un autre *ange sortit du *temple et cria avec force à celui
qui était assis sur le nuage : « Prends ta
faucille et moissonne, car le moment est
arrivé pour cela : la terre est mûre pour la
moisson[o] ! » 16 Alors celui qui était assis
sur le nuage fit passer sa faucille sur la
terre et la terre fut moissonnée.
17 Un autre ange sortit du temple *céleste ; il avait, lui aussi, une faucille tranchante.
18 Un autre ange encore, qui a autorité
sur le feu, vint de *l'autel. Il cria avec
force à celui qui avait la faucille tranchante :« Prends ta faucille et coupe les
grappes de la vigne de la terre : leurs raisins sont mûrs. » 19 L'ange fit alors passer
sa faucille sur la terre, coupa les grappes
de la vigne de la terre et les jeta dans le
grand pressoir de la colère de Dieu. 20 On
écrasa les raisins dans le pressoir hors de
la ville ; du pressoir sortirent des flots de
sang qui montèrent jusqu'à la bouche des
chevaux et qui s'étendirent sur mille six
cents unités de distance[p].

Les anges et les derniers fléaux

15 1 Puis je vis dans le *ciel un autre
signe, grand et merveilleux : sept
*anges qui tenaient sept fléaux. Ce sont
les derniers fléaux, car ils sont l'expression finale de la colère de Dieu.
2 Puis je vis comme une mer de verre,
mêlée de feu. Tous ceux qui avaient remporté la victoire sur la bête, sur sa statue
et sur le chiffre qui correspond à son
nom, se tenaient debout sur cette mer de
verre. Ils avaient en main les harpes que
Dieu leur avait données. 3 Ils chantaient
le cantique de Moïse, le serviteur de
Dieu, et le cantique de l'Agneau :
« Seigneur Dieu tout-puissant,
que tes œuvres sont grandes et merveilleuses !
Roi des nations,
que tes plans sont justes et vrais !
4 Qui oserait te manquer de respect,
Seigneur ?
Qui refuserait de te rendre *gloire ?
Car toi seul es saint,
toutes les nations viendront t'adorer,
car tes actions justes leur sont clairement révélées[q]. »
5 Après cela, je vis s'ouvrir dans le ciel
le *temple, avec la *tente de l'alliance de
Dieu[r]. 6 Les sept anges qui tenaient les
sept fléaux sortirent du temple ; ils
étaient vêtus de lin d'une blancheur éclatante, et portaient des ceintures d'or autour de la taille. 7 L'un des quatre êtres
vivants donna aux sept anges sept coupes
d'or pleines de la colère du Dieu qui vit
pour toujours. 8 Le temple fut rempli de
fumée, signe de la gloire et de la puissance de Dieu[s]. Personne ne pouvait entrer dans le temple avant que soient
achevés les sept fléaux apportés par les
anges.

Les coupes de la colère de Dieu

16 1 Puis j'entendis une voix forte qui
venait du *temple et qui disait aux
sept *anges : « Allez verser sur la terre les
sept coupes de la colère de Dieu ! »
2 Le premier ange partit et versa sa
coupe sur la terre. Alors, des plaies mauvaises et douloureuses[t] se formèrent sur
les hommes qui avaient la marque de la
bête et qui adoraient sa statue.
3 Le deuxième ange versa sa coupe
dans la mer. L'eau devint comme le sang
d'un mort et tous les êtres vivants qui se
trouvaient dans la mer moururent.
4 Le troisième ange versa sa coupe dans
les fleuves et les sources d'eau, qui se

---

n **14.14** Comparer 1.13 ; Dan 7.13.
o **14.15** Comparer Joël 4.13.
p **14.20** *v. 19-20* : comparer És 63.1-6 ; Lam 1.15.
q **15.4** *v. 3* : voir Ex 15.1. – *Roi des nations* : certains manuscrits ont *Roi des siècles*. – *v. 4* : voir Jér 10.7 ; Ps 86.9.
r **15.5** Comparer Ex 38.21.
s **15.8** Comparer Ex 40.34-35 ; 1 Rois 8.10-11 ; És 6.4.
t **16.2** Comparer Ex 9.10.

changèrent en sang[u]. 5 J'entendis alors l'ange qui a autorité sur les eaux dire : « Toi le Saint, qui es et qui étais, tu t'es montré un juste juge. 6 Les gens ont en effet répandu le sang de ceux qui t'appartiennent et celui des *prophètes, et maintenant tu leur as donné du sang à boire. Ils ont ce qu'ils méritent ! » 7 Puis j'entendis une voix qui venait de *l'autel et disait : « Oui, Seigneur Dieu tout-puissant, tes jugements sont vrais et justes ! »

8 Le quatrième ange versa sa coupe sur le soleil, qui fut autorisé alors à brûler les hommes par son feu. 9 Et les hommes furent brûlés par une chaleur terrible ; ils insultèrent le nom du Dieu qui détient de tels fléaux en son pouvoir, mais ils refusèrent de changer de comportement[v] pour lui rendre *gloire.

10 Le cinquième ange versa sa coupe sur le trône de la bête et son royaume fut plongé dans l'obscurité[w]. Les hommes se mordaient la langue de douleur ; 11 ils insultèrent le Dieu du ciel à cause de leurs douleurs et de leurs plaies. Mais ils ne se détournèrent pas de leurs mauvaises actions.

12 Le sixième ange versa sa coupe sur le grand fleuve, l'Euphrate. Le fleuve se dessécha pour livrer passage aux rois qui viennent de l'est[x]. 13 Puis je vis trois esprits mauvais, semblables à des grenouilles, qui sortaient de la gueule du dragon[y], de la gueule de la bête et de la bouche du faux prophète. 14 Ce sont les esprits de démons[z] qui font des miracles. Ils s'en vont auprès des rois de toute la terre, afin de les rassembler pour la bataille du grand jour du Dieu tout-puissant.

15 « Écoute, dit le Seigneur, je viens comme un voleur[a] ! Heureux celui qui reste éveillé et garde ses vêtements, pour ne pas aller nu et n'avoir pas la honte d'être vu ainsi. »

16 Les esprits rassemblèrent les rois dans le lieu appelé en hébreu Harmaguédon[b].

17 Le septième ange versa sa coupe dans l'air. Une voix forte se fit entendre du temple ; elle venait du trône et disait : « C'en est fait ! » 18 Il y eut alors des éclairs, des bruits de voix, des coups de tonnerre et un violent tremblement de terre. Celui-ci fut même si violent qu'il n'y en a jamais eu de pareil depuis l'apparition de l'homme sur la terre ! 19 La grande ville se brisa en trois parties et les villes de tous les pays s'écroulèrent. Dieu n'oublia pas la grande *Babylone ; il lui fit boire le vin de sa coupe, le vin de son ardente colère[c]. 20 Toutes les îles disparurent et l'on ne vit plus de montagnes. 21 Des grêlons[d] d'un poids énorme tombèrent du ciel sur les hommes. Et les hommes insultèrent Dieu à cause du fléau de la grêle, car c'était un fléau d'une violence terrible.

La grande prostituée

17 1 Alors l'un des sept *anges qui tenaient les sept coupes vint me dire : « Viens et je te montrerai la condamnation qui va frapper la grande prostituée, la grande ville bâtie au bord de nombreuses rivières. 2 Les rois de la terre se sont livrés à l'immoralité avec elle et les habitants de la terre se sont enivrés du vin de son immoralité[e]. »

3 L'Esprit se saisit de moi et l'ange me transporta dans un désert. Je vis là une femme assise sur une bête rouge écarlate qui était couverte de noms insultants pour Dieu ; cette bête avait sept têtes et dix cornes. 4 La femme portait de luxueux vêtements rouge écarlate et elle était chargée de bijoux d'or, de pierres précieuses et de perles. Elle tenait à la main une coupe d'or pleine des abominables *impuretés dues à son immoralité. 5 Sur son front était écrit un nom au sens

---

u **16.4** Comparer Ex 7.17-21.
v **16.9** *changer de comportement* : autres traductions *changer de mentalité* ou *se repentir*.
w **16.10** Comparer Ex 10.21-22.
x **16.12** Comparer És 11.15. – *Euphrate* : voir 9.14 et la note.
y **16.13** *dragon* : voir 12.3 et la note.
z **16.14** *démons* : voir 1 Tim 4.1 et la note.
a **16.15** Voir 3.3 et la note.
b **16.16** *Harmaguédon*, c'est-à-dire *montagne de Meguiddo* : la ville cananéenne de Meguiddo, située au pied du mont Carmel, fut le théâtre de sanglantes batailles (voir Jug 5.19 ; 2 Rois 23.29).
c **16.19** Comparer És 51.17.
d **16.21** Comparer Ex 9.23-24.
e **17.2** *v. 1-2* : comparer Jér 51.13 ; És 23.17 ; Jér 51.7.

secret : « La grande *Babylone, la mère
des prostituées et des abominations du
monde. » 6 Je vis que cette femme était
ivre du sang du peuple de Dieu, du sang
de ceux qui ont été mis à mort à cause de
leur fidélité à Jésus.
En la voyant, je fus saisi d'un grand
étonnement. 7 L'ange me dit alors :
« Pourquoi t'étonnes-tu ? Je te révélerai le
secret de la femme et de la bête qui la
porte, celle qui a sept têtes et dix cornes.
8 La bête que tu as vue était autrefois vivante mais ne l'est plus ; elle doit sortir
de *l'abîme[f], mais pour aller à sa perte.
Les habitants de la terre, dont le nom ne
se trouve pas inscrit depuis la création du
monde dans le livre de vie, s'étonneront
en voyant la bête : en effet, elle était autrefois vivante, mais ne l'est plus, et elle
reparaîtra.
9 « Ici, il faut de l'intelligence et de la
sagesse. Les sept têtes sont sept collines,
sur lesquelles la femme est assise. Elles
sont aussi sept rois : 10 cinq d'entre eux
sont tombés, l'un règne actuellement et
le septième n'est pas encore venu ; quand
il sera venu, il ne restera que peu de
temps. 11 La bête, qui était autrefois vivante mais ne l'est plus, est elle-même un
huitième roi ; elle est en même temps
l'un des sept et elle va à sa perte.
12 « Les dix cornes que tu as vues sont
dix rois[g] qui n'ont pas encore commencé
à régner ; mais ils recevront le pouvoir de
régner pendant une heure avec la bête.
13 Ils ont tous les dix la même intention :
mettre leur puissance et leur pouvoir au
service de la bête. 14 Ils combattront
l'Agneau, mais l'Agneau les vaincra,
parce qu'il est le Seigneur des seigneurs
et le Roi des rois ; il les vaincra avec ceux
qu'il a appelés et choisis, ses fidèles. »
15 L'ange me dit encore : « Les eaux
que tu as vues, là où se tient la prostituée,
ce sont des peuples, des foules, des nations et des langues. 16 Les dix cornes que
tu as vues et la bête haïront la prostituée :
elles la dépouilleront de tout ce qu'elle a,
elles la mettront à nu, elles mangeront sa
chair et détruiront ses restes par le feu.
17 Car Dieu a mis dans leur cœur la volonté d'exécuter son intention ; elles agiront d'un commun accord pour mettre
leur pouvoir royal au service de la bête,
jusqu'à ce que les paroles de Dieu soient
réalisées.
18 « Enfin, la femme que tu as vue, c'est
la grande ville qui domine les rois de la
terre. »

La chute de Babylone

18 1 Après cela, je vis un autre *ange
descendre du *ciel. Il avait un
grand pouvoir, et sa splendeur illumina la
terre entière. 2 Il cria avec force : « Elle est
tombée, elle est tombée la grande *Babylone ! Maintenant, c'est un lieu habité par
des démons, un refuge pour toutes sortes
d'esprits mauvais ; c'est là que vivent toutes sortes d'oiseaux et d'animaux *impurs
et répugnants. 3 Toutes les nations ont bu
le vin de sa furieuse immoralité. Les rois
de la terre se sont livrés à l'immoralité
avec elle[h] et les marchands de la terre se
sont enrichis de son luxe démesuré. »
4 Puis j'entendis une autre voix qui venait du ciel et disait : « Sortez du milieu
d'elle, mon peuple, afin de ne pas être
complices de ses péchés et de ne pas subir avec elle les fléaux qui vont la frapper. 5 Car ses péchés se sont entassés
jusqu'au ciel et Dieu n'a pas oublié ses
ignobles actions. 6 Traitez-la comme elle
a traité les autres, payez-lui le double de
ce qu'elle a fait. Remplissez sa coupe
d'une boisson deux fois plus forte que
celle qu'elle a fait boire aux autres. 7 In-
fligez-lui autant de tourment et de malheur qu'elle s'est accordé de *gloire et de
luxe. Elle se dit en elle-même : "Je siège
ici comme une reine, je ne suis pas veuve
et je ne connaîtrai jamais le deuil."
8 Voilà pourquoi les fléaux qui lui sont
réservés vont tous s'abattre sur elle en
un seul jour : maladie mortelle, deuil et
famine ; elle sera détruite par le feu. Car
il est puissant le Seigneur Dieu qui l'a
jugée[i]. »

---

f **17.8** Voir 11.7 et la note.
g **17.12** Comparer Dan 7.24.
h **18.3** *v. 2-3* : voir 14.8 et la note. – *démons* : voir 1 Tim 4.1 et la note.
i **18.8** Références pour les versets 4 à 8 : *v. 4* : És 48.20 ; Jér 50.8 ; 51.6,45. – *v. 5* : Gen 18.20-21 ; Jér 51.9. – *v. 6* : Ps 137.8 ; Jér 50.29. – *v. 7-8* : És 47.7-9.

9 Les rois de la terre, qui se sont livrés
avec elle à l'immoralité et au luxe, pleureront et se lamenteront à son sujet, quand
ils verront la fumée de la ville incendiée.
10 Ils se tiendront à bonne distance, par
peur du châtiment qui est le sien, et ils
diront : « Malheur ! Quel malheur ! O Babylone, ville grande et puissante ! Une
seule heure a suffi pour que la condamnation te frappe[j] ! »
11 Les marchands de la terre pleurent
aussi et se lamentent à son sujet, parce
que personne n'achète plus leurs marchandises : 12 or, argent, pierres précieuses et perles ; fines toiles de lin,
précieuses étoffes rouges et écarlates,
soie ; toute sorte de bois rares, toute espèce d'objets en ivoire, bois précieux,
bronze, fer ou marbre ; 13 cannelle et autres épices, parfums, *myrrhe et *encens ; vin, huile, farine et blé ; bœufs et
moutons, chevaux et chars, esclaves et
même vies humaines. 14 « Ah ! dit-on,
tous les produits que tu désirais ont disparu de chez toi, toutes tes richesses et
ton luxe sont perdus pour toi, et on ne les
retrouvera plus jamais ! » 15 Les marchands qui se sont enrichis en faisant du
commerce dans cette ville, se tiendront à
bonne distance par peur du châtiment
qui est le sien[k]. Ils pleureront et se lamenteront ; 16 ils diront : « Malheur !
Quel malheur pour la grande ville ! Elle
était vêtue d'un fin tissu de lin, de précieuses étoffes rouges et écarlates, elle
était chargée de bijoux d'or, de pierres
précieuses et de perles. 17 Et une seule
heure a suffi pour que disparaisse toute
cette richesse ! »
Tous les capitaines de navires et leurs
passagers, les marins et tous ceux qui gagnent leur vie sur la mer, se tenaient à
bonne distance 18 et s'écriaient en voyant
la fumée de la ville incendiée : « Il n'y a
jamais eu de ville aussi grande que celle-
ci ! » 19 Ils se jetaient de la poussière sur la
tête, ils pleuraient, se lamentaient et
criaient : « Malheur ! Quel malheur pour
la grande ville ! C'est de sa richesse que
s'enrichissaient tous ceux qui ont des navires sur la mer. Et une seule heure a suffi
pour que tout cela disparaisse[l] ! »
20 Réjouis-toi de sa destruction, ciel[m] !
Réjouissez-vous peuple de Dieu, *apôtres
et *prophètes ! Car Dieu l'a jugée pour le
mal qu'elle vous a fait !
21 Alors un ange puissant prit une
pierre semblable à une grande *meule à
blé et la jeta dans la mer en disant : « C'est
ainsi que la grande ville de Babylone sera
précipitée avec violence, et on ne la reverra plus jamais. 22 On n'entendra plus
jamais chez toi la musique des harpistes
et des chanteurs, des joueurs de flûte et
de trompette. On n'y trouvera plus aucun
artisan quelconque ; on n'y entendra plus
le bruit de la meule à blé. 23 La lumière de
la lampe ne brillera plus jamais chez toi ;
on n'y entendra plus la voix des jeunes
mariés. Tes marchands étaient les plus
importants du monde, et par tes pratiques de magie tu as égaré tous les peuples[n]. »
24 C'est à Babylone qu'a coulé le sang
des prophètes et du peuple de Dieu, le
sang de tous ceux qui ont été massacrés
sur la terre[o].

19

1 Après cela, j'entendis une voix
forte dans le ciel, semblable à
celle d'une foule nombreuse ; elle disait :
« *Alléluia ! Louez le Seigneur ! Le salut, la gloire et la puissance sont à notre
Dieu ! 2 Ses jugements sont vrais et justes ! Car il a condamné la grande prostituée qui corrompait la terre par son
immoralité. Il lui a fait rendre compte
de la mort de ses serviteurs. » 3 Et ils dirent encore : « Alléluia ! Louez le Seigneur ! La fumée de la grande ville
incendiée s'élève pour toujours[p] ! » 4 Les
vingt-quatre *anciens et les quatre êtres
vivants s'agenouillèrent et adorèrent
Dieu, qui siège sur le trône, et dirent :
« *Amen ! Alléluia ! Louez le Seigneur ! »

---

j **18.10** *v. 9-10* : comparer Ézék 26.16-17.
k **18.15** *v. 11-15* : comparer Ézék 27.31,36 ; 27.12,13,22 ; 27.31,36.
l **18.19** *v. 17-19* : comparer Ézék 27.29-34.
m **18.20** Comparer Jér 51.48.
n **18.23** *v. 21-23* : comparer Jér 51.63-64 ; Ézék 26.21 ; 26.13 ; És 24.8 ; Jér 7.34 ; 25.10.
o **18.24** Comparer Jér 51.49.
p **19.3** Comparer 14.11 et la note.

Le repas des noces de l'Agneau

5 Une voix se fit entendre du trône ;
elle disait : « Louez notre Dieu, vous tous
ses serviteurs, vous qui le respectez, les
grands comme les petits ! » 6 Puis j'entendis une voix semblable à celle d'une foule
nombreuse ; elle résonnait comme de
grandes chutes d'eau, comme de violents
coups de tonnerre. Voici ce qui était dit :
« *Alléluia ! Louez le Seigneur ! Car le
Seigneur, notre Dieu tout-puissant, a
établi son règne[q] ! 7 Réjouissons-nous et
soyons heureux, rendons-lui *gloire ! Car
le moment des noces de l'Agneau est arrivé, et son épouse s'est préparée. 8 On lui
a donné un vêtement fait d'un fin tissu de
lin, brillant et pur. » (Le tissu de lin représente les actions justes du peuple de
Dieu.)

9 *L'ange me dit : « Écris : Heureux
ceux qui ont été invités au repas des noces de l'Agneau[r]. » Et il ajouta : « Ce sont
là les paroles véritables de Dieu. »

10 Je me jetai à ses pieds pour l'adorer,
mais il me dit : « Garde-toi de le faire[s] ! Je
suis un serviteur, comme toi et comme
tes frères qui sont fidèles à la vérité
révélée par Jésus. C'est Dieu que tu dois
adorer ! »

La vérité révélée par Jésus, voilà ce qui
inspire les *prophètes.

Le cavalier monté sur le cheval blanc

11 Puis je vis le *ciel ouvert, et un cheval blanc apparut. Celui qui le monte
s'appelle Fidèle et Véritable ; il juge et
combat avec justice[t]. 12 Ses yeux flamboyaient comme du feu et il avait de
nombreuses *couronnes sur la tête. Il
portait un nom inscrit qu'il est le seul à
connaître. 13 Il était vêtu d'un manteau
couvert de sang. Il s'appelle « La parole
de Dieu ». 14 Les armées du ciel le suivaient, montées sur des chevaux blancs et
vêtues d'un fin tissu de lin, blanc et pur.
15 De sa bouche sortait une épée aiguë
destinée à frapper les nations. Il les dirigera avec une autorité de fer, et il écrasera
le raisin dans le pressoir de l'ardente colère du Dieu tout-puissant[u]. 16 Sur son
manteau et sur sa jambe le nom suivant
était inscrit : « Roi des rois et Seigneur
des seigneurs ».

17 Ensuite je vis un *ange debout dans
le soleil. Il cria avec force à tous les oiseaux qui volaient très haut dans les airs :
« Venez, rassemblez-vous pour le grand
repas de Dieu ! 18 Venez manger la chair
des rois, des généraux et des soldats, la
chair des chevaux et de leurs cavaliers, la
chair de tous les hommes, libres ou
esclaves, petits ou grands[v]. »

19 Puis je vis la bête, les rois de la terre
et leurs armées, rassemblés pour combattre contre celui qui monte le cheval et
contre son armée. 20 La bête fut capturée,
ainsi que le faux *prophète qui avait accompli des miracles en sa présence pour
égarer ceux qui avaient reçu la marque de
la bête et qui adoraient sa statue. La bête
et le faux prophète furent jetés vivants
dans le lac de soufre enflammé[w]. 21 Tous
leurs soldats furent tués par l'épée qui
sort de la bouche de celui qui monte le
cheval, et tous les oiseaux se nourrirent
de leur chair.

Les mille ans

20 1 Puis je vis un *ange descendre
du *ciel ; il tenait à la main la clé
de *l'abîme et une énorme chaîne. 2 Il saisit le dragon, le serpent ancien, c'est-à-
dire le *diable ou Satan, et il l'enchaîna
pour mille ans[x]. 3 L'ange le jeta dans
l'abîme, qu'il ferma à clé et scella au-
dessus de lui, afin que le dragon ne puisse
plus égarer les nations jusqu'à ce que les
mille ans soient passés. Après cela, il doit
être relâché pour un peu de temps.

4 Ensuite je vis des trônes[y] : ceux qui
siégeaient dessus reçurent le pouvoir de

---

q **19.6** *v. 5-6* : comparer Ps 135.1 ; Ézék 1.24 ; Ps 97.1 ; 99.1.

r **19.9** Comparer Matt 22.1-14 ; Luc 14.15-24.

s **19.10** Comparer 22.8-9.

t **19.11** Comparer Ézék 1.1 ; Ps 96.13 ; És 11.4.

u **19.15** Comparer 14.19-20 et la note ; Ps 2.9.

v **19.18** *v. 17-18* : comparer Ézék 39.17-20.

w **19.20** Voir 13.1-18. – *soufre* : voir Luc 17.29 et la note.

x **20.2** Comparer 12.9 et la note. – *dragon* : voir 12.3 et la note.

y **20.4** Comparer Dan 7.9,22.

juger. Je vis aussi les âmes de ceux qui
avaient été exécutés pour leur fidélité à la
vérité révélée par Jésus et à la parole de
Dieu. Ils n'avaient pas adoré la bête, ni sa
statue, et ils n'avaient pas reçu la marque
de la bête sur le front, ni sur la main. Ils
revinrent à la vie et régnèrent avec le
Christ pendant mille ans. 5 Les autres
morts ne revinrent pas à la vie avant que
les mille ans soient passés. C'est la première *résurrection. 6 Heureux ceux qui
ont part à cette première résurrection ! Ils
appartiennent à Dieu et la seconde mort
n'a pas de pouvoir sur eux ; ils seront
*prêtres de Dieu et du Christ, et ils ré-
gneront avec le Christ pendant les mille
ans.

La défaite de Satan

7 Quand les mille ans seront passés,
*Satan sera relâché de sa prison, 8 et il
s'en ira tromper les nations répandues
dans le monde entier, c'est-à-dire Gog et
Magog[z]. Il les rassemblera pour le
combat, et ils seront aussi nombreux que
les grains de sable au bord de la mer. 9 Les
voici qui s'avancent sur toute l'étendue
de la terre, et ils encerclent le camp du
peuple de Dieu, la ville aimée de Dieu.
Mais le feu descend du *ciel et les détruit.
10 Alors le diable, qui les trompait, est jeté
dans le lac de soufre enflammé[a], où se
trouvent déjà la bête et le faux *prophète.
Ils y seront tourmentés jour et nuit pour
toujours.

Le jugement dernier

11 Puis je vis un grand trône blanc et
celui qui y siège. La terre et le ciel s'enfuirent loin de lui, et on ne les revit plus.
12 Ensuite, je vis les morts, grands et petits, debout devant le trône. Des livres
furent ouverts. Un autre livre encore fut
ouvert, le livre de vie. Les morts furent
jugés selon ce qu'ils avaient fait, d'après
ce qui était écrit dans les livres[b]. 13 La
mer rendit les morts qu'elle contenait. La
mort et le monde des morts rendirent
aussi leurs morts. Et tous furent jugés selon ce qu'ils avaient fait. 14 La mort et le
monde des morts furent jetés dans le lac
enflammé. Ce lac est la seconde mort.
15 Quiconque n'avait pas son nom inscrit
dans le livre de vie fut jeté dans le lac
enflammé.

Le nouveau ciel et la nouvelle terre

21 1 Alors je vis un nouveau *ciel et
une nouvelle terre. Le premier
ciel et la première terre avaient disparu,
et il n'y avait plus de mer. 2 Et je vis la
ville sainte, la nouvelle Jérusalem, qui
descendait du ciel, envoyée par Dieu,
prête comme une épouse qui s'est faite
belle pour aller à la rencontre de son
mari. 3 J'entendis une voix forte qui venait du trône et disait : « Maintenant la
demeure de Dieu est parmi les hommes !
Il demeurera avec eux et ils seront ses
peuples. Dieu lui-même sera avec eux, il
sera leur Dieu. 4 Il essuiera toute larme de
leurs yeux. Il n'y aura plus de mort, il n'y
aura plus ni deuil, ni lamentations, ni
douleur. En effet, les choses anciennes
auront disparu[c]. »
5 Alors celui qui siège sur le trône déclara : « Maintenant, je fais toutes choses
nouvelles. » Puis il me dit : « Écris ceci,
car mes paroles sont vraies et dignes de
confiance. »
6 Et il ajouta : « C'en est fait ! Je suis
l'Alpha et l'Oméga, le commencement et
la fin. Celui qui a soif, je lui donnerai à
boire gratuitement à la source d'eau de la
vie[d]. 7 Quiconque aura remporté la victoire recevra de moi ce don ; je serai son
Dieu, et il sera mon fils[e]. 8 Quant aux lâ-
ches, aux infidèles, aux êtres abominables, aux meurtriers, aux gens immoraux,
à ceux qui pratiquent la magie, aux adorateurs d'idoles et à tous les menteurs,
leur place sera dans le lac de soufre enflammé[f], qui est la seconde mort. »

---

z **20.8** *Gog et Magog* : depuis Ézék 38–39, c'est ainsi qu'on désignait les nations ennemies du peuple de Dieu à la fin des temps.

a **20.10** *soufre* : voir Luc 17.29 et la note.

b **20.12** *v. 11-12* : comparer Dan 7.9-10.

c **21.4** *v. 1-4* : comparer És 65.17 ; 66.22 ; 52.1 ; 61.10 ; Ézék 37.27 ; Lév 26.11-12 ; És 25.8 ; 35.10 ; 65.19.

d **21.6** Comparer És 55.1. – *Alpha et Oméga* : voir 1.8 et la note.

e **21.7** Comparer 2 Sam 7.14 ; Ps 89.27-28.

f **21.8** *soufre* : voir Luc 17.29 et la note.

La nouvelle Jérusalem

9 L'un des sept *anges qui tenaient les sept coupes pleines des sept derniers fléaux vint me dire : « Viens et je te montrerai la mariée, l'épouse de l'Agneau. »

10 L'Esprit se saisit de moi et l'ange me transporta au sommet d'une très haute montagne[g]. Il me montra la ville sainte, Jérusalem, qui descendait du *ciel, envoyée par Dieu, 11 resplendissante de la *gloire de Dieu. La ville brillait d'un éclat semblable à celui d'une pierre précieuse, d'une pierre de jaspe[h] transparente comme du cristal. 12 Elle avait une très haute muraille, avec douze portes, et douze anges gardaient les portes. Sur les portes étaient inscrits les noms des douze tribus du peuple *d'Israël. 13 Il y avait trois portes de chaque côté : trois à l'est, trois au nord, trois au sud et trois à l'ouest[i]. 14 La muraille de la ville reposait sur douze pierres de fondation, sur lesquelles étaient inscrits les noms des douze *apôtres de l'Agneau.

15 L'ange qui me parlait tenait une mesure, un roseau d'or, pour mesurer la ville, ses portes et sa muraille[j]. 16 La ville était carrée, sa longueur était égale à sa largeur. L'ange mesura la ville avec son roseau : douze mille unités de distance, elle était aussi large et haute que longue. 17 Il mesura aussi la muraille : cent quarante-quatre coudées de hauteur, selon la mesure ordinaire qu'il utilisait[k]. 18 La muraille était construite en jaspe, et la ville elle-même était d'or pur, aussi clair que du verre. 19 Les fondations de la muraille de la ville étaient ornées de toutes sortes de pierres précieuses : la première fondation était de jaspe, la deuxième de saphir, la troisième d'agate, la quatrième d'émeraude, 20 la cinquième d'onyx, la sixième de sardoine, la septième de chrysolithe, la huitième de béryl, la neuvième de topaze, la dixième de chrysoprase, la onzième de turquoise et la douzième d'améthyste. 21 Les douze portes étaient douze perles ; chaque porte était faite d'une seule perle. La place de la ville était d'or pur, transparent comme du verre[l].

22 Je ne vis pas de *temple dans cette ville, car elle a pour temple le Seigneur, le Dieu tout-puissant, ainsi que l'Agneau. 23 La ville n'a besoin ni du soleil ni de la lune pour l'éclairer, car la gloire de Dieu l'illumine et l'Agneau est sa lampe. 24 Les nations marcheront à sa lumière, et les rois de la terre y apporteront leurs richesses. 25 Les portes de la ville resteront ouvertes pendant toute la journée ; et même, elles ne seront jamais fermées, car là il n'y aura plus de nuit. 26 On y apportera la splendeur et la richesse des nations. 27 Mais rien *d'impur n'entrera dans cette ville, ni personne qui se livre à des pratiques abominables et au mensonge. Seuls entreront ceux dont le nom est inscrit dans le livre de vie, qui est celui de l'Agneau[m].

22 1 L'ange me montra aussi le fleuve d'eau de la vie, brillant comme du cristal, qui jaillissait du trône de Dieu et de l'Agneau[n], 2 et coulait au milieu de la place de la ville. De chaque côté du fleuve se trouve l'arbre de la vie[o], qui donne des fruits douze fois par année, une fois chaque mois. Ses feuilles servent à la guérison des nations. 3 Il ne s'y trouvera plus rien qui soit frappé par la malédiction de Dieu[p].

Le trône de Dieu et de l'Agneau sera dans la ville, et les serviteurs de Dieu l'adoreront. 4 Ils verront sa face, et son nom sera inscrit sur leurs fronts. 5 Il n'y aura plus de nuit, et ils n'auront besoin ni de la lumière d'une lampe, ni de celle du

---

g **21.10** Comparer Ézék 40.2.

h **21.11** *jaspe* : pierre fine teintée de vert et de rouge.

i **21.13** *v. 12-13* : comparer Ézék 48.30-35.

j **21.15** Comparer Ézék 40.3.

k **21.17** *v. 16-17* : *douze mille... cent quarante-quatre coudées* : ces deux chiffres sont des multiples de douze et ils ont une valeur symbolique ; ils sont destinés à suggérer la perfection de la cité sainte. – *de hauteur* (v. 17) : autre traduction *de largeur*.

l **21.21** *v. 18-21* : comparer És 54.11-12. – Les versets 19 à 20 énumèrent douze variétés de pierres fines ou précieuses.

m **21.27** *v. 23-27* : comparer És 60.19-20 ; 60.3-5 ; 60.11 ; 52.1 ; Ézék 44.9.

n **22.1** Comparer Ézék 47.1 ; Zach 14.8.

o **22.2** *et coulait... du fleuve* : autre traduction *Au milieu de la place de la ville et des deux bras du fleuve...* Le texte original est peu clair à cet endroit. Comparer Gen 2.9-10.

p **22.3** Comparer Zach 14.11 ; Gen 3.17.

soleil, parce que le Seigneur Dieu répandra sur eux sa lumière, et ils régneront
pour toujours[q].

La venue de Jésus

6 Puis *l'ange me dit : « Ces paroles
sont vraies et dignes de confiance. Et le
Seigneur Dieu, qui inspire les *prophètes, a envoyé son ange pour montrer à ses
serviteurs ce qui doit arriver bientôt. »
7 « Écoute, dit Jésus, je viens bientôt !
Heureux ceux qui prennent au sérieux les
paroles prophétiques de ce livre ! »
8 Moi, Jean, j'ai entendu et vu ces choses. Et après les avoir entendues et vues,
je me suis jeté aux pieds de l'ange qui me
les avait montrées, pour l'adorer. 9 Mais il
me dit : « Garde-toi de le faire[r] ! Je suis
un serviteur comme toi, comme tes frères
les prophètes et comme tous ceux qui
prennent au sérieux les paroles de ce livre. C'est Dieu que tu dois adorer ! »
10 Puis il ajouta : « Ne tiens pas cachées
les paroles prophétiques de ce livre, car le
moment fixé pour tous ces événements
est proche. 11 Que celui qui est mauvais
continue à mal agir, et que celui qui est
*impur continue à être impur ; que celui
qui fait le bien continue à le faire, et que
celui qui est saint progresse dans la sainteté[s]. »

12 « Écoute, dit Jésus, je viens bientôt !
J'apporterai avec moi la récompense à
donner à chacun selon ce qu'il aura fait.
13 Je suis l'Alpha et l'Oméga, le premier et
le dernier, le commencement et la fin[t]. »
14 Heureux ceux qui lavent leurs vêtements, et qui ont ainsi le droit de manger
les fruits de l'arbre de la vie[u] et d'entrer
par les portes dans la ville. 15 Mais hors de
la ville, les êtres abominables, ceux qui
pratiquent la magie, les gens immoraux,
les meurtriers, les adorateurs d'idoles et
tous ceux qui aiment et pratiquent le
mensonge !
16 « Moi, Jésus, j'ai envoyé mon ange
pour vous révéler tout cela dans les Églises. Je suis le descendant de la famille de
David, l'étoile brillante du matin[v]. »
17 L'Esprit et l'Épouse disent :
« Viens ! »
Que celui qui entend cela dise aussi :
« Viens ! »
Que celui qui a soif vienne ; que celui
qui veut de l'eau de la vie la reçoive
gratuitement[w].

Conclusion

18 Moi, Jean, j'adresse ce solennel avertissement à quiconque entend les paroles
prophétiques de ce livre : si quelqu'un y
ajoute quelque chose, Dieu ajoutera à son
sort les fléaux décrits dans ce livre. 19 Et si
quelqu'un enlève quelque chose des paroles prophétiques de ce livre[x], Dieu lui
enlèvera sa part des fruits de l'arbre de la
vie et de la ville sainte décrits dans ce
livre.
20 Celui qui garantit la vérité de tout
cela déclare : « Oui, je viens bientôt ! »
*Amen ! Qu'il en soit ainsi ! Viens,
Seigneur Jésus[y] !
21 Que la grâce du Seigneur Jésus soit
avec tous.

---

q **22.5** Comparer És 60.19 ; Dan 7.18.
r **22.9** *v. 8-9* : comparer 19.10.
s **22.11** Comparer Dan 12.10.
t **22.13** *v. 12-13* : comparer 1.8 et la note ; És 40.10 ; 62.11 ; Ps 28.4 ; Jér 17.10.
u **22.14** Comparer 2.7 ; Gen 2.9 ; 3.22.
v **22.16** Comparer 2.28 ; 5.5 ; És 11.1,10. – *dans les Églises* : autre traduction *au sujet des Églises*.
w **22.17** Comparer És 55.1.
x **22.19** *v. 18-19* : comparer Deut 4.2 ; 13.1.
y **22.20** Comparer 1 Cor 16.22 et la note.

TABLEAU CHRONOLOGIQUE

TABLEAU CHRONOLOGIQUE*

Le monde antique	Dates*	Le peuple de Dieu
		DES PATRIARCHES À LA CONQUÊTE DE CANAAN
	1800	Migration d'ABRAHAM vers le pays de Canaan (Palestine).
	1700	JOSEPH puis ses frères en Égypte. Séjour d'Israël en Égypte.
En Égypte : règne de RAMSÈS II (1304-1238)	1250	MOÏSE : la sortie d'Égypte.
	1200	Les Israélites entrent au pays de Canaan. JOSUÉ.
		PÉRIODE DES JUGES ET DÉBUT DE LA ROYAUTÉ
		1200-1030 : Israël maintes fois délivré par les **Juges**.
En Mésopotamie : période de la **prépondérance assyrienne**.	1050	Vers 1040 : SAMUEL et SAÜL, institution de la royauté.
	1000	1010-970 : DAVID, roi de Juda, puis de Juda et Israël.
	950	970-933 : règne de SALOMON. Construction du **temple** de Jérusalem.
		LA ROYAUTÉ ET L'EXIL
		933 : **séparation en deux royaumes** (schisme), Israël (au nord), Juda (au sud).
		Vers 885 : OMRI, roi d'Israël. Il fonde Samarie. Vers 875 : ACHAB, roi d'Israël. les prophètes ÉLIE puis ÉLISÉE
Rois d'Assyrie :		Dans le royaume d'Israël, les prophètes : AMOS
	750	OSÉE
TÉGLATH-PHALASAR III		
SALMANASAR V		Dans le royaume de Juda, vers 740, vocation du prophète ÉSAÏE du prophète MICHÉE
SARGON II		721 : **Samarie**, capitale du royaume d'Israël, **est prise** par SARGON II, roi d'Assyrie. **Fin du royaume du Nord**.
		716-687 : ÉZÉKIAS, roi du Juda.
SENNAKÉRIB	700	701 : **Siège de Jérusalem** par SENNAKÉRIB *(2 Rois 18.13–19.37)*.
	650	Sous le règne de JOSIAS (640-609), roi de Juda, réforme religieuse dans la ligne du Deutéronome. les prophètes SOPHONIE JÉRÉMIE
612 : **ruine de Ninive,** capitale de l'Assyrie, détruite par les Mèdes et les Babyloniens.		609-598 : règne de JOAQUIM à Jérusalem.

* *Les dates indiquées sont souvent approximatives.*

Le monde antique	Dates	Le peuple de Dieu
605 : le Pharaon **NÉCO** est vaincu par les forces babyloniennes de NABUCODONOSOR à Karkémich en Syrie *(Jér 46.2)*.		
NABUCODONOSOR (604-562) étend son empire sur tout le Proche-Orient.	600	le prophète HABACUC 598-597 : **Jérusalem assiégée** par Nabucodonosor roi de Babylone. Première déportation de population (dont le prêtre ÉZÉKIEL) avec le roi Joakin. SÉDÉCIAS, roi de Juda.
		Vers 593 : début de l'activité du prophète ÉZÉKIEL parmi les premiers déportés.
		588-587 : deuxième siège de Jérusalem. **Destruction du temple**. Deuxième déportation.
		Période de l'**exil** *(voir És 40–55)*.
	550	**PÉRIODE PERSE**
539 : **CYRUS**, roi des Mèdes et des Perses, s'empare de Babylone.		538 : Édit de CYRUS *(Esd 1.1-4)*, autorisant les Juifs à rentrer chez eux.
Empereurs perses : 551-529 : CYRUS		520-515 : **reconstruction du temple** de Jérusalem. les prophètes AGGÉE ZACHARIE
522-486 : DARIUS I *(voir Esd 4.24–6.18)* 486-464 : XERXÈS I *(voir Est 1.1 ; Esd 4.6)*	500	le prophète MALACHIE
464-424 : ARTAXERXÈS I *(voir Esd 4.7 ; 7.1)*		445 ? premier séjour de **NÉHÉMIE** à Jérusalem *(Néh 2–3)*. 432 : second séjour de NÉHÉMIE à Jérusalem *(Néh 13.6-31)*.
423-404 : DARIUS II	400	
		Livres de JOB des CHRONIQUES d'ESDRAS-NÉHÉMIE
	350	**PÉRIODE GRECQUE**
A partir de 334, conquêtes d'**ALEXANDRE LE GRAND**, roi de Macédoine.		332 : la Palestine est conquise par les armées d'ALEXANDRE LE GRAND.
323 : mort d'ALEXANDRE : son empire est partagé : la dynastie des **Lagides** règne en Égypte ; la dynastie des **Séleucides**, en Syrie-Babylonie.	300	320-200 : la Palestine est soumise aux Lagides. Période calme. Début de la traduction en grec de l'Ancien Testament (version dite des **Septante**),
200 : victoire des armées syriennes sur l'Égypte, à Panée.	200	200-142 : la Palestine est soumise aux Séleucides. Période de difficultés auxquelles fait allusion *(Dan 7–12)* le livre de DANIEL.
175-164 : **ANTIOCHUS IV ÉPIPHANE**		167-164 : ANTIOCHUS-ÉPIPHANE persécute les Juifs. 166 : soulèvement des Maccabées.
	150	
	100	142-63 : période d'indépendance pour les Juifs ; dynastie des Hasmonéens *(voir 1 & 2 Maccabées)*.

Le monde antique	Dates	Le peuple de Dieu
		PÉRIODE ROMAINE
Empereurs romains :	50	63 : le général romain POMPÉE s'empare de Jérusalem ; **début de l'occupation romaine** de la Palestine.
29 avant J.-C. - 14 après J.-C. : **AUGUSTE**		37-4 (avant J.-C.) : HÉRODE LE GRAND, allié des Romains, règne sur la Palestine *(voir Matt 2)*.
		20 : début de la reconstruction du temple de Jérusalem (temple d'Hérode) *(voir Jean 2.20)*.
		vers 6 « avant J.-C. » : **naissance de JÉSUS**.
		vers 4 avant J.-C. : mort d'HÉRODE LE GRAND. Son royaume est réparti entre ses fils, ARCHÉLAÜS, HÉRODE-ANTIPAS *(Luc 3.1 ; 23.6-12)* et PHILIPPE *(Luc 3.1)*.
		6 après J.-C. : la Judée devient province romaine.
14-37 : **TIBÈRE**		18-36 : **CAÏPHE**, grand-prêtre *(Jean 11.49)*.
		26-36 : **PONCE-PILATE**, gouverneur romain de la Palestine *(Matt 27.1-2)*.
		Vers 27 : prédication de **JEAN-BAPTISTE** *(Matt 3)*. Début du ministère de JÉSUS en Galilée.
	30	Vers 30 (lors de la Pâque) : mort de JÉSUS *(Matt 27)*.
		Hiver 36-37 (?) : martyre d'**ÉTIENNE** *(Act 6–7)*.
37-41 : **CALIGULA**		Vers 37 : conversion de SAUL de Tarse (qui deviendra l'apôtre PAUL) *(Act 9)*.
	40	
41-54 : **CLAUDE**		43 ou 44 : martyre de **JACQUES**, frère de JEAN *(Act 12.2)*.
		45-49 : premier voyage missionnaire de l'apôtre PAUL *(Act 13–14)*.
		49 (?) Assemblée (synode, concile) de Jérusalem *(Act 15)*.
	50	50-52 : deuxième voyage missionnaire de l'apôtre PAUL *(Act 15.36–18.22)*.
		Vers 51 : **première lettre de PAUL** : 1 THESSALONICIENS
		Printemps 52 : à Corinthe, PAUL comparaît devant Gallion, gouverneur romain de l'Achaïe (Grèce).
53-68 : **NÉRON**		53-58 : troisième voyage missionnaire de l'apôtre PAUL *(Act 18.23–21.16)*.
		58 : PAUL est arrêté à Jérusalem *(Act 21.27-36)*. Il comparaît devant le gouverneur romain FÉLIX *(Act 23.23–24.27)*.
	60	60 : PAUL comparaît devant le gouverneur romain FESTUS *(Act 25–26)*.
		Automne 60 : voyage de PAUL vers Rome *(Act. 27.1–28.15)*.
		61-63 : PAUL en résidence surveillée à Rome *(Act 28.16-31)*.
		Vers 65 : première lettre de PIERRE
		Entre 65 et 70 : Évangile selon MARC

Le monde antique	Dates	Le peuple de Dieu
		66-70 : révolte des Juifs contre les Romains en Palestine.
68-69 : GALBA 69-79 : VESPASIEN	70	70 : le général romain TITUS s'empare de Jérusalem ; **le temple est détruit.**
79-81 : **TITUS** 81-96 : DOMITIEN	80	Dans les années 80 : Évangiles selon MATTHIEU et LUC ACTES DES APÔTRES
	90	Vers 90 : Lettres de JEAN Évangile selon JEAN
		Vers 95 : APOCALYPSE

VOCABULAIRE

Aaron Frère aîné de Moïse (Ex 6.20). Il fut le premier *prêtre et l'ancêtre des prêtres d'Israël (Lév 8.1–9.24). Il est nommé cinq fois dans le Nouveau Testament (Luc 1.5 ; Act 7.40 ; Hébr 5.4 ; 7.11 ; 9.4).

Abîme Dans le Nouveau Testament ce terme désigne le lieu où les puissances du mal sont momentanément emprisonnées.

Achéra Déesse cananéenne de la fécondité, que l'Ancien Testament associe souvent au dieu *Baal.

Alléluia Expression hébraïque signifiant « Louez le Seigneur » ou « Vive le Seigneur ! » (Ps 106.1,48).

Alliance Terme technique qui désigne une sorte de pacte. Les mentions les plus nombreuses concernent *l'alliance* que Dieu établit
– soit avec l'humanité tout entière en la personne de Noé (Gen 9.9-17),
– soit avec un homme, comme Abraham (Gen 15.18) ou David (Ps 89.4-5),
– soit avec le peuple d'Israël (Ex 19.5-6),
– soit, enfin, avec tous ceux qui croient en Jésus-Christ (Luc 22.20 ; 1 Cor 11.25).

Dans l'Ancien Testament la conclusion d'une alliance s'accompagne d'engagements réciproques, de malédictions prononcées contre le partenaire qui les trahirait, et parfois d'une cérémonie sacrificielle (Gen 15.9-18 ; Ex 24.3-8 ; Jér 34.13-22).

Amen Mot hébreu signifiant « Oui, il en est ainsi » (1 Chron 16.36) ou « Oui, qu'il en soit ainsi ! » (Nomb 5.22). Il est parfois rendu simplement par « Oui » (Jér 28.6). On peut aussi le traduire par « en vérité », « certainement », « sûrement ». Dans Apoc 3.14, il est employé comme titre pour le Christ.

Amorites L'Ancien Testament désigne ainsi une des populations qui occupaient la Palestine et les régions situées à l'est du Jourdain avant l'arrivée des tribus israélites. Souvent le terme est synonyme de *Cananéens*. L'Ancien Testament mentionne également d'autres peuplades vivant en Palestine avant les Israélites, comme les *Amalécites*, les *Guirgachites*, les *Hittites*, les *Hivites*, les *Horites*, les *Jébusites* et les *Perizites* (Gen 15.19-21 ; Nomb 13.29 ; Deut 7.1).

Anciens Dans l'Israël de l'époque biblique, les *anciens* sont les chefs de famille ou de clan. Les *anciens* d'une même ville formaient un conseil responsable, qui dirigeait la cité et rendait la justice. Ils étaient les gardiens de la tradition.

Le Nouveau Testament utilise le terme d'*anciens* pour désigner les membres de trois groupes différents :
– Dans les évangiles les *anciens* sont les chefs religieux juifs, dont plusieurs faisaient partie du *Conseil supérieur.
– Dans Act 11–21 et dans les lettres adressées aux communautés chrétiennes, les *anciens* sont des chrétiens ayant une responsabilité dans la direction des Eglises locales.
– Dans l'Apocalypse les vingt-quatre *anciens* font partie de la cour céleste de Dieu ; ils représentent peut-être sym-

boliquement l'ensemble du peuple de Dieu.

Ange Les anges sont des *envoyés* ou des *messagers* de Dieu (Gen 28.12). Ils sont parfois aussi les *exécutants* des décisions prises par Dieu (2 Sam 24.16; Dan 4.14).
Quand il est parlé de l'*ange du Seigneur*, ce peut être une manière indirecte d'indiquer une intervention de Dieu lui-même (Jug 13.3,20-22).

Apôtre Ce titre désigne un *envoyé* du Christ. Le Nouveau Testament (surtout Luc et Actes) l'attribue notamment aux douze hommes que Jésus avait choisis pour l'accompagner. Mais Paul, parce qu'il a vu le Christ ressuscité, revendique ce titre, lui aussi (1 Cor 9.1 ; Gal 1.1).
Le Nouveau Testament applique également cette appellation à d'autres personnes connues pour leur activité missionnaire (Act 14.14 ; Rom 16.7).

Arche Volumineux bateau construit par Noé, dans lequel lui-même, sa famille et les animaux échappèrent à la grande inondation (ou déluge). Voir Gen 6.9–8.19. A ne pas confondre avec l'arche de l'alliance, appellation que certaines versions utilisent pour le *coffre sacré.

Astarté Déesse de l'amour et de la fécondité, dont le culte était très répandu dans le Proche-Orient. Elle est parfois confondue avec *Achéra.

Autel Emplacement en forme de table, où sont offerts les *sacrifices. Les angles supérieurs de l'*autel*, relevés (Ex 27.2), étaient considérés comme la partie la plus sacrée de celui-ci. Au *sanctuaire de Jérusalem, on utilisait deux autels : l'*autel* du parfum (Ex 30.1-10), placé dans le bâtiment central du temple, et l'*autel* des sacrifices (Ex 27.1-7), placé devant ce bâtiment.

Baal Nom d'un dieu adoré par les plus anciens habitants du pays de Canaan. Ce nom signifiait « le maître » ou « le propriétaire ». *Baal* était considéré comme le maître de la nature ; on lui attribuait le pouvoir de rendre les champs fertiles et les troupeaux féconds. La pratique de la religion du *Baal* s'accompagnait souvent de prostitution sacrée et fut vigoureusement combattue par les prophètes.

Babylone Capitale de l'empire néo-babylonien (605-539 avant J.-C.) ; son nom désigne parfois l'ensemble de cet empire. Le nom de *Babylone* est devenu également le symbole du pouvoir qui s'oppose à Dieu (Dan 4.27 ; Apoc 14.8). Dans le Nouveau Testament, il désigne probablement, de manière symbolique, la ville de Rome (1 Pi 5.13 ; Apoc 17.5).

Bachan Haut plateau situé à l'est du lac de Génésareth, célèbre par ses forêts de chênes et ses élevages de gros bétail.

Bas-Pays Au sens restreint, cette appellation désigne la région de collines situées entre la plaine côtière de la mer Méditerranée et la montagne centrale de Juda (Jos 15.33-36). L'expression est parfois employée en un sens plus large, qui englobe la plaine côtière tout entière (Deut 1.7).

Bénir, bénédiction Dire que Dieu *bénit* un être humain, c'est dire qu'il lui veut du bien et lui accorde du bonheur (Gen 1.28 ; 12.3, etc.). Quand un être humain en *bénit* un autre, il demande en fait à Dieu de *bénir* celui-ci (Gen 48.9-16).

Berger Homme chargé de conduire un troupeau vers un pâturage et de veiller à la sécurité des moutons et des chèvres qui lui sont confiés. Dans la Bible ce terme sert souvent d'image pour désigner les dirigeants du peuple d'Israël (Ézék 34.2,5,7,8, etc.). Dieu lui-même est parfois qualifié de *berger* (Ézék 34.11-16 ; Ps 23.1 ; 80.2), et Jésus se présente comme le berger donnant sa vie pour ceux qui lui ont été confiés (Jean 10.11).

Brebis Au sens propre, la *brebis* est la femelle dans l'espèce ovine (moutons). Au sens figuré, ce terme est employé pour désigner, dans l'Ancien Testament, les membres du peuple de Dieu (Jér 50.6 ; Ps 119.176 ; comparer Ézék 34) et, dans le Nouveau Testament, ceux qui croient en Jésus-Christ et font partie du troupeau dont il est le *berger (Jean 10.1-16).

Cachet Petit objet gravé en creux et pouvant être porté au doigt (anneau) ou au moyen d'un cordon attaché autour du cou (cylindre ; voir Gen 38.18). Il servait à marquer les objets personnels ou à signer et authentifier les lettres et les documents émanant de quelqu'un.

Calendrier LES MOIS : On trouve dans l'Ancien Testament des traces du calendrier de l'ancien Israël, qui faisait commencer l'année en automne (voir Ex 23.16 ; Lév 23.24 et les notes). Cependant à partir du sixième siècle avant J.-C., on a utilisé le calendrier babylonien, qui fait commencer l'année au printemps. Les mois de l'année sont identifiés très souvent par leur numéro d'ordre et quelquefois par leur nom. Ainsi le premier mois, correspondant à la seconde moitié de mars et à la première moitié d'avril dans notre calendrier, est cité parfois comme le mois d'*Abib* (nom cananéen) ou comme le mois de *Nisan* (nom babylonien). En partant du premier mois (mars-avril), on peut aisément retrouver à quelle période de l'année correspond chaque mois cité. Le deuxième mois, par exemple, correspond à avril-mai, le troisième à mai-juin et ainsi de suite.
LES FÊTES : L'Ancien Testament connaît trois grandes fêtes principales de pèlerinage, qui sont d'ailleurs toujours célébrées dans le judaïsme :
1. La *fête de la *Pâque* et la *fête des *Pains sans levain* sont souvent jumelées comme une seule et même fête commémorant la sortie d'Egypte. Elles étaient célébrées au printemps.
2. La *fête de la Moisson*, appelée aussi *fête de la Pentecôte*, avait lieu à la fin de la moisson du blé (Ex 23.16 ; Lév 23.15-21).
3. La *fête de la Récolte* était célébrée à l'automne, après la vendange et la récolte des olives et des fruits. On l'appelle aussi *fête des Huttes*, car les Israélites la célébraient en logeant pendant huit jours sous des huttes de branchages.

Céleste Voir *ciel*.

Chef de chorale Cette expression figure en tête de 55 psaumes et à la fin du chapitre 3 du livre d'Habacuc. On suppose que le terme ainsi traduit désignait le responsable du chant sacré au temple de Jérusalem.

Chérubins Êtres fabuleux souvent nommés dans l'Ancien Testament et faisant partie de l'entourage de Dieu (Ezék 10.4-7). Des figures de *chérubins* surmontaient le *coffre sacré et formaient une sorte de trône pour le Seigneur (1 Sam 4.4 ; Hébr 9.5).

Christ Voir *Messie*.

Ciel, cieux, céleste Au sens figuré, *le ciel* désigne en général le lieu inaccessible où Dieu a sa demeure (Deut 26.15 ; És 40.22 ; Matt 6.9). Parfois le mot est employé à la place du nom *Dieu*, pour éviter d'avoir à le prononcer, comme dans l'expression *le *Royaume des cieux*. L'adjectif *céleste* est alors équivalent à *de Dieu* (Hébr 6.4).

Circoncire, circoncision La circoncision consiste à couper le prépuce d'un garçon (Gen 17.12) ou même d'un adulte (Gen 17.24-27). Pour les Israélites, ce rite était et reste un signe de l'alliance conclue par Dieu avec le peuple d'Israël (Gen 17.11).

Cité de David La *Cité de David* ou *ville de David* est le nom donné à la forteresse de *Sion, conquise par David sur les Jébusites (2 Sam 5.7-9). Elle constitue la partie la plus ancienne de Jérusalem.

Coffre sacré Ce *coffre*, appelé dans d'autres traductions *arche de l'alliance* ou *arche sainte*, contenait le *document de l'alliance. Il est décrit en Ex 25.10-22.

Considéré comme le trône ou le marchepied de Dieu, il symbolisait la présence active de celui-ci parmi son peuple (Nomb 10.33-36 ; Ps 132.7-8).

Collecteurs d'impôts Personnages chargés de prélever les droits et taxes sur les marchandises. Comme ils étaient au service de la puissance occupante (les Romains) et que beaucoup d'entre eux en profitaient pour s'enrichir injustement, ils étaient méprisés et rejetés par les Juifs les plus pratiquants.

Conseil supérieur (ou Sanhédrin) Tribunal religieux suprême du judaïsme au temps de Jésus ; il était composé de 71 membres, dont le grand-prêtre, qui le présidait.

Couronne Cercle de fleurs ou de feuillages que l'on posait sur la tête de quelqu'un. Autrefois le vainqueur d'une compétition sportive recevait comme prix une couronne de feuillages. Dans la Bible, le terme est employé à plusieurs reprises au sens figuré (voir 2 Tim 4.8 ; Apoc 2.10).

Déchirer ses vêtements Les anciens Israélites *déchiraient* parfois leurs *vêtements* en signe de deuil ou de tristesse, lorsqu'ils étaient dans le malheur. D'autres coutumes servaient également à marquer le deuil, par exemple se vêtir d'étoffe grossière, répandre de la cendre ou de la poussière sur sa tête, se raser les cheveux ou la barbe, se faire des entailles sur le corps.

Diable Nom commun d'origine grecque, équivalent de l'hébreu **satan*. A côté d'autres appellations comme *l'ennemi* (Matt 13.39), *la puissance de la nuit* (Luc 22.53), *le dominateur de ce monde* (Jean 14.30), *le *Mauvais* (Jean 17.15), le Nouveau Testament l'utilise pour personnifier les forces du mal.

Diacre Titre donné à certains membres de l'Eglise qui étaient spécialement chargés du service des pauvres et des malades.

Disciple Personne qui suit un maître pour en recevoir un enseignement. Le maître peut être le chef de file d'une tendance religieuse (Matt 22.16), un prophète (És 8.16 ; Marc 2.18) ou Dieu lui-même (És 54.13). Dans le Nouveau Testament, il s'agit le plus souvent de Jésus, et l'expression *les disciples* désigne généralement ceux qui le suivent.

Document de l'alliance C'est un des noms donnés à l'ensemble des deux tablettes de pierre sur lesquelles étaient gravés les commandements communiqués par Dieu à Moïse (Ex 31.18). Ce document réglait la vie quotidienne du peuple d'Israël selon les principes de *l'alliance.

Élie Prophète de l'Ancien Testament (1 Rois 17–22 ; 2 Rois 1–2), dont le retour était attendu pour la période précédant immédiatement la venue du *Messie (Mal 3.23-24 ; Marc 6.15 ; Jean 1.21). Il est nommé 29 fois dans le Nouveau Testament (Marc 9.4 ; Luc 4.25 ; Rom 11.2 ; Jacq 5.17, etc.).

Encens Résine précieuse que les anciens Israélites importaient de la région de Saba en Arabie méridionale. L'encens entrait dans la composition du parfum spécial qu'on brûlait chaque jour en hommage à Dieu (Ex 30.7 ; Luc 1.9).

Enfer Ce mot traduit une expression de l'Ancien Testament (la Vallée de Hinnom, Jér 7.31-32), qui désignait un lieu *impur, donc privé par Dieu de sa présence. Le Nouveau Testament l'utilise pour désigner un lieu de malédiction, où devaient être envoyés tous ceux qui tombaient sous la condamnation de Dieu.

Eunuque Homme qu'une mutilation subie ou volontaire a rendu incapable d'avoir une vie sexuelle normale et de procréer des enfants.

Fils de David Titre que les Juifs contemporains de Jésus appliquaient au *Messie attendu, en tant que descendant et successeur du roi David.

Fils de Dieu Titre donné à Jésus pour exprimer qu'il est l'envoyé de Dieu et souligner l'étroite et fidèle relation qui l'unit à lui. C'est parfois l'équivalent du titre *Christ ou *Messie (Matt 16.16 ; Jean 20.31).

Fils de l'homme Sauf en Act 7.56 et Jean 12.34, l'expression *le Fils de l'homme* apparaît toujours dans le Nouveau Testament comme prononcée par Jésus lui-même. Dans de nombreux cas il est évident que ce titre lui servait à se désigner lui-même et se rapportait soit à son abaissement actuel (Marc 8.31 ; Luc 9.58), soit à sa gloire future (Matt 25.31 ; Marc 8.38). Peut-être Jésus a-t-il préféré ce titre nouveau et mystérieux pour éviter celui de Christ-Messie, que l'usage populaire interprétait en un sens difficilement compatible avec l'Évangile (voir Marc 8.29-33).

Gloire Dans la Bible le mot *gloire* traduit souvent un terme hébreu (et son équivalent grec), qui peut exprimer la vraie valeur (le « poids »), l'importance, l'éclat d'une chose (Ps 87.3), d'un être ou d'un groupe humain (Osée 9.11) et surtout de Dieu. On ne peut regarder en face la gloire de Dieu (Ex 33.22). Jésus manifeste en lui-même la gloire du Père et la fait connaître à ses disciples (Jean 17.1,4-5).

Grande salle Salle du bâtiment central du temple de Jérusalem où les prêtres étaient seuls autorisés à entrer. Cette salle est parfois appelée le *lieu saint, par opposition au lieu très saint.

Grand-prêtre *Prêtre qui détenait la plus haute fonction dans la hiérarchie juive des prêtres. Il présidait le *Conseil supérieur. Une fois par année (au grand jour du Pardon des péchés, voir Lév 16), il entrait dans le *lieu très saint du temple et y offrait divers *sacrifices pour lui-même et le peuple d'Israël.

Hérode Trois personnages sont mentionnés sous ce nom dans le Nouveau Testament :

1. *Hérode le Grand* (Luc 1.5) régna sur l'ensemble du territoire juif de 37 à 4 avant J.-C.
2. *Hérode Antipas* (Marc 6.14-27 ; Luc 3.1,19-20 ; 9.7-9) régna sur la Galilée de 4 avant J.-C. à 39 après J.-C. Il était fils d'Hérode le Grand.
3. *Hérode Agrippa 1er* (Act 12.1-23) régna sur l'ensemble du territoire juif de 41 à 44 après J.-C. Il était petit-fils d'Hérode le Grand.

Horeb Autre nom du mont Sinaï (voir Ex 3.1 et la note), qu'on situe traditionnellement au sud de la presqu'île du Sinaï, entre les golfes de Suez et d'Aqaba.

Hysope Plante dont on utilisait les branches pour asperger les fidèles lors de certaines cérémonies de purification (voir Lév 14.4-7).

Incirconcis Voir *Circoncire*.

Impur, impureté. Voir *Pur*.

Israël *Israël* est le nom donné par Dieu à Jacob, fils d'Isaac (Gen 32.28-29 ; 35.10). C'est pourquoi les descendants de Jacob furent appelés Israélites ou peuple d'Israël.
Dans un certain nombre de textes de l'Ancien Testament, *Israël* désigne non pas la totalité du peuple, mais l'ensemble des dix tribus du nord (1 Rois 11.31-37) et plus précisément le royaume israélite du nord, fondé par Jéroboam 1er après la mort de Salomon, vers 933 avant J.-C.

Jessé Connu dans d'autres traductions sous le nom d'Isaï (à ne pas confondre avec le prophète Ésaïe ou Isaïe). Père du roi David, l'un des ancêtres de Jésus (1 Sam 16.1 ; Matt 1.5-6).

Jeûner, jeûne Le *jeûne* consiste à s'abstenir volontairement de manger pendant un certain temps. Les anciens Israélites le pratiquaient pour des motifs religieux : pour accompagner une prière ou exprimer qu'ils s'humiliaient devant Dieu (Dan 9.3 ; Luc 2.37).

Joug Lourde pièce de bois fixée sur le cou de deux bœufs pour les atteler à une charrue ou à un char. Ce terme est parfois utilisé comme image pour indiquer la dépendance d'un esclave par rapport à son maître, ou d'un peuple par rapport à son roi (1 Rois 12.4), ou d'une nation par rapport à une puissance étrangère (Jér 27.8 ; 28.2), ou encore pour désigner le comportement qu'un maître propose à ses disciples (voir Matt 11.29-30).

Lèpre - Lépreux Dans la Bible, le terme qu'on rend par *lèpre* avait un emploi plus étendu que celui que nous donnons aujourd'hui à ce mot : il désignait en effet diverses maladies de peau, en plus de la lèpre proprement dite. Les gens atteints d'une de ces maladies étaient appelés *lépreux* et traités comme *impurs (Lév 13–14).

Levain Pâte à pain fermentée que l'on ajoute à la pâte nouvelle pour qu'elle lève avant d'être cuite pour faire du pain. Parce qu'il est fermenté, le levain est souvent associé à l'idée *d'impureté, de corruption, en particulier lorsque le terme est employé de façon imagée (Matt 16.6, 11-12 ; 1 Cor 5.6-8 ; Gal 5.9). Cependant l'image est prise en bonne part dans Matt 13.33 et Luc 13.21, puisqu'elle se rapporte au *Royaume de Dieu. Voir aussi *Pains sans levain*.

Lévites Membres de la tribu de Lévi qui aidaient les prêtres dans le culte du temple (Nomb 3.1-13).

Lieu saint, lieu très saint Le *lieu saint* était la *grande salle de la *tente de la rencontre ou du temple de Jérusalem. Au-delà de cette salle se trouvait une seconde pièce, le *lieu très saint*, où le *coffre sacré était déposé et où seul le *grand-prêtre pouvait pénétrer une fois par an (Lév 16 ; Hébr 9.7).

Loi C'est ainsi que l'ancienne version grecque, suivie plus tard par le Nouveau Testament, a rendu le mot hébreu qui désigne l'enseignement ou les directives donnés par Dieu à son peuple. Il concerne à l'origine l'ensemble des commandements de Dieu pour Israël, en particulier ceux que Moïse a communiqués à ce peuple au Sinaï (Ex 20). Par extension, *la loi* en est venue à désigner les livres où sont consignés ces commandements, c'est-à-dire essentiellement les cinq premiers de la Bible. L'expression *la loi* est alors synonyme de *les livres de Moïse* (2 Cor 3.15). En un sens encore plus large, elle désigne l'ensemble de l'Ancien Testament (Jean 10.34 ; Rom 3.19), dans le même sens que l'expression *la loi de Moïse et les livres des prophètes*.
L'apôtre Paul utilise parfois le même mot de *loi* pour parler d'une force qui pousse l'être humain à agir, en bien ou en mal selon les cas (Rom 7.22-23 ; 8.2).

Maîtres de la loi Spécialistes des écrits de l'Ancien Testament, de ses cinq premiers livres en particulier. Ils étaient chargés de les expliquer. Certaines versions les désignent sous l'appellation de *scribes* ou de *docteurs de la loi*.

Manne Nourriture que les Israélites reçurent de Dieu pendant leur séjour au désert (Ex 16.11-18 ; Jos 5.11-12) et qui leur tint lieu de pain.

Mer des Roseaux Étendue d'eau (lagune, lac ou bras de mer) que les Israélites traversèrent sous la direction de Moïse lors de leur sortie d'Égypte (Ex 13.18). Sa localisation exacte reste discutée.

Messie Transcription française du titre hébreu *Machia*. Ce titre était attribué aux rois d'Israël (et plus tard aux grands-prêtres) pour signifier qu'ils avaient été consacrés, c'est-à-dire choisis et désignés par Dieu pour une fonction particulière. Petit à petit le titre de *Messie* a été réservé au roi sauveur, dont certains prophètes de l'Ancien Testament annoncent la venue (És 9.6 ; Jér 23.5). Le Nouveau Testament applique ce titre à Jésus, en général sous sa forme grecque *Christos*, que le français transcrit par *Christ*.

Meule à blé Pour moudre le blé et en obtenir de la farine, on utilisait deux grosses pierres dures, ou *meules* : la meule inférieure, fichée en terre, comportait une excavation dans laquelle on faisait tourner la meule supérieure, qui broyait ainsi le blé (Deut 24.6 ; És 47.2). Une meule à blé pouvait être très lourde (Lam 5.13 ; Apoc 18.21).

Myrrhe Substance d'origine végétale. Utilisée comme parfum (Ps 45.9 ; Cant 1.13), elle servait aussi à préparer l'huile d'onction (Ex 30.22-25), ou à imprégner les bandes de lin dont les Juifs entouraient le corps d'un défunt avant de le déposer dans une tombe (Jean 19.39). Produit d'importation, donc cher, elle représentait un cadeau de valeur (Matt 2.11). Mêlée à du vin, la myrrhe avait une action enivrante atténuant les douleurs (Marc 15.23).

Nard Plante (Cant 4.13-14) dont on extrayait un parfum précieux (Marc 14.3).

Noé Personnage de l'Ancien Testament. Il construisit *l'arche, dans laquelle lui-même, sa famille et les animaux furent sauvés de la grande inondation – ou déluge – (Gen 6.5–9.28). Il est nommé plusieurs fois dans les livres prophétiques (És 54.9 ; Ézék 14.14, etc.) et dans le Nouveau Testament (Matt 24.37 ; Hébr 11.7, etc.).

Outre Peau de chèvre cousue en forme de sac, qu'on utilisait pour conserver ou transporter des liquides (eau, lait, vin).

Pains sans levain Pains qui ont été cuits sans que l'on ait ajouté du *levain à la pâte. Pendant toute la semaine qui suivait la *Pâque, c'est le seul genre de pain que les Israélites pouvaient consommer (Ex 12.14-20). C'est pourquoi on appelait aussi *fête des pains sans levain* la fête qui durait sept jours à partir de la Pâque, au cours de laquelle on célébrait la libération du peuple d'Israël et la fin de son esclavage en Egypte.

Pâque (fête de la) La *Pâque* (voir *Calendrier*) est la plus grande fête religieuse du judaïsme. Les contemporains juifs de Jésus venaient la célébrer à Jérusalem. Elle avait lieu au printemps et commémorait la sortie d'Egypte (Deut 16.1-8). Il ne faut pas la confondre avec *Pâques*, fête chrétienne commémorant la résurrection de Jésus.

Parabole L'Ancien Testament connaît déjà la parabole (2 Sam 12.1-7 ; És 5.1-7). Cette manière de parler indirectement par images veut amener l'auditeur à saisir une vérité qui ne lui est pas évidente. Jésus utilisait volontiers ce genre de récit ou de comparaison pour faire découvrir à ceux qui l'entendaient ce qu'ils ne pouvaient connaître par eux-mêmes du *Royaume de Dieu ou du comportement nouveau auquel Dieu appelle les humains.

Pause Traduction traditionnelle d'un terme hébreu dont on ignore la signification exacte. Il est inséré en particulier une, deux ou même trois fois dans trente-neuf psaumes et dans Hab 3. La traduction adoptée suggère que l'exécution chantée du psaume était momentanément interrompue, peut-être pour faire place à un intermède musical.

Pentecôte, Jour de la Fête israélite de la moisson (voir *Calendrier*), qui devint plus tard une commémoration du don de la *loi et de *l'alliance au Sinaï. Le nom de Pentecôte, qui signifie « cinquantième », vient de ce que cette fête était célébrée le cinquantième jour après celle de la *Pâque (voir Lév 23.16 et la note). A la Pentecôte, les chrétiens commémorent le don du Saint-Esprit à la communauté de Jérusalem (Act 2.1-4).

Pharaon Titre traditionnel des rois de l'ancienne Égypte. Le Nouveau Testament fait allusion au pharaon contemporain de Joseph (Act 7.10,13 ; voir Gen 39 ; 41–42 ; 45) et à celui du temps de Moïse (Act 7.21 ; Rom 9.17 ; voir Ex 2–14).

Pharisiens Membres d'un parti religieux du judaïsme, les *Pharisiens* pratiquaient une obéissance stricte à la loi de Moïse et aux règlements que la tradition avait ajoutés au cours des siècles.

Pilate *Pilate*, ou *Ponce-Pilate*, fut gouverneur romain de la Judée, de la Samarie et de l'Idumée, de 26 à 36 après J.-C. (Luc 3.1 ; Act 3.13).

Prêtre Le Nouveau Testament mentionne des prêtres païens (Act 14.13) et des prêtres juifs (Luc 1.5 ; Jean 1.19). Ces derniers, qui avaient à leur tête le *grand-prêtre, officiaient exclusivement à Jérusalem. La lettre aux Hébreux présente Jésus comme le suprême et dernier grand-prêtre (Hébr 4.14, etc.). Les chrétiens sont parfois présentés eux aussi comme remplissant une fonction de prêtres (1 Pi 2.5,9 ; Apoc 1.6 ; 5.10 ; 20.6).

Prophète, prophétie, prophétiser Dans la Bible le *prophète* est avant tout quelqu'un qui se présente comme *porte-parole* de Dieu. Le message de certains de ces prophètes a été conservé dans les livres bibliques qui portent leur nom (Ésaïe, Jérémie, etc.). Dans le Nouveau Testament le titre de *prophète* est attribué à Jean-Baptiste, à Jésus ou à des membres de l'Église qui parlaient sous l'influence de l'Esprit de Dieu pour exhorter ou apporter une révélation.
Les livres bibliques distinguent entre les prophètes qui prétendent – de manière mensongère – apporter un message de la part de Dieu et les prophètes réellement envoyés par Dieu.

Prophète (le) Personnage à venir, promis par Moïse (Deut 18.15,18) et dont on pensait qu'il viendrait annoncer l'arrivée imminente du *Messie (Jean 1.21). Voir *Élie*.

Pur, pureté, purifier, purification Dans la religion juive, il était nécessaire d'être en état de *pureté* pour demeurer en communion avec Dieu et pouvoir, par exemple, participer au culte. On devenait *impur*, au point de vue rituel, en mangeant certains aliments, en touchant certains objets ou en contractant certaines maladies et, au point de vue moral, en s'écartant des commandements de Dieu. On pouvait *purifier* des personnes, des lieux ou des objets en pratiquant les rites de *purification* prévus à cet effet (voir, par exemple, Lév 12.6-8 ; 14.1-32).

Ressusciter, résurrection *Ressusciter*, c'est passer de la mort à la vie, ou, au sens actif, faire passer quelqu'un de la mort à la vie. Ce passage de la mort à la vie est appelé *résurrection*. Pour exprimer cette idée le Nouveau Testament utilise volontiers deux verbes signifiant respectivement *(se) relever* et *(se) réveiller*.

Royaume de Dieu, Royaume des cieux L'Ancien Testament considère Dieu comme le seul vrai roi, non seulement d'Israël (1 Sam 8.7), mais de l'univers entier (Ps 93 ; 96.10 ; 97 ; 99). Il attend et espère le jour où cette royauté sera enfin définitivement manifestée (Abd 21 ; Dan 2.44).
L'expression *le Royaume de Dieu* est cependant propre au Nouveau Testament. Dans l'enseignement de Jésus le Royaume de Dieu occupe une place centrale. L'expression n'est jamais définie, mais elle se réfère à un monde nouveau, inconnu des humains. Ce monde nouveau de Dieu est présenté tantôt comme une réalité *actuelle*, annoncée par Jésus (Matt 12.28 ; Luc 17.21), qui appelle à y entrer (Matt 7.21), tantôt comme une réalité *à venir* (Marc 9.1 ; Luc 22.30 ; voir aussi 1 Cor 6.9-10 ; 15.50).
L'expression synonyme *le Royaume des cieux* est propre à Matthieu, qui suit un usage juif évitant d'avoir à prononcer le nom de Dieu.

Sabbat Le *sabbat* est le septième jour de la semaine israélite, c'est-à-dire le samedi. Pendant ce jour consacré à Dieu tout travail est interdit (Ex 20.8-11).

Sacrifice, sacrifier Dans les religions de l'ancien Proche-Orient, on prati-

quait le sacrifice en offrant aux divinités des produits des champs, des animaux et parfois même des êtres humains (2 Rois 16.3).
L'Israël biblique offrait lui aussi des sacrifices à son Dieu. A côté d'offrandes végétales (farine, huile, vin, Nomb 15.4-5) ou de parfum (Ex 30.7-8), l'Ancien Testament mentionne plusieurs types de sacrifices d'animaux : sacrifices *complets* ou *entièrement consumés* (Lév 1), sacrifices *de communion* (Lév 3), sacrifices *pour obtenir le pardon des péchés* (Lév 4–5), etc. Mais il interdit sévèrement les sacrifices humains (Lév 20.2-5).
Le Nouveau Testament reprend les réserves des prophètes à l'égard des sacrifices d'animaux (Matt 9.13 ; 12.7) au profit d'un amour authentique (Marc 12.33), de l'offrande de soi-même (Rom 12.1), de la louange (Hébr 13.16). La lettre aux Hébreux comprend la mort du Christ comme le sacrifice ultime, définitif et parfait (9.26).

Sadducéens Formant, au temps de Jésus, un parti religieux, les *Sadducéens* se recrutaient principalement parmi les prêtres ; ils étaient peu nombreux, mais influents. Bien que leur enseignement ait différé sur plus d'un point de celui des *Pharisiens, les évangiles les nomment souvent à côté de ceux-ci parmi les adversaires de Jésus.

Samaritain Habitant de la Samarie, région située entre la Judée et la Galilée. Les Juifs et les *Samaritains* étaient ennemis pour des raisons d'ordre historique (2 Rois 17.24-41) et surtout religieux.

Sanctuaire Les deux expressions hébraïques traduites par *sanctuaire* désignent un emplacement sacré réservé à Dieu. Dans de nombreux cas il s'agit du temple de Jérusalem, que les Israélites considéraient comme la résidence de Dieu sur terre. Parfois il s'agit de la demeure céleste de Dieu (Ps 102.20). En un sens plus restreint le *sanctuaire* est le bâtiment central du temple de Jérusalem, où les prêtres seuls étaient autorisés à entrer.

Satan A l'origine nom commun désignant en hébreu l'accusateur auprès d'un tribunal (voir Zach 3.1-2 ; Ps 109.6 ; Job 1.6). A la suite du judaïsme, le Nouveau Testament l'a adopté comme nom propre pour désigner le *diable.

Sauterelles Insectes ailés se déplaçant parfois en troupes innombrables. Lorsqu'ils s'abattent sur une région, ils y dévorent toute la végétation, herbe, cultures et feuilles des arbres.

Seigneur Équivalent conventionnel du nom propre de Dieu dans l'Ancien Testament. Pour plus de précisions se reporter à Ex 3.15 et la note.
Le Nouveau Testament applique ce titre à Jésus ressuscité (Act 2.36), l'évangile de Luc l'utilisant par anticipation pour désigner Jésus dans son ministère terrestre (Luc 10.1, etc.). Jésus-Christ est le Seigneur (Phil 2.11) est sans doute la plus ancienne confession de foi chrétienne.

Sion A l'origine *Sion* désignait la plus ancienne partie de Jérusalem (voir *Cité de David*). Ultérieurement le terme a désigné un espace plus vaste englobant le temple, considéré comme la demeure de Dieu, et même toute la ville de Jérusalem.

Synagogue Édifice dans lequel les Juifs se réunissent pour le culte et pour l'enseignement religieux. Il n'y avait qu'un seul temple, à Jérusalem (où étaient offerts les *sacrifices), mais on trouvait des *synagogues* dans chaque ville, même à Jérusalem, et dans les agglomérations importantes du pays (Marc 1.21).

Temple Voir *Sanctuaire*. Voir aussi les plans proposés en fin de volume.

Tente de la rencontre A l'époque où les Israélites vivaient encore au désert, la *tente de la rencontre* était le *sanctuaire transportable du peuple d'Israël ; c'est là que Dieu donnait rendez-vous à

Moïse (Ex 33.7-11). Elle était considérée comme le lieu privilégié de la présence de Dieu au milieu de son peuple (Ex 29.42-46).

Tout-puissant Dans l'AT, *tout-puissant* est l'équivalent traditionnel d'une appellation très ancienne de Dieu (*chaddaï*) dont on ignore en réalité la signification exacte. Nous avons rendu parfois ce même terme par *le Dieu très-grand*.

Vœu Déclaration solennelle ou engagement librement consenti. Celui qui formulait un vœu le faisait généralement en demandant à Dieu de le punir si la déclaration n'était pas vraie ou si l'engagement n'était pas tenu.

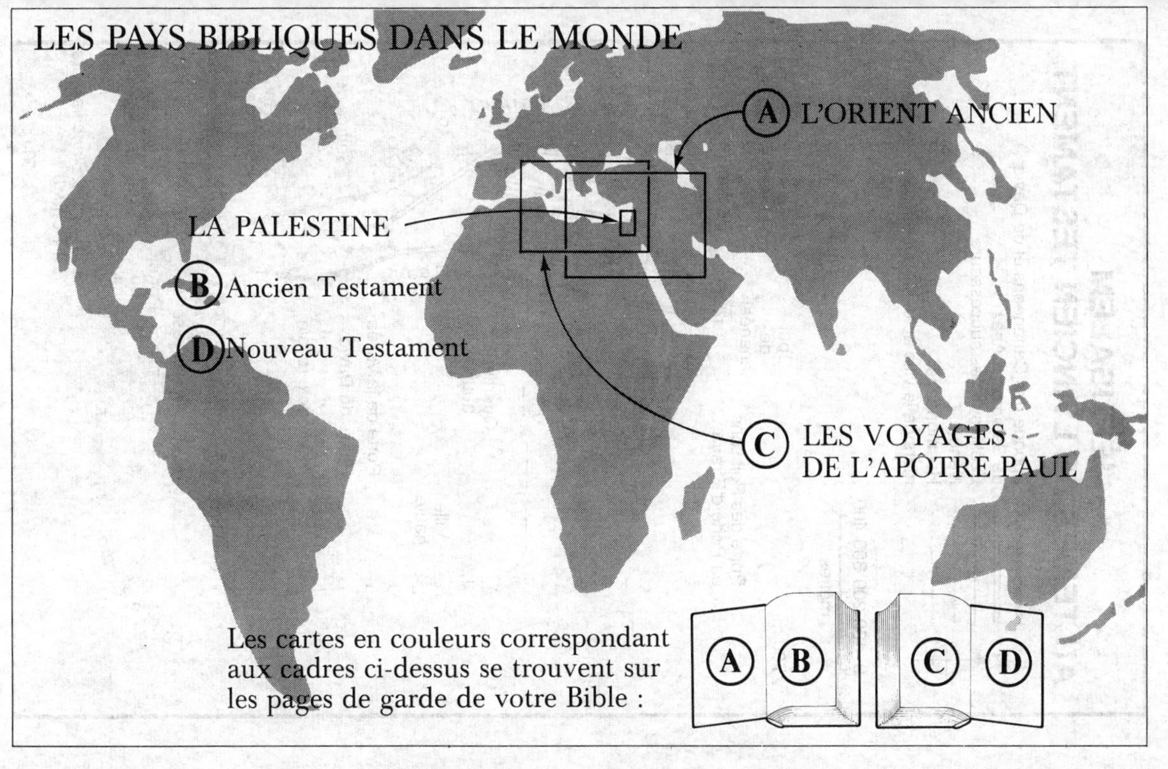
LES PAYS BIBLIQUES DANS LE MONDE
A L'ORIENT ANCIEN
LA PALESTINE
B Ancien Testament
D Nouveau Testament
C LES VOYAGES DE L'APÔTRE PAUL
Les cartes en couleurs correspondant aux cadres ci-dessus se trouvent sur les pages de garde de votre Bible :
A B C D

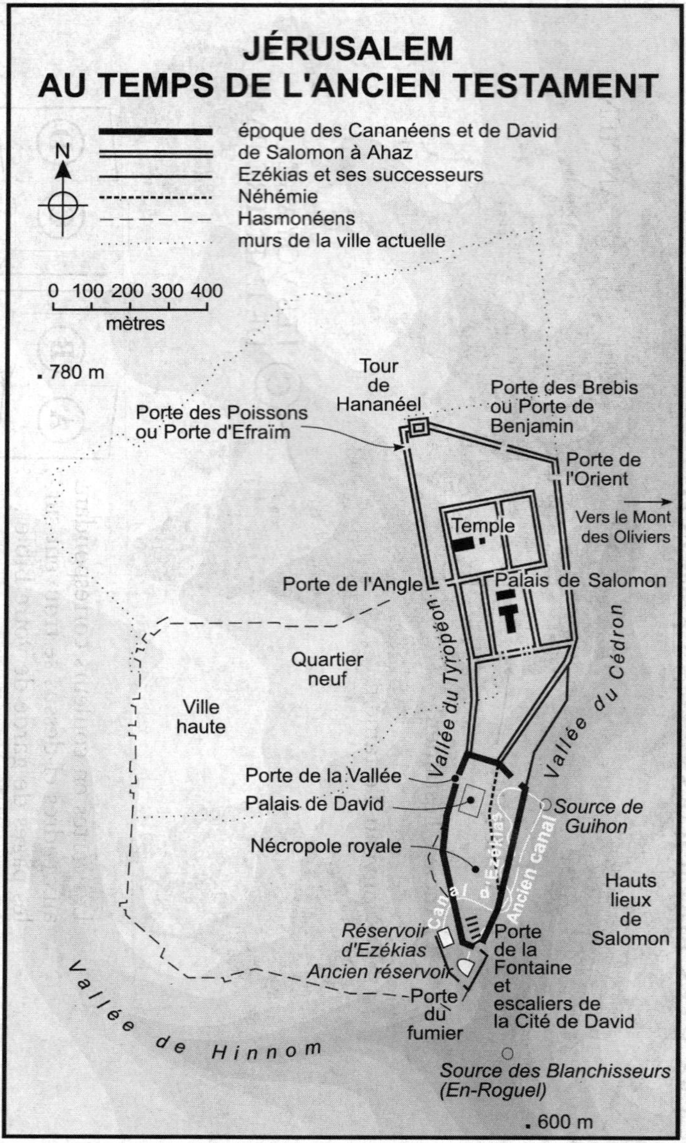

JÉRUSALEM
AU TEMPS DE L'ANCIEN TESTAMENT

époque des Cananéens et de David
de Salomon à Ahaz
Ezékias et ses successeurs
Néhémie
Hasmonéens
murs de la ville actuelle

N

0 100 200 300 400
mètres

. 780 m

Tour
de
Hananéel

Porte des Poissons
ou Porte d'Efraïm

Porte des Brebis
ou Porte de
Benjamin

Porte de
l'Orient

Vers le Mont
des Oliviers

Temple

Porte de l'Angle

Palais de Salomon

Quartier
neuf

Ville
haute

Vallée du Tyropéon

Vallée du Cédron

Porte de la Vallée

Palais de David

Source de
Guihon

Nécropole royale

Canal d'Ezékias

Ancien canal

Hauts
lieux
de
Salomon

Réservoir
d'Ezékias

Ancien réservoir

Porte
de la
Fontaine
et
escaliers de
la Cité de David

Porte
du
fumier

Vallée de Hinnom

Source des Blanchisseurs
(En-Roguel)

. 600 m

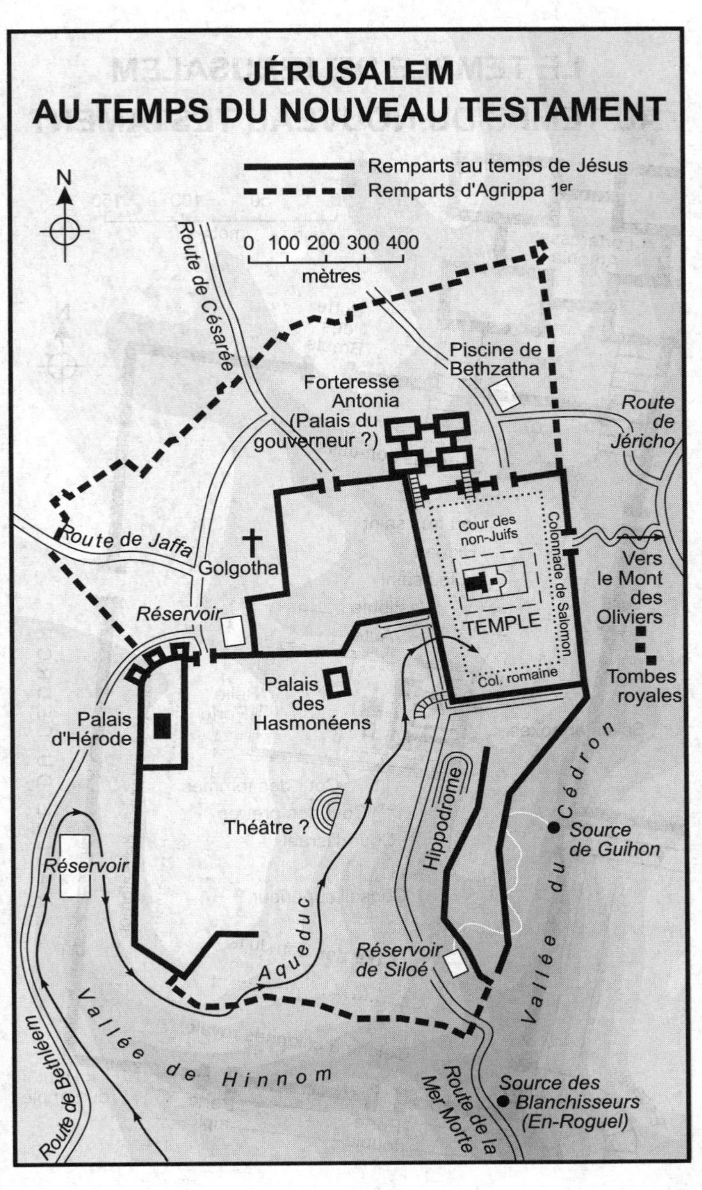
JÉRUSALEM
AU TEMPS DU NOUVEAU TESTAMENT
Remparts au temps de Jésus
Remparts d'Agrippa 1er
N
0 100 200 300 400
mètres
Route de Césarée
Piscine de Bethzatha
Forteresse Antonia (Palais du gouverneur ?)
Route de Jéricho
Cour des non-Juifs
Colonnade de Salomon
Route de Jaffa
Golgotha
Vers le Mont des Oliviers
Réservoir
TEMPLE
Col. romaine
Tombes royales
Palais des Hasmonéens
Palais d'Hérode
Vallée du Cédron
Hippodrome
Théâtre ?
Source de Guihon
Réservoir
Aqueduc
Réservoir de Siloé
Vallée de Hinnom
Route de Bethléem
Route de la Mer Morte
Source des Blanchisseurs (En-Roguel)

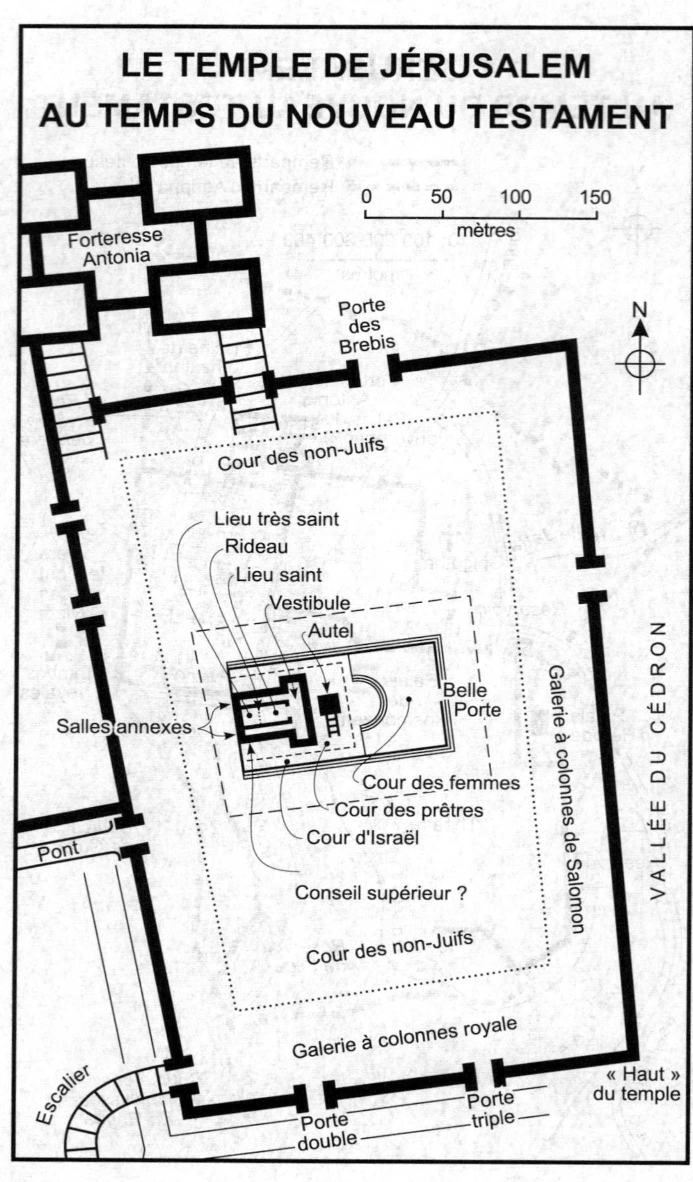
LE TEMPLE DE JÉRUSALEM
AU TEMPS DU NOUVEAU TESTAMENT
0
50
100
150
mètres
Forteresse Antonia
Porte des Brebis
N
Cour des non-Juifs
Lieu très saint
Rideau
Lieu saint
Vestibule
Autel
Belle Porte
Salles annexes
Cour des femmes
Cour des prêtres
Cour d'Israël
Conseil supérieur ?
Cour des non-Juifs
Galerie à colonnes de Salomon
VALLÉE DU CÉDRON
Pont
Galerie à colonnes royale
Escalier
« Haut » du temple
Porte double
Porte triple

LES LIVRES BIBLIQUES : liste alphabétique

ANCIEN TESTAMENT

NOUVEAU TESTAMENT

Photocomposition COMPOS JULIOT - PARIS

IMPRIMÉ EN CORÉE

Lire et comprendre la Bible. Quelques outils-clés

Panorama de l'histoire biblique

Les pages qui suivent t'offrent un panorama de l'histoire biblique. La colonne du milieu indique à quelles époques se situent les événements mentionnés dans la Bible. A droite de cette colonne, tu apprends dans quels livres bibliques ils sont racontés (il ne s'agit donc pas de la date de rédaction des textes en question !). Dans la colonne de gauche, tu trouves des dates importantes de l'histoire du monde, qui te serviront de repères.

PANORAMA

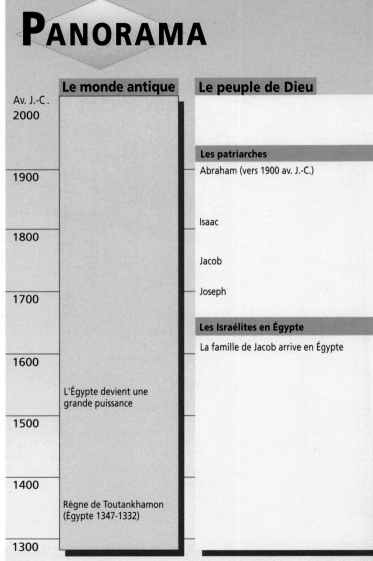

Av. J.-C.	Le monde antique	Le peuple de Dieu
2000		
		Les patriarches
1900		Abraham (vers 1900 av. J.-C.)
		Isaac
1800		Jacob
1700		Joseph
		Les Israélites en Égypte
		La famille de Jacob arrive en Égypte
1600	L'Égypte devient une grande puissance	
1500		
1400	Règne de Toutankhamon (Égypte 1347-1332)	
1300		

E L'HISTOIRE BIBLIQUE

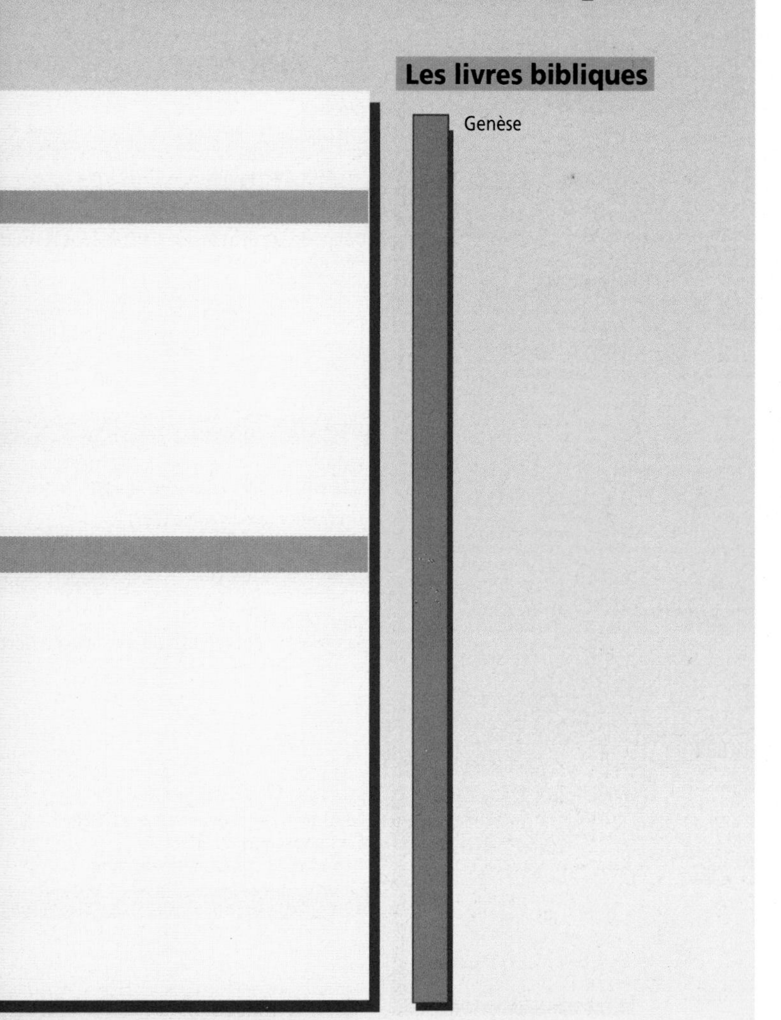

PANORAMA

Av. J.-C.	Le monde antique	Le peuple de Dieu
1300	Séthi Ier (1303-1290) et Ramsès II (1290-1224) construisent de grandes villes dans le delta du Nil	Moïse **Sortie d'Égypte et traversée du désert** Les Israélites reçoivent la loi de Dieu **Conquête de Canaan et sédentarisation**
1200		Début de la conquête de Canaan sous la cond Période des juges
1100	L'Assyrie devient une grande puissance	**Début de la royauté en Israël** Samuel
1000		Saül (1012-1004), David (1004-965) Unification du royaume (997) Salomon (965-926) **Le royaume est divisé: Israël (au nord)**
900		Omri (882-871) Samarie devient capitale du royaume du Nord
800	Fondation de Rome (753)	Le Assyriens prennent Samarie (722) Fin du royaume du Nord Déportation des Israélites du Nord
700	Babylone devient une grande puissance Les Babyloniens prennent Ninive (612)	
600		

E L'HISTOIRE BIBLIQUE

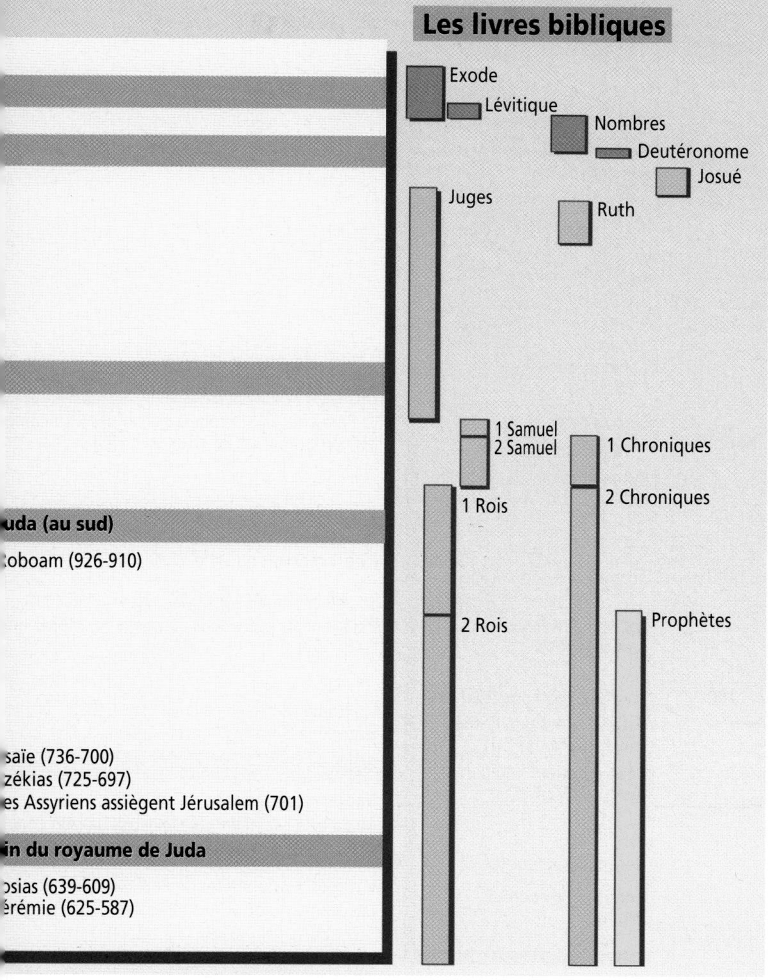
Les livres bibliques
Exode
Lévitique
Nombres
Deutéronome
Josué
Juges
Ruth
1 Samuel
2 Samuel
1 Chroniques
2 Chroniques
1 Rois
2 Rois
Prophètes
uda (au sud)
oboam (926-910)
saïe (736-700)
zékias (725-697)
es Assyriens assiègent Jérusalem (701)
in du royaume de Juda
osias (639-609)
érémie (625-587)

PANORAMA

	Le monde antique	Le peuple de Dieu
Av. J.-C.		
600	Les Perses prennent Babylone (539)	
500		
400	Alexandre le Grand (333-323) Empire grec	**Période intertestamentaire** La Palestine est soumise aux Lagides (Ptolémée (Grecs régnant en Égypte) (312-198)
300	Rome domine toute l'Italie (266)	La Palestine est soumise aux Séleucides (Grecs régnant en Syrie) (218-143)
200	Les Romains détruisent Carthage (146)	Soulèvement des Juifs (Maccabées) (166-143) Indépendance des Juifs (dynastie hasmonéenn (143/2-63)
100	Assassinat de Jules César (44) Bataille d'Actium, Rome soumet l'Égypte (31) Octave devient l'empereur (Auguste) (27)	Les Romains occupent la Palestine (63) Hérode le Grand (37 av. J. - C.-4 ap. J.-C.) **Jésus** Naissance de Jésus (vers 7 av. J.-C.)
	Néron, empereur (54-68) Domitien, empereur (81-96)	Mort et résurrection de Jésus (vers 30 ap. J-C.) **Naissance de l'Église et voyages missionn** Voyages missionnaires de Paul (48-57) Les Romains détruisent Jérusalem (70)
100 ap. J.-C.		

E L'HISTOIRE BIBLIQUE

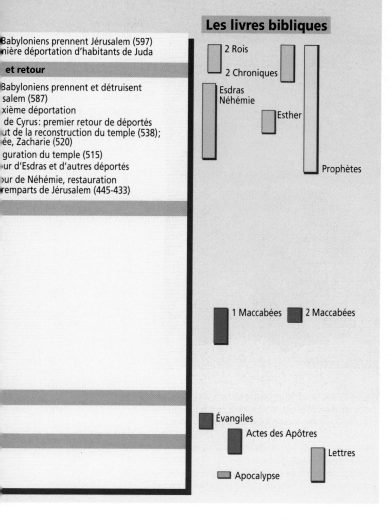

Babyloniens prennent Jérusalem (597)
nière déportation d'habitants de Juda

et retour

Babyloniens prennent et détruisent
salem (587)
xième déportation
de Cyrus: premier retour de déportés
ut de la reconstruction du temple (538);
ée, Zacharie (520)
guration du temple (515)
ur d'Esdras et d'autres déportés
our de Néhémie, restauration
remparts de Jérusalem (445-433)

Les livres bibliques

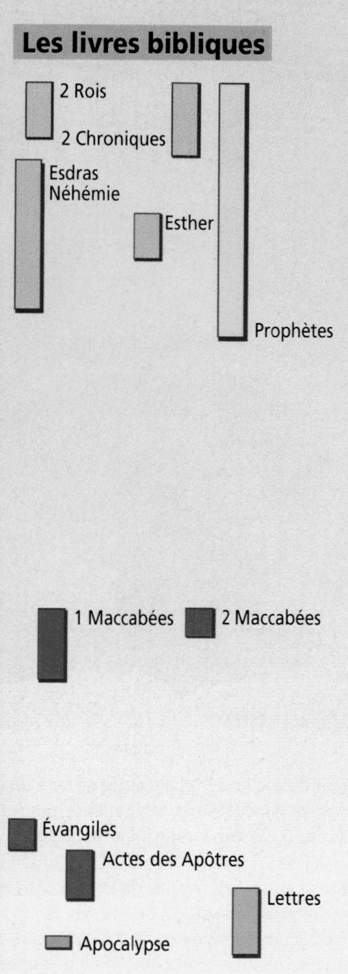

PROGRAMME D

Peut-être as-tu maintenant envie de faire tes propres découvertes dans la Bible. L'expérience prouve qu'il vaut mieux ne pas commencer n'importe où sans savoir où l'on va, mais de faire certains choix et de s'organiser, éventuellement en suivant un plan de lecture. Si tu es prêt à lire la Bible régulièrement, tu peux suivre le programme qui se trouve aux pages en couleur 85 à 89. Il te propose un texte plus ou moins long pour chaque jour et te permet de découvrir les passages les plus importants de la Bible en une année. Tu n'es pas obligé d'attendre le 1er janvier, tu peux commencer dès aujourd'hui !

Certains textes intéressants en rapport avec les fêtes chrétiennes dont la date varie d'une année à l'autre sont regroupés à part, à la page en couleur 89.

ECTURE BIBLIQUE

JANVIER

1. Psaume 145 ☐
2. Psaume 121 ☐
3. Psaume 32 ☐
4. Psaume 62 ☐
5. Psaume 116 ☐
6. Matthieu 2.1-12 ☐
7. Matthieu 2.13-23 ☐
8. Luc 2.41-52 ☐
9. Matthieu 3.1-12 ☐
10. Matthieu 3.13–4.11 ☐
11. Matthieu 4.12-22 ☐
12. Luc 5.1-11 ☐
13. Matthieu 4.23–5.12 ☐
14. Matthieu 5.13-20 ☐
15. Matthieu 5.21-26 ☐
16. Matthieu 5.27-32 ☐
17. Matthieu 5.33-37 ☐
18. Matthieu 5.38-48 ☐
19. Matthieu 6.1-18 ☐
20. Matthieu 6.19-34 ☐
21. Matthieu 7.1-12 ☐
22. Matthieu 7.13-29 ☐
23. Matthieu 8.1-13 ☐
24. Matthieu 11.2-19 ☐
25. Matthieu 11.20-30 ☐
26. Matthieu 18.21-35 ☐
27. Matthieu 20.1-16 ☐
28. Marc 2.1-12 ☐
29. Marc 2.13-17 ☐
30. Marc 2.18-22 ☐
31. Marc 2.23–3.6 ☐

FÉVRIER

1. Marc 3.20-35 ☐
2. Marc 4.1-9.13-20 ☐
3. Marc 4.26-34 ☐
4. Marc 4.35-41 ☐
5. Marc 5.21-43 ☐
6. Marc 6.1-6a ☐
7. Marc 6.14-29 ☐
8. Marc 7.1-23 ☐
9. Marc 7.24-30 ☐
10. Marc 8.27–9.1 ☐
11. Marc 9.2-10 ☐
12. Marc 9.14-29 ☐
13. Luc 7.36-50 ☐
14. Luc 9.51-62 ☐
15. Luc 10.25-37 ☐
16. Luc 10.38-42 ☐
17. Luc 12.13-21 ☐
18. Luc 13.1-9 ☐
19. Luc 15.1-10 ☐
20. Luc 15.11-32 ☐
21. Luc 16.19-31 ☐
22. Luc 18.9-14 ☐
23. Luc 19.1-10 ☐
24. Jean 2.1-12 ☐
25. Jean 3.1-21 ☐
26. Jean 4.1-30 ☐
27. Jean 5.1-18 ☐
28. Jean 6.1-15 ☐
29. Jean 6.16-35 ☐

MARS

1. Jean 6.41-59 ☐
2. Jean 6.60-71 ☐
3. Jean 8.1-11 ☐
4. Jean 10.1-18 ☐
5. Jean 11.1-18 ☐
6. Jean 11.17-44 ☐
7. Jean 11.45-57 ☐
8. Marc 10.1-12 ☐
9. Marc 10.13-16 ☐
10. Marc 10.17-31 ☐
11. Marc 10.32-45 ☐
12. Marc 10.46-52 ☐
13. Marc 12.1-12 ☐
14. Marc 12.13-17 ☐
15. Marc 12.18-27 ☐
16. Marc 12.28-34 ☐
17. Marc 12.37b-44 ☐
18. Jean 13.1-17 ☐
19. Jean 14.1-14 ☐
20. Jean 14.15-31 ☐
21. Jean 15.1-17 ☐
22. Jean 17.1-26 ☐
23. Psaume 51 ☐
24. Psaumes 42–43 ☐
25. Psaume 22 ☐
26. Job 1.1-22 ☐
27. Job 2.1-10 ☐
28. Job 2.11–3.26 ☐
29. Job 7.1-21 ☐
30. Job 8.1-22 ☐
31. Job 9.1-35 ☐

PROGRAMME D

AVRIL		MAI		JUIN	
1. Job 15.1-35	☐	1. Genèse 27.30-45	☐	1. Exode 15.1-21	☐
2. Job 19.1-29	☐	2. Genèse 28.10-22	☐	2. Exode 16.1-18	☐
3. Job 30.20–31.40	☐	3. Genèse 29.1-30	☐	3. Exode 16.19-30	☐
4. Job 38.1–40.5	☐	4. Genèse 30.25-42	☐	4. Exode 17.1-13	☐
5. Job 42.1-17	☐	5. Genèse 30.43–31.21	☐	5. Exode 19.1-25	☐
6. Psaume 23	☐	6. Genèse 32.2-22	☐	6. Exode 20.1-21	☐
7. Psaume 73	☐	7. Genèse 32.23-33	☐	7. Exode 24.12-18; 32.1-8	☐
8. Psaume 30	☐	8. Genèse 33.1-11a	☐	8. Exode 32.15-35	☐
9. Genèse 1.1–2.4a	☐	9. Genèse 37.1-11	☐	9. Exode 33.1-23	☐
10. Genèse 2.4b-25	☐	10. Genèse 37.12-36	☐	10. Exode 39.32–40.38	☐
11. Genèse 3.1-24	☐	11. Genèse 39.1–40.4	☐	11. Lévitique 16.1-34	☐
12. Genèse 4.1-16	☐	12. Genèse 40.5-23	☐	12. Lévitique 19.1-18.31-37	☐
13. Genèse 6.5-22	☐	13. Genèse 41.1-24	☐	13. Nombres 6.1-7.22-27	☐
14. Genèse 7.1-23	☐	14. Genèse 41.25-52	☐	14. Nombres 13.1–14.10	☐
15. Genèse 7.24-8.22	☐	15. Genèse 41.53–42.24a	☐	15. Nombres 14.11-45	☐
16. Genèse 9.1-17	☐	16. Genèse 42.24b-38	☐	16. Deutéronome 1.1-5; 6.1-25	☐
17. Genèse 11.1-9	☐	17. Genèse 43.1-34	☐	17. Deutéronome 12.1-19	☐
18. Genèse 12.1-9	☐	18. Genèse 44.1-13	☐	18. Deutéronome 15.1-18	☐
19. Genèse 13.1-18	☐	19. Genèse 44.14–45.15	☐	19. Deutéronome 16.1-17	☐
20. Genèse 16.1-16	☐	20. Genèse 45.16-28	☐	20. Deutéronome 28.69; 30.11-20	☐
21. Genèse 17.1-27	☐	21. Genèse 47.27–48.22	☐	21. Deutéronome 31.1-13	☐
22. Genèse 18.1-15	☐	22. Genèse 50.15-26	☐	22. Deutéronome 34.1-12	☐
23. Genèse 18.16-33	☐	23. Exode 1.1-22	☐	23. Josué 1.1-9	☐
24. Genèse 19.1-29	☐	24. Exode 2.1-10	☐	24. Josué 2.1-24	☐
25. Genèse 21.1-21	☐	25. Exode 2.11-22	☐	25. Josué 6.1-27	☐
26. Genèse 22.1-14	☐	26. Exode 3.1-17	☐	26. Josué 23.1-16	☐
27. Genèse 24.1-27	☐	27. Exode 5.1–6.1	☐	27. Josué 24.1-28	☐
28. Genèse 24.28-67	☐	28. Exode 12.1-28	☐	28. Juges 2.6-23	☐
29. Genèse 25.19-34	☐	29. Exode 12.29-42	☐	29. Juges 4.1-24	☐
30. Genèse 27.1-29	☐	30. Exode 13.17–14.9	☐	30. Juges 6.1-24	☐
		31. Exode 14.10-31	☐		

ECTURE BIBLIQUE

JUILLET

1. Juges 6.25-40 ☐
2. Juges 7.1-22 ☐
3. 1 Samuel 1.1-19 ☐
4. 1 Samuel 1.20–2.11 ☐
5. 1 Samuel 3.1–4.1a ☐
6. 1 Samuel 8.1-22 ☐
7. 1 Samuel 9.1-25 ☐
8. 1 Samuel 9.26–10.16 ☐
9. 1 Samuel 10.17-27 ☐
10. 1 Samuel 11.1-15 ☐
11. 1 Samuel 15.1-35 ☐
12. 1 Samuel 16.1-13 ☐
13. 1 Samuel 17.1-30 ☐
14. 1 Samuel 17.31-54 ☐
15. 1 Samuel 17.55–18.16 ☐
16. 1 Samuel 19.1-17 ☐
17. 1 Samuel 22.1-2; 23.1-13 ☐
18. 1 Samuel 24.1-23 ☐
19. 1 Samuel 28.3-25 ☐
20. 1 Samuel 31.1-13 ☐
21. 2 Samuel 1.1-27 ☐
22. 2 Samuel 2.1-11 ☐
23. 2 Samuel 4.1-2a; 5-12 ☐
24. 2 Samuel 5.1-12 ☐
25. 2 Samuel 7.1-29 ☐
26. 2 Samuel 11.1-27 ☐
27. 2 Samuel 12.1-25 ☐
28. 2 Samuel 24.1-25 ☐
29. 1 Rois 1.1-53 ☐
30. 1 Rois 3.1-28 ☐
31. 1 Rois 6.1-13; 8.1-13 ☐

AOÛT

1. 1 Rois 8.14-30.54-61 ☐
2. 1 Rois 10.1-13; 11.1-13 ☐
3. 1 Rois 11.41–12.25 ☐
4. 1 Rois 12.26–13.10 ☐
5. 1 Rois 16.29–17.24 ☐
6. 1 Rois 18.1-46 ☐
7. 1 Rois 19.1-21 ☐
8. 1 Rois 21.1-29 ☐
9. 2 Rois 2.1-18 ☐
10. 2 Rois 5.1-27 ☐
11. 2 Rois 17.1-23 ☐
12. Osée 1.1-9 ☐
13. Osée 8.1-14 ☐
14. Osée 11.1-11 ☐
15. Amos 3.1-15 ☐
16. Amos 5.1-17 ☐
17. Amos 5.18-24 ☐
18. Amos 7.1-17 ☐
19. 2 Rois 18.1-37 ☐
20. 2 Rois 19.1-37 ☐
21. 2 Rois 24.8-17 ☐
22. 2 Rois 24.18–25.21 ☐
23. Jérémie 1.1-19 ☐
24. Jérémie 2.1-13 ☐
25. Jérémie 7.1-20 ☐
26. Jérémie 19.1-15 ☐
27. Jérémie 20.1-18 ☐
28. Jérémie 27.1-22 ☐
29. Jérémie 28.1-17 ☐
30. Jérémie 29.1-20 ☐
31. Jérémie 31.27-37 ☐

SEPTEMBRE

1. Jérémie 37.1-21 ☐
2. Jérémie 38.1-13 ☐
3. Jérémie 38.14-28a; 39.11-14 ☐
4. Ézékiel 1.1-28 ☐
5. Ézékiel 2.1–3.15 ☐
6. Ézékiel 8.1-18 ☐
7. Ézékiel 11.1-21 ☐
8. Ézékiel 16.1-43 ☐
9. Ézékiel 18.1-32 ☐
10. Ézékiel 34.1-30 ☐
11. Ézékiel 37.1-14 ☐
12. Daniel 1.1-21 ☐
13. Daniel 3.1-30 ☐
14. Daniel 5.1–6.1 ☐
15. Daniel 6.2-29 ☐
16. Daniel 7.1-28 ☐
17. Esdras 1.1-11 ☐
18. Esdras 3.1-13; 6.14-22 ☐
19. Esdras 7.1-28 ☐
20. Néhémie 7.72b–8.18 ☐
21. Néhémie 9.1-37 ☐
22. Néhémie 10.1-40 ☐
23. Psaume 1 ☐
24. Psaumes 119.89-112, 169-176 ☐
25. Actes des Apôtres 3.1-26 ☐
26. Actes des Apôtres 4.1-22 ☐
27. Actes des Apôtres 4.32–5.11 ☐
28. Actes des Apôtres 5.12-42 ☐
29. Actes des Apôtres 6.1-15 ☐
30. Actes des Apôtres 7.1–8.1 ☐

PROGRAMME D

OCTOBRE

1. Actes des Apôtres 8.2-8.26-40 ☐
2. Actes des Apôtres 9.1-25 ☐
3. Actes des Apôtres 10.1-33 ☐
4. Actes des Apôtres 10.34-11.18 ☐
5. Actes des Apôtres 11.19-26 ☐
6. Actes des Apôtres 15.1-35 ☐
7. Actes des Apôtres 16.1-15 ☐
8. Actes des Apôtres 16.16-40 ☐
9. Philippiens 1.1-26 ☐
10. Philippiens 2.1-18 ☐
11. Philippiens 3.1–4.1 ☐
12. Philippiens 4.2-20 ☐
13. Actes des Apôtres 17.16-34 ☐
14. Actes des Apôtres 18.1-23 ☐
15. Actes des Apôtres 19.21-40 ☐
16. Actes des Apôtres 20.1-3.17-38 ☐
17. Actes des Apôtres 21.1-16 ☐
18. Actes des Apôtres 21.17-40 ☐
19. Actes des Apôtres 22.1-29 ☐
20. Actes des Apôtres 22.30–23.22 ☐
21. Actes des Apôtres 23.23–24.23 ☐
22. Actes des Apôtres 24.24–25.12 ☐
23. Actes des Apôtres 27.1-26 ☐
24. Actes des Apôtres 27.27-44 ☐
25. Actes des Apôtres 28.1-31 ☐
26. Romains 1.1-17 ☐
27. Romains 1.18-32 ☐
28. Romains 2.1-16 ☐
29. Romains 2.17-29 ☐
30. Romains 3.1-20 ☐
31. Romains 3.21-31 ☐

NOVEMBRE

1. Romains 5.1-11 ☐
2. Romains 8.1-17 ☐
3. Romains 8.18-39 ☐
4. Romains 12.1-21 ☐
5. Romains 14.1-23 ☐
6. 1 Corinthiens 1.1-25 ☐
7. 1 Corinthiens 1.26–2.5 ☐
8. 1 Corinthiens 3.1-23 ☐
9. 1 Corinthiens 4.1-20 ☐
10. 1 Corinthiens 6.1-20 ☐
11. 1 Corinthiens 7.1-24 ☐
12. 1 Corinthiens 7.25-40 ☐
13. 1 Corinthiens 8.1-13 ☐
14. 1 Corinthiens 9.1-27 ☐
15. 1 Corinthiens 11.17-34 ☐
16. 1 Corinthiens 12.1-31 ☐
17. 1 Corinthiens 13.1-13 ☐
18. 1 Corinthiens 15.1-34 ☐
19. 1 Corinthiens 15.35-58 ☐
20. Proverbes 8.1-11 ☐
21. Proverbes 8.12-21 ☐
22. Proverbes 8.22-36 ☐
23. Proverbes 9.1-18 ☐
24. Proverbes 31.1-9 ☐
25. Proverbes 31.10-31 ☐
26. Matthieu 24.36–25.13 ☐
27. Matthieu 25.14-30 ☐
28. Matthieu 25.31-46 ☐
29. Apocalypse 1.1-3; 4.1–5.14 ☐
30. Apocalypse 7.1-17 ☐

DÉCEMBRE

1. Apocalypse 12.1-18 ☐
2. Apocalypse 21.1–22.5 ☐
3. Ésaïe 6.1-13 ☐
4. Ésaïe 7.1-17 ☐
5. Ésaïe 8.11-20 ☐
6. Ésaïe 8.21–9.6 ☐
7. Ésaïe 10.33–11.10 ☐
8. Ésaïe 2.1-5 ☐
9. Ésaïe 30.1-17 ☐
10. Ésaïe 30.18-31 ☐
11. Ésaïe 40.1-11 ☐
12. Ésaïe 40.12-31 ☐
13. Ésaïe 42.18–43.7 ☐
14. Ésaïe 49.14-26 ☐
15. Ésaïe 52.13–53.12 ☐
16. Ésaïe 55.6-11 ☐
17. Ésaïe 58.1-22 ☐
18. Ésaïe 60.1-22 ☐
19. Ésaïe 65.16b-25 ☐
20. Luc 1.5-25 ☐
21. Luc 1.26-38 ☐
22. Luc 1.39-56 ☐
23. Luc 1.57-80 ☐
24. Luc 2.1-20 ☐
25. Jean 1.1-18 ☐
26. Luc 2.21-40 ☐
27. Psaume 98 ☐
28. Psaume 103 ☐
29. Psaume 107 ☐
30. Psaume 139 ☐
31. Psaume 90 ☐

ECTURE BIBLIQUE

Les fêtes chrétiennes mobiles

SEMAINE SAINTE

Dimanche des Rameaux	Matthieu 21.1-13
Lundi	Marc 14.1-11
Mardi	Marc 14.12-31
Mercredi	Marc 14.32-52
Jeudi	Marc 14.53-72
Vendredi Saint	Marc 15.1-41
Samedi	Marc 15.42-47

PÂQUES

Dimanche	Marc 16.1-8,9-20
Lundi	Luc 24.13-35

ASCENSION

Actes des Apôtres 1.3-11

PENTECÔTE

Dimanche
Actes des Apôtres 2.1-21

Lundi
Actes des Apôtres 2.22-42

Coup d'œil sur les lieux et sur les pays bibliques

Les cartes des pages en couleur 91 à 95 te permettent de te faire une idée des principaux lieux et pays de la Bible. La première carte donne un aperçu de l'Orient Ancien tel que l'Ancien Testament le décrit. Les trois cartes qui suivent portent sur des régions et des lieux en Israël mentionnés régulièrement dans l'Ancien et dans le Nouveau Testament. Les deux dernières cartes enfin retracent les voyages missionnaires de l'apôtre Paul tels qu'ils sont décrits dans le livre des Actes et dans les lettres de Paul.

Tu constateras sans doute qu'un même lieu peut changer de nom d'une carte à l'autre. Cela tient au fait qu'au fil des siècles, un nom grec s'est substitué au nom hébreu de ces localités, qui ne portent donc pas exactement le même nom dans l'Ancien et dans le Nouveau Testament. Ainsi, le lieu appelé Jaffa dans l'Ancien Testament porte le nom de Joppé en Actes 9.36.

Certaines éditions de la Bible contiennent leurs propres cartes, et notamment des plans plus détaillés de Jérusalem.

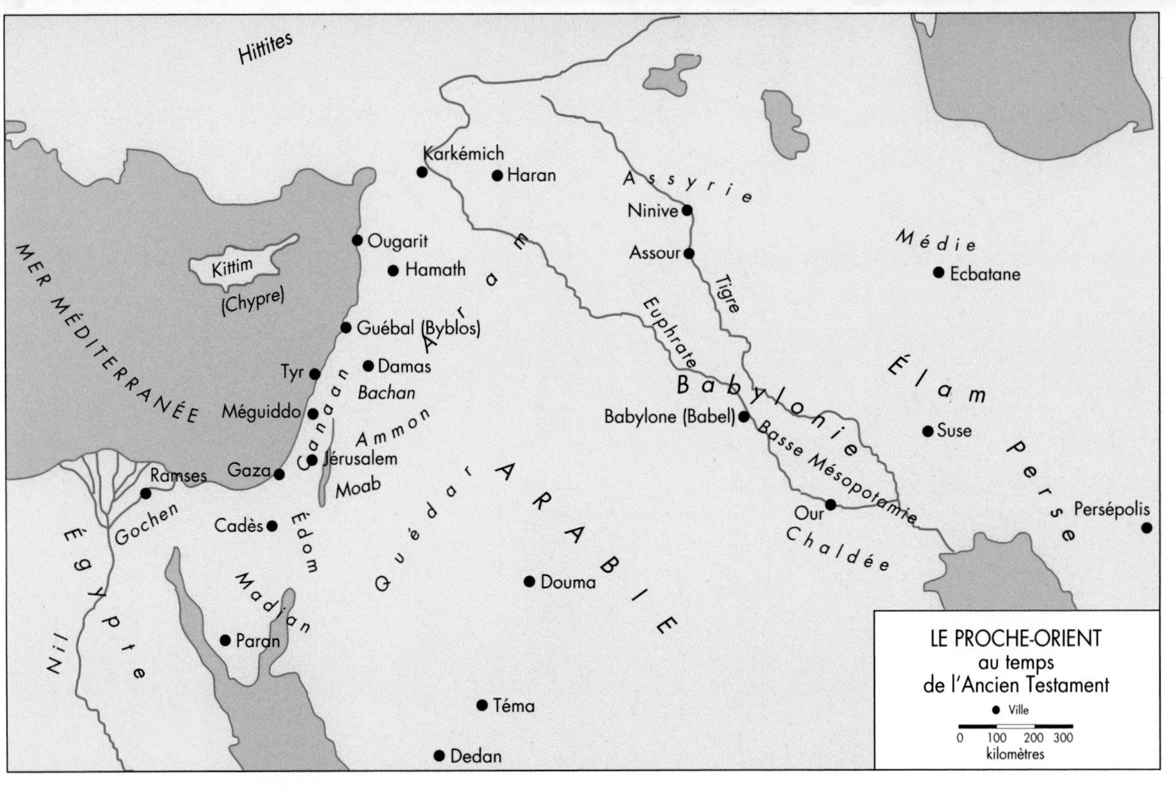
LE PROCHE-ORIENT
au temps
de l'Ancien Testament
Ville
0 100 200 300
kilomètres
Hittites
Kittim
(Chypre)
MER MÉDITERRANÉE
Karkémich
Haran
Ougarit
Hamath
Aram
Guébal (Byblos)
Damas
Bachan
Canaan
Tyr
Méguiddo
Jérusalem
Ammon
Moab
Gaza
Cadès
Édom
Guédar
Madian
Paran
Ramses
Gochen
Égypte
Nil
ARABIE
Douma
Téma
Dedan
Assyrie
Ninive
Assour
Tigre
Euphrate
Babylonie
Babylone (Babel)
Basse Mésopotamie
Our
Chaldée
Élam
Suse
Médie
Ecbatane
Perse
Persépolis

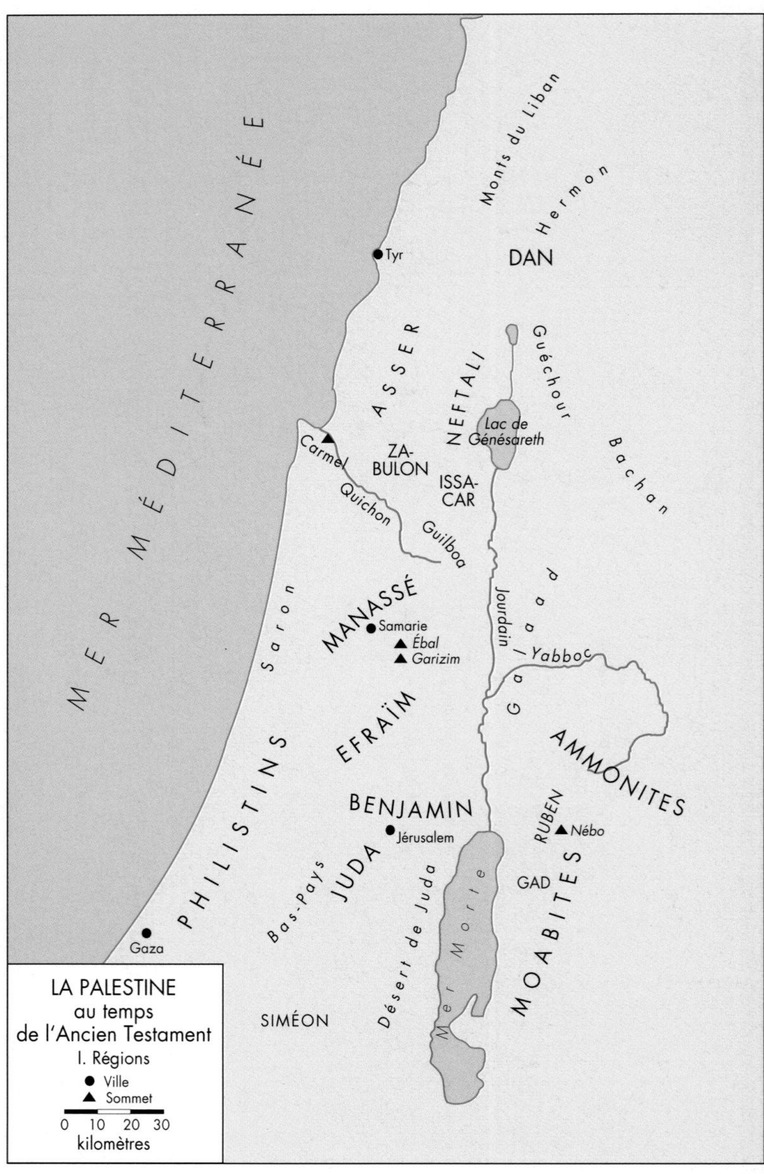
MER MÉDITERRANÉE
Monts du Liban
Hermon
Tyr
DAN
ASSER
NEFTALI
Guéchour
Lac de Génésareth
Carmel
ZA-
BULON
ISSA-
CAR
Bachan
Quichon
Guilboa
Saron
MANASSÉ
Samarie
Ébal
Garizim
Jourdain
Galaad
Yabboc
EFRAÏM
AMMONITES
PHILISTINS
BENJAMIN
RUBEN
Nébo
Jérusalem
JUDA
Bas-Pays
Désert de Juda
Mer Morte
GAD
MOABITES
Gaza
SIMÉON
LA PALESTINE
au temps
de l'Ancien Testament
I. Régions
Ville
Sommet
0 10 20 30
kilomètres

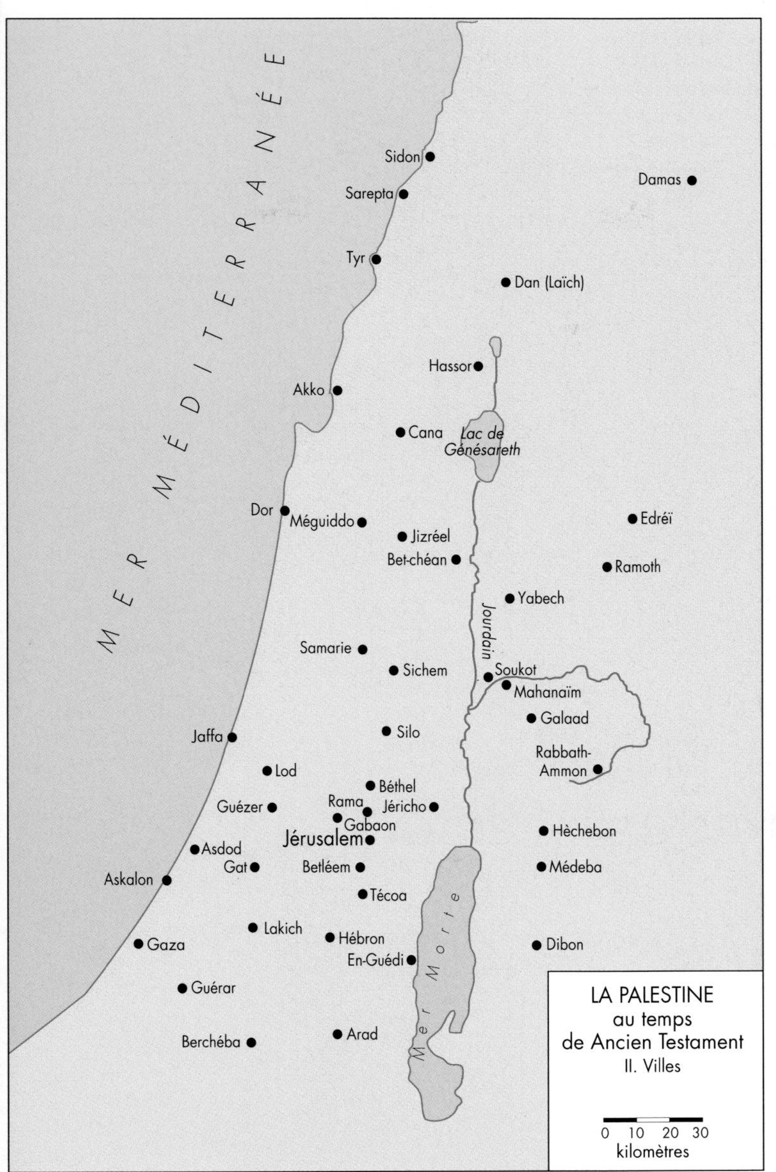
MER MÉDITERRANÉE
Sidon
Sarepta
Damas
Tyr
Dan (Laïch)
Hassor
Akko
Cana
Lac de Génésareth
Dor
Méguiddo
Jizréel
Bet-chéan
Edréï
Ramoth
Yabech
Jourdain
Samarie
Sichem
Soukot
Mahanaïm
Galaad
Jaffa
Silo
Rabbath-Ammon
Lod
Béthel
Guézer
Rama
Jéricho
Gabaon
Jérusalem
Hèchebon
Asdod
Gat
Betléem
Médeba
Askalon
Técoa
Lakich
Hébron
Dibon
Gaza
En-Guédi
Mer Morte
Guérar
Arad
Berchéba
LA PALESTINE
au temps
de Ancien Testament
II. Villes
0 10 20 30
kilomètres

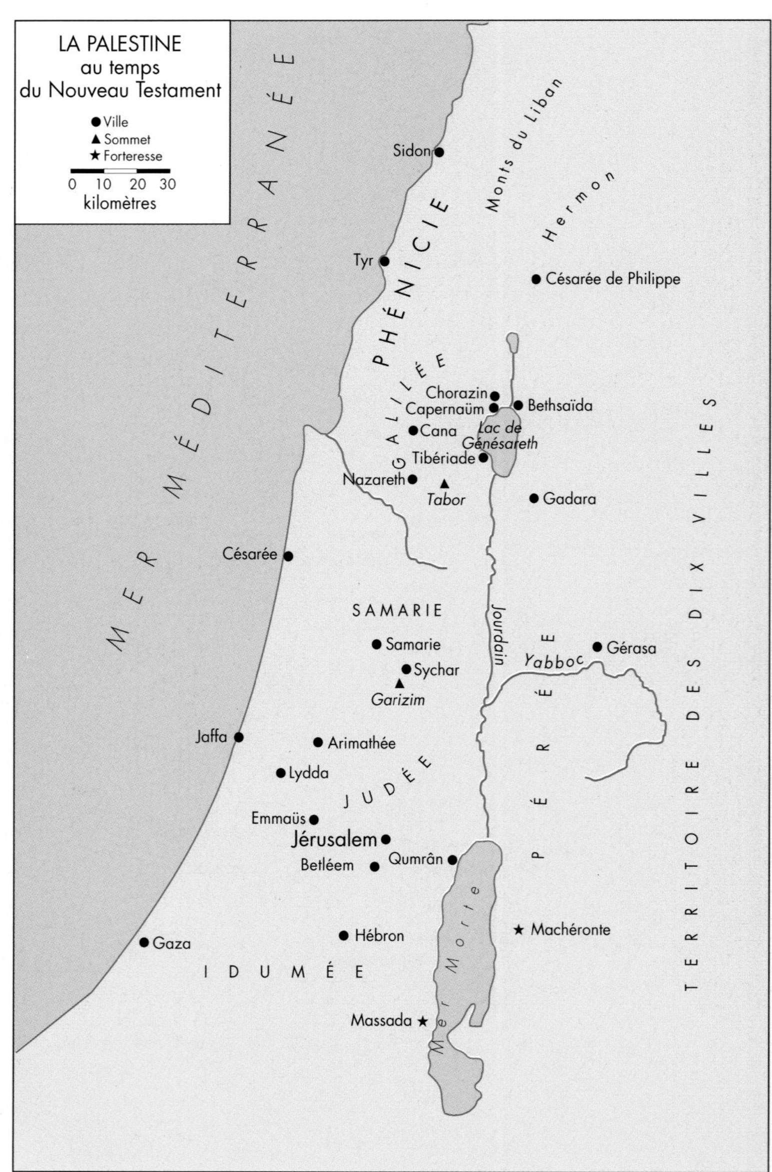
LA PALESTINE
au temps
du Nouveau Testament
Ville
Sommet
Forteresse
0 10 20 30
kilomètres
MER MÉDITERRANÉE
PHÉNICIE
Monts du Liban
Hermon
Sidon
Tyr
Césarée de Philippe
GALILÉE
Chorazin
Capernaüm
Bethsaïda
Cana
Lac de Génésareth
Tibériade
Nazareth
Tabor
Gadara
Césarée
SAMARIE
Samarie
Sychar
Garizim
Jourdain
Yabboc
Gérasa
PÉRÉE
TERRITOIRE DES DIX VILLES
Jaffa
Arimathée
Lydda
JUDÉE
Emmaüs
Jérusalem
Betléem
Qumrân
Mer Morte
Machéronte
Hébron
Gaza
IDUMÉE
Massada

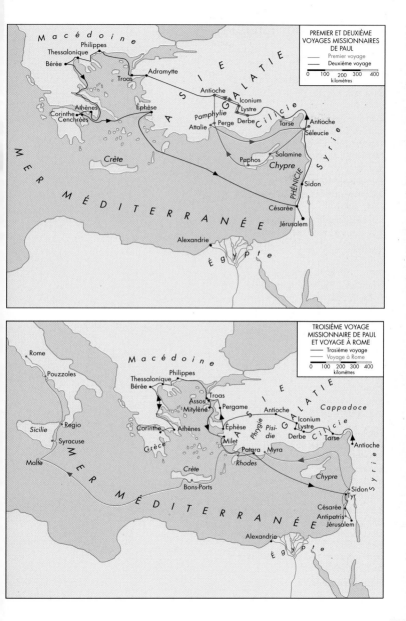

PREMIER ET DEUXIÈME VOYAGES MISSIONNAIRES DE PAUL

Premier voyage
Deuxième voyage
0 100 200 300 400
kilomètres

Macédoine
Philippes
Thessalonique
Bérée
Troas
Adramytte
ASIE
GALATIE
Antioche
Iconium
Lystre
Derbe
Pamphylie
Cilicie
Athènes
Corinthe
Cenchrées
Éphèse
Attalie
Perge
Tarse
Antioche
Séleucie
Syrie
Salamine
Paphos
Chypre
Crète
PHÉNICIE
Sidon
MER MÉDITERRANÉE
Césarée
Jérusalem
Alexandrie
Égypte

TROISIÈME VOYAGE MISSIONNAIRE DE PAUL ET VOYAGE À ROME

Trosième voyage
Voyage à Rome
0 100 200 300 400
kilomètres

Rome
Pouzzoles
Macédoine
Philippes
Thessalonique
Bérée
Troas
Assos
Pergame
Mitylène
ASIE
GALATIE
Antioche
Iconium
Cappadoce
Lystre
Derbe
Cilicie
Tarse
Antioche
Phrygie
Pisidie
Éphèse
Milet
Regio
Sicilie
Syracuse
Corinthe
Athènes
Grèce
Patara
Myra
Malte
Rhodes
Crète
Bons-Ports
Chypre
Sidon
Tyr
Syrie
MER MÉDITERRANÉE
Césarée
Antipatris
Jérusalem
Alexandrie
Égypte

Crédit photographique

Alliance biblique universelle / Maurice Harvey 36
Archiv für Kunst und Geschichte 32, 34
Bavaria 3, 5, 6, 16, 19, 48 en haut, 49, 62, 74, 85
Inge Bruland 37 en bas, 39, 56
CIRIC, J.-C. Gadmer 54, 73, 89
Marc de Clercq 37 en haut
Deutsche Bibelgesellschaft 48 en bas
dpa 60
foto-present 50, 86, 88
Wolfram Gittermann 17 à gauche, 24, 26, 42, 44/45
Sonia Halliday Photographs 45
The Image-Bank 11, 84
Christoph Knock 18, 28, 36 en haut, 55 en haut
Jochen Köhler 46 en haut
Mauritius 4, 15, 17 à droite, 21, 22, 51, 61, 65, 77, 87
Sandu Menrea, EFIAP 25 à gauche, 38, 40, 66, 68
Garo Nalbandian 59
Pictor International 7, 70
Christian Prüfer 30, 63
Ilona Raiser 25 à droite, 69
Roger-Viollet 57
Jörg Rüpke 46 en bas
Ruprecht Veigel 9, 20, 53, 55 en bas

Edition originale en allemand:
Gute Nachricht für dich

Edition française:

Couverture: Atelier Diagonal'

Bible avec les livres deutérocanoniques 1040
ISBN 2 85300 040 0
Bible sans les livres deutérocanoniques 1041
ISBN 2 85300 041 9
Livret de pages couleur seules 1042
ISBN 2 85300 042 7

Imprimé en Corée